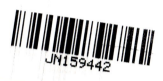

復刻版
子供の世紀

大阪（日本）児童愛護連盟＝発行

第11巻

1937年11月～38年12月
（15巻11号～16巻12号）

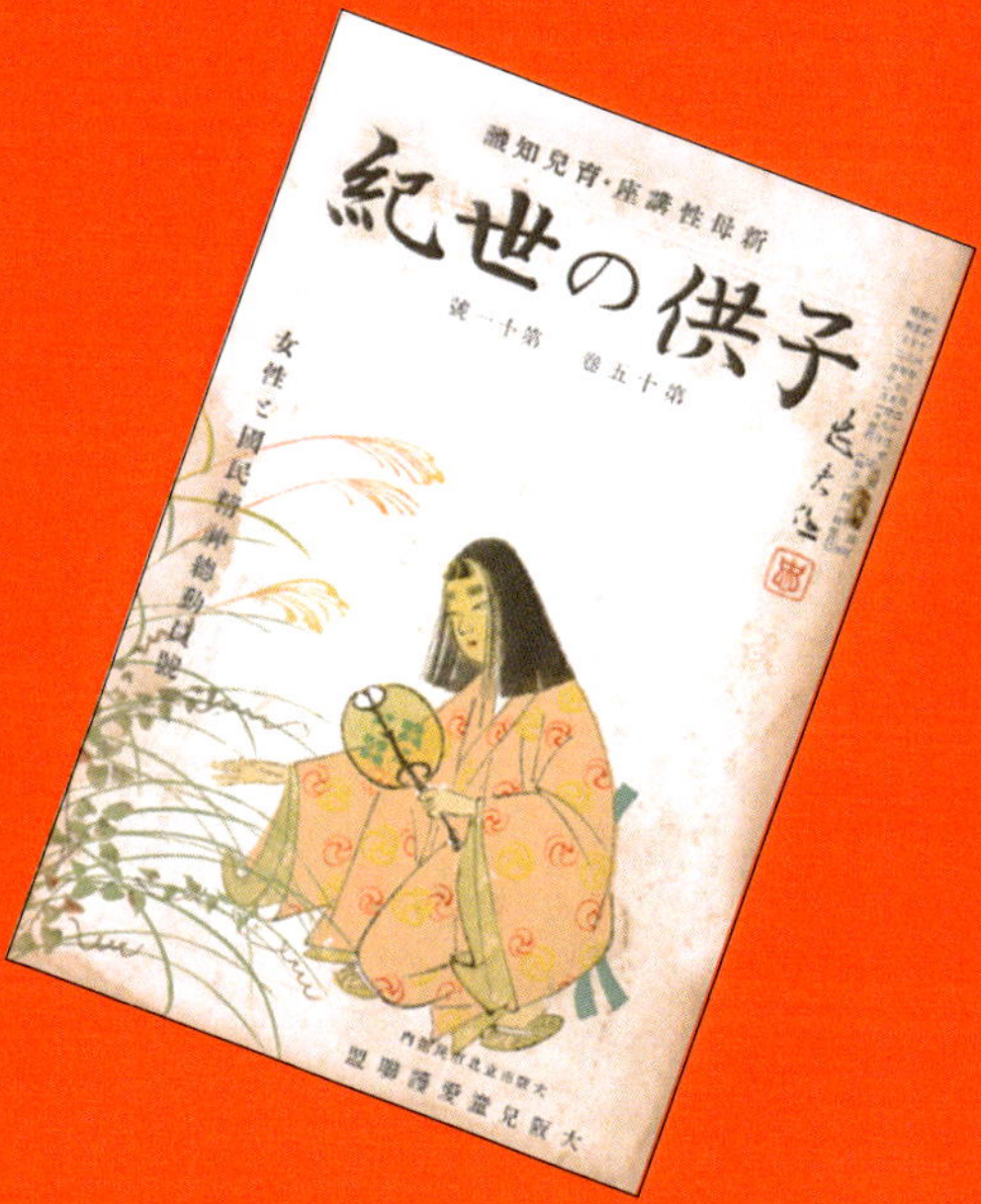

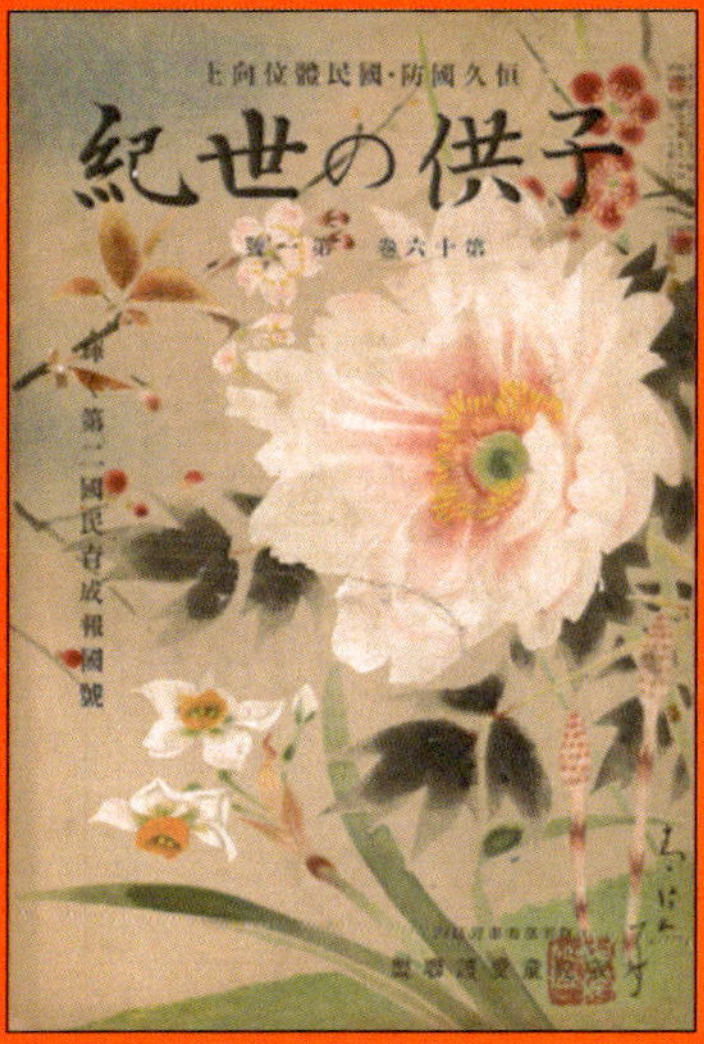

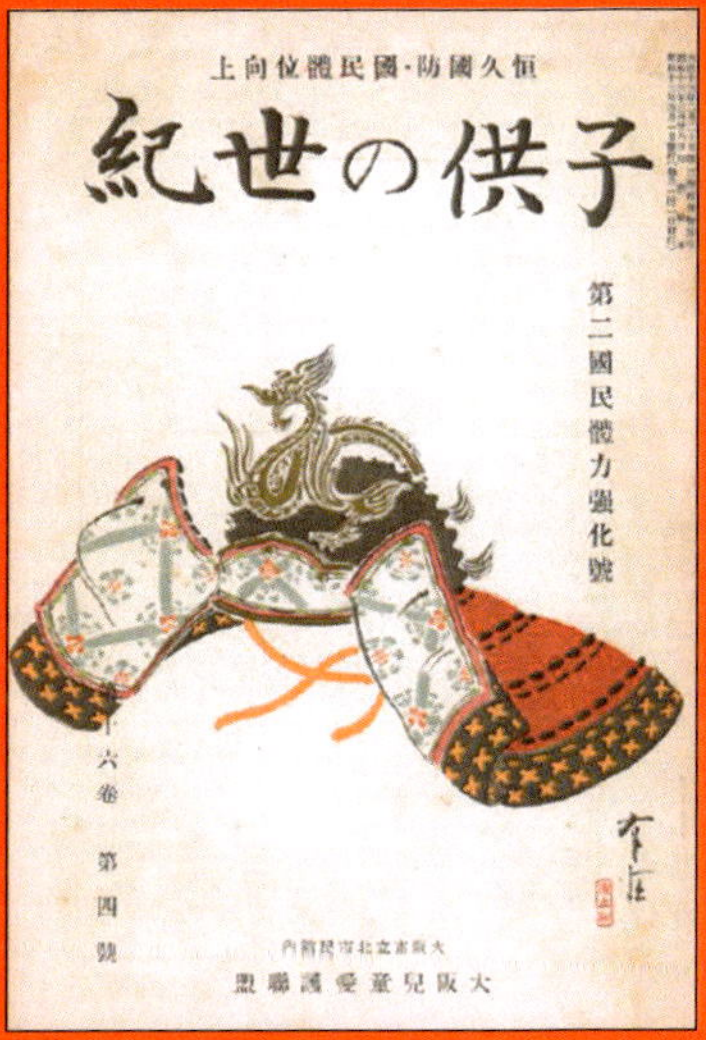

六花出版

復刻版『子供の世紀』第11巻
刊行にあたって

一、本復刻版は、一九二一年に設立された大阪（日本）児童愛護連盟の機関誌『コドモ愛護』『子供の世紀』（一九二三〜一九四四年）の現在確認されている全二二三冊を復刻するものである。

一、第1巻巻頭に菊池義昭氏・内田塔子氏による解説を掲載した。
また第15巻巻末に「総目次」のデジタルデータをCD－ROMに収録し、付す予定である。

一、本巻の原資料収集にあたっては、左記の機関のご協力を得た。改めて御礼を申し上げます。（順不同・敬称略）
日本玩具博物館、北海道大学附属図書館、北海道大学大学院医学研究科・医学部図書館

一、資料の中には、人権の視点から見て不適切な語句・表現・論もあるが、歴史的資料の復刻という性質上、そのまま収録した。

一、資料の中の個人の名前・本籍地・出生年月日などの個人情報については、個人が特定されることによって人権が侵害されるおそれがあると考えられる場合は、一部を[redacted]で伏せた。本復刻が学術研究に活用されることを目的としていることを理解されたい。

一、本巻九八頁の一部、二八五〜二八六頁の一部の村岡花子氏の記事は、著作権継承者の許諾が得られず収録できませんでした。

一、刊行にあたってはなるべく状態の良い原資料を使用するように努力したが、原本の状態や複写の環境等によって読みにくい箇所があることをお断りいたします。

一、復刻にあたって、原資料を適宜縮小し、復刻版一ページにつき四面を収録した。

（編集部）

［第11巻 目次］

巻号数●発行年月——復刻版ページ

◉全巻収録内容

第1巻	一巻三号～四巻一二号 解説＝菊池義昭・内田塔子
第2巻	五巻一号～六巻四号
第3巻	六巻五号～七巻六号
第4巻	七巻七号～八巻一〇号
第5巻	八巻一一号～九巻一二号
第6巻	一〇巻一号～一一巻二号
第7巻	一一巻三号～一二巻四号
第8巻	一二巻五号～一三巻六号
第9巻	一三巻七号～一四巻八号
第10巻	一四巻九号～一五巻一〇号
第11巻	一五巻一一号～一六巻一二号
第12巻	一七巻一号～一八巻二号
第13巻	一八巻三号～一九巻四号
第14巻	一九巻五号～二〇巻六号
第15巻	二〇巻七号～二一巻四号 付録＝総目次デジタルデータ（CD－ROM）

新母性講座・育兒知識

子供の世紀

第十五巻　第十一號

女性と國民精神總動員號

大正十三年二月二十日第[illegible]認可
昭和十二年十月廿八日印刷納本
昭和十二年十一月一日發行（毎月一回一日發行）

大阪兒童愛護聯盟
大阪市立北市民館内

『子供の世紀』（第十五巻第十一號）女性と國民精神總動員號

目次

本文

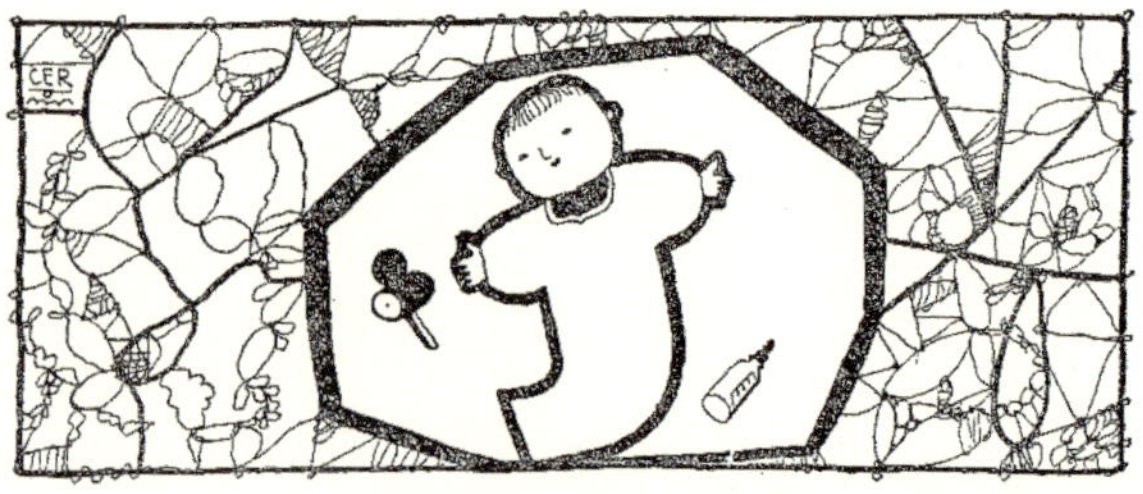

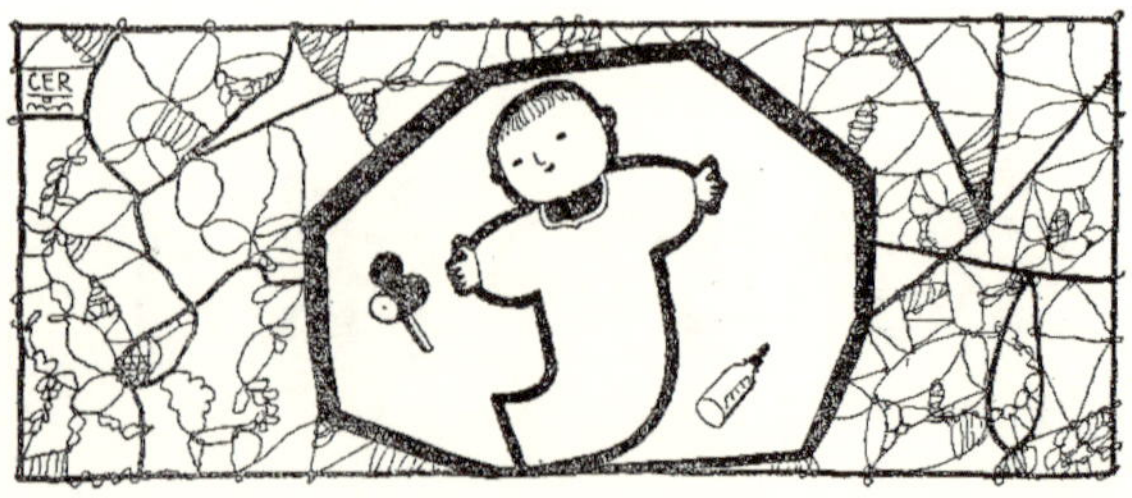

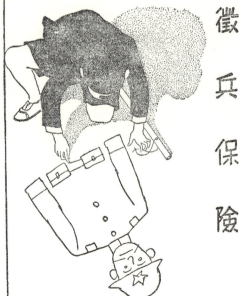

銃後の健康兒を祝福さるゝ坂間大阪市長

本聯盟主催第十五回記念全大阪乳幼兒審査會開催さるゝや、我等の會長坂間大阪市長は御繁多の時を割かれて來場され、全關西より集まれる代表的な健康優良兒を祝福されたが、それは非常時下にふさはしい情景であつた。

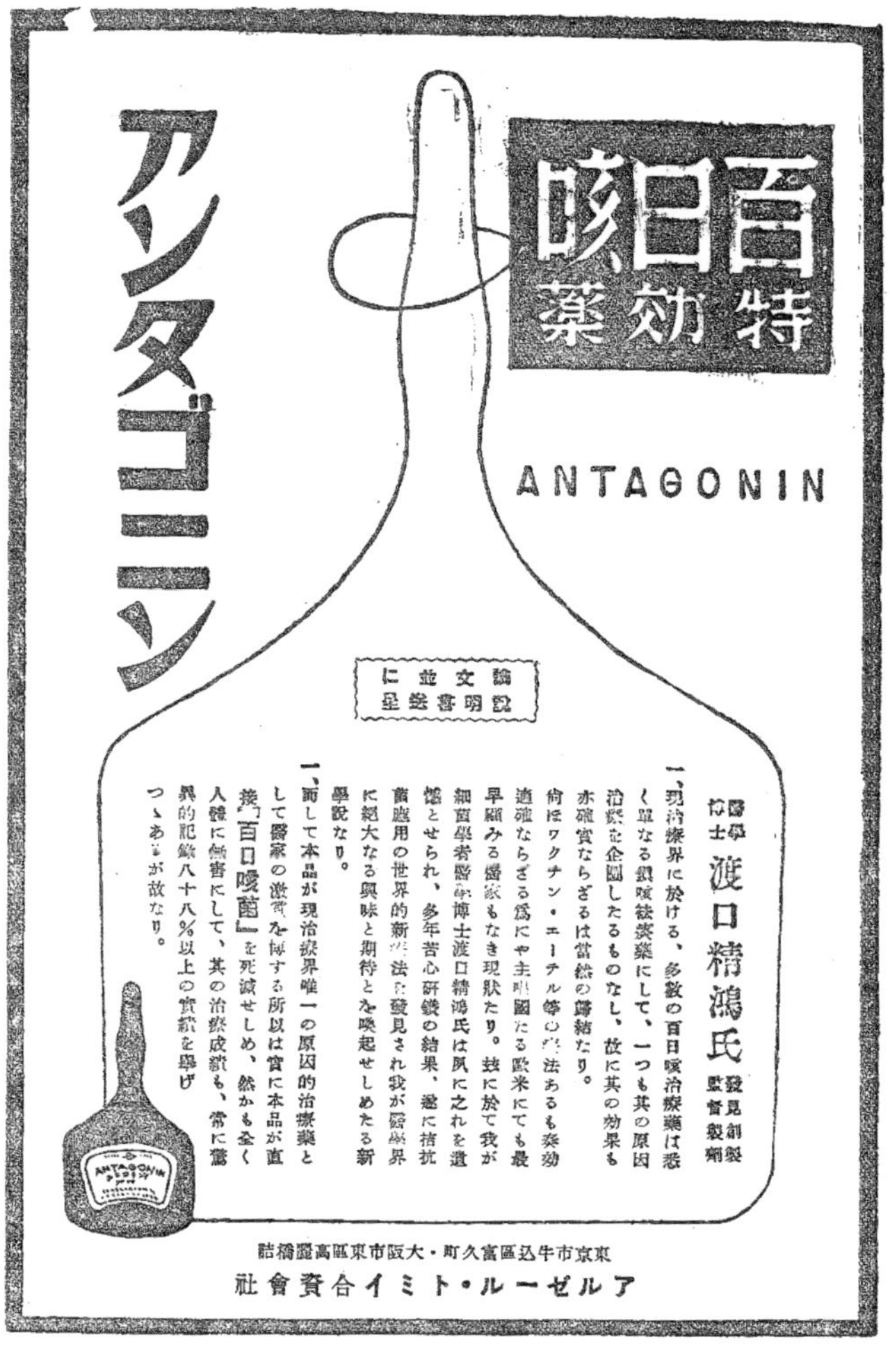

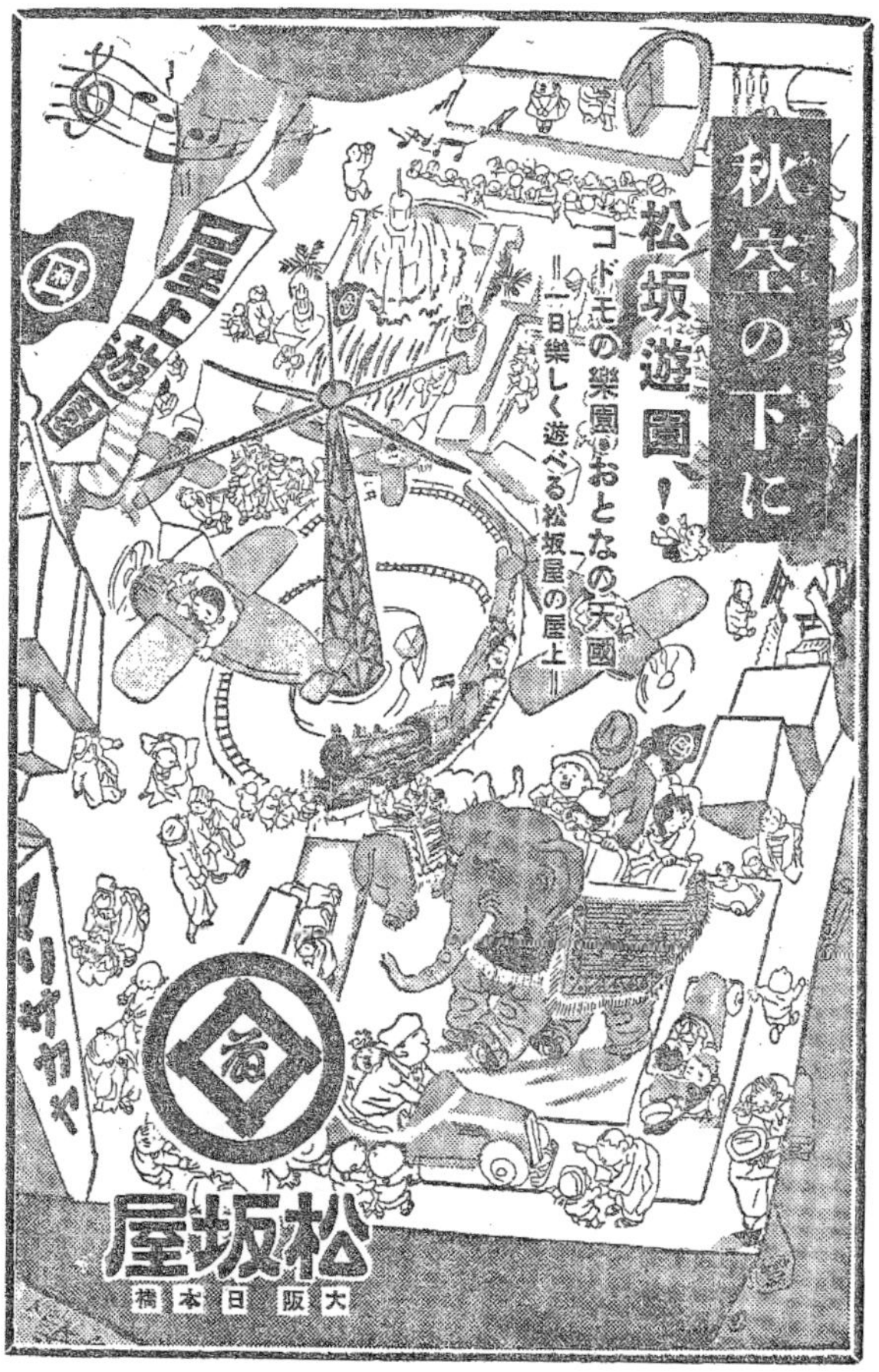

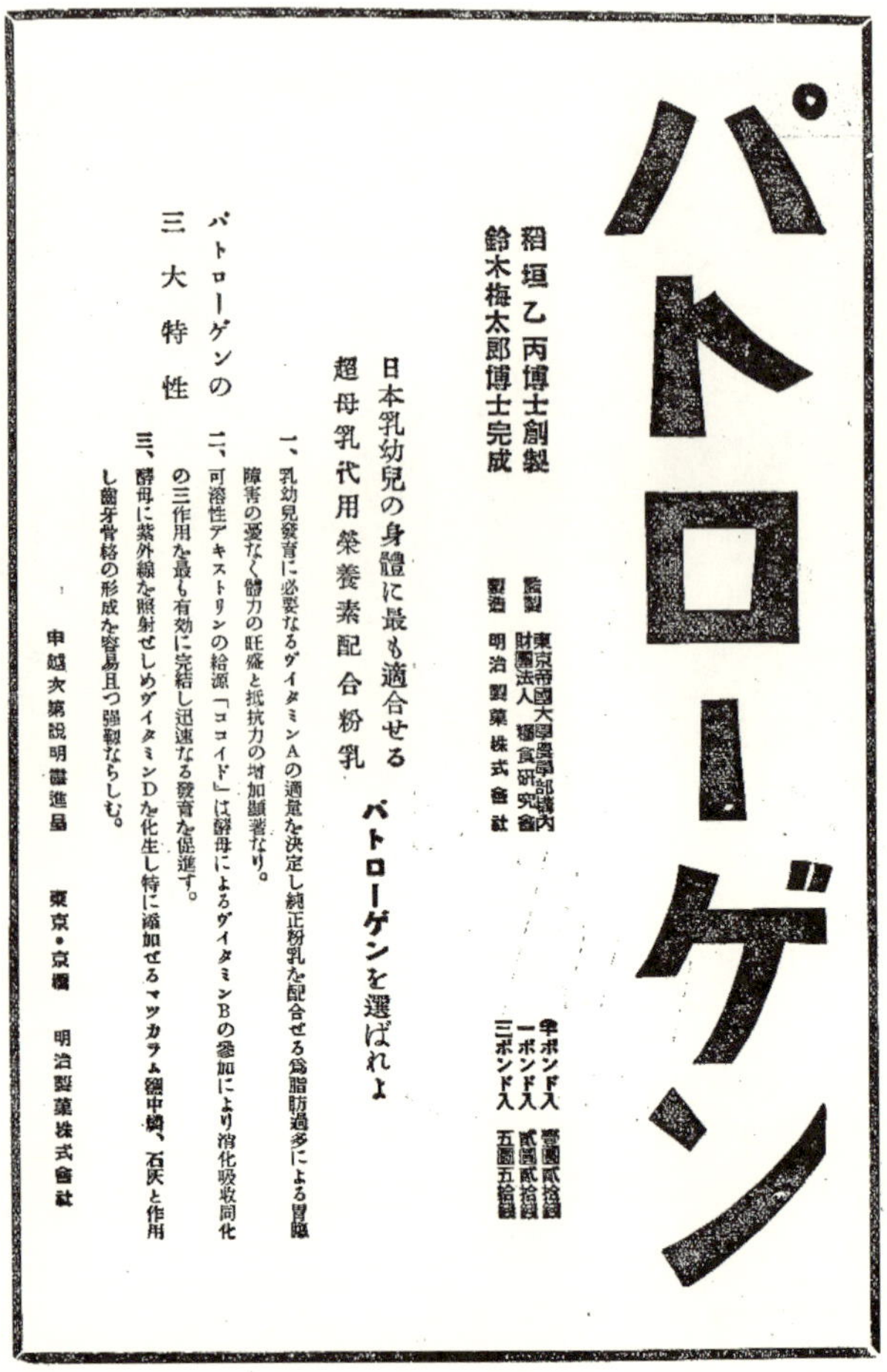

パトローゲン
稲垣乙丙博士創製
鈴木梅太郎博士完成
監製 東京帝國大學農學部構內 財團法人 營養研究會
製造 明治製薬株式會社
半ポンド入 壹圓貳拾錢
一ポンド入 貳圓貳拾錢
三ポンド入 五圓五拾錢
日本乳幼兒の身體に最も適合せる
超母乳代用榮養素配合粉乳
パトローゲンを選ばれよ
パトローゲンの
三大特性
一、乳幼兒發育に必要なるヴイタミンAの適量を決定し純正粉乳を配合せる爲脂肪過多による胃腸障害の憂なく體力の旺盛と抵抗力の増加顯著なり。
二、可溶性デキストリンの給源「コロイド」は酵母によるヴイタミンBの參加により消化吸收同化の三作用を最も有効に完結し迅速なる發育を促進す。
三、酵母に紫外線を照射せしめヴイタミンDを化生し特に添加せるマツカラム鹽中鈣、石灰と作用し歯牙骨格の形成を容易且つ强靭ならしむ。
申越次第說明書進呈
東京・京橋 明治製薬株式會社

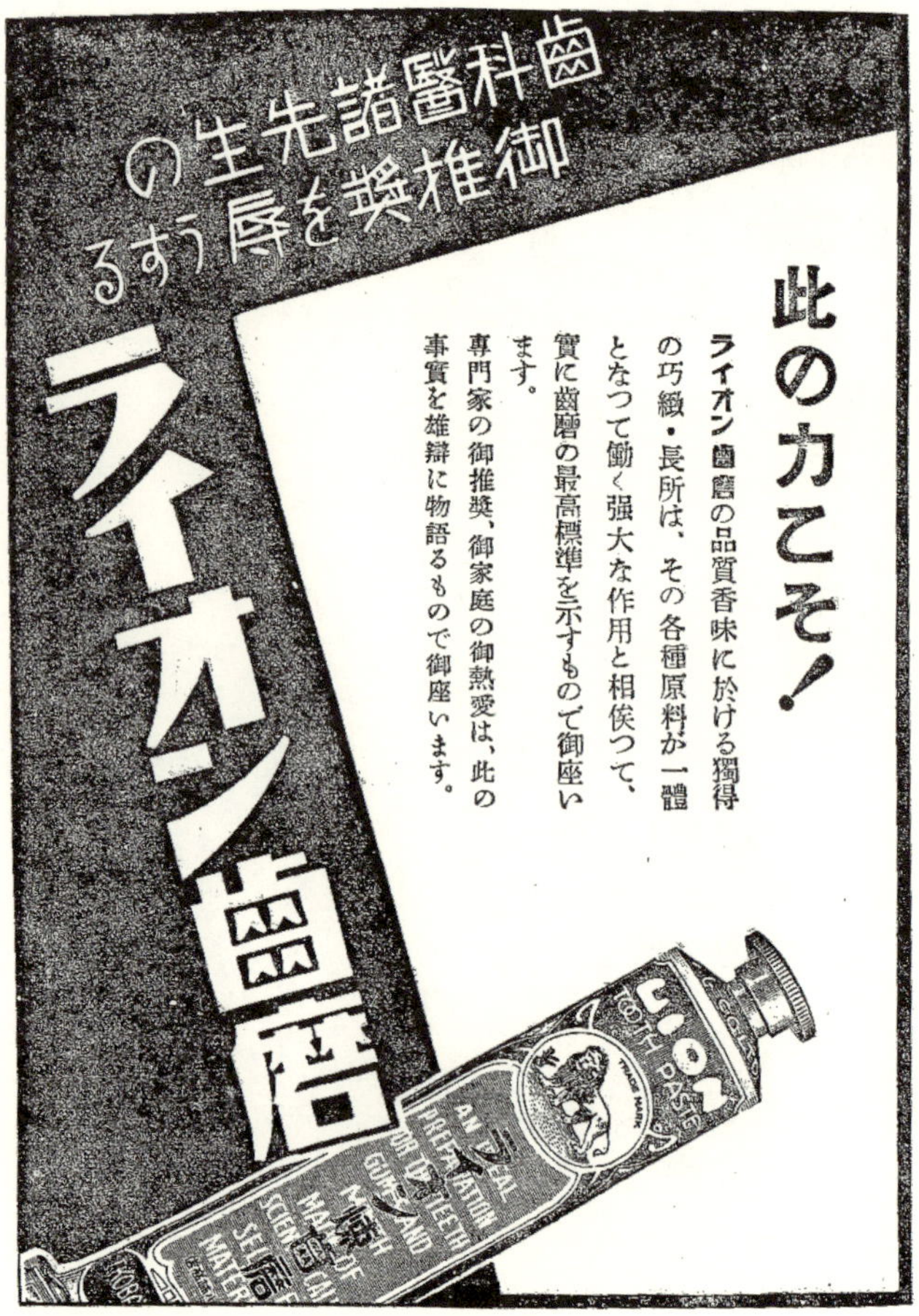

歯科醫諸先生の
御推奨を辱うする
ライオン歯磨
此の力こそ！
ライオン歯磨の品質香味に於ける獨得の巧緻・長所は、その各種原料が一體となつて働く强大な作用と相俟つて、實に歯磨の最高標準を示すもので御座います。
專門家の御推奨、御家庭の御熱愛は、此の事實を雄辯に物語るもので御座います。
LION

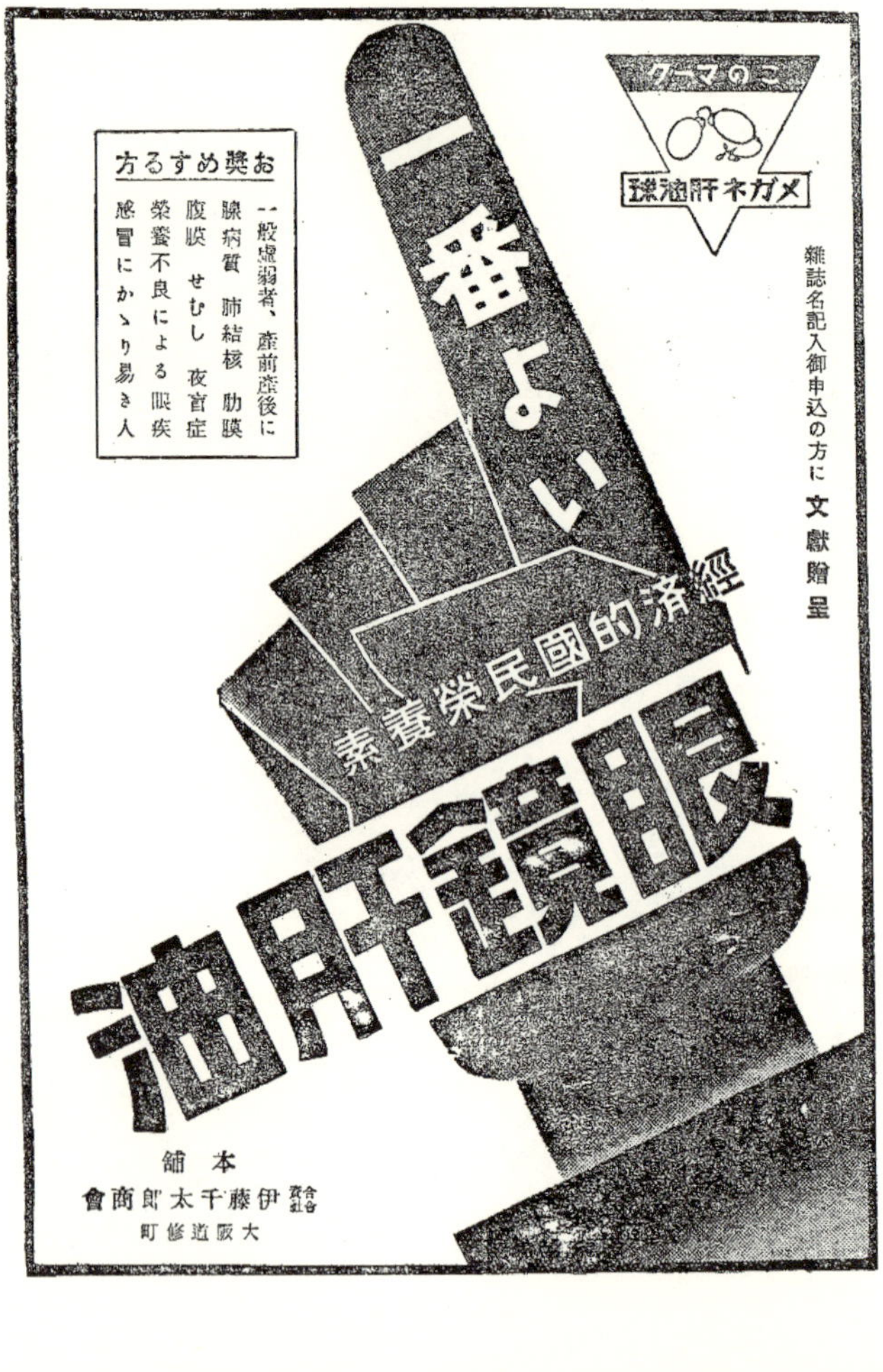

このマーク
メガネ肝油球
お奨めする方
一般虚弱者、産前産後に
腺病質 肺結核 肋膜
腹膜 せむし 夜盲症
榮養不良による眼疾
感冒にかゝり易き人
一番よい
經濟的國民榮養素
眼鏡肝油
雜誌名記入御申込の方に文献贈呈
本舗
合資會社 伊藤千太郎商會
大阪道修町

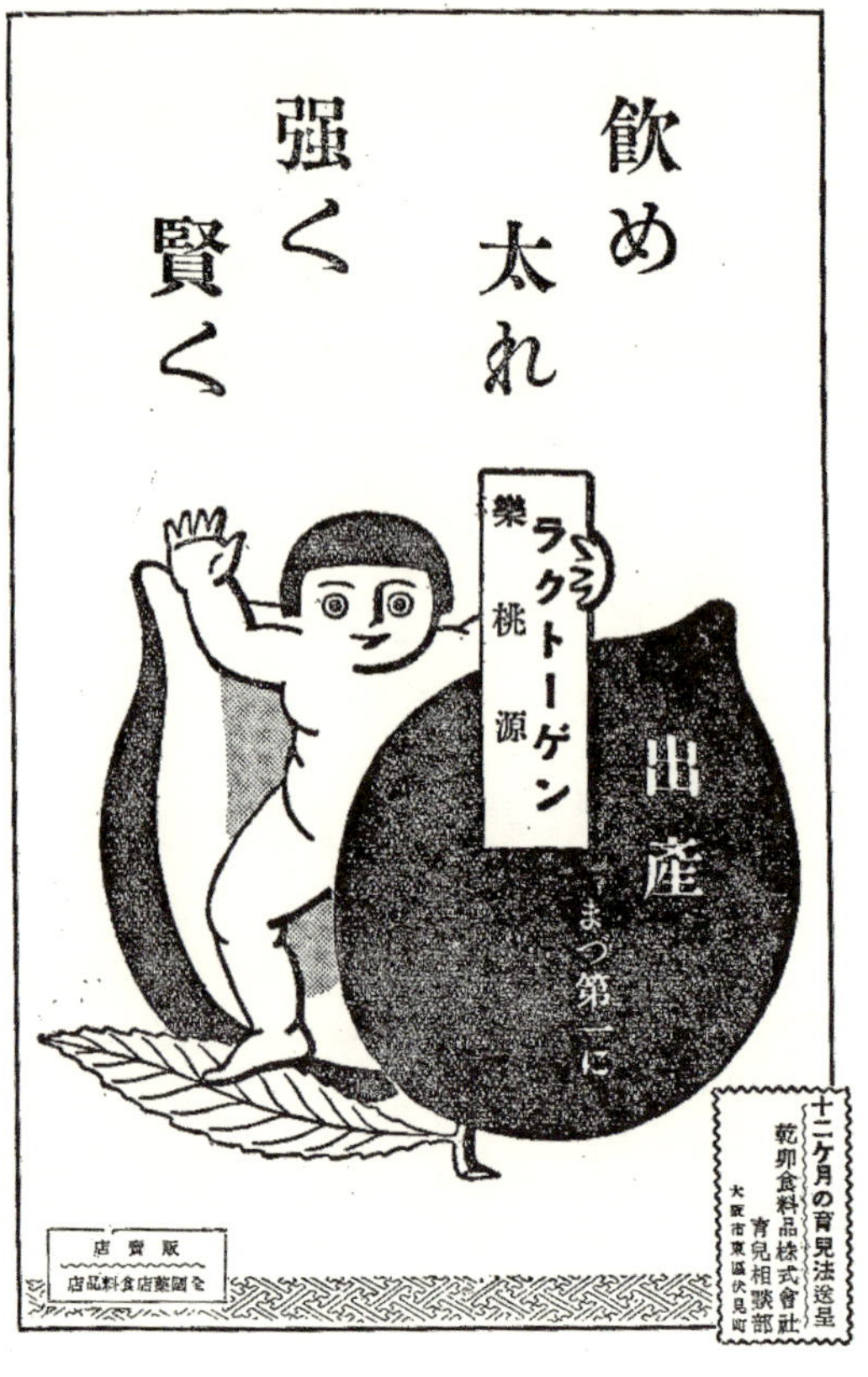

飲め
太れ
强く
賢く
榮養 ラクトーゲン
桃源
出産
まづ第一に
十二ケ月の育兒法送呈
乾卵食料品株式會社
育兒相談部
大阪市東區伏見町
販賣店
全國藥店食料品店

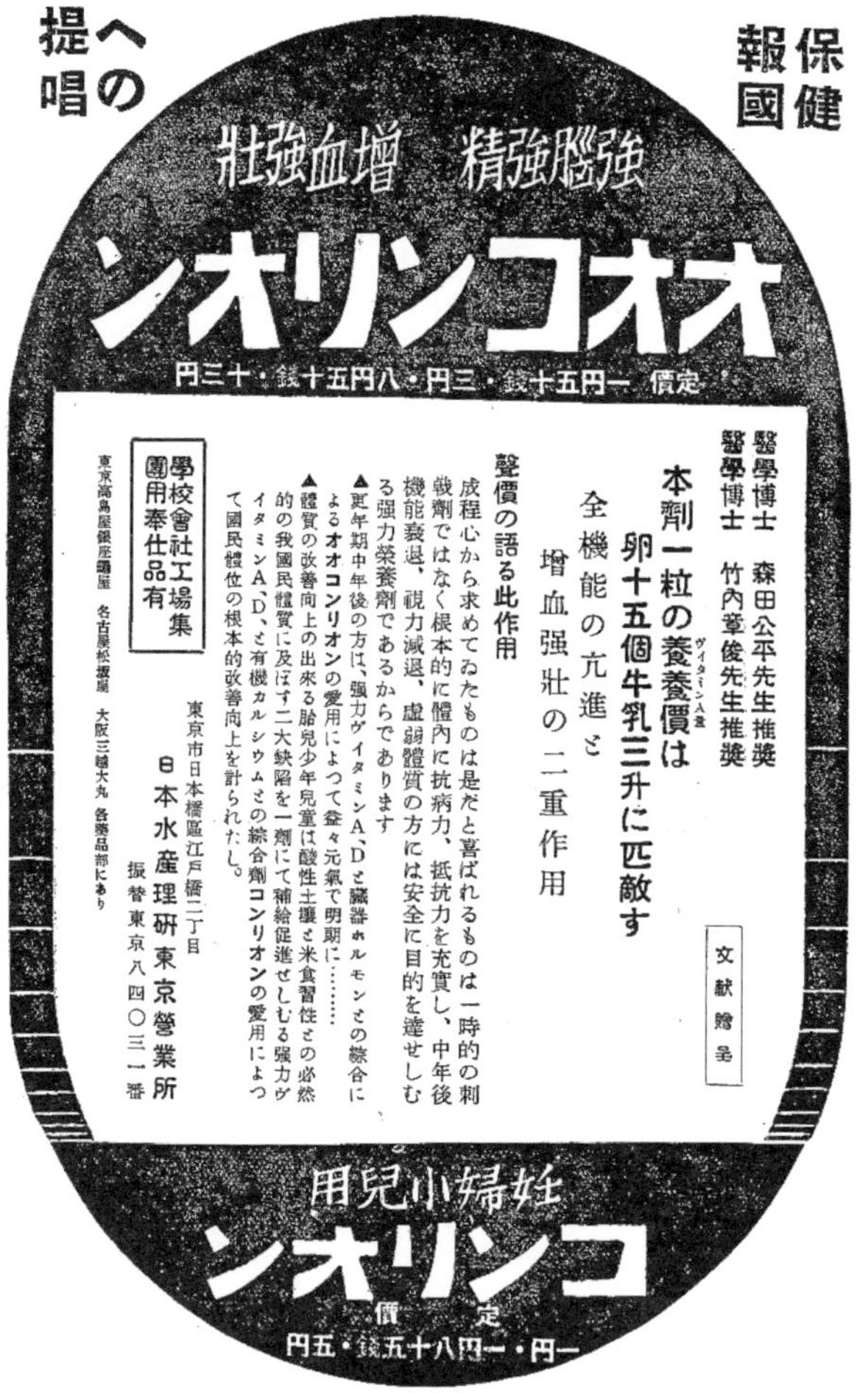

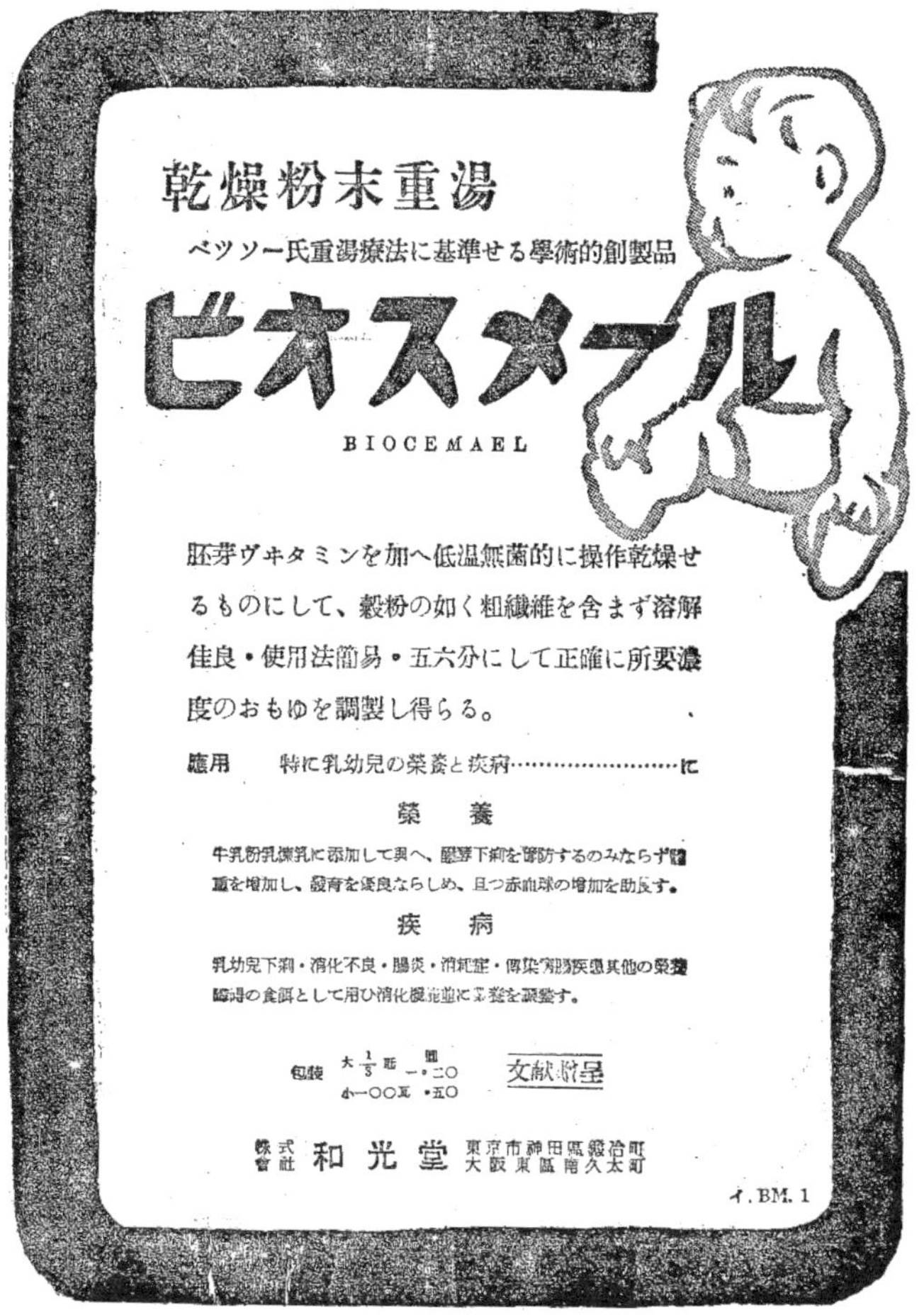

我等の審査會功勞者表彰さる

（上）本會第十五回を記念して坂間會長代理藤原保健部長より生地博士、松倉、石野二學士、三宅市産婆會理事、吉田ライオン支店長、石井明治製薬支店長等は多年の功勞を表彰された。（記事參照）
（下）最優良兒の榮冠めざして會場に押寄せ來れる母子たち。

麻須良乎

今日よりは
顧みなくて
大君の
醜《しこ》の御《み》楯《たて》と
出で立つ吾は

今奉部與曾布

審査員吉村忠夫氏繪
第一回文部省美術展覧會出品
昭和十二年十月

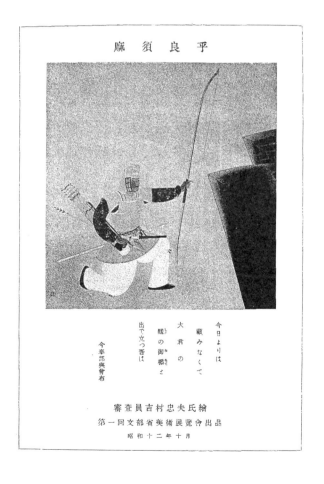

恒久國防を目ざす意義ある年中行事

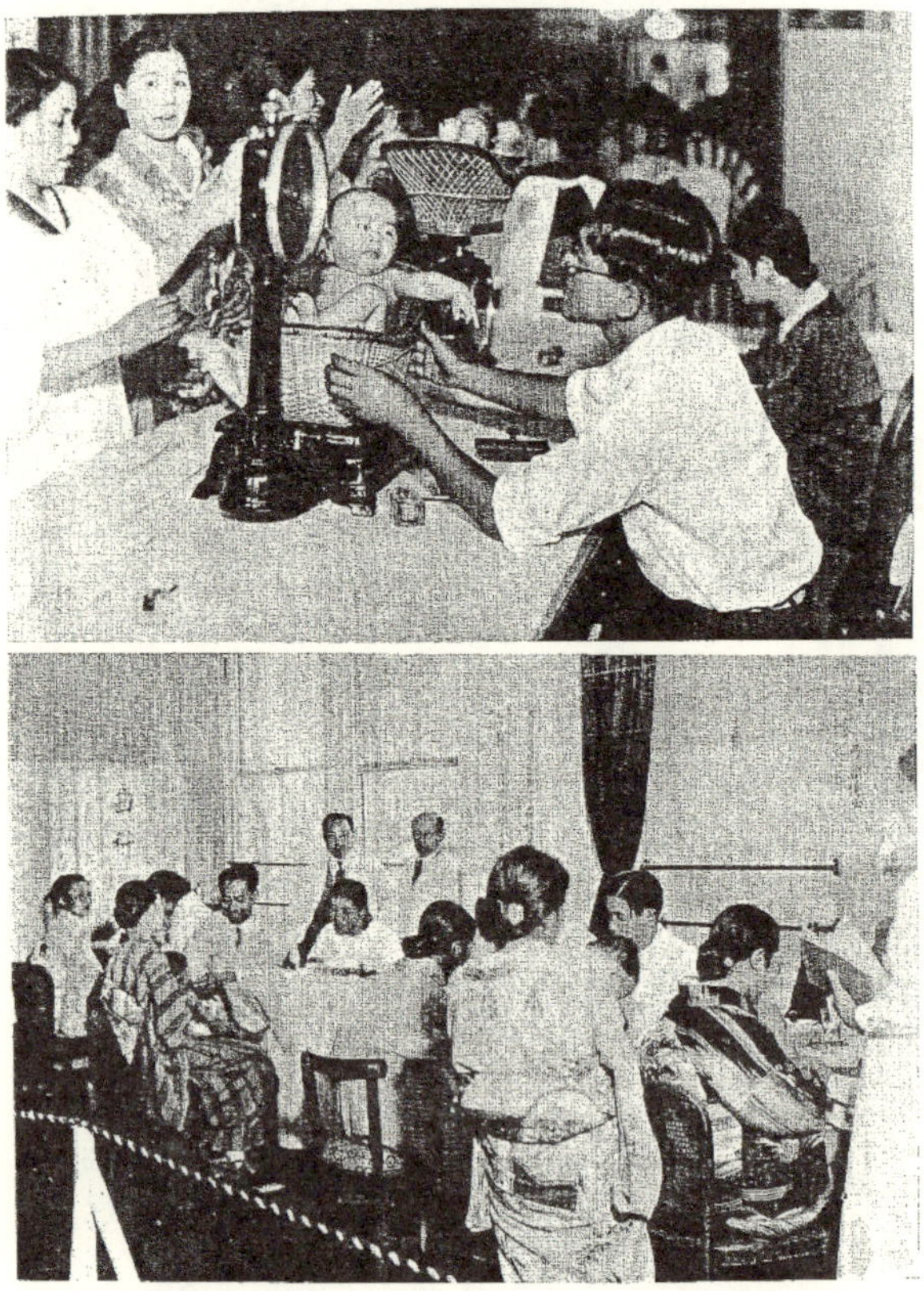

(上) 大阪帝國大學醫學部アルファ會の學生諸君の熱誠なる應援振り。(會場の第三部)
(下) 本年度も齒科は帝大醫學部とライオン兒童齒科部と北市民館齒科部の先生方により嚴密に審査を無事結了した。

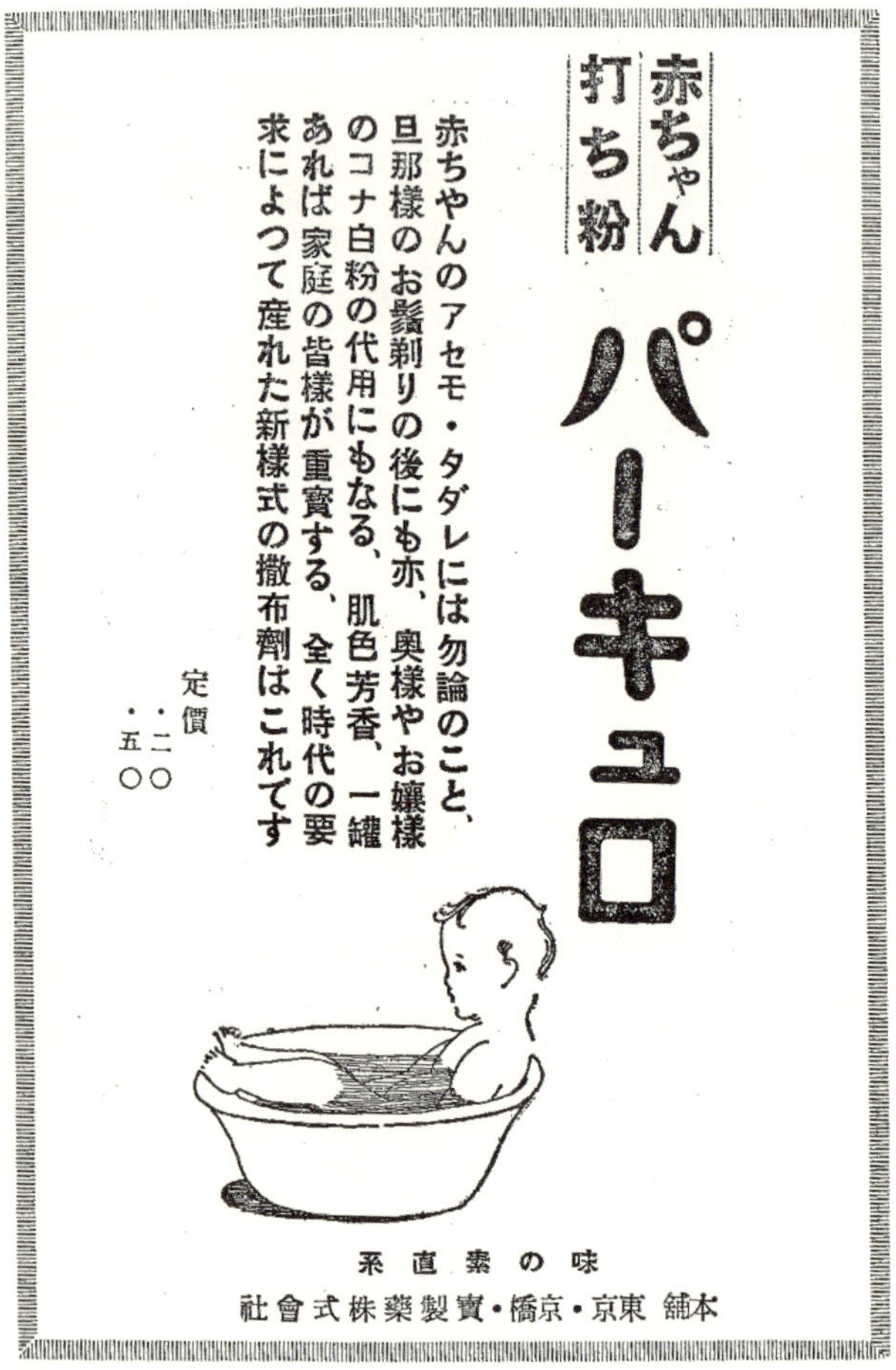

昭和十二年 子供の世紀 十一月號

近衛公の尊い確信(巻頭言)

近衛公の全國民に壓倒的な人氣のあるのは、公が文化問題に理解のある新人だと云ふ計りではあるまい。議會の施政方針の演說や日比谷の國民精神總動員の演說等にて、誰れしもが公の抱いて居られる政見又は指導精神と云ふやうなものが解る事であるが、尙一歩突き進めて考へて見る時に、卽ち公の吐かれた言葉の奥に、古今未曾有の此の國家非常時に際して、然も此の左し迫つて居る難時局を打開する者は自分の外にはない、無論組閣に當つて一天萬乘の大君より御親任を忝うして立つたのであるが、自分は始めから此の大使命を全ふしなければならぬ責任を有し、亦自分は此の天職使命を體得して生れて來たのであり、然して難局を根本的に打開して、全國民と共に光明の中に勝利の歡喜を獲得しなければならぬ、と云ふ大いなる巖の如き確信を持つて居たやうに推測する事が出來るのである。

公が商人にも、女學生にも、藝術家にも、官吏にも、絕大の人望仁德をはくして居るのは、勿論公の傳統的な家柄も其の一要素であるが、記者をして云はしむるならば、在來の政治家殊に今日迄の首相たちの企て及ばなかつた、輝ける確信の外には何物も無いと斷言するも敢へて過言ではなからう。

今の世に此の確信より尊いものはない、君國に一切を捧げ、身命を賭して戰場に奮戰して居る勇士達はもとより、銃後にあつて國家百年の計のために、日夜奮闘努力して居る國民の總てが、天に代つて不義を擊つ處の正義の戰を戰ひつゝあると云ふ確信に活きて居るのである、此の尊い確信こそは實に萬代不易のものではなからうか。

昨今街上往々にして酒に醉ひどれ醜態を演じて、人々に迷惑を懸けて居る學生の姿を見受けるのであるが、その度毎に彼等自分自身の現在と將來に確信のない事を見出して情なく思ふ者である。人の地位、事業、境遇に嫉妬して、自已の職業と使命に確信を見出し得ず、飽く迄も自已と他人を卑下する輩は、此の非常時打開運動に參加の出來る勇士でもなく、亦大國民としての資格の無い者と思はれるのである。(伊藤悌二)

『カード』階級乳幼兒診査會診査成績

大阪市立堀川乳兒院長
醫學博士 廣島英夫

釜崎「スラム」街及び「カード」階級者の最も多い木津方面の乳幼兒は、發育が惡いであらうことは想像出來る。而して又生活環境より來る諸種の疾病も多いであらうと考へられる。

茲に於いて大阪市保健部及び大毎社會事業團の共同主催の下に、今宮木津方面「カード」階級乳幼兒診査會が催された。

「カード」階級乳幼兒の一般發育狀態、健康狀態を知つて、之れからの人々に健全な育兒衞生思想を與へる事は誠に必要な事である。

(1) 總評別分類

調査「カード」の完全なもの四五二人に就いて優良兒(發育、榮養其他一般狀態の標準以上のもの)、普通兒(標準に近いか又は之れに等しきもの)、不良兒(標準以下のもの)要保護兒(發育並びに一般狀態不良にして適當の保護を要するもの)の四つに分類すれば次の如くである

總數	四五二(男二一二、女二四〇)
優良兒	三九(男 二〇、女 一九)
普通兒	七六(男 三〇、女 四六)
不良兒	三一七(男一五一、女一六六)
要保護兒	二〇(男 一一、女 九)

女兒は育て易いと言はれてゐるが、此の成績を見ると特に女兒に發育の良いものが多いとは云へない。

(2) 月齡別總評分類

優良兒及び普通兒は月齡別に見て何ケ月の乳幼兒に多いかを調査すると、四ケ月乃至七ケ月の乳兒に最も多く、殊に七ケ月

の乳兒では優良兒及び普通兒の方が不良兒及び要保護兒よりも多く、五ケ月の乳兒のは兩者同數である。其他の月齡では何れも不良兒及び要保護兒の方が多くなつてゐる。

(3) 平均體重

診査會に於ては體重、身長、頭圍、胸圍、前胸長、前腹長を測定したのであるが、茲では體重のみに就いて述べる。體重は乳幼兒の發育狀態を最も端的に示す尺度である故、體重を知れば大體その乳幼兒の發育狀態の良否を知ることが出來る。

今診査せる總乳幼兒の體重を平均して圖示すると次の如くである。

平均して生後一五日迄は標準體重よりも反つて多い。然るにそれ以後は標準體重よりも少くなつてゐる。然しその差は比較的少く七ケ月迄は規則正しく體重は增加して、その曲線は標準體重曲線と平行してゐる。然るに七ケ月以後では急にその差が著しく大となつて、曲線も標準體重曲線と正しく平行しない。甚だしきは一、五瓩餘も標準體重より少い。增加率も極めて不規則である。

卽ち一般に發育惡く死亡率の高い此の階級の乳兒も、出產時は標準に近いか、或は標準以上の發育狀態にあるのである。生後一ケ月頃より次第に發育狀態は惡くなるが、然し主として母乳で榮養される生後七ケ月迄は順調に體重は規則正しく增加して標準との差も少い。七ケ月後は急に標準體重との差が大となる。此の事は次の諸點

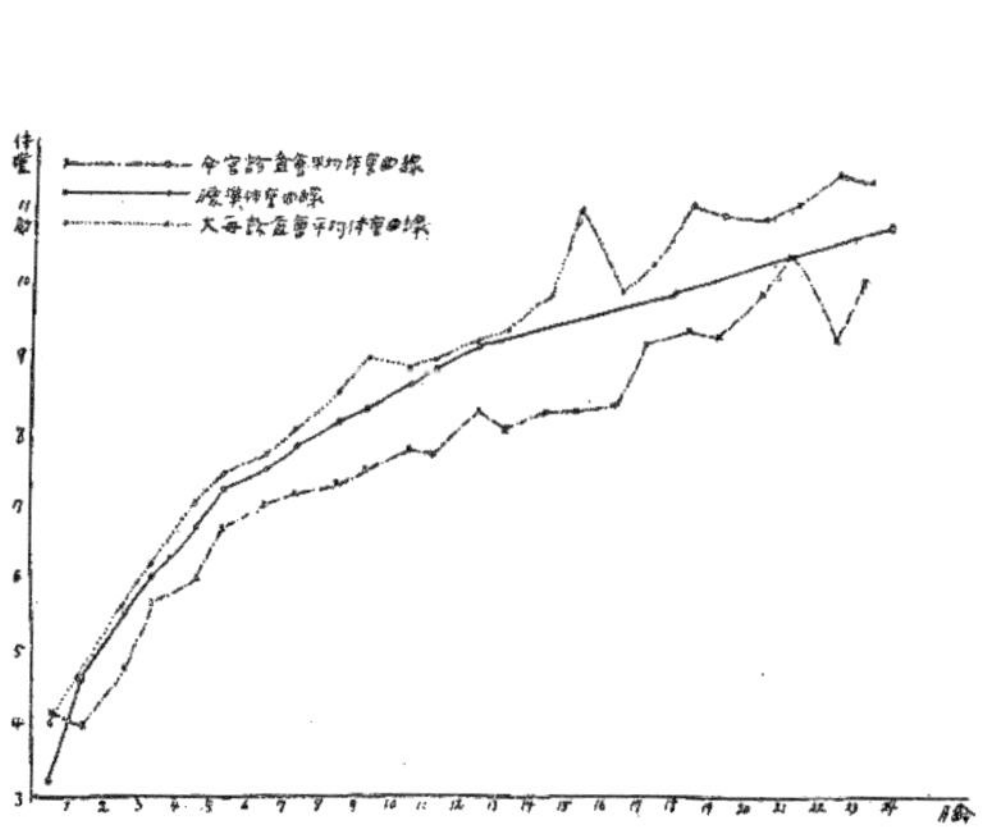

を考へしめる。

母乳は最良の乳兒榮養品である。

七ケ月になればも早や母乳のみでは乳兒は滿足な發育を遂げない卽ち此の時期より離乳しなければならない。

此の階級の母親は、乳兒の旣に七ケ月頃になれば授乳能力の著しき減退を來す。

離乳期及び離乳後の榮養こそ極めて大切で次の時期の極く僅かな不注意でさへ容易に幼兒の體重減少を招く。

等である。由來我國は歐米と異り、母乳榮養が普及してゐる事は大いに喜ぶ可き事であるが、母乳を永く與へすぎる惡習慣がある。從つて離乳遲延による障碍を觀る場合が極めて多い。

我國に於ける乳兒死亡の三大原因として先天性弱質、肺炎、下痢及腸炎の三つが擧げられてゐる。今昭和十年度に於ける大阪市の乳兒死亡者の中、下痢及腸炎で死亡したものを調べてみると、一歲乃至二歲のものが最も多い。而かも一歲前後に於て最も多く、死亡兒の四分の一は下痢及腸炎で死亡してゐる。此の事實と上述月齡別總評分類及び平均體重曲線と比較すると、そこに一定の關係の存在する事が見出される。離乳期及び離乳後の榮養が如何に大切なるかゞ觀取される。

大阪市に於ける比較的上流家庭の而も自慢の乳兒の集まる大毎主催乳幼兒診査會の平均體重曲線をみると、前述の如く標準體重曲線よりも大である。而かも生後一年以後に於いて特に著しい。かゝる乳兒の母親は何れも正しき離乳を實行してゐるのである故、正しき離乳を行ふことに依つて「カード」階級乳幼兒の體重減少を大部分防ぎ得られると考へる。

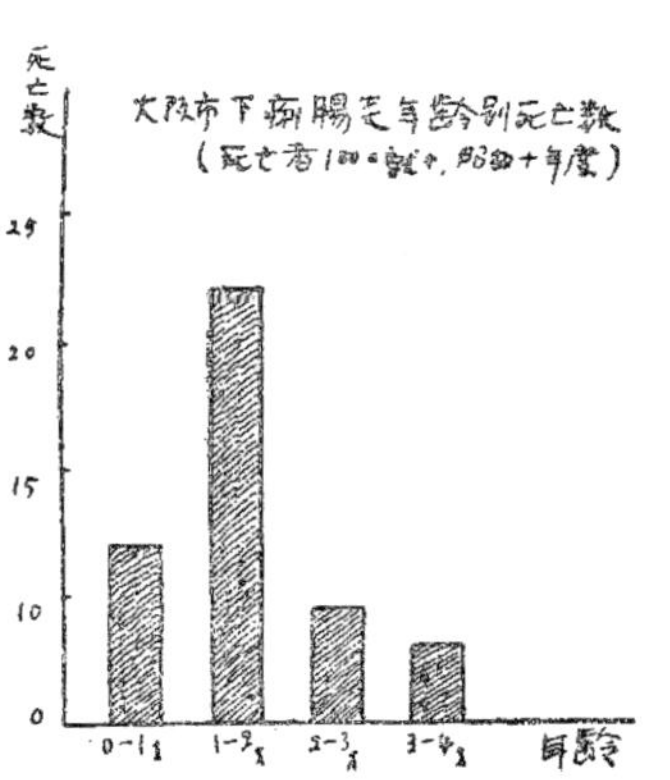

(4) 榮養方法(調査人員四三九)

母乳榮養	三五八(八一、五%)
混合榮養	四三(九、八%)

内譯　牛乳二二　粉乳八　煉乳一一　玄米乳二
人工榮養　三八（八、七%）
内譯　牛乳二〇　粉乳六　煉乳一二

優良兒及び普通兒の榮養方法をみると次の如くである調査人員一一二）

母乳榮養　九九（八八、四%）
混合榮養　九（八、〇%）
内譯　牛乳六　煉乳三
人工榮養　四（三、六%）
内譯　牛乳一　煉乳二　粉乳一

不良兒及び要保護兒の榮養方法をみると次の如くである。
調査人員三二七）

母乳榮養　二五九（七九、二%）
混合榮養　三四（一〇、四%）
内譯　牛乳一六　粉乳八　煉乳八　玄米乳二
人工榮養　三四（一〇四%）
内譯　牛乳一九　粉乳五　煉乳一〇

即ち不良兒及び要保護兒に人工榮養兒多く、優良兒及び普通兒に母乳榮養兒が多い。又概して母乳榮養兒が多い事、注意すべき事である。母乳の代用品として牛乳が最も多く用ひられてゐるが、煉乳が比較的多く使用されてゐる事は注目すべき事である。煉乳は値が安く、他の添加品も不用で且つ調乳するのに簡單であるから多く使用されるのである。然し乍ら乳兒榮養品としては粉乳より劣るものである。何はともあれ優良兒に母乳榮養兒が多い事は、「母乳が最良の乳兒榮養品」たる事を雄辯に物語つて居る。

(5) 母乳中の「ヴィタミン」C量（調査人員九七）

最大〇・一〇五mg/cc　最小〇・〇二〇mg/cc
平均〇・〇四三mg/cc

これを見ると一般母乳の秋期に於ける量と大差がない「ヴィタミン」Cの不足は壞血病又は小兒壞血病（「スコルブート」）を起すが、又一般發育障碍、骨及齒牙發育障碍傳染性疾患に對する抵抗減弱等をも惹起する。斯かる大切な作用のある「ヴィタミン」Cが少しも不足してゐない事は又注目す可きである。

(6) 初生兒黄疸の有無（調査人員四〇八）

初生兒黄疸を經過せるもの　一二一（二九・六%）
經過せぬもの　二八七（七〇・四%）

即ち乳兒の$2/3$は初生兒黄疸を經過してゐない。この調査は母親の記憶を基とせるもの故、確實な成績とは云ひ難い。尙優良兒との間に於ける差異をみると、優良兒及び普通兒では黄疸を經過したもの三九人（三六、五%）、經過せぬもの六八人（六三、五%）で、不良兒及び要保護兒では經過したもの八二人（二七、二%）、經過せぬもの二一九人（七二・八%）である。即ち優良兒及び普通兒は、不良兒及び要保護兒に比して初生兒黄疸を經過せるものが多い。

(7) 臍帶脫落の時期（調査人員四二三）

臍帶は生後六日目に脫落せるもの最も多く、一三七人（三二、四%）に及んでゐる。次いで五日目に脫落のもの多く九六人（二二、七%）である。更に七日目、四日目、八日目の順に少くなつてゐる。最も早いのは生後三日目で五人（一、二%）もある、最も遲いのは十六日目の一人（〇、九%）である。優良兒及び普通兒では生後三日目乃至十日目に總て脫落してゐるが、不良兒及び要保護兒では生後三日目乃至十六日目に總て脫落してゐる平均脫落日を生後六日とすれば、不良兒及び要保護兒に於ては優良兒及び普通兒に比して脫落遲延せるものが多い。

(8) 第一生齒期

既に生齒せるものに就いて、第一生齒期を尋ねてみると、總調査數二七七人中六四人（二三、一%）は八ヶ月に第一生齒をみてゐて最も多い。

次いで五ヶ月（五七人、二〇、五%）、六ヶ月（五二人、一八、七%）である。最も早いのは四ヶ月の三人（一、〇%）で最も遲いは一年六ヶ月の一人（〇、三%）である。生理的にみて第一生齒期を生後六ヶ月乃至八ヶ月を普通とすれば、總數の三分の一は生齒が遲れてゐる。而して不良兒及び要保護兒に於て殊に著しい遲延をみる。

月齡	總數	生齒者數	證明率
一年四月	七	七	一〇〇
一年三月	一三	一三	一〇〇
一年二月	一五	一五	一〇〇
一年一月	一六	一五	九四
十二月	四三	四二	九八
十一月	二三	二〇	八七
十月	七一	一三	七六
九月	二三	一七	七四
八月	二九	一五	五二
七月	一二	一	八
六月	二六	一	四
五月	一六	一	六
四月	二四	〇	〇
三月	二三	〇	〇
二月	一八	〇	〇
一月	六	〇	〇

更に一年六ヶ月迄のものに就いて、齒牙の有無を調査すると、四ヶ月迄は生齒を全く認めない。五ヶ月の乳兒一六人中始めて一人（六%）に生齒を證明したこれを表にすると次の如くである

即ち八ヶ月に於て漸く五二%に生齒者を證明するのである。而して一年二ヶ月にて始めて一〇〇%に生齒者を證明してゐる。此の事は不良兒及び要保護兒に於て殊に著明で、七ヶ月に於ても生齒者を全く認める事は出來ない。然るに優良兒及び普通兒では五ヶ月より既に生齒者を證明し、九ヶ月には一〇〇%生齒者を認めてゐる。即ち「カード」階級乳幼兒の生齒期は著しく遲延してゐると云ひ得る。（つゞく）

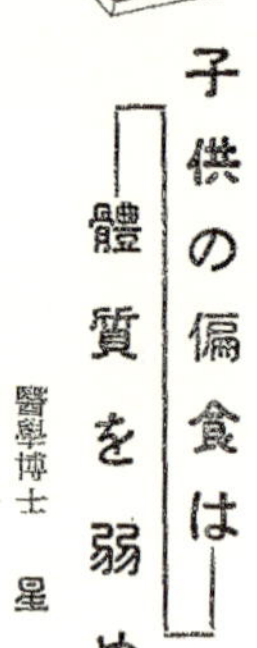

子供の偏食は
—體質を弱める—

醫學博士　星野章二

ある地方都市の小學校の校醫さんが學童の體格檢査をした處、一般に中流階級と云はれる家庭の兒童に案外榮養不良の者が多いことを認め、それ〴〵榮養不良の旨を申添へ注意してやつたところ、ある家庭では「私のところでは他の家に比べむしろ贅澤すぎる程の食事を與へてゐる。榮養不良と云はれるのは心外である」と抗議してきたとのことであります。

これは一つの例でありますが、世間にはまだ〴〵こうした誤まれる榮養知識に禍ひされてゐる方が多い樣です。卵や肉類は成程榮養價が高く、蛋白質や脂肪の含有量も多いのですが、さうかと云つてこればかり偏食させたのでは一種の榮養不良を起すので、卵や肉の成分は充分利用されないばかりかアチドーヂスと云つて、血液の成分に變化を來し、體質を弱めまた種々の病菌に對する抵抗力も衰へてきます。

それで偏食を矯正するには、勿論食餌の調理法その他に細心の注意が拂はれなければなりませんが、元來自分から好き嫌ひを云ふ子供は多く食慾の不振が原因してゐますので、胃腸を丈夫にして空腹を感じ、なんでも好んで食べられる樣に圖つてやることが大切です、この意味から推奬されるのは複合ヘーフェ菌劑「錠劑わかもと」の服用です。

この藥には、胃腸の機能を强め消化吸收を活潑にする十數種の活性酵素や、豐富なビタミンBが含まれてゐて、食慾を振起し、榮養を增進させますが、なほその他にも脂肪、アミノ酸、各種ビタミン無機物等の諸榮養素が網羅されて居ります。ですから「錠劑わかもと」を服用してゐますと、偏食しがちのお子樣も全身榮養が充實して、砂糖や肉類の過食による害も防がれ、體質も丈夫になつてきますがなほ都合のよいことには、藥價が廉く、而も子供にも喜んで服まれますので、お子樣の日常保健藥として好適です。

右の「錠劑わかもと」は、二十五日分一圓六十錢、八十三日分五圓の販價にて東京市芝公園、わかもと本舗榮養と育兒の會（振替東京一七〇〇番）から發賣され全國藥店で取次いで居ります。

第十五回記念全大阪乳幼兒審査會の記

日本兒童愛護聯盟理事長　伊藤悌二

九月二十九日

非常時局下の國家的事業

全日本に於ける乳幼兒審査の創始者であり、且つ大阪の恒例年中行事としての尊い傳統と權威とを誇る、本聯盟主催の第十五回記念審査會は、緊迫せる非常時局の下に、恒久國防と國民體位向上とを目標として今日から開催された。

會場前には高々と、疊二疊大の日の丸の國旗に墨痕鮮かに、「二十年後の日本を背負ふ赤ちやんの健康を祈る」、と第二國民への祝福の言葉が記されて居る。

本年は例年にも優り各社會事業團體、各新聞社の熱誠なる應援と、大阪市の絕大なる後援支持のあつた爲め前景氣よく、申込者殺到して豫定人員四千名を超ゆる事三千五百名と云ふ盛況で、お氣の毒乍ら超過の分は斷るの止むなきに至つたのである。

連日（午後の半日にて）一千名を審査するため、本會多年の經驗により、他の如何なる團體も眞似の出來ぬ程會場は秩序よく整頓され、審査主任始め各係員、各應援團體が水も漏さぬ陣容を整へて居るので、例年來會者に多大の滿足を與へ、感謝の言葉を贈られる事は主催者として誠に榮譽な事である。口でこそ半日に一千名であるが、一時に大潮の如く押し寄せ來るのを見る時、如何にこれを處置すべきかと最初の未經驗な係員が恐怖するのも無理がない、それだけ本會としての責任も亦重大なのである。

熱誠眞劍なる全市應援團體

今日の審査主任は大野、生地、廣島の三博士で、第二部、出産前後の調査の主査は余田、吉岡、板野の三博士、榮養は谷口、西（輝房）の二博士、眼科は大阪醫大の藤川、飯沼二學士、皮膚の診査は廣島博士と山田學士、齒科は阪大の石野學士、北市民館の伊藤學士、ライオン兒童齒

科の久保田學士、指紋は阪大法醫學教室の松倉學士……等各專門の持ち場に於て奮闘され、亦大阪市聯合婦人會は例年の如く市役所の田所、山本二女史を始めとして、下福島、法話會、九條婦人修養會等の各團體の理事並に會員、大阪市産婆會は佐伯會長、三宅理事、平野女史を始めとして西、南、北、港の各區の會員と共に熱誠を以て應援された。

本年度に於ては阪大醫學部アルファ會の學生諸君が第二部の出産前後の調査より、體重、身長、座高、胸圍、頭圍、おどりこ等の測定の部門にて眞面目に責任を以て至誠奮闘されたのは參觀者の眼を惹き、銃後の保健運動をして一段と涙ぐましい光景を點綴せしめたのであつた、無論例年學生諸君の奉仕に對しては感謝を捧ぐる者であるが、今年の審査會に於けるアルファ會の社會奉公てふ眞劍な態度には讃嘆せぬ者はなかつた、年々我が國の青年男女が輕薄取るに足らずと云はれるのを聞くのであるが、我々はアルファ會の如き青年諸君のあるのをみて、我が國の將來に大いなる希望と光明を失はぬ者である。

育兒知識普及を主眼として

本會の進行を案ぜられて大阪市保健部の深山保健課長、中田庶務課長、聖ヨハネ學園長古田氏、本聯盟理事高尾氏、加藤三越支店長等が來場され、亦「大阪朝日」「大阪毎日」「大阪時事」「夕刊大阪」「大阪日日」「同盟通信」等各社の記者諸氏の來觀があつた、そして朝日の守山義雄氏、日日の竹田龍雄氏等明細に渉る質問があり、それから野中日本徵兵保險支部長、吉田ライオン支店長、石井明治製菓支店長等の長時間に渉る熱心なる視察があつた。

尙、特記しなければならぬ事は、本會開催の前々日に最愛の夫人を失はれた三越催物係の岩本氏は人としての大いなる悲しみを秘して、本會の爲めに獻身的な努力をされた事である、我々は主催者として斯うした尊い犧牲的事實に對し唯々敬虔なる感謝の念が湧くのみである。

本年は八階ホールを第二會場として、乳幼兒の保健衞生に關する映畫の會を催し、來會者の慰安と育兒知識の向上に資した。

三階會場の待合所の約半分は疊敷となつた爲め、一般母子達の休息には好適のやうであつた。今日は最初の審査日で最も幼少な赤ちやんが多數であつたため、一時控室も混雜して子供必需品展覽會場は休憩所となる有樣であつたが、次第に整理され、日沒の六時頃には一同凱歌

を奏し係員控室にて喜びの中に晩餐を共にした。

九月三十日

輕佻浮薄を一掃する我等の運動

日本兒童愛護聯盟名譽會長永井柳太郎先生の御揮毫になる「愛せよ敬せよ強く育てよ」なる懸軸が會場に掲げられ、我等の行く可き道を明示されて居る、然もそれは太陽のやうに全會場内に輝き渉つて居るのである。

人或は云ふであらう「斯うした事變中には來會申込がすくないだらう」と、然し乍ら全國民は、歐洲大戰亂後に於けるやうな輕佻浮薄な處は薬にしたくも求められぬ程、緊張してゐる事は事實である、さればこそ例年に優して、眞劍に恒久國防を考へ、銃後の保健運動に共鳴するものが倍加したのである、斯樣にして國家の將來を眞面目に考ふる者の多くなつた事は誠に慶賀に堪えない。「今日は月末だから來るものは僅かだらう」、と心配する者もあつたが、國家の重大事は月末など些細な事を超越してゐるのだ。

大阪こども研究會の功勞者大賀老女史は今朝の新聞を見て驚いて來たとて、病軀を鞭打つて係員の配置方を擔當され、市聯合婦人會の田所、山本兩女史は大混雜を來さぬやうに第一部と第二部との境界線上に立ちて場内の整理に當られた。阪大アルファ會、市聯合婦人會、(今日は玉造婦人會と法話會)、市産婆會等の各會員の奮闘は前日の通りで、雄々しくも勇ましい姿を各審査室に見出さるゝのであつた。

今日の隆盛は隱德者のお蔭

今日の總評は横田、一色、原田(龍)、廣島の四博士であつて、原田博士は病中でも我慢して奉仕され、廣島博士は皮膚の診査を兼ねられたので可なり繁忙のやうに見うけられた、横田、一色二博士は茶を飲む程の寸暇もなく、押し寄せる大群衆に甚だしく面喰はれたやうな面持で奮闘を持續された。榮養狀態は市民病院の今泉博士と浪速診療所の西博士、齒科は前日通り、指紋は次第に生後一年以後の赤ちやんが多くなるので、昨日よりは多忙になり能率があがつて來た、第二部の主査は余田、楠野二博士であるが、審査の餘暇に係員控室にてしみ〴〵と本聯盟の過去十八年間の獻身的な運動を物語られたのであつた。本聯盟の運動の今日の隆盛を見る所以のものは、實に隱れたる隅の首石である奉仕者のお蔭であるのは申す迄もない、此の意味よりして本會に多年骨折られた市立堀川乳兒院の中馬、笠井、井出三女史を表彰しな

ければならぬと思ふ。

今日は午前中雨であつたが次第に晴れ渡り、來會者に影響しなかつた、場内は展覽會を目的に來る人も可なり多く、實に戰爭氣分が横溢してゐる、前日の混雜に鑑みて早朝に會場を改造した效果があつて能率上非常によかつた、總評の場所の整理は聯盟の矢野君が汗だくにて當つた、中には弟の出征で遲刻したと云ふ母親があつた、亦舊知の吉阪夫人が愛兒と共に來會されてゐるのも見うけられた。

十月一日

坂間大阪市長、中井助役の臨場

公務御多端中にあつて、常に本會に關心をもたれ、變らざる同情溢るゝ庇護をされるのは、東京に於ては本聯盟名譽會長永井遞信大臣、大阪に於ては本會會長坂間大阪市長の御兩方であるのは本會に取つて誠に忝ない事である。殊に審査會を迎ふる度に追懷さるゝのは今は亡き關大阪元市長である、記者は御永眠間も無く志賀社會部長と關邸に趨いて老御母堂に御目にかゝつた時、「一は赤ん坊審査會に參る事は他のどんな會合に出席する事よりも一番樂しみにして居り、歸宅すると明細に御會の樣子を私に報告してくれました」、と話された事を思ひ出すのである。

今日は秋雨煙る中を坂間市長は、秘書課の西尾氏を帶同され態々本會場に臨場になり、貴賓室に御休息になられ「事變のため來會者もどうかと案じてゐたが、例年になく盛會の樣で何よりの事です、長い立派な歴史を有する事業であるから、多數の來會者に對しては注意して滿足を與へるやうにして貰ひたい、醫員が不足してゐるならいくらも心配するから、此の重大な仕事を大切に持續して貰ひたいものです」、と言葉靜かに懇ろに注意されるので實に恐縮の外はなかつた。そして同席された瀨長三越支店長等と共に國民體位向上の問題、壯丁健康の問題に就いて懇談されてから、雜沓せる會場に臨まれた。(口繪參照)

先程から待ちあぐんでゐた各新聞社の寫眞班の人々があらはれ、市長に赤ちやんを抱いて頂きたいとか種々の注文を出さるゝので、混雜の中にて可なり困られた御樣子であつた。それでも何時もニコ〳〵して赤ちやんの頭を一々撫でられ、母親達の挨拶に答へられる有樣はさながら樂園そのものであつた、そして歸途三越特製の防護婦人團用の各種の服裝等を參觀された。

續いて接待部より中井市第一助役と藤原保健部長、深

山保健課長の玄關に着かれた電話があつたが、時既に遲く市長と行き違ひになり、參觀を先きにすまされて貴賓室に休息中御目にかゝつた、助役は熱心に本事業に記者の着手した年代と機關誌『子供の世紀』の經營等に就いて質問され、亦東京に於ける運動等にも興味を以て種々問はるゝのであつた。市の重要なる地位にある方々が斯くも熱心に貴重な時間を本會のために割かるゝ事は、實に感謝に堪えぬ事である。

陣頭に立つ聯合婦人會理事

今日の總評は前田博士、原田達三博士が終始一貫されたが、谷口博士と山田學士は混雜の時手傳はれた、眼科は田上、樋口二學士、榮養は谷口、西二博士、永山學士等であつた、齒科は今日からライオン兒童齒科の高安學士が出馬され、聯合婦人會の田所、藤井、山本(ヒデ)、安滿の四理事陣頭に立たれ、産婆會の平野、川端二女史等と共に奮闘されたのであつた。

坂間市長の歸廳された三時頃より一時に來會者の殺到をみたが間もなく整理された、アルファ會の學生諸君は第二部に於て乳兒院、産院の看護婦諸姉と共に奉仕されたが、本年は記入の點は實に懇切に明細を極めて居るのは實に嬉しい事である。

閉會後、聯盟理事大野博士と同道して博士邸に至り、審査會創始十五年を記念し、多年本會に貢獻せる功勞者を表彰する事に關して協議する處があつた。此の問題に就いては數日前より市保健部の藤原部長、中田、深山兩課長にも報告し、前日は坂間市長の決裁を經た事で、最終日の係員の感謝慰勞會の席上にて感謝狀と記念品とを贈呈する事に内定して居る。

十月二日

各新聞紙上の報道

早朝、本審査會の記事が「大阪朝日」、「大阪時事」「夕刊大阪」等に、坂間市長が赤ちやん達を祝福して居る寫眞諸共掲載されて居るのを見た。今日の總評は松尾、西二博士に濟生會の淺田博士である、眼科は伊賀井、和田二學士、秋谷女史、指紋は松倉學士指導、皮膚の診査は前日の如く山田學士指導、アルファ會は最終日の超滿員を懸念され三十二名の應援があつたので實に力強かつた、宜なり來會者は頗る多かつた。

參觀者は大阪朝日社會事業團の賀集氏、眞島智茂女史、岡部大阪市主事、山田北市民館長、岸本水府氏等で、聯合婦人會河非副會長の令孫が審査に見え、始めの中は元

氣でニコ〳〵して居られたが、他の群童諸君が合奏するので遂に泣き出して了つて誰れが慰めても駄目らしかつた、お若いお母さんも可なり弱つて居られた。

今日は堀江、津守、石田各婦人會、市産婆會等最終の混雜を案ぜられ、平日より多數應援されたのは實に有難い事であつた。

記者の顏を見る程の人々は、全部「お疲れでせう」と慰めて下さるのは實に有難い極みである。

審査會功勞者の表彰

第十五回全大阪乳幼兒審査會を記念して、審査最終日の十月二日、奉仕係員慰勞晩餐會（招待者七十五名）の席上、本會會長坂間大阪市長代理藤原保健部長から感謝狀と記念品を贈られた功勞者芳名は左の如くで、終りに感謝狀の寫を再錄する事とする、尚本夕は藤原部長、余田博士、加藤三越支店次長を始めとして、市婦人聯合會アルファ會の幹事、會員諸氏の感話等があり樂しくも有意義なる會合であつた。

感謝狀並記念品贈呈者芳名

前大阪市立堀川乳兒院長　醫學博士　生地　憲氏
大阪帝國大學醫學部講師　醫學士　松倉豊治氏
大阪帝國大學醫學部齒科　醫學士　石野惠庸氏
大阪市産婆會理事　三宅コタミ氏
ライオン齒磨本舖大阪支店長　吉田武夫氏
明治製菓株式會社大阪支店長　石井孝三氏

> **感謝狀**
>
> 第十五回記念全大阪あかんぼ審査會ヲ開催スルニ當リ多年ノ間貴下ガ本會ノ爲メニ熱誠盡瘁セラレタル功ニ對シ記念品ヲ贈リ聊カ感謝ノ意ヲ表ス
>
> 昭和十二年九月二十九日
>
> 大阪兒童愛護聯盟主催
> 全大阪あかんぼ審査會
> 會長　大阪市長　坂間棟治　㊞
>
> 殿

赤ん坊に對する注意（三）

大阪市立今宮乳兒院長　醫學博士　野須新一

脚氣の素人診斷の間違

（一）母親に脚氣がある場合には必ず其の子供にも乳兒脚氣を起すものだと信じ赤ん坊には何等變つたこともないのに乳を斷めて牛乳やミルクで育てゝ居る人。

（二）母親が産前や産後に足が腫れたとか輕い「シビレ」の氣味があつたとかで直ぐ脚氣だと信じ赤ん坊に飲ませない人。

（三）赤ん坊が靑い便を出したり乳を溢したり下痢をしたりすると直ぐ乳兒脚氣だと信じて乳を斷めた人。

以上は素人に一番多い間違であります。其の結果は生れて間もない赤ん坊に天から與へられた母親の乳をやめて外の物で育てやうとするのであるから、多くは早かれ遲かれ消化不良症を起し遂には一命を奪はれるものも尠くないのです。此事實は乳兒脚氣を免れてもそれ以上に恐ろしい消化不良症の來るのを考へない無法なやり方であります。第一の場合に乳を斷める必要のないことは前述の通りであります。次に母親が産前産後に脚氣に似た病氣を起すことはしば〳〵であるが大部分はお産がすみ次第床離れする時期には全治するか或は非常にかるくなるのであります。又乳兒脚氣の起るのは多くは生後一—二箇月以後で生れて直ぐに乳兒脚氣を起すやうなことは極く稀であります。それ故にたとへ母親に脚氣があつても生後二、三十日間は乳を斷める必要はないのでありま す。第三の赤ん坊に靑便や、下痢や、溢乳などがあるのは必《かなら》ずしも乳兒脚氣《にうじかつけ》の時《とき》ばかりではなく母乳《ぼにう》を飲《の》み過《す》ぎたり又《また》は其《そ》の他《た》の原因《げんいん》で消化不良症《せうくわふれうせう》に罹《かゝ》つて居《ゐ》る場合《ばあひ》にも同樣《どうやう》に乳兒脚氣《にうじかつけ》に似《に》た症狀《せうじやう》を起《おこ》すことがあります。

離乳に就て

離乳《りにう》は乳兒期《にうじき》から幼兒期《やうじき》に入《い》らんとする子供《こども》の榮養《えいやう》の一大革命期《だいかくめいき》であつて、此《こ》の時期《じき》が又乳兒榮養障碍《またにうじえいやうせうがい》を最《もつと》も起《おこ》し易《やす》い時《とき》に當《あた》ります。從《したが》つて正《たゞ》しい離乳《りにう》を行《おこな》ふことによつて此《これ》の時期《じき》を無難《ぶなん》に過《すご》すには是非共《ぜひとも》離乳《りにう》に就《つい》ての一般心得《はんこゝろえ》を充分《じうぶん》に知《し》り之《これ》を實行《じつこう》して戴《いたゞ》かねばなりません

離乳の時期

離乳期《りにうき》が若《も》し暑《あつ》い盛夏《せいか》の候《こう》であらばこれを秋《あき》まで延期《えんき》するがよろしい。又《また》離乳《りにう》は乳兒《にうじ》のとくに健全《けんぜん》な時期《じき》を撰《えら》んで極《ご》く徐々《じよく》に、初誕生《はつたんぜう》には完全《かんぜん》に離乳《りにう》するやうにします。離乳《りにう》は生《うま》れてから幾月位《いくつきぐらゐ》から始《はじ》めるかと云《い》ふことは國々《くにぐ》によりて多少《たせう》の相違《さうゐ》はあります。小兒《せうに》の發育《はついく》の模樣《もやう》によつても手加減《てかげん》をせねばなりませぬ。歐洲《おうしう》では離乳《りにう》を始《はじ》める時期《じき》を六箇月《かげつ》の終《をはり》としてゐます。それは其《そ》の頃《ころ》になると赤《あか》ん坊《ばう》の體《からだ》の目方《めかた》が増《ま》さない樣《やう》になり大便《だいべん》の量《れう》が減少《げんせう》して褐色《かつしよく》の便《べん》を漏《もら》す樣《やう》になります。これを離乳《りにう》の時《じ》期《き》と見做《みな》して居《ゐ》るのです。わが日本《にほん》の習慣《しうかん》では百二十日《か》を「喰初《くひぞめ》」として居《ゐ》るが實際《じつさい》にはそれよりも遲《おそ》く二年《ねん》、三年或《ねんあるひ》は五、六年間《ねんかん》も乳《ちゝ》を飲《の》ませる方《かた》があります。斯樣《かやう》な習慣《しうかん》は今日迄《こんにちまで》は一般《ぱん》にさして子供《こども》に害《がい》を及《およ》ぼすものとは考《かんが》へられなかつたのですが、斯樣《かやう》に長《なが》い間母親《あひだはゝおや》の乳或《ちゝあるひ》は牛乳《ぎうにう》のみで養《やしな》はるゝ小兒《せうに》は其《そ》の身體《からだ》及《およ》び精神兩方面《せいしんれうはうめん》に發育上《はついくぜう》一定《てい》の故障《こせう》を起《おこ》すものであります。其《そ》の大體《だいたい》を申《まを》しますと次《つぎ》の樣《やう》であります。

身體の異常

（一）一般的《はんてき》

（イ）貧血《ひんけつ》（顏色《かほいろ》が蒼白《あをじろ》くなります）

（ロ）身體《からだ》の目方《めかた》が増《ま》しませぬ。

（ハ）筋肉《きんにく》が軟《やわ》らかく引《ひ》きしまりませぬ。

（ニ）歩《ある》く時期《じき》が遲《おく》れます。

（二）發育異常《はついくいじやう》

（イ）胸《むね》の圍《まは》りが狹《せま》くて頭《あたま》の圍《まは》りが大《おほ》きくなります。

（ロ）頭《あたま》の骨《ほね》が四角張《かくば》つて來《き》ます。

（ハ）胸廓《けうかく》の形《かたち》が西洋《せいやう》の梨《なし》に似《に》た胴《どう》になります。

（ニ）おどりこの閉《と》ぢる時期《じき》が遲《おく》れます。

（ホ）齒《は》の生《は》える時期《じき》が遲《おく》れます。

（三）血液《けつえき》の變化《へんくわ》　血色素《けつしよくそ》が減《へ》り赤血球《せきけつきう》に變化《へんくわ》が起《おこ》ります

精神の異常

（一）神經過敏《しんけいくわびん》（癇癪《かんしやく》が高《たか》くなり物事《ものごと》に恐《おそ》れます）

（二）智力《ちりよく》の發育《はついく》が遲《おく》れる。

以上《いじやう》の樣《やう》な結果《けつくわ》を來《きた》すのでありますから赤《あか》ん坊《ばう》の發育《はついく》の模樣《もやう》を考《かんが》へて適當《てきたう》な時期《じき》に離乳《りにう》を實行《じつかう》することは育兒《いくじ》衞生上《えいせいぜう》非常《ひぜう》に肝要《かんえう》なことであります。日本《にほん》の乳兒《にうじ》に於《おい》ては生《うま》れてから七、八箇月《かげつ》の頃即《ころすなは》ち齒《は》の生《は》え初《そ》め頃《ころ》からだん／＼始《はじ》めて滿《まん》一年《ねん》にて完全《かんぜん》に離乳《りにう》するのが一番《ばん》よいのであります。

離乳の方法

離乳《りにう》の方法《はうはふ》といたしましては、一度《ど》に母乳《ぼにう》を廢《やめ》る樣《やう》なことは特別《とくべつ》の事情《じぜう》のない限《かぎ》りはやつてはいけません。注意《ちうい》しながら徐々《じよ/\》に母乳《ぼにう》を減《げん》じ、其《そ》の不足《ふそく》を牛乳《ぎうにう》、菓子類《くわしるゐ》小兒粉類《せうにふんるゐ》（ミルクフード、乳粉等《にうふんとう》）重湯《おもゆ》、粥等《かゆとう》で補《おぎな》ふのであつて、先《ま》づ二、三箇月内外《かげつないがい》で大體乳《だいたいにう》を離《はな》す樣《やう》にして遲《おそ》くとも滿《まん》一箇年《かねん》までには完全《かんぜん》に離乳《りにう》するのが通例《つうれい》であります。

離乳《りにう》の方法《はうはふ》としましては大體次《だいたいつぎ》の三通《とほ》りの方法《はうはふ》があります。

第一《だい》の方法《はうはふ》　昔《むかし》よりの離乳方法《りにうはうはふ》でありまして、菓子類《くわしるゐ》や、牛乳《ぎうにう》の代《かは》りに味《あぢ》を付《つ》けた重湯約百瓦《おもゆやくぐらむ》を（味《あぢ》は少量《せうれう》の食鹽《しよくえん》、砂糖《さたう》、醬油《せうゆ》、味《あぢ》の素《もと》或《あるひ》は輕《かる》い「出《だ》し類《るゐ》」等《など》で付《つ》ける）哺乳前《ほにうぜん》或《あるひ》は後《のち》に與《あた》へ漸次母乳《ぜんじぼにう》を減《げん》じつゝ薄粥《うすかゆ》より全粥《ぜん》に移《うつ》すのであります。離乳完了後《りにうかんれうご》の食事回數《しよくじかいすう》は、粥食《かゆしよく》四回《かい》が普通《ふつう》であります。

第二《だい》の方法《はうはふ》　先《ま》づ週餘《しうよ》の間《あひだ》、一日《にち》一回乃至《かいないし》二回牛乳《かいぎうにう》と重湯等分《おもゆとうぶん》のものに角砂糖《かくざたう》一個《こ》を加《くは》へたもの約百瓦《やくぐらむ》（二分《ぶん》の一牛乳《ぎうにう》）を哺乳前《ほにうぜん》に與《あた》へ、其《そ》の不足《ふそく》を母乳《ぼにう》で補《おぎな》ひ大便《だいべん》等《とう》に異狀《いぜう》がなければ、漸次濃厚《ぜんじのうこう》にして、稀釋《きしやく》しない牛乳《ぎうにう》に換《か》へ、母乳《ぼにう》の代《かは》りに牛乳丈《ぎうにうだけ》を與《あた》へ一方《ぱう》では母乳《ぼにう》を減《げん》じつゝ重湯或《おもゆあるひ》は薄粥《うすかゆ》を初《はじ》め、漸次全粥《ぜんじぜんかゆ》に移《うつ》し離乳《りにう》するのであつて、離乳完了時《りにうかんれうじ》の食事回數《しよくじかいすう》は普通粥食《ふつうかゆしよく》三回及《かいおよ》び牛乳《ぎうにう》一回《かい》となつて居《を》ります。

第三《だい》の方法《はうはふ》　哺乳前或《ほにうぜんあるひ》は後《のち》に少量《せうれう》の菓子類即《くわしるゐすなは》ち「ボーロ」、「ウエフアース」或《あるひ》は良《よ》い「ビスケツト」等《など》の消化《せうくわ》し易《やす》い菓子《くわし》を與《あた》へながら、漸次母乳《ぜんじぼにう》を減《げん》じ、重湯或《おもゆあるひ》は薄粥《うすかゆ》より全粥《ぜんかゆ》に移《うつ》すのであつて、離乳完了時《りにうかんれうじ》の食事回數《しよくじかいすう》は粥《かゆ》

食《しよく》四回《かい》と致《いた》します。

以上《いぜう》の樣《やう》にして行《ゆ》けば、離乳《りにう》を初《はじ》めてから第《だい》二週乃至《しうないし》第三週目頃《だいしうめごろ》よりは、野菜或《やさいあるひ》は鳥肉《とりにく》の「スープ」脂肪分《しばうぶん》の少《すく》ない魚肉《ぎよにく》の煮汁等《だしなど》を粥《かゆ》と共《とも》に與《あた》へ、其《そ》の外《ほか》「ケーキブライ」「カルルス煎餅《せんべい》」「すり餌《ゑ》」の樣《やう》にした「ホーレン草《さう》」裏濾《うらご》した芋類《いもるゐ》、豆腐《とうふ》、「ヤキフ」梨《なし》、林檎等《りんごなど》の果物汁《くだものしる》（一回《かい》一乃至《ないし》二茶匙宛《ちやさじづゝ》）或《あるひ》は煮《に》た果物或《くだものあるひ》は人蔘等《にんじんなど》も與《あた》へ一年《ねん》以後《いご》になれば半熟《はんじゆく》にした卵黃《らんくわう》、牛肉《ぎうにく》の「スープ」等《など》も與《あた》へてよろしい、間食《かんしよく》として餡氣《あんけ》のない菓子類《くわしるゐ》も與《あた》へて差支《さしつか》へない。離乳期《りにうき》には始《はじ》めて食《た》べる食物《しよくもつ》が多《おほ》くて、胃腸《ゐてう》を損《そこな》ふ事《こと》が少《すく》なくないから、何時《いつ》母乳《ぼにう》の必要《ひつえう》があるかも知《し》れないので、此《こ》の點《てん》は始《はじ》めより充分注意《じうぶんちうい》して、母乳分泌《ぼにうぶんぴつ》の餘《あま》り早《はや》く止まらない樣《やう》にしなければなりませぬ。總《そう》じて離乳期《りにうき》にあるものは申《まう》すまでもない事《こと》でありますが離《り》乳完了後《にうかんれうご》も尚當分《なほたうぶん》の間《あひだ》は、榮養上《えいやうぜう》に或《あるひ》は育兒上《いくじぜう》に、乳兒《にうじ》時代《じだい》と同《おな》じ樣《やう》に周密《しうみつ》な注意《ちうい》を必要《ひつえう》とする事《こと》は申《まう》すまでもない次第《しだい》であります。

附記　百八十瓦は一合に相當す。

二分の一牛乳は牛乳一分と稀釋液一分の割合にせるもの。

三分の二牛乳は牛乳二分と稀釋液一分の割合にせるもの。

四分の三牛乳は牛乳三分と稀釋液一分の割合にせるもの。

桃隣撰の「陸奥衞」より

兒童に關する俳句評釋（一四）

岡本松濱

子共等よ晝顏咲きぬ瓜むかん　芭蕉

芭蕉は大變に瓜好きであつたと見えて、瓜の句が、ちよい／＼ある。又とき／＼子供等を呼び集めて、共に戲れ遊んだことが、其の作品に依つて想像される。この句は芭蕉が瓜を近所から貰つたか、或は買ひ求めた時、傍に子供達がゐて、今も欲しさうにした。芭蕉はそれを抑へて、今たべるよりも、午後の暑い日盛りに食べた方が一層うまいから、それまで待てと云ひ聞かしたのである。やがて約束の午後となり、井戸水に冷して置いた瓜は、恰も食べ加減となつた。そこで芭蕉は先刻の子供達よ、今や暑さの頂點に達し、晝顏が咲いてゐる。さア／＼こゝへ來い、一緒に瓜をむいて食べやうでないかと呼びかけたのである。子供と瓜に對する芭蕉の好愛の心が深くにじみ出てゐるし、又この場合に於ける「晝顏咲きぬ」と云ふ言葉は、單なる添景に用ひたのでなく、暑熱のはげしさと、時刻の推移が實によく描出され多大の効果を擧げてゐる。

鞍壺に小坊主のせて大根引　芭蕉

「炭俵」にも出てゐた句であり、嘗て小解を試みたことがある。

月やあらん御幣子の顔白椿　　不角

「御幣子」は作者の造語であつて、一般的のものではない。多分御幣を持つた子と云ふ意味であらうと思はれる神を祭つてゐる場合、或は神樂を奏してゐる場合、折から月は皎々と照つてゐるのであるが、あたりの樹木や、神殿に遮ぎられて、充分にそこには光りが射して來ないが、御幣を捧げてゐる子の顔だけが、眞白く白椿の如く冴えてゐたのである。あたり一ぱいの月光よりも、外の物が暗くつて、唯一つのものだけが、明らかに月光を浴びてゐるのは、一層冴えわたつて、輝いて感じられる。殊にそれが御幣を捧げ持つた美くしい少年であるだけに一しほの明らさ、淸らかさがある。

時鳥鳴くや並木の山續き　　十四歳　桃士

いづれかの街道に沿うた長い松並木か、杉並木のうしろが直ぐに重疊たる山脈である。如何にも時鳥の鳴きさうな場所柄である。少年の句としては、すつきりとしてゐて難がない。

麥の葉に慰み行くや小山伏　　才麿

大人の山伏が二三人或は四五人うち連れて、初夏の野道をわたつて行く。其の中にたゞ一人十二三歳ばかりの子供の山伏が、うち交つてついて行く。大人達はいろ〳〵話し合つて歩いて行くが、其の話から取り殘された小山伏は、まことに所在なく、道を行くのも退屈げに見える。大人に交つた唯一人の少年としては無理もないことである。時は照る日もまだ暑からぬ初夏のことであり麥は靑々と伸びて居り、菜の花も、五形花もまだ咲き殘つて、蝶や燕が飛び交ひ、高空には雲雀が鳴いてゐるであらう。少年はさうした自然の景色をうち眺めながら、麥の葉をちぎつたり、或は麥笛を吹いて、ひとり慰みつゝ行くのである。

蚊禦《ふせぎ》や寢た子の傍を探り足　　不城

蚊遣を緣側に焚きつゝ、子供を寢かしつけてゐたのが漸くすや〳〵と眠りに落ちたらしいので、親は緣側に出やうとして、そつと子供の傍を離れ、忍び足でその部屋を拔けて出たのである。少しでも我子の安らかであれかしと祈る親心を詠じたもの。

夕顔の花や目に立つ玄關前　　十一歳　如風

この句は文字の通りであつて、何の解釋を下すまでもなく、誰にもすぐ諒解されるであらう。十一歳の少年の句としては、少しも惡い癖がなく、素直に詠ひ出されてゐる。平凡と云はゞ云ふものゝ、夕闇の中にぼかりと白く大きく咲いてゐる夕顔の花は、實際にあまりにはつきりと眼に映つて時には一種の妖氣を感ずる事すらある。其の點に於てこの句は夕顔の花の特性を捉へてゐると云つてよい。

おほた子に髮なぶらるゝ暑さ哉　　その女

「小弓俳諧集」の句を評釋した時、この句があつたから茲には省略する。

貰はれし其子があれか角力取　　岩翁

この句は少年が旣に見交すばかり大きくなつて、立派な角力取になつてゐたのに驚いたのである。少年の句としてどうかと思はれるが、幼い時に角力取の手に貰はれて行つた頑是ない少年の面影も自づから浮び出されるやうに歌はれてゐるのを捨て難く思つて採錄した。堂々たる體格になり切つた角力取に對する隣人、或は鄕黨人の驚きがまことによく描かれてゐる。

娘どもいでや西瓜を力持　　槿堂

近所隣の娘達が五六人も集つてゐたので、其の娘達にそこに有り合す西瓜を捧げて、互の力競べをしたらどうかと、うち興じたのである。箸がこけたのを見ても笑ひたがる娘達は、小父さんの其の言葉を聞いただけで、早くもキヤツ〳〵と笑ひ合つてゐるであらう。とても力持をするどころではない。さうした滑稽の場面が品位よく描かれてゐる。

あれ見たか角前髮が播磨投げ　　臥高

「角前髮」はまだ一人前の男にならず、額髮を房々と垂れてゐるから、少年の部にあるものと見てよからう。「播磨投げ」とは、如何なる角力の手か知らず、又それが角力四十八手の内にあるものか、ないものかさへも知らぬが、見物に取つては、まことに見事な、華やかな投げ方であるに相違ない。即ちまだ元服もしてゐない、見た處甚だ弱々しい少年が、相手には大分無理かと思はれる體格の優れた一壯漢と取り組んだのである。勿論少年が負けるであらうと思つた豫期は全く外れて、少年は逞ましい相手を、物の美事に播磨投げに投げ倒したのである。見てゐた作者の驚きと悅びとは、この句となつて現はれたので、「あれ見たか」と云ふ言葉の內に、一ぱいの感嘆がうち籠められてゐる。

子一つや分別なしに女七夕　　神叔

子供をたゞ一人持つてゐる。それが女の子である故に作者の感懷として斯樣な句をなすに至らしめたのであらう。子ひとりを「子一つ」と物體扱ひにしたのも、時に依つては內容を高める事もあるが、この場合どうかと思ふ。

名月や箔紙顔かゝる兒《ちご》の顔　　その女

子供の顔に金箔か銀箔のはしきれが附着してゐたのである。子供の顔に箔紙がかゝるとは、七夕らしい心持もせぬではないが、七夕とすれば、餘りつきすぎて、作者の手柄はうすい。矢張り鏡の如き月明の下に、思ひがけなく箔紙のついてゐたのを見出した方が、遙かに淸らかであり、美くしくあり、そのために子供の顔も、月の光りも一層冴え〳〵として引き立つやうである。

以上十三句は、天野桃隣撰の「陸奥衛《むつちどり》」に出てゐた句である。桃隣は（芭蕉歿後師を追慕するのあまり）芭蕉の踏んだ奥の細道のあとをたづねて歷遊し、その記念としてこの句集を編んだのである。

愛兒の夢にも氣をつけて
夢は慾望や苦痛の現れ

醫學博士　安田德太郎氏談

夢は五臓六腑の疲れといふ——實際精神や肉體が疲れてゐると、どうしても眠りが淺くなるので多く夢を見ますしかし夢はなぜ見るかといふ「夢の生理」は本當にはまだわかつてゐないのです、けれども見た夢の內容を分析して、その人がどういふ慾望を持つてゐるかを判斷する方法は、フロイド流の精神分析家がいろ〳〵と試みてゐる處です。

たゞこの慾望といふ言葉は恐怖だの嫌惡だのといふ「否定的の慾望」をも指しますから、大人の夢となると、その分析、判斷もなか〳〵簡單には行きませんが、子供の夢は比較的判じやすいものです、何となれば子供の慾望は單純です、お菓子が食べたいと思つて寢ると、素晴らしいお菓子の王國などの夢を見ます、海へ行きたいなアと思つて寢ると、その夜の夢は樂しい海水浴の夢です、よく枕を三つたゝいて眠ると、何でも見たいと思ふ夢が見られるといひますが、これなども子供には眠る前の慾望が簡單に夢となつて現れるからのことです、次に眠つてゐる間の肉體的な苦痛が夢となつて現れることもよくあります。

たとへば火事場の夢を見て消防夫の働きに感心してゐたら、さめておねしよをしてゐたとか、風呂へ入つてぬるいと思つてゐたらさめて寢床の外へころがり出してゐたとか、あるひはこたつをひつくり返した夢を見てふと目をさまして見たら本當にこたつがひつくり返つて、シーツが燃えてゐたとかいふことは子供には隨分しば〳〵あることです。

だから慾望や苦痛の單純な子供の夢は割合やさしく判斷が出來ます、ただお菓子の落ちてた夢を見たからとて現場へ行つても無駄です、それはお菓子が食べたいといふ慾望が夢になつたに過ぎないのですから……とまれ賢明な母親は子供の夢の話にも注意をそゝぐだけの愛と知識とをもつてゐても惡くないと考へます。

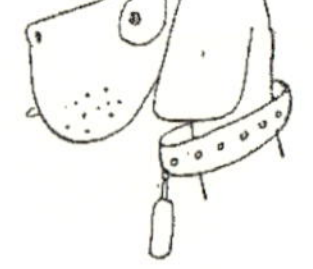

不良兒と兩親

川口信教

（一）

古來子供の出生時に於ける兩親の年齡如何は興味ある問題として取扱はれ、偉人の兩親を調べて、ナポレオンや信長の如き英雄はその兩親の青年時代の子であり、釋迦孔子の如き宗教思想家は兩親の晩年に生れた者が多い等と云はれてゐる。然しこれには例外と稱する者があることは何れの場合にも考へねばならぬことであるが、この出生時に兩親の年齡の關係は胎教と同樣その子供の性格等に多少の影響を與ふるは明なることであると思ふ。

茲に私は不良兒が、その兩親の何歳頃に生れたものであるかを、戸籍謄本を基礎とし之に兩親よりの申立を加へて、約二千名の調査をした、然しその約半數は左の理由で調査不能であつて殘念であつた。

（一）不良兒は養子が多いので實父母のことを知ることが困難であつた。

（二）兩親に早く死別した爲め、兩親の年齡等戸籍面に表はれてゐないものが多かつた。

（三）庶子、私生子が相當數あつて隨つて母、又は父の一方しか判明せない者あり。

（四）戸籍面に實の母の如く記されてゐても實際は幼少の無籍兒を貰つて育てたと稱する者も相當あつた。

これ等の理由で約千名は判明せなかつたが殘る千名はその兩親の何歳頃に生れたものか左の表の如くに現はれてゐる。

この表に示されてゐる如く、兩親の若年時代即ち十七八歳頃に生れた者と、兩親の老年時代に生れたものも相

當多いことであつて、男女共十六歳に生んだもの計五名あり、これが妊娠は十五歳のときだから相當考へさせられるのである。又女で五十歳を過ぎて子供が生れるとは一寸常識で考へられないが、醫學上絶無とは保證されない問題であつて、中に名門等には娘の生んだ子供を體裁上母の生んだものとして屆けるとのことあるかに聞くが、果してこの表にそんなのが含まれてゐるか否や疑問に思ふが、とにかくこんな數字が出て來たのである。

兩親の各年齡に於ける不良兒の出生數

年齡	父	母
一六歳	一	四
一七〃	〇	六
一八〃	三	一六
一九〃	四	二八
二〇〃	七	四五
二一〃	一四	四九
二二〃	二二	五七
二三〃	二五	六六
二四〃	三一	六七
二五〃	三八	七七
二六〃	五三	七八
二七〃	五六	六九
二八歳	五五	五六
二九〃	四八	五七
三〇〃	六五	五四
三一〃	五二	五三
三二〃	六七	五七
三三〃	五八	四二
三四〃	四七	三二
三五〃	四三	四一
三六〃	四二	二九
三七〃	三六	三四
三八〃	四〇	三三
三九〃	三一	二五
四〇歳	三三	一一
四一〃	一一	一二
四二〃	二三	一七
四三〃	一七	一〇
四四〃	一二	一八
四五〃	二六	九
四六〃	一六	四
四七〃	一六	三
四八〃	八	二
四九〃	七	一
五〇〃	八	二
五一〃	五	〇
五二〃	三	一
五三〃	三	二
五四〃	四	〇
五五〃	一	〇
五六〃	五	二
五七〃	四	〇
五八〃	〇	三
五九〃	一	
六一〃	一	
六三〃	二	
計	一、〇四四	一、一七一

（「子供の世紀」九月號 母親のメンタルテスト第八問と對照されるも一興）

（二）

次に夫婦年齡の差の問題であるが、不良兒約二千名の中で左表七八七名だけ兩親の年齡の差を知ることが出來た。それによると大體父が一歳乃至十歳の年長であるが、同年亦少くなく殊に三歳以上も父が年少の場合が三十餘名あり且つ十五歳以上父母の年齡の差のあるもの三十餘名ある、これ等はその生れ出たる兒童の心身に惡影響を與へなかつたと思はれる。

古來我が國では男子十六歲、女子十四歲で花が咲き、男子六十四歲、女子四十九歲で花が散ると稱せられるので靑年時代は二つ違ひ、老年で十五歲位の違ひは大體よいものとされ、最も理想的なものは五歲乃至十歲位男子が年長なればよいとされてゐる。

甲　夫婦年齢の差（父が歲上の場合）

一歲上	六〇	一四歲上	一八
二〃	七〇	一五〃	一四
三〃	五六	一六〃	五
四〃	六二	一七〃	六
五〃	五二	一八〃	四
六〃	六九	一九〃	一
七〃	四九	二〇〃	二
八〃	四三	二一〃	二
九〃	三二	二二〃	四
一〇〃	二八	二三〃	三
一一〃	三〇	二七〃	一
一二〃	二三	二九〃	一
一三〃	一二	三二〃	一
計	六四六		

乙　夫婦年齢の差（夫婦同歲又は母の歲上の場合）

同歲	四四	二歲上	二七
一歲上	三六	三〃	九
四歲上	九	八歲上	一
五〃	九	九〃	一
六〃	一	一〇〃	一
七〃	二	一七〃	一
計	一四一		

この表の如く極端なものは勿論よい子は生れぬのであつて、最も甚だしい一例としてこの三十二歲の差の兒童は私は七、八年前受持つて苦勞した子供であつた。卽ちこの子の父は妻の連れ子を、妻死亡後不倫にも關係して出來たものであつて、兄弟三人あるが三名とも皆心身に缺陷あり本人はその末子で父の五十九歲のとき母の二十七歲のときに生れたもので、甚だしい馬鹿で知能指數四十八の痴愚に屬するものであつたが、十三歲で私の元に來り滿三ヶ年餘敎育したがその後度々の無斷外出をなし遂に司法省系の保護所を轉々し今は可愛想にも某刑務所に入つてゐる狀態で本人には全く氣の毒だが、その父の亂行が今日の彼を生んだものと思はれ、彼の兄は虛弱で倭小、姉は四尺に足らぬ小女にして何れも不遇であるは同情に堪へぬ次第である。

これはほんの極端な一例であるが、とにかく餘り年齢の差はよい子が生れぬものと思はれる。

※　※

世間話（二）「この兄この弟」

ツカダ・キタロウ

世間話は自然時節柄の戰爭話に花が咲きます。處で、スパイとかの暗躍が甚だしいとかで、一切多言を避くべしとの國民心得を諭されてゐる今日、お互に遠慮すべきでありませう。

然し乍ら、軍の行動に關係の無い感銘深き物語も數々あり、是等は我々國民として、大いに語り傳へたいと思ひますが、殊に知人友人或は身邊近く惹起した事柄は、忘れる事の出來ぬものがあります。

滄州の戰には、數多くの尊い生命が捧げられた由で、近代科學戰の驚異となつてゐる激戰であつたと傳へられてゐますが、物語はこの戰に兒事名譽の戰死を遂げた池尾工兵伍長の令兄の話であります。

令兄の池尾氏は神戸の小學校の訓導で私の親しい友人の一人でありますが、丁度私の訪ねた日が、滄州戰の勇士達の悲しき凱旋の日とかにて、頗る多忙に見えその暇々に、令弟の戰の有樣を物語られたのであります。

當時生死を共に誓ひし中隊長が、重傷の身を故國に送られて來られたとかにて、池尾氏は親しく令弟の戰場での有樣を聞かれ、そしてせめてもの慰めと、細々と手帳にその有樣を記されてゐたのであります。

處で、私の世間話はこれからであります。

數ヶ月前までは、同じ家に起居を共にせし、唯一人の愛する弟君の、生命を國家に捧げた悲しみの中にも、池尾氏が手帳を前にして、私に語られた言葉は、斯んな數語でした。

「弟が滄州で戰死したと聞いた時、勿論お國に捧げし命の事、何の女々しい涙など流しませう。心から、その冥福を祈ると共に、我が大君のお役に立つた事を、喜んだのでありますが、何よりも心配した事は、どんなにして弟が働いたらうかと云ふ事でありました。

若しも、突擊前に於て擊たれたとか、或は又塹壕の中ででも死んだのであれば、何とも殘念だし、又申し譯ない事と思つたのです。

何とか一かどの手柄を立てゝ、立派な戰死であつて吳れて居れば、と、それのみ心がかりでありましたが、中隊長に聞くと、斥候にも二度三度出して頂いたそうだし、滄州でも、水壕を越えて、第二の鐵條網を切斷中に、腹部に數發の彈丸を受けて死んだとの事で、やつと安心したのでした。

立派な最後だつた。重傷で助からぬと知つた弟は、自ら銃劍を取つて胸を刺し、その劍先が背部にまで突き通つてゐたとの事で、中隊長もその見事な覺悟を賞めて下さつてゐた。こんな嬉しい事はありません。

さすが肉親の最愛の間柄であります。兩眼に一杯涙をため乍ら、それでも晴やかに、池尾氏は笑はれたのでありました。

我が生命は重からず、御國の爲めにお役に立ちしや否や。それのみが心配である、との覺悟こそは、世界に比類の無きものであります。これぞ、皇軍の至る處敵なき、銃後の護りそのものでゝはありますまいか。

私は「この兄にしてこの弟あり」と、心から頭のさがるのを感じた事であります。

新聞紙に雜誌に、或はラヂオに講演に、數々の戰場美談、又は銃後の美談の傳へられてゐるのを見ます。然し、自ら斯くの如き尊嚴にして赤誠に燃ゆる事實に接したのは、私としては最初であります。

私は、斯かる美談をこそと、心から世間話に望まざるを得ないのであります。

乳兒榮養の話（二）

大阪市立堀川乳兒院
醫學士　山　田　　讓

生理的大顖門直徑

月齡	直徑
1—3ヶ月	2.5糎
4—6	3.1
7—9	3.6
10—12	3.2

(五)生齒　乳齒の發生は生後六箇月頃下顎門齒から生へ初め次表の樣な順序をとつて出揃ふものですが、その順序や時期は各人によつて多少の差はありますけれど甚しく發生のおそいときは骨の發育と一定の關係があります。乳齒は永久齒の根底になるべき事を念頭において、口內の清潔を守らなければなりません。

順序	發生齒牙	月齡
I	2個下顎內門齒	5—8箇月
II	4個上顎門齒	8—12〃
III	4個第I小臼齒2個下顎外門齒	12—16〃
IV	4個上下犬齒	18—24〃
V	4個第II小臼齒	30—36〃

本邦乳幼兒發育標準表（昭和五年東京帝國大學醫學部小兒科教室調）

	年齢	體重 男 瓩	體重 男 貫	體重 女 瓩	體重 女 貫	身長 男 糎	身長 男 尺	身長 女 糎	身長 女 尺	頭圍 男 糎	頭圍 女 糎	胸圍 男 糎	胸圍 女 糎
乳兒	初生兒	三・〇六	〇・八一六	二・九五	〇・七八七	四九・四	一・六三	四八・五	一・六〇	三三・四	三二・七	三一・八	三一・六
	滿一箇月	四・〇〇	一・〇六七	三・八〇	一・〇一三	五四・五	一・八〇	五三・六	一・七七	三六・五	三五・八	三五・六	三五・〇
	滿二箇月	五・二一	一・三八九	四・九二	一・三一二	五八・一	一・九二	五七・一	一・八八	三八・六	三七・五	三八・一	三七・二
	滿三箇月	五・九七	一・五九二	五・六一	一・四九六	六〇・三	一・九九	五八・九	一・九四	三九・九	三八・五	四〇・一	三八・七
	滿四箇月	六・六六	一・七七六	六・一五	一・六四〇	六二・一	二・〇五	六〇・八	二・〇一	四一・一	四〇・一	四一・七	四〇・三
	滿五箇月	七・二七	一・九三九	六・七〇	一・七八七	六三・八	二・一一	六二・八	二・〇七	四二・一	四一・一	四二・四	四一・三
	滿六箇月	七・六七	二・〇四五	七・〇四	一・八七七	六五・五	二・一六	六四・二	二・一二	四二・九	四一・六	四二・九	四一・八
	滿七箇月	七・九四	二・一一七	七・三五	一・九六〇	六六・九	二・二一	六五・五	二・一六	四三・四	四二・二	四三・五	四二・二
	滿八箇月	八・二二	二・一九二	七・六九	二・〇五一	六八・二	二・二五	六七・〇	二・二一	四四・〇	四二・九	四三・八	四二・七
	滿九箇月	八・四四	二・二五一	七・九七	二・一二五	六九・四	二・二九	六八・四	二・二六	四四・六	四三・四	四四・二	四三・二
	滿十箇月	八・七〇	二・三二〇	八・二一	二・一八九	七〇・六	二・三三	六九・五	二・二九	四四・九	四三・七	四四・六	四三・七
	滿十一箇月	八・九二	二・三七九	八・四七	二・二五九	七二・〇	二・三八	七〇・五	二・三三	四五・二	四四・〇	四五・一	四四・一
	滿十二箇月	九・一七	二・四四五	八・六九	二・三一七	七三・二	二・四二	七二・〇	二・三八	四五・六	四四・六	四五・六	四四・六
幼兒	滿二年	一一・〇二	二・九三九	一〇・四〇	二・七七三	八一・三	二・六八	八〇・二	二・六五	四七・三	四六・〇	四七・六	四六・二
	滿三年	一二・七三	三・三九五	一二・一六	三・二四三	八八・五	二・九二	八七・二	二・八八	四八・二	四七・二	四九・三	四八・〇
	滿四年	一四・二七	三・八〇五	一三・七三	三・六六一	九四・七	三・一三	九三・六	三・〇九	四八・九	四八・二	五一・一	四九・四
	滿五年	一五・六五	四・一七三	一五・二一	四・〇五四	一〇〇・三	三・三一	九九・五	三・二八	四九・六	四九・〇	五二・九	五〇・七
	滿六年	一七・〇五	四・五四七	一六・五六	四・四一六	一〇五・六	三・四八	一〇四・六	三・四五	五〇・三	四九・六	五三・九	五二・〇

第二節　精神の發育

乳兒の發育を考へる上に單に肉體上の發育を以つて能事足れりとする事は出來ません、健全なる肉體は必ず健全な精神を伴つたものでなければなりません、身體の發

育の不良な時には一般に精神の發育も不良な事が多く、吾々は今迄餘りに肉體上の事のみを云々し過ぎて居た樣に思ひます、彿作つて魂入れずでは仕方がありません、吾々は今一度子供に立ち返つて乳兒の種々の運動卽ち立つ、歩く、持つ等の運動が單に筋肉や神經の働きのみでなくて精神發育との間に重大な關係が存して居る事を考へて見る必要がありませう。、白痴が坐つたり、立つたり、歩行したりする事の非常に遲い事を考へればこの間の事情がよく判ります、物言はぬ乳兒の泣き顏の中に含まれた色々の原因を適確に知る事すら仲々難かしいものです、注意深き觀察こそ必要と申さねばなりません、そも〳〵生れた當座の赤ん坊は盲目で、聾で、無慾で、たゞ本能的に泣く事と乳をのむ事の他は反射運動に過ぎません。

第二箇月　機嫌のよい時は微笑し電燈や動くものに目をつけ初め盛に足で蹴ります。

第三箇月　頸が据り眼の運動が自由になり、手足の運動は目的が出來、玩具を摑みに來、高い音のする方に頭を向けます。

第四箇月　あやすと聲を立てゝ笑ひ、口の内で「ブー」とか「ブー」とか譯のわからぬ喃語を發し、色の見別も次第について來る樣になります。

第五箇月　支持すると坐る事が出來るが、手を離せばすぐ倒れます。

第六箇月　獨りで坐り、寢返りが出來、人見識をし、發音を覺え初め、ラ行やパ行の音が次第に明瞭となります。

第七―第九箇月　匍匐運動が初まり、自分の足を口に入れ、大人の食物を欲しがり、物體に倚り自ら立つに至ります。

第十―第十二箇月　物に倚つて歩行する事が出來、單語の理解が次第に完全になり意義のある言語を出します誕生頃には獨り歩きが出來るに至ります。

以上が其の大體ですが、多少の遲速はあるにしても三月もたつても笑はない、半年も經て玩具を喜ばず十月になつても人見識が出來ないなどと言ふのは精神發育の上に異常があるものと見られます。

第三節　乳兒の生理

(一)皮膚　健康な乳兒の皮膚は滑らかで少しく濕潤し薔薇紅色を呈して居るものです、これは乳兒の皮膚が非薄で血管に富んで居るためです、新生兒では生後數日で黄疸が發現しますが、これも一定度生理的のもので心配する事はありません。

(二)皮下脂肪　は全身に亘つてよく發育し腹壁が一番わかり易く皮下脂肪が多く、つまみ上げて見て皺を作つて見たとき堅く緊密になつて居るのは榮養が良好の徵で各種の傳染病に對して抵抗力の强い事を意味しますが過飮等の結果の世に云ふぶく〳〵肥えでは百害あつて一利ありません、吾々は摘み上げて皺を作るとき丁度ひきしまつた肉の塊をつまむ樣な感觸がなし、筋肉との區別が困難なる程皮下脂肪と筋肉とが親密にあつてこそ良好と云ひうるので、吾々はこれを組織の水分含量と水分の結合が極めて正常であつて、組織の彈力性が良好であると申して、健康兒の重要な目標といたします、成人では含水炭素の豐富な食餌をとると糖から脂肪が出來ますが、一般に乳兒にはこの作用がなく、どうしても脂肪を適當に含有して居る事が必要で、世には往々醫師が消化不良等の折にすゝめた脱脂乳とか、牛酪乳等を病氣が治つた後永く使用し、單に便の性質のみを考へて居られる方がある樣ですが、これは全く誤つた考へで、治療食餌はどこ迄も治療に使用するもので、健康にかへつた後は可及的早く榮養豐富な食餌に戻る必要があります。

(三)便通　生後三日位は胎便と云つて臭氣のない粘氣のある濃綠色便を一日數回排泄します、これは胎內で飮んだ羊水と腸內分泌物よりなりますが、其後は黄色便に變ります、大便は體重と共に乳兒の榮養障碍の際最も卑近で判り易いため、いつも問題になるもので、診察室を診れる親達の大部分はむしろ大便に就いて神經質になり過ぎ、吾々の眼から見ては正常便の一種としか考へられない場合もそれが正常便であると申しても承知されない方すらあります、大便の性質は勿論乳兒の健康の一指針として重大でもありますが、吾々の尙重要視しなければならぬ事は乳兒の發育の如何と云ふ事です、成る程必要量以下の殊に脂肪の少い榮養分で便の性質は滿足される性質を備へて居ませうが、一方乳兒の健康は維持されませうか、大便の性質に注意せよ、然し、あまりに神經質になり過ぎぬ樣、もつと大膽に食餌を考へる必要があると思ふ事が屢々あります。

	母乳榮養兒	人工榮養兒
(1)回數	一日一―三回（五六回の事あり）	一―二回（一般に回數少し）
(2)色	卵黄樣	淡黄色
(3)硬さ	軟膏樣	稍ゝ硬し
(4)一日量	一五―三〇―五〇瓦	四〇―七五瓦
(5)反應	酸性	アルカリ性又は中性
(6)臭	不快ならざる酸臭	腐敗臭あり

然し大便は毎回以上の如きとは限らず母乳榮養兒で、時に散亂して居る事があり、或ひは綠色で白顆粒や粘液を

混じて居る事もあり、回數も五、六回も數へる事がありますが、一定度迄は生理的のもので餘り心配する事もなく、反對に數日便秘する事もあります。しかし體重の增加があり一般狀態に變つた事がなければ、母乳榮養の場合は殊にあまり意義がありません、しかし人工榮養の場合綠色を呈するのは病的と考へて差支へなく、母乳榮養の場合に比して消化器の病氣の多い丈けに考慮を必要とします。

(四)尿　排尿は出生間もなく現れ、一般に食餌回數の三倍位排尿します、攝取した水分の六〇%が尿となつて出、水分をとつた後直ちに排尿されます、如何に乳兒の吸收が早いかが判ります、弱酸性又は中性で黄色透明、人工榮養の方が多量です、夏には少く冬には多く、茶水などをあたへた時は一日二、三十回も排尿します。

(五)體溫　新生兒殊に早產兒は體溫を調節する力が弱く、周圍の溫度によつて支配される事があります、健康乳兒では三十七度位で動き易く、啼泣、興奮、運動、哺乳などで上昇をし冷却、榮養不給などで普通より低くなりますから、體溫測定には常に此れを念頭におき、體溫計の水銀球部を腋下、股間にぴつたり挾み、肛門で計るにはグリセリンを塗つて挿入します、この際は五分位高いのが常です、早產兒や榮養不良兒では肺炎などを起しながら體溫があまり高くないため往々見逃されて治療の時期を失する事があります、體溫が比較的高くとも一般の狀態がよく、元氣な時には熱の原因も割合に輕度なものです。

(六)呼吸　乳兒は呼吸が淺く腹でします。

初生兒	三五―四五
乳兒	二五―三五

呼吸を計るのは安眠時に胸を開き心窩部に輕く手を當て時計を見つゝ行ひます。

(七)睡眠　寢る兒は育つ、よく飮みよく眠る事は健康乳兒である事の一つのしるしです。靜かな部屋で空氣の淸い淸潔な寢床こそ乳兒の安眠の鍵です、時々臥位を變へて頭の畸形を防ぎ寢具はあまり厚すぎず薄すぎない事添寢は單に乳房で乳兒の鼻腔を塞ぐ危險のみでなく、母乳が不規則になり、母體の疲勞を增します故、一人で寢る習慣をつける事が必要です、睡眠時間は次の樣です。

生後一箇月　哺乳時のみ覺醒し直ちに眠る。

二―三箇月　哺乳後十五―三十分覺醒。

五箇月　哺乳後一時間覺醒。

一ヶ年　夜間の外午前午後の二回睡眠。

睡眠はその他、性別、季節、氣候、發育狀態によつても左右されます。とも角睡眠が悪い事は哺乳の少い事と共

に其の原因を探究する事が必要です。

（八）脈搏　呼吸、體溫以上に鋭敏で啼泣、哺乳、運動等で著しく增加します故必ず安眠時に計る事が必要で乳兒では一二〇―一五〇位です。

（九）啼泣　物言はぬ乳兒の意思表示は啼泣によつて判斷しなければなりません。綿密な觀察によつて空腹と眠い時の區別を誤る樣な事があつてはいけません。

お腹のすいた時は目を開いて涙を出さずに泣くがこの時指を口に入れると暫く泣き止みます。

身體のどこかに痛い所がある時は兩足をちゞめて火のつく樣に泣き、涙が出ます、この時は第一に衣服をしらべて見る事が必要です。

おしめの濡れて居る時は、足をふんばり頭をふつて泣きます、眠くなつた時は眼を潤ませ、身體が倦んで見え時々欠伸が交ります。

以上簡單ながら私の述べ來つた所は要するに乳兒の榮養を知つていたゞく上に必要な概念であつて、大體乳兒とはどんなものか、決して大人を小さくしたものが子供でない事、乳兒には乳兒としての特別の體質なり精神作用のある事がお判りの事と存じます。

各國ヘルス・センター概況（五）

內務技師
醫學博士　南崎雄七

第二　第二級ヘルス・センター

第二級のヘルス・センターは第一級ヘルス・センターに比して、その設備の完全、職員の數、事業の受持區域範圍等よりして遙かに大規模の組織より成立するものである。

第二級ヘルス・センターは第一級ヘルス・センターを指導すると共に第一級ヘルス・センター及び其他凡ての保健及び福祉團體――一言にして言へば公衆衛生の促進に關係ある凡ゆる團體と圓滿なる連絡を確保する役にある。

計　畫

第二級センターは第一級ヘルスセンターと同樣の仕事（直接隣保的の）と先に述べた如き豫備調査に依り最も重要なる問題として示されたる疾病の豫防等の他に次の樣な事項にも關係してゐる。

（イ）結核撲滅運動

（ロ）花柳病撲滅運動

（ハ）母性保護事業

（ニ）乳兒保護事業（學齡前兒童をも含む）學校診療所を設け特に學童の保護を計ること

（ホ）保健敎育

第一　一般民衆に對して

第二　醫師、保健婦、助產婦、衛生技術官及監督官に對して特別課程（講習會）及臨床研究により

（ヘ）衛　生

（ト）簡單なる分析、實驗

當會議としてはかゝる仕事に加へて第二級センターは急救處置の設備をなしその方面の機關を督勵して患者及傷害者の運搬を敏速ならしむることなどもその義務として居る。

ユーゴースラヴイヤ其他の國にては第二級センターは定置又は移動式の衛生陳列館とシネマを利用して居る。又一方センターは保健にたづさはる職員の實際的訓練を與へる處としても利用せられて居るが斯くの如き方法には當會議も贊成して居る。

之等二種のセンターに依つて行はるべき農村衛生事業衛生工事（Rural Sanitary Work）の略表が會議に持出されたが、その適用を述べると左の諸項目の監督をなすべきことゝなる。

（イ）個人及び共同給水、井戶、泉、池、水の淨化衛生工事

（ロ）下水處分。排水渠の設けられてゐない地方の便所及其他の排泄物の處分法、排水渠の設備ある村の下水汚物排水處分法、上流水の汚染を防ぐ爲の下水の處分法

（ハ）廢物、塵芥、灰、肥料（廐肥）の處分とその利用

（ニ）酪農場、搾乳場、食品製造所、その清潔衛生効果使用器具の適否

（ホ）洗濯場、洗濯の便否、農村地區で河流で洗濯の行はれる場合には洗場の設備をなしその便を計ると同時にその衛生上の監督をもなすべきである

（ヘ）マラリヤ豫防の目的で土地の排水沼池の放水と埋立水路の變更

（ト）入浴の便宜。學校、公衆、野外及屋內浴場

（チ）住宅、濕氣の豫防通風、採光、暖房、建築材料、衛生設備等、（此の中には學校其他の公共建築物畜舍ホテル商店等を含む）

（リ）工場（大工場及小規模の工事場）。衛生狀態及傷害の豫防

（ヌ）運搬の便宜公共運輸機關の衛生狀態

（ル）一般事業團體（Settle ment）位置の選定、方向給水、下水及汚物處理、運動場及公園

（ヲ）ヘルス・センター施療院、豫防院、療養院病院等の如き衛生機關の監督

（ワ）衛生法規の勵行

職　員

（イ）主席醫官（Medical Director）

第二級ヘルス・センターの主席醫官は保健衛生に熟達せる專任醫師なるべきこと。多くの場合この役目はその地區を預つて居る保健醫官に委任せらるべきである

（ロ）保健婦（Public Health Nurce）

保健婦に關する規定は第一級ヘルス・センターの項に於て述べたる事柄が總て此處にも適用せられる。但し第二級センターの規模の大なる性質上より見て夫々使用せられる保健婦もその仕事に相應せる者を述ぶべきこと

（ハ）產　婆（Midwife）

前述の助產婦使用に關する條項はそのまゝ第二級センターに適用せられる。

（ニ）衛生工學技師（衛生工學專門家）（Sanitary Engineer）衛生工事（Sanitary Engineering Work）に關する仕事は第二級センターの仕事の重要なる部分を占めて居る。

之は職員としてセンターに屬する、又地方の事業に應じて中央當局から工事監督の爲に派遣せる農村事業に通曉せる技術家の指導に俟たねばならぬ第二級センターが受持つ地區の衛生工事は純良水の供給、下水、汚廢物の處分、住居等の如く凡ゆる徵細なものより大なるものにまで亘つて居る。

（ホ）衛生檢査員（Sanitary Inspector）

之はその地方の事情に依り數名を必要とする場合もあらう。（前提第一級ヘルス・センターの場合の同項を參照すること）

尙當會議に出席せる衛生技術官の意見に依れば衛生工學的事業（Sanitary Engineering Work）はセンターの種別（階級）に從ひ次の如くその責務を分擔すべきである。

（この場合センターなる語の中には國立衛生研究所（State Institute of Hygiene をも含んで居る）中央衛生研究所の衛生事業部（The Sanitary Engineering Division）は次の如き義務を持つ

一、衛生工事の計畫及監督及その管下にある關係機關全部の統制

二、外部の政策及方計

三、主要材料の蒐集現狀調査解答を要する問題の解釋

四、給水、下水處分、家屋、肥料の置場とその處分等の如き主要問題に對する指導案を作成してかゝる問題の解決を與へること

五、敎育材料の作成及備付、例へば寫眞幻燈板、模型展覽會等

六、ヘルス・センター病院の如き保健機關のものであるプランの作成

七、衞生工事、給水狀態の常時監督、下水處分等に關するものゝ分析、實驗、特殊問題の科學的及實際的研究
八、衞生技術家の養成
九、水道の如き公共又は私立團體によつて行はれる衞生工事のプランの審査及認可
一〇、國州及其他公共立法機關の爲に衞生に關する法律及規定の原案作成
一一、衞生問題に關する調査

第二級ヘルス・センターに屬する技術家は實際の工事を受持ち所長の命令の下にセンターの受持區域を管理して工事の監督と法規勵行に努むるものである。

檢査室技手（Laboratary Techician）

保健行政上の規定から云つて分析實驗は（之は獨り周密正確なる技術を必要とするのみではなく最も練達せる職員と最も完全なる設備を要する）原則として衞生研究所に於て行はるべきであるが普通によく必要とされる分析などは第二級センターで出來る樣にすべきである。

從つて多くの場合センターとして特別專門の分析家を置く必要はなく現在の職員を兼用して間に合せる程度でよいのである。

女性と國民精神總動員

本聯盟名譽會長
永井遞信大臣夫人　永井次代

世界大戰の際に英米婦人はよく働いた

今回政府主唱の下に國民精神總動員が行はれてゐますが、これは戰時だけのものでなく、平時においても必要なことで、教育、藝術、產業等あらゆる方面に國民が一生懸命になつて、外國に負けないように努力いたすべきだと存じます。たゞ今回はかうした時勢なので戰時體制の下に種々の統制が行はれるので、これに對して國民精神總動員が行はれるのは眞にもつともなことで、國民の半數である婦人もこれに對して婦人の立場から大いに力を盡くさねばならないと思ひます。

世界大戰の時英國では自動車、電車の運轉から、軍需工場の仕事まで婦人の手によつてなされたしまた最後には軍艦にまで乘り込み炊事、傷病者の看護、洗濯等女の手で出來る部分は全部婦人が當つたといふ話を聞いてをります。

日本の現在とは事情は違つてをりますが、婦人もいざといふ時はかうした方面にも女の力の必要を感じ、大いに體力をねり、かうしたことにも耐へ得る覺悟を持つて欲しいものです。

しかし現在どんな婦人でもなし得ることは、一般家庭にあつて消費節約の方面に力を注ぐことだと思ひます。ドイツでは大戰當時周圍をかこまれたゝめ物資が缺乏し大變困つたさうですが、マツチも一度使つたものも捨てずにその棒を集めさらに燐をつけてこれを戰場で使ふものにあて、つまり二度にも三度にも役立てたり、洗ひ物をした水を捨てず、ちよつとした機械を据ゑ附けてこれを漉して脂肪を集め石鹼を作つたといふことです。なるほど今までの私共のやつてきた消費方面にもまだ〳〵無駄が多く、いくらも生かされる物のあることを知りました。

消費と節約の本當の意味をよく理解せよ

この消費節約の方で儉約をすると申しますと何も買はないといふ風にとる人がございますが、さうではなくて、どうしても必要なものは買ふが、頭を働かして萬事に無駄なく物を生かして使ふといふ風に考へたいと思ひます、京都といふところは戰國時代の遺風だらうといふことですが、なか〳〵この物をすてないと申しますが經濟が上手です。野菜などお芋一つでも皮をむけば、皮はまた皮で一つの料理を作るといふ風で、茄子でも身を使ふと皮は細く刻んで松葉漬といふおいしい漬物にするといふ風になか〳〵考へてゐます。ドイツではゴミ箱から金が出るといつて、捨てるゴミさへも、鐵、ゴム、ガラス屑、毛織物、紙とちやんと區別してこれをそれ〳〵再生させることにしてゐるさうです。

消費經濟といふものは、ほんの些細なことが塵も積れば山といふ式に、長い間にはとても大變大きな働きをするものですから、主婦は個人のためでなく國家のためだといふ見地からこの際大いにかうしたことに皆力を合して心掛けたいものです。

これからお歲暮などの時期になりますが、心からの贈物は惡くはないが、形式的なものなどこの際やめた方がいゝと思ひます。

それから政府で輸入を統制して外國にお金の流れ出ない方針をとつてをられますが、化粧品、羊毛綿など、國產品を愛用し、また國內で出來ないものは、代用品を使ふことを心掛けたいと思ひます。現在產業の方ではなか〳〵代用品が使はれてゐるさうですが、これを家庭でも徹底したいと思ひます。

消費節約といふことをあまり申しますと、ともすると恐れたり、萎縮したりして國民の士氣を鈍らせることになります。これは考へ方が誤つてゐるので、國民はもつと積極的な希望を持つべきだと思ひます。消費節約をすることはちぢむことではなく、國民全體の力で、ないと思はれてゐる所からもう一つのものを產み出して國を富ますのだと考へれば非常に明るい力强い氣持になると思ひます、この心構へを、婦人が持ち、特に將來日本を背負ふ第二の國民である子供にかうした氣持を持たせるように導きたいと思ひます。

娛樂としては家族連れでのハイキング

娛樂なども、日曜や土曜を利用して家族連れで手辨當を持つて郊外にハイキングをするといつた風なことは、單に娛樂だけでなく新鮮な空氣を吸ひ、紫外線の豐富な日光を浴びて健康增進にもなり、ひいてはどんなことにも耐へ得る體力を養ふことにもなります。

最後に日本婦人は、金使ひが下手だと言はれます、それは單に金だけでなく、物も時間も生かすことが下手です、時間など上手に使ひ婦人が消費經濟を司どるに必要な科學知識など、讀書や見學やいろ〳〵なことによつて大いに養はねばならないと考へてをります。

大阪の審査會に於ける

母親のメンタルテスト（四）

伊藤悌二

第十五問 お産の時何かおまじなひをなさいましたか
なさいましたらどんなおまじなひでしたか

調査人員總數 一、六〇〇名（男 一、〇〇〇名 女 六〇〇名）

種別	男	女	各計
中山寺の安産札を受く	五一	二五	七六
中山寺のローソクを灯す	四二	二三	六五
中山寺の安産護符を呑む	二五	二五	五〇
中山寺の腹帯を頂く	三〇	一九	四九
神佛を祈る	二八	二〇	四八
鹽釜神社の掛軸を掛ける	一九	一三	三二
鹽釜神社の安産札を受く	一五	一〇	二五
弘法大師のお守りを受く	一八	七	二五
子安地蔵の安産札を受く	一二	二	一四
子安地蔵の腹帯を受く	九	三	一二
水天宮の護符を呑む	六	五	一一
天理教の「おびやゆるし」を受く	六	四	一〇
金光教の御神米を食す	四	二	六
水天宮の腹帯を頂く	四	〇	四
床の下に物指を入れる	三	一	四
弘法大師のローソクを灯す	二	一	三
住吉神社の安産札を受く	三	〇	三
伏見稲荷のお札を受く	二	一	三
能勢妙見様のお札を受く	〇	三	三
アハビの生を一個食べる	一	二	三
關取の化粧まわしの切端を握る	二	一	三
塩釜神社に上げた水を飲む	二	〇	二
成田不動様の護符を呑む	二	〇	二
おにぎりを食べる	二	〇	二
郷里から安産札を頂く	二	〇	二
石切様のお札を受く	二	〇	二
卵を五個呑む	二	〇	二
天神様のにぎり石と箸を受く	二	〇	二
善光寺のお札を受く	一	一	二
鹽釜神社の御神米を食す	一	一	二
三寶清荒神様の腹帯を受く	一	一	二
塩釜神社のローソクを灯す	一	一	二
安産丸服用	一	一	二
幣を祭る	一	一	二
日光のお守りを握つてゐる	一	〇	一
越後角田山の安産札を受く	一	〇	一
お地蔵様のお札を頭髪の中に入る	一	〇	一
長谷寺のお砂を受く	一	〇	一
上棟式に用ひる五色の麻を腹にまく	一	〇	一
便所にお光りをあげる	一	〇	一
双叉の松茸を陰干しにして煎じてのむ	一	〇	一
佛壇に供へたお茶を飲む	一	〇	一
節分の豆を呑む	一	〇	一
氏神様の砂を水と混ぜて飲む	一	〇	一
田舎まんじゆ三つ食ふ	一	〇	一
産湯につけた櫛で髮をすく	一	〇	一
大根の干葉で腰湯	一	〇	一
相撲の時使ふひしやくで水をのむ	一	〇	一
お茶碗に水を八分目に入れ箸を十文字におき枕もとにおく	一	〇	一
善光寺の草鞋を受く	〇	一	一
家の入口の砂を呑む	〇	一	一
おばこの葉を煎じて飲む	〇	一	一
三ツ又の松茸を床の下へしく	〇	一	一
木杓の底を抜いて川に流し出産後殘の柄を流す	〇	一	一
無し	六八三	四二二	一、一〇五
合計	一、〇〇〇	六〇〇	一、六〇〇

第十六問 お産の時大體どの位の費用がかゝりましたか
（御姙娠中の費用を省いて）

（イ） 赤ちゃんの着物やふとんの類

調査人員總數 一、六〇〇名（男 一、〇〇〇名 女 六〇〇名）

費用	男	女	各計
三圓	二〇	一〇	三〇
五〃	六一	三四	九五
八〃	二四	一五	三九
一〇〃	一五五	九三	二四八
一二〃	二四	一七	四一
一五〃	一四九	八九	二三八
一八〃	一九	一一	三〇
二〇〃	一六二	九九	二六一
二五〃	四八	二九	七七
二八〃	二	四	六
三〇〃	一一三	五五	一六八
三五〃	二六	一八	四四
四〇〃	一五	七	二二
四五〃	六	二	八
五〇〃	五三	四〇	九三
六〇〃	一〇	四	一四
七〇〃	五	五	一〇
八〇〃	二	三	五
一〇〇〃	一一	五	一六
一二〇〃	二	二	四
一五〇〃	一	四	五
二〇〇〃	四	〇	四
三〇〇〃	二	一	三
無し	八六	五三	一三九
合計	一、〇〇〇	六〇〇	一、六〇〇

（ロ） 産婆への御禮

調査人員總數 一、六〇〇名（男 一、〇〇〇名 女 六〇〇名）

謝禮	男	女	各計
五圓	一〇	一	一一
一〇〃	二二	一三	三五
一二〃	七	六	一三
一五〃	一四九	六八	二一七
一八〃	四八	二一	六九
二〇〃	二二八	一三七	三六五
二二〃	二〇	一六	三六
二五〃	一五二	一〇九	二六一
三〇〃	一三二	一五三	二八五
三五〃	五五	一九	七四
四〇〃	一六	一〇	二六
四五〃	八	五	一三
五〇〃	五二	二二	七四
六〇〃	六	四	一〇
七〇〃	五	四	九
八〇〃	五	一	六
九〇〃	一	一	二
一〇〇〃	一	〇	一
無し	八三	一〇	九三
合計	一、〇〇〇	六〇〇	一、六〇〇

（ハ） 産後お祝ひの費用

調査人員 一、六〇〇名（男 一、〇〇〇名 女 六〇〇名）

費用	男	女	各計
五圓	一三	一五	二八
八〃	九	七	一六
一〇〃	六六	二九	九五
一二〃	九	六	一五
一五〃	六一	四四	一〇五
一八〃	一一	一三	二四
二〇〃	一一五	六九	一八四
二五〃	四九	三二	八一
三〇〃	一三一	八三	二一四
三五〃	四八	二七	七五
四〇〃	四八	三八	八六
四五〃	一五	七	二二
五〇〃	一五九	八六	二四五
五五〃	六	五	一一
六〇〃	三一	二四	五五
七〇〃	三五	一四	四九
七五〃	六	二	八
八〇〃	二四	一五	三九
九〇〃	三	三	六
一〇〇〃	六二	二八	九〇
一二〇〃	一四	九	二三
一五〇〃	一八	一〇	二八
一八〇〃	一	一	二
二〇〇〃	一四	四	一八
二五〇〃	二	三	五
三〇〇〃	三	五	八
無し	四七	二一	六八
合計	一、〇〇〇	六〇〇	一、六〇〇

（ニ） お宮詣りの費用

調査人員總數 一、六〇〇名（男 一、〇〇〇名 女 六〇〇名）

費用	男	女	各計
一圓	二五	一五	四〇
二〃	四四	二四	六八
三〃	四〇	三三	七三
五〃	一五八	八三	二四一
八〃	一九	七	二六
一〇〃	一二五	五五	一八〇
一二〃	一一	四	一五
一五〃	五五	二七	八二
一八〃	三	四	七
二〇〃	七四	三三	一〇七
二五〃	二三	一五	三八
三〇〃	七〇	三〇	一〇〇
三五〃	二二	一六	三八
四〇〃	一七	二一	三八
四五〃	七	七	一四
五〇〃	七四	四八	一二二

五五〃	二	四	六	一二〇〇〃	七	一	八
六〇〃	一八	一二	三〇	一五〇〇〃	九	五	一四
六五〃	三	三	六	二〇〇〇〃	一	三	四
七〇〃	一四	一二	二六	二五〇〇〃	二	〇	二
八〇〃	一一	九	二〇	三〇〇〇〃	一	〇	一
八五〃	三	〇	三	五〇〇〇〃	〇	二	二
九〇〃	二	三	五	無し	一三六	一〇五	二四一
一〇〇〃	二四	一九	四三	合計	一、〇〇〇	六〇〇	一、六〇〇

年長兒榮養障害

醫學博士　芳山龍

乳兒《にうじ》の消化《せうくわ》不良症《ふれうせう》は胃腸《ゐてう》症狀《せうじやう》と共《とも》に著明《ちよめい》なる全身《ぜんしん》症狀《せうじやう》を伴《ともな》ふも、年齡《ねんれい》の長《てう》ずるに從《したが》ひ胃腸《ゐてう》カタル症狀《せうじやう》が主《しゆ》となり、新陳代謝障害《しんちんたいしやせうがい》、若《もし》くば榮養障害《えいやうせうがい》を來《きた》す事《こと》が比較的《ひかくてき》輕少《けいせう》に止《とゞま》る。

然《しか》し幼年期《えうねんき》（二年《ねん》乃至《ないし》六年《ねん》）にも食傷《しよくせう》より次《つぎ》に述《の》ぶる樣《やう》な劇烈《げきれつ》なる病症《べうせう》を惹起《じやくき》する事《こと》がある。

一、消化不良症性血液吐瀉症

急性《きふせい》胃腸《ゐてう》カタルの症狀《せうじやう》にて發病《はつべう》し、經過中《けいくわちう》に突然《とつぜん》胃腸《ゐてう》より多量《たれう》の出血《しゆつけつ》を現《あら》はすものである。主《おも》に夏季《かき》に起《おこ》り二乃至《ないし》六年《ねん》の幼兒《えうじ》に見《み》る所《ところ》である。

往々《わう〳〵》再發《さいはつ》の傾向《けいかう》あり又《また》周期的《しうきてき》に發現《はつけん》する者《もの》がある。

出血多量《しゆつけつたれう》にて腦症《のうせう》を起《おこ》すものは危險《きけん》である。

手當　絶對安靜《ぜつたいあんせい》を守《まも》り、胃部《ゐぶ》に氷囊《へうのう》を貼《てん》し二、三日間《にちかん》は絶食《ぜつしよく》して輸血《ゆけつ》や葡萄糖《ぶだうとう》の注射《ちうしや》にて榮養《えいやう》を保持《ほぢ》せねばならぬ。

二、重症慢性消化不良症

神經性《しんけいせい》の遺傳《ゐでん》を有《いう》する幼兒《えうじ》に來《く》る事《こゝ》が多《おほ》い。徐々《じよ〳〵》に發病《はつべう》する事《こゝ》があるが、又急性消化不良性《またきうせいせうくわふれうせい》や、急《きう》性傳染病後《せいでんせんべうご》に繼發《けいはつ》す。

腸胃《てうゐ》の症狀《せうじやう》と共《とも》に新陳代謝障害《しんちんたいしやせうがい》があつて全身症狀《ぜんしんせうじやう》を伴《ともな》ふ。

食物《しよくもつ》に對《たい》する耐容力《たいようりよく》が減少《げんせう》して、次第《しだい》に榮養障害《えいやうせうがい》に陷《おちい》

り、發育《はついく》は停止《ていし》し三、四歳《さい》で一年位《ねんぐらゐ》の體重《たいぢう》に止《とゞま》る者《もの》もある。

一見《けん》すると著《いちじる》しく羸瘦《るゐさう》して居《ゐ》るに拘《かゝ》はらず、腹部《ふくぶ》は膨《ぼう》滿《まん》して居《ゐ》る。

胃部《ゐぶ》弛緩《ちくわん》して便秘《べんぴ》する型《かた》もあるが、多《おほ》くは慢性下痢《まんせいげり》を伴《ともな》ひ、糞便中《ふんべんちう》に粘液顆粒《ねんえきくわりう》の外《ほか》に澱粉《でんぷん》や脂肪《しばう》を混《こん》ず。

消化機能《せうくわきのう》の復舊困難《ふくきうこんなん》にて經過中《けいくわちう》に餘病《よべう》を併發《へいはつ》すると急《きふ》性增惡《せいぞうを》を來《きた》し衰弱《すゐじやく》により斃《たふ》れる。

手當　食物《しよくもつ》に對《たい》する耐容力《たいようりよく》に應《おう》じて消化《せうくわ》し易《やす》き滋養物《じやうぶつ》を與《あた》へ、嘔吐《おうと》ある者《もの》には毎日《まいにち》一回胃洗滌《かいゐせんでう》して偉効《ゐこう》を現《あら》はす事《こゝ》あり。

三、腸內傳染《てうないでんせん》による急性消化不良症《きうせいせうくわふれうせう》（胃腸加答兒《ゐてうかたる》）

高熱《かうねつ》を發《はつ》し、流動性《りうどうせい》又《また》は粘液膿性《ねんえきのうせい》の下痢便《げりべん》を出《だ》し、往《わう》々之《これ》に少量《せうれう》の血液《けつえき》を混《こん》じ、裏急後重《りきうこうぢう》を呈《てい》するものあり、赤痢《せきり》と間違《まちが》はれる。

全身症狀《ぜんしんせうじやう》が著《いちじる》しく障害《せうがい》せられて、頭痛《づつう》、倦怠《けんたい》、惡心《をしん》嘔吐《おうと》を訴《うつた》へ、時《とき》として、痙攣昏睡《けいれんこんする》等の、神經症狀《しんけいせうじやう》を起《おこ》し腦炎又《のうえんまた》は腦膜炎《のうまくえん》と間違《まちが》はれる事《こゝ》あり。

病原菌《べうげんきん》として、大腸菌《だいてうきん》、化膿性球菌《くわのうせいきうきん》、インフルエンザ菌等《きんとう》多數《たすう》が擧《あ》げられて居《ゐ》る、赤痢菌《せきりきん》で起《おこ》つた場合《ばあひ》には赤《せき》痢《り》と云《い》ひ、又特種《またとくしゆ》の大腸菌《だいてうきん》で急劇《きふげき》な中毒症狀《ちうどくせうじやう》を起《おこ》すものを疫痢《えきり》とし區別《くべつ》して居《ゐ》る。

四、疫痢《えきり》

は食傷《しよくせう》が誘因《いういん》となり發病《はつべう》する故《ゆゑ》に、初夏《しよか》より秋《あき》にかけて多《おほ》く、二乃至《ないし》六年《さい》の幼兒《えうじ》を犯《おか》す。

食傷《しよくせう》を起《おこ》す不消化物《ふせうくわぶつ》として饅頭《まんぢう》、羊羹《やうかん》、餡入菓子《あんいりくわし》、バナナ、葡萄《ぶだう》、枇杷《びわ》、昆布《こんぶ》、アイスクリーム、アイスキヤンデー等《とう》である。

發病《はつべう》は急性胃腸《きうせいゐてう》カタルに比《くら》べて急劇《きうげき》にして、刻々中毒《こく〳〵ちうどく》症狀《せうじやう》が强《つよ》くなり、心臟障害《しんざうせうがい》を起《おこ》して來《く》るのが特有《とくいう》で、恰《あたか》も颱風《たいふう》の襲來感《しうらいかん》がある。

症狀　從來元氣《じうらいげんき》に遊《あそ》んで居《ゐ》た子供《こども》が、俄《にはか》に元氣不良《げんきふれう》となり違和《ゐわ》、倦怠《けんたい》の狀《ざう》を示《しめ》し、嘔吐腹痛《おうとふくつう》を訴《うつた》へ熱發《はつねつ》して來《く》る。

下痢《げり》の回數《かいすう》は多《おほ》からず、一日《にち》二回若《かいもし》くば數回《すうかい》に止《とゞま》る事《こゝ》が多《おほ》いが、糞便《ふんべん》には毎常多量《まいじやうたれう》の不消化物《ふせうくわぶつ》を混《こん》じ惡臭《あくしう》あり次第《しだい》に粘液便《ねんえきべん》となり、少量《せうれう》の血液《けつえき》を混《こん》じる事《こゝ》がある。腹《ふく》部《ぶ》は餘《あま》り緊滿《きんまん》せず却《かへ》つて多少陷沒《たせうかんぼつ》して軟《やわら》かく綿《わた》を摑《つか》む如《ごと》き感《かん》がある、屢々腹鳴壓痛《しば〳〵ふくめいあつつう》を呈《てい》す。

斯《か》る前驅症狀《ぜんくせうじやう》に續《つゞ》いて、刻々體溫《こく〳〵たいおん》上昇し、痙攣《けいれん》を起《おこ》し或《あるひ》は昏睡《こんすゐ》に陷《おちい》る者《もの》あり、同時《どうじ》に脉搏《みやくはく》が頻數微弱《ひんすうびじやく》となつて

行《ゆ》く、糞便《ふんべん》も茶碗蒸樣《ちやわんむしやう》となり嘔吐反覆《おうとはんぷく》、吐血《とけつ》する事《こゝ》がある。

最《もつと》も急劇《きうげき》なる場合《ばあひ》は發病後《はつべうご》十二時間《じかん》で心臟痲痺《しんざうまひ》を起《おこ》すが平均《へいきん》二十四時間位《じかんぐらゐ》で終《をはり》を告《つ》げる者多《ものおほ》し、然《しか》し比較的輕《ひかくてきけい》症《せう》にて早《はや》く應急手當《おうきふてあて》の行《ゆ》き屆《とゞ》きたる場合《ばあひ》には、數日《すうじつ》を出《い》でずして輕快《けいかい》に向《むか》ふ。

時《とき》として熱《ねつ》が高《たか》からず腦症《のうせう》も輕《かる》く精神《せいしん》が明瞭《めいれう》であるに拘《かゝ》はらず速《すみや》かに心臟障害《しんざうせうがい》が現《あら》はれ、四肢厥冷《しけつれい》し、口唇《こうしん》にチアノーゼが現《あら》はれて來《く》る者《もの》がある、主《おも》に小腸部《せうてうぶ》に急性《きうせい》炎症《えんせう》を起《おこ》したる場合《ばあひ》にして經過稍長《けいくわやゝなが》く不幸《ふかう》の轉歸《てんき》をとる場合《ばあひ》にも四、五日《にち》を要《えう》する。

豫後　は年齡《ねんれい》や病症《べうせう》の輕重《けいてう》による事《こゝ》は勿論《もちろん》である、本《ほん》病《べう》は健康兒童《けんこうじどう》にも突發《とつぱつ》する事《こゝ》があるが胸腺淋巴性體質《けうせんりんぱせいたいしつ》の子供《こども》に起《おこ》り易《やす》い事《こゝ》は周知《しうち》の事實《じじつ》である。

手當　食傷《しよくせう》から前記《ぜんき》の如《ごと》き病狀《べうじやう》を訴《うつた》へると、速《すみや》かにヒマシ油《ゆ》二〇瓦內外若《ぐらむないがいもし》くば、イサツエン錠《でう》を三個程與《こほどあた》へ胃《ゐ》腸內容《てうないよう》を排出《はいしゆつ》すると同時《どうじ》に、重曹《ぢうそう》一匙《さじ》を微溫湯《ぬるまゆ》三〇〇瓦《ぐらむ》位《ぐらゐ》に溶《と》かし「イルリガートル」にて注腸《ちうてう》するとよい。

重曹水《ぢうそうすゐ》の注腸《ちうてう》は腸內《てうない》の粘液《ねんえき》を溶《と》かし排出《はいしゆつ》すると同時《どうじ》に有毒《いうどく》なる有機酸《いうきさん》を中和《ちうわ》する効《こう》がある、體內《たいない》に吸收《きうしう》せられたる毒素《どくそ》を排除《はいじよ》し、心臟痲痺《しんざうまひ》を豫防《よばう》する目的《もくてき》には葡萄糖《ぶだうとう》を含有《がんいう》する弱《じやく》アルカリ性倉鹽水の多量《たれう》の注入《ちうにう》が必要《ひつえう》である。

急劇《きうげき》なる中毒症《ちうどくせう》に對《たい》しては適量《てきれう》の葡萄糖液靜脉內注《ぶだうとうえきじやうみやくないちう》射《しや》が起死回生《きしかいせい》の効《こう》を奏《そう》するが時期《じき》を失《しつ》しては臍《ほぞ》を嚙《か》むの悔《くい》あるのみなれば瞬時《しゆんじ》も油斷《ゆだん》すべからず。

榮養法　發病當日《はつべうたうじつ》は飢餓療法《きがれうはふ》を守《まも》り、病症《べうせう》によりては林檎食療法《りんごしよくれうはふ》を實施《じつし》し、翌日《よくじつ》より濃厚重湯《のうこうおもゆ》を少量宛幾回《せうれうづゝいくかい》にも與《あた》へるとよい、其後《そのご》は蛋白乳又《たんぱくにうまた》はその代用品若《だいようひんもし》くば牛《ぎう》酪乳《らくにう》等を適當《てきたう》に倂用《へいよう》し食物《しよくもつ》に對《たい》する耐容力《たいようりよく》の沈衰《ちんすゐ》を豫防《よばう》せねばならぬ。

腹部《ふくぶ》には溫濕布《おんしつぷ》、溫罨法《おんあんはふ》、芭布《はつぷ》等《とう》を貼用《てんよう》するのであるが、手足《てあし》の厥冷《けつれい》する場合《ばあひ》には芥子泥纏絡《かいしでいてんらく》が必要《ひつえう》である。

芥子《からし》一分《ぶ》饂飩粉《うどんこ》四分《ぶ》の割合《わりあひ》に混和《こんわ》して、皮膚《ひふ》の火傷《くわせう》しない程度《ていど》の熱湯《ねつとう》にてねつて泥狀《でいぜう》となしタオルに延《の》ばして貼用《てんよう》し十分位《ぶんぐらゐ》にて皮膚潮紅《ひふてうこう》するに至《いた》れば除去《じよきよ》す。

濠《ほり》の底見《そこみ》えて敗荷《はくか》の慄《をのゝ》ける

名作曲家の列傳（九）

フェリックス・メンデルゾオン

Felix Mendelssohn

秋保孝藏

メンデルゾオンは幸福者フェリックスと綽名された通り實際幸福な人であつた。彼の父は富裕な銀行家であつたので、彼は何の不自由もなく育ち、戰ふべき生活苦とては一も有たなかつた。他の多くの音樂家は大抵苦惱多き生涯を送つたので、その作物の中にも悲哀苦悶の痕が見ゆるけれども、彼の音樂は全く歡喜と光明とに充ちたものである。

彼の家は初めはハンブルグに在つて、最も美しい一廓に建つてゐる立派なものであつた。今日でもその儘保存されて、公共の食堂用になつてゐる。この家の玄關の戶の上には一枚の大きな標札が貼附けてあつて、それには月桂樹の花輪を描き、中に彼の肖像が入つてゐる。一八〇九年二月三日、彼はこの家で呱々の聲を擧げた。一八一一年、ハンブルグは佛國軍の蹂躙する所となつたので、家族は他に避難の止むなきに至り、遂にベルリンに引越した。此地に於ける彼の邸宅は立派なものであつた。美しい大道の片側に建つてゐて、向側には家がなく全面傾斜の芝生で、奇麗な小川が緩やかにその緣を流れてゐた。

多くの音樂家のやうに彼は幼少の折から音樂に關して特別の趣味を有つてゐた。四歳の時初めて、その姉ファンニイと共に、母から簡單な音樂の教授を受けた。彼等の進歩は著しかつたので、間もなく專門の教師が來てピアノ、ヴアイオリン、作曲等を教授するやうになつた。同時にフェリックスはギリシヤ語、ラテン語、圖畫其他の普通學課をも修めた。彼は朝五時に起き、何等の不足

も不滿もなく、愉快に、快活に勉强もし、遊戲もした。時々他の子供と遊んでゐて、何か面白い出來事でもあれば即座にそれを音樂化しようとするので、兄弟達の笑を買つたこともある。

この少年音樂家の野心は段々昂じて來て自ら歌劇を作つて見た。けれどもこれを演奏する機關がなくてはいけない。然しこの機關を設けることは極めて困難であつた。それでも熱心と金力とで、到頭家庭內に小さい樂隊を組織して、宮廷樂隊員の中に助力を仰いだ。少年フェリックスは指揮棒を手にして指揮臺に立つた。段々欲が出て來て、次には自分の指揮に批評を加へ、注意を與へてくれる指導者が欲しくなつた。贅澤な話だが、その役をベルリン音樂學校の校長ツェルテルに相談して見た。すると校長はその可愛い招きに應じて時々來てくれることになつた。これが後でメンデルゾオン家に每週一回開かれる「音樂の夕」の搖籃であつた。時には同家の子供等が總出で樂隊員になる。姉のファンニイはピアノ、弟のリベカは聲樂、次の弟のパウルはセロを受持つて、フェリックス自身が指揮臺に立つ。ツェルテルは大抵出席して彼等の演奏を聽き、いろ〳〵と注意を與へ且つ奬勵してくれた。

彼は當時僅に十二歳であつたが、それまでに五六十の曲を作つた。中にはピアノとヴアイオリンのトリオ、ピアノのソナタ、歌曲、三幕ものゝ喜歌劇等があつた。何れも極めて丁寧に且つ注意深く書いてゐる。

フェリックスは生來社交的で、友人をあしらふことにかけては實に妙を得てゐた。或る日當時作曲家として名高いヴェベルが一人の青年を連れて彼の家の近所を通行した。これを見付けた彼は屹度ヴェベルに違ひないと直感し、後から追駈け、いきなりその首に飛びついて『貴方はヴェベルさんでせう、何卒私の家へ來て下さい。』と賴んだ。初對面の挨拶としては實に振つてゐる。ヴェベルは驚いて暫く物もいへなかつたが、漸く氣を取直し、自分の連れて來た弟子のベネデクトに『この方はフェリックス・メンデルゾオンさんだ。』といつて紹介した。フェリックスはこの紹介に對し、兩手を差延べてこの青年と堅く握手した。この兩人を自宅へ伴はうとしたが、ヴェベルは練習を見に行かねばならぬといつて斷つた。彼は好奇心に驅られて、

『それは歌劇のためですか。』と尋ねた。

『さうです。』

『この方は最早練習が出來てゐますか。』と、フェリックスはベネデクトのことを訊いて見た。

『もう出來てゐます。』とヴェベルは笑ひながら答へる。

『それぢや君は僕の家に來て下さつても可いでせう、直ぐ近所ですから。』

この巧な招待には斷る譯にも行かず、ベネデクトはフェリックスに伴はれて訪問することになつた。この青年はその家庭で溫い歡待を受けた。フェリックスは『今稽古中の歌劇の中で、君が知つてゐる部分を彈いて聽かしてくれ給へ、さうでないと君を何時までも歸さないよ。』と迫つた。その後ベネデクトは再び彼の宅を訪ねた。その時フェリックスが机の上でピアノとヴアイオリンの四部合奏曲を書いてゐるのを見て、僅か十二歳の少年だのにと驚異の眼を瞠つた。そしてこの少年音樂家を未だ充分評價し得なかつたことを恥ぢた。フェリックスは持つてゐたペンを置いて

『ベネデクトさん、この前貴方が私共に彈いて聽かして下さつた御禮に、今度は私が何か彈いてお聽かせしませう』

と、ピアノに向ひ、以前ベネデクトの彈いた「デルフライシューツ」中の二三のメロデーを正確に、奇麗に彈いて、それから早速彼はベネデクトを誘うて庭に出たが、今までの音樂家は急にやんちやつ兒に變じ、栗鼠の如く木登したり、飛んだり、跳ねたりした。

一八二一年の暮、彼の師ツェルテルはゲーテ訪問のためワイマル市に行くことになつた。愛弟子のメンデルゾオンを伴はうと思つて彼に相談して見た。彼は子供心にも大人物に會へるのを喜んでこれを承諾した。ツェルテルもこの少年の技倆を當代の偉人ゲーテに見せたかつたのである。ゲーテの家に到着した時に主人は庭園を散策してゐたが、來訪者を見て愉快に、親切に挨拶した。ツェルテルは伴つて來た少年音樂家を紹介して翌日彼の前で演奏をさせることにした。その翌日ゲーテは所有してゐる種々の樂曲を持出して、即座に少年に彈かせて見たが、何れも容易に彈けた。並居る人々は皆その技倆に驚いた。ゲーテは最後の試驗としてなぐり書きした變な一枚の紙を机上に置いた。少年はこれを見て『こんなものは讀めるでせうか。』と叫んだ。ツェルテルは何かと思つて近づいて見たが『まあ、これはベイトオフェンの書いたものですね。一哩先からでも見える位だ。ペンの代りに箒で書いたやうです。そして着物の袖で後から消してある。』と驚いていつた。フェリックスはこの汚れた變な書きものを注意深く見てゐたが、やがて『彈いて見ませう。』と云つてピアノに向ひ、少しも淀みなく正確に彈奏したのである。當代の人物ゲーテも之には舌を卷いて、ワイアル滯在中は何時でも訪ねて來いといつた。かうして二人は年齡こそ違へ、親しき友人となつた。ゲーテは

彼を自分の子供のやうにあしらつたのである。

それから二三年ばかり過ぎて、メンデルゾオン家はもつと廣くて大きな邸宅に移つた。その家には數多の室があつて、庭園には森林や、芝生や、花園がある。その眞中には二三百人を容るゝに足る建物があつた。この建物は家族に取つて何よりも好ましく、此處で每週音樂會を開き、多くの友人や音樂家を招待した。時には園遊會をも催した。メンデルゾオン家は實に好樂家の樂園であつた。多くの知己朋友は引つきりなしにこの家庭を訪問しては、家族の歡待を受けた。その頃フェリックスは立派な青年紳士になつてゐたが、無邪氣な子供心はまだ拔けなかつた。

彼が十五歳の誕生日が祝はれた時、師のツェルテルは最早や弟子としてでなく補助者として、また藝術協會の會員に對する態度を以つて彼に祝意を述べた。その後間もなく、彼は二つの有名な作品を出すことに志した。その一つは絃樂のためのオクテットである、生々した獨創的なもので、これを完成した時彼は未だ十七歳に充たなかつた。もう一つは名高い『眞夏の夜の夢』である。彼は其頃姉ファンニイと共にシェクスピアの獨逸譯に讀み耽つてゐたが、この劇詩に萬斛の興味を傾注し、ひと夏美しい庭園を逍遙しながら想を得て同じ題目のこの曲を作るに至つたのである。その序曲を書いた時、彼はファンニイとピアノに向つて連彈を奏したが、ピアニストなるモンエレスはその奏樂を聽いて非常に感激した。序曲の次には人を魅するやうな輕快な部分が來て、更に續いて幻想曲が表れるのである。これを完成した時例の庭園內の音樂堂で家庭樂隊によつて演奏を試みたが、聽衆は深い印象を受けた。マクファレン卿はこれを聽いて『一つの作中に、こんなに澤山の調和がある音樂は滅多にない。』といつて稱讚した。

その當時、メンデルゾオンの心を占領してゐた一ツの計畫はセバステアン、バッハの『聖マタイの傳へし基督の苦難』と云ふ聖曲を世に紹介することであつた。此寫本はツェルテルの學校に保存されてゐたが、彼はそれを寫取ることを許された。研究すればする程その美しさと嚴かさとに打たれるのであつた。これ程の作物が世間から忘れられてゐるといふことは實に遺憾なことだと彼は思つた。他の音樂家や友人にこの事を語つたが、彼等もこれに興味を感じて苦難の曲を研究するやうになつた。每週一回十六人の合唱隊を組織してこれを練習した。彼等は遠からずしてこれを公開演奏して見たいものだと思ふやうになつた。ツェルテルは當時學校內に四百人の立派な合唱隊を有してゐたので、その援助を得て演奏會が

催せたら嘸かし立派で、壯嚴で、且つ聽衆に感動を與へることだらうと彼等は考へた。然しメンデルゾオンの考へでは、ツエルテルは決してこれを承諾しまいから相談しても駄目だらうと考へた。處が合唱隊の一人のデヴリエントといふ男は之に反對して、ツエルテルは頑固だが譯をいつて賴んだら滿更きかぬこともあるまい、一度當つて見ようといつて或る日二人で彼を訪問した。老いたるツエルテルは煙草の煙でぼつとなつてゐる室內で、樂器の前に坐してゐた。デヴリエントは思ひ切つてバツハの『聖マタイ』を公開演奏したい旨を語つた。ツエルテルは初めの間は默つて聽いてゐたが、堪りかねたと見え椅子から起上りざま、床板を踏鳴らして、『いや、それは駄目だ、馬鹿な考へだ、』と叫んだ。メンデルゾオンは同作者に歸らうと促した。然しデヴリエントは動かなかつた。彼は更に理を以て說いた。不思議にも頑固なこの老人は段々彼の言葉に耳を傾けるやうになつて、遂に出來るだけ援助を與へるとまでいつてくれた。二人は喜んで彼の許を辭し去つた。

未だ二十歳に達しない青年音樂家の骨折で、百年前の大音樂家を獨逸及び英國に甦らすやうな大演奏會が催されたことは驚くべき事業である。第一回目の演奏會は一八二九年三月十一日、メンデルゾオンの指揮の下に催された。切符は賣切れ、千人ばかりの群衆は入場が出來なくて空しく歸るほどの盛況を呈した。第二回目はバツハの誕生日に當る三月廿一日に催された。この二回の演奏會によつて音樂界の偉人バツハの研究は年と共に盛んになつた。八十年前に世を去つたバツハも草葉の蔭で快心の笑を洩してゐたことであらう。

久しく望んでゐた外國の音樂界を視察すべき時機が到來した。英國にゐる友人等に招かれて先づ同國に赴く。ロンドンに着するや第一に彼を喜ばしたものは同地音樂家連の歡迎であつた。五月廿五日、フイルハアモニツク音樂會が催されたのでそれに臨む。席上彼の演奏がある。翌日鄕里のファンニイに次のやうな手紙を送る。『昨夜の演奏會の成功は今まで夢にだに思はなかつた程でした。私のシンフオニーが上演された。私は壇上に引張り出されて盛んな拍手を浴びせられた。緩除曲はアンコールされた、然し進んだ。輕快曲は二度繰返さねばならぬ程の喝采を受けた。そして終曲の後には一層激しい喝采が起つて、聽衆が皆出てしまふまで居殘つて挨拶しなければならない位でした。』

ロンドンでは絶えず彈奏や指揮のうちに忙しい日を送つた。『眞夏の夜の夢』の序曲は度々演奏されたが、その度每に聽衆の熱度が增した。或る日友人が自分の不注意

からこの大切な譜表を紛失して非常に氣の毒がつてゐたのを、メンデルゾオンは心配に及ばぬといつて、自分で一個所の間違ひもなく再び書上げたのである。

次にスコツトランドを訪うたのであるが、彼は同地の風光を大いに愛した。彼の作曲するを得たのはこの旅行中の印象に基くのである。その後故國に歸らうと思つて再びロンドンに立寄つたが、出發間際に數週間の靜養を要する怪我をした。かねてから日取が定つてゐた姉のファンニイと若い畫家ヘンセルとの結婚式に間に合はなかつた。いざ歸つて見ると、ファンニイは既にガルテンハウスに新家庭を持つてゐた。

再び旅に出た。もう一度英國を訪ねたかつたが、今回はこれを斷念して新しい天地を見ようと思ひ、伊太利のフロオレンス・ロマ・ネエプルスを目指して行つた。途中ワイマルにゲーテを訪ねて數日を送る。次に獨逸の町々を訪ねて瑞西に入る。此地の風光に魅せられて彼は去りがたき思がしたさうである。本來彼は山岳、森林、瀑布を愛した。然し何物にもまして彼が愛したのは海洋である。ネエプルスに近づくや、遙に渺茫たる海面が日光に輝くさまを見ながら彼はかう叫んだ『海は自然界の中で一番奇麗だ、自分は天空よりも海洋を愛する、渺茫たる水面を見てゐる間は何時でも幸福だ。』ロマは勿論彼に取つて慕はしい都であつた。旅行者たる彼は貪るやうに凡ての風物を視察した。この旅行を終へて故國へ歸つたのは一八三二年の春であつた。間もなく彼は再び英國を訪ねることにした。ネエプルスの日光、フロオレンスの魅惑、ロマの美觀、何れも棄て難いけれども、彼に取りて思慕憧憬の地はやはり熱鬧煤煙の都ロンドンであつた。同地で彼は前回にも增して活動と勞作とを續けた。

一八三六年の五月彼が二十七歳の折、デッセルドルフで自作の聖曲『パウロ』の演奏を指揮した。數多き美しいピアノの曲を作つたのはその頃で、彼はこれらを呼んで『詞なき歌』と名づけた。同年彼は佛國新敎派敎會の牧師の美しい娘で、ジョーン・レナウドといふのと婚約しその翌年純眞な愛の契を結んだのである。

メンデルゾオンの傑作は何といつても聖曲『エリヤ』である。これが計畫は久しいものであつたが、一八四六年の春、或る日の夕終にこれを完成した。彼は友人のジェンニイ・リンドに、『これが出來上つた時は嬉しくて室內を飛廻りましたよ。』といつたさうだ。この聖曲を考案してゐた間、彼の名聲は廣く喧傳され、サクソニイ王は彼を宮廷樂隊長に採用した。その頃英國のヴイクトリア女

王が、彼に溫き個人的厚意を表したので、只でさへ慕はしい英國は一入懷しい所となつた。

彼が畢生の事業をやらうと選んだ地はライプチヒである。彼は此處に音樂學校を起して以來、倦まざる努力を續けた。又平生敬慕して措かなかつたセバステアン・バツハの記念碑をライプチヒのトマス學校の玄關口に建設しようとして長い間骨折つたことがある。

以下彼の生涯の概略を述ぶれば、彼は三度英國を訪問した。その折にはバーミンガムの公會堂で作曲家自身の指揮の下に傑作『エリヤ』を演奏することになつた。多くの音樂家や公衆からは破るゝばかりの喝采を受けた。その翌年『エリヤ』は四回公開演奏された。第二回目にはヴイクトリア女王初め、アルバート殿下も臨席された。彼は英國で過度に活動したため健康を害し、病軀を以てフランクフオルトの家庭に歸らねばならなくなつた。間もなく彼は最も悲むべき報知を受けた。それは最愛の姉ファンニイがベルリンで死去したといふ報知であつた。これを聞いて彼は悲しみの餘り其場に卒倒した。この打擊以來暫くは彼の顏に淋しい影が差してゐた。けれども作曲は怠らなかつた。そして彼自身が急に此世を去つたのは一八四七年十一月四日である。

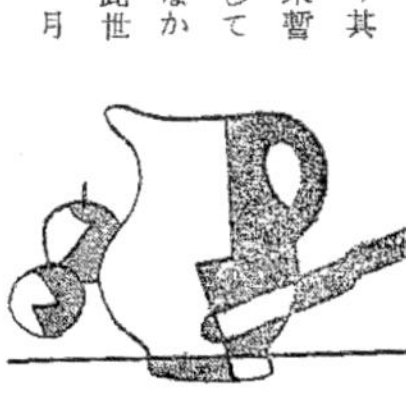

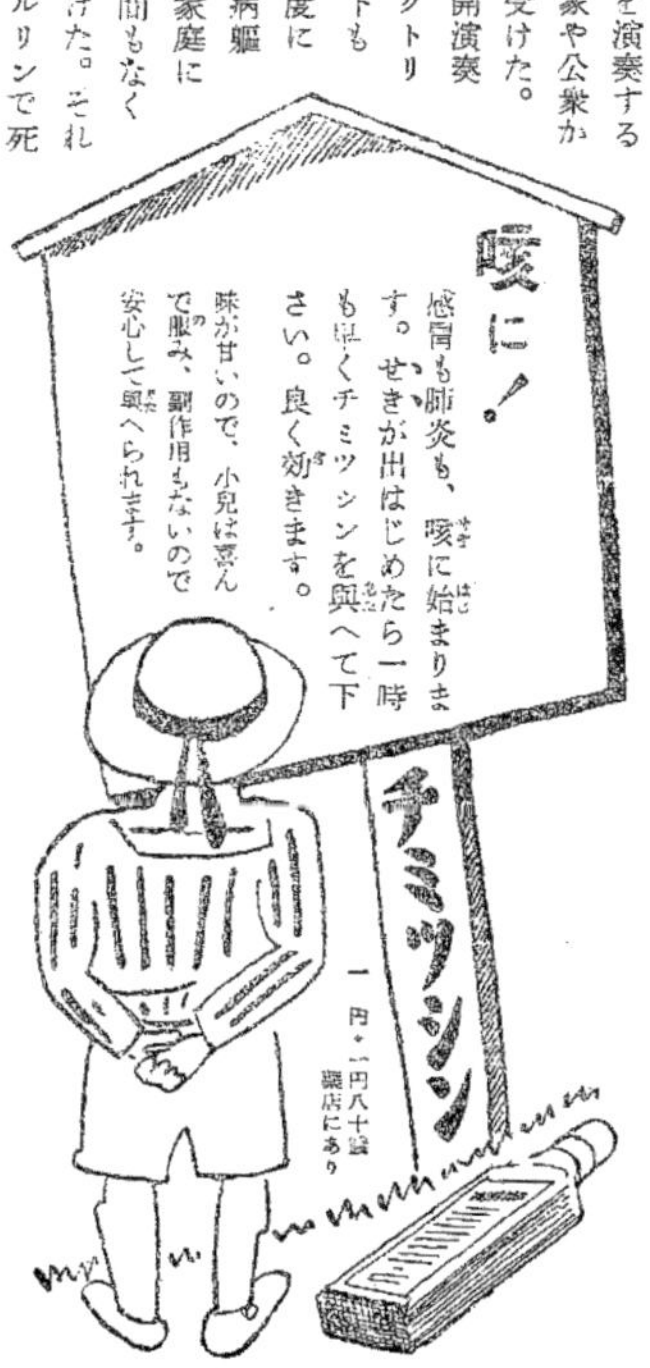

傳記小說

高橋是清（十五）

小杉健太郎

聖恩に感泣

第一回の六分利付公債の成功に氣をよくした日本政府は更に是清に命じて、第二回軍事公債二億圓を募集せしめた。

これは前の經驗もあることなので、案外やすく〳〵と是清は成功を收めたのである。

こゝに於て、彼は一時歸朝して、募債經過、歐米の金融狀態等を詳細にわが政府に報告することになつた。そして一年振りに歸つてくると、宮中へ參內して、畏くも　天皇陛下に拜謁を仰付けられたのであつた。

それから、是清は總理大臣、閣僚、重臣達を歷訪して、報告かた〴〵、いろ〳〵獻策してゐた。すると、或日桂首相から「すぐ來るやうに」と呼ばれたので、直ちに首相官邸へ行つて見ると、そこには總理の外に、伊藤、山縣、松方、井上の諸元老が何やら物々しい顏をして彼を待つてゐた。

「高橋、こんどまた二億五千萬圓ばかり公債を募集することになつたのだが、お前の見込みはどうか。」

と、首相がまづ口を開いた。

「は、それは確に出來ると思ひます。」

と、是清が答へると、伊藤侯は忽ち心配さうだつた顏の色を輝かして、

「おゝさうか、出來るか。高橋しつかり賴む。お前の功績は出征軍人の勳功と同じであるから、政府においても、いまその事について考へてゐることがあるやうだ。」

と云つた。

それを聞くと是清は以ての外だと思つて、烈しく手を振つた。

「いゝえ、わたくしの小さい努力が、幸ひ國家のお役に立つ事を得ましたのは、これみな上御一人の稜威と、閣下達の御援助に依ります事で、軍人が生命をなげだして戰爭してゐることを思へば、わたくしの苦心などは問題ではありません。どうか、私につ

いては、格別に御配慮下さらないやうにお願ひいたします。」

「偉い、その心底は見あげたものだ。しかし、それは恐れ多くも、畏き邊りよりお前の功績を御嘉賞遊ばされて下し賜はるものだから御辭退申しあげては却つて恐縮だ。有難くお受けをしなさい。」

「はッ、何かは存じませんが、ではお指圖に從ふことに致します。」

四五日經つと、是清は、貴族院議員の勅選の恩命に浴し、また特旨をもつて位二級を進め從四位に叙せられたのである。かれは聖恩の無窮に感激して、思はず涙を流した。

更にまた、今度再び海外に出張して第三回公債を募集するについては、度々の募債の後だから故障の起り勝ちなのを見越した政府は、特に交渉を有利ならしめるため、是清の資格を昇らせ、帝國政府財務委員といふ役目を委任したのであつた。

いよ／＼出發の日も迫て來た一日、かれは伊藤博文侯に杉田の別莊へ招れた。そして、午餐を共にしながら、戰爭後の財政計劃談に花を咲かせたが、食事が終ると、突然伊藤侯は威儀をたゞして、

「高橋、先日の有難い思召しは、肝に銘じてをかねばならんぞ。」

と、おごそかに云つた。

「はッ、不肖ながら粉骨碎身して、聖恩の萬分の一にお答へする覺悟でございます。」

「うむ、よく云つた。それから財務委員に特別任命したのも、實は外國の君主、大統領、外務大臣などと接近するに元老の一人を派遣するのが最もいゝのだが衆目の見るところ募債交渉はお前より外に適任者がないから、あゝいふ方法を取つたのだ。それ位に皆がお前に囑望してゐるのだから、どうか、しつかりやつて來てくれよ。」

「はッ、最善をつくします。」

是清はグッと熱いものが胸にこみあげて來た。

かくて、彼はまた日本銀行秘書深井英五と横部書記を隨へて、明治三十八年二月中旬、横濱を出帆した。アメリカ經由でイギリスに向ふ積りであつた。

この時の米國に於ける相談相手は例のシフ氏であつた。シフは親切に、また適切なる助言を與へてくれた。それに、難攻不落といはれた旅順さへ陷落した後であるから、アメリカの下相談はトン／＼拍子に運んだ。

そこで、こんどはロンドンへ渡航して銀行團や大財閥に話を進めると、こゝでも大いに歡迎してくれた。殊にこの交渉に幸ひしたのは三月十日の奉天會戰大勝利の報であつた。この電報が新聞に掲載されるが否や、日本公債募集の相談はます／＼有利に進んだ。そして三月二十四日には早くも、四分半利付公債三千萬磅の契約がまとまり、これを發行すると、もう午後二時半には締切りしかも、直ちに一分五厘のプレミアムがついて取引されるといふ素晴しい好人氣であつた。

日本政府ではもう是清の手腕に絶對の信頼をかけてゐるので、つゞいて第四回第五回と矢つぎ早に外債募集を彼に命じた。短期間から見ればそれは殆ど無謀にも似た計畫であつたが、わが國の

財政狀態から見れば、また已むを得ないことであつた。

是清は非常な苦境に直面することがしば／＼であつた。けれども彼の熱烈な盡忠至誠の念と卓越した手腕とは、美事に窮地を切りぬけて、遂に目的を達成した。即ち、第四回は英、米、獨で三億圓。第五回は日露媾和談判成立後、英、米、獨、佛の四ケ國で五億圓（その內半額の發行は他日に保留）を發行することに成功したのであつた。

未曾有の難局に立つわが國の戰時財政に微動の破綻も起さず、戰爭に有終の成果を收めしめた裏面には、是清のかうした必死の努力があるのであつた。かれは明治三十九年二月、輝かしい榮譽を擔つていよ／＼凱旋――さうだ凱旋したといつても決して過誤ではあるまい。

清浦內閣と護憲運動

大正二年、山本權兵衛伯が政友會を與黨として內閣を組織するや、是清は大藏大臣として始めて入閣した。また、大正七年九月には原敬の政友會內閣に再び大藏大臣をつとめたが、突然、原總理が東京驛頭で中岡艮一の兇刄に斃れて內閣が瓦解すると、政友會總裁の後釜に据えられ是清は組閣の大命を拜して、こゝに思ひもかけない高橋內閣が成立した。それは實に大正十年十一月、この時彼は多年の累功によつて既に子爵を賜はつてゐたのである。

かつて見る影もない哀れな少年奴隷として、牧畜に、薪割りに冷淡なアメリカ人の酷使にたゞ悲憤の涙を吞んでゐた是清が、やがて、日本臣民として最高の顯職に就かるとは、何人も想像することが出來なかつたであらう。否、是清自身すらもそれは夢想だにしない榮達であつた。

高橋內閣は約八ケ月の壽命を以て加藤友三郎內閣とかはり、つゞいて第二次山本權兵衛內閣――即ち地震內閣が大正十二年九月一日に成立した。しかし、震災善後策を課すべき重大使命をもつてゐる山本內閣も、高橋政友會總裁の入閣拒絕にあつて、やゝ影が薄れてゐた矢先、虎之門の不敬事件がおこつて、こゝに在職わずか四ケ月で山本內閣は土崩瓦解を見るに至つた。

すると、元老の奏薦によつて、樞密院議長清浦奎吾子爵の時局收拾の大命が降された。清浦子は十年ほど前に一度內閣組織の大命を拜したが、力足らずして中途組織を斷念し、「鰻香內閣」の浮名を世に流した人である。

十年一昔――もう時勢はよほど變つてゐる。今更、清浦子のでる幕ではあるまい。「鰻香內閣」の二の舞を演じられては――と國民一般がくさつてゐた。

所が、清浦子はその微力の切盛り一切をあげて貴族院の研究會幹部にまかせた。從つて大正十三年一月八日の內閣親任式に列した閣員の顏觸れは、全部貴族院議員と官僚によつて獨占されてゐた。しかも、政黨にはこれを支持するものが殆ど無いのである。

「民意を無視する特權內閣ができる。」

或は又、

「清浦子のためには、樞密院議長として餘生を完ふした方がよかつたのだ。たとへ優諚を拜したとはいへ、時勢を察して、それを拜辭するのが賢明な策であつた。」


と氣の毒がる者もあつた。

かうして組閣當初から散々な不評判であつた新內閣は、態度を一變して衆議員に足場を求め、政黨の懐柔にとりかゝつた。しかし、憲政會と革新俱樂部は貴族內閣に絕對反對を標榜してゐるので、始めから問題にならなかつた。たゞひとり下院に於て二百八十の頭顱を擁する絕對多數黨の政友會が、いままで研究會との長い腐れ緣につながつてゐたので、政府はこれを唯一の目標として切崩工作をこゝろみた。また實際、尨大な政友會はすでに崩解作用を兆してゐたので、それが偶々この事變に會すると、俄に弱點を表面化し、こゝに政友會內には特權內閣打破を叫ぶ强硬派と、改革派と稱する軟派とが激しく對立するに到つた。强硬派は高橋總裁、横田千之助總務を中心とする最高幹部であり、軟派は山本達雄、元田肇、床次竹二郎、中橋德五郎の四總務を中心とする總裁排斥組であつた。

兩派はおの／＼同志の糾合をかたくして、互ひに一歩も讓らない。ために、政友會の歸趨は殆ど不明となり、黨員間の反目は激しくなり、內輪喧嘩の醜態を天下に曝露したのであつた。

この混亂裡に、黨の態度を決定すべき幹部會が一月十五日に赤坂表町の高橋邸で開かれた。ところが横田千之助氏や小泉策太郎氏などは、

「この際三派はかたく提携して、超然內閣を倒し、もつて憲政の擁護をしなければならぬ。」

と、純理を振翳して大勢を硬論に導かうとつとめた。がこれに對して山本、中橋等の反對派は、

「いや、目前に攝政殿下の御慶事をひかへてゐる今日、內閣打倒の隱謀をめぐらすが如きことは、お上に對し奉つても甚だ畏多い。それに、わが黨は長い間研究會と特別な關係があるのに、それを俄かに敵に廻はすといふことは考へものだ。この場合、われ／＼は辛棒して清浦內閣を援助しなければならぬ。」

と、口をきはめて自重論を說いた。

甲論、乙駁、六時間にわたつて激論を鬪はしたが、双方とも一寸も退かない。結局、高橋總裁に一任といふことに決つたのである。

その時是清はやをら立ち上つた。二百八十人の目は一齊に是清の口にそゝがれた。かれの裁量こそ憲政史の岐れ目である。その一言によつて內閣否認か援助か決定するのだ。三派提携して護憲に邁進するか、民論が屈從するかきまるのだ。滿堂はシーンと水を打つたやうに鎭まり返つたのも無理はない。

總裁の圓い頰は流石に赤味を帶びて、やゝ興奮の色を呈してゐた。

「諸君、わたくしは諸君に、現下の社會情勢を直視して貰ひたい。」

言葉を切つて滿場を見渡した。が、また徐ろに力强く續けた。

「わたくしは常に政界の模樣及び政變の際に二つの憂慮すべき事を認めてゐます。即ち、その一つは政變の際にはしば／＼宮中府中の別を亂すが如き疑ひを抱かせられる事であります。もし、かゝる事が事實ありとしますれば、畏くも累を皇室に及ぼし奉る結果になる。これは云ふ迄もなく由々しい大事であります。爲政

者たるものは常に思ひをこゝに致して、些かもかうした疑問を國民に起させないやうに注意しなければなりません。それから第二の憂慮すべき點は民心の不安といふことであります。何れの國の歷史を見ても、革命とか動亂とかいふものは、まづ政治運動が惡化すると社會運動となり、それが更に惡化すると革命となり、動亂となるのである。勿論、日本の現情は今日までのところ、まづ殆ど政治運動のみでありまするが、しかし、今にしてこの點に顧し國民に安定を與へなかつたならば、實に寒心すべき情態を惹起しないとも保しがたい。わたくし共は、政治界も經濟界も各階級を通じて、士氣、正義感の甚だ衰へてゐるのを見て、まことに痛嘆に堪へません。

即ち、只今は小節に囚はれて、大義をあやまり、私情に煩はされて大道に踏みはづすやうな事があつては、上は聖慮に對し奉り下は國民に對して政治家たるものゝ本分を怠つた事に相成り、まことに相濟まん次第であります。

先程より、諸君の腹臟なき御意見を拜聽して、甲乙兩論に分れたといつても、その憂國の至誠に至つては、双方とも自分の深く感謝するところであります。

しかし乍ら、清浦內閣擁護か否認か二途の中、その一つを選ぶ場合に、わたくしは大局より見て、否認しなければならんと確信致します。斷乎として倒閣に邁進しなければならんと考へます。」

說き來つて、グッと握拳を前に突き出した。その氣魄に打たれたやうに、場內には咳一つ聞えなかつた。

「諸君！」

是清は急に襟を正して語調を改めた。

「わたくしは、この席上で、諸君に重大なる決心を告白致します。わたくしは最近、榮爵を伜に讓つて一平民となり、來るべき總選擧に代議士候補者として打つて出る覺悟でをります。そしてこの老骨を國家憲政のために捧げる決心でありますから、どうか諸君も、自分の微衷を察せられて、わたくしと一致の行動をとられるやうに切に希望してやまない次第であります……。」

突然異樣なざわめきが起つた。すゝりなきの聲さへ聞えはじめた。

「さうだ！われ／＼は總裁ひとりを見殺しに……、見殺しにしちやならねえぞッ。」

と、泣き卷舌で叫んだものがあつた。見ると、長脇差しの本場上州育ちの武藤金吉が仁王立ちになつて、兩眼からポロリ／＼と涙を流しながら、反對派の面々を睨んでゐるのだ。望月圭介、村野常右衞門などといふ感激性の強い人々はもう一ぱいの涙を溜めてゐる。誰も顏をあげてゐるものはなかつた。

反對派の人々でさへ、その場の嵐のやうな空氣に、自然と肩を縮めてゐた。たゞ横田千之助だけが、總裁から既にこの意中を打明けられてゐたらしく、隼のやうな眼を光らしながら、山本、床次、中橋の顏を皮肉にヂロ／＼と眺めてゐた。そして彼の唇にはいかにも策士らしい複雜な微笑の影が仄かに動いてゐた。

郷土を語る

ツカダキタロウ

◎大垣の噴泉井

石田三成卿が關ケ原の合戰に若しも大垣の城を棄てゝ退却する事なかりせば、徳川勢如何に優勢なりと雖も、勝負を決するに歴史の語る如くはならざりしならんとは、郷土史談家の等しく語る處でありますが、これは一に大垣城の堅固にして拔くべからざる構えによる事は勿論でありますが然し今一つ重要なる點は、大垣がその「飲料水」に實に豊富なる事に基因するものであると思ひます。

「水を大切にせよ」とは、全國到る土地の尊い教へでありまして殊に年々歳々の水飢饉に災される神戸市等では、チョロ〳〵漏れる水栓の水漏さえも、やかましく戒められてゐます。

にも拘らず、大垣市に於ては水は出し放しであつて、決して栓をしたり、水の流出を妨げてはならぬ事になつてゐる有樣であります。

これは全國稀に見るの珍しい現象で、流水を阻止する時は腐敗するものなる故にこそ、大垣市の家々軒々の鐵管よりは、四六時中水は流れて絶えず、第一水栓なるものがないのであります。

「水を大切にせよ」「栓を固くせよ」との二つの教へは、大垣市に關する限り、廢止の浮目を見ればならぬのは、各戸の井たるや、噴横井なるが故であります。

十七、八間も掘れば、どん〳〵水が湧き出し、普通百間掘と稱して、七、八十間も掘れば、良質の水が地上一間ほども噴出するのでありますから、市中到る處の軒先に、飲水撒水が水槽に流れ出てゐます。

この噴水あればこそ、近時纖維工業の工場續々と建設され、大垣附近に大工場街をつくりつゝあります。其故にこそ、石田卿の此の地を去りしをもつて、關ケ原合戰の敗因と稱するも、又過言ではないと察せられます。

大垣の市、水に緣深くして、近々に天下の名蹟「養老の瀧」あり南下すれば寶暦年間の治水事業として有名なる薩藩の三川治水の事蹟あり、今にその恩惠を受けし里人の尊敬を示す、治水神社、治水表彰碑の、千本松の堤に建ちて、後世に敎を埀れて居ります。

不幸その跡を訪れるの暇無く乞ふ郷土をして、その寶暦の治水の有樣を語らしめん事を。

「寶暦治水薩摩義士千本松血涙史」なる小册子こそ、その眞髄を語るものにして、家老平田靱負をはじめ五十有餘名の薩摩藩士の命と、二十有餘の土地の人々の命と二百七十五萬の費用とを投げ込んで完成せし大事業こそ、實に郷土の誇りではありませう。

◎御圍堤

九州の雄藩島津家は、徳川幕府の心勞の種子にして、懐柔策婚姻政策の既に破れたるに及び遂に木曾、揖斐、長良の三大川普請を命じ、その財政を窮迫に陷れたものであります。これぞ有名なる寶暦治水の起源であります。尾濃勢の大平源こそ、實にこの三川の生んだ土地でありまして、年々押し流して來る砂丘に堤防を築き、これを耕作せしものにて、これで濃尾特有の輪中であり、寶暦年間にはこの「輪中」の村落は、二百六十二箇村に達したものですが、出水毎に水害を受け、慶長年間より

寶暦年間迄に實に八十九回に及ぶ水害を受けて居ります。

然るに、其の水害の原因たるや實に徳川幕府の無謀なる「御圍堤」にあるに於ておや、であります。これは慶長十四年名古屋築城に際して、大阪にある豊臣家滅亡策として、軍事上の見地よりして、名古屋藩伊奈備前守に命じて御圍堤を築造せしめしものにて、日本ライン犬山城を起點に、木曾川左岸に沿ひ尾張平野を包み、丹羽、葉栗中島の諸郡を經て海部郡彌富町に到る延長十二里の大堤防にしてこの爲めに輪中の慘害を甚だしくしてゐるものであります。

この堤防は馬踏は六、七間から十間に亘り、平均八間、高さ五間乃至八間内外法は高さの二倍から三倍で、必要に應じて二重三重に作られてゐます。即ちこれは軍事上の所謂渡河點であつて、支那の萬里の長城そのまゝであります、然も、御堤保護令は、

一、御圍堤に對抗する堤防の築造を許さず。萬一築造の許可あるもその高さに於て三尺以上低下すべきこと。

二、一朝增水して堤防破壞した場合は尾州藩の修繕を終るまで決して美濃國では工事に着手することを許さず

の如く、對岸水害に對しては、何等顧慮する事なかりしものでありました。從つて、輪中の築堤工事たるや並大抵のものではないのであります。

寶暦四年正月、幕府より工事命令の出た時には、幕府の眞意を察して、藩内の議論沸騰したのでありましたが、家老平田靱負立ちて

「普天の下卒土の濱何れも王土ならざるなし。」云々と。

大義名分を說き、遂に幕府に請書を出し、家老平田靱負正輔自らお手傳普請總奉行に任ぜられ、副奉行に大目附伊集院久東任命され、用人堀田右衞門鹿兒島より、用人諏訪甚兵衞江戸勤番より出張、双方より幹部十四名出張して工事に着手したものであります。

工事は總て幕府の命令により薩摩藩は御手傳ひである爲め、工費は薩藩の支出なるも、一々幕府の指圖監督の許に行はれ、幕府は一色周防守正詮を三川修築總支配たらしめたが、一色は一度も現場に臨まなかつたと言ひます。

工事は四區に區分され、

一の手　美濃桑原輪中から尾張明津
二の手　尾張梶島村から伊勢田代輪中
三の手　美濃墨俣輪中から本阿彌輪中
四の手　伊勢金廻輪中から桑名濱地藏

にて、薩摩藩からの工事從業の士卒約千人の宿泊する村々へは大要左の如き命令を出したものであります。

一、規定の賃錢で止宿せしめあり合せの品を以て一汁一菜とし酒肴は申すに及ばず何人にても心附の馳走がましき事一切まかりならぬ

二、若し心得違ひで難題を言つたり暴言を吐く者があつたら密告せよ、隱すときは重く罰する

三、品物は所の相場で現金でなければ賣るな、値引は無用、草鞋其の他聊かの品でも錢を受取らぬ内は品を渡してはならぬ。

四、宿舍は如何に見苦しくても差支へない、修繕すると處罰する。

如何に幕府の干涉壓迫の嚴しかつたかを知る事が出來ませう

工事の着手當時の薩摩方の人數は九百四十七人で工事終了までは二千人以上使用した事もある。工事の總本部を大枝村に置き、これを本小屋と遠慮して治水の方法を研究の上幕吏に對してその意見を披瀝した。即ち、

一、河幅を廣くするために新堤を築き廣く水を漲らせて水害を豫防ずること

二、堤防は御圍堤と同等の高さに修繕すること

三、油島及び大榑川は全部締切工事にすること

の三件を申出たるに對し一言の下にはねつけられ、公儀の設計に基き至急着手せよとの嚴命を受け、茲に於て、平田靱負は幕府の眞意をさとり、幹部一同と北勢隨一の大社多度神社に參詣し神前にて次の如く申し渡したのです。

一、身命を賭して工事完成を期すること

二、幕府方の役人に對しては如何なる事情あるともこれに逆ふべからず、禮儀厚くして堪忍第一たること

三、住民に對しては温良親切かりそめにも粗暴の振舞あるべからず。

工事の場面は美濃六郡百四十一箇村、伊勢一郡三十五箇村、尾張一郡十七箇村合計百九十三村に亘り、工事延長は實に六萬三百六十一間即ち約二十八里に及んでゐる然も薩摩方は御手傳ひ普請の悲しさ幕吏から一から十まで事毎に仕樣書によつて工事指圖を受ければならぬ。

大榑川の工事責任者永山市左衞門は幕府所命の工事要領では何回繰り返すも無益であるから、蛇籠に石を入れてしづめることにし、漸く工事を終つたが幕吏の問責に永山と永田杢衞門は責任を背負つて割腹し、籠造りを敎へた徳兵衞親子は自刄した。

油島締切り工事では永吉惣兵衞音方貞淵が工事を破壞する濁流を恨んでゐるのを嘲笑した幕吏を斬り殺した爲め工事の責任と共に申し譯けの爲め割腹した

逆川の堤の完成したのを幕吏目附横井軍藏が無賴漢に破壞させた有樣を目擊した平山牧右衞門、瀬戸石助、大山市兵衞の三人は桑徒を斬り殺して割腹した。

住民の同情、幕吏中の武士、等に助けられ乍ら、薩摩藩士の血と膏とを打込んだ壯大なる工事は寶暦五年四月十五日幕府から派遣された御目附磯部一行の實地檢分により五月二十二日檢分濟となり「御手傳普請誠に結構重寶に出來いたして御座る」と歎賞されたのでありました。

總奉行平田靱負は永い間の苦役を終り工事は美事に完成したが五十餘名の自刄者と三十餘名の病死者を出したのみならず多大の工費を使用したため、五月二十四日藩主に工事完成幕府檢分濟の旨を報告し、翌二十五日鬼頭兵内宅に於て齋戒沐浴、遙かに皇居と藩公を拜し美事に割腹した。享年五十二歳。治水工事終るや沿岸の住民はその記念として油島締切工事の跡に松を植ゑた。これが所謂千本松であります。

戰爭と臺所

大阪市保健部長
醫學博士　藤原九十郎

臺所の問題は平時にありましても、家庭經濟、家族の保健、體位向上等の諸點から、極めて重要であるばかりでなく、延いては國防の充實、國力の伸展の上に重大なる關係を有するものでありますが、戰時に於ては、之が更に一層の重要性を有つことは、容易に想像せられる通りであります。

戰時と臺所異變

戰爭が一國を相手とする場合では大した懸念はないでせうが、若し數國を相手とし又は之が長期に及ぶ樣な時には、總ての物資が平時よりも不足勝になるのは當然でありまして、就中食糧に到つては國內の生產能力の減少と、海外よりの輸入不足等によつて、最も不足を告げ易いものであります。即ち戰時にあつては國內の農、畜、水產業等に從事する所謂生產階級の若い者は多くは戰線に立つわけで、其のために國內の生產量が減少することは當然であります。此の事實は彼の歐洲大戰當時に於て明かに立證されて居るので、例へば獨逸に於ては開戰後二年にして、開戰當初に比して國內の農產額は四割五分の減少を來して居り、又同樣フランスに於ても四割を減產して居ります。此等の事實は誠に注目

すべき事態でありまして、あの程度の大戰に際會すれば、吾國に於ても當然斯樣な現象が示さるゝものと考へなければなりません。更に又海外諸方面よりの食糧輸入は、たとへ制海權を保有して、吾が船舶の航行が自由であつたとしても、色々の關係から其の額を減ずるのであつて、現に昨今に於てすら靑島牛の輸入杜絶のために牛肉需給に異變を來して居る事情に徴しても明かで、之が若し數國を相手とする如き場合には、其の影響は更に甚だしいわけであります。

斯樣な譯で、戰爭が長期に亘る場合に於ては必ずや食糧の供給不足を見、臺所異變を招來することは止むを得ざる次第でありまして、私共は此の異變の發生を防止し、之が影響を出來るだけ輕減するために適切なる善處の方法を講ぜなければならないのであります。

食糧は戰爭を勝たしむ

申すまでもなく食糧は人間活動の源であり、生存、生育の根基でありまして、其の量的質的の適否は直に體位の良否と活動力の盛衰とに關聯し、其の需給關係の難易、卽ち其の過、不足は民心の安危、社會秩序の維持、紊亂をも左右するものでありまして、古來大戰の實績に徴しても食糧の問題は、時に戰爭の勝敗を決する重要なる要素となつて居るのであります。吾國でも往昔の戰爭に於て糧道を絶つことが屢々戰勝の手段となつて居りますが、外國にても「食糧は戰爭を勝たしむ」の諺があります。近くは歐洲大戰に於て、獨逸が戰には勝ちながら敗北した原因も亦食糧問題に在りと云はれて居る。卽ち獨逸の戰死者は百六十萬人と稱せられて居るが、其の中食料不足のために、或は其れが原因で病死したものは實に七十萬を數ゑると云はれて居ります。或る戰術家に云はしむれば、獨逸が若しフランスを攻むる事に全力を注ぐ以前に、露西亞を攻擊しウクライナ地方の農業地帶を占領して居つたならば、大戰の結果は或は逆轉したかも知れないと云はれる。又此の大戰の末期に當つて、米國が聯合國側に參加したことは、作戰其のものに於ける影響よりは、其の食糧援助の方が聯合國側の非常なる力となり、遂に之をして勝利を得させたと考へられて居ります。卽ち當時米國は參戰と共に「食糧は戰爭を勝たしむ」とか、或は「食糧を節約して戰地に送れ」など云ふ標語を信條として擧國

一致、食糧の節約、代用品料理の普及等に努め、其の結果自國の分は勿論、歐洲に於ける聯合國側の食糧不足までも補ひ、其れに依つて勝利を收めしめたのであります。

斯くの如く考ふる時、戰時に於ける食糧の問題が如何に重大であるか、十分了解出來るわけでありまして、國としては平素國內食糧の需給のために、生産の增大、價格の統制、分配の公正を期すると共に、家庭並生産地に於ける貯藏、浪費の防止等に最善の努力を致さなければならないのであります。就中浪費の防止、卽ち食糧の經濟は此際最も必要なことであるが、之は結局一家の臺所に其の源を發するわけで、臺所の支配者である家庭婦人の責務は極めて重大で、あらゆる銃後の務めの中で最も重いものと考へるのであります。然しながら茲に誤解してならないことは、食糧の經濟と云ふことを無謀なる節約と取り違へない點であります。卽ち飽くまで食糧は健康の維持增進と、活動、勞役に十分なる攝取を根本原則としての經濟節約であつて、決して榮養學上の質的、量的の合理性を失ふての節約であつてはならない。所謂角を矯めて牛を殺すの類であつてはならないわけであります。卽ち家庭に於ける食量經濟なるものは臺所に於て食品の浪費を防ぎ、無駄を省き、而も之を適當に調理して、最も經濟的に榮養完備の食物を供給することを謂ふのであります。

臺所經濟の重要性

實際に於て吾々の日常生活には非常に無駄が多い。就中食物關係に於ては榮養上から、經濟上から見て、合理化すべき點が少くないのであります。卽ち戰時と臺所に於て必要なる臺所經濟の第一の要諦は先づ以てこの食糧の無駄を省くことで、之を一層眞劍に徹底せしむることであります。具體的に云へば、調理に際して食物を十分に活用して、廢棄物を出來るだけ少くすることであります。元來多くの食品は之を調理して食膳に供するまでには相當の大量が廢棄さるゝものでありますが、其の割合は食物の種類、調理の方法によつて勿論一樣ではないが、野菜類は一割以上、魚介類は二

割五分内外が廢棄される。是れなどは調理する際の主婦の手心一つによつて大なる差違を生ずるわけであり、又廢棄されたものも色々利用の方法があつて、所謂利用厚生の上から充分に活用する樣に工夫せねばならぬと思ひます。

主食の經濟

特にこの場合注意したいのは、主食たる米の問題であります。米は吾國民の食物中で七、八割或は其れ以上の大量を占めて居つて吾國で食糧問題と云へば直に米の問題と考へられる程、極めて主要なる食品でありますが、戰時に於ては特に需給關係が非常に重大であるのであります。而もこの米の問題は全く主婦の力に俟たなければならぬのでありますが、そこで主婦達は之れに對し如何なる注意を拂はなければならないか。この點は米が精白されたり、臺所で淘洗されることによつて量的に、質的に非常な損失をなすことを十分に認識すれば明かであります。卽ち米が玄米から白米に精白さるゝまでには所謂「つきべり」があつて、量の上から見て八分乃至一割の損失があり、榮養價の上からすればヴィタミンBを初め其他の榮養素の損失が仲々大きい。從つて量及質の經濟から考へて米は成るべく精白度の少いものを推奬するのは當然であります。平時に於ても半搗米胚芽米等の奬勵が叫ばれて居る所以であつて、殊に戰時に於て一般副食物の不足又は高價なるために攝取不足を來し易く、從つて榮養素の不足不給による健康障害、例へば脚氣の如き病氣を起し易き狀態にあつては、精白度の少いヴイタミンBに豐富なる米を撰ぶことは必要なわけであります。

更に米に就て今一つの注意は淘洗の問題であります。米の淘洗を從來の如く力強く何度も繰返し〱行ふ場合には第一、臺所より下水の方へ相當量のものが流出することに注意を拂はねばならない。その洗流さるゝ割合は甚だしきは五％に及ぶのでこれ亦食糧經濟の上から等閑視出來ない點であります。卽ち假りに全國で食膳に利用する米の全量を六千萬石としますれば、其の五分卽ち三百萬石の米が臺所から洗ひ流されて居る事になるので、實に驚くべき資源の損失であると云はねばなりません。而もこの水洗を何回も繰返す時には、榮養素の損失が亦仲々大きい。卽ち蛋白質、脂肪及

び燐酸等の無機物質の損失もあるが就中ヴイタミンは殆ど全部が失はれるわけであります。從つて米の淘洗は出來るだけ輕度にし、先づ一、二回ゆすぐ程度に留めて置くことが量の上からも、榮養價の點からも非常な利益であるわけであります。傳へられる所によれば今次事變の戰線に於ては全部胚芽米が使用せられ、而も不淘洗で、其の儘用ひられ、卽不洗胚芽米として用ひられて居る相であるが、脚氣豫防の上から見て榮養上誠に理想的な方法であると信ずる次第であります。

安價な動物性蛋白

戰時に於て、最も困る食糧として外國などで問題となるのは動物性蛋白の給源であります。卽ち肉類の不足、缺乏は平時輸入に仰いで居る國は勿論、自給自足して居る國に於ても、例へば家畜飼料の缺乏等が原因して、非常な苦痛を與へた樣であります。然るに吾國に於ては外國と異り、最も良好なる蛋白源たる魚屬の寶庫を近海に持つて居るので、これは誠に幸ひなことであります。就中鰯を以て、吾國民のみに與へられたる天惠の榮養食品であると信ずる次第であります。この魚屬は吾が近海には殆ど無盡藏に近く、年々數十萬噸の大量が廢棄されて肥料に使用されて居る現狀で、この貴重なる動物性蛋白を肥料としてより下等な植物性蛋白に代ゆる事が、國民榮養上から見て、如何に愚かなことであるかは云ふまでもないのであります。從つて榮養資源の活用と云ふ點から考へて平時に於て之が利用に力を致すことは主婦の任務であり、又非常に安價なる蛋白源である點から考へて、臺所經濟上、每日の利用をお奬めする次第でありま す。殊に今日の如き非常時局に於ては、榮養上、經濟上最も關心を持つべき戰時食品であると信ずるものであります。

今一つ安價にして良質なる蛋白源として大豆を擧げることが出來ます。其の製品は味噌、豆腐として平素臺所になじみ深いものでありますが、今後一層之が利用の方法に努むる要があると考へます。この食品は御承知の通り、友邦滿洲國が世界有數の產地であることから考へて、これも吾が國民への天惠の食品であるわけで、日滿經濟合作の上からも、

家庭に於て其の利用を切に奬勵致す次第であります。

尙この機會に於て望ましいことは、消費階級たる主婦の力によつて生產の合理化にまで力を用ゆる點であります。日常販賣されて居る食品の中には高價にして榮養價少なきものが少くない。これなどは戰時の臺所に於ては完全にノック・アウトして生產の途を絕たしめ、これと反對に安價にして榮養價大なるものは益々之れが需要を高めて、生產の擴大と製造の改善等によつて益々其の利用を增大する樣に努力せなければならない。高價にして不經濟なる食品を制して安價にして榮養價大なるものゝ需要を高め、其の生產を增大せしむることは主婦の協力があれば容易に可能なことであります。非常時局の臺所經濟上一考を要するものと信じます。

臺所と國民訓練

次に戰時と臺所に於て必要なことは、この際國民一般が食糧を大事にする訓練をなすことであります。歐洲大戰當時第一にアメリカが採つた食糧に關する國民訓練は「每日の食品は必要なだけを用意して、食べ殘しを許さない」と云ふことを習慣づけるに在つたと云はれて居りますが、之は誠に大切なことでありまして、吾が國に於ても卽刻、家庭の主婦が實行すべき信條なりと思ひます。實際に於て吾々の家庭に於ても食事殘物は相當に多い、又食べもしないものを皿に盛つたり、どの皿も食べ殘されることは、誠に貴重なる資源の冒瀆であると申さねばなりません。戰時に於ける臺所の問題として今日からでも實行すべき家庭訓練であると考へます。

要するに臺所の問題は殊に戰時に於ては勝敗の鍵ともなるべき重大性を有するものでありまして、之れが運營の任に當つて居る主婦の重責たるや極めて重大で、銃後の主婦として盡忠報國の途は茲にあると信じまして、全國の主婦達の一大關心を希望する次第であります。

非常時局と婦人の服裝問題

＝形の上の改良なら意味がない＝

山川菊榮

歐洲でも婦人服の改良といふことは、世界戰爭以前からの宿題だつたが、コテコテと飾りの多いツバ廣の帽子胸や腰を堅くしめつけたり、大きくふくらませたりした上衣、襞の多い長いスカートが一時に廢たれて、單純輕快な現在の服の型に變つたのは戰爭の影響であつた。つまり婦人の生活の激變が、用布の經濟、運動の便利を主とした型を發達させたのだつた。斷髮も同じやうに、戰地で毛虱に惱まされた看護婦の思ひつきだつたといふ。

昨今戰時氣分に刺戟されて、婦人服の改良といふ宿題が方々で蒸し返されてゐる。しかし單に和服の代りに洋裝をとり入れるといふ形の上の變化だけで、服裝に對する考へ方が變らないのだつたら、實のところ、洋裝になつても、便利でも經濟でもないのみか、却つてその反對の結果を生む場合もあるだらう。

「洋服にしたいのですが、流行が大變ですし、とてもさう始終新しいものは作れませんから」

といふ婦人がよくある。實際婦人雜誌などに出る洋裁店主やデザイナーの話のやうに、春拵へた服は秋にはもう流行おくれで着てならないやうだと、洋裝くらゐ無駄な金を食ふものはない、が、それなら西洋人は百人が百人そんな無駄をしてゐるのか、でなければ裸でゐるかといふと、まさかさうでもないらしく、流行を追ふ階級は一部分にすぎない。

洋裝する日本婦人の中にも、それ〲階級的な特徵があり、流行や型の變化を利用して自分を和服以上に引立たせるといふ有閑的遊戲的氣分からのものと、仕事や活動に便利で手入れも簡單だといふ實用的見地からのものとは大いに違ふ。服裝の改良が問題になる時は、勿論實用的な方面が主でなければならぬ。婦人自身、活動の必要を認め、活動に便利な服裝を求める氣分が痛切なら、この改良は容易に行はれる。がさうでなければ服飾の趣味を複雜にし、不經濟になるばかりで、何得るところもないであらう。

ヒステリーの正體

環境によつて起る場合が多い

精神的な導き方で治る

慶大教授醫博　植松七九郎

ヒステリーは遺傳ではなく殆どすべてが環境によつて起るものです、つまり生れながらヒステリーといふものはなく母親のしつけ方教育態度等によつて八分通り起るものです。そしてこれは反應の一つの樣式です。例へば強い動物と弱い動物とが對立する時、弱い動物の或るものは負けると決まつてゐても強い動物に向つて戰つて行くが、或るものは死んだまねをしてその場を切り拔けるが、これはつまり強い動物に對する弱い動物の反應の樣式の違ひを示すものです。

これと同樣にヒステリーは夫が道樂したとか、金がないとか、困つたことのある時とか、ことが思ふ通りにならない時などに婦人が無意識に示す反應の樣式なのです。ですからヒステリーも人によつて異なり痙攣を起したり、神經衰弱の樣になつたりするわけですつまり無意識に病者として取扱はれたいといふ欲求が潜んでゐるのです。

ですから環境がよく何でも思ふ通りになる人はヒステリーにならないわけです。

そして大體結婚後一二年のうちに起るのが一番多く、時には結婚しない娘さんにも起ります。一體に婦人に起るのですが、男でも女性的ですと普通の權利義務で通らぬやうな強い相手に向つた時などにまれに見受けます。

婦人でも一般に獨立心がなく言葉使ひ態度等、子供型を拔け切らない型の人に多く起るものです。

ヒステリーは割に簡單に治るものです。しかし藥で治るわけのものではなくて、ヒステリーになつてゐる人の精神的の躾とか、その人の社會や周圍に對する態度等を神經科の專門の醫師が教育し直して行けばよいわけです。事實ヒステリーになるやうな人は暗示性が強いので、これを利用して精神的に教育し直すことは割合に簡單で教育のある人程暗示說得教育がしやすいので治り易いものです。豫防としては精神衞生學的にヒステリーの本態を若い女性に教へてやることが何より肝腎です何しろ母親がヒステリーだと、その娘も親のやり方を自然に覺え込んで當り前に考へるやうになりヒステリーになる場合が多く勿論無意識にまねるわけで意識してやるとそれはヒステリーではなくフテクサレです。

しかしヒステリー的性格を全然女からとれば男と變るところがなくなるから、徹底的に嫌ふわけにも行きません女らしさ、やさしさは實にこの性格のためですから、輕いヒステリー的性格はむしろあつてよいわけでせう。

十月の日記（編輯後記）

◉大阪に於ける第十五回記念審査會はいとも盛大に結了したので、四日は市保健部にて、中田、深山兩課長に、亦市婦人聯合會幹事に御禮の挨拶をなし、それより坂間市長に親しく御目に懸つて謝辭をのべ、尙大阪帝大醫學部に赴いて、アルファ會の梶原博士、法醫學教室の中田、大村二博士、松倉學士、小兒科の笠原、前田二博士、眼科の中村博士、齒科の弓倉博士、石野學士等にそれ〳〵面會して本會が盛況裡に終了した事の御禮を申し述べた、坂間市長始め大學の諸先生は本聯盟の事業が年々盛大になるのを心より喜ばれ、且つ非常時下に於て益々重要性が加へられて來たから、新たなる認識の上に一層の奮勵努方をせられたいと、異口同音にはげまさるゝのであつた。

◉同日御道筋の街上にて新京から來てる高橋桑三牧師にパッタリ遭つた、牧師は同志社時代の同窓で總會の爲めの歸國中らしい、新京は某國に近いから危險だらうと云つたら「何大阪の方が返つて先きだよ」と笑つてゐた、六日は堀川乳兒院の廣島博士と山田學士に、電氣局病院の原田博士に、扇町產院の余田博士に審査會の謝辭をのべ三越の橋村展、高島屋の溪仙展を觀、七日は市民病院の谷口、今泉二博士に挨拶に趣いた、例年最後の審査總評の決定は谷口、生地、原田(龍)廣島の四博士に御願ひして居るので種々打合せをした。

◉東京に於ける本年度の表彰式は十一月九日と確定したので、具體的の準備工作の爲め十日の燕號にて上京した、そして十一日早朝本會總裁山崎前農林大臣を牛込の私邸に御訪れし、夜は廣井會長邸に至つて御願をなし、十三日は千葉醫大に研究論文作成中の親戚宅を訪問して、秋雨蕭々と降る夜歸京し、十四日午後二時、九段遞信大臣官邸にて本會名譽會長永井大臣閣下に御目に懸り、表彰式に御臨席されて告辭をのべて頂くやう御願ひした、閣下は少年時代に丹波の國に過した事を追憶して、松茸の話しなどされるのであつた。

◉十五日、調布嶺町に義母を見舞ひ、十六日、文展を見る、何と云つても栖鳳、大觀、關雪、契月、九浦、忠夫、印象等の諸大家の作品は人の魂に囁かずしてはおかぬ尊いものを持つてゐる、夜は小石川の藤原氏宅より巣鴨の吉村畫伯宅を訪ねて懇談に時を過した、十七日の日曜は上高井戸に九浦先生を御訪れした「畫帖に芭蕉翁を描いておきましたから」と示された繪は誠に脫俗的な高雅なものであつた、それより荻窪に津田青楓、木村宗一の二氏宅、高圓寺に服部有恒氏宅等を訪ねてそれ〳〵專門上の御話しを窺ふ。

◉二十一日、滯京十一日目にして漸く落ちついて木村高島鑑宣傳部長と表彰式の打合せする事が出來た、尙、本聯盟の基礎確立と法人組織に關し、知友、諸先輩が熱心に種々盡力して下さる事は感謝に堪へぬ事であり、忝ない事であると心から御禮を申上げたい。（二十七日）

本誌定價	一冊金參拾錢	郵稅壹錢五厘
半年分六冊	金壹圓六拾錢	郵稅共
一年分十二册	金參圓	郵稅共

誌代郵税は一切前金の事
前金切の場合は發送中止
郵劵代用は一割增のこと

昭和十二年十一月廿八日印刷（每月一回）
昭和十二年十二月一日發行（一日發行）

兵庫縣武庫郡精道村芦屋
發行兼編輯人　伊藤悌二
大阪市西淀川區海老江上二丁目三七番地
印刷人　木下正人
印刷所　木下印刷所
電話福島⑮｛一五三四番 二二四二六番

大阪市北區天神橋筋六丁目
大阪市立北市民館內
發行所　大阪兒童愛護聯盟
電話堀川㉟｛一〇〇〇一番 一〇〇〇二番
振替大阪五六七六三番

36—2060(O)

子供の世紀 第十五卷 第十一號
大正十三年二月二十日第三種郵便物認可 昭和十□年□月二十八日印刷納本 毎月一日一回發行
【定價 金參拾錢】

基礎鞏固　經營眞摯

創立　明治四拾四年

日本徴兵

コドモの保険

入營・嫁入準備　出世・敎育資金

子を持つ親心

可愛い子供の爲に何程かづゝの貯金をしてやらうと考へるのは、凡ての親としての至情で、男子ならば適齢迄、女子ならば嫁入迄と誰しも心掛ける所ですが、さて實行はなかなか困難です。

最良の實行方法

徴兵保險、生存保險のコドモ保險は此需用を充たす最良の施設で、一度御加入になれば知らず識らずの間に愛兒の爲に必要な資金が積立てらるゝことになります。

日本徴兵保険株式會社

本社　東京市麹町區内山下町一ノ一

新母性講座・育兒知識

子供の世紀

第十五巻　第十二號

大正十三年二月二十日第三種郵便物認可
昭和十二年十一月廿八日印刷納本
昭和十二年十二月一日發行（毎月一回一日發行）

銃後の衛生と國民の覺悟號

大阪市立北市民館内

大阪兒童愛護聯盟

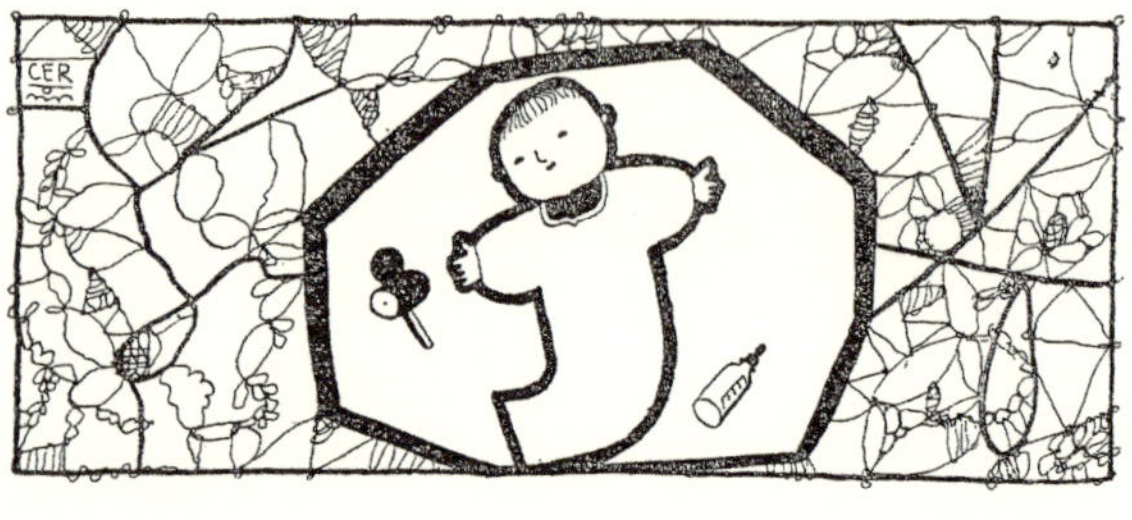

『子供の世紀』（第十五巻第十二號）銃後の衛生と國民の覺悟號

目次

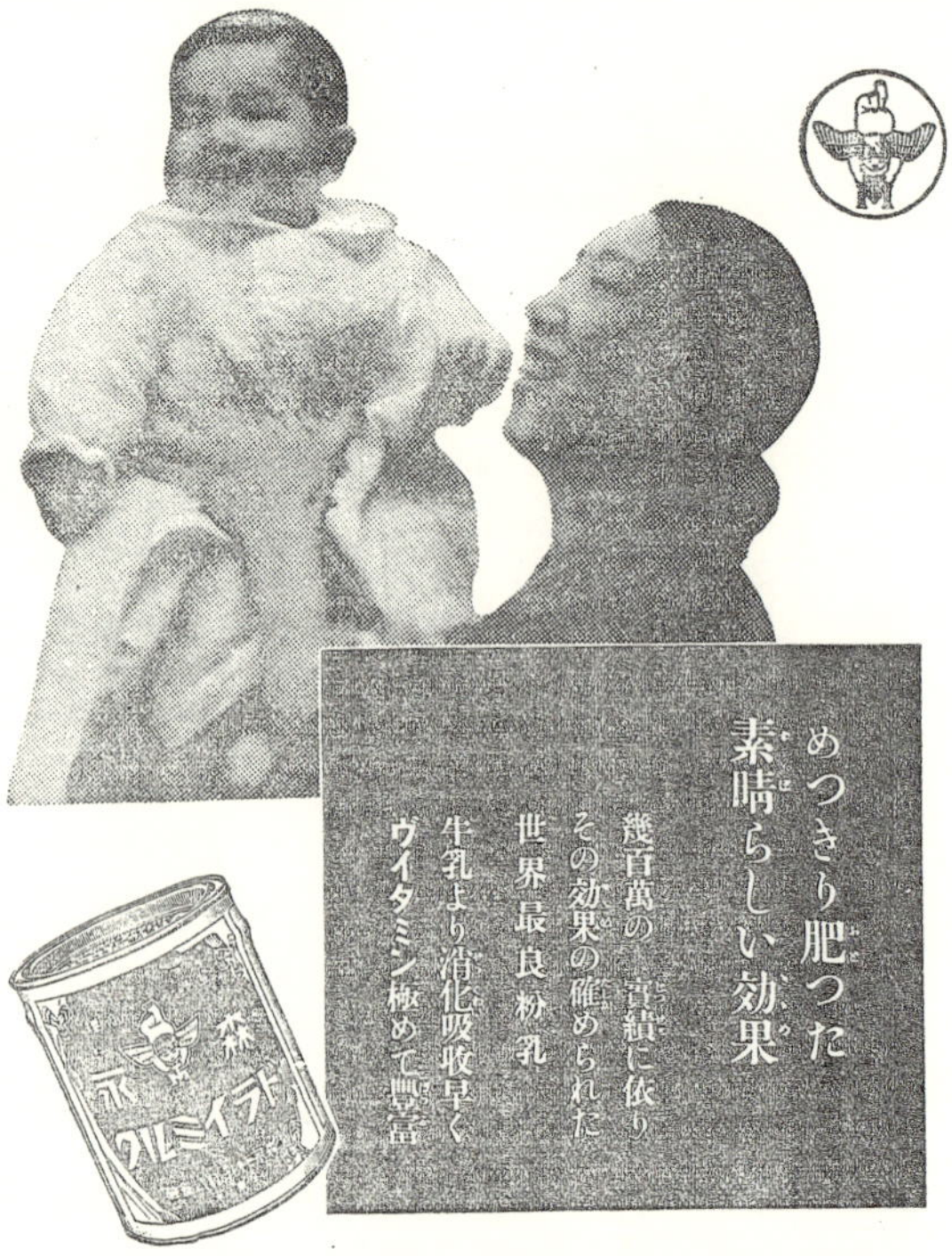

めつきり肥《ふと》つた
素晴《すば》らしい効果

幾百萬の實績に依り
その効果の確められた
世界最良粉乳
牛乳より消化吸收早く
ヴイタミン極めて豐富

賣行・全需要の七割を占む

森永ドライミルク

森永煉乳株式會社

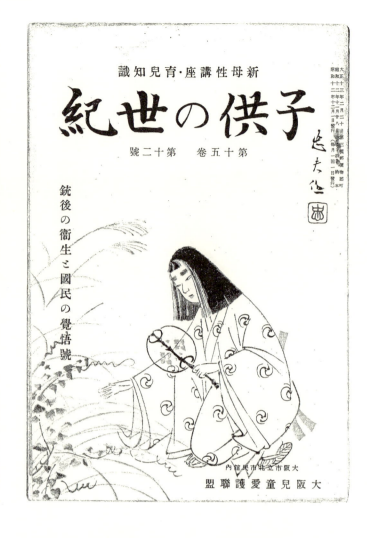

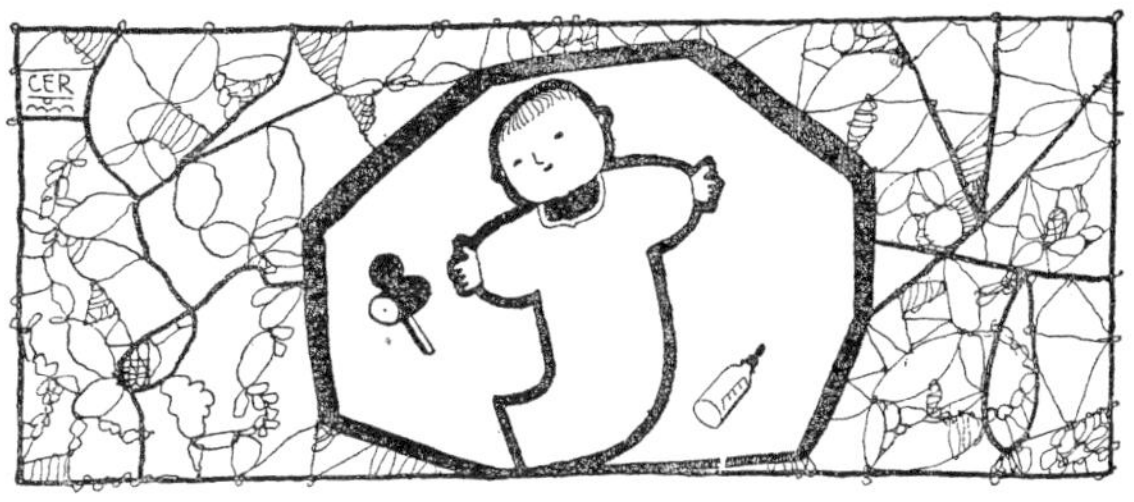

敎育結婚保險
徵兵保險
東京
第一徵兵
銀座

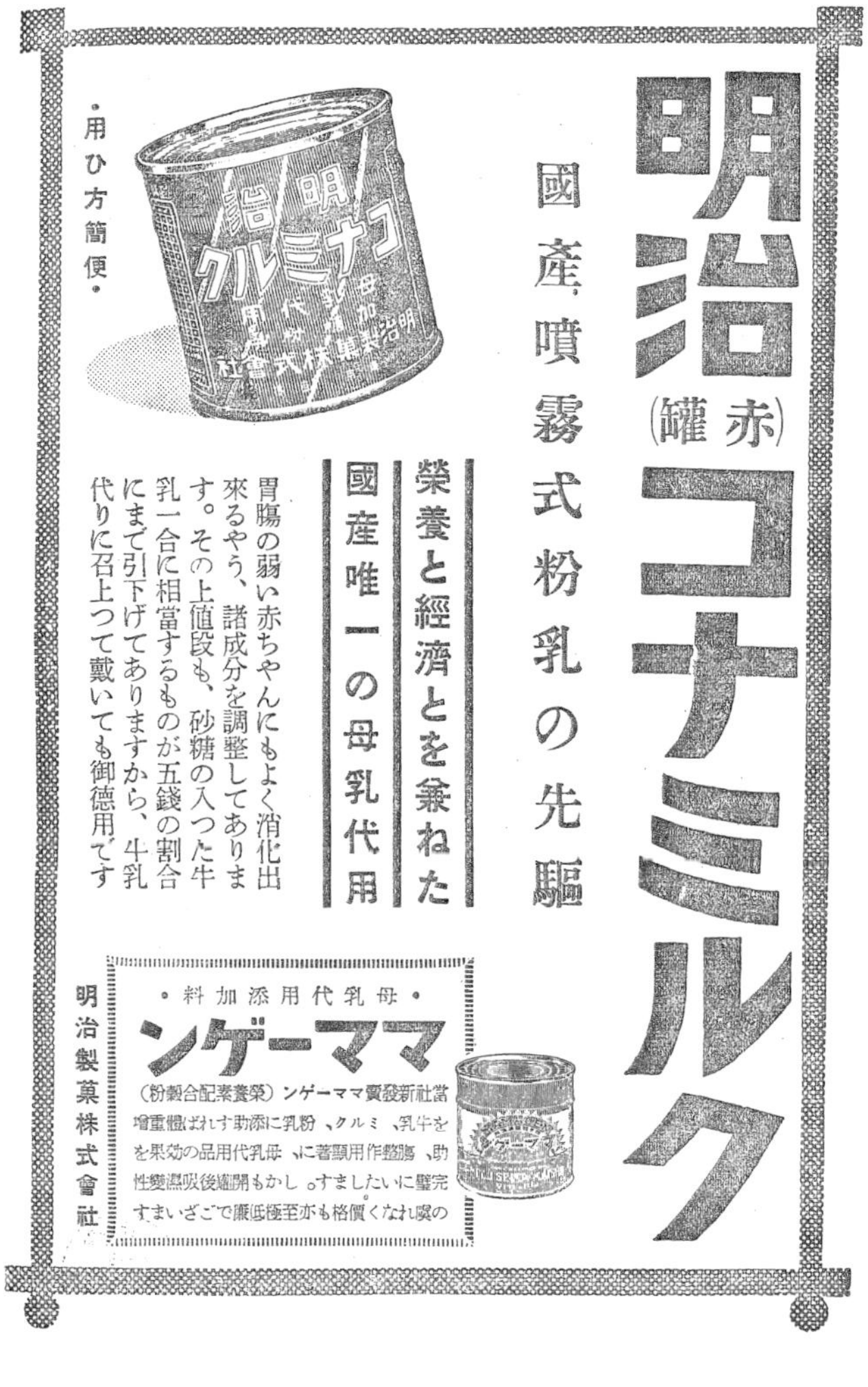

明治（赤罐）コナミルク
國產、噴霧式粉乳の先驅
榮養と經濟とを兼ねた
國產唯一の母乳代用
胃腸の弱い赤ちやんにもよく消化出來るやう、諸成分を調整してあります。その上値段も、砂糖の入つた牛乳一合に相當するものが五錢の割合にまで引下げてありますから、牛乳代りに召上つて戴いても御德用です
・用ひ方簡便・
・母乳代用添加料・
ママーゲン
當社新發賣ママーゲン（榮養素配合製粉）を牛乳、ミルク、粉乳に添加すれば體重增助、整腸作用顯著に、母乳代用品の効果を完璧にいたしました。しかも開罐後吸濕變性の虞れなく價格も亦至極低廉でございます
明治製菓株式會社

喫茶店より美味しい珈琲が出來る珈琲沸器!!
大川パーコ
美味しい香り高い珈琲は
大川バーコにのみ依つて得られます
全國百貨店に有り
說明書送呈します
關西代理店 大阪市北區梅田新道
ニッポンブラジリアントレーディングコンパニー
まあ!! 素的な香りですこと!!
喫茶店以上ですわ
東京市日本橋區本町
大川吸入器本舗
大川銀三郎商店發賣
モデル東京松竹少女歌劇聲樂専科對馬洋子さん一人二役

山崎總裁閣下最優良兒を表彰さる

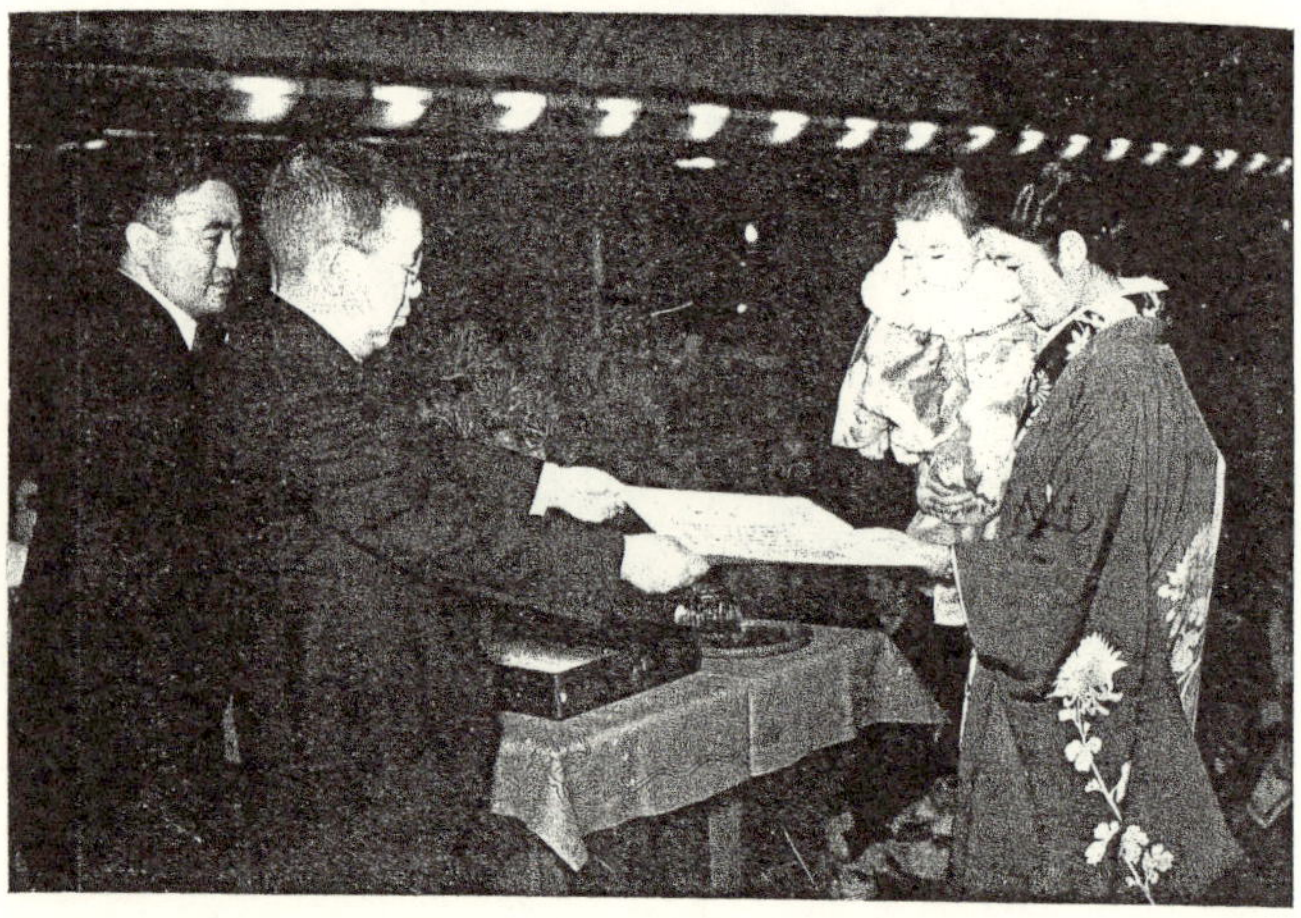

第九回全東京乳幼兒審査會の表彰式は、去る十一月九日東京高島屋ホールに施行され、最優良兒225名、優良兒337名は當日午前山崎總裁閣下より表彰狀とメタルを授與されたが、圖は總代の一人である日比野紀佐子さん母子である。

醫學博士 有馬頼吉氏 醫學博士 青山敬二氏 醫學博士 太繩壽郎氏 發見創製
日・英・米・加奈陀・愛蘭 專賣特許
アーオー
結核免疫元
治療的應用
肺結核(潛伏、輕症、中等症)
腺結核、皮膚結核、泌尿生殖器結核、
外科的結核、眼科的結核、肋膜腹膜炎、喘息
特ニ小兒ノ淋巴腺結核ニハ手術ヲ要セズ治癒セシムルコトヲ多數實證セラル。
肋腹膜炎、肺炎等ノ恢復期ニ於テ最モ著効アルコトヲ認メラル。
豫防的應用
虚弱兒童、腺病質學童
特ニ感冒ニ罹リ易キ兒童ニハ著明ニ奏効スルコト確實ニシテ是等體位增强ノ手段トシテ最モ適切ナル豫防接種ナリト信ス。
診斷的應用
結核ノ存否病勢並ニ豫後ヲ確斷シ得 而モ無害ニシテ同時ニ治療的効果ヲ有スル方法
(所謂吉田氏反應)
特長
忌ムベキ副作用無ク、吸收容易ニシテ効果確實ナルコト。
製造所 有馬研究所
發賣元 須美商店
大阪市東區北濱四丁目四〇
小兒科文献贈呈

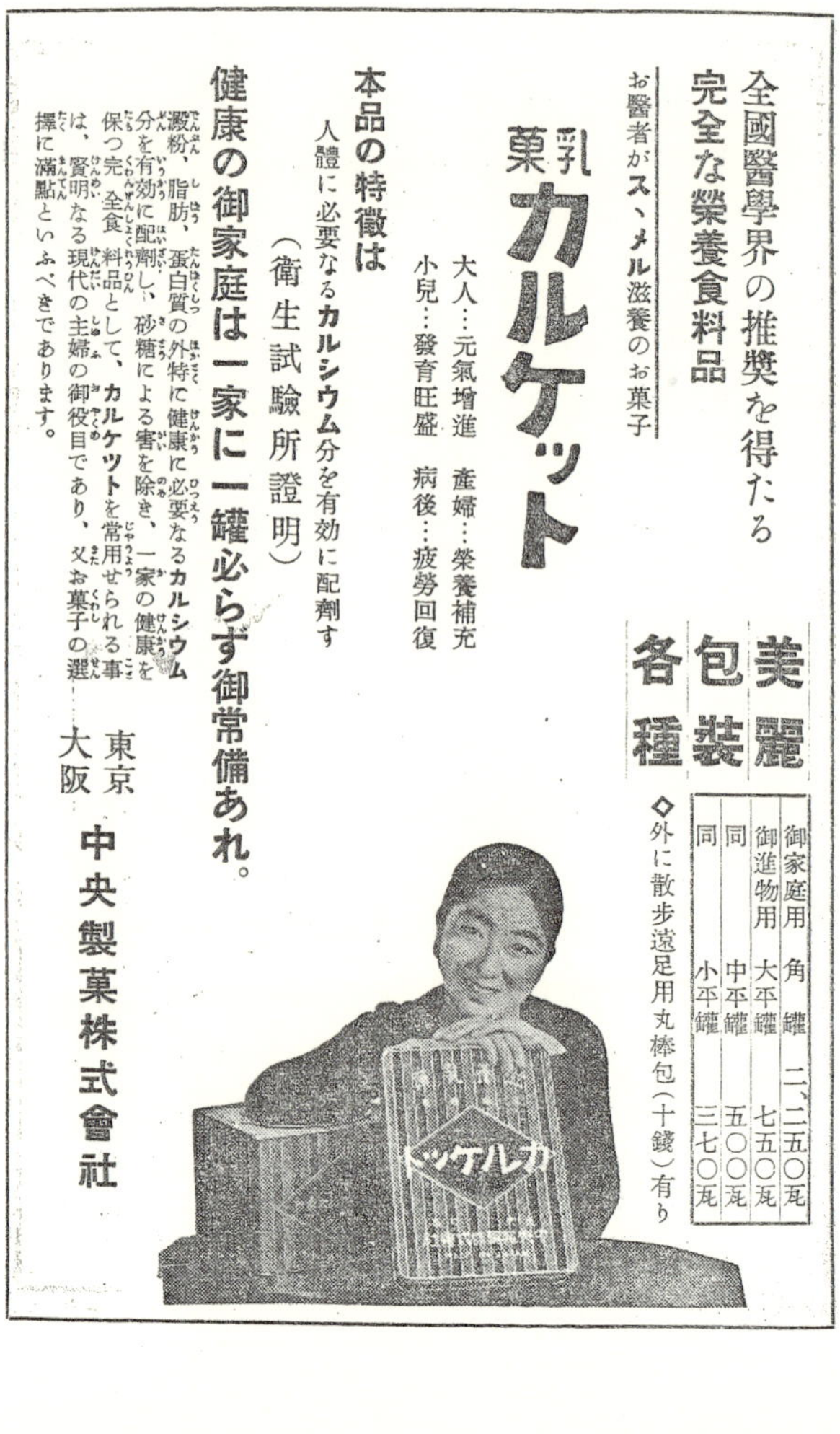
全國醫學界の推奬を得たる
完全な榮養食料品
お醫者がスヽメル滋養のお菓子
乳菓 カルケット
大人…元氣增進 産婦…榮養補充
小兒…發育旺盛 病後…疲勞回復
本品の特徴は
人體に必要なるカルシウム分を有効に配劑す
(衛生試驗所證明)
健康の御家庭は一家に一罐必らず御常備あれ。
澱粉《でんぷん》、脂肪《しばう》、蛋白質《たんぱくしつ》の外特に健康《けんかう》に必要《ひつえう》なるカルシウム分《ぶん》を有効《いうかう》に配劑《はいざい》し、砂糖による害を除き、一家の健康《けんかう》を保《たも》つ完全食料品《くわんぜんしよくれうひん》として、カルケットを常用《じやうよう》せられる事は、賢明《けんめい》なる現代《げんだい》の主婦《しゆふ》の御役目《おやくめ》であり、又《また》お菓子《くわし》の選《せん》擇《たく》に滿點《まんてん》といふべきであります。
東京 大阪 中央製菓株式會社
美麗包裝各種
御家庭用 角罐 二、二五〇瓦
御進物用 大平罐 七五〇瓦
同 中平罐 五〇〇瓦
同 小平罐 三七〇瓦
◇外に散歩遠足用丸棒包(十錢)有り
カルケット

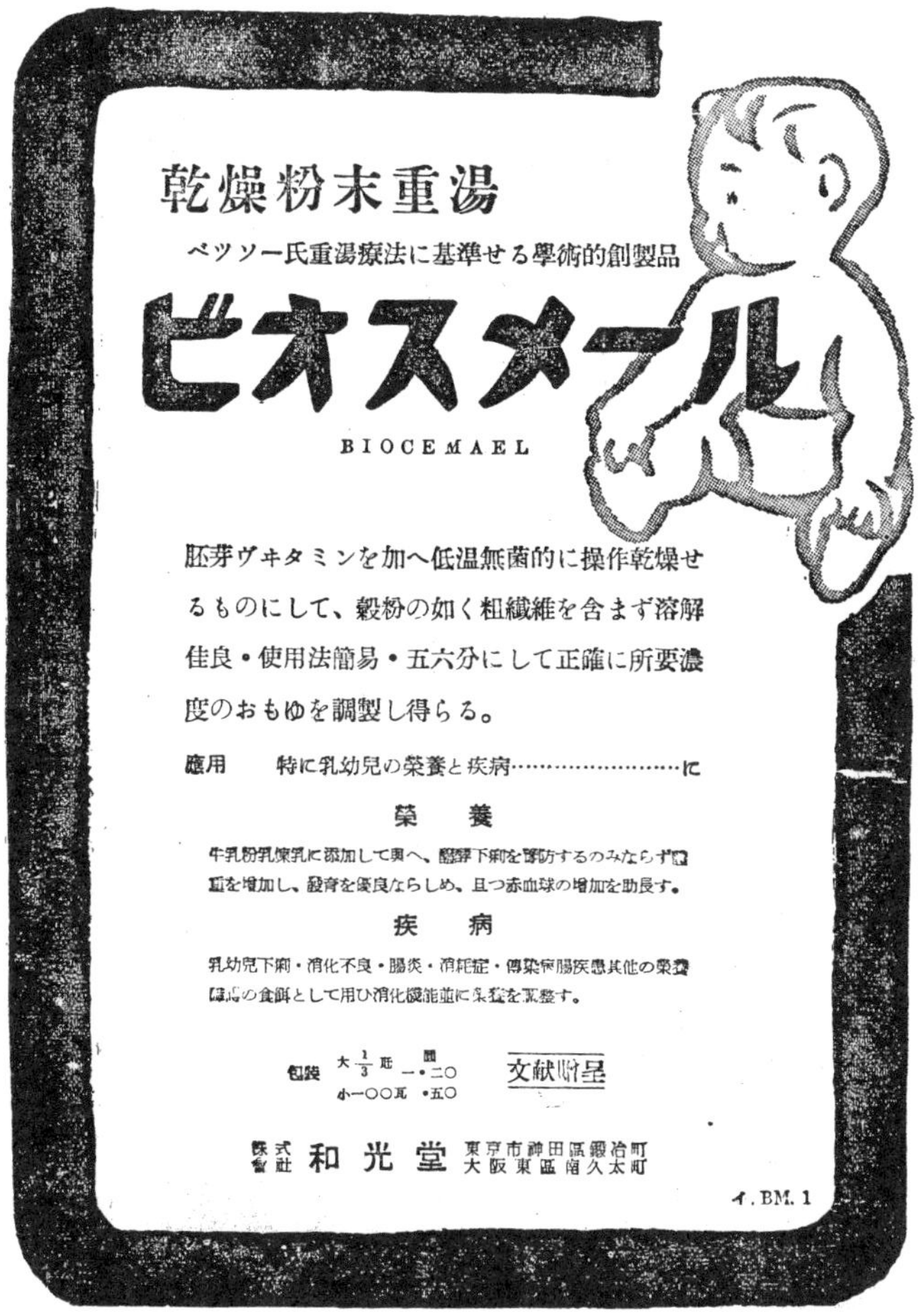

乾燥粉末重湯
ベツソー氏重湯療法に基準せる學術的創製品
ビオスメール
BIOCEMAEL
胚芽ヴキタミンを加へ低温無菌的に操作乾燥せるものにして、穀粉の如く粗纖維を含まず溶解佳良・使用法簡易・五六分にして正確に所要濃度のおもゆを調製し得らる。
適用　特に乳幼兒の榮養と疾病……………………に
榮　養
牛乳粉乳煉乳に添加して與へ、醱酵下痢を豫防するのみならず體重を増加し、發育を優良ならしめ、且つ赤血球の増加を助長す。
疾　病
乳幼兒下痢・消化不良・腸炎・消耗症・傳染病腸疾患其他の榮養障害の食餌として用ひ消化機能並に榮養を調整す。
包裝　大 1/3 瓩 圓 一・二〇　小一〇〇瓦 ・五〇
文献贈呈
株式會社 和光堂 東京市神田區鍛冶町 大阪東區南久太郎町
イ.BM.1

このマーク
メガネ肝油球
雑誌名記入御申込の方に文獻贈呈
お奨めする方
一般虚弱者、産前産後に
腺病質 肺結核 肋膜
腹膜 せむし 夜盲症
榮養不良による眼疾
感冒にかゝり易き人
一番よい
經濟的國民榮養素
眼鏡肝油
本舗
合資會社 伊藤千太郎商會
大阪道修町

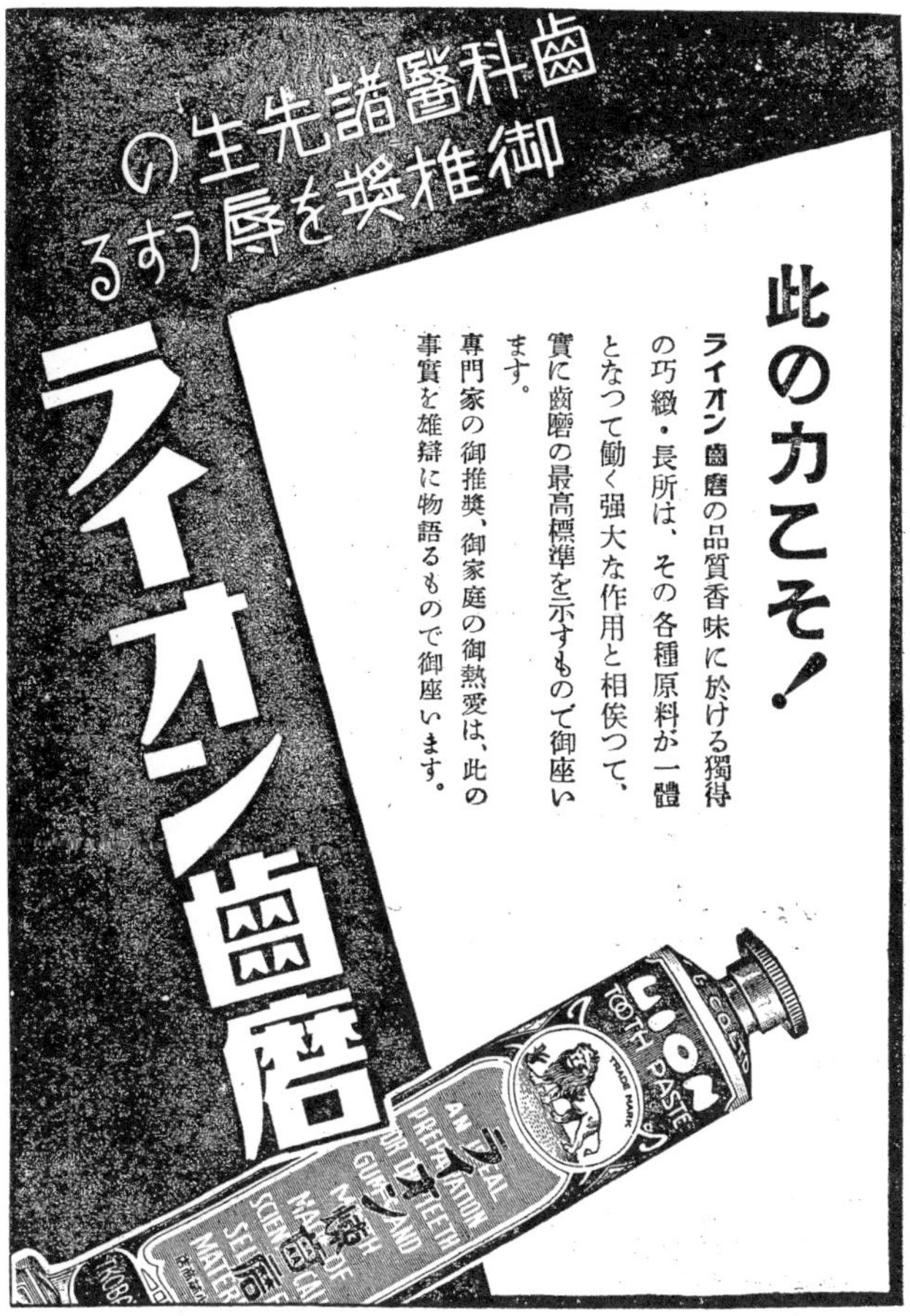

歯科醫諸先生の
御推奨を辱うする
ライオン歯磨
此の力こそ！
ライオン歯磨の品質香味に於ける獨得の巧緻・長所は、その各種原料が一體となつて働く强大な作用と相俟つて、實に歯磨の最高標準を示すもので御座います。
專門家の御推奬、御家庭の御熱愛は、此の事實を雄辯に物語るもので御座います。
LION
TOOTH PASTE

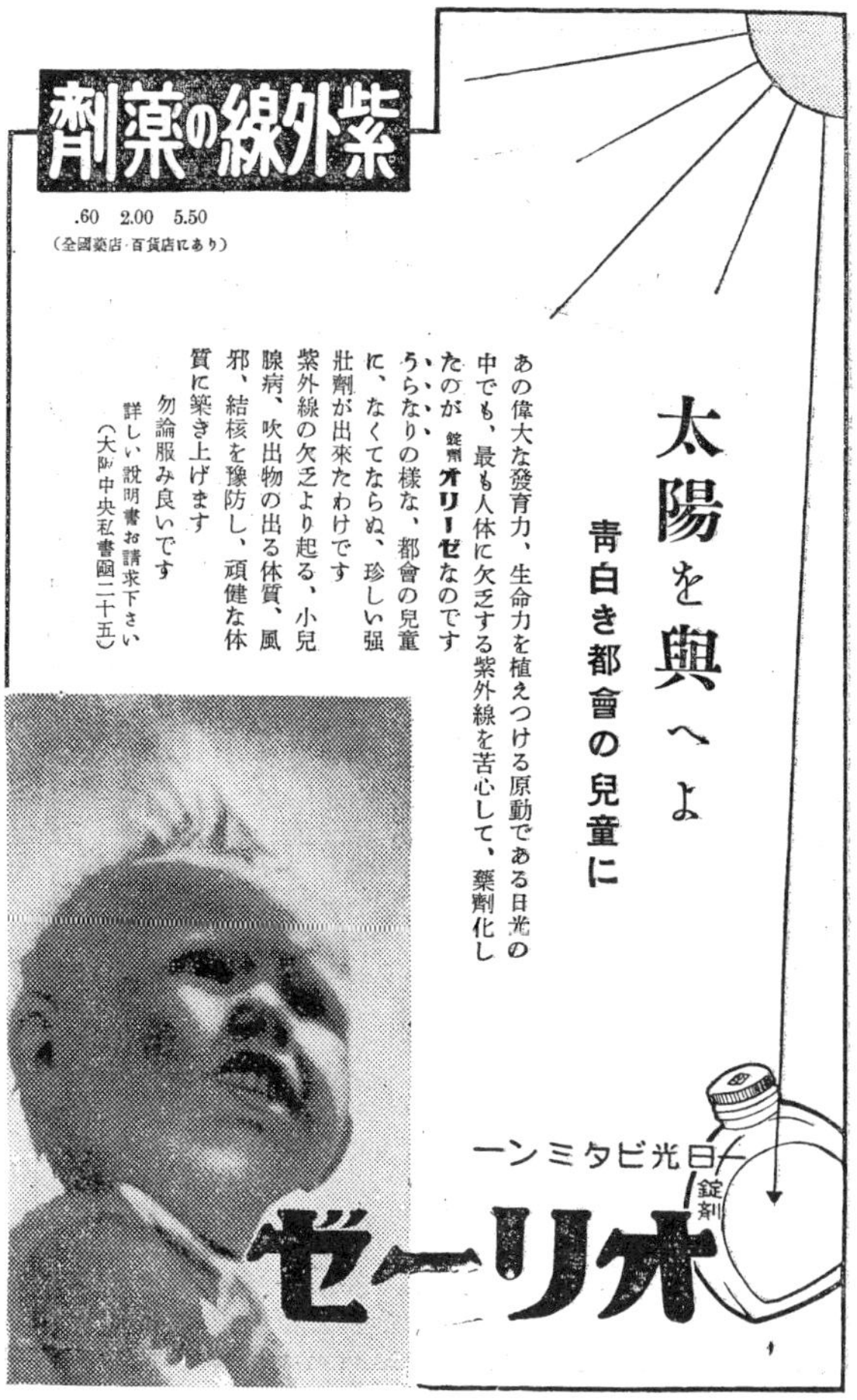

紫外線の薬剤
.60　2.00　5.50
（全國薬店・百貨店にあり）
太陽を與へよ
青白き都會の兒童に
あの偉大な發育力、生命力を植えつける原動である日光の中でも、最も人体に欠乏する紫外線を苦心して、薬劑化したのが 錠劑 オリーゼなのです
いゝうらなりの様な、都會の兒童に、なくてならぬ、珍しい强壮劑が出來たわけです
紫外線の欠乏より起る、小兒腺病、吹出物の出る体質、風邪、結核を豫防し、頑健な体質に築き上げます
勿論服み良いです
詳しい說明書お請求下さい
（大阪中央私書函二十五）
日光ビタミン
錠劑
オリーゼ

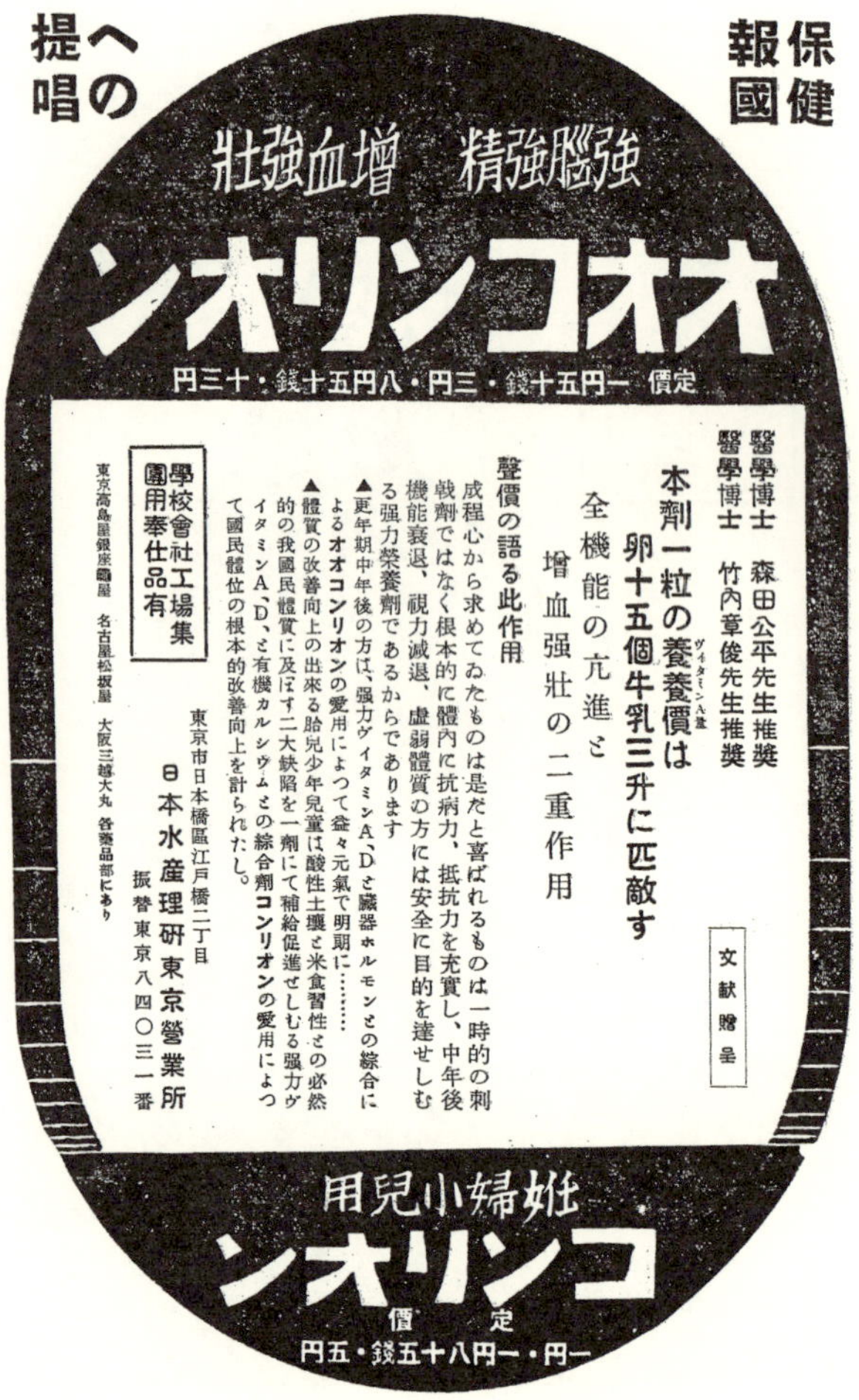

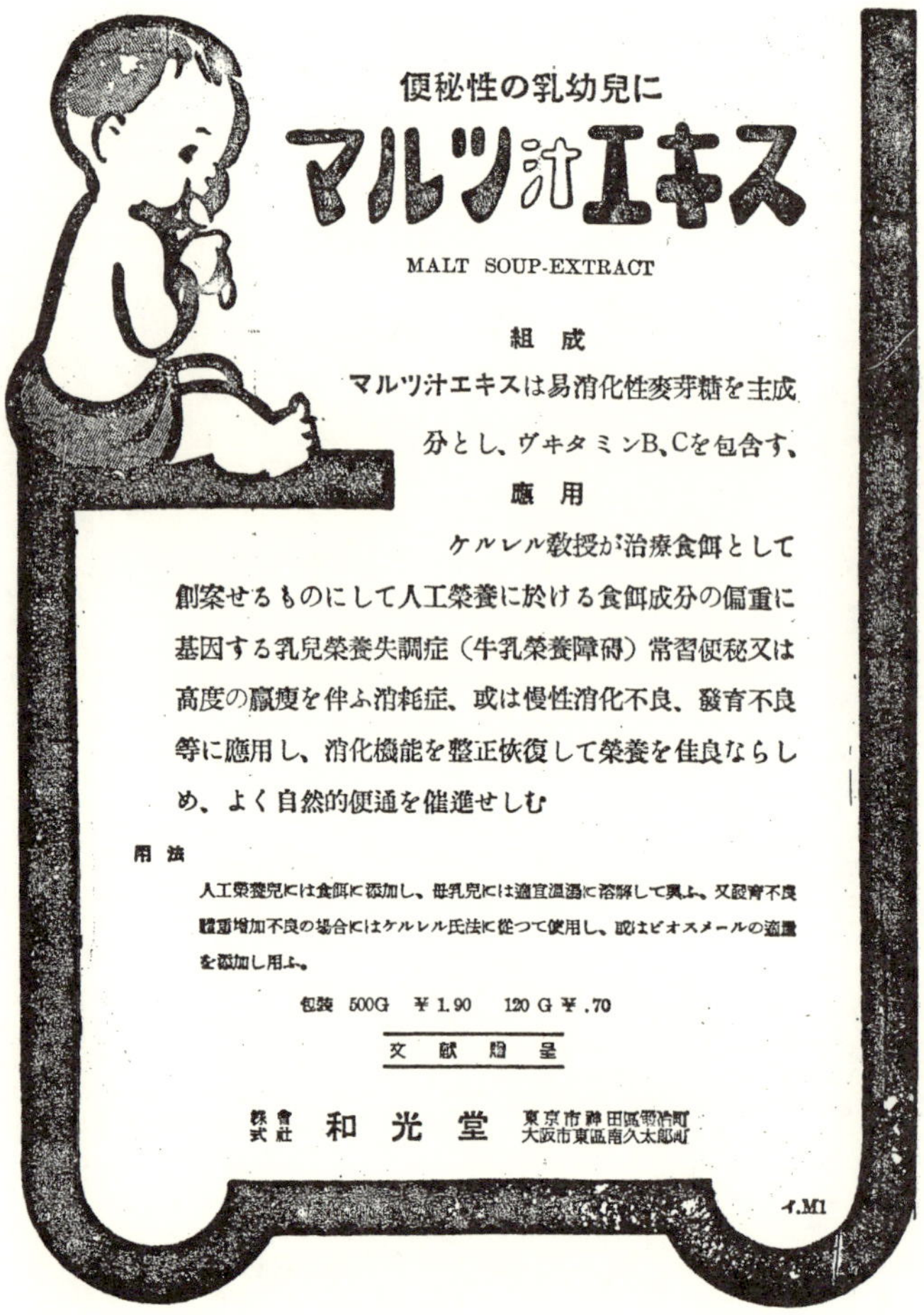

永井遞相と内ヶ崎文部政務次官の祝辭

（上）十一月十三日、東京明治ビルホールに施行された表彰式に於ける永井遞信大臣の懇篤なる祝辭の御演説には、滿堂心からなる感謝に充ちあふれるを覺えた。
（下）十一月九日、日本橋高島屋ホールに於ける表彰式にて、内ケ崎政務次官は熱誠を以て第二國民保育の責任を力説された。

前九年役の義家

服部有恒先生繪

全東京より應募八千人の中から選ばれた健康兒

(上)優良赤ちやんオンパレード、向つて右から最優良兒代表日比野紀佐子さん、高梨誠君、優良兒代表中山祥郎君、日の原基子さん。(お父さんは戰場にあり)
(下)十一月九日午後、高島屋ホールに表彰された八千名餘の佳良兒、可良兒の母子たち。

乳兒哺育上の重要問題

母乳哺育兒に最も多く見られる障碍は**乳兒脚氣**でありませう。**乳兒脚氣**は、母親に脚氣がなくても起り、又人工榮養兒でも**ビタミンBの不足**があれば脚氣に罹ることが明にされてゐます。前者の場合には母親と患者の兩者に**オリザニン**の適量を與へ、後者の場合には患兒のみに**オリザニン**を與へることによつて容易に治に就かしめ得るは多數文獻の立證してゐるところであります。

× × ×

又人工榮養兒に屢々起るものに**壞血病**があります。**壞血病はビタミンCの缺乏**を主因として起り、その初期には食慾減退、體重減少、血管の榮養障碍、蒼白、不安、不機嫌、啼泣等が觀察されると云はれてゐます。かゝる際に**三共ホーレン草末**の少量(一日量1.5瓦内外)を乳汁に添加して與へると容易に恢復することが知られて參りました。

× × ×

その他、人工榮養兒には**ビタミンA及Dの不足**から種々なる障碍(夜盲症、佝僂病等々、又は屢々感冒に罹つたりする)を起すことも知られてゐます。かゝる場合には**肝油**の適量又は**三共ビタミン膠球**、**三共ビタミン錠**等で之を補給することが推奨されてゐます。

オリザニン(ビタミンBの世界的始祖)末、錠、液、エキス、注射液各種
三共ホーレン草末(ビタミンCの含量アスコルビン酸として240瓱%):5、50、100・500瓦入
高橋氏改良肝油(一瓶 500瓦入) **三共肝乳**(250・500瓦入)
三共ビタミン膠球(20、50、100、500、1000球入) **三共ビタミン錠**(50錠入 100錠入)

東京 **三共株式會社** 室町

赤ちゃん打ち粉 パーキュロ

赤ちやんのアセモ・タダレには勿論のこと、旦那様のお髭剃りの後にも亦、奥様やお孃様のコナ白粉の代用にもなる、肌色芳香、一罐あれば家庭の皆様が重寶する、全く時代の要求によつて産れた新様式の撒布剤はこれです

定價 ・二〇 ・五〇

味の素直系
本舗 東京・京橋・實製薬株式會社

昭和十二年　子供の世紀　十二月號

全東京乳幼兒審査會表彰式祝辭

文部大臣　侯爵　木戸幸一

現下我が國は支那事變を中心として、極めて重大な時局に直面致しておりまして、吾々國民は眞に擧國一體となり、堅忍持久以て銃後の護りを堅くしなければならないのであります。かゝる際に於きまして、國民健康の礎石とも謂ふべき乳幼兒の保育愛護を完うし、强健なる次代國民の育成を圖り、以て國運の隆昌に備ふることは正に重要なる國務であると同時に、母たるものゝ最も重き任務であります。この意味に於きまして日本兒童愛護聯盟が多數の健康乳幼兒を審査表彰し、以て育兒思想の啓培に資するところあるは、洵に時宜に適した企と申すべきであります。何卒來會者各位に於かれましては、將來一層愛兒の養育に十分意を用ひ、健全なる國民の養成に努められ、以て本聯盟所期の目的達成に力められんことを、一言以て祝辭と致します。

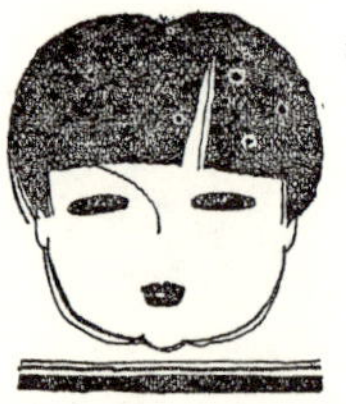

赤ん坊に對する注意（四）

離乳後の食物と其の榮養上の注意

大阪市立今宮乳兒院長
醫學博士　野須新一

離乳後は主食である米食以外に色々な副食物が又榮養上に重大な意義を持つて居ることは、今更申すまでもない事で、これ迄母乳のみを以て榮養されてゐた子供にとりまして、離乳と云ふ事は其の一生涯中に唯一度しかない榮養上の革命であります。殊に子供の胃腸にとつて消化の上に、或は嗜好の上に、總て無經驗な食物でありますから、副食物の種類の撰擇や調理の良否と云ふ事が子供の保健上に大きな影響を及ぼすものであることが判ります。

以下項を追ふて、離乳期後の榮養品の調理法及び、其の榮養上の注意を述べて、御參考に供する次第であります。

重湯及粥の製法

重湯、白米五勺に、水一〇〇〇瓦（五合五勺）を加へ、三十分間煮沸して、上清約五〇〇瓦をとりこれに少量の食鹽を加味して用ひます。

二分粥　白米二勺に水一、〇〇〇瓦を加へ、一時間半煮沸致します。

三分粥　白米三勺に水一、〇〇〇瓦を加へ、一時間半煮沸致します。

五分粥　白米五勺に水一、〇〇〇瓦を加へ、一時間半煮沸致します。

全　粥　白米一合に水一、〇〇〇瓦を加へ、一時間半煮沸致します。

粥を造る際に注意せねばならぬ事は、吹きこぼさない様に、燒けつかぬ様にすることであります。

牛乳粥の作り方

約三百瓦の牛乳に米五〇瓦を加へて一茶匙の砂糖を加へ火にかけ、度々まぜて一時間ほど煮ます。

マルツ汁の作り方

一合のマルツを作るには牛乳五十四瓦（三勺足らず）を薄鍋に入れ、其上にメリケン粉を六瓦（一匁半）を加へてよくまぜ、火にかけて少しどろ〳〵したときに鍋を下ろし、一方に湯百十瓦（凡そ六勺）に水飴十四瓦（三匁半）を溶いたものを作り置き、この飴湯を以前火から下ろした牛乳とメリケン粉と合したものと一緒にしてよくまぜて湯を加へて一合と致します。マルツ汁は味がよいから子供は喜んで飲むのであります。

穀粉煮汁

種々の穀粉を微溫湯にて攪拌しまして、水を加へ十分乃至二十分間煮沸して作るのであります。米汁は四箇月以後の小兒の牛乳稀釋液として用ひられ、普通二乃至四％の濃さのものを用ひます。重湯に較べて含水炭素及び植物性蛋白に富むで居ります。

スープ類

細く碎いた鷄肉又は牛肉四〇瓦（十匁）に、水二〇〇瓦を加へ時々攪拌して約二時間冷所に置いて後、約半量になるまで煮て冷して後、其の濾液を取り、これに食鹽半瓦を加へて作ります。然し子供に與へる際には野菜類等と共に煮て作つた「スープ」の方がよい。鳥類のスープや脂肪分の少ない魚肉の煮汁は一年以前に與へてもよいが牛肉の「スープ」は一年以後に與へる樣にして一年以內には與へない方がよろしい。

ケーキフライ

「ビスケット」や「ソーダケーキ」、「衛生ボーロ」等を細く碎いて熱湯で粥狀と致しまして、これに牛乳を加へて與へます。

鷄卵

通常一箇年以內の子供には鷄卵は與へない方がよろしい。それは往々下痢を起したり、時には鷄卵に對して特異質をもつて居るものがあるから、充分注意しなければなりません。中には比較的早期に與へる人もあるが先づ一年以後に與へるのが間違ひのないやりかたであります

最初は卵黃三分の一個乃至二分の一個を半熟或は茶碗蒸として粥と共に與へ、漸次增量して一日二個位で止め二年頃よりは卵白も共に與へてもよろしい。

肉類

一年乃至二年頃より與へてもよい、最初は脂肪分の少ない新鮮な魚肉を與へ、漸次鳥、牛肉等を消化し易い樣に、挽肉にした物を與へ、魚肉を生で食べることは色々な危險があるから、新鮮な物の外は煮るか燒き、刺身ならば一度煮沸湯を通じて與へ、魚類は一般に小魚の方が纖維が細かくして消化し易いから、幼い小兒には小魚の方がよろしい。然し小骨の多い魚は避けねばなりませぬ

野菜類

野菜は植物纖維が多いため不消化の物が多いが、若い新鮮なものは、比較的纖維が少なく柔かく消化も左程しにくゝない上、身體の發育並に生活になくてはならない色々な「ビタミン」を澤山含んで居りますから、適當に調理して小兒に與へることは必要なことで、普通與へてよいものは馬鈴薯、里芋、甘藷、百合根、其の外南瓜、冬瓜、菠稜草、人參等であります。

然し乍ら小兒に豆類は餘りよくない、それは皮が非常に不消化であるから、胃腸の弱い子供には皮を取つてやる樣にし、植物原料より製した豆腐、「やきふ」類は與へても差支へありませぬ。

果物類

夏季秋季の候に、よく疫痢の原因となることが多いけれども、これは未熟な果物をよく嚙まずに或は熟し過ぎた腐りかゝつたものを食べたとか、或は過食等が原因となつて居るので、良く熟した新鮮な果物なれば、適當な分量を與へ、食べ方に注意し、且よく嚙み碎くことを敎へ、又滓は吐き出させる樣にさへすれば、左程害のあるものではないが、子供は食物に向つては飽くことを知らないもので、遂過食に傾き食べ方に注意しても一時的で直ぐ忘れてしまふから果物は母親が充分監督して與へなければいけませぬ。

殊に李、「はらんきよ」、西瓜、眞桑瓜、玉蜀黍類、柿（舊い）等は與へない方がよい、これが夏季や秋季に多い小兒の急性胃腸加答兒や疫痢の原因となることが多いから氣を付けねばなりませぬ。

間食に就ての注意（菓子類）

衛生ビスケット、衛生ボーロ、ウエフアース、カルルス煎餅、上等のカルヤキ、等は離乳時期に與へてもよい菊の露、鹽煎餅「カステーラ」等は一年乃至二年頃より與へてもよいが、饅頭や其他餡入りの菓子等は與へない方がよろしい。

間食に注意して與へれば、害がないのみならず空腹を緩和して、食事の際暴食の危險を防ぐことになるから、一定の時間例へば午後の三時頃に、適當な分量を與へ決して滿腹する程與へない樣にすることが必要で、殊に夏

季の如きは自然夜更しをなすことが多い爲、夜遲く間食する癖がある、これが屢々小兒の急性胃腸加答兒の原因となることが多い。殊に時候の變り目の五・六月や九・十月の候は朝晩の氣候が甚だしいために、餘程注意しないと小兒に最も恐ろしい疫痢に罹り易くなります。

水（飲料水）

子供の飲料水としては決して生水を與へてはいけませぬ。殊に夏季は口渇の爲水を欲しがるから適當に水を與へることは必要なことでありますが、母親が充分注意しなければ、兎角子供は飲み過ぎるものであります。

殊に赤ん坊の過飮（卽ち水分供給の過剩）は心臟に重い負擔を掛けるのみならず身體の病氣に對する抵抗力を減ずるから、餘り飲み過ぎをさせてはいけませぬ。

赤痢や腸チブス等の傳染病は、不良な生水より感染することが多いから、水は一度煮沸したものを飲ませる習慣を付けるがよい。普通家庭でよく子供に飲ませてゐる麥湯や、番茶の冷したものは醱酵し易いから、前日ののは決して飲まさぬ様に心掛けねば危險であります。

銃後の衞生と國民の覺悟

大阪市保健部保健課長
醫學博士 深 山 杲

旣に日々の新聞紙上で御承知の通り、去る七月上旬の蘆溝橋事件をきつかけに日支國交關係は頓みに急迫し、今や北支の山野に或は上海始め中南支の天地に、榮ある我が皇軍は暴戾なる支那軍の膺懲を目指しつゝ必死の奮戰を續け、或は山岳戰に或は市街戰にさては空中戰に至る處凱歌を奏しつゝ陸海空軍相呼應して常に寡兵にも拘はらず、よく敵の大部隊を制し、以て皇軍の威力と帝國の威信を發揚し且正義の何物たるかを中外に宣揚しつゝある事は眞に感激に堪えず、我等銃後にあるものゝ等しく感謝措く能はざる處である。

斯様に我が皇軍が常に苦戰に陷りつゝも帝國の爲め一死報國の赤誠を發揮しつゝある秋、我等銃後にあるものの責任は眞に重且大であつて、我等は擧國一致、皇軍の爲め銃後の聲援を完うしなければならぬ。その爲めには先づ心から皇軍の武運長久を祈ると共に、各般の銃後の努め或は銃後の護りを層一層勵行して、前線の勇士をして聊かたりとも後顧の憂ひなからしめるやう心掛る必要がある。

然らば銃後の努め或ひは銃後の護りとは何か。勿論、數々爲すべき事はあらうが、其內でも衞生を守り病人を作らない注意は特に肝要である。榮ある勇士が應召に當り若しも心を鈍らせる事があるとすれば、夫れは留守宅の貧困を憂ふ故でもなければ、女々しい鄕愁の故でもなく、最愛の肉身が病床にあるのを見捨てゝ出征する悲運を嘆じる故に他ならない。之は眞に人情上、萬已むを得ない事であつて、應召軍人遺家族の方々は特に注意して若し病人があれば一日も早く癒し、今後は絕對に病人を作らないやう心掛けて欲しい。尙單に、應召軍人遺家族に限らず銃後にある一般國民も時局柄、殊に急性傳染病に對しては一齊に嚴重に防禦陣を張つて、惡疫を一步も近寄せないやうにすべきである。

兎角事變等の際には衞生が忘れ勝ちであつて、殊に

只今のやうに時候の變り目には特に傳染病の發病が多い時期であるから充分警戒する必要がある。初秋は腸チブスが最も猖獗する頃であるから此の方面の警戒を嚴重にする必要がある。腸チブスの豫防方法としては先づ常に新鮮なる飮食物を選び必ず洗淨する他、煮沸等も充分に行つて絕對に不潔なものを口に入れず、食器その他の用品も絕えず清潔に保つて、蠅等の不潔物を近寄せず、食事前には必ず手を洗つて清潔にしておく必要がある。

以上の注意を守れば單に腸チブスに限らずあらゆる消化器系の傳染病を總て豫防する事が出來るのであるが、然し之等の方法は何れも、謂はゞ消極的な豫防方法であつて、唯病原菌を惧れて之を遠ざけてゐるに過ぎず、一度何等かの間違ひで多數の病原菌が口に入れば忽ち斃れて仕舞ふのである。

夫故に積極的な豫防方法が、どうしても必要であつて譬へ病原菌を口に入れる機會があつても之を擊破し得るだけの健康力を備へておく必要がある。夫れには豫防注射を受けるか內服ワクチンを服用すればよいのであるが注射の方が効果は確實である。何れにせよ、斯様に積極的な防禦陣を張つておけば、譬へ誤つて病原菌が口に入るやうな事があつても安心しておられるのである。歐米各國に於てはこの積極的豫防法が實に美事に國民間に勵行されており、その爲め、數十年前までは國民十萬人當り數百人の傳染病死亡者を出してゐたのが豫防注射を勵行してゐる昨今では十萬人當り僅かに一人足らずの死亡者となり、傳染病は全く歐米の地を拂つたと云つても過言ではない現況である、之に反し我國の此種罹患者は年々增加する一方で、豫防方法の實行の如きは全く馬耳東風に聞き流しにされてゐるやうな狀態である。此際特に國民各位の反省と自覺を促し、歐米の例に倣つて之等の惡疫を出來るだけ早く全滅させて欲しいものである。

尙、最近香港にコレラが流行し、八月末に香港よりコレラ患者一名が神戶港に到着した由であるが、斯様な海外の惡疫は此際斷じて我國に近付けないやう一層警戒が必要である。

次ぎに銃後の衞生として國防的見地より强調したいことは國民體位向上運動に對する根本策の實行である。近時國民の體位低下が喧しい問題となり、政府は勿論一般社會も之を迎合して各種の向上方法が論議されてゐるやうであるが、殘念乍ら未だその劃期的對策は殆ど實施されてゐないと云つても好い。今後保健社會省が新設され保健所が各所に設置されるやうになれば、如述の問題は自ら解決されるかも知れないが、此際、國民各位が一人

々々、眞面目に且熱心にその對策を實行するのが最も効果的である。保健改善と云ふ難問題は、どうしても個人々々が實行し初めて成績が擧がるのであつて、大衆的に幾ら呼びかけても、又幾ら催し物を行つてもその効果は大して期し得ない。

其處で、先づどんな風にやればその對策として滿足すべきであるか。夫れには色々の方法があり、各種の論點から種々硏究して決定すべきであらうが、取敢ず、私は次つぎの三つの方法を體位向上の三原則として各位にその實行を希望したいと考へてゐる。

一、榮　養　改　善
二、疲　勞　輕　減
三、運　動　勵　行

榮養改善 に就ては旣にその必要を認識される機會を持たれた事と思ふが、然も之は現今尙、等閑視されており、その實行については個々の家庭に於ては見るべき改善を擧げてはゐない。乃ち未だ、食事はその量を以て過不足の標準としその質に對しては全然考慮が拂はれてゐないのである。從つて御茶漬式の食事を續けても何等憂ふる處なく、平然として偏食生活を續行してゐるものが多い。改むべきである。又食事時間に關しても關心が少く、朝晝夕の三食の時間的間隔が常に不規則であつたり或は食物を充分に咀嚼せず常に短時間に食事を終へる惡癖を有するものが甚だ多い。何れも保健上改むべきことである。

疲勞輕減 に就ては兎角從來より輕視され勝ちで、國民には一般に過勞の傾向が認められるやうである。殊に軍需工業並に之に關聯した職業に携はる方面に於て特に著るしい。從つて過勞による犧牲者は年々增加してゐる如き、この顯著な一例であつて、勿論その死因としては未熟等にも依るであらうけれど、過勞による注意力減退も亦大きな原因たることは否定が出來ない。夫故に工場勞働者諸君は居殘り作業或はその他時間外勤務を餘りに續けて、僅かな過剩賃金を得るために勞働の資本たる自らの健康力を日々削り取るやうな事のないやう充分に注意して欲しい。

商業に携はるものにも斯様な無理は充分認められるのであつて、近く發令される商店法はこの過勞防止を目的とするものであるが、その充分な成果は一に國民各位が自發的に善處するか否かに懸つてゐる。歐米に於ては以上の趣意が充分に撤底しており、商店の如きも午後六時以後は特殊店舖を除き一齊に閉店して休養に努めてゐる。我國民が一般に短命であるのはこの過勞の然らしむる故かとも考へられる程であつて、日々

の疲勞は翌日に持越さないやう睡眠時間も充分に考へて不足のないやう平素から心掛けておく事も亦必要である。

運動勵行　に就ては之も亦大いに考慮を要する現實の問題であつて、特に都市生活者中、座業を續けてゐる銀行會社員始め官公吏等は大いに反省しなければならない。彼等の日常生活は概して朝起き拔けに出勤し、終日陽の當らぬ然も汚染された空氣の充滿してゐる事務室に閉ぢ籠り退勤時間となれば早々に家庭へ引上げて安逸に耽つてゐる。斯くては身體を練磨する機會がなく、機械の運轉を休止したと同樣、人體の各器管は追々と陳腐し錆が出來、腐蝕が現れて軈て內部から崩壞する日が來るのである。夫故に前述のやうな職業にあるものは特に日常から運動の勵行に努め、一日に一度は必ず一、二時間戶外にあつて新鮮な空氣、豊な日光に觸れ適度の運動を行ふべきである。尚、國家百年の大計より體位向上の實踐を特に要望する國民の對象は何と云つても婦人及乳幼兒である。健康なる婦人が健康なる子供を產むと云ふ事が現在の危機を救ふに當り、根本的に必要な對策とも云へよう。此の意味に於て我國の婦人各位は銃後の最大義務として自らの健康增進を充分に履行して欲しい。又乳幼兒の保健問題も實に重要なことであつて、我國の乳幼兒はその死亡率に於て世界に冠たる現狀である、斯くては將來の日本を背負ふべき强健な陸海軍人を始め如何なる人材をも期待し難い。兩親の各位がその育兒に對し、充分なる認識と責任を以て、萬遺漏なく最善の途を盡し以て銃後の衞生報國に貢献して欲しいものである。

最後に、來年四月から實施の豫定であつた防空法が、急に豫定より早く十月から實施されたのであるが、之は取りも直さず、都市空襲に對する萬全策の遂行を急いでゐる爲めに他ならない。御承知の通り、近代の航空機は優秀なる性能を具備し、我國に隣接する如何なる敵國からも容易に、大阪東京兩都市を始め其他の主要都市へ無着陸往復飛行が出來るのである。從つて何れかの敵國が本邦都市への空襲を計畫するとすれば、夫れは技術的には必ずしも難事ではない。勿論、斯樣な空襲は徒らに優秀なる空軍の犧牲となるに過ぎず、飛んで火に入る夏の蟲にも等しい暴擧ではあるが然し乍ら彼等が生きて歸らない覺悟で飛來するなれば、當然若干の損害は免れないであらう。

茲に最も注目すべき事は、最近都市空襲の主たる目的が、都市に於ける衞生施設の破壞を眼目とし、以て後方攪亂を策すと云ふ極めて非人道的な傾向に赴きつゝある事

實であつて、夫故に銃後にある國民各位、特に都市生活者は平素より充分に衞生的訓練を積み、一朝有事の際に敵に虚を衝かれる事なく、聊かも動ぜざる態度を以て對處するやう充分の準備と覺悟を持つておらねばならない。

假りに都市の水源地が破壞されたとしても、必ず平素よりその日の來るを覺悟して豫め井戶水使用に對し適當なる處置を講じておき、井水消毒等も遲滯なく行つて惡疫の流行を未然に防ぐ必要がある。又毒瓦斯等に對する處置も眞面目に準備しておき、いざと云ふ場合に間に合はず、憐れな犧牲者となつて斃れる事のないやうに心掛けておく必要がある。尚細菌彈に對しても愼重味を缺かさないやうに警戒の要がある。

以上を要する銃後の衞生として數々守るべき事項はあるが特に既述の數項に就ては充分、之を嚴守し、以て皇軍の活躍に對し聊かたりとも後顧の憂ひを抱かしめないやう、時局が永引けば永引く程、一層緊張してその實踐に邁進して戴きたい。かくて此の美事なる擧國一致は單に眼前の難局を容易に處理し得る許りでなく、遠き將來に於ては一層力强く發現して我が帝國の御稜威を永へに輝かすことであらう。（完）

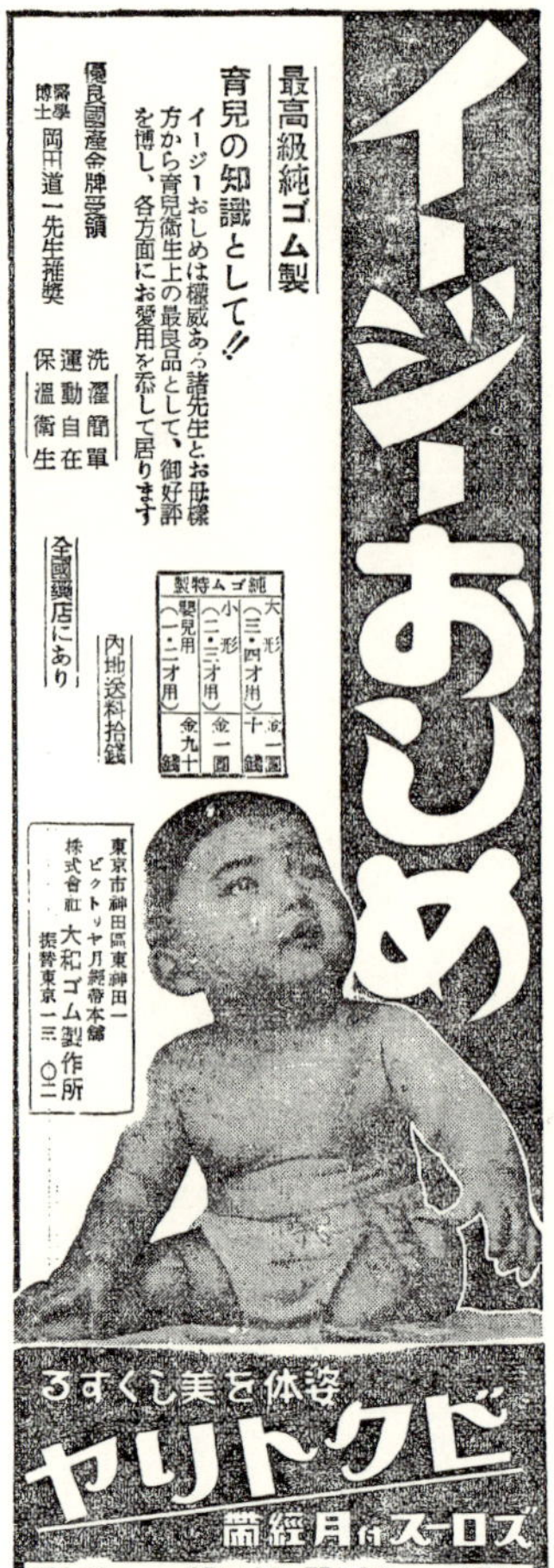

第九回全東京乳幼兒審査會表彰式
山崎總裁閣下告辭

子供は家の寶であると同時に亦國の寶であります、お子さん達をあなた方の良き後繼者として健かに育て次の代の良き國民として强く正しく育て上げねばならぬ事は今更申上る迄もありません。日本兒童愛護聯盟は斯る見地に立ちまして今から十七年前より此の大切な子供を愛護すべきこととの必要を首唱致しまして地方の各團體と協同して子供の愛育保護の方面に不斷の努力を傾けて來たのであります。特に本聯盟の獨特の事業と致しまして東京、大阪等を中心に年々乳幼兒審査會を開催し今日まで約十三萬餘の乳幼兒を審査し健康の優良な兒童を表彰して參つたのであります、而して審査に依つて得ました處の種々の貴重なる資料はこれを各方面に提供し育兒の實際は勿論育兒の學問の上にも幾多の功績が認められて居る次第であります。

かやうに致しまして最近では本聯盟で創めました此の種の審査會が地方の種々の團體等に依つて計劃せられる樣に成つて來ましたことは國を擧げて國民體位向上の要切なる秋誠に喜ぶべきことであると思ひます。

さて本聯盟本年度の事業としては去る七月下旬第九回全東京乳幼兒審査會を開催しましたところ申込者は例年にも增して實に八千有餘名の多數に上つたのであります。

其の中で先着順に五千名を斯道の專門醫師に御依賴して發育や健康の狀態を審査致しましたところ最優良兒に二百二十五名、優良兒三百三十六名、佳良兒六百名、可良兒二百三十九名計千四百名と云ふ結果を得たのでありまして本日茲に之等の優良なお子さん達の表彰式を擧ぐることと成つたのであります誠に御目出度いことであります。

惟ふに今日表彰を受けられたる御子さん達は云ふ迄もなく健康なる御兩親から生れられ卽ち天賦の力に因る所が甚だ多いのでありますが此の豊かなる天分の上に更に限りなき慈愛と合理的な育兒方法を以て養育せられた結果でありまして此點御兩親方に多大の敬意を表し且つ國家の將來より考へまして大なる心强さを感ずる次第であります。

惟ふに國民の健康は其の基礎を乳幼兒の時代に求めなければなりません。

乳幼兒の保育愛護の完璧を期するは國民保健の根柢を培ふものであります。

今や國家重大の時局に際會し國民元氣の源泉たる體育保健の實を擧ぐる要日に益々切なるを感ずるの秋本日表彰の榮譽を擔はれた御兩親方に於かれましては將來とも一層正しき育兒方法を以て現在の發育狀態を持續せられ他日第二の國民として國家を雙肩に擔ふに足る健康者を養成せられむことを希望して止まない次第であります。

一言所感を述べて告辭と致します。

●●東京全市各新聞紙上の報道●●

優良兒！父は戰場にあり

立派な赤ちゃん表彰式（寫眞掲載）

日本兒童愛護聯盟主催の優良乳幼兒表彰式は九日午前十時から日本橋高島屋で開催、約八千のなかから選ばれた最優良兒二二五名、優良兒三三六名が午前、可良兒五〇〇名、佳良兒三三九名が午後と二回に分け式を行ひ、理事長伊藤悌二氏の開會の挨拶、會長廣井辰太郎氏の式辭、富田幸藏氏の審査報告、名譽會長永井柳太郎氏（代理）木戶文相（代理）內ケ崎文部政務次官等の祝辭があり、總裁山崎達之輔氏からそれ〲代表に表彰狀が授與されたが、優良女兒の代表日の原基子さん（二ツ）の父俊明氏が步兵一等兵として北支戰線に活躍中とのアナウンスには滿場拍手喝采であつた。（十一月十日附、東京日日新聞、夕刊全國版）

無心に笑ふ〝第二軍〟

帝都譽れの赤ちゃん表彰式（寫眞掲載）

全東京自慢の赤ちゃん八千餘名のうちから選んだ五百六十一名の優良赤ちゃん表彰式は九日朝十時から日本橋高島屋で行はれた

廿年後の日本を擔ふべき赤ちゃんたちは、鼻高々の母さんや姉さんに連れられて笑つたり、わめいたり、日本兒童愛護聯盟總裁の山崎元農相が赤ちゃん總代の日比野ヒサ子ちゃんや高梨誠君、中山祥郎君、日ノ原基子ちゃんらに表彰狀を授けようとすれば赤ちゃんたちは母さんの胸で叫ぶ始末、だがこの叫びこそは廿年後にひゞいて聯盟のいふ『恒久國防』の基礎をたのもしくも固めるものだ

このほか可良の五百名と佳良の三百卅九名の赤ちゃんたちは午後一時から同じ場所で表彰された、家の子寶は國の寶、わけても前記日の原さんは父さんの俊明氏が步兵一等兵として北支に出征してゐるので滿場の拍手を浴びてステーヂにたつたが、まだ生後十一ケ月の基子ちゃん、この時女ながらにも突貫のやうな聲をたてゝ山崎總裁をびつくりさせた。（十一月十日附、讀賣新聞、夕刊全國版）

優良赤ん坊表彰

けふ高島屋ホールで（寫眞掲載）

國民體位の向上を計るには乳兒幼兒の保育發育に細心の注意を拂はなければならぬことは云ふまでもなく、日本兒童愛護聯盟はさうした根本的意義を徹底させる爲め全東京乳兒幼兒の審査會を每年開催し今年はその第九回目の審査を去る七月下旬日本橋高島屋を會場として五日間に亘り約八千名の乳幼兒の審査を專門家の手によつて施行した結果最優良兒、優良兒五百六十一名、可良、佳良兒八百三十九名（何れも體位、保育、智育の發達優れたもの）を決定したので

今九日午前十時から日本兒童愛護聯盟名譽會長遞相永井柳太郎氏、總裁山崎達之輔氏、文部政務次官內ケ崎作三郎氏、文部參與官池崎忠孝氏列席の下に賑かな表彰式を擧行した。（十一月十日附東京每日新聞）

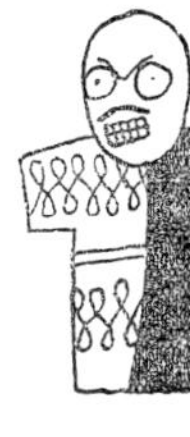

ブリキ一片も無駄にできぬ

＝非常時局と婦人の消費＝

神近市子

戰時經濟體制の一角を意味する資金調整法の內容が、九日閉會した臨時議會で發表されました。新設を認められる工業が、戰線の擴大によつて益すその需要が多くなつてゆく軍需品製造に關係ある事業であることはいふまでもないことです。これに反して新設、增資を許可されない分は、主として我々の日常生活に關係があるものですから、私共も一應その內容を熟知して置くことは必要です。

まづ、最も目立つものは、金屬に關係あるものです。この方は大は輕工業の機械類から、小は釘やミシン針、金網、ペン先、ナイフ、フォーク、スプーン、洋傘の骨等々の零砕なものにまでわたつてゐます。これは無論片方の軍需品生產に莫大な金屬の消費があることの裏を語るもので、今後は一片のブリキ片、一本の古いペン先まで、經濟的に利用することが考へられなくてはならぬ事を語ります。

直接消耗品の中には、絹糸、綿糸の紡績、織物、加工一般があります。皮革類なども當分は持てるもので滿足する覺悟が必要で、贅澤な毛皮の使用なども、戰時風景には御遠慮下さいといふことになるかも知れません。

おしやれの人々には、高價な石鹼や贅澤な化粧品の使用にも制限される時が來るでせう。最少の量で最大の効果を擧げるやうな化粧を心がけることが必要となつて來て、從來の手間のかゝる白壁式の化粧は、なにかの職業上の必要以外には出來なくなるといふことが一般になるでせう。

賣藥及びこれに類似の製品—のみとり粉とか、蚊取り線香の類も制限されて來ます。文化的な娛樂や消耗品も最少限度に止めなくてはなりますまい。

要するに、この法案の意圖するところは、日常的な消費を押へて、今最も必要なものゝ製造に勞働力と資本とを使用しようとするところにあるので、その爲めには、我々の消費節約が、各方面にわたつて慫慂されてゐると見るべきでせう。同時に贅澤な外國品よりも、國產品を使用しなくてはならぬことはいふ迄もないことで、この法案の內容を一見して置くことは、今後の我々の生活を規定して行く上に大に參考になると思ひます。

案外多い子供の神經衰弱

醫學博士　星野章二

この子供は虫が强いとかこの子は神經質で困りますとか訴へる母親が近來非常に多い様でありますが、斯うした子供には神經衰弱に罹つてゐる者が案外多いのであります。

アメリカでは全小學兒童の三分の一は神經質症狀を有してをり、その數は實に二十年以前の三倍になつてゐると報告されてをります。我國では、どういふ風になつてゐるか未だ的確には判りませんが、精神病者が殖えてゐる所からみると、必ずや增加してゐるに相違ありません。

この種の神經衰弱の子供の生理狀態を申述べますと一體に瘦せ型で榮養不良に陷つてをり、時々頭痛を訴へたり、また睡眠は充分に行はれません。夜風が吹いて戸障子に當つて音がすると泥棒が來たのではないかと恐れたり、食物に好き嫌ひがあつたり、一般に食慾はすくなく、そして直ぐ疲勞し易いのであります。

學課に於きましても、あるものは秀でゝゐるがあるものに對しては頓と出來ないことがあります。

――精神薄弱兒かと思つて專門醫に診て貰ふと、智能には別狀ない場合が多いのであります。

斯うして、子供を神經衰弱に陷らしめるのは、家庭に於る誤つた榮養法による場合が多いのでありまして、之は優れた榮養酵素劑である「錠劑わかもと」を服用させて榮養狀態がよくなると共に子供に以前の様な神經衰弱症狀が見られなくなつたといふ家庭が多いのを見て判ります。「錠劑わかもと」に、腦神經榮養になる燐、レチヽン等が含まれてゐることも確に神經衰弱に有効でありますが、この藥がホントにすぐれてゐるとされてゐるのは單に腦神經の局部だけの効果でなく、衰弱した諸器官の細胞に賦活して消化を助け、食慾を增進して全身の榮養をたかめる點にあります。

「錠劑わかもと」を服用して子供の神經衰弱の症狀が消えて來る――即ち、體重が殖えた、血色がよくなつた、食慾がすゝんだ、運動ずきになつた、熟睡する様になつた――などといつて親達が喜ばれるのはこの細胞の賦活によつて全身の榮養が昂まつたことに大きな原因があります。

右の『錠劑わかもと』は二十五日分一圓六十錢、八十三日分五圓の廉價にて東京市芝公園、わかもと本舗榮養と育兒の會（振替東京一七〇〇番）から發賣され全國藥店で取次いで居ります。

非常時下に大切なのは家庭の圓滿

吉岡彌生

國民精神總動員について、國民協力講演を各方面の代表者によつてこのほどラヂオを通じて全國に呼びかけることになり、私も婦人を代表してマイクを通じて、全日本の婦人の方々に私の意のあるところをお話いたしましたが、まだお聞きにならなかつた方のためにもう一度紙面を通じて申しあげたいと思ひます。

この際は家庭圓滿といふことが必要

この國民精神總動員の運動は、決して派手やかなものではなく、國民の生活そのものゝ中から生れたものでなければなりません、それには婦人として第一に人の和といふことを提唱したいと思ひます、それには先づ家庭の圓滿といふことです。

これは甚だつまらない些細なことのようですが、その實大きな働きをするものです、たとへば應召兵士の中に家庭では嫁と姑が仲よく行つてゐない、自分が家にゐた間はうまく仲を取つてきたが、出征後はどうだらうと考へるようでは一身は國家に捧げても、その心の苦痛は如何ばかりでせう、名譽の戰死を遂げても母と妻とが心を合せて家業を守り、子女を敎育すると思へば安心出來る人も、不和のために妻子親が散々になると思へばやはり心にかゝつて士氣がにぶるようなことになりませう、かう考へるとき家庭の不和なるものはまた不忠の臣であります。

日本中にはいろ〱なことで不和の家庭もありませう、しかし擧國一致のこの秋、お互の小さい感情、小我を捨てゝ協力し反省すべきだと思ひます、かつてあれほど對立し、個人の交際までも影響してゐた政黨政派が、この未曾有の危機に直面し、いたづらに國内において摩擦することの愚を知り、協力一致して特別議會も、また非常に尨大な豫算を持つたこの臨時議會さへ無事に乘り越すことを得ましたことを考へても、個人の不和など問題ではないと思ひます。

婦人團體の一大聯盟が必要である

各種の婦人團體も、この際何事も國家のためであることを思ひ、一大聯盟を作り銃後の守りにつくすところまで協力してきてゐます。

つぎに出征兵士に對してにぎやかにその門出を祝するといふことに勿論惡くはありませんが、婦人としては、さうしたお祭り騷ぎより遺族の人々に對し、眞に後顧の憂ひのないように精神と物質の兩方面から助けて銃後の守りの完全を期すべきだと思ひます。

現代の戰爭は非戰鬪員といへども決して安閑としてゐられるべきものでなく、一度事の起つた場合は上海や南京同様空襲による慘禍をまぬがれません、この時こそ女性の協力が必要で、向う三軒兩隣りから、一町一村と融和した精神的つながりを持つてこれに對する適宜の處置にあたらねばなりませんが、どうぞ關東大震災の時のように一つの握り飯でもお互にわけ合ひ、助けあひ、それこそモンペ姿でかひ〲しく働きたいと思ひます。

婦人の一身にも男子同様の負擔あり

かう考へてまゐります時に、いかに婦人のか弱い肩に男子同様な重い任務がかゝつてゐるかといふことをしみ〴〵と感ぜずにはゐられません、この苦難に打ち勝つて、長期にわたり不自由に耐へて行くのには非常に强靱な精神力と健康なる肉體の持主でなければなりません、しかるにこのごろの婦人は勞働をゝしまぬといふ氣風も少く、また勞働に耐へぬといふか、慣れぬといふ人が多いようです、この際大いにこの弊風をさけ健康の增進を計りたいと思ひます。

最後に婦人としてまた醫者の立場から健康問題にふれてもう一つ申しあげたいのは食物の問題です、消費節約といふことが家庭を守る主婦の大切な仕事の一つですが、間違へて食費をむやみにつめるようなことがあつてはならないと思ひます、一體日本の婦人は榮養の問題に冷淡で、主人にはいゝ物をあげても主婦はお香物ですませるといつた美風？があります、しかし主婦は前に述べた重大な任務があり、それのみならず第二の國民の母となる身です、さうでなくとも最近兒童の體位の低下が問題視され保健省さへ生れんとしてゐます、戰勝後大切な第二の國民や、これの養育にあたる母親が榮養不良でひよろ〱でしたら、眞の勝利とはいへないと思ひます。

食事の合理化、榮養價の問題について、婦人は今からでもおそくないから大いに關心を持つてこの解決に力をいたされたいと思ひます。

戰爭と母と子供の問題

男に代つて女が働くのが果して子供の幸福か？

內務省社會局保護課　早崎八州

國家の將來を双肩に擔ふべき使命をもつ子供の保育問題に就ては、世界各國何れも深い考慮を拂ひ、努力を盡したものですが、世界大戰當時の狀況を仔細に檢討して、日本の母親達、及び社會事業關係の方々の參考に供したいと思ひます。

託兒場の問題

戰爭が勃發すれば、男子の大多數は戰線へ參加しなければならぬ。婦女子が從つて男子の職場に代つて進出する。働くためには乳幼兒は母親の足手纏ひとなる。だから託兒場への國家補助金を增し、增設もせねばならぬ。

常識的には誰でもかう考へますし、また事實英、米、伊の諸國はかうした見方から、工場付屬の託兒場に對して極力補助を行つたものです。併し、大戰が永びくにつれて此の方針は全く無意味であるばかりか、反對に國家を危くするものであることを各國共に知つたのです。それは

（一）婦女子の工場進出のために、男工の賃銀が低下し下層家庭の生活を脅した。

（二）各種の工場勞働は、婦女子自らの身體を弱め疾病が續出した

（三）母親の愛護を離れたゝめに、幼兒の發育に障碍が起り、且つ精神的にも面白くない影響が現はれたこと―

の三つの理由に依ります。軍事扶助法を圓滑に運び、且つ生活の安定を得させんがための方法として採用した託兒場の補助、增設は、見事に失敗したわけです。英國では、イングランド及びウエールスの百五十ヶ所の託兒場への補助金を停止し、當初の方針とは反對に母親は家庭に止り、第二の國民の愛護、敎養に努めよ、と獎勵し、米國も亦之れに倣ひました。スコツトランドでは、託兒場へ子供を預けることを避け、親しい近隣、或は親戚へ子供を託する方法を採つてゐましたが、此の方法の方が子供のために結果が良好であつたので、政府では大戰が終るまで各戸へ補助金を出してゐたといふ有樣です。

日本では、勿論英國とは狀況は違ふ

が、託兒場の保姆達はこの際、特に母親の氣持になるべきであるし、また託兒場側も、たゞ常識的な考へをしてはならぬことを注意すべきでせう。

子供の健康

聯合軍から猛烈に攻撃されたオーストラリアでは、全國兒童の九一—九三パーセントが榮養不良となり普通の健康を保持してゐたのは僅かに九パーセントでした。

平均體重減少は、六歳三・九キロ、九歳六・三キロ、一一歳四・七キロ、一四歳一〇・七キロ（男兒のみ）となつてゐますし、乳幼兒の平均體重減少率は約一七パーセントであります。

また攻撃國であつた英國と攻撃された國のオーストラリアの一四歳—一八歳の子弟の身長、體重の增加を比較してみますと

△英國　男子　身長一九・六センチ、體重二〇・六キロ
女子　身長一一・五センチ、體重一一・〇キロ
△墺國　男子　身長五・一センチ、體重一〇・〇キロ
女子　身長三・八センチ、體重五・六キロ

で身長、體重共にオーストラリアの增加率は、英國の半分にも滿たない有樣です。

第二の國民の健康を考へても、私達は戰ふ以上は勝たねばならぬことが切實に胸に迫つてきますし、また母親達は平常に倍して幼兒の健康維持、愛護に努力することが何よりも急務であることを十分に知るべきであると思ひます。

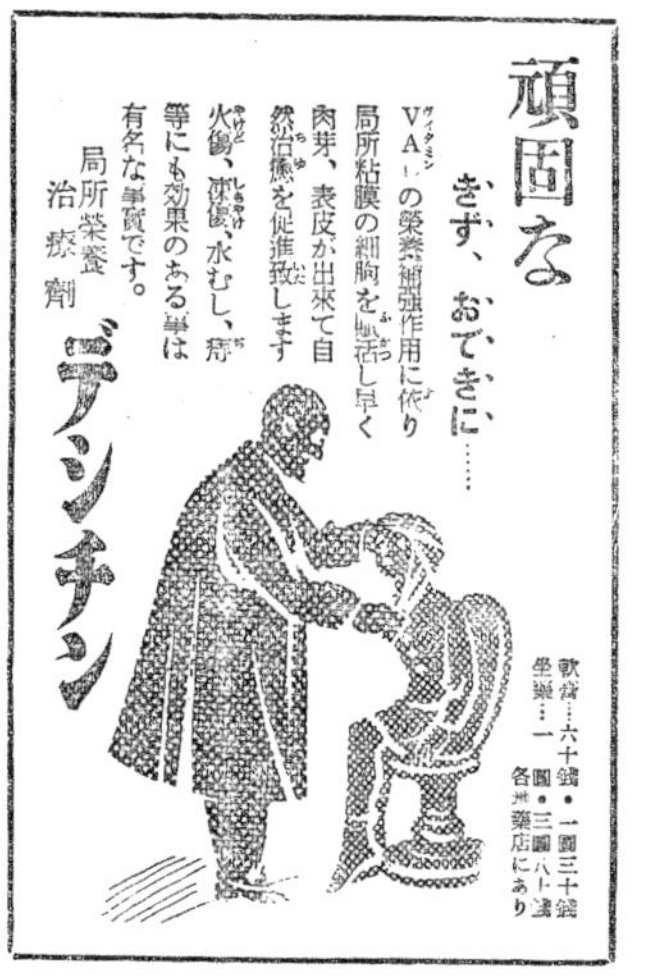

第十五回全大阪乳幼兒審査會

最優良兒（男）　市長賞受領者（二十四名）

姓名	父ノ名	住所	父ノ職業　酒量
河井廣《ヒロ》志《シ》	明	住吉區帝塚山中三ノ一	會社員
藤井正道	義一	西區阿波座上通二ノ一三	醫學生
麻見亨《トホル》	豊次	北區天滿橋筋二ノ四一	洋服商
樋口治《ハル》博《ヒロ》	義雄	三島郡三島村字戸伏九三八	應召
池川實《ミノル》	彰常	豊中市北櫻塚一〇七	官吏（晩酌一合）
辻川善《ヨシ》長《ナガ》	善造	住吉區苅田町	土木請負業
八百谷滿《ミツ》男《ヲ》	國松	北區堂山町一四	衞生社（二合）
森口陽一郎	一	東區兩替町一ノ六	和服裁縫（一合）
三浦洋《ヨウ》作《サク》	九州男	南區内安堂寺町二ノ四五	美術品裝飾品
大島典《ミキ》宏《ヒロ》	楢一	住吉區平野京町一ノ一二	會社員（酒少量）
古川喜一郎	禎昭	西區阿波座下通二ノ二九	印刷
具《グ》志《シ》堅《カタ》紀《ミチ》夫《ヲ》	興明	住吉區丸山通一ノ二一	那覇出身 官吏（一合）
須古隆	三郎	旭區新森小路北一ノ五五	會社員（二合）

眞砂泰《タイ》三	一雄	住吉區北加賀屋町西住吉橋通二ノ六三	會社員
松井達雄	新太郎	北區與力町二ノ三	會社員（平均二合）
田中巖	恕	住吉區阿部野筋八ノ八四	洋服商
上《ウエ》岡《ヲカ》正和	多藏	住吉區阪南町中三ノ五	會社員
長谷川洋二	泰	蘆屋三條西良手一三八	會社員
三浦充《ミツ》由《ヨシ》	謙六	武庫郡本山村森三八六	會社員
藤田昌男	榮二	西淀川區大仁東一ノ五三	鐵工業
吉坂泰則	泰太郎	住吉區山阪西ノ町一ノ三九	會社員
大竹章三郎	金次郎	東區北濱二ノ二五	洋酒商（相當）
阪本雅《マサ》宥《ヒロ》	瀧之助	西區幸町通二ノ五	商業
岡田京士郎	一郎	西區江之子島西ノ町八	メリヤス商

最優良兒（女）　市長賞受領者（十六名）

上野順子	一松	住吉區阪南町中四ノ一五	教諭
太田道子	三郎	北區都島南通鐵道官舍十八號	鐵道職員（一合）
三宅ミコ子	鉦治	港區西田中町四ノ五三ノ一	大工（二合）
本井貴美子	昇	東成區鶴橋北之町三ノ一九四	質屋

今井マサ枝	政治郎	豊能郡管原町五六九	建築業
筒井美智子	駿一	東區釣鐘町一ノ二三	毛織商（一合）
横坂桂子	政太郎	南河内郡石川村大ケ塚	教員
辻田敏子	敏一	此花區四貫島旭町一ノ一二	酒商（少量）
山下政代	壽	北區中崎町一四五	印刷（少量）
中村まさえ	作太郎	京都市上京區小山西花池町二九	會社員（一合）
松田かよ	金之助	泉北郡信太村聖ケ岡一四五	會社員（少量）
淺野昭子	常松	旭區鴨野町九三七	鐵工（一合）
水谷幸子	友幸	南區日本橋筋五ノ五一	米穀商
十河玲子	利男	大正區三軒茶家東二ノ一三	西洋家具
森崎幸子	久雄	此花區酉島町九〇	軍人
野口麗子	英雄	住吉區中野町三三六	藥種商（一合）

各國ヘルス・センター概況（六）

內務技師 醫學博士 南崎雄七

第二級センターは中央衛生試驗所や國立衛生研究所等を複雜な特殊の問題の起つた時にその分析を依頼したり必要な材料の供給を仰いだりする處として利用して良いのである。

以上は斯くの如きセンターを運轉して行く上に是非なくてはならぬ職員で更に大きな組織になり部が增える樣なればそれに應じて其の道の專門技術家を置く必要が生ずるであらう。

（例へばX光線の如き）勿論之はどうしてもなくてはならない職員であつて之以外にその下にあつて內部の雜務を片附けて行く人々も必要であらう。

第一級及第二級ヘルス・センターを助くべき委員會左の如き委員會を設けてセンターを助ける。

第一、國家の衛生法律に從つて設けられたる公の保健委員會

第二、地方行政機關、開業醫師、社會保險機關、教育家牧師、私設福祉團體その他センターの倫理的、政治的及經濟的立場より夫々センターの發達と繁榮とに盡力せる處の總てのもの丶代表者を含めた公的ならざる委員會

ユーゴースラヴイアの現保健行政では右の如き構成組織をもてる公的委員會の設立を規定して居る。

保健婦事業の爲の委員會は保健婦と特殊階級との接觸を密ならしめ、その仕事に興味を見出し夫に力を入れしむる働をなす點よりして非常に必要なものとされて居る

斯の如き意味に於て分娩前（姙婦を保健婦に委託する產婦の家事手傳ひ）兒童衛生（病兒を診療所へ連れて來る、診療に於ける手傳ひ學校衛生（學童の保健檢査時の手傳等）結核、社會事業、保健教育等、夫々の仕事に應じて專門の委員會を作り得る譯である。センターの設備及他の保健團體との關係に關しては左の如きものが其の

根本とされて居る。

備品

第二級ヘルズ・センターは完全な保健及醫學的最新設備をなすこと。特に標準レントゲン線裝置（必要なる場合には自動車裝置）も、シアワー・バス職員交通用の自動車も備へること。

職員に充分なる交通上の便宜を與へぬ時には仕事の敏速を缺き且地區內全部に行き亘らず著しく其の仕事の限度を縮少し能率を減殺する結果に陷る。

センターと他の保健團體との關係

ヘルス・センター同胞關係にある保健團體（即ち第二級ヘルス・センター特殊施療院衛生院の如き）は國家の保健組織網を完成するに重要なる一部分を爲して居る。故に之等の機關とは已に完なる同胞關係は存在して居るが、病院、療養院、豫防院、社會保險等の治療及豫防の他の機關とも同胞關係を結ぶべきであり、その關係を通じてセンターが直接に又は第二級センターを經て間接に夫々の機關を利用したり、助力を得たりすることが出來るのである。

九、我國のヘルス・センター

我國に於けるヘルス・センターと題しても、現在では先に述べた樣な定義に該當するものはない。即ち一定地區を限りて專任の職員に依る保健施設と見るべきものなければ、又醫療的中心機關とも認むべきものもない。

然し乍らヘルス・センターの定義は國に依り又は人々に依り其の解說を異にする現在に於ては、之に類する何ものも我國にない譯ではない。我國の市町村の衛生事務等は地域的には所謂衛生地區と見えないこともない。唯町村にありては之に對する專任職員はない。從つて、ヘルス・センターと稱することは無理であらう。然し農村にても例へば岡山縣下に存在する乳兒保健施設の如きは一種の兒童保健に對するヘルス・センクーであり、所謂英國に於けるセンターに等しいものである。又神奈川縣下に於ける訪問看護婦實施地區の如き、ヘルス・センターとしての施設ではないが。所謂衛生地區と稱すべきものであらう。

近く實施つし丶ある東京市京橋區に於ける公衆衛生實習地區の如きは一種のヘルス・センターである。

又最近埼玉縣下所謂農村保健館の設置さる丶計畫の如きは一町六ケ村を地區とするヘルス・センターである。

啄木の生きた道

寺部一三

純眞なる啄木

石川啄木の書いたものを讀んでゐると、知らず〳〵に涙が滲んで來る。彼の生涯程悲慘な生涯はない。又彼位逆境の中で純眞な魂を持つて生き得た人も滅多にない。絶えず鞭打たるゝものゝ魂は、絶えず涙にうるほされるが故に、深くなり大きくなり伸びあがる、彼の二十七年の歴史は全く隙間のない靈の戰であつた。どの點を押して見ても張り切つて居る。血がにじむ彼の眞劍な惱みは、近代人の惱みの深いものを代表するものである。彼の懊惱を見てゐると、人類の大きな怖しい病根に對する同情の涙が滲み出て來る。彼は迷の子であつた。彼は純眞であればあるだけ、彼の境遇は彼を彷徨せた。僅か二十七年の短い生涯に、ありとあらゆる思想的彷徨、懊惱を經てゐる。彼は社會主義にかぶれたこともあつた、彼の一生は一切正しいとは言へない。然し世界の誰か、恐らく一人として其の全生涯を正しく生き得る者があらうか。

彼は天才的歌人として知られてゐる。然し彼自身が「歌は私の悲しい玩具である」と言つてゐることによつても察せられるやうに、所謂歌よみではない。彼は無限に生きんとする者であつた。そして彼は完全に生き得た。啄木の生命は今猶私共の中に生きてゐる。私達は彼の二三の歌や書翰を通して、その透徹した美しい魂をのぞいて見たい。

誰でも大抵さうであるが、啄木も最初、人生に對する譯の解らない感傷に惱んでゐる。

○東海の小島の磯の白砂に
　われ泣きぬれて蟹とたはむる

○命なき砂のかなしさよさら〳〵と
　握れば指の間より落つ

○大といふ字を百あまり砂に書き
　死ぬことをやめて歸れり

彼は人生の果敢を考へたに違ひない。人間何をなすべきやと考へ惱んだのであらう。濱邊に出て大きな海の面から自然の聲をきゝ取らうとしたのだ。泣き飽きて砂地にはらばひ蟹にたはむれた彼は、確にありのまゝの眞劍さであつたのだ。決して哀しからざるに哀しきふりをし淋しからざるに淋しき姿態をしたのではないであらう。砂を掘つてはサラ〳〵とこぼして居る間に彼の私念のない純一な心は自然の不思議にうたれずには居られなかつた。さら〳〵と命なき砂のかなしさをしみ〴〵感じたのである。或る時は死を決して濱に出たのであらう。然し無限に生きんとする心は人生を逃避しようとする不純な死によつて滿足を得ることが出來なかつたのである。大の字を百も書き散して歸つて行つたのだ。彼は自然の中から生命の聲を聞かうと努力してゐる。こんな歌もある。

○岩手山秋はふもとの三方の
　野にみつる虫を何ときくらん

深々と自然の中に身を横へて居る眞摯な彼が想像される。

○瓢然と家を出でゝは瓢然と
　歸りし癖よ友は笑へり

センチメンタルだと友は笑つたであらう。然し彼に取つては笑ひ事ではなかつた。

○たはむれに母を脊負ひてそのあまり
　輕きに泣きて三歩あゆまず

○ふるさとの父の咳する度毎に
　斯く咳の出づるや病めばはかなし

純眞な魂から發した愛情。涙が滲むではないか。彼は胸を病んだ。苦しい咳の間から故郷の父を思つて居る。純一な魂が求めても發見しない時、人生は淋しく、苦痛にみちてゐる。彼は其の淋しく苦痛をしみ〴〵感じたのだが、決して屈しなかつた。絶えず勇氣を奮ひ起してゐる。

○こゝろよく我に働く仕事あれ
　そは仕遂げて死なむと思ふ

○高きより飛びおりるが如き心もて
　この一生を終るすべなきか

○さばかりの事に死ぬるやさばかりの事に
　生きるや止せ止せ問答

人々は少し打撃を受けると淋しい、苦しいとうつたへる。死ぬとか生きるとか云ひたがる彼は止せ止せと苦笑してゐる彼の淋しさや苦痛は、みたされない私慾の前にあつたのではない。無限に生きんとする心を求むる所にあつたのだ。彼は又日常の生活に於て、細い點まで自己反省を加へてゐる。

○非凡なる人の如くにふるまへる
　後のさびしさは何にかたぐへむ

何と純眞な心であらう。非凡の如くふるまつたり、氣まづい思ひをした後の彼の心は、とても平氣で居られなかつたのだ。

絶えず自らの惡を恥ずる者は、悔恨の涙をもつて、その魂を培ふが故に、その魂はすくはれる。絶えずみたされざる魂の空虚を意識するものは、己の無智を泣くが故に、その魂は明らかにせられる。弱き者、しひたげられる者、貧しき者、罪ある者無智なる者の魂は救はれる。

許六撰「彦根體」より

兒童に關する俳句評釋（一五）

岡本松濱

「正風彦根《ひこね》體《ぶり》」は、森川許六の撰集である。許六は彦根井伊藩の武士で、芭蕉晩年の弟子であるが、非常な精力家で、俳句に關する著書も尠くなく、殊に當時の俳論家として聞えてゐたが、それを見ると頗る自信が強く、芭蕉の正統の血脈を承けついだ者は、門人多しと云へども自分一人しかないなどゝ公言し、多くの同門を罵倒し、氣焔當るべからざるものがある。併し事實に於て其の作品が左まで優れたものとは云ひ難く、又其の俳論も悉く首肯すべきものとは云ひ難い。餘りに思ひ上り、慢心しすぎたのが許六の第一の缺陷である。

こゝに掲ぐる「彦根體」は、許六の主唱、鼓吹に依つて句作を始めた彦根及び其の附近の人々の句をのみ集めたものであり、「彦根躰」と題したのも其の故である。隨つて作者の範圍は極めて狹い。

ひな節句來るや産屋の初娘　孟遠

家に女の子が産れたが、其の子がまだ産屋を離れず、隨つてまだ名さへつけられてゐないのに、早くも雛の節句が來たと云ふのである。七夜さへ過ぎぬ産兒の雛句を迎へたことを喜び祝ふ心であらうとは察せられるが、あまりに說明に汲々として、肝要の心を失つて居る。

細ながう首に日永し山の兒《ちご》　菊阿

山村の樵夫の子が、他の子供よりも特に首が長く、それが著しく目に立つたのであらう。子供の首の長いのを日永に云ひ懸けた卽興の作であり、內容は淺薄である。菊阿は許六の別名。

子もりする大の男やあきのくれ　凸迦

妻を失つた男が、子供を背負つて守りをしてゐると云ふことは、しみ〳〵と淋しさの迫つて來る秋の暮の情景として、一篇の詩を作らぬこともないが、此句は情景を外にして、大の男が二尺にも足らぬ、小さい子の守りをしてゐると云ふ理窟的の觀念を主として表現したがために句品は全くゼロとなつてゐる。

乳のみ子の寢くたびれたる夜寒哉　凸迦

宵からすや〳〵とよく眠つてゐた乳呑み子が、夜半に近い頃に眼をさまして、乳を求めて泣いてゐるのであらう。其處に秋も次第に深まつたこの頃の夜寒をしみ〳〵と感じたのである。同じ作者であるが、前句に比して遙かに出來がよい。

おどさるゝ女子の寒や厚こほり　菊阿

冬次第に深く、いつか寒《かん》に入つて、朝々に見る氷も驚くばかり厚くなつた。其の厚氷を見るにつけ、寒のきびしさを今更ながら骨身にしみて感ぜられたのであらうが、「おどさるゝ」と云ふのは、作者は如何なる意味で置いたのか、はつきりと捕捉しがたい。氷の厚さに、女の子が寒のきびしさに脅かされたと云ふのであらうか。

物申《ものまう》に女子の出たりもゝの花　紀達

「物申《ものまう》」は來客が玄關口で案內を乞ふ言葉である。之に對して內部から「どうれ」と答へて、客を迎へるのが、舊幕時代に於ける武家の作法であつた。芝居ですれば忠臣藏の九段目、山科の由良之助閑居の場に於て、其の實例が示されてゐる。

この句は「物申」と云つた如何にも固くるしいらしい來客に對して「どうれ」といと靜かに答へて出て來たのは、若いおさない女の子であつた、恰も玄關近くには桃の花が咲いてゐたと云ふ光景で、女兒の優しい客受けと桃の花との調和に一句の趣向を立てたのである。

靑梅をかつや女子の塗木履　木導

塗木履をはいた愛らしい女の子が、手頃の竹の棒を持つて、覺束なくも靑梅をかち落さうとして、いく度びか梅の實をかち〳〵打つてゐるのである。塗木履と置いた叙法は文法の上からいく分の無理がある。

晝の蚊や机の下の手ならひ子　洽天

この句を叙法のまゝに解釋すれば、晝の蚊が鳴きながら飛んで來た。手習ひの子供は机の下にもぐりこんでゐたと云ふのであるが、事實はその反對で、子供が机に向つて手習ひをしてゐたら、机の下から晝の蚊が鳴いて出たと云ふのであらう。俳句は短詩形であるから、まれに特殊の叙法を許される事があるが、斯樣な亂暴な、文法を無視したやうな云ひ現はし方は絕對に許されぬ。

灌佛や乞食子を產む寺の門　洽天

灌佛は釋迦の誕生卽ち四月八日である。この日釋迦如來の像を盥に置き、頭上から甘茶を灌ぎかける。その甘茶を多勢の子供が竹の筒を持つて貰ひに行くのが、むかしの習はしであり、そこで灌佛の名も出來た譯である。その灌佛の日に當つて、女の乞食が寺の門前で子を產んだのである。天下に家を持たぬ乞食が、偶然佛の產れた日に、寺の門で子を產んだと云ふのは、よく〳〵佛緣が深いと云ふのであらう。乞食の子必ずしも乞食ならず、この子他日世に出でゝ、衆生を濟度する名僧智識になるかも知れない。

藥子や先づ一番に筆はじめ　李由

藥子は平素藥に親しんでゐる弱い子と云ふ意味か。其の弱々しい子であるが、今日の筆はじめを喜び祝つて、第一番に何か書き上げたのである。

秘藏子の寺のむすめや雛遊び　孟遠

秘藏子は如何なるものにも代へがたい大事の子と云ふこと。去る寺にそれ程大切にしてゐる女の子が、雛の節句と云ふので、美しく飾つた雛段の前で、近所の遊び友達を集めて樂しく遊んでゐたのである。

臭《かざ》かいで髪をゆふ子やひな遊び　菊阿

雛段の前で女の子達が寄り合つて遊んでゐたが、其の內の一人が、人形の髪を結はうとして、其の髪の匂ひをかいで見て、徐ろに髪を結ひにかゝつたのであらう。髪を結ふには鬢つけだとか、髪の油とか、匂ひの入つたものを用ひるから、髪にはいつもよい薫りがこもつてゐる。女の子は三歲四歲にして早くもさう云ふことに心を惹かれてゐるらしいが、この句の場合も、さうした女の子の細かい心を持つてゐることに興味を覺えたのであらう。

坊主子に夜を寢ぬ尼の砧かな　菊阿

坊主子は將來僧にすべく、幼い時から旣に頭を丸めてゐる子を指したもの、しかも其の子の母が尼であることから考へると、この母子二人の身の上は、哀れなる運命の下に置かれてゐるに相違ない。其の母なる尼が、夜更けてことり〳〵と砧をうちながら、頻りに我子の將來を案じ煩つてゐる悲劇的場面を描いたもの。後世蕪村、太祇などが好んで句にした小說的構想は、多分この邊に胚胎してゐるのであらう。

世間話（三）

ツカダキタロウ

「新藥師寺の佛像」

秋深しとでも云ふべきの時、奈良に「新藥師寺を訪ねて、天平時代の佛像を拜觀し得た事は幸福な事でした。兵燹にかゝりしとかにて昔の伽藍は今は無きも、僅かに燒け殘りし食堂とも覺ゆべき小堂に、本像を初めとして、十二神樣の像の立ち並ぶを、側近く秋の光に見る事は、浮世を離れし思ひに暫しなりともひたり得るものでありませう。

食堂は勿論、十二神樣は凡て天平年間の作にして「本像は兵燹後の作とかにて、やゝ後世のものなるらしく、いさゝか素人眼にも異る點の見ゆるは止むを得ますまい。

處で、この十二神樣の像の形でありますが、これが實にスバラシイものである事です。恐らく、後世の匠達の考えも及ばぬ姿態に非ざるやとさへ思はれるのは、素人の私のみの盲評では無さゝうです。

此處に私は祖先の驚くべきの藝術への精進振りを、まざ〳〵と見せられた氣がしたのであります。

畏友仲川明兄の紹介と御住持の厚意とにより、それこそ佛像の眞近までも進みよつて拜觀させて頂いたのですが、本像の木彫として優れたるは別としても、この十二神樣のそれ〴〵の姿態に、云ひ知れぬ魅力を感じさせられて立ち去る事を惜まれたのであります。

私の專門の一つであります「お伽噺」の研究の中には、その最も重要なもの丶一つとして、「ゼスチュア」卽ち身振り又は態度なるものが數えられて居りまして、數々の苦心と努力が常に繰り返えされて居るのでありますが、私はそのゼスチュアの理想的のモデルを、この十二神樣の像に發見したのであります。

僅かに十二體であります。然しその表現されてゐる姿態たるや、私共の想像だも及ばなかつた見事なものであり、完備せるものであり且又整ふたものである事を發見して、今更の如く祖先の藝術に驚かされ、尊敬の念を深めさせられたのであります。

一體々々と眺めつくして、半日も一日もこの堂の中に暮すを得ば如何ばかり幸福なかと思ひつ丶時間の經つのを忘れてゐたのですが、それにしてもこの塑像の少しも「ワザとらしさ」の無い事に、心の落ちつく愉悅を覺えたものです。

天平時代の建築物の特徵の一つとして、その屋根のナダラカなる姿は、如何にも見る人の氣持ちを輕くし、朗らかにするものでありますが、この時代の宗教、卽ち我々の祖先の有せし信仰が、如何ばかり朗らかにして然も堂々たるものであつたかを思はされます。

大佛供養の絢爛さは申す迄も無く、凡ての禮拜がその盛儀が、堂の外に於て行はれしものである事等は、その建築樣式より察せられるのでありますが、如何にも解放的な、大自然に親しむ處の、堂々たる宗教が當時盛んなりしかを思ふ時に、現代の子孫の貧弱さが目立ちます。

我々の祖先は、その建築に於ても、亦その藝術に於ても、又その宗教に於ても、すべての生活が、その思想が、進出的であり、然も何等の衒ふ處も無く、實に堂々たるものであつた事を思はされる時に、私は十二神樣の像から受ける無限の教訓、暗示に心を打たれたのでありました。

この十二神樣の像を眺めて今一つ感じた事は、今日の童謠舞踊と稱さる丶もの丶ポーズの拙劣さ加減であります。種々の姿態の十二神樣の像の一つとして、均等を缺くる何ものも發見されぬ事實は、とかく隙だらけの今日の舞踊に一大教訓を示すものと思はれます。

僅かの顏の表情、少し許りの手の動き、これらによつて、見る者の心に迫る眞實性が現はれて居り、然もその全體の姿の穩かにして整ふた有樣は、舞踊の眞髓であると信じます。

繪畫に又塑像に、數々の巨匠達が、この十二神樣の像を描き出しては、美術界に驚異の聲を擧げさせてゐると聞いてゐますが、美術家のみならず、所作を演ずる事を業とする人々、卽ち、俳優舞踊家を初めとして、我々話をなす者に至る迄も、この祖先の遺業に學ぶべきであると思ひます。

信仰をもつて描き出されし藝術の、如何に尊敬さるべきかを、如實に教えられて、私は奈良の秋の日の暮る丶頃、新藥師寺の食堂を名殘り惜しくも立ち去つたのでありますが、參詣者の姿少きを見て、心淋しく思ふた事でありました。眞の奈良の姿、天平藝術に見る祖先の姿。これぞ世間話の眞髓ではないでせうか。

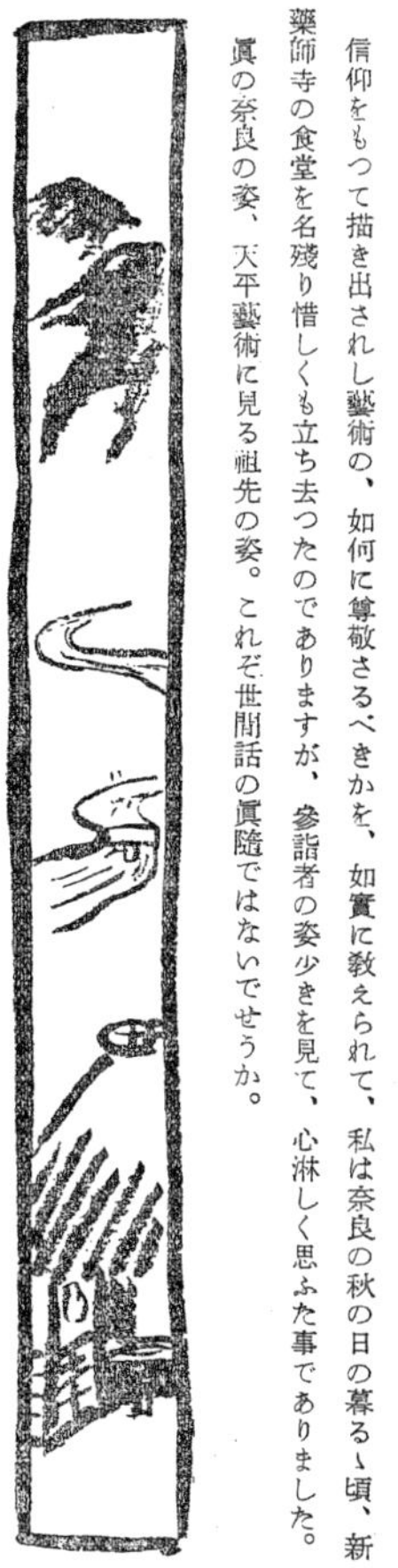

名作曲家の列傳（一〇）

ロバート・シューマン

Robert Schumann

秋保孝藏

これまで述べて來たのは多く音樂的雰圍氣の中に育つたものばかりだが、これから述べようとするロバート・シューマンは全くそんな背景のない所に育つた人である。父のオーグスト・シューマンは獨逸サクソニーのズウヰコウに住んでゐた書肆の主人で、四人の男子と一人の女子とあつた、ロバートはその末子で、一八一〇年六月八日に生れた。

家庭で「綺麗な子」と綽名されたほど可愛い子供であつて、家族は勿論多くの人々を引きつける力を有つてゐた。近所の一婦人で彼を自分の子のやうに可愛がつてくれるものがあつたので、彼はその家に泊つて來ることもあつた。幼少の頃から野心家であつた。戰爭ごつこをすると、彼は何時も大將であつた。學課の上では別に他の兒童と變つたところもなかつたが、入學した翌年素人の教師からピアノを習つた。この教師は獨學で仕上げたので、その教方も宜い加減なものであつたらう。ロバートは忠實に習つたので、指導は拙くつても彼の魂は音樂によつて燃やされた。作曲の法則など少しも知らないのに自分で音樂を作出して見ようといふ氣になつた。七八歳の頃、初めて簡單な舞踏の曲を書いた。ピアノに向つて卽興曲を彈き、人の特質などを音響で表して並居る人々を笑はしたこともあつた。又讀書を好み、詩や劇などを書いたこともある。父は一廉の作家になれるかも知れないと喜んだが、彼の音樂に對する熱情は父の想像も及ばない位であつた。

一八一九年の夏、父に伴はれてカールスタッドに行つ

たことがある。この地でピアノの名手マセレスの演奏を聴いた。音樂に對する情熱は層一層に高められて遂に音樂家になる決心をした。翌年彼はズヴヰカウの高等學校に入學したが、音樂に對する趣味は日毎に增進した。彼は音樂趣味を有つてゐる同志の友と毎日ハイドン・モツアルト、ベートーヴエン、ウエベル、ヒンメル、ケルニー等の作を連彈した。父は技能の進步を促すために新しいピアノを買つてやつた。彼のよろこびは非常なものであつた。或る時、偶然に古い伊國の管絃樂の譜表を手に入れた。彼もこれを演奏する樂隊を組織したくて堪らなくなつて、數ある友人の中からヴアイオリンに二人、笛に二人、クラリアネツトに一人、ラツパに二人を選み、自分はこれを指導しながらピアノを受持つことにした。その時彼は僅に十二歳であつた。

父はその子の才能をますます信ずるやうになつて、妻の反對をも顧みず、當時ドレスデンにゐた音樂家ウエベルの許に手紙を送つて彼の弟子入を賴んだ。ウエベルからは快諾の返事を得るには得たが、どういふ譯かこの計畫は實行されずに終つた。同じ町のもので、音樂にかけて彼に並ぶものは一人もない。そこで何處かへ修業に出たいと思つて、盛んに母を說き伏せやうと力めた。どうした加減か、その頃から彼の生き生きした快活な、子供らしい氣儘が年毎に沈欝な、內氣な性質に變つて來た。

その頃、彼の精神上に大きな影響を與へた二つの事件が起つた。一つは父の死、もう一つはジエーン・パウルの作に親しんだことであつた。この作から受けた深い印象は生涯彼の心を去らなかつた。父の死後彼は確とした進路を選ばねばならなかつた。母は彼が音樂家になることに反對して法律家にしようとした。彼は母に對する義理合から、一八二八年、法科大學入學のためライプチヒに出懸けた。この地で彼はフレデリツク・ヴヰークに師事してピアノを研究した。或る時同家の九歳になる娘のクララといふのが巧にピアノを彈くのを聽いて彼はひどく勵されたことがある。彼はこの師の下に音樂上の理論を學んだが、本來この方面は極めて嫌ひであつた。

當時彼はシユーベルトの研究に沒頭して、ピアノの曲は獨彈連彈何れも習得し了つた。シユーベルトの死は彼に取つて非常な失望であつた。或る時友人等と計つてこの偉大な作家の曲中から最も優れた代表的のものを選び、それを完全に彈奏することにした。その選に當つた曲は彼の（Trioin 3 flat major, Op.99 變ロ調の三部曲作品第九十九）であつた。熱心な練習の後シユーマンは或る日小音樂會を開いてこの三部曲を演奏した。多くの學生や友人等と共に、ウヰークも同じく招かれて特別席を

占めた。この小音樂會が因となつてその後毎週一回シューマンの室で小集を催し、いろいろな作品を彈奏しては音樂上の議論を戰はした。こんな風に彼は音樂に沒頭しその方面の友人とのみ交つてゐたので、學校の方はついお留守になつた。併し講義だけには出席した。數ケ月の準備の後、一八二九年五月彼はいよいよハイデルベルヒ大學入學のためこの地を出發した。

　ハイデルベルヒの美しい市に住むやうになつたのは彼が十九歳の時であつた。室には立派なピアノが据ゑてあつて、こゝでも同じく好樂家の小さい團體を作つた。友人等と共に一頭曳きの馬車に乘つてよく郊外に小旅行を試みた時にはバアデン、ウルムス、マンハイムなどにも出懸けたこともある。こんな旅行の時には、何時も所謂「音なきピアノ」なるものを携へて友人と語りながら指の練習をした。翌年の八月と九月に彼は二三の親友と共に伊國に愉快な旅行を試み、その間に羅甸語を研究したが、飜譯が出來る程に上達した。

　この旅行のちよつと前に、將來の問題につき母に手紙を書いた。そして自分の心中を大膽に打明けて相談に及んだ。その一節に次のやうな文句がある。

『私は今日まで二十年間詩と散文—卽ち音樂と法律—との間に立ちて奮闘を續けました。若しも私の望むところに向つて進み得るとすれば、私は勿論音樂に向ひたいと思ひます。何卒ライプチヒに在るウヰーク先生に手紙を出してこの問題に關する先生の遠慮なき意見を質して下さい。成るべくはやく願ひます。』

　間もなく、母からヴヰークの許に手紙が屆いた。ヴヰークからはシューマンが望んだ通りの返信があつた。彼は飛立つばかり喜んだ。彼は師のヴヰークに宛てて熱情あふるる感謝と服從の意を表した手紙を書いた。その一節に曰く『冷たい理論が如何に多くとも苦しからず、私は懸命に研究に勵みます。私は全然先生の命令に服從いたします。』

　滿々たる希望をわかき胸に抱いて、シューマンは一年半前に去つたライプチヒに再び舞戻つた。約束通りヴヰークの指導の下に冷い理論の方面にも勵み、非常に急速な進歩を遂げた。その頃一生懸命にピアノを練習して、彼の所謂「ピアノの彈きくらべ」なるものをやつた。彼は單に普通に彈奏するだけでは滿足せず、第四指の使方について新しい工夫を發見した。これは大した結果を齎した譯でもなかつたが、手に故障が生じた時に役立つたのである。又指の練習の新工夫として第三指を樂器に着けたまま他の四本を以て練習を試みたりした。過度の練習の結果遂に右の手は癱痺してしまつて利かなくなつ

た。これはベートーフェンが聽覺を失つたと同樣に彼にとつて非常に不幸なことであつた。併し自己の藝術に熱心な彼は左手を以て猛練習を始めた。惜しいかな、彼は涙を呑んでピアノの彈奏を思切らねばならなかつた。

　この頃から彼は專ら意を音樂の理論の方に向けた。一時はクパックの指導を受けたが間もなくそれをやめた。彼は一人自分の前途を開拓すべく進んだのである。初めて出した作品の一つは（Butterflies）作品第二である。これは彼が愛した三人の義妹に献じたもので、その中には自分が知つてゐる人物や地方の色彩が含まれてゐて、ジェーン・パウルの精神がその曲の全體に漲つてゐる。この頃になつて彼は往年音樂の理論的方面の研究に甚だ不勉强であつた結果としてその智識に缺けてゐることをしみじみと感じた。ライプチヒの音樂教師ドルン氏の下で彼は再び音樂理論の第一步から始めた。彼はその指導によつて作品第一として公にした（Abegg Variations）アベッグ變形調を自分の手が不具なのにも拘らず彈奏した。

　一八三三年、彼は友人と共に、ライプチヒで Neue Zeitschrift für Musik を發刊した。それについて次の如くいつてゐる。

　『一八三三年の暮頃であつたが、若い音樂家の一團が毎晩ライプチヒに集つた。初めはほんの偶然なことからであつたが、集ると必ず音樂上の意見を交換したり、議論したりするやうになつた。或る日若い熱情家の一人が、「何を愚圖愚圖してるんだ、我々はもつと積極的に活動して改善の道を講じなければならない、」と卓を叩いて叫んだ。斯うして新しい雜誌は發刊されるやうになつた。この雜誌の若々しい白熱的な論調は、生氣のない時代遲れの評論とは比較にならない。獨逸趣味を向上させること、新進氣鋭の士に猛省を促すこと、これが我等の倦まざる主張である。我等は出版屋や書籍店を富ますために、この雜誌を發刊するのではない、藝術を尊重する精神からである』

　彼はこの雜誌によつて若い天才を世に紹介することに骨折つた。時には左程でもない人を賞めすぎた嫌ひもないではないが、多くの場合その紹介は正當であつた。ブラームスが彼によつて早く世に紹介されたことは忘れてはならない。彼はこの雜誌を起した若い連中と一つの同盟を組織した。彼は種々な假名を用ひてその思想や感情を發表した。フロレスタンといふ名を以て自己の熱情的方面を表し、オエーセビウスといふ名の下に自己の溫和な幻想的方面を表した。而してラローといふ名の下に兩方を兼ねた點を表した。

　一八三四年、彼の心に新しい問題を喚起した事件があつた。その頃ボヘミヤ國境のアシといふ町から、ヴヰークにピアノの指導を受けるためライプチヒに來たエルネステンといふ若い婦人があつた。シューマンは知合になるばかりか、その女に深い興味を感ずるやうになつて、出來れば結婚してもよいとまで心密かに思つた。この年彼は Etudes Symphoniques を出した。その樂旨はエルネステンの父によつて暗示されたものである。同年カーニバルに取りかゝつた。これは美しい短い曲の合集であるが、この中に種々な假想的人物、フロレスタン、オエーセビウス、キアリナ（ウヰークの令孃クララ）、エストラ（エルネステン）等が織込まれてゐる。これは實に彼の特性を表した獨特の作である。又その終曲は優れて美しく、高雅で愉快なものである。その翌年に出來たへ短調作品第十一やト短調作品第二十二などは多くのピアノ彈奏家を喜ばす傑作である。

　一八三六年、再び彼の精神を動かした事件は、卽ち母の永眠であつて、彼はそのため心に非常な痛みを覺えた。それに續いてエルネステンとの間が段々冷くなり、遂に相方とも平和のうちに思切ることになつた。外觀平和であつても內面は決して平和でなかつた。孤獨の淋しさは彼の師ヴヰークの娘クララによつて慰めらるゝより他に道はない。父が反對するにも拘らず相方の愛は段々募つて來た。一八三九年彼は一人の友達にかう書いた、『苦闘の結果、クララは自分にとつてますますなくてならないものになりました。私の曲中にもこの女に暗示されて作つたものが決して少くありません。司伴奏、ソナタ、舞踏曲等の或るものは皆さうです。』。當時彼は傷める心身を或る作曲に注込んだ。それは幻想曲作品第十七であつて、この曲は三つの奏部卽ち「敗滅」「凱旋門」「星冠」等から成つてゐる。初め彼は此作品によつて得た收入を以て、ベートーフェンの記念碑を建立しようと思つたのであるが、方針を變へて、これをフランツ・リストに献ずることにした。

　當時シューマンにとつて大きな惱みは、前にも述べたやうに、クララとの結婚問題であつた。クララの父ヴヰークはシューマンが未だ貧乏で、家庭なんかとても持てないと思つてゐたらしい。シューマンには少くともさう感ぜられた。そこで彼は何とかして餘裕ある確固とした生活を樹立しなければならないと感じた。彼はライプチヒに最早八年も居つたのだから、この際ヴヰンナに移つて大いに活動しようと考へた。彼は一八三八年九月ヴヰンナに行つた。友人の家に客となつてこの市の音樂家を歷訪し、市の狀況を視察して將來發展の道を講じた。こゝではライプチヒでやつてゐたやうな雜誌を發行することの困難を感じた。こんな大舞臺ではライプチヒの如き小都市に於ける活動とは自ら調子が變らなければならぬことに氣が付いた。然し彼は此地に滯在中、『アラベスク』『謝肉祭の道化芝居』、其他の小曲を出した。

　ヴヰンナに於ては思はしくなかつたので、彼はライプチヒに歸つて來た。このたびは法律上の手續を經てクララと結婚した。それが一八四〇年である。この頃から彼は盛んに作曲に努力した。この一年間を以て彼は百三十八種の歌曲や合唱曲を作つた。彼は曾て『メロデーの眞趣を味はうと思へば、聲樂と合唱とに適する曲を作るにありと言つたことがある。新夫人クララも夫の作曲を極力助成した。いろ〳〵な妨害を斥けて、夫が全力をこの事業に注げるやうに骨折つた。美しい變ロ長調シンフォニーなどはこの頃出來たものだ。彼の生涯中この新婚當時が最も多作を極めた時期である。多年の苦闘空しからず、理想の婦人を娶つた滿足の念が作中に漲つてゐる。

　一八四四年、この二人の音樂家は、クララの發議で、ペテルスブルグ、ヘルシングフォルス、ストックホルムコーペンハーゲン等に演奏旅行を試み、新夫人クララのピアノ演奏は至る所で喝采を博した。

　その頃、シューマンは雜誌に關係することに倦怠を覺え、多年やつてゐたその雜誌社を去つて單獨で作曲に從事した。その後彼は精神的にも肉體的にも健康を害し、ライプチヒを去つてドレスデンに轉地した。この地に移つてから彼の一生涯に亘るべき非常に不幸な變化が見えて來た。それは彼の神經病的傾向の亢進である。彼はその頃ゲーテの「ファウスト」の終の部分を作曲しようとして一生懸命であつた。途中で彼は神經性病患に罹つて、作曲の繼續ができなくなつた。けれども彼は藥品を用ひて無理にその事業を續けようとしたが、遂に精神に異狀を來たし、絕えず死の恐怖に脅迫されて沈欝な日を送るやうになつた。ドレスデンの近傍に在る精神病療養所の建物をまともに見ることができなかつたといふ。折も折一八四七年十一月といふにメンデルゾーンの急死が報ぜられた。神經病者たる彼はこれを聞いて非常に驚き、心は全く死の恐怖に占領されて了つた。その後一時快方に赴いて再び作曲に熱中したがその時はもう正氣の沙汰ではなかつた。心機轉換のためでもあらうか、夫妻は二度目の旅行に出懸けた。ヴヰンナで、クララが數種の演奏を試みた。それからプラーグに立寄つて、こゝでも演奏を試みた、シューマンは盛んな歡迎を受けた。ベルリンの音樂學校では、自作の演奏を指揮した。

　一八四七年、ピアノの三部曲や其他のものを作曲した。當時健康は殆ど恢復してゐた。この年歌劇「ゼネヴヰーブ」に取りかゝつて、翌年それを完成した。自分では氣が付かないらしいが、彼は劇的作曲には不得手であつた。この歌劇は二三回上演の後、世間に忘れられてしまつた。彼は大變子供好きであつた。その頃子供のために四十二種の曲を作り、これを一組として公にした。こ

れが彼の有名な『小供アルバム』作品第六十六である。その中にある『幸福な農夫』、『勇敢な騎手』、『最初の損失』、『收穫者の歌』等は、どんなに多くの子供を喜ばしたか知れない。このアルバムに就いて、彼はかう云つてゐる『この中の最初のものは一番上の子が生れた日に書いたもので、自分はこの時から新しい生活に甦つたやうな氣がした』。シューマンは六十七人を以て組織された合唱隊を指揮してゐたので、その頃澤山の合唱曲を作つた。

一八五〇年、夫妻は三度目の旅行に出懸けた。ライプチヒ、ブレーメン、ハンブルグ等を訪うた。その年の夏シユーマンはデッセンドルフに於ける音樂指導者に選ばれて、九月同地に赴任した。市の人々は彼を歡迎して種々な演奏會や晩餐會を催した、そして彼の作も演奏された。この地に於ける彼の仕事は大して多忙でなかつたので例の如く勞作に勵むことが出來た。十一月二日から十二月九日までかゝつて彼はその傑作、五部より成る變ホ調のシンフォニーを完成した。この頃から彼の神經病は又復頭を擡げかけた。一八五一年七月の記錄中に『我等は皆丈夫だ。ただ自分だけは時折神經の鋭い發作のために苦めらる。二三日前もラデツクのオーガン奏樂を聽いてゐた時にやられた』と書いてゐる。その翌年病氣は一層進んで來た。

翌一八五三年の末頃、彼は二つの喜ばしい經驗を嘗めた。一つは彼が曾て『藝術の救主』として彼の雜誌で世に紹介したことのあるヨハン・ブラームスに會つたことだ。もう一つは夫妻が四度目の旅行に出懸けて和蘭を訪ねたことである。和蘭では彼の作物が大部紹介されてゐたので、大いに得意であつた。ロッテルダム、ウトリヒトでは彼の第三シンフォニーが演奏され、ヘーグでは第二が演奏された。夫人クララは諸種の演奏會でピアノを彈奏した。

その年のクリスマス前にデッセンドルフに歸つた。その頃から彼の病勢はまた段々と募つて來た。彼はもはや夜眠れなくなつて醫師はいろ〳〵注意を與へねばならなかつた。一八五四年二月の或る日、彼は平常の通り家で世間話をしてゐる中に、一言の挨拶もなく、ふいと席をはづして何處かへ出て行つた。醫師も友人も直ぐ歸つて來るとばかり思つてゐたが、却々歸つて來ない。妻は心當の處を探したが見付からない。シューマンはどう思つたか、そのまゝライン河に行つて、橋上から身を投げた。水夫にやつと救上げられて、その後嚴重な監視を受けてゐたが、一八五六年、ボン市近傍の私立病院の一室で最後の呼吸を引取つた。

彼の死によつて、音樂界に輝いてゐた一大燈火は消えうせた。藝術に對する彼の眞摯な態度は實に懦夫をして起たしむるの慨がある。

姙産褥婦の衞生（一）

附 新産兒乳兒の取扱法

大阪市立今宮産院
醫學博士 植野晃德

優良なる第二の國民はやがて我が國家の將來を建つべき重大な義務を負へるもので、其の第二の國民である兒童を健全に養成するのは婦人の最も重要な本能であり義務であるのは申すまでもない事で、この優良兒を養成する事が何と云つても國家繁榮の根本と云はねばなりませぬ。

「栴檀は双葉より香し」と云ふ諺が昔から謂はれて居りますが、精神的に賢明な兒童は何うしても肉體的にも優秀なる身體の持主であらねばならぬ事は云ふまでもない事で、「健全なる精神は健康なる身體に宿る」と云ふ樣に優良兒と云へば知能と體格の双方共完備したものでなければならぬのであります。

所で兒童は嬰兒より初まり嬰兒は母體内に姙娠してゐる間の胎兒時代に始まるので、健全なる兒童を作るには其の根本である胎兒時代から保健衞生の心得が最も肝要で、その出發點である姙娠時胎生時代の攝生を誤つては到底優良な兒童を設ける事は不可能であります。

又優生學の立場から申しますと、胎兒からもう一つ逆上つて受胎するまでの兩親の體質の良否如何が必要な條件になつて來て兩親の體質が劣等であれば良兒を得難いと云ふ事も一原因になりますが、是れは結婚時の男女の體質が兩方共優良でなければならぬ事で、既に結婚し姙娠して居られる方はこれは最早問題ではないので、只姙娠してからの攝生と保健に注意して健全な兒を産み、その兒を完全な育兒法に從つて保育するより途がないのであります。

例へば苗代の苗を養成するにしましても第一蒔く種子も吟味せねばなりませんが、蒔いてから芽をふき出して苗にするまでの苗代の手入れが周到完全でなければ到底優良な苗を作り上げる事は望まれぬのであります。姙娠した事は丁度苗代に種を蒔いた事になるので、十ケ月間母の體内で胎兒が漸時發育して母體外に産出されて産聲を揚げるのが苗代で種から芽をふき出した事に相當するので、種子を苗代に蒔き放しにして少しも手入れをしない時には種は途中で腐つて終つたり、たとへ芽が出ても碌な苗にはならぬので是れは皆樣の御承知の事で毎日の水かけ、肥料の調節、換氣の注意、日當りの加減、濕度の調節等凡て周到な心掛が必要であります。之れと同樣に婦人も姙娠してからは母體の攝生に充分の注意を拂ひ、子宮内の胎兒の發育を二六時中心掛けねば到底優良兒を得難いので「優良なる兒童は健全なる母體から」と申しますのは當然の事で、尚又斯くして生れた新産兒を完全な育兒法によつて強く正しく保育する事が、婦人の最も重要な仕事の一つであるので斯くしてこそ、その家庭は勿論、廣く國家社會にも頗る重大な影響を與へるので一人でも多く正しい健全な兒童を育て上げる事はやがて我が國家を盛にし、社會を明るくする事になるのであります。

さてそれでは優良なる子供を生んで強く正しく育てるには何んな注意が必要か、これだけはどんな場合でも心得てゐてほしいと思はれる事柄を次に述べておきませう。

一、姙婦の心得

姙娠は生理的自然の現象であつて決して病氣ではないのであるが、非姙時と同じ樣に考へて衞生を怠ると重い疾病に罹り取り返しのつかぬ事になる事がありますから、日常の生活に於て常に一定の攝生を心得ておかねばなりませぬ。一體姙娠中は凡ての病氣に罹り易い樣に身體の狀態がなつてゐるので、非姙時に比べると或程度まで體に變調を來してゐるので、一寸した事で直ぐに病氣を惹き起し易く、又一旦病氣になつたら仲々治り難いばかりでなく非常に速かに增惡し易い傾向があるものであるから、姙娠中は常に衞生に注意して健康を害さぬ樣に氣を付けねばならぬ。

母體の健康を害するとそれが子宮内の胎兒にまで影響して、ひどくなると胎兒のみならず、母體の生命まで奪ふ樣な結果となる事が屢々ありますから、姙婦の攝生は姙婦自身の保健のみならず胎兒の健康と共に二つの大切な意味になるのであるから決して怠つてはならぬ大切な事であります。

殊に腎臟や肝臟などに故障を起し易く、又心臟病や脚氣に罹り易く、其他種々の重篤な疾患を起し易い傾向があります。之れを知らずに居ると重大な取り返しのつかぬ事になつて終ひます。昔から「案ずるより産むが易い」と云ふ諺をそのまゝ信じて、少し位の事は心配はないと年寄などから云はれて放つて置いたが爲、次第次第に增惡して取り返しのつかぬ事となつて、既に手後れであつたと云ふ樣な事は屢々見たり聞いたりする事でありますから、少しでも故障が起つて來たら直ぐに熟練した産婆や産科醫に相談して、適當な手當せねばなりませぬ。

姙娠の時は浮腫が伴ひ易いもので「腫れは姙娠につきもの」などと言ふてそのまゝにしておいたが爲、その浮腫が簡單なものでなくて腎臟炎であつたり心臟障碍のためであつたり、又は重い脚氣の浮腫であつたりして、遂に母體の生命まで失ふて終つたと云ふ樣な不幸な結果になつたりする事があるし、又そうまでならぬでも、折角の姙娠も中途で流産や早産したり、人工姙娠中絕を施さねばならぬと云ふ樣な結果になつたりして、産後の經過など余り渉々しくない樣な氣の毒な結果を惹起するものであります。時によると腎臟炎がひどくなつて眼も充分に見えぬ樣になつて、分娩が始まつた時に子癇と云ふ恐ろしい痙攣の發作を起したりする事もありますから、少くとも一箇月に一回位は産婆や産科醫に健康相談をして殊に尿の檢査をして貰ふておく方が安心であります。

又胎兒は、通常は頭から先きに産れるのが普通であるが、時によると異つた出方をして折角生れた兒が死産であつたりする事がありますから、是は姙娠中胎兒の位置が惡かつたりする爲めに起るので平素から胎兒の位置は時々産婆や醫師に確めて貰ふて置かねばなりませぬ。

又胎兒の通過する産道が狹くて普通に發育した胎兒ならば分娩出來ぬと云ふ樣な骨盤の小さい人は、折角の愛兒でも碎いて切つて出さねばならぬ事がありますから、早い目に骨盤の大いさを計つて貰ふて置いて、若し小さい樣な時には兒の通過出來る程度の發育時期に人工早産術をして貰はぬと、前に述べた樣な結果になつて終ひます。

そこで凡て此等の事柄は適當な方法手當によつて豫防の出來る事であるから、姙娠の徴候があれば成るべく早く專門醫又は産婆に相談してその指示に從ふて、適當な攝生法並に處置をせねば不慮の結果を惹起する事があります。

姙娠の徴候と云ふと（一）月經が止る、（二）惡阻の症狀が表はれる、（三）乳頭が著色する、（四）四―五箇月になると下腹部がふくれる、（五）五箇月になると胎動を感ずる。こんな事がありましたら姙娠ですから是非產婆や產科醫に診て貰はねばなりませぬ。經產婦の人は自分の經驗に依つて大體すぐに見當がつきますが、初めての人はさつぱり氣付かぬ事が多くて何んとなしに氣分が優れず身體の調子が變つて來た位にしか感ぜぬ事が多いので、姙娠とは知らずに無理をしたり不攝生をしたりして失敗を招く例が澤山ありますから、平素から姙娠についての正しい豫備知識を養ふておく事が肝要で、雜誌なり書物なり衞生講話なりに依つて大體の正しい常識を具へておく事が必要な事であります。

それから、昔から姙娠や分娩に就いて色々の不可思議な迷信や傳說が云ひ傳へられて居りますが、之れ等は單に無意味な事が多くて中には却つて害のあるものがありますから無分別に一概に信じて、誤つた攝生法をする樣な事のない樣に心掛けねばなりませぬ。又雜誌等で見た事をそのまゝ無分別に素人療法をする事は危險を伴ふ事が屢々ありますから、一寸した事でも成るだけ醫師や產婆に相談してせられた方が安全です。

次に心得ておかねばならぬ主なるものを述べておきませう。

戰爭が長びけば——

食べ物の好き嫌ひは許されない

今の内に子供の偏食を矯しておきなさい

東京府衞生課 醫學博士 前田正文

四面を海で圍まれたわが國では、歐洲大戰におけるドイツのやうに、いくら戰爭が長びいても食糧に苦しむやうなことはあるまい——といふのが國民一般の考へらしく思はれます。併しドイツ程ではなくても、戰爭が長びけば食料品の種類によつては時として缺乏を告げないとは斷言出來ません。かやうな非常の秋に際しては、いくら子供でもあれは食はぬこれは嫌だといふ好き嫌ひや我儘は到底許されなくなります。從つてどんな食品でも、與へられたものを喜んで食べるやうに若し平素少しでも偏食の傾向のある子供に對しては、此際特に注意して、之を矯めるやうに努めなければなりません。

矯正の方法

偏食矯正に就ては、これまでとて屢々說かれてゐることで、要するに嫌ひな食品は、調理する時に形を變へ、味を變へて、氣づかれないやうに與へるのも一法です。形を變へ、味を變へて與へながら、知らず識らずの中に嫌ひでなくすることです。先頃東京府では四〇〇名の虛弱兒童に就いて偏食調査を行ふと共に僅か三週間でしたが、合理的な食餌と訓練を與へることにより著しい好結果を得ました。

例へば人參の嫌ひな子供五二人が三週間後には一一人に減じ、同樣に佃煮玉葱、ひじき等々も嫌ひな子供が少くなりました。

要するに或る食物が嫌ひといふのも子供の場合食べ馴れぬからであつて、馴れゝばどんなものでも食べるやうになるものです。

よく噛めよ

も一つ非常時の際の食事に就て大切な點は、食物を十分よく噛むことです。食物をよく噛むことによつて食糧は半減される—とは大戰當時ドイツで旺に說かれ、また實行されたことですが、實際咀嚼が十分であれば、食べた物は殆ど身體に利用されて、徒らにカスとなつて排泄されることがありません。食物に好き嫌ひがなく、よく嚙んで食べること——現下の非常時に際し、これだけは是非子供にも實行させて欲しいものです。

乳兒榮養の話 (三)

大阪市立堀川乳兒院
醫學士 山田讓

第二章 天然榮養

造化の神は吾々に分娩と同時に乳汁分泌作用を授けられました。お產をすると一日二日して初乳が出、一週日も經つと成熟乳に變り成分の一定した乳汁を分泌する樣になります、造化の神より與へられた母乳こそは乳兒の食餌として最上のものである事は充分承知しながら、やゝともすれば、牛乳とか粉乳とか重湯などを與へてみたいと言ふ傾向のある母親達が相當ある事は、私共にして見ると不思議な話と言はねばなりません、便の性質が少し位惡いとか乳兒脚氣だから母乳はいけないとか簡單に考へて、尊い母乳を廢止する樣な愚な親達は以前に比べるとずつと減少はして居りますが、尙全然無くなつたと言ふ事の出來ないのは遺憾な事です、折角の母乳を止めて、そのために乳兒の一命にでも關係して來たならば何を以つて可憐な乳兒に謝すべきでせうか。母乳こそ最善のものであり、母乳を止めなければならぬ事は非常に愼重な考慮のもとに行はれなければならぬ事、母乳が一見少し位不足に見えた時も人工榮養料を補ふと言ふ考への前にどうにかして母乳を充分分泌させて見ると言ふ丈けの忍耐と決意を持つていたゞきたいものです。牛乳や粉乳は費用さえ惜しまなければ何時でも手に入れられるものですけれど一度分泌不足になつた母乳はも早並々の努力では取り戻しの出來ぬものです、現今急速に發達した人工榮養法はたゞ母乳に一歩近づいたと申す丈けで結局は牛乳は牛の仔を育てるために神の作られた乳汁であり山羊乳は又山羊の仔を育てるために最善の乳汁でこそあれ、決して萬物の靈長たる人間の子供達を育てるために適當した乳汁であるとは申されません、乳房の關係やら乳兒の生活力の樣子やらで、母乳を與へる事が相當忍耐を要する事もありませう。然し『飽く迄も母乳』と言ふ強い信念と忍耐力の前には、多くの場合日ならずして母乳分泌が旺盛となり、可愛いゝ子供達を牛の子山羊の子にしないですむ事になりませう。

母乳の成分　母乳が乳兒にとつて最上のものである事は簡單に申して、母乳の成分が乳兒の發育に最も適した樣に含まれてゐると言ふ一事に盡きますが、これを牛乳と比較して見ますと次の表の樣になります、卽ち蛋白質は牛乳の方が多いけれど單に量のみでなく其の質も異り、人乳では「アルブリン」が多いけれど牛乳では「カゼイン」が多く、この「カゼイン」は胃內で「カゼイン」の凝塊を作り、長い間胃內に停滯し且つ吸收同化が惡く、脂肪は量の上では略々等しいが牛乳は揮發性脂肪が非常に多く、飽和脂肪酸も亦多くこれらは腸粘膜を刺戟して腸の蠕動を高め、消化吸收共に良好と申されませぬ、糖は人乳の方が多く、從つて醱酵作用が多く、牛乳はむしろ腐敗作用が多いわけです、其の他人乳には母體からの種々の免疫物質や、酵素を有し、ビタミンも亦、牛乳の樣に煮沸消毒によつて消失する事少く、母體が充分に各種ビタミンの豐富な食餌をとる限り、この缺乏の心配も少く、要するにあらゆる點に於て人乳の牛乳に勝れる事は明白な事實なのです。

乳汁ノ化學的成分

	人乳%	牛乳%
水分	87.951	87.10
固形分	12.049	12.90
蛋白質	1.313	3.53
脂肪	3.505	3.67
乳糖	7.338	4.96
灰分	0.169	0.58
比重	1.031	1.032
1立ノカロリー	700	650

乳汁中ノ無機鹽類

	人乳%	牛乳%
總灰分	2.0	7.0
酸化カリ	0.5—0.9	1.8
酸化ナトリユーム	0.13—0.3	0.5
酸化カルチユーム	0.3—0.4	1.7—2.0
酸化マグネシユーム	0.05・0.08	0.2
酸化鐵	0.001—0.004	0.0004—0.0007
無水燐酸	0.24—0.4	2.0—2.4
クロール	0.27—0.9	0.8

且つ又、榮養學上より見ても牛乳は乳兒の月齡に適當して稀釋の必要があり、爲めに失はれた「カロリー」は糖その他で補はなければならぬのですが脂肪の不足は脂肪沈着を少くし、過剩の蛋白質や鹽類は體內に貯へられる事少く排泄され、尙又牛乳は吾々の手に入る迄に腐敗したり、又は色々の雜菌塵埃などが混入する恐れが多分に存するわけです、かうした牛乳に吾々の最新の智識と學理を以つて人工を加へて人乳に接近せしめ得たとしても、尙人乳榮養兒一人の死亡に對し牛乳榮養兒が七人も八人

も薄命な最後を記錄して居ると言ふ事實は『吾等の乳兒は吾等の乳で』育てなければならぬと言ふ事を世の母親達に警告するものでなくて何でせう。

初乳と成熟乳　初乳は産後一・五日の間に分泌され次第に其の成分は變化して大體七日位で成熟乳に變るのでこの兩者の間には成分の上に大きな差があります。

	水	蛋白質	乳糖	脂肪	灰分	カロリー(1立)
早期初乳	85.55	5.80	4.09	4.08	0.48	1500
後期初乳	87.02	3.17	5.48	3.92	0.41	1000
成熟乳	88.31	0.88	7.28	3.35	0.18	700

初乳は濃厚粘稠で蛋白質、脂肪灰分多く乳糖少く、カロリーは成熟乳の二倍以上で、種々の酵素及び各種傳染病に對する免疫體例へば溶菌素、抗毒素凝集素等が多量に含まれて居ります、この事は臨床上有意義の事で天然榮養兒は百日咳を除く色々の急性傳染病に對して生後數箇月間は母乳を通じて免疫を獲得し、これらの疾患から一定度安全な保證をつけられるわけです。

成熟乳の成分は前表の通りで、俗間に良い乳、惡い乳と申しましても其の成分の上には大した相違のあるものでなく、母體が肉類を多く攝ると母乳中の蛋白、脂肪が增加し、各種ビタミンの豐富な食物を攝れば母乳中の該ビタミン量も增加して來ますが、要するに母體が充分の榮養物をとれば其の母乳は必ず乳兒に對しても最善の食餌である筈です。

新生兒の授乳法　新生兒は生後第一日は多くは初乳の分泌がない爲めに千倍サッカリン水で甘味をつけた白湯二十竓以內與へるのが普通ですが最近は新生兒が泣く時には早期より初乳を與へた方が良結果をうると言はれて居ます、授乳の時はなるべく乳暈の大部分迄を兒の口唇で正しく啣ましめる樣にする方が哺乳を力強くさせえます、哺乳力微弱とか乳汁分泌不足とか、授乳法拙劣の時にも極めて忍耐強く規則正しく授乳を反復して乳汁の鬱滯を防ぎ出來れば授乳前乳汁を少し口內に搾出してやる位の細心な注意が必要で、かくて最初の授乳に成功し、ひいては將來の乳汁分泌を促さなければなりません。

哺乳量　乳兒一日の哺乳量は凡そ次表の通りですが、乳兒の體質により必ずしも一定したものではなく、母乳が豐富な時は乳兒はゴク〳〵呑んで、腹が滿ちれば自ら乳房を離して眠りますが、永い間吸つて無理に離すと泣く樣な時は母乳不足を推定させられますが、此の時も哺乳量の測定を確實に行つた上で不足分丈け牛乳其の他のもので補ふのですが、同時に、母乳の分泌を高め樣とする努力を怠つてはなりません。

哺乳量

生後日數	一回量(竓)	回數	一日量(竓)
第1日	(1000倍サッカリンで甘味をつけた白湯20竓以內)		
2	10	6	60
3	20	6	120
4	30	6	180
5	40	6	240
6	50	6	300
7	60	6	360
第2週	100	6	600
滿1箇月	110	6	660
2	120	6	720
3	130	6	780
4	140	6	840
5	150	6	900
6	160	6	960

授乳の方法　一回の授乳は唯片側の乳房のみ哺乳させ、出來る丈け飲み干さしめる習慣を養ふ必要があります。もし一方のみで不足する時は他方を與へ、次回には先づ前回に後に與へた乳房より授乳させなければなりません、これは乳汁の成分殊に脂肪は後に分泌されるもの程多く、從つて「カロリー」も大で、最近の研究によればビタミンCも豐富であるとの事です、授乳時間は約十五分—二十分が適當です。

授乳回數　大體三—四時間の間隔を以て一日五—六回授乳し、夜分一回以上授乳させないのがよろしい抱寢の習慣は單に危險なるのみならず、過飲の弊に落ち絶對に止めなければなりません、晝間は誠に規則正しく授乳を續け乍ら、夜分になると無方針に授乳して居る人の多いのに驚かされます。平素の良い習慣こそのぞましい限りです。

授乳中の衞生　一般に日本の婦人は粗食の習慣がありますが、姙娠から授乳へと非常に多量の榮養分を子供に與へなければならぬ必要上消化し易く且つ滋養に富んだ飲食物を攝取する事が肝要です、生活法は規則正しく適當の運動、充分な睡眠をとり、肉體的精神的過勞を避け、よく日光に當り健全な母體を維持しなければなりません。

些細な精神の衝動などがどの位母乳の分泌を少くするかと言ふ事を考へると誠に恐ろしい程で、母親たるものはつまらぬ取越苦勞をして精神を遣はぬ樣に、平素から精神修養を積まれて置く事も亦、肉體的の衞生と並んで必要缺くべからざる事で、此の點等閑視されてゐる樣です故、敢へて御注意申しておきます。

母乳を禁止する場合　神から授けられた最上の母乳であつても、それを止めなければならない不幸な事も起ります、母乳を何故中止したかと言ふ問に對して世の母親達の解答を見ますと、

乳汁分泌不足　五四%

脚氣　十八%
脚氣以外の病氣　十二%
其の他の事情　十六%

乳汁分泌が少いと言ふも本當に乳を分泌する腺そのものが發育の惡いために起る事は少くて、産後しばらくは良く分泌して居たが次第に減少して來たと言ふ訴へが多く、これらは充分よく出る乳腺を持ち乍ら授乳方法が拙劣であるとか乳兒の哺乳力が弱いとか、母體が何か心配事をしたとか、榮養分の攝取が少い時等に起つて來る事が多く眞の乳汁分泌不全はごく稀なものであるとされて居ます、

母乳を禁止しなければならぬ事情が乳兒の側にある事は先づ無いと思つてよろしいでせう、母親の食物が一方に傾かない限り、母乳の成分には非常な變化のあるものでなく、從つて俗間でよく言ふ良い乳、惡い乳などはあり得ない筈です。脚氣の場合は最も問題になりますが、これとても輕々しく止めなければならぬ理由はなく乳兒脚氣が重症でなければ母親も乳兒も共々に脚氣の治療を行ひつゝ、母乳を續けて差し支へなく、乳兒脚氣の重症なときには、母乳を中止し、或ひは一部分母乳以外のものを足す樣にしますが、すべて醫師の指示を仰ぐ必要があります、乳汁檢査により脚氣の診斷も現在ではむしろビタミンCと一定の關係にあると言はれて居る位ですから母體なり、乳兒なりの身體の診察を除外して乳汁のみで脚氣を云々する事は出來ないと言ふ事が出來ます。母親が職業の都合上、授乳出來ない時も能ふる限り三—四時間毎に母乳を與へる樣に努力して見なければなりません、然し授乳と言ふ事は母親にとつては非常な榮養分の消失ですから、母親が病氣で授乳のために身體が衰弱する樣な時は授乳を中止しなければならぬ事があります、卽ち結核、糖尿病、重症心臟疾患、腎臟疾患、貧血「バセドー」氏病等の場合は中止又は減少し、母氏痲疹、腸「チフス」「ヂフテリー」、猩紅熱、丹毒、産褥熱等の場合は乳兒を隔離し、母親の身體が許せば搾つた乳を間接に乳兒にあたへるのは差支へありません。要するに母乳を中止すると言ふ事は愼重の上にも愼重なる事を要し、母乳のない乳兒は大きなハンディキャップを負つたものと覺悟しなければなりません。

母乳の分泌はどうしたら旺盛になるか　坊間に乳汁を出す藥として色々の廣告が目につきますが、眞の意味で乳汁分泌を催進する藥はないと言ふて良く、多くは母體の榮養を高めたり、食慾を增すもので、さもなければ、一種の暗示作用に過ぎないものです、人工太陽燈にしても各種ホルモン劑にしてもこの域を脱したものと

は思はれません、最もよい乳汁催進の方法は母體が充分に榮養を攝取し、忍耐强く乳房を吸はしめる事で、乳兒が吸ふ力が弱いときは吸引器で吸ふか又は健康な乳兒に吸つて貰ふ事で乳房を「マッサーヂ」する事も効果があります、かく忍耐强く吸吮せしめる事によつて日ならずして泉の如くに乳汁の分泌して來るであらう事を信じて止みません。

哺乳量の測定　然し事實はそれでも尙乳兒の需要量を滿足させる事が出來ないで牛乳なり他のもので補充する必要が起つて來ます、其の時には是非共眞に乳汁量が不足して居るかを測定し、不足してゐるならば果して何程不足してゐるか、從つて幾何補ふ必要があるかを知らなければなりません、これが哺乳量の測定で、一回の哺乳量を測定するには三—四時間何もとらせずにおいて哺乳前後の體重を測り、其の差が卽ち一回の哺乳量ですが然し哺乳量は毎回一定して居ませんから、吾々は毎回の哺乳量を測り一日の全量を知つて、乳汁分泌の多寡を觀察いたす、必要があります、それが月齡に比して不足してゐる時は他の食餌を以て補ひ、乳兒の良好な發育に對し萬全の方法をとります。

母乳の選び方　母乳丈けで不足する時とか母乳が不幸にして全然惠まれない時には出來れば乳母を選びます、乳母の選定と一口に申しても仲々理想通りには出來にくいものですが、その選定に當つては是非共乳母の健康診斷を行ひ、結核、花柳病、癩病、脚氣「トラコーマ」傳染性皮膚病、精神病其他の傳染性疾患の有無を調査し、その上乳母の子供が健康であるかどうかを確めもし子供が死亡して居る時は其の死因迄も確めなければなりません。出來れば乳兒と同じ頃に分娩した乳母がよいのですが、成熟乳の成分は全哺乳期を通じて略々一定して居ります故、月齡の差が四—五箇月迄はあつても大した異常はありませぬ、乳母の年齡は二十歲から三十歲位でこれ迄子供を取り扱つた經驗を有し、前記の疾病の無い、其の上性質の順良なものを選ぶ事が出來ましたなら、誠に結構です、乳母の乳汁量は前述の哺乳量の測定法を反復行つて乳汁分泌量の多寡を知ります。

牛乳榮養

醫學博士　芳山龍

母乳の赤ん坊の胃に停滯する時間は凡そ、一時間半乃至二時間であるが、牛乳の胃に停滯する時間は三時間乃至三時間半を要す、是は赤ん坊の胃は仔牛の胃とは餘程狀態が異つて居て、人乳と性狀の異る牛乳をどん／＼消化する事が出來ない爲である。

人乳と牛乳の比較

	蛋白質	脂肪	乳糖	鹽類	水分	カロリー
人乳(日本人)	一、五	三、〇	七、六	〇、一六	八七	七〇
牛乳	三、五	三、五	四、〇	〇、七	八八	六五

以上の如く牛乳の蛋白質は量が多いばかりでなく、質も異つて居る。

人乳の蛋白質は、血清蛋白に類似の「アルブミン」と「カゼイン」とより成つて居るが、アルブミンの方が多く消化吸收が良好であるに反し、牛乳蛋白質の⅚が「カゼイン」⅙が「アルブミン」にて、赤ん坊の胃中でカゼイン凝塊を作り、吸收同化率が惡い。

脂肪も量は略同等であるが、質が異り、牛乳脂肪は揮發性脂肪にとみ、母乳二%に對し二六%の多量を含むのみならず飽和脂肪酸も亦母乳に比し多いと云はれて居る。

母乳は血液に近似の性狀を有し、弱アルカリ性で母體から來る種々の免疫物質や、酸素を含有するに反し、牛乳は酸性で母體にある所の免疫物質を缺き、且つ消毒牛乳は加熱の爲にビタミン類が破壞せられて居る。

榮養生理の上より見ると、母乳と成分の異なる牛乳で赤ん坊を育てるには通常稀釋し、糖分を加へるのであるが、過剩の蛋白質や鹽類は體內に貯へられる事なく分解

排泄せられ、脂肪の不足は脂肪沈着を少くする傾向あり消化生理の上から云へば、母乳榮養ならば、母乳中の「リパーゼ」(脂肪分解酵素)にて脂肪の消化を容易ならしめるが、牛乳には此作用を望めないのみならず、免疫物質の缺乏は傳染病の罹患を多からしめる缺點あり。

以上の如き性態の相違がある故、如何に人工を加へて牛乳の成分を母乳に類似せしめても、到底牛乳に比肩するに足らず、我邦では母乳榮養兒が一人死亡する間に牛乳榮養兒が七人も八人も死んでゐる。

要するに牛乳は發育の急速なる生後四十七日で體重が倍になる所の仔牛の食物にして、人間の赤ん坊は母乳で育てるべく自然に定められて居る、乳の出ない場合にはあらゆる手段を盡して母乳分泌を促すべく、輕卒に離乳してはならぬ、又事情の如何を問はず、生後少くとも二・三ケ月間は母乳に非ずんば貰ひ乳でも構はぬ人乳で育てるのが子に對する親の義務である。

以上の如く牛乳榮養の母乳榮養に比べて遜色あるは月齡の幼弱なる乳兒に就きて云ふ可きものにして、離乳期に達したる年長兒に對しては牛乳の方が母乳に優る月齡の幼弱なる者に對しても牛乳を嚴選し、使用法に注意し合理的に榮養するならば、必ずしも母乳に比し著しく劣るに非ず、優良兒として表彰される牛乳榮養兒も少くない。

人工榮養の秘訣

一、よい牛乳又はよい牛乳製品を選ぶこと

二、體重と發育狀態を參酌して乳兒の發育に必要なる最少量を見出す事

三、初め控へ目に與へ其結果を見ながら徐々に增量する事

四、乳瓶と乳首は授乳の都度洗滌消毒する事

牛乳の選擇　牛乳は牛乳取締規則が出來てから特別牛乳と普通牛乳の二種となつたが東京以外では特別牛乳が得られ難いのが遺憾である。

特別牛乳は乳牛、牛舍、搾乳場、其他の設備は元より搾乳者や牛乳の處置に關して極めて嚴重な規定を設けたるものにして、榮養價に就ても相當な考慮を拂はれて居る、例へば

牛乳中の細菌數は十瓱中五百以上あるべからず

脂肪含有量は三三%以上ならざる可からず

生乳、若くば低溫消毒ならざる可からず

普通牛乳は前述の如き嚴重な規定はなけれども、略同樣の取締を受けて居るものにして

低溫消毒又は高熱消毒かを明記する事

細菌數は十瓱中二萬以上含有すべからず

含有脂肪量、三〇%以上ならざるべからず

等々の規定がある

牛乳檢査法

一、加熱度檢査法　牛乳一〇瓱に對し、オキシフルー滴と二%のパラ、フェニレン、ヂアミン液二、三滴を加へて、靑藍色になれば、其牛乳は攝氏七〇度以下の低溫消毒である。

靑藍色にならざるか、黃褐色を呈する物は七十度以上の高熱を加へて消毒したるものなり。

二、アルコール檢査法　無水アルコールに等分の水を加へて五〇%のアルコールを作り、牛乳十瓱に對し、このアルコールを同量加へて平等な乳溷濁色に上るものは先づ新鮮な牛乳と考へてよく、もろ／＼の豆腐樣の沈澱物を生ずるは腐敗の傾向ある物なり。

以上の方法は水に溶解した粉乳にも適用される

粉乳の外裝を叩いて、かん／＼堅實な音を發する物はよい、開封して牛乳特有の香味を有し、光澤ある淡黃色の粉乳は新鮮なる物にして、嫌な臭氣ある黃褐色の粉乳は古いものと考へねばならぬ(但脫脂粉乳は白色にして黃色調なし)

粉乳は均等な粉末狀態にて、凝塊のない、水に溶解し易い、低溫で乾燥した物が上等である。

牛乳の稀釋液　牛乳は母乳に比し、蛋白質が多くて、乳糖が少く、年長兒には其儘適用されるが幼少な赤ん坊に對しては適當に稀釋して、糖を加へ母乳に近い樣に調合して與へねばならぬ。

牛乳を稀釋するには、生後一ケ月は水を用ふるが、二ケ月目より薄い重湯で稀釋す、赤ん坊の生長するに從ひ重湯を濃くし稀釋度を少くする。

重湯として白米、玄米、胚芽米、半搗米、等が用ひられますが通常水に一定量の白米を入れ四五十分間煮沸して水が約半量に煮詰つた頃にガーゼ二枚を重ねて裏漉にかけ煮え詰つただけ湯を追加して所要の濃度と致します御飯の上汁をとつた重湯は濃度が不定であるから牛乳の稀釋に適しません。

牛乳の添加糖　として蔗糖乳糖麥芽糖等が用ひられます此等の糖分は體內で消化分解せられ葡萄糖(最も簡單なる糖分)となつて吸收されるものであるが葡萄糖を口から與へると小腸に於ける吸收が急速に過ぎ却つて刺戟が强くて下痢を招く傾向がありますから、少量に用ふることはよいが多量に口から與へることはよくありません蔗糖は甘味强く年長兒に適しますが五%以上を加へる

と下痢しますから加へ過ぎぬ樣に注意せねばなりません乳糖も醱酵し易い缺點あつて賞用せられず。

麥芽糖は消化し易く幼少乳兒の添加糖として最も優れて居ます、體重一瓩に對する吸收率は白糖三に對し麥芽糖七の割合であります。

滋養糖は麥芽を主とし之に少量の鹽類、ビタミン、酵素、ヂアスターゼ等を配合したものです。

マルツ汁Xも麥芽糖を主としたもので其組成は

麥芽糖 七二、〇　糊糖 五、〇　蛋白質 四、五
鹽類 二、五　水分 一五、〇

であつて便祕に傾いた乳兒の爲に製造せられたものでアルカリ性反應をもつて居ます。

乳兒の便祕は多くは腸内に於ける過剩の酸の爲に消化吸收作用が活潑に行はれぬ爲であつて、マルツ汁Xは斯る乳兒に消化し易き糖分を供給すると同時に其のアルカリ作用によつて過剩の酸を中和して便通を容易ならしめる効があります。

牛乳稀釋法

月齢と體重		一回量	回數	一日量	間隔	總カロリー	體量一瓩に對するカロリー
一月（四瓩）	牛乳 滋養糖 水	四〇 五 六〇	八回	八〇〇甅	二時間半	三六〇	九〇
二月（四、六瓩）	牛乳 滋養糖 二%ノ重湯	五〇 七 六〇	七回	八四〇甅	三時間	四一九	九〇
三月（五、三瓩）	牛乳 滋養糖 三—四%重湯	六〇 八 七〇	七回	九一〇甅	三時間	四五〇	九〇
四月（五、九瓩）	牛乳 滋養糖 五%重湯	八〇 八 八〇	六回	九六〇甅	三時間半	五二〇	九〇
五月（六、四瓩）	牛乳 白糖 五%重湯	九〇 八 七〇	六回	九六〇甅	三時間半	五七六	九〇
六月（六、九瓩）	牛乳 白糖 五%重湯	一二〇 八 八〇	五回	一〇〇〇甅	四時間半	六一八	九〇
七月（七、五瓩）	牛乳 白糖 重湯	一五〇 五 五〇	五回	一〇〇〇甅	同	七一五	九六
八月（七、九瓩）	全乳 白糖	二〇〇 五	五回	一〇〇〇甅	同	八〇〇	一〇〇

世上往々薄い牛乳を多量に與へて居る人があるが過剩の水分は體内に溶存せる成分（尿素鹽類等）の排除を促進し一部の脱鹽作用を現はして來るから濃度に注意せねばなりません。

八ケ月を過ぐると牛乳を粥に代へてゆく

人工榮養兒の離乳　も母乳榮養に濃厚な重湯を以て始め、濃厚重湯に慣れてから、粥に代へる方が安全である。

例へば　△牛乳　×重湯　#粥とせば

	午前六時	十時	午後二時	六時	十時
九ケ月	△二〇〇	（×五〇 △一五〇）	（×五〇 △一五〇）	（×五〇 △一五〇）	△二〇〇
十ケ月	△二〇〇	（#五〇 △一五〇）	（#五〇 △一五〇）	（#五〇 △一五〇）	△二〇〇
十一ケ月	△二〇〇	（#一〇〇 △一〇〇）	（#一〇〇 △一〇〇）	（#一〇〇 △一〇〇）	△二〇〇
誕生	△二〇〇	#二〇〇	#二〇〇	#二〇〇	△二〇〇

濃厚重湯はスープで作つたものがよく、粥には前記の樣な色々な副食物を添へねばならぬ。

初めから粥を以て牛乳に置代へて行くには、先づ一日一回牛乳の代りに薄粥を與へてみる、故障がなければ段々回數を增し、粥を濃くして行く、例へば

九ケ月	牛乳四回	薄粥一回	野菜スープ
十ケ月	牛乳三回	薄粥二回	魚肉スープ、野菜裏漉
十一ケ月	牛乳二回	薄粥三回	みそ汁、麩、豆腐、卵黄等追加
誕生頃	牛乳二回	全粥三回	鯛味噌、うどん等追加

泣き聲や蠅の群れゐる乳の瓶

大阪の審査會に於ける 母親のメンタルテスト（五）

伊藤悌二

第十七問　お住居の間數

間數　調査人員總數　一、六〇〇名（男一、〇〇〇名 女六〇〇名）

間數	男	女	各計
一間	六	三	九
二〃	四六	三八	八四
三〃	一八六	一一三	二九九
四〃	二四〇	一四九	三八九
五〃	二七八	一四〇	四一八
六〃	一〇九	五八	一六七
七〃	三七	三九	七六
八〃	三〇	二二	五二
九〃	二〇	一四	三四
一〇〃	一八	八	二六
一一〃	五	八	一三
一二〃	一〇	四	一四
一三〃	四	一	五
一四〃	六	〇	六
一五〃	二	二	四
一八〃	一	一	二
二〇〃	一	〇	一
二四〃	一	〇	一
合計	一、〇〇〇	六〇〇	一、六〇〇

第十八問　疊數

調査人員總數　一、六〇〇名（男一、〇〇〇名 女六〇〇名）

疊數	男	女	各計
六疊	一〇	一一	二一
七〃	六	四	一〇
八〃	一〇	六	一六
九〃	二六	一七	四三
一〇〃	二三	二二	四五
一一〃	四二	二四	六六
一二〃	四九	二九	七八
一三〃	四三	二五	六八
一四〃	三九	三三	七二
一五〃	五九	三〇	八九
一六〃	五一	二七	七八
一七〃	四九	二九	七八
一八〃	七〇	四〇	一一〇
一九〃	四三	二二	六五
二〇〃	六一	二九	九〇
二一〃	四三	二六	六九
二二〃	三五	二三	五八
二三〃	三四	一五	四九
二四〃	三三	二八	六一
二五〃	二九	一八	四七
二六〃	一九	一五	三四
二七〃	二三	六	二九
二八〃	一五	一二	二七
二九〃	八	五	一三
三〇〃	二二	一五	三七
三一〃	一二	三	一五
三二疊	一二	五	一七
三三〃	八	七	一五
三四〃	七	六	一三
三五〃	九	三	一二
三六〃	一〇	六	一六
三七〃	四	四	八
三八〃	一一	六	一七
三九〃	五	三	八
四〇〃	九	七	一六
四一〃	三	三	六
四二〃	三	二	五
四三〃	四	四	八
四四〃	四	二	六
四五〃	四	二	六
四六〃	三	二	五
四八〃	六	二	八
四九〃	〇	二	二
五〇〃	一一	四	一五
五五〃	八	四	一二
六〇〃	一〇	三	一三
六五〃	四	四	八
七〇〃	五	一	六
八〇〃	三	一	四
九〇〃	一	二	三
一五〇〃	二	一	三
合計	一、〇〇〇	六〇〇	一、六〇〇

第十九問　庭の坪數

調査人員總數　一、六〇〇名（男 一、〇〇〇名　女 六〇〇名）

坪數	男	女	各計
一坪	七八	四三	一二一
二〃	一八七	一二二	三〇九
三〃	一三九	八九	二二八
四〃	八八	五二	一四〇
五〃	七八	五六	一三四
六〃	五一	二一	七二
七〃	二六	一六	四二
八〃	二六	一三	三九
九〃	一一	四	一五
一〇〃	四三	一七	六〇
一一〃	七	三	一〇
一二〃	六	五	一一
一三〃	三	一	四
一四〃	〇	二	二
一五〃	二六	七	三三
一六〃	三	二	五
一七〃	一	一	二
二〇〃	二五	一三	三八
二二〃	一	一	二
二三〃	〇	二	二
二五〃	九	二	一一
三〇〃	一七	七	二四
三五〃	二	四	六
四〇〃	九	七	一六
四五〃	三	〇	三
五〇〃	一一	七	一八
六〇〃	四	三	七
六五〃	二	一	三
七〇〃	六	三	九
七五〃	〇	一	一
八〇〃	二	二	四
九〇〃	三	一	四
一〇〇〃	七	三	一〇
一二〇〃	二	二	四
一五〇〃	七	五	一二
二〇〇〃	五	一	六
三〇〇〃	二	一	三
四〇〇〃	〇	一	一
八〇〇〃	一	〇	一
一〇〇〇〃	一	〇	一
一五〇〇〃	一	〇	一
無し	一〇七	八〇	一八七
合計	一、〇〇〇	六〇〇	一、六〇〇

第二十問　お住居の方向

家向

調査人員總數　一、六〇〇名（男 一、〇〇〇名　女 六〇〇名）

家向	男	女	各計
南向	三四三	二〇二	五四五
東向	二一二	一三三	三四五
北向	二〇三	一二七	三三〇
西向	一六〇	九二	二五二
東南向	一五	一三	二八
西南向	一四	一二	二六
東北向	一三	一〇	二三
東西向	一六	二	一八
南北向	一五	三	一八
西北向	九	六	一五
合計	一、〇〇〇	六〇〇	一、六〇〇

第二十一問　家賃

調査人員總數　一、六〇〇名（男 一、〇〇〇名　女 六〇〇名）

家賃	男	女	各計
六圓	九	四	一三
七〃	五	三	八
八〃	五	四	九
九〃	四	二	六
一〇〃	二一	六	二七
一一〃	八	六	一四
一二〃	二一	六	二七
一三〃	一八	一五	三三
一四〃	八	八	一六
一五〃	五四	二九	八三
一六〃	二七	一六	四三
一七〃	三五	二〇	五五
一八〃	三二	二一	五三
一九〃	一四	一〇	二四
二〇〃	八二	四九	一三一
二一〃	二一	一七	三八
二二〃	一八	一五	三三
二三〃	二七	一五	四二
二四〃	一五	六	二一
二五〃	六七	二九	九六
二六〃	八	四	一二
二七〃	一七	九	二六
二八〃	二〇	八	二八
三〇〃	六二	二九	九一
三一〃	三	二	五
三二〃	六	四	一〇
三三〃	四	六	一〇
三五〃	二三	一八	四一

家賃	男	女	計
三六圓	一	三	四
三七〃	一	三	四
三八〃	五	二	七
四〇〃	二五	八	三三
四三〃	六	一	七
四五〃	二二	一一	三三
五〇〃	一七	二〇	三七
五五〃	五	七	一二
六〇〃	一一	七	一八
六五〃	二	〇	二
七〇〃	六	四	一〇
七五〃	六	〇	六
八〇〃	二	〇	二
八五〃	二	〇	二
九五〃	六	三	九
一〇〇〃	七	三	一〇
一二〇〃	四	三	七
一五〇〃	〇	一	一
二〇〇〃	一	〇	一
二八〇〃	一	〇	一
自家	二三六	一六三	三九九
合計	一、〇〇〇	六〇〇	一、六〇〇

傳記小說

高橋是清（廿六）

小杉健太郎

達磨轉がつても傷つかず

所がその翌日、ひそかに政府と款を通じてゐた四總務は突然、脫會屆を總裁のもとへ送つて來た。つゞいて脫黨するものが續々と現はれた。間もなく百三十三名の脫會者を見るにいたつたが、尙も政友會の分裂の範圍は擴大するばかりで、或は殘黨するものが半數以下になるのではあるまいかと危まれた。脫黨組は四巨頭を中心として「政友本黨」を組織した。

世間の人々は、勿論、是清の男らしい恬淡な態度に感激を惜まなかつたが、しかし何となく政黨員としての若かさと危なげを感じてゐたのである。

その夕方、總裁腹心の堀切善兵衛が慌だしく是清を訪ねてきて

「閣下、どうも世間では、こんどの閣下の英斷を、少し輕卒だつたなどと云ふものがありますが……。」

と心配さうに云つた。

「今度のことは?」

「辭爵の事です。海千山千の横田に一ぱい食はされたんだ。閣下を横田の傀儡だ――などと、怪しからん噂をしてゐますので。」

是清は急にニコ〳〵として、

「ほう、そんなことを云つとるかな。まあ云ふものには何とでも云はして置けはいい。しかし、吾輩は自分の信念で決行したことだ。これが國家に對して最善の道だと信じてやつたことだ。それが幸ひ横田と意見一致したなら、横田の傀儡になつても差支へない。いや、吾輩は吾輩と行動を共にしてくれる黨員全部の傀儡に過ぎないのだ。それでわしは滿足だよ。ハハハ」

總裁の高潔な心には、いつもながら胸を打たれて了ふ善兵衛であつた。が、遠慮のない仲なので、かれはもう一歩突つこんで行つた。

「なるほど、さういふお考へならば、何も申上げる事はありませ

ん。が、かう黨員を浚はれては癪に觸つて堪りません。何とか對策を講じなければ、政友會の面目にかゝはりますから。」

「いや、心配はいらんよ。代議政治は勿論、量の政治だけれども、ある場合には少數でも正義をもつて多數を動かすことがある。況して、こんどは純粹になればなるほど三派が固く提手して、議會の多數を占めることができるんだ。解散になつても、輿論はわれ〳〵を見捨てはしないから大丈夫だ。掘切、しかしまた忙しくなるのう。ハハハ」

「は、閣下こそ――いや、よく解りました。」

善兵衛は晴れ〴〵とした面持ちをして引下つた。

十八日には、三浦觀樹將軍の肝入りで、三黨首の會合が同邸で行はれた。高橋政友會、加藤憲政會、犬養革新俱樂部三首領が一堂に會して
「これまでは互に政敵となつてゐたが、この憲政の危機に臨んで、いまゝでの行懸りを水に流し、提携して一路護憲のために邁進しやう」と、固く誓つたのである。

そして三人は間もなく、革新俱樂部領袖尾崎行雄を加へて、仲よく關西の護憲大會に出席したが、その歸京途中、かれらの列車が木曾川にさしかゝつた時、突然線路に積んである枕木に汽車が乘りあげて危く顚覆しやうとしたのであつた。

「これは何者かの計畫的陰謀だ。その脊後には大きな權力がある に違ひない。」

と、新聞は筆を揃へて、暗に政府の彈壓を諷刺してゐた。

果然、三十一日に議會解散の詔勅が下つた。そして是清は岩手縣盛岡市に於て逸早く立候補の名乘りをあげたのであつた。

盛岡はいふ迄もなく前總裁原敬の郷里、政友會にとつても最も因緣の深い所である。そこから是清が立つたといふことは、勿論安全率の多いことにもよるが、むしろ、自黨更生の熱烈な意氣に燃えてゐることが窺はれるのであつた。

所が、さていよ〳〵選擧區へのり込んで見ると、事の意外に是清は驚いた。

自分の競爭者は政友本黨の候補者田子一民。元來、田子は盛岡の產で縣知事上り、社會學に相當の造詣をもつてゐる才子肌の男だとは聞いてはゐたが、中央政界にはまだ名もない人物。是清とくらべたら、いはば田舍廻りの緞帳役者と、歌舞伎の千兩役者ほどの相違がある。だのに、是清の一行がまづ大慈寺の原敬の墓參に行く道すがら、青年達のかたまつてゐるそばを通ると、青年達はいきなり立上つて
「田子一民君！ばんざあーい。」

と、皮肉な萬歲を一行の脊中に浴びせた。

是清は、原敬の墓前にねんごろにぬかづいて、手を合せながら
「原君、僕はいま政友會の半減した現狀を、君の後繼者として報告しなければならないことを、非常に殘念に思ふ。しかし、見てゐてくれ給へ、僕は必ず勝つて、君の靈魂を安んじる。いや僕一人の事だけではない。きつと元の大政友會にして見せるから。どうか草場の蔭から眺めてゐてくれ給へ。」

心の中でさう誓つたのである。

墓石の上を覆ふてゐる青葉が折からの風に、さら〳〵と微かな

音をたてた。やがて、是清は演說會場へ行つた。すると何者の惡戲であらう。入口の傍に大きな凧を吊して、それに「田子君（凧君）最高天（高點）に上らんとす。」と達筆に書いてあつた。また場內へ入ると、その壁には唐紙を貼りつけ、その表へ、達磨のころがつゐる下手い繪があつて、その下へ「九年面壁しびれた足ぢや、ちよいと立つてもすぐころぶ。」と書きなぐつてあつた。

本部から派遣されてゐる選擧參謀長の村野常右衛門が、これを見ると日頃の溫厚な人柄にも似合はず、いきなり落書を引き裂いて、

「こんな事をするとは、人間の禮儀を知らんやつだッ。」

と、齒軋りしながら、聽衆を睨み廻した。しかし是淸は一向氣にもとめず、相變らず圓滿なニコ〳〵顏で壇上に立つた。

「諸君、諸君が土地ッ子の田子君に好意をお寄せになることは人情として尤もであります。また、田子君は前途有爲なる人物であることも、私はよく承知してゐます。しかしながら、私は憲政擁護といふ大義明分の上に於いて、ぜひとも諸君の御贊同を願はればならんのであります。目前の情實にとらはれて、國家の大局をあやまつたならば、あとで後悔しても及びません。いまの中によく胸に手をあてゝ御判斷を願ひたい……」

是清の演說は、誰の耳にも入りやすい言葉で、しかも莊重さを失はずに、じゆん〳〵と聽衆の胸へ溶けて行つた。始めは可なり喧騷であつた場內も、だん〳〵鎭まつて流石にみな耳を傾けてゐた。

しかし盛岡は非常な排他的觀念の强い所であつた。だから輸入候補は歡迎されない。しかも官憲の干涉が甚だしかつたから是清の旗色はとても惡かつた。田子、高橋兩派の形勢はまづ七分三分といふ觀察で、この報が一度新聞にでると全國民の同情が翕然として是清の一身に集つた。

「達磨さんを落すな！」

さうした意氣組みが恐らく全國民の心であつた。

田子派では政見發表演說はたゞ一回、あとは懇談會と稱して有權者と候補者が膝突き合せての諒解、叩頭――つまり潛行運動ばかりといつてもよかつた。それに對して高橋派は飽くまでも立憲的に、政談演說一點ばかりで押し通した。

この紳士的態度に、盛岡市民の中にも同情尊敬をもつて見直すものも出てきた。そしてそれは主に智識階級であり、青年はどこまでも殆ど田子候補を支持するといふ有樣であつた。即ち五月十日の選擧期日が切迫するに從つて、形勢は五分々々となり、全國注視の中にいよ〳〵戰ひは白熱化して來たのである。

是清は五月八日の夜、最後の奮闘を終つて、四五人の隨行員と一しよに疲れた身を上野行急行列車に托した。そして列車が、いましも東北本線長町驛構內に入らうとした時であつた。

ガクンといふ、不氣味な衝動を車體に感じたと思ふと、箱は橫倒しになつて顚覆した。隨員達は倒れた刹那、逸早く寢臺から飛び降りたが、その拍子に胸を打つたり、手足を硝子で切つたりした。

彼等は忽ちハッと氣がついて、是清の寢臺のそばへ走り寄つて見ると、テカテカと光つた達磨頭が、まさに床の上からノッソリと起上つた所であつた。

「閣下どこもお怪我はありませんか。」


その聲に、是清はふと氣がついて二三度手足を動かしたり、頰や體をさすつて見たが、

「うむ、無事なやうぢや。」

と人事のやうに答へた。隨行員達はひどく不思議がつた。

「そりやお結構でした。しかし、僕等は倒れる前に飛び降りてゝへ負傷したんですが、閣下は、ぢやあの時寢臺から降りてゐらつしやつたんですか。」

「いや〳〵、わが輩は眼を醒してゐたが、別に飛び降りはしなかつたよ。そのまゝゴロ〳〵と寢臺から放りだされたまでさ。君達は慌てたから却つて失敗したんだらう。」

「はゝあ、なるほど……」

「どうぢや、達磨ころんでも傷つかず、とは緣喜がいゝぢやないか。ハッハハ」

隨員達もつい釣りこまれて、苦痛を忘れて、大きく笑つて了つた。

この列車顚覆事件も、勿論、政府の指金に違ひないといふ推測が電波のやうに國民の頭に傳はつた。是清に對する世の聲援は尙一層高まつて來たのであつた。

投票は終つた。そしていよ〳〵開票の結果は、二百票の差をもつて是清の勝利に歸したのである。

この勝負こそどんな大番狂はせにも優して、國民を熱狂させたまた、護憲三派も壓倒的大勝利を得たのに引きかへ、政府の唯一與黨なる政友本黨は二百名以上といふ最初の豫想を裏切つて、わづか百五十名餘りの當選者を獲得したに過ぎなかつた。もはや內閣の餘命は日夕に迫つてきた。

良くない玩具
不衛生で危いものなど

氏家壽子女史談

良くない玩具とは先づ第一に不衛生なもの、第二に危險性のあるもの、第三に教育上好ましくないものなどです。

不衛生なもの

その最も注意を要するのは塗料の問題です、鉛、燐、銅、水銀等を含む塗料を使つたものや、アニリン染料を使つたものは、なめたりしやぶつたりすると中毒することがあります。かういふ有毒染料を使ふことは當局が嚴重に取締つてゐますから市場には出てゐない筈ですが、絶無とはいへませんからはげやすいと思はれる塗料で彩色したケバ〳〵しいものは避けた方が無難です。そして陶器の玩具で釉藥が不完全なため着色部分がはつきりと手指に觸れるものも避けた方が安全です。またもてあそんでから食べるお菓子を兼ねた玩具も衛生的とはいへません。

危險性のもの

ブリキ製のもの（車、まゝ事道具など）で斷ち端の仕上げが粗雜なものは怪我をします。鉛製のもの（兵隊、軍艦など）は折れると小さい破片になることがあり、塗料が剝げやすい、ガラス製のもの（箱、眼鏡など）は破損しやすく思はぬ傷を受けることがあります。ゴム製のもの（風船、ホホヅキなど）は過つて咽喉をつまらせることがあります。セルロイド製のもの（風車動物など）は火氣に近づけると危險です。

教育上惡いもの

色や意匠が不快なものは好ましい玩具とはいへません。怖いお面やグロテスクな表情の人形なども徒らに恐怖心を起し無氣味な感じを與へますから避けた方がよろしい。その他勝負が興味の中心となり過ぎるもの、射倖心を誘ひ、げうかうを賴ましめるものなども教育的とはいへませんから愼重に選ばねばなりません。

ムダにする米が年に八百十萬石

皆さんの心掛け一つで非常時局の　國力が增すのだ!

お米の尊いことはイヤと云ふほど知つてゐながら、さて國民が日常の生活にどれほどお米をウカツに消費しムダにしてゐるかと云ふことは、以下の數字を見るとハツキリ判ります。

米の損失高、卽ち內地一ヶ年のお米の收穫高は約八千萬石と見積られてゐますが、これを皆さんが召上つてゐる混砂づき白米にしますと、約七分のつき減りがありますから、みす〳〵五百六十萬石を損失してゐるワケですさらに之れを最少限度の磨き方（三回磨ぎ、二回水洗ひする）をしても、約三分四厘が白水となつて下水に洗ひ流されますので、こゝにも二百五十萬石を流すことになりますから、合せて八百十萬石と云ふ莫大なお米を年々損失してゐるのであります。

八百萬人分、八百十萬石といへば、一人平均年一石食べるとして無慮八百十萬人の一ヶ年分の食糧となり、この非常時局にあたつて七百五十萬人の兵隊さんを養ふ事が出來るのです。

胚芽米なら、そこでこれらのお米を軍隊式に無砂づきの胚芽米にして食べることにすると、つき減りも約四分見當ですみ、殘りの三分卽ち約二百四十萬石が浮かんで來ます、更にこれらのお米を磨がないで一、二回ざつと水洗ひするだけに止めるとすると（戰地では絕對に洗はぬ）磨ぎによる二百五十萬石も助かつて、こゝに合せて約五百萬石の無駄が省かれるのです。

貯藏と榮養、この五百萬石は青森、群馬、神奈川三縣における正に一ヶ年間の收穫高で、又常時國家が貯へておく米の量に匹敵します、殊に戰時に於ては國民生活の安定を計る上にもつとも重要視さるべきものであります、殊にかうして無砂づき胚芽米として食べるとすれば脚氣を防ぎ、抵抗力及び視力の增進、子供の發育に必要などタミンB一も十分に攝れることでもありますので國民の體位向上の上からも絕對に必要なことです、尤も現在既に約二割の都會人がこの種胚芽米を食べてゐますが、これを國民全たいに及ぼすと云ふことは戰時經濟下における主婦の勸めでなくてはならぬと思ひます。

（糧友會　外岡和雄氏）

郷土を語る

ツカダキタロウ

「熊野灘の先住民族」は誰か。これは最も旅人の心を惹く問題でありますが、一向寡聞にして聞き及んで居りません。

所謂熊野路の祖先に關して、私は此の度の旅行で、二つの考へを思はせられたものであります。が果して、それが現在の熊野人の祖先であるや否やは、知る由もありません。然し、現在の熊野人の有する特質に關して祖先を想像するならば

一は、熊野の先住民族は「出雲族」であると思はれる點がある事で、今一つは、アイヌ族でなかつたらうかと思はれる事であります。

果して、熊野路の先住民が現在の熊野人の祖先なるや果たまた天孫民族の血統を繼ぐのが、現在の熊野の人々なるや、これは私の計り知り得ぬ處であります。

が然し、神武天皇御東征以前に此の熊野の地には先住民族のあつた事は明白でありますのでこの先住民族を考察する事は興味ある問題であります。そして私は、この先住民族に關しては一は「出雲族」であり、他は「アイヌ族」であると思はれる點を發見する事が出來ると思ふものがあります。熊野路に於ける二つの大きな祭典は、一つは十二月一日に行はれる「れんれこの宮の祭」で、今一つは二月六日に擧行される「御燈祭」であります。そして、れんれこさんは田原町の木葉神社の祭典である事は、前にも申した通りでありますが、これに關しては今少し調査してから詳述するとして、今一つの「御燈祭」に關して考へて見たいと思ひます。

御燈祭は、既に御存じの通り、神武天皇御東征に最も關係深き神倉山即ち神倉神社の祭典でありまして、町中の老若がタイマツを燈じて群るので有名であります。

「御燈祭は火の下り龍」と俗に稱されるもので、白裝束に身を固め手に手に松明をふりかざして町々を練り夕刻からボツ〳〵山上に登り、日沒頃には數千の老若の男子が、山腹の地藏前に待機するのであります。

やがて山上の岩頭にて祝詞があげられると、現在では速玉神社の宮司が御神火を大松明に點じこれを登子達の松明に移すやワツと喊聲をあげて山門內に駈けのぼるのであります。

山門內に集る火團は天を焦し火の海と化す事暫し、式典が終了すると共に閉ぢられた山門も再び開かれて登子達は先着を爭ふて急坂五百の石段を飛んで降りるものであります。

これが現在も毎年繰り返されて行はれる御燈祭の大略でありまして、昔はこの祭の夜は全市燈火を有して、全町眞暗の間に行はれたもので、御神火を移した松明が白裝束の人々の手により町々へと走り行く有樣は、實に壯觀であつたと聞いてゐます。

急坂を降りると申しましても數百階の石段であり、その石段が又「鎌倉積み」と稱される有名な石段でありますので中々容易の事ではありません。

一番早く石段下に着いた者には褒美が出たもので昔は米一俵の賞品が出た由ですが、一番早く駈けおりるのには、橫になつて轉んだものださうです。隨分「ヤケド」やケガ人が出來るのですが「御燈祭の火傷や怪我は輕くすむ」との信仰から人々は氣にもとめて居りません。

白裝束をして集るのが特異性を有して居ますが、今一つ面白い事は仲々澤山の「子供連れ」の登る事です。勿論男親が連れて登る男の子に限られて居りますが、親と同じ白裝束に松明を持つて登るのは、勇ましい姿ですが、何等かの「育兒上の意義」のある事でせう、實況を知らぬ私には、說明出來ませんが、面白い習慣であります。神倉神社は

今は廢されて、熊野三山の一つ熊野速玉神社の管理になつてゐますが、昔は神倉神社として獨立して存在してゐたもので、この式典も神倉神社の社司が行つたものであります。巨岩の竝ぶ山上の神社こそ神武天皇御東征の時に登り給ひて四方の地理を調べ給ひし場所として、重要なる役目を果したものでありますが、この巨岩が有名なる「天盾岩」であります。

そこで私の想像を申し述べることと致しますが、この神倉山が、神武天皇御東征以前よりして、地方先住民の尊敬の的であり、聖地として尊ばれてゐたと察し得る事であります。

「巨石崇拜」の信仰は、「巨木崇拜」「高山崇拜」「自然崇拜」等々といろ〳〵に變形されてはゐますが、要するに太古の民族が、自然界に對する驚異よりして生じたる信仰の對象となりしものでありまして、この天盾岩の祀られたのは御東征より以前の事であり、從つて熊野地の先住民族は、この「自然崇拜」の信仰を有せし人種であつた事が察せられるのであります。

然も私の觀る處ではこの神倉山の天盾岩は、生殖器神即ち立派な陽石である事であります。そしてその背後にある丸石は陰石であると察せられるものがある事です。

生殖器神は、紀州には尠くして特に南紀には甚だ稀であると聞いてゐますが、この神倉山の陰陽石の巨大なるを見れば、この地方の先祖は「生殖器崇拜」の信仰を有せし人々である事を思はさせられます。

昔はこの二箇の巨石は、御堂の內に安置されてゐたもので、火事で燒けて今日の如く露出してゐるとの事ですから、猶の事これが信仰の對象として尊ばれて來た事を知り得ます。

斯くの如き、自然界崇拜、或は生殖器神崇拜の信仰を有する者は海岸に近く住み、又は島々に生活せし民族であるとの事ですから、大陸系統の天孫民族でない事は察せられます、そして「火を拜む」信仰も、この人種の持つ特性である事を知る時に此の神倉山に御燈祭の存する事を察し得ませう。

それですから、この地に先住せし人々は、出雲民族か、南洋系統の人種かであつたと察せられますが、今一つ興味ある問題は御燈祭に用ひられる「松明」に關してであります。

この松明はアイヌ族の有する「ケズリカケ」に屬するものでありまして、一般に町々で製作して賣られるものでありますが昔は各自が作りしものにてその形狀は一層ケズリカケに似てゐたらうと思はれる點が多々あります。火を崇拜し、ケズリカケの形式による松明を捧げる事等は先祖のその後者なりしやを示すものと思ひますが、それにしても面白い事は、この御神火競爭であります。

それはオリンピックの聖火リレーに關して、世界の視聽を集めてゐますが、この御燈祭に於ては千數百年前より此の「神火リレー」が行はれてゐた事であります。

たゞ、其の依つて來る理由と其の結果に關して知る材料のない事は殘念でありますが、神火を頂く事は、今も猶全國的に澤山にある事實でもあり、火を大切にする事は太古に於ては申す迄も無い事であつたのです。

火を尊ぶ事は嚴島の彌山の頂上に「消えずの火」なるものがありますし、各地に於て松明を持する行事のある事等は之等を物語る一つの證左ともなるでせうか。

とまれ、神倉山が自然崇拜、生殖器神崇拜、拜火宗等々の風習を今日に語り傳へてゐる事は興味ある事と信じますと共に、熊野地の祖先に對して、何等かの暗示を與へてゐるかの如くに思はれます。出雲民族としての證左ともなるかと思はれる點は最近那智神社の祭神に關しての研究があるとか聞いてゐますが熊野なる名稱や、大和地方との交通の狀況等を察して見る場合に、大和の先住民と同じ人種がこの熊野地に進出して開拓してゐたと察せられます。商人として、又一般人として、女性の活躍の盛など聞いてゐます熊野の地の現住の人々の祖先は、是等の人々を祖先に持つかとも思へませう。

勿論、全國的に先住者として繁榮してゐたアイヌ族の事ですから熊野の地だけ除外して、その居住を避けた理由もないでせうし、このアイヌ族と最も古くの交渉を持つて、漸次東進してその文化を先住者に及ぼしてゐた出雲民族の祖先もこの地方へ移り住んで來た事も想像されます。

或は、アイヌ族の先住の地に出雲族の進出により、この兩者の結合が、今日の熊野人を創りあげたのかも知れません。

さまあ、こんなに考へる事も私の獨斷のみでもありますまいそれこそ、秦の除福の及びその臣達の子孫が、今日の熊野人である等々と考へるよりは如何ばかりお互に幸福であるでせう。

勿論、神武天皇御東征以來、その民人の子孫も、先住人と結合して、今日の熊野人を生んだのでありませう。

斯く考へて來る時に、熊野地は實に興味のつきぬもののある事を思はされます。

神倉山の御燈祭と、木葉神社の「れんれこさん」とは、熊野灘の尊い歷史を物語るものであると思ひますと、この祭典の益々意義ある事を思はれます。

浦上の女部屋

九州の旅は、博多を經て長崎に至る初旅路で、見るもの聞くもの珍らしく、中にも長崎の地に見る支那寺と天主堂とはその名の高きに聞き及ぶ以上の美事なもので流石々々とばかり感心するばかりでありますが、本邦最古の大浦の天主堂、本邦最大の浦上の天主堂とては西仲町の天主堂等々の物語は、旅の物語として既に語りつくされてゐる事ですから、今更の如く申す事でもありますまい。

浦上の里は、今は長崎市に編入されてはゐますが、郊外と稱するに適はしい地域で、此の地キリシタンの舊蹟として最も名高き土地であります。

キリシタンの子孫として各地に散在せしめられし人々が、古里に歸つて來たのは六十年許り前でありますが、當時浦上の天主堂を建設中の神父さん達が、ザベリオ神父の撒きし種子が、何處にか殘るならんと祈りつゝ探し求めて居られたに遭ひ、忽ちに信仰の芽は復活し今日の信者を見るに至つたもので、數日前の聖式の行列に參加するもの二萬、浦上の信者約八千と稱され、全國カトリック敎信者の約半數は長崎市に在住せるとまで稱され居ります。

浦上の女部屋は里人が古里に歸りつくと同時に、開始されしものにて、赤痢の流行せし折に回診せしロド神父(と俗稱せる)さんに從ひし數名の男女の信者達が、孤兒を引きとりて世話しを最初として、今日に至るまで數多くの孤兒を養ひつゝあるもので、この浦上養育院は、本邦孤兒院の最初のものなりと言ふ。

女部屋は、今は養育院と別棟にあり、養育院は日夜十數名の乳兒を養ひつゝあり、是等の食糧及び費用及び世話の一切を引き受けて勞働せる女群がこの女部屋即ち修院であります。

二十數名の歲老いたる婦人達が日夜の激しい勞働も、少しも厭はずして、孤兒の成長を樂しみとして、專心祈りつゝ勵む有樣は、世にも尊いものでありまして、尼院や修道院に劣らぬものがあります、孤兒は、浦上に住む信者の家庭に續々養子として貰はれて行き、既に相當成功せし者もある有樣にて十字架山の麓近く尊い奉仕は續けられて行くのであります。

浦上の女部屋、これぞ世にも隱れたる修道院、未だ世に公にされざる孤兒の理想的救濟機關にして無心に寢臺に竝ぶ乳兒を見守る、老婦信者達の尊い顏は此の旅の最大の印象であります

浦上の天主堂に集る數百の信者達のミサにも、感ずる事の出來ぬ強い感激を、私はこの女部屋に感じて、獨り月道を宿に歸つたのであります。

「山中神父さんの御紹介で」との唯一言を心から信じて、賓客に對する厚遇を忝し乍ら、そのもてなす事を心から悅ぶ女部屋の婦人達然も歲多き女性達に、私は未だ嘗て經驗せぬ懷さを味はされ、長崎の旅と山中神父の御厚意とを心から感謝してゐます。

東西兩都表彰式の記（編輯後記）

◉恒久國防と國民の體位向上を目標として開催された、第九回全東京乳幼兒審査會の表彰式は、既報の如く去る十一月九日と十三日に施行され、九日の日本橋高島屋樓上に於ける午前と午後に渉る表彰式の極めて盛大なりし模樣は、都下各紙の報道した通りであつて、當日は本會總裁山崎前農相、木戸文相代理大西學校衛生官、内ケ崎文部政務次官、池崎文部參與官、審査主任中鉢博士、同富田博士、廣井會長、風見産婆會長等朝野諸名士の御參列があり、尙亦各方面の熱誠懇篤なる御祝辭等があつて、未曾有の盛況裡に式を閉ぢる事の出來たのは實に本會の榮譽とするところである、最優良兒表彰の最中に「優良兒の中にはお父さんが戰場に御奮闘中の方もあります」とスピーカーにて會場に告ぐるや、會堂の隅々より拍手が起るなど誠に張り切つた戰時氣分がみなぎつたのであつた。

◉續いて十三日の表彰式には、時局柄御繁多中の本會名譽會長永井遞信大臣閣下が御臨場になり、一般母性はもとより父性にとつても最も適切にして有益なる御祝辭があつた、いつもながら一言一句誠に慈愛と熱意が充ち溢れ、表彰兒の家族の人々も來賓の方々も襟をたゞすやうに思はれた、山崎總裁閣下の御懇篤なる御告辭は別項掲載の通りで、木戸文部大臣閣下の御祝辭と共に私共人の子の親として時局柄再讀三讀すべきではなからうか、年々我が國に斯くも多くの優良兒の輩出をみる事は、東洋の平和確保のため、軍國の將來にとつて實に力強く感ぜらるゝ次第である。

◉全大阪乳幼兒審査會の第十五回の表彰式が、大阪三越に於て去る十一月二十五、二十六の兩日に渉つて執行された、本會會長坂間大阪市長には常に心に懸けさせられ、御公職の御繁多なる時を割かれて必ず御臨場になる事は、本會の誇りであり譽れとすべきである、御病後であられたが來會者一同に對して實に熱烈なる御式辭があつて、直ちに日獨伊防共の祝賀會に趣かれた、當日は表彰された優良兒の父母たちを代表して、河井やゑ子女史、吉坂泰太郎氏の會長への答辭があつたのは誠に涙ぐましい情景であつた、池田大阪府知事代理長部主事、深山市保健課長が四回に亘る式に御參列下さつた事を心より御禮申上げなければならぬ。

◉來る十二月六日、池田大阪府知事閣下には府社會事業會館に於て、記者を表彰して下さるとの御内報を手にしたのであるが、本年度の東西兩都の表彰式の終つた間際とて感慨無量である。（伊藤悌二）

本誌定價 一冊金參拾錢 郵税壹錢五厘
半年分六冊 金壹圓六拾錢 郵税共
一年分十二冊 金參圓 郵税共
誌代郵税は一切前金の事
前金切の場合は發送中止
郵券代用は一割増のこと

昭和十二年十一月廿八日印刷（毎月一回）
昭和十二年十二月一日發行（一日發行）

兵庫縣武庫郡精道村芦屋
發行兼編輯人 伊藤悌二
印刷人 木下正人
大阪市西淀川區海老江上二丁目三七番地
印刷所 木下印刷所
電話福島㊺一五三四番 二二四二六番

大阪市北區天神橋筋六丁目
大阪市立北市民館内
發行所 大阪兒童愛護聯盟
電話堀川㉟一〇〇〇一番 一〇〇〇二番
振替大阪五六七六三番

子供の世紀 第十五卷 第十二號 大正十三年二月二十日第三種郵便物認可 昭和十二年十一月二十八日印刷納本 毎月一日一回發行

【定價金參拾錢】

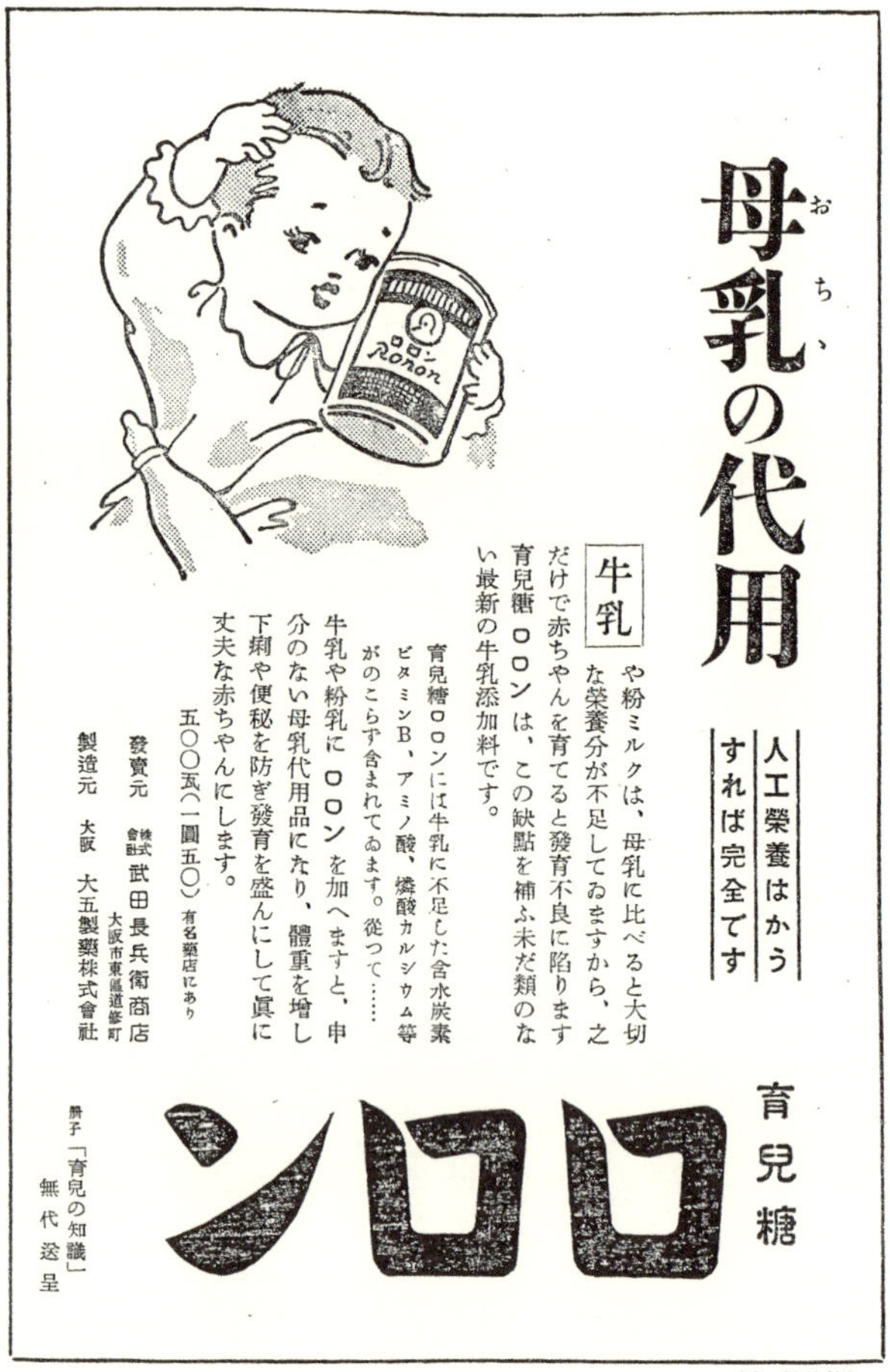

36—2060(0)

『子供の世紀』（第十六巻第一號）輝く第二國民育成報國號

目次

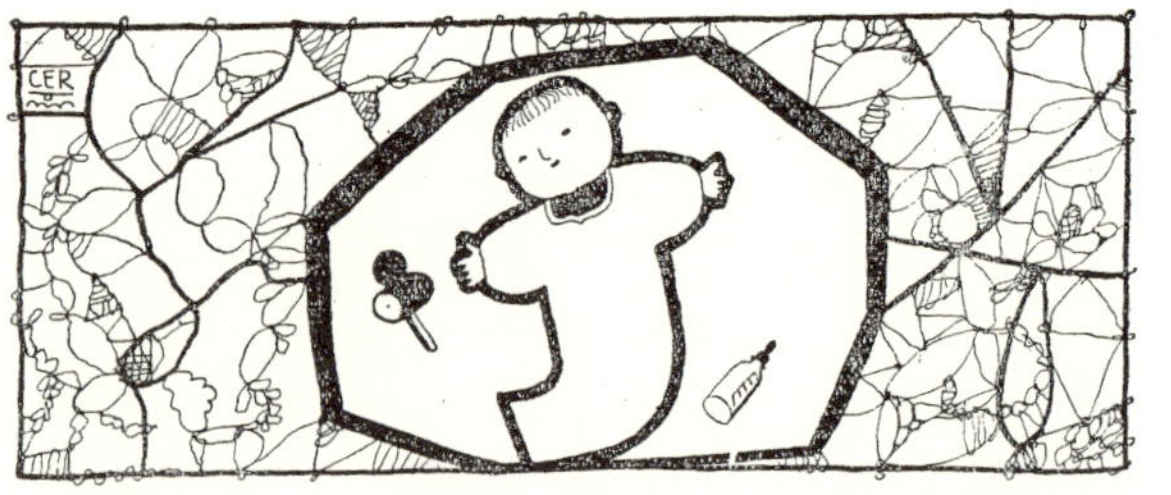

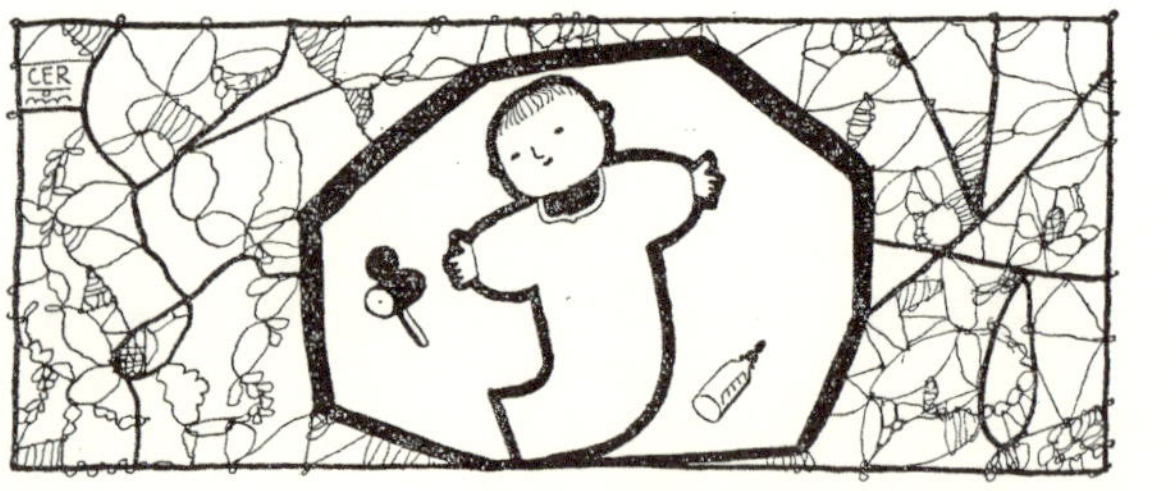

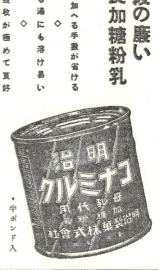

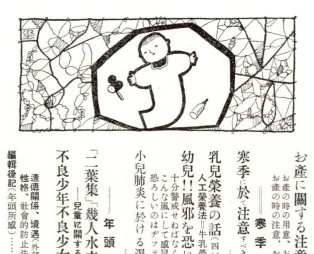

池田大阪府知事兒童愛護功勞者を表彰さる

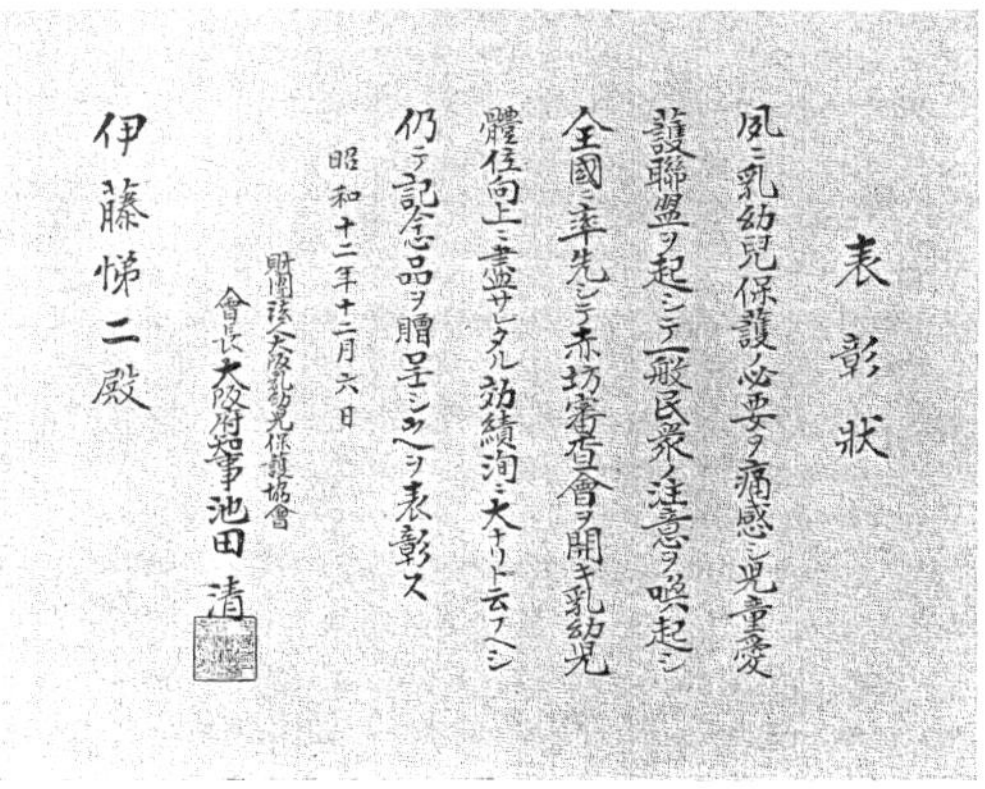
表彰狀
夙ニ乳幼兒保護ノ必要ヲ痛感シ兒童愛
護聯盟ヲ起シテ一般民衆ノ注意ヲ喚起シ
全國ニ率先シテ赤坊審査會ヲ開キ乳幼兒
體位向上ニ盡瘁サレタル功績洵ニ大ナリト云フヘシ
仍テ記念品ヲ贈呈シ以テ之ヲ表彰ス
昭和十二年十二月六日
財團法人大阪乳幼兒保護協會
會長大阪府知事池田清
伊藤悌二殿

（上）池田大阪府知事は舊臘府社會事業會館に於て、大阪乳幼兒保護協會十周年記念式日をトし、別項記載の如く朝野諸名士參列の席上、全市各方面の功勞者を表彰した。

（下）本聯盟伊藤理事に授與されし表彰狀。

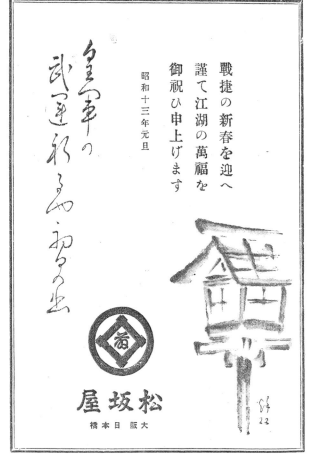

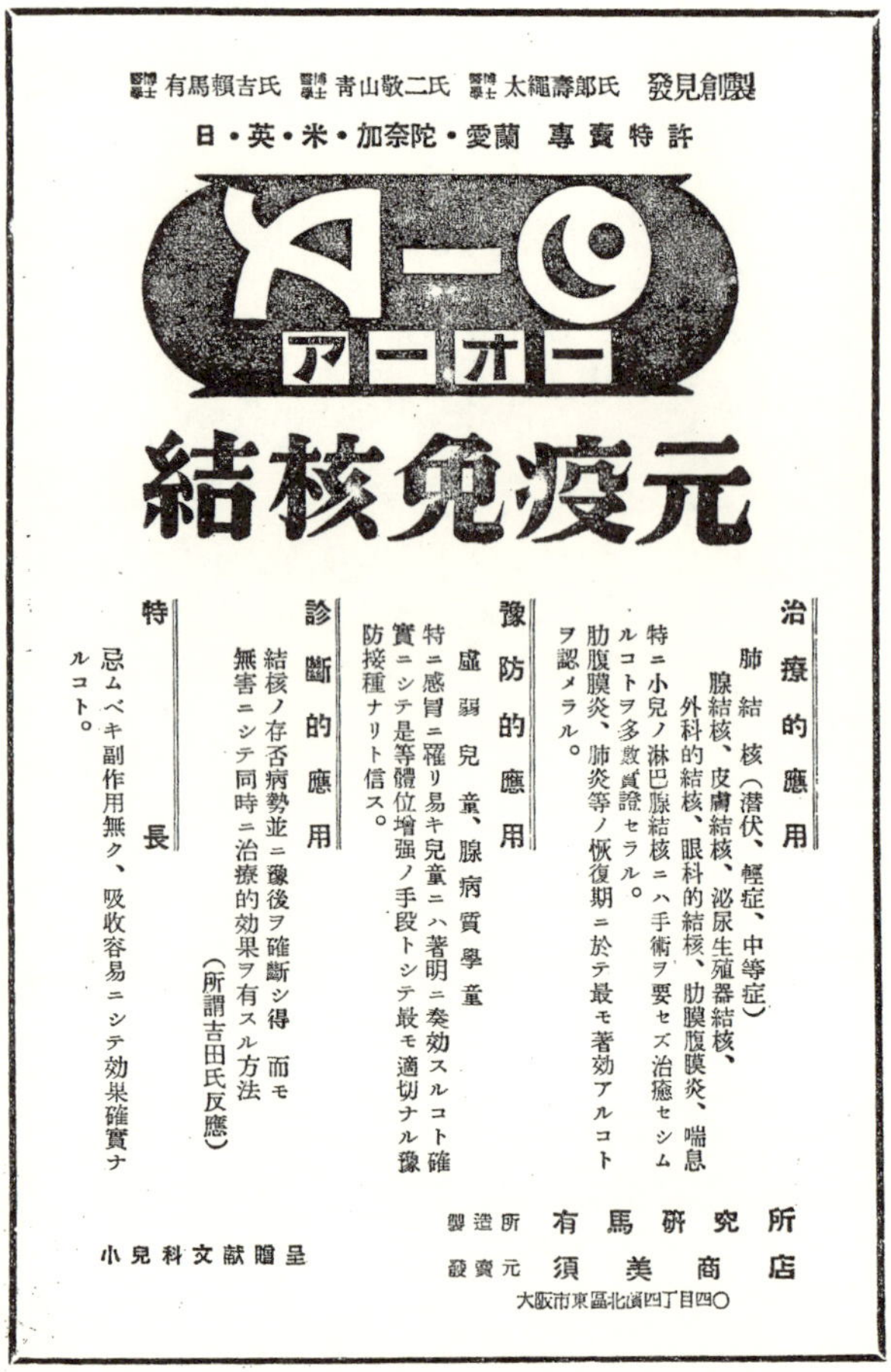
醫學博士 有馬頼吉氏 醫學博士 青山敬二氏 醫學博士 太縄壽郎氏 發見創製
日・英・米・加奈陀・愛蘭 專賣特許
アーオー
結核免疫元
治療的應用
肺結核（潜伏、輕症、中等症）
腺結核、皮膚結核、泌尿生殖器結核、
外科的結核、眼科的結核、肋膜腹膜炎、喘息
特ニ小兒ノ淋巴腺結核ニハ手術ヲ要セズ治癒セシムルコトヲ多數實證セラル。
肋腹膜炎、肺炎等ノ恢復期ニ於テ最モ著効アルコトヲ認メラル。
豫防的應用
虚弱兒童、腺病質學童
特ニ感冒ニ罹リ易キ兒童ニハ著明ニ奏効スルコト確實ニシテ是等體位增强ノ手段トシテ最モ適切ナル豫防接種ナリト信ス。
診斷的應用
結核ノ存否病勢並ニ豫後ヲ確斷シ得 而モ無害ニシテ同時ニ治療的効果ヲ有スル方法
（所謂吉田氏反應）
特長
忌ムベキ副作用無ク、吸收容易ニシテ効果確實ナルコト。
製造所 有馬研究所
發賣元 須美商店
大阪市東區北濱四丁目四〇
小兒科文献贈呈

このマーク
メガネ肝油球
お奨めする方
一般虚弱者、産前産後に
腺病質 肺結核 肋膜
腹膜 せむし 夜盲症
榮養不良による眼疾
感冒にかゝり易き人
一番よい
經濟的國民榮養素
眼鏡肝油
雑誌名記入御申込の方に 文献贈呈
本舗
合資會社 伊藤千太郎商會
大阪道修町

彌榮えゆく御代の春を壽ぎ
併せて一層の御愛顧の程を
お願ひ申上げます………………
月曜休業
大丸
大阪心齋橋

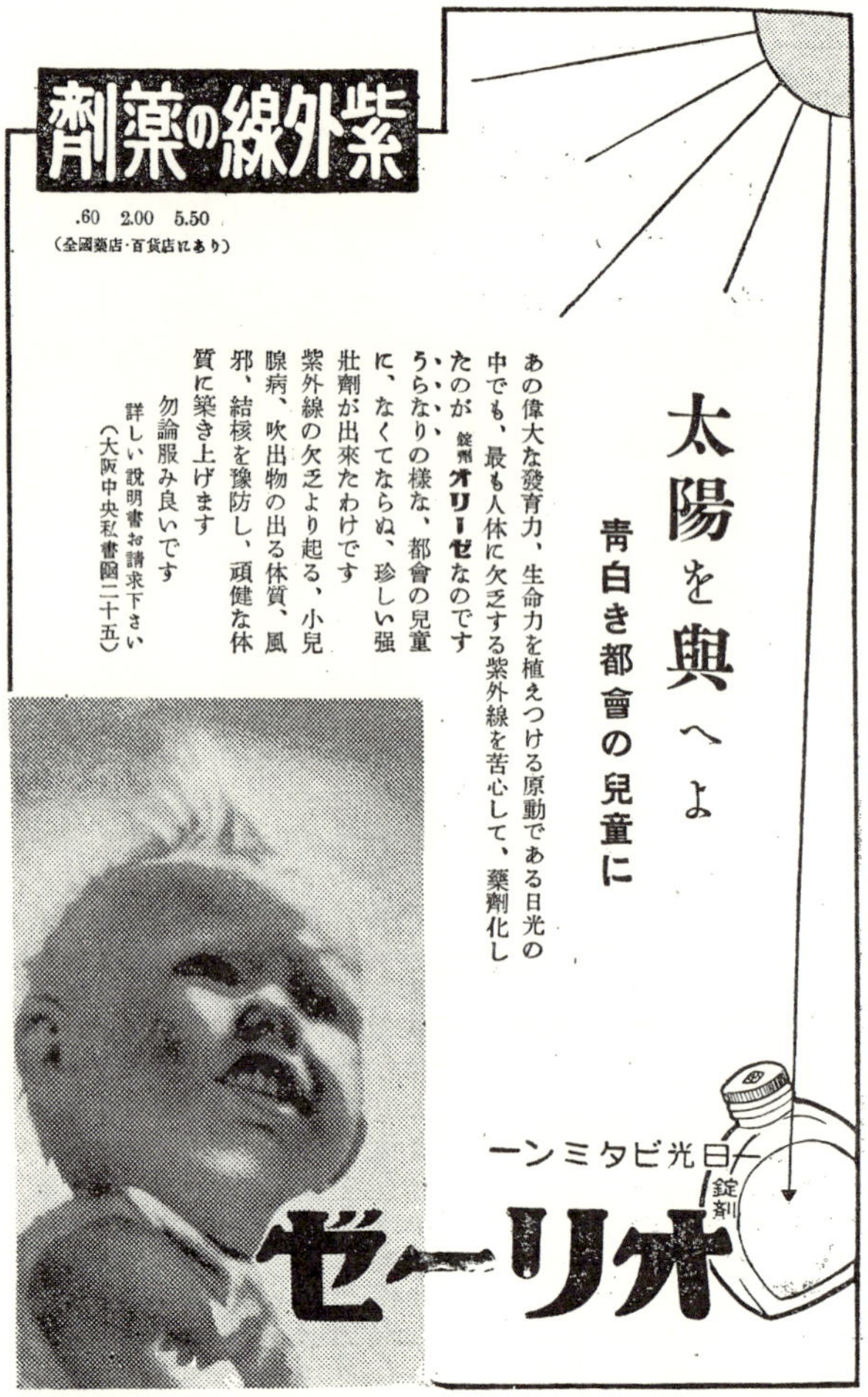
紫外線の藥劑
.60 2.00 5.50
（全國藥店・百貨店にあり）
太陽を與へよ
青白き都會の兒童に
あの偉大な發育力、生命力を植えつける原動である日光の中でも、最も人体に欠乏する紫外線を苦心して、藥劑化したのが 錠劑オリーゼなのです
うらなりの様な、都會の兒童に、なくてならぬ、珍しい强壯劑が出來たわけです
紫外線の欠乏より起る、小兒腺病、吹出物の出る体質、風邪、結核を豫防し、頑健な体質に築き上げます
勿論服み良いです
詳しい説明書お請求下さい
（大阪中央私書函二十五）
日光ビタミン
錠劑
オリーゼ

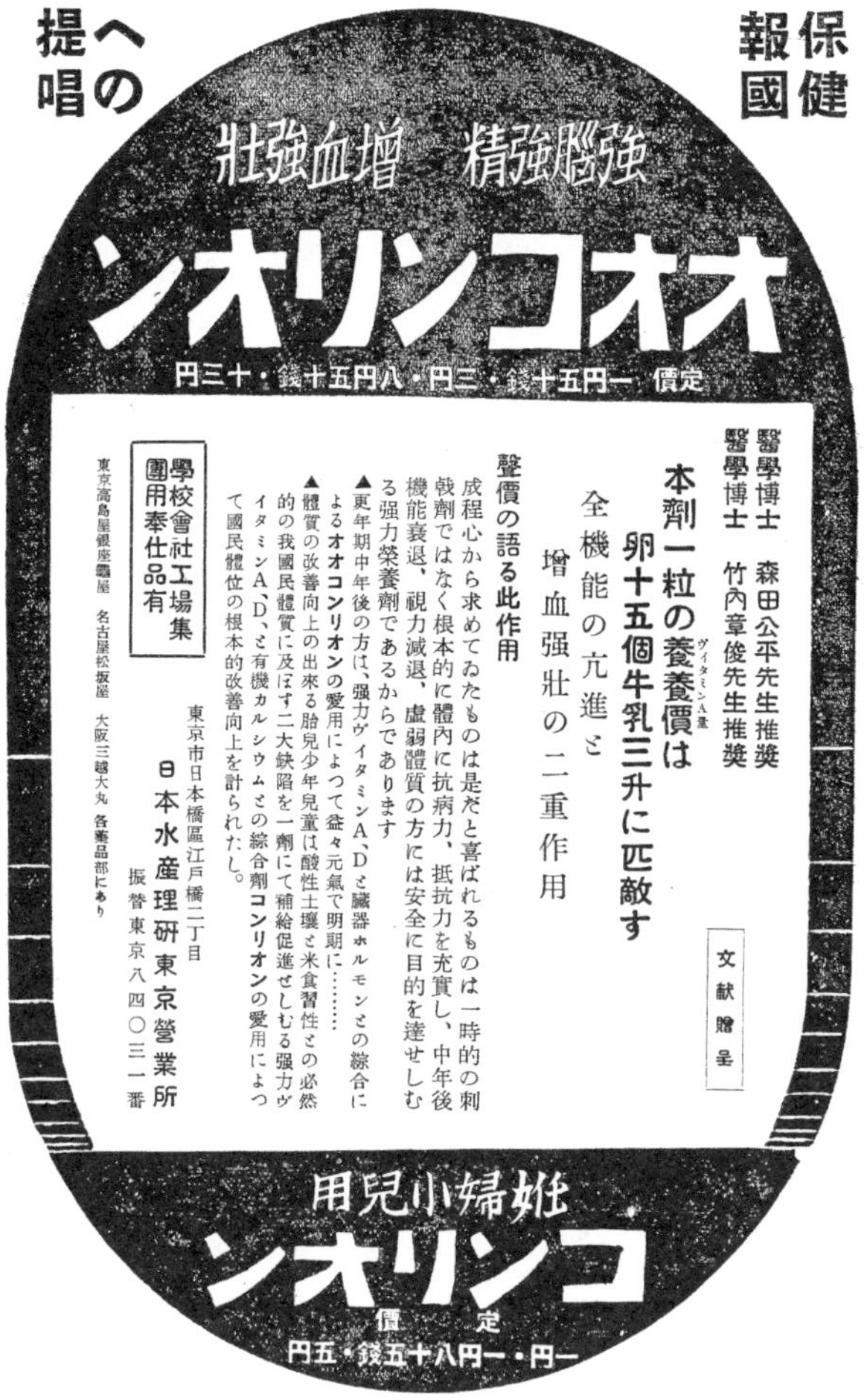

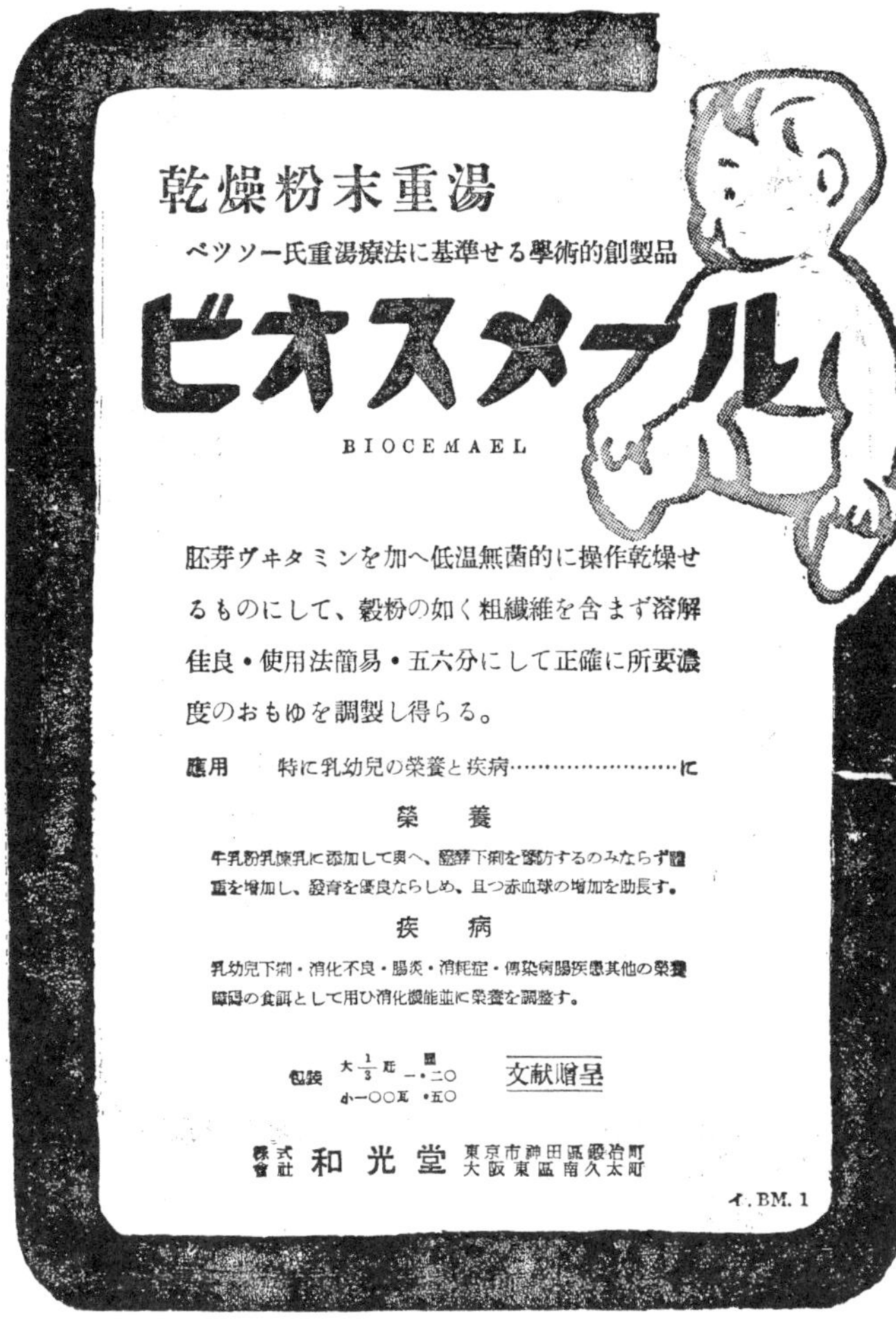

全東京・全大阪乳幼兒審査會表彰式の聖壇

（上）第九回全東京審査會表彰式に於て、山崎總裁閣下が告辭を朗讀さるゝところ——向つて右より木戸文相代理大西學校衞生官、次は内ケ崎文部政務次官——扁額は永野海軍大將閣下が本聯盟のために揮毫されし書。

（下）第十五回全大阪審査會表彰式にて、池田大阪府知事代理長部社會事業主事の祝辭を朗讀さるゝ光景、日の丸の國旗の前は本會々長坂間大阪市長——兜の繪は服部有恒氏の揮毫されしもの。

第三回全大阪市立市民館託兒所

健康優良兒並に「良き齒」の優良兒表彰式

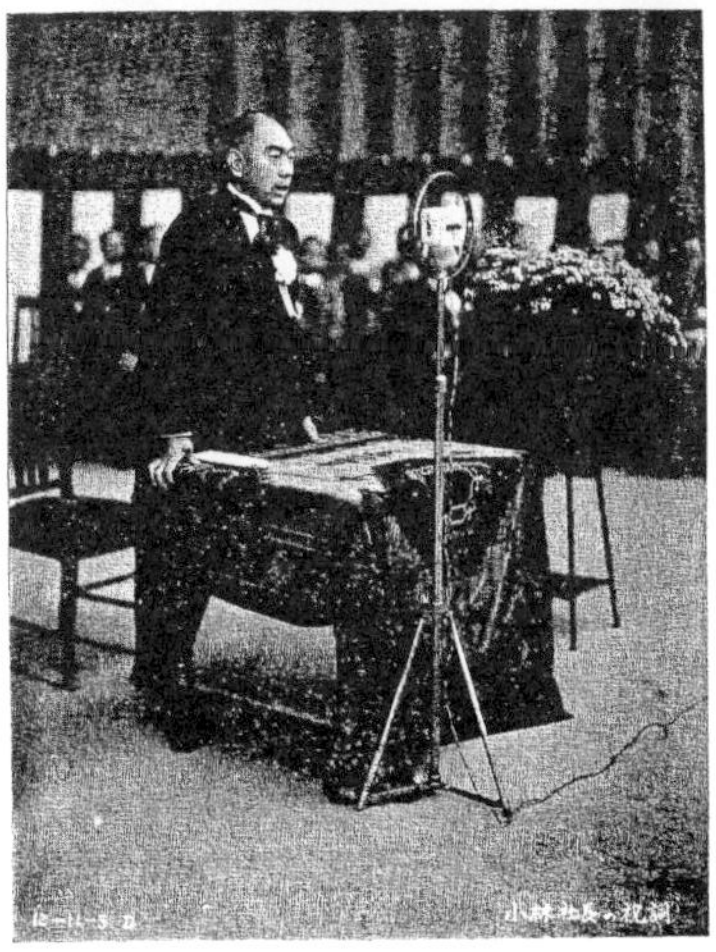

（上）大阪市社會部主催、社會衞生協會並ライオン齒磨本舗協賛にかゝる本會の表彰式は、過般天王寺音樂堂に催され、參加者約二千三百名來會し、各方面の來賓も多數にて實に盛況を極め、森下市助役の祝辭等があつた。上圖は志賀社會部長が賞狀、賞品を授與さるゝ光景。

（下）ライオン齒磨本舗小林社長の祝辭。

坂間大阪市長は表彰された親たちの代表の謝辭をうける

（上） 旣報の通り舊臘大阪三越に擧行された表彰式に於て、一千四百名を四回に別けて表彰した、上圖は代表として河井やゑ子女史が坂間本會々長に謝辭をのべられるところである。（女史の令孫は表彰された）

（下） 喜悅と希望とに輝く健康兒の若き母親たち。

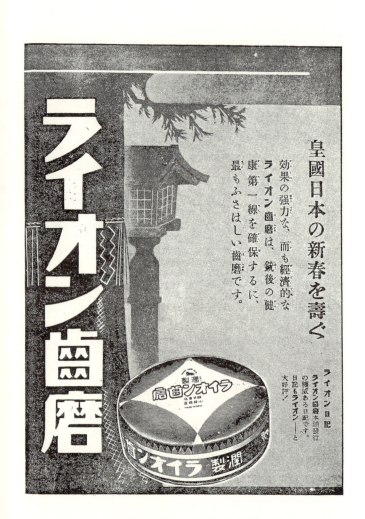

無代進呈

恐るべき鼻病の新治療と云ふ
小冊子御申込次第送呈

鼻 大川ユーカリ吸入器

恐るべきは鼻の病ひ!!

鼻と腦との關係は薄い骨一枚で隣り合せて居るものですから鼻の障害が直に腦へ及ぼす影響はそれは〱强大なものです

貞淑であつた御婦人が俄にヒステリー症になつたり頭腦明快で聞えた紳士が急に神經衰弱や憂ウツ症にかゝるのも多くは鼻の病の故なのです……

鼻がつまりますと自然口で呼吸をする様になりますので最も大切な鼻腔の保護作用と云ふものが働かず從つて咽喉や氣管を痛める原因ともなります

大川ユーカリ吸入器はホンの煙草一本召上るのと同様一回二三分間づゝ一日に三四回御使用になれば宜敷しいのです

ユーカリ油から發散するユーカリガスを吸入しますと鼻や咽喉のカタルを起してる粘膜に刺戟して仲々効果のあるものです

御婦人や御子様にも容易に使用出來て決して見苦しいものでもありませんし又携帶至便で電車の中でも事務所でも何處でも御使用になれます

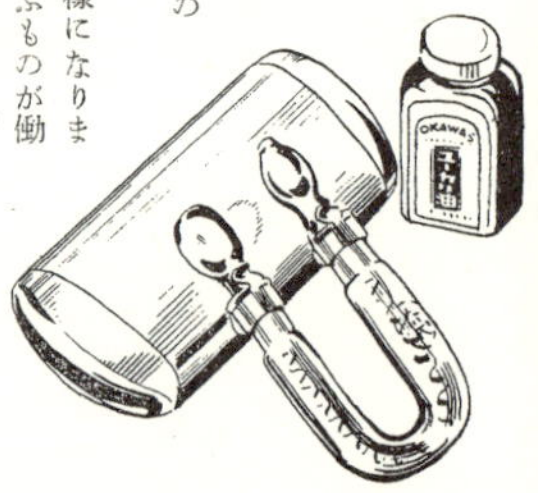

定價 鼻專用 ユーカリ油付 金一圓也
〃 鼻喉兩用 〃 並 金一圓五〇也
〃 〃 上 金二圓也

發賣元 東京市日本橋區本町四ノ七
大川式吸入器本舗

赤ちゃん打ち粉 パーキュロ

赤ちゃんのアセモ・タダレには勿論のこと、旦那様のお髭剃りの後にも亦、奥様やお嬢様のコナ白粉の代用にもなる、肌色芳香、一罐あれば家庭の皆様が重寶する、全く時代の要求によつて産れた新様式の撒布剤はこれです

定價 ・二〇 ・五〇

味の素直系

本舗 東京・京橋・寶製藥株式會社

ライオン齒磨
皇國日本の新春を壽ぐ
効果の强力な、而も經濟的なライオン齒磨は、銃後の健康第一線を確保するに、最もふさはしい齒磨です。
ライオン日記
ライオン齒磨本舗發行の權威ある日記です。日記もライオン——と大好評!
潤製 ライオン齒磨

昭和十三年　子供の世紀　正月號

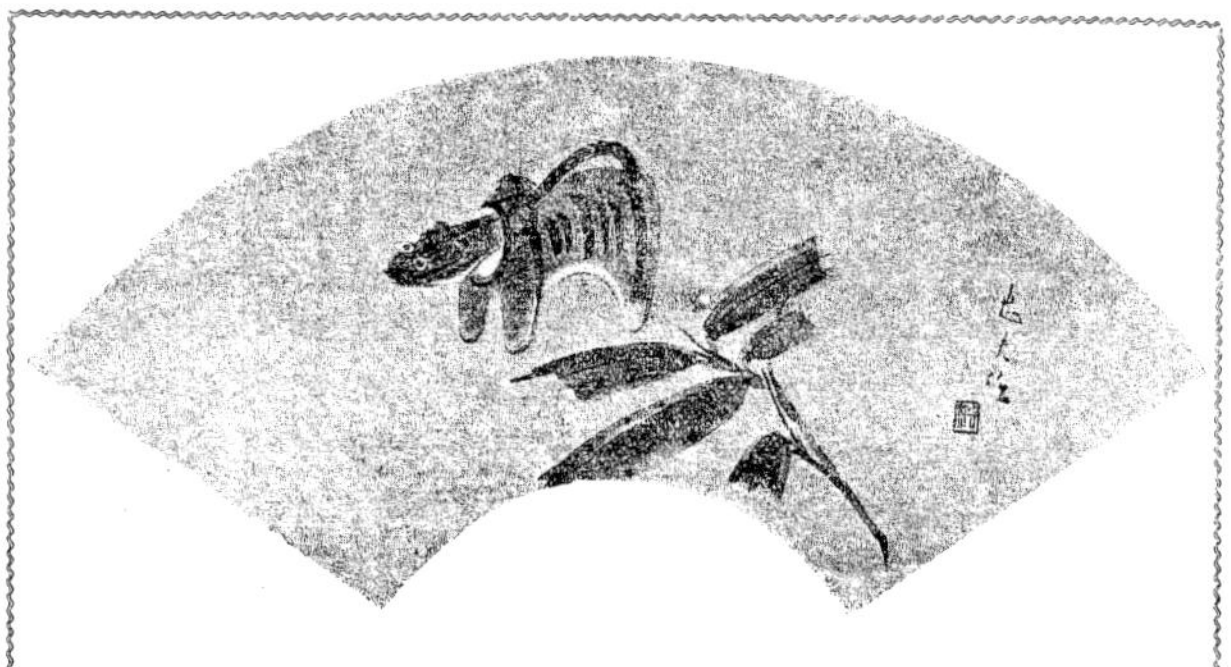

聯盟彌榮

文部政務次官　内ケ崎作三郎

日出之邦有名實
本立末治健康一
兒女襁褓謝母乳
童心天眞流露美
愛育東海君子卵
護衛皇國成人後
聯隊決死守大陸
盟約愈堅獨與伊

卽興頭聯自由詩

愛天學人

―破竹の勢―

吉村忠夫繪

昭和十三年を迎ふ

聯盟常任理事
醫學博士　余田忠吾

旭日堂々東天に昇り、富嶽皚々皇威を放つ。聖威乾坤を壓し、國光日々發揮す。

南京陷落し、北支の政權樹立す。露は我を怖れ、英は躊躇す、正に皇國未曾有の陽春なり。

桑域は將に鸞翔鳳舞の瑞境たるべし、我等一億の國民何ぞ多幸なる。茲に椒酒擧杯、皇威の顯揚を奉祝し、謹んで聖壽の無窮を奉祈せむと欲す。翻つて東洋の風雲を觀察すれば。露は機を窺ひ、英は陰謀を策す。正に是れ帝國未曾有の非常時と謂ふ可きなり。

皇軍は空陸海に艱難と戰ひ、盡忠報國護國の大任を全ふしつゝあり、干戈猶ほ止ます。其終熄は恐くは猶遠きにあるべし。此時に際し、吾等國民銃後の覺悟は頗る眞面目を要するものあり。

保健殊に精神の緊張は、あらゆる銃後奉仕の根本要素にして、現時の國難に處する最も緊要なる覺悟の一なりと謂ふ可し。

世界は正に强食弱肉の古往に還らんとするものあり、宇内に冠たらんと欲するものは、第二國民の養成を第一義として宜しく百年の大計を樹つべきなり。

我が兒童愛護聯盟は茲に創設第十八春を迎へ、斯く光輝ある帝國未曾有の國難に際會し、愈々堅實に步を進め、更に目的に邁進して第二國民の養成上力を致さんと欲するものなり。

冀くば江湖諸賢、幸に倍舊の愛顧と熱烈なる後援を賜はらんことを。聊か記して元頭の所感とす。

池田大阪府知事兒童愛護功勞者を表彰す

―財團法人大阪乳幼兒保護協會創立滿十年記念式―

當協會は昭和二年七月、元知事林市藏氏及び大久保直穆博士の主唱のもとに、府市當局及び斯界の專門家の熱心なる協力に依り、設立を見たのであつて、僅々十年間に着々其の實績をあげ、小兒保健所のみにても十二ケ所の設置を見、更に之が增設を計畫するのみならず、母性及小兒保護の上に各種の事業を經營して、育兒知識の普及は勿論小兒を通じて家庭の保健衞生の指導に努めて來た。爲に大阪市の乳兒死亡率は大正年間には出生百に付二十前後と云ふ悲しむべき狀態で實に世界文明都市中第一位であつたのが、今日では出生百に付十二以下となり國民保健の上に多大の效果を收め得たのである。

今や體位向上を基幹とする保健國策が唱導せられ、政府當局に於ても之が具體化を圖りつゝあるが、本協會が創立以來執り來つた目標は正に此の時局に照してよく之に合致するものと信ずる。

今回滿十年を迎へるに當つて、記念式を擧行し大阪の乳幼兒保護に多年貢献した左記の方々に感謝狀を贈呈し或は記念品を贈つて之を表彰することゝした。

十二月六日午前十時　於大阪府社會事業會館

式次第

一、開式ノ辭　大谷社會課長（協會常任理事）
一、伊勢神宮遙拜
一、宮城遙拜
一、君ケ代齊唱
一、感謝狀贈呈
一、乳幼兒保護事業功勞者表彰狀及記念品贈呈
　協會從事員表彰狀及記念品授與【池田知事（協會長）
　記念品贈呈鈴木學務部長（協會常任理事）】
一、會長式辭
一、來賓祝辭【內務省衞生局長、大阪市長、外ニ祝電社會局長官、愛育會々長】
一、答辭
一、閉式ノ辭　大谷常任理事

表彰狀及記念品贈呈

安達將總氏
協會創立ノ當時大阪市保健部長ノ職ニ在リテ之ガ計畫ニ參與シ爾來常任理事又ハ評議員トシテ盡サレタル功績大ナルモノアリ。

牧野虎次氏
協會創立ノ當時大阪府社會課ニ在リテ其ノ計畫ニ參與シ理事トシテ盡サレタル功績尠カラズ。

村尾靜明氏
協會創立當時大阪市保健課長ノ職ニアリテ之ガ計畫ニ參與シ理事又ハ評議員トシテ盡サレタル功績尠カラズ

三田谷啓氏
兒童保護ノ學理ト實際トニ貢獻シ斯界ノ權威タルノミナラズ當協會創立以來理事又ハ評議員トシテ盡サレタル功績尠カラズ。

伊藤悌二氏
夙ニ乳幼兒保護ノ必要ヲ痛感シ兒童愛護聯盟ヲ起シテ一般民衆ノ注意ヲ喚起シ全國ニ率先シテ赤ン坊審査會ヲ開キ乳幼兒體位向上ニ盡サレタル功績洵ニ大ナリト云フベシ。

棚橋馨石氏
多年堺市產婆會長トシテ斯界ニ盡セルノミナラズ夙ニ乳幼兒保護ノ必要ヲ痛感シ年々赤ン坊審査會ヲ開キ育兒上貢献セラレタル處尠カラズ。

伊坂　春氏
本府下ニ率先シテ農村乳幼兒保護ヲ開始シ居村樽井村ニ「コドモ愛育會」ヲ起シテ乳幼兒ノ保護並ニ母性ノ教化ニ力ヲ致シ斯界ニ貢献セラレタル所尠カラズ。

（以下協會從業員）

岸田欣一氏
多年ニ亘リテ當協會機關雜誌「乳幼兒研究」ノ編輯ニ當リ其ノ功績大ナルノミナラズ小兒保健所設置ニ關シ盡力シタル處尠カラズ。

黑須節子氏
當協會最初ノ保健婦トシテ其ノ任ニ就キ爾來滿十年ニ亘リ熱誠職務ニ盡瘁シ後進ノ指導ニ力メ以テ他ノ範トナスニ足ル。

感謝狀贈呈

大賀彊二氏
昭和三年大賀小兒保健所設置以來年々參千貳百餘圓ヲ寄附シ、育兒上貢献セラレタル所尠カラズ。

聖バルナバ病院代表者
エフ・エム・ジョーンズ氏
昭和三年聖バルナバ小兒保健所設置以來年々其ノ經費ノ全額ヲ支出シ育兒上貢獻セラレタル所尠カラズ。
長谷川義市郞氏
昭和三年長谷川小兒保健所設置以來其ノ經費ヲ協會ト共同支出シ、育兒上貢獻セラレタル所尠カラズ。
乾卯兵衞氏
昭和四年西野田小兒保健所設置以來其ノ經費ヲ協會ト共同支出シ育兒上貢獻セラレタル所尠カラズ。
長尾欽彌氏
昭和五年長尾小兒保健所設置以來年々參千六百餘圓ヲ寄附シ、育兒上貢獻セラレタル所尠カラズ。
桃谷順一氏
昭和拾貳年及同診療所設置以來、其ノ經費ノ全額ヲ寄附シ育兒上貢獻セラレタル所尠カラズ。

乳幼兒死因觀察と育兒心得

醫學博士　芳山　龍

昭和九年内閣統計局の統計表を見ると、内地人總出生二、〇四三、八〇七に對し總死亡一、二三四、五八三である。

五年未滿の死亡數は四一三、一七五で總死亡數の約⅓强を占め、一年未滿の死亡數は二五五、〇六三で總死亡數の⅕强に相當してゐる。

出生百中一年以内に死亡する者十二人强、五年以内に死亡する者二十名强に上り、年齡の幼弱なる死亡率が大である。

死因	總數	五年未滿	乳兒
結核性疾患	一三一、五三五	五、二〇六	一、〇三〇
下痢及腸炎	一三八、四五三	九一、八三八	四六、〇三六
肺炎	一三四、一一七	七七、三三七	四五、六一三
腦出血栓塞血栓	一一四、四四七	二〇八	七八
老衰	八七、三三三	—	—
先天性弱質(三月未滿)	六八、六〇四	—	六八、六〇四
腎臟病	五九、五六三	六、一五六	二、〇七〇
癌及惡性腫瘍	四七、九七二	一四九	四二
腦膜炎	三九、九二四	二五、四三九	一一、一五七
不慮の傷害	三一、七三五	七、二三五	一、三八九
氣管支炎	二七、〇二四	一三、七一四	八、一二九
心臟辨膜病	二四、〇四九	五四四	一五九
肋膜炎	一七、八一一	二、九九三	一、〇五三
疫痢及赤痢	一五、四九〇	一〇、八五二	一四九
自殺者	一四、五五四	—	—
ビタミン缺乏症	一一、八四一	六、八九四	六、四〇四
胃及十二指腸潰瘍	一一、七三五	一八五	三六
流行性感冒	一〇、一四一	四、一〇一	二、六四二
痲疹	九、七八四	九、一九四	二、〇八五

死因	總數	五年未滿	乳兒
敗血症及膿毒症	九、二五二	三、一九八	二、〇三一
腸チフス及パラチフス	八、五二〇	一二九	一〇
百日咳	八、五三一	八、三三三	四、五〇二
早產	五、六五四	—	五、六五四
黴毒	五、五五五	二、三〇六	三、一一七
脫腸及腸閉塞	五、四七八	一、五一三	一、〇二七
精神病	五、四四三	七	一
ヂフテリー	五、三三五	三、七二三	三七
狹心症冠狀動脈病	四、七九一	三一	一七
肝硬變	四、六九六	一〇八	七九
皮膚及皮下組織の疾患	三、二五一	一、六〇一	一、一八一
心筋の疾患	二、八九二	一三〇	四一
糖尿病	二、七二八	八	—
良性腫瘍	二、七一九	二二三	九〇
虫樣突起炎	二、六〇九	四一	五
骨及運動器疾患	二、三三四	四二九	四六
白血病其他血液疾患	二、〇六〇	五九九	二七九
寄生虫寄生原虫	一、九七八	三一九	三四
姙娠中毒	一、六八七	—	—
產褥熱	一、三七八	—	—
產による出血	一、三〇七	—	—

(以下省略)

總體の上では結核性疾患で死する者が最多く、總死亡數一割强を占め、下痢及腸炎、肺炎之に次いで居るが、五年未滿の乳幼兒は下痢及腸炎で死ぬ者が斷然多く、肺炎腦膜炎、氣管枝炎、疫痢、痲疹、百日咳の順位である。

乳兒にありては先天性弱質を第一歩とし、下痢及腸炎肺炎、腦膜炎、氣管枝炎、乳兒脚氣の順位である。

赤ん坊の生命を奪ふ所の先天性弱質及び乳幼兒の生命を脅す異常體質(滲出性體質、胸腺淋巴性體質等)は兩親から遺傳するものであつて、乳幼兒の死亡率を減少せしめんとするには、兩親の結婚に溯つて考へねばなりませんが「氏より育ち」の諺の通り虛弱な體質も用意周到な兩親の努力によつて、或程度まで改善せられ、又反對に天賦の體質も環境が惡ければ發育障害を起し、精神の上にも異常を現はして來る事を忘れてはなりませぬ。

次に此統計に就て考ふべき事は、乳幼兒の生命を奪ふ疾患の多くは、病原菌の感染に基く事であります。生後間もない赤ん坊は母乳を通じて母體の免疫體を攝取するから傳染病に罹り難いが年長するに從ひ傳染病に罹り易くなります。

一般に傳染病は、體細胞の抵抗力が弱く、免疫性の減退に乘じて發病するもので、年齡の幼弱なる者程、又榮養狀態の不良なる者程危險であるから、平素病原菌に對する抵抗を增進せしめる樣、健康に注意すると共に出來るだけ傳染から愛兒を保護する用心が大切であります。

更に本邦乳幼兒の生命を奪ふ所の疾患の主なる下痢及腸炎、疫痢、乳兒脚氣等は食物の缺陷から來るもので歐米人に比べて育兒に對する理解の乏しい結果と謂はねばなりません。

我國は子供の天國と云はれる程、昔から貴賤貧富の差別なく赤ん坊は均しく母の懷で育てられるのであるが近頃職業婦人の增加するに從ひ、又昔稀であつた脚氣が全國に蔓延した爲に離乳せねばならぬ場合が多くなり、乳瓶で育てられる傾向が多くなりました。

人工榮養兒は母乳榮養兒の樣に、母體から免疫性を享ける事が出來ぬ爲に、種々の皮膚病や傳染病に罹り易く又消化器障害も起り易い事は當然であるが、本邦人工榮養兒の死亡率は母乳榮養兒に七、八倍する程で人工榮養法が拙劣であります。

要するに我邦乳幼兒の死亡率が歐米に比し著しく高いのは

一、粗製濫造の結果、先天性弱質や異常體質兒の多く生れる事

二、交通機關の發達に比べて、社會衞生機關の設備が不完全で、傳染病豫防法が徹底せず傳染機會の多い事

三、民衆に衞生並に育兒に關する知識の普及が不十分である事

が主なる原因であらうと思はれます。

育兒の心得

子寶といふ如く子供は一家の至寶であり、人口の增加は國家の將來を鞏固にする所以でありますが、數が增へても質が惡ければ役に立たず、子供が多く生れても、不肖の子は親泣かせに過ぎない。

自殺者の數が、米國人口八十萬に對し八名の割であるが我國では二十五名の多數に上る程、世の中はせち辛くなつて居りますから、子澤山の大衆の生活は愛兒の擁護に力を盡す餘裕に乏しい點も考へられるが、世上往々皮肉にも後生大事に育てられる獨り子や、有閑家庭の坊ちやん、孃ちやん達に虛弱體質、腺病質、神經素質小兒を見受ける事が少くない。

愛兒の大病に當つては周章狼狽する有樣は餘所の見る眼も御氣の毒に堪えぬ者があるが、平素の疾病豫防と健康增進に就ては案外冷淡であるのに驚かれます。

痲疹、猩紅熱、百日咳、ヂフテリー等の小兒傳染病は幼稚園や學校で傳播される事が多い、熱が下ると平然と出席して居る子供が少くないは何とした事でせう。

子供の爲に遣り繰り算段も敢て辭せない親心は洵に尊

いものであるが、一の豫防は百の治療に勝る、此道理を辨へながら愛兒の教養に一生懸命になり得ない所に、人生の惱みがあるであらうけれども、大自然は萬物の上に無限の恩寵を垂れ給ふ、正しき努力は家庭を潤し、理解ある育兒法は健康の恢復を齎し得ること、因果の法則に顧みて明白であります。

子供は親の延長で赤ん坊は母乳を通じて母の性格を吞むと云はれる通り、兩親の性格や動作は天眞爛漫な赤ん坊の心理に反映し、烙印的な感化を與へるものである。

搖籃時代の躾や習慣が小兒の第二の天性となりやがて將來を左右する原動力となるものですから先づ家庭生活の改善に努力し、育兒の正しき智識が遺憾なく發揮せられ、實行せらるゝ所に、育兒の要諦があると云はねばなりませぬ。

第十五回全大阪赤ん坊審査會表彰式

會長式辭

本日茲に第十五回あかんぼ審査會表彰式を擧行するに方りまして、會長として一言御挨拶申上げます。

本審査會も年毎に隆盛に向ひまして、殊に本年は申込數八千名の多數に達し、內約三千名は限られました審査能力の都合上、止むなく御斷り申さなければならなかつた樣な盛況で、其の成績も例年に比して著しく良好なるものがありましたことは、現下非常時局の際何よりも心強く感ずる次第でありまして、衷心より御同慶至極に存ずるものであります。

扨て本年の審査會の結果を申述べますと、審査致しました總數は三千二百十七名、其の中發育最も優良なる者三百九名、優良なる者四百七名、佳良なるもの七百五十七名、發育普通なる者千七百四十四名となつて居りまするが斯く發育佳良以上の御子樣達が、千四百七十三名で總數の約五割にも達して居りますことは、誠に優秀な成績でありまして、私達は非常に意を強くするのであります。

斯樣に皆樣の御子樣達が良好なる發育を遂げられましたことは、天賦の體質によることは勿論でありますが、就中御兩親不斷の御注意と御努力の賜物であると深く信じ、滿腔の祝意を表する次第であります。

今般大阪市に於かれましては、本會が專ら乳幼兒保護に寄與しつゝある功績を賞せられ、尚又益々育兒思想の普及啓發に資する意味から、優良章を御寄贈されたのであります。

本會は之を拜受致しまして、今回の審査會に於て最優良兒と認定されました中で、更に優秀なる男女合計四十名の御子樣に御頒ちすることに致します。

本日表彰せられました皆樣に於かせられましては、この名譽を永く保持されまして、圓滿なる御發育に尚一層の御努力を致されますことを切に希望する次第であります。

一言簡單乍ら御挨拶と致します。

昭和十二年十一月二十五日

會長 大阪市長 坂間棟治

—結婚御祝品として最適—
始めて出版された人生記錄帖
わが家の記錄
結婚を礎石とし、家庭生活として築かれゆく人生の記錄を、寫眞や記事によつて巨細に綴りゆき一家の歷史を完成するための貴重な記錄帖です。
四六四倍判橫綴（竪約九寸、橫約一尺三寸）百二頁
表紙裝釘—川端龍子先生筆 龍村製織所別織
各頁に樋口富麻呂先生の美麗な飾畫入
（桐箱入）定價 十八圓
大阪 高麗橋
三越
四階 圖書部

第十五回全大阪赤ん坊審査會表彰式

答辭（受賞者兩親の代表）

此度第十五回全大阪赤ん坊審査會の優良兒表彰式を施行せらるゝに當りまして、不肖私共の子供等が、四千名の大多數の中から特に選拔せられ優良兒として表彰を辱うし、只今會長坂間大阪市長閣下より、洵に御懇篤なる御告示を頂戴致しまして、感激に堪えぬ次第であります。

申上げる迄も無く、本審査會は日本全國に魁けをして、兒童愛護を首唱せられた大阪兒童愛護聯盟の御主催に係る極めて權威あるもので御座いまして、斯樣な光輝ある歷史を持つ團體から表彰して頂く事は、私共親として無上の榮譽であり歡喜の極みであります。

今や我國は未曾有の時局に相遇して居ります、此時にあたり、親として多大の感謝を捧ぐると同時に、亦大なる責任を感ずるものであります。子供は家の寶であり、國の寶であり、國の礎であります、何者にも代へ難いものであります。是が肉體的に精神的に健全に育つか否かゞ、國家の消長に重大な關係を持つと信じて疑はぬ次第であります。廿年後の日本に備ふる爲めに催をされた、本審査會の至高なる御目的を必ず無にせざるやう、先以て親自ら健康に注意し、精神の向上を圖り、各自の職分に最善を盡し、子供の愛護を完成した善良なる親たるの資格を作り度いものであります。

會長坂間閣下の御言葉の如く、何時迄も子供の健康增進に十分注意を拂ひ、俗に三ツ兒の魂百迄もといふ諺もありますから、子供に立派な魂を植付け培養して、本日頂きました優良兒の榮冠を永久に失はぬやう、將來は誓つて國家に有爲忠良なる人間となります樣、親として必至の努力をいたしたいと存ずる次第であります。

時恰も日獨防共協定の記念祝賀の日に當り、一層此感を深くし責任を痛感するものであります。洵に簡單ではありますが茲に會長閣下の御告示に對し、不肖吉坂泰太郎乍潛越一同を代表致しまして深く御禮を申上げ覺悟の一端を披瀝する次第であります。

昭和十二年十一月廿五日

代表 吉坂泰太郎謹言

第十五回全大阪赤ん坊審査會表彰式

祝辭

大阪兒童愛護聯盟主催の下に、本日茲に第十五回の優良あかんぼ表彰式が擧行せられるに方りまして、一言祝辭を述べますことは私の欣快とする所であります。

今日我國は未曾有の重大な時局に遭遇して居ることは今更申すまでもありませんが、此の非常時局にあたりまして、國民の體位を向上し、心身を鍛錬することは極めて緊要であります。大阪兒童愛護聯盟では既に十五年前より全國に卒先してあかんぼ審査會を行ひ、國民の體位向上に盡して居られるのでありまして、其の目標は今日の時局に照してよく之に合致するのであります。

この時局にあたりまして、第二の國民である赤ちやんを優良兒たらしめることが、母として國家に對する何よりの義務であることを一層深く感ずるのであります。

此の秋にあたつて、本日表彰を受けられました赤ちやんの名譽と、お母さんの御喜びは格別であると存じます、何うか本日の表彰の趣旨を體して今後とも此の名譽を損ふことなく、心身共に優秀な次代の國民たらしめらるゝ様切望して已みません。

聊か所懷を述べて祝辭と致します。

昭和十二年十一月二十五日

大阪府知事　池田清

第九回全東京乳幼兒審査會表彰式

審査に就ての所感（審査主任として概評）

醫學博士　中鉢不二郎

只今此處にお集りのお子さん達を見ますと皆よく發育された健康な方々の樣に見受けます。過日の審査から今日迄の間には、思ひがけぬ病氣の爲に當時の狀態より發育の具合が惡くなつて居るお子さんもあるかと思はれます。又は其後益々好調の發育を遂げて居られる方もありませう。今此處に居られる方々は確かに後者の方のお子さん方と存じます。審査當日に於ては其時の狀態によつて幾分の差別を付けましたが、之は其當時の狀態によるものでありますから、左樣御了承をお願ひします。

本日此機會に於きまして、私の所感の中の一つを申し上げたいと思ひます。それは審査に御連れになる、お子樣を見ますと、四、五ケ月の子供が一番多く、其前後は次第に少くなる事に氣付きます。殊に一年前後は比較的少いのであります。之は色々と理由もある事と思ひますが其一つの理由として重要なるものは、四、五ケ月の乳兒は普通の體質を有する者なれば、母乳が充分なれば親に自信を持たす程度のよい發育を遂げるのが普通であります。それ故に此頃の子供が一番多いのではないか、お誕生前後になると親御さん達にも自信のある子供が少くなるのではないかと思はれる。昔の老人は「乳《ち》離《ばな》れの時は瘠せる」と云つて居た樣ですが此の樣なことが今日も尙あるのではないかと大に心配になる事であります。一年前後から二年迄の發育の不良な事は、傳染病其他の病氣に罹ることが多く、從つて死亡も多くなることになります。

歐洲諸國では乳兒の人工榮養が多くなると乳兒死亡率が高くなると云ふので母乳榮養を成るべく長く十ケ月以後迄もする樣にと奬めて居ますが、なか〳〵行はれませんで半年も經つと半分以上も母乳を離す位になり勝であります。しかし母親の育兒知識の向上によつて死亡率が非常に減じて參りました。之によつて見ますと母乳は非常によいものではあるが只長い間呑ませると云ふことだ

けがよいと云ふわけではない。乳の外に物を食べる時代になつた時に適當な食物を作つてやることが大切なことであるのです。之の出來ない處では、母乳は如何に長く與へても未開の國などで案外死亡率が多いと云ふが如きであります。そこで母乳と共に、乳幼兒に適した食物を作つてやるか否かゞ乳幼兒死亡率を動かす大きな原因となると思ひます。之が文化の程度を現はす一助ともなると云つて居る人があります。

我國は、歐洲諸國よりは一般に母乳榮養が多いに拘らず吾々の希望する死亡率より少し高い死亡率を有して居ると云ふことは其一つの大原因は、乳幼兒時代の食物にあると思ふのであります。此時代の食物を今少し注意し軟かに消化し易くして榮養分の揃つたものを少し手をかけて作つてやる樣に出來れば、よい發育をする子供が多くなつて、此會へも八、九ケ月から二年近く迄の子供さんが澤山來られる樣になるのではないかと思はれます。

今日の時局重大の際に當りまして、乳幼兒の食物に注意しお母樣は子供の消化力にふさはしい食物を作つてやり、お父樣は又お母樣の育兒に理解を持つて下さつて、共に子供の發育を良好にして死亡率を減ずることに努められて、育兒の方面から見ましても世界の一等國の列に堂々と入り得る樣に努力して戴きたいと存ずる次第であります。

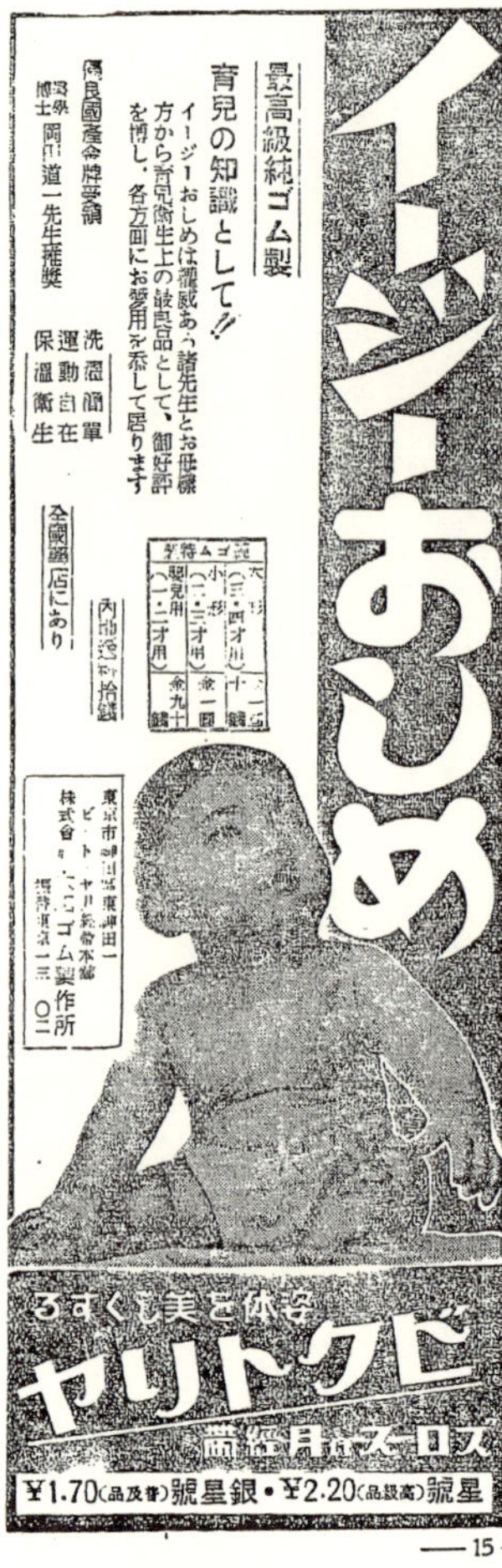

名作曲家の列傳（二の上）

フレデリック・ショパン

Frèdèric François Chopin

秋保孝藏

フレデリック・ショパンを識らないではピアノを語ることは出來ない。彼はこの方面にかけて獨特の地位を占めてゐるからだ。彼の音樂は人の智性よりもその心情に觸れる或物を有つてゐる。彼のは生命の音樂、愛の音樂である。その高雅な、柔和な、上品な、清淨な、しかも微細の點に於ても正確なその特質は聽く人の心情を恍惚たらしめずには措かない。作品は作者の僞らない表現であるから、かゝる精錬雄辯な音樂の作者は柔和な、高雅な人物でなければならない。

父は佛國人、青年の頃友人の事業を助くるためポーランドのワルソウ市に移り、後同地のスカルベク伯爵家の家庭教師になる。妻は貧乏ではあつたが名門の出であつた。彼等の間に三人の女兒と一人の男兒とがあつた。フレデリック・ショパンは、一八〇九年三月一日、ワルソウ市から廿八哩ばかり隔つてゐる田舍にて生れた。父はその翌年ワルソウ市に新たに起された學校の佛語教師になつた。後彼は自分で家塾を創設した。フレデリックはかうした道德的な智的な、雰圍氣の中に育つたが、音樂特にピアノに對する異常な天分を表したので、或る教師から特別な指導を受けるやうになつた。進歩著しく、十二歲の頃には最早その教師の指導を受くるに及ばぬ位になつた。

八歲の折或る有志の音樂會の席上ピアノを彈奏したことがある。聽衆はその技倆に驚き、第二のモツアルトであると賞めはやした。翌年また或る會合で彈奏したが、殆んど無意識で鳥の囀るやうな巧妙な彈奏を試みた。家

に歸つてから母が、『皆さんの一番好きなのはどれだつた』と訊いたので、彼は『お母さん、皆さんは私の襟ばかり見てましたよ』と無邪氣に答へた。

彼はピアノを始めた頃から作曲もやり出した。まだ文字も書けない時から作曲について考へてゐたといはれてゐる。先生は側にゐて彼の彈く樂曲を紙面に書かされたものである。十歳の時進行曲を作つてコンスタンチン大公に獻じたことがある。大公はこれを樂隊向きに書換へて觀兵式の折に演奏したさうだ。其頃より彼の生涯の助言者であつたヨセフ・エンスネルから作曲の指導を受けた。

學校に於ては彼は良生徒であつた。二度も賞與を貰つたことがある。よく勉强もするが惡戲の巧みな子供であつた。よく姉達や友人等にからかつて人々を笑はした。或る人はこの少年は豪い役者になるやうに生れて來たとまでいつた。ショパン家の若い人々はみな讀んだり書いたりすることが好きであつた。

十五歳の折、彼は初めてピアノ曲は短調の循環曲《ロンドー》を公にし、間もなくモツアルトのドン・ジオヷンニに倣つて一組の變調作品第二を出した。この頃から彼のピアノ曲には獨特の長所が表れてゐたといふ。シューマンが試みたやうに彼も亦成るべく廣い範圍に指が擴げられるやうにいろ〳〵工夫した。

一八二七年、彼はその地の學校を卒業して生涯音樂研究に身を委ねる決心をした。時に齡十七歳、彼は脊の高い、風采の勝れた、廣い額と生氣滿々たる兩眼の持主であつた。弱いといふ程ではないが、頑健ではなかつた。學校生活に於ても遠足などに行くよりは木蔭で靜に物思ひに耽る方が好きであつた。煙草は彼の最も嫌ひなもので生涯手を觸れなかつた。音樂に對しては極めて熱心であつたが、身體が弱いので母親や姉達は始終その健康を氣遣つてゐた。

まだ年若き音樂家は旅行によつて多少世界を見たいと思つてゐた。遂にその時が來た。父の友人でワルソウ大學教授ジャロツキ博士がベルリンに於ける哲學會へ出席のため近く出發することになつた。善良で親切な博士はその友人の子フレデリツクを伴つて同地に於ける優れた音樂を聽かさうと思つた。少年は飛立つばかり喜び、博士に同道して憧憬の都ベルリンに行つた。そして名高い音樂家の演奏を聽いた。併しその一人にも個人的には面會しなかつた。彼はこれらの大家に面談すべく餘りに臆病であつた。只遠方から彼等の風采を見ただけであつた。音樂學校に於ける音樂會に就いて郷里に送つた手紙の一節に彼はかう書いた、『スポンテニ、ツエルタ、メンデ

ルゾーンなどの顏を見ましたが、私は誰にも會ひませんでした。どうも面談する資格がないと思ひましたから』

彼の傳記者ニークスは當時の彼について次の如く記してゐる、『ベルリンを訪問した當時、ショパンは生々した敎養ある立派な青年であつた。彼は華美な衣服を着て歩くことを好んだ。併し人生の裏面に潜む喜悦や悲哀、愛情や憎惡の深い事實をまだ知らなかつた。』

ベルリンに二週間滯在の後兩人は歸路に就いた。途中小さな旅舍で馬を換へるので一時間ばかり待たされた。ショパンは何氣なしに家のなかを覗いて見ると、片隅に古い一臺のピアノがある。彼の心は躍つた。彼は無斷でピアノに向つてポーランドのメロデーを彈きはじめた。すると並居る同行の客は、その妙音に引かれて一人寄り二人寄りして彼の周圍を取りまいてしまつた。遂には旅舍の主人、女房、娘までが集つて來て、それに聽惚れたのである。馬車の馬も調ひ、出發の時間も迫つたのに彼等は彼を歸さうとしない。更に彼等のために彈奏を試みたが、彼等は歡喜に溢れてこの若い音樂家のために乾杯した。最後に彼はその厚意に報ゆるためにポーランドの舞踏曲を彈いて聽かした。すると脊の高い力の強い旅舍の主人は彼を抱きかかへて馬車へ乘せてくれたさうだ。

當時一人前の音樂家として世に立つには世界の舞臺に出て自己の技能を示さねばならなかつた。そこでショパンは親しい友達三人と共に、一八二九年、ベエトオフエン・シューベルト其他名高い音樂家の居つたヴインナを指して修業の旅に出た。彼は澤山の紹介狀を携帶した。同地に於て名ある人々の前で彈奏を試みた。彼等はみな彼に公開の演奏會を催したらどうかと慫慂した。それ程の技倆を有つてゐて公表しないのは師に對しても、兩親に對しても、また彼自身に對しても濟まないことだとまでいつてくれた人もあつた。ショパンは決心して演奏會を公開することにした。その時の手紙に、『私は決心しました、彼等は私が必ず稱讚を博してモセレスや、ヘルツや、カールブレンネルと相並ぶ第一流の音樂家になれるだらうといつてくれました。』と記してゐる。そして演奏會が催されたのは彼がヴヰンナに到着してから十日目であつた。非常な成功で、次週、第二回目を開いた位人氣を博したものだ。兩回とも彼自身の作品や、卽興曲を彈奏した。二週間目の終、郷里に向つて去る日に彼はその家庭への手紙に、『評判は段々宜しく、私は嬉しくて堪りません。』と書いてやつた。途中一行はプラーグ、テプリツツ、ドレスデンに各々二日づつを費して無事ワルソウに歸つた。

友情と愛とは彼の一生を通じて働いた二つの動力である。彼は友人と交ることを極めて厚く、如何なるものをも尊重し、且つ信頼した。ヴォイチコウスキーとの親交は名高いもので、この友と別れる時に書いた手紙は何とも美しいものであつたといふ。婦人に對する愛は彼の內的生活を支配した力であつて、これによつて幸福をも感得し、また悲哀をも經驗した。ワルソウ市の音樂學校聲樂科の生徒にコンスタンテア・グラドースカといふ綺麗な少女があつた。この女の樂才に對する彼の稱讚はいつしか熱烈なる初戀と變つた。まだ一回も面談したことはなかつたが、女のことが忘れられず、一人淋しくその姿を胸に浮べては絶えずおもひつづけてゐた。思慕の念は日々に募つて來た。彼は毎夜女を夢みるのであつた。女が初めて歌劇の舞臺に立つた時、その成功を他所事ならず喜んだ。彼はこれ程おもひ焦れてゐながらその意中を女に語らなかつた。この燃ゆるやうな感激を彼は只その愛するピアノ彈奏に打込んだのである。

傳記小說

高橋是清（廿七）

小杉健太郎

攝政宮殿下の有難い優諚

騷然たる選擧が過ぎると、五月二十六日、畏くも皇室に於かせられては攝政宮殿下と良子女王殿下の輝かしい御婚儀の盛典が執り行はせられた。そして三十一日には重臣を宮中に召されて、御芽出たき饗宴を賜はつたのである。

その夜、前官禮遇を賜はる是清も、この光榮に浴して參內し、御廊下に諸員とともに整列して兩殿下の出御を御迎へ申上げた。そこには、丁度、加藤、犬養などの護憲仲間がこゝでも仲よく肩を並べてゐたのであつた。

やがて皇后陛下を御先頭に攝政宮殿下、同妃殿下がしづ〳〵と御廊下へ玉歩を歩ばせられた。諸員はうや〳〵しく最敬禮をしてゐると、皇后陛下がその前を御通り過ぎになり、つゞいて攝政宮殿下がお進みになつた。その時、殿下には、ふと是清の光る禿頭と、福々しい圓顏に御眸を止められ、ツト玉歩をお止め遊ばして

「高橋、當選してお芽出度う。」

と、仰せられた。思はず是清の兩眼はボウッと潤んで、畏くも龍顏をさだかに拜し奉ることもできず、たゞ「ハッ」と申しあげただけで、御答への言葉さへ胸につかへて了つたのである。

何といふ光榮！何といふ辱けなさ！是清はたゞ夢見るやうに、體をワナワナとふるはしてゐた！

しかも、彼はこの身にあまる光榮を深く胸に包んで誰にも洩さなかつた。が、すぐ隣りでこの感激の光景を拜した加藤高明が護憲三派の當選祝賀會で、このことを自分のことのやうに喜んで列席者に披露した。

「畏くも攝政宮殿下の玉音は、いま尙、わたくしの耳に殘つてをります。實に高橋君一代の光榮だと存じます。」

一同はいたく感動して、今更のやうに是清の顏を見直した。是清は椅子から立上つて、頭を下げながら影像のやうにヂツト敬虔な姿であつた。思はず一同は拍手を送つた。

宮中の御慶事も滞りなく終らせられたので、それを一名目として延命してゐた清浦内閣は短日月で闕下に辭表を捧呈し、つゞいて、選擧の結果第一黨となつた憲政會の加藤總裁が大命を奉じて内閣を組織した。そこで是清も今までの行懸り上、この内閣の補強工作として犬養と共に入閣することゝなつた。それ故椅子の割り當てなどは問題にせず、是清は伴食ともいふべき農商務大臣の位置に甘んじたのである。

田中義一大將の口說上手

元來、是清は名利に恬淡である。大正十四年加藤内閣總辭職後政友會内に小うるさき内紛軋轢の絶えないのに業を煮やし、サラリと總裁の椅子をなげると同時に、政界を隱退して、閑雲野鶴の身となつた。そのあとへ、田中義一男が輸入總裁として、意氣揚々とのりこんできた。

所が昭和二年の時の政府は、若槻内閣、藏相は片岡直温であつた。

端なくも、あかぢ銀行の休業に端を發した財界の動搖は四方にひろがり、銀行の休業は各地に續出した。神戸の鈴木商店は閉鎖を傳へられ、それと最も關係深い臺灣銀行でさへ大渦に卷きこまれて、支拂停止をしなければならない破目に陷入つた。

若槻内閣はこの臺灣銀行の危急を救ふために、緊急勅令を發布しやうと企てたが、樞密院の一蹴に會つて緊急勅令案は葬られ、そのため内閣は責を負ふて總辭職をしたのである。

この空前の財界混亂の中に、組閣の大命は政友會總裁田中義一男爵に降下した。

田中男は大命を拜して宮中から退下すると、すぐそのまゝ自動車を進めて、是清の邸をおとづれた。

「おらに君の生命をくれんかのう。」

田中は例の懷手をしたまゝ、いきなりこんなことを云つた。

「ほう、わが輩の生命をな―。」

と、是清は達磨が狐につまゝれたやうに呆氣にとられてゐた。

「うむ、君の生命ぢや。どうぢや。おらに氣前よく呉れてしまはんか。」

「それァ場合によつては、やらんでもないが、一體どういふわけだ。」

「それを聞くな。君が先づ承諾したら、わけをいうちやるよ。」

「そんな壓制なやつがあるものか。兎に角、わが輩のやうな七十四の老人をつかまへて、生命を取つても値打がないぞ。どうせ取るなら、生きのいゝ元氣な奴の生命がいゝよ。」

「さういふな。おらが見込んだ男ぢや。年は少し寄つちよるが、日本に二人とはかけがひのない色男ぢやのう。それでも……。」

「ハハ、ひどく見込まれたもんだな。醜女の深情けといふやつか。」

「高橋君、實際おらをひとつ男にしてくれんかのう。」と膝を進めた。

「わが輩で出來ることかれ。」

「君でなければでけんことぢや。高橋君。」

さう云つて、田中は餓に懷から出した手を膝の上にキチンと重ねた。

「おらは只今、宮中から退下したところぢや。その足ですぐ君のところへ廻つた次第ぢやでのう。」

「さうか。なるほど、それで解つたが、しかし、この老骨ではとてもお役に――」

「いや目下の財界恐慌を鎭めるものは君より外にはない。若いものゝ手にはとても負へんことぢや。一度舵を間違へたら、とても日本丸は難破して了ふからのう。」

「それァ、ごもつともだが、肝腎のわが輩の健康が危いでな。」

「だから、生命をおらにくれと云ふちよるんぢや。おらを男にしてくれと云ふちよるんぢや。高橋君、これも國家に御奉公ぢやないかのう。」

「いやどうも君はなか〳〵昔から口說き上手だつたな、田中君。」

「アッハハ、いや有難う。これでどうやら、おらも日本一の男になれるぞ。」

「ハハハ、惡い奴だ。たうとうこの老耄を引ッ張りだしをるのか。」

こんな經緯で是清は七十四歲の白髮を染め、黑糸縅の鎧も武者振り勇ましく大藏大臣として未曾有の怒濤の中へ駒を進めた。それは確に、斃れて後に已まんといふ、齋藤實盛のごとき悲壯な決意を抱いてゐたのである。

是清は老齡の上に病氣上りで、衰弱が甚だしかつた。それで四五十日といふ約束で藏相になつたのである。また實際かれは四五十日の間に財界を安定させるといふ見透しをつけてゐた。

親任式が終るとすぐ首相官邸で初閣議がひらかれた。ポカ〳〵と暖い春宵である。殘んの櫻の花がひら〳〵と官邸の窓をかすめて飛ぶ。その窓には、夜が更けても明々と電燈の光が、闇の樹立ちの中まで照らしてゐた。

八時、九時、……何を協議するか、まだ終らない。十時！やうやく閣僚は興奮した面持でゾロ〳〵と官邸の玄關へ出てきた。その中でも、是清の蒼白い顏は思ひなしか疲れてゐるやうだつた。

是清は自動車で歸宅すると、一分の休息する間もなく、何事かを家人に命じた。すぐに幾度も〳〵電話をかける聲が慌しく邸内のしゞまを破つた。

間もなく、自動車が四五分づゝをきに三臺、ヘッドライトに闇を劈きながら高橋邸へはせつけた。市來日本銀行總裁、土方同副總裁、大藏次官がつぎ〳〵に自動車から降りて、表玄關へ急がしく入つて行つた。

やがて二階にパッと電燈がついた。その電燈が煌々としていつまでも輝いてゐたのである。

その翌日、老藏相は日本銀行に對し非常貸出しを敢行するやうに命じた。が、この時早く、十五銀行の休業が稻妻のやうに全國へ傳はつた。すると、東京、大阪、名古屋、神戸などの大都市は勿論、各地方の銀行では嵐のやうな取付け騷ぎが起つて、休業する銀行はます〳〵增加し、まるで蜂の巢を突いたやうな混亂が全國を覆ふた。

その日の閣議には、大臣達はいづれも不安な眼の色をしてゐた。是清は、さすがに憔悴した顏をしながら、眉の間に固い決心

の色を浮べて、ツと立上つた。

閣僚は固唾をのんだ。いかなる起死回生の妙手が打ちだされるか！

「諸君、かうなつた以上は、もはや次の二つの應急處置をとるより外に方法はないと考へます。即ち、一つは緊急勅令をもつて二十一日間の支拂猶豫令、つまりモラトリアムを全國に布くこと。もう一つは臨時議會を召集して、臺灣金融機關の救濟及び財界安定に關する法案に對し協贊を求めること。この二案を急速に實行する外には道がありません。」

斷乎たる調子、妥當なる措置、誰も異議をとなへるものがなく萬場一致で同意した。

この法文は成案を得て明日樞密院に廻り、御諮詢になることになつたが、それが發布になるまでには、どんなに急いでも二日間の餘裕がある。この二日間の應急處置を講じなければ、どんな騷動がもち上るかも解らないのであつた。

そこで、是清は民間銀行の代表者を招致して、「民間銀行は、モラトリアム實施の準備として、二十二、二十三の兩日は自發的に休業してもらひたい。」

と相談したところ

「御尤もです。實はわれ〳〵もさういふ風にしなければなるまいと、寄々協議してゐたのですから。」

と、二つ返事で承諾した。

そして、この指令が忽ち全國の銀行に飛んだ。同時に、高橋藏相はすぐ新聞に「政府は今朝來各方面の報告を徵し、愼重考究の上、財界安定のため徹底的救濟の方策をとることに決定し、その手續に着手せり。」

といふ聲明を發表して、國民に少しも早く安心させるやうに努めたのであつた。

トゲのある叱り方は娘の爲に避けたい

…叱言もすべて愛情の世界で…

若杉鳥子女史談

子供が幼い時には、親としていはねばならない叱言の性質も至極單純ですが、子供が成長してゆくに從つて、家庭の外部（廣い世間）から受ける影響が大きくなるので、その叱り方も大分むづかしくなつて來ます。こゝでは成長した我子――特に娘について少し考へてみたいと思ひます。

何といつても若い娘の世間は狹く、經驗は淺いのですから、世の中をみくびつたり他人の甘言には乘せられやすいといふ危險性が隨分あります、あるひはその反對に……といふより、それだからこそ物事を非常に突き詰めて考へる結果、理想と現實との食ひ違ひから厭世的になり、絕えず苦しみ惱むやうなことになりやすいのです。そのどちらも若い娘にしか與へられない美しさであり、貴い試練でもあると思ひます。しかしこの伸びようとする若い生命をどうしたら萎縮させずに、傷つけずにみづ〳〵しく育て上げ、しかもどんな嵐にも堪へられるやうな強さに鍛へさせることが出來ませうか？

母と娘とが平素遠慮のない生活をしてゐるなら、取るに足らぬやうなさ末なことを兩方で取上げて甘言や叱言をいひ合つて暮しても、それとて愛情の現れでありますから、それがもとで不和になるとか、氣まづくなるとかいふ事はありますまい、叱言にトゲがないからです、娘の方でも結局は理解してくれる筈だと思ひます、その母ごゝろが娘に通じるからです。

時に何か大きな問題が起つたとしても、本人の健康狀態や生理的、精神的の發達狀態に應じて「あなたならば大丈夫と思ふけれども……」といふ風に娘に責任を持たせ、こちらも娘を信頼して本人の意思にまかせたいと考へます、そして友達にはいへても母親にはいへないなどゝいふことのない緊密な愛情を持ち合つて行きたいものです。

叱言のいひ方といつても、つまりはお互の理解の問題が根本ですからどんな場合でも母と娘のお互の感情を遠く隔離してしまふやうな叱言は絕對に避けたいものです。愛情を缺き理解を缺いた叱言は取返しのつかないことになりますから深くいましめて頂きたいものです。

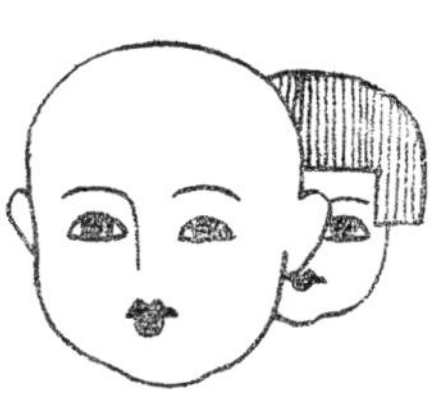

目・耳・鼻

ツカダ・キタロウ

はしがき

私はこれから長い〳〵手紙を書かうと思ひます。それこそ、私の生命のある限りの長い手紙を書かうと思ひます。そして、私を知つて下さる限りの友人知己に讀んで頂かうと思つて居ります。

私の見る事――それは私の目です。

私の聞いた事――それは私の耳です。

そして私の匂ふた事――それは私の鼻です。

この私の「目。耳。鼻」を通して私の感じた事柄を日常生活の順序に並べ樣と言ふのが、この手紙の主意であります。

やがては、これが私の日記ともなりませう。又私の死後には遺言として、私の子孫にも殘る事と思ひます。

まあ、こんなつもりで記して行きますから、何卒引續き御愛讀の程を、讀者の諸君にはお願ひ申して置きます。

「古本の辯」は勿論、私の見た事に屬して、眼の部分に入りませうし、「幼兒童話雜話」は耳の部分に加へられませう。又「癲問題」等は、「支那を覗く」と共に、私の鼻の領分であります。

一寸こゝで私の「鼻」に關して、一言御紹介申す必要があると思ひますので、暫く御辛棒を願ひます。

一、私の臭覺二つ

私の鼻に關しては、まだ〳〵世間には發表して居ませんが、仲々遠方の事や將來の事までも匂ふ事の出來る可能性を持つてゐるのです。その一二の例を申して見ますと、一つは昨年夏惹起した「長島愛生園事件」で、今一つは今回の「日支事變」であります。

時節柄詳しく書く事を差控へますが、昨年の春、例によつて長島へ參りました時、どうも變な匂がする。ヒョットするとこの秋(昨年の)位には、長島に騷動が起りはせぬかと思ふ。どうぞ注意して「未前に防いではしい。」と友人に語つたものでした。

私が上海に渡りましたのは、今年の春三月でありますが、其の當時は頗る平穩であつたのですが、どうも變な匂ひがする。秋には無事にすめばよいがと案じてゐた處、今回の不幸が生じたのです。

勿論、これは豫言とか占ひとか、そんな性質のものではありません。お互に誰でもが有して居る、第七感とか第八感とか申すものでありまして、よく世間で言ひます「彼奴は臭い」と言ふ、その匂ひであります。

俗に申します「どうも臭い」と言ふこの感じが、お互にもありますが、それが私の申す鼻の匂ひであります。

斯う申すと、決して不思議でも何でもありませんが、お互に眼でも見る事が出來ぬ、耳でも聞く事の出來ぬものは、鼻で匂ふより他に方法がありません。

然も、斯くの如き場合は、日常生活に非常に多いのでありますから、「目。耳」に「鼻」を加へた次第であります。

二、言葉の問題

鼻に關して一席辯じさせて頂きましたので、今度は「言葉」の問題に關して、他山の石を拜借して見たいと思ひます。

それは「淡海」八月號に西川吉之助氏の記されてゐる卷頭言であります「無智の勇」の一文であります。左に原文のまゝ拜借させて頂きませう。

一寸差し出口をさせて頂きますが、この「淡海」は The Omi と發言され、滋賀縣立聾話學校の機關紙で、月刊の雜誌です。そして、西川吉之助氏は同校の校長で、全國聾教育界の恩人であり、先覺者の一人であります。

(前略)「他の學校はいざ知らず私等の學校で日がな毎日先生も生徒も汗みづく一心不亂になつて勉強して居るのに、其の結果に於てはがゆい感じがするのは、啻に私等ばかりでないと思ふ。そこに何かの缺陷があるのでは無からうか。

大體全然言語を知らない聾啞者に僅か二三年の豫科教育を施して、正常兒の尋常科一年生と同じ取扱をしやうといふ。そこに無理があるのでは無からうか。立派に檢定試驗を通り免狀を持つた中等學校の外國語の先生が、怪しげ乍らも其の國語の初對面の外國人と意志を通じ合ひ、原稿なしに他人の面前で手紙を書き得られるのが果して何人ゐるだらう。

由來言靈の幸はこの國に生れ乍ら外國語と來ては不得手な我々が、先づ喋る前に文法を考へ格がどうの人稱がどうの、冠詞は女性か中性か、などと氣をつける爲め動きがされず、結局外國人の厭がる無意味のニヤ〳〵に終るのが多いのかと思ふ。

此の點支那人は無頓着に且勇敢で、文法など一向氣にかけず實用向一方のピジョン・イングリッシュで用事を足す。元より話しても書いても文法的ならそれ程結構な事は無いが兩立しないのが常の憾みだ。

國語を敎へるのだ、過誤があつてはならぬとの説は一應尤も至極であるが、子供の時から聞き覺えの言葉、扨其の文法的活用はと一々穿鑿されたら國語國文學者の外は、學校の試驗で調べた當

座の中學校生徒より正しい答の出來るものは尠からう。」云々

三、車夫英語

御存じの通り、神戸市は我が國の玄關港として？　數多くの外國人を送迎しますので、交通機關の發達せぬ時代は、すべて「人力車」で遊覽したものであります。いや、自動車の盛んな現在でも、見物には便利なので、人力車が外人客には喜ばれてゐる有樣で、世界漫遊船が入港すると、印入りの旗を立てた人力車が、何十臺となく蜿蜒と續いて、布引の瀧や元町などを通つてゐるのを見ます。

勿論、何人かが一組となつて、それ〴〵通譯兼案內役が附添つてはゐますが、各自の用事が忙しくなると、間に合はぬのでその時は人力車夫が通譯兼案內役をするのです。

外國汽船の船員や個人々々の遊客等に對して、この人力車夫達が呼びかけてゐるのが、全部「英語」である事です。即ち、神戸の元居留地即ち外國汽船の發着所附近の人力車夫は、充分外國人と話し得るだけの英語が喋れるのであります。

場合によつては私共の英語よりも要領がよく通じるのですが勿論この車夫達は英語の素養がある譯もなく又文法等を知つてゐる譯もありません。いや、英語を一字も知らぬと申しても過言ではありますまい。

このＡＢＣもロクに讀めず書けもせぬこの人力車夫達が、外國人に對してとにかくも案內もし、買物もさせ、滿足をさせて賃金を受け取つて暮して居る有樣は、神戸港特有の狀景でありませう。

話が橫道へ入りましたが、そこでその車夫達の使ふ英語でありますが、これを「車夫英語」と俗に申す言葉でありまして、その一二を申せば、

「ワタホール、メー、ゴー」

「フワーザー、マーザー、エート、オックス」

「ジス、ハマチ」

式であります。

何の事かお判りですか。

第一は、「瀧へ參りませうか」Waterfall me go.

第二は、「父母は牛肉を食ふ」Father Mother eat Ox.

第三は、「これはいくらだ」This How much.

と申す譯です。何とお判りでしたか。

然し、これが、初めて來た外國人に通じるから驚くではありませんか。あなた方の學校へ初めて來た外國人の通譯の出來る先生が果してあるかどうか、お互に考へねばならぬ問題でせう。

申す迄も無く「車夫言葉」を皆さんにお勸めするのではありませんが。然し、餘りにも、「讀み書き」に終始して、「話す」事を忘れた現在の外國語敎育は、「聾啞」と同じだと言ふ事を知らればなりません。

それこそ、もう一度、滋賀縣立聾啞學校にでもお世話になる必要がありませう。とまあ、斯うも考へられますれ。

四、「タクシー」

それについて思ひますのは、私の友人の土產話であります。私の友人と言ふのは、現に大阪で社會事業に活躍してゐる青年紳士でありますが、嘗て少年團の代表に選ばれて、英國まで萬國少年團大會に出席した事があります。その時の話にこんな事があつたとの事です。

團員中に甕の立派な物識りがありまして、頻りに外國語通をふり廻し、言葉の不自由な團員を田舍者扱ひにしてゐた人がありました。大會も無事にすんで、各國見物をしてフランスに參りました際、自動車にのらうとして、例の田舍者扱ひされた團員が、甕の物識りにその交涉をたのんだものです。

そこで早速「よし來た」と許り、平素の博學の手前、道側に進み出て、

「カー、カー」

と頻りに呼んだのですが、駐車場の自動車は一向來ません。

「モーターカー、モーターカー」

甕の先生は益々大聲をあげて、頻りに手まねまでして叫びましても、自動車は知らぬ顏。そこで田舍者扱された團員も、甕の先生（尊敬して斯う呼んでゐたのです）の語學は、いさゝか怪しいと思ひ出しました。

「先生ちつとも通じませんね」

多少平素のお自慢に對して皮肉めいて申しますと、甕の先生愈々いきり立つて、

「ナーニ。奴等が言葉が判らぬのだよ。今度こそ大丈夫さ。オーイ、オートムビルー」

と呼びましたが動けばこそ。あまりのこと聲に、通りかゝつた佛國の少年團員が進み出て、

「何か御用ですか」

と英語で尋ねましたので、

「自動車を呼んでゐるんです」

と答へますと、少年團員は心得たもので、

「タクシー」

と一言呼びましたら、自動車が勢よく走つて來たとの事であります。

田舍者扱された大阪のその人が、後で甕の先生に言ひ〳〵したさうです。

「タクシーなら、大阪でも通じる言葉で、私も知つてゐますよ。先生の外國語も、私より駄目らしいですねえ」と。

何と皆さん。これは笑話ではありません。事實談だからお互に考へさせられますれ。

そこでもう少し西川校長さんの言葉を拜借して見ませう。

五、不用意の言葉

「筆者の勤めてゐた米國の會社に會計を掌る一人の獨逸人が居た。筆者が文法に疑義があり同僚の米國人に聞くと、大抵の米國人はうるさがつて、獨逸人に聞けといつて返事をしようともせぬ。その獨逸人とても大した學者でなく工業大學位を出た人であつたが理論的によく知つてゐて敎へて吳れた。米國人は口で言つて見て文法は分らぬが、ドウモ口調がかう來なくてはイカヌと常識的の返事しか得られない。勿論それが學問的に間違つてゐたか否かは判然覺えてゐぬが、忙しい會社で文法の穿鑿に暇を費して居る間がなく、拙速主義でドシ〳〵事を運んで居た。

國語統制の必要上標準語に據る敎育は無論必要ではあるが、我が聾敎育の初期に於ては、家庭に於て又は家庭的に習得の必要を痛感するから、或る時は標準語に據らず地方方言による通話も習熟する必要があるのではなからうか。

「御飯をお上りなさい」と學校で敎へる言葉より、休みに歸つて來た時に「飯喫ワイ」と親子水入らずの飾氣のない眞情より吐露する言語は、不用意の裏に發するにしても、それが繰返さるゝ內に實用語として活きて來はしないかと思ふ。」云々。

勿論この御說は「淡海誌」に續載される筈のものですが、それについて思ひ出すのは、「標準語尊重」の親御の事であります。

聯盟創設滿十八年と『子供の世紀』第十六卷の發行を祝し

併せて昭和十三年の新春を賀し奉る（到着順）

小兒科竹內病院長 醫學博士 **竹內薰兵** 東京市日本橋區村松町	三越專務取締役 **北田內藏司** 東京市日本橋區室町 株式會社三越	小兒科專門 醫學博士 **小原芳樹** 東京市神田區神田駿河臺三ノ九
趣味講演 **天野雉彥** 東京青山南町五ノ六九 電話青山三三〇七番	東洋幼稚園主 **岸邊福雄** 東京市神田區神保町二丁目十番地	東京女子高等師範學校教授 **倉橋惣三** 東京市中野區千光前町一〇
宮城縣人社 **加藤清** 東京淀橋區西大久保三ノ一一一八 電話四谷五三四九番	日本貿易振興協會理事 **木下乙市** 東京市外狛江村和泉	千葉醫科大學 細菌學教室 **伊藤富二** 千葉市鶴澤町一番地

聯盟創設滿十八年と『子供の世紀』第十六卷の發行を祝し
併せて昭和十三年の新春を賀し奉る（到着順）

小兒科專門
醫學博士
酒井幹夫
大阪市東區高麗橋五丁目二十五番地

大阪市立刀根山病院長
醫學博士
太繩壽郎
大阪市外
阪急沿線曾根

有馬研究所長
醫學博士
有馬賴吉
大阪市西淀川區海老江上一丁目三十七番地

高洲病院長
醫學博士
肥爪貫三郎
大阪市南區北桃谷町三五
高洲病院

菅沼小兒科醫院長
醫學博士
菅沼巖雄
大阪市東成區舍利寺町七十八番地

小兒科專門
醫學博士
松尾勇
大阪市西區西長堀南通二丁目一番地

伊吹八重子
東京市世田谷區三軒茶屋町四六

國司道輔
東京市目黑區柿ノ木坂二五二

園藝（聖果園溫洲栽培其他花卉）
電氣指壓、治療
聖果園主・理療士
栗原秀夫
靜岡縣田方郡伊東町湯川五三六

聯盟創設滿十八年と『子供の世紀』第十六卷の發行を祝し
併せて昭和十三年の新春を賀し奉る（到着順）

產婦人科、內科、小兒科
醫學博士
植野晃德
大阪市西成區西萩町二番地
（勤先）大阪市立今宮產院

小兒科專門
醫學博士
多田克己
名古屋市東區片端町二丁目八番地

日本女子大學教授
生江孝之
東京市澁谷區上智町二番地

大阪市產婆會長
佐伯看護婦會長
佐伯ユキ
大阪市東區豐後町六〇
電話東六〇七番

農村社會事業
中村塾長
中村三德
大阪市外八尾町今井三十七番地

大阪市聯合婦人會副會長
河井やえ
大阪市東區森の宮西の町五六〇番地

醫師
河野桃乃
神奈川縣茅ヶ崎南湖院

武藤千世子
兵庫縣武庫郡住吉村觀音林

岩國圖書館長
森本壽一
山口縣岩國町字錦見

聯盟創設滿十八年と『子供の世紀』第十六卷の發行を祝し
併せて昭和十三年の新春を賀し奉る（到着順）

衆議院議員
全國農民組合中央委員長
杉山元治郎
布施市足代二丁目三十七番地

祈念
一、日本の全家庭に愛育精神の徹底的普及
二、我が國に母性と兒童保護の施設の完備
三、青年子女の遺傳學的發生結婚への自覺
コドモ愛育研究所
發育會
創立 敎育勅語下賜四十周年記念
皇紀二千五百九十年紀元節
愛知縣碧海郡旭村大字鷲塚

北海道帝國大學醫學部
小兒科醫長
醫學博士
永井一夫
札幌市南二條西十二丁目

東京市神田區駿河臺一ノ一
佐藤生活館
山下信義
靜岡縣田方郡函南村
聖農學園內

隣保事業
財團法人
育嬰協會病院
東京市淀橋區淀橋三七五番地
電話四谷一三五一番

小兒科專門
醫學博士
上村雄
西宮市今津字高潮
電話西宮一三四〇番

機械工具商
杉吉商店
吉坂泰太郎
大阪市住吉區山坂西ノ町一丁目三九（住宅）

株式會社
御神火茶屋取締役社長
高木久太郎
東京府大島三原山頂
御神火茶屋
電話元村五八番

臺中州立圖書館長
細野浩三
臺中市公館一五一

聯盟創設滿十八年と『子供の世紀』第十六卷の發行を祝し
併せて昭和十三年の新春を賀し奉る（到着順）

辯護士
堀川嘉夫
大阪市北區北森町
電話堀川四四番

小兒科專門治療
高橋新太郎
名古屋市東區上《カミ》竪《タテ》杉《スギ》町《マチ》五ノ一

耳鼻科專門
醫師
瀨谷子之吉
東京市本鄉區駒込林町四八

公衆衛生訪問婦協會
主任
保良せき
大阪市北區萬歲町四三番地
電話北二三三番

大每童話班
須古淸
西宮市香爐園驛前

菊池產婦人科醫院
院長 菊池敏雄
產婆 菊池周了
東京市世田谷區太子堂町四七二
電話世田谷二六七二番

醫學博士
岡田道一
東京市豐島區長崎仲町一ノ二七九〇

聖路加國際病院
兒童保健指導所
東京市京橋區明石町

小兒科專門
醫學博士
生地憲
大阪市東淀川區十三東之町

赤ん坊に對する注意（五）

大阪市立今宮乳兒院長
醫學博士　野須新一

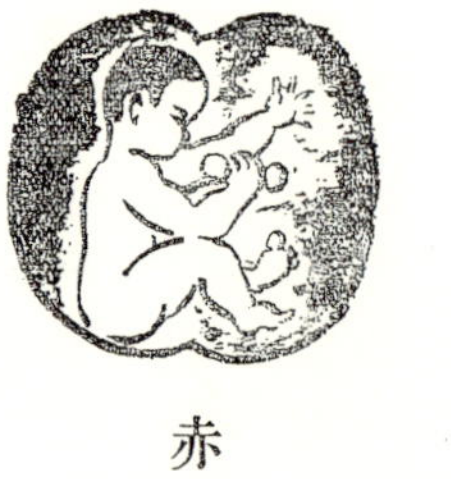

乳幼兒の病氣と其の手當法

次《つぎ》に初生兒《しよせいじ》期《き》及《および》乳兒《にうじ》期《き》に見《み》る重《おも》な病氣《べうき》と其《そ》の一般手當《はんてあて》法《はふ》に就《つい》て簡單《かんたん》に記述《きじゆつ》して皆樣方《みなさまがた》の御參考《ごさんかう》に供《けう》する。

一、未熟兒、早産兒（先天性生活力沈衰《せんてんせいせいかつりよくちんすい》）　胎兒《たいじ》として母體《ぼたい》内《ない》に居《ゐ》た期間《きかん》が短《みじ》かく、妊娠《にんしん》八ケ月或《あるひ》は九ケ月にて出產《しゆつさん》したるもの、或《あるひ》は妊娠期間《にんしんきかん》は十ケ月《げつ》であつても母體《ぼたい》の病氣《べうき》或《あるひ》は胎兒《たいじ》の病氣等色々《べうきとういろいろ》の原因《げんいん》で生下時體重《せいかじたいぢう》が二瓩《キロ》以下《いか》で、身長《しんてう》も四二糎《センチ》以下の發育不良《はついくふれう》な子供《こども》又《また》は双《さう》胎兒《たいじ》或《あるひ》は品胎兒《ひんたいじ》として生《うま》れた子供等《こどもら》は皆生活力《みなせいかつりよく》、發育力《はついくりよく》が弱《よわ》く、生後《せいご》間《ま》もなく色々《いろ〱》の病氣《べうき》に罹《かゝ》り、衰弱《すいじやく》を起《おこ》して死《し》亡《ばう》し易《やす》いものです。啼聲《なきごゑ》は弱《よわ》く、體溫《たいおん》も低《ひく》く、皮膚《ひふ》には皺襞《しわひだ》多《おほ》く、老人《らうじん》のやうな顔貌《がんばう》を呈《てい》し、お乳《ちゝ》を吸《す》ふ力《ちから》が弱《よわ》い。すぐに身體《しんたい》が冷《ひ》え易《やす》く、病氣《べうき》に罹《かゝ》り易《やす》い、大抵《たいてい》は生《うま》れてから二週間以内《しうかんいない》に死亡《しばう》するものが多《おほ》い。かうした乳《にう》兒《じ》の育《そだ》て方《かた》に就《つい》ては是非共《ぜひとも》專門醫《せんもんい》の指導《しどう》を必要《ひつえう》とするが赤《あか》ん坊《ばう》の身體《しんたい》を溫《あたゝ》かに保《たも》ち、直接母乳《ちよくせつぼにう》を吸《す》ふ力《ちから》のない時《とき》は母乳《ぼにう》を搾《しぼ》つて匙《さじ》で與《あた》へ、根氣《こんき》よく母乳《ぼにう》を吸《す》はせる練習《れんしふ》をさせる事《こと》が必要《ひつえう》です。之《これ》がために特別《とくべつ》な暖房室《だんばうしつ》又《また》は溫《おん》床《しやう》を工夫《くふう》せねばなりません。

二、臍「ヘルニア」　臍帶《せいたい》が落《お》ちて後臍輪《のちせいりん》の閉鎖《へいさ》が不充分《ふじふぶん》な爲《ため》に起《おこ》るものです。之《これ》は「ヘルニア」を還納《くわんのう》して周《まは》りの皮膚《ひふ》を接觸《せつしよく》させ、絆創膏《はんさうかう》で壓《おさ》へるか、又《また》は貨幣《くわへい》（一錢銅貨《せんどうくわ》）を用《もち》ひて固定《こてい》します。

三、初生兒膿漏眼　母親《はゝおや》の淋菌《りんきん》が出產時《しゆつさんじ》に乳兒《にうじ》の

眼《め》に感染《かんせん》して起《おこ》る恐《おそ》ろしい結膜炎《けつまくえん》で、數日《すうじつ》の中《うち》に角膜《かくまく》を冒《おか》して失明《しつめい》する急性《きふせい》の眼疾患《がんしつくわん》です。大抵生《たいていうま》れてから二三日《にち》の中《うち》に起《おこ》り眼瞼《がんけん》が赤《あか》く腫《は》れて非常《ひじやう》に澤山《たくさん》な膿樣《うみやう》の分泌《ぶんぴつ》物《ぶつ》を洩《も》らします。早《はや》く眼科專門醫《がんくわせんもんい》の治療《ちれう》を受《う》けると共《とも》に、兄弟《けうだい》或《あるひ》は同居《どうきよ》の人達《ひとたち》も之《これ》に感染《かんせん》せぬ樣《やう》手指《てゆび》の消毒《せうどく》と膿樣《うみやう》分泌物《ぶんぴつぶつ》の消毒法《せうどくはふ》とに注意《ちうい》せねばなりません。

四、口内炎　痲疹《はしか》や猩紅熱等《せうこうねつとう》の時《とき》に起《おこ》る加答兒《かたる》性口《せいこう》内炎《ないえん》や「アフテン」と云《い》つて舌《した》や唇《くちびる》及《およ》び頰部《けふぶ》の粘膜《ねんまく》に灰白《くわいはく》色又《しよくまた》は黄色《おうしよく》の圓《まる》い斑點《はんてん》の出來《でき》る「アフテン」性口内炎等《せいこうないえんとう》がありまして時《とき》に高熱《かうねつ》を伴《ともな》ひ、流涎甚《りうぜんはなは》だしく口《くち》の中《なか》が赤《あか》く腫《は》れ糜爛《たゞ》れて疼痛《とうつう》が強《つよ》く、口臭《こうしう》を發《はつ》し顎下淋巴腺《がくかりんぱせん》が腫《は》れて來《き》ます。痛《いた》みの爲《た》めに食物《しよくもつ》を攝《と》れず時《とき》に嘔吐《おうど》、下痢《げり》を來《きた》すこともあります。又《また》よく口内炎《こうないえん》のある乳兒《にうじ》には鵞口《がこう》瘡《さう》と言《い》つて始《はじ》めは舌《した》や頰粘膜《ほゝねんまく》の上《うへ》に白《しろ》い小斑點《せうはんてん》が出來《でき》、段々《だん〱》殖《ふ》えて苔《こけ》の樣《やう》に一面口腔內に擴《ひろ》がり、衰弱《すいじやく》した乳兒《にうじ》等《ら》では咽頭《いんこう》、喉頭《こうとう》、食道《しよくだう》に迄蔓延《までまんえん》し食物《しよくもつ》の攝取《せつしゆ》、或《あるひ》は嚥《えん》下困難《かこんなん》を起《おこ》し、一層衰弱《そうすいじやく》を進《すゝ》め病狀《べうぞう》を惡化《あくくわ》させます。斯《か》うした病氣《べうき》は口腔內《こうくうない》の不潔《ふけつ》が直接《ちよくせつ》の原因《げんいん》となる事《こと》が多《おほ》いのですから平素《へいそ》から口內《こうない》の淸潔《せいけつ》に注意《ちうい》すると共《とも》に、弱《よわ》い乳兒《にうじ》の口腔《こうくう》の粘膜《ねんまく》を刺戟《しげき》して口內炎《こうないえん》の原因《げんいん》となる乳豆《ちまめ》は用《もち》ひぬがよろしい。口內炎《こうないえん》を起《おこ》したならば二%の硼酸水《ほうさんすい》二%の過酸過水素水《くわさんくわすいそすい》或《あるひ》は二%重曹水《ぢうさうすい》にて輕《かる》く口內《こうない》を淸拭《せいしき》し、吸入《きふにふ》を行《おこな》ひ、更《さら》に醫療《いれう》を受《う》けねばなりません。

五、滲出性體質（濕疹《しつしん》のよく出來《でき》る體質《たいしつ》）　乳兒《にうじ》や幼《よう》兒《じ》に屢々遭遇《しば〱さうぐう》し一般家庭《はんかてい》にあつては固《もと》より醫師《いし》の方《はう》でも治療《ちれう》上困難《ぜうこんなん》を感《かん》ずる病氣《べうき》です。主《おも》に皮膚《ひふ》及《およ》び粘膜《ねんまく》が弱《よわ》いために起《おこ》るもので、母《はゝ》から遺傳《いでん》して體質《たいしつ》を受《う》け繼《つ》ぐことが多《おほ》いが、又後天的《またこうてんてき》に榮養《えいやう》の方法《はうはふ》が不適當《ふてきたう》な爲《た》め或《あるひ》は非《ひ》衞生的《えいせいてき》な生活環境《せいくわつかんけう》のために現《あら》はれて來《く》るものです。皮膚《ひふ》には色々《いろ〱》の發疹《はつしん》を見《み》、頭殊《あたまこと》に顱頂部《ろてうぶ》、眉毛部《びもうぶ》には脂漏《しろう》と云《い》つて、灰白色《くわいはくしよく》か黄褐色《おうかつしよく》の痂《かさ》が出來《でき》、進《すゝ》んで其部《そのぶ》は赤《あか》く爛《たゞ》れてジク〱と濕潤《しつじゆん》して濕疹《しつしん》となり更《さら》に細菌感染《さいきんかんせん》を起《おこ》して膿《うみ》を滲《も》らし厚《あつ》い痂皮《かさかわ》を蒙《かうむ》り所謂膿痂疹《いはゆるのうかしん》の樣《やう》になる。又《また》、乳痂《にうか》と言《い》つて一年未滿《ねんみまん》の乳兒《にうじ》に屢々頰部《しば〱けうぶ》に紅斑《こうはん》が出《で》來《き》て、皮膚《ひふ》が粗糙《そざう》となり、少《すこ》しく糜爛《びらん》し鱗《うろこ》の樣《やう》な屑《くづ》が落《お》ちて來《く》る。又《また》、皮膚《ひふ》の皺襞《しわひだ》のある部分《ぶぶん》又《また》はよく大小便《だいせうべん》で汚染《をせん》され易《やす》い部分等即《ぶぶんとうすなは》ち頤部《いぶ》、鼠蹊部《そけいぶ》、頸部《けいぶ》、腋窩《えきくわ》、下《か》腹部《ふくぶ》、肘關節《ちうくわんせつ》及《およ》び膝關節屈曲部《しつくわんせつくつきよくぶ》が赤《あか》く糜爛《びらん》し濕疹《しつしん》が出來《でき》る、即《すなは》ち摩擦疹《まさつしん》が出來《でき》る。又癢疹《またやうしん》と云《い》つて全身《ぜんしん》に小《ちい》さいブツ〱した小丘疹《せうきうしん》が出來《でき》たり又《また》は小《ちい》さい水疱《すいほう》が出來《でき》て

非常《ひぜう》に搔痒《さうやう》が強《つよ》い。粘膜《ねんまく》も弱《よわ》く、僅《わづ》かの原因《げんいん》で直《す》ぐ風邪《かぜ》を引《ひ》き鼻加答留《びかたる》、氣管枝加答留《きくわんしかたる》、咽喉加答留《いんこうかたる》等《とう》を起《おこ》す。又舌《またした》には白《しろ》い地圖《ちづ》の樣《やう》な隆起斑《りうきはん》が出來《でき》て所謂地圖狀舌《いはゆるちづぜうした》と云《い》つたものがあり、其《そ》の他下痢《たげり》を起《おこ》したり、膀胱炎等《ばうこうえんとう》に罹《かゝ》り易《やす》い。斯《か》う云《い》ふ症狀《せうぐ》のある人《ひと》は滲出性體質《しんしゆつせいたいしつ》と言《い》つて風邪《かぜ》を引《ひ》き易《やす》くお腹《なか》を壞《こわ》し易《やす》い、而《しか》も一旦濕疹《たんしつしん》が出來《でき》ると段々《だん〱》に擴《ひろ》がり仲々治《なか〱なほ》り難《にく》い。此《こ》の病氣《べうき》の手當法《てあてはふ》は濕疹《しつしん》の局所《きよくしよ》の手當《てあて》や風邪《かぜ》の手當《てあて》の外《ほか》に一般食餌療法《はんしよくじれうはふ》、日光療《にっこうれう》法《はふ》及《およ》び轉地療法等《てんちれうはふとう》が必要《ひつえう》である。食餌上《しよくじぜう》の注意《ちうい》としてはお乳《ちゝ》を飲《の》ませ過《す》ぎぬ樣《やう》に規則正《きそくたゞ》しく與《あた》へる。又脂肪分《またしばうぶん》を制《せい》限《げん》し含水炭素《がんすいたんそ》の多《おほ》い植物性《しよくぶつせい》の榮養品《えいやうひん》を以《もつ》て榮養《えいやう》す。而《しか》も離乳《りにう》は成《な》るべく早《はや》く行《おこな》ふ。そして「パン」、粥、野菜《やさい》、果《くわ》實汁等《じつじふとう》を與《あた》ふ。年長兒《ねんてうじ》では植物性食餌《しよくぶつせいしよくじ》を主《しゆ》とし肉類《にくるい》を制《せい》限《げん》して過度榮養《くわどえいやう》に陷《おちい》らぬ樣注意《やうちうい》をする。一般衞生《はんえいせい》に注意《ちうい》し、身體《しんたい》の淸潔《せいけつ》、新鮮《しんせん》な空氣《くうき》、日光《にっこう》によく〱あたること等《とう》が必要《ひつえう》である。

六、急性中耳炎　原因《げんいん》、之《これ》は耳《みゝ》の中《なか》（中耳《ちうじ》）と咽頭《のど》との間《あひだ》はずつと鼻《はな》の奥《おく》、咽頭《のど》の上部《ぜうぶ》で歐氏管《おうしくわん》と云《い》ふ細《ほそ》い管《くだ》で連絡《れんらく》して居《ゐ》る。強《つよ》く鼻《はな》をかむと耳《みゝ》がポンと云《い》ふのはその爲《ため》である。この歐氏管《おうしくわん》を介《かい》して咽頭《いんこう》から病原菌《べうげんきん》が中耳《ちうじ》に進入《しんにふ》するために起《おこ》るものであるから感冒《かんぼう》、痲疹《はしか》、猩紅《せうこう》熱《ねつ》、ヂフテリヤ、其他何《そのたなん》でも鼻咽頭加答留《はないんこうかたる》を起《おこ》す樣《やう》な病《べう》氣《き》の折《をり》には中耳炎《ちうじえん》の起《おこ》る危險《きけん》がある。徴候《ちようこう》、小兒《せうに》が幼少《ようせう》である程初《ほどはじ》めの中《うち》にはこれをたしかめる徴候《ちようこう》が少《すく》ない。原因《げんいん》が分《わか》らぬ熱《ねつ》が續《つゞ》き血色《けつしよく》が惡《わる》く食慾《しよくよく》がないと云《い》ふ樣《やう》な狀態《ぜうたい》が持續《ぢぞく》する中《うち》に鼓膜《こまく》が破《やぶ》れて膿汁《のうじふ》が耳《みゝ》から出《で》て來《く》ると熱《ねつ》も下《さが》り症狀《せうぐ》もとれて、さては中耳炎《ちうじえん》であつたかと云《い》ふ樣《やう》な場合《ばあひ》がよくある、耳《みゝ》に疼痛《とうつう》を訴《うつた》へたり、又《また》は訴《うつた》へ無《な》い迄《まで》も頭《あたま》を動《うご》かすことを恐《おそ》れる樣《やう》に見《み》えたり、又耳《またみゝ》の穴《あな》の前《まへ》を壓《おさ》へると火《ひ》のつく樣《やう》に痛《いた》がつて泣《な》く樣《やう》な場合《ばあひ》中耳炎《ちうじえん》を疑《うたが》はねばならぬ。又一般《またはん》に中耳炎《ちうじえん》を起《おこ》して來《く》ると小兒《せうに》は不安《ふあん》になり、時《とき》に痙攣《けいれん》や昏睡等《こんすいとう》の腦症狀《のうせうぞう》を呈《てい》することがある。中耳炎《ちうじえん》が更《さら》に奥《おく》に進《すゝ》んで耳朶《じだ》の後方《こうはう》の骨《ほね》の中《なか》へひろがつて乳嘴突起炎《にうしとつきえん》と云《い》ふものを起《おこ》すと、耳《みゝ》の後《うしろ》が赤《あか》く腫《は》れ上《あが》つて來《く》る。豫後《よご》は割合《わりあひ》によく、假令鼓膜《たとへこまく》が破《やぶ》れても耳《みゝ》が聽《き》こえ難《にく》くなつたりすることは少《すく》ない。唯再發《たゞさいはつ》し易《やす》いのが厄介《やくかい》である。中耳炎《ちうじえん》を豫防《よばう》するには原《げん》因《いん》となる鼻加答留《びかたる》にかゝらない樣《やう》につとめ、一度《ど》かゝつたならば安靜《あんせい》を保《たも》つて早《はや》く治《なほ》すことである。中耳炎《ちうじえん》の手《て》當《あて》の上《うへ》での注意《ちうい》としては安靜《あんせい》が最《もつと》も大切《たいせつ》である。局處的《きよくしよてき》

には溫濕布《おんしつぷ》をする。乳嘴突起炎《にうしとつきえん》の初期《しよき》には冷罨法《れいあんぽふ》がよい。尙《なほ》耳鼻《じび》專門家《せんもんか》の治療《ちれう》を受《う》けねばならぬ。

七、呼吸器疾患

(イ)急性鼻加答留 原因《げんいん》は主《おも》に感冒《かんぼう》である。尙《なほ》麻疹《はしか》、猩紅熱《せうこうねつ》、ヂフテリア其他《そのた》色々《いろ〳〵》の傳染病《でんせんべう》の時《とき》に鼻加答留《びかたる》が起《おこ》る。前《まへ》に述《の》べた滲出性體質《しんしゆつせいたいしつ》の小兒《せうに》、一般《はん》に虛弱《きよじやく》な小兒《せうに》又《また》は腺病質《せんべうしつ》と云《い》はれる狀態《ぜうたい》のもの、或《あるひ》は先天黴毒《せんてんばいどく》のある小兒《せうに》等《とう》は鼻加答留《びかたる》にかゝり易《やす》い。徵候《てうこう》、先《ま》づクシヤミを度々《たび〳〵》する、その中《うち》に熱《ねつ》が出《で》て來《き》て粘液性《ねんえきせい》の鼻水《はなみづ》をたらし鼻《はな》をグスグス云《い》はせる樣《やう》になる。次《つぎ》の日《ひ》邊《あた》りには鼻水《はなみづ》は濁《にご》つて膿性《のうせい》になる。尙《なほ》鼻《はな》の粘膜《ねんまく》が腫《は》れる爲《ため》に鼻《はな》がつまつて呼吸《こきふ》することが困難《こんなん》になる。時《とき》にはひどい呼吸困難《こきふこんなん》を起《おこ》したりする。哺乳兒《ほにうじ》ではこのために乳《ちゝ》が吸《す》へなくなつてくる。又《また》安眠《あんみん》が妨《さまた》げられる。豫後《よご》合併症《がつぺいせう》として起《おこ》つて來《く》る氣管枝炎《きくわんしえん》や肺炎《はいえん》及《およ》び中耳炎《ちうじえん》などは乳兒《にうじ》に最《もつと》も多《おほ》い。

豫防 感冒《かんぼう》を乳幼兒《にうようじ》にうつさぬ樣《やう》、特《とく》に一家《か》に誰《た》れか感冒《かんぼう》にかゝつたものがあつて咳《せき》等《など》してゐる時《とき》には乳幼兒《にうようじ》に近《ちか》よらぬこと、又《また》それが乳幼兒《にうようじ》の世話《せわ》をせねばならぬ人《ひと》であるならばマスクをかけて小兒《せうに》に接《せつ》するやうにする。治療《ちれう》、原因《げんいん》が單純《たんじゆん》な感冒性《かんぼうせい》のもの丈《だけ》でなしに傳染病《でんせんべう》等《とう》に關係《かんけい》のあるものもあるから一應《おう》醫師《いし》の診察《しんさつ》を乞《こ》はねばならぬ。一般《ぱん》に鼻汁《びじふ》の爲《ため》鼻孔《びこう》の周圍《しうゐ》や上唇《うはくちびる》等《とう》が爛《たゞ》れ易《やす》いので亞鉛華《あえんくわ》オリーブ油《ゆ》等《とう》を塗《ぬ》つて保護《ほご》をする。鼻《はな》つまりの餘《あま》りひどい時《とき》には醫師《いし》により特種《とくしゆ》の藥《くすり》を鼻《はな》に塗《ぬ》つて貰ふ。尙埃《なほほこり》の立《た》たない、すきま風《かぜ》の入《はい》らぬ室《へや》を暖《あたゝ》め、且《かつ》乾燥《かんさう》させぬ樣《やう》にし、榮養《えいやう》に注意《ちうい》して居《ゐ》ればよい。乳兒《にうじ》で哺乳《ほにう》が困難《こんなん》な場合《ばあひ》には匙《さじ》ででも飮《の》ませねばならぬ。

健康の基礎は幼少の時代に

大阪市立市民病院
小兒科長 醫學博士 谷口淸一

▽……國民《こくみん》の體位《たいゐ》向上《かうじやう》といふこと

最近國民《さいきんこくみん》の體位《たいゐ》向上《かうじやう》と云《い》ふ事《こと》が識者《しきしや》の間《あひだ》に論議《ろんぎ》される樣《やう》になつた。之《これ》は學生《がくせい》の身長《しんちやう》は伸《の》びても胸圍《きやうゐ》が狹《せま》くなつた事《こと》、壯丁《さうてい》の體格《たいかく》が低下《ていか》した、と云《い》ふ成績《せいせき》などが發表《はつぺう》せられた事《こと》に因《いん》を發《はつ》するのである。我《わ》が國民《こくみん》は忠勇無比《ちうゆうむひ》であつて、此點《このてん》大《おほい》に心《こゝろ》を强《つよ》くするに足《た》るのであるが、壯丁《さうてい》の體格《たいかく》が年《とし》を逐《お》つて低下《ていか》すると云《い》ふ事《こと》は、國家《こくか》の見地《けんち》から觀《み》て一大寒心事《だいかんしんじ》と云《い》はねばならぬ。

▽……人類生存《じんるゐせいぞん》の意義《いぎ》から見《み》て

今人類生存《いまじんるゐせいぞん》の意義《いぎ》に就《つい》て考察《かうさつ》するに、吾人《ごじん》は親《おや》の時代《じだい》よりも子《こ》の時代《じだい》、子《こ》の時代《じだい》よりも孫《まご》の時代《じだい》と、代《だい》を重《かさ》ねるにつれ精神的方面並《せいしんてきはうめんなら》びに身體的方面《しんたいてきはうめん》に於《おい》て進歩《しんぽ》し、所謂《いはゆる》優生《いうせい》の義《ぎ》を全《まつた》からしむる事《こと》に重大《じうだい》の意義《いぎ》があると云《い》はねばならぬ。此意味《このいみ》に於《おい》て吾人《ごじん》はその子供《こども》を心身共《しんしんとも》に親《おや》より優《すぐ》れたるものにする義務《ぎむ》ありと云《い》ひ得《う》ると思《おも》ふ。然《しか》るに學童《がくどう》の體格《たいかく》が年《とし》と共《とも》に劣《おと》り、壯丁《さうてい》の體格《たいかく》が低下《ていか》する事《こと》ありとすれば、人類生存《じんるゐせいぞん》の意義《いぎ》に反《はん》するもので、國家《こくか》の立脚地《りつきやくち》から觀《み》れば國力《こくりよく》の衰退《すゐたい》であり、又人間社會《またにんげんしやくわい》の立場《たちば》から觀《み》れば人類《じんるゐ》或《あるひ》はある人種《じんしゆ》の退化《たいくわ》と云《い》ふ由々《ゆゝ》しい現象《げんしやう》と云《い》はねばならぬ。之《これ》に依《よ》つて昨今國民《さくこんこくみん》の體位向上《たいゐかうじやう》が世評《せひやう》に上《のぼ》る理由《りいう》が明《あきらか》になつた事《こと》と思《おも》ふ。

▽……健康《けんかう》の基礎《きそ》は幼少《ようせう》の中《うち》に

さて國民《こくみん》の體位《たいゐ》を向上《かうじやう》せしむる方法《はうはふ》は、一《いつ》にして止《とゞ》まらないのであるが、就中大切《なかんづくたいせつ》なる事《こと》は幼少《ようせう》の中《うち》に健康《けんかう》の基礎《きそ》を作《つく》つて置《お》く事《こと》である。乳兒期《にうじき》及《およ》び幼兒期《ようじき》の間《あひだ》に健康《けんかう》の土臺《どだい》をしつかり築《きづ》き上《あ》げて置《お》く事《こと》が何《なに》よりも緊急事項《きんきふじこう》である。例《たと》へば建築《けんちく》に見《み》るが如《ごと》く、大建築《だいけんちく》にはそれに相應《さうおう》する强固《きやうこ》な基礎工事《きそこうじ》が必要《ひつえう》であつて、若《も》し之《これ》を怠《おこた》つた場合《ばあひ》には所謂砂上《いはゆるさじやう》の塔《たふ》と云《い》ふ實用《じつよう》に適《てき》しない脆《もろ》い家《いへ》しか出來《でき》ないのと同樣《どうやう》である。

▽……乳幼兒《にうようじ》の衞生《ゑいせい》、保健《ほけん》、養育《やういく》に就《つい》ては正確《せいかく》なる理解《りかい》を

今我國《いまわがくに》の狀態《じやうたい》に就《つい》て考察《かうさつ》するに、子供《こども》を愛《あい》する點《てん》に於《おい》ては遜色《そんしよく》はないが、乳幼兒《にうようじ》の衞生《ゑいせい》、保健《ほけん》、養育等《やういくとう》に就《つい》て正確《せいかく》なる理解《りかい》を持《も》てる家庭《かてい》が比較的少《ひかくてきすく》ないのではないかと思《おも》はれる。之《これ》がやがて壯丁《さうてい》の體格《たいかく》を惡《あ》しくする一大原因《だいげんいん》であると思《おも》ふ。

故《ゆゑ》に國民《こくみん》の體位《たいゐ》を向上《かうじやう》するには先《ま》づ乳兒《にうじ》及《およ》び幼兒《ようじ》の第《だい》一歩《ぽ》から注意《ちうい》して、立派《りつぱ》な國民《こくみん》を作《つく》り上《あ》げる覺悟《かくご》が必要《ひつえう》である事《こと》を强調《きやうてう》する次第《しだい》である。

▽……秋《あき》から冬《ふゆ》が子供《こども》の健康《けんかう》にとつて

そこで子供《こども》の健康《けんかう》を增進《ぞうしん》せしむるのに秋《あき》の季節《きせつ》は如何《いか》なる役割《やくわり》を持《も》つものであるか、秋《あき》から冬《ふゆ》の季節《きせつ》には子供《こども》の體位向上策《たいゐかうじやうさく》として如何《いか》なる事項《じこう》に注意《ちうい》すべきであるかに就《つい》て述《の》べて見《み》たいと思《おも》ふ。之《これ》は結局左《けつきよくさ》の三項《かう》に歸結《きけつ》する事《こと》が出來《でき》る。

(一)食物《しよくもつ》の注意《ちうい》、(二)運動《うんどう》の注意《ちうい》、(三)皮膚抵抗力增進《ひふていかうりよくぞうしん》に就《つい》ての注意《ちうい》が即《すなは》ち之《これ》である。之等《これら》の事項《じこう》は春夏秋冬何《しゆんかしうとういづ》れの季節《きせつ》に於《おい》ても、小兒保健上《せうにほけんじやう》一日《にち》も忽《ゆるがせ》にすべき事柄《ことがら》ではないが、秋《あき》から冬《ふゆ》の季節《きせつ》に之《これ》を實行《じつかう》する時《とき》は子供《こども》の積極的健康增進《せききよくてきけんかうぞうしん》として最《もつと》も役立《やくだ》ち得《う》るのである。

(一)食物《しよくもつ》 人類活動《じんるゐくわつどう》の源《みなもと》となり、成長《せいちやう》の基礎《きそ》となるものは食物《しよくもつ》である。即《すなは》ち食物《しよくもつ》として攝取《せつしゆ》せられたものが消化吸收《せうくわきふしう》せられ、體成分《たいせいぶん》となつて、血液《けつえき》と共《とも》に身體《しんたい》の諸器官諸細胞《しよきくわんしよさいはう》に運《はこ》ばれ、そこで適當《てきたう》に燃燒使用《ねんせうしよう》せられて活動《くわつどう》と云《い》ふ形《かたち》に變化《へんくわ》するのである。手《て》の運動《うんどう》、足《あし》の運動《うんどう》、心臟《しんざう》の鼓動《こどう》、更《さら》に進《すゝ》んでは思考《しかう》する能力《のうりよく》に至《いた》る迄《まで》、何《いづ》れの作用《さよう》も皆食物《みなしよくもつ》の變化《へんくわ》による作用《さよう》と云《い》ひ得《う》るのである。つまり吾人《ごじん》の活動《くわつどう》は食物中《しよくもつちう》に藏《ぞう》せられたキポテンシアル、エネルギーが人體《じんたい》を介《かい》してキネーチツシエ、エネ

ルギーに變《へん》じたものと見《み》る事《こと》が出來《でき》る。故《ゆゑ》に吾人《ごじん》が充分《じうぶん》の活動《くわつどう》をするには品質《ひんしつ》のよい食物《しよくもつ》を充分《じうぶん》に攝取《せつしゆ》する事《こと》が第《だい》一に必要《ひつえう》である。成人《せいじん》であれば最早成長《もはやせいちやう》の必要《ひつえう》がない故《ゆゑ》に、食物《しよくもつ》はたゞ活動《くわつどう》の資源《しげん》となるに必要《ひつえう》な程度《ていど》に於《おい》て之《これ》を補充《ほじう》すればよいのであるが、子供時代《こどもじだい》に於《おい》ては活潑《くわつぱつ》なる活動《くわつどう》の外《ほか》に更《さら》に成長《せいちやう》と云《い》ふ重大《じうだい》な仕事《しごと》があるのであるが、之《これ》も食物《しよくもつ》から出來《でき》た體成分《たいせいぶん》の堆積《たいせき》によるものである。故《ゆゑ》に子供《こども》に於《おい》ては、たゞ活動《くわつどう》に必要《ひつえう》な食物《しよくもつ》だけでは不足《ふそく》であつて、それ以外《いぐわい》に生長《せいちやう》に必要《ひつえう》なだけの食物《しよくもつ》を餘分《よぶん》に取《と》らなければならぬ。從《したが》つて子供《こども》は大人《おとな》に比《くら》べて、比較的多量《ひかくてきたりやう》の食物《しよくもつ》が必要《ひつえう》である。

子供《こども》と成人《せいじん》とでは食物《しよくもつ》の種類《しゆるゐ》を換《か》へる事《こと》が必要《ひつえう》であるが、之《これ》が多《おほ》くの場合忘却《ばあひばうきやく》せられて居《ゐ》る。子供《こども》は消化器《せうくわき》が弱《よわ》いのと同時《どうじ》に成長《せいちやう》と云《い》ふ重大《ちうだい》な使命《しめい》があるのであるから、消化《せうくわ》し易《やす》く、蛋白質《たんぱくしつ》に富《と》み、ビタミン、カルシユーム等《とう》を豐富《ほうふ》に含《ふく》んだ食品《しよくひん》を擇《えら》ぶ必要《ひつえう》があり、又比較的多量《またひかくてきたりやう》に與《あた》へる必要《ひつえう》がある。乳汁《にうじう》、鷄卵《けいらん》、肉類《にくるゐ》、新鮮《しんせん》なる野菜等《やさいとう》を消化《せうくわ》し易《やす》き狀態《じやうたい》に料理《れうり》して、比較的多量《ひかくてきたりやう》に與《あた》へないと成長《せいちやう》が遲《おく》れたり、體格《たいかく》の惡《わる》くなる樣《やう》な結果《けつくわ》を招來《せうらい》するのである。例《たと》へば日本《にほん》の成人《せいじん》は多《おほ》く米飯《べいはん》を主食《しゆしよく》としておるのであるが、之《これ》を直《たゞ》ちに乳兒《にうじ》に應用《おうよう》したる場合如何《ばあひいか》なる結果《けつくわ》を來《きた》すものであるかを見《み》るに、昔《むかし》からチ、粉《こ》と云《い》つて米《こめ》の粉《こ》を煎《い》りて乳兒《にうじ》を養《やしな》ふ事《こと》があるが、之《これ》では乳兒《にうじ》に必要《ひつえう》な脂肪《しばう》、蛋白《たんぱく》、ビタミン等《とう》が不足《ふそく》するために、乳兒《にうじ》は必《かなら》ず穀粉榮養障碍《こくふんえいやうしやうがい》と云《い》ふ病氣《びやうき》を起《おこ》すもので、之《これ》がため死亡《しばう》する事《こと》もあれば、よし死《し》を免《まぬが》れたとしても榮養《えいやう》が不良《ふりやう》となり、發育《はついく》が遲《おく》れ、骨格及《こつかくおよ》び筋肉《きんにく》の發育《はついく》が著《いちじる》しく不良《ふりやう》となり、一生不良《しやうふりやう》なる體格《たいかく》の持主《もちぬし》となる事《こと》が多《おほ》い。斯《か》くの如《ごと》く子供《こども》は年齡《ねんれい》により食品《しよくひん》の選擇《せんたく》に充分《じうぶん》の注意《ちうい》が必要《ひつえう》であるが、こゝには詳述《しやうじゆつ》を省略《しやうりやく》する。只概念的《たゞがいねんてき》に心得《こゝろえ》べき事《こと》は、本邦幼兒《ほんぱうようじ》の食物《しよくもつ》は米《こめ》の多過《おほす》ぎる事《こと》である。米飯《べいはん》を少《すこ》し控《ひか》へ目《め》にして副食物《ふくしよくぶつ》を澤山調理《たくさんてうり》して與《あた》へる事《こと》にせなければ體位向上《たいゐかうじやう》が困難《こんなん》である。

秋《あき》の期節《きせつ》には胃腸《ゐちやう》の疾患《しつくわん》は比較的少《ひかくてきすくな》く、又夏中暑《またなつちうあつ》さ敗《ま》けのため食慾《しよくよく》の進《すゝ》まなかつたものが、氣候《きこう》のよくなるにつれて食慾《しよくよく》の亢進《かうしん》を來《き》たす時期《じき》であるが故《ゆゑ》に、之機《このき》を逃《のが》さず滋養《じやう》に富《と》んだ食物《しよくもつ》を充分取《じうぶんと》らせる樣《やう》にするのがよい。之日本《これにほん》の乳兒《にうじ》は長日月《ちやうじつげつ》乳《ちゝ》を飮《の》み過《す》ぎるために榮養《えいやう》を惡《わる》くする事《こと》があるから、秋《あき》になつて九ヶ月前後《げつぜんご》の乳呑子《ちのみご》があつたら、此期《このき》を逃《のが》さない樣《やう》に離乳《りにう》に取掛《とりかゝ》る事《こと》が必要《ひつえう》

である。

（二）運動《うんどう》　運動《うんどう》は身體《しんたい》の發達《はつたつ》に必要《ひつえう》缺《か》くべからざるものである。運動《うんどう》によつて血液《けつえき》の循環《じゆんくわん》がよくなり、身體《しんたい》の至《いた》る所《ところ》に滋養《じやう》に富《と》んだ血液《けつえき》が送《おく》られ、全身《ぜんしん》の諸器《しよき》官細胞《くわんさいはう》は之《これ》がため働《はたらき》が活潑《くわつはつ》となり、血液中《けつえきちう》の榮養物質《えいやうぶつしつ》を燃燒《ねんせう》して、活動《くわつどう》の原動力《げんどうりよく》となるのです。血液中《けつえきちう》の榮養《えいやう》物質《ぶつしつ》が消費《せうひ》せられると更《さら》に新《あた》らしい榮養品《えいやうひん》の必要《ひつえう》を感《かん》じて食慾《しよくよく》の亢進《かうしん》を來《きた》すものである。即《すなは》ち運動《うんどう》により澤山《たくさん》の榮養品《えいやうひん》を取《と》り込《こ》み之《これ》を吸收消費《きふしうせうひ》する所《ところ》の所謂新陳代謝《いはゆるしんちんたいしや》が盛《さかん》となるもので、此新陳代謝《このしんちんたいしや》の旺盛《わうせい》なる事《こと》によつて、身《しん》體《たい》の發育《はついく》が愈々促進《いよいよそくしん》されるのである。

秋《あき》の運動《うんどう》としては郊外《かうぐわい》の散策《さんさく》などは最《もつと》もよい運動《うんどう》である。故《ゆゑ》に日曜《にちえう》とか祭日《さいじつ》などにはなるべく子供《こども》を郊外《かうぐわい》に連《つ》れ出《だ》す事《こと》に心掛《こゝろが》くべきである。秋《あき》の太陽光線《たいやうくわうせん》は夏程《なつほど》に强《きやう》烈《れつ》でないから、充分《じうぶん》の日光《につくわう》を浴《あ》び乍《なが》ら散歩《さんぽ》するのに適當《てきたう》して居《ゐ》る、從《したが》つて人體《じんたい》に必要《ひつえう》である紫外光線《しぐわいくわうせん》を充分《じうぶん》に受《う》け入《い》れる事《こと》が容易《ようい》である。ハイキングは單《たん》に運動《うんどう》の點《てん》に於《おい》て有效《いうかう》なばかりでなく、自然界《しぜんかい》と接《せつ》して子供《こども》の觀察《くわんさつ》眼《がん》を養《やしな》ひ、自然界《しぜんかい》の現象《げんしやう》を理解《りかい》し、一面爽快《めんさうくわい》の念《ねん》を起《おこ》させて、子供《こども》に少《すく》からざる慰安《ゐあん》を與《あた》へるものである。ハイキングで飯盒《はんがふ》の飯《めし》を心《こゝろ》ゆく迄《まで》に味《あぢ》はふのも食慾《しよくよく》を增進《ぞうしん》せしむると同時《どうじ》に子供《こども》に大《だい》なる樂《たのしみ》を齎《もたら》すに相違《さうゐ》ない。故《ゆゑ》にハイキングなるものは單《たん》に運動《うんどう》として健康增進《けんかうぞうしん》に異效《いかう》のあるのみならず、精神的方面《せいしんてきはうめん》に於《おい》ても觀察力《くわんさつりよく》を養《やしな》ひ智識《ちしき》を啓發《けいはつ》し、且《か》つ絕大《ぜつだい》な慰安《ゐあん》を齎《もたら》すと云《い》ふ事《こと》になるから心身《しんしん》の鍛錬上《たんれんじやう》甚《はなは》だ有益《いうえき》なるものである。故《ゆゑ》に子供《こども》のある家庭《かてい》では秋《あき》の期節《きせつ》を逃《のが》さず郊外散策《かうぐわいさんさく》を試《こゝろ》みられん事《こと》を切望《せつばう》する次第《しだい》である。

體操《たいさう》が健康增進法《けんかうぞうしんはふ》として必要《ひつえう》なる事《こと》は今更强調《いまさらきやうてう》する必《ひつ》要《えう》もないと思《おも》ふ。此體操《このたいさう》は全身《ぜんしん》を平等《びやうどう》に動《うご》かすもので、最《もつと》も理想的《りさうてき》の身體訓錬法《しんたいくんれんはふ》である。ラヂオ體操《たいさう》を國民體操《こくみんたいさう》として普及《ふきふ》させる事《こと》は至極結構《しごくけつかう》な事《こと》であると云《い》はねばならぬ。幼兒及《ようじおよ》び學童《がくどう》に於《おい》ては此《この》ラヂオ體操《たいさう》を八月《ぐわつ》だけの業事《げふじ》とせず、之《これ》を永續《えいぞく》させる習慣《しふくわん》をつける事《こと》がよいと思《おも》ふ。又鐵棒《またてつぼう》は發育增進法《はついくぞうしんはふ》として異效《いかう》ある事《こと》を附言《ふげん》して置《お》く必要《ひつえう》がある。

（三）皮膚の抵抗力增進《ひふのていかうりよくぞうしん》　皮膚《ひふ》には色々《いろいろ》の作用《さよう》があるが、その中《うち》で最《もつと》も大切《たいせつ》なのは體溫《たいおん》の調節作用《てうせつさよう》である。即《すなは》ち吾人《ごじん》の體溫《たいおん》が暑《あつ》い夏《なつ》も寒《さむ》い冬《ふゆ》も依然《いぜん》として三十六、七度《ど》の體溫《たいおん》を保《たも》ち得《う》るのは、主《しゆ》として此《こ》の皮膚《ひふ》の體溫調節《たいおんてうせつ》

作用《さよう》によるのである。皮膚《ひふ》の抵抗力《ていかうりよく》が强《つよ》ければ氣溫《きおん》に變《へん》化《くわ》が起《おこ》つても身體《しんたい》は之《これ》によつて何等《なんら》の影響《えいきやう》を受《う》ける事《こと》なく平氣《へいき》で之《これ》に順應《じゆんおう》する事《こと》が出來《でき》る。然《しか》るに若《も》し皮膚《ひふ》の抵《てい》抗《かう》が弱《よわ》いと、外氣《ぐわいき》の溫度《おんど》が上下《じやうか》する度毎《たびごと》に之《これ》が身體《しんたい》にこたへて感冒《かんぼう》をひいたり、發熱《はつねつ》したりする事《こと》になる。故《ゆゑ》に皮膚《ひふ》の抵抗力《ていかうりよく》を高《たか》めて置《お》く事《こと》は健康水準《けんかうすゐじゆん》を高《たか》める上《うへ》に重《ぢう》大《だい》な意義《いぎ》があるのである。皮膚《ひふ》の抵抗《ていかう》を强《つよ》めるには色々《いろいろ》次《つぎ》に述《の》べる樣《やう》な方法《はうはふ》がある。

（イ）薄着《うすぎ》　厚着《あつぎ》をさせない樣《やう》に薄着《うすぎ》に馴《な》れさす事《こと》が大切《たいせつ》である。子供《こども》に感冒《かぜ》をひかせまいと、あまり大切《たいせつ》にするために乳兒《にうじ》や幼兒《ようじ》に厚着《あつぎ》をさせ、子供《こども》がつい厚着《あつぎ》に馴《な》れる事《こと》になるが、之《これ》は子供《こども》の皮膚抵抗力《ひふていかうりよく》を弱《よわ》める事《こと》になつて、却《かへ》つて感冒《かんぼう》をひかせる原因《げんいん》となる事《こと》が多《おほ》い。秋《あき》から冬《ふゆ》へと寒《さむ》さに向《むか》ふ期節《きせつ》にはなるべく薄着《うすぎ》にさせ厚《あつ》着《ぎ》に流《なが》れない樣《やう》に充分注意《じうぶんちうい》し皮膚《ひふ》の抵抗力《ていかうりよく》を高《たか》める樣《やう》に心掛《こゝろが》けねばならぬ。

（ロ）屋外遊戲《をくぐわいいうぎ》　なるべく屋外遊戲《をくぐわいいうぎ》を獎勵《しやうれい》する事《こと》も皮《ひ》膚抵抗力《ふていかうりよく》を增進《ぞうしん》せしむる一つのよい方法《はうはふ》である。秋風《あきかぜ》が少《すこ》し冷《つめた》くなると親《おや》が心配《しんぱい》し過《す》ぎて、子供《こども》を室外《しつぐわい》へ出《だ》させない樣《やう》な家庭《かてい》を見《み》る事《こと》があるが、之《これ》は子供《こども》の體格《たいかく》を低下《ていか》せしむる一《ひと》つの原因《げんいん》である。故《ゆゑ》に子供《こども》の健康《けんかう》を願《ねが》ふ兩親《りやうしん》としてはなるべく屋外遊戲《をくぐわいいうぎ》をすゝめて、秋《あき》の光《ひかり》、秋《あき》の外《ぐわい》氣《き》と親《したし》ましめ、皮膚《ひふ》の抵抗力《ていかうりよく》を高《たか》めて置《お》く事《こと》が體位向上《たいゐかうじやう》の良策《りやうさく》であり、冬《ふゆ》の感冒豫防《かんぼうよばう》として最《もつと》も有力《いうりよく》である事《こと》を心得《こゝろえ》て頂《いただ》きたい。

（ハ）空氣浴《くうきよく》　之《これ》は皮膚《ひふ》を外氣《ぐわいき》にあて、皮膚《ひふ》をして外《ぐわい》氣《き》に馴《な》れしむる事《こと》で、前述《ぜんじゆつ》の薄着《うすぎ》、屋外遊戲《をくぐわいいうぎ》なども廣義《くわうぎ》に於《お》ける空氣浴《くうきよく》である。今茲《いまこゝ》に述《の》べんとするは狹義《けふぎ》の空《くう》氣浴《きよく》である。之《これ》は一日《じつ》一定《てい》の時間《じかん》を定《さだ》め、着物《きもの》の全部《ぜんぶ》又《また》は一部分《ぶぶん》を脫《ぬ》いで皮膚《ひふ》に外氣《ぐわいき》をあてる事《こと》である。

最初《さいしよ》は二、三分間位之《ぷんかんぐらゐこれ》を試《こゝろ》み、だん〳〵それに馴《な》れて五分間《ふんかん》、十五分間《ふんかん》と時間《じかん》を長《なが》くするのである。又最初《またさいしよ》は之《これ》を室內《しつない》で初《はじ》め馴《な》れるに從《したが》つて室外《しつぐわい》でも出來《でき》る樣《やう》に訓錬《くんれん》するので、夏期《かき》に初《はじ》め秋《あき》から冬《ふゆ》へ連續《れんぞく》するのがよい。裸《はだか》體操《たいさう》などは理想的《りさうてき》のものである。

（ニ）冷水摩擦《れいすゐまさつ》　之《これ》は乳兒《にうじ》とか五才以下《さいいか》の幼兒《ようじ》又《また》は病《びやう》身者《しんしや》には多少《たせう》の危險《きけん》があるから見合《みあは》せた方《はう》がよいが、健《けん》康《かう》な學齡兒童《がくれいじどう》であれば、之《これ》によつて皮膚抵抗力《ひふていかうりよく》を增進《ぞうしん》し身體《しんたい》の發育《はついく》を促《うなが》すものである。水《みづ》で皮膚《ひふ》を拭《ぬぐ》つた後乾燥《のちかんさう》したタオルで充分皮膚《じうぶんひふ》を摩擦《まさつ》し、皮膚《ひふ》が赤《あか》くなり溫味《あたゝかみ》

を覺《おぼ》えるに至《いた》つて中止《ちうし》するもので、多《おほ》く早朝《さうてう》に行《おこな》はれて居《ゐ》る。之《これ》も夏《なつ》から始《はじ》め秋《あき》から冬《ふゆ》へと續行《ぞくかう》すべきものである。

（ホ）乾燥摩擦《かんさうまさつ》　一日《じつ》一定《てい》の時間《じかん》、例《たと》へば起床直後《きしやうちよくご》又《また》は就寢前《しうしんぜん》に乾《かわ》いたタオル、ブラッシュ又《また》は海綿等《かいめんとう》で充《じう》分摩擦《ぶんまさつ》して、皮膚《ひふ》が溫味《あたゝかみ》を感《かん》ずる迄續《までつゞ》ける方法《はうはふ》である。之《これ》は幼兒《ようじ》又《また》は學童《がくどう》に試《こゝろ》みてよい皮膚鍛錬法《ひふたんれんはふ》であつて、之《これ》も冷水摩擦《れいすゐまさつ》と同《おな》じく夏《なつ》に初《はじ》め、秋《あき》から冬《ふゆ》へ繼續《けいぞく》すべきものである。

お產に關する注意（一）

扇町產院々長
醫學博士　余田忠吾

お產の時の用意

之には種々ありますが一番大切なことは、技術が確かで親切な產婆にかゝると云ふことであります。

お產の時に起る故障は產科醫でも前から見當がつかぬことが少なくありません。お產のときに產婆の人物次第では治療せねばならぬことを捨てゝ置いて、後になつて發熱するとか病氣が惡くなるとかのことがあり勝ちであるから大に注意せねばならぬ、殊に初めてのお產には餘裕がある家では、產科に經驗ある醫者を呼んで立會させることが必要であり、又適當な病院に入院させ確かに經驗ある產科婦人科醫の下で分娩さすことが最も安全です。產婆によつては治療することの出來ないことまで手を下して醫者を呼ばずに捨てゝ置く爲めに母親の生命を失ふことがあるから特に注意せねばなりません。

お產の時の入用品

之れには完全にすれば限りない、一番簡單にしようと思ふならば、

一、防水布　一枚（蒲團の下半分の廣さ）
一、手洗鉢　三ケ
　一は湯を入れる、一は「アルコール」を入れる。
　一は「リヅール」（消毒藥を入れる）
一、赤ん坊の沐浴用湯桶及湯上げ
一、多量の湯及冷水及氷
一、脫脂綿（二袋）
一、晒木綿　一反

お産が始まつた時の注意

産が始まるには必ず陣痛が起つて來るもので陣痛が起り其れが消えて十五分か十分間位で又次の陣痛が來て續きます。此陣痛と云ふものは胎兒を子宮から外に押し出さうとする力でありまして此陣痛により子宮が小さくならんとするから胎兒が押されて子宮の口の方に押し出されるのであります。此陣痛の痛み方は丁度山に登つて反對の方に下る様な痛み方で始め登り初めは輕く段々強くなつて山の頂上になつて一番強くなり又段々弱くなつて自然に消えるのが普通である。此の陣痛は子宮の筋肉の發育が良ければ強いが母親の病氣例へば脚氣とか腎臟病とかゞあるとき殊に浮腫のある産婦は必ず醫者の診察を受くべきである。此陣痛が弱くて子宮の收縮することが弱いときには胎兒は子宮の口から出ることが出來ないのでお産は長びく、又子宮の口が充分に開いても其陣痛が弱くなるか中途で止むときは遂に胎兒が下ることが出來ないから胎兒は産道に壓迫されて死に易いことになるのでお産が始まつたら此陣痛の強くなることが一番大切である。此陣痛は全身の強壯婦人は大概病氣でない限り陣痛も強いのが普通であるが健康な産婦でも中途で小便大便が澤山たまつて居るときは陣痛が段々弱くなり勝ちである。其の大小便のため陣痛が弱くなつて胎兒の出るのが遲れ遂に陣痛が止むこともある、斯んなに大便小便が澤山たまることは陣痛を弱くする原因となるからお産の時には勿論産婆や醫師が注意するのが普通であるが産婦も一應心得て置くべきことであります。

お産が始まりかけたならば大便小便するか灌腸して充分に出さねばならぬ。家の人は産婆がまだ來て居なければ直ぐに呼びに行くことが第一必要であるが其の外に初産の時は産科に經驗ある醫者を呼ぶのが安全です。又葡萄酒や氷や湯槽、湯冷水「タオル」などを用意して産室には産婦の一番氣に入つた人を一人呼んで置く位で其の他の人は愈々赤ん坊が生れて手の入るとき迄遠慮する方がよろしい。お産が遲れて生れないようなときには是れ迄の習慣上種々の「マジナヒ」をする家が多いが斯んなときには「マジサイ」をしても差支はない殊に「マジナヒ」をして安心すると云ふことは却つてよいことがあると信ずるが「マジナヒ」のみを當にして産婆や醫者の云ふことに從はない傾向のあるのは甚だわるいことである、初めから信用ある産婆や醫師に任かせてあるのであるから、産婆や醫師が其の信ずる處を行はんとする場合には「マジナヒ」や其の他のことで産婆や醫者の手術などを妨げてはなりません、斯んな場合には必ず初め信用して任か

せた醫師の手術に任かすべきです。然し「マジナヒ」の力で心の安神を得ることは結構なことです。お産は中途で急に變ることがあり勝ちであるから必ず初めから腕きゝの産婆醫者を撰ぶのが安全である。急變の來たときに騷ぐのは却つて危險です。

お産の時の注意

分娩時間は人によつて違ふが始まつてから終るまで普通平均

始めから終りまで　初産婦平均十五時間
　　　　　　　　　經産婦平均七時間半

高年三十才以後に初めてお産する人は平均の分娩時間より長くかゝるのが普通である殊に四十を越えて初産する人は時間が長くなり勝ちであるから必ず産科醫を呼んで置く必要があります。又お産は一般に夜間に多く晝は少ない、約三分の二は午前中に生れるものです。

お産になつて難産の徴があつたらば先づ信用ある産科醫を頼むべきである。是れは勿論豫め腕の確な産科醫が立會つて居るときは其産科醫の指圖と手術とに任かすべきである。斯んな場合に「まじない」「占ひ」「みくじ」祈禱など總て唯だ神經靜めにはなるけれども餘り其れにのみ信頼すると胎兒は死んでも生れないことになるから斯んな場合は信頼すべき醫師の手術によるほかはないのである。醫者でも適當な時期に手術又は手當しなければ胎兒を救ふことが出來ない。

胎兒の命は全く一刻の時間を爭ふのであるから手術しなければならぬときには決して躊躇して手術者の考へを妨るようなことをしてはいけぬ。若し人格の皓潔な産科醫を招くならば恐くは不道德な考へに支配されることはない筈であると信ずる。又産婆も同様である。是等の人々を選んで任かせたなら胎兒の生命を托して居る以上は彼れ是れ文句云ふべきでない。手當する人も人間欲を離れて至誠を盡すに相違ありません。

お産後の注意

で一番大切なことは、（一）安眠、（二）精神を靜めること、（三）動かぬこと、成るべくお産の當日は仰臥の儘ねること、二三日は其儘で居ること。小便も大便も臥たまゝにするのが安全である。（四）食物は胃の強い人でも胃腸が弱つて居るのが普通だから二三日は「カユ」を食べるがよい。食事の時も二三日は起きずに食べる。若し大小便がねたまゝ出ないときには蒲團の上へ便器を持て來てする様にすべきである。決して起つて行かない様にする、若し脚氣でもあるときには便所に起つて行つたあと

で急に脚が起たぬ様になることがあるから注意せねばならぬ。

又食物にお産後胃腸が弱つて居る處に油揚の様な不消化物を食べると急に腹痛が起り勝ちであるから注意せねばならぬ。食物は三度三度野菜を種々に混ぜて「カユ」又は柔軟な米飯か麥飯又は「パン」類を適宜に食べることが必要である。人々によつて違ふけれども三四日間は軟かな食物を種々にして食べて後普通の食事に復すべきであります。

お産後の入浴は普通四週間は注意せねばならぬ。然し全然故障のなかつた場合は三週間以内でも害がないこともあるが念のため四週間すぎてから入浴すべきである。子宮收縮のわるいときは醫者の指圖によることです。

母乳は大概の婦人では二三日しなければ張つて來ないから其間にお乳の張る様にと油氣の強いものを食べて胃腸を害する人が多いから注意せねばならぬ。食事が普通にならぬ内に母乳が出ないときは先づ安眠することが必要である、次には食物が必要であるがお産後二三日間は胃腸も弱つてゐるから其の間に食べ過ぎると却つて胃腸を害するから無茶に食べてはいけない、お産後二三日間は母乳も充分出ないでもよい様になつて居る、生れ子は飲む母乳の量が少ないから無理に澤山乳汁の出る様にしないでも自然に多くなるものである。生れ子にも其發育次第であるが普通の發育の生れ子は生れて七八時間は母乳を與へないでもよい、又翌日迄も飲まない子がある。生れ子が母乳を飲ようとしないならば體溫に注意して居れば無理に母乳を與へないでもよい。生れ子が病氣であるとか弱いとか云ふ場合は先づ生れて直ぐに醫者に診察を受けしむべきである、其の上母乳を飲まなければ成るべく飲まんとする迄飲ませずにおくがよい。元氣ある生れ子は或る時間をすぎれば必ず母乳を欲する、寒い時に早産して生れるとか、弱く生れた赤ん坊は中々母乳を飲まないから餘程飲ます様に調子が大切である。必ず冷えない様にして母乳を搾つて飲ませる、乳嘴の短い人は特に握み出して飲ませる。又飲ませることが出來ないときは杯に搾り出して「ガーゼ」か綿か、「コーヒ」匙で飲ませる、又全く仰臥でなく赤ん坊を少し横にして飲ませる。

母乳を飲ませるときには先づ母の乳房を三十倍の硼酸水にて拭ふて後赤ん坊の口の內も清く拭ふて飲ませるのが一番安全である。殊に人工榮養をやるときは赤ん坊の口の中を毎日度々拭ふべきである、其液は三十倍の硼酸水にてよろしい、洗滌などは一ケ月間はやらぬ方が安全であります。

母乳が出ないときは先づ食物の柔いもので滋養の多い

食物を撰んで食べる、又よく眠り心配をせぬ様にせねばならぬ、心配などのために急に母乳がとまることが多い。又乳房が大きくて母乳が出ないものは「クロールカルシユーム」(3%)の注射を受けて毎日十五瓦から二十瓦位の量を靜脈内に注射して其の上に「ラクチフエリン」と云ふ注射藥を皮下に注射して貰ふか乾燥胎盤末を内服するか(之は二號の膠囊入を一日三回から十四五個迄)内服せば母乳分泌が多くなることが多い又「ハコベ」と云ふ草を煎て所謂俗に云ふ「シタシ」に料理して食べるときは母乳の出ることもある。吾々の經驗では乳房の小さいものは以上の方法をやつても中々母乳が充分になることは少くない。唯だ乳房が大きくて母乳が出ないと云ふ人には相當の効果がある。時には「クロールカルシユーム」の注射のみでよく出る様になることもある。一般に姙娠中「カルシユーム」を注射するとか内服を續けた人は母乳が可なりよく出ると云はれるが吾々も同様な感じを持つて居ります。

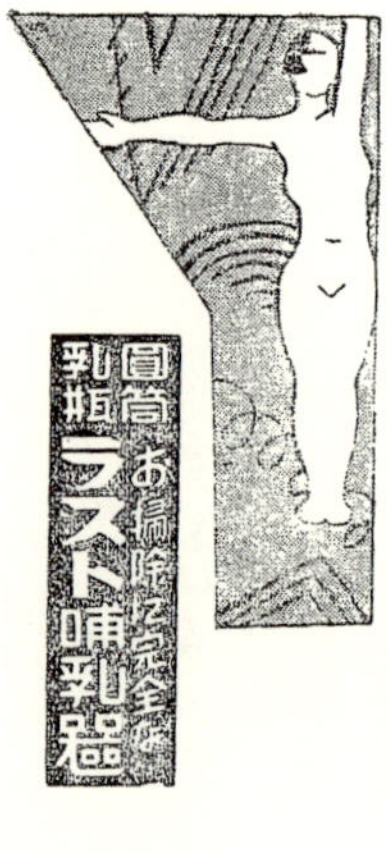

寒季に於て注意すべき傳染病

大阪市保健部豫防係長
醫學博士 利齋潔

急性傳染病にいろ〳〵あるが、その中で腸「チブス」や赤痢疫痢などは冬になると著しく下火になつて來るが、これと反對に「ヂフテリア」と猩紅熱とは俄然勢を得て、春頃までこの猛威を逞うすることは、此等傳染病の最近一ケ年間の發生數を月別に示した左表に見らるゝ通りである。茲に參考までに「ヂフテリア」と猩紅熱に就て簡單に記すこととする。

大阪市赤痢、疫痢、腸チブス、猩紅熱、ヂフテリア發生數調(自昭和十一年十一月 至昭和十二年十月)

病別＼月別	昭和十一年十一月	同十二月	昭和十二年一月	同二月	同三月	同四月	同五月	同六月	同七月	同八月	同九月	同十月	計
赤痢	一三五	九〇	四四	五五	六九	九一	一六四	四〇五	八四三	九一四	八〇六	四七七	四、〇九三
疫利	一〇七	三六	三六	三八	四四	七一	一二六	二七二	五六一	六五九	四二五	二六三	二、六三八
腸チブス	二七三	一七四	八九	一〇五	一〇九	一〇三	一二四	二三五	三三九	四〇一	三九四	二七〇	二、六一六
猩紅熱	一九九	二〇三	二〇三	一五五	一三四	一六七	一五八	一四一	一〇六	五〇	五三	一一三	一、六八二
ヂフテリア	二八八	三一一	一九三	二三四	三二八	二九四	二四七	一五五	八九	六五	九一	一六二	二、四五七
計	一、〇〇二	八一四	五六五	五八七	六八四	七二六	八一九	一、二〇八	一、九三九	二、〇八九	一、七六九	一、二八五	一三、四八七

一、「ヂフテリア」

傳染 「ヂフテリア」菌によつて起る急性接觸傳染病で二歳から六歳までの子供に一番多い。乳兒は母胎から免疫物質を据分けして貰つてゐるので罹患することは少いが二歳位になると段々と此の免疫物質が消失して來るので、病氣に罹る様になる。又此の病氣に罹り易い年齢が過ぎて、成人して來ると其の間に度々弱い黴菌によつて發病を認め得ない程度の感染を受けて、永久的の免疫性を獲得するから大人になれば罹患しなくなる。だから此の二歳位から十歳位までの小供は一番注意が肝要なのである。此の病氣は風邪などが其の誘因となる。又痲疹や後で述べる猩紅熱などに「ヂフテリア」が併發し易いし、併發すれば重篤になる。淋巴性體質の小供は罹り易い。一般に言ふと、一度罹患すると免疫性を得るけれども、數回罹る人もある。

豫防 傳染の機會を少くすべきことは言ふまでもないが、近年有力な豫防注射法が研究されてゐるから是非實行すべきである。これは副作用が少く、効果が多いのである。大體「ヂフテリア」には良く効く治療血清があるので、罹れば治療血清を注射すればよいと言ふ考が多い。勿論これは結構な事には違ひないが、幾ら早期に此の治療血清を注射しても尚悪化の一途を辿つて一命を失ふ小供が少くないのである。現在「ヂフテリア」の死亡率は、二〇%と言はれてゐる。又血清は急場の用は達するにしても其の効力に持續性が無いし、再三注射することは、血清病の危險もあるから「ヂフテリア」豫防の原則は、是非この豫防注射法に置かれなければならぬ、元來一口に小供と言つても「ヂフテリア」に罹り易い小供と罹り難い小供とがある、即ち免疫度に差異があるのである。此の「ヂフテリア」に罹り易い小供を選り分け得られたならば豫防注射を實施する上に於て、誠に好都合である。此の選り分ける方法に「シツク反應」と言ふのがある、即ち簡單な方法で「ヂフテリア」に罹り易い小供であるか、罹り難い小供であるかを見別けられるのであつて、罹り易い小供と決れば是非とも豫防注射を受けるべきである。保健部では目下此の豫防注射を社會部と協力して託兒所の幼兒約二千名に實施中である。

症狀 潛伏期は二日乃至五日體溫は三十八度乃至三十九度に昇騰する。喉頭を侵せば、扁桃腺上に灰白色の義膜を生ずる。重症になれば義膜の色は汚褐色となつて來る。喉頭に來ると音聲は嗄れて、犬吠樣となる。其の他鼻腔に來るもの、結膜に來るものなど多種多樣である。「ヂフテリア」毒素は筋肉を侵し易いので、屢々筋痲痺を起す。一番恐ろしいのは心臟痲痺である。

療法 早期に治療血清を注射することである。少量宛何回も行ふよりも、最初に大量を用ふる方が効果的である。一度血清の注射を受けた事のある人が再び注射を受けんとする時は豫め醫師に其の旨を告げる方がよい。これは血清病を豫防せんが爲である。口腔は清淨に保つ様に注意し、過酸化水素水の含嗽などを行ふ。悪化すると氣管切開術を行はざるを得ない場合も起る。患者には無刺戟性の食物を與へ、絕對安靜を保たしめて、心臟の保護に努めねばならぬ。

二、猩紅熱

傳染 病原體は目下種々研究されてゐるが確定してはゐない。流行時には强大な傳染力を持つてゐる。直接患者から、又は間接に衣服、寢具、調度、玩具等から感染する。猩紅熱の經過中に合併症として起る中耳炎の耳漏などでも傳染する。

「ヂフテリア」同様二歳から六歳までの小供に多く、乳兒及成人には少い。一度罹患すると免疫となり再發病は極めて稀である。

豫防 傳染を媒介する物は總て嚴重に消毒せなければならぬ。侵入部位は扁桃腺からだと言はれてゐるから、食鹽水又は番茶などで含嗽を勵行することが必要である。適切な豫防注射法は目下の所決定されてゐない。

症狀 潛伏期は三日乃至八日で、これに次いで發疹期に入る。突然熱發、咽頭痛を以つて始り皮膚に發疹を生ずる。此の發疹は甚だ小さな鮮紅色の斑點で、密生してゐるから、皮膚は恰も赤色で塗つた樣になる。發疹は全身に生ずるが只唇の周圍のみが侵されずに殘る。これは痲疹の發疹と異なる所である。猩紅熱の症狀中、重要なことは「アンギーナ」である。扁桃腺が腫れて屢々帶黃白色の斑點を認める。患兒は嚥下時に劇痛を訴へる。舌の尖は、苺の樣になり覆盆子舌と言はれる。第二週に入ると、發疹は消失して、皮膚に落屑が始まる。これが永い間續いて終結を告げるまで六、七週間もかゝることがある。落屑が全部終結するまで傳染の危險がある。又猩紅熱は合併症の多い病氣であつて、最も重大なのは腎臟病で、猩紅熱の三〇%位に起る。通常第三週目に始まるから絕えず尿量に注意する必要がある、不養生をすると、尿毒症を起したり、又は慢性に移行して回復が困難となる。合併症として又中耳炎がある猩紅熱性中耳炎は治癒するまでに相當の時日を要するし、其の間傳染力もあるから厄介なものである。其の他淋巴腺炎や「ヂフテリア」を合併する。

療法 絕對安靜を守つて、流動性食餌や牛乳等を與へ肉類や鹽分の强いものは禁ずる。飲料は充分攝取した方がよい。番茶、果汁等が適當である。成長兒は、過酸化水素水で含嗽を、乳兒は口腔洗滌を、一日數回行ふ。

皮膚の落屑は、入浴によつて早く終らしめる樣にする。腎臟病合併を慮つて、長期臥床と檢尿が必要である。恢復期患者の血清を注射して奏効する事がある。

「ヂフテリヤ」と猩紅熱との合併

二%乃至六%に來る。猩紅熱に「ヂフテリア」が併發した場合は、重篤であるが「ヂフテリア」の後に猩紅熱が起る場合は輕く經過するものである。

乳兒榮養の話（四）

大阪市立堀川乳兒院
醫學士　山　田　　譲

第四章　人工榮養法

私は前章に於て母乳榮養が乳兒の健全な發育にとつて如何に肝要なるかに就いて申し上げました。人工榮養法は一名不完全榮養、又は不自然榮養と稱し、文字通り完全なものではありません。故に私共は常に「母乳禮讚」の言葉を捧げて來ましたが、それでも尚大體百人の乳兒中十人から十五人位は色々の事情で人工榮養を行はなければならぬ事情に置かれて居ます。これは甚だ遺憾な事で出來れば「總ての乳兒を母乳」で育ててあげたいと思ひますが、萬策盡きて人工榮養を初めなければならぬ時はどうしたら最も好ましいであらうかと言ふその方法と注意に就いて述べて見ようと思ひます。一口に人工榮養と申せば牛乳、山羊乳、粉乳、煉乳、穀粉等色々ありますが、私共の現今の智識では牛乳を以つて最上と考へて居ります故、牛乳榮養法に就いて詳しく述べる事に致します。

第一節　牛乳榮養法

一、牛乳の種類　牛乳を大別して特別牛乳と普通牛乳とし牛乳取締規則により嚴重に區別され、特別牛乳は乳兒榮養品として好ましいものですが何れの土地に於て入手出來るとは限りません。

	特別牛乳	普通牛乳
細菌數(一立方糎中)	五〇〇〇以下	二〇〇〇〇以上存せざる事
脂肪	三・三％以上	三・〇％以上
消毒法	低溫殺菌	低溫又は高溫殺菌なるかを明記の事

牛乳消毒法にも低溫殺菌と高溫殺菌とがあり、從來の高溫殺菌では成る程牛乳中の細菌は大部分死滅しますが同時に又牛乳成分殊に「ヴイタミン」Cは大部分破壞されてこの事は乳兒にとつて色々の障碍をもたらします、低溫殺菌の方は「ヴイタミン」Cの破壞は比較的少くとも細菌は完全に死滅して居ないので一定時間の後は再び活動を開始し、消化器の鋭敏な乳兒にとつて往々下痢の原因をなします。近來は牛乳を薄層にして四十秒間攝氏七五度の溫度で消毒する瞬間煑沸法により「ヴイタミン」Cを保存する事が工夫されるに至りました。低溫殺菌にしろ、高溫殺菌にしろ私共が家庭で乳兒に用ひる時にはもう一度煮沸するのが普通ですが、これらの操作により牛乳の成分は相當に變化を受け、殊に「ヴイタミン」Cは殆んど無いと言つて差し支へないと思ひます。

二、牛乳良否の見分け方　乳兒に用ひる牛乳は必ず新鮮にして榮養價値充分なものでなければなりませんが、私共が家庭で簡單に見分けうる方法は次の通りです。

良い牛乳

一、乳白色で湯や水によくとけるもの

二、「アルコール」檢査法。五〇％のアルコール十立方糎と同量の牛乳を加へてもろ〳〵の豆腐樣の沈澱を生じないもの

三、比重計で比重一、〇二八以上を示すもの

惡い牛乳

一、二、三、　上に反對の結果を示すもの

四、黄褐色を呈するものや牛乳が瓶の中で固まつてゐるもの

五、米のとぎ汁や白水を入れたものは中に沃度「チンキ」を入れると藍色となる。

三、人工榮養開始の時期は一日もおそいに越した事はなく、生後百日以內は萬難を排しても母乳又は貰ひ乳で育てる義務があります。

四、牛乳の稀釋法分量及び授乳回數　現在の趨勢としては早くからなるべく濃厚な牛乳を與へると言ふ事に諸家の意見が一致し、生後直ぐに二分の一牛乳を與へて良好な成績をあげて居る人が多く、以前の樣に三分の一牛乳はあまり用ひず、用ひるとしてもごく初期しばらくの間使用するに止り、勿論それ以上稀釋した牛乳を使用することはありません。今大體の標準を示すと次の表の樣ですが、これは乳兒の體質なり體重などに應じて適當に加減する必要のあるは申す迄もありません。注意すべき事はたゞ消化不良を恐れすぎて健康な時代からあまり稀釋し過ぎた牛乳を與へない事です。稀釋すればそれ丈け榮養分は減少し、そのために乳兒は胃の容量以上哺乳しなければ滿腹せず、その結果往々、非常に多量の稀釋乳をとつて居る事があります。こうした乳兒の發育と云ふものは一般に甚だ惡るいものです。尚惡い事には稀釋し過ぎた牛乳を普通の一回量そこ〳〵與へてゐる母親があります。經濟的事情からと申すならば敢て何も申しません

健康乳兒牛乳稀釋表

齡	稀釋の割合	1回の量（立方糎）	1日の回數	1回に添加すべきもの
第2週	1/3牛乳	100	6回	糖（5％）一茶匙
第4週	1/2 〃	120	6回	糖（5％）一茶匙半 穀粉（1％）半茶匙
第2箇月	1/2 〃	130	5—6回	糖　同　上 穀粉（2％）一茶匙
第3箇月	1/2 〃	140	5—6回	糖（6％）二茶匙 穀粉（3％）一茶匙半
第4箇月	2/3 〃	150	5—6回	同　上
第5箇月	2/3 〃	160	5回	糖　同　上 穀粉（4％）二茶匙
第6箇月	2/3 〃	170	5回	同　上
第7箇月	全　乳	180	5回	糖　同上　三茶匙 穀粉　同　上
第8箇月	全　乳	180	5回	同　上

註　1/3牛乳とは　牛乳　1　と白湯又は重湯　2
　　1/2牛乳　〃　　〃　1　　〃　　1
　　2/3牛乳　〃　　〃　2　　〃　　1

けれど、單に下痢を恐れる餘りの素人考へとしたならば大いに考へ直していたゞきたいものと思ひます。こうした誤つた人工榮養法の結果、乳兒は完全な發育を營む事が出來ず、榮養不良となり、究竟身體の機能低下と共に消化器の働きも衰へて充分消化する力がなく遂ひには下痢を起します。こうした原因による下痢を治療するにいく〳〵稀釋した牛乳を以つてしては、たゞ乳兒の榮養を惡るくするのみで恢復の希望はなく、この際適當に稀釋した濃厚な牛乳こそ乳兒の消化不良を治し、榮養を恢復する鍵である事を銘記しなければなりません。こゝに素人考への誤りがあり、信頼せる醫師の正しき指示が必要となります。

五、授乳時間　大體左記の如く定めると便利です。

六回授乳の場合　午前七時、九時三十分、午後十二時三十分、三時三十分、六時三十分、十時。

五回授乳の場合　午前七時、十時、午後二時、六時、十時。

六、稀釋液　生後一箇月以內は白湯、一箇月以後は重湯を用ひ、重湯は次第に濃くします。御飯の上汁はその成分が一定して居ないから用ひてはなりません。

重湯の作り方　白米、玄米、胚芽米、半搗米等を五勺に水五合五勺を弱火で三、四十分煮てその上清三合の粥

汁をとり之に二・五瓦の食鹽を加へて作りますが同時に人參、大根、ほうれん草、などを入れて重湯をとると更に榮養分の多い重湯が出來ます。重湯の代りに穀粉を用ひる時は前表の樣にいたします。

七、牛乳の添加糖　全乳は幼弱な乳兒には下痢の恐れがあるので適當に稀釋して與へる事は前述の通りで、そのために單位容量內の「カロリー」が減少いたしますので私共はこれを補ふ爲めに色々の糖を用ひるので決して甘味をつけるためではありません。私共が普通使用して居るのは次のものです。

滋養糖　麥芽糖を主とし、これに諸種の鹽類「ヴイタミン」、酵素「ヂアスターゼ」等を配合したもので、下痢の傾向ある時には好んで賞用されます。

水飴　普通十一％の割に重湯に加へて用ひると結果がよろしい。マルツ汁エキスも水飴と同樣に便秘し勝ちな乳兒に用ひて便通を整へる効果があります。白砂糖は甘味强すぎ、多量に用ひると下痢を起す恐れがある故なるべく用ひない方がよいと思ひます。乳糖も亦醱酵を起しこ下痢し易いため用ひません。

八、「ヴイタミン」Cの補充　「ヴイタミン」の詳しい事に就きましては章を改めて書きたいと存じますが、こゝでは牛乳中の「ヴイタミン」Cは消毒その他の操作中に殆んど消失してゐます故これを補ふには如何にしたらよいかと云ふ事に就き簡單に申しますと、今迄は四箇月以前の乳兒には「ヴイタミン」Cの補給を痛感しつゝも、果汁は下痢を惹起し易いために困難を感じて居りました所、近年「ヴイタミン」C化學の進歩により「ヴイタミン」Cを自然界から純粹に抽出する事に成功、ついで人工的に合成もされるに至り、吾が國に於ても「ヴイタミン」Cの色々の製劑が賣り出され、殊に牛乳に添加するための特別な製品もあつて、私共は安心して生後直ぐから「ヴイタミン」Cを補給する事が出來、「ヴイタミン」Cに關する限り人工榮養法の缺點は除かれたものと申されませう。しかし四箇月以後け從前通り果汁を用ひても構ひません。

果汁の作り方　「オレンヂ」「レモン」「蜜柑」「夏蜜柑」等を横に二つに切り搾つて汁を落すか又は果汁器でつぶして汁をとり、これを茶濾しにするか又は二枚位重ねた「ガーゼ」でこして作ります。林檎、大根等は皮のまゝ大根卸しですつたものを「ガーゼ」で濾します。

果汁の與へ方　果汁は初め湯さましで倍にうすめ砂糖を少し加へて一日一回一茶匙授乳の間にあたへ、三、四日の後二匙に增し、又三、四日樣子を見た上で三匙とし次第に增加し十匙位與へる樣になつた後は與へる量を增すと共に薄め方もへらし、最後にはそのまゝを十五匙位

與へます。次には回數を二回とし、二回目の方はうすめぬものを一匙から初めて十五匙位迄增加し、その後は一日二回そのまゝ續行します。

九、哺乳瓶は廣口で乳首が哺乳瓶にぢかづけのもので、瓶は角がなくその上、瓦の目盛があるものがよろしい。乳首は穴を二箇所にあけ、倒さまにして一滴一滴落ちる程度がよく、常に清潔に保つ事を忘れてはなりません。

十、人工榮養法でその他注意しなければならぬ事を一束して申しますと、常に體重の增加に注意し初めは控へ目に與へ、その結果を見ながら徐々に增加し決して牛乳の薄め方なども一度に三分の一牛乳から二分の一牛乳に移る樣な事をせずに必ず階段を追ひ十日間位かゝつて樣子を見ながら增して行かなければなりません。牛乳にしろ牛乳製品は必ず優良なものを選擇すべきで、世には往々にして高い金を拂つてつまらぬ方法を誤つて行つてゐる方があります故、人工營養の場合は必ず醫師に相談し、病氣の有無に不拘一月に、一、二回位は近所の醫師なり、各所の榮養相談所を利用なさつて、その時々に應じた育兒法に就き指示を仰ぎ乳兒の發育の萬全を期さなければなりません。これこそ母乳を與へ得なかつた母親がその子供達に對する義務であると申されませう。（以下次號）

幼きものには風邪を恐れよ

＝母は豫防法を知らねばならぬ＝

醫學博士　酒井幹夫

十分警戒せねばならぬ感冒

子供の冬の病氣はまづ感冒、これが一番多い、感冒そのものは恐いものではないが、これから併發する肺炎は非常に恐ろしいのである、次に傳染病としてはこれからシーズンに入るジフテリーがある。世の親としてこの二つは如何に處置すべきかは十分に心得ておいてもらひたい。

一體に感冒といふと、輕く見るくせがあるが、子供に對してはこの油斷こそ大敵で、輕いかぜだからと等閑に附してはいけない。「熱もなければ食慾もあり、ぴんぴん飛び廻りもするし、まあ少しくらゐの鼻かぜはほつておいてもよくなるだらう、スパルタ教育式に少しは强く育てるのが親の慈悲だ」といふ變な知識人の誤謬もまた恐るべきものである。

微熱だからと思つて油斷してゐる間に病狀は昂進し、こじれて餘病さへ併發する例はいくらもある、その恐ろしさを常に忘れず警戒するのが本當の子供への愛情でせう。

また感冒によつてはいきなり高熱を出して食事も進まず、元氣もないといふ病狀のものもある。これはたいてい流行性感冒で、惡くすると吐いたり下痢したり、ひきつけたりするようになる、こんな場合は肺炎や中耳炎を併發する可能性が一番多いので、早く專門の醫者に見せて手當を加へねばとりかへしがつかぬようになる。

ことに乳兒は感冒性腸炎や腎臟、肋膜、腦炎などの餘病を併發するおそれがあるので、特に大事をとらねばならない。

感冒の熱といふものは二、三日から三、四日くらゐしか繼續せぬもので、それ以上續く場合は併發症と思つて

もいい、また熱が下つても微熱がとれずにぐづついて全快しないことがある、こんな場合は發熱によつて結核性のものを誘發してゐることがあるので、早く診斷を乞うた方がいゝ。

感冒に對して家庭で心得ておくことは病兒は必ず安靜にさせることである、輕症であつても風呂や戶外での遊戲は絕對にやめさせねばならない、熱がとれて氣分が少しよくなると子供はじつとしてゐない。無理に外へ飛び出して行く、これが危險なのだ、餘病を作る原因になるから、二、三日は床の中へ入れて外出を許さず、その後になつてぼつぼつ起してやるがいゝ、風呂に入れるにしても初めは熱を計つて就寢前に入れるようにする。

こんな風にして感冒を豫防

次に豫防の方であるが、それにはまづ體の抵抗力をつくること、それには冬に備へて夏のころから乾いたタオルによる全身摩擦を勵行することなど一方法であらう、それから寒いからといつて健康な子は厚着をさせぬことお天氣の日は郊外散策などで心身をさわやかに鍛へること、夜の外出を止めることなどは是非實行して貰ひたいまた室內の注意としては乳兒のほかは湯たんぽやこたつを用ひず、寢卷きはぜひ着替させること、その場合體を摩擦してやつて清潔なものに替ることなど案外効果的な方法である、また部屋の溫度も少し寒いくらゐだが攝氏十五、六度が理想的で、子供の部屋はそれ以上の溫度は有害である。

消極的な方法としては戶外ではマスクをかけること、これは常識になつてゐるが、家人に病人がある場合もこのマスクはいい、殊に母親が罹病した場合は赤ん坊の授乳などマスクをかけて傳染を防ぐことをお奬めする。

乳兒は子守り娘におんぶされて外へ出てゐる間に眠りそのうちにかぜをひくことがあるから、背の赤ん坊が眠つたらすぐ家に歸るよう主婦が注意するようにすることも忘れてはならない豫防の方法である。

その他劇場や滿員電車など空氣の濁つた人ごみの中につれてゆくことは避けることなど、ちよつとした注意も心得ておくべきで、常に子供を注視の焦點におくことは非常に大切なことなのである、ジフテリーは傳染力の强い病氣で、これからの冬期猛威を揮ふ子供の敵として風邪とともに用心を怠つてはいけない。

もつともこれは乳兒は免疫があつてめつたに罹らぬが三、四歲から七、八歲まではその最大危險範圍で、幼稚園時代の幼兒が一番罹病率が高い。

巷間、素人ではジフテリーは熱があつても息が苦しく

なつたり、犬が吠えるような咳をせなければ、ジフテリーではないようなことをいつてゐるが、これは喉頭ジフテリーの事で扁桃腺ジフテリー、鼻ジフテリーなど咳が出ぬので、輕い感冒だらうぐらゐに思ひ違ひする場合が多い。ところが熱が下らぬので「どうもをかしい？」と醫者に見せてはじめてジフテリーとわかつてびつくりする場合が大變多いのだ。すでにその時は手おくれで、惡性の腎臟炎や急性の淋巴腺炎や神經痲痺などの餘病を發し、惡くすると助からぬ最惡の不幸を見ぬともかぎらないのである。

げにおそるべきは油斷大敵、手おくれで、素人診斷の危險は實にこゝにあるといつても過言ではあるまい。

恐ろしいのはジフテリーだ

ジフテリーは昔は死亡率の高い恐怖の惡病であつた。だが今では血清注射が發見されて、手當てが早ければ百パーセントに全治出來るので、今ではジフテリーもさほどに恐るべきものではなくなつたが、それとても早いほど効果的なので、こじれたあとにこの注射を用ひても、も早救世主としての効果はないのである。

發病前後の三、四日といふものは實にこの運命を左右するのであるから世の母たる人は、その愛情を惜しむことなく、十分に手當てを盡くして愛兒の生命を奪はれぬようにしなければならない、恐ろしい神經痲痺など一瞬にしてその小さき生命を暗黑の彼方へ運び去るのだ、こゝまで行かぬ前に、早く手當をしさへすれば助かる命だから、私はくれぐれも手おくれをせぬようにと聲を大にして忠言をはゞからぬのである。

ジフテリーは空氣傳染であるからこれもマスクの効用は大いにある。もつとも法定傳染病であるから、診斷が決まれば隔離されるがそれまでの發病期は自宅にゐるわけだから少しでも熱のある子とは、仲好しであつても遊ばせてはいけない、出來ることならば、うがひをさせたり、感冒ひかぬよう極度に用心深くして、この冬の病魔からのがれるよう絕えず氣を配つておくことである、そして熱があればかぜの場合と同樣、絕對安靜にしてその經過を細心を究めて見守り、それらしい徵候があつたら直に醫師の診斷を求めた方が安心出來るし、萬一の命拾ひにもなるわけである。

最後に、赤ん坊の健康法について一言――。赤ん坊を育てることはなかなか難かしいが、その健康運動として十餘年前ドイツではじめられた赤ん坊體操といふのがある、これは乳兒をはだかにして、手足をあちこちと動かしてやり、一種の運動をつけてやるのであるが、日本で

謹賀新年

國畫院

盟主　松岡映丘
同人　服部有恒
同人　小村雪岱
同人　吉田秋光
同人　穴山勝堂
同人　岩田正巳
同人　狩野光雅
同人　高木保之助
同人　吉村忠夫

も最近漸く獎勵されはじめてきた。

もつとも日本はその建築の樣式が歐風と異なり、冬など障子のすき間洩る風で、大人さへ寒いくらゐなので、そのまゝの設備ではこの赤ん坊體操は出來ないかもしれない。あたたかい部屋の設備が出來たらこれに越したことはないが、あたたかな季節ともなれば運動はもつと盛んに推奬されるであらう。

要するに、冬が來たから冬を守るといふ局部的な健康法をとらずに、春夏秋冬四季を通じて常に愛兒の身邊に愛情の眼を注ぎ、いつくしみ育てねばならない。

これこそ母としての道であると共に新銳の第二の國民を作る新日本婦人の銃後の大きな仕事でもあらう。

小兒肺炎に於ける
濕布に對する注意

醫學博士　一色　征

寒さ嚴しくなるにつれ、そろ〳〵流行性感冒が流行して來ます、流感に續いて肺炎も增加して參ります。小兒殊に乳兒では單なる風邪、氣管支炎位に思つて油斷をしてゐると、忽ちに氣管支肺炎を併發して、屢々不幸な目に遭遇します。小兒肺炎の罹患率並に死亡率は共に年齡の小さい者程高く、乳兒では殊にかゝり易く、且つ重くなり易いのであります。

我日本では一般に肺炎ときまれば、必ず胸部の溫濕布を施す事が常識とされてゐる位で、胸部の濕布は今日も昔の通り盛に行はれてゐる。肺炎の療法の一つであります。

此の胸部の濕布とは、一般に廣く用ひらるゝプリースニッツ氏溫濕布法を云ふのであつて、此は肺炎に特効的に作用するものではないが、之に依つて多少とも其の經過を良好ならしめ得るものであり、濕布を下手に施すと、往々病勢を惡化させ易いのであります。

胸部溫濕布を行ふには、一般に市販にある濕布帶、濕布カバーを用ふるが利便であるが、自製されてもよろしい。

濕布のあて方は、先づ濕布帶を溫湯に浸して充分絞り、カバーの上に載せ手早く背から廻して胸で合せ、強く胸部を緊迫しないやう、且つその邊緣が外にはみ出し、下着をぬらさぬやう注意して、カバーにつけてある紐で結んで置くのであります。大約三乃至四時間每位に濕布帶の濕りが乾き切らぬうちに交換するのがよいが、餘り度々交換して却て患兒の安靜を妨げたり、苦痛を與へたりせぬやう注意すべきであります、又睡眠中は殊に之を妨害しないやう力めた方がよろしい。

濕布交換を手早くする爲めには、濕布帶を二組作つて置くのがよろしい。交換時には乾いたタオルで皮膚の濕

りを充分に拭ひ取り、亞鉛華澱粉を充分撒布して置くと濕布まけが出來ない。

濕布の溫湯には二%位に硼酸を加へてもよろしい、所により日本酒を用ふる方を見受けますが、矢張り溫湯の方が氣持がよろしい、尙近頃パスター樣の濕布劑を用ふる人もあります。

胸部溫濕布を施す場合には、患兒を暖き寢床に入れて置かぬといけませぬ、往々濕布したまゝ起して遊ばせてゐる方があるが、之は大變危險で折角快復期に向つてゐる肺炎を再び惡化させる場合があり、風邪を引き添へ易いので呉れ〴〵も注意が肝要です。

溫湯の代りに芥子を布袋に入れ溫湯で振り出し、之に濕布帶を浸して濕布する場合がある、更に又芥子泥の貼布或は芥子泥纒絡を肺炎に屢々用ひますが、之等は芥子より揮發する芥子油の作用によつて皮膚を刺戟し、胸内部の充血を皮膚の方へ誘導し、血液循環の調整を圖り、心臟の負擔を輕くするものであります。それ故に芥子はよく保存された有効なものを用ひ、芥子にメリケン粉を混じ熱湯にて煉り芥子泥を作り、直接「リント」に塗つて胸部に貼附するか、又は芥子泥を「ガーゼ」に伸ばしてその上に更に「ガーゼ」を載せ、胸部に貼つてもよい、或は稍薄目の芥子泥卽ち二—三手握りの芥子を器物に入れ、之に約二〇〇—三〇〇ccの熱湯を注ぎよくかきまぜて泥を作り、之に濕布帶を浸して搾り、直に患兒の全胸部に纒絡します。貼布纒絡共に之を施してから、約五分間位觀察して、皮膚が充分發赤すれば直に除き去る、若し發赤しなければ更に暫く待ち、時々「ガーゼ」を一部分めくつて充分發赤したかどうかを見て待つ。

芥子泥をはがした後は微溫湯でよく拭き取り、その後に普通の溫濕布を施す、此の場合芥子泥を充分拭き取らぬと水疱が出來易い、かやうなことを一日二、三回繰返します。

而して心臟衰弱が甚しいと全く發赤しない事がある。之は豫後不良の徵候である。

一般に衰弱の甚しい時は、此の芥子泥の使用は避けた方がよい、又痙攣質の患兒や濕疹の強い時にも用ひぬ方がよろしい、それ故に芥子の使用時には一應醫師と相談しその指示を受けた上で行ふやう御注意ありたい。

これからは季節風の吹き荒ぶ日も多く、風邪を引き易い時ですから弱い御子達には殊更充分御注意を拂はれて、風邪にかゝらぬやう身體の抵抗力增進を圖つて頂き度い。

「二葉集」「幾人水主」「花の雲」など

兒童に關する俳句評釋（一六）

岡本松濱

ぼたんといふを句の上に置て

ほつとりとたみにはおしきむすめの子　つね女

之は前書にある如く、ぼたんの三字を五七五のそれ〴〵の頭に置いて句を作つたので、和歌の折句と同じである。「ほつとりと」のほの字、「たみにはおしき」のたの字、「むすめの子」のむの字、それでぼたんの三字を折り込んだのであるが、固より之は文字の上の遊戲であり、知識のなぐさみであつて、句作の正道ではない。隨つてその句が良かるべき筈もなく、中には意味さへはつきりと分りかねる無理な句が多い。この句の如きも、矢張り意味が不明瞭で中七の「たみにはおしき」と云ふのは何を意味してゐるのか、多分草深い田舍の一村娘には惜しい容色を持つてゐると、娘の子を讃美したものと思はれるが、前にも述べた如く、一場の遊戲にすぎぬから、强いて兎やかく云ふほどのことはない。おまけにこの句には季がない。

子をむちふみちにまよひゐるかな

今の內添寢をさせぬ小蠅《サバヘ》かな　忠女

小蠅は初夏に群がり飛ぶ小虫であつて、瓜の皮などに好んで集まつてゐる。この句は母親が今の內に子供を寐かしつけて、氣掛りなさま〴〵の小用をかたづけやうと思つてゐるのに、小蠅が小うるさく顔にまつはりついて添寐をさせぬと云ふの意である。前書は子を思ふ親の心は常に休みなく苦勞を重ねてゐると云ふ古人の句を轉

用したまでのこと。

七夕や娘子達をなぶりけん　重就

七夕はむかしも今も變りなく、女の子のいとなむ行事である。今は七夕竹を立てる位のことで、甚だお粗末であるが、昔はそれ〴〵に心をこめてさま〴〵の美しい飾りものをして、星を祭つたものである。その星まつりの場合、誰かゞ多勢集つてゐる娘たちをなぶつたり、からかつたりして、皆を笑はしてゐたのであらう。

以上三句「二葉集」

灌佛や婆々が目からは男の子　湖雀

四月八日は釋迦の誕生日である。天上天下唯我獨尊と唱して、左右の手の指で天と地を指して裸で立つてゐる釋迦降誕の像は、隨所の寺々で花御堂に持ち出されて、頭から甘茶をぶつ掛けるのが灌佛の行事である。其の釋迦の像を拜して、參詣の人々は渇仰禮讃してゐるのに、其處に立ち働らいてゐる寺の婆々は、一向ありがたいやうにも思はず、平氣で之を見てゐるのを、第三者たる作者が面白く眺めて、あの婆の目からは、萬人渇仰の釋迦もたゞの男の子と見えてゐるにすぎぬと喝破したのである。

礫《つぶて》かと小坊主逃げてちり椿　快風

小坊主が庭に遊んでゐたら、頭の上にぽたりと椿の花が落ちて來た。小坊主は誰かゞ礫を投げたものと思つて、驚いて逃げ走つたが、よく〳〵見ると落ち椿であつたと云ふ一場の輕い滑稽味を描いた句。

子のありて機織る寺の柳哉　此道

衆生濟度を使命とし、佛をまつり經を誦する外に用のない寺にも、俗界の家と同じやうに、頻りに機を織る音が聞えてゐる。寺僧の妻が我子に着せんがために、ひそかに機を織つてゐたのである。女人絶對に禁制の寺にも公然妻帶を許された宗旨もあるし、或は又公然の秘密で妻子を養ふことを檀家から默認されてゐた寺もある。今は妻帶肉食もむかしほど喧しく云はれぬやうになつてゐる。「柳哉」と置いたのは、この場合單なる添景にすぎず、之に依つて幾分か長閑なおだやかな空氣が醸されてゐると云へば云へぬこともない。

乳したふ顔うつくしや日向草　波枕

庭先の日當りに出て子を守りしつゝあつたが、子供はやがて遊びにも飽きて、頻りに乳を呑みたがつて、母親にすがりつゝある。其の乳兒の顔がまことに美くしかつたと云ふ名匠描くところの美人畫の如き句である。

茸狩やいづれ子供のかくれんぼ　凹水

茸狩は秋の行遊中の最も樂しいものゝ一つである。この句は大人や子供多勢うち連れて茸狩に出かけたのであるが、子供達は初めの内こそ茸狩りにうち興じて、我劣らじと木の根、叢を掻き分けて、菌をさがし求めてゐたが、やがてそれにも飽いてしまつて、あたりの地形を利用して、かくれんぼをし初めたのであるが、この句は豫めさう云ふ落ちつきを豫想して、子供達にはいづれはかくれんぼなどして茸狩をそこのけにするであらうと云つたのである。

若い子に見せじや菊の物狂ひ　知足

菊の物狂ひと云ふのは、折から盛りの菊の花壇のほとりに來て、頻りに狂態を演じてゐる物狂ひ即ち氣違ひを云ふのである。しかもこの狂人は、正氣の者が正視するに忍びぬやうなさま〴〵の痴態を示し、あられもない事を頻りに口走つてゐる色情狂である。それ故にこそ若い子には見せてはならぬと云ひ放つたのである。句の上には何とも説明してゐないが、あられもない樣を見せてゐる狂人も女であり、それを若い子に見せてはならぬと云つた其の若い子も亦た女の子を指したものであることが、自づからにして想像される。それは一句の表現そのものが暗示する處であり、こゝらに日本の言葉の靈妙さがある。

以上「幾人水主」の句は終り。尚この書名は甚だ珍らしく、何と讀んでよいか迷はされるが、之は「いくたりかこ」と讀ましてゐる。「かこ」は船夫であるが、水主と書いて船夫を現はしたのも又珍らしい。

朝夕に見る子見たがる踊かな　りん女

この句は既揭「小弓俳諧集」にあつた句。りん女は豐後の人である。むかしは女流俳人は甚だ其の數が乏しかつたが、俳句創設期とも云ふべき元祿時代にあつて、殊に女の作者は尠かつたし、殊に當時俳風甚だ振はなかつた九州豐後に於て、可なり長い年月に亘つて句作したこのりん女の如き甚だ特筆すべき存在と云はねばならぬ。

辨けい水鏡

この井戸に辨慶が顔てうどかや　少女　さよ

少女さよと云ふのは何處の產とも判明しないが、この書の撰者千山が播州の人であることから推せば、矢張り其の邊の人であらう。

武藏坊辨慶の遺蹟といふものは、到る處にあり、或は其の足跡だと云ふのが、石の上に大きく殘つてゐたり、或は手で押した釘と云ふのが、石に突き刺さつてゐたり、いづれも辨慶の大きかつたことゝ、力の强かつたことを誇示するものばかりである。少女さよも辨慶水鏡の井戸と云ふものを見せられ、辨慶の顔が恰度この井戸一ぱいだと云ひ聞かされて、辨慶の顔の餘りにも大きかつたことに驚いたのである。其の驚嘆の聲其のまゝがこの句となつて現はれたので、其處に一つの詩が構成されてはゐるが、俳句の重要生命とすべき季がないのは止むを得ない。

少年

どつかりと上から臼がこけました　黄瓜

納屋の中か、軒の下かに、薪か何かを積み重ね、其の上に臼が置いてあつたのが、何かのはづみで、臼が突然轉がり落ちて、人々を驚かしもし、又どつと笑はせたりしたのであらう。この句はそれをありのまゝに表現してゐて、甚だ面白いが、之も遺憾ながら季がない。撰者千山は無季の句を認容してゐたものと見える。

以上は「花の雲」所載の句である。

俳句の極りきつた形態を打破して、何等か其邊に新しい生命を見出さうとする近時の人々は、口語句を獎勵したり、無季俳句を唱道して、之を新傾向とか、新興俳句とか稱へてゐるが、元祿期に於ても、斯の如き口語俳句や、無季俳句は澤山あつたから、今さら事新しがつて、新傾向だとか、新興とか絶叫してゐるのは變なものであり、これが恰も自己の創意、發見の如く裝つてゐるのは、むしろ其の無能、無識を示すものと云はれても致し方はあるまい。

不良少年不良少女の感化事業に就いて

賀川豊彦

人生の最大事業中、人間をつくる位大なるはない。善人をつくる事が出來れば、今日の鬪爭も起らず、資本主義社會も存在しない。此善人をつくる運動について、大切なのは禁酒、廢娼運動となるが、今日は不良少年少女の感化の實際の問題について考へたい。

扨私は永年細民事業に從事し、京都大阪東京の三都市にも隣保事業として七ケ所を有つてゐるが、其主なる目的對象は、貧民窟に不良少年少女をつくりたくないからで、我國では現在不良少年五萬人を數へ、家庭的に大きい惱みとなつてる。之らに就いて種々研究も保護の特設機關もあるが、今こゝに多摩少年院の少年百人についての研究をみると慘めなものがある。大體我國に於ける不良兒の取扱ひに二系統がある。

一、內務省關係　教護院にて滿十二歲未滿者を取扱ふ

二、司法省關係　滿十二歲以上十八歲未滿の少年を少年審判所に於て處理し、少年保護司が保護、監督の任に當り、又懲治監にも送る。

統計的には日本では男子少年の犯罪數が女子の十五倍にも達してゐる。之は女子は生來が割合におとなしいからで、西洋に比し日本は一體に不良が多い。只米國は植民地で伊、ポーランド、ロシア等の他國からの移住者が多いから境遇上標準にはならぬ。之は我國の社會風敎上由々しいもので見逃しにならぬ事である。

扨それではどうしてこんなに多く發生するか、その發生原因をみよう。

一、遺傳關係　體質（細胞中の遺傳子へ）　心理的素質（妊娠受胎の折）

二、境遇

三、性格

以上に基因する、自分は何故矯風會に贊成するか、それはいふ迄もなく矯風會が此三者に貢獻するからで、第一廢娼、第二禁酒、これは共に遺傳に大きい關係をもつものであるが、遺傳は不思議のものにて體質が遺傳するのみならず、心理的素質が受胎時に於て遺傳する。

男子の遺傳子 は綱の目の固まりの形の如く、之を染色體、一名クロマソームといふ。之が姙娠の時に於て女子のものと結合し、細胞が切れる時、兩方のふしがキチンと重なる。故に顔の似たものも出來る。

しかし、親のものが必ずしも遺傳するとは限らず、遺傳子が切れれば必ず遺傳する。が例令、天才又技術家とするも、酒黴毒、モルヒネ等の毒物が細胞に影響すると、直ぐ遺傳して毒は腦の中に入りて馬鹿となる。其上血行に關係あるものは全部遺傳する。姙娠により胎盤が出來、細胞は二の倍數に分裂して外側の一部が凹入する。卵ならず卵黄の上に目があるあれが種である。だから胃や腸は皮膚外部の性質と同質のものである。動物が進化すると共に卵殼は袋になり母の胎盤と變化する。そして羊腦、羊水が出來る。之は水がないと激動した時、調節がされぬからである。母の胎盤から三本の管が出てくる。之は必ず振れてるもので、動、靜脈、尿線が振れて臍の所へ來て母の胎についてゐる。夫が放蕩して黴毒をもつと、細胞の中に喰ひ込んで來るが、之が姙娠してる場合に動脈を傳つて戒長して來る。之は即ち胎行傳染で、本當の遺傳とは異ふものである。姙娠して氣が附かず腹部の激痛に病院に行き、モルヒネ注射をして其苦痛を止める事があるが、此れは大變危險である。風邪藥の或るものも之を止める事が出來るが、姙娠中の此治療法は濕布療法が最も適當である。之を近代的に直ぐ注射すると、直ちに血行に關係して、他に不行跡の原因もないよい家庭にても、馬鹿の子を有つ事になる。之は正に文明の惡用で不注意から招く事である。

又父が喘息を病む鎭痛劑として劇藥を用ひる、之が血行に關係して、姙娠の場合、出生後、子も普通に變りなく育つが、十二三歳の頃に及んで發狂する。酒でもさうである。結婚式から酒を飲むと子が早發性痴呆症となる。之らは精神病的に發狂して不道德な不良少年となるのである。

不良は多く二十歳前後に出て來るのであるが、我國で不良少年の殖えた原因は、劇藥を多く用ひた事と、又も一つには黴毒が增したからで、之らの劇藥を使用せぬ以前には、斯樣な事はなかつた。

日本に於て黴毒の罹病率は下層階級に於て特に多く、中産階級は其れ程でもないが、東京に於ても産院に入院する母の一割三分は皆黴毒である。之等の點から考へて私は矯風會に力を入れねばならぬと思ふ。

社會に害毒を流す黴毒程恐しいものはないが、それが世界に瀰漫したのは、コロンブスの米國發見に基因する。米國サンサルバドルを發見したコロンブスの水夫達

百名が各黴毒に罹り、伊國のギノアに持參し、此地の土人に傳へた。間もなく此處に佛軍が遠征し來り、兵隊によつて、佛國中に傳播せられた。スペイン、ポルトガルを經て日本に來り、琉球・鹿兒島から九州全國に渡り、東都にも遂に侵入して來た。此の期間僅かに四百年である。其傳播力は頗る恐しい勢である。一度檢黴院を見て欲しいと思ふ。大阪難波の檢黴院には七百人も入院患者が居るが皆二十四五歳の娘である。勿論娼妓であるがこゝは日本の娼妓の屑の集つた所で、傷が癒つた許りで直ぐ退院し又傳染を繰返してゐる。公娼制度は實に泥溝に蓋をする如きものである

又一年に十五億圓の酒を日本人は飲んでゐる。日本酒に於ける酒精の含有量は十六%、ウヰスキーは四二%以上である。之を飲めば酒亂になる。此人の子は必ず變人で不良である。

阿片・モルヒネ、ヘロイン、コカイン等の毒物を用ひだしたのは、印度が最初で、英國、支那を廻つて日本にも來た。日本には今、三千人の阿片中毒者がある。(コカインは少々異ふが)支那ではコカインを愛用する。之を用ふれば氣持もよく陶然とする。駄菓子にも入つたものがあるから氣を附けねばならぬ。之らは皆血行に影響するもので鼻の治療にコカインを注射すると、だん〳〵疑ひ深い性質になる。夜眠れぬ時睡り藥として飲むカルモチンはモルヒネ劑で、二週間も續けてのめば性格が變る。不眠の時には、濕布療法が最上で轉地や瀧の療法も優れてゐる。文明の惡鬼はモルヒネ劑やカルモチンを濫用するが、特に姙娠した時には血が濁る故、濕布療法が最適である。

以上遺傳について述べた。結婚の時の血統を喧しく重んずるのは、之には體質、心理的素質が遺傳するからで血族結婚の場合、優秀な人間同志で、兩方とも酒も飲まぬ時には良い子が産まれるが、若し從兄弟の何れかが酒を飲み、或は黴毒に罹つてる時は、啞者、盲目等が生れる。人を盲目にする白内障(ソコヒ)の五割迄は黴毒が原因する。ソコヒの人は、氣の毒ながら父が黴毒で母を姙娠せしめた酬いであると言はれねばならぬ。

遺傳に於て、犯罪系統の不良少年をみると、皆此方面が惡く、多摩少年院の調査では、六割五分は遺傳と環境の合成的原因とせられ、事實上境遇の不良と目せられるのは、僅か二割九分に過ぎぬといふ事である。だから此れを見ても矯風會が益々盛にならねば、日本には不良少年が續出して益々殖え、罪惡は跡を斷たないのである。

次に境遇に於ては、境遇上、家庭の境遇が最も多い。家庭は父母兄弟が主要素となるが、貧民窟でも家庭が善良であれば、子供は不良化されない。次は近隣であるが長屋や近所の影響を深くうける。不良兒を出すのは其れと親自身が不良性の家庭に定つてゐる。

東京少年審判所で九六〇〇人の統計中、四割は遺傳及體質虚弱兒で六割は性格異常者とされたが、後者は家庭の關係と性

格異常とが混同されてゐる。學校では相當良成績であるが、十二三歳に長ずると二方面に分裂してわるくなり、不良傾向を帶びてくる。即ち一は猥褻、然らざるは盜癖の方面に走る。又此二方面を兼ね備へる者もある。

或る家庭で、父に飲酒の癖が有つたといふ關係を除いて、他に原因とみる可きもののない家庭で、父が酒を途中で廢めた時に、姙娠した子供は不良にはならない。此處にも矯風會事業の、家庭から始められねばならぬ事が解る。不良少年を出す家庭にも二種類がある。一は嚴格なる家庭と、二はルーズ放任なるものとである。之について人事相談にみると、嚴格過ぎる家庭が約二割、自由放任主義は二歳から五歳迄の間に全く放任されて顧みられない。母が家を空ける、活動を見るため放任して不良化してゐる。我儘から茶碗をこはしても母が見逃して放任する。この二歳位の時に躾け直さぬと若い母は遂に子を過つ。中にも一番わるいのは夫婦喧嘩である。これは惡影響を與へる。

免囚保護者の原胤昭氏の著書、「母と子」に依ると、取扱不良少年四百餘人の研究中、或る家庭で長子は工學士であり、末子は文學士として長じつゝあつたが、其の中の子は極めて不良であるのがあつた。之は二男の際には夫婦喧嘩をして、離別して母が生家に歸つた。其時既に姙娠してゐたが、母の氣持は絶えず夫を恨み、憎み、憎惡を重ねてゐたので、それがやがて其儒子にうつり、後日復縁して出來た三男は文學士となつたが、此の二男は常に惡口雜言をきいて育つたから不良の性をうけて了つたのである。

又相談をうけた事があるが、或少年は一年間登校するのについて辨當と書物を必ず持つて家を出かけるのであるが、之亦妙な癖で、一度も學校には顔を見せた事がないとの事であつた。事情は、父が他に妾を蓄へてゐるのに對する不服である之は母に對する極度の同意から父へのボイコットであつた。子はかうして遂に不良に化した。要するに家庭が放縱すぎるのはよくない。夫妻の缺點は互に子供の前に言ふを愼めず、子も脫線を免れる。

誘惑については若い青年が特に注意して欲しい。性格、環境遺傳も揃つて良好であるのに、不注意や油斷による性格的失敗で、性格の變化から誘惑を與へる事がある。之に二種類の變化がある。

一、外部的變化 之は旅行、又は經濟的變化で、貧富の急激の變動によつて起るものである。季節的變化も、冬から春に、春から夏へのかはり目に、四季を通じ變化が多い。春からは家出人が多く、一年間八千人の多きを數へる。

二、內部的變化 之は成長である。十三四歳頃が一番大切の時で感じ易く動きが多い。此時期には家庭でも、母は成るべく家をあけぬよう種々注意を要する。七歳、十四歳、二十一歳、二十八歳等の七の倍數は身體の入替りの時で性格が變化する。十七歳位には非常に眞面目になつて先の不良がプツと變る事がある。女は二十八歳迄によい感化をうけねば一生涯なほる見込みがない。婦人

犯罪の研究者伊國のフェリ Ferri も「女は二十七歳迄に改心せねば仲々改心は出來ぬ。主に改心するのは十八歳位迄で其後は改心する機會が少い。性格が固まるからである」と言つて居る。我國の不良少年でも十四歳が一番わるいのをみる。

然らば此等の不良が出來た時、如何にしたらよいだらうか。又いかにして未然に防ぐか。

一、社會的防止法 之は矯風會の如き運動が具體的にして欲しい。

二、個人的防止法 先づ遺傳の問題を取扱ふ事、即ち優生學の立場である。惡質遺傳者を防止し、博奕、發狂低能等を阻止し、之によつて、變質者、黴毒、酒亂等の者を出來る丈後世に遺さぬよう運動を起すと共に、なほ積極的には廢娼並に斷種(アゼクトミー)をするを要す。男子の種の出る管を二本とも切る。之は去勢ではない。癩病にも用ひられてゐる。獨逸は三年前から裁判所に於て、法律をもつて斷種を行つてゐる。强姦犯罪者を斷種し、又金持は往々、其の白痴の子供に結婚さすが之も斷種の必要がある。又和蘭政府は墮胎を許し、姙娠の特別調節を行はしめてゐる。日本にもかかる法律が將來には出ると思ふ。之が出來ねば、細民窟の白痴、低能、發狂變質者の斷絶は出來ない。矯風會もかかる方面の智識を豊富にもつて欲しい。之は婦人達には不必要であるが、男子に犯罪が多い故防過する爲めには之を實行せしめれば足るので、女子の場合には十五分間もX光線をかけると、卵巣が壞れて、不姙となる。

環境については家庭の淨化運動を必要とする。第一性格感化で大切なのは教育である。自然療法は出來る丈自然に近付けて、興奮性を靜思に落着かしめる。かかる人は農村に往く可きで、西洋の感化院は野原に所在してゐる。日本でも之を眞似てゐる。

又遊戯を通じて指導する。スポーツ、山登り、川遊び公園散歩、庭造り等の自然勞作がよい。氣を散ずるために、手足を動かす生活、即ち勞作教育により、目的に對して絶えず頭腦が占領され、不良化する隙のないよう仕向けねばならぬ。高等教育を授けられ尚、不良化するものがあるなら農事に從はせ、或は家具工作の作業教育を施し、矯正の目的が達せられたら、其上で再び勉强を試みるが良策である。感化事業の根本はみなこの目的をもつた有目的的勞作・實用作業を授ける事にある。フキリツピンあたりでは三十幾種類の職業が、手工業として感化事業に備へられてある。婦人でも手仕事もしない人は性格異常者となり悲しい境遇に陥るものである。

最後には、かかる事の他に聖書を讀ませ、祈りをなさせ、宗教的瞑想をさせるがよい。絶望しても新生の道に入る事を教ふれば感化事業は完成する。

— 77 —

編輯後記（年頭所感）

◆本聯盟が全國に魁けて兒童愛護を首唱してから第十八年、赤ん坊審査會を創案着手してから第十七年、又本誌が生れて第十六卷の正月號を發行する運びとなつた、當時二歲の娘が十七歲になつたのだから、歲月の流るゝ事の早いのには實に驚かされる、此の際大方の後援支持される諸賢に心からなる感謝を捧ぐる者である。

◆過般紙上で「青島の邦人紡殆ど全滅」と云ふ支那軍の無分別極まる記事を讀んだ時量らずも去る大正十一年の初夏、青島に國際兒童愛護運動が催され、記者は故三野乳兒院長と彼の地の社會事業團體の招聘を受けて趣き、各般の事業を敢行した事を追懷したのであつた、堀内現外務次官は其の頃總領事であつたので御夫妻で盛大な歡迎の宴を張つて頂いたり、獨のワルデック提督の別莊のあつた龍頭臺や、その他名勝古戰場の御案内を蒙つたり、亦郊外の紡績會社等の見學の便宜を與へられたのであつたが、あの樂園のやうな世界無比の理想的な自然の大市街が、無慘にも蹂み荒されてると思ふ時、如何に敗戰に血迷つてるとは云へ、人道の敵として彼等を憐まれずには居られないのである。

◆あれから十數年の間に、關東の大震災を始めとして、財界の變動、關西の風水害、二・二六事件……と云ふやうに種々なる事變に遭遇し、體驗して來たのであるが、本聯盟の事業は諸官省を始めとして、全國の社會事業團體、朝野諸名士、聯盟會員諸氏の熱誠懇篤なる御庇護御助勢によつて、年毎に進展して來た事は、時勢の力と天の攝理とは云へ洵に感謝し盡されぬ程有難い事である、要するに私共は他人の批判を後にして、自己の使命天職と信ずる處に向つて突進すればよいのであつて、さうすれば自ら實行力も具備し且つ確信も湧いて來るのである。

◆本文記載のやうに池田大阪府知事閣下は不肖私共を乳幼兒保護の功勞者として、舊臘府社會事業會館に於て表彰されたのであるが、これを無上の光榮とすると共に一層邦家のために、亦國民體位向上のために奮闘しなければならぬと自ら鞭撻し、且つ大方の御援助を希ふ者である。

◆大阪市立北市民館員一同は山田館長を始めとして記者の爲めに祝賀會を催され、一夕本聯盟創設當時の追憶をしたのであるが、實に感慨無量であつた、當時は歐洲大戰直後、然もあの有名な米騷動のあつた頃で、社會事業と社會主義を同一視する者のあつた珍らしい時代で、記者は親戚の者から「そんな仕事をして家族が養へるか」、などゝ反問され、あいた口が塞がらなかつた事を記憶して居る、思へば實に隔世の感がある。（伊藤生）

本誌定價 一册金參拾錢 郵稅壹錢五厘
半年分六册 金壹圓六拾錢 郵稅共
一年分十二册 金參圓 郵稅共
誌代郵稅は一切前金の事
前金切の場合は發送中止
郵劵代用は一割增のこと

昭和十二年十二月廿八日印刷（毎月一回）
昭和十三年一月一日發行（一日發行）

兵庫縣武庫郡精道村芦屋
發行兼編輯人 伊藤悌二
印刷人 木下正人
大阪市西淀川區海老江上二丁目三七番地
印刷所 木下印刷所
電話福島㊺（一五三四番 二四二六番）

大阪市北區天神橋筋六丁目
大阪市立北市民館内
發行所 大阪兒童愛護聯盟
電話堀川㉟（〇〇〇一番 〇〇〇二番）
振替大阪五六七六三番

— 78 —

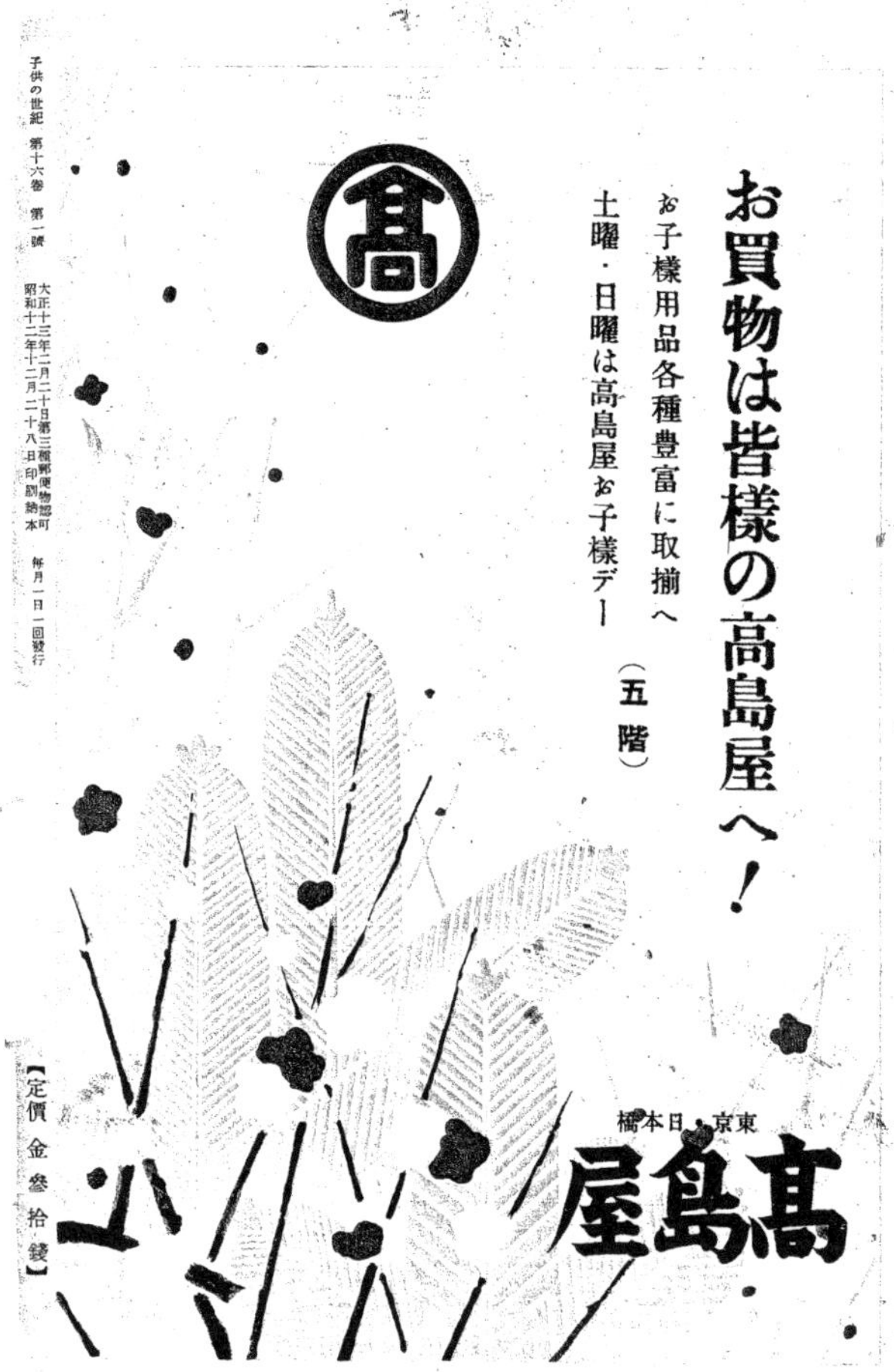
子供の世紀 第十六巻 第一號
大正十三年二月二十日第三種郵便物認可
昭和十二年十二月二十八日印刷納本
毎月一日一回發行
お買物は皆様の高島屋へ！
お子様用品各種豊富に取揃へ
土曜・日曜は高島屋お子様デー
（五階）
東京・日本橋
髙島屋
【定價金參拾錢】

母《お》乳《ちゝ》の代用
人工榮養はかう
すれば完全です
牛乳や粉ミルクは、母乳に比べると大切な榮養分が不足してゐますから、之だけで赤ちやんを育てると發育不良に陷ります
育兒糖ロロンは、この缺點を補ふ未だ類のない最新の牛乳添加料です。
育兒糖ロロンには牛乳に不足した含水炭素ビタミンB、アミノ酸、燐酸カルシウム等がのこらず含まれてゐます。從つて……
牛乳や粉乳にロロンを加へますと、申分のない母乳代用品になり、體重を増し下痢や便秘を防ぎ發育を盛んにして眞に丈夫な赤ちやんにします。
五〇〇瓦（一圓五〇）有名藥店にあり
發賣元 株式會社 武田長兵衛商店 大阪市東區道修町
製造元 大阪 大五製藥株式會社
育兒糖
ロロン
冊子「育兒の知識」無代送呈

36—2060（O）

基礎鞏固　經營眞摯

創立　明治四拾四年

コドモの保險　日本徵兵

入營・嫁入　出世・教育
準備　資金

子を持つ親心

可愛い子供の爲に何程かづゝの貯金をしてやらうと考へるのは、凡ての親としての至情で、男子ならば適齢迄、女子ならば嫁入迄と誰しも心掛ける所ですが、さて實行はなかなか困難です。

最良の實行方法

徵兵保險、生存保險のコドモ保險は此需用を充たす最良の施設で、一度御加入になれば知らず識らずの間に愛兒の爲に必要な資金が積立てらるゝことになります。

日本徵兵保險株式會社

本社　東京市麹町區内山下町一ノ一

『子供の世紀』（第十六巻第二號）「軍國の母性に獻ぐ」號

目次

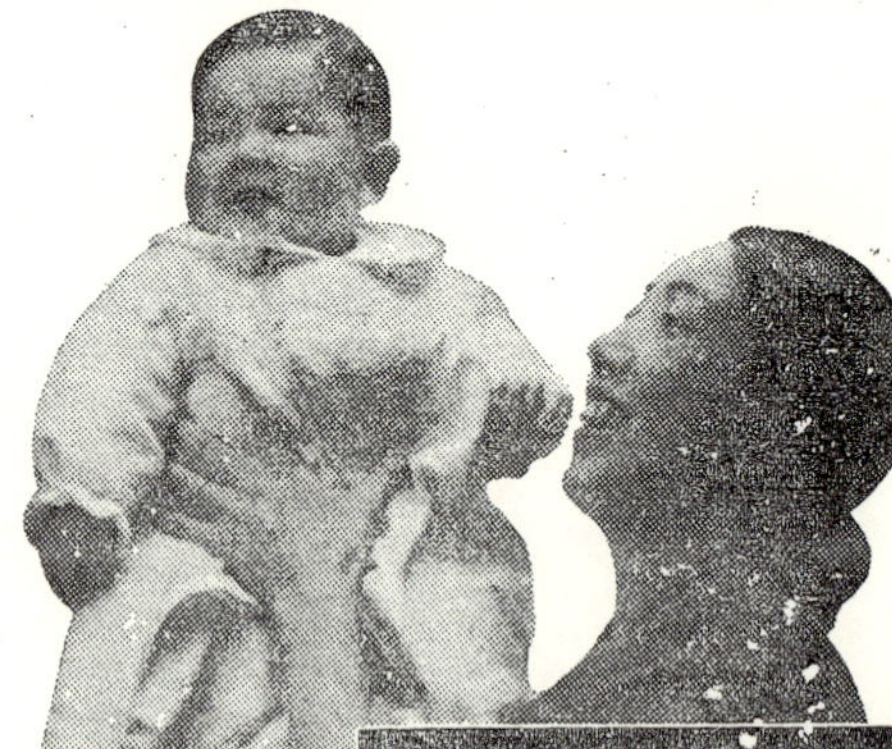

めつきり肥《ふと》つた
素晴らしい効果
幾百萬の實績に依り
その効果の確められた
世界最良粉乳
牛乳より消化吸收早く
ヴイタミン極めて豐富

賣行・全需要の七割を占む

森永ドライミルク

森永煉乳株式會社

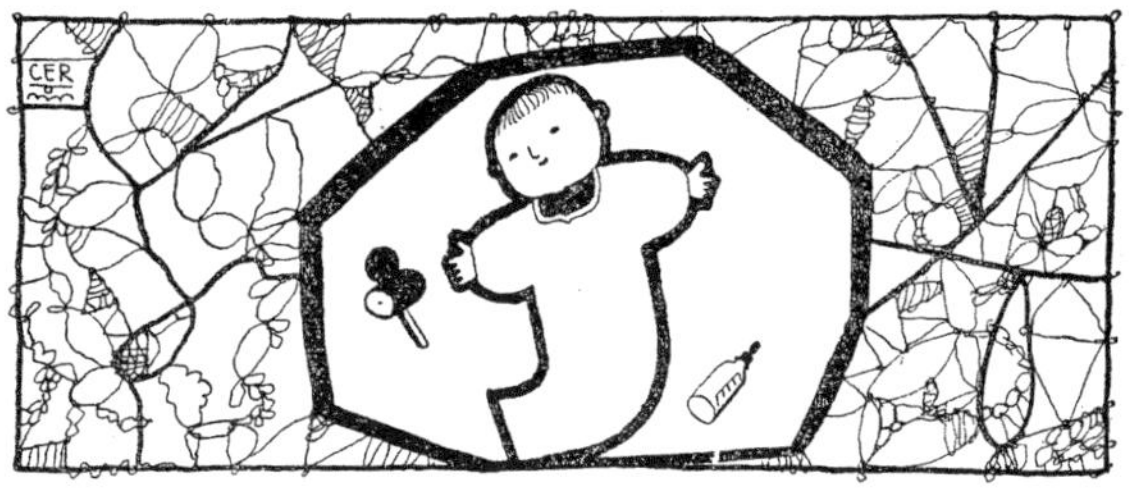

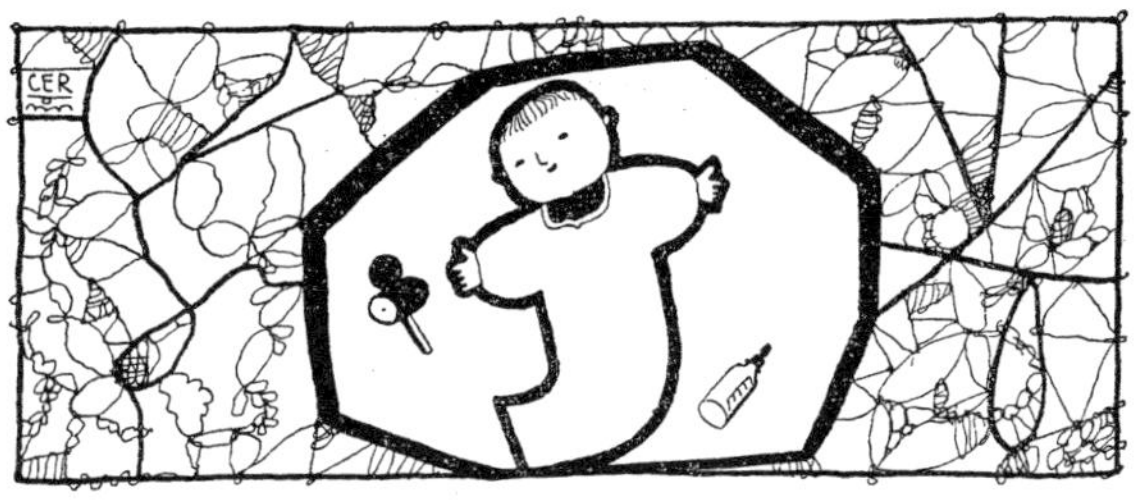

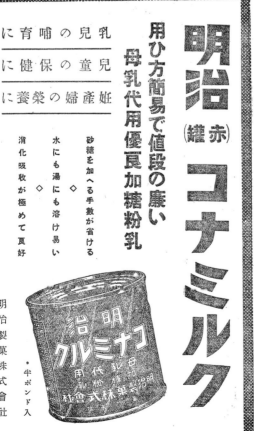

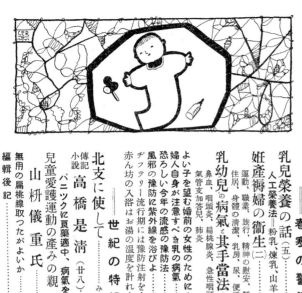

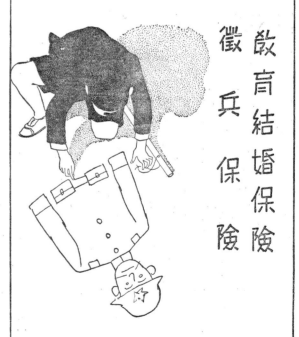

喫茶店より美味しい珈琲が出來る珈琲沸器!!
大川パーコ
美味しい香り高い珈琲は
大川パーコにのみ依って得られます
全國百貨店に有り
説明書送呈します
關西代理店 大阪市北區梅田新道
ニッポンブラジリアントレーディングカンパニー
まあ!! 素的な
香りですこと!!
喫茶店
以上ですわ
東京市日本橋區本町
大川吸入器本舗
大川銀三郎商店發賣
モデル東京松竹少女歌劇聲樂專科對馬洋子さん一人二役

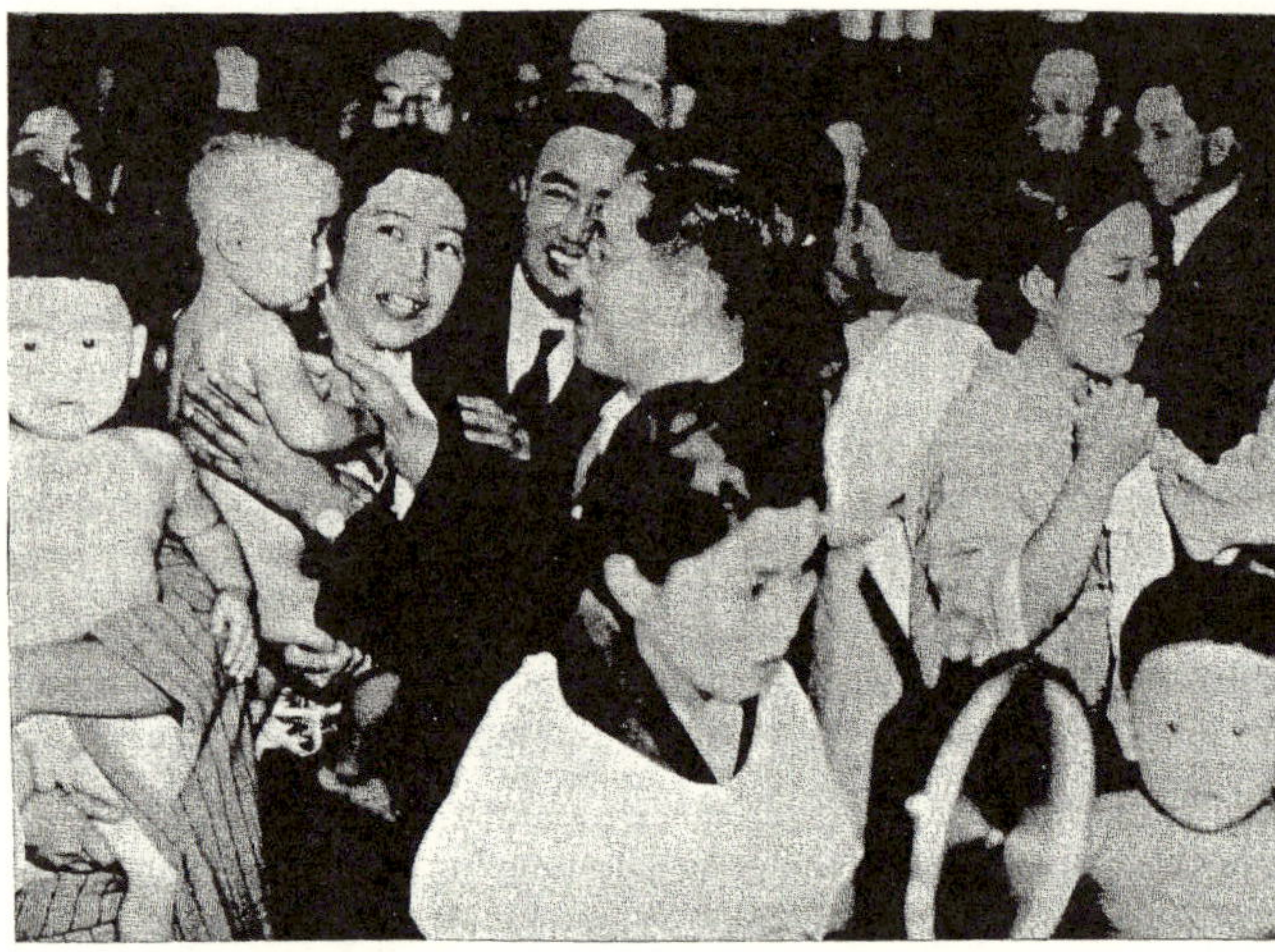

軍國の母性にとり圍まれたる

我等の坂間大阪市長

——第十五回全大阪乳幼兒審査會に於て——

このマーク
メガネ肝油球
お奨めする方
一般虚弱者、産前産後に
腺病質 肺結核 肋膜
腹膜 せむし 夜盲症
榮養不良による眼疾
感冒にかゝり易き人
雜誌名記入御申込の方に 文獻贈呈
一番よい
經濟的國民榮養素
眼鏡肝油
本舗
合資會社 伊藤千太郎商會
大阪道修町

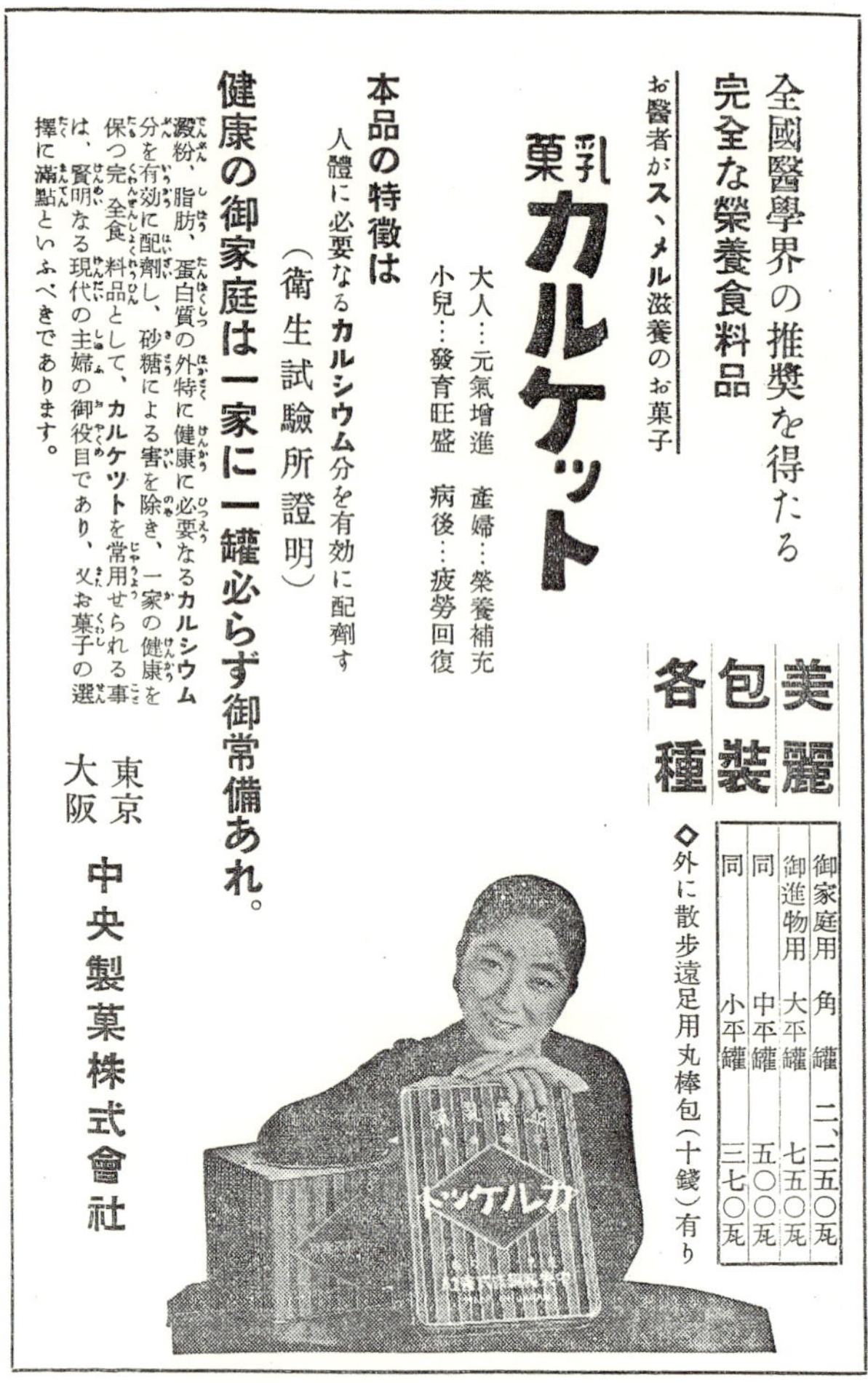
全國醫學界の推奨を得たる
完全な榮養食料品
お醫者がスゝメル滋養のお菓子
乳菓 カルケット
大人…元氣增進 産婦…榮養補充
小兒…發育旺盛 病後…疲勞回復
本品の特徴は
人體に必要なカルシウム分を有効に配劑す
(衛生試驗所證明)
健康の御家庭は一家に一罐必らず御常備あれ。
澱粉《でんぷん》、脂肪《しばう》、蛋白質《たんぱくしつ》の外《ほか》特《とく》に健康《けんかう》に必要《ひつえう》なるカルシウム分《ぶん》を有効《いうかう》に配劑《はいざい》し、砂糖《さたう》による害《がい》を除《のぞ》き、一家《いつか》の健康《けんかう》を保《たも》つ完全食料品《くわんぜんしよくれうひん》として、カルケットを常用《じやうよう》せられる事《こと》は、賢明《けんめい》なる現代《げんだい》の主婦《しゆふ》の御役目《おやくめ》であり、又《また》お菓子《くわし》の選擇《せんたく》に満點《まんてん》といふべきであります。
東京 大阪
中央製菓株式會社
美麗包装各種
御家庭用 角罐 二、二五〇瓦
御進物用 大平罐 七五〇瓦
同 中平罐 五〇〇瓦
同 小平罐 三七〇瓦
◇外に散歩遠足用丸棒包(十錢)有り
カルケット

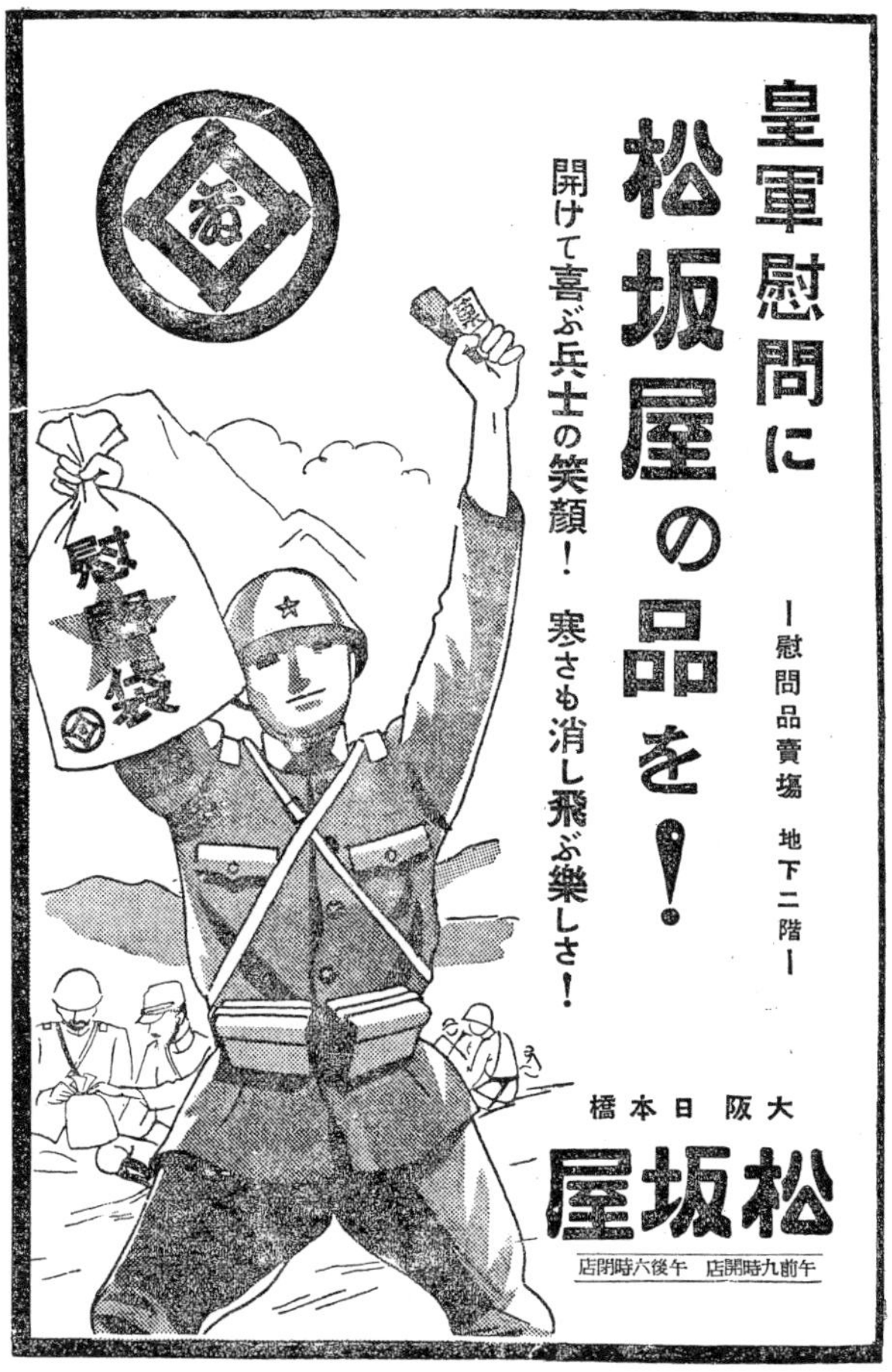
皇軍慰問に
松坂屋の品を！
開けて喜ぶ兵士の笑顔！ 寒さも消し飛ぶ楽しさ！
ー慰問品賣場 地下二階ー
慰問袋
大阪日本橋
松坂屋
午前九時開店 午後六時閉店

醫學博士 有馬頼吉氏 醫學博士 青山敬二氏 醫學博士 太繩壽郎氏 發見創製

日・英・米・加奈陀・愛蘭 專賣特許

アーオー

結核免疫元

治療的應用

肺結核（潜伏、輕症、中等症）

腺結核、皮膚結核、泌尿生殖器結核、外科的結核、眼科的結核、肋膜腹膜炎、喘息

特ニ小兒ノ淋巴腺結核ニハ手術ヲ要セズ治癒セシムルコトヲ多數實證セラル。

肋腹膜炎、肺炎等ノ恢復期ニ於テ最モ著効アルコトヲ認メラル。

豫防的應用

虚弱兒童、腺病質學童

特ニ感冒ニ罹リ易キ兒童ニハ著明ニ奏効スルコト確實ニシテ是等體位增强ノ手段トシテ最モ適切ナル豫防接種ナリト信ス。

診斷的應用

結核ノ存否病勢並ニ豫後ヲ確斷シ得 而モ無害ニシテ同時ニ治療的効果ヲ有スル方法（所謂吉田氏反應）

特長

忌ムベキ副作用無ク、吸收容易ニシテ効果確實ナルコト。

製造所 有馬研究所

發賣元 須美商店

大阪市東區北濱四丁目〇四

小兒科文獻贈呈

健康第一
よく学び
よく遊び
御疲れの後には
Ⓢ角砂糖を召上ると
元気が恢復致します
品質精撰
價格低廉
Ⓢ
角砂糖
大日本製糖株式會社

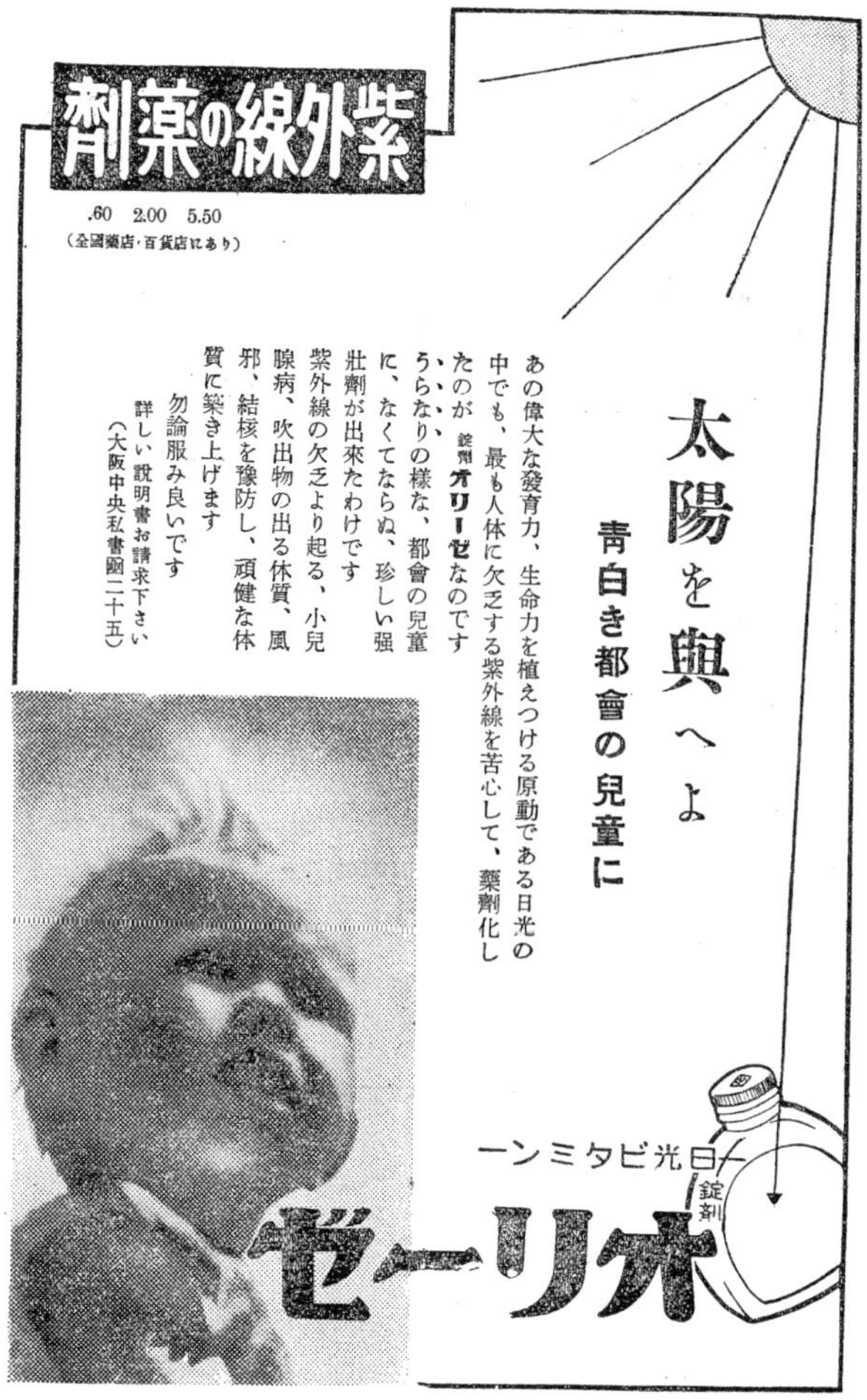
紫外線の藥劑
.60 2.00 5.50
（全國藥店・百貨店にあり）
太陽を與へよ
青白き都會の兒童に
あの偉大な發育力、生命力を植えつける原動である日光の中でも、最も人体に欠乏する紫外線を苦心して、藥劑化したのが錠劑オリーゼなのです
うらなりの様な、都會の兒童に、なくてならぬ、珍しい强壯劑が出來たわけです
紫外線の欠乏より起る、小兒腺病、吹出物の出る体質、風邪、結核を豫防し、頑健な体質に築き上げます
勿論服み良いです
詳しい説明書お請求下さい
（大阪中央私書函二十五）
ー日光ビタミンー
錠劑
オリーゼ

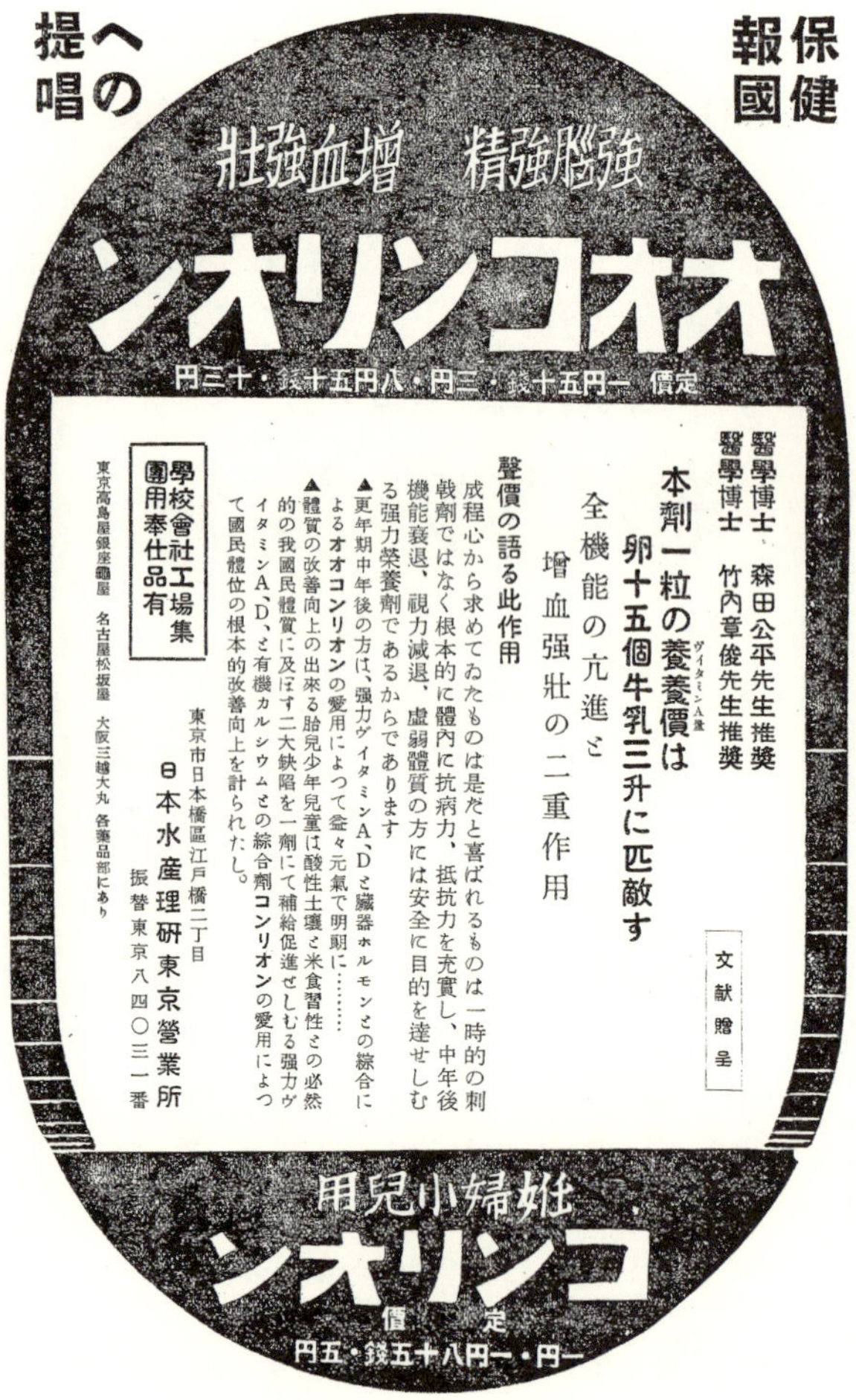

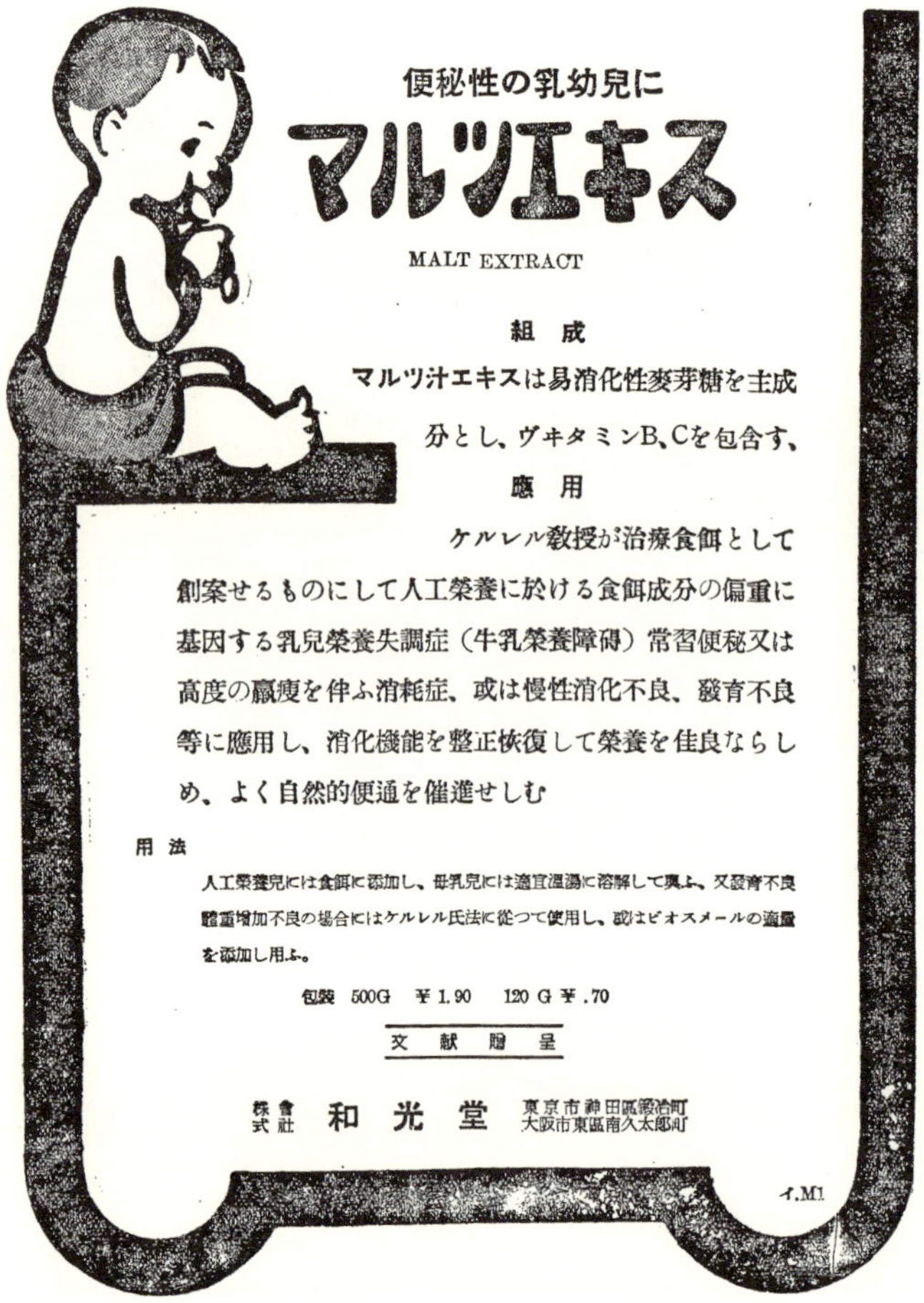

長期國防に備ふる審査會表彰式

（上） 第十五回全大阪乳幼兒審査會表彰式に於ける本會會長坂間大阪市長の告辭は、一般來會者に對し時局柄實に嚴肅なる感を印象づけた。

——向つて右より、長部大阪府社會事業主事、深山大阪市保健課長——

（下） 表彰された優良兒の總代。——

「護良親王」と「北條時宗」

服部有恒畫伯繪

（上）「叡山に於ける護良親王」 國畫院展覽會出品

（下）「北條時宗」 献畫展覽會出品

無代進呈
恐るべき鼻病の新治療と云ふ
小冊子御申込次第送呈

鼻

大川ユーカリ吸入器

恐るべきは鼻の病ひ!!

鼻と腦との關係は薄い骨一枚で隣り合せて居るものですから鼻の障害が直に腦へ及ぼす影響はそれは〳〵强大なものです

貞淑であつた御婦人が俄にヒステリー症になつたり頭腦明快で聞えた紳士が急に神經衰弱や憂ウツ症にかゝるのも多くは鼻の病の故なのです……

鼻がつまりますと自然口で呼吸をする樣になりますので最も大切な鼻腔の保護作用と云ふものが働かず從つて咽喉や氣管を痛める原因ともなります

大川ユーカリ吸入器はホンの煙草一本召上るのと同樣一回二三分間づゝ一日に三四回御使用になれば宜敷しいのです

ユーカリ油から發散するユーカリガスを吸入しますと鼻や咽喉のカタルを起してる粘膜に刺戟して仲々効果のあるものです

御婦人や御子樣にも容易に使用出來て決して見苦しいものでもありませんし又携帶至便で電車の中でも事務所でも何處でも御使用になれます

定價
鼻専用 ユーカリ油付 金一圓也
鼻喉兩用 〃 並 金一圓五〇也
〃 〃 上 金二圓也

發賣元
東京市日本橋區本町四ノ七
大川式吸入器本舖

永井遞信大臣と池崎文部參與官の祝辭

（上） 永井本聯盟名譽會長は公務御多端なる際にも、貴重なる時間を割かれて、本會の爲め否全日本の慈母たちのために盡瘁される事は實に筆舌につくされない。
（下） 池崎文部參與官は過般山枡儀重氏御永眠につき本聯盟理事としての就任を御快諾になつた。
──共に全東京乳幼兒審査會表彰式にて──

乳兒哺育上の重要問題

母乳哺育兒に最も多く見られる障碍は**乳兒脚氣**でありませう。**乳兒脚氣**は、母親に脚氣がなくても起り、又人工榮養兒でも**ビタミンBの不足**があれば脚氣に罹ることが明にされてゐます。前者の場合には母親と患者の兩者に**オリザニン**の適量を與へ、後者の場合には患兒のみに**オリザニン**を與へることによつて容易に治に就かしめ得るは多數文献の立證してゐるところであります。

× × ×

又人工榮養兒に屢々起るものに**壞血病**があります。**壞血病**は**ビタミンCの缺乏**を主因として起り、その初期には食慾減退、體重減少、血管の榮養障碍、蒼白、不安、不機嫌、啼泣等が觀察されると云はれてゐます。かゝる際に**三共ホーレン草末**の少量（一日量1.5瓦内外）を乳汁に添加して與へると容易に恢復することが知られて參りました。

× × ×

その他、人工榮養兒には**ビタミンA及D**の不足から種々なる障碍（夜盲症、佝僂病等々、又は屢々感冒に罹つたりする）を起すことも知られてゐます。かゝる場合には肝油の適量又は**三共ビタミン膠球**、**三共ビタミン錠**等で之を補給することが推奬されてゐます。

オリザニン（ビタミンBの世界的始祖） 末、錠、液、エキス、注射液各種
三共ホーレン草末（ビタミンCの含量アスコルビン酸として246瓱%） 25、50、100・500瓦入
高橋氏改良肝油（一瓶 500瓦入） **三共肝乳**（250・500瓦入）
三共ビタミン膠球（20.50.100.500.1000球入） **三共ビタミン錠**（50錠入 100錠入）

東京 **三共株式會社** 室町

赤ちゃん打ち粉
パーキュロ

赤ちやんのアセモ・タダレには勿論のこと、旦那様のお鬚剃りの後にも亦、奥様やお孃様のコナ白粉の代用にもなる、肌色芳香、一罐あれば家庭の皆樣が重寶する、全く時代の要求によつて産れた新樣式の撒布劑はこれです

定價
・二〇
・五〇

味の素直系
本舗 東京・京橋・寶製藥株式會社

昭和十三年　子供の世紀　二月號

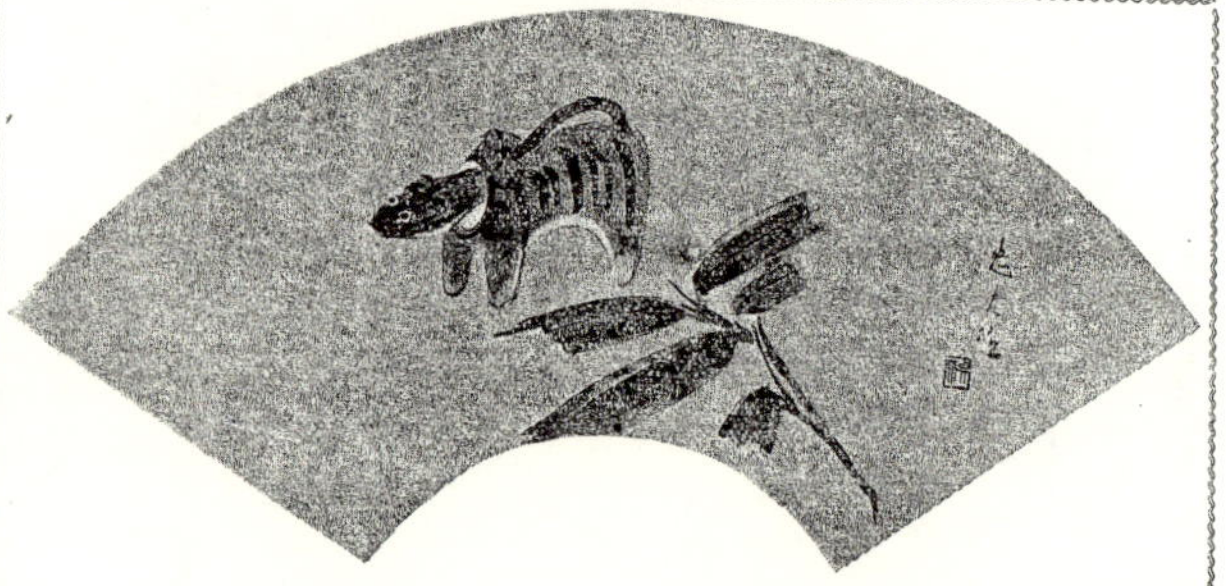

春夏秋冬

與謝野晶子

いたゞきの大木の櫻おぼろなり今花吹雪作れるならん

船底の霧のしづくのたまれるに座して冷たき山の湖

初すゝき香油を塗りて巻毛して混る淺間の花草の原

いてふ葉をたくはへたれば溝川も人の手箱の心地こそすれ

こゝろよくあひぞ觸れゆく日の本の水上の機とあめのしら雪

――破竹の勢――吉村忠夫繪

新春

平澤壽子

空も海もひとつになりて明けやらぬ上總の浦にとどろける浪

新しく生れかへりし心にて三十路の坂を登らんと思ふ

いかなる日いかなることのあるべしや生くべき世なり生きぬく世なり

恩　師

はるばると勵まし給ふおん文に不肖の弟子は涙流しぬ

都の友

浪の音一人ききつつ都なる友のことなど思ふ夕ぐれ

納秀子様われを冷凍魚とのたまひけれは憤然として

なほいまだ燃ゆる血汐もあるものを冷凍魚とは誰がことを言ふ

M　氏　に

半歳も過ぎにけるかな白樺を送ると人ののたまひてより

つつゐづつ

母といふ尊きみ名を持ちて居む振分け髪の幾人の友

從　弟　に

父も母も忘れて今日も荒鷲の群にまじりて君は戰ふ

大君の醜の御楯ぞ朝夕《あさゆふべ》心にかけてな病みそ君

從　妹　に

よき母と愛《かな》しき妻となりし君この新春の粧《よそほ》ひを見む

體位向上と乳兒の榮養

大阪市立堀川乳兒院長
醫學博士　廣島英夫

近來我が國民の體位向上と云ふ事が大變問題になつてゐますが、此の事は現今の如き國家重大の時には國民たるものゝ一層留意せねばならぬ事であります。國民體位の向上、卽ち體力並びに精神力の勝れた眞に健全な國民を作り上げますには青少年時代よりも、遡つて基礎時代である胎兒及び乳兒の時代より之れに、心を用ゐねばなりません。之れ乳幼兒體位向上の叫ばれる所以でありります。健康な乳兒にして、始めて將來强健な國民となり、幾多の國家的偉業をも容易に行ふことが出來るのであります。

然らば乳兒の健康は如何にして得られるか、と申しますと優れた體質と、充分な母乳と大なる母性愛とによつて得られるのであります。持つて生れた體質が良くて母乳が十分與へられ、而かも慈愛に充ちた母親に護られてこそ、嬰兒は丈夫に育つのであります。以下此の三つの中、主として母乳に就いて申し上げてみませう。

先づ體質でありますが、體質は主として先天性のものであります。然し或る學者は後天的にも體質異常が起ると云つて居られます。嬰兒の體質を良くするには、平生より兩親は身體を健康にし、殊に母親は姙娠後は一層健康に留意せねばなりません。目下の我國狀をよく認識して、確固たる精神を持ち萬一最悪の場合に直面しましても、心を取り亂すことなく之れを切り拔ける覺悟が必要であります。かくして精神の安靜が得られますと共に、胎敎の趣意にも亦副ふことが出來るのであります。其他激働を避けて適當の運動を行ひ、殊に大切なのは榮養であります。偏食することなく、各榮養素を適當に攝り、又「ヴイタミン」や鑛物質も必要であります。又時々專門醫に診察を受けて、異常で無いか否かを診て貰ふ事が必要であります。かくして靜かに出產の日を待つ可きであります。

生れて來た嬰兒にとつて最大の不幸は、母の胸に抱か

れて飮む乳が無いといふ事であります。母乳こそ天より與へられた最良の乳兒榮養品であります。牛乳や山羊乳は何れも人乳に劣つてゐるのでありまして、古來多くの學者が人乳と同じ榮養品を作らうと考へたのでしたが、人乳に優る榮養品は出來なかつたのであります。今母乳と牛乳とを比較してみますと、母乳は牛乳に比べて蛋白と灰分とが少く、糖分が多いのであります。反對に牛乳は蛋白と灰分が多く、糖分が少いのであります。此の樣に各榮養素の組成が違ひます事が最も重要な事でありまして、母乳は乳兒の發育に最も適當する割合に各榮養素が含まれて居るのであります。牛乳は同樣に、仔牛の發育に最も適當する割合に含まれてゐるのであります。乳兒に必要な「ヴイタミン」Cは母乳には多量含まれてゐますが、牛乳には極めて少量であります。消化吸收に關しましても牛乳は劣るのであります。卽ち人乳は一時間半乃至二時間で消化吸收されますが、牛乳では二時間半乃至三時間半もかゝります。從つて牛乳では與へ方が少しでも惡いと、直ぐ重症の消化不良を起します。又牛乳では蛋白卽ち「カゼイン」と云ふ物質が多い爲めに、牛乳を與へますと胃中で行はれます胃液の殺菌作用が著しく減弱されます。尙大切な事は母體が持つてゐます各種の病氣に對する免疫體が、母乳中には澤山含まれてゐる事であります。これが爲めに乳兒は生れ乍らにして、病氣に對する抵抗を得る事が出來るのであります。又乳汁中の蛋白にしましても、牛乳と人乳とは生物學的に異つてゐます。血淸の乳汁蛋白に對する沈降反應と云ふ小檢査をしてみますと、母乳榮養兒では血液中に何等變化なく常に反應は陰性であります。然るに人工養榮兒では、血液中に牛乳の蛋白が一部分消化されずに現れますので血液の變化が起りその爲めに反應が陽性に出ます。其の他人乳は、常に新鮮で黴菌はゐませんが、牛乳では黴菌が多く腐敗の危險があり、飮ます度に一定の濃度に薄め且適度の溫度に暖めて與へねばなりません。その上糖分や「ヴイタミン」Cを補はねばならないのであります。此の樣に色々の點で人乳は人工榮養品に優れてゐますので、母乳榮養兒は健康であるのは必然であります。事實母乳榮養兒は重症な消化不良や肺炎等に罹ることは少く又たとひ罹つても輕く經過します。然るに人工榮養兒では一見よく肥えてゐましても、病氣に罹るとすぐ重症になり、治るのが遲いのであります。死亡率をみましても母乳榮養兒は人工榮養兒に比べて、大變死亡率が少いのであります。經濟的に觀ましても、我國の如き牛乳の高價な國では、驚く可き負擔となるのであります。

以上申しました如く色々の點で、人乳は最良の乳兒榮

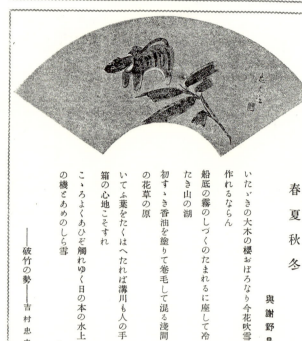

養品であると云へるのであります。

　然し乍ら此の良い母乳も其の與へ方が惡いと、決して丈夫に育てる事は出來ません。分娩後二十四時間も經ちますと、次第に母親の乳房が張つて來ます。此の最初に出る乳は、初乳と言ひ、黃色がかつた粘氣のある乳であります。初乳は色々の成分に富んでゐますので、初生兒には是非必要であります。母親は常に身體を殊に乳房の周りを淸潔にして、哺乳の時は產褥にある間は止むを得ませんが、其の他の場合は晝でも夜でも常に坐つて膝の上に乳兒を乘せ、片腕で抱きかゝえ、片手で乳房を支へて乳首を含ませ乳兒の鼻を蔽はぬ樣に、注意し乍ら與へます。寢乍ら乳を飮ますのは色々の害がありますので、最初より此の樣な習慣をつけぬやうにするのが大切であります。哺乳の回數は初め二時間置き位に飮ませますが三週間後には三時間毎に一日六回、二ケ月頃より四時間毎に一日五回與へるやうにします。大體人乳は消化時間が先に申しましたやうに二時間餘かゝりますので、之れ以上の間隔をあけねばなりません。健康な乳兒では一回の哺乳量を別に定める必要はなく、時間が來れば充分お腹に足りるだけ飮まして差支へありません。が大抵此の時間は十五分乃至二十分でありますので、これ以上長く哺乳する必要はありません。元來乳兒が乳を吸ふ時は、最初の五分間に必要量の三分の二を吸ひ、次の五分間に殘り三分の一近くを吸ふのであります。夜中は飮まさぬ樣にしませぬと、母子共に十分睡眠が出來ぬ事となります。然し餘り神經質になつて、時間にのみ捕はれるのも考へ物であります。乳の時間とてよく寢てゐる乳兒を起してまで乳を與へる必要はありません。片側の乳房を充分吸はせ空になつて尙足らぬ時は、始めて他の側の乳房を吸はせます。これは吸ひ初めと終りとは乳の成分が違ふからであります。例へば、脂肪や「ヴイタミン」Cは初め少く終りに增加して來ます。

　かうして榮養が充分足りますと、乳兒は氣嫌よく、よく眠り、黃色の軟膏樣の大便を一日一回乃至三回餘り排出します。體重も規則正しく增加して生下時三瓩あつたのが、滿四ケ月には二倍の六瓩、滿一年には三倍の九瓩になります。

　體重の增え方が少いとすぐ乳が不足とか、乳が惡いとか言つて、人工榮養に代へる人がありますが、これは大變な冒險であります。又少しでも乳を吐いたり、靑便を出したりしますと、すぐ脚氣と思つて母乳を廢止する人があります。これも大變な誤りと言はねばなりません。必ず專門醫とよく相談してから、人工榮養に代へるやうにしなければなりません。現今では直ちに母乳を止めね

ばならぬやうな、重症の脚氣は殆んどありません。脚氣の治療をし乍ら母乳を與へてゐるのが最も良い方法であります。人工榮養に代へますと、脚氣の爲めよりも人工榮養の爲に起る障碍の方が却つて大きいのであります。又乳の檢査をよく言ふ人がありますが、乳の檢査はそう簡單に出來るものではありません。確實に脚氣を起す乳か否かを檢査する方法もありません。未だに乳の檢査のみで脚氣が直ぐ診斷出來ると考へてゐる人がありますがこれは誤りであります。母體が普通の食物を攝つてゐる場合は、人によつて乳の成分に差があるものではありません。

　乳汁の分泌は乳兒の吸ふ力と、母親の健康狀態と、乳腺の發育狀態とに依つて違つて來ます。それ故最初の間乳の出が惡くとも、辛抱して吸はして居ますと澤山出る樣になります。又一方には乳房を「マッサージ」したり溫めたりして乳腺を刺戟しますと、次第によく出るやうになるものであります。乳の出が少いとて人工榮養で足しますと、出る乳も次第に出なくなります。萬難を排して母乳榮養を行はなければなりません。最も乳の分泌と關係のありますのは、母體の健康狀態であります。良い乳を多量出るやうにするには、母親の身體を丈夫にし榮養をよくせねばなりまん。近代文化の進むに從ひ殊に都會に住む母親の授乳能力は次第に低下して來てゐます。乳兒が六、七ケ月頃になりますと、既に十分に乳が出ない人が多くなつてゐます。都會に住む母親は殊に精神の安靜を圖り、睡眠をよくし、適度の運動をして心身を强健にし、以て乳汁分泌の增加を圖らなければなりません。授乳中は滋養に富んだ物を攝るのが必要でありますが、偏食に陷るのはよくありません。脂肪の多い物、刺戟物や嗜好品もひかへねばなりません。普通乳汁分泌によいと云はれてゐる味噌汁や牛乳等の流動食や「ヴイタミン」「カルシューム」等も勿論よろしい。殊に冬は「ヴイタミン」C、夏は「ヴイタミン」Bを多く攝る必要があります。

　茲に滋養と申しましたが、徒らに高價なる食物を攝れと言ふのではありません。臺所の合理化をこそ望んで止まないのであります。殊に現今の如き戰時體制下にありましては、家庭にある皆樣も是非その心構へが必要であります。かの歐洲大戰に際しまして、獨逸が戰爭に勝ち乍ら敗北しましたのは食糧問題にありと言はれてゐますでありますから臺所に於いては食品の浪費を防ぎ、最も合理的且つ經濟的に榮養の完備した食品を用意されん事を希望致します。例へば我國民の主食である米にしましても、米が精白される結果八分乃至一割の減少が生じ且

つ臺所で洗ふ爲めに三百萬石の白米が失はれてゐます。又之れが爲めに年々五十萬人以上の脚氣患者を出してゐます。其他副食物に就いても、安價な魚や、大豆或はその製品等より良質の榮養を攝る事が出來るのであります。野菜類に就いてみましても「ゆでる」ことに依て折角の養分を棄てゝゐます。この樣に私達は未だ多くの「むだ」のある生活をしてゐます。現今こそこれ等の改善が最も必要であります。

　以上要しますに食糧の合理化を計つて充分の榮養を攝るやうにされ、以つて乳兒の體質改善に努め、良き母乳を心ゆく迄乳兒に與へる事が出來るやうにされんことを希望する次第であります。かくして良き體質の上に、最も優れた榮養品である母乳が慈愛に充ちた母親の心で暖めて與へられ、茲に始めて乳兒が强健に成人出來るのであります。

　今や皇軍は北支に或は南支に、着々と戰果を收めてゐます。やがて來る可き我國の劃期的飛躍に備へる爲め乳兒の體位向上に力を致さねばなりません。これこそ銃後にある母たる者の務めではなからうかと存じます。

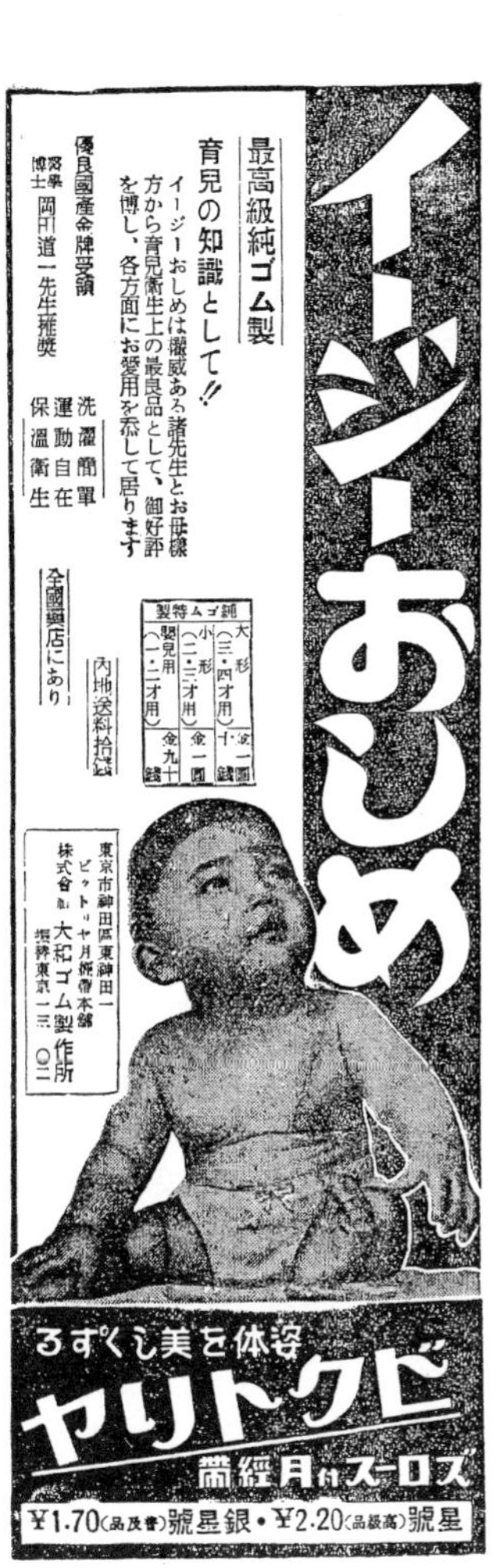

小兒の生理に就いて

醫學博士　芳山龍

皮膚　赤ん坊の皮膚は、菲薄にて血管に富んで居るから赤味を帶びてゐる、皮下脂肪組織が平等に全身に亘つて發育して居る故に、一種の緊張と彈力性がある、此皮膚の鮮色と彈力のある緊張とは、健康兒の特徵である。
　小供の胴體は長く、體表面積は大きく、且つ新陳代謝が旺盛であるが故、皮膚より水蒸氣の發散（皮膚呼吸）が著しい、一日の皮膚呼吸量は

乳兒	二〇〇	乃至	四六〇瓦
五年の小兒	二七〇		八〇〇瓦
大人	平均		六五〇瓦

便通　生後三日間は臭氣のない粘り氣のある黃綠色の便（胎便）を一日數回出す、之は胎內で呑んだ羊水と腸管內の分泌物から出來て居る、其後は黃色の軟便を一日一、二回排出す、哺乳量百に對して三の割合である。

　神經質、又は、滲出性質の小供は、腸粘膜が異常に過敏である爲に顆粒のある水分の多い便を一日四、五回も出す事があるが、機嫌よく體重が普通に增加して行く時は顧慮するに及ばぬ。

　牛乳榮養兒の便は、淡黃色で硬く、臭氣强く分量が多い、哺乳量百に對して八の割合にて一日一回が普通である、牛乳に穀粉を添加すると褐色調を帶び、酸臭を呈してくる。

　便に顆粒及粘液を混じ綠色となれば、消化不良症の徵候である、惡臭あれば警戒せねばならぬ、健康兒の便に

ても暫く放置すれば、便中の黄色色素ビリルビンが酸化して綠色のビリルベルヂンに變り、綠色となるが病的の意味はない。

尿 赤ん坊は、哺乳後約十分乃至四十分で放尿する、回數は哺乳度數の約三倍である尿量は哺乳量の約⅔に相當す。

人工榮養兒の尿は母乳兒に比して多量である、又茶汁等の飲料を與へると、一日二、三十回も放尿することがある。

尿の性狀は黄色透明、弱酸性乃至中性で、比重は大人に比して輕く、一〇〇五乃至一〇一〇である。

一日の尿量は

一月	二〇〇	乃至	四〇〇
四月	四〇〇	〃	五〇〇
九月	六〇〇	〃	七〇〇
二年	七〇〇	〃	七五〇
十年	一〇〇〇	〃	一〇五〇
大人	一四〇〇	〃	一五〇〇

體溫 初生兒の體溫は、腋下檢溫にて平均最高三七、三乃至三七、五度であるが、溫浴後は三六、五度位に下るのが普通である。

初生兒期を過ぎると稍低くなるが乳兒の體溫は、大人に比べて二、三分高く、動搖し易いのが常である。

啼泣、興奮、運動、哺乳、溫包等の際には三七度を超へる事あり、冷却、榮養不給、睡眠等にて三分乃至八分も下る。

乳兒體溫の動搖し易いのは、皮膚が菲薄にて血管に富む事と、體表面積が比較的大なる爲である。

厚着に過ぎると體溫調節を妨げ、薄着に過ぎると風を引く故、汗をかゝぬ程度に又運動の自由を妨げぬ樣に包被せねばならぬ。

體溫を計るには 體溫計の水銀球部をぴつたりと腋下又は、股間に挿入し暫く靜置す、肛門で計るには體溫計の尖端にグリセリンを塗つて挿入、壞れぬ樣に暫く手にて支へる、此方が正確で時間も半分位ですむ、腋下及股間にて計りし時よりも五分位高い。

脈搏 は大人に比べて、啼泣、哺乳、運動、興奮等の刺戟にて著しく頻數となる故に睡眠中に計るとよい。

脈搏數は年齡の幼少なる者程頻數にて、同一年齡の小兒は身長の短い者程脈搏數が多い。

初生兒	一五〇	乃至	一二〇
一年	一四〇	〃	一二〇
二年	一三〇	〃	一一〇
三年	一一〇	〃	一〇〇
五年	一〇〇	〃	九六
十年	九六	〃	八〇

脈搏の緩徐となるのは、腦の壓迫を來す疾患にて、最も屢結核性腦膜炎の初期に脈搏が遲くなる脈搏の不整は重症熱性病の恢復期に現はれるが健康兒でも時として睡眠中に缺滯する事がある。赤ん坊の脈搏は撓骨動脈部又は、顳顬の後に示指を當てゝ一分間の搏動を算へる。

呼吸 赤ん坊の呼吸は、腹式呼吸にて淺く數が多い屢々不規則になる、殊に睡眠中には往々整調が亂れて、シヤインストック氏型の呼吸を發する事があるが、特別の意味はない。

初生兒		四五—三五
乳兒	呼吸數一分間	三五—二五
三年乃至五年	同	二五—二〇

呼吸を計るには、胸を開き手掌にて胸廓又は心窩部に輕く當て、時計を見つゝ一分間の動きを算へる。

肺炎、喉頭カタル、喉頭ヂフテリーの如き呼吸困難のある場合には、吸氣時に胸部下部が陷沒し呼吸數は六〇から一〇〇位になる。

呼吸數と脈搏の比例は、健康兒は一對四以內であるが呼吸數が頻數となれば、此比例が大きくなる。

睡眠 赤ん坊の生活は、主に呑む事と眠る事の二つである、「寢る兒は育つ」といふ通り睡眠は哺乳と同樣に大切であるから、安眠を妨げぬ樣、就眠時には室を暗くし、寢床を清潔にし、換氣を良くせねばならぬ。

生後一ヶ月	呑めば直ぐ眠る
二、三ヶ月	呑んだ後二、三十分間眼を開けて居る
五ヶ月	哺乳後一時間ほど覺醒（一晝夜十六時間眠る）
一ヶ年	哺乳後數時間覺醒（一晝夜十四時間眠る）
三ヶ年	午前一、二時間、夜間睡眠十—十二時間
七ヶ年	夜間睡眠十時間
十ヶ年	同 九時間

若し就眠中眼を覺せば、身邊に異狀なきかを注意し、臥位を轉換し、又枕を裏返へす、臥位轉換は頭の畸形的になるのを豫防す。

添寢は授乳を不規則ならしめ母親も疲勞する故に、成可く一人にて寢る樣に躾けねばならぬ。

啼泣 赤ん坊は物言はぬから泣き方によつて判斷せねばならぬ。

空腹時には節のある聲を出して泣くが淚は出ぬ。眠くなつた時は眼は潤み、身體に倦みがあり泣き聲に欠伸がまじる。

不滿のある時には足を踏張り、頭を振つて泣く。疼痛ある時には、耳を刺す樣な聲を立てゝ、兩足を縮めて淚を流して泣く。

駄《だ》々ッ子と榮養

カンが高い……蟲氣がある かやうな兒童には…… 先づヴィタミンADを

D《ヴィタミン》の缺乏が原因になる

顔色が青白くて、肥《ふと》ることが出來ず、少しの寒さにもかぜを引《ひ》き易《やす》く、淋巴腺《りんぱせん》が腫《は》れたり時々ひきつけたり、或ひは蟲が起き、カンが昂《たか》ぶる神經質《しんけいしつ》のお子たちをよく見受けますがかやうな兒童に限《かぎ》り、とき〴〵熱が出たり或ひは下痢《げり》して容易《ようい》に止まらぬものです。その原因はどこにあるのかこれまで充分《じふぶん》はっきりしてゐなかつたものですが、最近《さいきん》に至り、榮《えい》養學《やうがく》が進歩《しんぽ》した結果、新らしい研究《けんきう》によるとそれは一種の榮養不良《えいやうふりやう》、特にヴィタミンDの缺乏《けつぼう》を生じたときに見られる症狀《しやうじやう》である……といふことが判《わか》つてまいりました。

繕ひが容易でない

これを放置《はうち》しますと次第に昂進《かうしん》して壁土や炭《すみ》を食べたり、煙草を嚙《か》んだり、その他いろいろと異常《いじやう》の習癖《しふへき》を示すやうになるものですが體質的にも身體の骨組《ほねぐみ》に異常《いじやう》を來し、頭が極《きよく》端《たん》に大きくなつたり、胸が突き出たり、脚が彎曲《わんきよく》したりして、遂には姿勢《しせい》が崩《くづ》れ出し、或ひは佝僂病《せむし》のやうな一生取り返しのつかぬ不《ふ》具者《ぐしや》になることすらしば〴〵あります。

日光浴や太陽燈の代《かは》りに

これらの現象《げんしやう》は太陽の紫外線《しがいせん》の不足《ふそく》から體內にヴィタミンDの缺乏《けつぼう》を惹起《ひきおこ》したために食物中の燐とカルシウムとが充分《じふぶん》に血液化《けつえきくわ》されないことに原因します。それを豫防するには何よりも缺乏《けつぼう》して居る成分《ヴィタミン》を補給《ほきふ》することが必要で、それには、日光浴をさせたり、太陽燈で照射《せうしや》したりすることも結構《けつこう》ですが、それにも增《ま》して効果《かうくわ》のあるのは肝油の服用《ふくよう》で、その中に含《ふく》まれたD《ヴィタミン》を體內に採《と》り入《い》れることです。

肝油の服用難が一掃された

肝油と言へば駄《だ》々ッ子ならずとも、あの臭《くさ》い油を嫌《いや》がり服《の》まなかつたり、服《の》んだ振《ふ》りして後でペーッと吐《は》き出して、親たちや、學校の先生をたいへん手古《てこ》づらしたものですが……一粒肝油ハリバが出來てこの缺點を見事に一掃《さう》いたしました……ハリバはこれまでの鱈肝油に比《くら》べて數十—百倍も濃厚《のうこう》にヴィタミンADを含有《がんいう》する高級肝油を油塊《ゆくわい》のまゝ小豆《あづき》大の糖衣粒としたもので、一粒は一盃の肝油或ひは十餘個の球に相當《さうたう》するヴィタミンを含み一日二—三粒で足《た》り、不快《ふくわい》な臭味《くさみ》なく、胃腸に障《さは》らず肝油嫌ひの兒童も樂に服用《ふくよう》致します

『駄《だ》々ッ子には肝油を與《あた》へよ』と言ふ言葉があります。無理を言ふ兒童は大抵《たいてい》ヴィタミンの缺乏《けつぼう》からくる榮養不良兒に多く、そのために神經が昂《たか》ぶり、カンとか蟲とかになつて表現されるものです。おさへつける前にハリバを忘れずに連用させてAD《ヴィタミン》を補給《ほきふ》して下さい。

百粒 二圓五十錢

目・耳・鼻

ツカダ・キタロウ

六、もの言へば脣寒し

去る日、兼ねて尊敬する、滿鐵の福祉部長と申すよりは「いとし兒の主幹」として、育兒關心者間に著名の上村哲彌先生が神戸にお立寄り下さつた時の事であります。一日二回の御講演の後で、お疲れの處を愛讀者有志の爲め、夜半まで時間を割いて、數名の母親達の育兒相談に應じて下さる事になつたのです、その時の話です。

いよ〳〵座談會が始まらうとする時、愛讀者の一人と稱する婦人が訪れて來られて座に加はつたのでありますが、貴重な數時間はこの遲ればせの婦人の爲に全部奪はれるに至つたのであります。これは後で申しませう。

處で、この婦人の所論は何かと申しますと「標準語の普及」であります。

勿論小學校では標準語の普及に努力して居られますが、その發音、殊にアクセントに不注意だから折角の努力も水泡に歸して終ふので、何とかして子供達に標準語の發音を實施させたいとの熱心なお說であります。

その熱、その所論に關して、誰とても反對のものもありませんが、誰がそれを敎へるかと伺つて見ると、「母親」こそその責任者だとの事なのです。これは考へもの、ですねえ。

學校の先生でさへ、完全な發音の出來ぬと言ふ標準語を、どれだけの母親が發音出來るでせうか。

この婦人は、何でも小都市の國語の先生で、一生懸命これを家庭でも實施されてゐる由でありまして、御主人は英語の敎師なので、訂正して貰つては子供達に敎へ込んで居られるのださうです。

處が、最も婦人を憤慨させるのは、折角家庭で努力の結晶として築き上げた標準語を、學校や友人達に亂される事なのです、それで、全國の母親が聯合して、標準語の保護に努力してほしいとのお說なんです。

「私の家では、一々、子供の言葉を訂正させてゐます。一度でも許しますと惡い癖がつきますので、何べんでも言ひなほさせてゐます。そして夜分には私の發音の惡い處を主人に敎へて貰つて訂正してゐます。

これだけ努力してゐますのに、御近所の奥樣達は一向無關心なので、御近所の子供達と遊ばせると、メチャ〳〵に破されます。

中には私の子供の標準語を笑ふ子供さへあるのです。國家の定めた標準語をこれだけ努力して用ひてゐるのに、笑ふなんて、無教育もはなはだしいものです。何とかなりますまいか」

とまあ、斯ふ言つた調子なんです。

嗚、この婦人の子供達は「もの言へば唇寒し」で、毎日家庭では、オド〳〵とものを言つてゐるのではあるまいかと、哀れに思つたのでありました。

七、如何でせうか

それよりも驚いたのは、朝夕の講演で、お疲れの先生の御厚意による最も大切な數時間の座談會が、スッカリこの婦人の雄辯に費されて終つた事であります。

勿論、標準問題も大切であります。殊に、私共の樣に「話す」ものには、毎日々々繰返して惱んでゐる問題ではあります。然し世の中には、もつと大切な問題もありませうし、又切迫した育兒問題も數ありませう。

この婦人にとつては標準語問題こそは天下の一大事かも知れません。然し、世間は廣いもので、まだ〳〵大切な問題もある樣です。その問題があればこそ、朝夕二回の御講演を伺つた上に、數名の母親達は、忙しい時間を割き、家庭の用事を棄てゝ、上村先生を訪れて集まられたのであります。

夜の十時發の汽船で四國へ出發される上村先生と共に、この數時間は最も大切な時間であります。一刻千金の宵である筈です。

いやはや座につくより早く、ペラ〳〵ペラとしやべり立てゝ實に一時間餘、私はもとより座の母親達には直接必要のない樣なこの問題を頗る雄辯に宣傳して、話を終ると、

「汽車の時間がありませんので失禮」

とばかり歸宅して終つたのです。

「大水の退いた跡」とよく世間で申しますが、全く大水の退いた跡の樣に、一座靜まり返つて顔を見合せてゐるばかり、その内に時間が來て先生は御出發。とう〳〵その夜の座談會は一言も他の婦人達は話が出來ず了ひ。これは如何なものでせうか。

いや「如何なるものでせうか」と言ふと思ひ出す事は、この種の婦人に限つて、一くだり述べ立てると、必ず「先生如何なものでせうか」と言ふ言葉を挿入する事です。これは面白い共通點です。

それについて、私がいつも一つ話にしてゐる事があります。それは餘程前の事ですが、JOBKで「育兒座談會」が放送されまして、數人の母親が三田谷啓先生に質問して、先生の御意見を承ると言ふ、眞に興味ある座談會の放送があつた事がありました。その時の事です。

質問側に廻つた婦人中に某女史と言ふ人があつて、それはそれはしやべり立てるのです。それこそ、獨り舞臺と同樣で、他の母親達の口をはさむ事の出來ぬ程に雄辯で、肝心の三田谷先生でさへ沈默させられて居られたのです。

然し、さすがに女史も氣がさすのか、時には三田谷先生にだけは口をはさむ餘地をのこして居たのです。そしてその言葉は一つ。

「ねえ。先生。私は斯う〳〵思ひますが、先生、如何でせうか。」

これを合の手として、放送時間中全部を獨り占めにして、三田谷先生に聞くの座談會は、全く某女史に聞かされるの放送に終つたのを思ひ出します。そして、三田谷先生は全放送を通じて、唯「ハイ〳〵」「さやうですねえ」と、僅にこれだけの發言が許されて他の母親の聲は聞かれずでした。

これは至る處に見られる風景で、殊に婦人會の幹部連中の集りや、有識者女性の集會等には、この被害を蒙る事甚大であります。

遠方から汽車賃を出してまで、押賣りに來る御婦人の熱誠には感心致しますが、全くこれでは、その常用語の通り「如何でせうか」と思ひますねえ。

八、我が國最初の小學校令

最近、私の古本あさりの一つとして、「その頃を語る」と言ふ東京朝日新聞政治部編の四六版本を讀みましたが、昭和三年十月三十一日發行のものですが、語り手は六十九人、明治時代の重臣のみで、その思ひ出話の滿載でありますその中にこんなのがありますので原文のまゝ轉載させて頂きませう。

談は貴族院議員服部一三氏で、私が子供の時代の兵庫縣知事です。

「我が國義務教育の基礎を築いた小學校令の出來たのは明治二十年前後のことだ。丁度我輩が文部省參事官から普通學務局長を勤めてゐた時代のことで隨分骨を折つた。それに當時の文部大臣森有禮さんは思ひきり斷行力があつて確にえらいところがあつた。日本の教育制度の基礎を築いた事は何といつてもこの森文相であつた。

最初できた小學教育關係の規定は、主としてアメリカに則つたものであるが、アメリカは御承知のやうに金に不自由がないから、小學校は總て一年一級制でやつてゐるといふ國である。一つの部屋で上級から下級を引括るめて教へるといふ寺小屋式の日本が、一躍アメリカ式に移ると教員が多數いる。そこで教員養成の必要から師範學校などもできたのだが、なか〳〵良教員を十分に供給することはできた話でない。それに教育費はかさむ一方で、町村費の六七割は小學校費で占められるといふ狀態になつた。

はじめ米人のドクトル・モルレーが御用掛としてきてゐたが、文部省では新にテーヒヤウといふドイツ人を傭入れた。テ君の意見を徵すると「現在のやうなやり方をしてゐては、日本の小學校は財政のために行詰ることになる。ドイツを見よ。多數制をやつてゐるのは一二割よりない。アトは二級制または三級制或は單級制、半日學校などでやつてゐる。それでも教育は立派にやつてゆけるのである。教員の養成もたやすくやれる。師範學校でもこれを適應した教育を行つてゐる」といふ意見だつたのでこれを聞いて我が當局者も一通りはなるほどと合點がいつた。

しかしこれを日本の教育制度に取入れるかどうかといふことになると、勿論それには色々の議論もあつたが、結局單級とか半日學校とかの文字をもいれて、これでも義務教育はやつてゆけるといふ制度ができたのである。實業補習學校も小學校令に含まれてできた。

その後小學校令は幾度か改正もされ變つてもゐるが、我が國義務教育の基といへば、こゝに築かれたのである。かういふ次第で小學校令制定の精神は、ドイツ式に則つた極めて自由なものであつた。

當時ドイツ文部省で嚴重に戒めてゐたのは、市街地と農村で同一の教育方法をとつてはいかぬといふ點であつた。例へば博物でも分類などは力をいれて教へる必要はない。それよりも手近なその土地の石炭がどこから出て、どこに賣られるかといふことを教へるのが必要だといふので、總て生きた學問を要求してゐた。補習教育も日曜だけの處があり、冬季だけの處があり、土地の事情に應じて羨しいほど自由にやつてゐる。そして土地の實業家が親しく教鞭をとるといふ風であつた。

我輩自身も明治十九年ベルリンの小學校を視察して、その教育の實際的なるに敬服したことがある。當時普通學務局長に會つて、「何故ドイツでは家事を教へる科目がないか」と質問したら、「ドイツでは數學でも博物でもそれらを教へる時に家事にふれるやう教育してゐる。殊に家庭で煮炊を習はぬやうな女は廣いドイツに一人もゐないから特に家事科を設ける必要がない」と答へた。近來我が國でもしきりに教育の實際化といふことが唱へられてゐるが、その精神は既に小學校令制定の當時から根ざしてゐるもので決して過然のことではない」。

九、「東京」中心教育

私はこの一文を讀んで、二つの事を思ひ合はせますが、その第一は、

我が國の教育は殆ど「東京中心」である事です。即ちすべての標準を「東京」に置いて、他を追隨せしめ樣とする努力と無理とを感じるのであります。

一つの例をあげても、用語一つでも、東京の言葉は絕對に正確で用ふべく、地方の言語は間違にして用ふべからずと言ふ「標準語」の根本問題から、地理にしても、日本全國東京より漸次西進して學ぶ爲に、肝心の自分の鄉土に達した時には、學ぶべき時間もなくして、鄉土の事に暗くして、東京の事に詳かな有樣となつて居る狀態であります。

「近くより遠くに及ぼせ」との祖先の仰せに叛いた教育が徹底して行はれてゐるのが、現在の教育の全般でありますが、これでは「鄉土を愛せよ」と申されても出來ぬ相談であります。

鄉土愛のない者には國家愛の生じぬものでありまして、「鄉土教育」の高調されるのは當然の事ではありますが、鄉土を教へずして愛せよとは無理な註文であります。

滑稽な話は、私が長々と續けました「鄉土は語る」の記事に對する反響でありますが、殆どの人が申されるのに、

「あれは私の鄉土ですが、今まで知りませんでした。あゝ聞いて見ると仲々私の鄉里も棄てたもんでありませんねえ」

と言ふ言葉に一致して居るのです。これでは鄉土教育も鄉土愛も如何なるものでせうかと思ひますね。

「市街と農村とは同じ方法で教育する事を嚴禁してゐる」

のがドイツの法式であつて、我が國小學校令の本來の主旨はそこ

にあるとすれば、今日の小學校教育に、もつと〳〵考へられてよい問題が數多くありはしますまいか。殊に、

「博物でも分類などは力を入れて教へる必要はない。それよりも手近な土地の石炭がどこから出て、どこに賣られるかといふことを教へるのが必要だといふので、總て生きた學問を要求してゐた」

どうぞこの項をもう一度讀んで頂き度いのです。今日の博物の先生に限らず、凡ての先生方にこの精神を旺んにして頂き度いものと思ひます。

一〇、石炭を賣れ

英國の話であつた樣です。たしか大學での試驗の時です。

「石炭より石油を得る方法如何」

こんな問題が出たさうです。

さあ、これにはサスガ博物の大學生達も驚いて、いろ〳〵と頭を惱ましたものださうです。勿論大切な試驗の事です。然も一問しかないと言ふのですから、これで及落が決まる譯です。頭を惱ますのも無理がありません。

隨分頭を惱まして考へても見ました。そしていろ〳〵工夫してとにかく答案をまとめ樣と努力しました。然し誰一人としてこれに正當な答を提出する事が出來なかつたのださうです。さうしてそれは當然の事です。

當時に於て、石炭から石油をとる事は、奇蹟以外には出來ぬ事だつたのです。それにも不拘、ツト一人の青年が答案を提出しました。そして然もその青年の答案だけが滿點で、他はすべて落第だつたと言ふ事です。

其の唯一の答案には斯う書いてあつたさうです。

「石炭より石油を得るの法は、石炭を賣りて石油を買ふべし」

これは面白い話であります。

處が最近、或る方のお話を聞きますと、滿洲では撫順あたりで石炭より石油が採れて居ると言ふ事です。勿論これは石油飢饉に備ふる爲め一朝有事の際の燃料自給自足の國家的對策からの研究ださうですが、とにかく石炭より石油が採れる事には間違ひが無いさうです。

進めば進むものと世の中の事を驚く他ありませんが、何でも石炭の中には相當な石油が含有されてゐるとかで、これを粉碎して絞りますと質のよい石油がされると言ふのです。

然もこれは世界に誇るべき我が國の工業界の譽れであると承つた樣に覺えて居ります。

話が橫道へ入つた樣に思ひなさるかも知れませんが、實は手近の石炭を調べたら遠い米國から石油を買はずとも、充分間に合はせられると言ふつもりでゐたのです。（以下次號）

―結婚御祝品として最適―
始めて出版された人生記錄帖
わが家の記錄
結婚を礎石とし、家庭生活を柱として築かれゆく人生の記錄を、寫眞や記事により巨細に綴りゆき一家の歷史を完成するための貴重な記錄帖です。
四六四倍判横綴(堅約九寸、横約一尺三寸)百二十頁
表紙装釘―川端龍子先生筆　龍村製織所別織
各頁に樋口富麻呂先生の美麗な飾畫入
(桐箱入)　定價　十八圓
大阪
高麗橋
三越
四階　圖書部

赤ん坊審査會とは何ぞや

健康の觀測に就いて（第十七回恒仁會座談會の一節）

大阪兒童愛護聯盟理事
全大阪赤ん坊審査會審査委員
醫學博士　大野内記

赤ん坊審査會は一體どんなことをやつてゐるかといふことから申し上げたいと思ひます。赤ん坊審査會の宣傳をする譯ぢやありませんが、赤ん坊審査會といふのは、要するに乳幼兒の保健運動の一つとして先づ先驅を承つて居ると云ふ樣な心持ちで大正十年に第一回を開いたのであります。その後段々回を重ねて、大阪では十五回、東京で九回、或は名古屋から、各方面、西は青島東は北海道、札幌に至るまで約二十萬人の、樣々な檢査を致しました。何しろ數日に何千人を檢査するので、一人一分位でやつてしまふ。だから最初はそんな杜撰なことでは何にもならぬとかういふ非難もありましたが、併し審査員が一人々々各受持場所でずつとやつて居りますので、全體を通じますと一人の被檢者に三十分以上掛る、相當詳細なる檢査といふことになるのであります。殊にそれが何を意味するかといふやうな批評もありましたが、何はともあれ何かと貢獻する所があるはづであります。

段々はやりになつて一向廢らぬ所を見れば、何處かに取柄があるといふことになるだらうと思ひます。丁度佐多先生のカルシウムといふやうなもので、兎に角まあ効果のないものなれば流行歌の如く二、三年で消えてしまふのが普通であります。又お國自慢のやうであるが、日本ラインの景色といふやうなものでも、方々に宇治川ライン何々ライン等が出來るといやうに廣がつて行くことは、何處かによい所があるといふことになるだらうと思ひます。そこでさういふことを始めて、世の中にどれだけの影響を及ぼしたかといふと先づ第一に母親などが育兒に注意して、一つ今度は當選させようといふ風になるだけでも、効果があると思ひます。その後赤ん坊審査と別でありますが、

高島屋が寫眞の赤ん坊審査をやり出す樣になり、これも私は最初から審査して居りますが、寫眞などで見たつて駄目だ、そんなことは當にならぬといふ人もありますが、これも第六感で健康の閃はわかるものであります。幾分の見當外れはあつてもなれてくれば大體に於て間違ひはないものであります。審査員には藝術家なんかも加はつて居り健康美だけではいかぬので、本當の審査をするやうな理にはまゐりませぬが、私等が第六感で頭や胸の格好其釣合、目の光り健康の喜びの表情といふやうな所を綜合して、何となくこの兒は良いといふのを選んで一等二等といふやうなことを決めたんであります。併し後から是れが正當であつたかどうかと云ふ事をたしかめる爲に當選した人々に色々質問事項を發してその返事を取つた所が大なる誤りなくそれを選び得たといふことを感じました。

その後又大毎が、これはちよつと面白いといふので赤ん坊審査會を始め、これにも參加しましたが、これ等も普通のみならず、再審査迄して、相當嚴重にやりました。大毎にもさういふやうな事業が始まつた。そこで又朝日新聞の方で、それが一部の動機となつてミス日本をやつて見たり、日本一健康兒の審査といふことを始めた。これ等も赤ん坊審査會が幾分動機となつて日本一健康兒を選ぶといふことになつたのであります。それから尚乳兒院ではカード階級の母子の診査をする樣になり、他面大阪府廳に於ては乳幼兒保護協會が大阪市内三十何箇所の常設の健康診斷所を作りまして、色々努力して大分大阪市の乳幼兒死亡率が減つたやうであります。そこで、赤ん坊審査會で等級をどういふ風にして居るかといふに、最優良、優良、佳良、普通、虚弱といふ風に、五つばかりに分けて審査をしてゐるんでありますが、私が兎も角自分で手に掛けた者だけで、ちよつとした統計があるんで、或年の赤ん坊審査會で自慢の乳幼兒二五四二人の中でまづ淋巴腺の腫れて居つたのが七二二、かなりひどく腫れて居つたのが三六人、要するに異常を呈して居つたのが七五八人、約三分の一であつた。それから、他の二四六二人の自慢の子供の中に地圖舌が二〇五人、乳痂が三六人、脂漏が二七人、糜爛一九人、濕疹一五人等約十分の一の滲出性體質と云ふべきものがありました。

それから赤ん坊審査會ではありませんが、序に小學校に入學する入學兒童、二二〇〇人を調べた處、矢つ張り淋巴腺の可なり腫脹を見たのが二二〇〇人の中で七九人扁桃腺が腫れて居つたのが二四二人であり其他腺病、トラホーム、中耳炎、結膜炎等の色々の病氣を、發見致しました。要するに健康兒として學校へ通つてゐる者の中で、約三分の一、即ち七八八人は何等かの病氣を持つてゐたのであります。

又女學校で四百六十人の中で、淋巴腺の腫れて居つたものが

五十二人、扁桃腺の肥大が六十六人。それから女學校の入學試驗の體格檢査で、一、二四八人の中、一四二人は扁桃腺が腫れて居つた。中學生では一、四六一人の中、淋巴腺の腫れて居つたのが四三〇人。別に一、〇五一人の中で一一七人扁桃腺肥大といふ風に此他寄生虫や色々調べましたのが合計約一萬五千ばかり、そこで尚ほ、一つ在學生の微熱に就て十餘年前から毎月調べて居りますが、それは全校生徒を檢溫しまして、一例を云へば女學校六五七人の中八十人、中學で一、八一八人の中二一五人といふやうな風に、其熱も三七度五以上が六人、七度三分が二十八人、七度二分が三十五人、七度一分が四三人と云ふ樣な風で其他持續日數、日差等も調べて居ります。大體に於て中學校も女學校も一割或は一割半位の微熱患者があつた。其後間もなく文部省から學校衞生に就いて大阪府の意見を述べよとの諮問案が參りまして、丁度私共大阪府衞生會の理事をして居ましたので、それの起草委員の一人となりまして、微熱のことを文部省に報告して置いた。其後文部省でも氣が付いて、東京で差當り三萬五千人ばかり調べた所が、やつぱりさういふ微熱患者があるといふので、近頃各學校でも大變注意されるようになつて來ました事は喜ばしい事だと思ひます。

又體重が減つて行く、元氣がないといふやうな目星しい生徒の胸部の狀態を調べて見た所ちよつとでも故障と認められる者は、中學四、五年生三九三人の中で一二二人、著名な者が三八名、さういふのはもう少し調べなくてはいかぬと思つて、ピルケ、マントーの反應やら、レントゲンを撮りまして調べた所が、皆相當に故障がある。さういふことを未發に防ぐといふことは非常に必要なことゝ思つてやつた事であります。則ち健康らしく見ゆる者の中にも、故障のあるのが相當あるといふことを知る事が出來るのであります。そこで、或學校はさういふやうな體格の具合に依つて組分けを致しまして、大體強い者と弱いものとの二つに分けて其各の中に運動能力によつて甲乙丙丁に組分けをして學業、運動等を體格によつて斟酌し、或程度の成績を擧げてゐる學校もあります。

大分本題から脱線しましたが今迄の分は序のおまけで又赤ん坊審査會に戻りまして、審査會は一體其他どんなことをやつてゐるかと申しますと、先づ兩親に結婚年齢とか、其時の體重とか、榮養の狀態、お酒の程度等樣々な質問を發してその返答、それから例のメツスングを見まして、胸圍だ頭圍だ、釣合、體重といふ樣なことを見て、それから顖門、坐高といふやうなことを調べて次で内科の方に行き、内臓の狀態を調べ、眼科から耳鼻科の方迄行き、血壓、血液型、指紋、色調、能力、メンタルテスト等迄調べ其上體格、榮養、體質等を綜合して總評を下すのであります。

尚此上優良兒だけの再診査をしてなるべく間違ひの少い樣につとめて居ります。それには百人位の人、醫者やら看護婦、產婆等が手傳ひ、醫科大學生なども手傳つて呉れるので比較的好成績に行きます。さういふ風で初め

一、二回の頃には、長濱さんのお話のやうに先づ以て目方の多い胸の圍りの大きい標準以上の様な者が優良と云ふ様な事でありましたが、その後病氣になり往診をして見ると最優良のものが段々惡くなつて、病氣の經過も非常に惡い様な場合がある。よく調べると脂肪過多とか大モンジヤのやうなものが選ばれて居つた。それでは相成らぬといふので三回目位からさういふやうな體量、胸圍の關係ばかりでなく最優良に入るべきものは中耳炎をやつたとか、扁桃腺炎をやつたとかいふやうな體質的に弱いやうなものはたとへ體格はよくてもその内に入れてはいけない、他がよくても一等減じて最優良兒、優良は佳良に下げる、もつと甚だしければ、二等も下げるといふやうなことにしなければ、却つて親の方に自惚れをさせたり、或は注意することも違ふのでそのやうにしなければならぬといふので、三回目位から體質といふことに非常に重きを置いて近頃は愼重に致して居ります。

そこで一寸御參考までに檢査の模樣を申しますと、近頃の審査會は段々大じかけになつて來まして東京などでは總裁に文部大臣がなり內務、海軍、陸軍、文部、拓務省の後援があり、時節柄後繼者の保健運動が益々眞面目なことになつて來たのであります。そこで最近の大阪の診査では二千六百五十人の内最優良が二百二十六人、優良が四百三十人といふ風な、最優良は約十分の一、優良が六分の一、佳良が四分の一、普通以下半數といふ、自慢な子供ばかりでありますが、そんな結果になつて來ました本年は四千人の豫定であります。其他質問事項の中で妊娠中の惡阻の統計を取りますれば、千八百八十人の內で二ケ月三ケ月といふ所が一番多い、二ケ月が二百六十四人、三ケ月が二百五十六人、妊娠中の疾患としては矢張り脚氣と腎臟炎が十七と二十六で一番多かつた。產後二週間內にして熱が出たとか出んとかいふ事は三十七度五から八度一分位の程度の熱の出たものが一千八十八人の內細い數がありますが、約百人で三十九度以上が二十六人これは產褥熱のやうな式になつたものと思ひます。

それから貴重な時にかういふ下らぬことを申しますが御笑草迄にこのお產の時にお呪をやつたかどうか これも統計の一つであります。矢つ張り千八十八人の內水天宮さんのお守を貰つたのが百八十八人、擂釜さんとか、成田さん、淺草觀音、色々やつて居りますが、寢床の下に物指を入れたり燕の卵を入れたり色々のことをやつて居ります。お產の時にどれ位費用が要つたかといふことを調べて見ると 診査會に來た程度の家庭では（中產が多い）三圓で濟んだといふのが三十二人、五圓が八十七人でありますが大體の所十五圓二十圓が一番多く、最高二百圓といふのがあります。次に產婆さんのお禮でありますが、矢つ張り五圓八圓もありますが、二、三十圓の所が多くて、中には二

百圓、百五十圓といふのが三人、仲々近來の醫學博士も叶はぬやうなことで、又產後の大體費用は三圓、五圓から二百圓、三百圓といふのが五人ありました。

又お宮參りの費用がこれも二百圓三百圓、少ないのは二圓からあります。家の疊の數はどうかと云ふに、六疊一間といふのが十七人、段々殖えて三間四間五間七間、中には十八間もあるのもあります。自分の宅といふのが二百九十八人、其中で家の向は矢つ張り南向が一番多い家賃を調べたら五圓から高いのは三百圓。

榮養劑として母親の妊娠中何を服んだかといふに對して「わかもと」が八十八、エビオスが七十一、牛乳、カルシューム、肝油等が多い、わかもと、エビオスは宣傳の加減があづかつて居ると思ひます。かう云ふ樣な質問をして次で診査の結果尚二三追加致しますと、最優良兒の兩親の年齢は、父親三十、母親二十四歳といふ平均が一番優良兒が多かつた。而して都と田舍では田舍の方が體格が良かつた、又兩親の弱いのは矢張り結果が惡かつた。優良兒は第一子より二番目以下に多かつた、そして一寸妙な統計が出たのは、酒飮の子には達者なのがなからうといひますが、この赤ん坊審査會の結果では、最優良兒は、酒を飮まない人の子供が二十八%、少し飮むといふのが三十九%、一合以上といふのが四十%で、酒はちよつと飮んだ子供の方が最優良兒が多かつたといふことでそれも一合二合三合と統計はありますが、これを東京で發表した所が、禁酒會の方が眞赤になつて怒つて來て、馬鹿なことを言ふてくれては困る、けれどもこれは統計が出たんだから、これをぶち壞すなれば、それ以上の統計を以て、然るべき方法で壞されたらよいであらうと云ふ事になつた。

兎に角統計でさういふことになつたといふことを申上げて置きます。だから從來の樣な體重、身長、胸圍の關係、或は胸廓、骨格といふやうな檢査法だけでは到底いけない、どうしてもまあ色々御意見もありませうが、矢つ張り皮膚粘膜炎に罹り易い抵抗力の弱い者、例へば中耳炎、扁桃腺肥大、鼻カタル等起し易い、淋巴質とか滲出質、無力性體質等の弱質機能の薄弱等はたとへ體重其他の寸方がよくても餘程考へて選ばなければ最優良兒と看做されたものが時にはみじめな病氣に侵されたり、經過が非常に惡いといふことがあります。何しろ保健運動でも、或は結核問題でも、先づ乳幼兒から出發しなければならぬと思つて居ります。殊にその出發點を誤れば育兒の方針を誤る事になり學校などでも强い者と、弱い者といふのとに依つて指導方針が違つて來る。

さういふ風にして、矢張り體型だけでなしに、どうしても體質或は機能をすつかり加味して行かなければ、判

斷はむつかしいと思ひます。そこで赤ん坊審査會は團體的に乳幼兒保健運動の先驅者として世を刺戟するつもりでやつて居ります。

然しこれだけでは一向意味が少い、而して團體的にやるなれば、度々再審査再々審査をやつて、次から次へ經過をながめることにしなければならぬ、のみならず常設の相談所のやうなものを以て個人々々を導いて行く、さうして斯の如き物を方々に設けてやつたならば、その目的は尚一層達成することが出來るぢやないかと思ひます。要するに今迄も注意はして居りましたが尚ほ一層體型の外體質機能等を加味して診査しなければ場合によつては親の自惚れを助長して反つて有害に働く時もあるべしと思つて居ります。（下略）

勇敢で沈着な子供に どうすれば育つ？

兒童の村 霜田靜志

皇軍の比類ない活躍を毎日の新聞紙上で讀む者は、誰でも「精神力」といふものが如何に重要であるかゞ判ります。科學よりも精神力とさへ感じられます。之れは世界無比の國體のためでもありますが、兩親方は次の時代のために勇敢、沈着な子供を作る義務があることを痛感させられます。平和の際も、かうした性質は何よりも望ましいのですから――

子供の卑屈臆病は兩親の責任

いはゆる問題の子供の中から、卑屈臆病な子供を拾つて調べてみますと、大抵兩親のどちらかゞムラ氣な威張りやであるのがわかります。

自分の氣分次第で叱り、怒鳴る亂暴な兩親の下では、子供は常に眞直ぐに育ちません。率直に子供の氣持や意見を云ひ現はす途が塞がれてゐるために、だんだん人間が卑屈で嘘つきとなつて行きます。子供の嘘は嘘をつかねばならぬ狀態におかれることから生れます。兩親はどんな場合でも、腕力と叱言で子供の頭上へのしかゝることは避けねばなりません。

勇敢と沈着さは心にゆとり

次は子供にのべつ幕なしに刺戟を與へたり、緊張せよと要求したりしないことです。偉くなれ、勉强をせよ、非常時だ、戰爭だ――といふやうな刺戟を一日中あたへ、緊張を强ひられゝば、子供の精神は異常に鋭くはなるが、ゆとりが失はれて了ひます。眞の勇敢沈着、剛毅は、氣持にゆとりのない所から生れる筈はないのです。

鋭さも必要ですが、たゞそれだけしかない人間は大國民と云はれません。非常時が何年も續き、事變が長期に及ぶやうな場合は、特にこのことが子供には要求されます。音樂、繪畫、娯樂運動等で刺戟、緊張を和らげ、ゆとりを心持に與へることです。

不屈不撓を養ふ子の育て方

積極的に獨立心、不屈不撓の精神を養ふ方法としては、米國の行動主義心理學者が實驗主張してゐる育兒法があります。それは赤ん坊が、母親に向つて手を伸ばすやうになつたなら、椅子或は高い所に乘せて、母親の胸へ飛びつくやう訓練するのです。母親が近づくのではなく、幼兒から飛びこませるのです。かうして一日毎に子供と母親の距離を少しづゝ大きくして行くのです。ヘイ〳〵する時にも、常に子供の方から近づくやうにするのも一つの方法でせう。なほ幼稚園、小學下級時代には、障碍物飛越、太鼓橋渡り、その他勇猛心と沈着、果敢を必要とする遊戯、運動を續けさせるのも有効であるとされてゐます。

かうして直す子供の偏食

十歳以下なら矯正し易い 環境を變へる工夫が大切

日本女子大兒童研究所 波多野勤子氏

よく宅の子供はほうれん草が嫌ひとか肉だけが好だとか訴へるお母様方がありますが子供の偏食は一般にその環境に左右されて生れるものです。例へば老人に育てられた子供はお香物、お干物が好きになつたり、余り大事にして消化のいゝものばかり選び過ぎると堅い物や纖維のものを受付けなくなる例はよくあります。又神經質の子供や變り者といはれる子供の食事を調べて見ると、例外なしに偏食の習慣がついてゐるやうです。父母がそれ〴〵好き嫌ひの多い家庭の子は、つい子供の我儘を許す癖があつて、子供は自制心をなくして偏食に陥るものと思はれます要は親のしつけ方一つです。それには一番大事な離乳期の躾け方をおろそかにせず、手間がかゝるからと云つて一種で濟ませたりせずに多種のものを少々づゝ取り合せて食べさせる事に成功すれば後は問題はありません。

然し既に偏食になつてゐる子でも十歳以内ならば、その環境を變へてやれば矯正出來るのです。

先づ大體に於て季節のものはその時期に萬遍なく與へると云ふ事が、偏食に陥らぬ第一の方法です。然し無暗に消化の悪いものを食べさせるのも考へものですから、年齢に應じて適宜に與へる事です。大抵の子供は肉が好きで野菜を餘り欲しがらず、殊に葱や人參は「匂ひが嫌ひ」など、一寸子供の感覺は別物ですから、これをよく呑み込んで、バタでいためるとか、何かと交ぜるとか工夫をこらして食べさせたいものです。

それから食膳にのぼせた料理を食べる時、大人が決してまづいと云ふ事を放言してはならないのです。子供に暗示を與へるやうな言葉は絶對に避けて却つて子供が嫌ひなものを少しでも食べた時にはほめてやると嬉しくなつて伸びてゆくものです。殊に梅雨期などは食物は腐敗し易いのですから出來るだけ新鮮な材料を選び、水は飲みつけてゐる方は差支ありませんが、胃や心臓の弱いお子さんには感心しません。

乳兒の項部に見る赤い痣に就いて

堀川乳兒院 廣島英夫

乳兒によく見る痣は腰部に現れる青い痣であります。これは我國の乳兒の大多數に認められますが、別に病的意義の無いもので成長するに從ひ自然と消失するものであります。蒙古斑、小兒斑等と稱へてゐます。この痣に就いては既に多數の學者の研究がありますが、茲に今迄餘り研究されてゐなかつた而かも多數の乳兒に認められる痣があります。それは乳兒の後頭部又は項部に發生する赤色の痣であります。

これは乳兒項部母斑、多脉母斑、乳兒毛細管性母斑とも云はれてゐます。これは指先で壓へると色が褪色し、指を離すと又赤色となり、腫物のやうに皮膚より高まつてゐるやうな事はありません。指壓を加へると褪色しますので、血管性のものである事が想像できます。皮膚の毛細管が擴張充血して生じたものであります。

此の赤い痣に就いては今迄餘り研究されてゐませんので、私は今回の赤ん坊審査會でこれを調査してみました。調査しましたのは滿二歳迄の乳幼兒二六五六人で、中男一五四二人、女一一一四人ありました。その中でこの様な赤い痣のあつたものは九九〇人ありました。即ち三七・二%あります。又男女別にしてみますと、男五六八人、女四二三人ありました。即ち男女によつて餘り著しい差がありません。然しこれを月齢別に觀察しますと、次の表の如くに生後間もない乳兒には極めて多いのが認められます。生後一ヶ月の乳兒では八〇%も赤い痣を認めました。而して成長するにつれて次第に減少してゆきます。然し生後二年頃では未だ全乳兒の約五分の一にこれを認めてゐます。三、四歳頃に全く消失します。

痣の色は淡紅色又は鮮紅色で、中には紫色の色調のあることがあります。痣の境界は明瞭であります。次第に褪色して後には泣いた時、怒つた時等にのみ現はれるやうになります。

痣の大さは小兒の拳大より小斑點に到るまで色々で、又小斑點が多數散在してゐるのもあり、大きなのが一個あるものもあり色々であります。形も圓形のものや、不正形のものや、色々であります。數個の小斑點が集つてゐるものが最も多數であります。

月齡	證明率%	月齡	證明率%	月齡	證明率%
1	80.0	10	36.0	19	22.0
2	58.9	11	28.1	20	22.8
3	42.1	12	30.5	21	15.7
4	45.5	13	30.5	22	16.9
5	48.3	14	28.2	23	12.1
6	37.6	15	21.8	24	22.2
7	30.1	16	19.0		
8	33.1	17	36.1		
9	32.5	18	21.1		

痣の現はれる部分は後頭部又は項部にあるものが最多數で、九九〇人中九七七人は後頭部及び項部に認めました。次いで多いのは前額部で、其他上眼瞼、鼻脊部、頭部等にも少數認めました。

以上のやうに、乳兒の後頭部や項部、時には前額部等に現はれる赤い痣は別に病的意義の無いものでありまして、成長するに從ひ消失してゆくものであります。生後日淺い乳兒の大多數、約八〇%にも此の赤い痣を證明することは大變興味あることであります。成因に就いて色々と考へられますが、これが身體の軀幹に生じて手足に出來ぬ事や、身體の中央線に近く存在する事等が成因を說明する上に於て意味あるのではないかと考へます。

どう捌くべきか子供の喧嘩

——まづ理非曲直を見きはめよ——

◇子供に喧嘩はつきものゝやうに考へて放任する親もあるかと思ふと、一々止めたてして口叱言の絕えない親御さんもよく見受けます。

◇この子供の喧嘩をどう捌くべきかに就いて專門家は次の如く意見を述べて居られます。

理由が正當なら無暗に止めるな

東洋大學教授　西山哲治氏

子供が二、三人寄ればすぐ喧嘩を始める、かと思ふとすぐ仲直りすると云つた工合に子供の喧嘩は至極サツパリしたものが多い。然し年齡が增すに從つて回數は少くなる代りに念入りになつて時間も長びくものですが、大人程の執念はないのが普通です。喧嘩の元はと云へば大抵自分のものを取られたとか、大事な品を一寸毀されたとか云ふ所有權の問題から始まる場合が一番多く、その次は約束を違へたとか、何か運動を妨害されたとかいふ自分の意思活動を阻まれた時又は子供のよくやる仲間外れ、渾名、內緒話等の社會的な名譽に關係した場合、或は體に危害を及ぼされるか、自由を妨げられさうな時等です。

石を投げたり小刀でつゝいたりする實害を伴ふ喧嘩は勿論深く咎めなければなりませんが、正當な理由のある時には中途で無暗に止めて了はずにやるだけやらせた方がよいのです。喧嘩程子供の全靈全身を以て熱中沒頭するものはないと思はれる位で この熱が寧ろ大切なのです。何時でも喧嘩に負ける子供や、すぐ大人の助けを乞ふのは却て何處かに缺陷がある證據で此方を心配すべきです。

かうして喧嘩をしてゐる內に子供は子供の世界の社會的な規律を漸次に學んでゆきます。そこで親たる者は喧嘩を始めたからといつて極端な干涉をせずに動機が單純なサツパリしたものなら大抵は見逃してやるか、やさしく睨む程度で十分です。

たゞ惡性のものには相當な罰を加へる必要があります。過激に陷らぬ程度にルソーのいふやうに「注意して放任」するのが萬全の策です。日本では昔から喧嘩兩成敗といはれてゐますが、必ずしも双方が惡いと限らず、四分六分又は八分二分といふ風に、一方がより惡い場合もありますから、均一に成敗するのは不公平です。又喧嘩相手が大きいと事情の如何に拘らず年長者をおさへるのも不合理な話です。要するに或程度迄は放任して、元氣のある力强い人間になる機會を殺さないやうにする事が大切です。

不正な場合の體罰と訓戒

文理科大學教育相談部　丸山良二氏

幼稚園の子供がいきなり打ち合ふ喧嘩から、四五人宛徒黨を組んで始める小學生四五年生の喧嘩と子供喧嘩にも進化があります。然し之を心理的に考へて見ると喧嘩はその希望を人間が阻止した時に起るもので、止めるものが人間以外の事物なら問題は起り得ないわけです。しかもその阻止する力を子供は瞬時に直觀で測つて自分の手に餘る時は泣寢入りに終るか、或は他日機會を待つて復讐といふ形をとる事もありますが、すぐ樣喧嘩になるのは自分と對等又はそれ以下の時です。

そこで問題なのはその阻止された希望が正しいかどうかといふ事です。もしその希望が正しいものなら、難關を突破して目的を遂行する力を挫める事は愚な話で喧嘩を止める必要はありません。又もし不正な場合なら滿四五歲以下ならば親である限り相當の體罰を以て臨まねばなりますまい。それ以外には體罰も効果がありません。

然し大きい子供達には寧ろ各自の理性に訴へて如何にその要求が詰らないものか、正しくないものかと諄々と說いて訓戒を與へる方が効果は大きいものです。

出來た喧嘩は以上の樣に裁きますが、之を未然に防ぎ人間間の喧嘩を少くする爲には、喧嘩を事物へ置き替へ之を敎育の機關に利用するのが怜悧な方法です。卽ち障害物、長距離競走、登山、遠泳等の運動を奬勵すれば身體の鍛鍊と同時に困難な障害を突破する力が自然に養はれますから喧嘩の補償行爲が完全に行へる事になります御家庭の父兄も以上の事實を心得て子供の生活を護り導いて頂きたいものです。

防《さき》人《もり》等の歌へる歌

天青　植松麟太郎

萬葉集第二十卷には防人らの歌へる歌が長歌短歌合はせて一百十六首載せられてゐる。

防人とは九州防備の爲に遣はされた兵士の事で、天平勝寶七年及び其の前年の交替に徵募せられた遠江、駿河相摸、武藏、下總、上總、常陸、上野、下野などの防人の歌を主とし、之に引卒官たる防人部領使や國府附の役人、並に防人の家族が歌つたものもあり、朝廷の武人の統領で歌道の達人たる大伴家持の歌も數首加へられてゐる。

天平勝寶七年は紀元一千四百十五年、人皇第四十六代孝謙天皇の御宇で聖武天皇のあとを受けて文化絢爛を極めた奈良朝の盛時であつた。新羅入貢、澎海國來貢などあり吉備眞備二回目の渡唐、鑑眞の來朝等も天平勝寶年間で、九州は支那朝鮮への文化的交通の要衝に當つて其保安と、出沒する海賊外冦の警備のため「天皇の知ろしめす四方の國に人民は多く滿ちてはゐるが東國の男子は外に出ては顧みをせず勇猛な軍卒」として特に選まれ任ぜられたのであつた。

この徵募は奈良の朝廷から檢校の勅使安倍沙美麿朝臣兵部少輔大伴宿禰家持が遣はされ、春の初め頃東國に下り、歸るのは初夏にもならう。

含めりし花の初めに來し吾や散りなむ後に都へ行かむ

と家持が歌つてゐる。かくして徵募された壯丁は直ちに出發を命ぜられ、ろく〳〵家族に別れを告げる時間もなく、あと〳〵の家族がどうして生活して行くべきか、それすら言ひ殘す暇もない程であつた。

水鳥の發ちの急ぎに父母に物言ず來にて今ぞ悔しき

有度部牛麿

防人に發たむさわぎに家の妹が業るべき事を言はず來ぬかも　若舍人部廣足

母上よ、檜柱の家の如く、いつまでも堅固でゐて給はれ、父母よ、神に祈つて我が歸りを待つて給はれ、よい土産を持つて歸りませう。

眞木柱讃めて造れる殿の如いませ母刀自面變りせず　坂田部首麿

父母よ齋ひて待たね筑紫なる水漬く白玉取りて來までに　川原虫麿

行けば無事で歸れるかどうか判らないが子供等は何時歸るかと無心に聞く、妻に死なれ男手一つで育てゝ來た子供等は旅裝束の裾に取りついて泣く、その子等を置きて立たねばならぬ。

闇の夜の行先知ず行く吾を何時來まさむと問ひし兒らはも　昔年の防人の歌

韓衣裾に取りつき泣く子らを置きてぞ來ぬや母なしにして　他田舍人大島

家に殘された若き妻は呆然として何事をも考へる事さへ出來ない。世間の人は辻に立つて「あの人も防人に行く、あれは誰の夫だらう」などと否氣さうに噂してゐるが、其人の妻になつて見ればさういふ人を羨しく思ふのみで胸が一杯となる。

防人に行くは誰が夫と問ふ人を見るが羨しさ物思ひもせず　昔年の防人の歌

足柄を越え、不破の關を越え、野に寢ね山に泊りつゝ苦しい旅を續けて行く、日數が重なれば家を出る時に妻が着せて呉れた着物も垢づいて來た。旅も斯くして本當の旅の氣分になる。

旅と言ど眞旅になりぬ家の妹が着せし衣に垢つきにかり　占部虫麿

自分等は旅は辛いと覺悟してゐるから何ともない、しかし定めて故郷では子供をかゝへて妻が痩せて行きつゝあるであらう。

吾等旅は旅と思ほど家にして子持ち痩すらも我が妻かなしも　玉作部廣目

夫は旅で草を枕に丸寢してゐる、それを思へば家に居る妻も柔かい寢床に長々と寢ることは出來ない。

草枕旅行く夫が丸寢せば家なる我は紐解かず寢む　妻椋椅部刀自賣

難波に着いた。諸國の防人はこゝで舟飾をとゝのへ舳艫相含んで堂々と進發する。その勇ましき船出、美くしい光景、その中に混る自分の勇姿を故郷の人に一目見せたいが誰も來て居らぬ。

八十國は難波に集ひ船飾我がせむ日ろを見も人もがな　丹比部國人

難波津に裝ひ裝ひて今日の日や出でゝ罷らむ見る母なしに　丸子連多麿

家を出てから岡の鼻を廻る度にそれだけ家路に遠ざかつて行く、隨分長い旅路だつたが今度は船の旅で島を迎へ島を送る度に家路に遠ざかつて行くどこまで續く旅であらうか。

百隈の道は來にしをまた更に八十島過ぎて別れか行かむ　刑部直三野

天皇陛下の御爲である。何も思ふまい、默つて寢てしまはう、眠つてしまへば夢もろともに長い一夜を過ごすことが出來る。

大君の命かしこみ夢の共眞寢か渡らむ長きこの夜を　大伴郡子羊

故郷の神に、天地の神に祈りをこめて勇ましく出て來た吾ではないか。

霰降り鹿島の神を祈りつゝ皇御軍に吾は來にしを　大舍人部千文

天地の神を祈りて幸矢貫き筑紫の島をさして行く吾は　大田部荒耳

故郷をも吾身をも顧るまい。身はいやしい東國の民であるが、畏れ多くも大君の御楯となり、仇なす敵の矢玉を此身で防ぐために行くのである、臣子の本分、男子の本懷、いやしい身に取つて是程の光榮があらうか、行かう、勇ましく行かう。

今日よりは顧みなくて大君の醜の御楯と出で立つ吾は　今奉部與曾布

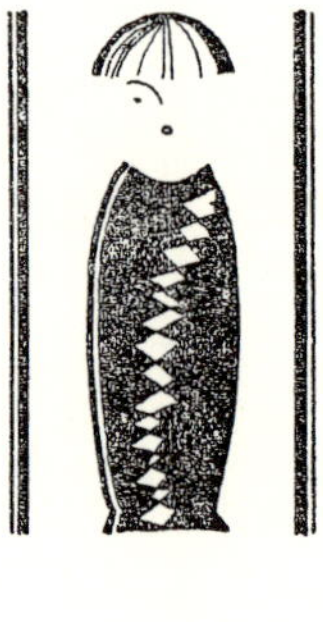

名作曲家の列傳（一一の下）

フレデリック・ショパン

Frèdèric Francois Chopan

秋保孝藏

ショパンは獨立した音樂家となるためにワルソウを去らうとしたが、纖細な友情の所有者なる彼は家庭を去り友に別れ、殊に人知れず愛してゐたコンスタンテアと遠く別れる悲しみを恐れて躊躇逡巡すること二箇年に及んだ。この間彼はピアノ曲の作に勵み、美しいニ短調の司件曲《コンチェルト》を完成した。一八三〇年十月ワルソウ市で催した第三回目卽ち最後の演奏會の折彼はこの曲を演奏した。彼はこの曲の咏嘆調を、コンスタンテアに歌つて貰ふことにした。彼女も喜んで承諾した。その夜の模樣を次の如く友人に報道してゐる、『グラドースカ孃は純白の上衣を纒ひ、房々とした頭髪には薔薇の花を飾り、この世の人とは思へぬ程美しかつた。またこの時程よく歌つたこともない。』

彼はいよいよこの地を去るべき時が來たと感じた。出立の用意をした。餘す處は只別離の言葉を誰彼に交はすだけであつた。一八三〇年十一月一日、彼は遂に住慣れた郷里を去つた。彼はエルスネルを初め友人の一團によつてワルソウ郊外ウオラの町まで見送られた。ウオラでは音樂學校生徒の一團が待つてゐて送別のために特にエルスネルが作つた曲を歌つた。次に別宴を張つて彼の前途を祝ふため一團の名を以て銀杯一個を贈つた。これが永久の離別であるかのやうに思はれた。成程その通り、彼は再びこの市へは歸つて來なかつたのである。

プレスロウ、ドレスデン、プラーグを經て彼はヴヰンナに到着した。輝く希望を抱いて鄕關を出た彼に取つて今回のヴヰンナ訪問は前回に比して餘り芳しいものではなかつた。出版屋ハスリンゲルは彼の曲集を發行することをあまり欲しなかつた。又演奏會を催す道も開けなかつた。あはれにも彼は家庭を懷ひ、友を慕ひ、コンスタンテアを夢みつつ孤獨の人として異國の空に日を過さねばならなかつた。友に送つた手紙の中に當時の內的生活の消息を洩してゐる。

『今日は、一八三一年正月の第一日です。私に取つては何といふ悲しい元日でせう！私は何物にも增して兄を愛慕してゐます。憐れな私の兩親や、友人は今どうして暮してゐるでせうか。私は遙に兄等を慕ひつつ死ぬやうなおもひで居ります。なぜ私だけが孤獨の中に忘却の中に生きねばならないでせう。兄等は互に心を開いて交ることが出來る。願くは私の兩親を——またコンスタンテアを時々見舞うてやつて下さい。』

ヴヰンナで演奏會を催す期は熟さなかつたが、この地の音樂家や有力な人々と交際する機會を得た。當時ヴヰンナは政治上面白くなく、絕えず不安の狀態にあつたので、彼は伊國か佛國に去らうと決心した。先づ巴里に行くことに定めた。途中數箇所に立寄つた。ムニヒで演奏會を開き、喝采を博した。次にシユツツトガルトに一寸滯在したが、その時故鄕ワルソウ市が、露西亞軍の手に落ちた報道に接した。この事件に心を動かされて彼はハ短調エテウド作品第十の十二を作曲した。

かくてショパンは世界中最も愉快な都市、巴里の最も優れた藝術的方面の人士と交ることになつた。感傷的な浪漫的な彼の性情は周圍の空氣とぴつたり融合して、この地に於ける世界的藝術家に接觸して大いに刺戟を受けたことはいふ迄もない。浪漫派の巨星ヴヰクター・ユーゴー（小說家）を初め、ハイネ（詩人）、フローベア（小說家）ゾラ（同上）、バルザック（同上）、ジョージ・サンド（女流作家）、ベルクョッツ（音樂家）、ヒラー（同上）、リスト（同上）、メンデルゾーン（同上）、カルグブレンネル（同上）は皆その頃巴里の人であつた。彼等から少からず感化を受けたのは爭はれいな事實である。

巴里に來た初めての年、彼はいろんな音樂會で演奏を試みて段々名聲を擧げた。併し彼も亦藝術家の常として貧乏に苦しめられた。彼は米國に渡らうと思つた位であつた。幸にも或る日、ラツヅヴイル公爵とぱつたり出會ひ、今晚ロスチヤイルド夜會で演奏するやうにと慫慂された。此時から彼の運命は急に明るい方に向つて來た。高貴の人々の間に、その技倆を認められ、依賴を受けては音樂の指導に當つて多くの擁護者を彼等の中に發見した。從つてこの頃の曲は大抵何公爵とか何伯爵とかに獻じたものである。かうした周圍の事情からでもあらうが彼の音樂は多く優雅にして貴族的である。

一八三三年—三四年、ショパンは作曲家として、ピアニストとして、音樂教師として活躍した。その頃の手紙の一節にかう書いてゐる、『フレデリックは丈夫で得意である。すべての佛國婦人は彼に振向く、男子は彼を猜む。彼は實に目下の流行兒である。』

一八三四年の春、當時の音樂家フエルデナント・ヒラーに誘はれて、下ラインの音樂祭に出席することになつた。併し出發前に同國の男に所持金を立替へてゐたので旅費がない。ヒラーは一人で行くのがいやなので何とか都合がつかないかといふ。思案の後彼は變ホ調ヴアルツ曲作品第十八を出版屋に賣つて五百フランクを得、喜んでヒラーに隨いて旅途に上つた。この旅行中ゆくりなくもカールスバツドで保養のため此地に轉地してゐた兩親に會つた。彼は家を出てから五年になるが、この時の親子の對面はさぞかし樂しいものであつたらう。それからドレスデンやライプチヒを訪ひ、シユーマンやメンデルゾーンに會つた。シユーマンは彼の發行してゐる音樂新報誌上に、この若い音樂家に就いて稱讚の筆を揮つた。又メンデルゾーンは『彼は實に完全な名手である。彼のピアノ彈奏は獨創的で、しかも精錬されたものである』と稱揚した。その年の十月中旬、巴里の一新聞は彼のことを報じて次の如く記した『現代一流の洋琴家ショパンは獨逸の演奏旅行を終へて歸朝せり。彼の優れた技能は到る所に於て稱讚を博し、歡迎を受け、聽衆を動せり。』

茲に再び彼の戀物語を告げなければならぬ。この旅行中彼はドレスデンで舊友ウッヅンスキー伯爵とその家族を訪ねた。この家庭にマリエといふ十九歳になる令嬢があつた。嬢は美人といふ程ではないが、脊の高い、魅力ある婦人であつた。彼は度々訪問するうちに嬢と相見る機會も多かつた。別るる最後の夕、嬢は彼に一輪の薔薇花を贈つた、彼はその厚意に對して一曲を獻じた。翌年の夏、マリエンバツドで彼は再び嬢に會して散策の序共に語り、共に歌つた。嬢は彼の肖像を描いた。或る日ショパンは思切つて嬢に結婚を申込んだ。嬢は永久彼の伴侶たることを欲した。然るに家族は二人の結婚に反對であつた。折角の美しいロマンスは淡くも消えてしまつた。

ショパンの生涯中で彼を不幸にし、且つ不健全に陷らした甚だ芳しからぬ事件が起つた。それは、當時ジョーヂ・サンドなる假名を以て、文壇に知られた女流作家デウデヴアン夫人との關係であつた。夫人に關してはいろんな著書も出てゐる位名高い。家庭は初めノハンにあつて子供も二人ゐた。後この地を去つて巴里に出て來た。小さい三間しかない家に住み、食事は料理屋から取り、

婦人服は高價だからといつて、平氣で男裝してゐる程の變者であつた。一年中の半分は巴里で送る。その間劇場倶樂部、喫茶店など大概の所に出入して人情習俗を研究し、それを材料にして數種の小說を書いた。或る日ショパンは高貴の人々によつて催された演奏會で彈奏したことがあつた。ピアノを彈き終つて、靜に眼を鍵盤から離した途端に、側に立つてゐた一婦人の鋭い眸とぴつたり會つた。これは何人かの惡戲であつたらしいが、この時初めて彼はこの夫人に會つたのである。夫人は自分に接する男性を魅壓する不思議な魔力の所有者であつた。或る晩、フランツ・リストは賴まれて二人の婦人を伴ひ彼を訪問した。其一人は例のサンド夫人であつた。かうした會合はその後度々催された。氣むづかしやのショパンはこの脊の低い、頑丈な、男のやうな、しかも大きい鼻と廣い口の持主、喫煙家の夫人をちつとも好かなかつた。併し夫人には不思議に男を引きつける力があつた。ショパンは急に夫人と親しくなり、諸所に連立つて行くやうになつた。夫人は彼の天分を愛した。一八三八年、サンド夫人の息子モーリスが病氣に罹つたので、マジョルカに轉地することにした。ショパンも一行に加はつたが、彼も亦その地で發病した。氣候の變化や種々な不便から著しく健康を害したのである。友人はこれを心配した。その後數年間彼は餘り公開の席に出演しなかつた。彼はサンド夫人の子供を愛し、ノハンで彼等と共に靜かな樂しい日を過した。然るにこの婦人との間には段々破綻の徵候が見えて來、不幸なる日が數年間續いた。一八四七年遂に夫人と別れた。彼はこの問題に關して決して口外しなかつたが、夫人の方ではあちこちしやべり散らした。ショパンの弟子は彼を殺したのは夫人だとまで極言した位である。

これよりさき、一八四四年、父が永眠し、續いて姉も他界した、そして彼自身は孤獨で病弱であつた。一八四八年、二月巴里に於ける最後の演奏會を催した、虛弱ながらも美しく彈きおほせた。併し或人はさも殘念らしく彼はもう衰へたといつた。サンド夫人との交際には倦怠を感じながらも、さて別れて見ると孤獨のおもひに堪へなかつた。

心機轉換のために、一八四八年四月、英京倫敦を訪うたが、これは第二回目でまた最後の英國訪問であつた。彼は諸所名流の家庭にも演奏を試みた。六月二十三日と七月七日に、ケンブル及びフアルマウスの兩家で音樂會を催した時には貴顯淑女の集まるものが多かつた。ヴヰアドツト・ガルシアが歌つた。痩せた蒼白の作曲家は衰へた手を以て彈奏した。次に彼は弟子のジエーン・スターリング嬢と共に蘇國を訪うた、そして二つの夢幻曲《ノクタアーン》作品第五十五を嬢に獻じた。八月二十八日、マンチエスターで演奏したが、この時の彼の彈奏は弱くて靜かではあつたが、また高雅な、上品なものであつたといふ。聽衆の一人が、その友に送つた感想文の一節にかういつてゐる、『私は靜かに保養して身心の回復を計らねばならぬ程感激した。私は今まで澤山演奏を聽いたが、彼程深い印象を與へたものはない。』

十一月倫敦に歸つて、翌年正月、遂に英國を去つた。その頃彼は至つて貧乏であつたが、スターリング嬢が二萬五千法を彼に提供したので、晩年は安樂に暮すことが出來た。同年十月十七日、彼れは極めて靜かに世を去づた。ペアラシエーヅに設けられた彼の墓は心ある旅人の訪問が常に絕えない。

三年の危機と〃母〃

子供が不良の仲間に墮ちたり惡い性格や習慣に染まる時期

倉橋教授が語る對策

中學生でも女學生でも三年が危機だといはれます、子供が不良の仲間に墮ちたりそれまで行かなくても惡い性格や習慣を身につけ始めるのは大抵の場合三年生の時です、どうすればこの危機を誤らずに乘り越えることが出來るか中等學校三年生の愛兒を持つ親御さんは頭を痛めて居られることでせうし、聽てその時機に當るお子さんの親御さんは今からその御心構へがなければならないでせう、左に東京女高師の倉橋惣三教授が東京府中等學校保導協會の母の會で「中等學校第二學年生の母に語る」と題してお母さま方に呼びかけられた講演の概要を御紹介します。

子供が墮落する、惡習に染む、その原因が外の誘惑であることは勿論ですが、なぜ中等學校三年の男女生が誘惑に陷りやすいのでせう、小學六年生にも高等、專門學校生徒にも同じやうに外部の誘惑が待つてゐるのに、どうして中學三年生の墮落が多いのでせう、その原因は青年期にはいらうとする子供の精神狀態にあるのです、それまで親に盲從しお母さんに甘えたがつた子供が急によそ〳〵しくなる、お母さんにそむき勝ちになる、男の子が今まで邪魔物扱ひしてゐた長ズボンを寢敷きしたり、女の子がスカートのひだを氣にしたりし始める、生意氣と一口に惡くいつてはいけません、一人前にならうとする青年の獨立心が、自分を自分として生きたい慾望の形で現れ始めるのです。お母さんは生意氣だといふ前に子供の成長を喜んでやらねばなりません。

しかしながら一人前を樂しまうとする途中で色々の出來事が起り、つひには惡に染まる場合があります、だからといつて無理やりに子供を家庭の中にのみとぢ込め、惡に染まるのを恐れるあまりに子供の正常な心理的發達を妨げてはなりません。子供の留守中に机のひきだしの中を調べて、つまらない反抗心を子供に起させないやう心懸けて下さい。といつて親から離れたがる子供の氣持を放任し、みす〳〵惡に染まるにまかせるのも本當の親心ではありません。

幼いうちには子供はだまつてゐてもお母さんに惹きつけられるのですが、この時期になつたらお母さんが子供について行つてやらねばならないのです

學校から歸つて「體がだるい」と訴へる、お母さんは「若いくせに何です」と叱るよりも「さうだねえ、今日はお天氣が惡いから」と答へてやつて下さいたとひ大人の考へではつまらない話であつても聞いてやる。差支へのない限り子供と同じ氣持になつてやることが子供の獨立心を傷つけずに子供の心をつかんで行く秘訣です、お母さんは子供と共に成長する氣持でなければなりません、明大の野球びいきの子供に對して「清水投手はいゝね」と話を合せることの出來るお母さんがどれだけあるでせう、殊にお母さんが娘に對して先輩顏をしたがるのは愼まなければなりません、自分の若い時と同じ氣持で子供と一緒につまらぬことを喜び、笑ひ、泣いてやること、これが危機の子供を誤らぬ本當の親心です。

それにも拘らず、この年輩の子供はお母さんよりも世間がもつと面白いのです、やゝともすればわき道にそれたがります。若し過つて惡に染つた場合にもお母さんは我が子を見棄てゝはなりません。子供が一人前になるために避けられなかつた犧牲なのです。我が子の根底に對する信を失はず、溫い手で抱いてやらなければなりません。よいことをした時ばかり我が子で、惡いことをした時は我が子でないお母さんが少くありません。赤ん坊から少年、青年と成長して行つても我が子に對する信を失はないことが眞の親心であります。

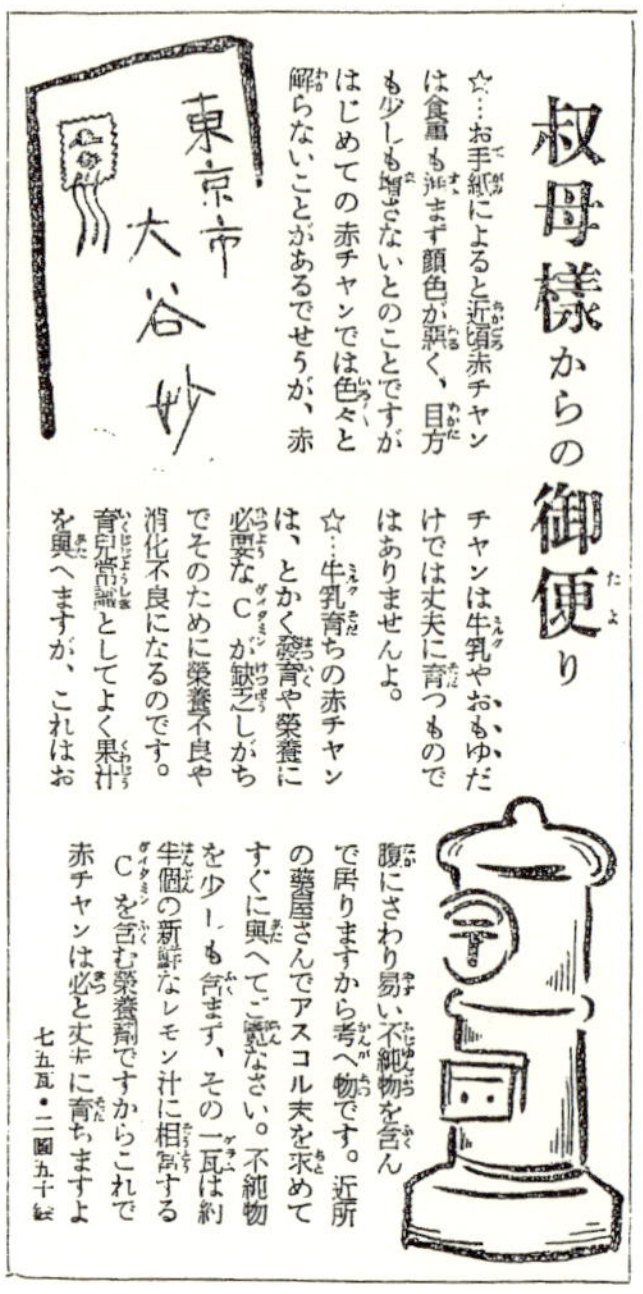

軍國の母に望む

村岡花子

＊この箇所は著作権継承者の許諾が得られず掲載できませんでした
（六花出版編集部）

「蕪村七部集」より

兒童に關する俳句評釋（一七）

岡本松濱

本稿もこゝに十七回を重ぬるに至つたが、其の間凡て材を元祿期に取つて少しも他に及ぼさなかつた。しかも之を以て元祿期の句は盡きたと云ふのでなく、まだ〳〵數かぎりなく資料は藏されてゐるが、少しく誌面の變化を求めるため、今回から暫く天明期に移ることゝし、其の手始めとし、安永、天明期の代表者たる蕪村を中心としその七部集中の句を採ることゝした。

小角力の物荷《にな》ひ賣る師走かな　　丑二

まだ十四五歳位であらうかと思はれる角力取の弟子は、毎曉霜を踏み、氷を碎いてはげしい稽古にいそしむ以外は、師匠や兄弟子達に尻から尻と追つ使はれて、一寸も隙間もなく働らかねばならぬ苦しい修行を積むことは、昔は一層きびしかつたと想像される。固よりさう云ふ身分に一定の收入のあるべき筈もなく、絕えず小遣錢にも困つてゐることも推定される。其の哀れな小角力が師走の街を何か物を擔ひながら賣り歩いてゐたのを、作者がそゞろに哀れに感じてこの句を成したのである。賣り歩いてゐる物は何か正月に用ひる祝儀ものであらう。

隱し子の年かぞへゐる火燵かな　　柳女

この句はやゝ小說的の內容を持つた句である。或る女が今は人の妻となつておさまつてゐるが、嘗て若かりし頃、相思の男と深く契つて、終にひとりの子を設くるまでに至つたか、或は初婚の折に子を殘して別れて歸つたか、何にせよその子を持つてゐると云ふことは永く秘密

にしてゐたのであるが、いまたま〳〵閑が出來て、寒さ凌ぎに火燵にあたつてゐると、我身の上の過去などがさま〴〵に思ひ出されて來る。それにつけて第一に浮んで來るのは、產み落して間もなく人手に渡した子のことである。今ごろは果して無事でゐるであらうか、幸福に暮らしてゐるであらうかと、ひそかに其の子の年をかぞへながら、頻りに思ひ案じてゐる女心を現はしたのである。さうした秘密を抱いて、常に落ちつかぬ心で暮らしてゐる罪淺からぬ母は、今の世にも其の例は乏しくないであらう。

以上二句「其雪影」所載。

白髮にもならで戻るや鉾の兒《ちご》　　羅川

鉾は京都の祇園祭の鉾である。裝ひ着飾つて、其の鉾に乘つて祭のつゞく間連日市內を練り廻つてゐた稚兒が漸く祭もすんで、無事に其の役を果した喜びを、斯の如く誇張して表現したものである。

やぶ入の兒《ちご》に馳走や釣小ぶね　　魯文

藪入は、一月十六日と、七月十六日男女の奉公人に宿下りをさす日である。下女、丁稚などは年にたゞ二回のこの日を、如何に樂しみ、如何に喜んだものか、それは今日の人々の想像の外である。今は月二回の公休日があり、其の他奉公人に對する束縛などは、昔と全く違つて來たから、藪入などはすつかり廢れてしまつた。この句は藪入りの子を款待するために「釣をぶね」を出したかこしらえたかしたと云ふのであるが、「釣小ぶね」と云ふものは、當時流行の菓子か餅か、或は料理の種類であらうと想像するだけで、實體を掴み得ないのは、時代の相違だから何とも致し方はない。當時の風俗、流行、飲食料理などに精通した人の教を待つ。何にしてもこの句が藪入りの子に對して、優しい情をよせた句であることは間違ひはない。

以上二句「あけがらす」所載。

里坊《さとばう》に兒《ちご》やおはしていかのぼり　　召波

里坊はお里御坊とも云ひ、人里に設けられた僧坊を指すのであり、今一般に云ふところの別院は多くこのお里御坊に屬するものであつて、其處に院主たるものは、大概本山門跡の一門連枝である。隨つて信者は固より、里人からも常に相當の敬意が拂はれてゐる。この句も矢張

り「兒やおはして」と云ふ敬語が使つてある。句は文字の示すがまゝであり、里坊にも年頃の男の子があると見えて、凧が揚つてゐると云ふまでのことであるが、普通の民家の間に屹然として聳え立つた法城の高塀の内から春風に煽られて翩飜と凧が揚りつゝあるのを、長閑にうち眺めつゝある間に、斯様な感想が起つたとすれば、この句も又面白いとせねばならぬ。

初雛や老の後なる娘の子　　左繍

老後に及んで思ひ設けぬ娘の子をもうけて、その子のために初雛の祝をしたと云ふのであつて、此種の句は既に元祿にも等類少からず、少しも誇るべき點はない。

兒《ちご》つれて花見にまかり帽子哉　　太祇

帽子は凡て頭にかぶるものゝ稱であり、この句の場合は頭巾であらう。子供をつれて花見に行つた、其時に頭巾をかぶつて行つたと云ふのが、この句に現はれた文字上の解釋であるが、天明の名作家として時には蕪村をさへ凌ぐと云はれたほどの太祇が、左様な味のない、たよりない句を作るべき筈はないと思ふが、扨如何に讀み返し、考へ直しても、何ともこれ以上の解しやうがない。

誰が子ぞ太刀よく似合ふ菖《あやめ》の日　　大魯

菖《あやめ》の日と云ふのは、五月五日の端午の節句である。この日菖蒲太刀と云つて、菖蒲で太刀の形を作つたり、或は玩具の太刀を子供に佩かせて祝つたのであるが、いづれも菖蒲太刀を帶びて立ち並んでゐる數人の子供達の中に、一際優れて氣品高く、假に佩いた太刀姿も、自づから身に備つて見える一人の子供があつたのを、あれは誰の子であらうかと、問ひかける心持と其の子を嘆美した心持とを斯く表現したもの。

みどり子の墨かひつけしさらし哉　　蓼太

さらしは木綿の漂白したものであることは云ふまでもない。無心のみどり子が、筆に墨を含めて頻りにいたづらをして喜んでゐると思つたら、いつか傍に置いてあつた晒布の上に淋漓たる墨痕を印したと云ふ、まことに罪のない涼しいいたづらを詠じた句である。

小夜碪《きぬた》隣の少年《むすこ》戻りけり　　春蛙

我が家で宵のほどからこつ〳〵砧を打つてゐる。秋の夜は淋しく、軒端をわたる風の音も、草葉にすだく虫の音も、たゞ胸にしみ入るやうに感ずる。砧の音は次第に更け渡つて、いよ〳〵秋の深さを思はしめる。その淋しいひゞきの中に、隣の家の少年が、何處からかぼそ〳〵戻つて來たのである。

稚子のともしけちたる夜長哉　　士川

むかしは電燈もなく、洋燈もなく、凡て油灯を用ひてゐた。だから行燈が照明の器として最も廣い範圍に渡つて重用されてゐた。この句の場合も稚子が何か行燈の傍でいたづらをしてゐたと思つたら、たうとう灯を消してしまつた。秋の夜のしみ〴〵とした長さが、行燈の灯の消えたことによつて、一層深く感じたのである。「けちたる」「消したる」の雅言。

以上七句「續明烏」にあつた句。

おぼろ月放下の親子戻りけり　　維駒

むかし放下師《はうかし》又は放下僧と云ふのがあつて、歌を唄ひ舞を舞うて錢を乞ひ廻つた。この句は春の夕べの月もおぼろにうち霞む中を、放下の親子が一日の仕事を終つてぶらり〳〵と戻つて來たと云ふのである。人の軒に立つて錢を乞ふのは一種の乞食にはちがひないが、それが放下僧と云ふだけに、甚だ雅味を帶びてゐて、少しも卑しい心持は起らない。隨つて春の月の美しい光景、心持にもよく調和する。

濱の子が風の名呼ぶや凧《いかのぼり》　　旨原

漁村の子供等がうち寄つて紙鳶を揚げて遊んでゐる。その子供たちが、「東風《こち》よ吹け〳〵」とか何とか云つて、凧を揚げるのに都合のよい風の名を呼び合つてゐるのである。風にはいろ〳〵の名があり、殊に風に依つて行動せねばならぬ漁村には、特にいろ〳〵風の名をつけてゐるし、中には其の地方丈けしか通用しない方言もある。それが凧揚げの子供に依つて呼ばれてゐる處に心をとめそれを一句にしたのは作者のはたらきである。

稚子の二人親しき夜寒かな　　旨原

まだあまり年も行かぬ子供二人が、云ひ争ひもせず、立ち騒ぎもせず、如何にも仲よく親しみ合つてゐる。二

人本でも開いてそれを眺めつゝ、互に思ふ處を語り合つてゐると云ふやうな場面であらう。左様に大人も耻かしいほどに睦み親しんでゐる其の靜かさ、しとやかさが、折から秋の夜も大分更けわたつた寒さを感ぜしめたと云ふのである。

夜を寒み小冠者寢たり北枕　　蕪村

小冠者が北枕に寢てゐた姿を見て、そこに夜寒を感じたのである。云はゞそれだけのことであるが、そゞろに人の同情を惹く小さい奉公人の哀れな姿と、北枕に寢てゐるといふ一つの事柄と、それを斯く巧みに織り成して夜寒の趣を深く現はした處が、この句の生命である。

暮の秋むま子ひゝ子俵積む中に　　臥央

「むま子」はうま子で孫のこと。「ひゝ子」は曾孫卽ちひまごである。秋もすつかり暮れかゝつて、米を始めとし凡てのものはすつかり穫り上り、その收穫が俵となつて物置やら、納屋に積まれてゐる。本家のひゝ孫、分家の孫などが、其の俵の上に上つたり、隅に隱れたりして喜び戲れてゐるのである。秋の收穫の終つた農家の豊かさと、一家一門が年と共に榮えてゐる樣とが、この句によつて想像される。

以上五句「五事反古」所載の句であつて、以上十六句を以て「蕪村七部集」の子供の句は終りとなつた。

世間話（四）

ツカダキタロウ

「帽子を脫がぬ男」

ニュース映畫館での出來事であります。懼れ多い事ですが、大朝ニュース、大毎ニュース及同盟ニュースの三巻とも冒頭の議會開院式の光景には、陛下の臨御の光榮を映じ出して居ります。

流石に場内は肅然として拜観してゐます。勿論字幕には前もつて其旨も映寫されても居り、「脫帽」なる文字も明白に記されて居ります。一人として謹愼して居らぬ者の無い筈の一瞬間であります。

フト場内を見ると。何と帽子を脫がぬ影々々。然も、その前後左右の觀客は平然として、誰一人注意する者もなければ、依然として着帽のまゝでお馬車を拜して居ります。

これが外國人の一人も居らぬ、日本人ばかりの、都會の映畫館の實際であります。私はたまりかねて、「脫帽」とどな

りつけてやつたものです。

これは年末に子供を連れて觀た、某映畫館の實情であります。若しも私が子供を連れて居なかつたら、帽子の上から頭をなぐりつけてやる處でした。そして、斯う云ふた事でせう。「日本人か」とね。

私の子供が、隣席で煙草を吸ふてゐる大人を眺めて、正面の文字を讀んで呉れと云ひます。私の末子で尋常一年生の女の子です。然も、その正面の舞臺上の大文字は、何と書いてあつた事でせう。「禁煙」とね。

親として、これを讀んでやれませうかね。若しも、「その譯は」と問はれたら、親が赤面せねばなりますまい。

これが、日常我が國に繰り返えさるゝ映畫館風景であります。これでも猶、「文明國民」と稱する元氣がありますかね。

トーチカ心臟ならいざ知らず、私にはそう斷言する勇氣はありませんよ。

だが、私の申したいのは、その事ではありません。「脫帽」と云ふ字が讀めぬ都會人の無教育を見て、日本の義務教育も大したものだと感心するだけの事と、陛下の臨御にも帽子をとらぬ非大和民族が、近年數を增したと云ふ事實を知る丈けの事で、私には左程驚くほどの發見ではないのです。

私の申したいのは、その事ではないのです。實は、脫帽せぬ「外國心所有者」や「禁制破壞者」よりも、それ

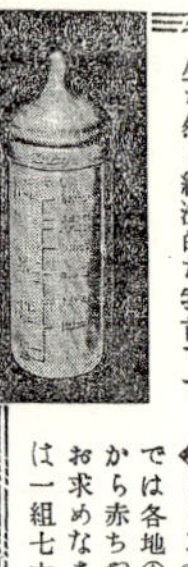

母乳代りの……牛乳瓶

アメリカでのお話

アチラで細口瓶は不衞生といふので、今ではお母さんの乳首と同じ感じのゴム乳首とお掃除の手輕な圓筒瓶ばかりであります

◆乳首が母乳と同感で數百回の煮沸消毒にも耐へる衞生な然も經濟的な乳首です

◆……瓶は圓筒型の丈夫な硝子でお掃除が手輕にできお乳の攪拌にも便利です

◆……日本でも「**ラスト**」さいふ名稱で、アメリカより優れた圓筒瓶が既に東京のいわしや本舗から賣り出されております

◆……この**ラスト**乳瓶も今では各地の藥局にありますから赤ちやんの保健のためお求めなさいませ、お値段は一組七十錢位です

等を看過して平然としてゐる「その隣人」達の無責任ぶりに就いて、私はお互に考へたいのです。

先般某新聞紙（實は紙名を忘れたのです）の第一面に、大きな活字で記されてゐた一つの事實は、斯んな意味でありました。

「事變發生以來、我が國の安危は陸海軍の人々の双肩に懸つてあるかの如き考へからして、一國の財政も行政も日常の生活までも、一切軍當局者に一任して、萬事その指示を受ければ足れりとするの風生ぜしにや非ざるか。これは由々しき事態にして、將來我が國民の氣風をして、依賴心に終始するが如くに陷らしめざるやを案ずる」云々とね。

この觀察にして、幾分たりともその傾向を看取せしものとせんか、寒心に堪えざるものがあります。

「一切は軍部に一任して、我々は傍觀し居れば足れり。必要に應じて軍當局より指示されるにより、それを遵守し居れば足れり。」

斯くの如き思想の生ぜしとせんか、皇國の將來に對して最も憂ふべきの事であり、銃後の責務を果す事の到底出來難きを思ふものであります。

「さわらぬ神にたゝりなし」

かの如き氣風の少しにても生ぜざらん事を希望する私には、脫帽せぬ者を看過して知らぬ顏をしてゐる現代人や、禁制を犯す者を許して顧みぬ都會人の態度に、甚だ面白からぬ風潮を感じるのであります。

「世間話」は斯く私にささやいたのであります。

乳兒榮養の話(五)

大阪市立堀川乳兒院
醫學士　山田　讓

第二節　粉　乳

旅行の場合新鮮優良な牛乳を得られない場合、或ひは牛乳に對して過敏で下痢を起し易い場合等には粉乳を用ひます。粉乳にも有糖のものと無糖のものとあり普通は粉霧式製品で無糖のものを選ぶべきで、强ひて外國製を用ひる迄もなく、國產で優良なものが出來て來た事は喜ぶべき事ですが各製品により成分に相當の開きがあり、從つて優良品を選ぶ事が肝要です。大體七倍—十倍に薄めると全乳に同じ樣になりますがたゞ脂肪が相當少いために、この缺點が却つて牛乳の脂肪に對する忍容力の少ない乳兒の榮養に適する理由です。「ミルクフード」と稱するものは一層脂肪含量が少いものです。注意すべきは開鑵後はなるべく早く使用する事で、古いものは變敗を來し下痢を起す事があります。「ヴイタミン」Cの補充はこの場合も忘れてはなりません。

脫脂粉乳、酸性牛酪乳、蛋白乳などは何れも消化不良の際の治療に用ふべきもので、從つて健康乳兒の榮養を論ずべき本稿に於ては言及いたしません。

第三節　煉　乳

煉乳は牛乳に蔗糖を加へ加熱して濃縮し鑵詰にしたもので、乳兒榮養品としては不適當なもので、主として「コーヒー」紅茶等に混じ或ひは菓子の材料として使用すべきものです。

煉乳は低廉ですが、開鑵後腐敗し易く、殊にその蔗糖多いが爲めに、榮養障害を起し易く、ために私共は用ひる事がありません。

第四節　山　羊　乳

山羊乳が人乳と成分が一番類似してゐると云つて宣傳されたのは一昔前の事の樣に考へて居た所、最近の某婦人雜誌に再び山羊乳が一番良いと云つた記事が出てゐましたので今時迷はれる方はないと思ひますが書き足しておきます。山羊乳はむしろ牛乳とその成分が類似し、長時山羊乳で養ふと、山羊乳貧血と云つて顏色が惡くなりひいては種々の障害をひき起すために現在では殆んど使用されません、いかがわしい記事に迷はされる事なく、すべて疑問のある時は責任のある醫師の指示を仰がなければなりません。

第五節　重湯、小兒粉等

重湯、小兒粉、「チチ」粉、「スリ」粉、「シン」粉等はすべて穀粉を主としたもので、含水炭素のみ著しく多くて、脂肪蛋白、「ビタミン」等は殆んどないために、乳兒の榮養品として全く不適當な事は自明の理であるにも不拘、下層階級では今倘これらを以つて唯一無二の如く考へてゐる人の多いのには驚きます。穀粉で育てるとよく肥えると云はれるのは、前に體重の項で申しあげた穀粉榮養障碍と云ふ恐るべき病氣に知らず知らずの間におち入つて居るので早晚不幸な結果を招來するのは當然の事です。これらの製品をもつてあまり肥えないと訴へて來る母親に私は「貴方自身が重湯丈けで一箇月續けて御覽なさい」と覺して見ます、發育成長の停止した成人ですら重湯のみでは生きて行けないのに、ましてや、一日一時も伸びない時とてもない發育旺盛な乳兒達がどうしてこの樣な誤つた食餌で生きて行かれませうか。こうした偏見は殊に老人に多く過去の誤れる智識をこれら老人の頭の中から拭ひ去る事は出來ないにしても、年若い母親達がこうした偏見にとらはれる必要はないと思ひます。

第五章　混合榮養法

母乳が充分量分泌しないために、牛乳又はその他の食餌をもつて補ふ方法を混合榮養法と云ひ、次の二通りの方法があります。

第一法　一日五回又は六回定めた時間に母乳を與へ、充分に母乳を吸吮した後に、牛乳を不足分丈け與へま

す。勿論不足量を正確に知る必要がありますが、これは前に哺乳量測定の時に申し上げた様に專門醫に測定していたゞきますが、一回の哺乳量は時間やら乳兒の身體の工合で相當變動するもの故理想を申せば面倒でも一日の分泌量を二、三日續けて計量して、その上で決定すべきものと思ひます。

第二法　母乳を與へる間隔をおくと次回には充分量分泌する場合とか、又は母親が職業の關係で晝間母乳を與へられない時にはその一回なり二回なりを全部牛乳をあたへその他の時は母乳のみを與へる方法です。

どちらにしても母乳は一日三回以下にならぬ様に注意します。分泌不充分の母乳を吸吮するには乳兒にとつて相當な努力を要します。ゴム乳首は力がいりませんのでまだ母を見知らぬ乳兒は母乳を吸ふ事を怠り勝ちになり母乳不足を益々甚しくする結果となる事が多い故、必ず強い忍耐力を以つて、それ以上母乳分泌を惡くする様に導いてはなりません。補足する牛乳の稀釋とか、糖の補充などは勿論、乳兒の月齡體重等に準じて決定いたします。離乳期にある乳兒であるならば、離乳期の食餌をもつて補つて行けばよいわけです。

姙産褥婦の衞生（二）

——附＝新産兒乳兒の取扱法——

大阪市立今宮産院
醫學博士　植野晃德

運動　姙娠中は運動は成るべく避けなければ流早産を起し易いものであるが、絶對に安靜を要すると云ふのではなく、人によりて手加減をして適度にせよと云ふのであります。殊に新鮮な酸素に富んだ大氣中に於て、日光をあびて適度の運動をなす事は最も必要な事であります。徒らに屋内に蟄居して常に横臥し、又は長時間正座して裁縫するが如きは避けなければなりませぬ。但し運動は過激な事は絶對に不可で例へば競技運動、登山、ダンス等は良くないので又ミシンをかけたり洗濯をしたり抽斗を開閉したり、百貨店の階段等で屢々昇降したり、高い所に手を延ばしたりして物を上げ下げする様な事や下腹部に按摩をしたりするが如きは總て注意せねばなりませぬ。殊に姙娠初期に於ては此等の原因で流産する事が屢々あるものですから特に心掛けねばなりませぬ。

職業　平素慣れた仕事で無理のない事は宜しいが、重いものを擔いだり提げたり曳いたり又は下腹部に力の入る様な仕事は避けねばなりませぬ。

旅行　近い所へ汽車電車自動車で一寸行く位は宜しいが、その道路が凹凸が激くして車體の振動が激しい様な惡い路を自動車で走ると云ふ様な事は危險であります。又汽車や電車の軌道よりも海路、汽船の方が余程安全であります。長途の汽車旅行はなるだけ避けねばなりませぬが、巳むなく行かねばならぬ場合には途中で一回も二回も下車して一日位靜養して翌日又乘る様にする方

が宜しい。

尙旅行が姙娠に障るのもその姙娠の時期に依るので、姙娠の初期三—四箇月位と姙娠の末期九—十箇月位が一番禁物であります。されど此の時期に於ても絶對に安全なりと言ふにあらず比較的害少なしと云ふに過ざないのであります。またこの障害も個人的には一樣には言へないので、甲の人には些細な事でも障るが乙の人が同じ事をしても何の障害もないと云ふ事が屢々あることで、體質によつて一概には言へないのであります。故に既往に中絶の經驗のある人は成るだけ安靜を旨として旅行等は愼んだ方が宜しい。

精神の慰安　婦人は平素月經時に於ても非常に精神の感動を受け易いもので、殊に姙娠時はそれ以上感動し易いので時によると激しい感動のために精神に異狀を來して發狂する事もある位です。斯くの如く、過激な運動が害があるが如く、過度の精神的勞作も亦害多きもので、就中、喜怒哀樂の強き精神的刺戟を惹起する觀覽物（芝居活動寫眞）讀書（小說類）等は之れを避けねばなりませぬ。又知人の悲しい事、社會の悲慘な出來事等を聞いたりする事も注意すべく、殊に難産や畸型兒の話等は姙婦に危懼の念を抱かしめ、精神的感動を與へる事多いものであるから耳に入れぬ樣心掛けねばなりませぬ。

又昔から胎敎と云ふ事が言はれておりますが、支那の小學と云ふ書物に周の文王の母の大任と云ふ人は、姙娠中に「目に汚いものは見ない」「耳にはみだらなものは聞かない」「口には形のくづれたものは入れない」と云ふ風に注意せられたがその生れた兒は非常に賢明な君子、聖人として有名な人になつたと云ふ事です。又朱子に「子を姙むの時必ず感ずる所を愼む、善に感ずれば善、惡に感ずれば則ち惡なり」とあります。然し之等は之れを悉く推奬することが出來ぬが、少くとも姙娠中の精神作用がある程度まで胎兒に影響のある事は否定出來難い事であるから、胎敎の主旨に從つて出來るだけ精神の安靜と修養を心懸けねばなりませぬ。故に此の意味に於ても家庭の和樂と圓滿をはかる事は何より大切な事であります。

睡眠　姙娠中の睡眠は成るだけ充分で、寧ろ過度なる位が宜しい。而して極めて規則正しく就眠せしむる樣勉むべきで、睡眠不足なる時は種々な障害を惹き起すものであります。

飲食物　姙娠中は大體に於て平素の嗜好に應じて之れを攝取して宜しいが、成るべく滋養に富んだもので消化し易いものを選ばなければならぬ。刺戟強き食物又は強烈な酒類、多量の濃き茶、コーヒー或は酸味多き果實等

は之れを避けねばなりませぬ。又脂肪多き肉類や、腸で瓦斯の發生するもの等もよくありませぬ。

尙ほ一般に姙婦は糖類に對する抵抗力が弱いのと、食鹽の停滯を起し易いものですから糖分の多きものや鹽辛いものは考へねばなりませぬ。

姙娠初期の惡阻の時期には特別に飲食物に注意が必要であります。この時は出來るだけ單味なあつさりした飲食物を少量宛數回に分與する方が宜しい。又嗜好物の異變を來す樣になりますが、特別に非常に異つたものを與へるのは良くない、又一定食を每日強制するのも良くありません。色々變へて見る方が宜しい。尙ほ凡て加溫したものより寒冷なものが方が宜しい。次に飲食物に就いて最も大切な事は偏食をしない事で食物に好き嫌ひのない樣心掛けねばなりませぬ。偏食のために姙婦の血液成分に變調を來して、ために體質に一定の惡影響を惹き起し、惹いては胎兒の發育並に體質にも同樣の病理的現象を招くに至るものであります。之れまで專ら先天性の素質と考へられて居た腺病質や弱質兒童の虛弱體質も、胎生時代の母體の攝生如何によつて、後天性に起つたり防いだりする事が出來るものでありますから、此の點、姙婦の最も注意せねばならぬ事であります。

母親がうか〳〵して胎兒が遠慮なく養分を攝つてゆくために母體の方に養分の缺乏を來す樣な事にでもなればそれこそ母體も胎兒も共倒れになる悲慘な結果となります。果實でも花から實を結ぶ頃になれば特種な肥料を吟味せねば美味な立派な果實を得られぬのと同樣で、姙娠中は胎兒の發育に特に必要な成分は不足せぬ樣攝取せねばならぬのであります。

衣服　衣服は淸潔なるものを用ひなるべく寬濶で窮屈でないものを纏はねばなりませぬ。そして單に季節に應じて寒暑を防ぐ程度のもので宜しいので日本服は最も適したものと思はれます。無闇に厚着するのも却つて良くない事であります。

我國で昔から行はれる岩田帶は姙娠五箇月になつて纏ふ習慣でありまして、適當なる腹帶は腹壁の過度の伸展を防ぎ胎兒の位置を固定し腹部の保溫の目的にも適し又姙婦の運動の自由な樣にする等の効果があります。所が昔から「小さく産んで大きく育てよ」と云ふて腹帶を出來るだけ強く〳〵しめぬと胎兒が大きくなり過ぎてお産が重いと申しまして、強くしばる風習が未だにありますが之れは誤であります。余り強くしめると腹部の血行を惡くして胎兒の均等な發育を阻害する事になり、又下肢に浮腫とか靜脈瘤の出來るのを助ける事にもなりますから害あつて益のない事であります。

尚ほ腹帶は妊娠の初期には余り必要のないもので、妊娠後半期になつて初めて必要となるので、初産婦より經産婦の方がより必要なものであります。又着帶の日は妊娠五箇月の戌の日を選ぶ風習が古からありますが、殊更に五箇月でなくとも戌の日でなくとも良いのであるが、妊婦にお産と云ふ重大なる責任に對する覺悟せしむ事にもなるので、此の意味において戌の吉日を選んで成るだけ愼重に儀式的に着帶を行ふのも結構な事であります。

住居　家屋は成るべく採光の充分な風通しの良い南向きの家を選ぶべきで、新鮮な空氣に富める空氣は獨り妊婦に必要なるのみでなく、胎兒に及ぼす影響も亦甚だ少しとしないのであります。多人數群集する寄席や劇場に行つてはなりませぬ。又住居は濕氣の多い土地は脚氣の原因にもなる事がある故避けねばなりませぬ。

身體の清潔　妊娠中は全身の溫浴を每日一回少くとも隔日位には行はねばなりませぬ。座浴又は足浴のみを行ふたり、熱浴、冷水浴或は海水浴を長時間行ふたりする事はよくありませぬ。長時間皮膚に寒熱の刺戟を加へますと、其の刺戟が原因になつて子宮筋の興奮を起して流早産の誘因となるから注意を要します。座浴の如きも臀部のみ湯に浸す時は骨盤のみに局部的に充血を招いて中絕の原因となる事もありますから注意せねばなりませぬ。

されど妊娠中は分泌物が增加するもので、外陰部について滋潤し外陰部炎を起したりする事が屢々ありますから一日數回微溫湯を以て清拭しておく様にせねば、外陰部の糜爛から傳染病の浸入門になる事がありますから氣を付けねばなりませぬ。但し膣の洗滌など濫りに自宅で行ふのは危險です。

乳房　乳房は每日石鹼と微溫湯を以て清潔にし、分娩後哺乳時に乳頭に皸裂の生じ易いのは冷水又はアルコール或は一〇％タンニン酸アルコールで屢々摩擦しておき、若し乳嘴突出せず扁平であつたり凹んでゐて哺乳困難のものは、一日數回指頭を以てつまみ出す様にし、皮膚を一層柔軟にする必要のある時は時々脂油を塗布するのが宜しい。

又授乳しつゝある婦人が、若し妊娠した時は速に授乳を中止せねば哺乳によつて子宮の收縮を促して流産の動機となつたり、乳汁の變化のために乳兒の胃腸障害を起したりする事がありますから注意せねばなりませぬ。

尿　妊娠中殊に妊娠末期になりますと子宮の膨大壓迫のために頻々と排尿するものであります。而して尿は余り忍耐せぬ様にせねば膀胱に尿が長く滯つてゐると、腐敗して膀胱や腎盂の病氣を起す事があります。急に尿量が增したり減少したり或は尿中に血液又は粘液、膿等が混ずる様な事がありましたら泌尿器に疾病のある證據

で、分娩時に恐るべき合併症を起す事がありますから特に注意を怠つてはなりません。

凡て妊婦は妊娠末期には時々尿の檢査をして貰はねば假令自覺症狀がないものでも檢尿に依り、屢々腎臟疾患を發見する事があります。之れを知らずに居ますと分娩時に危險な症狀を惹起する事がまゝあります。

便通　便通は每日一回宛あるを通例とし便秘せぬ様心掛けねばなりませぬ、一般に婦人は便秘のもの多く殊に妊娠時には一層著しい傾向がありますから、便通を整へる様つとめねばなりませぬ。

便秘のため有害な瓦斯が腸に發生して、それが吸收されて種々の不快な全身症狀、例へば頭痛、惡心、嘔吐、心機亢進、食慾不振及び不眠等を惹き起したり、時としては痔結節を增惡せしむるものであります。故に便秘の傾きある時は規則正しき戶外運動をなさしめ、又は每朝空腹時に一椀の冷水或は炭酸水、冷牛乳等を飲み又は植物纖維に富める野菜、或は熟したる果物を攝取して通利せしめなければなりませぬ。

浣腸は能く排便せしむる効があるが屢々行ふことはいけませぬ。下劑は妊娠中無闇に用ふべからざるものがありますから濫りに用ひては危險であります。必ず醫師の指示に從ふて用ふべきで下痢は妊娠中起さぬ様にせねば、屢々流早産を惹き起す原因となる事があるから要心せねばなりませぬ。

性交　妊娠中は成るだけ交接を避けねばなりませぬ別居は理想でありますが家庭の都合でこんな事は普通出來難い事でありますから成るだけ愼まねばなりませぬ。殊に分娩近くなつてからの性交は傳染の危險がありますし、早産の原因ともなりますから特に注意せねばなりませぬ。

傳染病　妊娠中傳染病に罹つた時はその經過は非常に不良でありますから流行時は特に注意を怠つてはなりませぬ。

齒　妊娠中は身體のカルシウムの分の不足を來し易くて、ために齒が惡くなる傾向がありますが、妊娠時の齒の刺戟が屢々流早産の原因となる事がありますから齒を無闇にいぢらぬ様齒科醫に相談せねばなりませぬ。

分娩時及び新産兒の準備　分娩や初生兒用品は妊娠末期になりましたら成るだけ早い目から準備しておく事が必要で、分娩期日は必ずしも適格に分るものでなく豫定日より早くなる事と、又反對に延びる事もありまして豫定日に丁度生れるとは決まつて居ないのであります。

産婆や醫師に言はれた豫定日に丁度出産するとは決まつてゐませぬ。何んな身體の變調で早くなつたりせぬとも申されませぬから早い日に準備を整へておく事を忘れてはなりませぬ。

赤ん坊に對する注意（六）

大阪市立今宮乳兒院長
醫學博士　野須新一

（ロ）鼻血　小兒《せうに》はよく鼻血《はなぢ》を出《だ》す。子供《こども》の鼻血《はなぢ》は多《おほ》くは怪我《けが》から來《く》るもので他《た》の小兒《せうに》と格鬪《かくとう》をして頭《あたま》をぶちつけたとか、又《また》は自分《じぶん》で指《ゆび》を入《い》れてかきまはしたと云《い》ふ時《とき》に多《おほ》い。然《しか》し乳兒《にうじ》に鼻血《はなぢ》が出《で》た時《とき》にはその原因《げんいん》が黴毒《ばいどく》であるとか、敗血病《はいけつべう》とか、又《また》は鼻《はな》「ヂフテリー」等《とう》恐《おそ》るべき病氣《べうき》によることが多《おほ》いので注意《ちうい》を要《えう》する。手當法《てあてはふ》、外傷《がいしやう》性《せい》の鼻血《はなぢ》ならば綿《わた》で栓《せん》をして仰向《あふむ》けに靜臥《せいぐわ》させ、鼻部《びぶ》を冷《ひや》して置《お》く。もし痒《かゆ》みを伴《ともな》ふ鼻加答兒《びかたる》やカサブタでもある様《やう》ならその方《はう》を治《なほ》して置《お》かないと再《ふたゝ》び出血《しゆつけつ》させる危險《きけん》がある。その他《た》の原因《げんいん》で來《く》るものは醫師《いし》の診療《しんれう》により適《てき》當《たう》なる療法《れうはふ》を要《えう》する。

（ハ）咽頭炎、扁桃腺炎　原因《げんいん》、最《もつと》も多《おほ》いのは感冒《かんばう》、その他《た》麻疹《はしか》、猩紅熱《せうこうねつ》、ヂフテリー、インフルエンザなどの傳染病《でんせんべう》の時《とき》にその一分症《ぶんせう》として黴菌《はいきん》が扁桃腺《へんとうせん》を侵《おか》してくる外《ほか》、連鎖狀球菌《れんさぜうきうきん》、葡萄狀球菌《ぶだうぜうきうきん》、肺炎菌《はいえんきん》、其《そ》の他《た》の細菌《さいきん》によつて惹起《ひきおこ》される。或《あるひ》は食物《しよくもつ》の殘片《ざんぺん》が扁桃腺《へんとうせん》に附着《ふちやく》したり、過度《くわど》に熱《あつ》いものを食《た》べたり、魚骨《うをのほね》が刺《さ》さつたり、齒牙《しが》をいぢつたりする結果《けつくわ》扁桃腺炎《へんとうせんえん》を起《おこ》したりする。又《また》個人的《こじんてき》の素質《そしつ》と云《い》ふものがあつて親讓《おやゆづ》りに扁桃腺《へんとうせん》の弱《よわ》いものがあり、また生來虛弱《せいらいきよじやく》な小兒《せうに》、淋巴性體質《りんはせいたいしつ》或《あるひ》は滲出《しんしゆつ》性體質《せいたいしつ》の小兒《せうに》は殆《ほと》んど外來《がいらい》の原因《げんいん》が無《な》くて或《あるひ》は極《ご》く僅微《きんび》の原因丈《げんいんだけ》で屢々《しば〳〵》扁桃腺炎《へんとうせんえん》を誘發《ゆうはつ》するものである。症狀、著《いちじる》しいのは突然《とつぜん》に惡感《おかん》と戰慄《せんりつ》（寒氣《おかん》がしてブル／＼ふるひ）して身體《からだ》が顫《ふる》ひ出《だ》し、ひどく發熱《はつねつ》して四十度《ど》にも昂《あが》ることあり、間《ま》もなく咽頭《のど》が痛《いた》んで物《もの》を嚥下《えんか》することが困難《こんなん》となり、頭痛甚《づつうはなは》だしく、身體《しんたい》の諸處の關節部《かんせつぶ》も亦《また》神《しん》經痛《けいつう》のように痛《いた》む。又嘔吐《またおうと》や下痢《げり》を起《おこ》して來《く》ることもある。顎《あご》の下《した》や頸《くび》の淋巴腺《りんはせん》が腫《は》れて疼痛《とうつう》を來《きた》し、口臭《こうしう》を發《はつ》

し又聲《またこゑ》が嗄《か》れ、のどがごろ／＼鳴《な》ることもある。局所《きよくしよ》の所見《しよけん》によつて色々《いろ〳〵》の型《かた》に區別《くべつ》せられる。即《すなは》ちカタル性《せい》アンギーナ、濾胞性《ろはうせい》アンギーナ、腺窩性《せんくわせい》アンギーナ、後鼻《こうび》アンギーナ等《とう》がある。大抵《たいてい》は七—十日以内《いない》に治《なほ》つて來《く》るものであるが、時《とき》として扁桃腺膿瘍《へんとうせんのうやう》、中耳炎《ちうじえん》、化膿性頸《くわのうせいけい》部淋巴腺炎等《ぶりんはせんえんとう》を合併《がつぺい》することあり。又急性《またきふせい》の出血性腎炎《しゆつけつせいじんえん》や「ロイマチス」様《やう》の症狀を續發《ぞくはつ》することがある。

手當法《てあてはふ》、醫師《いし》の診察指導《しんさつしだう》による治療《ちれう》を受《う》けると共《とも》に安《あん》靜《せい》が必要《ひつよう》で、乳兒《にうじ》であれば規則正《きそくたゞ》しく或《あるひ》は少量宛《せうれうづゝ》その回《くわい》數《すう》を增加《ぞうか》して哺乳《ほにう》せしめ、年長兒《ねんてうじ》ならば流動食《りうどうしよく》を攝らせる、頸部《けいぶ》は微溫《びおん》或《あるひ》は冷濕布《れいしつぷ》を行《おこな》ひ、出來《でき》れば含嗽《うがひ》をさせる。身體《しんたい》はよく保溫《ほおん》して發汗《はつかん》せしめる様《やう》にする。その他《た》鼻加答兒《びかたる》の項《こう》に於《お》ける如《ごと》き注意《ちうい》を行《おこな》ふ。

（ニ）急性喉頭炎　小兒《せうに》の喉頭《こうとう》は敏感《びんかん》である上《うへ》に極《きは》めて狹《せま》い爲《ため》に少《すこ》しく粘膜《ねんまく》が腫《は》れても呼吸《こきふ》に大障碍《だいせうがい》を起《おこ》すから頗《すこぶ》る危險《きけん》である。原因《げんいん》、既《すで》に述《の》べた鼻加答兒《びかたる》、或《あるひ》は扁桃《へんとう》腺炎等《せんえんとう》と同《おな》じであるが、又聲《またこゑ》を出《だ》し過《す》ぎて喉頭加答兒《こうとうかたる》を起《おこ》すことがある。季節《きせつ》としては時候《じこう》の變《かは》り目《め》又《また》は冬《ふゆ》に多《おほ》い。症候《せうこう》、輕症《けいせう》の場合《ばあひ》には微熱《びねつ》があつて喉頭《こうとう》がイガ／＼して粗大《そだい》な力強《ちからづよ》い咳《せき》をする中《うち》に聲《こゑ》が嗄《か》れて來《く》る。重症《じうせう》のものには特《とく》に假性格魯布《かせいくるぷ》の別名《べつめい》がある。これはヂフテリアによつて起《おこ》る眞性《しんせい》クループに對《たい》する名前《なまへ》であつて症狀は似《に》て居《ゐ》るが原因《げんいん》が違《ちが》ふ。眞性《しんせい》クループではヂフテリアに特有《とくゆう》な義膜《ぎまく》がかぶさつて喉頭《こうとう》が塞《ふさ》がるのだし、假性《かせい》「クループ」では喉頭《こうとう》の粘膜《ねんまく》が腫《は》れる爲《ため》に空氣《くうき》の通路《つうろ》が狹《せま》くなるために起《おこ》るものである。假性《かせい》クループは三年《ねん》から五年位《ねんくらゐ》の小兒《せうに》で神經質《しんけいしつ》及淋巴質《りんはしつ》の體質《たいしつ》のそして不思議《ふしぎ》と榮《えい》養《やう》のいゝ丈夫相《ぢやうぶさう》な子供《こども》をよく冐《おか》す。即《すなは》ち二三日《にち》氣道《きだう》の加《か》答兒《たる》をやつて居《ゐ》るが、時《とき》には從來何《じうらいなん》ともなかつた子供《こども》が夜中《やちう》に急《きふ》に呼吸困難《こきふこんなん》を起《おこ》しイキがつまつて來《く》る。全《まつた》く見《み》るにしのびない呼吸困難《こきふこんなん》を起《おこ》して吸氣《きふき》に際《さい》してのどや水《みづ》落《お》ちの處《ところ》が極端《きよくたん》に陷沒《かんぼつ》して、全身《ぜんしん》は冷汗《ひやあせ》であびた様《やう》になり、唇《くちびる》の色《いろ》が紫色《むらさきいろ》になる。尚聲《なほこゑ》は全《まつた》くかれるし、又犬《またいぬ》の吠《ほ》える様《やう》な咳《せき》をする。かうした呼吸困難《こきふこんなん》の發作《はつさ》は數分《すうふん》から二三時間位《じかんくらゐ》で安靜《あんせい》になり、次《つぎ》の日邊《ひあた》りは輕《かる》い咳《せき》をしたり、聲《こゑ》が幾分嗄《いくぶんか》れて居《ゐ》る位《くらゐ》に過《す》ぎぬことが多《おほ》い。然《しか》し二三日置《にちお》いて發作《はつさ》が再發《さいはつ》することもある。麻疹《はしか》の初期《しよき》にも假性《かせい》「クループ」の症狀が起《お》きることがある。

手當法　頸部《けいぶ》の溫濕布《おんしつぷ》をして安靜《あんせい》を保《たも》たせ熱《あつ》い暖《あたゝ》かい飲料《いんれう》を與《あた》へて發汗《はつかん》させ、又室内《またしつない》を溫濕《おんしつ》ならしめる。又出《またで》來《き》れば吸入《きふにふ》を行《おこな》ふ。

（ホ）氣管枝加答兒　原因《げんいん》、感冒《かんぼう》によるものが一番多《ばんおほ》い

が、其他麻疹、百日咳等の傳染病の際にもよく起る、特に滲出性體質《しんしゆつせいたいしつ》の小兒《せうに》又《また》は腺病質《せんべうしつ》のもの、又《また》は貧血《ひんけつ》があつたり、佝僂病《くるべう》の傾《かたむ》きある小兒《せうに》は特《とく》に氣管枝加答兒《きくわんしかたる》を起《おこ》し易《やす》い。これ等《ら》の小兒《せうに》に度々《たび〱》氣管枝加答兒《きくわんしかたる》が起《おこ》ると慢性《まんせい》になる懼《おそ》れがある。**症候《せうこう》**、咳《せき》が出《で》る。咳《せき》は初《はじ》めは乾燥性《かんそうせい》であるが痰《たん》がふえて來《く》るとゴロ〱云《い》ふ樣《やう》な咳《せき》になる、乳《にう》幼兒《ようじ》では痰《たん》は嚥下《えんか》するので出《だ》さないのが普通《ふつう》である。乳《にう》兒《じ》の氣管枝加答兒《きくわんしかたる》では甚《はなは》だしい呼吸困難《こきふこんなん》を起《おこ》して、丁度假性《かせい》「クループ」の時《とき》の樣《やう》に吸氣時《きふきじ》にのどや水落《みづおち》の所《ところ》が陷沒《かんぼつ》したりする。尚乳兒《なほにうじ》では同時《どうじ》に消化器《せうくわき》も惡《わる》くなり、嘔吐《おうと》、下痢《げり》、食慾缺乏《しよくよくけつぼふ》、又《また》は體重減少等《たいぢうげんせうとう》の一般症狀が起《おこ》る。**豫防《よぼう》**、乳兒《にうじ》、幼兒等《ようじら》を感冒《かんぼう》にかゝつて居《ゐ》るものに近《ちか》づかせてはならぬ。感冒《かんぼう》は冷《ひ》え込《こ》みによつてのみ起《おこ》るとの誤解《ごかい》があり過《す》ぎる。大抵乳幼兒《たいていにうようじ》には大人《おとな》がうつすのである。從《したが》つて乳幼兒《にうようじ》に接近《せつきん》する人《ひと》が感冒《かんぼう》にかゝつたならば、出來《でき》る丈《だけ》「マスク」を用《もち》ふべきである。又平素《またへいそ》から皮《ひ》膚《ふ》を丈夫《ぢやうぶ》にする樣《やう》出來《でき》る丈外氣《だけがいき》や、日光《につこう》にさらすことが大切《たいせつ》である。手當法《てあてはふ》、安靜《あんせい》を守《まも》り、榮養《えいやう》に注意《ちうい》する。室《しつ》內《ない》を溫濕《おんしつ》に保《たも》ち、隙間風《すきまかぜ》を入《い》れぬ樣《やう》にし、熱性飮料《ねつせいいんれう》を與《あた》へて發汗《はつかん》を促《うなが》す胸部溫濕布《けうぶおんしつぷ》、吸入《きふにふ》等を行《おこな》ふ。慢性《まんせい》のものには轉地氣候療法《てんちきこうれうはふ》を必要《ひつよう》とする。

(へ)肺炎　肺炎《はいえん》の種類《しゆるい》、肺炎《はいえん》には氣管枝性肺炎《きくわんしせいはいえん》とクループ性肺炎《せいはいえん》及《およ》び亞急性《あきふせい》或《あるひ》は慢性肺炎《まんせいはいえん》とがある。

氣管枝肺炎《きくわんしはいえん》(毛細氣管枝炎《もうさいきくわんしえん》)、原因《げんいん》、滿《まん》二年《ねん》以下《いか》の小兒《せうに》に多《おほ》い。氣管枝加答兒《きくわんしかたる》が奧深《おくふか》く蔓延《まんえん》して毛細氣管枝炎《もうさいきくわんしえん》更《さ》らに氣管枝肺炎《きくわんしはいえん》を起《おこ》すことが多《おほ》いので、先《さき》に述《の》べた氣管《きくわん》枝加答兒《しかたる》の原因《げんいん》は又《また》こゝでも原因《げんいん》となる。特《とく》に傳染病《でんせんべう》では麻疹《はしか》、百日咳、及《およ》び流行性感冒等《りうかうせいかんぼうとう》は特《とく》に原因《げんいん》になり易《やす》い。呼吸器《こきふき》や循環機能《じゆんかんきのう》に障害《せうがい》があると本病《ほんべう》を起《おこ》し易《やす》い。卽《すなは》ちヂフテリヤによる呼吸困難《こきふこんなん》、或《あるひ》は氣道《きだう》に異物《いぶつ》が入《はい》つた場合《ばあひ》に危險《きけん》である。又身體《またしんたい》が衰弱甚《すいじやくはなは》だしく、痰《たん》が十分《ぶん》喀出《かくしゆつ》出來《でき》ないものでは、所謂吸引性肺炎《いはゆるきふいんせいはいえん》と云《い》ふ形《かたち》で本病《ほんべう》が起《おこ》る。又重病《またぢうべう》で一定《てい》の體位《たいゐ》に長《なが》く病臥《べうぐわ》するものに下位《かゐ》にある肺部位《はいぶゐ》に血液《けつえき》の沈墜《ちんつゐ》を起《おこ》して又本病《またほんべう》を誘發《ゆうはつ》する。**症候《せうこう》**、一、熱《ねつ》。相當高低《さうたうかうてい》のある所謂弛張熱《いはゆるちちやうねつ》をとり、四〇度《ど》を突然《とつぜん》することもある。一、呼吸促迫《こきふそくはく》、息《いき》がせはしくて一分間《ぷんかん》に六〇から一〇〇にも達《たつ》し、淺《あさ》い、不規則《ふきそく》な呼《こ》吸《きふ》になり、呼吸《こきふ》につれて小鼻《こはな》の動《うご》く鼻翼呼吸《びよくこきふ》をやり、吸《きふ》氣《き》の時《とき》に咽喉《のど》や水落《みづおち》の所《ところ》が陷沒《かんぼつ》することがある。尚呼《なほこ》吸《きふ》につれて胸がゼイ〱と云《い》ふ音《おと》が聞《きこ》える。一、脈搏《みやくはく》は增加《ぞうか》し、一分間《ぷんかん》一二〇―二〇〇にも達《たつ》して殆《ほとん》ど數《かぞ》へられぬ位《くらゐ》になり、口唇《こうしん》や手足《てあし》の先《さき》が紫色《むらさきいろ》(チアノーゼ)を呈《てい》

し又《また》四肢末端《ししまつたん》が冷《ひ》える。一、咳嗽《がいそう》、初《はじ》めは乾性《かんせい》で力《ちから》もあるが、病氣《べうき》が深《ふか》い所《ところ》に進《すゝ》んで來《く》ると咳《せき》や聲《こゑ》が弱々《よわ〱》しくなる、而《しか》して呻吟《しんぎん》する樣《やう》になる。一、全身症狀、顏色蒼白《がんしよくさうはく》苦悶狀《くもんぜう》となり、やせて來《き》、嘔吐《おうと》、下痢《げり》、食慾不振等《しよくよくふしんとう》を來《きた》す。豫後《よご》、輕《かる》いものでは一週間位《しうかんくらゐ》で治《なほ》るが多《おほ》くは二乃至《ないし》四週間《しうかん》はかゝる。膿胸《のうけう》、腦膜炎《のうまくえん》、中耳炎等《ちうじえんとう》を併發《へいはつ》することあり、小兒《せうに》が幼若《ようじやく》なる程從《ほどしたが》つて乳兒《にうじ》では甚《はなは》だ危險《きけん》である。

クループ性肺炎《せいはいえん》　原因《げんいん》、肺炎重球菌《はいえんぢうきうきん》と名付《なづ》ける病原菌《べうげんきん》によつて起《おこ》る。症候《せうこう》、年長兒《ねんてうじ》では大人《おとな》と似《に》て惡寒《おかん》が來《き》、戰慄《せんりつ》を以《もつ》て突然《とつぜん》する、が乳幼兒《にうようじ》では痙攣《けいれん》や嘔吐《おうと》、或《あるひ》は腹《ふく》痛等《つうとう》で始《はじ》まつて來《く》る。一、熱《ねつ》　急《きふ》に三十九度位《どくらゐ》に上《のぼ》る、そしてその儘餘《まゝあま》り熱《ねつ》のさしひきなく持續《ぢぞく》する。そして約《やく》一週間後《しうかんご》には急《きふ》に熱《ねつ》が下《さが》つて一日《にち》か一日半位《にちはんくらゐ》の間《あひだ》に平熱《へいねつ》になる(此《こ》の高熱《かうねつ》の間《あひだ》には)一、呼吸促迫《こきふそくはく》、及《およ》び脈搏《みやくはく》の增《ぞう》加等《かとう》の來《く》ることは前者《ぜんしや》と同樣《どうやう》で、顏面蒼白《がんめんさうはく》、不安狀《ふあんぜう》となりチアノーゼを起《おこ》し又腦症《またのうせう》を發《はつ》して重篤《ぢうとく》の症狀《せうぜう》を示《しめ》す、腹痛《ふくつう》、嘔吐《おうと》、下痢等《げりとう》のくることもある。年長兒《ねんてうじ》では胸痛《けうつう》を訴《うつた》へる、又痰《またたん》の色《いろ》が錆色《さびいろ》をして來《く》ることが特徵《とくてう》であるが、乳幼兒《にうようじ》は痰《たん》が出《で》ても飮《の》みこんで了《しま》ふ事《こと》が多《おほ》いからあてにはならぬ。**豫後《よご》**、乳幼兒《にうようじ》のクループ性肺炎《せいはいえん》は割合《わりあひ》よく殆《ほと》んど九五%は全治《ぜんち》する。

手當法《てあてはふ》　一、病室《べうしつ》の空氣《くうき》を清淨《せいじやう》に保《たも》ち、溫度《おんど》と濕度《しつど》とを適當《てきたう》にせねばならぬ。部屋《へや》の溫度《おんど》は二十一度位《どくらゐ》(攝氏《せつし》)にし空氣《くうき》の濕度《しつど》を保《たも》つために、よく金盥《かなだらひ》で湯《ゆ》を沸《わか》して蒸氣《ぜうき》を立《た》てる、溫度《おんど》を一定《てい》に保《たも》つことは日本室《にほんま》では仲々困難《なか〱こんなん》である、尚炭火《なほすみび》を用《もち》ふる時《とき》には成《な》る可《べ》く部屋《へや》の外《そこ》で十分《ぶん》に眞赤《まつか》におこして持《も》ち込《こ》み有害《いうがい》な瓦斯《がす》の發生《はつせい》を少《すくな》くし、尚隙間風《なほすきまかぜ》を入《い》れぬ樣戶障子《やうとせうじ》の隙間《すきま》を目張《めは》りし、病兒《べうじ》の枕元《まくらもと》に屛風《べうぶ》を立《た》てる、尚餘《なほあま》り蒸氣《ぜうき》を立《た》て過《す》ぎて障《せう》子《じ》がしつとり濕《しめ》つたりする程《ほど》にしては却《かへ》つて害《がい》がある。一、濕布《しつぷ》　硼酸或《ほうさんあるひ》は常水《ぜうすい》の少《すこ》し熱《あつ》い目《め》の湯《ゆ》で濕布《しつぷ》をする(或《あるひ》は芥子湯《からしゆ》で濕布《しつぷ》をする)。濕布《しつぷ》は時々休止《ときぐきうし》の時間《じかん》を差《さ》しはさんで行《おこな》ふ。卷《ま》きづめにするより却《かへ》つて具合《ぐあひ》がよい樣《やう》である。濕布《しつぷ》は少《すこ》し固《かた》い目《め》に搾《しぼ》つた方《はう》が良《よ》い、尚交換《なほこうかん》の時間《じかん》は三時間《じかん》―四時間《じかん》を以《もつ》て適當《てきたう》とする。芥子湯《からしゆ》の濕《しつ》布《ぷ》は大抵《たいてい》十五分《ふん》から二十分位《ぷんくらゐ》、一日《にち》一―三回位行《かいくらゐおこな》ふ。大《だい》體皮膚《たいひふ》のホンノリ發赤《はつせき》した程度《ていど》を以《もつ》て限度《げんど》とす。尚濕布《なほしつぷ》交換《かうかん》の折《をり》には充分周圍《じうぶんしうゐ》を暖《あたゝ》かにして速《すみや》かに巧《たく》みに行《おこな》ひ風邪《かぜ》を引《ひ》かさぬ樣注意《やうちうい》せねばならぬ。一、時々靜《ときぐしづ》かに寢返《ねがへ》りをさすこと。患兒《くわんじ》の體位《たいゐ》を換《か》へて、肺《はい》の中《なか》の痰《たん》を誘導《ゆうどう》して出易《でやす》くするに効果《かうくわ》がある。

街頭醫學

よい子を望む婚前の女性のために

國家の發展には何が大事かといへばそれは形質のすぐれた國民の增加といふことです。そこでよき子供を澤山生むにはどんな點に考慮をおいたらよいだらうか、婚前の女性のために——

× ×

よい子孫を澤山儲けるにはいゝ配偶者を選ぶことが先決條件です、いゝ配偶者といふ意味は優生學的に良質といふことになります。これをもつと說明すると遺傳學的にいゝといふことです、昔から日本では結婚の場合家柄といふことを第一にし血統調査といふ點ではあまり考へられてゐなかつたがこれは間違ひです、幾らか合理的と考へられるのは、當事者だけの感情結婚でなく、親の意思を多分に反映してゐた理性結婚であることです、それをもう一歩進めて學問上からも合理的な結婚をする、積極的には自分よりもすぐれた遺傳質をもつたものをとり、消極的には惡質の遺傳性をもつたものを避けるのです。

このためには、遺傳學に相當關心を拂つて、その知識を應用するのが大事です、遺傳學的には父と母は大體半々に子孫の形質に關係があり、責任があることゝなつてゐますが實際には女性の方に責任が偏重してゐますといふのは、生れる子供はまづ母の胎內で十ヶ月成育し、その間母の影響を十分に受け、生れてからは母のために哺育され、また學齡兒になつても母の影響は父の影響よりも大です、かう考へると父よりも母の方が遙に責任が大きい、七、八十パーセントは母の影響があると見なければなりません。事實、昔の偉人や聖人は母のいゝ人が多いのです。

よい子を生む他の資格としては體育に對する注意です、私ども產婦人科醫としての卅年間の經驗によつて昔の女性と今の女性を比較した場合どう違ふかといへば、それは知的よりも體育的です、昔はほとんど體育といふものはなかつたのですがそれがどう違ふかといふと第一に姙娠率が大變よくなつてゐるといふことです、姙娠率がよくなつてゐるといふことは流產とか早產等の姙娠中絶が少くなつてゐることであつて姙娠による身體の變化も少い、たとへば姙娠線です、これは皮膚に姙娠性の變化が起つてゐるとき壓力か內部から機械的に加はりこのため皮膚に龜裂を生じたものですが體育をやつてゐると皮膚のトレーニングが出來てゐるので姙娠線の出來方が非常に少い。

惡阻とか子癎とかいふものが少い、さういふ風に適當な體育は姙娠障害を少くしますが職業婦人の影響だけは惡いものゝ方が殘念ながら多い、特に立業の職業婦人には姙娠障害が多いといふことが婦人科學會では問題になつてゐます、よき子を生むためにはこれらの方面にも注意する必要があるわけです。

さらに姙娠によつて起る障害は精神作用と關係が深い、精神の不健全な人は姙娠障害が非常に多いので平素から健全な精神を養つて置くことは是非とも必要なのです。當人に對する影響はむろんとして胎兒に對しても影響があります、いはゆる胎教ですが、これは學問的には否定されてゐますが、われわれは今日これを肯定してゐます。以上を要約しますとよき子を生むためにはよき配偶者を得るといふことが根本條件でそのためには遺傳的にすぐれた形質のものを選擇するといふこと、つぎには適當な體育によつて身體を健康にして置くといふこと、つぎには健全な精神を養つて置くといふことなどが婚前の女性にとつて大切だといふことです。(慶應醫學部教授醫博安藤畫一氏談)

婦人自身が豫防し注意すべき乳の病氣

乳房にはいろ〱特有の病氣がありますが、そのうちでも一般的に數が多く婦人自身において豫防注意の一層必要なものは乳腺炎と乳癌の二つです。

さらに乳腺炎は乳房の乳腺が化濃しさらに進むと乳腺と筋肉の間に

大きな膿瘍が出來る病氣で、こゝまで來ると乳腺炎も手術的に排膿しなければならないが、そのためには出來るだけ大きく切開するため、全治後のお乳の分泌は非常に少くなります。

乳腺炎を起す場合はどんなときか、これにも各種の場合がありますが、もつとも多いのは產褥婦の乳首や乳囊に龜裂が出來そこから黴菌が入つて化膿するもので、それから全身病の結果に來る乳腺炎です、たとへばチフスや糖尿病の婦人などに一部分の炎症として來ます、しかしこの方は產褥婦の場合から見るとずつと少い。

乳腺炎の症狀は初め急激な發熱があつて卅九度から四十度にのぼり、惡寒戰慄を伴ひ、これを何回か繰りかへして何日間か續く一方、乳に疼痛を覺え、腫脹を來し、皮膚の表面が赤くなつて來ます。

豫防法としては、原因が主として乳嘴の傷から黴菌が入つて發病するのであるから、この部分に傷をつらぬくことが大切です、そのためには乳首をよく飛び出させて置いて、赤ちやんがお乳を吸ふ場合に樂に吸へるやうにする、また少し大きくなると赤ちやんは齒で乳首をかむやうになるから、この點もお母さんは警戒する、なほ一年以上になるとこどもは一方で吸ひ、一方は手でいぢることがあるが、不潔な手で乳首をいぢることは傷をつくりやすく、黴菌を入りやすくするおそれがあるので、この點注意すべきです。

◇

乳腺炎は乳汁が充滿してゐると黴菌が繁殖しやすいので、乳汁は鬱滯しないやうに注意する分娩　三―四日から五日目ごろにはこの鬱滯が起ることがあるが、この場合には乳もみによくもみほぐさせて出すことは豫防の一つです。

また乳房は垂れ下がつてゐると鬱滯が起りやすいので、手拭なり、三角巾でつるし上げて置くのもよい。

さうして疼痛や腫脹を覺えたら、專門醫に診てもらつて早く手當すべきです。

◇

つぎは乳癌ですが、乳房の表面に近く固いかたまりがあり、そしてこれが割合に動かず、痛みもあまりなく、そのまゝ長く二週間も三週間も存在するときは、乳癌の疑ひが十分なので、婦人科か外科をたづねて診て貰ふ必要があります。

他の癌と違つて症狀が强くないため氣付かずにゐる場合もあるが、他の地所へ直ぐと移轉するので、さうなると手遲れで治療は困難になります。

これは早期に手術さへすれば全く治るのですから、早く發見することが大事です、なほ年齡的には必ずしも他の癌と違つて老年の婦人に來るとは限つてゐません、若い婦人でも來ることがあるので注意を要します。(東大講師醫博中山菊之助氏談)

恐ろしい今年の流感の豫防と手當法

毎年暮から一月二月にかけては感冒が型の如く流行しますが今年は普通の感冒以外に惡性の流感が加はつてゐます。咽喉が赤くなり頭痛、腰痛、關節痛を起し、その上で高熱を出すといふのがその症狀です。

そのうちでも充血が流感の特徵で、往々咽喉から出血しますそれから進んで肺炎を起して來るとその肺炎は擴がりやすい、血痰も出し大腸カタルを合併するものがありますがこの場合には粘血便を出すことがありますこれは流感の場合でありますが普通の感冒としては咽喉、喉頭カタル乃至大氣管あたりまでのカタルで咽喉にも割合充血がなく輕い頭痛程度のものが多いやうです、しかしこの場合でもむろん高熱はあります、そしてさかんに咳が出、それが何時までも後へ殘るものもあります。

豫防は大人を主にしていへば出來るだけ寒い思ひをしないこと、睡眠不足に陷らぬこと、空腹や過勞をさけることです、それは抵抗力を弱めるからで、マスクも結構、うがひもよろしい、うがひは一パーセント位の硼酸あるひは重曹水でもよい、これだけの注意をしてゐても罹つたら無理をせず十分に手當をする事です、輕い頭痛や鼻水程度で

も健康を過信して無理してはいけない、無理すると肺炎を起します。

　健康人が冬死ぬのは大抵感冒で、無理からです、殊に子供では直ぐ肺炎になりやすいからお母さん方は注意が必要です。

　手當としては高熱の場合部屋をあたゝかにして休むことです部屋にはむろん湯氣を立てゝ置く食べ物は初めは胃腸を庇護するため流動食にし腎臟炎を豫防するため辛いものをさけ、牛乳果汁から輕い鷄肉スープや野菜スープ、半熟卵、粥食、副食物には輕い魚肉、豆腐等を主にする、藥はアスピリンでもよいが鹽酸キニーネがよい。

　なほ吸入、氷囊、氷枕以外に咽喉の充血を冷やすため氷をのごにあてるのも結構ですがこの場合はのどから耳の後へかけて頭で結ぶこれは同時に中耳炎を豫防するためです、それ以外の事は醫師の監督を受けて行ひます。（醫學博士加瀨恭治氏）

風邪の豫防に紫外線を浴びよ

　風邪が流行してゐる、風邪をひかないためには？……いろ／＼方法がある、抵抗力を作ることが第一で、そのためには冷水摩擦も結構だし適當な運動、規則正しい生活、その他急激な寒冷に會はぬことなど、いづれも風邪をひかぬために必要なことだ……が一方日常の榮養の攝り方如何も風邪をひかぬためには影響するところが大きい。

　どういふ榮養法かといふとビタミンDを體に貯積する食品を攝取することだ、食品では魚の干物、干シヒタケ、ニシン、卵黄などに含まれてゐるが、その量は少い、たゞ肝油中には多量にある、含有の少い食品中にこれを求めなくとも我々は日光浴をすると紫外線が我々の體内に食餌によつて得難いビタミンDを作つてくれる、これがビタミンDを體内に貯積する最もよい方法で、それには夏の間から海岸とか高原などで強い光線を體にあてゝ貯積すべきだつた……がこれからだつて遲くはない、暖かい日はなるべく肌を出して日向ぼつこをしてこの天惠を充分に得るべしである。

　外國の例だが、この日光照射が如何に風邪豫防に效果あるかを示してゐる……一冬に數回も風邪をひく人ばかりを多數集めこれを二組に分け一組には一週間に十五分間づゝの紫外線照射をし、他の組には全然これを行はなかつた、行つた組の約四十パーセントは風邪を一回づゝ輕くひいた、殘りの六十パーセントは全然風邪をひかなかつた、そして紫外線照射を行はなかつた組の者達は例年の如く數回づゝ風邪をひいたと報告してゐる冬は日向ぼつこ禮讃である。（醫學博士藤卷良知氏談）

ヂフテリー流行期には豫防注射を

　今年も恐ろしい小兒の傳染病ヂフテリーの流行期に入り、警視廳管下では最近毎日六十五名平均の患者を數へてゐる。死亡率は數年前と比べて豫防注射の效果低下はしてゐるが、それでも百人中二十人位は死んでゐるから、これから四月頃までは注意しなければならない。

×　×

　ヂフテリーはヂフテリー菌によつて起こる五、六歳の小兒に多い傳染病で、細菌に犯される場所は鼻腔、咽頭、喉頭の他眼瞼、中耳、臍、皮膚等で中でも鼻腔、咽頭、喉頭が多い。從つて患者の唾液や鼻汁等に澤山入つてゐるので、これが付いたり或はその飛沫から傳染するやうな場合が多いが、又ヂフテリー菌は衣服玩具等に附着して長く生きてゐる結果これ等によつて間接的に傳染する危險もある。

　そしてヂフテリーの特徴は、細菌に犯された場所が眞赤に糜爛れて腫れあがりその上に白い膜のやうな斑點、所謂「義膜」と稱するものが出來ることで、潜伏期は二日から四日位である。

　そこで豫防であるが、先づ、いまのうちに豫防注射をうけることである。

　この注射をすれば、絶對にヂフテリーに罹らないと言へないが、罹る率は非常に少く、しかも罹つても輕くすむことが多い。

　もし不幸にして家族内にヂフテリー患者が出た場合は、患者

は病氣が法定傳染病であるから隔離して治療することが必要で治療としては出來るだけ早くヂフテリー血清注射をうけることである。この血清注射が手おくれになると、とかく死亡率が高く、心臟痲痺や後痲痺等を起すことも多い。

　そして一方に於ては患者の持物をはじめ周りのものをよく消毒し、家族は三十倍から五十倍位のオキシフルで皆含嗽することが大切である。

　ともかく、小兒が急に聲が嗄れてきて呼吸が荒くなつたり、變な犬の吠えるやうな咳をしたり、膿や血液の混じつた鼻汁を始終出してゐるとか、喉頭を痛がつたりした場合は、出來るだけ早く醫師に診て貰ふことが、何より肝腎である。（警視廳防疫課にて）

赤ちやんの入浴はお湯の温度を計つてから

　子供は幼ければ幼い程新陳代謝がさかんで、汗をかき易いので、入浴は大人以上に必要なことです。生後一年間は出來るだけ毎日入浴させた方が良く、入浴の時間は一日のうちで暖かくて温度のきまつた午後二時頃が一番適當です。冬の夜などに外の湯へ赤ちやんをつれて行くのは風邪を引かせる原因になつて良くありません。そして入浴はなるべく空腹の時を選ぶことでお湯の温度は、冬の間は攝氏の三十九度から四十度位で、夏の間は攝氏の三十八度位が適當です。

　入浴の方法は先づ盥にお湯を十分に入れて、前記の温度を計り、身體がぐらつかないやうにしつかり支へて先づ身體を洗ひ次に手足等を洗つてやるのですが、時間は八分から十分位が宜しい。顏は別にお湯をとつて洗つてやります。入浴がすんだら身體をよく拭き、たゞれ易いところ、腋下や股などへは亞鉛華滑石のやうな粉をつけて寒くないやうにして寢かせておくのです。それから赤ちやんの着物ですが、子供は大體暑さ寒さに對する抵抗の大變弱いもので、しかも自分で訴へる事が出來ないですから母親は着物に十分注意して適當に調節しなければなりません。大體の標準としてその季節の大人の着物よりも袷かうす綿入か一枚だけ多く着せるやうにすれば十分です。冬はガーゼの肌着に綿ネルの襦袢、袷二枚、チャンチャンコ位にし少し大きな赤ちやんでは日中は一枚で、朝夕涼しい時は二枚にし這ひ歩くやうになつたら日中は腹がけに袖なしで結構です。

　肌着はガーゼか、糊氣をおとした薄地の晒がよく、これを裏がへしに着せ、毛織物はさけることです。

　下着は度々取りかへてやり、着物は自由に運動の出來るやうにして、紐で固くしばるのはよくありません。

　立つて歩けるやうになつたら下肢の運動が自由に出來るやうにすることが必要ですが、大腿までも丸出しにするのは良くありません。

　しかし少し大きくなつてからは膝頭位まで出しておいても差支へありません。

　尚、おむつは西洋式の三角おむつが便利です。おむつの地質は糊をおとした晒がよく、四角の布を二つに三角形に折つたものを外にして中に長方形の布を入れて、これを股にかけ、紐の代りに「安全ピン」でとめますと身體をしめつけないで運動に便利です。

　おむつカバーはなるだけ用ひない方がよろしい。大きなカバーで腰全部を包んでおくとさかくその部分がたゞれ易くなりますから、カバーは外出の時などに短時間用ひる程度にします。一ケ月も經つたら室の中で便器にさせるやうにします。（赤十字社産院にて）

北支に使して

みのり學園長　深瀬薫

　童話協會より派遣され、皇軍慰問のため北支に使して三旬、天津北京並びに附近沿線の戰蹟を視察を終り、先づ平綏線に出て、天下の險居庸關より八達嶺に登り、とつてかへして京漢線にいで、陷落直後の保定をたづね、更に津浦線を濁流鎭まで進んだが、洪水のため阻まれ、遺憾ながら引き返して山海關經由歸國した。其間の狀況概要を左に御報告申します。
　☆門司から塘沽までの四日間は、とても惠まれた平穩な航海だつた。時局當込みの不良の徒輩を取締るべく渡支手續きは地元警察署の身元保證と、門司水上署の峻嚴な檢閲を要するので、ブラリと出かける呑氣な手合は居ないが、軍部關係、事業關係又は治安維持されて歸支する居留民などで、船中は超滿員だつた。
　☆白河の川口に近づくにつれ、海は赤土色を帶びてくる。我が猛烈な砲擊に半破壞された太沽砲臺や、造船所を左舷に認めながら、豫定通り午前八時塘沽碼頭に横づけされたがサアそれからが大變、普通列車は多分午後三時頃だらうと聞かされて、停車場司令部に交渉して軍用列車に便乘したもの丶速力は極めて漫々的驛々に長時間停車して、平時一時間そこ／＼の塘沽天津間に、何と四時間十五分を要した。
　☆天津日本租界内の軍司令部に、宣傳部長川口中佐を訪問、萬般の指令を受ける。折から戰線より歸來した東京新派俳優梅島昇氏に出會ひ、第一線に活躍する我が皇軍の辛苦と困難を、つぶさに聞かされて大に緊張明日の活躍を期して、大和ホテルの一室に休養をとつた。
　☆奉天と北京をつなぐ唯一の國際列車も、今は軍用列車と異りはない。

沿線の廓坊、豐臺などには、激戰を物語る破壞物が處々に點在する。自分はつとめて兵隊さんに呼びかけては、用意してゐる煙草や、菓子などを分けた。また、先方からも腕章をみては、內地からの慰問使だ、童話協會の特派だと、人懷かしげに話しかけては、內地の模樣を聽くのだつた。
　☆最大の皇軍慰問は、銃後の國民の熱誠と後援振りを傳へる事だ。巧く後方との連絡のとれないところでは、出征以來二ケ月だが、一度も家信を受けとらないと、淋しがる兵隊も少くなかつた。慰問袋や手紙は山と積まれても、輸送能力には制限がある。急を要する糧食被服彈藥の輸送を先に、自然あとまはしとされて居る現狀である。
　☆北京朝陽門の車站には、日本鑛業の竹田四郎氏夫妻が出迎へてくれ、清朝時代軍機大臣の官邸だつたといふ竹田氏宅で一泊し、翌朝日本大使館に敬意を表し、次で事變の發端をかもした蘆溝橋事件の部隊長牟田口氏を綏靖公署に訪問、永井博士より依託を受けた高松童話研究會兒童一同の贈り物日章旗を贈呈した。
　☆北京の治安は、我軍によつて完全に維持されて居る。但し便衣隊その他、不良分子の潜入を警戒して、停車場や四方の城門では、極度に嚴密な檢査が行はれて居た。超スピードで宮殿、北海、南海、北京の各公園、景山、天壇から清朝時代離宮たりし萬壽山を一瀉千里に見てまはつたが、規模の構大さと壯麗絢爛の美は、遠く日光などの比にあらず、舊都北京のよさは眞に世界一と吹聽しても過言ではあるまい。
　☆市外十二キロの地點にある南苑の戰蹟へいつてみた。二十九軍の中堅をなす馮治安配下の兵舍も、我が空軍の偉力によつて小氣味よき迄に破壞されて居る。懷中電燈をともして竹田さんと共に敵の塹壕にはいつてみたが、仲々に巧妙を極めたものである。不發の手榴彈が轉がつてゐるので、うつかりは步かれない。既に肉は腐爛して、骨が軍服を着靴をはいた形に殘つて居る敵の死體も二三あつた。
　☆西直門から平綏線に乘つて、南口鎭八達嶺に向ふ。激戰のあと南口を過ぎ山嶽地帶に入る、路傍に骨と皮許りの痩せ衰へた軍馬が、力なく草を食つて居るのを二度許り見かけた。追擊急をきわめ途中止むなく棄てゝいつた病馬だときいて、惻隱の感にうたれた。
　☆靑龍橋で下車、守備隊の一員に護衞されて八達嶺に向つた。その兵士は鹵獲したチェッコ製の支那銑と

弾薬を持つてゐた。山に登る途中、支那兵の白骨が五、六かたまつてあつた。肉は腐爛したのでなく、大抵は野犬が始末したものだそうである。青天白日のマークをつけた支那の鐵兜も一個拾つた。

☆第一線に活躍する〇〇部隊の兵士と共に、馬糞の臭氣鼻をつく貨物車の片すみに、身うごきもならぬ鮨詰にされて數時間かを我慢した。用意した果物、罐詰其他煙草など提供すると、とつても喜んで食べてくれた。戰場で何が一番慾しいですかと聞くと、第一線では、先づ何より食ふ物ですよと、若い上等兵は笑つた。

☆北支戰線の中心は何といつても河北省の首都であり、宋哲元の根據だつた保定であらう。北平より百六十餘キロの南方、人口十餘萬、城壁の頑丈な事は古來支那隨一と謂はれて居る。我が皇軍の猛烈な立體的總攻撃には、民國軍閥中最もスケールの大きいといはれる、劉峙の作戰も力なく、數度の空襲にすつかりおびへあがり、〇〇部隊の背後遮斷に極度の狼狽を示し、戰はずして早くも逃腰となり、脆くも陷落してから三日目北京より保定に向つた。

☆毛布、糧食(軍から支給される事になつて居るが)短銃、藥品、懐中電燈等を携帶して豐臺から軍用列車に乗込んだが、車内はカーキ色一色に塗りつぶされ、便所までも兵隊さんで充滿してゐる。鐵道線に沿つた保定街道には、蜿蜒數キロに及んだ我が輸送部隊が、折からの豪雨にビショ濡れとなり、泥濘の惡路に惱まされて、進行を續けるのを見ては汽車に乗つてゐる身の贅澤さが、相濟まぬ氣がする。

☆單線のため列車が前後に輻輳して居るので、進んでは停り、進んでは停り、遲々として牛歩のゝろさ、一日かゝつて僅かに九十餘キロ、遂に高牌店驛で停車してしまつた。保定から來た車には十餘名の負傷者が後送されて來たが、中にまじつて捕虜となつた敵の飛行士と聯隊長が居た。聯隊長(團長)と云ひ條、まだ三十そこゝの若ぞうであつた。

☆泊るべき場所もないので、大朝の長谷川特派員外二名と共に、やむなく構内に置かれた貨車にアンペラを敷き、一夜をあかしたが、遠くに聞ゆる物凄い犬の遠吠と、出沒する敗殘兵掃蕩の銃聲に夢を破り、明け方の寒さにふるへて殆んど眠られなかつた。翌日はまるで避難民が罹災民のやうに貨車の屋根に乗つかつたが、進行は先日にもまして遲々たるものだつた。

☆鐵路の兩側には生々しい戰の跡が殘り、醜い支那兵の死體や、痛々

しい軍馬の亡骸が横たわつてゐた。驛々で執拗な敗殘兵襲來の噂を耳にしながら、やつと保定に着いたのは最うすつかり暗くなつてゐた。

☆保定の驛には、只一つアーク燈が點されたきりで、全くの暗黑街である。長谷川君と共に心細い懐中電燈の光りをたよりに、貨車の下をくゞつたり、立上つたりして、やつと驛前に出たが、そこには見るも無慘に打くだかれた荒廢家屋が、ランプとローソクと焚火の光りに、おぼろげながらうつし出された。

☆保定驛前の廢屋にしばしまどろむ假枕、不安の一夜を過した翌朝、目を醒まして屋外に出れば、大通りの建築物は、空爆に半醜い殘骸をさらけ出してゐる。孑孑蟲でも泳いでゐさうな井戸水を見ては、支那生活に馴れぬ者は、顔さへ洗ふ氣もしない。形式許りの朝食に胃袋を納得させて先づ城内軍司令部をたづねる。

☆城門は堅く我が〇〇部隊によつて警備され、許可證なき者は假令軍人たりとも絶對に入城を許さぬ嚴重さである。市民の殆んど大半は夫々避難し、河北第一の都市も文字通りの死の都である。但し我が秩序正しく軍規肅然たる皇軍の恩威によつて早晩復興もとの殷賑にかへるべき氣運はそれとなく芽生えて居る。

☆偶にゆきかふ市民は、手に〳〵日の丸の旗を持ち、辻々に土嚢を築いて警備につく、我が將兵に禮をして通り過ぎる情景は、不思議と一種格別の和やかさが漂ふ。省政府の構内建造物にも、爆撃の痕が處々にある。避難の地下室は可成に規模が大きい。蓋し支那兵の科學兵器を恐れる事は想像以上であるらしい。

☆戰線で兵隊さんの一番喜ぶものは水と、煙草と、菓子と内地の話である。後方勤務は左程ではないが、遮二無二突進する第一第二線の部隊が、それ等に對する缺乏は想像以上である。用意していつた、煙草とキャラメルがどんなによろこばれた事か、走る汽車を見かけて煙草を分けてくれと叫ぶ者もあつた。車中から投げると、宛も子供のやうに嬉々として拾つては、同僚に分配してうまそうに喫ふのだつた。第一線で二本の煙草を十人が二日間に分けあつたなどゝいふ程度の話はザラにある。

☆疲勞の體には糖分の缺乏をうつたへて、日頃の甘黨も餅菓子の夢に涎を流すといふから、キャラメル一個の價も又千金となる。内地の話はとつても喜ばれた。どの兵士も將校も語れば忽ち百年の知己となる。第一線に活躍する我皇軍の辛勞や、後方輸送勤務の勞苦の數々は、一々報送すれば制限もない。

傳記小説

高橋是清（卄八）

小杉健太郎

パニックに良藥適中

それは迅雷耳を掩ふ暇もない早技であつた。しかし、全國の大小銀行を一齊に二日間の休業をさせ、ピタリと金融機能を中止させるといふことは、洋の東西を通じて前代未聞の大英斷であつた。驚くべき離れ業であつた。

鉛のやうに動かない二日間は過ぎた。

(さて、三日目はどうなるだらう。)

さう思ふと是清も不安で堪らなかつた。三日目にまた二十一日のやうな取付け騷ぎを再現しては、折角二日も休業したことが無意味なばかりか、却つてそれ以上に民心を激化さして、どんな事態が起らないとも限らない——といふ虞れがあつた。

その重苦しい一夜が明けて、無氣味な三日目の二十五日の朝が徐々に白み渡つて來た。是清はヂッとして寢床の中にゐられなかつた。

かれは五時に飛び起きた。そして各地から集まつてくる電報や手紙に一々眼を通してゐた。すると、長男の是賢が心配して

「お父さん、お體が大丈夫ですか。あまり無理をなすつてはいけませんよ。」

と、いさめた。

「いや人間の體といふものは、不思議なものだよ。始めは病後だから——と思つてわが輩も心配してゐたが、この頃は精神が緊張してゐる所爲か、却つて體が丈夫になつて、元氣も出て來たやうだ。人間といふものは萬事氣の持ちやうで、どうにでもなるものだよ。ハハハ。」

と、是清は大きく笑つて見せた。

「えゝまあ、そりアさうです。考へて見ると、高橋さんのおやりになることは、やはりつぼに篏つてゐますね。」

滿更お世辭でもなさそうな口吻であつた。

上塚秘書官は自分が褒められたやうな喜びを、さすがに包むことはできなかつた。彼はそこを出ると、更に自動車を日本橋の方へ走らした。走らせながら、途中の小さい銀行にも立ち寄つて調べて見ると、どこも行員達は手持無沙汰のやうな顔をしてゐた。或る一銀行だけが「二人しかまだ參りません。」と云つてゐた。

それから彼は日本橋の某大銀行へ行つて見ると、頭の少し薄くなりかけた出納課長が、鬼の首でも取つたやうに得意げに、

「いや、わたしの店へは、けさ早く、三十一萬圓の現金を持ちこんで預金した人がありましたよ。」と、吹聽した。

「ほう、それはまた景氣がいゝね。どういふ風の吹き廻しだらう。」

いくら高橋院自慢の起死回生の妙藥でも、あまり藥の利きやうが早過ぎると思つたのである。

「きつと何でせう。あの騷ぎに釣りこまれて、一度出すには出したが、手元におけば尚不安だし、そこへ日本銀行は政府の保證で非常貸出しをすることになつたものですから、すつかり安心して、また預け直したといふわけですよ。」

「愉快ですな。」

「見てゐてごらんなさい。この分なら、二三日中に、きつと預金者が殺到してきますから。」

上塚秘書官は(やはり、うちの親爺は偉い。まるで經濟界の護符だ)と思つた。かれはそれから本所、深川方面まで巡視して、どこの銀行も同じやうに平穩であることを慥めると、すぐ官邸へ引揚げて、大臣にこのことを詳しく報告したのであつた。

「閣下、かういふわけですから、どうか御安心下さい。」

「おゝ、おゝ、うむ、うむ……。」

是清は大きな椅子にドッカと腰をかけ、始終ニコ〳〵と頷きながら相手の話を聞いてゐた。そして、さもうまさうに煙草を吸つて、ユックリ煙を吐いた。

病氣を押して議會に出席

これより先、モラトリアム施行の緊急勅令案も、樞密院本會議で可決確定された。しかし、政府はまだ幾多の重要な財界救濟策を決定する必要があるので、こゝに臨時議會が召集された。

所が、その時議會の分野は政府與黨たる政友會は百十六名、それに對し憲政會と政友本黨の合同による、新黨倶樂部即ち野黨は二百三十二名の多數、とても頭數では問題にならぬ程の劣勢である。

もとより是清は、至誠報國の一念の前には、どんな大敵も恐るゝに足らないと信じてゐた。信じてゐながらも、彼の答辯一つによつて議會の形勢はどう變るかも解らない。もし反對黨によつて政府の提出議案が葬り去られたならば、折角好轉しかけた財界の空氣がまた惡化する——と思ふと、なか〳〵樂觀を許さないのであつた。

會期は僅かに六日間。しかし毎日打ちつゞく委員會に、是清ひとりが大童の應酬だつた。さすがに彼の身は綿のやうに疲れ、衰弱の色がアリ〳〵と顔に現はれた。

それは五日目の午後一時頃だつた。

上塚秘書官が、委員會再開の時間が迫つて來たことを知らせに

大臣室へ入つて行つた。

「閣下、もうすぐ始まりますから。」

「……。」

輕く頷いたゞけで、是淸はそのまゝヂッと机に凭れてゐた。その容子がどうも只事でないと氣のついた秘書官は、見ると、大臣の顏は蒼白になつて、額には玉のやうな汗が滲み出てゐた。かれはハッとしたのである。

「閣下、御氣分が惡いのですか。」

「いや、大したこともない。」

さう云つて、是淸はスッと立上つたが、その拍子に、ふら〳〵としたと思ふと、彼はまた椅子に腰を落して了つた。

「アッ、どうなすつたんです！醫者を呼びませう。」

と、秘書官は走りよつて大臣の肩を抱いた。

「いや、それには及ばん。」

しかし、喘ぐやうな聲であつた。

「會議は少し位延ばせます。とにかく、一應醫者に見て貰ひませう。でないと、僕が困ります。」

「だが上塚、醫者に見せると、必ず靜養せよといふだらうな。」

「そりア云ふかも知れません。」

「ぢや、止さう。わが輩が靜養したら、誰が代つて答辯する。わが輩一人と日本財界全體とは替へられん。この體は議場で斃れても、靜養などしてゐられる身分ではないからな。」

「でも閣下――。」

云ひながら、秘書官は大臣の額に手をあててゐた。

「お熱もかなりあるやうですから。」

「なあに、少し逆上せただけだ。逆上せて一寸眩暈がしたまでだよ。――しかし、もう大分よくなつた。さア行かう。」

是淸は秘書官の手をふり落すやうに、元氣さうに立上ると、大きな軀をかゝへて扉の方へ歩いて行つた。ともすればふらつき勝ちな足を、さう見せまいとするやうに踏みしめながら歩いて行く大臣の後姿。秘書官は後につゞきながら、云ひ知れない尊いものを感じて、思はずこみあげてくる淚を呑んだ。

口から先きに生れたやうな反對黨の議員達も、この話を聞くと偉大な感銘をうけて、すつかり銳鋒が鈍つて了つたといふ。（了）

兒童愛護運動の產みの親

山枡儀重氏

高尾亮雄

先達て、山枡儀重氏の訃報をラヂオ・ニュースで聞く、それはヤママス・ノリシゲ氏と響いた、いつものギジュウと誰れでもが勝手讀みをしてゐるものだから、すぐにピンと感じが乘らない。東京音樂學校長の乘杉嘉壽氏をも私は知つてゐるものだから、あるひは萬一その方かと自分の耳を疑ふたほどの錯覺を起した、嘉壽はこれまたカジュウと讀んでゐるがほんとは何んといふ名のりか承知しない。そういへば私の亮雄なんて、誰れもアキオとは讀んではくれない、やつぱりラヂオの時は人々を迷はすことであらう。だから私の名刺はいつもローマ字書きの方を本體にして、漢字の方は小さく添へ字のやうに印刷さしてある。

山枡氏の訃をたしかめたのは翌日の新聞の黒罫によつてゞある、ほんとにそれまでは全く得心がゆかなかつたのである。その山枡さんと私と知己になつたのは、もう十七八年の前のこと、大阪市役所教育部の視學時代で、私はベルギーのエスペラントの同志の一人から、日本における兒童教育の問題に關して二三の調査を依賴してきてをつたので、それを飜譯した文章を持つて小畑教育部長の處へ回答を求めに行つた、小畑部長はこれは山枡君に賴むといゝといはれて、その方に廻された、當時山枡さんは私と同じほどのまだ若々しい元氣に滿ち〳〵た方でこれを機會に大に教育論を討はしたり、國際語の効能を說いても見た。數日して再び山枡さんを訪ねると依賴の回答は親切丁寧にできてゐて、なほ此方からベルギーにおける公民教育の事、幼兒保護施設の事の二項目をも調べてくれとの注文であつた、私はよろこんで、これをエス文に直してベルギーに送つた、が一ケ月ほど經つてベルギーから回答文が達した。第一項の公民教育に關する方は今記憶してゐないが、第二項の幼兒保護施設に關しては世界大戰後、同國においては一層ひどくその必要が起り、先づ皇帝陛下の御名に依つて「グウト・デ・ラクト」（乳の滴り）と名づけられる乳幼兒保護所が設立され、この難有い御思召を國民一般が奉體して、各都市に同じやうな施設ができてゐるといふ事であつた。

グウト・デ・ラクト、何んと溫い優しい母性愛に滿ちた言葉であらう、山枡さんと私とは日本においても兒童愛護、特に乳幼兒保護の運動を起さなければならぬと言ひ〳〵したことであつた。エスペラントの因緣で以て、いつの間にか私たちの心は兒童問題について深く結びあふに到つた。

丁度、その頃大阪市役所に兒童課といふのがあつて三田谷博士がをられた、（この課は後に廢されて社會部の中に包含されたのであるやうに思ふ）山枡、三田谷に民間からたつた獨り私が參加して三人が中心となつて、日本における最初の兒童愛護運動といふものを起したことは、今なほ知つてをられる方々も多いと思はれる。當時の「愛せよ、敬せよ、强く育てよ」の標語は長く殘つてゐる、本聯盟の趣意書はその當時、私が起草した兒童愛護運動のそのまゝの文體が存してゐるのは、私にとつて故山枡さんを追想する唯一の記念物である。

第一回の兒童愛護運動週間を終つて、翌年の第二回までの間に山枡さんは歐米教育視察の旅行に出られた、出發に際し私は前述の關係からベルギーその他ヨーロッパ各國におけるエスペランチストに宛て、山枡氏紹介の手紙を數通書いて渡した、それであちこちで可なり便宜を得られたが、同志の中には可なり古い人もあつて、山枡さんの行つた時にはすでに故人となつてゐた者もあり、面喰つた、その展墓をもしてきたよと、歸朝の報告を聞いたヿがある。

山枡さんに逢つた最後は一昨年の大阪ガスビル會館における國語問題講演會の時で、保科孝一、下村宏氏らと一緒であつたが、私はどうも山枡さんの體格が以前よりも餘程肥滿しすぎてゐるやうに思はれてならなかつた、あるひは腎臟病ではないかと直覺したやうであつたが、やはりそれであつたのか、惜しいヿをした、有力な同志の一人を失ふて無力な私なんかゞ生き殘つても何んにもならない、やがては文部大臣になる見込みは充分であつたのに、返す〳〵も痛惜の至りである。

も一つ思ひ出は山枡さんの鄕里の山陰線にあの因幡の兎の神話にある白兎神社がある、大朝の記者がやる關西各神社めぐり競爭には是非參つてくれと、賴みにこられて私はそのプランに入れるやうに盡力したヿがある、敎育のヿに熱心な人であつた。（一月二十日）

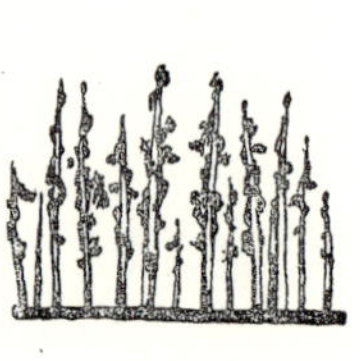

無用の扁桃腺取つたがよいか

子供なら學齡前後に

慶應大學耳鼻科教授　西端博士談

扁桃腺は取つた方がよいかと時々問はれるのでありますが、扁桃腺やアデノイドは取つた方がよいと思ひます扁桃腺が肥大してゐたり、アデノイドがありますとゝかく歐氏管カタルを起しそのために耳が遠くなるとか、蓄膿症を起り易く、その結果は注意散慢症になつて學業などの成績にも惡影響を及ぼします。

取つては惡いと云ふ人の說は、扁桃腺もとにかく人體についてゐるものだから何かの働きをしてゐるに違ひない、だから、やたらにとつてはいけない――といふのですが、現在のところ扁桃腺がどういふ働きをしてゐるか分つてゐませんし、一方扁桃腺を取つたがため害があつたといふ報告は未だありません。

ある學校衞生技師の報告によりますと、或る學年をアデノイドをとつた組と、とらない組とに別けて一年後の發育を比較したところ、とつた組が非常によく、中でも胸圍の如きは平均二・三センチも大きかつたと云つてゐます。

幾歲位の時に取るのがよいかと申しますと、その害を一番蒙るのが、學校衞生の統計から見て八、九歲の子供ですから、入學前後即ち六、七歲の時がよろしい。近頃レントゲン治療法もありますが、これは副作用等も考へなければなりませんし、どちらかと云ふと手術の方が確です。もつとも、出血し易い體質の人とか、神經質の人にはレントゲンもよいと思ひます。

手術後全治するのは十日間位のものですが、初めの三日間位は出血の惧れがありますから成るべく入院治療がよいと思ひます。

まだ大人でちよい〳〵扁桃腺炎を起す人は、取ることが絕對によろしい。それは風を引かないばかりでなく、腎臟炎の八割が扁桃炎の後で起るのを防ぐわけです。又、關節やアキレスその他へ病氣が轉移して餘病を起すこともないわけです。

尚、扁桃腺肥大症やアデノイドの人は多くの場合蓄膿症ですから、手術後この方の手當を怠らないやうにすることが大切です。

編輯後記

◉精神修養の必要なのは正月に限つた事ではないが、例年暫へ短時間でも反省の時を持つために、西之宮市郊外なる賀川豊彦氏の農民學校に行く事にしてる、今年は幸、敬虔な杉山代議士にも御目にかゝり、ユーモアたつぷりな沖野岩三郎翁の講演等を拜聽する事が出來て嬉しかつた。

◉大阪市長室にて坂間市長と中田第一助役に親しく年頭の挨拶をしたのであるが、返つて御兩方から懇篤に勵まされ恐縮した、志賀社會部長には實に久々の面會で互に山枡氏の御永眠を痛み悲しんだ、六日、市保健部に藤原博士、深山博士を、七日は今宮、堀川兩乳兒院、堀川産院に挨拶し、余田博士より野村ビルにて饗應をうく、十日は大阪帝大醫學部法醫學敎室に大村博士を、尙又眼科醫長中村博士、齒科醫長弓倉博士、小兒科醫長笠原博士等に御目にかゝり、十日は本聯盟理事大野博士の饗應をうけ、午後は大阪毎日社會事業園を訪問、赤ん坊審査會に關して懇談した。

◉十二日、朝八時大阪發の列車にて、二十年前牧會に從事してゐた靜岡縣伊東町に向ふ、それは上海敵前上陸にて名譽の負傷をされた勇士諸君を慰問のためである、彼の實朝は伊豆山權現に詣づるため、馬上十國峠を超えんとして「箱根路を今日こえくれば伊豆の海や」と歌つた時の初島は海上かすかに、白波に岸を打たせて居るのが見られてなつかしかつた、伊東では傷病兵の方々の勇ましい戰場の物語りを窺ふにつけ、心からなる感謝が胸に込みあげてくるのであつた。

◉年中多忙のため正月でもなければ、親類に挨拶する事も出來ない、それで十六日は千葉市に趣いて井上、伊藤、杉本三家を訪ふた、十七日は文部省體育課を、十八日は鎌倉に加藤少佐宅を訪れ、八幡宮にて松岡映丘先生御揮毫の實朝の繪の御祓を受けた、十九日遞信省大臣室にて永井閣下に年頭の御挨拶をした、閣下は今議會前未曾有の御繁多中であつたが、本聯盟の事業を案ぜられ種々力づけて下した、誠に涙の出る程有難い事である、二十日は海軍省醫務局長高杉中將閣下を、二十一日は山崎前農相を、二十二日は唐澤博士を、二十四日は陸軍省醫務課に梶浦軍醫殿を、新聞班に大久保中佐を、二十五日は戸川博士を御訪ねしてそれ〲新春の御挨拶を申上げた。

◉高島屋理事村松重役令夫人は二十五日早曉、御永眠になつたので澁谷に御弔問に趣いた、二十六日の朝九時郷里から來た姪を連れて歸阪したが、その前夜松岡先生邸に參上、長時間に渉つて日本歷史の中の興味ある源平時代のお話しを親しく承る事が出來實に感謝の言葉もない程であつた、恰も慈父の如き温情をそゝがれて……。

本誌定價　一冊金参拾錢　郵税壹錢五厘
半年分六冊　金壹圓六拾錢　郵税共
一年分十二冊　金参圓　郵税共
誌代郵税は一切前金の事
前金切の場合は發送中止
郵券代用は一割増のこと

昭和十三年一月廿八日印刷
昭和十三年二月一日發行（毎月一回一日發行）

兵庫縣武庫郡精道村芦屋
發行兼編輯人　伊藤悌二
大阪市西淀川區海老江上二丁目三七番地
印刷人　木下正人
印刷所　木下印刷所
電話福島㊺｛一五三四番／二四二六番｝

大阪市北區天神橋筋六丁目
大阪市立北市民館內
發行所　大阪兒童愛護聯盟
電話堀川㉟｛〇〇〇一番／〇〇〇二番｝
振替大阪五六七六三番

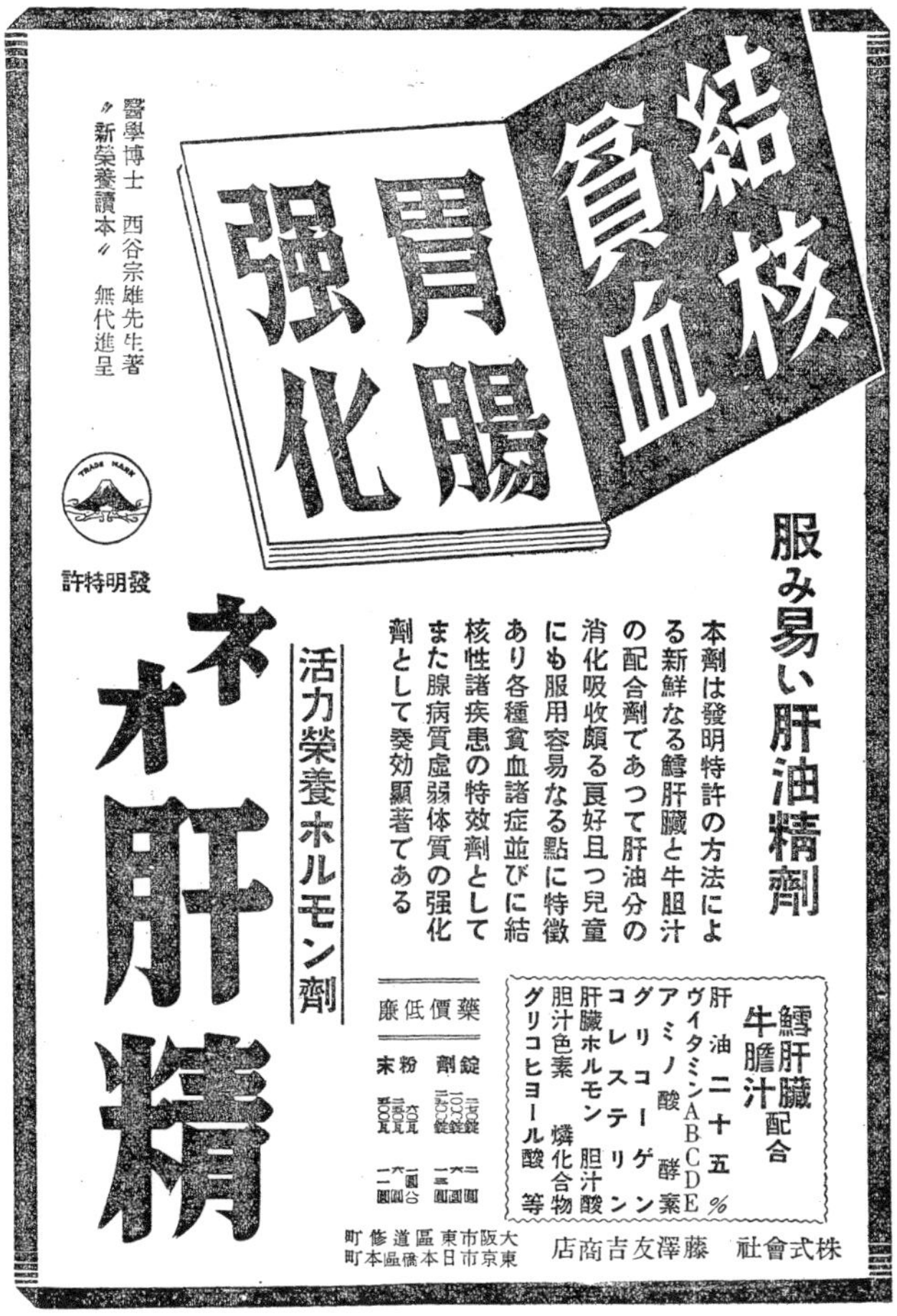

結核
貧血
胃腸
强化
醫學博士　西谷宗雄先生著
〃新榮養讀本〃　無代進呈
TRADE MARK
發明特許
服み易い肝油精劑
本劑は發明特許の方法による新鮮なる鱈肝臟と牛胆汁の配合劑であつて肝油分の消化吸收頗る良好且つ兒童にも服用容易なる點に特徴あり各種貧血諸症並びに結核性諸疾患の特效劑としてまた腺病質虛弱体質の强化劑として奏効顯著てある
活力榮養ホルモン劑
ネオ肝精
鱈肝臟
牛膽汁 配合
肝油二十五%
ヴイタミンABCDE
アミノ酸　酵素
グリコーゲン
コレステリン
肝臟ホルモン　胆汁酸
胆汁色素　燐化合物
グリコヒヨール酸　等
藥價低廉
錠劑
粉末
株式會社　藤澤友吉商店
大阪市東區道修町
東京市日本橋區本町

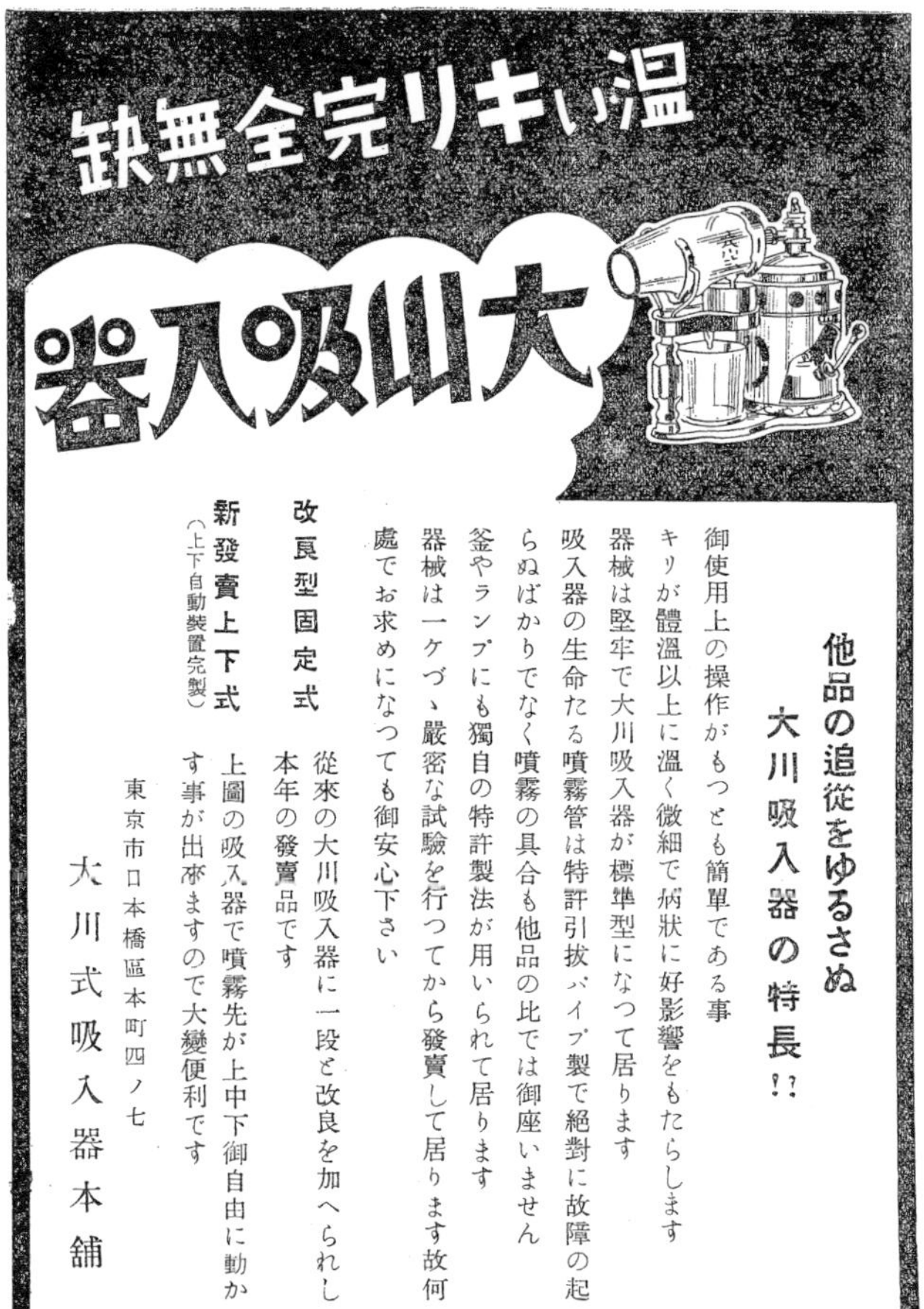

温いキリ完全無缺
大川吸入器
他品の追従をゆるさぬ
大川吸入器の特長!?
御使用上の操作がもつとも簡單である事
キリが體温以上に温く微細で病狀に好影響をもたらします
器械は堅牢で大川吸入器が標準型になつて居ります
吸入器の生命たる噴霧管は特許引拔パイプ製で絶對に故障の起らぬばかりでなく噴霧の具合も他品の比では御座いません
釜やランプにも獨自の特許製法が用いられて居ります
器械は一ケづゝ嚴密な試驗を行つてから發賣して居ります故何處でお求めになつても御安心下さい
改良型固定式
從來の大川吸入器に一段と改良を加へられし本年の發賣品です
新發賣上下式
（上下自動裝置完製）
上圖の吸入器で噴霧先が上中下御自由に動かす事が出來ますので大變便利です
東京市日本橋區本町四ノ七
大川式吸入器本舗

明《めい》色《しよく》美《び》顔《がん》白粉《おしろい》
專《せん》賣《ばい》特《とく》許《きよ》品《ひん》
あまり美《うつく》しく附《つ》くのでどなたも驚《おどろ》く！
しかも
明色美顔白粉のお化粧の美しさにはどなたも驚かれます。
お化粧《けしよう》して時間《じかん》が經《た》つほどサエて一層《そう》
美《うつく》しくなるのが此《こ》の白粉《おしろい》の特長《とくちやう》です
未だの方は一日も早くお試し下さいお喜びキット滿點です！
明色とは……眞に明麗なこれまでにない美しいお化粧が出來るので附けた名です。
色味は白色。肌色。濃肌色。淡黄色などの種類があります。
明色美顔水（明色水白粉）
明色美顔粉白粉
明色美顔固煉白粉
明色美顔煉白粉

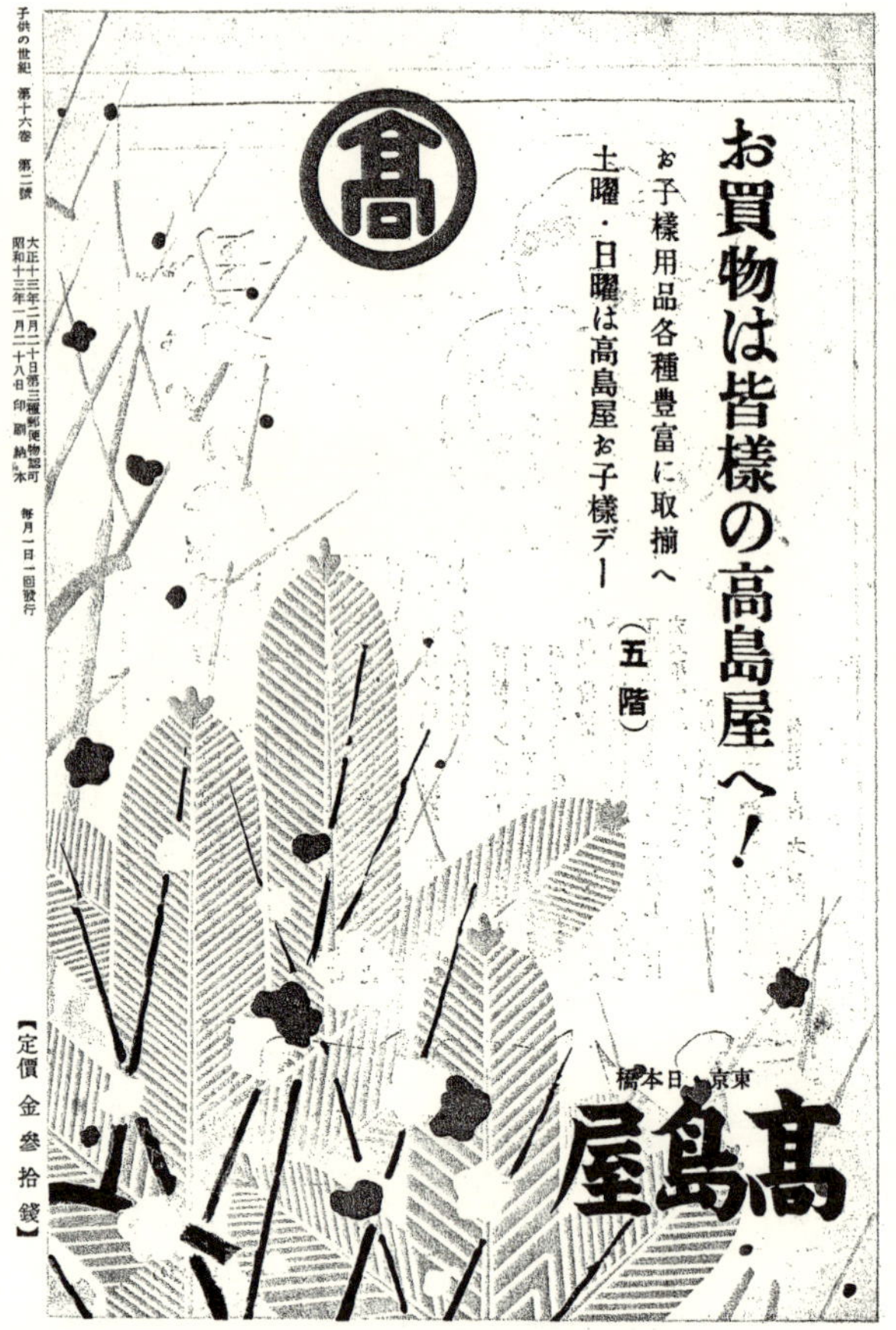
子供の世紀　第十六巻　第二號
大正十三年二月二十日第三種郵便物認可
昭和十三年一月二十八日印刷納本
毎月一日一回發行
【定價金參拾錢】
髙
お買物は皆様の高島屋へ！
お子様用品各種豊富に取揃へ
土曜・日曜は高島屋お子様デー
（五階）
東京・日本橋
髙島屋

母《お》乳《ち》の代用
人工榮養はかう
すれば完全です
牛乳や粉ミルクは、母乳に比べると大切な榮養分が不足してゐますから、之だけで赤ちゃんを育てると發育不良に陥ります育兒糖ロロンは、この缺點を補ふ未だ類のない最新の牛乳添加料です。
育兒糖ロロンには牛乳に不足した含水炭素ビタミンB、アミノ酸、燐酸カルシウム等がのこらず含まれてゐます。從って……
牛乳や粉乳にロロンを加へますと、申分のない母乳代用品になり、體重を増し下痢や便秘を防ぎ發育を盛んにして眞に丈夫な赤ちゃんにします。
五〇〇五（一圓五〇）有名藥店にあり
發賣元　株式會社　武田長兵衛商店　大阪市東區道修町
製造元　大阪　大五製藥株式會社
冊子「育兒の知識」無代送呈
育兒糖
ロロン

36—2060(O)

『子供の世紀』（第十六巻第三號）軍國母性の責任號

目次

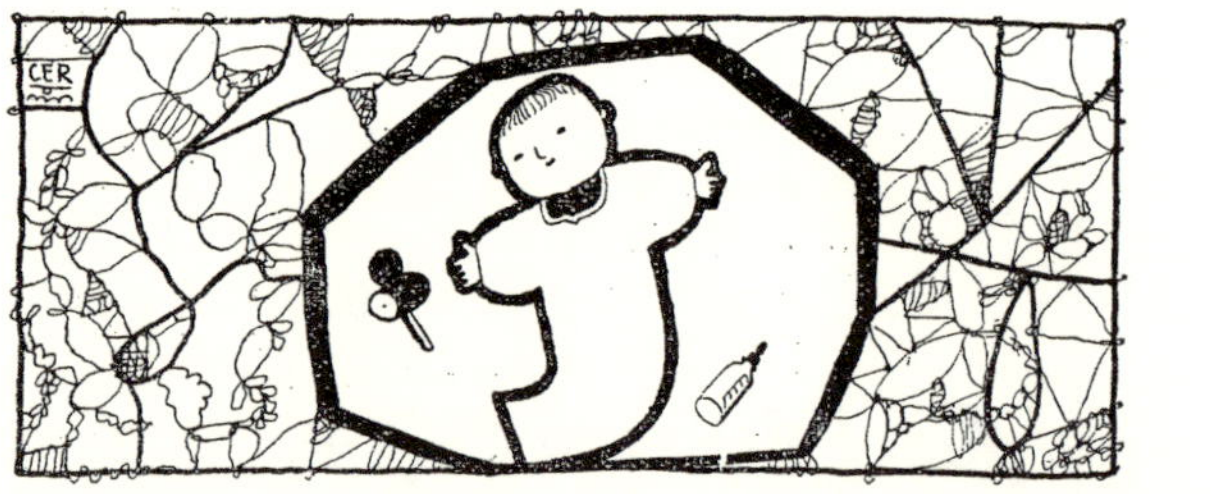

出產・風邪・榮養

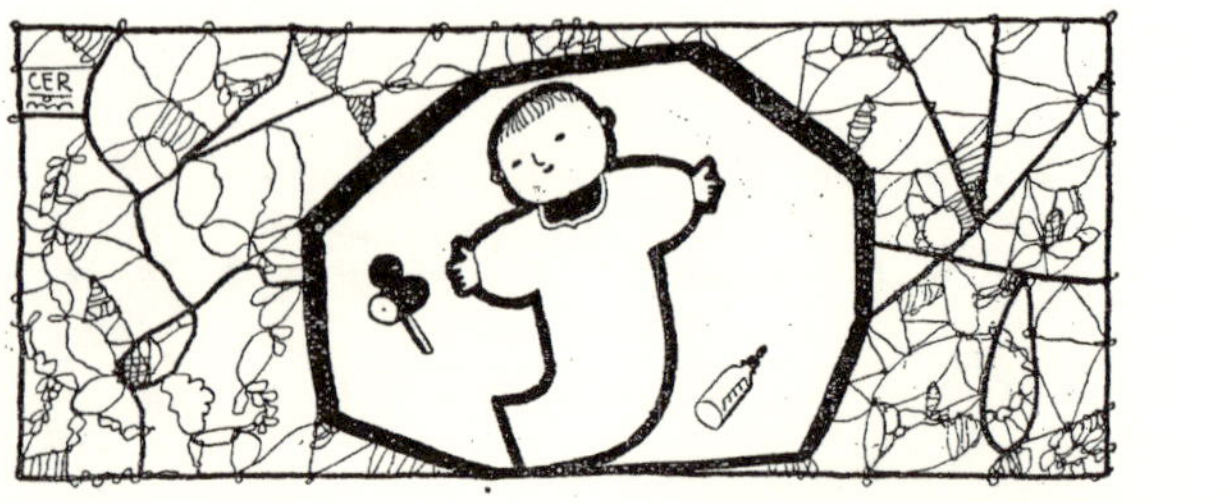

新母性講座

街頭醫學

愛鄕詩篇

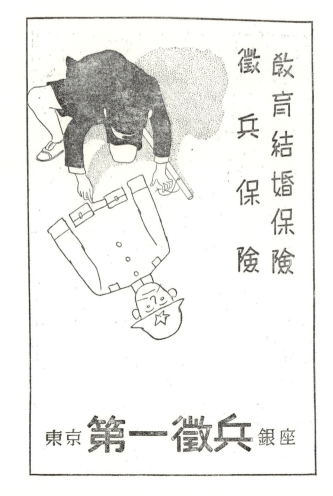

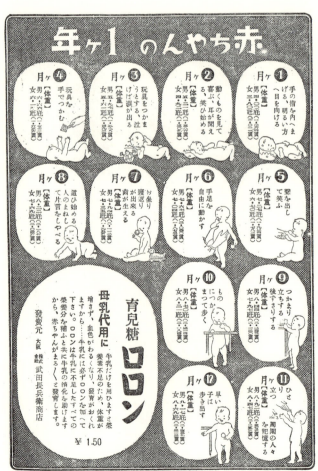

喫茶店より美味しい珈琲が出來る珈琲沸器!!
大川パーコー
美味しい香り高い珈琲は
大川パーコーにのみ依って得られます
全國百貨店に有り
説明書送呈します
關西代理店　大阪市北區梅田新道
ニッポンブラジリアントレーディングコンパニー
まあ!! 素的な香りですこと!!
喫茶店以上ですわ
東京市日本橋區本町
大川吸入器本舗
大川銀三郎商店發賣
モデル東京松竹少女歌劇樂劇專科對馬洋子さん一人二役

日本は世界の太陽てあらねはならぬ　柳太郎書

日本兒童愛護聯盟
全東京乳幼兒審査會
名譽總裁

遞信大臣　永井柳太郎閣下之書

このマーク
メガネ肝油球
お奨めする方
一般虚弱者、産前産後に
腺病質　肺結核　肋膜
腹膜　せむし　夜盲症
榮養不良による眼疾
感冒にかゝり易き人
一番よい
經済的國民榮養素
眼鏡肝油
雑誌名記入御申込の方に文献贈呈
本舗
合資會社 伊藤千太郎商會
大阪道修町

紫外線の薬剤
.60　2.00　5.50
（全國藥店・百貨店にあり）
太陽を與へよ
青白き都會の兒童に
あの偉大な發育力、生命力を植えつける原動である日光の中でも、最も人体に欠乏する紫外線を苦心して、薬剤化したのが錠剤オリーゼなのです
うらなりの様な、都會の兒童に、なくてならぬ、珍しい强壮剤が出來たわけです
紫外線の欠乏より起る、小兒腺病、吹出物の出る体質、風邪、結核を豫防し、頑健な体質に築き上げます
勿論服み良いです
詳しい説明書お請求下さい
（大阪中央私書函二十五）
日光ビタミン
錠剤
オリーゼ

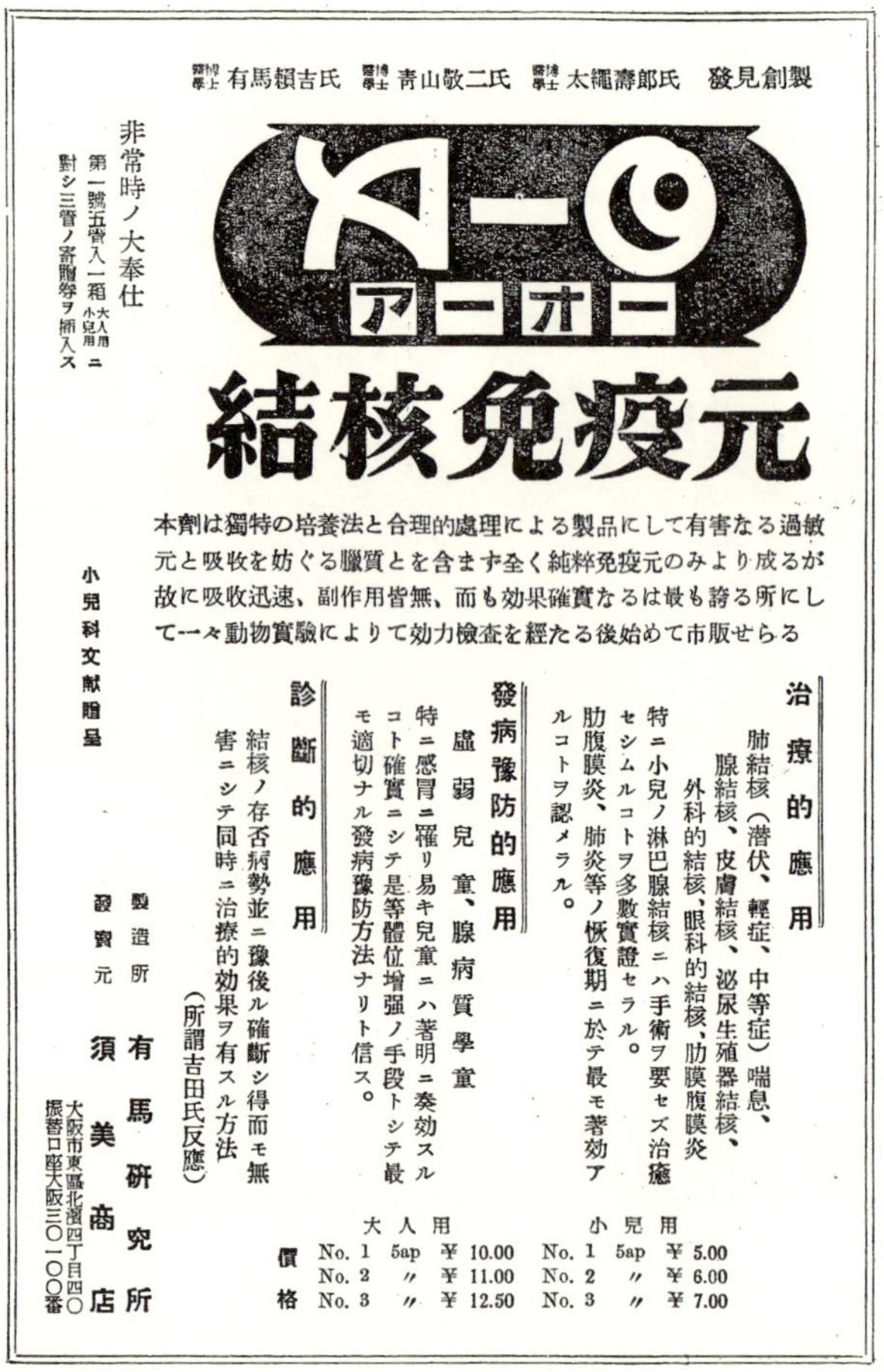
醫學博士 有馬頼吉氏　醫學博士 青山敬二氏　醫學博士 太繩壽郎氏　發見創製
アーオー
結核免疫元
非常時ノ大奉仕
第一號五管入一箱（大人用 小兒用）ニ對シ三管ノ寄贈劵ヲ添入ス
本劑は獨特の培養法と合理的處理による製品にして有害なる過敏元と吸收を妨ぐる臟質とを含まず全く純粋免疫元のみより成るが故に吸收迅速、副作用皆無、而も効果確實なるは最も誇る所にして一々動物實驗によりて効力檢査を經たる後始めて市販せらる
治療的應用
肺結核（潜伏、輕症、中等症）喘息、腺結核、皮膚結核、泌尿生殖器結核、外科的結核、眼科的結核、肋膜腹膜炎
特ニ小兒ノ淋巴腺結核ニハ手術ヲ要セズ治癒セシムルコトヲ多數實證セラル。
肋腹膜炎、肺炎等ノ恢復期ニ於テ最モ著効アルコトヲ認メラル。
發病豫防的應用
虚弱兒童、腺病質學童
特ニ感冒ニ罹リ易キ兒童ニハ著明ニ奏効スルコト確實ニシテ是等體位増强ノ手段トシテ最モ適切ナル發病豫防方法ナリト信ス。
診斷的應用
結核ノ存否病勢並ニ豫後ヲ確斷シ得而モ無害ニシテ同時ニ治療的効果ヲ有スル方法
（所謂吉田氏反應）
小兒科文献贈呈
製造所 有馬研究所
發賣元 須美商店
大阪市東區北濱四丁目四〇
振替口座大阪三〇一〇〇番
價格
大人用 No. 1 5ap ¥ 10.00 / No. 2 〃 ¥ 11.00 / No. 3 〃 ¥ 12.50
小兒用 No. 1 5ap ¥ 5.00 / No. 2 〃 ¥ 6.00 / No. 3 〃 ¥ 7.00

ハルノ
コドモフク
丈夫な生地
快活な型
お洋服は
この春も
髙島屋へ…
髙島屋
南海店 長堀店
大阪・なんば 大阪・長堀橋
賣場
南海店・三階
長堀店・四階

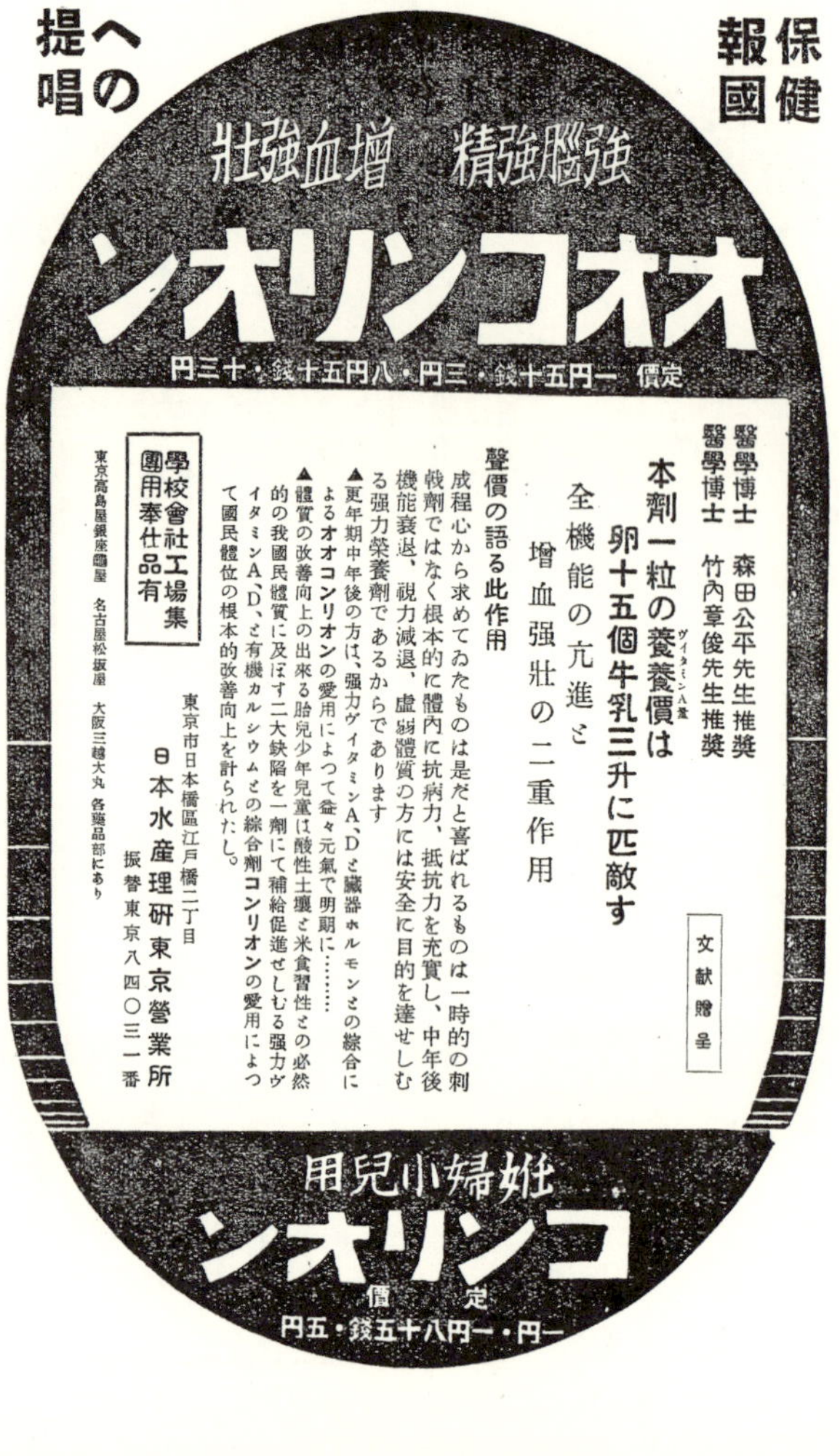
保健報國への提唱
強腦強精　増血強壮
オオコンリオン
定價 一円五十錢・三円・八円五十錢・十三円
醫學博士 森田公平先生推奨
醫學博士 竹内章俊先生推奨
本劑一粒の養養價《ヴイタミンA量》は
卵十五個牛乳三升に匹敵す
全機能の亢進と
増血強壮の二重作用
文献贈呈
聲價の語る此作用
成程心から求めてゐたものは是だと喜ばれるものは一時的の刺戟劑ではなく根本的に體内に抵病力、抵抗力を充實し、中年後機能衰退、視力減退、虚弱體質の方には安全に目的を達せしむる强力榮養劑であるからであります
▲更年期中年後の方は、强力ヴイタミンA、Dと臟器ホルモンとの綜合によるオオコンリオンの愛用によつて益々元氣で明朗に………
▲體質の改善向上の出來る胎兒少年兒童は酸性土壤と米食習性との必然的の我國民體質に及ぼす二大缺陷を一劑にて補給促進せしむる强力ヴイタミンA、D、と有機カルシウムとの綜合劑コンリオンの愛用によつて國民體位の根本的改善向上を計られたし。
學校會社工場集團用奉仕品有
東京市日本橋區江戸橋二丁目
日本水産理研東京營業所
振替東京八四〇三一番
東京高島屋銀座松屋　名古屋松坂屋　大阪三越大丸　各薬品部にあり
妊婦小兒用
コンリオン
定價 一円・一円八十五錢・五円

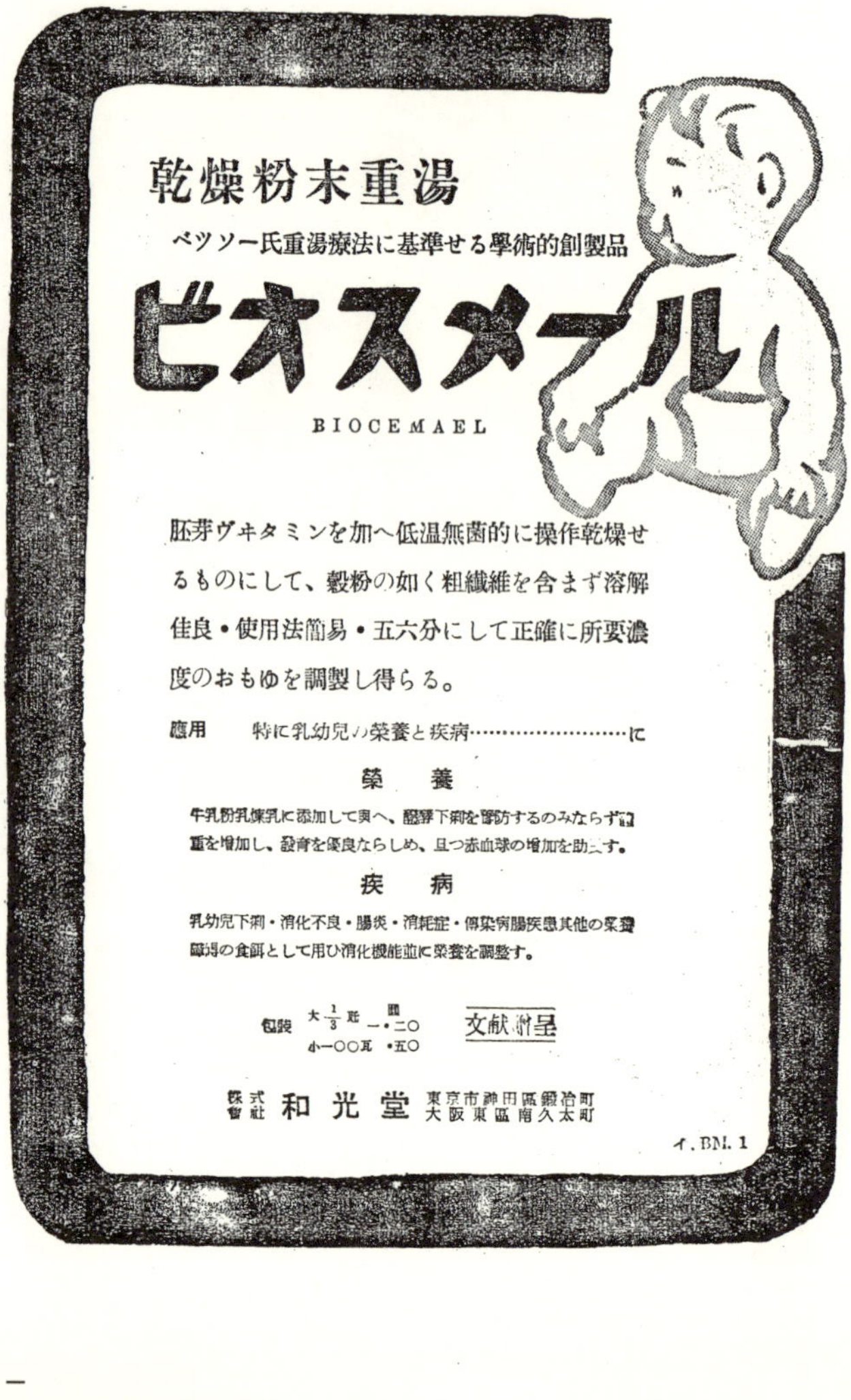
乾燥粉末重湯
ベツソー氏重湯療法に基準せる學術的創製品
ビオスメール
BIOCEMAEL
胚芽ヴキタミンを加へ低温無菌的に操作乾燥せるものにして、穀粉の如く粗纖維を含まず溶解佳良・使用法簡易・五六分にして正確に所要濃度のおもゆを調製し得らる。
應用　特に乳幼兒の榮養と疾病……………………に
榮養
牛乳粉乳煉乳に添加して與へ、醱酵下痢を豫防するのみならず體重を増加し、發育を優良ならしめ、且つ赤血球の増加を助く。
疾病
乳幼兒下痢・消化不良・腸炎・消耗症・傳染病腸疾患其他の榮養障碍の食餌として用ひ消化機能並に榮養を調整す。
包裝　大 1/3 瓩 一・二〇圓　小一〇〇瓦 ・五〇
文献贈呈
株式會社 和光堂　東京市神田區鍛冶町　大阪東區南久太町
イ. BM. 1

セレベス島の原始人トライヤの風俗

（宮武辰夫氏本誌記事參照）

東印度諸島での巨軀セレベスの中央山岳地帯には、今も千古の怪奇を秘めたトライヤ族さ云ふ原始人が住んで居る。斯うした王女達の頰笑めるかんばせを見て居るさ、我々は朝夕街頭に見うける令孃等さ血のつながりがありさうに思はれてならぬ……その美しい唇をもれる前齒は根元まで磨り切つてあるが、この風習は思春期を禍する惡靈から逃れる呪さされて居る。

水牛はトライヤにさつては何よりも貴重なもので、終日焦熱のもさで草飼ふのも子等の大きい役目だ、實に「可無牛背出英雄」の感がある。

内地農村の豪家などでみる穀倉にも似た立派な家屋……幾重にも竹を積んだ屋根の小口、羽目に隙間なく彫り刻まれた精巧な圖案は驚く可きものだ、此の穀倉の中に床をつくり種々なまさゐに當てゝ居る。

鎌倉右大臣源實朝

帝國藝術院會員　松岡映丘先生繪

實朝の歌

山はさけ海はあせなん世なりとも君に二心
我れあらめやも

おほ君の勅をかしこみ父母に心はわくとも
ひとにいはめやも

もののふの矢なみつくらふこての上に霰
たばしるなすの篠原

もの云はぬ四方のけだものすらだにもあはれ
なるかなや親の子を思ふ

このねぬる朝けの風にかをるなり軒端の梅の
春のはつ花

非常時下海國赤ちゃん寫眞大會の優良兒（其の二）

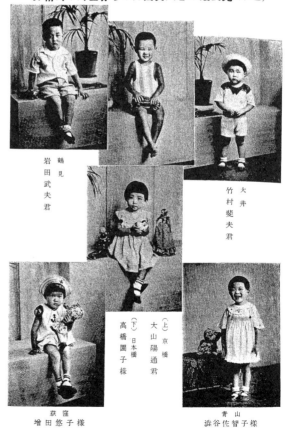

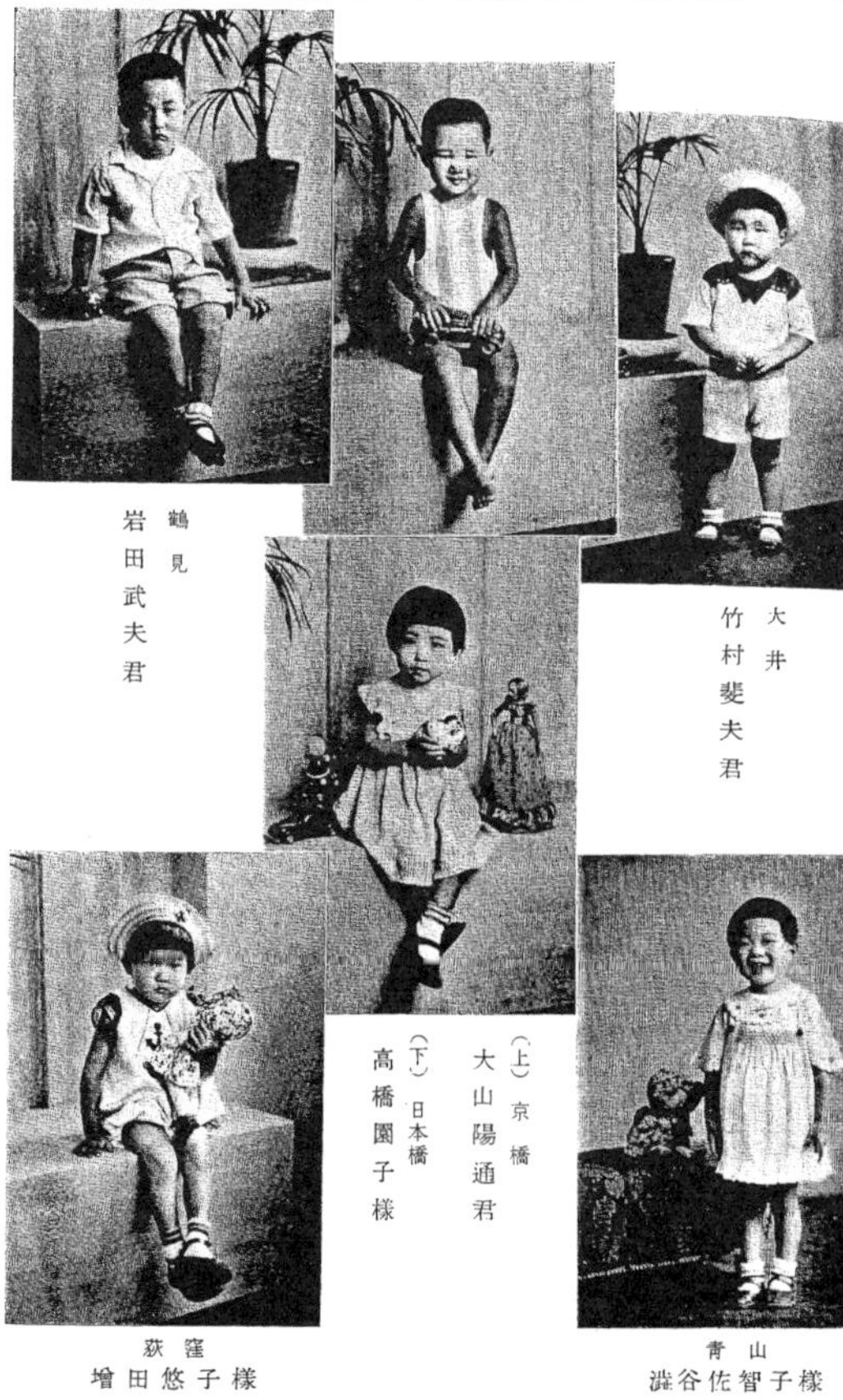

鶴見　岩田武夫君

大井　竹村斐夫君

（上）京橋　大山陽通君
（下）日本橋　高橋園子樣

荻窪　增田悠子樣

青山　澁谷佐智子樣

主催　東京高島屋
後援　日本兒童愛護聯盟

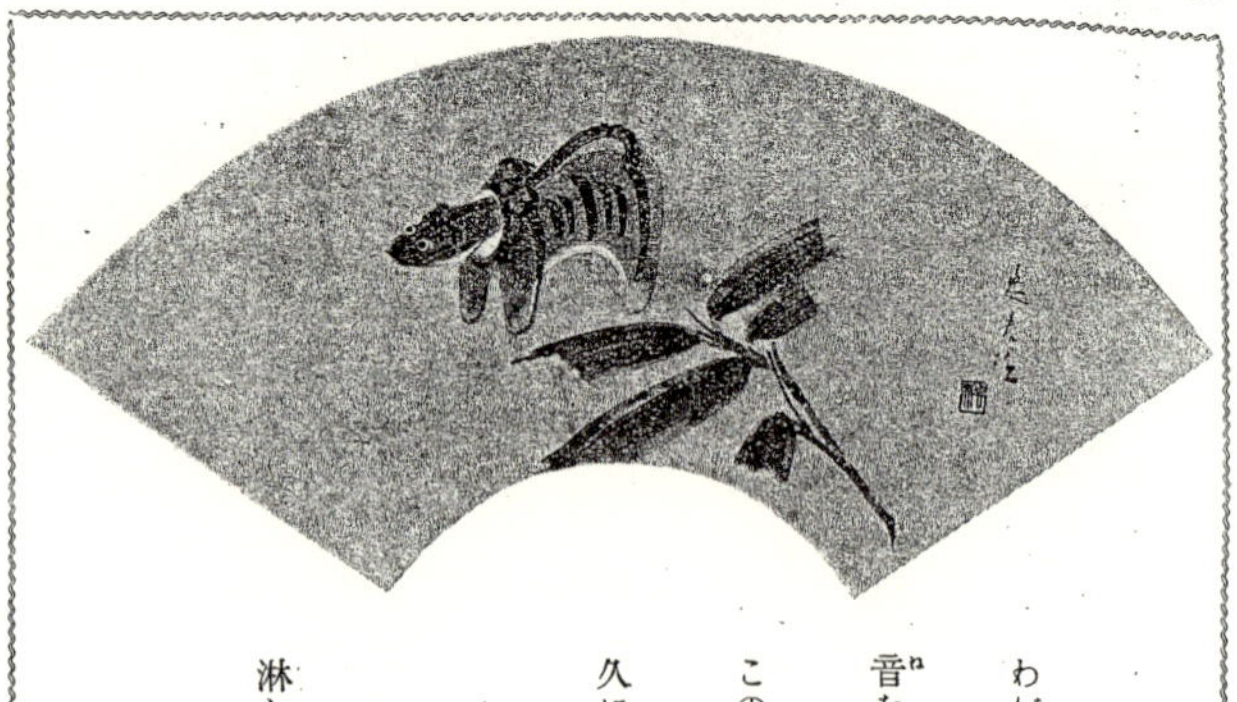

梅五首

今中楓溪

わが友の水羽の筆のうまし繪は
　梅の早咲遲咲の花

音《ね》をなくに東風《こち》吹くまゝにわが庭の
　梅も咲きけり眼《め》をとめて見む

この梅は幹古りなから苔見せず
　ただに花笠向くる青空

久に來し伊藤の大人《うし》の前にして
　わが少女らに梅の歌說く

余昨年宮中歌御會初に畏くも陪聽の光榮に浴し、剎那の感激、本職を捨てゝ一年、こゝに囑託をなげうちて專心和歌報國運動につくさむとす。一日講堂にて

淋しさは乙女等《ら》に告げなくここにして
　梅の生命《いのち》を說きつつわれは

——破竹の勢—— 吉村忠夫繪

軍國母性の責任

——先づ體重の増加より——

醫學博士　一色　征

現下《げんか》非常時局《ひじやうじきよく》に際《さい》して、皆様《みなさま》に於《お》かれましても、色々《いろ〱》と銃後《じうご》の護《まも》りに努力《どりよく》して居《を》らるゝ事《こと》と存《ぞん》じますが、將來《しやうらい》の日本《にほん》を背負《せお》つて立《た》つべき第《だい》二の國民《こくみん》、殊《こと》に乳幼兒《にうようじ》の保健《ほけん》に注意《ちうい》を拂《はら》はるゝ事《こと》は、最《もつと》も緊要《きんえう》な事《こと》の一つと考《かんが》へます。昨今《さくこん》乳幼《にうよう》兒《じ》の體位《たいゐ》向上《かうじやう》に就《つい》て、大方《おほかた》の注意《ちうい》が之《これ》に向《む》けらるゝに至《いた》つて居《を》りますが、乳幼兒《にうようじ》の健全《けんぜん》なる發育《はついく》には智能《ちのう》の發達《はつたつ》と共《とも》に先《ま》づ體重《たいぢう》、身長《しんちやう》の増加《ぞうか》に多大《ただい》の注意《ちうい》を拂《はら》ふべきであります。

就中《なかんづく》體重《たいぢう》の増加《ぞうか》と云《い》ふものは、健全《けんぜん》なる身體發育《しんたいはついく》のめやすとなるものであります。

一般《はん》に乳兒《にうじ》は、生下時《せいかじ》には平均《へいきん》して大約《おほよそ》三〇〇〇瓦《ぐらむ》(八百匁《もんめ》)でありますが、之《これ》が四ケ月《げつ》經《た》つと生下時《せいかじ》の二倍《ばい》、即《すなは》ち六〇〇〇瓦《ぐらむ》(一貫《かん》六百匁《もんめ》)に達《たつ》し、生後《せいご》一ケ年《ねん》には三倍《ばい》即《すなは》ち九〇〇〇瓦《ぐらむ》(二貫《かん》四百匁《もんめ》)となり、三歳《さい》に四倍《ばい》、六歳《さい》には六倍《ばい》、十三歳《さい》には十倍《ばい》となります。

本邦乳幼兒《ほんぱうにうようじ》の標準體重《へうじゆんたいぢう》は、既《すで》に屢々《しば〱》本誌《ほんし》にも記載《きさい》されてゐますから、其《そ》れを御參考《ごさんかう》にして頂《いただ》き度《た》い。

乳兒《にうじ》に於《おい》ては、體重《たいぢう》は毎日《まいにち》同《おな》じ割合《わりあひ》に増《ま》すものではなく、初《はじ》め程《ほど》體重《たいぢう》は割合《わりあひ》に多《おほ》く増加《ぞうか》します。先《ま》づ健康《けんかう》なる乳兒《にうじ》ならば、生《うま》れて最初《さいしよ》の三ケ月位《げつくらゐ》の間《あひだ》は、一ケ月《げつ》大約《おほよそ》九〇〇瓦《ぐらむ》(二百四十匁《もんめ》)次《つぎ》の三ケ月《げつ》は一ケ月《げつ》に大約《おほよそ》六〇〇瓦《ぐらむ》(百六十匁《もんめ》)

生後《せいご》七ケ月《げつ》より生後《せいご》一ケ年《ねん》までの半年間《はんねんかん》は、一ケ月毎《げつごと》に大約《おほよそ》三〇〇瓦《ぐらむ》（八十匁《もんめ》）宛位《づゝくらゐ》の割合《わりあひ》に増《ま》すのが通常《つうぜう》です。

若《も》し乳兒《にうじ》にして體重《たいぢう》が日々《にち〳〵》増《ま》さない場合《ばあひ》には、注意《ちうい》が必要《ひつよう》で、多《おほ》くの場合《ばあひ》何《なに》か病氣《べうき》があるか、又《また》はお乳《ちゝ》の量《れう》が不足《ふそく》してゐるのであります。それ故《ゆゑ》に時々《とき〴〵》自宅《じたく》で體重《たいぢう》を測定《そくてい》するか、近《ちか》くの小兒科醫《せうにくわい》又《また》は小兒保健所《せうにほけんしよ》等《とう》を利用《りよう》して、體重《たいぢう》を測《そく》定《てい》して貰《もら》ふ必要《ひつよう》があります。

かやうに體重《たいぢう》の增加《ぞうか》に注意《ちうい》する事《こと》に依《よ》つてお乳《ちゝ》の不足《ふそく》を知《し》り、或《あるひ》は病氣《べうき》を發見《はつけん》して速《すみや》かに其《そ》の善後策《ぜんごさく》を施《ほどこ》し、健康《けんかう》なる發育《はついく》を全《まつた》ふし得《う》るに至《いた》るものであります。病氣《べうき》ではなく乳房《ちぶさ》も充分張《じうぶんは》り、乳兒《にうじ》はよくお乳《ちゝ》を飲《の》んでゐるとお母《かあ》さんが思《おも》つてゐても、體重《たいぢう》を測定《そくてい》する事《こと》に依《よ》り、意外《いぐわい》にお乳《ちゝ》の出方《でかた》が惡《わる》かつたり、或《あるひ》はお乳《ちゝ》をあまりのんでゐない事《こと》が屢々《しば〳〵》見《み》出《いだ》されるものであります。

又人工榮養兒《またじんこうえいやうじ》では、牛乳又《ぎうにうまた》は粉《こな》ミルクの稀釋度《きしやくど》がまちがつてゐるのに氣付《きづ》く事《こと》があります。

一般《はん》に乳兒《にうじ》で病氣無《べうきな》きに拘《かゝは》らず、體重《たいぢう》が増《ま》さないと訴《うつた》へる方々《かた〴〵》には、授乳時間《じゆにうじかん》を不規則《ふきそく》にしてゐる方《かた》が隨分多《ずゐぶんおほ》い、乳兒《にうじ》は生《うま》れて一ケ月經《げつた》てばお宮參《みやまゐ》りが濟《す》めば、授乳時間《じゆにうじかん》を少《すく》くとも三時間隔《じかんへだ》て、回數《かいすう》は一日《にち》六回平均《かいへいきん》であるのがよろしい。子供《こども》が泣《な》くからと云《い》つて飲《の》まし續《つゞ》けてゐると、遂《つひ》には過飲《くわいん》となり、消化不良症《せうくわふれうせう》を起《おこ》し、或《あるひ》は次第《しだい》にお乳《ちゝ》が充分張《じうぶんは》らぬやうになり、遂《つひ》に母乳不足《ぼにうふそく》を來《きた》し、人工榮養《じんこうえいやう》に依《よ》らねばならなくなります。從《したが》つて體重《たいぢう》の增加《ぞうか》も惡《あ》しく、發育《はついく》が遲《おく》れます、それ故《ゆゑ》に授乳《じゆにう》はその乳兒《にうじ》に應《おう》じ一定回數行《ていかいすうおこな》ひ、授乳《じゆにう》と授乳《じゆにう》との間隔《かんかく》を少《すく》くとも三時間《じかん》、或《あるひ》は四時間《じかん》、充分《じうぶん》に隔《へだ》て乳房《ちぶさ》を充分《じうぶん》に張《は》らし、授乳時《じゆにうじ》には十―廿分間充分《ぷんかんじうぶん》にお乳《ちゝ》を飲《の》ます樣《やう》にすれば、胃腸《ゐてう》を害《そこな》はず母乳《ぼにう》の不足《ふそく》を防《ふせ》ぎ、例《たと》へ不《ふ》足氣味《そくぎみ》の乳房《ちぶさ》でもかくする事《こと》により、再《ふたゝ》び充分《じうぶん》お乳《ちゝ》が出《で》るやうになる場合《ばあひ》が多《おほ》いのであります。

幼兒《ようじ》の體重增加率《たいぢうぞうかりつ》は、一般《はん》に乳兒《にうじ》程旺盛ではありませぬが矢張《やは》り少《すこ》し宛增加《づゝぞうか》します。

かやうに體重《たいぢう》を測定《そくてい》すると云《い》ふ事《こと》は、色々《いろ〳〵》の方面《はうめん》に有益《いうえき》となるものでありますから、乳兒《にうじ》を持《も》たるゝ方《かた》は少《すく》くとも月《つき》に二回《かい》は體重《たいぢう》を測定《そくてい》し、之《これ》を身體發育《しんたいはついく》のめやすとして愛兒《あいじ》を益々《ます〳〵》優良《ゆうれう》なる健康兒《けんかうじ》に導《みちび》かるゝ事《こと》は、軍國《ぐんこく》の母性《ぼせい》にとつて一つの責務《せきむ》とも考《かんが》ふる次第《しだい》であります

子供達はこの時局をどう意識してる？

國際兒童研究所　伊藤龍郎

國民精神總動員の眞只中にあれば子供達とても强烈な非常時意識を持つであらうことは誰にも容易に想像されます。山ノ手の某小學校三年生から高等二年生まで二百名に就て、非常時がどう影響し、また非常時をどう認識してゐるか？を調べてみました。

調査方法は解答を暗示しないために調査表、質問表を避け、自由な作文を書かせ子供の示した現象から非常時意識を分規定しました。

尋常科

尋常三、四年の低學年生は、「出征」に就ての考へ方も未だ幼稚で人が大勢集つて嬉しい、賑かで樂しかつた、面白い等お祭騷ぎを喜ぶ氣持と少しも變りはなく、非常時意識は殆ど見られません。國のために戰ふのだ、日本のために喜んで戰地へ向ふのだ―などと自分の主觀を混ぜて「出征」といふことを述べるのは尋常五、六年生で多くなつてゐます。

高等科

高等科生になると、之れが更に進んで、梅林中尉、その他の將士の英雄的行動に結びつけて、出征兵士を見送り感激する氣持が强く出てくるやうになります。

男の子　英雄崇拜の氣持は、常識では女の方が强いやうに云はれてゐますが、英雄的行動の中に大和魂、日本魂を見出し、それが日本精神であると感激してゐるのは殆んど男子であります

女の子　には武器を持つて戰ふことが出來ない、戰場では國のために働けないといふ考へが例外なしに植付けられて居り、またその考へのためか、千人針の一針々々が眞實國の爲めであると、熱烈な氣持を示してゐるのが特徵です。たゞ漫然と女の子達は千人針を持つてゐるのではないとがよく判ります。

儉約と男女

儉約に就ての關心も女子の方が强くボロ布でお手玉を作る時、絹とメリンスは除いて、木綿だけで作つたが嬉しかつたとか、鐵屑やチューブを拾ひ貯めたとか、感激してゐるのは遙かに男子よりも多いやうです。千人針や出征兵士を見送り眺めて遺家族はどうであらう、子供はどうか―等を案じるのも女子に多く、特に下町方面の者にこの傾向が濃く現れてゐます。子供達の生活環境の影響がこゝにも出てゐるわけです。

非常時意識

非常時意識が子供の心に形成されて行くのは出征の見送り、慰問袋、千人針、ニュース映畫、新聞等に依つてゞすが、たゞ說明や話を外部から抽象的に聞かされたゞけでは、取つて付けたやうな消化されない意識しか持てませんが、映畫や新聞で子供自身が感動した際に敎へられ話され、また自ら慰問袋や千人針を作つて感謝感動を受けた時に得た非常時意識は、熾烈なものがあります。この特徵は兩親や敎師が知つてゐてよいことです。とに角、子供達も身を以て非常時を體驗しつゝあることはよく窺はれます。

最も大切な子供の躾け

聖バルナバ病院小兒科長
醫學博士　福島忠見

習慣は品位人格上の基礎的要素である

一口に云へば習慣とは「無意識の內に行はれてゐる處のもの」の謂であり、度々繰り返へす事によつて何時の間にか出來上つてくる所のものである。日々の天候の工合が最後に其の地の氣候狀態を決定すると同樣に、乳幼兒時代からの日々の良き行爲、習慣は成人して後の良き性格と健康を完成する事に、誰しも異存は無い筈である。卽ち遲蒔き乍らも最近漸やく宣傳されつゝある乳幼兒體位向上、惹いては國民體位向上の上から、此の良き習慣を作ると云ふ事は、最緊喫事であらねばならないと思ふ。又申す迄もなく國民一般の品位、人格向上の爲めにも、之の事は基礎的要素であらねばならぬと考へられる。偖て乳幼兒時代より良き習慣を作り上げる、乃至惡い習慣を作り上げないと云ふ事は、但し兩親にとりては云ふに易くして行なふに難く、須らく乳幼兒に對する正しき理解と認識と、同時に長年月に亘る不斷の注意、努力と忍耐とを必要とし、瞬時も迂闊に過ごされない。洵に難事中の難事である。而し乍ら此の困難を克服して所期の目的を達成する事こそ、兩親に與へられたる責務であり、國民としての義務であり、責任であると信ぜられる。

子供は環境の支配を受ける事大である

由來乳幼兒は天心爛漫であり、甚だしく模倣性に富み甚だしく感化され易く、又暗示に對して甚だしく敏活に反應するものである以上、その習慣、性格は全く環境の支配によつてのみ左右される事となる。且つ乳幼兒に對して鹿爪らしく汚泥に染まぬ蓮華の崇高性を說く事は、假令百萬言を費やすとも結局全く無効に終る。於此處兩

親に對しては誠に確固たる不斷の自覺が要求される事となる。

尙ほ又一口に子供と云つても、乳兒が乳兒期を經て兒童期を過ぎ、遂に成人する迄には全く素晴らしい精神上肉體上の發達、發育を經過し、その間の變轉は全く驚異に値するものがある。子供は斷じて成人の縮圖ではなく全く成人とは異なつたものである。而もこの子供が亦各期に於て各々異なつた性質のものなのである。於此處兩親に對しては子供への各期別理解、認識が要求される所以である。

子供の時代を區別して

或る人（Groves）は子供の時代を、便宜上次の數期に區別して取り扱つてゐる。

1）基礎期（The Foundation Period）最初16ヶ月間
2）發見期（The Period of Discovery）6ヶ月～1年
3）成就期（The Period Achievement）1年～2年
4）接觸期（The Period of Contacts）2年～3年
5）自律期（The Period of Self-Discipline）3年～6年
6）通學期（The Period of School-Adventure）7年～10年

斯る分類、名稱等の穿鑿は暫らく措くも、不斷の發育、發達過程のある子供に對する兩親の見方は、自から日々新らたなるものがなければならないだらう。

基礎期に於ては

先づ乳兒前半の基礎期に於ては授乳、睡眠、入浴等總べて規則正しき生活の習慣を必要とする。可及的周圍の刺戟を遠ざけ、之れを一人靜臥せしめ、神經の過勞を嚴重に避けねばならない。乳兒を兩親、祖父母達の玩具化し、隣人達への見世物化する事が、乳兒の神經を極度に疲勞せしめ、將來に於ける神經過敏の因を成す事は旣に周知の事と思ふ。斯る基礎的習慣は、その着手が早ければ早い程極めて容易である。

子供の發見期に於ては

次に乳兒後半期（發見期）の七―八―九ケ月に入れば、吾々は通例離乳を開始せしめるのであるが、之の離乳に對する注意の適正なると否とは、將來の偏食問題に密接なる影響を及ぼす事となる。離乳開始期が余り遲きに過ぎたる爲め、貧血や食慾不振、榮養不良等を招き、固形物は總べて之れを吐き出して嚥下せず、强いて與へても之れを嘔吐してしまう事が屢々見受けられる。離乳も亦比較的早期より開始する方が容易である。（但し夏季に開始する事は得策でない）之を離乳開始當初に於て注意せねばならぬ事は、消化器障碍を惹き起こさない樣に警戒

する事であつて、榮養價の不足を考慮するの余り、無理をする事は嚴重に避けねばならない。通例一回の授乳の代りに、牛乳の重湯の等分混合液を一度煮沸せしめて角砂糖で味附けせるものを與へる。(「カロリー」は半減する)而して障碍なく之れに成功すれば、始めて次第に其の榮養價を高め、後徐々に漸次母乳を人工榮養品に置換するのである。離乳が完成すれば次に吾々は直ちに偏食の豫防に努めねばならない。此の爲めには可及的早期より固形物を攝取せしめて嚙む事を習得せしめ、好き嫌ひの惡習を附けぬ爲めには、早くから何でも食べ得る習慣を附ける事である。乳齒は軈て脱落する運命にあるけれども、之れを大切にする事は永久齒を大切にする事に較べて、その重大性は決して劣るものではない。而してこの何でも好んで食べ得る習慣も、亦その着手が早やければ早いだけ容易である事勿論である。但し離乳着手に際して甚だ稀れではあるが、所有人工榮養品を頑强に拒絶する乳兒がある。斯る乳兒に對しては、如上の漸進的離乳法は全く不可能であり、止むを得ず苛酷ではあるが、强制離乳を斷行せねばならない。卽ち突然一度に全授乳を排して人工榮養品攝取を强要する、攝取さざれば與へない、砂糖水位を與へるのみで、一晝夜位は絶食せしめても割合に危險はないものである。斯る際は是非共兩親の果斷が必要である。但し他方愼重に專門醫師との協力を忘れてはならない。

子供の成就期に於ては

次に幼兒期（成就期）に入つて、先づ注意を要する事は、間食を規則正しく與へる事である。時刻を選ばず欲するが儘に之れを與ふる事は危險であり、食慾不振の最大原因となる。此の際拒絶す可き時は、斷乎として最後迄拒絶しなければならない。一度拒絶し乍らも泣き附かれるがまゝに根氣負けして與へる事は、尤も警戒しなければならない。卽ち一度び泣く事によつて自己の慾望を充たし得る事に成功せば、幼兒は次々と兩親の視聽を集め得るに足る惡辣手段を案出してくるだらう。斯くては幼兒に素直にして明朗なる性格を期待する事は不可能となる。氣儘、氣隨、强情は斷念する迄放任し、視聽を集めんが爲めの惡辣行爲に對しては、知らぬ顔をしておくだけの充分なる忍耐が是非共必要である。

尙ほ一―二才頃の幼兒に對して種々の藝當を敎へこむ事、並に不必要に幼兒の興味を無理强いに唆り立てる行爲等は、全く乳兒を玩具代視する所の許す可からざる大人の行爲であり、恰も蕾を無理に開きて軈て吹き出ずるであらう所の美しい花を臺無しにしてしまう類に他ならない。

尙ほ又斯る頑是なき幼兒が假令ば「インク」を覆したと

か、花瓶を毀したとか、大切な品物を落として割つたとかで、屢々兩親は折檻の意味で幼兒を暗所内に閉じ込めたり、御尻を捻つたり、お巡りさんに渡すとか、お化けに喰べさすとか……と其の他色々の威嚇、懲罰を科して恐怖せしめる場合を見る。之れなどは全く困りものであつて、斯くする事が唯幼兒をして容易に神經過敏とならしめ、惹いては色々の病的狀態に導き、甚しき際は嘔吐痙攣の發作すら招く。さなき迄も屢々夜中の睡眠障碍を惹き起し、不安焦燥、憶病の習性に陷入らしめて、將來に重大なる惡影響を及ぼす事となる。乳幼兒は全く無心に近い。故にその環境は可及的單純化し、破壞されて困るもの、毀されてはならぬものは、その附近に置かぬ樣に注意せねばならない。而して早期より惡い行爲を行なふ余地なからしめ、積極的に良き行爲を行ふに努めしめて、之を賞讃する事に心掛く可きである。懲罰は賞讃に比較すれば遙かに幼兒に對しては效果少なく、懲罰も度重なれば、些の效果も望まれなくなつてしまうだらう。

尙ほ又吾々は幼兒をして機會每に、あらゆる人々に親しましめねばならない。之の事は將來に於て他人に對する友情、信賴の念となり、惹ひては自賴心の根源となる而して斯くてこそ確固たる明朗なる人格が創り上げられる事となろう。

子供の接觸、自律期に於ては

偖て幼兒も既に三―六才(接觸、自律期)ともなれば、家庭を出でゝ近隣の友人に交はり、相共に遊び始める事となる。此の間兩親は周到なる注意と努力を以て、漸次自律、協調の念を芽生へしめ、勇敢にして泣かず、困難に打克ち、立派な行爲を成就し得る樣仕向けて行かねばならない。時偶の喧嘩も正々堂々たれば、之れは賞讃してやらねばならぬだらう。但し子供の喧嘩に大人が出る事は以ての外と云はねばならぬ。

友人の作れない氣儘、氣隨の內辨慶に對しては、殊更異常の忍耐努力を以て、其の矯正に當らねばならぬ事勿論である。而して斯る內辨慶の大多數が誤まれる盲愛の環境下に成育せるものである以上、兩親たるもの先づ自己の盲愛是正に大決斷力が必要となる。强情、意地惡い行爲に對しては、直ちにその止めだてをなさず、その儘放任しておくのを得策とし、何等かの方法によつて氣分を轉換せしめたる後に、優しく靜かに說得するに越したる事はない。

又懲罰の嚴重に過ぎる事は、尠くとも幼兒に對しては少しも好影響を及ぼさない。のみならず幼兒は懲罰を兎も角も逃れる事を望むの餘り、自然噓つきを初めるやうになるであらう。幼兒が噓つきをせず、盜みをせず、常に

正直である爲めには、兩身は常に幼兒に邪曲なく親しまれておらねばならない。

子供の通學期に於ては

偖て既に通學し初めたならば、兒童は從來の家庭生活以外に、學校に於ける集團生活を送るとなる。而して從順、明朗、正直、自律、自制、協調の念等增々强く、深く、習性化さして行かねばならない。其他尙ほ不注意に發せられる兩親の言葉、假令ば、馬鹿とか、阿呆とか、行儀が惡いとか……等に、兎角兒童の自尊心、自信を損傷するが如き言葉は、兒童を著しく偏屈、憂鬱に陷らしめる以外に何の利益もない。兒童を順育する考へからか口喧ましく罵り貶なす態度は、誤れるも甚しきものであり、嚴重に警戒されねばならぬ。而して兒童に此の自信自尊心を維持せしむる爲めには、兩親は或る程度迄兒童に自由を與へねばならないだらう。

"Limit not thy children to thine own idea,
They were born in a different time."

小學校入學を前に智能檢査が必要

――スタートを誤ると一生を不幸にする――

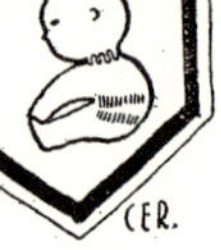

この春から新しく小學校に通ふお子さんを持つ親達への御注意二つ――二つともお子さん達の智能に關することですが、それに對する親達の評價は多くは誤り勝で、その結果、思ひがけない不幸を招くことがあるものです。

智能の高い子と智能の低い子の場合

山下俊郎

小さいお子さんにしてはませた口振りだとか、お友達同士と遊んでゐるところを見ても何となく遊び振りが違ふとか、あるひはお子さんの顔付によつて利口だとか、さうでないとか等々、いつも親達は自分のお子さんのアタマは他のお子さんよりも優れてゐると思ふ、しかしこの觀察は當つてゐるときもありますが、大抵は親達は自分の子可愛さの色眼鏡を通して見るため、外見だけの觀察に止まつてゐるものです、これではいけない、お子さん達の智能の眞價を誤つての敎育は決して感心したものではありません。

さてこゝで大切なことは普通の智能を持つお子さんなら問題はないわけですが、1普通以上に高い智能を持つお子さんと、2その反對に極端に低い智能のお子さん、この二つの場合が親達にとつて一層の注意が必要になつてくるのです、卽ち高い智能を持つ子供が普通の小學校に入り、普通の課業を受けるのでは、自分の高い智能に適當した充分な力を必要としない結果、學業にも興味を失ひ、その餘分の力の捌け口としてメンコに熱中するやうになつたり、學業はそつちのけにして遊んでばかりゐたりする事となり易いものです、それでこんなお子さんに對しては、アメリカやドイツではいはゆる英才敎育が盛んなのですが、この設備のほとんどない我國では、學業以外のこと、たとへばそのお子さんの性質にもよりますが、英語を習はせるとかピアノを敎へるとか、餘分の力を善導するよう心掛けなければなりません。極端に低

い智能の子供…普通の人並の教育法では效果を期待することも出來ませんから、一年なり二年なり普通のお子さんよりも入學を遲くすることです。

それで普通のお子さんは別として上の二つの場合は、なるべく學校の選擇を愼重にし、また普通の學校に入つたとしても家庭での指導法を誤らないやう注意することが大切です、この意味からいつて客觀的な科學的なお子さん達の智能檢査が必要になつてくる譯です（これ等の相談所は東京市を初め各大都市にあります）

どんな子にも特徴がある それを活かせ

青木誠四郎

これは親達がお子さんの智能を低く評價し、見くびつてゐる場合――たとへばよく見受けることですが『お前はアタマが惡いから學校へ行つても駄目だなど〻親達ばかりでなく兄姉までが、何によらずそのお子さんの智能を低く定めて、朝夕その取扱ひをする。

こんなお子さんは內氣な子供で、比較的大事にされるお子さんに多く、はつきりと自分の言葉を用ひて自分の生活を進めて行くことも出來ず、また外へも出されないため、集團生活なども出來ず、いよ〳〵學校へ行つても先生は勿論のことお友達とも口を利くことをいやがり、質問されてもはつきりした返答も出來ない、こんなわけでとう〳〵學校でも『成績が惡い』とされることになるそしてまた家庭に歸つてはその取扱ひをされる、從つてアタマはだん〳〵と惡くなる一方で、つひには手のつけられないやうな好ましくない結果になつて來ます。

しかしこんなお子さん達でも何等かの伸びるべき特徴を持つてゐるものですから、親達は出來るだけ廣い大きい氣持でその特徴を見出し、その特徴を伸ばしてやることが必要なのです。

受驗學童とその家庭へ

男女中等學校の入學試驗が近づいて來ました、試驗地獄といふものがあるかないかの問題は別として、受驗兒童も、その父兄達も、今が一生懸命の時期です、入試に對して受驗學童はどんな心がけが必要か、また父兄達のとるべき態度はどうあらねばならぬか、以下はこれについての權威あるお話です。

自分の力に信頼し必勝の意氣で當れ

文部省普通學務局學務課長 岩松五良

中等學校の入學考査を受けらるゝ皆樣に一言申上げたいのは何事でも『自らを知るものは必ず勝つ』といふことです、自分の實力を知つて自分の實力に適應する學校を選び、十分の自信を持つて立つならば必ず事は成るのです、それを徒らに自分の力以上の學校を選び、これに合格せんとしてあせるのはつまらぬことです。

『自らを知る』といふのは自分の實力を知り、自分の力に信頼を持つ事です、心の中できつと合格するといふ信念を抱く事です、それには平素から眞面目に先生のいふ事を聞き努力するのです。

またこの『必ず合格するぞ』といふ信念の出來てをられぬ方は、これからしつかり勉强してこの信念を養ふことです。

今度の支那事變における皇軍のめざましい大捷もわが軍の將士に必ず勝つといふ信念があつたればこそで、この皇軍必勝の信念は戰はぬ前にすでに敵を呑んでをつたのです、それも平素たゆまぬ訓練の賜物であります。

文部省も昨年七月二十四日、地方長官に通牒を發してこの三月の中等學校の入學者選拔方法を改正し考査科目を成るべく少くし皆さんの力以上の問題を出したりする事のないやう十分注意をしてをりますから、全國どこの府縣の中等學校でも決して皆さんにわからぬやうな難しい事を考査するやうな事は決してありませんから、必ず勝つといふ信念を以て見事に榮冠を得らるゝこと祈つてやみません。

慌てず落ついて ご家庭の人々に望む事柄

泰明小學校長 久保田龜藏

今年の試驗は、讀方と算術だけで容易なのです、慌てず落ちついてやれば必ず及第です、從つて父兄に對して特に注意したいのは『子供が試驗場で落ちついて精一杯の答へが出來るやう訓練をしてほしい』といふことです

この訓練にまづ何事によらず『自分のことは自分でする』といふ癖をつけることです、子供が希望校の願書を自分で貰ひに行き自分で書いて出すといふことが第一に必要です、試驗の當日まで自分の入學する學校が何處にあるかも知らなくては駄目で、子供の入學希望校の一、二年在學生に知り合ひがあればその生徒と子供とを交はらせ學校の事情を子供同士で話し合ふやうにすることはその學校に入學したいといふ希望を子供の心の中に自然と湧かせることがよい。

家庭で試驗勉强を見てやることはよいとしても今になつて『お前は出來ない』とか『そんなことではトテモ入學出來ませんよ』などとは決していつてはなりません、これは子供の鞭撻にならず、却つて自信を失はせることになります、これは特に兄さんや姉さんに注意したい。

また一家のものが子供の苦勞をわけ合ふことが大切です、家庭の母はよくこの點をお考へ下さい。

試驗當日、學校に付き添つて行くことは子供を安心させる意味で結構ですか、あくまでも子供の隨行で、父兄が子供を試驗に『連れてゆく』といふ態度ではいけません。

胎教に就いて

文學博士 下田次郎

一、姙娠の喜び

「いとしの君よ、いかなればかくは驚きて我れを見給ふぞ。我が泣くは何故なるやを知り給はざるか。眞珠の滴もて、ほしいまゝに我が睫毛を飾らしめ給へ。あゝ我が胸は喜びに波打つなり。嬉しさに告ぐべき言の葉をも覺えず。我が胸に耳寄せ給へ、我が全身の喜びは、御身にその囁きを傳ふべし。夜每臥床にはぐくめる愛らしの夢さめて、御身の生き寫しなる小さき姿を、現に見るの月はやがて來ぬべし。」とは、始めて姙娠を覺つた若き妻が、歡喜の涙を湛へつゝ、最愛の夫に、その秘密を傳へる文句ではありませんか。あゝ姙娠の二字は婦人には何たる福音でありませう。姙娠と氣付いた時、如何なる婦人が、喜びと望みとに勇みを覺え、高き決心と大なる責任とに、我が身の尊さを感ぜずに居られませうか。夫は男だけに、口數は利かないが、その喜びは無言の笑みにも見えるではありませんか。舅も姑も未だ見ぬ孫を心に描いて、嫁をほめ、いたはり、一家には瑞氣たなびき、笑聲屋外に溢れて、寒風吹き荒む雪の日も、花笑ひ鳥歌ふ春の日のやうであります。

それならば、なぜに姙娠がそんなに目出度いのでありませうか、喜ばしいのでありませうか。それは一人の人が新たに芽ぐんで、我が家を選んで、我が腹を選んで、此の世に出でんとするからであります。凡そ天地の間に人より尊い生き物がありませうか。地球に生物が出來始めて、下等なものからだん〳〵高等なものに進化して、遂に人と成るまでには、一億萬年も掛つたらうといひます。口でこそ一億萬年でありますが、その長さはとても想像することは出來ません。つまり人といふ物が地球上に現はれる迄には、それだけの手間が掛つた譯であります。目にも見えない極く小さい生物から始まつて、遂に人と成るまでには、どれほど變つた生物が、入り代り立

ち代り出來たでありませう。そしてそれらの生物は人となる支度であり、土臺を築く棄石であつたと云つてもよい。それだけの用意と犧牲とで出來上つた人であります。それで人は凡そ生きとし生ける物の中で、最も美しく、最も靈妙なものであります。人は地上に現はれた自然の最大の傑作であります。

二、婦人の讃美

婦人はその人を生む者であります。凡そ生み得る者の中で婦人の生む者ほど、尊いものがあるでありませうか。蛙は蛙しか生みません、豚は豚しか生みません、婦人なればこそ、人を生むのではありませんか。昔から聖人君子と呼ばれ、偉人賢婦と稱へられた者も少くありません。しかしその誰が婦人の生まなかつたものでありませう。彫刻家は鑿と槌とを以て大理石から立派な像を作ります。しかしそれは活きた人ではなく、人に似せた冷たい無生の石塊に過ぎません。畫家は繪筆を以て、絹の上に美しい人物を描きます。しかしそれも色をなすつた平面の布片であつて、物を言ひ、頭の働く人ではない。如何なる美術家も活きた人を作ることはできません。活きた人を造り出す婦人は、最大の美術家ではありませんか。

人が學問する最後の目的は、人といふものを知り、明かにするにあると云はれて居ります。學問が始まつてから數千年の間、代々えらい學者が、それを研究して居りますが、分らぬことが澤山あります。無形の心の働きがまだよく分らぬのは勿論、目に見える身體すらも分らぬことは、いくらでもあるといひます。人體研究の野は、將來無限に擴がつて居るのであります。然るに、この複雜精巧なる人體を、婦人は九ヶ月の間に胎内で造つて居るではありませんか。婦人ほど大なる作者はありません。已れの作つたものを研究せしむべき大學者そのものまでをも造つて居ります。「作品は作者を讃美す」と或る詩人は言ひましたが、人を造る婦人には、大なる讃美の詞が呈せらるべきでありませう。「詩人は婦人を歌ふべく生れた」と、言つて居る者もあります。

三、姙娠とは何か

姙娠とは何でありますか。姙娠とは、婦人が胎内といふ奇しき神の工場に於て、人といふ靈妙なる物を造りつゝあることをいふのであります。眞珠の貝が、小さい物質を取り卷いて、眞珠の玉を作るやうに、父の種を得て婦人が己れの血と肉とを以て之を人に造り上げつゝあることであります。

「汝は我れの一部なり。我が骨の骨、我が肉の肉なり。靈と肉とより成れるものとして此の世に生れ出でし前、汝は、我が鼓動する心臓の下蔭く柔かき部屋の中に、夢の安けさもて休み居たりき。母鳥の雛を孵すべく、卵を巣に暖むるが如く、我が胎内に汝を暖めし時、思へば汝と我れとは如何に幸福なりしぞ。かくてその小さき身の胎動を感ずる時、我れは歡喜に總身の搖すらるゝを禁ぜざりき。あゝこの喜び、未生の子と母との繋がりより來れるこの喜びは、母たらざる婦人の知る所にあらず。地の中より植物の芽ぐみ、花の開くが如く、我が身中より汝は完く美しく唉き出でたり。汝は動き、呼吸し、我が膨るゝ乳房に、その小さき唇を着くるなり。あゝ我が命より、愛より、汝の生れたるこの時ぞ、我れは天上の歡喜を下界に樂しむなる。父と、母なる我れと、汝とは、愛の勝利に由りて、一體に生くるなり、あゝいとをしの我が兒よ」

これは或る女詩人が「未生の子」と題して歌つたものであります。胎内に子を宿せる時の婦人の感じは、誰しも同じことでありませう。生れ出づべき嬰兒の爲めに、赤き產衣を縫ひつゝある婦人の幸福はどんなでありませう。我が血と命とを分け與へたる胎兒が、日に日に生育して、やがて玉の如き嬰兒を見んとの母の期待ほど、心勇み、望みに胸の躍ることはありますまい。胎兒の方でも五ケ月もすると、中から腹の戸を叩いて「お母さまこゝに居ります」といつたやうに動いて見せます。「よし、よし分りましたよ」と、母はやさしい手を腹に當てゝ見ます。おゝ動く、生きて居る、又動く。これより母と子との合圖は絶えません。母の思念は常に子の上にのみあり、夢みるものは子ばかりであります。かくて九ケ月の終りには、めでたく愛が肉に成つて生れ出づるのであります。（つゞく）

入學試驗の成績を入學後のソレに較べると—試驗地獄は何等の價値なし

橫濱英和女學校教諭　大竹　淸

中等學校の入學試驗を撤廢せよ—との叫びは、永年の間各方面から擧げられ、本年は試驗科目が制限される筈ですが、未だ競爭は續くものと考へられます。私は入學考査法の適否は、試驗の成績と、入學後四、五年間の成績との關係を調査することで立證されると考へましたので、男女中等學校六校の生徒約四百名に就て、入學後の學業成績と

（一）入學試驗成績
（二）小學校六年の學業成績
（三）智能檢査成績

と三つの關係を明かにしてみました。

入試の成績と入學後の成績

（一）入學試驗の成績と入學後の學業成績との關係は、各校共に學年が進むにつれて離れ、下向きとなつてゐます。殊に私立中等學校では四年、五年生になると著しくこれが低下してゐるのです。

女學校では中學校と比較にならぬほど兩者の關係が離反し、一年生から四年生まで非常に低下し、五年生で僅かに上向いてゐます、女學校では入學試驗の成績は少しも入學後の成績を暗示規定するものではないといふことが出來ます。

小學六年の時と入學後の成績

（二）小學校六年の時の成績と、入學後の學業成績との關係は、上級へ進むに從つて下向いてきますが入學試驗の結果よりも遙かに高い成績を示してゐます。殊に私立中等校及び女學校でこの傾向が强いやうです。入學試驗の成績よりも小學校の成績の方が信頼出來るわけです。

入試の成績と智能の檢査

（三）智能檢査の結果との關係は、入學試驗の成績とは問題にならぬ位ゐ高く、殊に女學校では小學校の成績よりも高い關係を示し、而も上級へ進んでも低下しない特色があります。

以上の調査結果からみますと、入學試驗の成績よりも、小學校の成績及び智能檢査の結果の方が、入學後の成績を豫知するに役立つばかりでなく、入學編入に適當であるのです。準備教育を行ひ、而もその結果が四年、五年後には何等の效果を認められず、學業成績と相反して行くとするならば、何を苦しんで試驗をするに及びませうか。入學後の學業成績との關係からみても入學試驗は全廢すべきであるとの立證が出來たわけです。

お産の注意(二)

醫學博士　余田忠吾

褥婦の便秘

産の時に大便が腸に充滿してゐると小便が澤山たまつて居る時と同樣に陣痛が弱くなることがあるから、お産の時には灌腸で排便することを忘れてはならぬ。分娩後に腸が張つて居る時は子宮の收縮も妨げられるばかりでなく、腸が張るために安眠が出來なくなり、又平素腎盂炎のある人は便秘して腹が張ると急に惡寒を起して高熱が出ることがあつて産褥熱かと思はるゝことがあり又よく産褥熱と誤診されることがある、お産の便秘は二三日間は普通に起るものとされて居るけれども此便秘は腸內の大便が充分出て居る場合に其後便秘するのは普通で餘り害しないけれどもお産の時に充分出て居ない儘便秘するときは腸が張る爲めに腹が小さくならず腸內の瓦斯が動く爲めに心持が惡い、斯んなときは産後直ぐ一應灌腸して置くが安全である、又新に急性腎盂炎を起し易いからお産後は腸が張らぬ樣に注意せねばならぬ、是れには食物を撰ぶことが必要である。成るべく大根、『ニンジン』『ユリ』の根、山芋等の野菜を食べて豆類などの樣な腸の張るものはさけねばなりません。

産後外陰部の手當

産後陰部の手當中一番大切なことは淸潔と云ふことである、吾々が消毒『ガーゼ』消毒綿をお産に使ふと云ふことはお産後小さい傷が澤山出來て居る膣や膣口から外陰部にかけて汚穢ものを當てるときは此の汚穢ものゝ中には必ず黴菌が無數潛伏して居るから外陰部に之を當てゝ措けば溫まつて血液などの黴菌の食べたものが多いた

めに直ぐに繁殖して其黴菌が膣や其近邊の傷口から入つて直ぐに熱が出る、之が原因となつて産褥熱が起るので外陰部には産後は必ず消毒したものを當てねばならぬ。必ずしも新らしき『ガーゼ』や綿でなくてもよろしい、古ぎれでもよいけれども必ず其古ぎれは一時間以上の熱湯の中で煮るか百度で乾燥消毒をやるか何れにしても一度完全に消毒した其儘を使へば『ガーゼ』や綿の代りに使つても同じことであるが此消毒が完全でないと却つて危險である。斯んなわけのものであるから少々の金をおしまずに消毒『ガーゼ』か消毒綿を使ふが安全であります。

産後の帶下

産後の帶下は普通三日間は血液が下る、四日目から十日目迄は血液と膿汁若くは淋巴細胞、粘液などを混ずる少々肉汁樣の色をした帶下となる、十日目位より血液がなくなつて帶下は四週間乃至六週間後には全くなくなる。産後の帶下を惡露と云ふが惡臭はないのが普通である、一種の臭氣があるけれども決して惡臭ではない。惡臭があるときは必ず産婆及醫師の診察を受くべきである。又出血が二週間も持續するときは必ず醫者の診察を受くべきであります。

褥婦は發汗が出るのが普通であるが兼ねて肺尖加答兒のある人は産後に發汗の出方が餘り多いなら必ず醫者に見て貰ふべきである。少々の發汗は普通である。又お産後は脈搏の少くなるのが普通であるから産後二三時間經て脈搏が多くて八十(一分間に)以上もあればまだお産の時の心臟の疲勞が回復しないのか又は脚氣であるのか又熱があるのか何かの故障と見て注意せねばならぬ、全然健康な場合は七十以下の數になるべきである。産後熱も出ないで子宮の收縮もよくて無事に十日間經過して惡露も普通になつたなら一日に二三時間位起きてもよいが一度に二三時間起きるのを避けて一度には半時間位して段々時間を長くして自然に起きる時間も長くすることが安全である。入浴も産後の經過が良くても四週間は止めた方が安全である。其間床の上にて湯にて身體をふくがよい。力仕事や洗濯は少くとも六週間はさくべきである。授乳中は氣心配をせぬ樣にせねばならぬ乳房の張りがわるくなるから用心せねばならぬ。本人も家の人にも用心すべきことであります。

陰部の裂傷

お産の時には子宮口より膣にかけて又膣口から陰唇にかけて又會陰に大小の傷が出來るのが普通と云つてよい位である、殊に初産には大概傷が出來る。此後仕末を充分注意することが一番大切である。斯んな場合産婆が傷

を其の儘にするか手當をしても不充分のため或は發熱するとか經過がよくないと云ふことが起ることが非常に多いので必ず醫者の診察を受けることが安全であり又傷を忠實に治療すると云ふことが大切なことである。是れは産後の注意の中で最も大切なことの一である。然し度々お産した産婦には是の注意は初産のもの程大切ではありません。

産後生兒に對する注意

生れた赤ん坊の頭の型は後上方に長くなつて居るのが普通の型である。又頭の上部に左か右かに當つて腫れた處があるのは産道にて壓迫されたときに出來たもので産瘤と呼んで居るが之れは自然に一二週間の內になくなるから心配はいらぬ、然し産瘤と同樣に頭血腫と云ふ腫物が出來ることがある、之れは難産のときに出來るもので腫物はお産二三日して段々大きくなつて來る、日が經つと却つて大きくなる、之れは內に血液が滯るために大きくなるのであるから捨てゝ置いては中々治療し難ひから必ず醫者に診察を受くべきである。又餘り大きい場合は注射器で血液を吸ひ出すと少々小さくなり其上から繃帶で壓迫して措くと自然に治療が中々日數を要するものである。生兒に一番大切なのは(一)淸潔、(二)保溫、(三)榮養であるが榮養は其中で一番大切である。(つゞく)

斷種法とは?

惡性の病氣や遺傳の慘害を斷つのが目的

厚生省豫防局長　高野六郎博士談

『民族の純血を維持せよ』との大理想の下に厚生省は斷種法制定の準備を開始しました、惡疾靑年との結婚を拒否せよと各婦人團體が年來主張してゐたのも同じ優生學的立場にあつたのですが今度は法律によつて規定され、民族の血を濁す原因が一掃されることになりませう、では斷種法とはどんな法律か?

× ×

斷種といふと去勢を聯想します、古來刑罰として採用されたこともあるくらゐで女性なら卵巢を摘出してしまふので、中性となつてしまひます、今度實施しようとする斷種はそんな慘酷なものではなく、女性ならラツパ管、男性なら精系の結縛で、內分泌も變りなく、生理的に變調ありません、いはば永久避妊手術の一つで男性なら局部魔醉もいらぬくらゐ簡單な手術、女性は開腹しなければなりませんが、別に熟練な專門醫でなくとも普通の醫者で出來ます、これによつて惡性の病氣や遺傳による慘害を絕ち、小さくは一家の平和幸福を維持し、大きくは日本民族全體の血液を守るといふわけです。

現在斷種法をやつてゐる國は、米國の廿八州が州法として一九〇七年以來卅年にわたつて實施しスヰス、カナダ、デンマーク、メキシコ、スエーデン、ノルウエー、フインランド、ドイツなどで、わが國もある程度の斷種を決行しようと思つてゐます、どんな人に適用されるかといふと、一番古い米國ではまづ性的犯罪者、次に強度の精神病者が手術を受けてゐますが、現在まで僅に六千人しか實施してゐません、この程度ではあまり效果もないと思ひます、性的犯罪者に行つてゐる點は一種の刑罰と見てよいでせう。

獨逸は一九三三年以來、ゲルマン民族の純血を維持せよとこれまでかつて見ない大規模な斷種法を實施しましたそれによると醫師は勿論一般家庭は惡疾についての屆け出の義務があり、政府もそれらの患者を發見したら摘發します、果してこの人間は救ふべからざる惡疾であるか否かを決定するために優生裁判所を設け、醫師、教育家、治安關係官など立會ひで公判を開きます判決に不服なもの丶ために優生控訴院もあります。

斷種すべき病氣は先天性精神薄弱者(白痴、低能)、精神乖離病者、躁鬱病者、遺傳性癲癇、舞踏病、遺傳性盲目遺傳性聾、強度のアルコール中毒、遺傳性畸形などです、ドイツ全體で約五十萬人は斷種に値するといはれ、これに要する手術料(男子廿マーク、女子五十マーク)は國費で負擔しどし〳〵實施してゐます。

吾國では費用その他の關係で今すぐやるわけにも行きませんが、本人が自覺して、自分は狂人の血統で肉親に狂死したものあり、現在別に變つた症狀もないが子孫を殘したくないと申出た時、公費で手術してやる程度なら簡單に實行できると思ひます、民族優生の問題は永い眼で見なければなりません斷種法がどれほどの效果があるかについては各國ともはつきりした報告を出してゐません。

姙産褥婦の衛生（三）

――附新産兒乳兒の取扱法――

大阪市立今宮産院
醫學博士 植野晃德

二、産婦の心得

一、分娩と産褥用品は必ず消毒したものを準備しておく事を忘れてはなりませぬ。分娩時には多量の湯や石鹸や消毒薬及び手洗ブラシとか、それから分娩時にも後の産褥時にも多量の滅菌ガーゼや脱脂綿、繃帯などが入用ですが此等の事は豫め熟練した産婆に相談して指導を受ける事です。入用な材料は産婆の手で便利に揃へて購入する事が出來ます。

二、分娩の時は必ず熟練した産婆に頼み、總てを委して決して分娩に對し不安を起したりする様な事のなき様にせねばなりませぬ。

三、産室は成るべく閑靜で明るく清潔で、余り狹隘でなく適宜の溫暖を保つて新鮮なる空氣の流通する室を選ばねばなりませぬ。

四、産床は産婦の安全を計るのが目的であります。而して通常の蒲團を用ふるは最も適當でありますが、蒲團の上に一面に油紙或はゴム布を敷き、又其上には上敷を敷き更に腰部には小蒲團を敷かなければなりませぬ。然し此等は販賣して居る分娩具を求むれば全部揃つてゐますから便利に備ひます。

五、總ての分娩時に必要なる用品は早い目に準備し、分娩の際狼狽する事なき様にしておかねばなりませぬ。

三、産褥時の攝生

分娩は生理的の現象でありますが、此際子宮の内面には胎盤の剝離した後に大きな創面が出來ますから、消毒を怠つた時は創傷傳染を起して、惹いては恐るべき産褥熱を誘發することがあります。

産後數日間は必ず床について安靜を守らなければなりませぬ。普通の場合なれば五日目位から坐り、七、八日目位からそろ〱起き初めます。四、五週間の後惡露の排泄が全く止んだ時が卽ち子宮内面の創面の全く治癒した證據でありますから、此の時期に至つて初めて平素の生活に復することが出來ます。

産褥に用ひるガーゼ、綿、等は絕對に清潔でなくてはならぬことは勿論、肌着や衣服等も一切清潔にせねばならぬ。

産婦と新産兒の取扱には清潔法と消毒法とを勵行する必要があります。之れについては一切産婆や醫師の指示に從はねばなりませぬ。

食物は産褥一、二日間は牛乳、粥、卵黃、果實汁のやうなものを攝り三、四日の後には段々普通の食物に移つて良いのでありますが、こと更に美食多食するは却つて消化器を害して益のない事であります。産後は脂肪多きものや刺戟の强き蕃椒、山葵、忽、蒜等は禁ずべきであります。

殊に産後授乳中服藥の必要ある時は、特に注意せねば藥劑によつて乳汁中に移行して、乳兒に障つたりする事もありますから服藥については特に注意が肝要で、醫師に相談されるのが安全であります。

四、新産兒及び乳兒の心得

新産兒の取扱は衣服、寢具、浴槽等から母の手や乳房に至るまで一切のものを絕對に清潔にしなければなりませぬ。新産兒の口腔は極めて清潔で殆んど無菌でありますから、硼酸水などで洗つたりすることは却つて不潔にしたり、傷つけたりする恐れがあります。唯口の外まわりを清潔に拭ふだけで口腔內は拭かないことです。

眼と臍部は特に清潔にせねば病原菌の侵入門となつて膿漏眼を起したり臍部の丹毒等を誘發する憚れがあります。榮養は初生兒及び乳兒の發育に最も大切なものであります。りますから特に注意して下さい。榮養法は末尾に附記しておきましたから參考にして下さい。

而して時々體重を量つて乳幼兒發育の標準と比較して兒の發育狀態を常に觀察する事を忘れてはなりませぬ。

體重は健康發育狀態のバローメーターとなるものであります。

便通、利尿は常に注意して若し大小便が普通でない時は必ず何處かに具合が惡い所があるのですから、其の回數、色、臭氣、形狀等に注意を注ぎ少しでも變つた事のあつた時は直ぐに專門醫に見せて下さい。又乳兒が不機嫌で泣いたり哺乳せぬ樣な時は必ず何處かに原因があるものですから、その原因を確かめて適當の處置を施さねばなりませぬ。

入浴は適當にさせて衣類、襁褓等に凡て清潔にせねばなりません。

睡眠は出來るだけ長い間床の中でさせて下さい。

母親が白粉や塗布料を使用する時その中に鉛を含んでゐる時は、乳兒に鉛中毒を起して重篤な症狀を起しますから白粉や撒布塗布藥の選擇には殊に注意せねばなりませぬ。又塗料で着色した玩具も危險な事がありますから氣を付けねばなりませぬ。

乳兒は生後七、八箇月頃からぼつ／＼離乳の準備を始めて下さい。余り長く母乳ばかり與へて居ますと、乳兒の健康狀態に支障を來します。乳兒はつとめて新鮮な空氣と日光に當てゝ出來るだけ運動は自由に出來る樣に衣服を固く纒はぬ樣にせねばなりませぬ。

種痘を受けることは忘れてはなりませぬ。

家庭看護の一般を心得ておかぬと救急の際狼狽する事があります。但し濫りに馴れない素人療治することは不慮の結果を招く事がありますから注意せねばなりませぬ
出產屆は出產後が二週間以內にする法規になつてゐますから、期限內に忘れぬ樣に命名して、寄留地又は本籍地の役場に屆出せねばなりませぬ。

五、榮養法心得

天然榮養。健康なる婦人は必ず授乳せなければなりませぬ。これ母兒共に健全ならしめる何よりの良法であるからであります。卽ち母體は授乳によつて生殖器の復舊作用を促進し、且つ完全にし又は直に新たに受胎する事を防ぐものであり、新產兒は只母乳に依てのみ、健全となり强壯となるものでありますから、母體に授乳不可の特別の理由なき限りは、母は悉く其子を天然榮養物である母乳によつて養育せねばなりませぬ。

母乳以外の榮養は成分の如何に拘らず不自然なる榮養品で、母乳に優るものは何一つもないのであります。

初生兒に初めて授乳するのは、兒が第一睡眠より覺めた時で、卽ち分娩後十二時乃至廿四時間を經た時で、余り早き授乳は胃を害して良くありませぬ。又俗間に分娩後二、三日間授乳せずに其の間「マクリ」や五香を服ます習慣がありますが之れは消化器を害しますから良くありませぬ。元來初乳には自然に下劑の作用が備はつてゐるので、之れさへ與へば特別に「マクリ」や五香を與へる要は更にないのであります。

初乳の分泌の遲い時には、番茶や白湯に薄く砂糖か「サツカリン」で甘い目にしたものを少量宛與へておけば宜しい。授乳の回數は成るべく規則正しく、健康なる新產兒は晝間は三時間、每夜間は五時間位あけて、夜間は授乳しない習慣をつけて、母も充分安眠する方が宜しい

初めは一日大體七八回位とし二ケ月後に至れば六回位とします。

乳母榮養。母乳授乳不可能の時の新產兒は之れを他の榮養品に依つて養育せねばなりませぬ。

母乳に次いで最も良いのは健康なる乳母の榮養法であります。乳母の選擇は之れを醫師に乞ふのが安全です。

人工榮養。母の授乳不可能で又乳母を雇ふこと出來ぬ時は人工榮養法によらねばなりませぬ。

牛乳、山羊乳、馬乳又は之等から製せられた粉乳等種々ありますが最も一般に用ひられるものは牛乳榮養であります。而して牛乳榮養法にては嚴重に其の授乳量、稀釋法及び消毒法に注意せねばなりませぬ。

牛乳の稀釋法は乳兒の體質に應じて決められるものでありますが、大體の方針としては次の通りです。

稀釋液は生後一、二ケ月位までは水を以てし、その後は重湯又は穀粉煎汁（一％又は二％）を以てする方が宜しい。尚ほ此の頃より一日一〇―二〇瓦の果實汁を與へるもよろしい。

又稀釋した牛乳には常に糖分の不足を補ふため砂糖分を追加する必要があります。これには通常滋養糖を牛乳一回分に大約一乃至二茶匙位入れるが宜しい。然し砂糖分は五％より濃くならぬ樣にせねばなりませぬ。

	牛乳	水	一四量	一日回數
第一日	番茶又は白湯少量（サッカリン又は砂糖にて漸甘くせるもの）			
第二日	一	三	一〇	七
第三日			二〇	七
第四日			三〇	七
第五日			四〇	七
第六日			五〇	七
第七日			六〇	七
第二週			八〇	七
第三週			九〇	六
第四週	一	二	一〇〇	六
第二ケ月	一	二	一二〇	五
第三ケ月	一	一	一四〇	五
第四ケ月			一七〇	五
第五ケ月			一八〇	五
第六ケ月	二	一	二〇〇	五
第七ケ月			二〇〇	五
第八ケ月	全乳		二〇〇	五

六、父としての義務

姙娠分娩並びに育兒は婦人の最も重大なる天職であり義務であつて、婦人が如何にこの爲に身心を勞し、やゝもすると生命をも堵する重大事であることは、父として充分の理解と同情を以て母性の保護に當らねばならぬ事で、之れ一つは父としての人道上の義務と云はねばなりませぬ。

故に平素から母性の健康維持に注意し父自ら攝生保健を守り、花柳病、酒、結核等が如何に小兒の健康に影響あるかを考へ、常に自己身心の健康增進につとめねばな

りません。

凡そ家族は共存共榮である以上母性の健康を害することが、惹いては一家の繁榮上如何に重大な損害を蒙るものであるかは申すまでもない事で、父が姙娠、分娩、育兒に關する正しい知識乏しき爲めに、母性の攝生及び育兒の完全を期する事が出來ない場合がまゝある事です。

父母揃つて合理的の一定の正しい方針がなくては姙娠時の攝生や育兒上に意見の相違を來して危險な結果をもたらす事が屢々ある事です。

故に父としても一通りの知識を平素から養ひ母性の衞生的生活法に對して成るべく便宜を計る樣につとめなければなりませぬ。

卽ち母性をして一定の時期には必ず產婆や醫師を訪問せしめ、二六時中母性の健康增進を怠つてはならぬので斯くの如く父母協力して保健衞生につとめてこそ、初めて健全なる子寶を得る事が出來、一家並びに社會の繁榮が望まれるのであります。

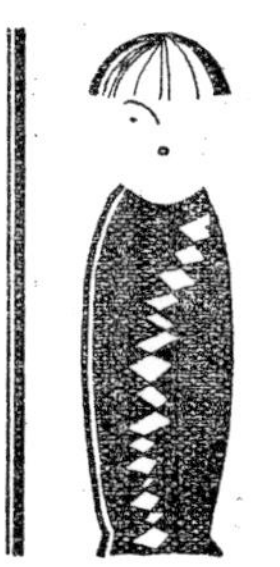

恐しい乳幼兒の肺炎

乳幼兒にとつて冬は何が一番恐ろしいかといへば肺炎です、この肺炎は普通の風邪からも來るし、また百日咳からもなるし、痲疹からもしば／＼肺炎になります、殊に乳兒にはこの危險性が一層大です

看護についての注意

東京女子醫專教授　磯田仙三郎

肺炎に對しては何が大事かといふとそれは看護です、醫者の治療の必要はいふまでもありませんが、看護がよろしきを得ると得ないとでは大變病狀に影響を及ぼして來るからです。

看護を大きく分けますと病室に對する注意と病人に對する直接看護上の注意の二つになります、病室に對する關係から申上げますと室溫と濕度の問題です、肺炎といふと部房はあつたかに蒸氣を立てゝといふことが一般にいはれてゐます、このうち蒸氣の點についてはいろ／＼の意見がありますが、實際問題としては極端に流れぬやうにすべきであると思ひます、例へば濕度についてはごみが立たぬ程度に止めて置いた方がよいのではないかといふことです、一方においてはごみの立たぬやうにいろ／＼のものを病室に多く持込まぬやうにすることも必要です、これは掃除をしやすくすることからいつても望ましい、つぎに大事なのは部房の空氣をきれいにするといふことです、あたたかくするために部房を締切り、炭火などを起すと室溫はのぼるが空氣はよごれ有毒ガスが發生するため病人の苦しみを知らぬ間に增し勝ちです、かうしたことは同じ部房に一諸に長くゐると看護人にも氣がつきませが部屋へ入つた時には直ぐ判るのでその時の氣持ちでさういふ弊に陷らぬやうにしてほしいものです、この點から考へると煖房にはスチームが一番よい、ガスは煙突のない限りよくありません、電氣は無難です、換氣については直接病人にあたらぬやう注意すべきです、つぎに直接看護に關しては精神、肉體ともに安靜がもつとも必要なのでこれをさまたげぬやうに看護をしなければなりません、例へばよく睡眠してゐる時などは時間だからといつて濕布を取りかへたりしては安靜をさまたげたりあまりよくねてゐて心配だからなどいつてゆり動かさぬやうにするのです、また大きい子供は別として乳兒では氣持が惡くてもいへぬのでこの點は看護する方が顏色を見ながらどこか看護の仕樣に惡いところがあるのではないかといつた風に考へてすべきです、たとへば濕布の仕方が强すぎはしないか、熱すぎないだらうか、湯タンポが近すぎぬか、蒲團は重すぎぬかといつた風なことまで考へて細かい注意のもとに看護することが大變必要です。

風邪の知識

醫學博士 螺良四郎

風邪は冬季における最も危險な健康破壞の尖兵だ。冬に風邪はつきものくらゐに考へて油斷をすれば思ひも掛けぬ不覺をとる。國家非常時銃後の國民がなほ一段と緊張の生活が要求せらるゝ今日、風邪で作業能力が低下したとすれば國家の蒙る有形無形の損失は蓋し莫大であらう。

冬季の氣象の特質は氣溫の低下と氣動(風)の强くなることで、必然的に體溫の放散が多くなる。體溫を調節する機關に故障を起し易い。調節の平衡が破れた狀態が風邪であつて、症狀としてまづ呼吸器(鼻腔、咽喉、氣管)の粘膜に血行および分泌異常が起る。粘膜が充血する。分泌が減少して鼻や咽喉がカラ〳〵になるか、或は昂進して水洟や痰が出る。全身の皮膚は鳥肌になりゾク〳〵と寒氣がする。次で發熱してくるといふ狀態である。體溫を支配する中樞は腦の內にあるのだが、皮膚にきてゐる神經でその部位の血管を統制し體溫を一定に保たせてゐる。運動したとき、暑い時は血管を擴張して汗を出し寒いときは收縮して體溫の放散を少くする。

風邪はこの調節作用が破れたといふ狀態であるから、療法は調節がうまくゆくやうに溫い部屋、溫かい衣服、溫かい飮食と休養に睡眠を與へて平衡をとりもどさせることにある。素人治療として發汗をさせる各種の方法も大體この理由によるもので、合理的の仕方であるが、その人の體力に應じてやらぬと思はぬ失敗をする。熱い茶葛湯或はうどんとともにアスピリンをのむのもよし、熱い果汁(レモン、橙)をのんで寢床を溫かくして汗をかくなどは無難な方法だ。あつい風呂に入つて玉子酒などといふ方は頑健な人のみがやる方法で虛弱な人には危險である。何れにしても發汗させるといふ機轉で調節作用をとり戻すといふことには變りはない。昔行はれた葛根湯なども失張り發汗させるのが目的で、現今使はれてゐる風邪藥は大低發汗を目的としてゐる。また熱氣浴などの理學療法もこれである。體溫調節の植物性が神經系や血管に作用するカルシウム、マグネシユウム、エフエドリン等の藥劑は同樣に風邪の頓挫療法に應用されてゐる。

風邪といふ狀態は體溫の調節がうまくゆかぬ生體としては重大な故障を起して居る狀態であるから、各臟器の機能を完全に行はれてゐない。卽ち全身的に調子が惡くなつてゐるから各種の病原菌に對して抵抗力が著るしく抵下する風邪が萬病の基であるといふのは古今の名言で風邪の狀態を放置しておけば次々と種々に病氣が登場してくる。中でも呼吸器系に起り易く扁桃腺炎、蓄膿症、咽喉氣管支カタル、更に進んでは氣管支肺炎、急性格魯布性肺炎を惹起する。ヂフテリー、百日咳、流行感冒、猩紅熱などは最も續發し易い疾患である。

流行感冒といはれるものは、風邪の狀態のときにある種の病菌が特に跳梁をほしいまゝにするもので、毎年多少の流行があり、年によつては症狀の强弱がある。卅年ごとぐらゐに爆發的の世界的流行を來し、かゝる際は病勢が劇烈で肺炎を起して死亡する率も非常に多く恐怖されるものである。

風邪は起りかけたらすぐ直せ。無理をするな。この二つが最も大切なヿで、二、三日もつゞけてをれば次の病氣を誘發する機會を殘すものだ。發汗療法も起りかけには有效に作用するが、一、二日たつものにはきかぬ、又發汗をくりかへすことは疲勞をまし、反つて餘病を併發する機會をさへ與へるやうなものだから、まづ發汗療法を行つて不成功に終つたら醫療に託さねばなるまい。風邪と同じ症狀で發病する結核性疾患、腸チフス等と混同する場合などには發汗療法等は危險を將來するものである。

風邪の治法より大切なことは絕對風邪をひかぬ方法である。これは消極的には寒さを防止する法、積極的には寒さを征服する體力を作る法である。寒さを防ぐためには家屋と衣服がある。家屋は冬にはあたゝめられる。暖房に火鉢、石炭、石油、ガス等のストーブが用ひられるが、何れも空氣中に有害な瓦斯を發散するものだ。電氣ストーブやスチーム、暖風裝置等の最新式のものは空氣汚染の度は些いが費用の點で一般には行はれない。かてゝ加へて部屋は密閉されて換氣が惡い。冬の室內はこの二つの條件で汚濁し易く、塵芥は飛散し空中の細菌數は甚だしく增加する。殊に多人數雜踏する屋內ではその上咳や嚏で病菌を播き散らされる。終日暖房のある室內にをれば皮膚の體溫調節の機能が鈍くなつて風邪の素地が作られて居るところに、かゝる惡條件が加はるのだから風邪と餘病が起り易いのも無理はない。これを防止する方法は一日の內些くとも一、二時間は必ず戸外で新鮮な空氣を呼吸すべきである。

ビル生活者などは短時間でもよい、屋上でラヂオ體操などを試るのは風邪よけの最良法である。冬の屋內衞生は暖房を工夫するよりむしろ換氣を工夫することが大切である。新鮮なる空氣は健康者のみの問題でなく病者殊に結核病者に大切なことで、療養所でいはゆる外氣療法として窓を開放した部屋で安臥させる方が暖房した部屋にをるより風邪をひかぬばかりか、反つて熱も下り寢汗もなくなり、咳も減じ食慾も良好となるといふことが經驗せられてゐる。肺炎だといつやら室を密閉して炭火をかん〳〵燃して居るのなどは反つて病勢を惡化させるものである。

さて皮膚の保溫さへよければ、卽ち衣服、寢具等が適當なれば、空氣は非常に冷えてゐても風邪はひかぬものなので、決して鼻や咽喉からひくものでない。風邪は皮膚からひくといはれるのは至言で皮膚の鍛錬、冷水浴や摩擦が有效なのはとの理由に基くものだ。

精神の緊張も風邪と大なる關係がある。零下何十度で奮鬪する皇軍將士に風邪が少く、暖衣飽食の徒に反つて多い。緊張してゐるときは少しは無理があつても風邪にかゝらぬが、弛緩した氣分のときはかゝり易い。殊に暴飮暴食等の不攝生をなし、胃腸を害したときは特にかゝり易い。

寒さを怖れるな、戸外の散步、ハイキング、各種のスポーツ大いに奬勵すべし、ことに子供は風の子、寒風に紅潮する林檎のやうな頰こそ健康のシンボルである。マスクや襟巻が風邪よけであると信じてゐる人々は、大いに反省する必要がある。

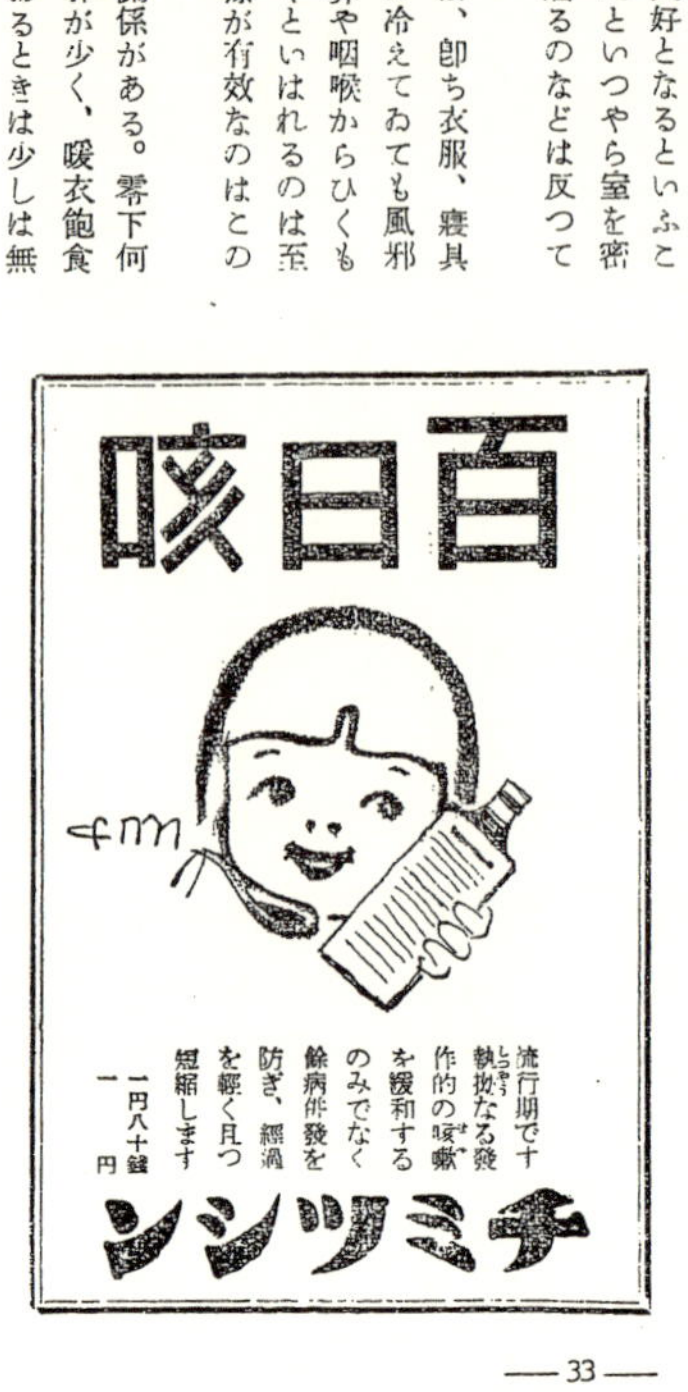

母乳榮養法

醫學博士 芳山龍

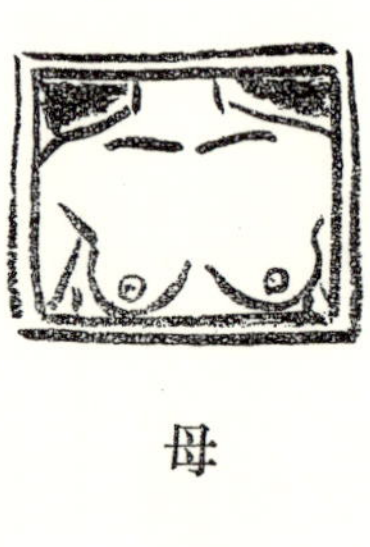

母乳《ぼにう》は溢乳《いつにう》する程《ほど》呑《の》んでも害《がい》せず、母乳《ぼにう》を呑《の》んで居《ゐ》る赤《あか》ん坊《ばう》は、傳染病《でんせんびやう》に罹《かゝ》り難《にく》いのは母乳中《ぼにうちう》に種々《しゆぐ》の消化酵《せうくわこう》素《そ》と共《とも》に、溶菌素《ようきんそ》、抗毒素《かうどくそ》、凝集素等の免疫物質《めんえきぶつしつ》が含《ふく》まるゝ爲《ため》に、消化作用《せうくわさよう》を幇助《はうじよ》すると同時《どうじ》に病原菌《びやうげんきん》に拮抗《きつかう》するからであります。

母乳の成分 分娩後數日間《ぶんべんごすうじつかん》の母乳《ぼにう》、所謂初乳《いはゆるしよにう》は蛋白質《たんはくしつ》が多《おほ》く、乳糖《にうたう》及脂肪《しばう》に乏《とぼ》しく、外觀黄色《ぐわいくわんきいろ》を帶《お》び粘稠《ねんちう》であるが、分娩後《ぶんべんご》七日《か》も經《へ》ると成分《せいぶん》が一定《てい》して來《く》るから成熟《せいじゆく》乳《にう》と云《い》ふ。

成熟乳 は全哺乳期《ぜんほにうき》を通《つう》じて大《だい》なる變動《へんどう》はないが、母《ぼ》乳《にう》の食物《しよくもつ》により、多少差異《たせうさゐ》が現《あら》はれる。例《たと》へば母體《ぼたい》が肉《にく》食《しよく》を多《おほ》くとれば、母乳中《ぼにうちう》の蛋白《たんはく》及脂肪《しばう》を增《ま》し、鹹《から》い物《もの》を食《しよく》すと食鹽《しよくえん》を、新鮮《しんせん》なる野菜《やさい》、果實《くわじつ》を食《しよく》すればビタミンB及《および》Cが增量《ぞうれう》して來《く》る。

哺乳量 乳兒《にうじ》の一日《にち》の哺乳量《ほにうれう》は、月齡《げつれい》によつて差異《さゐ》があるが大凡《おほよそ》、生後《せいご》一ケ月迄《げつまで》は體重《たいぢう》の五分《ぶん》の一、二ケ月乃《げつない》至《し》五ケ月《げつ》は六分《ぶん》の一、六ケ月《げつ》では七分《ぶん》の一體重《たいぢう》に相當《さうたう》します。

一日《にち》の哺乳量《ほにうれう》は凡《およ》そ

一ケ月末六〇〇瓦、二ケ月八〇〇瓦、五ケ月九〇〇瓦

母乳《ぼにう》が豐富《ほうふ》に出《で》る時《とき》は、赤《あか》ん坊《ばう》はゴク〳〵呑《の》んで自《みづか》ら乳房《ちぶさ》を離《はな》し眠《ねむ》る。永《なが》い間吸《あひだす》つて居《ゐ》て無理《むり》に引離《ひきはな》すと泣出《なきだ》す樣《やう》な時《とき》は母乳不足《ぼにうふそく》を思《おも》はしめる。

母乳不足 は母體《ぼたい》が再姙娠《さいにんしん》した時《とき》、又胃腸《またゐてう》を害《がい》して食《しよく》慾《よく》の減《げん》じた時《とき》に起《おこ》る事《こと》が多《おほ》く、此外心配《このほかしんぱい》、睡眠不足《すゐみんふそく》、運《うん》動不足等《どうふそくとう》にも母乳分泌《ぼにうぶんぴつ》の減少《げんせう》を來《きた》す。母乳《ぼにう》の分泌《ぶんぴつ》を促《うなが》す

には先《ま》づ母體《ぼたい》の健康増進《けんかうぞうしん》が必要《ひつよう》にて、消化機能《せうくわきのう》を丈夫《ぢやうぶ》にし食慾《しよくよく》を高《たか》める事《こと》が大切《たいせつ》である。

滋養《じやう》のある食物《しよくもつ》をとると同時《どうじ》に、新鮮《しんせん》な野菜果實《やさいくわじつ》にて便通《べんつう》を良《よ》くし、温《あたゝか》い牛乳《ぎうにう》、味噌汁《みそしる》、スープ等《とう》を多量《たれう》に飲用《いんよう》すると、母乳《ぼにう》の分泌《ぶんぴつ》が盛《さかん》になる。

若《も》し夫《そ》れでも思《おも》はしくない場合《はあひ》には、健康《けんかう》な赤《あか》ん坊《ぼう》に吸《す》つて貰《もら》ふとよい、此方《このはう》が吸引器《きふいんき》をかけるより有効《ゆうかう》である、此外《このほか》乳房《ちぶさ》を按摩し、或《あるひ》は紫外線《しがいせん》、赤外線《せきがいせん》を乳房《ちぶさ》に照《せう》射《しや》してよき事《こゝ》がある。

母乳《ぼにう》を呑《の》まして居《ゐ》る間《あひだ》は妊娠《にんしん》し難《にく》き傾向《けいかう》あるも、往々《わう〳〵》分娩後《ぶんべんご》數月《すうげつ》にて再妊娠《さいにんしん》する事《こゝ》がある、妊娠《にんしん》すると自然《しぜん》母《ぼ》乳分泌《にうぶんぴつ》が少《すく》なくなり、小供《こども》は母乳《ぼにう》の不足《ふそく》に慣《な》れて、榮養不《えいやうふ》良《れう》に陥《おちい》るから注意《ちうい》せねばなりません。

哺乳量の測定　哺乳《ほにう》の前後《ぜんご》に乳兒《にうじ》の體重《たいぢう》を計《はか》れば、其《その》差引體重《さしひきたいぢう》が哺乳量《ほにうれう》に相當《さうたう》す。

呑ませ方　出生後《しゆつせいご》一週間《しうかん》を經《へ》れば母親《はゝおや》は坐《すわ》つて呑《の》ます一方《はう》の乳房《ちぶさ》だけ吸《す》はせて、吸《す》ひ切《き》つた後《のち》に他方《たはう》乳房《ちぶさ》に代《か》へる、次回《じくわい》には逆《ぎやく》に呑《の》み殘《のこ》した方《はう》の乳房《ちぶさ》から始《はじ》める。授《じゆ》乳時《にうじ》には、乳嘴《にうし》を清拭《せいしき》せねばならぬ、唾《つばき》で乳嘴《にうし》を濕《うるほ》す事《こゝ》は禁物《きんもつ》である。

乳嘴の龜裂　の出來《でき》た場合《はあひ》には、薄《うす》いゴム製《せい》の孔《あな》のあいた乳袋《ちぶくろ》(乳盞《にうがい》)を被《おほ》ひて其上《そのうへ》より吸《す》はせるとよい。乳嘴《にうし》扁平《へんぺい》で凹《へこ》んで居《ゐ》る時《とき》は妊娠中《にんしんちう》より絶《た》えず捻《ひね》つて居《ゐ》ると段々《だん〴〵》突出《つきだ》して來《く》る。

授乳の回數

初生兒	毎二時間	八回
一ヶ月	毎三時間	七回
二ヶ月	毎三時間	六回
四ヶ月	毎四時間	五回

夜間《やかん》は授乳《じゆにう》を廢止《はいし》すべきである、我國《わがくに》では抱寢《だきね》の癖《くせ》ありて實行《じつかう》し難《がた》き様《やう》であるが、慣《な》るゝに從《したが》ひ習慣《しふくわん》となり母《はゝ》も子《こ》も安眠出來《あんみんでき》ます。

母乳の中止　母親《はゝおや》が肺結核《はいけつかく》、猩紅熱《せうこうねつ》、産褥熱《さんじよくねつ》、其他《そのた》の傳染病《でんせんべう》に罹《かゝ》つた場合《はあひ》には、赤《あか》ん坊《ぼう》を母親《はゝおや》から隔離《かくり》せねばならぬ。又《また》、母親《はゝおや》が脚氣《かつけ》、腎臟病《じんざうべう》、糖尿病《とうねうべう》、バセドウ氏《し》病《べう》、貧血《ひんけつ》、其他《そのた》の慢性榮養障害《まんせいえいやうせうがい》を病《や》む場合《はあひ》にも、中止《ちうし》若《も》しくは制限《せいげん》せねばならぬ。

又近來《またきんらい》母親《はゝおや》が職業《しよくげふ》を持《も》つために、授乳出來《じゆにうでき》ぬ場合《はあひ》もあるが、赤《あか》ん坊《ぼう》の健康《けんかう》の爲《た》めに少《すく》なくとも、生後《せいご》三ヶ月《げつ》は人《じん》乳榮養《にうえいやう》の義務《ぎむ》がある。

乳母乳　種々《しゆ〴〵》の事情《じゞやう》や、原因《げんいん》にて育《そだ》て得《え》られぬ時《とき》には

成可《なるべ》く、乳母《うば》を雇《やと》ふか、若《も》しくは貰《もら》ひ乳《ちゝ》にすべきである。

乳母　としては、生母《せいぼ》の分娩《ぶんべん》より四乃至《ないし》六週間《しうかん》先《さ》きだちて分娩《ぶんべん》した者《もの》が理想的《りさうてき》であるが、前述《ぜんじゆつ》の如《ごと》く成熟乳《せいじゆくにう》は全哺乳期《ぜんほにうき》を通《つう》じて、成分《せいぶん》が略《ほゞ》一定《てい》して居《ゐ》るから、健康《けんかう》にて分泌佳良《ぶんぴつかれう》なれば月數《げつすう》は合《あ》はずともよい。

又年長婦人《またねんてうふじん》の乳《ちゝ》は多少《たせう》蛋白質《たんはくしつ》及脂肪《しぼう》に乏《とぼ》しく、乳糖《にうとう》の傾向《けいかう》あるも、食物《しよくもつ》によりて加減《かげん》し得《う》る故差支《ゆゑさしつか》へない。

乳母《うば》を雇《やと》ふには、身體檢査《しんたいけんさ》と同時《どうじ》に乳母《うば》の子供《こども》の健康《けんかう》狀態《ぜうたい》に注意《ちうい》を要《よう》する。子供《こども》を失《うしな》つた乳母《うば》ならば、子供《こども》の死因《しいん》を確《たしか》めねばならぬ。

乳母《うば》が二人《ふたり》の赤《あか》ん坊《ぼう》を哺乳《ほにう》する場合《はあひ》には分泌《ぶんぴつ》が盛《さかん》となり、一日《にち》二乃至《ないし》三をも出《で》る様《やう》になる。

搾乳　乳母《うば》を雇《やと》ふ事《こゝ》の出來《でき》ぬ場合《はあひ》には豫《あらかじ》め調査《てうさ》し、契《けい》約《やく》せるお乳《ちゝ》のよく出《で》る婦人《ふじん》より新《あたら》しく搾取《さくしゆ》した人乳《じんにう》を乳《にう》瓶《びん》にて與《あた》へる、清潔《せいけつ》なる乳瓶《にうびん》に搾《しぼ》り取《と》りし人乳《じんにう》は其儘《そのまゝ》にて四、五時間後《じかんご》に與《あた》へても差支《さしつか》へがない。

乳兒の榮養障害に就て

大阪市立今宮乳兒院長
醫學博士　野須新一

乳兒の榮養障害　乳兒《にうじ》に「下痢《げり》」を起《おこ》す病氣《べうき》は子供《こども》の病氣《べうき》の殆《ほと》んど半《なか》ばを占《し》めてゐるくらいで大變《たいへん》に多《おほ》いのであつて、此《こ》の爲《た》めに死亡《しぼう》するものが年々《ねん〴〵》多數《たすう》に昇《のぼ》つて居《を》ります。從《したが》つて乳兒《にうじ》が下痢《げり》卽《すなは》ち消化不良症《せうくわふれうせう》を起《おこ》した場合《はあひ》には細心《さいしん》の注意《ちうい》を要《よう》します。尚《なほ》この消化不良症《せうくわふれうせう》といふものは色々《いろ〳〵》の原因《げんいん》で起《おこ》つて來《く》るものでありますが、大《おと》人《な》の胃腸疾患《ゐてうしつくわん》とは違《ちが》つて、單《たん》に消化器管《せうくわきくわん》の障碍丈《せうがいだけ》に留《とゞ》まらず進《すゝ》んで乳兒《にうじ》の身體全體《しんたいぜんたい》の榮養《えいやう》や新陳代謝《しんちんたいしや》に深刻《しんこく》な影《えい》響《けう》を與《あた》へるものであります。從《したが》つて今日《こんにち》では此《こ》の乳兒《にうじ》の食餌《しよくじ》たる乳汁《にうじふ》の消化《せうくわ》や其利用《そのりよう》（之《これ》を同化作用《どうくわさよう》と云《い》つて居《を》ります）の障害《せうがい》が原因《げんいん》となつて起《おこ》つて來《く》る病氣《べうき》は之《これ》を一括《くわつ》して榮養障碍《えいやうせうがい》と名《な》づけて居《を》ります。我々《われ〳〵》は乳兒《にうじ》が下痢《げり》をしたり、吐《は》いたり、乳《ちゝ》を溢《あふ》らしたりした時之《ときこれ》を消化不《せうくわふ》良《れう》を起《おこ》したと言《い》つて居《を》りますが、この病氣《べうき》は榮養障碍《えいやうせうがい》の中《うち》に含《ふく》まれて居《ゐ》る澤山《たくさん》の病氣《べうき》の大抵《たいてい》のものに伴《ともな》つて來《く》る一症候《せうこう》であることを知《し》らねばならぬ。現在醫學上《げんざいいがくじやう》では此《こ》の乳兒《にうじ》の榮養障害《えいやうせうがい》は次《つぎ》の様《やう》に分類《ぶんるい》されて居《ゐ》る。

乳兒榮養障害

天然榮養兒榮養障碍
一、榮養不足
二、便　秘
三、溢乳、吐乳
四、ヂスペプシー（消化不良症）｛外因性ヂスペプシー／內因性ヂスペプシー／傳染性腸炎｝
五、乳兒脚氣

人工榮養兒榮養障害
一、急性榮養障害｛急性ヂスペプシー／重症ヂスペプシー｝
二、慢性榮養障害
(1)萎縮症（ヂストロフィー）

A、單純性萎縮症
牛乳榮養による萎縮症
穀粉榮養による萎縮症
ヴイタミン缺乏による萎縮症（ヴイタミンA缺乏症、ヴイタミンB缺乏症、ヴイタミンC缺乏症、ヴイタミンD缺乏症）
榮養不足による萎縮症
B、消化不良性萎縮症
(2)消　耗　症

以上《いじやう》の內《うち》我々《われ〳〵》が最《もつと》も良《よ》く遭遇《さうぐう》し、一般《ぱん》に消化不良症《せうくわふれうせう》と稱《せう》して居《ゐ》るものに就《つい》て述《の》べて見《み》ます。大體《だいたい》消化不良症《せうくわふれうせう》といふのは乳兒《にうじ》に來《く》る下痢症《げりせう》を言《い》ひます、而《しか》して母乳《ぼにう》で育《そだ》てられてゐる天然榮養兒《てんねんえいやうじ》の下痢症《げりせう》（消化不良症《せうくわふれうせう》）と母乳《ぼにう》の代《かは》りに使用《しよう》せらるゝ色々《いろ〳〵》の榮養品《えいやうひん》（牛乳《ぎうにう》、煉乳《れんにう》、粉乳《ふんにう》、穀粉《こくふん》）にて育《そだ》てられてゐる人工榮養兒《じんこうえいやうじ》に來《く》る下痢症《げりせう》とに分《わか》たれてゐます、一般《ぱん》に母乳榮養兒《ぼにうえいやうじ》の消化不良症《せうくわふれうせう》は人工《じんこう》榮養兒《えいやうじ》の場合《はあひ》よりも輕《かる》くその上治癒《うへちゆ》し易《やす》いものである。

母乳榮養兒の消化不良症

母乳《ぼにう》で育《そだ》てられてゐる乳兒《にうじ》の健康便《けんかうべん》は卵《たまご》の黄味《きみ》の様《やう》な色《いろ》をし、一見《けん》煉膏藥《ねりこうやく》のやうに、べつとりとして糸《いと》を引《ひ》く様《やう》な粒液《りうえき》とかブツ〳〵したものを混《ま》ぜず、反應《はんおう》は酸性《さんせい》に傾《かたむ》き、甘酸《あます》つぱい臭《にほひ》がします。便《べん》の回數《かいすう》は生《うま》れてから一週間位《しうかんくらゐ》は一日《にち》二—四回位《かいくらゐ》あり、其後《そのご》は一日《にち》に一回《かい》から三回位迄《かいくらゐまで》が普通《ふつう》となつてゐます。消化不良《せうくわふれう》を起《おこ》す時《とき》は此《こ》の大便《だいべん》の色《いろ》や臭《にほひ》や回數等及《かいすうとうおよ》び硬《かた》さ等《とう》が變《かは》つて來《き》ます。母乳《ぼにう》榮養兒《えいやうじ》の消化不良症《せうくわふれうせう》は更《さら》に原因《げんいん》によつて、色々《いろ〳〵》に分《わ》けます。我國《わがくに》の乳兒《にうじ》に最《もつと》も多《おほ》いのは

飲み過ぎ或は授乳不規則から來る消化不良症

であります。これは其《そ》の原因《げんいん》が飲《の》み過《す》ぎ或《あるひ》は不規則《ふきそく》の授《じゆ》乳《にう》から起《おこ》るのです。赤《あか》ん坊《ぼう》が泣《な》けば直《す》ぐお乳《ちゝ》を飲《の》ませるといふやうな場合或《ばあひあるひ》は割合《わりあひ》に時間《じかん》は決《き》めて居《ゐ》ても毎回《まいかい》に餘《あま》り長《なが》く（三十分《ぷん》も）乳《ちゝ》を吸《す》はして居《ゐ》ると言《い》ふ様《やう》な場合《はあひ》に飲《の》み過《す》ぎになつて乳兒《にうじ》の消化力《せうくわりよく》を弱《よわ》め下痢《げり》を起《おこ》して來《き》ます。殊《こゝ》に夏季《かき》には一般《はん》に消化《せうくわ》の力《ちから》が弱《よわ》つて居《を》りますから一層《そう》この病氣《べうき》を起《おこ》し易《やす》いのです。

症狀　下痢《げり》を起《おこ》します。回數《かいすう》は一日《にち》五、六回《かい》から七、八回《かい》に及《およ》びます。そして大便《だいべん》は綠色《みどりいろ》で白《しろ》いぶつ〳〵した顆粒《くわりふ》があり、泡《あわ》が入《はい》り、粘液《ねんえき》も相當《さうたう》に混《まじ》つて來《く》る。ひどくなるとお襁褓《むつ》を換《か》へるたびに極《ご》く僅《わづ》かの便《べん》がついてゐるといふやうになります。然《しか》し臭《にほひ》は餘《あま》り變《かは》りなく少《すこ》し酸《す》

つぱい臭《にほひ》がします。尚《なほ》その外《ほか》に溢乳《いつにう》と言《い》つて母《はゝ》が乳《ちゝ》を飲《の》ました後《のち》に乳兒《にうじ》の身體《からだ》を動《うご》かす時口《ときくち》からげつぷりと乳《ちゝ》を出《だ》すことがあり、或《あるひ》はお乳《ちゝ》を飲《の》ませた後相當時間《のちさうたうじかん》が經《た》つてから、凝《かたま》つた乳《ちゝ》を吐《は》くことがあります。これ等《ら》は共《とも》に乳《ちゝ》の量《れう》が多過《おほす》ぎると言《い》ふ證據《せうこ》となるものであります、そして乳兒《にうじ》は機嫌《きげん》が惡《わる》く、むづがり、不安狀態《ふあんじやうたい》で、夜間《やかん》の睡眠《すいみん》も惡《わる》くなり、稀《まれ》には發熱《はつねつ》することもあります。

手當法　この病氣《びやうき》はよく治《なほ》るもので毎日時間《まいにちじかん》を定《き》めて規則正《きそくたゞ》しく授乳《じゆにう》することによつて下痢《げり》は止《とま》つて了《しま》ふものです。即《すなは》ち規則正《きそくたゞ》しく三時間或《じかんあるひ》は四時間《じかん》の間隔《かんかく》をおいて毎回《まいかい》十分《ぶん》から十五分迄《ふんまで》お乳房《ちゝ》につけ、一日《にち》に五―六回《かい》に決《き》めることが必要《ひつよう》です。我國《わがくに》では赤《あか》ん坊《ぼう》が泣《な》きさへすれば、空腹《くうふく》を訴《うつた》へてゐるのだらうと考《かんが》へ、或《あるひ》は泣《な》く子《こ》に乳《ちゝ》と簡單《かんたん》に考《かんが》へて直《たゞ》ちにお乳《ちゝ》を飲《の》ませる極《ご》く惡《わる》い習慣《しふくわん》がありますが、赤《あか》ん坊《ぼう》の泣《な》くのは空腹《くうふく》ばかりで泣《な》くのではありません。殊《こと》に夏季《かき》には赤《あか》ん坊《ぼう》でも矢張《やは》り喉《のど》が乾《かわ》くものでその口渇《こうかつ》を訴《うつた》へる爲《ため》には泣《な》く以外《いがい》に術《すべ》なく、それを空腹《くうふく》と思《おも》ひ誤《あやま》つて乳《ちゝ》を與《あた》へるとこの消化不良症《せうくわふれうせう》を起《おこ》すので夏《なつ》に特《とく》にこの病氣《びやうき》の多《おほ》いのも、かうした事《こと》が一原因《げんいん》となります。ですから規則正《きそくたゞ》しく授乳《じゆにう》を行《おこな》ひ、その間《あひだ》に泣《な》くやうなれば番茶《ばんちや》か、湯《ゆ》さましを少量宛與《せうりやうづゝあた》へ時間迄《じかんまで》もたせるのです。かうすれば泣《な》くのも止《や》み、しかも下痢《げり》を起《おこ》すやうなことも殆《ほとん》どなくて濟《す》みます。又《また》これと反對《はんたい》に

榮養不給と言つて乳兒の飲む乳量が尠い時にも消化不良症を起《おこ》します。そして發育《はついく》が全《まつた》く停止《ていし》するか或《あるひ》は却《かへつ》て目方《めかた》が減《へ》る様《やう》になつて來《き》ます。大便《だいべん》は一名《めい》饑餓便《きがべん》とも言《い》つて暗色《あんしよく》の粘稠《ねんちう》で而《しか》も少量《せうれう》となります。時《とき》には却《かへつ》て便《べん》の回數《かいすう》が頻數《ひんすう》で、靑色《せいしよく》を帶《お》び顆粒《くわりふ》を混《こん》じ散亂《さんらん》性《せい》と言《い》つて襁褓《むつき》のあちこちにくつゝく便《べん》が出《で》たり、或《あるひ》は水《みつ》の様《やう》であつたり粘液《ねんえき》を交《まじ》へたりすることもあります、尚《なほ》その上《うへ》に吐乳《とにう》や溢乳《いつにう》などが加《くは》はつて恰《あたか》も前《まへ》に述《の》べた榮養過多《えいやうくわた》と全《まつた》く同《おな》じ様《やう》な症狀を示《しめ》して來《き》ます、そのまゝ手當《てあて》をせずに置《お》くときはだん〳〵進行《しんかう》して羸瘦《えいさう》甚《はなはだ》しく老人様《らうじんやう》の顏貌《がんばう》となり所謂《いはゆる》萎縮症《ゐしゆくせう》となる。この原因《げんいん》はお乳《ちゝ》の出方《でかた》が少《すく》い爲《た》めに起《おこ》ります。即《すなは》ち乳腺《にうせん》の發育不良《はついくふれう》とか又《また》は乳腺《にうせん》のお乳《ちゝ》を出《だ》す力《ちから》が分泌機能《ぶんぴつきのう》が弱《よわ》いためにお乳《ちゝ》の出《で》が惡《わる》いのであります、又乳腺炎《またにうせんえん》を起《おこ》して手術《しゆじゆつ》を受《う》けたり乳嘴《にうし》に龜裂《きれつ》が出來《でき》て授乳時《じゆにうじ》に疼痛《いた》むために段々《だん〳〵》お乳《ちゝ》が出《で》なくなることもあります。又乳嘴《またにうし》が大《おほ》きすぎたり、或《あるひ》は小《ちい》さ過《す》ぎたり、又《また》は扁平《へんぺい》なもの凹入《おふにふ》してゐるものでは甘《あま》

く赤《あか》ん坊《ぼう》が乳《ちゝ》を吸《す》ひ難《にく》いのであります。又小兒《またせうに》のお乳《ちゝ》を吸《す》ふ力《ちから》が弱《よわ》いために母親《はゝおや》のお乳《ちゝ》の出《で》が惡《わる》くなることもあります。例《たと》へば前《まへ》にも述《の》べた早產兒《さうさんじ》とか生《うま》れつきの弱質《じやくしつ》兒《じ》では生活力《せいかつりよく》が弱《よわ》く哺乳《ほにう》も充分《じうぶん》に出來《でき》ません。又神經質《またしんけいしつ》な乳兒《にうじ》では努力《どりよく》してお乳《ちゝ》を吸《す》はず、お乳汁《ちゝ》の出《で》が思《おも》ふ様《やう》に潤澤《じゆんたく》でないか、又《また》は吸《す》ひつき難《にく》い乳嘴《にうし》の場合《ばあひ》には直《ち》きに吸《す》ふのを止《や》めてしまふものがあります。又兎唇狼咽《またごしんらういん》と言《い》つて、唇《くちびる》や口《くち》の中《なか》が生《うま》れつき裂《さ》けてゐる畸形兒《きけいじ》とか又《また》は口內炎《こうないえん》、鼻腔閉塞《びこうへいそく》等《とう》があつてお乳《ちゝ》を吸《す》ひ難《にく》いため榮養不給《えいやうふきふ》に陷《おちい》るものもあります。以上《いぜう》の様《やう》な場合總《ばあひすべ》て榮養《えいやう》不給《ふきふ》となり所謂榮養失調症《いはゆるえいやうしつてうせう》と言《い》つて發育《はついく》が障碍《せうがい》され、同時《どうじ》に消化不良《せうくわふれう》を起《おこ》し易《やす》いのです。又體質性《またたいしつせい》の原因《げんいん》があつて普通《ふつう》の必要量以上《ひつようれういぜう》の乳量《にうれう》でないと發育《はついく》して行《ゆ》かぬ子供《こども》もあります。

手當法　先《ま》づ其《そ》の原因《げんいん》を調《しら》べて之《これ》を治療《ちれう》するのが大切《たいせつ》であります。母乳《ぼにう》の出《で》の惡《わる》い時《とき》、分泌催進增加法《ぶんぴつさいしんぞうかはふ》を行《おこな》ひます。催乳劑《さいにうざい》としてラクタゴール、ママイン、乾燥胎盤《かんさうたいばん》末《まつ》、ラクチフエリン等《とう》があるが其効力《そのかうりよく》が確實《かくじつ》でないのが遺憾《ゐかん》である。乳房《ちぶさ》のマツサージは試《こゝろ》む可《べ》き一法《はふ》である。又乳房《またちぶさ》に人工太陽燈《じんこうたいやうとう》の照射《せうしや》を行《おこな》ふことが有効《ゆうこう》の場合《ばあひ》もある。又時々强壯《またときどきけうさう》な月齡《げつれい》の多《おほ》い乳兒《にうじ》に吸《す》はせることは、刺戟《しげき》になつて分泌《ぶんぴつ》を促進《そくしん》することになるから是非試《ぜひこゝろ》む可《べ》きである。或《あるひ》は從來《じうらい》よりも頻回《ひんかい》に例《たと》へば一日《にち》六、七、八回《かい》授乳《じゆにう》させる。これでも尚哺乳量《なほほにうれう》が少《すく》い時《とき》には「貰《もら》ひ乳《ちゝ》」をする。他《た》の健康《けんかう》な婦人《ふじん》の乳《ちゝ》を飲《の》ませるか、乳母《うば》を雇《やと》はねばならぬ。然《しか》し輕率《けいそつ》に授乳《じゆにう》を廢止《はいし》して人工榮養《じんこうえいやう》に代《か》へることは絕對《ぜつたい》に不可《いけ》ません。又同時《またどうじ》に母親の榮養《えいやう》を高《たか》め適當《てきたう》の運動《うんどう》と安靜《あんせい》とを守《まも》るのも必要《ひつよう》である。又混合榮養《またこんがふえいやう》を用《もち》ひて不足分《ふそくぶん》を補《おぎな》ふ。之《これ》を實施《じつし》するには一日《にち》二三回或《かいあるひ》は三四回《かい》、或《あるひ》は毎回母親《まいかいはゝおや》の乳《ちゝ》を呑《の》ました後《あと》で其月齡《そのげつれい》に相當《さうたう》する濃《こ》さの牛乳或《ぎうにうあるひ》は粉乳《ふんにう》、牛酪乳《ぎうらくにう》を用《もち》ふるのが最《もつと》も合理的《がふりてき》である。その與《あた》へる分量《ぶんれう》は豫《あらかじ》め母乳《ぼにう》を一定時間《ていじかん》例《たと》へば十五分間《ふんかん》に幾何《いくばく》を哺啜《ほてつ》するかを測定《そくてい》し數回《すうかい》の哺乳量測定《ほにうれうそくてい》によつて大體《だいたい》その乳兒《にうじ》が何程《なにほど》呑《の》むかを知《し》り、其《そ》の不足分《ふそくぶん》を人工榮養《じんこうえいやう》にて補《おぎな》ふのであります。不用意《ふようい》に一二回母乳《かいぼにう》を廢《や》めて人工榮養《じんこうえいやう》に代《か》へるとます〳〵母乳《ぼにう》の出《で》が惡《わる》くなつて結局《けつきよく》は授乳《じゆにう》を止《や》めて、全部牛乳《ぜんぶぎうにう》を飲《の》ませなければならぬ樣《やう》なことになることもありますから注意《ちうい》せねばなりません。

「太祇句選」の春の句

兒童に關する俳句評釋（一八）

岡本松濱

今回は天明期に於て蕪村とならび稱せられ、或は蕪村以上の名作者と謳はれた太祇の句中から拾ひあつめて見た。太祇の句を集めたものに「太祇句選」と「太祇句選後編」と、「石の月」の三篇がある。いづれも歿後に於て、其の門人の選輯したものである。こゝには順序として「太祇句選」から取材した。

子を抱いて御階を上る御修法かな　　太祇

「御修法」は「みしほ」又は「みずほふ」などゝ呼ばれてゐた。古昔正月、大內裏の眞言院にて、佛事が行はれた、それが即ち御修法であるが、平安朝以來久しくうち絕えて行はれないやうである。この句は其の御修法の行はれた場合を想像し、何人かゞ子を抱いて宮殿の御階を上つたと云ふのであるが、何分委しい事が判然しないから、この句の子を抱いてゐる人も、如何なる人であらうかも想像しがたい。

春駒や男顏なるおゝなの子　　太祇

「春駒」は「春駒舞」又は「春駒萬歲」など唱へて、馬の頭をつくりたるものを頂きて、三味線、太鼓の囃子につれて歌ひ舞ひ、新年を祝して戸毎に物を乞ひ廻つたものである。之も德川時代のもので、明治になつて次第になくなつてしまつた。この句は其の春駒になつて躍つてゐる子供の顏は、いかにもりゝしい男の子らしく見えるが、じつと見ると矢張り女の子であつたと云ふの意である。春駒はみな女の子が扮したものである。「おゝなの

子」は「女の子」の雅言。

春駒やよい子育てし小屋の者　　太祇

春駒になつて舞ひ踊つてゐる女の子が、物乞の子には惜しいやうな美くしい子であることを譽めそやした句である。「小屋の者」と云ふのは即ち物乞ひの身分を賤しんで呼び習はした言葉であり、むかしは士農工商の四民の階級の外に「非人」と稱するものがあつて、人並に扱はれなかつた。その非人が「小屋の者」である。何處かの場末に小屋掛けをして住んでゐたから、自然その樣な名も生れた譯である。

はねつくや世ごゝろしらぬ大またげ　　太祇

羽子をついて遊んでゐる子が、女でありながら女らしくもなく蓮葉に振舞つて、一寸物をまたぐにも、一向掛け構ひもなく大またに跨いだと云ふのである。「世こゝろしらぬ」と云ふ言葉は率直に云へば「まだいろ氣がない」と云ふことであり、それだけ、この女の子の無邪氣さが溢れてゐるのであらう。

紅梅のちるやわらべの紙つゝみ　　太祇

わらべが何か紙包を緣側で廣げつゝあつたのであらう。そのほとりに紅梅がちらり〳〵と三四輪散りかゝつて來たのである。いかにも長閑な、暖かな氣分に充ちた句である。

里の子や髮に結ひなす春の草　　太祇

村里の女の子達が、めい〳〵道端や田の畔に生えた草を摘み取つて、それを髮の毛になぞらへて、いろんな形に結ひ上げて樂しんでゐるのである。草の中には「かづら草」と云つて、竹の櫛で梳いてゐれば、髱《かもじ》のやうに柔らかになる草がある。そこで一名「かもじ草」とも名づけてゐる。

聲眞似る小者おかしや猫の戀　　太祇

小者は召使ひの少年である。その少年が、折から妻を求めて盛んに鳴いてゐる猫の聲を、いかにも巧みに眞似をして、家內中を笑はしたと云ふ、春の夜の一場のユーモアである。

やぶ入や琴かき鳴らす親の前　　太祇

やぶ入は一月十六日と、七月十六日、即ち正月と盆

と二回にきつちり行はれた奉公人の年二回の公休日である。半歳ぶりに親の家へ歸つた娘の子が、親のために以前習ひ覺えた琴を鳴らして、親の心を慰めてゐると云ふ孝子の情を謳つた句。

親に逢ひに行く出代や老の坂　　太祇

出代と云ふのは、之もむかしは奉公人の勤めの期間を半年と定め、春と秋とに入れ替を行つたものである。半年で入れ替るものもあれば、三年、五年と出代りに關係なく同じ家に勤續する者もある。この句は其の出代りに暇をとつた奉公人が、親の安否を氣遣つてはる〴〵國へ歸る場合を想像して詠じた句であり、老の坂と云ふのは京都から丹波への山越の道中の地名であるから、この子は丹波の親の家へ、兎も角も顏を見せたり、見たりするために歸つて行くのである。

うぐひすや聟に來にける子の一間　　太祇

むかしは許嫁と云つて、親と親との約束で、生れたばかりで直ぐに將來の配偶者が定められたり、或は十歳に滿たぬ少年、少女であつて、將來其の家の娘の聟となり或は息子の嫁となるものとして貰はれて行く場合が尠くはなかつた。この句の場合も、まだ十歳前後であらうかと思はれる少年が、早くも其の家の聟として貰はれて行つたのであるが、貰つた家では聟とは云ふものゝまだ充分に世間を知らぬ子供の心を慰めやうとして、相當心を勞してゐる事が、其の少年の部屋に當てられた一室に、鶯などを飼うてゐる一事を以ても推すことが出來るであらう。この一句は左樣な複雜な人事的の場面が、少しも勞せずして描き出されてゐる。太祇の句作に巧妙な點は主として斯う云ふところにある。

つみ草や背に負ふ子も手まさぐり　　太祇

若い母親や、其の妹などがうち連れて春の野に出て草を摘みつゝ遊んでゐる。背の子も共に地上に下りて草を摘みたがるのであるが、危險をおそれて母親がなか〳〵下ろさない。背の子は頻りにあせりながら、背に負はれたまゝ、自分も共に草を摘んでゐる心持で、ひとりで手先を動かしつゝある光景を、面白くうち眺めた句である。

摘草やよそにも見ゆる母娘　　太祇

母と子が唯二人長閑に樂しく草をつんでゐる。あたりを見渡すと、一見して母と娘であると思はれる二人づれ

三人づれの女達が、そこにも、かしこにも矢張り長閑に樂しく草を摘んでゐる。其の睦まじい平和な情景を眺めて、さう云ふ母子づれの人々がなつかしく思はれると共に、自分達も又その仲間の内であることを、又嬉しく思ふであらう。

あるじする乳母よ御針よ庭の花　　太祇

愛兒のために乳母を置き、縫ひもの專門のためにお針の女を抱えるほどだから、其の他下女、下男を多勢召し使つてゐる相當の大家であることは云ふまでもない。されば家の構へ、庭園の有樣も、相當廣々してもゐるし、設備も整つてゐるに違ひない。折から彌生半ば、庭の櫻も滿開で、日々客の絶え間もない中を、今日一日は乳母とお針とがあるじとなつて、家族一同を接待して、おもしろく春の一日を遊び暮らしてゐる有樣を叙したのがこの句である。子供は少しも表面に現はれてゐないが、乳母がある以上、幼ない子供のあることがはつきり分つてゐるし、或は其のけふだいも二人三人はあるかも知れない。それよりも乳母とお針の女とが主人側に立ち、家族一同睦まじく花見に興じてゐることが、この句の眼目である。

皃つれて花見にまかり帽子かな　　太祇

之は前號に掲げた句。

やぶ入の寐るやひとりの親の側　　太祇

やぶ入の子が、其の夜は久しぶりに我家の寐床に入つて、なつかしい親の側に寐たと云ふ、其のやさしい情緒を詠じた句であるが、この句は「ひとりの親」とあつて既に兩親の内一人の親はこの世を去り、今は片親となつてゐるだけに、久しぶりに互に顏を見合つた親子の情味が、一層こまやかである事は言ふまでもない。太祇の覗ひどころも卽ちそこにある。彼の凡手でない所以である。

百歳賀

口馴れし百や孫子の手毬うた　　太祇

或る人の百歳の賀の句である。手毬をついて、唄をうたつてゐる孫子の口にも、百と云ふことは云ひ馴れてゐる。その百の年を迎へた人の喜びはさぞかしであらう。

御供してあるかせ申す汐干哉　　太祇

汐干は舊曆三月三日の節句が大潮になると云ふので、むかしは特にこの日こぞつて汐干に出かけたものである。この句はさる家の若殿とか、或は商家ならば餘程大家の大事の子供をつれて、汐干に出かけたのであるが、舟中の誰も彼もが、その幼ない主人の機嫌を損じまいとさま〴〵に心を勞してゐたが、いよ〳〵汐干の場所へ來たので、干潟に幼い主人を下り立たせて、或は手を引く者あり、或はうしろから介添する者があり、さま〴〵に機嫌をとりつゝ泥の上をあるかせてゐる光景である。

以上十七句、春の部終り。

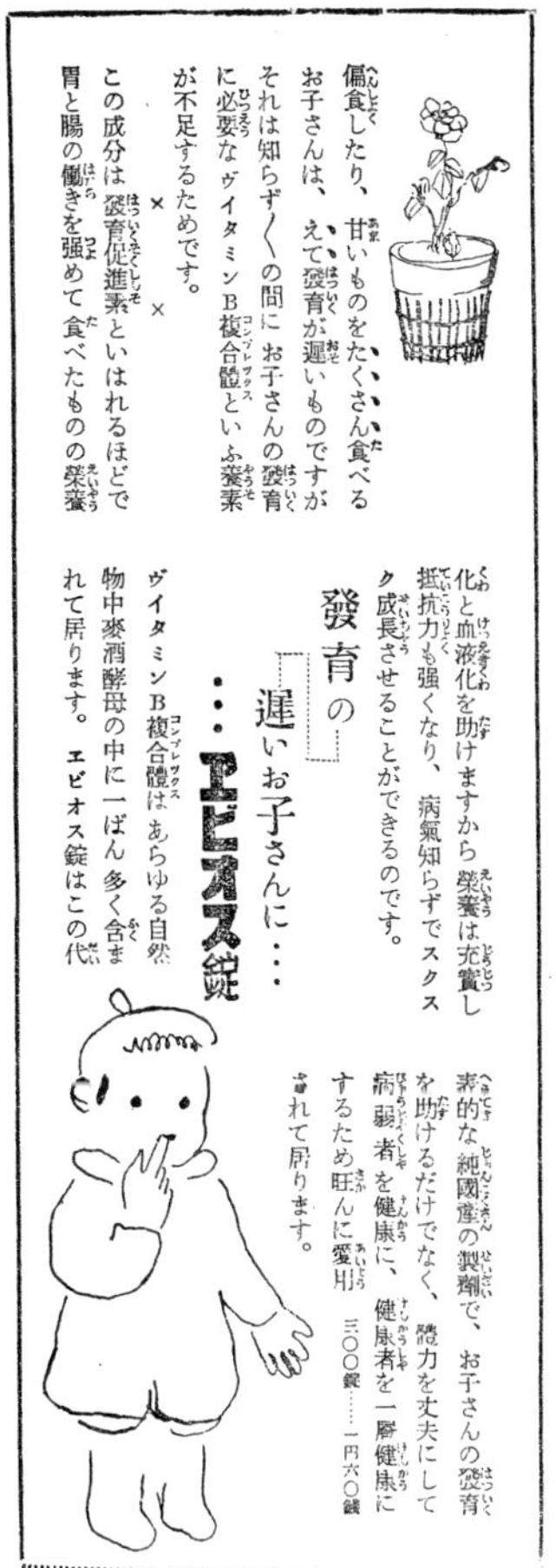

萬葉集なる防人の歌

佐佐木信綱

防人とは「さきもり」又は「さきむり」とよばれ、上古、筑紫の邊要を警備する爲めに、壹岐對馬等に遣され其の要地に屯集して三年間衞戍の任に就きをりし兵士達のことである。

今その防人に就て、少しく詳細にわたつて語りたい。まづ、「さきもり」又は、「さきむり」の語原いかにといふに、こは一般に崎守もしくは堺守の義と言はれてをる。しかして又、「せきもり」とも稱せられたのは、關守の義によるといふ。以上の孰れかが當つてゐよう。但、城《しき》守とする說はいかがと思はれる。この「さきもり」に防人の文字を當てたのは、唐六典に、邊要置ニ防人一爲ニ鎭守一とあるなどによつたもので、その字面は、書紀、續紀、萬葉に數おほく見え、また大寶令の軍防の條に、兵士守レ邊名ニ防人一と記されてをる。古く、夷守、島守と見えるのも、「さきもり」のことである。

以上で、語義の穿鑿はとどめ、一體防人とは、いつ頃から、何の目的で、又いかなる方法を以て徵發されたかといふことを述べる。

我が國は謂はゆる海國、卽ち四方環海の國土であるから、古くより邊海に對する注意は常に怠つてをらなかつた。之を文献に徵し得る所に於いても、既に應神天皇の三年には、「海神守」を置き、同五年には、「海人部」を置いたことが書紀に見えてをる。また景行紀に、夷守《ひなもり》とあるのも、魏志の倭國對島の條に、副曰ニ卑奴母離《ひぬもり》一と見えるのも同一で、共に後世の防人と同一職能を有したものであらう。降つて欽明天皇の十七年正月には、百濟王子の歸國に際して、舟師をして直接に警衞に當らしめると共に、津路の要害の地を兵をして守らしめたことが書紀に見える。

以上は、防人なるものが定め置かれた大化二年より以前に屬する記錄である。これ等を通じて考へ得られることは、それらの時代に於いては、時に臨み要需に應じて

暫且的に編成出動したもので、未だ常置の軍隊組織を必要としなかつたことである。

併し、時の進み星の移るに伴ひ、大陸との交通量は著しく増加して來た。しかして、それら萬里の波濤を凌いで來るもの、必ずしも我が國を益せんとのみするものでなく、交易や外交の陰には、常に我が國内事情、邊海出入の狀をつまびらかにし、以て後日の爲めにせんとする者のあつた事は、「新羅商人、來窺不レ絕、非レ置ニ防人一、何備ニ非常一」（續紀、承和二年三月、太宰府言。）とあるに依つても察し得られるし、又それは見易いことわりでもある。

かくて大化二年には防人が置かれ、持統天皇の二年には、旣にその交代年限の制が定められてあつたことが知られる。しかして大寳以後は、防人が兵制機構内に位置を占め、防人司の總括下に屬したことは、令の所記に明かである。

さてその防人は、當初に於いては諸國から之を徵召することになつてゐたのであるが、天平二年九月に諸國の防人を停止して東國の防人のみとした。その理由は、東國の防人が强剛であつたからである。所謂「額《ぬか》には箭《や》は立つとも、背《そびら》には矢は立てじと言ひて君を一つ心を以《も》て護る」東國男子が、防人として、最適であつたことは、後年東國防人を廢して筑前等六國の兵士を防人としたが「人非ニ勇健一防守難レ済、望請、東國防人、依レ舊配レ戍」（續紀、天平神護二年、太宰府言。）と東國防人を再び差遣せんことを奏請してをる事によつても明かである。

併し、いかに適任であるとは言へ、鷄《とり》が鳴く東《あづま》の國を出でて、はろ〴〵と鄙の長路《ち》を行き、海路をわたり、しらぬひの筑紫の果までの行路は、交通の至便な今日でもかなりの旅行である。まして旅することに、吾々の想像以上に困難の伴うた當時に於いては、難波津に「艤《よそ》ひよそひて」船出をするにつけても、

筑紫《つくし》邊《べ》に舳向《へむ》かる船の何時しかも

仕へ奉《まつ》りて本郷《くに》に舳《へ》向かも（四三五九）

といふ感慨は、壯途につく防人達の誰しもが、切實に抱いた哀情に相違ない。

いま萬葉集の防人の歌について見るに、その旅のいかに困難なものであつたかは、その歌によつて十分察することが出來る。

闇の夜の行く先知らず行く吾を

何時來まさむと問ひし兒らはも（四四三六）

「闇の夜」といふ象徵的な枕詞にも、さうした氣持があはれ深くこもつてをる。

防人の事を記した文献は、後宇多天皇の弘安十年七月十三日記事まで降り得る。因つてその頃までこの名稱の存して居た事が知れるが、東國防人は、平安京の充實整

備と共に永久に跡を絕つたものと考へられる。

次にその徵發の方法に就いて述べる。

諸國の軍團には、必ず兵士以上の歷名簿が作成してあつて、校尉以下各種の兵士の年齢等級その他が詳記してある。それ故、防人の交代期には、國守が此の歷名簿に就いて順番に當つてをる兵士を指名し、一定の情狀の存せぬ限り、その兵士を交代の爲めに差遣するのである。併し豫告なく徵召せられもし、直ちに出發を命ぜられもしたので、

水鳥の發《た》ちの急ぎに父母に

物言はず來にて今ぞ悔しき（四三三七）

潮船《しほぶね》の舳《へ》越そ白波俄《には》しくも

科《おほ》せ給ほか思はへなくに（四三八九）

といふ歌もある。

以上で、防人の起原と沿革の槪要を述べた。しかしこれら東國の防人が、本質的には現下の出征軍人と違つたものであることは言ふまでもない。併しその精神に於いて、頗る近似した所のかず〳〵を發見する。因つて、時局に因み、玆に防人のことを述べ、次に防人の本色を發揮した防人の歌を萬葉集卷から拔き出だそうとするのである。

防人は上に述べたやうに、勇敢樸直な東國の田夫野人である。從つて、その詠歌には、すべて力强い純眞素朴の韵がこもつてをる。誓忠の言擧に於いても、哀別の情の表出に於いても。

今日よりは顧みなくて大君の

しこのみ楯と出でたつ我は（四三七三）

純忠の情に溢れいでた、寔に千古に傳ふべき國民歌である。かの大伴家持の「海ゆかば」の言出、が降つては實朝の「山はさけ」の歌と共に、我が國民の誇とすべき絕唱である。殊に作者が、火長といふ檢非違使の部下の徵役についてをつた防人であることがこの歌に益々光を添へる。

愈々出發するとなると、慈愛深き父母とも、最愛の妻子とも、相思の戀人とも別れねばならない。

父母が頭《かしら》かき撫で幸く在《あ》れて

いひし言葉ぞ忘れかねつる（四三四六）

すなほによくとほつた歌である。それだけに人の心を打つものが强い。「無事に御奉公してこい」と言つて愛撫する老父母を作者の眼を借りて見る心地がする。

道の邊の茨《うまら》の末《うれ》に這ほ豆の

からまる君を別《はか》れか行かむ（四三五一）

上三句は「からまる」と言はん爲の序である。茨とか豆とかいふ田夫の身邊のものに取材したところが面白い。

芦垣の隈どに立ちて我妹子が

袖もほほに泣きしそもはゆ（四三五七）

まことに、讀む者に、芦垣の隅の物かげに、人目をさけつつ袖もしほ〴〵と泣いて別を惜んだ妻に同情せしめる。哀別の情感のこまやかな歌である。

多くの防人の中には、母親を持たぬ我が子を、他人に預けて出るのもあつて、

から衣裾にとりつき泣く子らを

置きてぞ來ぬや母《おも》なしにして（四四〇一）

と詠んでをる。哀切な歌である。

その本國を出發するより、難波津に到著するまでは、國司が之を部領する。之を部領使《ことりつかひ》といふ。

まことに辛い別ではあつた。

ふと、家居のあたりを顧望して見た。

松の木の竝みたる見れば家人《いはびと》の

吾《われ》を見送ると立たりし如

譬喩は一見奇拔であるが、自然な心情がよくあらはれてをる。

また或る者は

わが妻も繪にかきとらむ暇《いつま》もが

旅ゆく我《あれ》は見つつしぬばむ（四三二七）

と、妻の繪姿を身につけて行きたいと、無邪氣な口吻を洩らしてをる。

しかし、防人は東男子《あづまをのこ》である。何時までも女々しく戀々とばかりはしてをらぬ。家鄕もや丶離れると、やがてますらを心を取戻して、尊い使命に從ふことを沁み〴〵自覺するのである。さうしてその誰もが、「今日よりは顧みなくて」大君への忠誠を心から誓ふのである。

大君の命《みこと》かしこみ青雲《あをぐも》の

棚引《とのび》く山を越よて來《き》ぬかも（四三九四）

一讀爽然たる快調である。さうして、「足柄の 御坂廻《たまは》り 顧みず 吾《あれ》は越《く》え行く 荒し男も 立《た》しや憚る 不破の關 越えて吾《わ》は行く 馬《むま》の爪 筑紫の埼」へと高唱しながら心を勵まして行くのであつた。

幾度かの草枕に丸寢《まるね》をして、やう〳〵難波津に辿り著くと今までの徒行が舟行にかはるのである。そこで舟の用意をする。その盛んな有樣は、

八十《やそ》國は難波につどひ船《ふな》かざり

吾がせむ日ろを見も人もがも（四三二九）

妻や子供に見せてやつたらばと言ふのである。

艤裝も了り、うち揃うて乘り込んだが、前程のはてしなく、又すさまじい波濤を望んでは、舟に移つた防人のますらを心にも、微かなたゆたひを感ぜぬわけには行かなかつた。

行こ先に波を音揺らひ後方《しるべ》には

子をら妻をら置きてらも來ぬ（四三八五）

この難波津までの路用は各自の負擔で、これから太宰府に至る海上には公科が給付された。又これまで引率して來た部領使は、ここで防人達を兵部省の專使に引渡す。しかして徵發から太宰府に達するまでの防人は兵部省に屬してをるのである。當時兵部少輔の職にあり、難波に出張してをつた大伴家持は、防人達に其の詠んだ歌をさし出すやうにいひつけると共に、自らも防人の情を歌うたりして、之等を手錄しておいた。これが、今日我々が萬葉集中に異彩を放つてをるこれ等一群の歌に接するの幸を得る機緣となつたのである。

かく船出をして、幾その磯曲を送り迎へると、さすがに故鄕を遠く離れゆく感が深い。

大君のみことかしこみ磯にふり

海原《うのはら》わたる父母をおきて（四三二八）

百隅《もしくま》の道は來にしを又更に

八十《やそ》島過ぎて別れか行かむ（四三四九）

はる〴〵幾山河を越え來つた防人達が、更に果て知らぬ航路につく際の哀切な感情である。

かくして單調な、わびしい船旅はつづく、

家風は日に日に吹けどわぎも子が

家言《いへごと》もちてくる人もなし（四三五三）

家鄕の方からの風は何幾も吹き過ぎたが、未だ「愛《は》し妻」の言傳はかつてもたらして來る人もないと言ふのである。幼い口つきに純朴な感情があふれてをる。

以上防人の事及び防人の歌の一般を紹介したのであるが、それは集中にある防人歌の全量の十分の一にも滿たぬものであるが、これだけによつても、防人歌の特質たる東國人の純眞素朴な心棉に觸れることが出來ると思ふ。

防人の歌をのべるに紙幅をとり、その銃後の位置にとり殘される人達の詠をここに說き得ぬのは遺憾である。それ等の人々の作にも亦、防人に劣らぬ珠玉の什が多く殊に、けなげにも夫を壯途に送る妻の心情には、漢土の閨怨詩とは別個の趣があり、日本婦人の純粹な素直な又こまやかな心情を遺憾なく發揮し、千歳の下愛誦すべき佳作を貽してをる。今その一二を揭げてこの小稿のとぢめとする。

くさまくら旅の丸寢の紐絕えば

吾が手と附けろこれの針《はる》持し（四四二〇）

赤駒を山野に放《はか》し捕り不得《かに》て

多摩の橫山歩《かし》ゆか遣《や》らむ（四四一七）

防人にゆくは誰が夫《せ》と問ふ人を

見るが羨《とも》しさ物思《も》ひもせず（四四二五）

名作曲家の列傳（一二）

ジュセッペ・ヴェルデイ

Jiuseppe Verdi

秋保孝藏

伊太利アペニンネス山脈の麓にレ・ロンコウレといふ小さい町がある。近代大作曲家の一人なるジュセッペ・ヴェルデイは、一八一三年十月九日、この町の貧乏な雜貨商の家に生れた。

當時の歐洲は戰亂つづきで不穩の狀態にあつたが、ヴェルデイが生れてまだ一年も經たない頃、露國及び墺國の軍隊の一部が伊太利へやつて來て、二三時間ロンコウレの町に留まつたことがある。町民の或者どもは彼等の暴行を免れようと教會堂に逃込んで堅く入口の戸を閉鎖したのである。然るに酒氣を含んで暴れ狂うてゐる兵士等はその戸をこぢ明け、會堂內に亂入し、無辜の良民を或は傷け、或は殺した。幼兒ジュセッペを抱いて狼狽してゐた母はこの時鐘樓にかけ登り、身を雜具の中に隱して漸く彼等の毒手を免れた。

美しい優れた音樂を生んだヴェルデイは、少年時代から至つて靜かで、思慮深いたちであつた。そして善良で從順で、內氣で、他の子供等と荒々しい遊戲などは好まなかつた。時々手風琴を奏しながら街上を往くものがあると、その時だけはそれを聽きたさに飛立つて何處までも隨いて行つた。聽いてゐる間は何物も彼を妨げ得なかつた。

七歲に達した時、父は或る旅館の主人から金を借りてこの貧乏な家には不似合だが小琴をその子のために購入した。彼は一生懸命これを練習した。

音樂に對する熱心は事に觸れ、時に應じて表はれた。或日彼はロンコウレの小さい教會堂で彌撒祭の折、彼は祭司の手傳ひをしてゐた。聖餐式の始まつた頃、堂の一隅からオルガンの美しい莊嚴な奏樂が鳴響いて來た。音

樂好きの彼は身動きもせず全く失神の狀態で聽入つてしまつた。「水」をと祭司は、聖壇の給仕をしてゐたジュセッペに命じた。彼は一向これに氣がつかない。祭司は再び命じた。それでも動かなかつた。「水を」と三度叫んだが、彼は尙ほ動かないので祭司は立腹の餘聽惚れて立つてゐるジュセッペを蹴倒した。

その後ジュセッペは教會のオルガニストなるバイストロッキの指導の下に音樂の研究を許された。間もなくバイストロッキはこの少年にはもう教へることが出來ないといつて練習を打切つた位、彼は著しい上達を示した。

二年後バイストロッキは死んだ。ヴェルデイはまだ十歲にも達しない少年であつたが、その後任者になるやうにと選ばれた。兩親は非常に喜んだが、もつと教育を施さねばならぬことに氣付き、讀書、作文、算術を習はすために彼を學校へ送ることにした。これも貧乏で學資が續かず、ブッセトといふ町にゐる父の友人の厚意によつたのである。日曜日毎に彼はロンコウレの町へ歸つて朝夕の禮拜式にオルガンを彈き、その夜急いでブッセトに行くのであつた。

當時音樂家の習慣として農家の收穫時に街から街へと流浪して家々から幾分の祝儀を貰つて步くやうなことがあつた。或夜彼はそれをやりながらロンコウレの町の方を步いてゐた。疲勞と空腹のために足を踏みはづして深い淵に墜落した。暗い、冷い谷底で四肢は利かなくなりただ救ひを叫ぶのみであつた。恰度その時一人の婦人が通懸つて、彼の叫びを聞かなかつたら、彼は下流に押流されてしまふところであつた。

二年間勉强した後で父は世話してくれた友人のアントニオ・バレッツエと云ふ男に、自分の息子を倉庫の方へなりと使つてくれないかと賴んだ。かうしてその家へ住込むやうになつたのはジュセッペに取つて非常な幸運であつた。主人は熱心な音樂好きで、その地の音樂協會の會長であつた。時々自分の家で音樂會を開いた。ジュセッペは自分の勞働の餘暇この協會の會合に臨んで奏樂や演奏を聽いたり、樂譜を熱心に手寫したりした。この協會の指揮者なるプロヴエジが先づこの青年の熱心と才能とを認めて專心音樂をやつたらどうだと勸めてくれた。又その頃寺院の一僧長から羅甸語を教へてやるから將來祭司にならないかと勸められた。僧長が言ふのには『音樂家になぞなつてどうする積りか。それよりか僧侶になれ、音樂をやつたところで、寺院のオルガニストになる位が關の山だらう、つまらないではないか。』

その後間もなく寺院で彌撒祭が催された。寺院のオルガニストが缺席したので、急にヴェルデイが臨時に代理を勸めることになつた。彼の優れた奏樂は祭司長初め一同に非常な感動を與へた。祭司長は式が濟んでから、そ

の奏樂家に會つて見ると、驚いたことには自分が曩に音樂をやめて僧侶になれと勸めた青年である。

『君は誰の音樂を奏したのか。實に立派な曲だつたね』

『私は別に音譜は持合はしてゐません。自分で感じたまゝを彈きました』

と羞みながら答へた。

『さうか、わしは愚かであつた。君は音樂をやるに限る。わしは前言を取消すことにしよう。』

と僧長はいつた。

彼は十六歲になるまでプロヴエジの下で勉强して著しい進步を遂げた。その後彼はプロヴエジも主人なるバレッツエに慫慂されてミランに行くことになつたが、時々歸つて來ては音樂協會を助けた。この協會にはヴェルデイが十六歲の折作曲し、手寫し、教授し、演習し、指揮したと云ふ記錄が今尙ほ殘つてゐる。

其頃ブッセトの町に優れた青年で貧乏のため修學し得ないものに奬學金を與ふる制度があつた。ヴェルデイはバレッツエの紹介で奬學金六百フランクを二年間受くる約束でミランの學校に入ることになつた。

彼はこの學校の教授バシリの紹介でラビニヤと云ふ人から作曲と管絃樂の個人教授を受けることになつた。ラビニヤはネープルス音樂學校の出身で立派な作曲家であつた。彼はヴェルデイが曩にバシリに提出した作曲を檢閱した上喜んでその弟子とすることを承諾した。ヴェルデイは殆んど毎晩師の家で研究を續けた。

一八三三年、最初の師プロヴエジが死んだのでヴェルデイはブッセトに歸り、その師の後を繼いで寺院のオルガニストになると同時に音樂協會の指揮者となつた。僅か二十歲の青年には大役であつた。

一八三六年ヴェルデイは前の主人であるバレッツエの美しい娘と相思の仲となつて結婚した。

一八三三年からその翌年にかけてミランの音樂協會は澤山の歌手が揃つて全盛を極めてゐた。或時ヴェルデイは招かれてハイドンの創造の演習を見に行つたことがある。處が指揮者が來なかつたので、主催者は困り拔いてヴェルデイにその代理を勸めてくれと賴んだ。彼は躊躇するところなく臨時飛入りの格で承諾した。初めのうちはこの男何が出來るものかと見られてゐたが、左手でピアノの作奏を彈き右手で管絃樂を指揮する、かうして演習は頗る都合よく運んだのである。多くの好樂家は彼の技倆に感じて挨拶にやつて來たが、中にポンペオ・ベルジョヨウゾ、レマト・ボツロメース兩伯爵もあつた。優れた技倆を認められた彼は愈々上演公開の際の指揮者として起つた。この演奏會の聽衆は上流社會の人々を網羅してゐた、その人々の切な要求で繰返し上演せねばならなかつた程の成功を見た。

その後間もなくボツロメイス伯から自分の家の結婚式の爲に合唱と管絃樂の歌謠曲を作つてくれと賴まれた。彼はその依賴を果したが一錢の報酬も貰はなかつた。次の注文はフイロドラマチコ座の指揮者マジニからのものであつて、この劇場で上演すべき歌劇を作ることであつた。脚本を得て、ブッセトの寺院でオルガニストを務めながら三年ばかりの間にその曲を完成した。これがイタリヤといふ歌劇である。彼はこれを携へてミランを訪うて見ると、マジニはその時辭職してそこに居らない。それで望んでゐたこの作の上演は沙汰止となつた。然し暫くしてから勸進元の慫慂で上演する機を得、數回繰返した程の成功を贏ち得たのである。この成功に味を占めた勸進元のメレッリは少からぬ報酬を約して三つの歌劇の作曲を依賴して來た。ロッシが“Proscritto”と題する脚本を書き、ヴェルデイはその作曲を正に始めようとした時であつた。一八四〇年メレッリは急遽ヴインナから歸つて來て前約を破毀し、他の至つて拙劣な三つの喜劇脚本を彼に示してこの秋上演するのだから直ちにどれかに作曲を願ひたいといふ。彼は不承々々これを諾し、その仕事に取りかゝつた。

ヴェルデイは妻と二人の子供と共に借家住居をしてゐたが、喜劇の作曲を始めかけた時病氣に罹つて數日間臥床休養せねばならなかつた。彼は何時も既定の日までに、家賃を備へて置く几帳面な人であるが、この時だけはそれを忘れた。急に金策も出來ない。妻は氣轉を利かして自分の持つてゐる裝飾品を携へ、外出して金策をして來た。この妻の行爲に對してヴェルデイは深く感じたといふことである。

茲に彼の家庭に起つた人生に於ける最大の不幸事について語らねばならぬ、四月の初旬愛兒の一人が急に病魔の襲ふところとなり、醫師の診斷のきまらぬうちに慈母の腕に抱かれたまゝ死んだ。數日後他の愛兒も罹病永眠した。六月には良妻賢母であつた最愛の妻も他界した。僅々三箇月の間に彼の家から三個の遺骸を送り出したのである。この悲嘆遣る瀨ない間にも彼は約束の喜劇を完成せねばならない。悲劇の作曲ならまだしも、喜劇の作曲は彼に取つて堪へられない難事であつた。彼はこの仕事を苦しいながらもなし遂げたとは云へ、Un Giorno di Regno は果して失敗であつた。失望と失敗に苦しんだが彼は作曲はもうやめようと決心した。然しメレッリは極力この決心に反對し、何とかしてそれを飜へさせようと骨折つた。

彼はこの悲しい記憶に滿ちた家には居たたまらないので、間もなく他に移轉した。或夕彼は途でメレッリに出會した。メレッリは躊躇なく彼を引止めてソレラの偉大な、立派な、驚くべき脚本に作曲せぬかと勸めた。然し

彼はメレツリが曩にProserittoの約を果さなかつたことを思出したので、これを引受けることを好まなかつた。それでもメレツリは例の脚本をヴエルデイのポケツトに無理に押込んで、家に歸つたらとにかく讀んで見てくれと賴んだ。

彼は家に歸ると直ぐその脚本をポケツトから摑み出して机の上に叩きつけた。めくれた頁に偶然にも彼の眼を惹いた一詩句があつた。これは聖書から引用したものである。彼は思はず之を讀んで傷める、淋しい心に非常な光明と慰安とを受けたのである。次から次へと段々讀みゆくうちに愈々引付けられた。然るにまだ作曲する氣にはなれない。數日は過ぎた。天禀の樂才たる彼はこれを等閑に附すことが出來ない。ちよい／＼筆を執る間に一行二行實に美しいメロデイが出來た。かうして遂に無意識の間にNabuccoといふ立派な歌劇が出來上つた。

ヴエルデイはこれを携へ急いでメレツリを訪ねた。メレツリはその努力に對して惜みなく感謝と敬意とを表したが、上演は復活節までは出來ないといつた。ヴエルデイはその頃には良歌手が得られないから待てないといつた。いろ／＼談合の末、餘り經費をかけない程度で、兎も角上演することにした。一八四二年二月下旬から練習に取懸かつて三月九日に上演した。Nabuccoの成功は大したもので、第一夜の如きは近年稀な盛況を呈した。ヴエルデイは、『自分は成功を望んだ、然しこんなに成功するとは決して想像だにしなかつた』といつて喜んだ。

翌日彼の名は伊太利中に響き渡つた。英國にまでその名を知られてゐた當時の音樂家ドニイゼツテはこれを聽いて感動し、立派な優れた作だと賞した。

ヴエルデイの作曲家たる經歷は此時から始まつたといはれてゐる。翌年ILombardiを出し、續いてEernari、其他十ばかりの歌劇を出した。その中にAttilaやMacbethがある。

一八四七年、ロンドンに渡つてIMasnadieriを上演した。ジエニイ・リンドなどが立派に歌つたけれども餘り成功しなかつた。批評家の批評もいろ／＼であつた。ヴエルデイは靜かに英國を去つた。

歐洲及び英國に彼の名を高からしめたものは、一八五一年にヴインナで上演した彼のRigolettoである。これは彼の眞の才能を發揮し得た作であつて、當時の伊太利風に一頭地を進めた傑作である。これがヴエルデイの作曲生活に第二期を劃したものである。

二年後Trovatoreが出た。ローマで上演して滿堂搖ぐかと思はれるやうな喝采を博し、堂外に立つて聽いてゐた者も、『ヴエルデイ萬歲、伊太利の大作曲家！』と叫んだ位であつた。Parisでは、一八五四年、ロンドンでは一八五五年、ヴインナでLa

Traviataが上演された。これは柔和な美しい曲譜に滿ちたものであるに拘らず、首唱者が餘り強い歌ひ方をしたので、聽衆の笑を買つて失敗に終つた。その他二三失敗に終つた作があつたが、Un Ballo in Mascheraは、一八五九年、ローマで成功し、ペトログラアドで上演するために作つたLa Forza del Destinoはニユー・ヨークで人氣を博した。

一八六八年、ロツシニが死んだ時、ヴエルデイは他の有力な作曲家等と共にその弔魂曲を作つた。然しその型がまち／＼なので滿足すべき作ではなかつた。ヴエルデイ單獨で作つた方がよいと提言したものもあつた。その後間もなくマンソーニの死んだ時、彼は單獨でその弔魂曲を作つた。これがマンソーニ弔魂曲として知られてゐるものである。

一八六九年、エジプトのカイロに新しい立派な劇場が新設された。ヴエルデイはその開場式の折上演すべき歌劇の作曲を委託された。廣く知られてゐるAidaはそれであつて、一八七一年、上演されて非常な成功を贏ち得たものである。これが彼の作曲家的經歷の第三期を劃したものといはれる。この頃の作は初めの頃の純抒情的な型から離れて、管絃樂に多分の潤ひを與へてゐる。

その後彼はサンタアガタに隱退して普請道樂にその日を費したので、作曲家としての經歷は最早終つたものと思はれてゐたが、一方又偉大な歌劇が出來るだらうとも噂されてゐた。遂にその噂が實現して、一八八七年、彼が七十四歲の折Otelloがミランで上演され、非常な熱心を以て迎へられた。六年後八十歲の折、沙翁のFalstaffを作曲したので、伊太利の音樂界は再び賑はされた。

ヴエルデイの作にかゝる歌劇は三十を越えてゐるが、美しい音樂で織りなされた嚴肅なものが多い。

彼の隱退地たるサンタアガタはブツセトから二哩ばかり隔つてゐる所で、彼はそこに美しい高雅な邸宅を建造した。寢室にはグランドピアノを備へ、眞夜中想を得ては作曲するのであつた。かうして出來た最後の作はDon Carloである。二階には小兒の時に父から買つて貰つた小瑟が備へてあつた。

偉大な作曲家であると共に立派な人物であつたヴエルデイは靜かな隱退生活の後八十八歲の高齡で、一九〇一年一月廿七日ミランで長逝した。

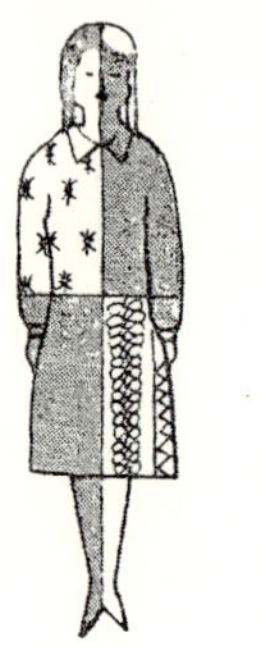

街頭醫學

榮養と妊娠率並に子女の健康度の關係

國力の發展に伴ひ人口の增減といふことは現下の日本として極めて重要な問題です、これに關する對策のため先日、內務省では全國の人口問題に關係を持つあらゆる方面の研究者を網羅した人口問題協議會を開きその席上、醫學博士佐伯矩氏は「榮養と妊娠率並に子女の健康度の關係」と題し從來の研究結果を總括的に報告しましたが如何に榮養がこれらの上に大きく影響するかがよく分明してゐます。

博士の報告によると母體が結核を持つてゐる場合は、妊娠率が健康なものよりも高まりますがこれは梅毒の場合も同樣で、特に二つのものが一緒にある母體は一層妊娠率が高くなつて來ます、即ち母體に病氣がある榮養が、自然阻害されて妊娠率が高まるのですが、しかし生れた子供は成績が非常に惡く虛弱でありよく育たないし流產が多いこれに對して健康で榮養のよい母は妊娠率は低いが生れた子供は丈夫でよく育ち流產や早產が非常に少い、また食餌の種類と妊娠の關係を見ると動物では絕對菜食の場合繁殖臟器の萎縮を來して不妊になります、一方絕對肉食の動物も同じやうに妊娠をしません、ところが兩方を混合すると妊娠力を回復しますこれには今まで澤山の研究をやつてゐます、かうした研究によつてわかつたことは身體の一つ／＼の機能と食物とが特別の關係のあるといふことです、それで今日では生命とこれに關係する生活現象を一つ／＼の機能に分析してこれが一定の榮養成分とどんな關係をもつかの研究に進んで來てゐるのです、その結果は遺傳的に見られる體質もまた榮養の與へ方で自由に變へられ、產兒の調節まで自由にすることが分つてゐます、なほ今日實際に日常の榮養狀態を改善してゐるものについてその成績を申上げると病氣に罹る率が非常に減つて半分以下になる、その結果醫師にかゝり賣藥の世話になる率が非常に少くなります、これを日本全國に徹底させるとそれだけで一ケ年十九億圓節約される計算になります、罹病率ばかりでなく實際改善をやつてゐるところでは死產も少くなつて或る部落では三年間の榮養改善で死產が零となつた、同時に出生一年以內の乳兒死亡も零になつてしまつた、かういふ實例から見て榮養が直接人口問題に關係することが明らかです（醫學博士佐伯矩氏報告）

この頃の寒さにあなた方の赤ちやんはお丈夫ですか？

骨を刺すこの頃の寒さ、あなたの赤ちやんは御丈夫ですか。お承知のやうに、乳兒はまだ體溫を調節する機能や身體の抵抗力がよわく風邪をひき易いものです。またはじめホンの鼻風邪だつたのが、手當が惡くてよくいろ／＼の餘病をひき起すことがあります。以下念のためお母さん方への注意として―

室內の保溫　赤ん坊のゐる室內を炭火で溫めるには炭はぜひ一度ほかの部屋でおこし赤くなつたものを入れること。

湯タンポの加減　寢床は湯タンポが懷爐などをいれて溫めねばなりませんが、しかし溫めすぎては却つてよくないので、時々注意して汗をかゝない程度に加減してやること。

隙き間カゼ　赤ん坊に隙間風をあてることは最も禁物です、疊の敷合せや障子やその他建具の隙間からはいる風に對しては目ばりをするとか、新聞紙をしくとかして嚴重に防いでやること。

炭火は禁物　炬燵、あんかに寢かせるのは止めませう。火傷しないまでも炭から出る炭酸ガスのため窒息死する危險や、また體內の水分を無駄に奪はれてゆく虞れがあります。

外出見合せ　乳兒は極めて寒さに敏感ですから、春までは外出させぬことです。殊に生後三四ケ月までの乳兒は嚴禁です。

入浴の時間　この頃は入浴によつて思ひもよらぬ失敗を招くことがあります、入浴時間はぜひとも正午前後の暖い時間をみて行はせることで、夕刻からは中止すべきです。

鼻部の手當　鼻風邪のときに

はとき／＼ガーゼを溫湯に浸して輕く鼻部にあてゝ溫めたり又は脫脂綿を柔かく縒つて度々鼻汁をとり去つてやることです、特に授乳前には必ず鼻呼吸がよくできるやうにして十分に乳を與へねばなりません。（醫學博士高島信淳氏）

中年過ぎの婦人肥るのは不健康

婦人が中年を過ぎて肥るといふ事は世間で常識のやうに考へられてゐて餘り顧みられないやうですが出來るならば瘦せなければ健康とはいへません、肥る事は脂肪過多であつて心臟の負擔を大きくし短命の因をなします。

×　×

肥るといふ事はすべて新陳代謝の不活潑から來る脂肪蓄積で中年婦人が肥るのも月經閉止前後卵巢の働きが鈍るための新陳代謝不活潑によるものです、新陳代謝と脂肪とは密接な關係があるので少、青年時代の新陳代謝のはげしい時代を蓄積期と稱しますが、脂肪だけは蓄積しないので體は肥りません、四十五六歲から前述の如く肥り出し、六十歲を過ぎるとまた老衰期となつて新陳代謝の活動を開始し瘦ぜて來ます。

中年後肥る事は大部分その人の體質に原因するものですからこれを防止する事は中々困難ですがこゝに一つ適度の運動を續ける事が一方法として選ばれます、若い時運動をやめると同時に急に肥る事が多い、これは運動のため新陳代謝が活潑であつたのが急激に運動をやめたためやはり急激な新陳代謝の活動停止が來て脂肪を蓄積するためです。

即ちもう年をとつたからといつて急に運動を廢して部屋の奧に閉ぢこもる事が肥る原因となるのですから老人といへども老人にふさはしき運動を適宜に續ける事が最も大切であります。

また酒を飲むとアルコールの刺戟から肝臟の脂肪蓄積及び內分泌異常のため肥る事があり、脂肪分の多食から肥ることも考へられますが、食物は大して肥滿の理由にならないと見るべきでありませう、その外新陳代謝を盛んにする甲狀腺ホルモンの服用、喫煙、絕食（我々の身體は常に燃燒してゐるが脂肪が最も早く燃燒する、即ち絕食は脂肪の自然燃燒を待つものです）等の瘦ぜる手段は皆一時的のもので取るに足らぬものであります（醫學博士松隈尚雄氏談）

子供の發育に大切な大豆の效果

子供は豆が好き――ところがこの豆は子供の發育上非常に必要な食物なのです、せつせと豆を食べさせて下さい、なぜなら豆、殊に大豆の中には體內各器官の抵抗力を強め新陳代謝を旺盛するレシチンと稱する生活上缺くべからざる必須な要素が多量に含まれてゐるからです、要するにレシチンは一つの身體構成分子で、これが缺乏すると子供の發育が惡くなるのです。

×　×

子供ばかりでなくこのレシチンの不足は必ず自體に異狀を起すものです、精神と肉體とを問はずすべて勞働は體內に蓄積された精力を消耗するもので、精力の消耗による健康狀態の不均衡を避くるためには適當な睡眠靜養、運動、日光等は精力回復に效果ありますが、更に食物から必要なカロリーやヴイタミン及び無機物を不足なきやう攝ると同時にレシチンの攝取に注意せねばなりません、榮養を惡くすると結核にかゝりやすく、レシチンはこの結核豫防に重大な役目さへ持つてゐます、最近結核に直達療法新劑が發見されたのもこのレシチンからで、要するに燐脂體たるレシチン化合物を基礎としたものです、レシチンは如何なる食物にも幾分は含まれてゐますが、發育盛りの子供や、運動家、活動家にはその運動あるひは執務が激甚なため僅かなレシチンを含有する食物だけでは甘んじて居られぬのです、卵や牛乳の中には澤山のレシチンが含まれてゐますが、更に大豆の中には遙かにすぐれたレシチンが多量含有されてゐることが歐洲の化學者によつて發見されたわけです、そこで比較的廉價な豆によつてレシチンを攝ることは保健と家庭經濟上最も有效といへます（醫學博士長濱繁氏談）

氣付かぬ齒槽膿漏 日頃からの清潔第一

齒槽膿漏といふ病氣は、齲齒と異つて齒自身の病氣ではなく齒の支持組織、つまり齒を取りまいてゐる齒齦、齒根膜、齒槽骨といつた組織全體に起る病氣です。齲蝕は幼少年の頃から多く起りますが、この齒槽膿漏は主に年輩の人に起り易く、重い輕いは別として成人の約九割以上はこの病氣になつてゐるやうです。

厄介なことにこの病氣は始めのうちは癢つてゐても痛むことがないので、知らぬ間に進行し氣付いた時は既に相當病氣が擴大してゐて治療の望みさへないことも屢々見受けます。齒齦から出血し易かつたり、齒齦がむづ痒かつたり齒が弛んで動いたり、齒齦の色が鮮かなピンク色を失つて赤黑くなつたりしてきますと、正に齒槽膿漏なのです

ところが膿漏といふ名稱にとらはれ、膿汁が出なければ齒槽膿漏でないと考へ勝ちですが、これは大きな間違で、少し變ですが膿の漏れない齒槽膿漏の場合も多いわけです。

＊

齒槽膿漏の原因は色々ありますが大體全身的原因と局所的原因とに分けられます。つまり色々な全身病があると齒槽膿漏を起し易く、又同時に一度起つた齒槽膿漏が癒り難いのです。

例へば糖尿病、腎臟炎といつた新陳代謝を障碍する病氣、或は黴毒、結核その他内分泌腺の機能に故障のある場合です。

次に最も重要な局所的原因は齒を不潔にしておくために出來る齒垢或は齒石(俗に齒墟と云ふ)の刺戟です、齒石が齒の周圍に固着しますと齒と齒齦の間が次第に引き離され、同時に齒の根に向ふ齒齦の内面が刺戟されて爛れたやうになり、遂に齒槽膿漏としての素地を作るやうになるのです。

＊

そこで豫防として大切なことは常に口の中を清潔に保つて、食物の殘渣など齒に付けておかぬことです。

つまり毎食後必ずうがひをして出來るならば齒刷子で十分に齒の周圍をきれいにしておくことです。

しかしどんなに注意深く齒の清掃に心掛けても、齒垢や齒石の付着を絶對に防ぐことは容易でなく、又齒石を自分で取り除くことは出來ませんから、先づ三ケ月に一度、少くとも半年に一度は齒科專門醫の齒の健康診斷を受け適當、の處置を受ける必要があります。

又間接的ですが偏食は齒の抵抗を弱くするものですからこれを避け、食物を咀嚼する時は力強くかむやうに心掛けることも亦豫防の一手段となります。

或る程度進行した齒槽膿漏は相當大手術を必要としたり、なか〳〵治り難いものですから、早期治療にこしたことはありません。(東京齒科醫專附屬病院長花澤鼎博士談)

おできたゞれ
軟膏 六十錢
坐藥 一圓
破壊《はかい》された皮膚細胞《ひふさいぼう》に榮養を吸收させて組織を賦活《ふかつ》するVAD外用薬で……消毒薬を塗《ぬ》りつけるだけの古い膏薬で癒りにくいコヂれたものに用ひてたいへん早く治癒《ちゆ》するのが特長です。
他に耳だれ、床ずれ、痔疾等にも面白いほどよく効くし無刺戟性でオヅを荒らだてず繃帯がクツつきません
局所榮養治療劑
デシチン

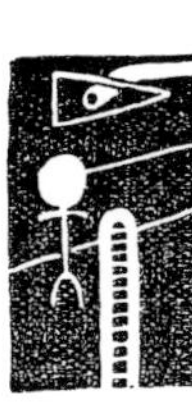

乳幼兒死亡の統計的考察(一)

浦上英男

はしがき

最近程乳兒死亡率に關して彼之論議される事は未だ曾つて無い。新聞や雜誌を見てゐると、之に關した記事が非常に多く見受けられる。之は我國民の劣惡な體位が昨今漸く朝野の重大關心を喚ぶに至つた爲で、此の體位向上を圖る具體的對策の一つとして乳兒保護の問題が頻りに取上げられるのは蓋し當然のことゝ言へる。這般厚生省の新設せられた如きも此の國策遂行を目的とするものであるが、兎も角斯うした機運は一、二年前から大いに動いてゐた矢先へ持つて來て偶々勃發した今次の支那事變に依つて之が拍車をかけられ、銃後の護りを固める意味から、先づ將來國家を背負つて立つべき第二の國民を保護する必要ありと叫ばれ出したのは、寧ろ遲きに失する位で何等不思議ではないのである。

玆に於て本邦に於ける乳兒の健康狀態が問題とされ、延いて乳兒死亡率が云々され始めたのであるが、此の死亡率が歐米諸國に較べて著しく高い事は屢々喧傳されてゐるから大體周知の事實とするも、果して然らばどの程度に高いかといふ點に至つては正確に知つてゐる人が幾人あるであらうか?第一乳兒死亡率といふ言葉からして如何して計算されるものか、其の概念だけでも摑んでゐる者は、醫師や、社會衞生、乳兒保護團體關係者を除いて幾人あるであらうか?筆者の經驗から推せば、遺憾乍ら一般家庭に於ける此の方面の知識は頗る貧弱なりと言はざるを得ないのである。

我國民の壽命は歐米人に比して甚だ短命である。之乳兒期の死亡が夥しいことに因るものであつて、壽命を延ばさうと思つたら先づ之が死亡を少しでも減らすことに努力せねばならない。それには正しい乳兒保護、育兒の知識を養ふことが先決條件である。

此の目的からすれば差當つて過去及現在に於ける我國乳幼兒の死亡狀態、死亡率に付て知る所がなければならない。筆者は以下之を統計的に、卽ち數字を利用して縱横に觀察し、その實狀を解剖し、以て乳兒の死亡危機が奈邊に在るやを闡明し、同時に諸外國の狀態とも比較して乳兒死亡率の低下を企圖する上に於て何かのヒントを得たいと思ふ。

併し育兒、病氣の手當など實際問題には全然觸れないだけに、本文を讀んだだけでは何にもならない。寧ろさうした書物を讀む場合に、理解を早める一助とし、完全な知識を獲得する爲の參考として役立たせて戴きたいのである。幸に多少でも資する所があれば筆者の小さな野心は達せられたと言ふべきである。

一、幼兒の死亡

統計上用ゐられる幼兒といふ言葉は、滿五歲に滿たざる卽ち〇―四歲の者を謂ふのであつて、是等の死亡を一口に幼兒死亡と稱する。死亡統計に在つて、死亡者を年齡に依り例へば〇―四歲、五―九、一〇―一四歲等の如く五歲毎に區分すると、五歲未滿と九五歲以上の兩極階級を含めて二十(此の外年齡不詳もあるが)の年齡階級になる。此の中最も多いのが五歲未滿の乳幼兒で、之は例年のことであるが、例へば昭和十一年我國內地の是等死亡は三八八、六三三を算へ、死亡總數の三一・六%にも達するのである。之に亞ぐのが老年期に在る七〇―七四歲の漸く六・三%に過ぎないのを見れば、上記五歲未滿の死亡が如何に多いかを知るであらう。昭和五年の國勢調査に依ると、五歲未滿の者は總人口の一割四分に過ぎないのに、死亡の場合は前記の如く三割二分にも上るといふ事は是等死亡の重要性を遺憾無く物語るものである。

死亡總數に對する五歲未滿の死亡の割合を主要國に就て調べて見ると、英吉利(イングランド及ウエールス)は一〇・五%(昭和九年)、佛蘭西は一一・三%(昭和七年)、北米合衆國は一二・一%、獨逸は一二・五%(以上何れも昭和八年)等で極めて低い。比較的高い伊太利でも二六・三%(昭和九年)で、我國に較べると未だ低いのである。

此の理由が是等諸國に於ける著しく低い幼兒死亡率に在ることは言ふ迄もないが、もつと根本的な理由は彼等の出生率が近年甚だしく低下し、幼年齡階級人口が非常に少いことに在ると解釋されるのである。此の點を明かにするには各國人口の年齡構成狀態に就て語らねばならないが、兎も角英、米、獨、佛等に於ける幼兒の數は總人口に對して甚だ少いのである。だから此の割合が比較的大なる伊太利及我國に在つて、幼兒死亡の多いのは何等怪しむに足りないとも言へる。更に英領印度に於ては昭和七年五歲未滿の死亡が死亡總數の四三・七%にも達して我國よりも高いが、之は同樣の理由で、一つには幼兒死亡率の高いこと、二つには出生率高く從つて幼年齡階級人口が多數を占めることに基因するのである。

二、乳兒の死亡、乳兒死亡率

右に述べた幼兒の死亡を更に一歲未滿、一、二、三、四歲の五階級に區分すると、最も多いのは一歲未滿卽ち生後滿一年に滿たざる所謂乳兒の死亡である。昭和十一年中に本邦內地で失はれた是等幼い生命は二四五、三五七の多きに達し、死亡總數の一九・九%、五歲未滿の幼兒死亡の六三・一%卽ち過半を占めるのである。

併し此の死亡數は、人口が多く從つて出生數の多い國或ひは地方では多いのが當然であるから、死亡數だけを比較して、あの國には乳兒死亡が多いとか此の國には少いとか言ふことは當を失する。で、此の種の比較を行ふにはその尺度として乳兒死亡率といふものを用ゐる。乳兒死亡率とは、色々難しい解釋もあるにはあるが、普通其の年の出生百に對する其の年の一歲未滿死亡者の割合を謂ふ。嚴密に言へば是等の死亡者數を一歲未滿の人口で除した割合を用ふべきであるが、此の人口は毎年調査することが不可能な爲、容易に知り得る毎年の出生數に對する比率を代用するのである。

今世界の約四十國に於ける最近の出生數、乳兒死亡數及同死亡率を調査し、死亡率の高低順に之を示すと次の如くである。

最近世界各國に於ける出生、乳兒死亡及同死亡率 (出生百に付)

國(地方)名	年次	出生數	乳兒死亡數	死亡率
チリ	昭和十一年	一五六、八二七	三九、五六三	二五・二三
ルーマニア	同十一年	六〇八、七七四	一〇六、四九七	一七・四九
錫倫	同十一年	二〇六、五一二	三五、七一九	一七・三〇
英領印度(一)	同 八年	九、六七八、八七六	一、六五〇、九七三	一七・〇六
埃及	同 十年	六四五、七六〇	一〇三、九六七	一六・一〇
比律賓	同 十年	四六一、四一〇	七〇、五九六	一五・三〇
ウクライナ	同 四年	一、〇三九、九九五	一五七、四〇八	一五・一四
ユーゴースラヴィア	同 九年	四五九、八〇八	六九、〇二九	一五・〇一
葡萄牙	同 十年	二〇三、九四三	三〇、三八八	一四・九〇
臺灣	同 十年	二三五、九四五	三三、七九八	一四・三二
ブルガリア	同十一年	一五八、八〇〇	二二、六四八	一四・二六
ポーランド	同十一年	八九三、三三〇	一二五、七七二	一四・〇九
ハンガリー	同十一年	一七九、三五四	二五、一六三	一四・〇三
ジヤマイカ	同 十年	三七、三七九	五、一五八	一三・八〇
コスタリカ	同 九年	二三、八五八	三、二三五	一三・五六
サルヴアドル	同 十年	六一、四二〇	八、一〇七	一三・二〇

リスアニア	同十一年	六〇、四四六	七、七五五	一二・八三
樺太	同十一年	一〇、四二六	一、二八九	一二・三六
チェッコスロヴァキア	同十一年	二六四、六四七	三二、六九四	一二・三五
日本(内地)	同十一年	二、一〇一、九六九	二四五、三五七	一一・六七
希臘	同　十年	一九二、五二一	二一、七〇八	一一・二八
西班牙	同　十年	六三一、四六一	六九、一三六	一〇・九五
伊太利	同十一年	九六二、六七六	九六、九四二	一〇・〇七
墺地利	同　十年	八八、六八九	八、七八〇	九・九〇
ウルグアイ	昭和九年	四一、三三七	三、九六八	九・六〇
アルゼンチン	同　九年	二九一、〇〇〇	二七、七一六	九・五二
エストニア	同　十年	一七、八九一	一、五九二	八・九〇
ダンチヒ	同　十年	九、三三九	七七四	八・二九
スコットランド	同十一年	八八、九二〇	七、三一四	八・二三
ラトヴィア	同十一年	三五、四六八	二、八四二	八・〇一
白耳義	同　十年	一二七、四〇五	九、八三九	七・七二
北部愛蘭	同十一年	二五、九一〇	一、九九〇	七・六八
愛蘭自由國	同十一年	五八、〇二〇	四、二七一	七・三六
ルクセンブルグ	同十一年	四、五一三	三一四	六・九六
丁抹	同十一年	六六、四一八	四、四七三	六・七三
佛蘭西	同十一年	六三〇、〇五九	四二、二四三	六・七〇
フィンランド	同　十年	六九、九四二	四、六六九	六・六八
カナダ	同十一年	二一五、七七八	一四、三三三	六・六四
獨逸	同十一年	一、二七七、〇五二	八三、九七五	六・五八
南阿聯邦(二)	同　十年	四七、七一七	二、九九七	六・二八
北米合衆國	同　九年	二、一六七、六三六	一三〇、一八五	六・〇一
イングランド及ウェールス	同十一年	六〇五、六五九	三五、二三六	五・八二
瑞西	同十一年	六四、九六六	三、〇二三	四・六五
諾威	同　十年	四一、三二一	一、八二七	四・四二
瑞典	同十一年	八八、六七二	三、八三六	四・三三
濠洲(三)	同十一年	一一六、〇七三	四、七七八	四・一二
和蘭	同十一年	一七一、一六六	六、六七一	三・九〇
新西蘭(四)	同十一年	二四、八三六	七七四	三・一二

備考　本表は主として其の國の人口動態統計書乃至統計年鑑に據つたもので、其の外「獨逸統計年鑑」「瑞典統計年鑑」の最新版を參考として作成した。尙數字は出來得る限り最近のものを掲げたが、其の爲速報數（即ち後ち多少の訂正が加へられるもの）も中には見出されるであらう。又支那、ロシア及アフリカの大部分は此の種の統計を全然發表しないので本表に載せられない。

註（一）印度には出生、死亡登錄區域といふものがあつて、其處に住む人口だけに就いてその數字が判明する。本表の數字は即ち之で、全國の計數でないことに留意する必要がある。因に該登錄區域に屬する人口は昭和八年二億六千五百六十九萬で、全人口の約七十五%餘に達してゐる。（二）歐羅巴のみ。（三）土人を除く。（四）マオリー族を除く。

右の統計表に關して一言說明を加へて見やう。昭和十一年我國（內地）に於ける乳兒死亡率は一一・六七であるが、之を言ひ換へれば大體に於て同年生れた者の一割二分弱が生後一年足らずして早くも此の世に別れを告げたことになるのである。ところで我國の右數字を諸外國に比較して見ると、甚だ高い。右表では四十餘箇國中第二

十位を占めてゐるから必ずしも悲觀するに當らない樣だが我國より上位に在るは、何れを見ても失禮な言ひ方だが未開國ばかり否少く共文明國とは言へない國ばかりである。例へば英、米、獨、佛等の如き先進國は決して我國より高率を示して居ないばかりでなく、（英）、米兩國などは我國の約半分に過ぎず、獨、佛兩國亦著しく低率を現すのである。瑞西、諾威、瑞典、濠洲等は近年何れも四%臺の死亡率に止まり、更に和蘭、新西蘭は三%臺就中後者に至つては昭和十一年三・一二といふ我國（內地）の四分の一に近い非常な低率を示してゐるのである。

註（一）右表中イングランド及ウェールス、スコットランド及北部愛蘭を合した所謂英吉利の數字は昭和十一年出生七二〇、四八九、乳兒死亡四四、五四〇、死亡率六・一八となる。

今度は日本以上の高率を示す國に就て觀ると、南米のチリは昭和十一年二五・二三で、我國の二倍餘に上り世界最高と看做される。之に亞いではルーマニア、錫倫、英領印度、埃及、比律賓、ウクライナ、ユーゴースラヴィア等皆一五%以上に在り極めて高いが、乳兒死亡數そのものから言へば、人口更に出生の多い關係から印度の百六十五萬餘斷然頭角を現はし、昭和十一年我國內地の死亡總數よりもなほ且つ多い。葡萄牙に亞ぎ第十位に据はる我が臺灣は一四・三二で、內地より遙かに高く、リスアニアに續き第十八位を占める樺太も一二・三六で內地に比し稍々高率である。

注意　尙朝鮮の乳兒死亡率は昭和十年八・二〇に過ぎず、內地より著しく低いことになつてゐるが、之は同地の人口動態統計が不完全な爲で、實際はもつと高い筈である。此の意味で信用の措けぬ右の數字を載せなかつたのである

我國より高率を示すものに世界第二位のルーマニアを初め、ユーゴースラヴィア、ウクライナ、葡萄牙、ブルガリア、ポーランド、ハンガリー、リスアニア、チェッコスロヴァキアなど幾多の歐羅巴諸國あるを認めるが、併し大體に於て中央アメリカに在るコスタリカ、サルヴァドル、西印度諸島の一部を成すジャマイカ、又は錫倫印度、比律賓、ウクライナ、埃及等を觀れば、二三の例外を除き、乳兒死亡率に於て高率を現すは中、南米、亞細亞、阿弗利加の諸國なる事を覺るであらう。支那、ソヴィエト聯邦（亞細亞地方）、阿弗利加の各未開地方の統計數字が若し判明するならば右の點を一層明確に立證出來ると思ふ。

之に對し、曩にも指摘した通り、英、佛、獨、伊其の外和蘭とか瑞西、諾威とかを擁する歐羅巴、米國、加奈陀等を有つ北亞米利加に在つては、槪して之が極めて低率なる事實を看取出來るであらう。唯茲で見落してならないが、同じ歐羅巴でもルーマニア、ユーゴースラヴィア、ブルガリア、希臘等の割據するバルカン地方は著し

く遜色があるのである。

一般死亡率に限らず、乳兒死亡率も亦經濟上の繁榮、社會道德の進步、醫術、衞生施設の發達等有らゆる意味に於ける社會文化の發達に依つて徐々に低下せしめることが可能であり、又之を以て理想とすべきである。從つて此の死亡率は國民の健康狀態を表示する指數であり、延いて文明度のバロメーターとなるのである。されば乳兒死亡率が我國の如く世界屈指の高率たることは卽ち少く共英、米、獨、佛等に比して文化の遲れたことを意味するのである。

陸海軍の强いことは國民として賴もしい限りだし、各種產業の躍進、藝術の進步、スポーツ記錄の向上等は總て自慢の種には違ひない。けれども將來國を背負つて起つべき運命を擔つて生れて來た無辜の幼き者が、片つ端から死んで行つたのでは、遺憾乍ら國家百年の計を樹て得ないのである。我國の出生率は諸列强に比し成程高いのである。生れる者も多いが、死ぬ者も多い、之では何にもならない。何にもならない所か國家の非常な損失である。姙娠、分娩、育兒、是等の道程に要した莫大な費用が無駄になつてしまふからである。「生めよ殖えよ」といふ言葉は決して斯うした粗製濫造を勸めたものではないであらう。

同一の人口增加力が（イ）出生率、死亡率共に大なる結果からも、又（ロ）出生率、死亡率共に小なる結果からも達し得られる。子供を生み、之を育てることに關聯して經濟上、社會上、將又道德上の興味を考へる時、此の增加に關する二大相違は社會の型としての基礎をなすものである。そこで人口學者は前者卽ち（イ）に就て之を野蠻乃至未開狀態の特性と考へ、後者卽ち（ロ）をそこに到達すべき理想と目すのである。英、米、獨、佛等が後者に屬し、我國が前者に類することは、日本人たる筆者の言ひ度くない事乍ら、右に示した統計表に歷然と現れた事實であつて、之れを覆す證據を擧げ得ないのは殘念である。

之を要するに、我國の文化といふものは、忌憚なく言へば、凡ゆる部門に亘つて平均された圓滿普遍的なものでなく、甚だしく偏つた謂はゞ跛行的なものだといふことを人口統計がよく證明するのである。

（未完）

セレベス島の原人トライヤの怪奇

宮武辰夫

遠く文化の步みからとり殘されたように、原始さながらの秘俗を擁して今も猶、赤道直下のセレベスの中央山岳地帶に、自給自足の生活を續けてゐる純人トライヤ族こそは年老いた東印度の眞の姿でもあり心でもあらう。然しその秘境桃源の鄕へ達するには實に千キロに餘る行程と、樣々な山の怪奇動物に見舞はれなくてはならない。人血を二合も吸ふ大山蛭、十尺餘の大とかげ、孫までを引き具した猪の群、二十尺にも餘る大蛇、小動物は刺し殺すといふ蟻の大群、二三寸もあらうといふ毒虫蝎等々、山のギャングはなか〳〵の多勢である。然しかうした苦勞を越えて繰り展げられるトライヤの風物こそは、妖玄怪奇の一大繪巻でしかない。

家屋と穀倉

先づ驚きの最たるものはその家屋と穀倉の大原始建築の偉觀であつた。十五尺位の堀立ての巨材の上に鳥居型の住居をのせ組んだそのたゞずまひや、周圍の羽目に隙間無く彫り刻まれた三彩の精巧無比な模樣など、それは妖しくも怪奇な童話の姿であつた。

時ならぬ私といふ侵入者にすつかり怯えた村の人々は、この高い屋上に登つて小さい戶を固く閉ざして一人も姿を見せないのには困り果てたが、ライターに火を點じて紙を燃して見せたり、サイダーを拔いて泡の吹き出すところを飮んだりして、屋內の隙間から凝視してをるであらう連中に示したが、案の定、この策略が圖に當つて、一人二人と、はては王女までが出て來てライターに不審がる眸を向けて來るようになつた。

梯子を登つてこの高い屋內に一步を入れた私は、深い耽美と妖しい幻想に陷つてしまつた程そこは異樣なミュウゼでもあつた。窓の無い屋內で、光りといへば荒い簀の子の床を透して來る上向きの光線のみで、步む女達の腰に卷いた布の下方から射す光りに足や股などが布を透して白々と見えたり、二十何尺もあらうといふ大蛇を入れた籠から二枚の焰のような舌が出たり……

室は三つに仕切られてあるが、中央は食事場に、兩側は居間に

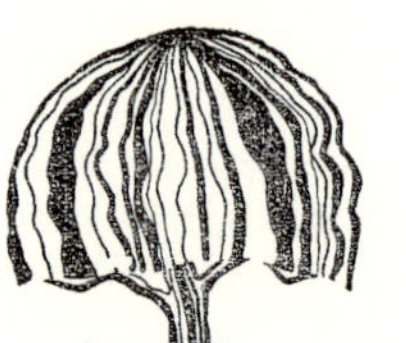

も寢室にも當てられてゐる。どの室を覗いても奇異精巧な原始藝術品の山だ、木の皮で作つた衣服、精巧なニッパ椰子の女日傘、荒い木の皮で撚り織つた原始模樣の布、太陽を圖化した面白い柄の刀、竹に纖細な彫りをしたシリイ入れから、情趣深い性的秘具など、それ等は必然性をこめた立派なものである。

穀倉は住屋に比して稍々小さいが、床は板でふいてある。破風の一方に米の出し入れをする小さい戸があるが、周圍は住居と同じく究明に彫刻を施されてある。然してこの床と地上との中間に簀の子の床を張つてあるが、こゝは灼けつく赫光を避けて男女がまどゐする涼床となつたり、糸車を繰つて糸を紡ぐ仕事場ともなるのである。元來原始人は植物の繁殖することは植物の精靈が人と同じく生殖し姙娠して行はれるものと信じてゐる。殊に稻田をもつ民族では米の精を食することによつてその靈が人體に入つて人の命を繋ぐと考へ又一方米の殖えることもその靈の生殖の結果と信じ傳へられて居る。而して穀倉は米の精靈の寢る場所で、この中で生殖をして姙娠し米粒が稻田へ移されて分娩して殖えると固く信じてゐる。かうした信仰のもとに穀倉は神の住居として清淨になし、その附近では喧嘩を禁じてゐるが、穀倉の下で、男女が戀を囁き睦言を交すことは、米の精靈への挑發として、何人も掣肘することが出來ないといふ不文律がある。

米と水牛の信仰

トライヤの家屋の突出した破風や周圍の羽目には、樣々な形態で鷄や水牛を彫りつけてあるが、トライヤは鷄を天地と連絡する靈鳥であると信じてゐるし、又米の生育に何よりの糧となる太陽を大地から喚え出す役をするとも信じて、深く鷄を信仰してゐる。船に乘るときなどは必ず護身として生きた鷄を抱いて行くといふ奇風が現存してゐるが、これは海や川の底は地で、その上にある水面は天と地の中間に位するものと考へその天地間の水面上を行く舟を守護するものはやはり鷄と信じてゐるのである。曾遊の地紅頭嶼のヤミ族にもこの信仰があつたし、ニユウギネア近くのアロー島でもこの信仰に出遇つたが、吾が國の神社にも鷄を天上に使する靈鳥として飼つてゐるのを見うけることがある。

トライヤの穀倉の一部には、この鷄が太陽の上に乘つてゐる圖案を見かけるが、太陽が鷄の鳴き聲によつて目を醒まし、地上に出て米を育み護るとの信仰から刻まれたものである。又水牛はトライヤにとつて必須の儀式に使用されるものであり、又何ものにも代へ得る通貨でもある。美しい娘と水牛を交換してかへることなどは平然と行はれてゐる。又一世を賭けるといふトライヤの葬儀にもこの水牛は必須のもので、死者の所有の田畑や財産の分配は、親戚のうちで一番多く水牛を葬式の場合に提供した者の順に行はれるものであるが、死者の子供であつても、水牛を提供しなかつた場合には、父の遺材も受け繼ぐことは出來ないのである。夕陽はらばふ頃まで終日一頭の水牛に一人がつき添つて、灼光に喘ぎつゝも勞り草飼ふさまは、よくこの間を物語つてゐる。一見トライヤの家屋や穀倉は美しい裝飾が施されてゐるとしか思はれないが、それ等の克明な圖案の一つ〳〵にはすべて神仰的な必然性から來たもので、遊戲的とか裝飾的とかの意義は殆ど無いので

ある。

死者に裸肌を委ねる奇習

トライヤは結婚にも出産にも祝儀を行はないが、只一つ葬儀に對してのみは全財産を空にしても盛大に行ふ。而して墓地に運ぶ前に死體を屋內に長日月置き得る程自慢とされてゐるが、その間は全村の者や近隣の村人に、連日連夜バロの木から採つた酒をくみ、水牛を屠つて盛大な宴を張らなければならないので、死體を長く屋內に置くことは容易のことではない。然し中には三年も死體を家に置いて、何百頭の水牛を屠つたといふ超豪華版も傳へられてゐる。その間死體はどん〳〵腐蝕するので、死汁を防ぐため上から上に布を卷いて、遂に太さ徑一メートルにも及ぶものもある。

元來トライヤは無宗敎ではあるが、死に對しては消滅を考へず深く來世を信じ、死人は生前と同じく食事もされば生殖も行ふものと考へてゐるのである。そこで、屋內に死體を置く間は、若しそれが夫なら妻は生前と同じく死體と共に食事をとり、毎夜裸形となつて幾重にも卷いた死體を抱き擁して、生けるが如く愛撫してその裸身を死體に委ねるといふ。凡そ奇怪な習俗が現存してゐるのである。然し幾重にも卷いた布の奧深くにある死人の顏を幻想して抱くことは賴りないことに違ひない。さうしたことからトライヤにはペミアと呼ぶ白木の彫刻假面が、死者の面貌を模してつくられ、これを卷いた布に刺して夜毎頰ずり愛撫するのであるが、葬式の當日までに女の肌ですれ汚れた假面をよく見かける。

自ら墓穴を掘るトライヤ

原始人の中には樣々な死體葬式を存するが、こゝトライヤのそれは比類少ない變つたものである。それは何百尺といふ斷崖の壁面高く、深さ三メートルにも及ぶ穴を、而も生前自分で萬死を賭して掘るといふ奇習を持つてゐる。この穴に布で卷いた儘の死體を運び入れるのであるが、トライヤはこの墓穴をリアン（極樂とか幸福の穴の意）と呼んでゐる。急死した場合などは水牛二頭位を謝禮に與へて人に掘らすが、一年から數年もかゝるといふ、それは命を懸けた死のスリルでもある。幽玄迫る谿谷に立つて見あげるこのリアンのたゝずまひは、トライヤの往古をさながらに怪奇一色で塗り潰してゆく。

切齒の習俗

トライヤの女達は總體に美しい眸を持つてゐるが、わけても王族系の娘なんかは丸顏の蠱惑に充ちた肉附きに、澄みきつた黒玉の明眸を湛えてゐる。數多い原始人のうち、こゝ程美しい長睫を持つてゐるものは少ない。

トライヤは思春期になると男女共前齒を根元から切りとつて、シリイを嚙んでその根を黒く染めてゐるが、青年達は反つてこの前齒に魅惑を感ずるらしく「赤い果實の中の黒い種子……」と稱へ愛でゝゐるが、皓齒に持たぬ一種の性感がこの切齒に味はれるらしい。

この風習は最初嫉妬深い惡靈から遁れる一種の呪ひであつたが現在では思春期に於ける結婚準備儀式の一つとして一般に行はれてゐる。

奴隷（カウナン）の娘

トライヤの王家のあるケースの村へ、年老いた王に會ひに行く途中あまりにも高雅な美しい娘に出あつた。伏目勝？どこかにうら淋しさうな影のふくまれた風情に吸はれてその後を追つたが、遂にキャメラに入れない間に家に逃げ込んでしまつた。

その家、これにも驚いた。型こそトライヤ其儘の住居でもあり穀倉でもあつたが、家の周圍にぎつしりあるべき彫刻が一線も無く白木の儘の淋しさである。かうした娘や家の不審をトライヤ王に尋ねると、それはカウナンの家だといつて細々と説明してくれた。

往時戰に破れた者は奴隷としてトライヤに從つたがこれをカウナンと呼んで最下級に置かれてゐる。而して現在までも嚴しい階級を隔てゝ家屋にも穀倉にも一切の彫刻を許されず、又嚴としてトライヤとは結婚を禁じられてゐるが、不思議にもこのカウナンには代々美しい娘が生れるといふ、然しどこでも若者の戀はあらゆるものを越える純情さをもつてゐる。こゝトライヤでもこのカウナンの娘と戀に陷ちたゝめに死を課せられたといふ悲劇も數多く傳へてゐる。

然し一方――それは不可能に近いことには違ひないが、このカウナンの許されてトライヤと同格になり得る道が只一つある。それは黒と白の水牛を各百頭、黒と白の鷄各百羽、黒と白との犬各百頭、黒と白の豚各百疋を村に提供することである。

その昔カウナンの娘に戀した王の息子がこの難しい蒐集をしてカウナンの娘との結婚を結ばんとしたが、最後の黒白の豚に至つて遂に力盡きて死したといふ傳説までを殘してゐる。

トライヤの發祥

かうした太古の怪奇をそのまゝに、數千尺のセレベス中央山地に住むトライヤはどこから來たか、又現在その數がいくらあるかも詳かではないが、發祥については或はブルー、セーラム島などのモロッカス群島を渡つて來たミクロネシアンだとか、小スンダ列島の東部の人種にその風貌が似てゐるとか、バリーの先住民ササ族ではないかとか、遂にはメラネシアン説までも出て來てゐるが、明確な斷定は下されてないやうだ。然しこゝに興あることはトライヤのトは人の意で、ライヤは山岳の意である。つまりトライヤは山岳人の意として知られてゐるが、ミクロネシア語の研究者達のいふ日本語のヒトのヒは接頭語でトが語根であつて、舍人（トネリ）隼人（ハヤト）則人（ノリンド）などの場合よくそれをあらはしてゐるが、トライヤのトと日本語のヒトのトが相通ずることも面白いことである。

人口も或は何萬といひ、或は何十萬と稱されてゐるが、成る程一度このトライヤの山岳地帶に足を踏み入れての驚きは、その分布のすばらしい廣範であることで、家から家へ村から村へ、田を通り山襞を縫つて遠く幾百キロ、その行脚は實に容易なものではないので、その調査にも何十萬のひらきが生ずるのであらう。

然しトライヤは熱帶下とはいへ、朝夕などは綠を渡る風の戰きに秋の冷氣をさへ覺え、溢れる山の幸に埋もれて今も猶、遠い往古をさながらに、こゝトライヤこそは汚れをしらぬ無辜の靈場でもあり奇しき妖境でもあつた。

因にトライヤをトラジヤ、トロジヤと記す人もあるが私の耳には何としてもトライヤとしか響かないので然か記することにした

義經の『戰術』に
窺ふ名將ぶり
【第一章】一ノ谷の卷

杉　山　平　助

時　七五四年前
所　神戸市西部

義經の「迂回戰術」

一ノ谷の合戰記を讀んで最も强氣を引かれるのは義經の思ひ切つた迂回戰である、友軍の範賴が京都を出て伊丹、西宮と直線コースで神戸へ向つてゐる間に、義經は神戸西へ出るために京都から龜岡、篠山、三木と山の中ばかり、しかも距離にして二倍の道を突破してゐるのである、そして三木で土肥實平に大部分の部下を渡して明石へ出させ西側から神戸に押寄せ、自らは市背の鵯越に現はれてゐる、當時は騎兵が主力であつたとはいふものゝこの行軍の馬力は相當なものである。

捨身の攻擊

元來この戰爭の原因は義仲に追はれてその前年の七月あはれな都落ちをして九州の太宰府まで逃げてゐた平家の一門が半年ほどの田舍ぐらしに貴公子や女房たちが耐へかねて都戀しの一念から歸つて來てまづ京都へ入る前に清盛以來なつかしい福原京へ落ちつき一ノ谷の守りを固めたためで、落ちぶれたとはいへ半年間の休養のうへ西日本の人兵を集めてゐるのであるから堂々たる陣容である、七萬六千騎ともいひ十萬騎ともいふ多勢、一方義經の方はといふと關東の荒武者ぞろひとはいへ宇治川で義仲と戰つた直後である。

戰死者や負傷者の補充もまだついてゐない、總勢二、三千騎、あるひは二萬騎、平家のまづ七分の一から十分の一の寡勢であるから守備一に對し攻擊三の兵力が常識であるのに守備十對攻擊一だからまるで支那事變當初の日本軍と支那軍のやうなものである。

『包圍』作戰

しかし義經としては父義朝の仇を討つためにはこのチャンスを逃せない平家の大軍が京都へ攻めのぼる前にたゝきつぶしてしまはればならない、少い軍を大軍のやうに見せて勝たればならぬ、そのために東の正面へ範賴の軍、西の裏側と北の背面とには自分の軍と、かく包圍戰術をたてゝ京都滯在僅か三日、戰ひの疲れも

癒えぬうちに生殘りの部下を連れて出陣したのである。
最も心配なのは義經勢が丹波、播磨と迂回してゐる間に平家方が西國街道をのぼつて友軍の正面を脅かさないかといふ點、および範賴、義經兩軍が同時に戰ひを開始するといふ點にあり、このため和睦交涉を行つて油斷をさせたり、範賴軍に途中で「忌日」を口實に三日間ほど行軍停止をさせたりいろ〳〵苦勞をしてゐるがこの間よく聯絡がされたものと感心するのである。

宛ら「保定」戰

播磨の三草山にあつた平家の「前哨陣地」も夜の燒打ちで追ッ拂ひほとんど豫定通り包圍を完成したのだから、あとはわけはない、一ノ谷の敵の本陣地は義經軍の枝隊である土肥軍、東からは同じく分遣隊の熊谷直實軍が挾打ちをしてゐるところへ背面の北側から義經の鵯越急襲が加はつて敵は右往左往し、福原の生田ノ森へ本隊の範賴軍が襲ひかゝつて大亂戰、結局平家は唯一の逃げ道である海の方へと退却し、源氏は海軍がなかつたばかりに敵を全滅はさせられなかつたが平經正、重衡、通盛、敦盛、盛俊らを打ち取つたり捕虜にして大勝した、もしこのとき平家が攻めのぼつてゐたら歷史はまたかはつたであらう、まさに源平わけ目の重要な一戰であつたのであるが、義經がいかに名將であつたか、いかに父思ひであつたかがこの合戰のみでもよく分るである。

母乳代りの…牛乳瓶

アメリカでのお話

アチラで細口瓶は不衞生といふので、今ではお母さんの乳首と同じ感じのゴム乳首とお掃除の手輕な圓筒瓶ばかりであります

◆乳首が母乳と同感で數百回の煮沸消毒にも耐へる衞生な然も經濟的な乳首です

◆……瓶は圓筒型の丈夫な硝子でお掃除が手輕にできお乳の攪拌にも便利です

◆……日本でも「**ラスト**」といふ名稱で、アメリカより優れた圓筒瓶が既に東京のいとしや本舗から賣り出されております

◆……この**ラスト**乳瓶も今では各地の藥局にありますから赤ちゃんの保健のためお求めなさいませ、お値段は一組七十錢位です

愛兒献納

伊藤悌二

天城山の麓にて

はだら雪天城谿々梅咲きて吾《あ》を迎ふなり心は冴ゆる
はる〴〵と霜を踏みつゝ伊豆に來ぬ子がおくつきの苔を撫でんと
博士さへ人工榮養に暗かりきそれの犧牲になれる吾子《あこ》はも
天城山麓《ふもと》木《き》原《はら》にうつり啼く鶯の聲かそけき黃昏
あなたふと聖き戰に傷きし益荒猛男の輝ける顏
若人は聲あらたてゝ村長と戰時財政あげつらうなり
（以上二首車中にて）

臘梅の花

きさらぎや奈良の水取り迫れるに今日あたゝかき春の雨降る
友の描きし白百合の花大寒のこの朝さへも寒々とせず
これやこの鴨綠江の川底の石にてあるか圓き硯は
夕池に菱狩る女の影くろくそを見まもれる子等もだしゐぬ
臘梅の花咲きしとや勘平の萱野の里に我れゆかんかな
七十の茶人利休も死に面し生をほりせり悲しからずや

隣家に電報配達の聲すれど眞夜中なれど痛に觸らず
たまさかに眠られぬ夜に地震ありて遂に眠れず旅に出でけり

寅年の春

人をさけ忠夫有恒保之助の繪など揭げて迎ふ新春
獅子嚙の兜描きし寅年の繪師は壯途に上る夢みる
子等ならべ張子の虎をうちならべ妻と屠蘇くむ五十の春かな

献ぐる寶

英米も露佛も來れど叫べ叫ぶ遼東還附の昔にあらじ
親よりも丈高くなりて教練に行く子の姿妻と見送る
大君に献ぐる寶なき我れは子を献げんと妻に語れる
命のまゝ子を祭壇に献げんと焰仰げは心おのゝく
（アブラハムの古事を追想して）
あかときの耳の痛みを訴ふる吾娘の心に我れは泣かなん
父の名に似たる名なりと喜びて河目悌二の繪をあかずみる
伊藤悌治大審院判事におはせりと松本學氏我れに宣ふ
敎にて國救はんと親にそむき故鄕《ふるさと》出でし若き日戀し

郷土は語る

ツカダキタロウ

◎三輪素麵

宣傳上手の「揖保の糸」なる揖保の素麵に、いさゝか壓せられ氣味にありますが、天下の素麵はこの三輪町の名も高き三輪素麵は、この三輪町の産にして、昔、三輪神社の神官が、大和平野に滿ち充つる小麥を用ひて、素麵を作る事を神靈より敎へられしと傳へられ揖保の素麵もこの地に習つて產出せしのもとの事であります。

いさゝか、實質本位にして、體裁等を飾らぬ爲め、都會人に迎へられる事が遲れし感あり、目下大いに努力中との事でありますが、此素麵の製作たるや仲々容易ならぬ業である事です。

先づ、小麥粉を鹽水にてねりこれを淸潔なる草履をはきて、足を踏みて、固くねり、踏み込まれぬ程の固さのものを、三疊敷程の廣さにのばし、これを丸々長々切りぬき、太き棒状にします。

これに食用油を用ひつゝ、少しづゝ引きのばして、指ほどの太さにまでのばし、これを「ハタ」にかけて干します。猶も食用油を用ひつゝ、だん〳〵に引きのばして遂に五尺以上にも長くする事によつて、あの細きものを作りあげるのであります。

それですから、素麵作りは、朝暗きより起きて、夜は十二時近くまで働きしものにて、十一月頃より三月廿日まで製品を作りあげる事になつて居ります。

今は、機械で作る爲め、非常に早く樂になつたとの事であります。

◎驛長のない驛

櫻井線櫟本驛と、丹波市驛との中間に、一日數回の列車が僅かに停車するに過ぎぬ、長柄驛があります。

この長柄驛には、驛長が居ないのは、これも大和ならでは見られぬ珍らしい旅の一つであります。

唯見る長いプラットホーム丈けで驛の建物も無く、ホンの旅客待合所の小さなのが、プラットホームの中央にある丈けでありますがこの待合の隅に、一室がありまして、こゝに驛員が一人ゐます。そして、切符を賣る事から改鋏から集札から發車の合圖まで、いや驛の掃除から、何から何まで僅かこの一人で用をたして居るのであります。

これは國鐵としては、珍らしい事と思はれます。

何しろ大和路は古い丈けに、旅をすると、面白いものに會ふものです。

◎御利益宗教の繁盛

伏見の稻荷神社は、金儲の御利益があるとて、參詣人が絕えませんが、その繁盛ぶりは、本殿より奧の院に至る二十一町餘の山道に並ぶ、奉納鳥居の數が物語つて居ります。

何しろ、鳥居建立專門の大工さんが十人許りも每日忙しく働いてゐるのを見ても、如何に參詣人が多く、信者の多いかゞわかりませう。

◎東丸神社

稻荷神社に參詣する人は幾千幾萬あつても、拜殿の橫の東丸神社に注意する人は果して何人あるでせう。

代々稻荷神社の正祠官家である荷田家の次男坊、荷田春滿大人を祀る府社にして、從三位を贈られてゐます。

處で、この荷田春滿（カダア

ヅマヽロ）の名を知らぬ人も數多くあらうかと思ひますので、一寸ホンの一寸記して見ませう。

日本の國學者として、賀茂眞淵その門人本居宣長、及その又門人である平田篤胤を知らぬ人は、恐らくありますまいが、荷田春滿大人は實にこの賀茂眞淵の師であるのです。

いやしくも、國學者としてその流をくまぬ者は無いと申される程の國學の祖であつて、神社隣接の舊宅は史蹟に指定されてゐます。

「ふみわけよ倭にはあらぬ
　唐鮮の跡をみるのみ
　　人の道かは」

これは大人が「書」と題して詠まれた歌で、如何に皐道顯揚尊皇愛國に志の厚かつたかを知るに足りませう。

◎春滿大人の逸話

大人は江戸に於ては、門人である三十間堀材木町中島五郎作方に住み、古典を講じ、清蓮に應じて顯家に出入されましたが此時に吉良上野介もその敎を受けた人であります。

大石内藏助も亦、親交のある一人にて、元祿十五冬、内藏助東下するや一日大人を訪れ、大人は内藏助の東上が、波瀾の一擊にあるを察して、吉良の動靜を告げたのであります。

それを發端にして、自家の實見に由り、吉良邸の見取圖を製して大高源吾に與へ、又十二月十四日に吉良邸に茶會のある事を探りて一黨の義擧の爲め援助されたと傳へられてゐます。

◎大人の歌

○鳥狩（九歳のとき）
　いなり山今日は小鳥の音をたえておとするものは谷川の水

○富士山に登りて
　聞きしよりも思ひよりも見しよりものぼりて高き山はふじのね

○神　道
　世の中に神の道とて道あらば人のほかなる人や學はむ

○神　社
　たが爲と誰か思はむ世をまもる天つやしろ國つやしろも

◎法隆寺軌道

丹波市町より法隆寺へ行く近道は大軌電鐵天理より電車で平端に出て、新法隆行の軌道車に乘るのが便利であります。

がこの軌道車たるや、實に愉快な存在でありまして、軌道自動車なのであります。即ち、軌道を走るバスであつて、無軌道電車の全然反對な譯です。

勿論、相當早く走りますし、田舍道の乘合バスよりは動搖も少く乘心地もよく、平端を新法隆寺驛との間約十分間は、便利なものであります。

が、何しろ珍らしい存在で、北宇智のスイッチバックと共に、全國稀に見るものと思はれます。大和は、げにも古い國ではあります。

新法隆寺驛は、關西線法隆寺驛の直ぐ前でありますから、法隆寺へは、再びバスのお世話にならねばなりません。

◎非再建說

學者の間にやかましい、法隆寺金堂、五重塔、再建、非再建說を堂守りの古老に聞くのも面白い事でありまして、旅に聽ける樂しみの一つであります。

「法隆寺の金堂の再建設等は、愚にもつかぬ事で、若しも燒失したものであれば、あれ丈け多くの飛鳥時代の寶物や佛像が殘されて居る筈もない譯で、これは事實が證明してゐ

るものであります。

にも係らず、再建說のあるのは實際を知らぬ机上の學說であつて、「法隆寺火一屋不餘」とあるを「法隆寺は一屋を餘さず燒失した」と讀む處に間違ひがあるのです。

これは雷火により大講堂をはじめ一屋を燒きしものを稱するものにて、廻廊の三本目の柱まで燒けた事は、その柱の四本目以下との異つてゐる有樣でよくわかります。

建築の礎石は、金剛山脈邊に出る火山石であつて、燒け石でないのによつても、再建說等の出る譯がわからぬ」云々。老翁は、口を揃へて憤慨つて居られたものです。

◎龜ケ瀨地辷り

有名なと云ふのは變な言ひ方ですが、關西線龜ケ瀨トンネル附近の地辷りは、可成り世間を騷がしたもので、遂に現在の關西線は大迂廻して川向ふを走つて居ますが土地の古老は、この理由を斯う說明してゐます。

「今から五十年ほど前の事になりますが、大阪鐵道會社が現在の關西線の鐵道を建設した時に龜ケ瀨トンネルを見て必ずいつかは地崩れがあると皆云ふてゐたものです。

それが今日起つたので、學說も何も必要のない明白な事實であつて、何しろ山の端で一方はすぐ川流になつてる處へトンネルを通じて、そして日夜列車で震動させたら、崩れるのは當り前であります。

山が崩れ込んで押し出せば、川の底がむくれ上るもの、當前の事ですわい。

何も學說を立てるの、立たないのと申す事も無いでさ」

され。

古老の言や尊し。五十年前の豫言を知る人や、果して何人がある。

◎中宮寺の佛像

法隆寺を見る人々は、東院に佛像の說明を聞くのは、誰れものとる順序であります。

が然し、東院の構內、裏橫手の中宮寺の觀音に詣でる人は、案外少いものであります。

中宮寺の觀音像は、有名な美事な線を有する佛像にて、京都の泰太の廣隆寺の本尊と一對をなす。此事は、全國にないものであります。

現在の中宮寺は、古は東へ二三丁餘の處にあつたものを、燒失されし時此處に移したものであつて、代々皇族を迎へて院主となせし尼寺であります。

私は、この中宮寺を訪れて、本尊を拜觀させて頂いたのでありますが、その姿、殊にその御顏は、いつまでも立ち去るにしのびなかつたものゝあつた事を正直に白狀します。

「お母樣」とは、實に、斯くの如き御顏、御姿のものであらうと私は心からの懷さと親しささを味はされたのでありました。

「あなたは、朝夕、あのお姿を拜して居られたので、嘸御幸福な事でせうね」

私は心から、案內の尼僧さんに斯う申したのであります。

私の心をかくまで惹きつけた佛像は、實際の處、今までありませんでした。

再び私が佛像を拜するとすれば實に中宮寺の、このお姿であると信じます。

夫婦愛の再檢討

＝互に人格的價値を認めよ＝

岡本かの子

夫婦を、個人の男と女の向ひ合ひとして、愛情幾匁、勞働價値幾匁、育兒料幾匁と、まるでカクテルを作るやうな算盤珠で計つた時代は過ぎた。夫婦は一體、それを籠めたる家族は一體、それを籠めての國民は一體と、かういふふうに萬事有機的生命網の連繫を確と心に辨へて、國家の意旨目的に率先團結して行かねば、世界に後れを取る時代となつた。

夫婦間の愛情內容もまた、この網の目に、洩れるわけには行かない。いつ如何なる場合なりとも義勇公に奉ずる筋道へ愛情の糸を送り伸ばし、銃後の護りの糸を引緊める役目にいよ〳〵いそしむかういふ生きた緩急性を帶びなければならない。

一たい、夫婦の愛情が單なる男女間の戀愛との違ふところは、悅んで男女双方の公義的責任をも擔ひ分けようと心約する、こゝに深い意義があるのである。公的義務を擔へるものほど人格的價値ありとして、愛情的理解をこれに寄せる。結婚の具體的履行なくとも家門の妻といふ公稱を夫から與へられただけで、一生を捧げて悔ない献身的の愛情を古武士の妻が示してゐるのは女性として男性から、さういふ人格的價値を認められたといふ感激に、聖められた愛情をひき出されたのである。

かの人生の斷片ばかり寄せ集める友愛結婚の愛情と、この一貫した悲壯な愛情とどちらが味ひ深いか。夫の愛妻取りも直さず家門の妻、またさながらに國民の妻である醇直一元の愛情であらねばならぬ。夫たるものも亦、この意義をよく了解して、妻を賴むべき伴侶として尊敬と眞愛を持たねばならない。

編輯後記

◉「敵機、臺北へ爆彈投下、防空完璧、全島平穩なり」の號外を昨夜手にした、長期戰に入つて暴支膺懲の決意愈々堅き我が國民には「今時分何を小癪な！」との感を抱かせ、亦斷末魔の捨鉢沙汰としか受取れぬ、それにしても想ひ起すのは、去る昭和十年三月、時の臺灣總務長官平塚閣下の御支持と永井閣下の御推擧によつて、約一ケ月間記者は全島十二の高等女學校や數ケ所の婦人團體に講演の爲めの旅を續け、臺北臺南に於ては乳幼兒審査會を施行し、第二國民育成に資する兒童愛護運動を敢行して本島人はもとより官民一般より多大の感謝を受けたのであつた、四時果物の熟るゝ天產豐富なる常夏の國、廣茫の沃野、繪の如き原始の姿を失はぬ山々等を眼前に浮べ、あの純朴なる同胞を思ふ時、如何に稚氣に類する企とは云へ暴支の血迷へる仕業を憐まれずには居られない、要するに問題は往復能力のある優秀な爆擊機よりも、操縱者自身の魂の問題ではあるまいか。

◉一月二十八日、堀川乳兒院に廣島博士を、電氣局病院に原田博士を、高洲病院に肥爪博士を、學童保健相談所に竹村博士を訪問し、夜は南海高島屋樓上に於る宮武辰夫畫伯の『東印度諸島の怪奇と藝術』出版記念會に出席、會する者百餘名、各方面專門家の祝辭があつて盛況だつた、畫伯はジヤヴアよりセレベスに渡り、モロツカス群島からニユーギネア近くのアロー島まで足を伸ばして、人喰人種のカヤカヤ族に接し、二萬數千キロの船行を終へ、千餘の寫眞と二千餘點の參考資料をもつて歸朝されたのである、記者は同卅一日、箕面牧落の新邸を訪ふて、數々の危險と鬪つた珍らしい冒險談を窺ひつゝ、幾多の原始藝術品を見せて頂いた。

◉二月七日、大阪三越の英一蝶と門流畫稿展にて京都の板倉星光畫伯に御目にかゝり現代畫壇の趨勢を拜聽した、八日は綿業會館に於ける伊達俊光氏主宰の金曜談話會に出席、「靈魂の不滅と其の行動」なる間部氏の講演をきゝ、淺野和三郎氏其他の靈的寫眞などを見たが、例のクリスチヤン サイエンスより一步も出でぬものであると思はれた、十一日は定家、實朝の和歌研究に一日を費し、十八日は神戶市役所に竹內氏を訪ふ、氏は賀川豐彥氏が二十三歲にして貧民窟に入つた時から苦樂を共にされ『死線を越えて』の外傳をよく知れる得難き人で興味ある話は盡くる處を知らない、二十二日は府立寢屋川高女に今中楓溪氏を訪ふ、氏は本聯盟創設當時からの精神的援助者であり、記者とは無二の心友で、二十八年間同校の敎頭をされ、今春より職を辭し、續いて女性和歌雜誌『若菜』を刊行され、專ら短歌報國のために奮鬪さるゝ事となつた我等は童心の權化なる氏の御健勝を祈つてやまぬ者である。（二月二十四日）

本誌定價　一冊金參拾錢　郵稅壹錢五厘
半年分六冊　金壹圓六拾錢　郵稅共
一年分十二冊　金參圓　郵稅共
誌代郵稅は一切前金の事
前金切の場合は發送中止
郵券代用は一割增のこと
昭和十三年二月廿八日印刷（每月一回）
昭和十三年三月一日發行（一日發行）
兵庫縣武庫郡精道村芦屋
發行兼編輯人　伊藤悌二
印刷人　木下正人
大阪市西淀川區海老江上二丁目三七番地
印刷所　木下印刷所
電話福島㊺（一五三四番）（二二六番）
大阪市北區天神橋筋六丁目
大阪市立北市民館內
發行所　大阪兒童愛護聯盟
電話堀川㉟（〇〇〇一番）（〇〇〇二番）
振替大阪五六七六三番

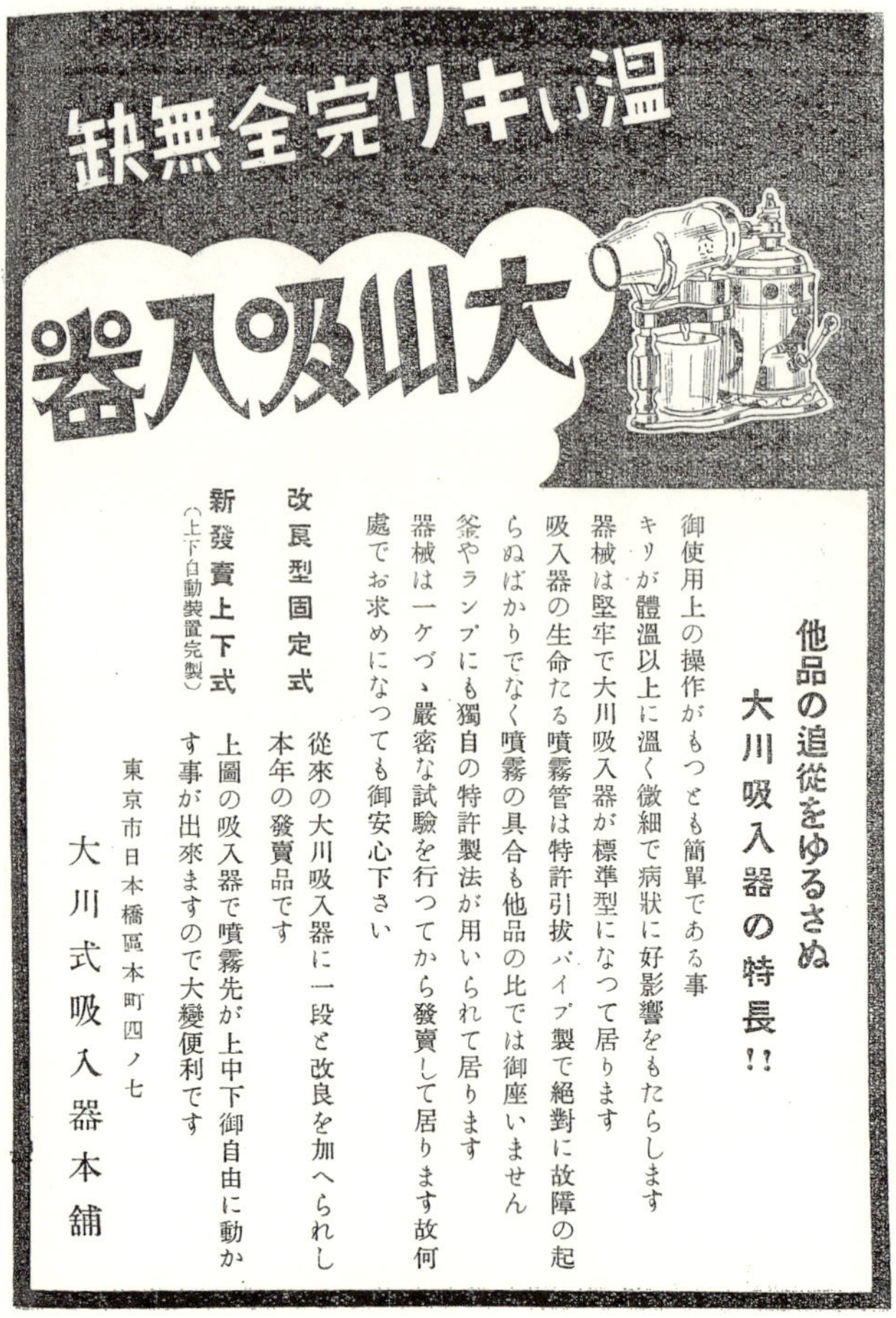
温いキリ完全無缺
大川吸入器
他品の追從をゆるさぬ
大川吸入器の特長!!
御使用上の操作がもつとも簡單である事
キリが體溫以上に溫く微細で病狀に好影響をもたらします
器械は堅牢で大川吸入器が標準型になつて居ります
吸入器の生命たる噴霧管は特許引拔パイプ製で絶對に故障の起らぬばかりでなく噴霧の具合も他品の比では御座いません
釜やランプにも獨自の特許製法が用いられて居ります
器械は一ケづゝ嚴密な試驗を行つてから發賣して居ります故何處でお求めになつても御安心下さい
改良型固定式
從來の大川吸入器に一段と改良を加へられし本年の發賣品です
新發賣上下式
（上下自動裝置完製）
上圖の吸入器で噴霧先が上中下御自由に動かす事が出來ますので大變便利です
東京市日本橋區本町四ノ七
大川式吸入器本舗

明《い》色《しよく》美《び》顔《がん》白《おし》粉《ろい》
專《せん》賣《ばい》特《とく》許《きよ》品《ひん》
あまり美《うつく》しく附《つ》くのでどなたも驚《おどろ》く！
明色美顔白粉《めいしよくびがんおしろい》のお化粧の美しさにはどなたも驚かれます。
しかも
お化粧《けしよう》して時間《じかん》が經《た》つほどサエて一層《そう》
美《うつく》しくなるのが此《こ》の白粉《おしろい》の特長《とくちやう》です
未《ま》だの方《かた》は一日《にち》も早《はや》くお試《ため》し下《くだ》さい お喜びキット滿點《まんてん》です！
明色とは……眞《しん》に明麗《めいれい》なこれまでにない美しいお化粧が
出來るので附けた名です。
色味《いろみ》は白色・肌色・濃肌色・淡黄色など
の種類があります。
明色美顔水（明色水白粉）
明色美顔粉白粉
明色美顔固煉白粉
明色美顔煉白粉

子供の世紀 第十六巻 第三號
大正十三年二月二十日第三種郵便物認可
昭和十三年二月二十八日印刷納本 每月一日一回發行
お買物は皆樣の高島屋へ！
お子樣用品各種豊富に取揃へ
土曜・日曜は高島屋お子樣デー
（五階）
東京・日本橋
高島屋
【定價 金參拾錢】

武田發賣
よわい子供に
ポリタミン
のむだけ血肉となつて体重が増し、食慾が進み、身体が眞に強くなります
● 腺病質の子供には胃腸の弱いものが多いから消化の煩ひのある强壯劑は、ムダが多いばかりでなく、胃腸を害する惧れがあります。
ポリタミンは牛乳蛋白を消化しつくしたアミノ酸綜合劑ですから、胃腸の弱い子にもムダなく吸收されて、榮養强壯作用を發揮します。
● しかもポリタミン中のアミノ酸は少量でも著しく全身細胞を賦活して、新陳代謝を盛んにし、或は食慾をすゝめ、或は抵抗力をつよめますから、相俟つて腺病質の子供を健全にします。
こんな子供に最適
微熱がつゞく、ねぢをかく、食慾がない
血色が惡い、疲勞し易い…結核性体質
小瓶（一圓五五） 中瓶（二圓五〇） 大瓶（四圓五〇）
發賣元 大阪市道修町 株式會社武田長兵衛商店
製造元 大阪市堀上通 大五製藥株式會社
37(2)59

大正十三年二月二十日第三種郵便物認可
昭和十三年三月廿八日印刷納本
昭和十三年四月一日發行（毎月一回一日發行）

恒久國防・國民體位向上

子供の世紀

第二國民體力强化號

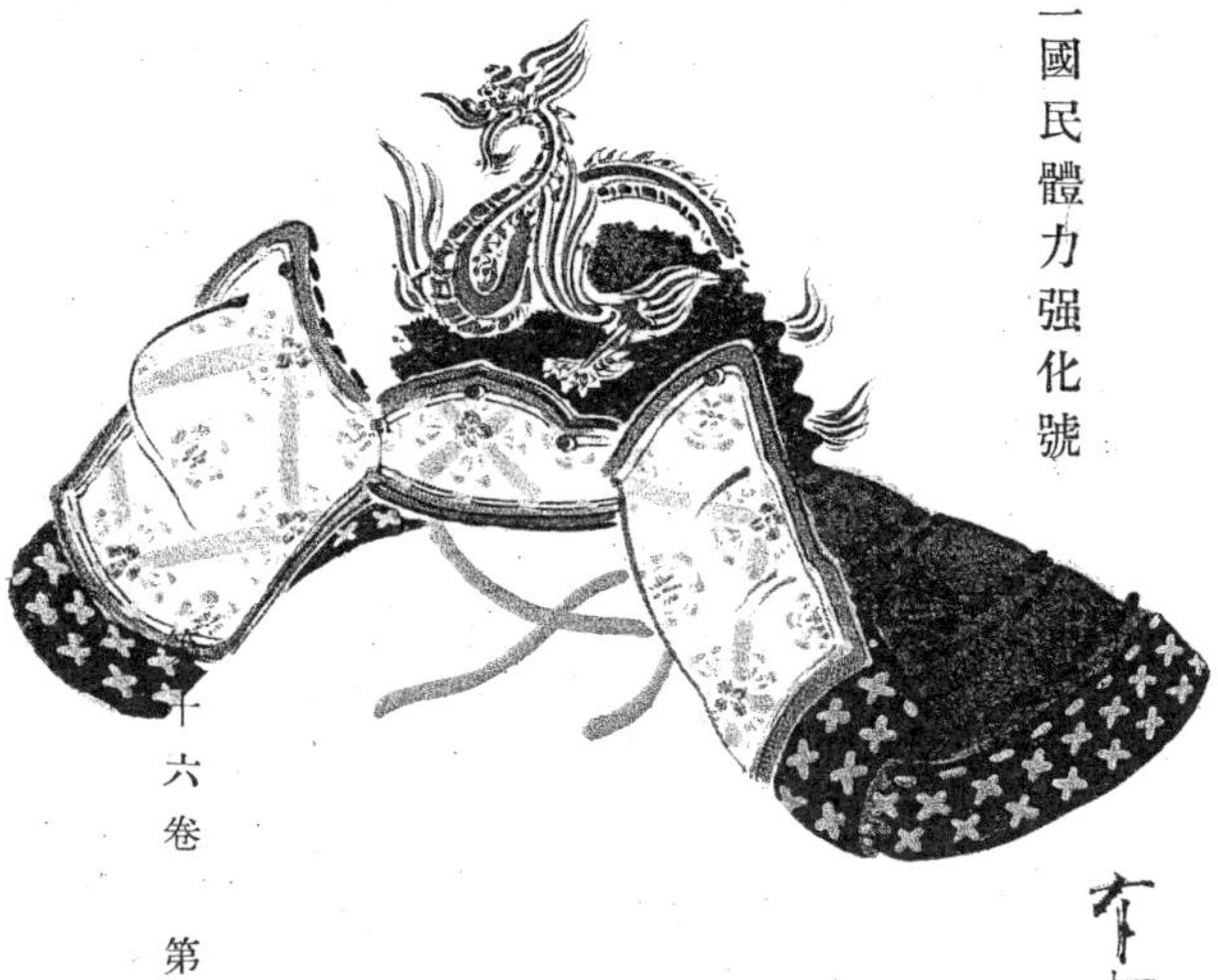

十六卷　第四號

大阪市北市民館内
大阪兒童愛護聯盟

『子供の世紀』（第十六卷第四號）第二國民體力强化號

目次

37(2)183

喫茶店より美味しい珈琲が出來る珈琲沸器!!

大川パーコー

美味しい香り高い珈琲は
大川パーコーにのみ依つて得られます

全國百貨店に有り

説明書送呈します

關西代理店　大阪市北區梅田新道

ニッポンブラジリアントレーディングコンパニー

モデル　東京松竹少女歌劇聲樂專科　對馬洋子さん一人二役

東京市日本橋區本町
大川吸入器本舗
大川銀三郎商店發賣

日本兒童愛護聯盟主催
第十回全東京乳幼兒審査會
總裁　厚生大臣 文部大臣　侯爵 木戸幸一閣下

會場　高島屋

全國醫學界の推奬を得たる
完全な榮養食料品

お醫者がス丶メル滋養のお菓子

乳菓 カルケット

大人…元氣增進　產婦…榮養補充
小兒…發育旺盛　病後…疲勞回復

本品の特徴は
人體に必要なるカルシウム分を有効に配劑す
(衛生試驗所證明)

健康の御家庭は一家に一罐必らず御常備あれ。

澱粉《でんぷん》、脂肪《しばう》、蛋白質《たんぱくしつ》の外《ほか》特《とく》に健康《けんかう》に必要《ひつえう》なるカルシウム分を有効《いうかう》に配劑《はいざい》し、砂糖《さとう》による害《がい》を除《のぞ》き、一家《か》の健康《けんかう》を保《たも》つ完全食料品《くわんぜんしよくれうひん》として、カルケットを常用《じやうよう》せられる事《こと》は、賢明《けんめい》なる現代《げんだい》の主婦《しゆふ》の御役目《おやくめ》であり、又《また》お菓子《くわし》の選擇《せんたく》に滿點《まんてん》といふべきであります。

東京 大阪　中央製菓株式會社

美麗包裝各種

御家庭用	角罐	二、二五〇瓦
御進物用	大平罐	七五〇瓦
同	中平罐	五〇〇瓦
同	小平罐	三七〇瓦

◇外に散歩遠足用丸棒包(十錢)有り

明治(赤罐)コナミルク

用ひ方簡易で値段の廉い
母乳代用優良加糖粉乳

乳兒の哺育に
兒童の保健に
姙産婦の榮養に

砂糖を加へる手數が省ける ◇ 水にも湯にも溶け易い ◇ 消化吸收が極めて良好

・半ポンド入

明治製菓株式會社

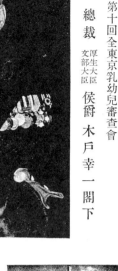

このマーク
メガネ肝油球
お奬めする方
一般虚弱者、産前産後に
腺病質　肺結核　肋膜
腹膜　せむし　夜盲症
榮養不良による眼疾
感冒にかゝり易き人
一番よい
經濟的國民榮養素
眼鏡肝油
雑誌名記入御申込の方に　文献贈呈
本舗
合資會社　伊藤千太郎商會
大阪道修町

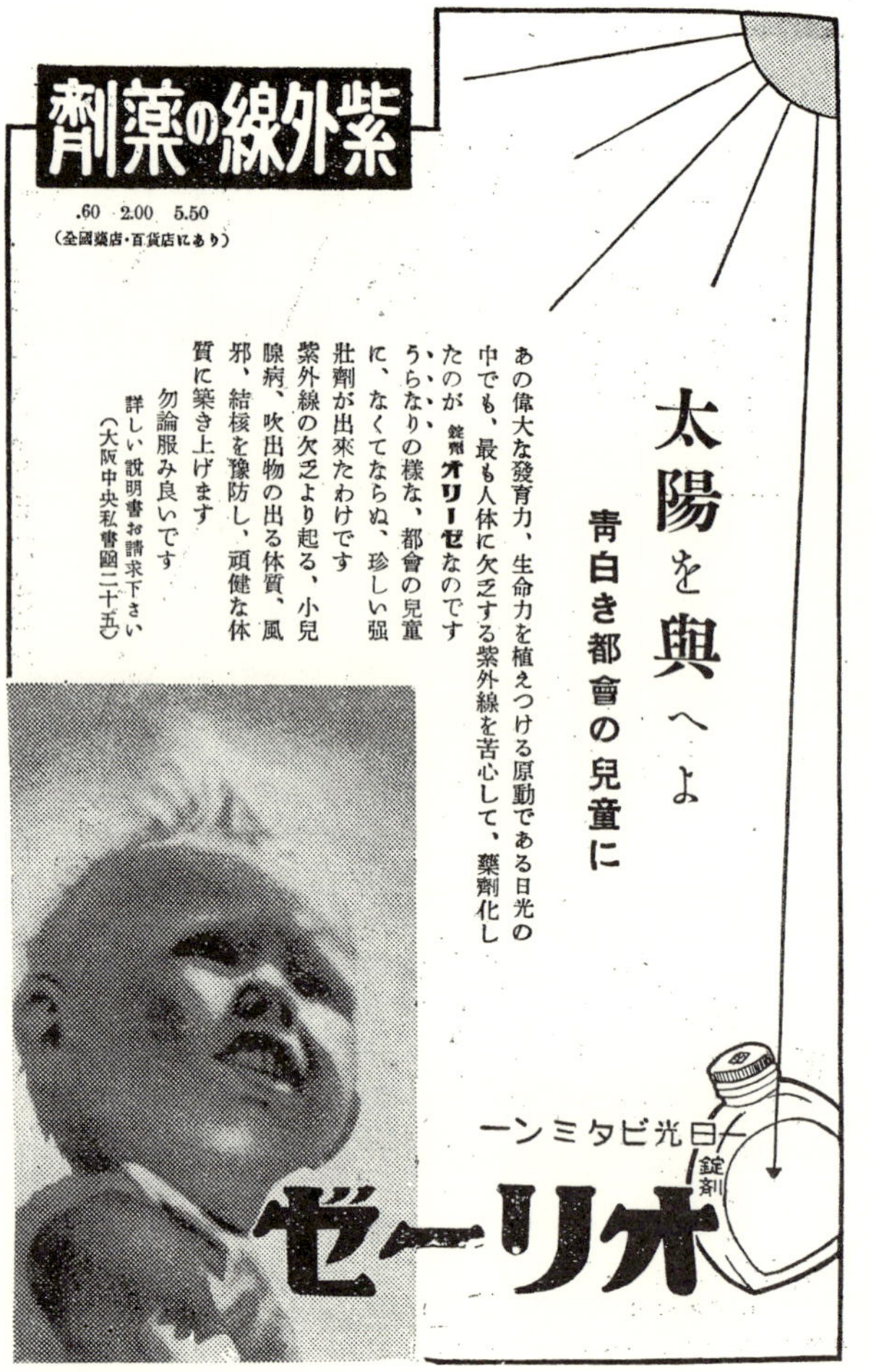

紫外線の薬剤
.60　2.00　5.50
（全國藥店・百貨店にあり）
太陽を與へよ
青白き都會の兒童に
あの偉大な發育力、生命力を植えつける原動である日光の中でも、最も人体に欠乏する紫外線を苦心して、薬剤化したのが錠剤オリーゼなのです
うらなりの様な、都會の兒童に、なくてならぬ、珍しい强壮剤が出來たわけです
紫外線の欠乏より起る、小兒腺病、吹出物の出る体質、風邪、結核を豫防し、頑健な体質に築き上げます
勿論服み良いです
詳しい説明書お請求下さい
（大阪中央私書函二十五）
日光ビタミン
錠剤
オリーゼ

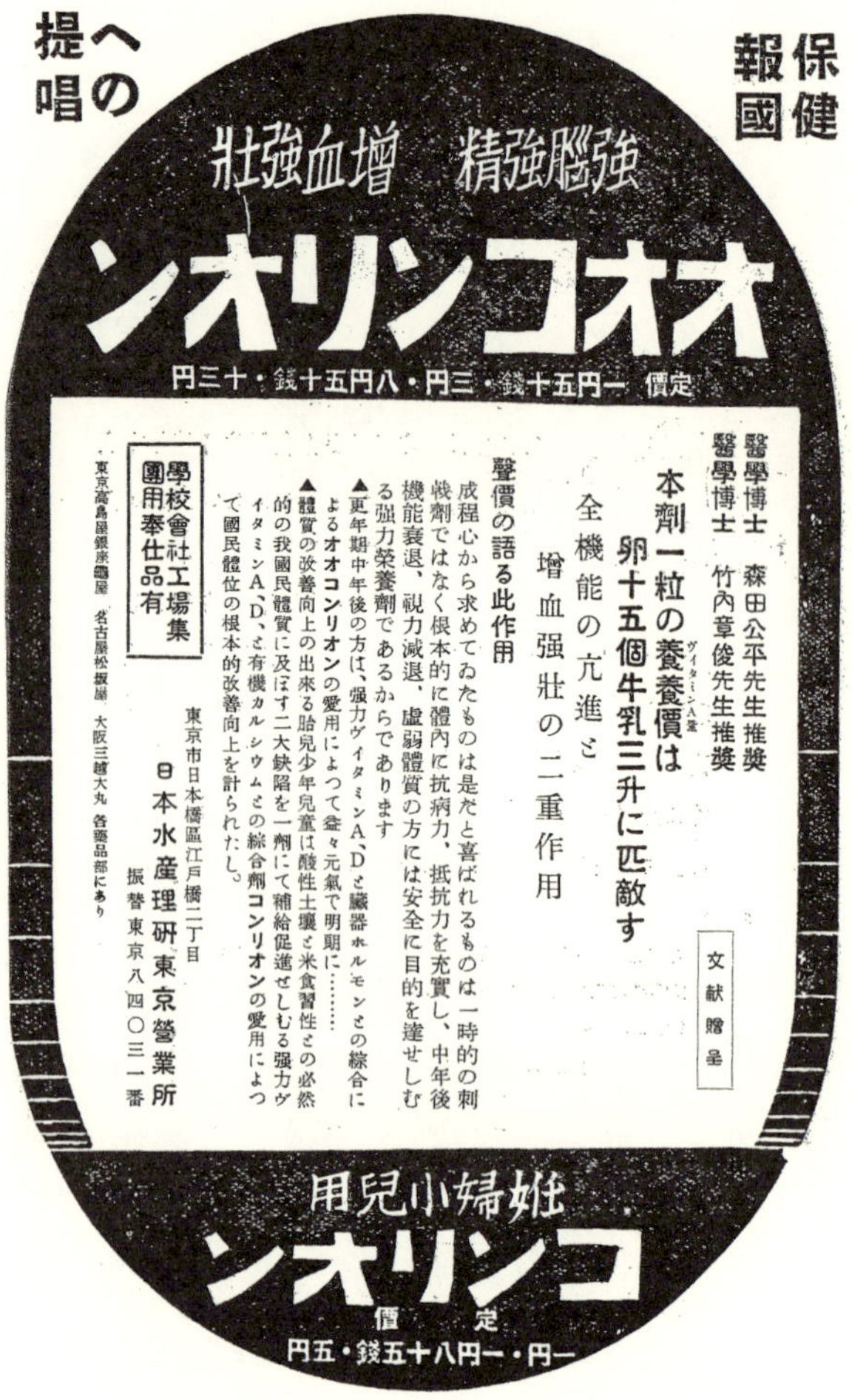

保健報國への提唱
强腦強精　増血強壮
オオコンリオン
定價　一円五十錢・三円・八円五十錢・十三円
醫學博士　森田公平先生推奬
醫學博士　竹内章俊先生推奬
本剤一粒の養價《ヴイタミンA量》は
卵十五個牛乳三升に匹敵す
全機能の亢進と
增血强壮の二重作用
文献贈呈
聲價の語る此作用
成程心から求めてゐたものは是だと喜ばれるものは一時的の刺戟剤ではなく根本的に體内に抗病力、抵抗力を充實し、中年後機能衰退、視力減退、虚弱體質の方には安全に目的を達せしむる强力榮養剤であるからであります
▲更年期中年後の方は、强力ヴイタミンA、Dと臓器ホルモンとの綜合によるオオコンリオンの愛用によつて益々元氣で明朗に………
▲體質の改善向上の出來る胎兒少年兒童は酸性土壌と米食習性との必然的の我國民體質に及ぼす二大缺陷を一剤にて補給促進せしむる强力ヴイタミンA、D、と有機カルシウムとの綜合剤コンリオンの愛用によつて國民體位の根本的改善向上を計られたし。
學校會社工場集團用奉仕品有
東京市日本橋區江戸橋二丁目
日本水産理研東京營業所
振替東京八四〇三一番
東京高島屋銀座松屋　名古屋松坂屋　大阪三越大丸　各藥品部にあり
妊婦小兒用
コンリオン
定價
一円・一円八十五錢・五円

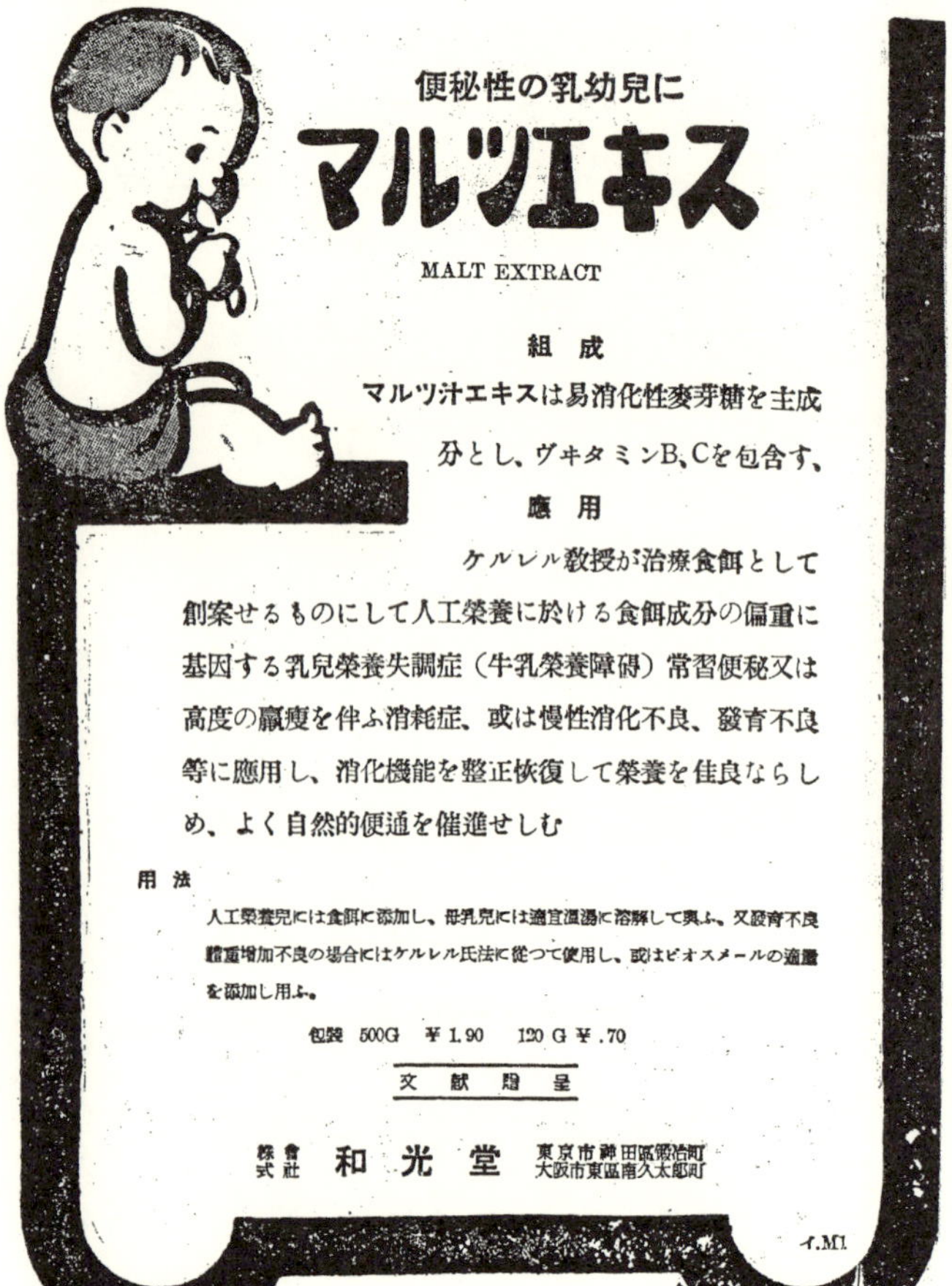

便秘性の乳幼兒に
マルツエキス
MALT EXTRACT
組成
マルツ汁エキスは易消化性麥芽糖を主成分とし、ヴキタミンB、Cを包含す、
應用
ケルレル教授が治療食餌として創案せるものにして人工榮養に於ける食餌成分の偏重に基因する乳兒榮養失調症（牛乳榮養障碍）常習便秘又は高度の羸痩を伴ふ消耗症、或は慢性消化不良、發育不良等に應用し、消化機能を整正恢復して榮養を佳良ならしめ、よく自然的便通を催進せしむ
用法
人工榮養兒には食餌に添加し、母乳兒には適宜溫湯に溶解して與ふ、又發育不良體重增加不良の場合にはケルレル氏法に從つて使用し、或はビオスメールの適量を添加し用ふ。
包裝　500G　￥1.90　120G　￥.70
文献贈呈
株式會社　和光堂　東京市神田區鍛冶町　大阪市東區南久太郎町
イ.M1

木戸文部大臣代理としての大西體育官

我等の大西永次郎先生

本聯盟が大正十四年十月、第一回の全東京乳幼兒審査會開催の時より、本會の顧問として盡瘁されて今日に至つた大西文部省體育官は、過般勅任官を以て待遇され、依願免本官の發令があつた、然し當分文部省囑託として、體育課學校衞生係長として引續き斯道のために盡力せらるゝ由である。

大西永次郎先生は大正七年群馬縣學校衞生主事を振出しに、九年廣島縣に轉じ、更に文部省學校衞生官として本省に入り、爾來二十年間本邦の學校衞生に非常なる貢献をされて來た事は餘りにも有名である。(寫眞は昭和十二年度の本聯盟審査會優良兒表彰式に木戸文部大臣代理として祝辭を朗讀された時のものである。)

第九回全東京乳幼兒審査會山崎總裁閣下

昭和十二年度に於ける第九回全東京乳幼兒審査會表彰式に際し、授賞最優良225名、優良兒337名に對して告辭をのべらるゝ山崎總裁閣下

村のこども

小島善太郎氏繪
第八回獨立美術協會展覽會出品

醫學博士 有馬頼吉氏　醫學博士 青山敬二氏　醫學博士 太纒壽郎氏　發見創製

非常時ノ大奉仕
第一號五瓦入一箱（大人用 小兒用）ニ對シ三錢ノ寄附券ヲ挿入ス

アーオー

結核免疫元

本劑は獨特の培養法と合理的處理による製品にして有害なる過敏元と吸收を妨ぐる賸質とを含まず全く純粋免疫元のみより成るが故に吸收迅速、副作用皆無、而も効果確實なるは最も誇る所にして一々動物實驗によりて効力檢査を經たる後始めて市販せらる

治療的應用

肺結核（潛伏、輕症、中等症）、喘息、
腺結核、皮膚結核、泌尿生殖器結核、
外科的結核、眼科的結核、肋膜腹膜炎
特ニ小兒ノ淋巴腺結核ニハ手術ヲ要セズ治癒セシムルコトヲ多數實證セラル。
肋膜炎、肺炎等ノ恢復期ニ於テ最モ著効アルコトヲ認メラル。

發病豫防的應用

虚弱兒童、腺病質學童
特ニ感冒ニ罹リ易キ兒童ニハ著明ニ奏効スルコト確實ニシテ是等體位增强ノ手段トシテ最モ適切ナル發病豫防方法ナリト信ス。

診斷的應用

結核ノ存否病勢並ニ豫後ヲ確斷シ得而モ無害ニシテ同時ニ治療的効果ヲ有スル方法（所謂吉田氏反應）

價格	大人用			小兒用		
	No. 1	5ap	¥ 10.00	No. 1	5ap	¥ 5.00
	No. 2	〃	¥ 11.00	No. 2	〃	¥ 6.00
	No. 3	〃	¥ 12.50	No. 3	〃	¥ 7.00

小兒科文献贈呈

製造所 有馬研究所
發賣元 須美商店
大阪市東區北濱四丁目四〇
振替口座大阪三〇一〇〇番

趣味の喜び‖餘裕の力

松坂倶樂部

新會員募集

各流各派第一流の權威者を仰ぐ
趣味と教養の道場……

箏曲、長唄、常磐津、清元、小唄、舞踊、謡曲、能樂、華道、ピアノ、聲樂、料理、洋裁、書道、日本畫、茶道、俳句、川柳　等夫々開講

手ほどきから奥義まで
氣輕く、樂しく、お上達

松坂屋
大阪 日本橋

寫眞は奥田良三聲樂研究室

乳兒哺育上の重要問題

母乳哺育兒に最も多く見られる障碍は**乳兒脚氣**でありませう。**乳兒脚氣**は、母親に脚氣がなくても起り，又人工榮養兒でも**ビタミンBの不足**があれば脚氣に罹ることが明にされてゐます。前者の場合には母親と患者の兩者に**オリザニン**の適量を與へ、後者の場合には患兒のみに**オリザニン**を與へることによつて容易に治に就かしめ得るは多數文献の立證してゐるところであります。

×　×　×

又人工榮養兒に屢々起るものに**壞血病**があります。**壞血病**は**ビタミンCの缺乏**を主因として起り、その初期には食慾減退、體重減少　血管の榮養障碍、蒼白、不安、不機嫌、啼泣等が觀察されると云はれてゐます。かゝる際に**三共ホーレン草末**の少量（一日量1.5瓦內外）を乳汁に添加して與へると容易に恢復することが知られて參りました。

×　×　×

その他、人工榮養兒には**ビタミンA及D**の不足から種々なる障碍（夜盲症、佝僂病等々、又は屢々感冒に罹つたりする）を起すことも知られてゐます。かゝる場合には肝油の適量又は**三共ビタミン膠球**、**三共ビタミン錠**等で之を補給することが推奨されてゐます。

オリザニン（ビタミンBの世界的始祖）末、錠、液、エキス、注射液各種
三共ホーレン草末（ビタミンCの含量アスコルビン酸として240瓱%）5、50、100、500瓦入
高橋氏改良肝油（一瓶 50.0瓦入）**三共肝乳**（250・500瓦入）
三共ビタミン膠球（20、50、100、500、1000球入）**三共ビタミン錠**（50錠入 100錠入）

東京　**三共株式會社**　室町

赤ちゃん打ち粉

パーキュロ

赤ちゃんのアセモ・タダレには勿論のこと、旦那様のお髭剃りの後にも亦、奥様やお孃様のコナ白粉の代用にもなる、肌色芳香、一罐あれば家庭の皆様が重寶する、全く時代の要求によつて産れた新様式の撒布劑はこれてす

定價 ・二〇 ・五〇

味の素直系

本舗 東京・京橋・寶製藥株式會社

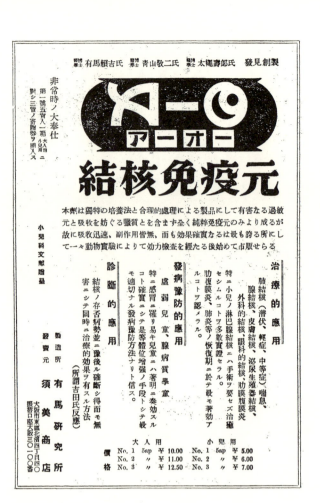

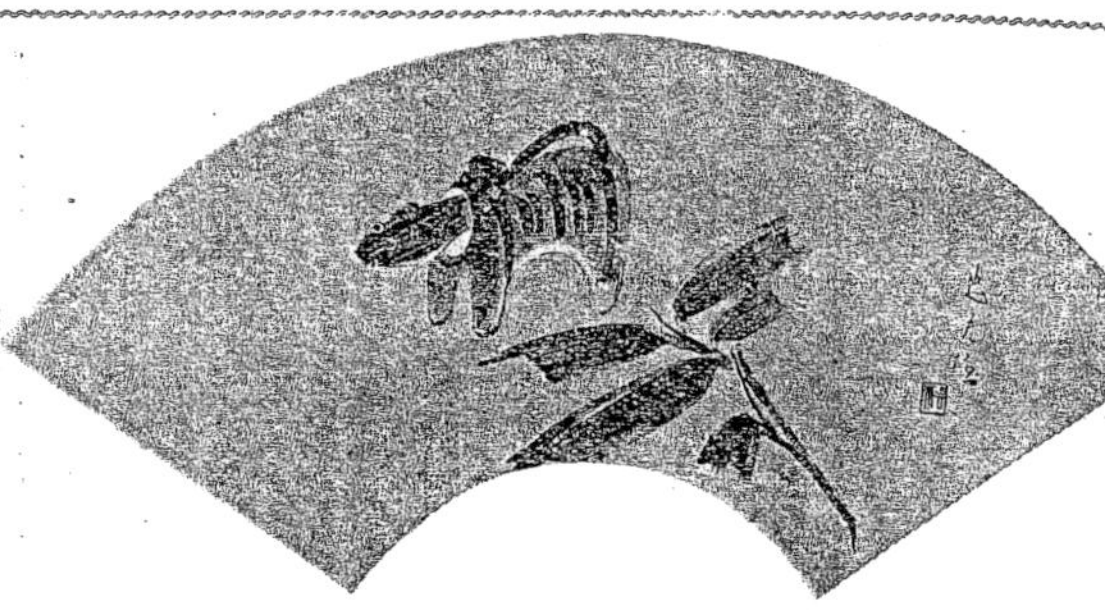

―破竹の勢―　吉村忠夫繪

神命のまゝ

日本善國軍中将　最上勇

上野なる美術館にて名乘りせし
　哲人のありあたゝかき世や
幼童と戯れ遊ぶペスタロッチの
　神の心を思ふ今日かな
日の本の兒童愛護の大使命
　神より受けし君の貴き
一億の同胞中の具眼の士
　時々發見するぞうれしき
去年の四月半ばに大塩の町を訪れしことを思ひ浮べて
神の如き心をもちてこの便り
　捧げまつらむ神命のまゝ

木戸厚生、文部大臣を我等の總裁に推戴す（巻頭言）

國民の最も緊張を要する長期戰下の第十回全東京乳幼兒審査會は、新緑初夏の六月下旬、日本橋高島屋大ホールに於て開催する事となり、名譽會長に永井遞信大臣閣下を、總裁に木戸厚生、文部大臣閣下を推戴し、各方面の關係後援團體、協賛の諸官省、各大學、諸病院等との連絡協定もなり、最早や我等の準備工作は完成せんとして居る。

殊に木戸厚生、文部大臣閣下には國務多端の際、本會の總裁たる事を快諾され、次の時代を護る乳幼兒體力强化のために盡瘁さるゝ事は、國家將來のため感謝に堪えぬ次第である。

本聯盟は大正十年に全國に魁けて、兒童愛護の大衆的運動と國家的事業を開始した事は、有識者は勿論の事天下萬人の認むる處である。然して大正十四年彼の關東大震災直後の東京に進出して、本聯盟の創案にかゝる乳幼兒審査會の第一回を開催して世の輿論に訴え、各團體に刺戟覺醒を與へたのであつた。爾來創業者指導者として幾多の苦難があつたが、兎にも角にも絶大なる朝野の賛助のもとに年々盛況に趣き、全國各府縣に本會の追隨模倣者を出し、兒童愛護に對する國民的自覺を促し、乳幼兒の福祉增進に貢獻した事は誠に本懐とするところである。

今や本會は帝都の若き母性たちの待望の的となり、然も意義ある年中行事としての權威を獲得し、又其の成績は新學理と貴重な經驗とを各方面に贈りつゝある事は、開拓者として欣幸此の上も無い次第である。

左に本會歴代總裁と開催年月とを錄して大方の參考に供する事とする。

第一回全東京乳幼兒審査會（大正十四年十月）
　總裁　文部大臣　岡田良平閣下
第二回全東京乳幼兒審査會（大正十五年七月）
　總裁　文學博士　澤柳政太郎閣下
第三回全東京乳幼兒審査會（昭和二年九月）
　總裁　文部大臣　水野錬太郎閣下
第四回全東京乳幼兒審査會（昭和七年六月）
　總裁　文部大臣　鳩山一郎閣下
第五回全東京乳幼兒審査會（昭和八年六月）
　總裁　文部大臣　鳩山一郎閣下
第六回全東京乳幼兒審査會（昭和九年六月）
　總裁　拓務大臣　永井柳太郎閣下
第七回全東京乳幼兒審査會（昭和十年七月）
　總裁　文部大臣　松田源治閣下
第八回全東京乳幼兒審査會（昭和十一年六月）
　總裁　文部大臣　平生釟三郎閣下
第九回全東京乳幼兒審査會（昭和十二年七月）
　總裁　農林大臣　山崎達之輔閣下

汝生きんと欲せば人と倶に生くべし

日本兒童愛護聯盟名譽會長遞信大臣　永井柳太郎

大分以前のことでありますが、佛蘭西の「プティ・パリジャン」と云ふ新聞が佛蘭西の十二傑を投票で募つたことがあります。當時佛蘭西の十二傑と云へば、第一にナポレオンが擧げらるゝであらうと、何人も豫想して居つたのであります。然るに投票の結果を見ますると、第一位に擧げられたる者は、ナポレオンにあらずして一個の科學者として、又細菌學者として有名であるルイ・パスターであつたのであります。第二位を占めた者は、自由主義の政治家として、又熱血熱涙に富む小說家として知られたヴイクトル・ユーゴーであつたのであります。第三位を占めた者は、佛蘭西の愛國者として、又共和政府の創立者として有名であるレオン・ガンベツタであつた。而してナポレオンは纔に其四位を占むるに過ぎなかつたのであります。シルレルは嘗てナポレオンを評し「海の如き血を流すよりも一滴の涙を乾かすは尊し」と申したのであるが、當時の佛蘭西人も亦、同様の精神を以て投票したのであらうと思ふのであります。ルイ・パスターの如きは其細菌學に對する特別なる研究から彼の發明した各種の豫防藥に依つて、どれだけ多くの惡疫からどれだけ多くの人々が救はれたかも知れない。其無數の人々の生命を救ふたことを尊しとして投票したのであると思ひます。斯くの如き尊き事業は未だ多く世間の人々に知られて居ないかも知れませぬが、假令世間から多く知られて居なくても、病める人々の病を癒し、又悲める人々の涙を拭ふ爲に二十有餘年奮闘せられた其精神は君國の大義の爲に生命を賭して戰ふ勇者の精神に彷彿たるものありと信ずるのであります。

私は最近癩病豫防協會から出ました一冊の書物を讀んだのであります。それは癩病の病院に收容してある癩患者に書かせた脚本であります。其病氣から得た體驗と其病院に入つて次第に回復しつゝある喜びとを映畫にする目的で、脚本を書かせたので、合計八十有餘篇の中から

特に優秀なるものを三十有餘篇抜きまして、それを此書物に集めたのであります。其三十有餘篇の癩患者の執筆した映畫の脚本は、どれも私を感激させましたけれども、特に私の感激したのは、聖バルナバ病院に收容されて居る一癩患者の書いた「雲の柱」と云ふ脚本でありました。其脚本を讀んで行きますと、一人の癩患者が、其癩病の爲めに自分の肉は爛れ、自分の血液は腐敗して、將に死にかけて居る時に、尚且彼は叫ぶのであります。「自分は働くことは出來ない、病床に臥した儘ではあるが癩病の治療に關する新發見が生れて癩病の爲めに惱んで居る人々が今よりももつと完全に救はれるやうにと日々神に祈りを捧げて居る。自分は他に何もすることの出來ない程弱り果てゝ居るが、それでも自分は癩病に惱める人々を救ふが爲めに祈つて居ると云ふことを自覺する時、何となく生甲斐のある心地がする、人間は不治の病氣の中にも尚且爲し得る尊き仕事がある」と云ふことを叫んで居るのであります。私は其事を讀みまして、此世には、肉は爛れ、血は腐つて、將に死なんとする病人でも、尚且つ病める人々を救ふが爲めに祈る心を失はない。然るに健かなる肉體を與へられて居る者が唯自分の健康を誇るのみで、病の床に惱んで居る人々を救うべき何等の努力をも爲さないならば、それは實に罪惡を犯すものであると云ふことを痛感せざるを得ないのであります。

此社會には、啻に癩病だけでなく、癩病と同じに恐しい幾多の惡疫が、人々を日々墳墓に引入れつゝあるのでございます。殊に其中の最も危險性の大なるものが、即ち白十字會の全力を盡して闘つて居られる肺結核並に其他の結核性疾患であると思ひます。統計を見ますると、我國の内地だけでも、結核性疾患の爲めに死ぬる者が年々約十二萬人に達します。併しそれは實際の數より統計に出て居る數が非常に少からうと思ひます。何となれば肺結核又は結核性疾患で死んだ場合には、醫者に診斷書を書かせる時、遺族が成るべく結核性疾患で死んだと云ふことを書いて貰はぬやうに賴む場合が多からうと思ひます。彼處の人が結核で死んだと云ふことになると、遺族が迷惑する場合が少くないのであるから、假令結核性疾患で死んでも、結核性疾患とは書かないで、屆出をする場合が多からうと思ひます。そこで統計の上に肺結核並に其他の結核性疾患で一年十二萬人の死者を出して居るならば、事實は確にそれよりも多數の結核性疾患の爲めに仆れる者があることを物語つて居ると存じます。

殊に私共の調べた所に依りますと、其結核性疾患の犧牲となつて仆れる者の中で、青年期にある者が非常に多いのであります。滿五歳から滿二十四歳に至るまで、即

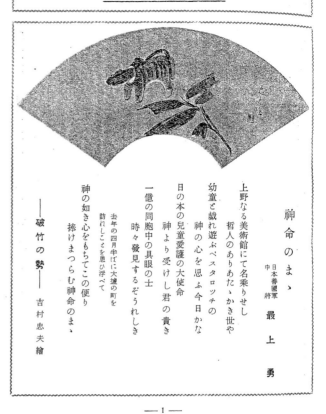

ち幼稚園時代から大學卒業時代に至るまでの、幼年期、少年期、青年期を通じて、人生の最も大切な青春時代に結核性疾患に襲はれて死ぬる者が一年に約六萬人であります。正確に申上げると、昭和六年度に於ては五萬八千人を超えて居ります。卽ち結核性疾患の爲めに死ぬる者の半數は滿五歳以上滿二十四歳以下の青春期の人々であります。是等の將來の日本を荷負うて起つべき重大なる責任を有つて居る青春期の人々が肺結核や其他結核性疾患の爲めに死んで行くと云ふ事だけでも、實に重大なる問題として考へなければならぬのであります。

此青春期に於ける人々は、殊に婦人に於ては又結婚期にも相當するのであります。結核性疾患に襲はれて居る婦人が結婚をして、軈てそれが母となりました場合に、其母を通じて又其子供に感染し、子供を通じて他の家庭に擴がつて行く病毒の蔓延は、實に恐るべきものがあると考へます。佐藤正醫學博士のお書きになつた書物を讀んで見ますと、佐藤博士が東京帝國大學の病理學教室に備へてある書類からお調べになつた所に依ると、千三百四十五人の子供の死骸の中、五百卽ち三七%までは總て結核性疾患の爲めに其臟器を侵されて居つたと云ふことであります。さう云ふやうな事實に依つて見ましても、幼兒が如何に結核に冒されつゝあるかと云ふことが分る。さうして其結核に冒されて居る幼兒の中には母が結核性疾患に冒されて居るが爲めに感染したものが頗る多いやうであります。同じ佐藤博士が外國の實例に依つて說明して居られるのでありますが、佛蘭西の巴里に於いて百二十八人の肺結核の爲めに惱んで居る子供の中、九十六人卽ち八〇・五%までは、總て肺結核に惱んで居る母から感染したのだと云ふことであります。斯う云ふやうな實例は、斯道の專門家に就て伺ひましたならば、恐らく多數あるであらうと思ひます。

兎に角今日の我國に於て、只今申上げたやうに多數の結核性疾患の爲めに仆るゝ者が出まして、而も其半ばは青春期に在る人々であると云ふことは、其人自身にとりても悲劇であるのみならず、又國家として看過することの出來ない重大なる損失であると思ふのであります。世間には、自分が健康であるが爲めに、多く病氣に頓着せず、他人の病害に對しても同情することを知らない人が少くはないのであります。併しながら自分だけ如何に健康でありましても、周圍が次第に結核性疾患に冒され、自分の生活して居る社會それ自身が結核性疾患の犧牲となつて崩壞し始めたならば、軈て自分の生活其ものも亦根柢から崩壞せざるを得ないのであります。大正十二年の大震災は私共に幾多の教訓を與へたのですが、其中で

私共の今尚忘るゝことの出來ない教訓の一つは、自分一人だけの利益のみを考へ、自分一人だけの强大を誇るが如き者は、遂に滅びざるを得ないと云ふことであります。本所に名前を申上げれば多數の御方が御存じの有名な富豪が居りました。其大富豪の邸宅は見上ぐる程の大厦高樓であつた。彼の邸宅は繞らすに高き塀を以てし、塀の外には深き堀を穿つて、彼の邸宅のみは如何なる大火災にも安全なるべしと思はれて居つたのであります。併し彼の邸宅のみは高き塀を繞らし、深き溝を繞らして、安全に造られて居りましたが、其周圍は悉く見る蔭もなき貧民の陋屋でありました。一度び大震災が襲ひ來つて、本所も亦其大震災の中心地となり、防火の設備のない陋屋はそれからそれへと火を蒙つて、其大富豪の邸宅の周圍の貧民窟も亦悉く火の海となつたのであります。一度び火の海となりまするや、越ゆることなしと考へられた溝は焰によつて越へられた。破るものなしと考へられた塀は破れた。大厦高樓も亦焰の爲めに燒盡くされまして其邸宅の中に居た大富豪は命カラ〴〵逃げ出したのであります。而も彼は其身に火傷を負うて九段の坂の中途まで逃げ延びましたが、遂に彼は九段の坂の中途で行倒れて死んだのです。自分一人が如何に富みましても、周圍が皆貧しければ貧しき者と共に滅びざるを得ない。自分一人が如何に賢くても、周圍皆愚かなる者であれば、愚かなる者の社會の滅ぶる時に、賢き人も亦共に滅びざるを得ない。爾富まんと欲すれば人と共に富むべし、爾學ばんと欲すれば人と共に學ぶべし、爾生きんと欲すれば人と共に生くべし、共存共榮の大精神を喪ふ者は滅びざるを得ず、と云ふ天の大教訓は火よりも明かに現はれ來つたのであります。其大震災の時に受けた教訓を私は今皆樣と共に深く味はひたいと思ふのです。

假令皆樣は健康でありましても、皆樣の生活して居らるゝ周圍の社會に肺結核其他の結核性疾患が蔓延し、年々それが皆樣の周圍の友人の家庭を冒し、皆樣の周圍の學校の兒童を冒し、皆樣の周圍の電車に乘合はせる人々の肺を冒し、結核性疾患が日本の社會全般を冒して來た時に、其社會の中に生きて居る皆樣は、假令今日健康であつても、果して永久に安全なるを得ませうか。明日結核性疾患を胸に抱いて皆樣を訪れて來る友人の爲めに感染しなければならぬかも知れぬ。皆樣の子供さんは今日健康でも、明日學校で結核性疾患に襲はれて居る他の兒童から結核病を感染するかも知れない。今日あなた方の令夫人は健康であつても、明日電車に乘る時、其中の結核病に罹つて居る他の乘客から如何なる惡性の疾患を受けて來るかも知れない。あなた方の家庭が健康であつて

も、それを取卷く周圍の社會が結核性疾患に襲はれて居るならば、恰も本所の貧民窟の焰が遂には大富豪の邸宅をも燒盡さねばやまなかつた如く、健全を誇るあなた方の家庭の中にも結核病は侵入し來つて、遂にあなた方の家庭の周圍の社會と共に之を破壞しなければやまぬであらうと思ふのであります。あなた方が眞に强からんと欲するならば、人と共に强からんことを期すべし、あなた方が眞に生きんと欲するならば、人と共に生きんことを欲すべきである。其共存共榮の精神を以て生くるの外に皆樣が眞に安全に生活し得る途は許されてないのです。既に今日の日本に於て結核性疾患が猛火の勢ひを以て人々の生命を冒しつゝあるのです。それを救ふと云ふことが卽ちあなた方自らの生命を救ふことである。それを救ふことがあなた方自らの家庭を救ふことであるのであります。

大體日本人は一年に約百二十萬宛死にます。肺結核竝に結核性疾患だけでなく、其他の病氣の爲にも死ぬる者は約百二十萬を算して居る。百二十萬を少しく超えて居ます。さうして私の記憶が誤つて居らないとすれば、日本國民の平均年齡と云ふものは、歐羅巴人の平均年齡よりも短いのです。少し前の統計で——今或はもう少し餘計になつたかも知りませぬが、日本國民の平均年齡は、長く見積つて居る人でも三十五歳と云ひます。短く計算した人の報告には三十三歳と書いてある。假に三十五歳が平均年齡であるとしましても、獨逸人の平均年齡は四十五歳と云はれて居りますので、獨逸人よりは十年短いのであります。然らは日本人の壽命は獨逸人の壽命の四分の三にしか當りませぬ。若し獨逸人と日本人とが毎日同じ分量の仕事をするものと致しますれば、日本人一人は獨逸人の四分の三の仕事しか一生涯に出來ない。七千萬の人口を誇つて居つても、實質に於ては、獨逸人五千萬の人口と同じになつてしまふのである。此日本人の壽命の短いと云ふ事が國家的に考へても亦如何に大なる打擊であるかと云ふ事を痛感せざるを得ない。

今日は世界を擧げて國民能力總動員の時代であります。獨逸の如きは、御承知の通り世界戰爭の爲敗られまして、千三百二十億金馬克の賠償金を課せられました。獨逸は、血を吐く思ひをして生産したものゝ中から、賠償金を拂ひ始めましたが、千九百二十一年から千九百二十八年まで足掛八年かゝつてどれだけ拂ひ得たかと云ふと、漸く八十六億七千萬金馬克しか拂へなかつた。まだ一千億金馬克以上の賠償金が殘つて居つて、獨逸は賠償金の爲に破産するかも知れぬと言はれた。當時獨逸から新しく出た雜誌があります。其雜誌は「ヴィーダーオー

フバウ」（建直し）と云ふ名でありますが、其「建直し」と云ふ雜誌の發刊の辭を讀んで非常に感激しました。獨逸は破産するの外はなからうと考へて居る人々に何と言つたか。世界の金貸の非理狀態と云ふものは何處でも同じものだ、金貸が債務者に對する場合には、今にも破産させるやうに威かして取立てることの出來るだけ取立てるものだ。是は世界共通の心理だ、今聯合國の獨逸に對する態度を見ると、賠償を拂はなければ破産させるやうに威かして居るが、併し破産させることはない、破産させれば取れなくなるのだから、破産させるやうに威かして、取れるだけ取るに相違ない。だから何時かは獨逸と雖も、賠償金を全部拂ひ終る日が來るに相違ない、其拂ひ終る日が來るまでは獨逸人は一人殘らず、男も女も、大人も子供も、天から享けたる力の限りを振ひ起して出來るだけ勞働する、出來るだけ研究する、出來るだけ生産する、さうしてそれを聯合國から搾り取られるのであるが、賠償金を全部拂ひ終つた其翌日は、獨逸は勞働能率・研究能率・生産能率に於て、世界第一の國となつて殘るに相違ない。獨逸は武力に於て世界第一の國となることは出來なかつたが、勞働能率・研究能率・生産能率に於て世界第一の國となるの日は必ず來る、吾々の今日爲すべきことは、唯々獨逸人が老若男女一人殘らず其天から享けて生れ出た全能力を發揮して勞働し研究し生産することだ、其勞働し研究し生産した結果は——其將來は世界第一の國としての更生だ。獨逸人よ、失望すること勿れ、世界の人よ獨逸を侮ること勿れ、と論じて居つたのであります。私は其獨逸人の意氣に感激したのであります。世界から破産するの外なからうと言はれた獨逸人でも、老若男女一人殘らず、天から與へられた全能力を發揮して、最上の勞働を爲し、最上の研究を爲し、最上の生産をして他日第一の國家を建設せんとする意氣を以て所謂國民能力の總動員を行うて居るのであります。

日本國民も亦、老若男女一人殘らず其天より享けて出た生命を全ふし、一人殘らず其全能力を發揮して、さうして所謂國民能力の總動員を行はなければ、日本國民たる者又何の面目あつて獨逸國民に見えんと思ふのであります。

私は總ての人は皆其人に獨特の性能を有つて居るのだと思ひます。ヘッケルの言葉に「如何なる大森林に行つても唯一枚として同じ葉はない、總ての木の葉は見た所能く似て居るが、仔細に研究すると、何處か他の葉とは違つた所がある、一枚の木の葉にもそれ〴〵個性があるのだ」と言つて居るのです。一枚の木の葉にも個性がある。況して生物の最も進化した、所謂萬物の靈長たる人

間には、總て其人に獨特の個性を有つて生れて居ます。其獨特の個性を遺憾なく成長させ、其獨特の個性の完成に必要なる環境が建設されなくてはならぬ、其處に偉大なる國家が生まれて來るのである。然るに其獨特の個性を有し、獨特の能力を附與せられて生れ出た人間が、まだ靑春の時代に、其個性を完成すべき機會を與へられずして、空しく中途に挫折すると云ふことは、單り人生の悲劇であるのみならず、又斷じて國家を建設する所以にあらずと信じます。國家としても、忍び得べからざる大損失だと思ひます。

人間はそれに氣の付いた人でも氣の付かない人でも、三つの生存競爭をして居るのであります。三つの生存競爭とは何であるか、第一は人間對動物の生存競爭であります。ハックスレーと云ふ古い英國の科學者の書いた「イヴォリューション・アンド・エイテックス」(進化と倫理)と云ふ書物の中に彼は斯う云ふことを言つて居ります。「人間は能く、動物が喧嘩して居るのを見て、動物は殘酷だ、と云ふ。何ぞ知らん、人間は動物以上に殘酷だ、臺所に入つて見よ、料理人が研ぎ澄ました出齒庖丁で可愛い小鳥の肋骨を突破つて居るではないか、食堂に入つて見よ、若い女がナイフを振うて牛や豚の肉を切割いて頰張つて居るではないか、人間對動物の生存競爭は日々猛烈に行はれて居る」と彼は書いて居る。ハックスレーの言ふやうに、人間と動物の間には日々生存競爭があるのです。皆樣も今日は夕飯を喰べておいでになつたでせう。皆樣の食膳に上つた魚は何であるか、人間と生存競爭をして敗れた動物の死骸である。(笑聲)皆樣は生存競爭の優者として、敗者の肉を毟り取つて喰べて來たのである。意地の汚い人になると、肉を毟り取るだけで滿足しない、眼玉までも刳拔いて喰べる。(笑聲)もつと殘酷な人になると、肉を毟り取り眼玉を刳拔いた殘りの骸骨に熱い湯を掛けて飲む。(笑聲)人間と動物の間に絕えざる生存競爭があるのです。第二に、人間と人間との間にも絕えざる生存競爭があります。日露戰爭が其一つであつた。世界戰爭も亦其一つであつた。今日關稅戰爭と云ふものが行はれて居るのも其一つである。人間と人間との間にも絕えざる競爭があります。第三は人間對自然の競爭である。人間對自然の競爭は實に激烈に行はれます。人間が其生活の爲に田を耕して米を植える、自然が洪水を起して押流します、人間が之に對抗する爲に堤防を築きます、人間が家を建てる、自然が暴風を起して吹飛ばす、人間が建築學を研究して之に對抗する、人間がいつまでも若々しく居たいと思うて化粧を研究する、如何に研究しても自然の定めた時が來ると自然に頭は白

くなり、額に皺が寄つて見る影もなきものとなつてしまふ、如何なる英傑でも、百歳の壽を保つことは出來ない自然の定めた時が來れば殺される、さう云ふやうに人間と自然との間にも絕えざる生存競爭がある。此三種の競爭をして居ないものはないのです。

此三種の生存競爭に於て吾々が優者とならなければならぬ、此三種の生存競爭に於て優者となるには、出來るだけ多くの人々の智力・能力・體力を集めて、共存共榮の精神が旺盛でなければならぬ、共存共榮の精神が旺盛であり、又其組織の進步したもの程生存力は優越するのである。大なる團體を作り得るもの程大なる生存力を發揮し得るのであります。動物と競爭するにも、人間と競爭するにも、自然と競爭するにも、有ゆる人の知識を集め、有ゆる人の研究を利用し、有ゆる人の勞働能力を綜合して、之を生活の目的に活用することの出來る進步した社會組織を有するものが優越の地位を占め、其の精神に乏しく、相互扶助の社會組織に缺けて居る者は、生存競爭の敗北者となつて滅びて行くのである。而して此相互扶助の社會を建設せんとするならば、吾々は病める人々を救はないでは居られない。弱き者を强めるが爲に努力しないでは居られない。人の生命を奪はんとする一切の惡疫と戰はないでは居られない。總ての人の生命を擁護し、其人々の有つて居る力を出來るだけ發揮させて、さうしてそれを結合し、それを社會全體の力として共存共榮して行くと云ふことが、破壞せられつゝある社會生活再建の根本精神でなければならぬのであります。肺結核並に其他の結核性疾患の如きも、出來るだけ國民の能力を總動員して之を豫防させ、之を治療させ、之を撲滅させ、以て國家的社會的の生存を完成しなくてはならぬのであります。

離乳に就いて

醫學博士 芳山龍

理論

我邦では古來生後百二十日目に、食初の式が行はれて來た、此頃から母乳以外の榮養物を與へねばならぬ事を暗示して居るもので、少し早すぎる樣であるが科學上有意義である。

獨逸の醫學者は赤ん坊の肝臟を調べて、大人の何十倍と云ふ多量の鐵分の含有されて居る事を知つた。之は體内生活中母體から鐵、其他の鹽類を攝取して肝臟中に貯藏せられた物である。出生後は母乳に少い鐵分其他の鹽類は肝臟から支出補足する譯であるが、赤ん坊の發育に從ひ段々倉庫中の鹽類が缺乏を告ぐる樣になり齒の發生する六七ケ月頃には最早母乳のみにては榮養不充分となります。

動物を見ても乳房を嚙む期間はモルモットは三日家兎は三週間、犬は一ケ月間にて此期間を過ぎて外の食物を與へぬと病氣になります。

母乳には血液を作る材料(鐵)、骨を作る材料(カルシウム)等が僅量である爲めに、永く母乳のみを與へて居ると血色が惡くなり、皮膚は弛んで寢汗をかく樣になり發育が後れるのみならず、血液にも惡變化が起り、痞高くなる。離乳時期には後れぬ樣離乳せねばならぬ。

日本の子供は、離乳期迄は外國の子供に比べて發育が優れて居るが、離乳期を過ぎると劣つて來るのは離乳遲延が關係してゐます。

又近年各地に行はれる赤ん坊の審査會にて優良兒であつた者が翌年の再審査では落第して居る例が時々見受けられるのも畢竟離乳の時期と方法が合理的でない爲めです。我邦乳幼兒疾患の大多數が榮養障害であるが、就中乳兒に最も恐る可き腸炎は多くは誕生前後、即ち離乳時

期に起るのが常にしてお母様方が離乳に就きて認識不足の結果と謂はねばなりません。

乳時期 健康乳兒は生齒後(六、七ケ月)になれば、自然に母乳以外の食物を要求するが、神經質の子供は母乳の方を好みてなか〱お乳を手離さない爲め知らず〱離乳が後れ榮養不足となる。發育狀態を考へて體重が六、五瓩(一貫七百匁)あれば離乳を初めてよい。但離乳が梅雨季に相當すれば、秋に延期するか若しくは入梅前に離乳を始める可きで、獨逸式に六ケ月よりぼつ〱離乳を始めてよい。

離乳準備 離乳前には授乳を規則正しくし、一晝夜五回毎四時間とし、夜間は授乳を廢して安眠させる習慣をつけると共に母乳以外に少し宛重湯、葛湯、スープ、果汁等を與へて胃腸を慣らして置く事が大切であります。

離乳の仕方 は人により様々である。重湯で始める人あり、牛乳又は牛乳製品で始める人あり、又始めより粥を與へる人ある、子供の體質と榮養狀態を考慮して適宜に離乳す可きである。

重湯にて離乳する法

生後八ケ月(七、九瓩)になれば、子供茶椀に一杯(五〇瓦)の重湯を一日一回授乳前に與ふ一乃至二週間後には一日二回とし更に一二週間を經て一日三回と云ふ様に重湯の回數を增すと同時に、間食にウエフア、乳ボーロ等を少し宛與へる。

九ケ月(八、二瓩)になれば、普通の重湯を濃厚重湯に代へる、授乳一日五回の内三回は濃厚重湯と母乳の混合榮養で二回に母乳を飲むだけ與へる。

濃厚重湯とは、水一〇〇、米一〇の割合で弱火にて二三時間煮て米粒が殆んど碎破するに至ればガーゼを二枚重ねて濾過し減じただけの湯を追加し元の割合となし、少量の滋養糖や食鹽等で味をつける。

冷却すると葛湯の様に固まるから少し温めて與へる。

濃厚重湯は普通の重湯と異なり、米粒がとけて含まれて居るから榮養價は多く次の比例になつて居る。

普通重湯	一〇〇瓩	一二カロリー
濃厚重湯	同	四〇カロリー
粥	同	七〇カロリー

濃厚重湯を飲まない子供には鰹節のダシ、味の素等で調理するか若くは野菜スープで濃厚重湯を作るとよい。

野菜スープは味をつけるのみでなく、ビタミン及鹽類を補給するからスープ製重湯が賞用されてゐます。

濃厚重湯に慣れるに從ひ、少量の馬鈴薯や、南瓜の裏漉しを添加してよいが果汁、トマト汁を與へる事を忘れてはなりません。

間食として少許のビスケツト、カルヤキ、カルルス煎

餅、アリメント、森永モレツト等の外少量のうどん、パン等を與へてよい。

十ケ月(八、五瓩)濃厚重湯の量が增量して一回量一〇〇麺位となる。

スープも魚肉や鷄肉等で作りしものが與へられる。

マツチ箱大の麵麭をスープに入れて與へてもよい。豆腐や麩の入つた味噌汁も與へてよい。

野菜裏漉しの外に、一口半個乃至一個の卵黃を添加し又すりつぶした林檎を其儘與へてよい。

十一ケ月(八、八瓩)になれば、濃厚重湯を薄粥に代へ薄粥に慣れると全粥に移る。粥の量が增すと同時に副食物の量と品質が增へる。

三度の粥食の後で母乳を與へる外、朝晩に母乳のみを飲ませるのであるが、母乳以外の食物が多くなるに從ひ次第に母乳を飲まなくなる。

誕生頃(九、〇瓩)に副食物をそへて粥を喰べるだけ與へること一日三回にて、お八つに間食(うどん、パン、牛乳)を、晩に母乳を與へる。

副食物としてスープ、味噌汁、卵黃の外に梅肉煮、麩豆腐、鯛味噌等が與へられる。

野菜裏漉しには馬鈴薯、百合根、菠薐草、人參等が用ひられる。

朝粥の代りに牛乳、バター、チーズ、ヂヤム等をつけた麵麭或はオートミール、クエカオーツ(米國製)の如き燕麥粥を與へてよい。

間食 として初めは口内で粉になる輕い菓子例へば衛生ボーロ、ウエフアー、カル燒等を與へて齒が上下に生へるに從つて、ビスケツト、明治アリメント、森永マンナ等を與へてよろしく又牛乳や野菜等を材料とする「プヂング」「ピユレー」「クリーム」等が許される。

此外饂飩、麵麭の如き穀粉から出來た物は飯より消化し易いから比較的早く用ひられるが、鹽煎餅、バターボーロ、菊の露、カステーラ類は一年乃至二年の子供に良きも誕生前には避く可きである、餡入り菓子、饅頭類は禁物である。

果汁 としてはレモン、トマト、林檎がよく熟した密柑等が好んで用ひられるが、酸味强ければ二割位の割合に砂糖を加へる。

トマト汁を作るには、熟したトマトに熱湯を掛け皮をむき布帛に包んで汁を搾り少量の砂糖を加へる。

果汁を牛乳に入れると牛乳が固まるから別に與へるか若くは果汁を水に稀めて加へる。

粥にて離乳する法

生後八ケ月になれば、一日一回粥一茶匙(四瓦)を授乳前に與へ數日を經て、一日二回一茶匙更に數日を經て一

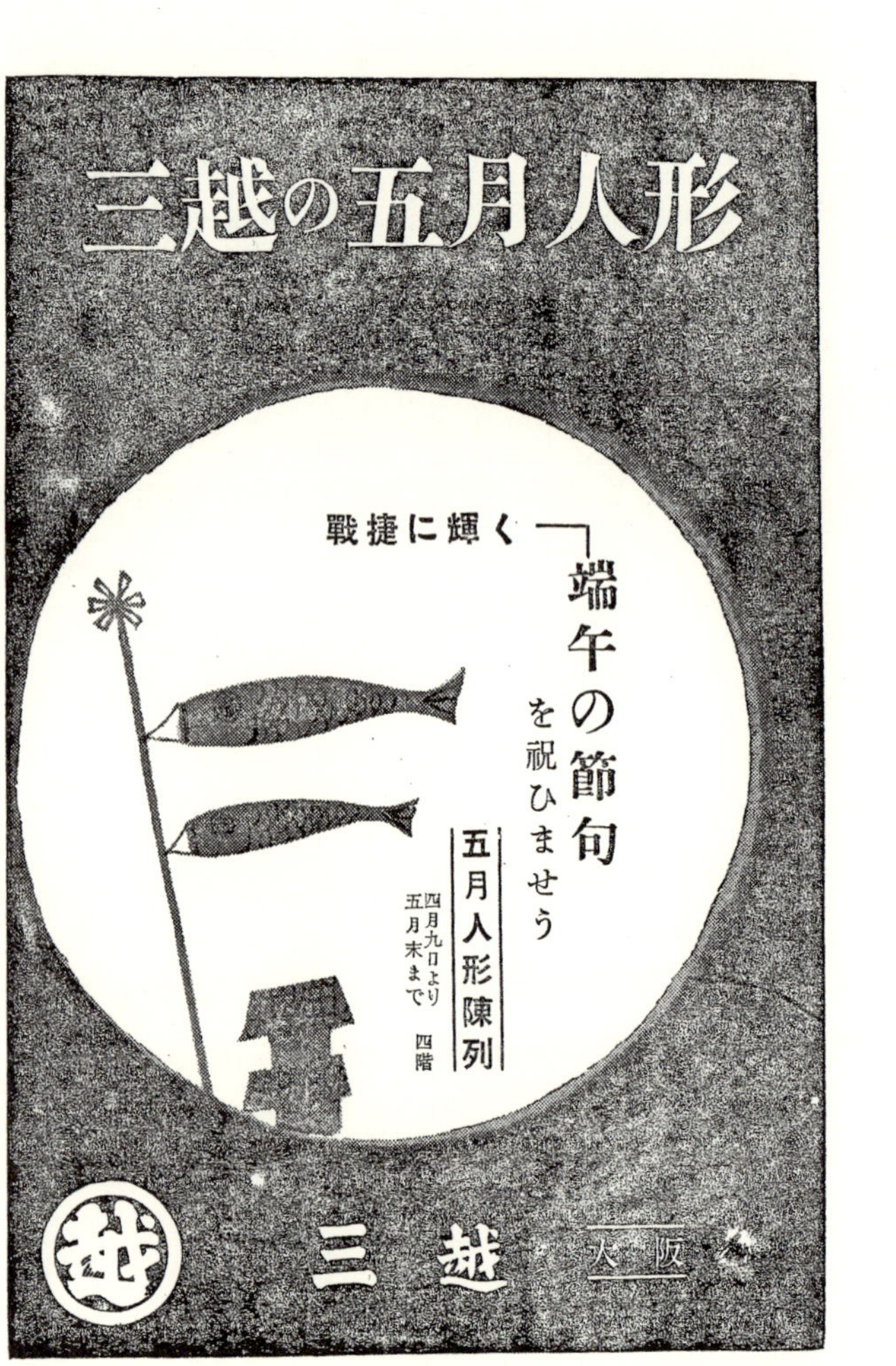

日三回一茶匙宛とす、斯くの如く子供の便の性狀や一般狀態に注意しつゝ匙數を增し三茶匙に成れば一食匙(十五瓦)に代へ、三食匙になれば子供茶椀一椀(五〇瓦)に代へて行く。粥の量の增すに從ひ前記の如く副食物を添加す可きで生後十ケ月頃になれば、一日三回粥二椀に副食物を添へて與へ後に母乳を授け朝晩は母乳のみとする

誕生頃には三度の粥食を副食物と共に與へ朝晩は母乳のみとする、或は晝の粥を早目に與へ、お八つに間食を晩だけ母乳にする。

三分粥	水五合	米三勺
五分粥	同	米五勺
七分粥	同	米七勺
全粥	同	米一合

全粥は略一六%の米を含み、熱量は凡そ牛乳に匹敵するが澱分が主成分で、蛋白質、脂肪、ビタミン類が缺乏して居る故、粥食には適當の副食物を果汁と共に與へねばならぬ。

牛乳にて離乳する法

生後八月に入れば、一日一回母乳を牛乳に代へてみる七日程の間隔にて子供の狀態を注意しつゝ回數を增し一日三回牛乳、朝晩牛乳となるに至れば、牛乳を粥に代へて行く。誕生頃には一日三回粥と副食物、お八つに牛乳晩だけは母乳とする。

例へば○を母乳、△を牛乳、＃を粥とせば

	午前五時	同十時	午後二時	同六時	同十時
八ケ月	○	△	○	○	○
	○	△	○	△	○
	○	△	△	△	○
九ケ月	○	＃	△	△	○
十ケ月	○	＃	＃	△	○
十一ケ月	○	＃	＃	＃	○
一年	＃	＃	△	＃	○

牛乳は初め⅔稀釋程度のものを用ひ、次第に全乳に移る可く、牛乳に代る可き粥も薄粥より段々全粥の方に移る方が安全である。

牛乳に果汁を更に副食物を副へる事は勿論、間食の與へ方も前述の通りにする。

母乳榮養兒に突然牛乳を與へると、稀に嘔吐、下痢、發熱を示し、呼吸困難、痙攣等の重篤症狀を示す事がある、牛乳を廢止すれば速に消散するが常にして、神經質の子供に見受けられる牛乳に對する特異質と考へられて居ます。

以上離乳の模型を示したるに過ぎぬ、子供によつては誕生頃に既に御飯に魚や野菜を與へてをる優良兒も居れば、生來の虛弱にて食物に注意を拂つても消化障害を起

し易い子供もある專門醫に相談して離乳す可きである。

誕生後の食物　三度の粥を次第に增して行く、副食物として前記のスープ、味噌汁、鷄卵、麩、豆腐、鯛味噌、鯛田麩等の外に林檎煮、野菜煮、魚煮、おだまき煮、茶椀蒸等が許される。間食としてうどん、パン、ビスケット類、バタボーロ、カステイラ、或は種々の野菜果實を材料とするクリーム、ピュレー、牛乳等のプジング、燕麥を原料とするオートミール、クエカオーツ(米國製)等に用ひられます、尙母乳は朝と晩に投けてよく、牛乳榮養兒ならば牛乳を一日一、二回三度の粥の外に與へられる

一年頃になれば御飯に近い樣な粥を大人と同樣に朝、晝夕の三回に與へる、晝食はなる可く早い目に、お八つは牛乳、或はバタ付パン、うどん等を用ひ、夜だけ母乳、若しくは牛乳を與へる。副食物として、魚刺身、燒肉、挽肉、コンポート、野菜入オムレツ、細く刻んだ漬物少量が許される。

二年頃になれば、御飯に大人と同樣な副食物を添へられるが、脂肪の多い魚貝、章魚、烏賊、鯣、昆布、松茸胡瓜、午蒡、蓮根等は禁物である。

飲物として炭酸水、カルピス等はよいが、紅茶、珈琲シトロン、サイダー等は避けるがよい。

果物も柿の如き不消化のものや種子の多いブドウ若くは傷んだバナ、等は往々疫痢の原因となる、菓子類も饅頭、ドーナツ、餡パン、アラレ、カキ餅は控へねばならぬ。

兒を育てるもの
母性愛か科學か
米、墺二國の實例は幸か不幸か
科學が敗れた！

日本勞働科學研究所
文學博士　桐原葆見

生れて間もない乳兒や幼少年たちを母親や家庭から切離して合理的設備の下に育てるのと、從來のやうに各自の家庭で、兩親の愛撫のもとに育てるのとでは結果において何れが、ヨリよき次代者たりうるかに就ては從來からいろいろ論議のあるところですが茲にこの問題に對する示唆ともなる興味ある調査があります。

ウインにおける實驗

それはウインの或る育兒院に就ての報告で、其育兒院は誇りうる近代的な設備をもち、優秀な保育者のゐることによつて知られてゐるのですが、こゝで哺育された子供たちと、同じ階級の餘り經濟的に豐かでない、採光や衞生狀態の劣るウインの町の各家庭で、兩親の膝下に育てられた子供達とを比べてみると、二歲頃から身體的にも精神的にも育兒院で育てられてゐる者の方が、發育が遲れてきたさうであります。

米國における實驗

またアメリカで豫め能力の同じやうな子供をABの二組に分け、A組を幼稚園及び託兒所で集團的哺育をつゞけB組を一般家庭で個々に育てゝゆきました。勿論幼稚園や託兒所では保育院の教科書通り、時間がくればおやつを與へるといふ風に、また各家庭では各々の家庭流儀に育てゝいつたのですがその結果を三年後に研究してみるとB組の方が成績よく、A組の方が惡かつたと報告されてゐます。

言葉の發達過程は

これらの事實は何を物語るものでせうか、「母」こそ最適の養育者であることを示すものに他なりません、第一に言葉の發達の點からみても、子供の言語の發達といふものは親が子を、子が親を互に理解しようとする慾求から出るもので、育兒院のやうな集團的哺育法では一把一からげの扱ひを受け易く從つて言葉を交す機會も少くなります言葉の發達こそ社會的の要求の根源であり、子供の知識を發達させるものでありま す、かやうな點から兩者の子供の間に段々發育の差が現はれてきたのでありませう。

哺育には人格の接觸

しかし乍ら右にご紹介した報告を以て、直ちに子供の哺育には常にどんな出鱈目な教養の低い家庭でも母の許でさへあれば育兒院におけるよりも成績がよいとするのは非常に危險で、子供のよき哺育のためには「設備」よりも何よりも人格的接觸こそ第一であることを知るのが大切であります、今日の育兒院においても哺育者の數をもつと遙かに殖やせば、或は一般家庭におけるよりもヨリよい成績をえられることも疑へないのであります。

めばちこ

醫學博士　山本清一

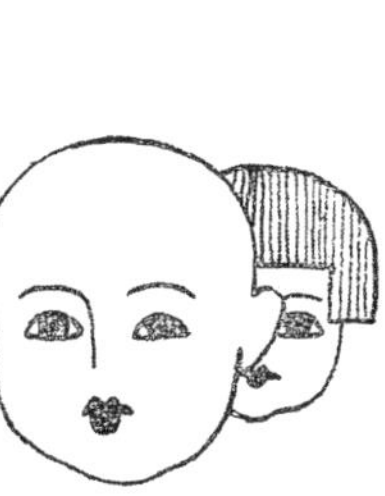

「めばちこ」はまた「めいぼ」とも呼ばれ、地方によつてはいろいろの俗稱で呼ばれてゐます。學名を麥粒腫といひます。

發生の順序

睫毛の根元の瞼の中には、澤山の特殊脂肪の製造工場が並列してゐます。この脂肪工場には二群あり、一つをツアイス腺、他をマイボーム腺と呼びます。この工場からそれ〴〵「トンネル」式輸送路が出來、これが瞼緣に向つて走り、瞼緣の睫毛の根元で口を開いてゐます。工場で製造せられた脂肪は上記專用輸送路を經て瞼緣に運び出され、瞼の緣を濡らして滑らかにし、眼の開閉の際の摩擦を防ぎ皮膚を保護しかつ涙の外に流れ出るのを防ぎます。

今何かの媒介で外界から釀膿性葡萄狀球菌といふ黴菌が、この輸送路を介して工場へ侵入して來ますると、こゝに「めばちこ」發生の序幕が開かれるのであります。この黴菌はいたるところにをりますから、不潔な手指や不潔な手布等で眼を擦つたりすれば、容易に侵入の機會を得る譯です。

もつともこの工場を經營管理する瞼、ひいてその人間個體が、十分な健康の持主であり、これら侵害者に對して十分の抵抗力を持つてゐる場合には、忽ち侵害者なる黴菌を無力化、乃至殲滅して大事に至らないですんでしまひますが侵害者の毒力が強いか、個體の抵抗力が弱い場合には、侵害者たる黴菌は忽ち增殖して暴威を逞ましくし、工場を破壞すなはち化膿せしめます。

侵害を受けた人間の方では、もとより自動的に援兵、

すなはち黴菌やその毒素を掃蕩する種々の物質を急ぎ送りますために、必然局所は赤く脹れてきます。この部位にある知覺神經は、これらの破壞產物或は毒素によつて刺戟せられ疼痛を發します。黴菌と人間のこの戰爭が激しければ激しいほど破壞區域大となり、強く脹れ、疼痛甚だしく、經過が長びくのであります。人間の抵抗力強いか、黴菌の力弱い時は、小さい「めばちこ」に止まつて忽ち治るのであります。

もし黴菌の力が人間の抵抗力に比し甚だ強い時は、瞼ばかりでなく、白眼のところも赤く脹れ、さらに單に一工場に止まらないで、近接の他の工場をも破壞し、いはゆる多發性のめばちことなります。

元來これら工場の周圍には堅固な組織がありますので通常はこれ以上戰線の擴大する事なく終幕となります。破壞產物はすなはち膿であり、少量の場合はそのまゝ吸收せられますが、大量の場合は皮膚或は結膜間に黃色な膿點が現はれ、これが自潰して外に膿汁を出します。膿汁は黴菌自體やその死體や、工場側のいろ〳〵の破壞物から出來てゐます。これが排出せられるのですから、後は速かに治癒に赴きます。

豫防の方法

從つてこれを豫防するためには……まづ第一に眼瞼附近を健全に清潔に保持しなければなりません。そのためには、（1）眼の過勞を防ぎ適度の睡眠をとり、睡眠不足に陷らないやうに力めること。（2）常に瞼を清潔に保ち不潔な手指等で弄ばないこと。（3）瞼緣炎や、結膜炎や「トラホーム」や、顏面濕疹等ある場合には速かに治しておくこと。

第二に貧血や、滲出性體質、腺病性體質の方は上記黴菌の侵害を受け易いから、特に全身の健康增進に力めること。

治療の方法

「めばちこ」の初期には疼痛は輕微で、僅かに輕度の異物感を訴へ瞼には僅かな脹れがあるばかりです。この時期に、決して患部を擦つたり、いぢつたりしないやう、總て無用の刺戟を與へないやうに力め、傍ら、そつと一プロ硼酸水で患部を溫濕布することです。溫濕布はこの際患部の新陳代謝を盛んにし、黴菌掃蕩に役立つ種々の物質を患部に集中せしめますから「めばちこ」は速かに吸收せられ治癒に赴きます。擦つたり、いぢつたりする事は、いたづらに味方の戰鬪隊形を亂し、黴菌側を優勢ならしめるばかりであります。

病勢強き場合には、患部に硼酸「ワゼリン」を塗布しその上から左記硼酸水で溫濕布し、或は赤外線の照射、

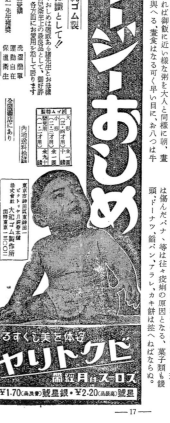

その他種々の療法を追加します。かゝる場合やがて患部に黄色の膿點現はれ、これがやがて自潰し膿を出して治ります。膿點は現はれたが、自潰が遲い場合には、適當の時期に切開を加へ治療期を促進させます。

「めばちこ」は瞼でありますから罹つた跡に醜痕を殘さないやうに綺麗に治す必要があります。小「めばちこ」の場合には、その心配はありませぬが、大きいものでは往々醜痕を殘してゐる人があります。恐らく無理な素人療治に終始せられたか、または十分手當が行屆かなかつたためと思ひます。往々人は切開すると自潰の場合より傷痕が强く殘ると考へてゐるやうでありますが、これはむしろ反對であります。適當な時期に適當な切開を加へることは、最も綺麗に治すことであります。もつとも場合によつては、切開でも、自潰でも、同樣な效果しかない場合があります。かゝる場合には勿論切開は行はないのであります。要するに醜痕を殘さず綺麗にかつ苦痛少く速かに治すことが必要であります。

通常は右の通りの經過を辿つて治るものでありますが時に甚だ重症の場合に、無用の刺戟を亂暴に與へたりしますると、「めばちこ」も一種の瘭疽でありますから甚だしく惡化し、稀有のことではありますが、黴菌が全身に撒布せられたり、或は身體の重要な臟器に達し、不幸な結果に達することも絶無ではありませぬ。（終）

小兒の急性傳染病

―育兒知識の要諦・第九篇―

大阪市立今宮乳兒院長
醫學博士　野須新一

（A）麻疹　麻疹《はしか》は小兒の急性發疹性《きふせいはつしんせい》の傳染病《でんせんべう》として、一番《ばん》によく知《し》られ、又恐《またおそ》れられてゐる病氣《べうき》であつて誰《だ》れも一度《ど》は必《かなら》ず罹《かゝ》る病氣《べうき》であります。而《しか》もよく傳染《でんせん》し危險《きけん》な合併症《がつぺいせう》殊《こと》に肺炎《はいえん》や結核等《けつかくとう》を伴《ともな》ふ病氣《べうき》であります。地方《ちはう》により又年《またとし》により流行《りうかう》の程度《ていど》が違《ちが》ふ樣《やう》であります。病原體《べうげんたい》は未《いま》だ不明《ふめい》である。病原體《べうげんたい》の侵入《しんにふ》する場所《ばしよ》は鼻腔《びこう》又《また》は咽喉《いんこう》と見做《みな》されて居《ゐ》る。一度《ど》罹患《りくわん》すれば殆《ほとん》ど一生《せう》罹《かゝ》ることはない、而《しか》も生後《せいご》六箇月《かげつ》以内《いない》には罹《かゝ》ることは稀《まれ》である。潜伏期　麻疹《はしか》に感染《かんせん》してから凡《およ》そ十一日位《にちくらゐ》で症狀《せうじやう》をあらはして來《き》ます。

症狀　初期《しよき》の三—四日間《かかん》を加答兒期《かたるき》と言《い》つて、發熱《はつねつ》に伴《ともな》つて不機嫌《ふきげん》となり食慾《しよくよく》は減退《げんたい》し、よく咳嗽《がいそう》や嚔《くさみ》をし、眼《め》が赤《あか》くなり眼《め》やにが出《で》る、鼻汁《はな》が出《で》る、次《つい》で一旦《たん》下《さが》つた熱《ねつ》が又上《またあが》つて來《く》ると共《とも》に特有《とくゆう》の羞明著《しうめいいちぢる》しく發疹《はつしん》が顔《かほ》から身體中《からだぢう》に現《あらは》れて來《き》ます。之《これ》を發疹期《はつしんき》と云《い》つて居《を》ります。この發疹《はつしん》は出始《ではじ》めてから二三日《にち》で頂上《てうぜう》に達《たつ》し、其《そ》の後《ご》はだん〳〵消失《せうしつ》し、あとに黒褐色《こくかつしよく》の斑點《はんてん》が殘《のこ》るのが常《つね》であります。この斑點《はんてん》は十日《か》か二週間位《しうかんくらゐ》で消《き》えてしまひます。熱《ねつ》は發疹《はつしん》が出現後《しゆつげんご》三—四日《か》位《くらゐ》で下《くだ》り同時《どうじ》に一般《ぱん》の症狀《せうじやう》も恢復《くわいふく》して來《き》ます。

豫後及合併症　流行《りうかう》によつてよく治《なほ》る年《とし》と反對《はんたい》に色々《いろ〳〵》の合併症《がつぺいせう》を起《おこ》して死亡《しぼう》する年《とし》とあつて、年《とし》によつて又《また》は時期《じき》によつて麻疹《はしか》の性質《せいしつ》を異《こと》にし死亡率《しぼうりつ》も輕《かる》い性質《せいしつ》の流行《りうかう》では五—六%に過《す》ぎぬこともあるが性質《せいしつ》の惡《わる》い流行時《りうかうじ》には二〇%或《あるひ》は三〇%の死亡率《しぼうりつ》を示《しめ》すことさへある。麻疹《はしか》にかゝつて、一週間以上《しうかんいぜう》經《た》つても熱《ねつ》が下《くだ》らない時《とき》は、合併症《がつぺいせう》を惹起《ひきおこ》したと見做《みな》して用心《ようじん》せねばなりません。合併症《がつぺいせう》として最《もつと》も多《おほ》く而《しか》も恐《おそ》ろしいのは**（イ）肺炎**　であります。麻疹肺炎といふのは小兒が麻疹死亡を來す最大の原因《げんいん》であつて麻疹《はしか》の治《なほ》る治《なほ》らぬはこの肺炎《はいえん》の起《おこ》る起《おこ》らぬによつて定《さだ》まると云《い》つてもよい。**(ロ)結核** 結核性《けつかくせい》の病《べう》氣《き》のある小兒《せうに》が麻疹《はしか》にかゝると、結核《けつかく》が急《きふ》に惡《わる》くなり、熱《ねつ》も上《あが》り食慾《しよくよく》も惡《わる》くなつて來《く》ることが多《おほ》い、又《また》一度《ど》結核《けつかく》性《せい》の病氣《べうき》をして居《ゐ》たものが治療《ちれう》によつて治《なほ》つた樣《やう》な狀態《ぜうたい》にある所謂潛伏性結核《いはゆるせんぷくせいけつかく》の狀態《ぜうたい》のものでも、麻疹《はしか》にかゝると之《これ》が再《ふたゝ》び發病《はつべう》して來《く》ることがある。又今迄《またいままで》は全《まつた》く健康《けんかう》であつた者《もの》でも麻疹《はしか》の後《のち》には結核《けつかく》に罹《かゝ》り易《やす》くなる。其《そ》の他《た》中耳炎《ちうじえん》、角膜乾燥症或《かくまくかんさうしやうあるひ》は角膜軟化症《かくまくなんくわせう》、ヂフテリ、下痢《げり》濕疹等《しつしんとう》を伴《ともな》ふ事《こと》が多《おほ》い。

豫防

年齢《ねんれい》が長《てう》じてから罹《かゝ》る方《はう》が安全《あんぜん》である。年《とし》が若《わか》い程《ほど》肺《はい》炎《えん》や結核等《けつかくとう》の合併症《がつぺいせう》を起《おこ》し易《やす》い。

(一)麻疹患者に接觸せぬこと 麻疹《はしか》の傳染力《でんせんりよく》は發病《はつべう》の初期《しよき》に強《つよ》い。未《ま》だ發疹《はつしん》の出始《ではじ》める頃《ころ》で診斷《しんだん》の未《いま》だはつきりとせぬ頃《ころ》に最《もつと》も強《つよ》いのですから、一寸難《ちよつとむづ》かしいが幼少《えうせう》なる者《もの》、病弱《べうじやく》の者《もの》、殊《ここ》に結核性《けつかくせい》の病氣《べうき》のある者《もの》は麻疹《はしか》の流行期《りうかうき》には、小學校《せうがくかう》、幼稚園《えうちえん》、人混《ひとご》みの中《なか》へ行《ゆ》くことは避けるがよろしい。

(二)患者の隔離 若《も》し家庭內《かていない》に麻疹患者《はしかくわんじや》が發生《はつせい》した時《とき》はなるべく早《はや》く他《た》の小兒《せうに》と隔離《かくり》することが必要《ひつえう》である。

(三)登校禁止 患者《くわんじや》は勿論《もちろん》であるが、其《そ》の同胞《どうはう》も亦暫《またしば》らく休《やす》ませる必要《ひつえう》がある。それは前述《ぜんじゆつ》の如《ごと》く麻疹《はしか》の潛伏《せんぷく》期《き》が略々《ほゞ》十一日《にち》と見《み》られてゐて傳染《でんせん》してもそれまでは發《はつ》病《べう》せず、又發病《またはつべう》しても初《はじ》めには其《そ》の決定《けつてい》が難《むづ》かしいからである。

(四)傳染力は下熱後一週間 下熱《げねつ》して一週間《しうかん》も經《へ》れば先《ま》づなくなるものとして差支《さしつかへ》ない。

(五)血清による豫防法 血清注射《けつせいちうしや》は早期《さうき》に行《おこな》ふ程效目《ほどきゝめ》は多《おほ》い、然《しか》し發病後《はつべうご》でも幾分《いくぶん》の效果《かうくわ》があつて、幼若《えうじやく》なる小兒《せうに》又《また》は病弱《べうじやく》なる者《もの》にはこの方法《はうほふ》を應用《おうよう》してよい。

(イ)恢復期患者の血清注射法 一度《ど》麻疹《はしか》に罹《かゝ》つて無事《ぶじ》治癒《ちゆ》した患者《くわんじや》の恢復期《くわいふくき》の血清《けつせい》を注射《ちうしや》するのである。この方法《はうはふ》は相當有效《さうたうゆうかう》でありますが、麻疹《はしか》の漸《やうや》く癒《なほ》つた許《ばか》りの小兒《せうに》の血液《けつえき》を採ると云《い》ふことは實際問題《じつさいもんだい》として仲々容易《なかなかようい》ではない。近來血液《きんらいけつえき》を採る代《かは》りに其《そ》の患者《くわんじや》に發泡膏《はつはうこう》を貼《は》つて發泡液《はつはうえき》を用《もち》ふる人《ひと》もある。

(ロ)成人血清による方法 比較的大量《ひかくてきたいりやう》(恢復期患者《くわいふくきくわんじや》の

約《やく》十倍量《ばいれう》)を要《えう》し、而《しか》も其《そ》の效果《かうくわ》は幾分前者《いくぶんぜんしや》に劣《おと》る。此《この》血液又《けつえきまた》は血清注射《けつせいちうしや》の效果《かうくわ》は注射《ちうしや》の時期《じき》に關係《くわんけい》し、早期《さうき》に行《おこな》ふ程效目《ほどきゝめ》は大《だい》である。

治療上の注意

一、病室內《べうしつない》を溫暖《おんだん》にし、適度《てきど》に濕潤《しつじゆん》させ、安靜《あんせい》にして出《で》來《き》る限《かぎ》り合併症《がつぺいせう》の起《おこ》るのを防《ふせ》ぐ。

二、食餌《しよくじ》は熱《ねつ》のある間《あひだ》は流動食《りうどうしよく》がよい。乳兒《にうじ》であれば人《じん》乳或《にうあるひ》は牛乳《ぎうにう》、幼兒《えうじ》であれば牛乳《ぎうにう》、粥《かゆ》、鷄卵《けいらん》、魚肉位《ぎよにくくらゐ》のものとす。殊《ここ》に必要《ひつえう》なのはヴイタミンCの補給《ほきふ》である。蜜《み》柑汁《かんじふ》、リンゴ汁《じふ》、或《あるひ》は新鮮《しんせん》なる野菜《やさい》(ほうれん草《さう》、キヤベツ、百合根等《ゆりねとう》)の裏漉《うらこ》しを與《あた》へ、又直接《またちよくせつ》ヴイタミンCの製劑《せいざい》の補給《ほきふ》である。市販《しはん》のヴイタミンC製劑《せいざい》として錠《ぜう》劑《ざい》となつた「ラクトビタン」の使用《しよう》は便利《べんり》である。

三、冷《ひ》やして好《よ》いか惡《わる》いか 高熱《かうねつ》で苦《くる》しがる時《とき》、不安狀《ふあんぜう》態《たい》のある時《とき》、又《また》は痙攣《けいれん》を起《おこ》したりした時《とき》には氷枕《こほりまくら》、氷嚢《へうのう》等《とう》で頭《あたま》を冷《ひや》すことは何等《なんら》の危險《きけん》はない、元來麻疹《ぐわんらいはしか》を冷《ひや》しますと內肛《ないかう》して重《おも》くなると云《い》ふことは、我國丈《わがくにだ》けでなく外國《ぐわいこく》でも昔《むかし》から云《い》ひ傳《つた》へられて居《ゐ》る處《ところ》で、又實際冷《またじつさいひや》した爲《ため》に麻疹《はしか》を內《うち》へ追《お》ひ込《こ》んで死亡《しばう》したと云《い》ふ話《はなし》は屢々耳《しばしばみゝ》にする所《ところ》である。昔《むかし》からの云《い》ひ傳《つた》へは永《なが》い間《あひだ》の經驗《けいけん》から來《き》たもの故大《ゆゑおほ》いに傾聽《けいてう》すべきものであり、現今《げんこん》に於《お》ても麻《は》疹《しか》は冷《ひ》やさぬ方《はう》がよいことは一般《はん》に認《みと》められて居《ゐ》る。然《しか》し此事《このこと》も程度問題《ていどもんだい》で決《けつ》して絕對《ぜつたい》に不可《ふか》と云《い》ふわけではなく、場合《ばあひ》によつては却《かへつ》て必要《ひつえう》のことも少《すく》くない。直接《ちよくせつ》の風《かぜ》にあてたり、胸《むね》、腹《はら》、四肢等《しとう》を冷《ひ》やすことなどはなるべく避《さ》けるがよい、然《しか》し必要《ひつよう》に應《おう》じて氷枕《こほりまくら》、氷嚢等《へうのうとう》にて頭《あたま》を冷《ひ》やすことは何等危險《なんらきけん》はない。

四、內肛《ないかう》といふこと。內肛《ないかう》といふのは麻疹《はしか》に合併症《がつぺいせう》、殊《ここ》に肺炎《はいえん》を起《おこ》した場合《ばあひ》をいふのであるが、この內肛《ないかう》といふことは看護《かんご》の手落《ておち》によることもあるが、大抵《たいてい》は病氣《べうき》の性《せい》質《しつ》の良否《れうひ》(流行《りうかう》の性質《せいしつ》)や、小兒《せうに》の體質《たいしつ》、又《また》は健康狀態《けんかうぜうたい》の如何《いかん》に大《おほ》いに關係《かんけい》があつて如何《いか》に十分《ぶん》なる手當《てあて》をしてもこの合併症《がつぺいせう》を完全《かんぜん》に防《ふせ》ぐことは出來《でき》ぬ。

五、發疹《はしか》の多少《たせう》と病氣《べうき》の輕重《けいぢう》。必《かなら》ずしも直接《ちよくせつ》の關係《かんけい》はない、發疹《はつしん》の出方《でかた》が少《すく》いからとて決《けつ》して重《おも》いとは限《かぎ》らず、又非常《またひぜう》に出方《でかた》が多《おほ》いからといつて輕《かる》いとはいへません。然《しか》し病弱《べうじやく》の子供《こども》では發疹《はつしん》の不十分《ふぶん》な場合多《ばあひおほ》く、又一旦現《またたんあら》はれた發疹《はしか》が急《きふ》に消《き》えることは不良《ふれう》の徵候《ていこう》であることが多《おほ》い。

(B)風疹 幼稚園兒或は學童に多く乳兒には稀である。發疹《はつしん》は恰度麻疹《てうどはしか》の夫《それ》に似《に》て居《ゐ》るが、其程度《そのていど》は輕《かる》くて色《いろ》も薄《うす》く、一—二日《にち》で消《き》え又鼻汁《またびじふ》、くしやみ、咳《せき》、或《あるひ》は結膜炎《けつまくえん》、羞明等《しうめいとう》の所謂加答兒症狀《いはゆるかたるせうぜう》を伴《ともな》ふことはない。然《しか》し其《そ》の傳染力《でんせんりよく》は麻疹《はしか》と同樣《どうやう》に甚《はなは》だ強《つよ》く、殊《ここ》に發疹時《はつしんじ》に著《いちじる》しい。熱《ねつ》は餘《あま》り著《いちじる》しく出《で》ない、時《とき》には無熱《むねつ》のこともある、然《しか》もこの病氣《べうき》は麻疹《はしか》の流行《りうかう》する時《とき》に多《おほ》いものであるから從《したが》つて輕症麻疹《けいせうはしか》と間違《まちが》へられることが多《おほ》い。一度《ど》この病《べう》氣《き》に罹《かゝ》れば完全《くわんぜん》に免疫性《めんえきせい》が出來《でき》る。經過《けいくわ》は至《いた》つて輕《かる》く餘《よ》病《べう》の起《おこ》ることも少《すく》いからして特別《とくべつ》の治療《ちれう》を要《よう》せぬ。

(C)猩紅熱 麻疹《はしか》と誤《あやま》られ易《やす》い。之《これ》は乳兒《にうじ》には少《すくな》く六—七歲頃《さいごろ》の小兒《せうに》に最《もつと》も多《おほ》い。一度《ど》罹《かゝ》ると免疫性《めんえきせい》が出來《でき》る。

原因 病原體《べうげんたい》は尙《な》ほ明《あき》らかではないが溶血性連鎖球菌《ようけつせいれんさきゆうきん》と關係《かんけい》を有《も》つてゐるものと信《しん》ぜられて居《ゐ》る。主《おも》に咽頭《いんこう》、又《また》は扁桃腺《へんたうせん》から傳染《でんせん》する。**流行期** 寒冷《かんれい》の時期《じき》に多《おほ》い。

潛伏期 三日《か》乃至《ないし》七日《か》を普通《ふつう》とする。**症狀** 高《たか》い熱《ねつ》が出《で》ると共《とも》に全身《ぜんしん》に紅《あか》い發疹《はつしん》が多數《たすう》に現《あら》はれ咽喉《いんこう》に疼痛《とうつう》を訴《うつた》へる。發疹《はつしん》は極《きは》めて微細《びさい》な紅色《べにいろ》の小斑點《せうはんてん》であつて、其數《そのすう》が極《きは》めて多《おほ》く密生《みつせい》するために一見《けん》皮膚全體《ひふぜんたい》が一面《めん》に潮紅《てうこう》して居《ゐ》る樣《やう》に見《み》える。**發疹の場所** 軀幹《くかん》に先《ま》づ現《あら》はれ、次《つい》で四肢《し》に及《およ》ぶ。顏面《がんめん》には麻疹《はしか》と異《こと》なり發疹《はつしん》の現《あら》はれ方《かた》は極《きは》めて少《すく》いが、然《しか》し高熱《かうねつ》の爲《ため》に潮紅《てうこう》するからして顏《かほ》もやはり紅《あか》く見《み》える、然《しか》し鼻《はな》から口《くち》の周圍《しうゐ》にかけて、紅味《あかみ》の甚《はなは》だ薄《うす》い、やゝ蒼白《さうはく》な箇所《かしよ》の殘《のこ》るのが特有《とくゆう》で之《これ》を口圍《こうゐ》蒼白《さうはく》と言《い》つて居《ゐ》る。**熱と發疹** 大抵《たいてい》は同時《どうじ》に現《あら》はれるが時《とき》には發疹《はつしん》は多少遲《たせうおく》れて出《で》る。四、五日後《にちご》には發疹《はつしん》は漸《ぜん》次消失《じせうしつ》するが下熱《げねつ》け多少《たせう》それよりも遲《おく》れることが多《おほ》い。

其他の症狀 熱《ねつ》が高《たか》いために苦《くる》しいとか、腰《こし》、四肢等《しとう》が痛《いた》いとか云《い》ふ他《た》に猩紅熱《せうこうねつ》に特有《とくゆう》な症狀《せうぐ》が咽喉《いんこう》と舌《した》とに現《あら》はれる。卽《すなは》ち咽喉《いんこう》が著《いちじる》しく發赤《はつせき》し腫脹《しゆてう》して痛《いた》みが激《はげ》しく、舌《した》は乳頭《にうとう》と稱《せう》する舌面《ぜつめん》にある小突起《せうとつき》が腫《は》れて赤《あか》くなりイチゴの樣《やう》になるので之《これ》をイチゴ狀舌《ぜうぜつ》と云《い》ふ。皮《かは》のむけること 落屑《らくせつ》と云《い》つて下熱後暫《げねつごしば》らくして發疹《はつしん》の現《あら》はれた部分《ぶぶん》の皮膚《ひふ》が剝《は》げ落《お》ちる。此落屑《このらくせつ》は細《こま》かいもの、葉狀《えうぜう》をなした大《おほ》きいものなどがあるが、手《て》の掌《ひら》とか足《あし》の裏《うら》とかは殊《ここ》に大葉狀《だいえうぜう》に皮《かは》が剝離《はくり》する。この事《こと》も猩紅熱《せうこうねつ》だけに特有《とくゆう》の症狀《せうぜう》である。

豫後 麻疹《はしか》と同《おな》じく流行《りうかう》によつて死亡率《しばうりつ》が異《ことな》る。朝鮮《てうせん》及滿洲等《まんしうとう》では重《おも》いものが多《おほ》い。日本內地《にほんないち》のものは幸《さいはひ》にし

て良性であつて、之によつて死亡する者は割合に少い。猩紅熱による死亡の原因は極く惡性のものでは特別《とくべつ》の餘《よ》病の起らぬ中に死亡することもあり、又壞疽性《せい》アンギーナと云《い》つて腫脹《しゆてう》した扁桃腺及《へんたうせんおよ》び其周圍《そのしうゐ》が腐《くさ》つて、口內《こうない》より惡臭《あくしう》を放《はな》ち所謂敗血症《いはゆるはいけつせう》を起《おこ》して死《し》ぬこともある。又急《またきふ》性期《せいき》は無事《ぶじ》に濟《す》み、恢復期《くわいふくき》に入《い》つてから腎臟炎《じんざうえん》を起《おこ》して死《し》ぬこともある。

豫防

麻疹《はしか》ほど傳染《でんせん》し易《やす》くはない。咽喉《いんかう》から侵入《しんにふ》するものであり、且《か》つ咽喉《いんこう》の惡《わる》い人《ひと》は罹《かゝ》り易《やす》いからして、個人《こじん》の注意《ちうい》としては咽喉《いんこう》を害《がい》せぬやうにすること又《また》は含嗽《うがひ》をすることである。

消毒を嚴重にする 患者《くわんじや》の隔離《かくり》及《およ》び室內又《しつないまた》は衣服《いふく》、器具等《きぐとう》の消毒《せうどく》を嚴重《げんぢう》にすべきである。猩紅熱《せうこうねつ》の病毒《べうどく》は非常《ひぜう》に抵抗《ていかう》が强《つよ》くて人體外《じんたいがい》でも永《なが》く生息《せいそく》し、一人《り》の患者《くわんじや》の出《で》た後《のち》二月《つき》も三月《つき》も經《た》つてから再《ふたゝ》び新《あら》たに患者《くわんじや》を出《だ》すことがあると云《い》はれて居《ゐ》る。

皮《かは》のむける頃《ころ》にも傳染《でんせん》する 傳染力《でんせんりよく》の一番旺盛《ばんわうせい》なのは病初《やみはじめ》であるが、其後《そのご》も久《ひさ》しい間《あひだ》傳染力《でんせんりよく》があり、落屑期《らくせつき》に入《い》つて剝《は》げてくる皮《かは》にも病毒《べうどく》があると云《い》はれて居《ゐ》るから、十分《ぶん》に落屑《らくせつ》の終了《しうれう》する迄《まで》は他《た》の小兒《せうに》と隔離《かくり》をして置《お》く必要《ひつよう》がある。

療法 一般的注意《はんてきちうい》。安靜《あんせい》を守《まも》らすことが最《もつと》も必要《ひつよう》である。食餌《しよくじ》は有熱期間《いうねつきかん》は流動食又《りうどうしよくまた》は軟《やわら》かき粥《かゆ》、鷄卵等《けいらんとう》を與《あた》へる。口內又《こうないまた》は咽喉部《いんこうぶ》を淸潔《せいけつ》に保《たも》つために含嗽《がんそう》をするか、口內《こうない》を拭《ふ》くがよい。室內《しつない》の溫度等《おんどとう》に就《つい》ては麻疹《はしか》の如《ごと》く溫暖《おんだん》にする必要《ひつよう》はない。腎臟炎《じんざうえん》を防《ふせ》ぐには安靜《あんせい》が第《だい》一である。食餌《しよくじ》については鹽分《えんぶん》の强《つよ》きもの、刺戟《しげき》の强《つよ》いものを禁《きん》ずる。特殊療法《とくしゆれうはふ》として近頃猩紅熱血清《ちかごろせうこうねつけつせい》なるものを用《もち》ゐる學者《がくしや》もあるが、效果《かうくわ》はまだ不明《ふめい》である。

胎教に就いて(二)

文學博士　下田次郎

四、配偶の選擇

婦人の姙娠は、萬物の靈長たる人の子を腹に宿して、これを生育せしめつゝあることであります。故に、もし姙娠といふことがなかつたならば、人類もなく、國家もなく、社會もなく、自分もありません。隨つて文明も開化もありやうがない。斯程重大な意義のある姙娠であります。然らば、唯子を生みさへすれば可いかといふに、さうではありません。惡い子を生むほどならば、始めから姙娠せぬ方がよい。姙娠する以上は、良い子を生まねばなりません。それには、先づ心身の素質の良い者を、男女互に選んで、結婚する必要があります。さうすれば良い子が出來る譯であります。これは配偶の選擇といふ非常に大切な問題であります。

昔西洋のスパルタといふところでは、良い子を生ますために、素質の良い男女を選んで、結婚するやうにし、又生れた子は、お上の檢査を受け、弱い子であれば、谷に捨てゝ仕舞つたのであります。それ故、選り取られた子はみな丈夫なもので、スパルタの名高い勇士も出たのであります。今日は人道のために、如何に弱くて見込みのない子でも、生れた以上は育てねばなりません。しかし、そんな子を育てる骨折は大層なもので、心配も一通りではありません。そして、やつと育て上げたところが人並みの働きも出來ず、生涯人の厄介にならねばならず本人もまた始終弱くては可愛想で、生れがひもない譯であります。それ故、子を生む以上は、人の迷惑にならず本人の不幸とならぬやうに立派な丈夫な子を生まねばなりません。

それには、結婚に當て、配偶者をよく調べて、惡い遺傳性のない、素質の良い者同士が結婚するやうにしたいのであります。結婚は自分等よりも、一層優れた人を、世の中に出さうといふ男女二人の眞面目な意志の合一から起るべきもので、おもちやに結婚するのではありません。卽ち、結婚には非常に重大な意義があつて、神聖なものとせられる所以であります。スエーデンの女文豪エレン、ケーといふ人は、子には親を選ぶの權利がある、同じ生んで貰ふならば、心身の優れた者として、生んで貰はねばならぬ。それには出鱈目の結婚をせず、これなら屹度良い子が生れるといふ心身の素質を有する男女が選び合つて、結婚するやうにして貰ひたい。さもなくば生れる子は迷惑千萬であるといふことを、言つて居りますが、如何にも尤もな事と思ひます。この事は人間種屬の改善上、非常に大切な事でありますが、話が別になりますから、こゝには唯結婚するには、對手の體質を吟味せねばならぬといふ事だけを言つておきます。

五、胎教の事

しかし、如何に父母の素質が良くても、姙娠中胎兒の發育を完うせしむるやう注意することはこれまた甚だ大切なることであります。

そこで、姙婦は身體の衞生に注意せねばなりません。卽ち、飮食、衣服、起居、仕事、運動休息、睡眠等を適度にする必要があります。これらの事は、姙婦の衞生とか、養生とかいつて、姙婦なり家族の者なりが、大概は一通り心得て居りますし、又書いた物も澤山あります。それならば、姙婦は身體の衞生にさへ注意すればよいかといふに、それでは足りません。今一つ非常に大切な事があるのであります。それは何かといへば、卽ち精神の衞生といふ事であります。如何に身體の衞生が行屆いても、精神の衞生を疎にしたならば、立派な子は生れるものではありません。それで、昔から胎教といふ事が說かれる所以であります。

胎教の大切なる事は、古來東洋でも又西洋でも說いて居ります。しかし、唯それが大切であるといふ位のことで、委しく說いたものはないやうであります。姙婦の身體の衞生については、日本だけでも、隨分詳しく書いた物もあるのに身體の衞生と、大切さに於て、少しも劣らぬ姙婦の精神の衞生の事が、何故簡單に取扱はれて居るか、不思議なほどであります。私は胎教の事が、出て居さうな書物を色々調べて見ましたが何れも簡單なものばかりであります。それで私は私の調べたものを取りまとめ、それに私の考へを加へて、この胎教の一篇を書いた

次第であります。

六、胎教に關する意見

先づ胎教について、古來如何に說かれてあるかを少し見ませう。

胎教について、古くから最も多く引き合ひに出るのは朱子の小學に出て居る次の二文であります。

「烈女傳に曰く、古婦人子を姙めば、寢るに側せず、坐するに邊せず、立つに蹕せず、邪味を食はず、割して正しからざれば食はず、席正しからざれば坐せず、目邪色を視ず、耳淫聲を聽かず、夜は則ち瞽をして、詩を誦し、正事を道はしむ。此の如くならば則ち生子形容端正才人に過ぐ」

これは小學內篇立教第一の發端に出て居る文句であります。

小學は日常實踐の道德を、各方面に亘つて說いた書物でありますが、その卷首に胎教の事を出したのは、如何に朱子が胎教に重きを置いたかを知る事ができます。そして朱子は本文の註に

「言は子を姙むの時、必ず感ずる所を愼む。善に感ずれば則ち善惡に感ずれば則ち惡なり。」

といつて居ります。今一つは、

「太任の文王の母、摯の任氏の中女なり。王季娶りて以て妃となす。太任の性、端一誠莊これ德これ行ふ。其文王を姙めるに及びて、目惡色を視ず、耳淫聲を聽かず、口敖言を出さず。文王を生みて、而して明聖。太任之を教ふるに、一を以てすれば百を識る。卒に周の宗となる。君子太任は能く胎教を爲すと謂ふ。」

とあるので、前文に示せる通りを實行したところが、周の祖宗となつたほどの聖人文王が生れたと云つて、胎教の効力を事實上證明せんとしたものであります。

日本でも、胎教を說いて居る書物は色々ありますが、大概はこの二つの文章をそのまゝ引用するか、その解釋をするか、又はその趣意を敷衍したのに過ぎないやうであります。

元祿の頃大阪の稻生恒軒といふ人が、螽斯草といふ安產手引の書を著はしましたが、その內に胎教について次の如く述べて居ります。

「人は敎によらざれば、よき人とならず。その敎幼少の時にあるをよしとす。ただ幼少の時のみならず、胎內にある時よりの敎あり。未だ生れも出ざる子に敎ありとはいかに。それ人の子胎內にありては母と一氣なり。母の心のさまを、子の心にうつし、母の身のはたらきを、子の身にうつす。されば懷胎のうち、母の心

よこしまなく、すなほなれば、生るゝ子の心も正し。母の身のはたらき惡しき事なければ、生るゝ子年にしたがひて、行儀よし。凡そ人の子生れつきて、心くせみ、身のふるまひあしきは、皆その母懷胎の中、身も心も愼まざるが故なり。しかれば、懷胎を覺えし日よりは、よろづにつき、心のつゝしみ深く、露ばかりも惡念なきやうにとたしなみ、口に言ひ、手足になすわざ、いかにも過なきやうにして、平產の時をまつ。これを胎教といふ。」

と、先づ胎教の說明をして、それから周の文王の母の事から、胎教に注意すべきことを說いて居ります。

「むかし周の文王の御母太任懷姙ましまして、胎教をよくし給ふ。そはしなじな下に見えたり。さる故に文王を產み給ひ、其の幼き程一つを敎へ給へば、百を悟り給ふやうなる聖人にておはしませば、遂に天が下知ろし召して、周の世八百年の元祖とならせ給へり。胎教のしるし明らかならずや。今こゝもとにしても、貴人高家の御簾中、胎教に御心あらば、文王の如くなる聖人生れさせ給ふべし。なみなみの人の家なりとも、心の賢なる子生れて、行末めでたく榮えぬべし。」

又安政頃に出た江戸の丹波元堅の女科廣要は、產科婦人科に關する多くの書物から拔萃したものでありますがその中胎教の條に、

「名香を焚燒し、口に詩書、古今の箴誡を誦し、居處を簡靜にし、割正しからざれば食はず、席正しからざれば座せず、琴瑟を彈じ、心神を調へ、情性を和し、嗜欲を節し、庶事を淸淨にせば、子を生みて、皆良く長壽、忠孝、仁義、聰慧にして疾なし。こは蓋し文王敎を胎せるものなり。」

といふ千金方の文を載せて居ります。

米國のミンニー、デビスの「理想の母」と題せる小冊子は、思想と文章と共にうるはしきものでありますが、その中に胎教に關して、次の如く述べて居ります。

「砂白く松翠なる海濱にて、長閑に休暇を過ごす夫妻を想像せん。彼等は此處に心の儘なる日を暮しつゝ、再び戀人の昔に還り、また自然の眺めを愛し、造化の愛を樂しみつゝあり。而して、夫は詩人の祖父と敬虔なる曾祖父とを有し、妻は其の祖先の中に、美術家と思想家とを有するが故に、彼等の心は、時に詩人に訪はれ、時に牧師に兒舞はれ、時に美術家に接すべし。又現在に於ても幾多の高尚なる人士と交はり、明媚なる山水と精神上の調和を保ちて、幸福なる生活を營みつゝあり。

かくの如き好惠なる境遇に於て、かくの如き幸福なる

感化を受けつゝある夫妻が、やがて生れたる嬰兒に他日天才と高潔なる品性とを見出して、大なる喜悦を感ずべきは、固より然るべき所なり。

數年の後彼等は、更に一子を擧げたり。然るにこの時は父母共に、前と甚だ異れる心の狀態にあり。父は事業に失敗して、危險の岸頭に立ち、自己を保つに危なるが爲めに不法の策を案出し、祖先中不義不信なる者の精神を再現すると共に、他の道德上如何はしき人々と相結托するに至れり。又母は、これが爲めに快々として樂まず、高尙なる自己の品位も、慰藉と助力との本源も全く忘れ去りて、氣力を喪失し、身を絕望の淵に投じ居れり。

かくの如き不幸なる境遇に於て孕まれ、生れたる子が心身共に虛弱にして、惡しき誘惑に反抗する力なきは怪しむに足らざるべし。

後年不正の行を爲して、家族の名を汚し、世人をして彼の兄と比較して、黑き羊と呼ばしめ、又かゝる父母にして如何なれば斯る子ありやとの疑ひを起さしむるもの、これ果して誰の罪ぞや。

世に偶然に發したるものなく、偶然に發し得るものなし。蓋し宇宙は然かあるべき法則に由りて支配さらるればなり。」ミンニーデビス女史のこの文は、夫妻の心の持ちかたで、生れる子に良否善惡の非常の違ひがあることを說いたものであります。而して、その想像した二つの場合の如きは、唯想像に止らず、實際にそんな例が澤山あるやうであります。

お産の注意(三)

醫學博士　余田忠吾

生れ子が啼く場合

赤ん坊が啼叫するのには其原因が種々あります。

(一)乳汁がほしいときに啼泣する。

(二)お産後三日頃から七日過位の間には臍の緒が落ちんとして痛む爲めに啼泣する。

(三)着物や襁褓が大小便で汚れて赤ん坊の臀部が汚れたときにも泣く。

(四)晝よく眠むつて夜眠らないときにはよく啼泣することがある。斯んなときは腹に溫かい濕布をして置くとよくねむることが出來る、又夜寢がけに沐浴させて寢せるとよくねむることがある。

(五)赤ん坊の皮膚に何か痛む樣な傷(例へば火傷の如き)が出來たときに啼泣する。

(六)生後間もなく又二三日內に夜晝啼き通す樣なことがある、斯んな時はお産の時に赤ん坊の頭蓋內に出血した場合に起り勝ちである。斯んな場合には大概のことをしても啼叫やまぬから先づ夏なら氷枕で赤ん坊の頭を冷やすがよい、寒い時には赤ん坊の身體を冷えない樣にして置いて後頭から水枕で冷やすべきである、斯んな場合には赤ん坊を沐浴させることは見合すべきである、又動かしてはいけない。

(七)赤ん坊には生れつき脫腸があることがあるから生れたら醫者の診察を受けて一應調べることが必要である。

(八)赤ん坊の脫腸があるときは啼くことがつよく中々啼きやまないことがあるから生後一度必ず醫者に診察を受けて手當を習ひ置くことが大切である。

母乳を飮ませる時の注意

母乳は産後二三日せねば充分出て來ないのが普通であるから其の二三日間は生兒も左程澤山飮まぬのが普通である。赤ん坊が生れたら普通よく眠るのがよい。赤ん坊のお臀を淸潔にして溫くして眠らせるとよく眠るものであるから充分に眠らせるが空腹になると啼き出すからお産後七八時間して啼くときには母乳を搾つてのませる。

若し産後すぐ母乳をさがすものには飮ませてもよいが普通はお産後すぐ飮む兒は少ない初め母乳を必ず飮ますべきである五香『マクリ』『ダラスケ』は決して飮ませぬ樣にせねばならぬ。何故かと云へば其等の藥は赤ん坊の胃腸を害する。初めに胃腸が害せらるゝと危險になり易いから自然の食物たる母乳を飮ますべきである。母乳は初めは黃ろい薄い汁であるが之の中には五香や『マクリ』と同じく下劑となるべきものが調合されてあるので此薄い母乳を飮ませると胎糞が出て赤ん坊の榮養となるのである。其時間は初めの日から三日迄位は空腹時に啼くときに飮ませればよい、其外は溫くしてよく眠らせる。よく眠る兒は達者の徵である。早く生れた月足らずの赤ん坊は啼き聲が小さく弱くて飮むことが弱いから斯んな赤ん坊は溫めて寒中は室內を七十度位に保つて母乳を辛棒强く飮ませる必要がある。初め二時間乃至二時間半位に飮ませて二週間位して三時間毎に飮ませる習慣をつけるがよいと思ふ。母親に脚氣があつても初めは一應母乳を飮ませるがよい。飮ませた結果赤ん坊が母乳を吐くとか又其聲がカレルとか、大便が綠色になるとかのことが起るときには一應必ず醫者の診察を受けて相談すべきであります。

母の乳房が張つて來ないときは食物の滋養物を充分に食べることが必要である、又安眠することが大切である。又藥としては乾燥胎盤實質末を二號『カプセル』膠囊入のものを一日五個から十五個迄內服する、食後一二時間內に飮む之を一週間位續ける、又『ラクチフエリン』注射藥を皮下に毎日三四瓦宛注射すると張ることが多い、又野菜では『ハコベ』と云ふ草を煮て所謂『シタシ』にして食べる、一週間も續ける。量は可なり澤山食べると乳房が張ることがある然し藥や食物其の他の効能は乳房が初めから發育して居なく小さいものは藥の効能が少ないから赤ん坊の大きくなるのに間に合はない。斯んなときは信用ある醫者に相談して乳房を選むか牛乳又練乳糖乳を用ふべきである。二週間以後は三時間毎に飮ませるがよい。一二ケ月は其儘で飮ませる、又乳房につける時間は十分から十五分位でよろしい。又一方の乳房をすまして後他の一方の乳房を吸はせる此の場合後の方の乳房

の四五分位でよい。又乳房が一日も張つて其れを飮ませなかつたら一度搾り出すか吸ひ出して其の後に張つて來た乳汁を赤ん坊に飮ませるがよい。赤ん坊に三時間毎に飮ませんとするには

午前六時、午前九時、正午十二時、午後三時、午後六時、午後九時

と飮ませて夜中は飮ませぬ習慣をつけるがよい。健康な赤ん坊は生れた時は二千八百瓦から三千二百瓦位の間が普通であるが四ケ月末には健康兒は生時の體重の倍量となり一年末には其三倍となる。

赤ん坊の枕

生後赤ん坊の寢せ方によつて頭型が變ずるから大いに注意すべきである、赤ん坊の枕は硬くなく軟か過ぎることなく時々顏の向け方を變へて其の頭の型を整ふべきである。三ケ月以內に其型が定まるが三ケ月以內に一旦固まつた頭の型は其後に變ることもあれども變り難いから初めの間に注意せねばならぬ。また枕は淸潔にせねばならぬ。

赤ん坊のお臀

赤ん坊が小便大便のためにお臀が赤くなつて糜爛ることが多い、斯んなときは三十倍の硼酸水を溫めて度々綿か『ガーゼ』に浸してお臀を洗ふ斯くしてお臀を拭ひ水氣をとつて後に

滑石	五、〇
亞鉛花	五、〇
澱粉	五、〇

の割に混じた粉末を撒いておくと自然に乾くものである

又お臀が糜爛れて皮膚が破れて居るときは

亞鉛花(酸化亞鉛一〇、〇(グラム)『リスリン』一〇、〇(グラム)滑石一〇、〇(グラム)水一〇、〇(グラム)混合

の膏藥をお臀に塗れば自然に乾いてよくなります。

赤ん坊の便通は一日三四回あるのが普通である、色は最初數日間は胎糞が出るか黑いのが自然になくなつてから黃色が普通である。又白い粒が混ずるのは乳汁の充分消化して居ないものであるから醫者に診察を受くべきである。又赤ん坊に母乳を飮すとき脚氣が母親にあつても其母乳を飮ませて直ぐに赤ん坊が脚氣になると限つたものではない、寧ろ現今では必ず先づ母乳を飮ませて見るべきである。

そして赤ん坊が母乳を吐くとか大便の色が惡くなるとか赤ん坊の聲が嘶嗄るとかしたらば醫者の指圖を受くべ

きであるが斯んな場合には普通では母乳を六回飲ませて居たものなら其半分三回を母乳にして殘り三回を牛乳榮養にすると云ふのがよい様に思はれる。一度に母乳を止めるのは却つて赤ん坊には危險である。一度は母乳を半減して見て赤ん坊がよくならば牛乳に代へるが、一番よいものゝ乳汁をのませることで之れが最も安全である。乳母の選み方は醫師に相談すべきであるが『トラホーム』が乳母にあることが多く赤ん坊や乳兒に感染することが多いから注意すべきである。然し乳母の完全なものは中々少ないから乳母の檢査の時には必ず醫者の診察檢査を受けねばなりません。

赤ん坊の口と眼と耳の手當

赤ん坊が生れるときに產道を通る間に子宮の液體（羊水など）や膣の分泌物を吸ひ込んで窒息することが可なり多いので產婆は赤ん坊の頭が出たら直ぐに眼口、耳鼻に入つた汚物や羊水其他血液を拭ふのが普通である。口に入つたものは產婆及醫師が『氣管カテーテル』と云ふもので吸ひ出すと粘液も吸ひ込んで居ることがあつて氣管迄入つて居ることがあるから生れたらすぐ口中の粘液や羊水を吸ひとるのである、又眼にも羊水粘液其他のものが入つて眼が赤くなり腫れることがあり又淋毒が入れば風眼（膿漏眼）となる、若し淋疾にかゝつて居る婦人がお產をすれば膣や子宮尿道の淋菌が赤ん坊の眼に入つて風眼（膿漏眼）が起る始め眼が赤くなり膿汁が出だして腫れて痛むに至るから生れ子の眼は絶えず注意すべきである、又赤ん坊が生れたら淋菌が入らなくとも羊水とか粘液とか血液などが入ることがあるから規則として產婆が生れ子に眼藥を點眼することになつて居る、其の點眼の爲めに二三日位眼を開けないこともないではないが大概二日經てば治るから其後に眼から膿でも出るときは直ぐに眼科醫又產婆產科醫の診察を受くべきである、油斷すると急に腫れて頻りに膿汁が出、危險となる、たまには失明することもある。斯んな場合には赤ん坊も危險であるが大人の眼に其膿汁が入るときは急に失明するに至ることが多いから特別に注意して其膿汁の手などにつかぬ様にせねばならぬ、又消毒を充分にすべきである、必ず產婆醫師の指圖を受けねばなりません。

又耳の手當も同様である、生れて直ぐ沐浴後に產婆は充分手當して清潔に拭ふて汚物を拭ひとるべきである、又毎日の沐浴後特に注意して耳の中の方を拭ひとるべきものであるが、消毒した手にて消毒『ガーゼ』か消毒綿で拭ひとるのが最も安全である。顔面又耳などに何か變つたことがあつたら直ぐに醫師の診察を受くるが安全であります。

南蠻時計

小林三季

今から四十年も前のことである。私がまだ六七歳の頃であつたと思ふ。

私の家に小檜山右近といふ若い繪かきが滯在してをつた。この人は福島縣耶麿郡のあの有名な盤梯山の近くに生れたといふ。酒が何よりも好物で、珍しいことには御飯にかけてお茶づけのやうにさらさらと食べるのであつた。これには私の家のものたちも驚きあきれたといふことである。今でも私の村に行くとこの人の描いたものが二三は遺つてゐるがそれをみるといかにも雅邦先生の畫風を追つたやうな、水墨畫が得意だつたらしいのである。私はけふ初めてこの人の話をするのだが、誰かこの人の舊友でもあるやうな人が今でも生きてゐるのではないかとそんな氣がするのである。

さて私の村から一里ばかり離れたところに秀安の稻荷といふこの近在で名高い稻荷神社があるが、こゝはつい近頃まで武藏野の名殘りをとゞめてゐたところで、文字どほり、ひともとの紫蘇さへ匂ふかと思はれる風光の地であつた。それが四十年も前にはさだめし畫家の心を誘つたことゝ思はれるが、或る夏も終りに近づいた頃、くだんの小檜山右近は畫冊と矢立を持つたまゝ、朝早く秀安へ寫生にゆくとつげて私の家を出、その後數日經つても歸つて來なかつた。私の家ではすつかり心配してしまひ、秀安へ人をやつて尋ねさせたがわからない。するとそれから十日ばかりも經つてから私の家へ一人の乞食坊主が訪ねて來、小檜山右近の所在を知らせてくれた。それが、驚いたことには、秀安とは全然方角ちがひの間々田といふところの乞食宿に遊んでゐるといふのである。そこで早速行つてみると、小遣錢があるうちは乞食たちと吞み、そこに寢宿りしてゐたのだが、さて歸らうとすると乞食たちが中々歸してくれない。そのうちに着てゐた着物に虱がつき、どうにもがまんが出來なくなつたので河で着物を洗はうとしたら、運わるく流れへ眼鏡を落してしまひ、今度はいよ〳〵歸れなくなつてしまつたといふのである。小檜山右近は非常な近眼で、眼鏡なしには一歩も先

へ踏み出すことが出來なかつたらしい。

彼は私の家からの出迎へにすつかり喜んで歸つて來たが、この時甚だやつかいな伴をつれて來たのである。彼といつしよに私の家へやつて來たのは、年の頃は五十を三つ四つ越えたばかりの老人で、生れは三河の國、職は時計直しといふことであつた。小檜山右近のいふところによれば、これは乞食宿での彼の相宿で、いゝ友だちだから連れて來たのだといふ。私の父も旅人は好きで、だからそれ等の人たちの語りだす數々の語草には欣んで耳を傾けたものであつた。父は母があんまり反對もしないのをいゝことにして、かういふ漂泊人を心から世話してゐたやうである。

私の家はこんなわけで、彼等さすらひ人たちにとつては春の宿であり、秋の安息所でもあつたのである。だから小檜山右近の連れて來た渡り者も、まんまと私の家に尻を据へることゝなり、時計直しといふところから、父は村々の時計のある家（その頃にはまだ時計のある家はいくらもなかつた）に行つては紹介し、中には惡くもない時計にまでケチをつけて直させてやつたと言つてゐた。

この男の名は忘れたが、何でも姓は齋藤といふのであつたと記憶してゐる。この齋藤が或る夜こんな身の上話を始めたものである——

私の生れ故鄕は三河のA町ですが、私の家の店先に大きな三階松があつたので、私の家の屋號を三松屋といひました。祖父の代から時計屋をしてゐましたが、父の代になつて家運は少し下り坂となり、西洋から新しい時計を仕入れることが出來なくなりました。そこで私の父は古い時計を買ひ集め、新しい時計に造りかへて賣るやうになりました。

恰度私が十七の時、父は私を連れて神戸へ古時計を買ひ集めに行きましたが、その頃は恰度日清戰爭の起る前で、世の中が騷々しい時でしたので思ふやうに品物が集まりませんでした。父もそれがためにすつかり悄氣かへつて居りましたが、この時或る人から、賣るか賣らぬかはわからぬが、うんとこさと時計を持つてゐる人がゐるから當つてみてはどうかと言はれ、父も大變欣んで早速出かけてみることにしたのです。

その家といふのは神戸の町から可成り離れた田舍なのでしたが、それでも父は一生懸命だつたのでせう、私を連れてその家に出かけました。その家は相當な舊家だつたらしく、家の造りなども恰度昔の陣屋みたいな白壁のずらりとめぐつた立派な構へでありました。家人としては、主人夫婦に若い娘が一人あつて、その他に使用人が澤山ゐました。

父は主人に來意を告げ、種々の時計を見せて貰ひましたが、二十種にも餘る珍しい時計がありました。立派な珍品ばかりを見せられたもので、父もいつしか商賣氣をはなれ、主客はお互ひに舶來時計の話に時の經つのを忘れてしまひ、遂にその夜はその家の客人となつて泊めて貰ふといつたやうな始末でした。

私は慾の深いことを考へながらその夜父と枕を並べて寢ました。それは美しいこの家の娘と、晝間見せて貰つた南蠻渡りの珍しい花形の時計——この二つが欲しいといふ慾望だつたのです。

緣は異なものといひますが、その後恰度三年たつて、私はこの家の養子になり、夫婦仲も至つてよく、子供はないが金には不自由せずに暮しました。

ところが或る夕方、門前に佇んで街道を眺めてゐる妻の後姿をみてゐるうちに、私はふと、何かしら或る不安を感じたのです。妻は近頃毎日のやうに、寂しい顔をして門前に佇んでは街道を見てゐるのです。それが誰か待つ人でも通るかのやうなそぶりにも見えるのでした。

或る夜、床についてから、思ひ切つて妻にそのことを訊ねてみましたが、妻は何とも答へずに、たゞ泣いてゐる樣子なのです。結婚以來、たゞの一度も涙など見せたことのない妻が、さうした素振りを見せるのはどうもたゞ事ではなささうで、私も不安にかられながらそれでもその夜はそつとして、妻を慰めつゝ眠りにつきました。翌る日の夕方も妻は相變らず門前に佇つてゐます。私も少し腹立たしくなり、今日こそは訊き糺してやらうと思ひ、妻の後姿に近づかうとした時です。あゝなんといふ淋しい妻の姿であらう！それはこの世の人とも思へぬほどに痛々しい姿でありました。私はこの時ふと、これは大變なことになつた、妻は病氣してゐるのだ、それも可成りの重態らしいと察したのです。さう思ふと急に妻がいぢらしくなつたものですから、『おい』と後から聲をかけました。妻は私の言葉には答へないで、私の方に向き直ると、暫くはじいツと私の顔を見てゐましたが、倒れかゝるやうに私の方へ寄りかゝり、私の胸に顔をふせて泣くのです。泣きながら街道を通るお遍路さんになりたいと訴へるやうに言ふのでした。

その夜ついに妻は悲しいことを明かしてくれました。卽ち妻の家は代々長女が天刑病で死んでゆくといふ、世にも不幸な家系であることを涙ながらに告白したのです。そして何代目かの自分も今それに罹つてゐるといふのです。これをきいた私はまつたく空ろな人間となりました。

その後間もなく私は妻をつれて家出しました。それから先き、哀れな生ける屍を負うて、私は何年世の移り變りも知らずに過したかわかりません。その後妻と別れたのも知りません。

妻が死ぬまで大切に肌身につけてゐた南蠻渡りの花形の時計は、九州天草のさる所へ妻の靈と一緖にあづけて來ました。その時計は傳來もので、七つの國から出た七つの寶石がちりばめてあると言はれてゐました。これだけは今でも惜しいと思つてゐます……。

齋藤某の話はこれで終つてゐるのであるが、小檜山右近が彼に連れられて、行く先きも告げずに私の家を辭したのはそれから五日目の朝であつた。

一人は愛妻の思ひ出に誘はれて、一人はその獵奇的な物語に心動いて、私の村から九百里を距てた筑紫の果てへ――南蠻時計を追つて旅立つたのかも知れぬ。

小檜山兵衞といふ右近の兄から、右近の死を傳へて來たのはその後間もなくのことであつた。

圓心捨身の攻擊

建武の中興への大躍進

【第二章】摩耶山の卷

杉山平助

時　六〇五年前
所　神戶商大一帶

『山岳戰』時代

建武の中興の前後にわたつていまの神戶市はもつとも重要な激戰場に幾度となくなつてゐるが、このトツプを切つたのは赤松圓心入道の赤松城の一戰だ、尊い令旨を受け、入道としては一刻も早く京都の六波羅へ攻め入りたかつたのであらうが力が不足なのでまづ播州白旗城で足固めをすると、すぐこの畿內の關門ともいふべき六甲山麓に據つたのである、東では大楠公が千早城でがんばつてをり、優勢な敵をやつつけるのには山の城がいちばん便利だと思つたのにちがひない。

摩耶と並んで

場所はいまの商大敷地附近、城の形は南北に長方形をして南側にちよつとした出丸を作つた、東側は十善寺谷の崖であり北は六甲山、西にも谷があり結局攻めようとすると南側しか開いてゐない、しかも約一里西の摩耶山上には摩耶山城を造つて友軍の太山寺の僧兵ががんばつてゐる、東西呼應して勤王の旗をなびかせてゐるのであるからいまの省線電車の附近から仰ぐと威風堂々たるものがあつたらうと偲ばれる。

トーチカ固し

この二つの山のとりでにあふられた六波羅では驚いて佐々木時信、常陸時知に五十騎の兵と三井寺の僧兵三百人、篝火四十八をもたせて西國街道を攻め下らせた

まさに赤松入道の思ふつぼにはまつて來たのである、元弘三年二月五日に京都を出て十一日には赤松城のふもと八幡の林に到着した、そして一氣に攻めやうとしたのであるが山岳戰、それも火器のない當時であるから攻める側が不利なのは考へられる、山の上のトーチカは固いものである。

圓心の誘導戰術

敵は初め城の南正面から攻めることを避けてまづ赤松、摩耶山

兩城の中間の峰を占領して西側から赤松城を側面攻擊する作戰で大堂平のお寺などを燒いたのであるが、このまゝ進まれては赤松勢の作戰の逆をゆかれることゝなるので入道は足輕に南面の坂を下りさせ敵の中へ遠矢を射込んでどつと城內へ退却させた。

敵の方ではまさか計略とは知らず「ソレツ逃げるぞ」とばかりコースをかへて全軍城の正面へ殺到して來たのである、正面には七曲りのうねうねした坂がある、こゝへ十字火網をしいてゐるとも知らず五千の大軍が押し合ひへしあひ登つて來た、それツとばかり橫の一ノ尾山から赤松則祐、飽間光泰らの弓の名手がさんざん射まくる、この側面攻擊にどよめてゐるところへ二ノ尾から赤松範資以下五百の精銳がなだれのやうに逆襲して來た。

追擊戰

これで戰況は全く圓心の計略通りすゝんだわけで、あとは逃げる敵がいばらの林や泥田にひつかゝり、人と馬と重なりあつて死屍累々武庫川畔までつゞいたのである、京都へ逃げてかへつたものは千騎にすぎなかつた、これはとあつて同月二十八日六波羅からは一萬騎といふ第二次の追討軍がやつて來た。

赤松勢は赤松の城から出て尼崎附近に陣をしき十日一大遭遇戰が展開されたのであるが、後から阿波の水軍があがつて挾み打ちにしたため赤松軍は全滅に瀕し入道も命からがら逃がれたのであるが、夜通しかゝつてやうやく部下三千騎をまとめあげて十一日弓のうまいものは橫から射まくる、その他は正面からときをつくりえびらをたゝいて突擊するといふ捨身の攻擊がみごとに成功して京都の大軍はまたも打ち破られてしまつたのである、赤松軍はその夜意氣揚々城へ凱旋するため夙川まで引上げたが『赤松城は京都へ出るための足場に作つたのだ、この際本來の目的にかへつて追擊しよう』との意見が勝つて再び軍を引きかへし道々で民家に火をかけつゝ一氣に京都へ追擊し、こゝに建武の中興への一大躍進がとげられたのである、六甲南麓のこの一戰こそ正しいものゝ強さを示してあまりがあつた。

お乳と燕麥のお粥とまだら猫のムルコ

尾崎邦子譯

一

あなたたちはどう思ひますか、これはほんとにおかしな話ですよ。そしてこれが又毎日繰返されるのですから、なほ面白いことです。

さうです、その事件といふのはお勝手のストーヴの上へお乳の入つた鍋と、燕麥のお粥の土鍋がのせられた時から始まります。始めにはそれぞれいかにも靜かに坐つて居りますが、やがてお話がはじまります。

――わたしはお乳です……。

――わたしは燕麥のお粥です……。

話は、はじめはごく低いささやき聲ですけれど、時がたつにつれてお乳とお粥とは、腹立ちで熱くなりながら

――わたし　お乳よ！

――わたしは燕麥のお粥！

お粥には共蓋で蓋をしてあります。そしてお粥は自分の鍋の中で老人のやうにぶつぶつ云つてゐます、けれども怒りはじめるとその中から泡があがつて來てはぢけます。

――でも、わたしは燕麥のお粥……ポン！

お乳にはこのゐばつた言葉はひどく馬鹿にしたやうに思はれました。云つてごらんなさい、どんなに面白い見物だつたか。

――いやなお粥！

お乳は熱くなりはじめました。泡が立ち昇り、鍋からこぼれ出さうなのを辛抱しつづけてゐました。そして料理女が一寸うつかりした間に、ホラ　もうお乳は熱いストーヴの上に流れ出しました。

――えゝもうしようのないお乳だこと、一寸でも油斷したらすぐふきわいてしまふ！

そのたびに料理女はこぼしました。するとお乳は自分の正しさを云ひ張りました。

――もしもわたしがこんな火花のやうな性分だつたら何をすることが出來ませう？　私だつて腹が立つてゐるときはちつとも樂し

いことなんかありません。でもここではやはりお粥がいつでも威張つてゐます。「私はお粥です……わたしはお粥……わたし……お粥……」土鍋の中へ坐つてぶつ〳〵云つてるんですもの、ほんとに腹が立つつたら……。」

それは次のやうなことが起るまで何べんも繰返されました。つまりお粥が蓋をしてあるのに、それに土鍋の中から走り出たのです。——平たいストーヴの上を這ひました、いつも繰返して云ひながら。

——わたしはお粥です！　お粥！お粥！……チュ　チュ　チュ　チュ　チュ　チュ！

ほんとにこんな事はそういつもは起りませんでしたけれども、料理女はそのたびにがつかりして云ひました。

——えゝもうしようのないお粥！

どうしてお粥は土鍋の中におとなしく坐つてゐないのでせう？

ほんとに不思議ですね。

二

料理女はそんなに怒るわけもないのに、ふだんからよく怒りました。たとへば猫のムルコ！　さうです、それは〳〵美しい猫でした。料理女は大變可愛がつてゐました。毎朝ムルコは料理女にくつついて歩きました。そして、石のやうな心の者でも可愛さうに思ふ程の聲でニヤオと云ひました。料理女は猫を追ひ拂ひながら不思議さうに、

——何て一杯にならないお腹だろ！お前は昨日肝臓をどんだけたべたと思ふの？

——だつてそれは昨日です！　今日はまた食べたいのよ、ミヤアオー

ムルコは自分の番がきたやうにふしぎがりました。

——お前は廿日鼠をとつてたべなさい、なまけもの！

——口で云ふのはやすいことですけど、まあたつた一匹でもいいためしにとつてごらんなさい。わたしだつてずゐぶん骨折つてるつもりです。先週廿日鼠の子をとつたのは誰でした？　そしてなぜ私が鼻の上にたてに引搔き傷があるか知つてる？　それはね、私が鼠を大かた捕へかかつたとき、鼻へかぢりつかれたんです。……そりや云ふだけならやさしいけど、廿日鼠をとつてごらんなさい！

肝臓をたべて了つてムルコは一番暖かいストーヴの傍に坐り、眼をとぢて心地よさそうにうつら〳〵してゐました。

——ホラ、何かたべた時は眼までつぶつてゐる。なまけたものが……そしていつでも肉をくれたらいいと思つてるんだらう！

——だつてわたしは肉をたべない坊さんではありませんもの。それに私はお魚も好きです。

わたしは今までに肝かお魚よりおいしいものを知りません。お行儀よくかはるがはるたべることにしてゐます。……若し私が人間だつたらキット漁師か、わたしに肝を持つて來るあの行商人かになるでせう。そして世界中の猫に滿腹するまで食べさせるし、私もまたいつでも滿腹してるでせう……。

食事のあとでムルコはいろんな事をしてたのしみました。たとへば椋鳥の籠のかけてある窓の上に二時間程坐つてゐます。馬鹿な鳥がどんなに跳ねるかながめてゐることはほんとに愉快です。さ、椋鳥が叫び出します。

——わたしはあなたを知つてゐますよ、年寄りのわるもの！　何のためにわたしをみつめるんです。

——でも、もしわたしがお知り合ひになり度いと思つてゐたら？

——わたしは知つてますよ、あなたがどんなにして知り合ひになるか。誰がつい近頃生きた雀をたべたのでせう？　チヨッ　いやな奴！

——いいえ、決して嫌な奴ではありませんよ。

かへつて反對です。みんなわたしを可愛がつてくれます。いらつしやい。お話をしてあげませう。

——マアわるもの……いい話し手だこと！　わたしはあなたがお勝手から盜んで來たやき鳥にどんなにお話したか見ましたよ……ええ見ましたとも！

——どんなにあなたが思つても、わたしはただあなたを喜ばせるために話してゐるのですよ。そりややき鳥は食べましたさ。でもあれはもう誰にもたべられなくなつてゐたんですからねえ。

三

ムルコは毎朝焚いてゐる料理ストーヴの側に坐つて、お乳とお粥がどういふ風に喧嘩するか辛抱して聞いてゐました。しかしなぜだかわかりませんでしたから、ただまばたきをするばかりでした。

——わたしはお乳です。

——わたしはお粥です！　お粥……お粥……チュ　チュ　チュ……

——いやどうにもわからない、全くわからない。何のためにあんなに喧嘩するんだらう？　若しもわたしが「わたしは猫です、わたしは猫です、猫、猫」とまあこんなに繰返したら、誰を侮ることになるだらうか？　いやさうにもわからない。……しかしわたしはお乳が、それも怒つてない時のお乳の方が好きなことは好きなんだが——。

お乳とお粥は、だん〳〵熱くなつてだん〳〵ひどく喧嘩しました。そのために半分程もストーヴの上へ出てしまつた程です。料理女はかけ寄つて溜息をつきました。

——ほんとにどうすればいいんだらう？

ストーヴからお乳とお粥の鍋をおろしながらこぼしました。

——一尺の間も離れられやしない！

お乳とお粥をうつちやつたまま料理女は店やへ食物を買ひにゆきました。ムルコはすぐさまその機會を外さないでお乳のそばへ坐り、それを吹いて話しかけました。

——お願ひだから怒らないでね、お乳さん……

お乳はどうやら靜かになつてゆくやうでした。ムルコはそのまはりを歩き廻り、もう一ぺん吹きました。それから口ひげをそろへて愛想よく云ひました。

——お聞きなさい皆さん、喧嘩といふものはどうもよろしくありません。さうです、わたしを裁判官に選んで下さい。すぐあなた方の事件をさばきませう。

割目の中に坐つてゐる黒い油蟲はおかしくなつて咳ばらひをしながら云ひました。

——まあなんと裁判官だつて！　ハハハ……　さては年寄のわる者は何か考へ出したな！

けれどもお乳とお粥は二人の喧嘩がとうとう裁かれると思つて朗らかになりました。二人ともなんでお互ひが反對せねばならないのか、何のために喧嘩してゐるのか話すことさへわかりませんでした。

——よし、よし、わたしがみんな調べてあげませう。決してあなた方を欺しはしません。……まづお乳さんからはじめませう。

そして何べんか鍋のまはりを歩き廻り、前足で一寸さはつて見てもう一度乳の上を吹き、それから飲みはじめました。

——オヤオヤ、お助け！　お助け！　キット乳を飲んでしまふにちがひない。そして人たちはわたしが飲んだんだと思ふだらうに。

と油蟲は泣き聲で叫びました。

料理女が市場から歸つて來てお鍋を見た時は、もうからつぽでした。猫のムルコはストーヴの側で暖かさうに眠つてゐました、まるで何もなかつたやうに。

——マア　お前つたら　仕樣のない！

料理女は耳をつまみ上げて叱りつけました。

——誰が乳を飲んだの？　云ひなさい！

たとへどんなに痛くてもムルコは何事も知らないやうに見せかけてゐました。そして戸の外へ投げ出された時、身體をぶるぶると搖り、亂れた毛をなめ、ついでに尾しつぽまでなめてそろへて云ひました。

——若しもわたしが料理女なら、朝から晩まで毎日乳ばかり飲んでるのになあ。でもまああの人には怒らないでおかうよ、なぜつてあの人はわたしの思つてる事知らないんだから。

（終り）

故郷

與謝野晶子

故郷の堺は今も私の夢によく現れて來るが、それは五十年前の堺で、今の泉州堺を私は知らない。作り酒屋ばかりの並んだ中濱通、五貫屋町などと云ふ所は今も名を昔の儘にして居るのか、居ればいいがと私は思ふ。甲斐町、市之町、熊野町、戎之町、これは私の家から北へ連つた町で、猶十幾つ、それから南へは大町、宿院町、中之町、こんな名を私は七八つの頃から店番をしながら數へ習つたものであつた。角店になつてゐた私の家の横は川端通と昔は云つたと母は語つて居たが、他の人がさう呼ぶのを子供時にもう私は聞かなかつた。山之口筋と云ふのが大道の一つ東の通であつた。賑かな事で其處が第一街のやうに思はれて居た。大寺樣と云ふ開口神社の表門が其處に面してゐるのである。河友、奈良吉などと云ふ呉服屋もその町にあつたが、二十七年程前に大寺樣へお詣りをしに行つた時、もう河友は無くて、奈良吉だけが素晴らしく大きくなつてゐた記憶がある。大寺樣の中の櫻畑が唯だの廣場になつてゐて、私は大木でもないが房々と花を附けてゐた牡丹櫻の盛りを懷しく思ひ出したものである。南門の際に大寺餅と云つて、何時も近在近郷の人が來て黑山のやうに集まつて買つて居る名物店があつた。其處から南へ細い道が續いて宿院へ達する兩側に店が多くて大阪の千日前のやうであつた。卯の日座と其頃云つてゐた劇場のあるのも其處であつた。今はどうなつてゐるか解らない。私の小學校はその突當りにあつた。學校歸りに私はよく芝居看板を仰いだものである。其頃の看板は幕幕が區切つた畫面になつてゐた。大阪の道頓堀の芝居の看板は今どうなつて居るかを私は知らない。同級の生徒と一緒に立つて眺めて居る時にその子等は何年生になつてもお姫樣、腰元、娘、藝者、遊女の區別を知らないで、お姐さんが何人居るとかばかり云ふのを私はもどかしく思つたものである。芝居の横側の方に白木の欄干の附いた堺に珍しい料理屋が出來た。外國樓と名の書いてあるのを私は子供心に妥當でない命名であると思つた。其處を西へ下りて來た所に朝日座と云ふ今一軒の芝居小屋があつた、其處の看板も私を樂ませた。外國樓の前を通つて一町程東へ行つた所から寺町が初まるのである。恐らく其れは今も舊態を存してゐる事であらうと思はれる。私の住んでゐた甲斐町の大道などよりは三倍も廣い道幅があつて、兩側の寺は南宗寺の竹藪に突當るまで隙間もなく並んでゐる。中濱通の酒屋の十町程の土が何時もしつとりと濡れてゐるのとは反對に寺町の道路は何時も乾いてひどい砂埃の立つのを、私は菩提寺の大安寺へ行く毎に感じたものである。その寺は寺町に無くて南宗寺の隣になつてゐた。昔の納谷氏の別莊が大安寺の客殿になつてゐて、足利末の松永彈正が遊びに來た時に附けた刀傷の柱があると云ふことを大層らしく聞かされるのを私は子供心に不快に思つてゐた。この邊はもう以前の堺の南端に近かつた。妙國寺のある町も北寺町と云はれてゐたが、其れはずつと北で、南宗寺とは二十町の餘も隔たつてゐた。四五年前に正木直彦

氏に逢つた時、あの土佐藩士の妙國寺切腹の日には、寺の土塀をよぢ上つて寺内を覗いたものであると云はれたやうであつたが、其れではどうもお年が合はないやうに思はれる。私がお話を聞き損ねたのであるかも知れない。私の父はいろいろと運動をして、切腹をする侍達への最後の饗應の座敷へ裃姿でお給仕に出る役を勤めさせて貰つたと云つてゐた。當時の父は二十歳くらゐであつたと云ふことである。寺内に一つ離れた小堂の格子の間から、古い血潮の附着した三方臺などを姉と一緒に覗いたのも五十年の昔である。蘇鐵の大きいのはあつたが私は餘り面白いものとは思はなかつた。祥雲寺の松にも妙國寺の蘇鐵にも太閤樣の話がくつついてゐるのもうるさい事だと思つてゐた。小西行長の店であつたと云ふ藥房を私は北の方の町で一度見たことがあつた。北の方の町には富村と云ふ大きな綿問屋があつた。倉庫の前の廣場がまるで練兵場のやうであると私はよく眺めて通つたものであるが、今はどうなつたか知らない。私の女學校時代の上級生に伊藤よし子と云ふ人があつて、色白な、美くしい顔の持主だつた。その人が後に富村の主人の所に嫁いだと云ふ話を聞いた。伊藤さんと云ふ人を私は其頃源氏物語の夕顔とか、浮舟とか云ふ人の顔を想像するのに當てはめて、あんな人であらうとしてゐた。その後東京へ來ていろ〳〵な美人に逢つたが、やはり夕顔や浮舟の顔はあの人だけが持つてゐたとしか私には思はれないのである。九條武子さんや入江たか子さんなどは麗人ではあつても無用に鍛へられた肌つきをしてゐる。伊藤さんはさうではなかつた。淡雪の精とも白桃の花とでも云ひたいやうな肌つきであつた。土川くらと云ふ人がもう一人ゐて堺にはその二人より美人はなかつた。土川と云ふ人は新橋とか、祇園とかの名妓の中にある顔であつて、物語の姫君の顔ではなかつた。堺から大阪の女の人の多く出る簪文挿ひなどに大阪へ行くと、無數の美人の歩いてゐるのに驚いたものである。そんな時に町へ歸つて來て私は寂しい所に住んで居ると云ふ氣がしたものであつた。私は京都へもよく行つたが、其處の人は大阪の女ほど美くしいものと思はなかつた。淡雪の精も白桃の花の顔もありさうなもので京都には無いのであつた。堺の濱へ遊びに行くことを私は餘りしなかつた。生れてから二十回くらゐしか行かなかつたであらう。あの景色を美くしいものとはどうしても私は眺められなかつた。濱寺は松の多いのが好い。白砂であることも好い。紀伊から和泉、攝津へかけての海岸が皆白砂であることは自然の惠みである事を忘れてならない事だと私は思ふ。天女の三保の松原の砂などはいつの時でも灰色である。日の加減で蘇枋の色をする事はないでもないが、大方は美くしく見えぬ砂である。砂が黑ければ自然に渚の水の色は濁るわけであるが、海水の色はまた別なものであらうか砂の白い濱寺の海などより、砂のやゝ暗い湘南の海の色の方が綺麗であるのは不思議である。大連の星が浦に寄る波も泥のやうな色を下層に敷きながら青く美くしい表面を持つてゐる。然しながら伊豆の海底は陸に近い所まで大きい石になつてゐるから何に比べやうもなくこの半島に沿つた海は美くしいのである。大嶋や初嶋を取り卷いてゐる波もその通りであつた。最近堺から訪れて來た青年がまだ曾呂利新左衛門はとかと云つてゐた。若い身空でそんな事を云つてゐては仕方がないと私は思つた。偉人が堺から出ないでもいゝではないか、日本にさへ居てくれればいゝのだと私は思つてゐる。貧弱なものをかつぎ出すのは私の故郷の人よ、それはあなた方の恥ぢであらう。

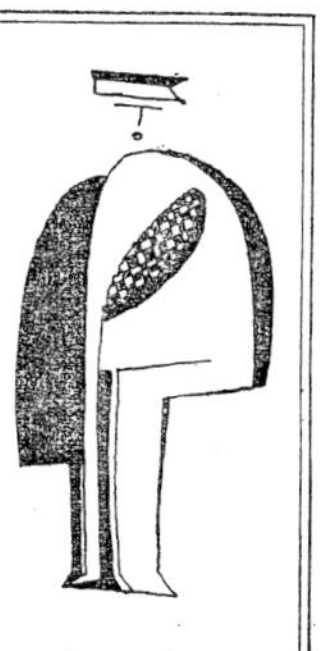

目・耳・鼻（二）

ツカダ・キタロウ

十一、家事は家庭で

今一つの學びたい事柄は、

「家庭で煮炊を習はぬやうな女は、廣いドイツに一人もゐない」と言ふ事です。今日の我が國の家庭で、どれだけの「家事の實習」が行はれてゐるかお互に考へて見たいものです。

「どうも學校で教はる料理や家事では役に立たぬ。もつとシッカリ教へて呉れるとよいのに」

こんな小言を娘を女學校に通はせてゐる家庭で聞きますが、これは前述のドイツの普通學務局長の言葉と正反對でありますゝ、お互に考ふべき事と存じます。

私は嘗て、自由學園女學部の食事を頂いた事があります。これは御存じの樣に、羽仁先生の教育の最もよく拜見出來るのはこの「食事教育」の時間であるからです。そして、これは上澤謙二君の御厚意によるものです。

詳しい事は既に御存じの通りでありますから、クド〳〵しく申しませんが、全くドイツの人々の考へと同じ教育方針が實施されてゐたと思ひました。

私は、義兄にこの話（參觀談）を申しましたら、文句の多い義兄も驚いて、

『喜太郎。それは外國の女學校の話だらう』

と申した程です。

「いゝえ。今日見て來た話です。東京の女學校です」

斯う答へますと、非常に驚いて居たのでした。

「そんな女學校も出來たのかなあ。日本も進歩したものだね」

これが義兄の獨言でした。

『あの人を知つてゐますか。』

或る日、私の訪れた女學校の校長室で、今しも室を出て行かれた老人を、校長さんは私にたづねられたのです。

「いゝえ、知りません」

と答へますと、

『あの人が私の學校の料理の先生ですよ。市内一流の料理店の料理主任です』

校長さんは眼がね越しに斯う説明し乍ら、こんなに言葉をつがれたのです。

『あの方に來て貰ふ樣になつてから、生徒のお料理もどうやら

食へる樣になりましたよ。あの人の助手に、高師出の女教員が一人ゐますがね』

學問で實際を補ふとでも申すか、私は意味深い教へを受けた事があります。

「報德教育」「勞作教育」「勤勞教育」等々と名稱はいづれにせよ實際に即した教育でないならば、無駄である許りか危險を伴ふものである事を知らればなりません。

『近頃の學校出は氣位ばかり高くて、何の役にも立たぬ』等とか「女學校出は嫁に貰ふな」とまで稱されるのは此の間の消息を物語つてゐるとでも申せませう。

斯う言ふ考へを我が國の最初に考慮されてゐた事は、眞に嬉しい事でありますが、其の成績の擧がらぬのはどうした事でせうか。

小學校令發布の精神が、忘れられてゐるのではないでせうかと思はれます。

十二、高原

これは群馬縣の高原地方で發行される雜誌の一つであります。即ち、草津町の聖バルナバ病院に病を養ふてゐる人々の機關紙でありまして、特種の立場と使命とを持つてゐるもの〻一つであります。

もつと詳しく申せば癩療養所での發行される雜誌の一つでありまして療養所より發行されてゐる機關紙で私の手許へ毎月頂いてゐるのは、全生病院の「山櫻」「武藏野短歌」、長島愛生園の「愛生」、外島保養院の「楓」、大島療養所の「藻波草」、「靈交」（靈交會發行）九州療養所の「株の影」、星塚敬愛園の「星光」、北部保養院の「甲田の裾」（全燒以來中止）それに時々、「呼子島」を全生學園から貰ひます。

この「呼子島」は、東京の全生病院の子供達の爲め發行されたのが、今では全國の子供達（患者）の爲に時々印刷されて配布されてゐますので、全國唯一の「癩兒童雜誌」であります。これは是非此の樣に覺えて置いて頂き度い事です。

が、これに關しては又改めて記す時もありませうからこゝでは申しますまい。唯、離れ島にある癩療養所の中には、三種類の子供達が、世間から取り除けになつて淋しく暮してゐるのを知つて置いて頂き度いものです。

その第一は、小兒患者であります。幼稚園や小學校時代に、最早病氣の發生してゐる氣の毒な子供達であります。

その第二は、未感兒童と申しまして、兩親や母親が患者の爲に發病の危險から避ける爲め、患者である親より離れて保育されてゐる子供達。

第三は、患者の世話に奉仕する爲め不便な土地に住する職員の子供達。

この三種類の子供達がありまして、いづれも眞に淋しい氣の毒な狀態である事を知つて置いて頂き度いです。

さんだ横道へ入りましたが、まあ斯うした數多くの機關誌の中で「高原」と稱される月刊誌がある事を御承知を願ひます。

その高原誌に最近、それもやつと「その三」がのつた程の最近

の事「湯之澤雜筆」と言ふ記事がのつてゐます。

これは執筆者は廣坂美津夫兄で、多分、「望小學校」（草津の下町の子供達——小兒患者達の爲に設けられた塾）の先生をして居て下さる方と思つてゐますが、この「湯の澤雜筆」が仲々面白い——と言つては失禮ですが興味ある記事が多いので、一つ二つ御紹介させて頂きませう。

ついでに申して置き度いのは、この「小學校教育」の事です。「望小學校」の如く、小兒の患者達の爲には、どこの療養所にも「小學校教育」が行はれて居りまして、「全生學園」「愛生學園」等と、たいてい療養所名を附して、義務教育を施して居ります。そして先生は、患者中の教育のある人達が奉仕してゐます。他から迎へ樣としても、來手がないのですからね。

「保育所」（未感兒童の收容所）も同樣で、それ〴〵職員が教師として、正規の課程を學んでゐます。草津の栗生樂泉園の樣に、特別の訓導のゐる小學校を設けてあるのは、他にはないと思ひます。たとへ病氣であつても、或は又離れ島に淋しく暮してゐても、帝國の臣民として受くべきの教育は、とりあえず施されてゐる事は、學んでゐる生徒達の心がけと共に、お互に感ずべき事であります。

まあ、こんな事情の許にあつて、左記の感想が私の手許に屆いた事を、御承知願つて御讀み願ひ度う存じます。

十三、訪客

「落葉松の瑞々しい早緑が草津の山々をつゝむ頃になると、湯の澤や栗生の病者の群を訪れて下さる慰問客が多くなつてくる。先日も愛生園の小河正子先生が訪れて下され、ミッションの事業を一覽の上、高原社同人にも逢つて下され、種々とお話を伺つたのであるが、吾々病者にとつて一番有難く慰めを感ずるのは、矢張り社會の人々が來訪されて逢つて下さることである。多くの人々が來訪されるのであらうが、其の多くは事業視察と言ふもので外側からのみ建築物や統計をひと走り眺めてさつさと引上げて了はれる。さういふ中に稀に、同情篤く病者其の人に逢つて、親しくもの言つて下さる人がある時ほど嬉しい事はない。

文藝方面の先生は上町までは隨分と澤山の知名の先生が來られるのであるが、下町の存在を御存じないらしいので、病者に同情を持たれてゐる方でも、其のまゝ歸りになる方が殆どであることは宣傳が行屆かない缺點もあると思ふのである」云々。

これが其の原文でありますが、これに就て私は數多くの思ひ出がありますので、御迷惑ですが暫く御附合をお願ひ申します。

その前に一寸御説明申して置き度いのは、文中の「小川正子女史」の事であります。

小川正子さんは、國立癩療養所長島愛生園唯一の女醫先生で全國を通じての「歌人」として有名な熱情家であります。嘗て神戸へも御出張願つて、市内の高等女學校の生徒に三回に亘り約三千人に話して頂きましたが、いづれも二時間に亘る熱辯で聞く者をして感極まるの情を惹き起させた有樣でありまして、昨年發表された愛生誌上の「四國に旅して」との患者收容旅行記等は、「新土佐日記」との好評を博したものであります。

患者に對する努力の激しさから、時々身心を痛め、暫くの休養の止むなきに至る有樣で、多分この草津訪問も、其の休暇旅行の折の事かと察せられます。本邦癩療養所内に於ける女醫としての第一人者であります。

そこで話を元にもどしますが、この癩療養所への訪問客、殊に草津の下町と言ふ特種の事情にある場所への慰問客について、私には數年前彼地へ參つた記憶から、今いろ〳〵と想像される事が澤山にあるのです。

私の草津へ參りましたのは、七月の末の事でありまして、それも僅か一晝夜にも足らぬ滯在で、午後四時に到着して、翌日午前九時に出發したと言ふ短時間でありましたので、詳しく語る時間もなかつたのですが、それでも、

「栗生樂泉園の諸兄姉に話し」
「マギル先生の夕食の御馳走になり」
「聖公會堂で諸兄姉に話し」
「聖バルナバ醫院を訪れ」
「望小學校の兒童に噺し」

リー先生の望の家で一泊させて頂き、湯もみ歌を聞きつゝ地藏湯にも二浴し、栗生保育所にも加藤敎兄（當時の主任）を訪れたのでありますから、可成りの訪問であります。

栗生樂泉園では古見園長はじめ職員諸兄と夕食を頂き乍らいろ〳〵伺つた事ですし、下町では當時の主任伊藤敎兄と、グル〳〵巡りながら事情を聞かせて頂いたので、今でも思ひ出として、樂しい記憶となつて、心に新しく殘つてゐます。

十四、下町

いつたい草津の下町と言ふのは、俗稱でありまして、土地の低くなつてゐる湯の川沿ひの一區域を申すのでありますが、此處に住む人達は約六百位か、草津全町の約半數を占めて居ります。そして、上町との境界は、道傍に二本の棒が左右に門の如く立つてゐるだけでありますから、案内者なしには判らぬ位です。この下町の人々は、全部病者でありまして、その入口に聖バルナバ醫院の各寮があり、奧の突き當りに鶴田院長の治療所があります。立派な一部落をなして居りまして、裕かに自活的生活が出來るのであります。

國立療養所はずつと離れた高所にあり、上町よりもまだ向ふ側にありますので、外來患者の施療には可成り困難を感じた位置方でありますが、此の地附近は例の三上女史（癩運動には不朽の名を殘せし人です）の經營たりし鈴蘭園の跡であります。これに關しては又いつか詳しく申しませう。

とにかく草津温泉と言ふ處は、其の湯もみ歌にもあります通りで、町の半分は宿屋でありまして、其處に泊つてゐる人は凡てが性病患者であり、殘りは下町で癩患者である譯です。有馬の湯（關西地方で有名な）と共に古來有名なこの草津の湯は、町を二大別して二種の難病の人々で充滿してゐる譯で、無病の人は町の宿屋關係者と、少數の療養所の職員とその家族と稱しても過言でないでせう。

尤も、古老の話とかに聞きますと、この下町の住民は草津町の

恩人でありまして、嘗て草津町温泉の全滅に瀕した時に、町當局者の宣傳を信じて此の地に群住し、今日の草津温泉繁榮の基礎を築いたのは、下町の病者達であるさうですから、今日の如く下流に遠慮してゐるのは殊勝の心がけと申すべく、町民としても大いに感謝すべき事であります。

茲にミス・リー先生は救癩運動に獻身さるゝ事多年、熊本の故ミス・リデル先生と共に、我が國救癩事業の二大恩人と申すべきであります。ミス・リー先生に關しては、目下明石に保養中でもあり、最近パンフレットも發行されましたので、更めて申しませう。

最近栗生樂泉園が設立されて、その治療に、その住宅に、鋭意癩患者の收容に努力されてゐますので、草津の舊狀も面目一新して來ましたが、從つて此町も追々樂泉園に移住する者も生じ幾分淋れ行く感のあるのも當然でせう。

私としては、一日も早く自由の天地なる栗生樂泉園に全部が移り住んで、上町の滯在客の冷視より逃避せんことを祈つて居ります。と申すのは、古來我が國には、癩は業病なりとの誤れる思想が根強く植ゑつけられてゐますので、上町滯在客が下町見物に押しかけて來ては、罵詈をなす事が多いからであります、自らこそ不行跡の酬いとしての天刑病なるにも係らず、氣の毒な傳染病者なる癩患者に對して、惡口を言ふ者が尠くない事は、何と申しても困つた事であります。

十五、湯もみ唄

「草津よいとこ、一度はおいでチョイナ〳〵」

の唄で有名な草津の温泉は、全町部の經營でありまして、どこの湯も無料です。そして、その經費は全町の宿屋が、滯在客一人當り何程と決めて支出してゐるのです。それですから、街の中央に鷲ノ湯、地藏湯等々と、立派な湯が數箇所ありますが、番人がゐるでなし、受付があるでなし、唯男女の區別のあるだけで、湯も入り次第であります。

廣い草津の町中に、唯の一軒だけ有料の湯があります。それは「たゞの湯」屋です。即ち温泉でない、眞水の湯の意味で、こゝだけは入湯料がいります。「たゞの湯」だけ無料でない等はしやれたものです。

處で、この熱泉である草津の湯に入浴するのには一つの方式があります。それは入湯前に頭に手拭をのせて、その上から手桶でザブ〳〵と熱湯をかけてから、湯槽に入る事です。これはのぼせぬ用心の樣です。

この街々の温泉、それは隣りの噴出場より直接に流れ込んで來る熱湯を受けたものですから、湯はいつでも美しく保存されて透明ですが、この街人の入浴する方には普通病人の入浴はせぬ事になつてゐます。

性病者の入浴するのは、隣室になつてゐる大浴場の方で、この方は隨分温度も高く、精々二三分しか湯に浸つては居れません。その熱氣が消毒に役立つらしい樣です。これは癩患者にも同樣らしいですがれ。

この入浴の行事が大變なんです。

朝早く起きて私はこの入浴振りを見に行つたものです。これは

既にいろ〳〵と記されてゐる事ですから御承知と存じますが大勢揃つて、指導者の指揮の下に入浴するのです。此の時に、熱湯を幾分にても柔げる爲に、長い板で湯を揉みます。この湯揉みが大變で、約三四十分許りもかゝりますが、この時に「湯揉み唄」が聲自慢の人々によつて、聲高らかに唄はれるのであります。

その後私は城崎温泉に參つた事がありますが、此處でも手桶が澤山に用意されてありましたのを見れば、由來熱泉には、湯槽に入るよりも、湯槽から湯を汲んでは身體にかけるのが入浴法であるらしいと氣がついたのです。

事實に於て、草津でも城崎でも、湯槽に入りますと、頭がフラ〳〵する樣です。

温泉には温泉の作法がある事を敎はつたのは、草津の温泉であり、私は湯もみ唄の面白さをその時初めて知つたのであります。

十六、慰問

草津への訪客の話が飛んだ方面へ廻り道をして、草津の温泉に止つて終ひましたが、唄にもある如く、一度はおいでと申される湯の事ですからお許しを願つて、浴後の散歩にブラ〳〵と下町の方へ足を向けて頂きませう。そこでこの癩患者の慰問と言ふ事でありますが、限られた世界に生活してゐる爲に、非常に社會の狀態を知りたがりもし、又これを聞く事を喜ぶのであります。

日本に限らず、癩病院への訪問は、非常に嫌はれ勝ちでありまして、いろ〳〵の意味で仲々訪問客が少いものであります。それは各病院の機關紙の消息欄を御覽になればお判りの通りで、千人以上も收容してゐる病院でさへも毎日は訪問客はないものです。

從つて、草津の下町の如く、何等の施設もなく又統制者もない場所には、よく〳〵の事情に通じた者の他は、訪問せぬのが當然でありませう。これは無理からぬ事です。

然し、廣坂兄の感想にもある如く、社會の人に會ひ又社會の聲を聞く事が、どれ程に彼の人々には慰めであり喜びであるかは、諸賢の想像以上であります。が、それと同時に、これは最も重要な事なのであります。

「閉ぢ込められた生活」それはいろ〳〵の意味に於て好ましいものではありません。ましてや病者の場合に於ては、非常な不幸な原因となるものであります。昨夏の長島の騷動でも、もつと〳〵患者諸君に、社會の實狀が判り、社會の聲が聞えてゐたら、あんな不幸な出來事は出來なかつたと信じます。

世間の聲を聞く事は、誰しも必要な事でありますが、不自由な狹い社會に限られたこの人達には、一層重要な事であります。その意味からも、慰問の訪問者の一人でも多からん事を祈るのは、私と廣坂兄のみではありますまい。

（未完）

青年の體位向上問題

大阪市保健課長　醫學博士　深山杲

本年に入つて愈々厚生省の誕生が實現し、國民保健國策が本格的に樹立せらるゝに至つた事は、國民の誰しも齊しく喜びとする所である。惟ふに一國々勢の根本は何んと云つてもその國民の健康狀態にある事は多言を要せぬ所であるが、從來我國の保健事業は徒らに消極的末梢的方面にのみ趨つて、積極的根本的方面を忘れ勝ちであつた。而もその消極的方面に於てすらも僅かに他の諸國に追隨するに留り、甚だ貧弱極まるものである。今日我が醫學の進歩は歐米の先進諸國を凌駕する程の現狀にあり乍ら國民の體位は反對に年々著しく低下し、遂に、下記の如く誠に憂ふべき狀態を示すに至つたのである。然し乍ら識者夙に之を憂ひ、種々對策に努力を續けた結果漸く茲に厚生省の獨立を實現し、保健事業の强化擴充を計るに至つたもので、邦家の爲め誠に喜ばしき限りである。茲に國民は政府其他指導機關の意を體し擧つてその成果を收むるやう協力すべきであらう。

今、試みに各國民の平均壽命を見るに次表の通りであつて本邦國民が男女共に如何に短命であるかを如實に示してゐる。

英吉利、日本、シカゴ市、男性生命表

年齢	英吉利 一九二〇—二二年	英吉利 一九三〇年—三二年	日本 一九二六—三〇年	シカゴ市 一九三〇年
〇	五五・六二	五八・七四	四四・八二	五五・七七
一〇	五四・六四	五五、七九	四七・九三	五一・八九
二〇	四五・七八	四六・八一	四〇・一八	四二・八六
三〇	三七・四〇	三八・二一	三三・四三	三四・二四
四〇	二九・三六	二九・六二	二五・三四	二六・〇二
五〇	二一・三〇	二一・六〇	一八・四九	一八・七四
六〇	一四・三六	一四・四三	一三・二三	一三・八八
七〇	八・七五	八・六二	七・四三	八・三九
八〇	四・九三	四・七四	四・一五	五・〇五
九〇	二・八二	二・六三	二・一七	三・一五

英吉利、日本、シカゴ市、女性生命表

年齡	英吉利 一九二〇—二二年	英吉利 一九三〇—三二年	日本 一九二六—三〇年	シカゴ市 一九三〇年
〇	五九・五八	六二・八八	四六・四五	六〇・〇〇
一〇	五七・五三	五八・八七	四九・一八	五三・一六
二〇	四八・七三	四九・八八	四二・一三	四六・〇四
三〇	四〇・二六	四一・三三	三五・九八	三七・四〇
四〇	三一・八六	三三・五五	二九・〇一	二八・八九
五〇	二三・七九	二四・一八	二一・六七	二一・〇〇
六〇	一六・三三	一六・五〇	一四・六八	一四・二八
七〇	九・九五	一〇・〇三	八・八八	九・一三
八〇	五・五六	五・四三	四・七三	五・五五
九〇	三・一三	二・九八	二・二四	三・三四

（昭和九年衞生局年報及パブリックヘルス誌より）

我が國民の平均壽命が斯樣に短い理由は國民死亡率が諸外國に比して著しく高い爲めで、然らば何が最も此の死亡率を高くしてゐるかと云ふに、その主なる死因は乳兒死亡と結核死亡に歸因し、殊に結核死亡は青年期にあるものに多く、國家の原動力として或は非常時の第一線に立ち、或は銃後の生産力となるべき若者が、多數に斃れる損失は實に莫大で國家の痛恨事と云はねばならない。更に傳染病死の如きも之亦文明國としては實に恥しい程の高率を示してゐるのである。

幼年及青年の死亡

次に眼を轉じて我が大阪市に就いて見るに此の憂ふべき狀態は更に甚しきを加へて居り、我國第一の商工都市たる本市として實に嘆かはしい次第であつて、次ぎのやうな狀態を示してゐるのである。

乳兒死亡率比較表　（出生一〇〇ニ付）

年次	大阪市	日本全國	ニューヨーク市
昭和元年	一五・七	一三・七	六・七
二	一七・八	一四・二	五・六
三	一三・九	一三・八	六・五
四	一五・九	一四・二	五・八
五	一二・七	一二・四	五・七
六	一四・九	一三・二	五・五
七	一一・九	一一・八	五・〇
八	一三・四	一二・一	五・三
九	一三・一	一二・五	五・二
一〇	一一・八	一〇・七	四・七

世界主要都市全結核死亡率（人口萬對）

都市別	昭和五年	昭和六年	昭和七年	昭和八年
大阪	一八・五	一九・五	一八・五	一九・七
東京	一五・一	一五・六	一五・八	一八・二
ベルリン	八・二	八・二	七・八	七・九
パリー	一九・六	一八・八	一七・〇	一五・六
ロンドン	八・七	八・九	八・六	八・二
ローマ	一一・三	一一・一	一一・五	七・二
シカゴ	五・七	五・七	五・一	五・八
ニューヨーク	六・四	六・二	五・六	五・六

（一九三六年ラボール・エピデミオロヂツクより）

右の如く本市の乳兒死亡率並に、結核死亡率は何れも高位にあるが前者は世界文明諸國と歩調を合せて幸に漸減の傾向を認めつゝあるけれども後者に至つては逆に漸次增加の勢を呈してゐる。結核の都と云はれたパリー市でさへも最近著しい減少を示して來たのに獨り我國の諸都市、殊に本市に於ては憂ふべき漸增を示しつゝある事實は、非常時日本を背負つて立つべき本市青壯年者の將來を蝕む悲慘事であつて、本市に於ける之が對策は一日も遲らすべからざる狀態である。

又各種法定傳染病の死亡率に就いて見るも本市は決して低位とは認め難く、赤痢は六大都市中東京市に次ぎ第二位に多く腸チブスも亦京都市に次ぎ第二位であつて市民保健上眞に注目すべき現狀である。

壯丁體位の低下

偖て、國民體位の低下は壯丁の體位に最も明瞭に表れて來る。徵兵檢査に於て丙種及丁種となりたる所謂體格不合格者は、昭和二年に於て全壯丁の三二%であつたが爾來增加の一途を辿り昭和十年は三八%を示すに至つた。翻つて我が大阪市について見ると、昭和十年度壯丁一一、八五〇人中、體格不合格者五、三七七人で、實に四六%の高率を示してゐる。これは結核を始め近視、トラホーム、花柳病等の有疾者及び筋骨薄弱者の增加によるものであつて特に筋骨薄弱者は最近益々增加しつゝあり從つて本市壯丁の體型は平均身長の增加にも拘はらず、胸圍及體重減少し結核好發體型たる羸瘦型に屬するものが多くなつて來た。

年次	大阪市 甲種	大阪市 乙種	大阪市 丙種	大阪市 丁種	全國平均 甲種	全國平均 乙種	全國平均 丙種	全國平均 丁種
昭和元年	五	四	四	六	七	三	二	七
二	五	三	四	七	六	八	三	二
三	五	三	四	七	六	二	三	八
四	五	三	四	七	六	二	三	八
五	五	〇	五	〇	六	一	三	九
六	五	〇	五	〇	六	一	三	九
七	五	〇	五	〇	六	〇	四	〇
八	五	一	四	九	六	一	三	九
九	四	九	五	一	六	一	三	九
一〇	五	四	四	六	六	一	三	九

（徵兵事務摘要より）

檢診と健康指導の必要

以上の如く國民體位の低下、引いては壯丁體位の低下は我が大阪市に於て特に著しいと認めざるを得ない狀態であるが其の根本原因としては種々擧げられるが就中結核罹患並に筋骨薄弱はその最も大なる原因である。更に

進んで之等の事態を出現するに至つた眞因を考ふるならば、其は近時著しくなつた商工從業員の過勞と學校教育の過重である。

學校教育が進めば進む程、壯丁の體位は惡くなつてゐる。之は教育が智育に偏する結果であり、他方スポーツが徒らに選手主義に墮し、やゝもすれば過激に亘り過ぎる結果であらう。

次ぎに商工業方面についてみるに、さすが我國第一の商工都市だけに此の方面の發展は目覺しきものあり、殊に近時非常時日本の推進力として、商工業從業者は戰時體制下に必死の努力を續けて居り、從つてやゝもすれば勞務狀態が過勞に陷り易く、旁々職場の不衞生と相俟つて遂に健康を害ねるに至るのである。かゝる狀態が相寄つて、近時壯丁體位低下の主要原因たる筋骨薄弱、或は結核、近視、トラホーム、花柳病等の有疾者が增加するに至つたのである。

此處に於て本市は、壯丁の體位低下を防ぎ更にその向上を計るために、全國に率先して市設壯丁豫備檢診の機關を設け滿十九歲及二十歲の適齡前の青年に就き、普く年一回又は二回の豫備檢診を行ひ、疾患のある者は其の都度指摘して之を治療せしめ、充分に保健指導を行つて體格不良の惡名を雪がんことを期して居る。而してこの檢診は將來廣く一般市民にも及ぼし、その向上に資したいと考へてゐる。

次ぎに前述の如き現狀から推して、本市商工業從業員の體位低下も亦一日も忽せにする事は出來ない問題であつて、從業員の健康を無視して行はれた產業は、結局其の原動力を將來失ふ事になり、單に保健上由々しき問題を招來するに留まらず、銃後の生產力擴充の聲高き折柄直接國防上にも重大なる影響を及ぼすものであつて、之が對策は現下の喫緊事であつて、本市は特に此方面にも意を用ひ、先づ專用醫局を持たない中・小商店、工業從業員の爲に隨時其の團體檢診の依賴に應じ、惡疾の早期發見、治療指導或は保健向上に盡力する事が必要である。

更に尙一層弘く、一般市民の保健指導を積極的に徹底せしむべく、榮養及體育指導者を新たに迎へ、各衞生組合其他商工業團體等と密接に連絡して、着實に榮養改善並に體育運動を實施し、全市擧つて健康な市民となるやう努力する念願である。

今や消極的な取締衞生のみの時代は過ぎ、積極的な指導衞生の時代に進みつゝある秋、特に時節柄一層此の方面の急務が叫ばれてゐる現在、右の如き企ては總て從來に見ざる積極的なものばかりで、非常時の今日之が實現は、市民體位向上に眞に適切な施設であつて、之が善用に就ては何れも關係深きものがあるであらう。

乳幼兒死亡の統計的考察（二）

內閣統計局　浦上英男

三、本邦及諸外國に於ける乳兒死亡の趨勢

本邦內地に於ける乳兒死亡は明治三十二年二十一萬三千餘を算へたが、爾後漸增を累ね大正元年には三十萬臺に上り、大正七年には三十三萬七千餘といふ夥しい數を現したが、之は同年猖獗を極めた「流行性感冒」の影響に依るものである。其の後は逐年減少に傾き、大正十四年に二十萬臺に減じてからは再び三十萬臺の聲を聞くことなく、昭和十年に至り明治三十九年以來初めての少數たる二十三萬四千を記錄したのである。併し翌昭和十一年は前年より增加して二十四萬臺に逆戻りした。

乳兒死亡率(出生百に對する乳兒死亡の割合)は言ふ迄もなく右と略々同樣の傾向を辿つたが、尙注意して觀ると死亡數のそれとは稍々異るものがある。明治三十二年以降大正三年迄は明治四十二、四十三兩年の一六%臺を除き一五%臺に在つたが、大正五年より著しく上昇し、大正七年には一八・九%即ち出生の二割に近い高率を見るに至つた。其の後時には上昇を見たこともあるが、大體年を逐つて低下し、昭和の初年には一四・〇%を上下し、昭和七年以降は一二・〇%前後を示すに過ぎなくなり、殊に昭和十年の一〇・七%は未曾有の低率だつたのである。

明治三十二年乃至同四十年に於て、死亡數が增したに拘らず死亡率が同率だつたり、或は却つて低下したりしたのは、其の間の人口增加に伴ふ出生數の增加が其の理由である。同樣にして、最近の死亡數が明治四十年頃と略々同數であり乍ら、死亡率が近年遙かに低いのは、既往に比して最近の方が出生數に於て多數を示すからである。上に述べた傾向を數字の上から詳細に知りたい方に

は、内閣統計局の編纂に係る「昭和九年人口動態統計記述編」五六―五七頁を參照されんことをお勸めする。

　而して乳兒死亡率の低下は獨り我國に限らず各國共に見られるものであるが、之を仔細に觀察すれば彼我の相違は頗る著しいものがある。此の點を明らかにする爲、我國(内地)、英吉利(イングランド及ウエールスのみ)、佛蘭西、獨逸、伊太利の五箇國が明治三十二年乃至昭和十一年の三十八年間に於て記錄した乳兒死亡率の傾向を圖示せば下の如くである。

　最初英吉利に就て觀れば、同國に在つては明治三十二年一六・三の乳兒死亡率を現してゐたが、之は當時我國の一五・四に比して寧ろ高率であつた。然るに大正五年には早くも一〇%を割り、其の後の低下も目覺ましく、昭和十年には五・七といふ未曾有の低率を示してゐる。佛蘭西、伊太利も嘗つて我國より高く、最近之より低いことに於て英吉利同樣であるが、注意すべきは佛蘭西の急速な低下に比して伊太利の低下度は頗る緩慢なる點である。此の意味で伊太利の趨勢は比較的我國のそれに似て居ると言へやう。

　右の三國に對し更に驚くべき事實が獨逸に依つて示されてゐる。即ち同國の明治三十四年(それ以前は不明)に於ける乳兒死亡率は二〇・七にも達し、世界屈指の高率たる我國のそれすら遙かに凌いで居り、明治四十四年に於ても未だ一九・二を示し、其の年我國の一五・八に較べ異常に高かつたものであるが、翌大正元年には俄然一四・七と一躍我國より低位に降り、その後數年間は一高一低を續けたが、大正九年一三臺を示現して後急調子で低下し、昭和十一年には六・六と我國の約半ばに降つた

日、英、佛、獨、伊に於ける乳兒死亡率（出生百に付）

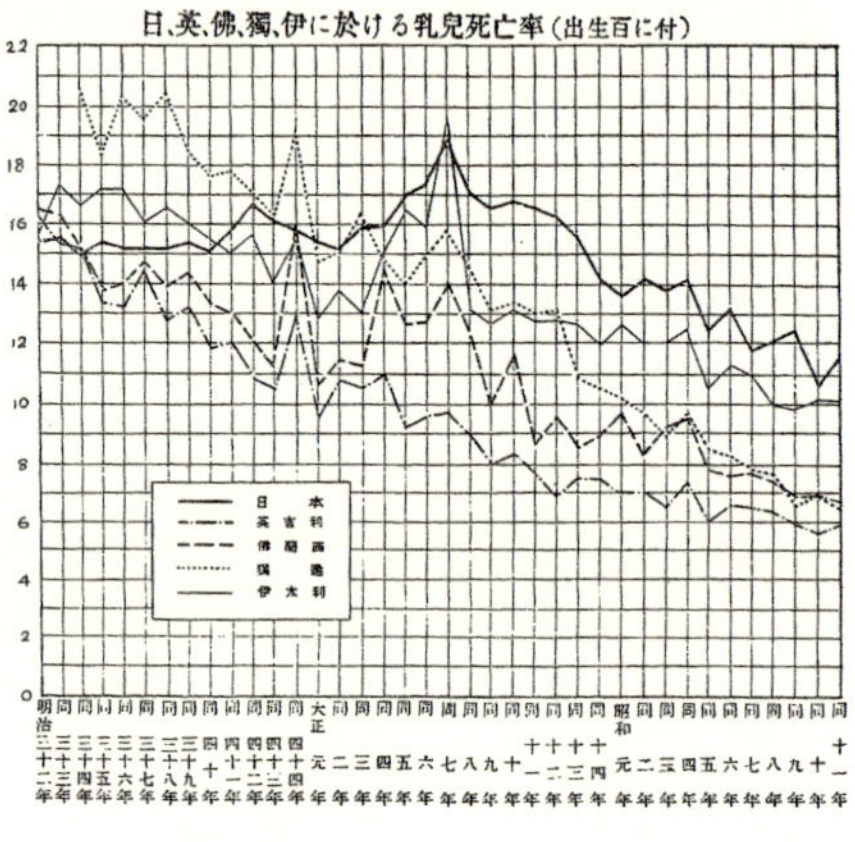

のである。

　尚以上は何れも當初我國より高率を示してゐた國々であるが、明治三十二年當時既に我國は勿論英、佛、獨、伊等を遙かに凌ぐ低率を現しつゝあつた瑞典に一瞥を與へて置かう。同國は昭和十一年迄の三十八年間に一〇%臺を突破したのは明治三十二、三十四の僅か二年に過ぎず、明治三十五年には早くも八臺、同四十年に七臺、大正六年に六臺、同十二年に五臺と漸減し、昭和十一年に至り四・三といふ羨むべき低率を錄したのである。こんな次第で此の瑞典の如きは我國と同日の論でなく、謂はゞ全く水準が違ふのである。

　此の間附言を要するは大正七年に於て何れの國も一樣に其の前後の年に比較し上昇を示してゐる事實で、之は同年全世界を襲つた「流行性感冒」の影響であることを注意して置かう。

　今是等諸國に於ける右三十八年間の之が低下割合を算出して見ると、獨逸の六八%(但し明治三十四年以降の三十六年間)最も急激で英吉利の六四%、佛蘭西の五九%、伊太利の三六%等順次之に亞いで居る。然るに獨り我國のみは此の間に漸く二四%の低下を遂げたに止まるのである。右の外近年我國より著しく低率を誇る國と雖も、往時は殆んど總て我國より高率に在つたのであるから、結局輓近是等諸國に於ける低下の度合が如何に急速だつたかを察するに足りやう。

　本邦に於ける乳兒死亡率の低下が頗る遲々たる事に對し、彼等歐米諸國が急速に之を實現しつゝあるは何故であらうか？之れ固より是等諸邦に於ける醫學の進步、衛生施設の擴充完備、公衆衛生思想の普及向上がその大半の理由であつて、彼等が常に我々より一步先んじてゐることを殘念乍ら認めざるを得ないのである。

四、乳兒死亡率の地方別比較

　前月號に於ては世界各國の乳兒死亡率を紹介し、我國内地、臺灣、樺太の死亡率が列國に較べ極めて高い事を指摘したが、今回は我國内地だけに就て、どの地方、どの府縣に乳兒死亡率が高く、又は低いかといふ事を示さう。尚之に先立つて稍々專門的に涉るが乳兒死亡率の地域別比較の方法に關し些か卑見を述べさせて戴きたいと思ふ。

　我國の統計では死亡を地方、府縣別に色々詳しく分ける時、死亡した土地を基礎とする。具體的に說明すると例へば北海道に本籍を有し、而も其處に常住して居る者が、偶々旅行中東京で死亡したと假定すると、それは東京の死亡に算入されて發表されるのである。之を乳兒死亡の場合に就て考へると、例へば東京府内で生れた一歲

未滿の乳兒が何かの事情で千葉縣に行き其處で不幸死亡したとせば、其の死亡は千葉縣の數字の中に現れて來るのであつて、東京府の數字には入らないのである。今假に右に述べた樣な事實が非常に多いとすると、東京府に於ける出生に對する乳兒死亡の割合即ち乳兒死亡率は人爲的に著しく低下し、之に反して千葉縣の乳兒死亡率は不自然に高まるであらう。從つて此樣な乳兒死亡率(之を粗製死亡率と謂ふ)をその儘府縣別に比較すると誤つた批判を下す虞れがあるのである。

　そこで、或る一つの府縣の乳兒死亡率を計算するには其の府縣の出生數に對する其の府縣生れの乳兒死亡(其の府縣内で死亡すると他府縣で死亡するとを問はず)數の割合を求めるのが一番合理的な方法である。斯うして得たものを修正死亡率と稱する。

　佛蘭西邊りでは、右に述べた方法で粗製及修正兩死亡率を各縣毎に計算して發表して居る。全國を通じた場合是等兩死亡率が同數に歸着することは無論だが、各縣毎に吟味すると中には相當違つて來る處もある。此の相違は佛蘭西に關する限り、人口稠密な大都會を有する諸縣(乳兒の健康保持を目的として多く里子に出す)及是等里子を預かる諸縣に著しいのである。即ち前者に在つての粗製乳兒死亡率は甚だ低いが、之を修正せば尠からず高率となり、後者に在つては之と正反對の現象を示す。

　然し乍ら我國の死亡屆出に當つては、死亡者が何縣何町生れといふ樣な申告記入を要求しないので、乳兒死亡を出生地に關聯させて考察することは全く不可能である。されば以下說く所の我國各地方の乳兒死亡率が粗製死亡率の範圍を出ないことも又已むを得ないのである。佛蘭西に見た現象が果して我國の場合にも同樣認められるかどうかは今姑らく措くも、併し實際上死亡率の地方別比較には上述の如き斟酌が必要であることを此の際特に强調したい。

　さて本旨に戻り、先づ内地各府縣に於ける乳兒死亡率の高低を、昭和十一年の事實から窺つて見やう。

　最も高率なるは青森縣で出生一〇〇に付一九・四を示し、全國平均の一一・七%より七・七%も高く、之に亞いでは石川の一六・九%、福井の一六・七%、岩手の一五・二%、富山の一五・〇%、佐賀の一四・六%、秋田の一四・四%等があり、三重、山形、奈良、大分、香川茨城、千葉の一三%臺も相當高率の部に屬してゐる。

　之に反し最低は沖繩の五・一%で全國平均に比し六・六%も低位に在り、之に亞いでは東京の七・九%、神奈川の八・七%、鹿兒島の九・二%、長野の九・四%、群馬、山梨の各九・五%、熊本の九・六%が低く、尙宮崎

栃木、鳥取、大阪の一〇%臺も全國平均から見れば低率の方である。

　東京府、神奈川縣、大阪府の如く大都市を擁する處に低率の示されてゐる事實は注目する要がある。而して一道三府四十三縣中全國平均より高率を現すものは、一府二十三縣で、低率なるものは一道、二府二十縣、即ち兩者が略々相半ばしてゐることを發見する。

　斯うして各府縣の數字を眺めると、例へば東北とか關東とか或る一つの地方に屬する府縣は、高低その何れにもせよ、多少の例外はあるが概して類似の即ち大差無い死亡率を現す事實が認められる。其の適例は東北地方で青森、岩手、秋田、山形と最高から十位以内の高率縣が揃つて居り、之に宮城、福島が加はつて此の地方の平均は一四・一%の高率となつてゐるのである。又北陸地方も右に讓らず、石川、福井、富山が夫々第二、三、五位を占め、之に稍々低い新潟が加はり平均一三・八%の高率を形成して居る。之に反し地方的に觀て最も低いのは沖繩縣は別とし、關東地方(東京、神奈川、千葉、埼玉茨城、栃木、群馬)の九・九%で、之に亞いで低いのは東山地方(山梨、長野、岐阜)の一〇・五%、北海道の一一・二%、近畿、九州兩地方の各一一・六%である。中國地方(鳥取、島根、岡山、廣島、山口)の一二・〇%に到れば既に全國平均を超える高率を現し、東海(靜岡、愛知、三重)及四國の各一二・二%も高い地方である。

　乳兒死亡率を地方、府縣別に觀て著しく高低があるのは大體上述の如くであるが、東北及北陸の諸縣に於ける異常な高率は一體どう說明したらいゝであらうか？最低沖繩の五・一%は同縣の事情に多少之を割引せねばならぬ點があるので問題外としても、次位東京の七・九%に比する時青森の一九・四%は二倍半の高率である。而も之は決して昭和十一年だけに限つた事實でなく、每年定つて東北、北陸に高く、關東に低いことに留意せねばならない。

　大體に於て東北、北陸兩地方の高乳兒死亡率は、度重なる各種天災に因る凶作の結果、縣民(主として農民)が疲弊し、乳幼兒に十分の榮養を給與し得ない事に基因すると言はれてゐる。無論それが大きな原因であることは疑へないが、抑も乳兒死亡率の高低を齎す要因は、其の地方の氣候、風土、產業分布、住民の教育程度、醫療施設の普及度、經濟狀態に平行する生活程度、又之と密接な關係に在る母及乳兒の榮養問題、乳兒に關する特殊地方病の存在等々枚擧に遑無く、輕々に之を斷ずる譯に行かないのである。

（未完）

第九回全東京乳幼兒審査會に於ける 母親のメンタルテスト（一）

――出生順位、命名の由來、命名者――

伊藤悌二

◎このお子さんは何番目ですか

調査人員二〇〇〇名（男 一、二七五名 女 七二五名）

順位	男	女	各計
一番目	六七九	三八〇	一、〇五九
二番目	二九〇	一七一	四六一
三番目	一五五	九六	二五一
四番目	六八	四一	一〇九
五番目	四四	二三	六七
六番目	二二	九	三一
七番目	一〇	三	一三
八番目	四	二	六
九番目	三	〇	三
合計	一、二七五	七二五	二、〇〇〇

◎このお子さんのお名は何に因んでつけましたか

調査人員總數二〇〇〇名（男 一、二七五名 女 七二五名）

種別	男	女	各計	例
姓名學	四八一	二五七	七三八	
字義	一三五	九五	二三〇	◎幸多かれと（幸子）◎美しく理智的なれと（美智子）◎伸びよ、肥れよ、元氣に育て（伸元）
父の名	一二三	二七	一五〇	◎父の名瞭（遼陽の戰勝日に生る）に因み陽一と名づく（遼陽）

祖先の名	七五	三三	一〇八	
呼び易く、書易い	四〇	一八	五八	
出生順位	三三	四	三七	◎初めての女の子（初子）◎二度目の欣び（欣二）◎姉弟四人の內、女三人、男一人で長男故（一三）
祖父の名	二九	七	三六	
年號	一五	一五	三〇	◎昭子◎和子◎昭和十二年二月生れ（昭二）◎昭和十一年生れ（昭一）◎昭和の男（昭男）
生年月日時	九	一七	二六	◎元日に生れた（元子）◎十一年十一月十一日生れ（圭子）◎二月生れ（朋子）◎二十三日生れ（文子）◎一月三日生れ（一三「ヒトミ」）◎日の出に生れた男の子（日出男）◎八月十三日生れの男の子（八一八即益男）
子供の兄姉の名	一五	八	二三	◎姉が和子の爲め和睦の意（睦美）◎姉が明子故治子（明治）◎兄が忠一故義孝（忠義）◎兄が治故照（治く照らす）
祖母の名	八	一三	二一	
祝日、祭日	八	一三	二一	◎神武天皇祭生れ（武子）地久節生れ（節子）◎明治節（明子）◎神武天皇祭の御弓に因み（由美子）◎天長節生れ（節男）
友人、知人名	一二	八	二〇	
母の名	一〇	九	一九	
父と母の名	八	一〇	一八	
論語	一三	一三	二六	◎「夫子溫良恭儉讓以得之」（恭子）◎「克己復禮爲仁」（克）
祖父と父の名	一四	一	一五	
出生地名	五	九	一四	◎東京で生れた（京子）◎代々木で生れた（美代子）◎多摩川で生れた（タマ江）
歴史上の人物	九	一	一〇	◎松平容保に因み（容子）◎上杉謙信（謙吉）◎大石良雄（良夫）◎伊達政宗（宗右）
偉人	九	一	一〇	◎西郷隆盛（隆志）◎伊藤博文（博）
姓とのつり合	四	六	一〇	◎初めの子で秋の田のみのり美しい（秋田初美）◎岩の崎を守る男（岩崎守男）

恩人の名	三	五	八	
勅語	七	一	八	◎宏 ◎肇
季節	四	四	八	◎菊薫る季節生れ（薫）（菊男）（菊江）◎冬生れ（雪江）秋生れ（稔）
聖書	五	二	七	◎主ハ一ツ信仰ハ一ツバプテスマハ一ツ（信一）◎先ヅ神ノ國トソノ義ヲ求メヨ（義彦）
學者	七	〇	七	◎野口英世（英雄）◎高田早苗（早苗）
政治家	六	〇	六	◎廣田弘毅（弘毅）（毅）◎齋藤實（實）◎濱口雄幸（雄幸）
軍人	六	〇	六	◎荒木貞夫大將（貞夫）◎本庄繁大將（繁）◎加藤寛治（寛治）
時局	六	〇	六	◎非常時に因み（武人）（護）◎國體明徴（明夫）◎宇垣內閣流産の日に生れしを以て俊敏に欠ぐ者の意（俊二）
叔父の名	五	一	六	
古書	三	三	六	◎日本書紀（紀子）
親王、內親王殿下にあやかりて	三	三	六	◎義雄◎和子◎義子
父の職業	〇	五	五	◎映畫關係（映子）◎吳服屋（絹子）
祖母と母の名	一	四	五	
神社	三	一	四	◎代々木の明治神宮（明代）◎靖國神社（靖彦）
小說	〇	四	四	◎「母の曲」主人公桂子（桂子）◎「受難華」（朱實）
オリムピック選手	〇	四	四	◎稻田悅子（悅子）◎前畑秀子（秀子）
十二支	二	二	四	◎子歲の甲子の日生れ（甲子男）
神樣	〇	三	三	◎天照大神（照代）◎光明皇后（光子）
屋號	二	一	三	◎ライトプロセス社（光司）
女流名士	〇	三	三	
佛典	一	二	三	
靈山	二	〇	二	◎英彥山（英彥）◎富士山（富士夫）
小說家	一	一	二	◎橫山美智子（美智子）◎菊池寛（寛）
實業家	二	〇	二	◎澁澤榮一（榮一）◎小林一三（一三）
大學	二	〇	二	◎「心正しければ體裕なり」（裕）

聖人	一	一	二	◎弘法大師（弘一）
仲人	〇	二	二	
記念日	二	〇	二	◎海軍記念日（勝利）◎憲法發布五十年記念に際し憲政を明にす（明憲）
舞踊家	〇	一	一	◎花柳珠美（珠美）
國歌	〇	一	一	◎君ケ代（千代子）
勅題	〇	一	一	
御製	一	〇	一	
由來なし	一四一	一四	一五五	
答なし	四	一	五	
合計	一、二七五	七二五	二、〇〇〇	

◎このお子さんのお名は誰がつけましたか

調査人員總數二、〇〇〇名（男 一、二七五名 女 七二五名）

名付人	男	女	各計
父	七〇三	四〇四	一、一〇七
祖父	一五七	六四	二二一
父と母	五五	四四	九九
姓名學者	六四	三一	九五
神主	五八	二三	八一
友人、知人	四一	二三	六四
伯父	二七	一三	四〇
叔父	二五	一〇	三五
祖母	一八	一四	三二
父の先生	二〇	一〇	三〇
名士	一八	九	二七
祖父と父	一二	一〇	二二
家族全體	八	一四	二二
母	九	一一	二〇
父の主人	一三	四	一七
叔母	四	九	一三
仲人	七	六	一三
住職	五	五	一〇
祖母と父	六	三	九
父母祖父母	一	五	六
教會主	四	二	六
産婆	二	二	四
行者	三	一	四
易者	三	一	四
母の先生	二	二	四
伯母	一	二	三
祖父母	三	〇	三
近所の人	一	二	三
祖母と母	一	〇	一
不明	四	一	五
合計	一、二七五	七二五	二、〇〇〇

煙草の害

醫學博士　太縄壽郎

煙草《たばこ》の害《がい》は煙草《たばこ》に含《ふく》まれてゐる「ニコチン」の毒作用《どくさよう》に外《ほか》なりません。「ニコチン」は喫煙《きつえん》することによつて、われ〱の體内《たいない》に吸收《きふしう》せられ、神經中樞《しんけいちうすう》を痲痺《まひ》し、同時《どうじ》にまた末梢神經《まつせうしんけい》をも犯《をか》し、甚《はなは》だ多《おほ》くの身體器官《しんたいきくわん》に障碍《せうがい》を齎《もたら》すところの猛毒《もうどく》なる成分《せいぶん》です。例《たと》へば子供《こども》が脂《やに》のついた煙官《きせる》で石鹼玉《しやぼんだま》を吹《ふ》いて遊《あそ》んでゐて誤《あやま》つて吸込《すひこ》んだため三日目《かめ》に「ニコチン」中毒《ちうどく》を起《おこ》して死亡《しぼう》したといふ實例《じつれい》が報告《はうこく》されてゐます。ですから喫煙《きつえん》は人間《にんげん》に有害《ゆうがい》なるものとして外國《がいこく》でもまたわが國《くに》にでも昔《むかし》は禁煙令《きんえんれい》が發布《はつぷ》され、喫煙者《きつえんしや》を嚴罰《げんばつ》に處《しよ》した時代《じだい》もありましたが、現在《げんざい》ではどこにも禁煙國《きんえんこく》はなく、たゞわが國《くに》では未丁年者《みていねんしや》の喫《きつ》煙《えん》を禁《きん》じられてゐます。

漠然《ばくぜん》と煙草《たばこ》の害《がい》を論《ろん》ずることは多少矛盾《たせうむじゆん》してゐる嫌《きら》ひがあるのですが、醫學的《いがくてき》に喫煙《きつえん》の害《がい》について考《かんが》へを及《およ》ぼしてみれば、喫煙《きつえん》は疾病發症《しつぺいはつせう》の原因《げんいん》となり、また病症増《べうせうぞう》惡《あく》の誘因《ゆういん》となり、百害《がい》あつて一利《り》なしといふも決《けつ》して過《くわ》言《ごん》ではありません。

貝原益軒先生《かいばらえきけんせんせい》の養生訓《やうぜうくん》に『煙草《たばこ》は性毒《せいどく》あり、煙《けぶり》をふくみて眩《めま》ひ倒《たふ》るゝことあり、病《やまひ》をなすことあり、火災《くわさい》の憂《うれ》ひあり、習《なら》へば癖《くせ》になり、貪《むさぼ》りて後《のち》に止《や》め難《がた》し、貧民《ひんみん》は費多《つひえおほ》し、習《なら》へば大《だい》なる害《がい》なく、少《すこ》しは益《えき》ありと雖《いへど》も損多《そんおほ》し、初《はじ》めよりふくまざるに如《し》かず』と訓《をし》へてゐてこれは誠《まこと》に至言《しげん》といふべきです。

喫煙《きつえん》と疾病發症増惡《しつぺいはつせうぞうあく》との最《もつと》も因果關係《いんぐわかんけい》深《ふか》きものは咽喉《いんこう》呼吸器病《こきふきべう》、循環器病《じゆんくわんきべう》、胃腸疾患《ゐてうしつくわん》、腦神經症《のうしんけいせう》、眼病《がんべう》、新陳《しんちん》代謝器病《たいしやきべう》が擧《あ》げられます。

呼吸器病患者《こきふきべうくわんじや》で咳嗽喀疾《がいそうかくしつ》に惱《なや》まされながらも喫煙《きつえん》を續《つゞ》けてゐる人《ひと》が甚《はなは》だ多《おほ》く、のみならず喫煙《きつえん》することによつて咳嗽喀疾《がいそうかくしつ》はむしろ輕易《けいい》になる如《ごと》く辯解《べんかい》する人《ひと》も少《すく》くはありません。かゝる人々《ひと〲》はすでに煙草《たばこ》の中毒患者《ちうどくくわんじや》であつて、いよ〱ます〱自身《じしん》が蝕《むしば》まるゝことを自覺《じかく》し得《え》ない一時的錯覺《いちじてきさくかく》に他《ほか》なりません。喫煙《きつえん》を持續《ぢぞく》する人《ひと》に、心悸亢進《しんきかうしん》や、脈搏《みやくはく》の不正結滯《ふせいけつたい》を訴《うつた》へる人《ひと》が多《おほ》く、血壓増進《けつあつぞうしん》を甚《はなは》だしく氣《き》にしながら、血壓測定《けつあつそくてい》中《ちう》にも煙草《たばこ》を放《はな》し得《え》ぬ人《ひと》もあります。また胃酸過多症《ゐさんくわたせう》に惱《なや》まされて食慾不振《しよくよくふしん》胃部《ゐぶ》の不快感《ふくわいかん》、食前空腹時《しよくぜんくうふくじ》または食後《しよくご》二、三時間《じかん》に腹痛《ふくつう》を訴《うつた》へる人《ひと》の多《おほ》くは愛煙家《あいえんか》です。その他《た》不眠症《ふみんせう》、神經過《しんけいくわ》敏《びん》、精神能力《せいしんのうりよく》の減退《げんたい》、視力減弱《しりよくげんじやく》などが喫煙《きつえん》に因《いん》することを識《し》らぬのがむしろ普通《ふつう》でかゝる障碍《せうがい》と苦惱《くのう》とは、喫煙《きつえん》を中止《ちうし》することのみによつて極《きは》めて容易《ようい》にまた完全《くわんぜん》に平《へい》癒《ゆ》して、健康《けんかう》を増進《ぞうしん》するに至《いた》ることを理解《りかい》する人《ひと》が少《すく》ないのです。國民體位低下《こくみんたいゐていか》問題《もんだい》が論議《ろんぎ》される今日《こんにち》、國家的見《こくかてきけん》地《ち》からしても甚《はなは》だ憂慮《ゆうりよ》すべきことだと思《おも》ひます。

愛煙家《あいえんか》からは喫煙《きつえん》の害《がい》のみを論難《ろんなん》すると異議《いぎ》あることと思《おも》ひますが、煙草《たばこ》の害《がい》は獨《ひと》り過度《くわど》の喫煙家《きつえんか》のみに有害《ゆうがい》であるが、煙草《たばこ》は一種《しゆ》の嗜好品《しかうひん》として、また趣味《しゆみ》として少量《せうれう》の喫煙者《きつえんしや》には全《まつた》く無害《むがい》であつて、殊《こと》に食後《しよくご》の一服《ぷく》は特有《とくゆう》の爽快味《さうくわいみ》があり、生氣潑剌《せいきはつらつ》として來《く》るなどと、煙草《たばこ》の魅力《みりよく》を高調《かうてう》する人《ひと》があります。しかし煙草《たばこ》の害《がい》は喫煙《きつえん》量《りやう》の多少《たせう》のみをもつて身體《からだ》に受《う》けるところの有害無害《ゆうがいむがい》を判斷《はんだん》することは出來《でき》るものでなく、況《ま》してや個人《こじん》の害因《がいいん》に對《たい》する抵抗力《ていかうりよく》といふものもまた決《けつ》して一様《やう》でないことを忘《わす》れてはなりません。

「禁煙《きんえん》を斷行《だんかう》し得《う》る人《ひと》は英雄《えいゆう》なり」といふ言葉《ことば》があります。實《じつ》に愛煙家《あいえんか》の節煙禁煙《せつえんきんえん》は極《きは》めて困難《こんなん》であることは、萬人《ばんにん》の等《ひと》しく認《みと》むるところです。だが八十歳《さい》以《い》上《ぜう》の長壽《てうじゆ》者《しや》に全《まつた》く喫煙《きつえん》しなかつた人々《ひと〲》が多《おほ》いことの調査《てうさ》が發表《はつぺう》されてゐることを知《し》れば、長壽《てうじゆ》には禁煙《きんえん》といふ條件《でうけん》のあることを思《おも》はねばなりません。

私《わたし》は喫煙《きつえん》しません。だから喫煙《きつえん》の妙味《めうみ》は全《まつた》く解《かい》しない徒輩《とはい》でありますが、たゞ醫學的《いがくてき》にまた德教上《とくけうぜう》に有害《ゆうがい》であることだけは確《たし》かに認識《にんしき》するものです。これが故《ゆゑ》に益軒《えきけん》先生《せんせい》の「少《すこ》しは益《えき》ありと雖《いへど》も損多《そんおほ》し、初《はじ》めよりふくまざるに如《し》かず」といふ言葉《ことば》を尊重《そんてう》します。近來婦女子間《きんらいふぢよしかん》に喫煙家《きつえんか》が著《いちじる》しく増加《ぞうか》する傾向《けいかう》があり、この婦人《ふじん》の喫煙《きつえん》は月經異常《げつけいいじやう》、受胎不能《じゆたいふのう》、早產《さうさん》などの誘因《ゆういん》となるといはれてをりますから、健全《けんぜん》なる母性保護《ぼせいほご》の重大視《ぢうだいし》さるゝ今日《こんにち》非常時《ひぜうじ》には特《とく》に戒心《かいしん》すべきことであると思《おも》ひます。

街頭醫學

頭蓋癆の原因は紫外線の不足から

これから段々暖かくなるにつれ長い冬の間いためつけられてゐた小兒の身體を鍛錬してやるのに好季節となりますが、冬の間はとかく紫外線に乏しく、その上寒さで室内に閉ぢ込められてゐた結果、思はぬ障碍が愛兒のカラダの中に巢食つてゐるのを知らずにゐる事があります。

その一つの、餘り親たちの注意しない病氣に頭蓋癆とよぶ病氣があります。これは佝僂病の一種で、主に秋から冬の間にかけて生れた赤ん坊に最も多くみられる病氣です。

原因と症狀

その原因は佝僂病と同じく、紫外線の不足―つまりビタミンDの鈌乏にあつて、症狀としては顔が蒼白いこと、後頭部の堅い骨の兩側に觸つてみると、拇指大の柔いペコ〱の部分があること、腕や脚が並より短いこと(兩腕を垂れてみて掌が腰肉にびつたりくつゝけば正常、やうやく腸骨のあたりまでしか屆かないものは短い證據)脚の脛骨が内方に曲がつてゐること等が擧げられます。面白いのはこの頭蓋癆といふ病氣は、同じ太陽の惠みの薄い寒い間に生れた子供でも初めに生れた子に殊に多いことで、これは最初に生れた子供は必要以上に大事にされ紫外線をうけることが甚々少い傾向があるからであります。

豫防と療法

ポカ〱暖かくなつて戸外生活を段々させるやうになれば自然にこの病氣は治つて了ふ場合がありますが、しかし放つておくと發育が妨げられづんぐりむつくりの不好恰な身體つきとなり、或は本物の佝僂病となれる虞れがあります。

豫防または治療としては、これから天氣のいゝ日には赤ん坊の部屋に日光の直射を入れるやうにすること(ガラス越しでは駄目)また赤ん坊の衣類なら毎日陽に乾すことで、衣類に吸收された紫外線は、間接に赤ん坊にビタミンDを與へることになります、その他ビタミンD劑を與へる方法もありますがこれは分量を醫者によく相談する必要があります。

母乳が十分である場合、新鮮な空氣と日光の直射―この二つの條件が赤ん坊の發育に最も大切なのですから、頭蓋癆があるとないとを問はず、これからの時季を子供の健康のために、大いに利用されて欲しいものです

(醫學博士　泉田知武氏)

肺炎や心臟衰弱に行ふ酸素吸入に關する常識

酸素吸入は、よく肺炎とか、心臟衰弱などで血液の中の酸素が不足する病氣に使用されるものです、ところが、この酸素吸入に關する一般常識はまだ〱足りないやうで、從つて使用法も缺點があるやうです、大體、酸素吸入は、患者の吸ひ込む空氣の中に五十パーセント以上の酸素を含むやうにしないと十分な効果はありません。よく病室で患者が酸素吸入用のマスクを口や鼻孔から一寸もはなしてゐるのを見受けるのですが、これでは全然効果はなくマスクは必ず鼻、口に密着させなければなりません。

然し、マスクを密着させるのを嫌がる患者がありますので、色々の器械が發明されてゐますそして密着した上に一分間に少なくとも二リツトル以上の酸素をおくらないと大した効果はないのです。しかし斯樣に澤山の酸素を出すことになると非常に高價になることはいふまでもありません。

とにかく、酸素吸入は、酸素を多量に吸ひ、それでゐて患者が嫌やな感じのないやうに行ふことが肝要なので米國などでは「酸素テント」といつて、薄いキレで底のない袋やうのものを作り、これを頭からかぶせて、その中に酸素を澤山におくる方法もありますし、又「酸素室」といつて小さな密閉した部屋を作つてその中に酸素と新鮮な空氣を十分に加へておくつて、そこへ患者をベツドのまゝ入れておく方法も講じてゐます。(鹽谷不二雄博士談)

猩紅熱の症狀と豫防法

猩紅熱は子供の罹る急性傳染病ですが、まれには大人も罹ることがあります。病原菌は確實なところは未だ判つてゐませんが、ヂフテリアと同じく鼻汁や唾液、喀痰などの飛沫或は接觸によつて傳染するものです。

潛伏期は、創から入る創傷性猩紅熱は二十四時間以内に發病しますが、普通の咽頭特に扁桃腺から入ると考へられるものは二日から七日とされてゐます。

症狀は、最初惡寒や嘔吐を起して半日か一日、時に二日位じて三十九度乃至四十度の高熱が出ます。

頸、軀幹、手足、顔等に赤い小さな糠粃でも一面に振りかけたやうな發疹が現れてきます。面白いことには口や顎の周圍には發疹が出來なくて、むしろこの部分が蒼白に見えるのが痲疹やその他發疹の出來る病氣と異つた點です。それに咽頭は例外なしに眞赤にたゞれて唾液や食物をのみ込むことさへ痛いことが多いのと、舌が苺のやうにザラ〱に荒れることもこの病氣の特異なところです。

かうした發疹は五六日頃から次第に色が褪せて、早ければ一週間、普通二週間前後で頸や腋の邊の皮が剝けはじめ手足の皮が一番おそくまで殘つて、先づ四週間から六週間位で全身の皮膚が剝けて新しいのと變ります

この剝けた皮からも傳染する惧があるので、全身の皮膚が剝けるまでは患者を隔離しなければならない規則になつてゐます

熱は一週間前後、時には二週間位で平熱になりますが、二週から三週の間によく腎臟炎を起し易いものですから、下熱後もしばらくの間は安靜にしておくことが大切です。

豫防としては、オキシフル(冷水で十倍にうすめたもの)の含嗽が一番よろしい。豫防注射も我國では未だ一般的には實施されてゐませんが、昨今は相當に信用の出來るものが作られるやうになつてゐます。又、含嗽と同樣に咽喉を守るために、マスクを使用することも宜しい。

しかしマスクは内部にあてるガーゼをいつも清潔にしておくことを忘れてはなりません。(厚生省衛生局)

赤ちゃんが物を言ふまで生後幾日かゝるか

生れたばかりの赤ちゃんは耳も聞えず、目も見えず、只眠つてお腹が空いたり、おむつが汚れたりしますと泣くばかりです

しかし一週間たちますと明暗の區別が少しついてきます。二ケ月位で眠つたあとの氣分が良い時などに少し微笑しはじめます。

又その頃には視線がきまり、玩具などを見せますと、見つめるやうになつて、耳も少し聞えるやうになります。

三ケ月になりますと、音のする方へ顔を向けます。そしてこの頃から涙を流して泣くやうになり、又少し聲を立てるやうになります。一番先に出す發音は「アイウエオ」とか「パピプペボ」といつたやうなものが多いやうです。

三ケ月から四ケ月へかけてお母さんをおぼえるやうになり、又この頃から運動が出來、腹ばひにしますと頭を上げてしばらくそのまゝにしてゐますし、支へて坐らせますと、頭を固定して前後左右に振りますし、玩具をもたせますとしばらく振り、自分の手を一人でしやぶるやうになります。

四五ケ月になりますと頭はしつかりすわります。

極めて發育の良い赤ちゃんは四ケ月頃には獨りで坐られますが、普通「えんこ」の出來るのは六ケ月後です。五六ケ月で玩具を見せると手をのべて取つたり物まれをはじめたり、痒い時は自分でかくやうになります。

お母さんと他人との顔を見分け所謂人見知りをはじめる子もあります。又發音も大分普通に近い音になつてきます。

六七ケ月になりますと、獨りで坐ることが出來ます、勿論まだしつかりしませんので直倒れます。

又寢がへりも出來るやうになり、氣分がよくて嬉しい時にははじめて聲をあげて喜ぶ樣になります。

九ケ月頃から先づ後すざりをはじめてだん〱に這ふやうになり十ケ月から十二ケ月で先づものにつかまつて立ちはじめ、

つたひ歩き、次に手離しで立つて、遂に歩きはじめますが、しつかり良く歩けるやうになるのは先づ一年二三ケ月後です。

一年頃から兩親や家族の話をいくらか理解するやうになり、ウマ〳〵、ママなど意味のある言葉が言へるやうになります。

大抵のお話が出來る樣になるのは二年後で、談話を良く理解するやうになるのは二年半から三年後です。(日本赤十字產院)

赤ちやんの人工榮養—牛乳で育てる場合の注意

赤ちやんの人工榮養に最も多く使はれるのは牛乳です。今、牛乳による育て方の要領を申しますと、人乳は直接乳房から吸ひますから溫度も丁度よく、細菌の入る心配もないのですが、牛乳は、乳をしぼつてから赤ちやんの口に入るまでに、かなり時間がたつてをり、その間、細菌の入る機會が多く、しかも細菌が乳の中へ入ると直ぐふえますから消毒の必要があります。

いふまでもなく一般家庭へ配達される牛乳は、消毒濟みになつてゐる筈ですが、そのまゝで赤ちやんに與へることは危險ですから、家庭でもう一度消毒して與へることが肝要です。

消毒法は、しつかり蓋の出來る罎に入れてお湯の中で五分間沸騰し、かたく蓋をして腐敗しないやうに冷所に貯へるのです。夏は冷藏庫、井戶の中、或は水道の水を流しばなしにした中につけておきます。しかし、かうして貯へても十二時間以上たつたものは用ひられません。

かうして消毒しますと牛乳中のビタミンが大方破壞されますから、果物の汁を入れてビタミンを補ふことが肝要です。

次に牛乳は人乳と成分が違ひますからこれを適當にうすめなければなりません。勿論子供の月齡によつて薄め方は異ふのですが、發育の樣子、體質によつて同じ月數でも一樣に行きませんからその點は醫者と相談することです。今、極普通に發育した子供に用ひる大體の標準を示しますと——

生後二週間＝三分の一牛乳(湯二、牛乳一の割合)

生後三ケ月まで＝二分の一牛乳(湯と牛乳と等分)

四ケ月より六ケ月まで＝三分の二牛乳(湯、一牛乳二の割合)

六ケ月以後＝全乳

ところで牛乳をうすめますと、蛋白質や灰分は人乳に近くなりますが、脂肪や糖分が少くなつて榮養分が不足しますから砂糖を加へて補ひます。そして砂糖は五パーセント、即ち百グラムの中に五グラム(茶匙一杯)の割合で入れる事です。糖分が少いと赤ちやんの太り方が惡く多すぎると下痢を起す事があります。

生後三ケ月頃から牛乳を重湯で薄める事がありますが、重湯は榮養價が高い代りに少し消化し難いもので用ひ方が適當でないと下痢を起す事があります。

お乳の回數時間は母乳と變りありませんが、母乳の場合よりも嚴重に時間や回數守ることが大切です。それから哺乳罎は、目盛の正しい洗ふに便利なものが良く、管のついたものはいけません。使用前よく消毒して、消毒した牛乳を入れて適當の溫度(三十七度……人肌)に溫めて飲ませます。

一回に全部飲み切れないで殘した場合は、殘りは全部すてゝしまひ次の時は更に新しく作つて殘つたものを次の時に飲ませてはいけません。(乳幼兒保育相談所)

批評漫筆

—伊藤悌二雅契の佳品について—

今中楓溪

愛兒献納の一聯

○

はだら雪天城谿々梅咲きて吾を迎ふなり心は冴ゆる

素直の歌で、表現まさに渾然たるものがある。作者は所謂專門歌人ではない。專門とは歌を商賣にするの意味である。私にとつてはくらうとの歌には、もうあき〳〵してゐる。隨つて、この歌を見てゐると、「心は冴ゆる」のである。作者は雪の天城山下の梅花に對して、吟心稜々たるものがある。何らの心氣相和するものぞ。

○

天城山ふもと木原にうつり啼く鶯のこゑかそけき黄昏

作者の自然觀照は徹底してゐる。更に自然の風物に對する推移は作者心境の推移となつてゐる。こゝにこの佳作がおのづから生れたのである。

○

これやこの鴨綠江の川底の石にてあるか圓き硯は

かそかにして、上品な作者の詠嘆がきこゆるやうである。この一個の硯に直面正視して作者は、ほれぼれした感興に浸つてゐる。作者の机上、あるは机邊の雅硯は默々として置かれてゐる。さはれこの小硯は漫々千里の流

れをゑがく鴨綠江の川底の石であつたのである。何たる變轉の生を享けた硯であらうぞ。而して作者は、これに對して、乃ち沈默の一靜物に對し、想像を恣にして、詠嘆を放つてゐる。更にこの想像と詠嘆の裡に、作者の人生觀が出てゐる。作者の主觀が、にじみ出てゐる。吾人の常に唱導する客觀的主觀がこの一首に表現貫徹せられてゐる。まさに作者の歌人としての力量が窺はれてうれしい氣がします。

○

朧梅の花さきしとや勘平の萱野の里にわれゆかむとす

この一首に作者の史的趣味が如實に出てゐる。懷古的情懷が水の如く、同時に吟心脈々なるものがある。梅は以て史蹟に配すべきである。梅花の花心と勘平の雄魂とゝに相和するとき、作者をして忽然この一首を誕生せしめたのではないか。

第十二回全國兒童愛護週間實施要綱

(一) 名稱、目的、其他

一、名　稱　第十二回全國兒童愛護週間

二、目　的　兒童愛護に關する知識の普及並兒童保護施設の擴充發達を圖るを以て目的とす

三、期　間　昭和十三年五月五日を中心とし其前後を通じて一週間とす、但地方の狀況に依り適宜伸縮することを得

四、主　唱　財團法人中央社會事業協會

五、協　贊　恩賜財團愛育會、國民精神總動員中央聯盟

六、後　援　厚生省、司法省、文部省、內務省、拓務省、對滿事務局

(二) 中央に於ける實施事項

一、本週間宣傳用ポスターの作成頒布
本週間宣傳の爲め全國一定のポスターを作成し(希望文字挿入)これを各地方の希望に應じ實費にて頒布すること

二、兒童愛護のマークの作成頒布
本週間實施の趣旨の宣傳並地方に於ける兒童愛護資金造成の爲め全國一定の兒童愛護マークを作成しこれを各地方の希望に應じ實費を以て頒布すること

三、兒童護に關するパンフレット「こどもの育て方」の作成配布
右は各地方廳に無料配布し市役所、町村役場、小學校、各種兒童保護事業團體、方面委員、病院、產院、產婆會等を通して姙產婦及兒童を擁する家庭に普及せしむるの外講演會、講習會用テキストとして一般的利用に資すること

四、「兒童愛護讀本」の作成配布
兒童心身の正常なる發育に必要なる諸般の事項につき夫々要錄せるものを各編に分册作成し各地方廳に無料配布し一般的利用に資すること

五、「育兒カレンダー」の作成頒布
生後十二ケ月間の各月に於ける發育標準其他育兒に關する必得をカレンダーの樣式にて要記せるものを作成し各地方の希望に應じ實費にて頒布すること

六、兒童愛護思想並兒童保護施設に關する參考資料を輯錄し各地方廳に配布すること

七、各地方長官、朝鮮總督、臺灣總督、樺太廳長官、南洋廳長官駐滿特命全權大使及各地方社會事業協會長に對し其管下に於ける本週間實施につき特に盡力方を依賴すること

八、厚生省、司法省、文部省、內務省、拓務省、並對滿事務局に對し本週間實施後援の趣旨に基きこれを各地方長官、朝鮮總督、臺灣總督、樺太廳長官、南洋廳長官、駐滿特命全權大使宛其管下に於ける本週間實施につき盡力相成樣通牒方を依賴すること

九、恩賜財團濟生會、日本赤十字社、愛國婦人會、國防婦人會、軍事扶助中央委員會、全國育兒事業協會、日本少年教護協會中央兒童擁護協會、全日本方面委員聯盟、大日本聯合婦人會大日本聯合青年團、大日本聯合女子青年團、大日本少年團聯盟、帝國少年團協會、日本衞生會、日本精神衞生協會、帝國學校衞生會、日本醫師會、日本齒科醫師會、日本藥劑師會、全國醫療組合中央會、生活改善中央會、日本產婆會、帝國教育會、協調會、勤勞者教育中央會、日本海員掖濟會、日本商工會議所、全國產業團體聯合會、日本放送協會等に對し本週間實施につき協力援助方を依賴すること

一〇、本週間實施中兒童愛護思想宣傳の爲めラヂオ特別プログラ

ムを編成しこれが放送方を日本放送協會並東京中央放送局へ依賴すること

一一、新聞社、雜誌社、出版會社等に對し其社發行にかゝる日記帳、カレンダー其他の出版物に兒童愛護週間を例年行事として載錄さるゝ樣依賴すること

一二、本週間實施に關する記事を揭載さるゝ樣新聞社、雜誌社等に依賴すること

一三、地方に於ける兒童愛護に關する講演會、講習會、母の會、子供の會其他の催しに對し出演者の斡旋を爲すこと

(三) 地方に於ける實施事項

一、主催はなるべく道府縣、朝鮮總督府、臺灣總督府、樺太廳、南洋廳、關東局若くは夫等と密接なる關係を有する社會事業協會其他の機關又は團體等とすること

二、共同若くは參加團體は成可く恩賜財團濟生會、日本少年敎護協會、日本少年保護協會、全國育兒事業協會、中央兒童擁護協會、全日本方面委員聯盟、日本赤十字社、愛國婦人會、國防婦人會各支部又は加盟團體並各地方に於ける軍事扶助地方委員會、婦人會、女子靑年團、醫師會、齒科醫師會、產婆會其他公共團體及各種公益團體等とすること

三、中央にて作成の兒童愛護マークを適當なる方法に依り一般に販賣し本週間實施の趣旨を宣傳すると共に其純益を兒童愛護資金に充用すること

四、兒童愛護に關するパンフレット、リーフレット、育兒カレンダーの類を市役所、町村役場、小學校、方面委員、少年敎護委員、少年保護司、兒童健康相談所、其他各種社會事業團體病院、產院、產婆會等を通じて姙產婦及兒童を擁する家庭にゆき亘る樣配布すること
右はなるべく通年的事業として必要に應じ隨時各家庭に配布する樣夫々適當なる措置を講ずること

五、幼稚園、保育所(託兒所)、學校、公會堂、公園、動物園、劇場、寄席、映畫館、浴場、其他多數人集合する個所を利用して兒童愛護に關する知識の普及並當該施設の利用方に關し宣傳をなすこと(講話又はポスター、揭示、パンフレット、リーフレットの配布等による)

六、各映畫館、劇場等に於て本週間中「國民精神總動員全國兒童愛護週間」又はこれが爲めの適當なる字句の特別揭示をなす樣當該警察署を通じて依賴すること

七、汽車、汽船、電車又は自動車等に本週間宣傳用のポスター、ビラ、旗の類を揭ぐる樣夫々の事業當局に依賴すること

八、本週間に關する記事を揭載さるゝ樣各新聞社、雜誌社等に依賴すること

九、兒童愛護に關しラヂオの放送をなすこと
中央よりのラヂオ放送を中繼するの外各地に於ても適當なる「兒童愛護放送」のプログラム編成方を關係當局に依賴すること

一〇、本週間實施に關して適當なる各種催物を爲す樣百貨店其他に依賴をなすこと

一一、兒童愛護に關する知識普及の爲め各種講習會、講演會、展覽會、映畫會、母の會等を開催すること

一二、姙產婦健康相談會、兒童審查會、兒童健康相談會、育兒、敎養相談會等を催すこと

一三、兒童を對象として保健、敎養、慰安、娛樂等の爲め各種催しをなすこと

一四、育兒上、身體精神兩方面に亘りて最も參考となるべき實例を募集すること

一五、育兒上、身體精神兩方面に亘りて弊害ありと認むべき地方風習を指摘してこれが改善を圖ること

一六、優良なる姙產婦及兒童保護施設の選奬をなすこと(以下略)

編輯後記

◉恒久國防を目標とする、本年度の第十回記念全東京乳幼兒審査會開催準備着手のため、先づ第一に永井聯盟名譽會長と池崎理事の御示敎を仰ぐ必要上三月十日に上京した、長期戰下の意義深き第七十三議會開會の最中であつて、山積の提案議事に寸暇もなき有樣だつたが、池崎參與官、是松秘書官、眞島秘書の御盡力により、木戸侯爵には同十二日に本年度の審査會總裁たる事を御快諾になられたのである、木戸大臣閣下には「永き歷史を有する聯盟の事業は邦家のために有意義であるのは勿論である、のみならず廣く社會全般に信用のある事業だから喜んで承諾します」、と云はれたのは實に我等の誇りであらねばならぬ、我等は斯うした光榮を擔ふ度毎に、國民の體位向上のため、責任の重且つ大なるを痛感する者である。

◉本聯盟の最も有力なる後援者であつた松岡映丘先生御永眠の悲報を手にしたのは、三日の未明であつた、最後の御別れは去る一月二十五日であつたが、其の時の「私は常に門人に對して社會奉仕の精神を說いて來た」、「貴下の賴みはどんな事でも喜んで致しますから遠慮は無用です」、と云はれた慈父の如き御言葉を思ひ起して淚なき能はずである、本誌前號揭載の實朝の繪は、遂に先生の此の世界に於ける絶筆とならうとは、誰れも豫期しない事であつた。

◉十一日は松岡先生十日祭につき御靈前に額づいた、午後、神田白十字會に久々にて村島氏と快談、十二日、議會より保尊畫伯を訪ね、小林三季氏に初對面をなす、十三日、彫金界の新人大須賀喬氏を駒澤に訪れ、歸途伊吹、菊池兩家を訪ふ、十四日、春虹會展を三越に見て、議會に眞島氏と面會、西牧畫伯宅に至り、出來あがつた自分の肖像畫と對座す、十五日、上野に讀書會、太平洋畫會、獨立美術等の諸展を觀る、偶然最上勇氏と始めて面談す、十七日、議會に至りて永井閣下の御病中とは云へ想像以上の御健かなる姿を拜して嬉しかつた、黄昏高島屋の木村部長と協議をなし、夜は吉村氏を訪ふ、十八日、長崎の郊外に親戚にあたる星健三氏夫人、御母堂(高成田醫師令妹)と物語る、其の夜十一時發の急行にて西下した。

◉十九日の夜原始民族研究の權威宮武氏後援會の發企人會に列席、西村、三田谷、濱野三博士、山口、白根、高山、景山諸氏等も參會され非常な力强さを感じた、二十六日、松坂屋の屋上に築いた土俵の上で横綱玉錦、前頭海光山、楯中の土俵入りをみた、京都の日本醫學會に出席中の小泉醫務局長と、ドイツのケーファア軍醫中將は特に土俵入りの瞬を締め込むところをみて驚かれたと云ふ新聞記事をみたが、記者も親しく彼等の生活を視察して非常時下非常に參考になつた。

◉二十六日の夜、電力管理案は兩院協議會の成案に達し、兩院ともこれを可決したとの報を得たので、直ちに我等の永井遞信大臣閣下に祝電を打つた、我等は唯邦家のため、閣下の御健康を祈つて止まぬものである。

本誌定價 一冊金參拾錢 郵稅壹錢五厘
半年分六冊 金壹圓六拾錢 郵稅共
一年分十二冊 金參圓 郵稅共
誌代郵稅は一切前金の事
前金切の場合は發送中止
郵券代用は一割增のこと
昭和十三年三月廿八日印刷(每月一回
昭和十三年四月一日發行(一日發行)
兵庫縣武庫郡精道村芦屋
發行兼編輯人 伊藤悌二
印刷人 木下正人
大阪市西淀川區海老江上二丁目三七番地
印刷所 木下印刷所
電話福島㊺(一五三四番 二四二六番)
大阪市北區天神橋筋六丁目
大阪市立北市民館內
發行所 大阪兒童愛護聯盟
電話堀川㉟(〇〇〇一番 〇〇〇二番)
振替大阪五六七六三番

子供の世紀　第十六巻　第四號
大正十三年二月二十日第三種郵便物認可
昭和十三年三月二十八日印刷納本
昭和十三年四月一日發行（毎月一日一回發行）

【定價金參拾錢】

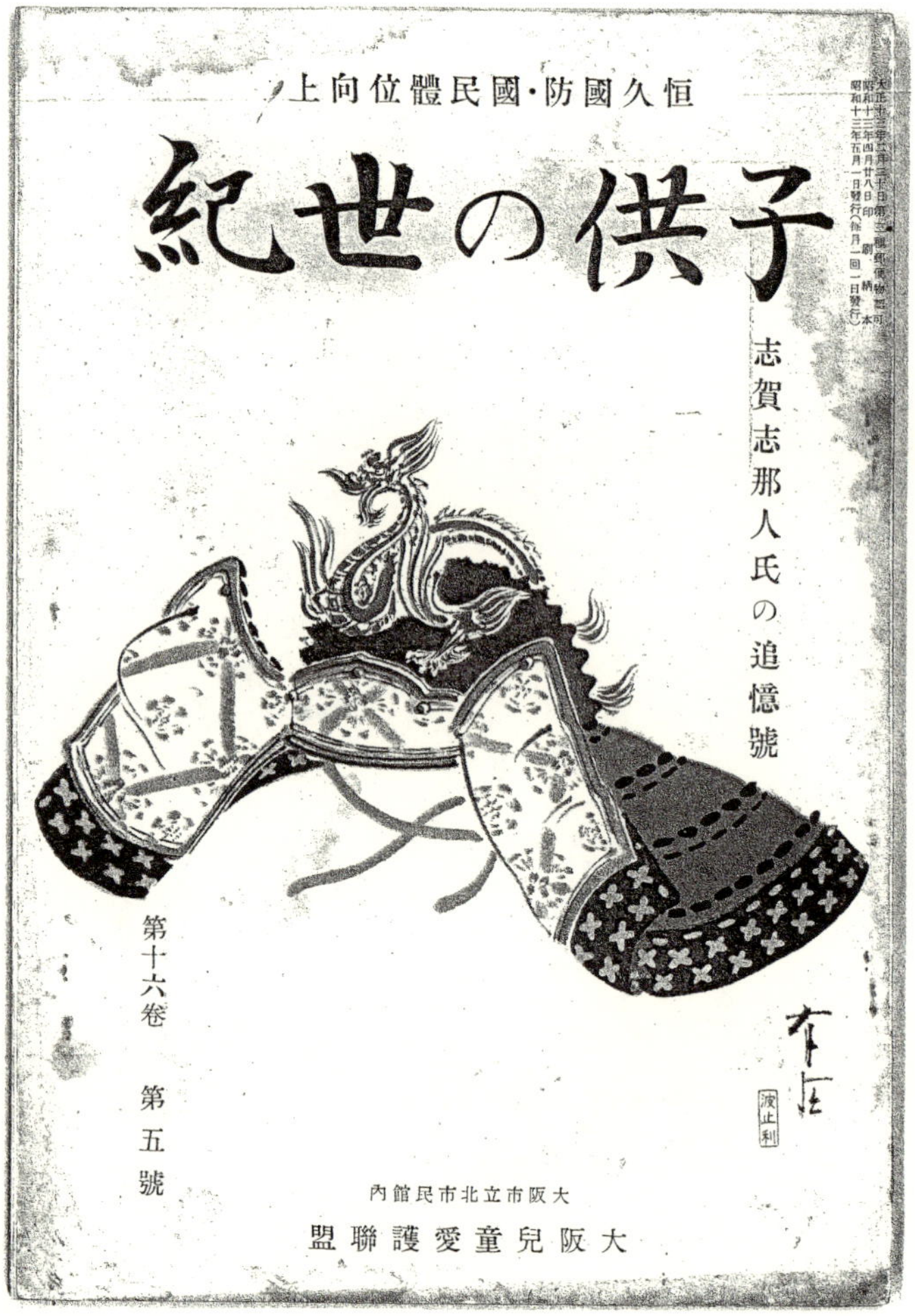

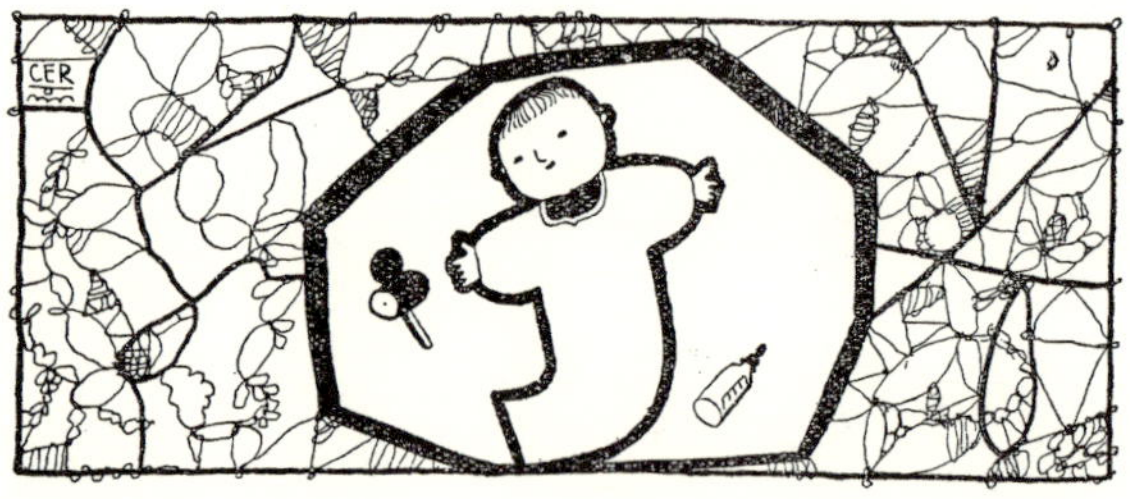

『子供の世紀』（第十六卷第五號）志賀志那人氏の追憶號

目次

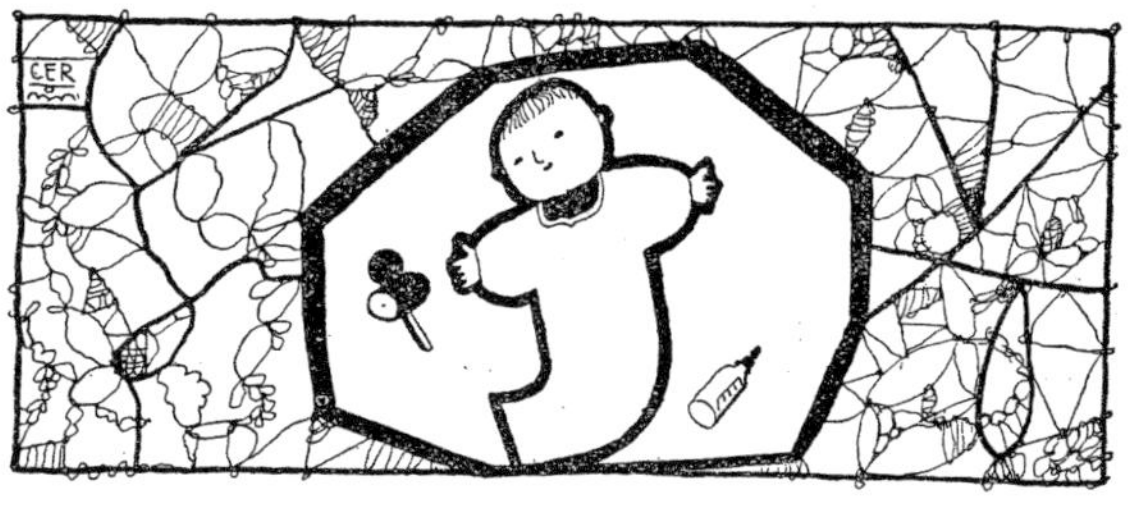

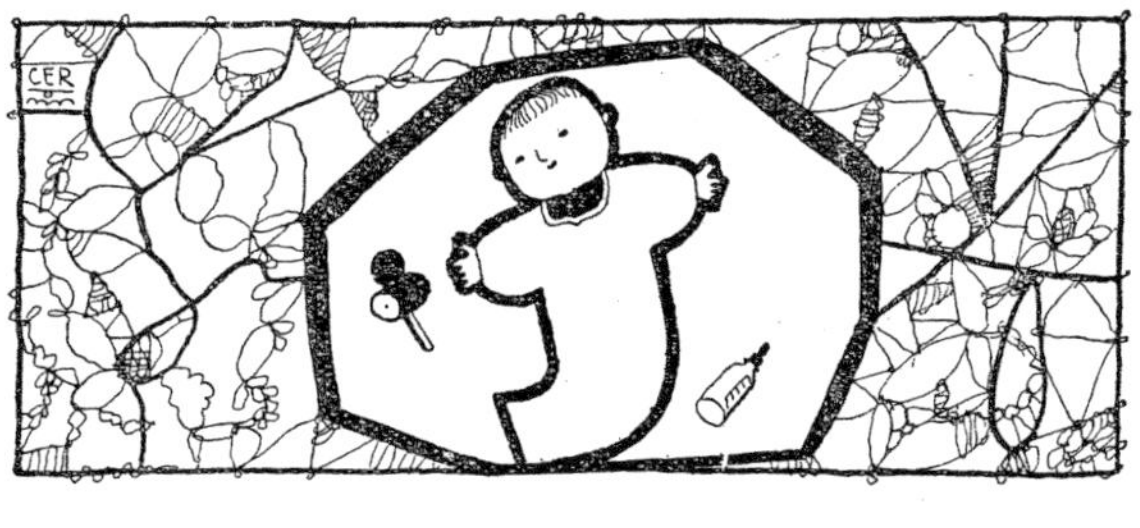

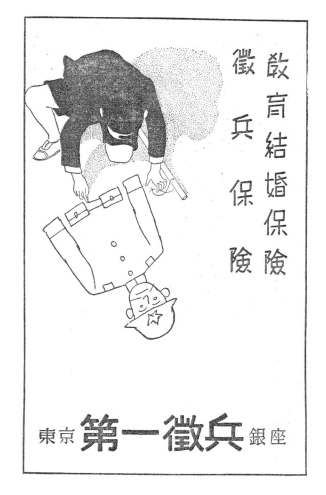

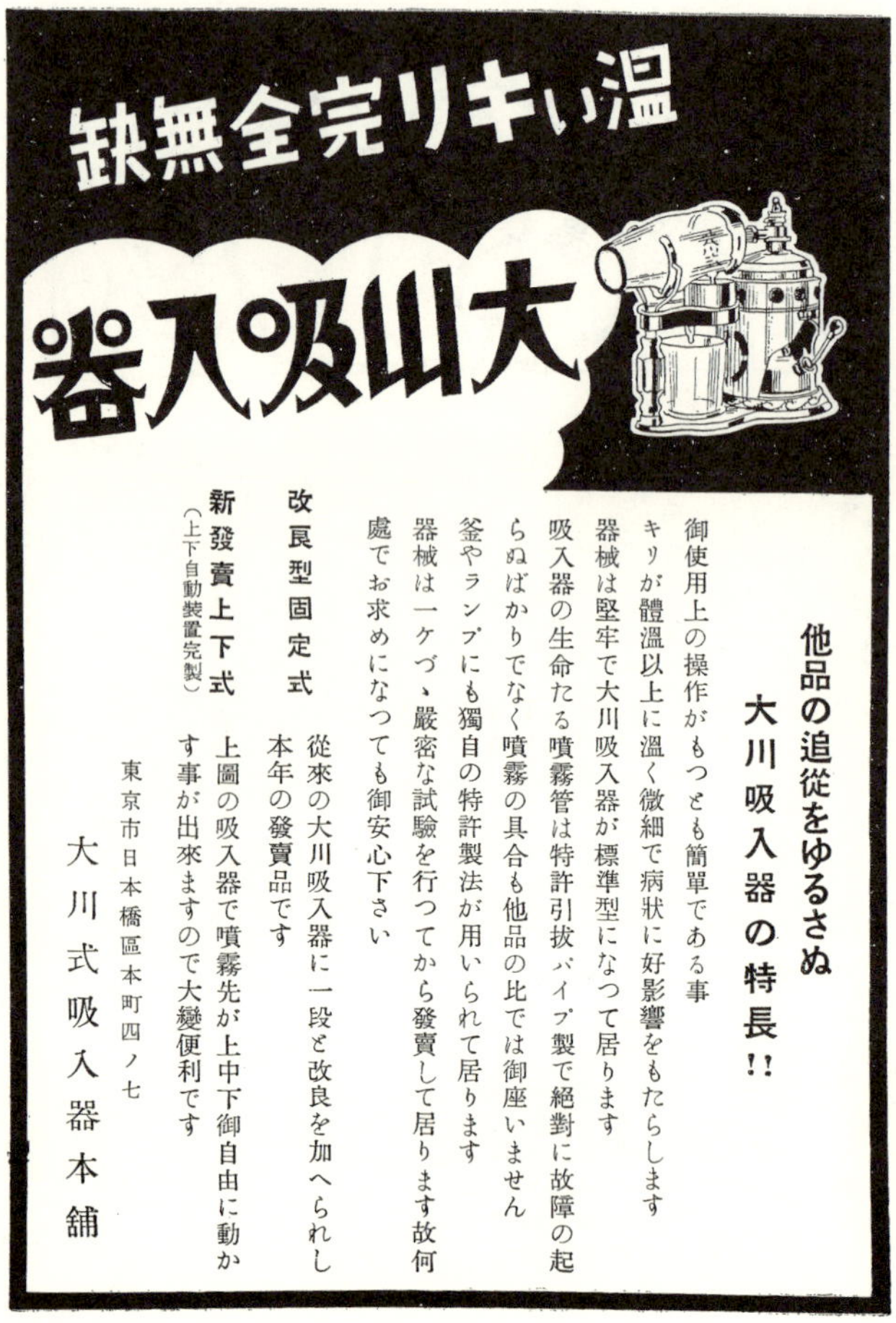
温いキリ完全無缺
大川吸入器
他品の追從をゆるさぬ
大川吸入器の特長!!
御使用上の操作がもつとも簡單である事
キリが體溫以上に溫く微細で病狀に好影響をもたらします
器械は堅牢で大川吸入器が標準型になつて居ります
吸入器の生命たる噴霧管は特許引拔パイプ製で絶對に故障の起らぬばかりでなく噴霧の具合も他品の比では御座いません
釜やランプにも獨自の特許製法が用いられて居ります
器械は一ケづゝ嚴密な試驗を行つてから發賣して居ります故何處でお求めになつても御安心下さい
改良型固定式
從來の大川吸入器に一段と改良を加へられし本年の發賣品です
新發賣上下式
(上下自動裝置完製)
上圖の吸入器で噴霧先が上中下御自由に動かす事が出來ますので大變便利です
東京市日本橋區本町四ノ七
大川式吸入器本舖

兒玉希望氏作
蘆雁
朝暉

戊辰會出品
於東京・大阪三越

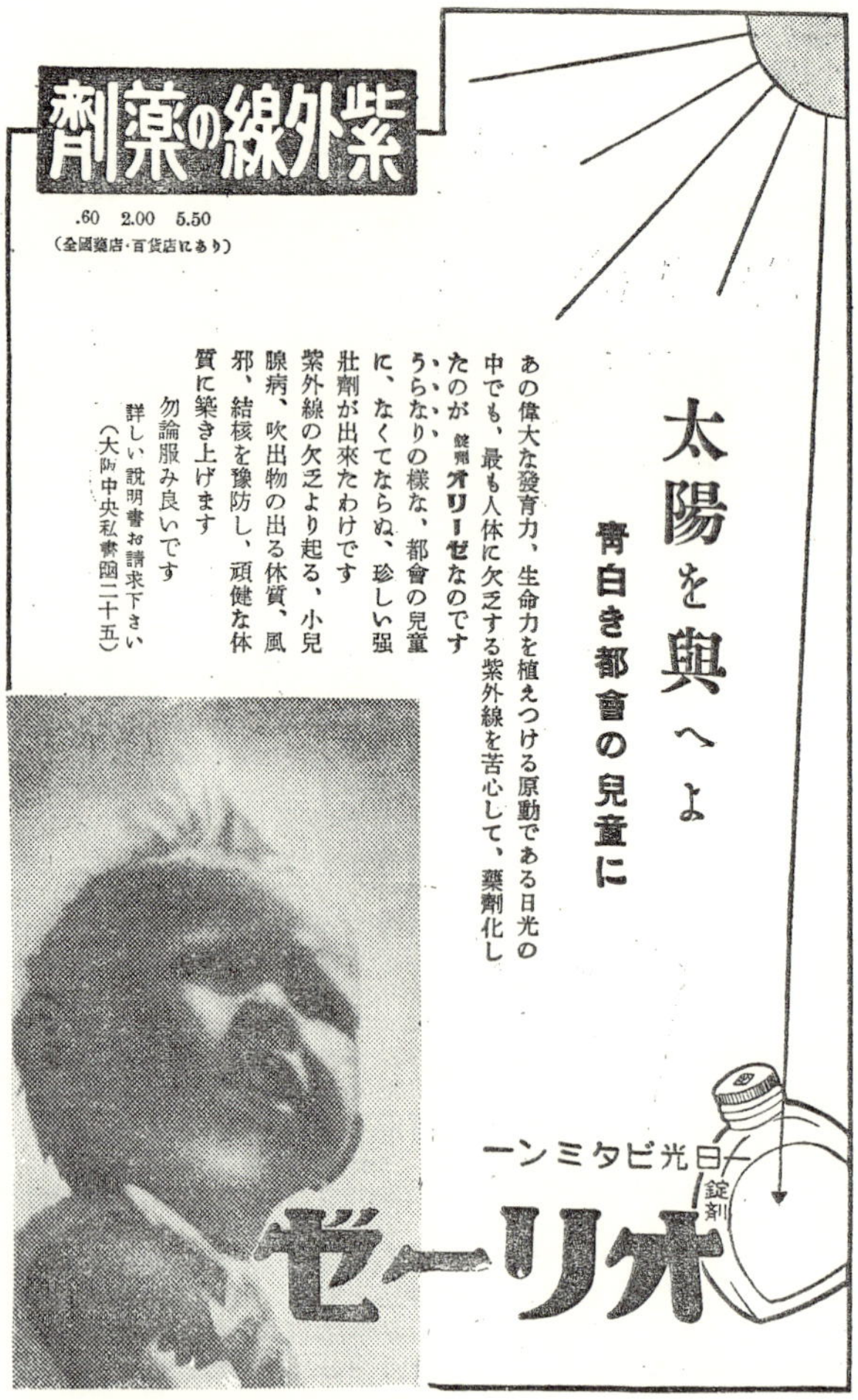
紫外線の藥劑
.60 2.00 5.50
(全國藥店・百貨店にあり)
太陽を與へよ
靑白き都會の兒童に
あの偉大な發育力、生命力を植えつける原動である日光の中でも、最も人体に欠乏する紫外線を苦心して、藥劑化したのが錠劑オリーゼなのです
い、い、うらなりの様な、都會の兒童に、なくてならぬ、珍しい强壯劑が出來たわけです
紫外線の欠乏より起る、小兒腺病、吹出物の出る体質、風邪、結核を豫防し、頑健な体質に築き上げます
勿論服み良いです
詳しい説明書お請求下さい
(大阪中央私書函二十五)
日光ビタミン
錠劑
オリーゼ

明治(赤罐)コナミルク
用ひ方簡易で値段の廉い
母乳代用優良加糖粉乳
乳兒の哺育に
兒童の保健に
姙産婦の榮養に
砂糖を加へる手數が省ける
◇
水にも湯にも溶け易い
◇
消化吸收が極めて良好
明治
コナミルク
母乳代用加糖粉乳
明治製菓株式會社
・半ポンド入
明治製菓株式會社

このマーク
メガネ肝油球
お奨めする方
一般虛弱者、産前産後に
腺病質 肺結核 肋膜
腹膜 せむし 夜盲症
榮養不良による眼疾
感冒にかゝり易き人
一番よい
經濟的國民榮養素
眼鏡肝油
雜誌名記入御申込の方に 文獻贈呈
本舗
合資會社 伊藤千太郎商會
大阪道修町

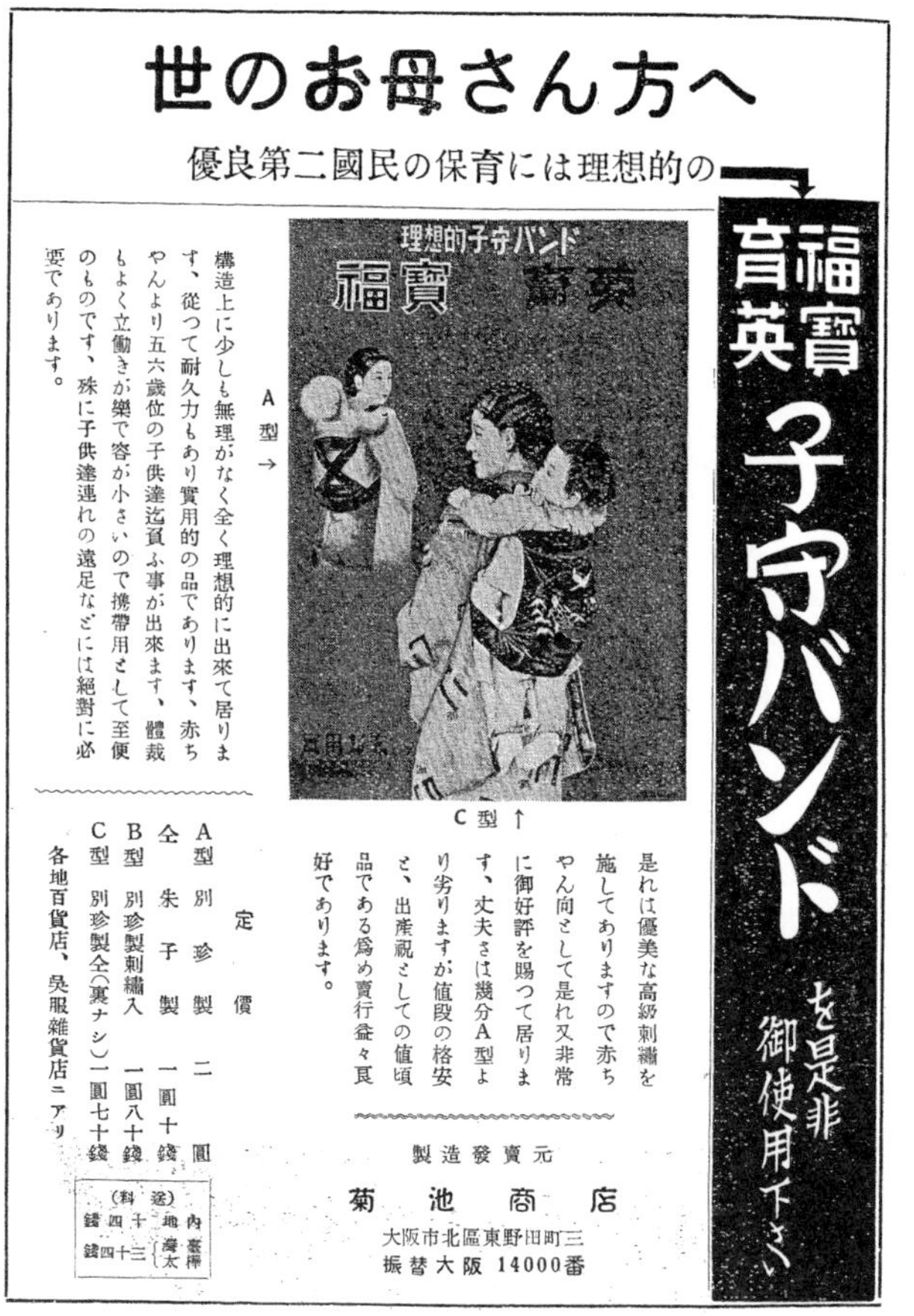
世のお母さん方へ
優良第二國民の保育には理想的の
福寶育英
子守バンド
を是非御使用下さい
理想的子守バンド
福寶
A型→
構造上に少しも無理がなく全く理想的に出來て居ります、從つて耐久力もあり實用的の品であります、赤ちやんより五六歳位の子供達迄負ふ事が出來ます、體裁もよく立働きが樂で容が小さいので携帶用として至便のものです、殊に子供達連れの遠足などには絕對に必要であります。
C型↑
是れは優美な高級刺繍を施してありますので赤ちやん向として是れ又非常に御好評を賜つて居ります、丈夫さは幾分A型より劣りますが値段の格安と、出産祝としての値頃品である爲め賣行益々良好であります。
定價
A型 別珍製 二圓
仝 朱子製 一圓十錢
B型 別珍製刺繡入 一圓八十錢
C型 別珍製仝(裏ナシ) 一圓七十錢
各地百貨店、吳服雜貨店ニアリ
(送料) 內地 十四錢 臺灣樺太 三十四錢
製造發賣元
菊池商店
大阪市北區東野田町三
振替大阪 14000番

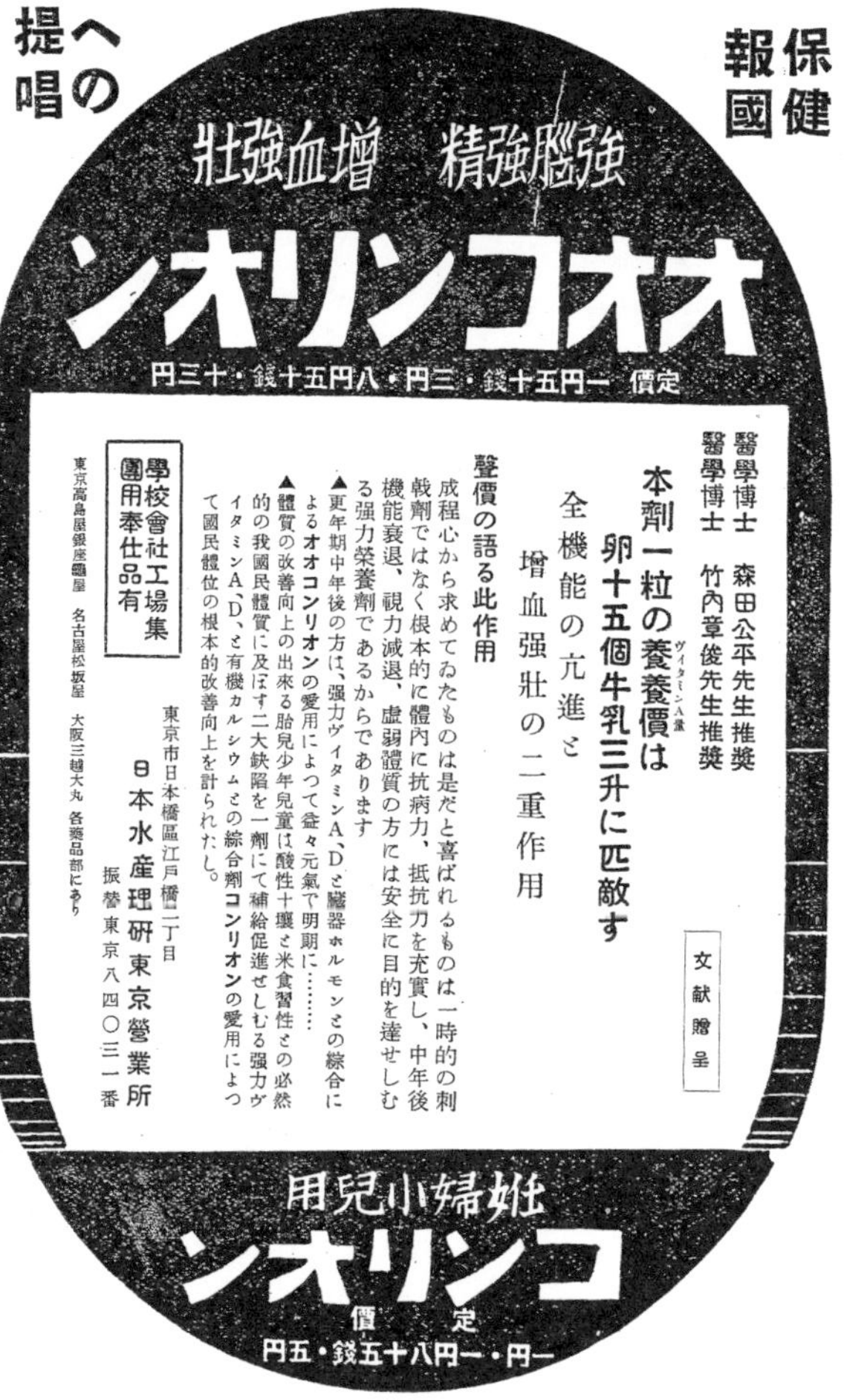
保健報國への提唱
強腦強精 增血強壯
オオコンリオン
定價 一円五十錢・三円・八円五十錢・十三円
醫學博士 森田公平先生推獎
醫學博士 竹內章俊先生推獎
本劑一粒の養價《ヴィタミンA量》は卵十五個牛乳三升に匹敵す
全機能の亢進と
增血强壯の二重作用
文獻贈呈
聲價の語る此作用
成程心から求めてゐたものは是だと喜ばれるものは一時的の刺戟劑ではなく根本的に體內に抗病力、抵抗力を充實し、中年後機能衰退、視力減退、虛弱體質の方には安全に目的を達せしむる强力榮養劑であるからであります
▲更年期中年後の方は、强力ヴィタミンA、Dと臟器ホルモンとの綜合によるオオコンリオンの愛用によつて益々元氣で明朗に………
▲體質の改善向上の出來る胎兒少年兒童は酸性土壤と米食習性との必然的の我國民體質に及ぼす二大缺陷を一劑にて補給促進せしむる强力ヴイタミンA、D、と有機カルシウムとの綜合劑コンリオンの愛用によつて國民體位の根本的改善向上を計られたし。
學校會社工場集團用奉仕品有
東京市日本橋區江戶橋一丁目
日本水產理研東京營業所
振替東京八四〇三一番
東京高島屋銀座松屋 名古屋松坂屋 大阪三越大丸 各藥品部にあり
姙婦小兒用
コンリオン
定價 一円・一円八十五錢・五円

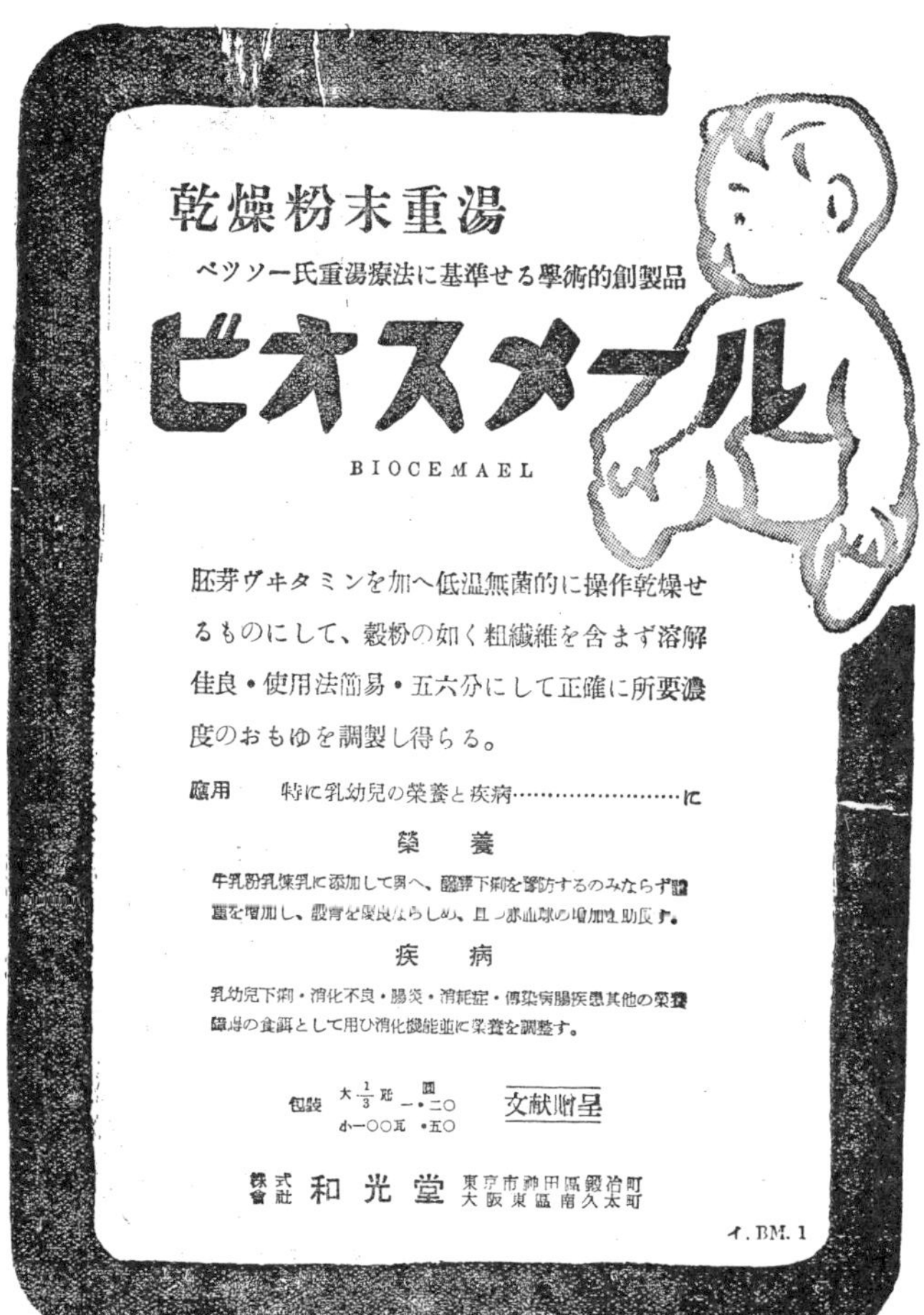
乾燥粉末重湯
ベツソー氏重湯療法に基準せる學術的創製品
ビオスメール
BIOCEMAEL
胚芽ヴキタミンを加へ低温無菌的に操作乾燥せるものにして、穀粉の如く粗繊維を含まず溶解佳良・使用法簡易・五六分にして正確に所要濃度のおもゆを調製し得らる。
應用 特に乳幼兒の榮養と疾病……………………に
榮養
牛乳粉乳煉乳に添加して與へ、醱酵下痢を豫防するのみならず體重を增加し、發育を良好ならしめ、且つ赤血球の增加を助長す。
疾病
乳幼兒下痢・消化不良・腸炎・消耗症・傳染病腸疾患其他の榮養障碍の食餌として用ひ消化機能並に榮養を調整す。
包裝 大 1/3 瓩 一・二〇圓 小 一〇〇瓦 ・五〇
文献贈呈
株式會社 和光堂 東京市神田區鍛冶町 大阪東區南久太町
イ.BM.1

今は亡き前大阪市社會部長

志賀志那人氏の面影（上）

去る四月八日大阪府下八尾町山本の自邸に於て永眠された氏の告別式は、十五年間氏が手塩にかけた北市民館にて同十一日午後施行された、下圖は式場に於ける遺族席

（前列向つて左より）葬儀委員長大阪市助役三宅正三氏、長男香苗君、民子夫人、次男裕君、長女市子様——當日の參列者約三千名であつた。

日本の南端紅頭嶼ヤミ族の原始的な神秘生活

——宮武辰夫氏本誌記事參照——

美事な彫刻をしたヤミ族の舟

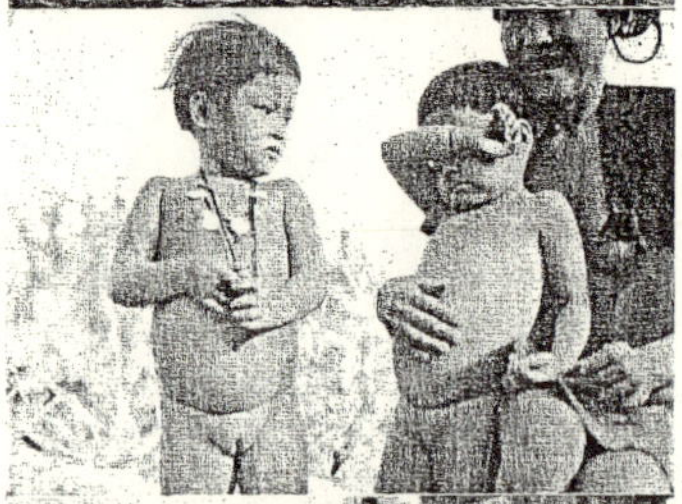

和やかなヤミの子等

ポン〳〵丸出しの娘さん

怪奇な黒髪の踊り

照宮内親王殿下御降誕の砌

祝賀放送をなされし志賀氏（上）（於ＪＯＢＫ）

大阪初期の文化運動（下）

大阪文化協會は大正十年故志賀氏等の首唱にかゝり、文化運動の先驅を爲して居る、その第二次的運動は愛生教會の誕生により、大正十一年三月十二日、中央公會堂に於て『宗教思想に關する大講演會』を開催して大衆に呼びかけた、上圖は當夜の記念撮影で、前列向つて左より杉山武夫、故六人部延平、沖野岩三郎、故飯島貫一博士、杉山元治郎の五氏、後列は佐藤光史、故志賀志那人、一之澤榮、伊藤悌二、故青木律彦、菅森定の六氏である。
尙當時雜誌『愛生』を發行して世道人心の向上をはかつた、我々の兒童愛護運動もこれ等と同時に起つたもので、要するに志賀氏は常に社會事業を斯うして精神運動たらしめやうとつとめた。（本誌編輯後記參照）

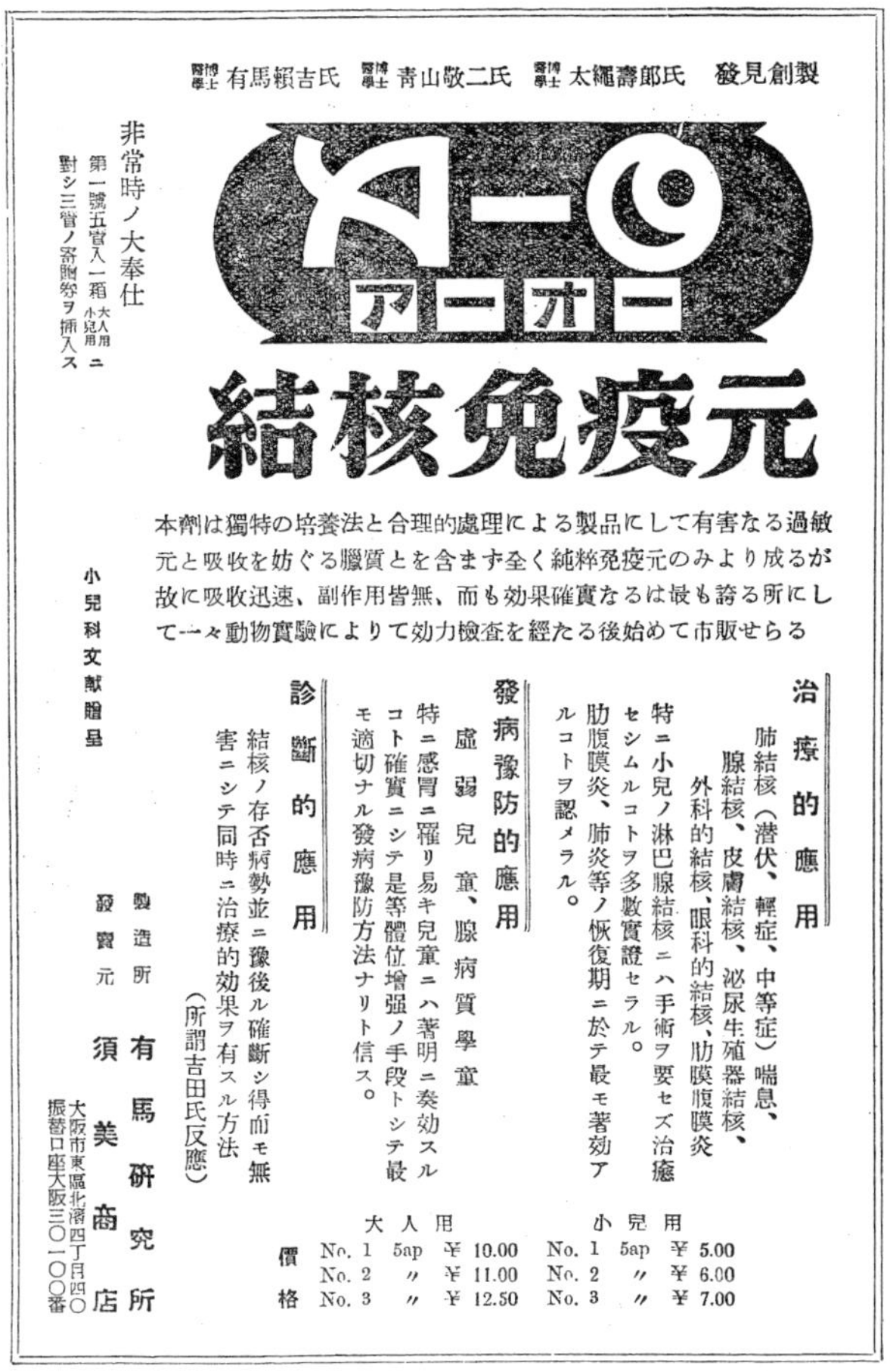
發見創製
醫學博士 太縄壽郎氏 醫學博士 青山敬二氏 醫學博士 有馬頼吉氏
アーオー
結核免疫元
非常時ノ大奉仕
第一號五管入一箱（大人用 小兒用）ニ對シ三管ノ寄贈券ヲ挿入ス
本劑は獨特の培養法と合理的處理による製品にして有害なる過敏元と吸收を妨ぐる臘質とを含まず全く純粋免疫元のみより成るが故に吸收迅速、副作用皆無、而も効果確實なるは最も誇る所にして一々動物實驗によりて効力檢査を經たる後始めて市販せらる
治療的應用
肺結核（潛伏、輕症、中等症）喘息、腺結核、皮膚結核、泌尿生殖器結核、外科的結核、眼科的結核、肋膜腹膜炎
特ニ小兒ノ淋巴腺結核ニハ手術ヲ要セズ治癒セシムルコトヲ多數實證セラル。
肋腹膜炎、肺炎等ノ恢復期ニ於テ最モ著効アルコトヲ認メラル。
發病豫防的應用
虛弱兒童、腺病質學童
特ニ感冒ニ罹リ易キ兒童ニハ著明ニ奏効スルコト確實ニシテ是等體位增强ノ手段トシテ最モ適切ナル發病豫防方法ナリト信ス。
診斷的應用
結核ノ存否病勢並ニ豫後ル確斷シ得而モ無害ニシテ同時ニ治療的効果ヲ有スル方法
（所謂吉田氏反應）
小兒科文献贈呈
大人用
價格 No. 1 5ap ¥ 10.00
No. 2 〃 ¥ 11.00
No. 3 〃 ¥ 12.50
小兒用
No. 1 5ap ¥ 5.00
No. 2 〃 ¥ 6.00
No. 3 〃 ¥ 7.00
製造所 有馬研究所
發賣元 須美商店
大阪市東區北濱四丁目四〇
振替口座大阪三〇一〇〇番

西日本隨一の偉容！
新鮮優良百貨の充實
創業三百年の歴史は絶大なる御信頼となり
『良品廉價の徹底』は渝らぬ御愛顧となる
一番の品揃 一番の安値
營業時間＝午前 九時より 午後 六時半まで
定休日＝八日・十八日・二十八日
マツサカヤ
松坂屋
大阪 日本橋

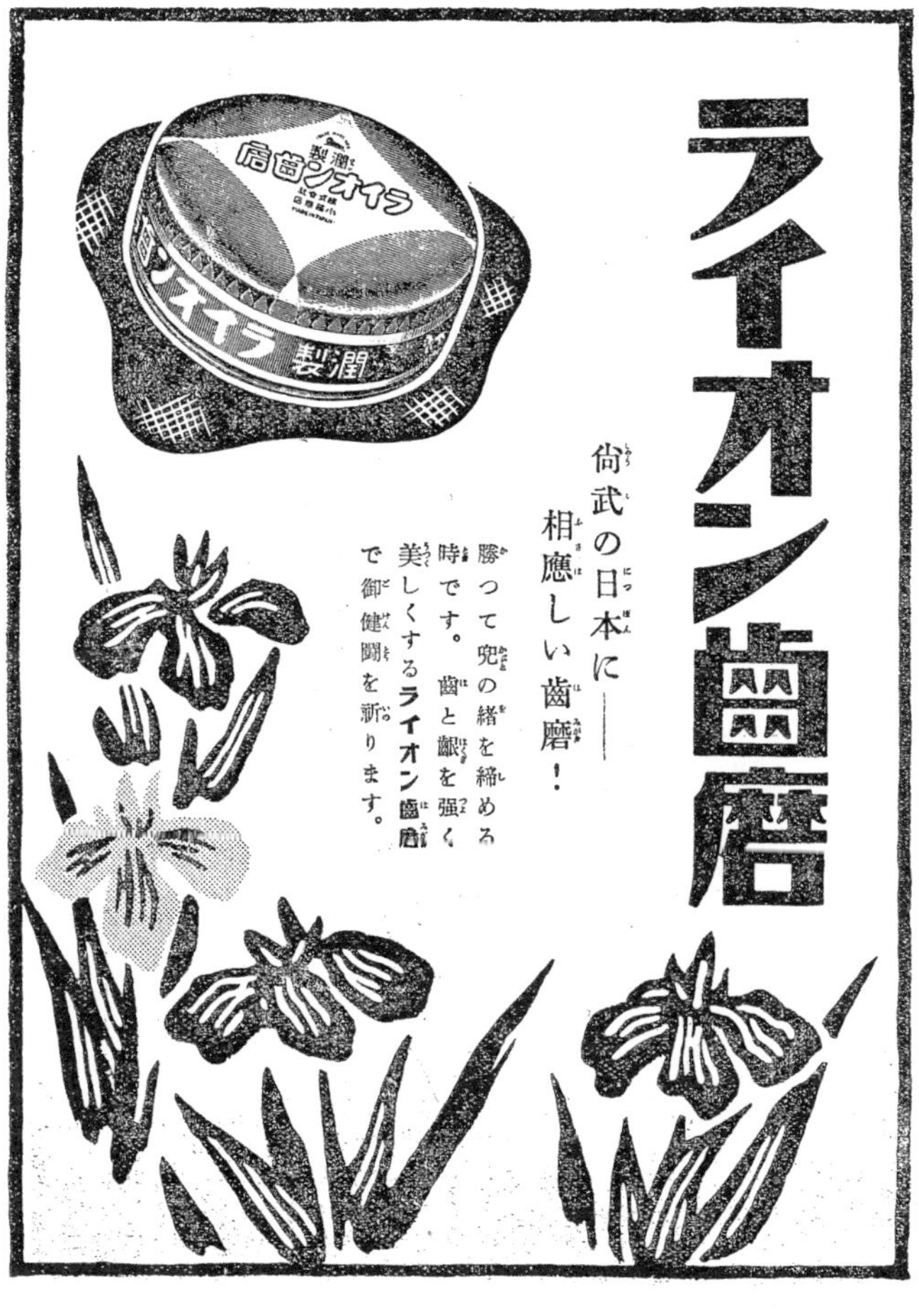
ライオン齒磨
尚《しやう》武の日本《につぽん》に——
相應《ふさは》しい齒《は》磨《みがき》！
勝《か》つて兜《かぶと》の緒《を》を締《し》める時《とき》です。齒《は》と齦《はぐき》を強《つよ》く美《うつく》しくするライオン齒《は》磨《みがき》で御《ご》健《けん》鬪《とう》を祈《いの》ります。

赤ちゃん打ち粉
パーキュロ
赤ちやんのアセモ・タダレには勿論のこと、旦那樣のお髭剃りの後にも亦、奥樣やお孃樣のコナ白粉の代用にもなる、肌色芳香、一罐あれば家庭の皆樣が重寶する、全く時代の要求によつて産れた新樣式の撒布劑はこれです
定價 ・二〇 ・五〇
味の素直系
本舗 東京・京橋・寶製藥株式會社

昭和十三年　子供の世紀　五月號

二十世紀は子供の世紀（卷頭言）

大阪市社會部福利課長　寺島四郎

二十世紀は子供の世紀なりとは、エレン・カイが兒童の價値を再評價した言葉であるが、兒童の愛護、その健全な發達こそ民族の發展、國力培養の要諦でなくてはならぬ。社會事業の基調も亦兒童の愛護、兒童問題の解決にその重點をおくべきは勿論である。イギリス保健省の技師アーサー・ニウスホームは乳兒死亡率の高度なるは青年壯年期に於ける疾病率の高いこと、その健康狀態の不良なることを標識するものなりと述べてゐるが、洵に至言といふべきであらう。近時我が國に於ても國民體位の問題が漸く世人の注目を惹くに至つたことは喜ばしいが、故志賀先生は夙にこれを洞察して兒童の保健に關心を寄せられたことは、今更その慧眼に敬意を表する次第である。本聯盟としてもその今後の使命愈大なるを加へるであらう。

尙ほ故人は社會事業從事員がその職務の執行にあたり、親切丁寧なる精神的取扱ひをモットーとすべきを强調せられたことは、今尙ほ我等の耳朶に新たなるところである。惟ふに社會事業は最近二十年間異常な進展を遂げたことは疑ひないが、個々の施設は餘りに孤立的に分業的分野に籠り過ぎた憾みがあり、所謂事業の連絡協調が莽りに要請せられて來たのも亦故なきではないが、この點に於て先づ社會事業家なり一般從事員の一層の熱心なる研究的態度が望ましく、斯くして自然に科學的精神的な執務も可能となるのでなからうか。故志賀社會部長の就任は比較的短期に終つたとは云へ、こゝに反省を與へられたことは特筆すべきであり、とに角今後の社會事業の發展擴充についてはこの精神的態度こそます／＼高揚せらるべきであらう。

第九回全東京乳幼兒審査會に於ける
母親のメンタルテスト
＝出生記念事業、母乳代用品、お產の經路、使用齒磨＝

伊藤悌二

◎初めてのお子さんがお生れになつた時記念にどんな事をなさいましたか

調査人員總數　二〇〇〇名（男　一、二七五名　女　七二五名）

種別	男	女	合計
記念貯金			
郵便貯金	一八七	一一九	三〇六
月掛貯金	二九	二四	五三
据置貯金	一七	七	二四
積立貯金	一一	一一	二二
教育貯金	八	八	一六
預金	四	八	一二
不動貯金	六	二	八
保險加入			
徵兵保險	一六八	一一	一七九
出世保險	二二	三一	五三
生命保險	二〇	八	二八
生存保險	一一	一三	二四
簡易保險	一〇	一〇	二〇
結婚保險	六	一四	二〇
教育保險	四	六	一〇
嫁入保險	一	八	九
小兒保險	五	三	八
養老保險	〇	一	一
記念品購入			
債券を買ふ	六	三	九

寫眞機を買ふ	五	二	七
國旗を買ふ	四	二	六
アルバムを買ふ	二	三	五
蓄音器を買ふ	五	〇	五
家事道具を買ふ	四	一	五
置物を買ふ	三	一	四
懸軸を買ふ	三	一	四
ラジオを買ふ	〇	三	三
洋書を買ふ	一	一	二
ミシンを買ふ	〇	二	二
人形を買ふ	一	一	二
指輪を買ふ	一	一	二
簞笥を買ふ	一	一	二
ウバ車を買ふ	一	一	二
金庫を買ふ	二	〇	二
時計を買ふ	〇	一	一
重箱を買ふ	一	〇	一
辭書を買ふ	〇	一	一
自轉車を買ふ	〇	一	一
山林を買ふ	一	〇	一
書棚を買ふ	一	〇	一
記念行事			
記念撮影	六五	四七	一一二
植樹	三三	二二	五五

祝宴	一四	一六	三〇
赤飯を炊く	一六	八	二四
神詣	一四	一	一五
家を建る	七	五	一二
育兒日記をつける	五	五	一〇
寄進	五	二	七
禁煙	三	二	五
禁酒	三	〇	三
旅行	二	一	三
手足の指紋をとる	二	〇	二
揮毫	二	〇	二
產毛とヘソヲをとつておく	二	〇	二
湯殿を造る	二	〇	二
佛道の修行	〇	二	二
器物に記念の刻銘	一	一	二
記念品を贈る	二	〇	二
商賣を始む	〇	一	一
神棚新造	〇	一	一
花園を造る	一	〇	一
店の擴張	一	〇	一
羽二重の大風作製	一	〇	一
轉業	〇	一	一
なさず	五四三	三〇一	八四四
合計	一、二七五	七二五	二、〇〇〇

◎お母さんのお乳は十分ありましたか、足りなかつた方は何を代用なさいましたか

品目	男	女	合計
牛乳	九三	四五	一三八
重湯と牛乳	一八	一一	二九
重湯	八	五	一三
ミルク			
明治ミルク	二三	九	三二
金太郎ミルク	一九	一二	三一
森永ドライミルク	二〇	一〇	三〇
ウサギミルク	一一	六	一七
明治メリーミルク	九	四	一三
おしどりミルク	四	六	一〇
金鷄ミルク	三	一	四
トーユコナミルク	四	〇	四
母の乳	三	〇	三
コンデンスミルク	一	一	二
ボーデンスミルク	〇	一	一
パトローゲン	二〇	一二	三二
ラクトーゲン	一九	九	二八
ビオスメール	一七	九	二六
キノミール	一四	八	二二
ロロン	一五	六	二一
クリム	五	三	八
ガラクトサン	四	〇	四
デキストロプア	一	一	二
上新粉	一	〇	一
母乳充分	九六三	五六六	一、五二九
合計	一、二七五	七二五	二、〇〇〇

◎お產は產婆丈の手で生れたか

	男	女	合計
產婆	八八五	四九五	一、三八〇
病院	二三三	一四一	三七四
醫師と產婆	五八	二九	八七
產院	五三	二六	七九
醫師	三〇	一四	四四
產婆と助手	七	七	一四
產婆間に合はず	五	八	一三
產婆と家族	四	五	九
合計	一、二七五	七二五	二、〇〇〇

◎齒磨は何齒磨を使用したか

種目	男	女	合計
ライオン煉	五九〇	三四〇	九三〇
〃　粉	三四九	一九九	五四八

ライオン潤	一五〇	九六	二四六
クラブ煉	四〇	二七	六七
〃粉	五	〇	五
〃潤	三	〇	三
仁丹煉	一七	七	二四
〃粉	三	一	四
〃潤	一〇	六	一六
すもか	一六	五	二一
食塩	一一	一〇	二一
資生堂煉歯磨	三	一	四
丸善煉歯磨	〇	一	一
はこべ塩	一	〇	一
合計	一二七五	七二五	二、〇〇〇

お掃除に紙屑

お茶の出がらを捨てずに、これをお座敷へ撒いて掃くと重寶なのは誰でも知つてゐますが同じ理窟で新聞紙を千切つて使はれもしますけれど、紙は近ごろなか〳〵大切にされ、古新聞などそんなことをしては勿體なうございます、そこで何でもいゝ厚いのでも薄いのでも紙屑を宵の晩から水へつけておいて、さて朝千切つてお使ひになりますと、廢物も生きて重寶するものでございます。

米を餘り磨ぐな

お米はあまり磨いでは駄目です、度數が重なるほどいゝ成分が水で洗はれます。ざつと二度で結構ですが、このごろのは精米の時に砂を用ひますから一度ざつと洗つて、これをザルさにり、上から水を二三度おかにけなれば、それで十分砂も落ち、成分も洗はれません。

赤ん坊の發育と躾

醫學博士 芳山 龍

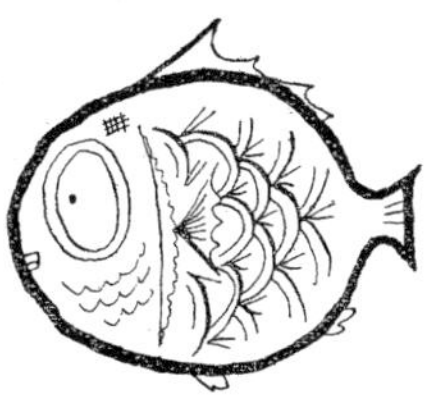

生れた當座 の赤ん坊は盲目で、聾で、精神作用の表現を缺いて居るから、顔貌は無慾狀で、瞬目、噴嚏等の運動は悉く反對的であるが、日を經るに從つて感覺が急速に發達し、肉體は筍の如く伸びて行く。

二ケ月 になれば感情の發露として微笑し、電燈や動くものに眼をつける様になる、欠伸が多くなり、機嫌のよい時には盛に足で蹴る。

(躾け) 大小便は成る可く抱いて便器にとる習慣をつける。

天氣のよい時は短時間戶外に出して外氣に觸れしめるとよい。

三ケ月 になれば生れた當時の斜視が治り、鐘を見て笑ふ、笛、太鼓、鈴等の音響に頭を向ける、簡單なる觀念が出來て、意志の發動となり、風車、旗等を摑みにくる、涙を流して泣く。

(躾け) 成る可く寢かす様にし抱く癖をつけぬ方がよく、可愛い誘惑に負けぬ樣用心せねばなりません。

四ケ月 になれば首が据り、頭がぐらつかぬ様になりあやすと聲を立てゝ笑ふ、口の中にて譯の分らぬ音聲を發す、母音「ブー」唇音「ブー」等である、色の見別けがつく様になり、玩具を喜ぶ。

(躾け) 此頃より果汁を少しづゝ與へる、洗滌のきくセルロイド製、木製、ゴム製等の玩具をもたせる。

五ケ月 に成れば平衡の感覺が發達し、手を添へると足を投げ出して坐るが直ぐ倒れる、言語に子音が多くなる。

(躾け) 柳行李の邊に布を縫付け、若くは座蒲團を入れて坐らせるとよい、一人で遊ぶ癖をつけて置くと、人

嫌ひせず、誰にでもなつく、よい天氣には度々屋外に抱いて出る。

此頃は母乳の不足を來たし易く、澤山出ると思つてゐる間に不足してゐる事がある、體重の增し方に注意せねばならぬ。

六ケ月 に成れば寢返りを成す、人見識をし、知らぬ人に顔を反ける、言語に舌音(ラ行)唇音(パ行)次第に明瞭になる、生齒が始まり盛に流涎が出る樣になる、食物の味がわかる。

(躾け) 離乳の用意をせねばならぬ、ウエフアー、果汁、野菜スープの外重湯等を與へて胃腸を慣らして置く

七ケ月 になれば匍匐運動が始まり、自分の手足を不審がり口に入れる、大人の食物を欲しがり「ウス〳〵」を連發する。記憶がつき人の名をおぼえる樣になる。

(用意) 室を清潔にし、危險な物や不潔な物を除き、窓や椽側に柵を入れねばならぬ。

九、十ケ月 になれば、言語がはつきりしてくる、障子や襖を捉へて立上り、紙の破れる音を喜び、欲する物を與へぬと眞赤な顔して怒り出し、食卓の茶碗をガチヤつかせて聲を立てゝ喜ぶ。

(躾け) 成る可く食時の時間を別にし食卓荒しを避けねばならぬ。箸で食物をつまんで與へねばならぬ。間齒が上下に生へて咀嚼する事を覺へるから、ビスケットや少量の粥等を與へてよろし、朝晩は厚着にし晝は薄着にして運動の自由を妨げぬ樣にし、火鉢や、針箱に氣をつけねばならぬ。

十一ケ月 になれば食卓や机につかまつて傳ひ歩きをする、戶外に抱かれて出るのを喜ぶ。

誕生頃 には一人歩きを始めるが直ぐ臂餅をつく、記憶、追想、了解等の高尚な精神作用が現はれる、片言が云へる樣になる。體重が生れた時の三倍となる。

(躾け) 食物に好惡が出來るから、飼食を怠らぬ樣注意せねばならぬ。

一年三ケ月 になれば步行確定となり鉛筆やクレヨンを與へると樂書を初める。

以上は大體の發育順序である、多少の遲速は免れないが三月も經つて笑はぬ半年も經つて玩具を喜ばぬ、誕生を迎へて人の見別けのつかぬ子供は、腦に異常ありと思はねばならぬ、言語は徒らに遲れる子供はあるが、滿二年を經て片言も云へぬ時は病的であります。

體重の增し方 赤ん坊の體重は表に示す如く初めは急速に增加するが月數の經るに從つて增加率が徐々に緩慢となり、初めの四ケ月は毎日平均二十五瓦宛、次の四ケ月は毎日平均十五瓦宛、終りの四ケ月は毎日平均十瓦宛

と云ふ割合で增加し四ケ月目に生れた時の倍となり、誕生には三倍となる、乳兒期を過ぎると一ケ年間に增加する體重は平均一・六瓩より一・三瓩內外に止まり八年より春季發動季にかけて增加率を增して行くのが常である。

一ケ年間に增加する體重を年齡別に列擧すると

	男	女
一年	6瓩	5.6瓩
二年	1.8瓩	1.4瓩
三年	1.6瓩	1.5瓩
四年	1.3瓩	1.5瓩
五年	1.5瓩	1.2瓩
六年	1.3瓩	1.5瓩
七年	1.3瓩	1.2瓩
八年	2.1瓩	1.5瓩
九年	1.9瓩	1.8瓩
十年	2.0瓩	1.8瓩
十一年	2.0瓩	2.1瓩
十二年	2.2瓩	3.4瓩
十三年	2.6瓩	3.6瓩
十四年	3.8瓩	5.1瓩
十五年	5.1瓩	1.7瓩

生後滿	男				女			
	體重	身長	頭圍	胸圍	體重	身長	頭圍	胸圍
生產時	瓩 3.040 貫 0.811	センチ米 49.10 尺 1.62	センチ米 33.80 尺 1.12	センチ米 32.40 尺 1.07	瓩 2.870 貫 0.763	センチ米 48.70 尺 1.61	センチ米 33.30 尺 1.10	センチ米 32.30 尺 1.02
一週	3.040 0.811	50.60 1.67	34.40 1.14	33.30 1.10	2.860 0.635	50.20 1.67	34.30 1.13	33.30 1.10
二週	3.300 0.880	52.20 1.72	35.30 1.16	34.40 1.14	3.200 0.853	51.70 1.71	35.00 1.16	33.60 1.11
三週	3.655 0.970	54.20 1.76	36.00 1.18	35.20 1.16	3.500 0.933	53.50 1.76	35.40 1.17	35.00 1.16
一月	4.070 1.085	56.50 1.86	36.90 1.22	36.30 1.27	3.800 1.013	55.50 1.82	36.50 1.20	36.00 1.19
二月	4.820 1.285	59.00 1.93	38.63 1.27	38.60 1.27	4.600 1.227	58.30 1.92	38.50 1.24	38.40 1.27
三月	5.470 1.459	60.70 2.00	39.40 1.30	39.60 1.31	5.310 1.416	59.00 1.97	38.70 1.26	38.60 1.27
四月	6.050 1.613	61.80 2.04	40.50 1.34	41.30 1.36	5.770 1.539	60.80 2.01	39.70 1.31	40.20 1.33
五月	6.090 1.757	63.00 2.08	41.40 1.37	41.90 1.38	6.180 1.648	62.60 2.07	41.00 1.33	41.10 1.36
六月	7.070 1.885	64.30 2.12	42.30 1.38	42.50 1.40	6.500 1.733	63.90 2.11	41.60 1.37	41.60 1.37
七月	7.500 2.000	95.70 2.17	42.80 1.45	43.00 1.43	7.060 1.982	65.30 2.13	42.00 1.39	42.00 1.39
八月	7.880 2.101	67.20 2.22	43.50 1.44	43.50 1.44	7.300 1.947	67.00 2.21	42.30 1.40	42.30 1.40
九月	8.210 2.189	68.80 2.27	44.00 1.45	44.00 1.45	7.770 2.079	68.40 2.26	42.80 1.41	42.90 1.42
十月	8.466 2.201	70.40 2.32	44.30 1.45	44.30 1.45	8.060 2.149	69.80 2.30	43.30 1.43	43.30 1.43
十一月	8.740 2.231	72.20 2.38	44.90 1.48	44.90 1.48	8.350 2.227	71.70 2.37	43.80 1.45	43.80 1.45
一年	9.000 2.400	73.53 2.40	45.40 1.50	45.70 1.51	8.500 2.267	72.90 2.41	44.10 1.46	44.40 1,47
二年	10.800 2.800	79.50 2.62	46.70 1.54	46.80 1.55	9.900 2.640	78.10 2.60	45.80 1.51	46,20 1,52
三年	12.400 3.307	85.40 2.82	47.60 1.57	48.10 1.59	11.500 3.067	84.90 2.80	46.90 1.53	47.20 1.56
四年	13.700 3.653	91.70 3.30	48.90 1.61	49.50 1.63	12.900 3.440	91.00 3.00	47.80 1.58	48.60 1.60
五年	15.200 4.053	97.40 3.21	49.30 1.63	50.50 1.67	14.500 3.867	96.50 3.18	48.70 1.61	49.80 1.64
六年	16.500 4.400	101.80 3.39	50.20 1.65	52.70 1.74	16.000 4.267	102.40 3.38	49.70 1.64	51.90 1.71

生齒期 には口腔の不潔から一種の糸狀菌で起る口內炎が出來易き故、授乳後は清潔なガーゼに浸した硼酸水にて拭ひます、乳齒は永久齒の根底である事を忘れてはなりません。

始めて出版された人生記錄帖
わが家の記錄
結婚を礎石とし、家庭生活を柱として築かれゆく人生の記錄を、寫眞や記事により巨細に綴りゆき一家の歷史を完成するための貴重な記錄帖です。
四六四倍判橫綴（堅約九寸、橫約一尺三寸）百二頁
表紙裝釘―川端龍子先生筆　龍村製織所別織
各頁に樋口富麻呂先生の美麗な飾畫入
（桐箱入）　定價　十八圓
大阪高麗橋
三越
四階　圖書部
―結婚御祝品として最適―

西洋の育兒法

授乳時間を正確に添寢をせぬこと

よい點は學びませう

聖路加病院　定方龜代女史談

日本の育兒法を外國のそれと比較して見る時に、私達は彼等に學ぶべき處が隨分多いのではないでせうか、これは彼等の生活樣式や習慣の違ひもあり、直ちに我國に應用する事は困難としても善い事を眞似する事は絕對に善いのですから、一應お心に留められるべきだと思ひます。

背負ふ弊害は子供の胸を壓迫したり膝を曲げたりすることですが、しかし背負ふことは抱くよりも大人も子供も樂ですし第一混んだ電車の中などは安全だと思ひます、外國では決して背負はないで抱きますが、これは子供の衛生といふ點よりも、むしろ服裝の關係ではないかと思ひます

背負、抱くといふ議論よりも私達が彼等に學びたい事は彼等は『子供を滅多に抱かない事』です彼等は小さい子はなるべく寢かし大きい子は用捨なく步かし、混んだ電車等は滅多に子供を連れて乘らない、家庭では父が子供の世話をよくし外出先では周圍の人々が弱い子供を勞はつて母親の負擔を輕くするのです。

寢かし方

外國婦人は添寢はしません、子供は生れてから育つまで獨りでおとなしく寢るものです、添寢の害は母が疲れる、母子供風邪をひき易い乳房の窒息、母の病氣がうつる、母子共熟睡しない――神經質になる、子供に依賴心を起させる。

等で、よい點はほとんどないでせう、そして子供には柔かいベットは脊柱を曲げるため避け、ある家庭では同樣の意味で枕さへさせません。

泣いた時

健康な子供の泣く原因は腹が空いた時、賴りなく感ずる時、衣類等の氣持の惡い時、驚いた時（子供は大きな不愉快な音を嫌ひます）運動のためです、子供が泣いた時抱いてゆすつたり、あやしたりする事はかへつて子供の神經をたかぶらせるだけで效果はありません、この場合は靜かに抱いて泣く原因を調べ、原因が見當らない場合は放つておく、この方法は外國ばかりでなく、近頃の日本のよいお母樣方が實行してゐらつしやるのは甚だよい事だと思ひます。

乳のやり方

外國のお母さんは人の前で授乳する事を無禮だとしてゐます、それだといつて世間でよくいふやうに『外人は牛乳ばかりで育てゝゐる』『牛乳の方が母乳より榮養があるのではないか』などゝいふのは全然間違ひで、何といつても子供にとつて母乳程よい物はないのです。

たゞ彼等に學びたいのは授乳の時間が正確なことです、泣けば乳首を含ませるといふ日本の習慣は甚だ惡く子供の胃腸を害します、これはお母樣方は勿論、お父さん及びその他の方々にも氣をつけて頂き度いので『やかましい乳を飮ませて置けッ』とか姑達が『可憐さうに、お乳をやつたらどうだい』などゝいふ事は絕對に嚴禁しなければいけません、子供がスク〱と育つまでにはたとへ授乳一つに關しても家族一致の協力が必要です。

小兒の急性傳染病

―育兒知識の要諦・第十篇―

大阪市立今宮乳兒院長
醫學博士　野須新一

(D)水痘　俗《ぞく》に水疱瘡《みづはうさう》と云《い》ふ。乳兒《にうじ》には少《すく》なく、二―十年《ねん》の小兒《せうに》に多《おほ》い。一度罹《かゝ》れば免疫性《めんえきせい》が出來《でき》る。**原因**　病原《びやうげん》は不明《ふめい》である。而《しか》も傳染《でんせん》の侵入部《しんにふぶ》さへ明瞭《めいれう》でない。極《きは》めて傳染《でんせん》し易《やす》い。大人《おとな》には傳染《でんせん》しない。季節《きせつ》は寒《かん》冷《れい》の候《こう》に多《おほ》い潜伏期《せんぷくき》は十四日《か》乃至《ないし》十八日《にち》と見做《みな》されてゐる。

症狀　身體各部《しんたいかくぶ》に米粒《こめつぶ》から豆粒大《まめつぶだい》の發疹《はつしん》がポツ〱と出來《でき》、其中《そのなか》に水《みづ》がたまる、それが漸次《ぜんじ》乾《かわ》いて黑《くろ》い痂皮《かひ》が出來《でき》る。熱《ねつ》は輕微《けいび》（三十八度《ど》迄位《までくらゐ》）にあることもあり、又無熱《またむねつ》のこともある、あつても二三日《にち》で下《さが》る。其《そ》の他《た》一般狀態《はんじやうたい》にも大《たい》した障碍《しやうがい》はないが、發疹《はつしん》が不愉快《ふゆくわい》に感《かん》じられるのと痒《かゆ》いのとで、小兒《せうに》は不機嫌《ふきけん》になる。**豫後**　佳《か》良《りやう》であつて、殆《ほとん》ど何等《なんら》の危險《きけん》もない、合併症《がつぺいしやう》を起《おこ》すことも稀《まれ》である。**療法**　特別《とくべつ》の治療法《ちれうはふ》は必要《ひつえう》がない、食餌《しよくじ》など　普通《ふつう》でよろしい。皮膚《ひふ》の瘙痒《さうやう》に對《たい》しては、メントール酒精《しゆせい》又《また》は其他《そのた》の藥《くすり》を使用《しよう》するのもよろしい、又微温湯《またびをんたう》で輕《かる》く拭《ふ》いた後《あと》に、シッカロールの如《ごと》き撒布藥《さんぷやく》をつけるのもよい、なるべく搔破《さうは》せぬやう注意《ちうい》をする、入浴《にふよく》は發《はっ》疹《しん》の盛《さか》んなる時期《じき》には禁《きん》ずべし。

(E)ヂフテリア　昔《むかし》は我國《わがくに》では馬脾風《はひふ》と云《い》つて非常《ひじやう》に恐《おそ》れられたもので、本邦《ほんぱう》には昔《むかし》から風土病《ふうどびやう》として主《おも》に冬期《とうき》に（年中《ねんちゆう》あるけれ共《ども》）流行《りうかう》して來《き》たものである。**原因**　本病《ほんびやう》はヂフテリア菌《きん》によつて起《おこ》りその毒素《どくそ》が主《しゆ》として働《はたら》くのであるがその療法《れうはふ》として所謂《いはゆる》ヂフテリア血清《けつせい》がある。これは佛國《ふつこく》のルー氏《し》エールサン氏等《しら》がヂフテリア菌《きん》が毒素《どくそ》を産生《さんせい》するを發見《はつけん》し又其毒素《またそのどくそ》を中和《ちうわ》せしめる事《こと》に成功《せいこう》したのが獨逸《どいつ》のベーリング氏《し》の功績《こうせき》である。今日《こんにち》ではヂフテリアと決定《けつてい》すれば即刻《そくこく》にこの血清注射《けつせいちうしや》をするから本病《ほんびやう》によつて死亡《しばう》するものは非常《ひじやう》に少《すく》なくなつた。**症候**　咽頭《いんとう》ヂフテリア　主《おも》に小兒《せうに》を冐《をか》すのであるが、初《はじ》めは三十八度《ど》餘《あま》りの熱《ねつ》が出《で》る此際咽《このさいのど》の痛《いたみ》は小兒《せうに》の事《こと》であるから訴《うつた》へぬ場合《ばあひ》があり、訴《うつた》へる事《こと》が出來《でき》る程大《ほどおほ》きい子供《こども》でも左程《さほど》でない事《こと》がある。聲《こゑ》が嗄《か》れるとか又犬吠狀《またいぬぼえじやう》の咳嗽《せき》をなすものあり、早《はや》く氣《き》がつき咽《のど》を見《み》ると扁桃腺《へんたうせん》の一方又《はうまた》は兩方《りやうはう》に灰色《はいいろ》がかつた白色《はくしよく》の膜樣物《まくやうぶつ》が附着《ふちやく》して居《ゐ》るのを見《み》うる、之《これ》が義膜《ぎまく》といふものである、この中《なか》にヂフテリア菌《きん》が無數《むすう》に居《ゐ》る譯《わけ》である。熱《ねつ》はあまり高《たか》くないが四五日《にち》で平熱《へいねつ》になる。血清注射《けつせいちうしや》をすれば速《すみや》かに、それでなくとも自然《しぜん》にこの義膜《ぎまく》は四五日位《にちくらゐ》で剝離《はくり》する。**喉頭ヂフテリア**　喉頭聲門下部《こうとうせいもんかぶ》に義膜《ぎまく》が出來《でき》、爲《ため》に呼吸道《こきふだう》が狹《せま》くなつて呼吸困難《こきふこんなん》を誘起《ゆうき》し易《やす》い。犬吠樣《いぬぼうやう》の咳嗽《せき》は此際固《このさいこ》有《いう》である。病氣《びやうき》が進《すゝ》めば呼吸《こきふ》が充分出來《じうぶんでき》なくなり窒息《ちつそく》を起《おこ》して來《く》る。此《こ》の際氣管枝切開《さいきくわんしせつかい》によつて助《たす》け得《う》る場合《ばあひ》が少《すく》なくない。この際《さい》は血清注射《けつせいちうしや》では間《ま》にあはない爲《ため》である血清注射《けつせいちうしや》は注射後《ちうしやご》二十四時間位經《じかんくらゐへ》なければ効《かう》があらはれないからである。**鼻ヂフテリア**　これは咽頭《いんとう》からヂフテリア菌《きん》が後鼻腔《こうびこう》に進《すゝ》み鼻粘膜《びねんまく》に義膜《ぎまく》が出來《でき》、鼻閉塞《びへいそく》を起《おこ》し血液性《けつえきせい》の膿汁《のうじふ》が出《で》るのでそれと判《わか》る事《こと》が多《おほ》い。頑固《ぐわんこ》に血膿《けつのう》が鼻《はな》から出《で》る場合《ばあひ》には鼻《はな》ヂフテリアを疑《うたが》はねばならぬ。**皮膚ヂフテリア又は粘膜ヂフテリア**　皮膚《ひふ》に何《なに》か潰《くわい》瘍《やう》とかたゞれでもある場合《ばあひ》にそこにヂフテリア義膜《ぎまく》が出來《でき》る事《こと》がある。又眼結膜《またがんけつまく》や女子陰部《ぢよしいんぶ》に義膜《ぎまく》を生《しやう》ずる事《こと》もある。ヂフテリアは既述《きじゆつ》の如《ごと》く血清注射《けつせいちうしや》を早期《さうき》に充分《じうぶん》に行《おこな》へば格別《かくべつ》の事《こと》なく治癒《ちゆ》するものが多《おほ》いが中《なか》には軟口蓋《なんこうがい》痲痺《まひ》と云《い》つて牛乳《ぎうにう》でも飮《の》ますと鼻孔《びこう》から出《で》てくる樣《やう》になつたり、聲《こゑ》が變《かは》つて鼻聲《はなごゑ》になつたりする。又顏面神經痲《またがんめんしんけいま》痺《ひ》を來《きた》すものもあり、頸及背《くびおよびせな》、四肢《しし》の筋肉《きんにく》の痲痺《まひ》を起《おこ》すこともある。最《もつと》も危險《きけん》なのは急《きふ》に心臟《しんざう》の痲痺《まひ》を來《きた》すものである。是等《これら》の痲痺《まひ》は病氣《びやうき》の初期《しよき》に來《きた》るものもあるし又《また》病氣《びやうき》が恢復《くわいふく》に入《い》り發病後《はつびやうご》一ケ月《げつ》も經《へ》て突然起《とつぜんおこ》つて來《く》るものもある。

合併症　としては氣管枝《きくわんし》カタル、進《すゝ》んでは肺炎《はいえん》である又腎臟炎《またじんざうえん》を起《おこ》すものも相當《さうたう》にある。痲疹《ましん》がヂフテリアの後《のち》に來《く》る事《こと》もあり又痲《またま》疹《しん》の後《のち》に本病《ほんびやう》が併發《へいはつ》する事《こと》もある咽頭《いんとう》ヂフテリア、喉頭《こうとう》ヂフテリアが各別《かくべつ》に來《きた》る事《こと》が普通《ふつう》であるが時《とき》に兩者《りやうしや》が共《とも》に來《きた》ることもある。**豫後**　乳兒《にうじ》に

來《きた》る時《とき》は死亡率《しばうりつ》が高《たか》い。平均《へいきん》して本病《ほんびやう》の死亡率《しばうりつ》は約《やく》二十%である。最《もつと》も豫後《よご》の惡《わ》るいのは壞疽性《くわいたんせい》のヂフテリアで大部分《だいぶぶん》は心臓痲痺《しんざうまひ》にて死亡《しばう》する、ヂフテリア菌《きん》は割合《わりあひ》に抵抗力《ていかうりよく》が強《つよ》い。然《しか》し患者《くわんじや》の咽頭《いんこう》には第《だい》四週迄陽性《しうまでやうせい》のもの相當多數《さうたうたすう》を示《しめ》し最長《さいちやう》は第《だい》八十病日迄證明《びやうにちまでしようめい》せられた、長《ちやう》期菌携帶者《ききんけいたいしや》と扁桃腺腫大《へんたうせんしゆだい》との關係《くわんけい》は相當密接《さうたうみつせつ》である。又《また》健康人《けんかうじん》でヂフテリア菌《きん》が咽頭《いんこう》にあつてもヂフテリアに罹《かゝ》らぬ人《ひと》がある、健康保菌者是《けんかうほきんしやこれ》である。傳染《でんせん》は患者《くわんじや》から直《ちよく》接飛沫傳染《せつひまつでんせん》で傳染《でんせん》する、即《すなは》ち接觸傳染《せつしよくでんせん》が一番《ばん》に多《おほ》い。玩《ぐわん》具《ぐ》その他《た》から間接《かんせつ》に傳染《でんせん》する場合《ばあひ》もある。主《おも》に冬期《とうき》に發《はつ》生《せい》するが年中存在《ねんちうそんざい》す。**豫防法** 患者《くわんじや》の隔離《かくり》、患者《くわんじや》に接近《せつきん》せぬことが、大切《たいせつ》である。尚人込《なほひとご》みの中《なか》に入《はひ》る時《とき》はマスクをかけるとか歸宅直後含嗽《きたくちよくごがんそう》する。近年《きんねん》ラモン氏《し》「アナトキシン」能働免疫法《のうどうめんえきはふ》が用《もち》ひられる。免疫《めんえき》の發生《はつせい》は注射《ちうしや》してから六箇月頃《かけつごろ》が最《もつと》も高《たか》く、而《しか》も免疫性《めんえきせい》は一年《ねん》から數《すう》年持續《ねんじぞく》すると稱《しよう》されて居《ゐ》る。**療法** 早《はや》くヂフテリーを發《はつ》見《けん》して出來《でき》る丈早《だけはや》く大量《たいりやう》の血清療法《けつせいれうはふ》を受《う》けることである

血清病 ヂフテリーの血清療法《けつせいれうはふ》を受《う》けた場合注射後《ばあひちうしやご》七—十二日位《にちくらゐ》で突然《とつぜん》に熱《ねつ》が出《で》て赤《あか》い蕁痲疹《じんましん》の様《やう》な甚《はなは》だ搔痒《さうやう》の強《つよ》い發疹《はつしん》が出《で》て來《く》る。そして四肢《しし》の關節《くわんせつ》の處《ところ》が痛《いた》み、淋巴腺《りんぱせん》が腫《は》れて來《き》て、顏《かほ》や手《て》、足《あし》に浮腫《ふしゆ》が來《く》る。之《これ》は他《た》種動物《しゆどうぶつ》の血清注射《けつせいちうしや》に仍《よ》つて起《おこ》つて來《く》る症狀《しやうじやう》で血清病《けつせいびやう》と言《い》ふてゐる、是等《これら》の症狀《しやうじやう》は大抵《たいてい》五六日《にち》で消褪《せうたい》するのが常《つね》である。而《しか》も此《こ》の反應《はんおう》は第《だい》二回注射《くわいちうしや》の場合《ばあひ》には第《だい》一回《くわい》注射後《ちうしやご》の時日《じじつ》により異《こと》なり。初回注射後《しよくわいちうしやご》七日以内《かいない》であれば何等《なんら》の症狀《しやうじやう》も現《あら》はさぬが初回注射《しよくわいちうしや》との間隔《かんかく》が十日以《かい》上《じやう》三—六ケ月以内《げついない》であると、注射後間《ちうしやごま》もなく所謂即時反《いはゆるそくじはん》應《おう》と言《い》つて重篤《ぢうとく》な症狀《しやうじやう》を起《おこ》す。初回注射《しよくわいちうしや》との間隔《かんかく》が三六箇月以内《かげついない》であれば多《おほ》くは注射後《ちうしやご》三—五日《にち》にて初回注射《しよくわいちうしや》と同樣《どうやう》な症狀《しやうじやう》を起《おこ》す。以上《いじやう》の樣《やう》に血清注射《けつせいちうしや》に際《さい》しては特殊《とくしゆ》な反應《はんおう》を示《しめ》すものであるから、一度《ど》「ヂフテリー」血《けつ》清注射《せいちうしや》を受《う》けた事《こと》のある人《ひと》は、次回注射《じくわいちうしや》の際必《さいかな》らず忘《わす》れずに既《すで》に血清注射《けつせいちうしや》を受《う》けたことを告《つ》げねばならぬ。かゝる反應《はんおう》は一定《てい》の方法《はうはふ》によつて完全《くわんぜん》に豫防《よばう》が出來《でき》るのである。

(F) 百日咳

百日咳《にちせき》は痲疹《ましん》に次《つ》いで屢々《しば〲》小兒《せうに》や乳兒《にうじ》を冒《をか》す傳染病《でんせんびやう》で、冬《ふゆ》から春《はる》にかけて多《おほ》い。一度罹《どかゝ》ると免《めん》疫性《えきせい》が出來《でき》て、二度罹《どかゝ》ることは稀《まれ》である。潜伏期間《せんぷくきかん》は不《ふ》定《てい》であるが先《ま》づ一—二週間《しうかん》である。殊《こと》に百日咳《にちせき》は痲疹《ましん》とは違《ちが》つて六箇月以内《かげついない》の乳兒《にうじ》に屢々《しば〲》傳染《でんせん》する危險《きけん》がある、

病原菌《びやうげんきん》は百日咳菌《にちせききん》と云《い》ふもので、患者《くわんじや》の咽喉《いんこう》や氣管《きくわん》に居《ゐ》る。

症候 大體《だいたい》三つの時期《じき》に分《わ》けられて居《ゐ》る。第《だい》一は加答《かた》兒期《るき》と言《い》つて大體《だいたい》一—二週間續《しうかんつゞ》き普通《ふつう》の風邪《かぜ》引《ひ》き（氣管《きくわん》枝加答兒《しかたる》）の樣《やう》に咳嗽《せき》が出《で》る殊《こと》に夜分《やぶん》に多《おほ》い。熱《ねつ》は殆《ほと》んど無《な》いのが普通《ふつう》である、此《こ》の時期《じき》が一番《ばん》に傳染性《でんせんせい》が強《つよ》いのである、之《これ》に次《つい》で痙咳期《けいがいき》に入《はひ》ると咳嗽《せき》は段々劇《だん〲はげ》しくなり百日咳《にちせき》に特有《とくいう》な痙攣性《けいれんせい》の咳嗽發作《がいそうはつさ》が起《おこ》つて來《く》る。即《すなは》ち突然思《とつぜんおも》ひ出《だ》した樣《やう》に咳嗽《せき》が始《はじ》まり、一旦咳嗽《たんせき》が出始《ではじ》めると、續《つゞ》けさまに幾《いく》つもの咳《せき》が出《で》るために、呼吸《こきふ》をする暇《ひま》がなく、顏《かほ》を眞赤《まつか》にし、鼻汁《びじふ》や涙《なみだ》を出《だ》し、或《あるひ》は食物《しよくもつ》を嘔《は》き出《だ》し、眼《め》を大《おほ》きく見開《みひら》いて苦《くる》しがる。激《はげ》しくなると、顏《かほ》や手《て》が紫色《むらさきいろ》になり、息《いき》も詰《つま》りさうになる、その後《あと》で一回深《くわいふか》く息《いき》を吸《す》ふ。そして又前《またまへ》と同樣《どうやう》な咳嗽《せき》を續《つゞ》けた後《あと》で一度深《どふか》き息《いき》を吸《す》ふ。これが百日咳《にちせき》には特有《とくいう》であつて之《これ》を俗《ぞく》に内《うち》に引《ひ》くと云《い》つて其《そ》の時《とき》には笛《ふえ》の樣《やう》な聲《こゑ》を出《だ》す。かうして數回《すうくわい》或《あるひ》は十數回《すうくわい》くりかへした後《のち》粘稠《ねば》い痰《たん》を出《だ》して咳《せき》が終《おは》り、咳《せき》の發作《はつさ》がとまるのである。この發作《はつさ》は多《おほ》い時《とき》には一日《にち》に數十回《すうくわい》に及《およ》ぶことがある。而《しか》も咳《せき》は眠《ねむ》つてから多《おほ》いので眠《ねむ》りを妨《さまた》げられる、ごく若《わか》い二、三ケ月《げつ》の乳兒《にうじ》ではこの特有《とくいう》な内《うち》へ引《ひ》く咳《せき》が出《で》なくて咳《せき》が出《で》だしたかと思《おも》ふと間《ま》もなく無呼吸《むこきふ》の狀態《じやうたい》になつて息《いき》をせず顏《かほ》や手足《てあし》が紫色《むらさきいろ》に變《かは》つて正《まさ》に窒息《ちつそく》せんとする樣《やう》な狀態《じやうたい》になつて來《く》る。又《また》よく此《こ》の際窒息死《さいちつそくし》を起《おこ》すことがある。

合併し易い病氣 一、肺炎。痲疹《ましん》の時《とき》と同樣《どうやう》に、非常《ひじやう》に重篤《ぢうとく》のものであり、殊《こと》に幼少《えうせう》なるものほど危險率《きけんりつ》が大《だい》である就中乳兒《なかんづくにうじ》に來《き》た時《とき》には殆《ほと》んど七十八十%は死《し》亡《ばう》する。

一、窒　息 乳兒《にうじ》ではたとへ肺炎《はいえん》を併發《へいはつ》しなくとも、咳嗽發作《がいそうはつさ》だけでも、往々《わう〲》にして窒息《ちつそく》して死《し》ぬことがある。

一、ひきつけ 幼少《えうせう》の小兒《せうに》では咳嗽發作《がいそうはつさ》のために、全《ぜん》身《しん》の痙攣《けいれん》を起《おこ》すこともあり、又稀《またまれ》には腦溢血《なういつけつ》を來《きた》すことさへある。

一、結　核 結核性《けつかくせい》の病氣《びやうき》を有《も》つて居《ゐ》る者《もの》が百日咳《にちせき》に罹《かゝ》つたために、症狀《しやうじやう》が增惡《ぞうあく》したり、又《また》は百日咳《にちせき》を永《なが》い間患《あひだわづら》つた後《あと》で結核《けつかく》に冒《をか》される事《こと》が屢々《しば〲》ある。

其《そ》の他《た》、脫腸《だつちやう》、眼結膜出血《がんけつまくしゆつけつ》を起《おこ》すことがある。

豫　防 乳兒《にうじ》に於《おい》て最《もつと》も危險《きけん》が大《だい》で、又傳染《またでんせん》し易《やす》いのであるから、乳兒《にうじ》の保護《ほご》が最《もつと》も大切《たいせつ》である。

一、患者及同胞《くわんじやおよびきやうはう》の隔離《かくり》、成《な》る可《べ》く早《はや》く患者《くわんじや》は勿論《もちろん》その同胞《きやうはう》は他《た》の小兒《せうに》と離《はな》し隔離《かくり》せねばならぬ。而《しか》して咳《せき》の多《おほ》

い間《あひだ》は小學校《せうがくかう》、幼稚園《えうちゑん》は勿論人混《もちろんひとご》みの中《なか》へ出《で》ることは禁《きん》止《し》せねばならぬ。隔離《かくり》の期間《きかん》は約《やく》一箇月間《かげつかん》の見當《けんたう》でよい同胞《きやうはう》も之《これ》に傳染《でんせん》せぬ事《こと》が明瞭《めいれう》となる迄《まで》は休《やす》ませる事《こと》が必《ひつ》要《えう》である。而《しか》して其期間《そのきかん》は普通《ふつう》二週間《しうかん》とする。

一、ワクチン注射《ちうしや》、全《まつた》く傳染《でんせん》せぬ前《まへ》に行《おこな》ふのが良《よ》い。尙《なほ》潜伏期《せんぷくき》にある間《あひだ》に行《おこな》へば幾分豫防《いくぶんよぼう》の目的《もくてき》を達《たつ》することが出來《でき》る。「ワクチン」による免疫性《めんえきせい》は永續《えいぞく》しない、從《したが》つて次《つぎ》の流行期《りうかうき》には再《ふたゝ》び繰返《くりかへ》す必要《ひつえう》がある。

治療 合併症《がつぺいしやう》が無《な》ければ特別《とくべつ》の治療《ちれう》を行《おこな》はなくとも食餌《しよくじ》に注意《ちうい》して榮養狀態《えいやうじやうたい》を保《たも》ち、新鮮《しんせん》なる空氣《くうき》と日光《にっくわう》とを十分《ぶん》にすることによつて、自然《しぜん》に治癒《ちゆ》する。

一、食事《しよくじ》の注意《ちうい》　食餌《しよくじ》は滋養《じやう》に富《と》めるものを與《あた》へる。但《たゞ》し一時《じ》に多量《たりやう》を與《あた》へぬことで、少量宛數回《せうりやうづゝすうくわい》に分《わ》けて與《あた》へる。滿腹《まんぷく》すれば咳嗽發作《がいそうはつさ》が起《おこ》り易《やす》い。尙《なほ》よく嘔吐《おうと》を催《もよ》ほすからである。

一、咳嗽時《がいそうじ》の嘔吐《おうと》に對《たい》しては、吐《は》いた物《もの》が氣管《きくわん》の方《はう》に入《はひ》り込《こ》まぬ樣《やう》、殊《こと》に乳兒《にうじ》では此點《このてん》に注意《ちうい》が肝要《かんえう》である。

一、小兒《せうに》を餘《あま》り感動《かんどう》させたり、冷《つめ》たい飮物《のみもの》、冷《つめ》たい風《かぜ》にあてる事等《ことどう》は咳嗽發作《がいそうはつさ》を增《ま》すから是非注意《ぜひちうい》して避《さ》けねばならぬ。

一、合併症《がつぺいしやう》に對《たい》しては醫師《いし》の指圖《さしづ》に從《したが》ふ外《ほか》はない。

一、エーテル劑《ざい》の注腸《ちうちやう》が發作《はつさ》を輕減《けいげん》する。

子供のオシッコは何歳から教へるか？

愛育會相談所主任　山下俊郎

子供にいつ頃からオシッコ、ウンチを教へたらいゝかを知るには、先づ實際に子供達は、何歳の時から母親にオシッコを告げたかをみる必要があります。子供の告げ知らせ方には、オシッコの後でシーといふのと、出ない前に告げるのと二つの段階があります。

△オシッコ(數字パーセント)

(一)出して了つてから告げるもの

△一歳未滿四四・〇△一歳—一歳半七七・〇△一歳半以上では九〇—一〇〇

となつてゐますから、大低の者は一歳になれば先づこの段階に達するものとみていゝわけです。

(二)出ない前にシーと告げた。

△一歳—一歳半四〇・〇△一歳半—二歳七五・〇△二歳—二歳半九〇・〇

之れは一の場合よりも勿論遲れてゐますが、一歳半になれば、出ない前にシーと告げる段階に達したとみられます。ウンチに就ての調査統計も大體同樣であります。之れから考へますと、一歳半になつたならオシッコもウンチも母親に告げる訓練が出來てゐなければならぬわけです。とに角一歳程度ならば、オシッコやウンチの言葉の意味は判るのですから、注意と觀察を怠らずに、その度ごとに積極的に教へ込めば子供の方から自然告げることになります。

寢小便の子供

尙ほ四、五歳までもオネショをする子供を調べてみますと、母親に罪がある場合が非常に多く見出されます。子供が寢込んでゐるとソッとそのまゝ便所へ抱いて行く母親のやり方は賢明ではありません、と、いふのは、ぐつすり寢込んでオシッコをする子供にとつては便所と寢床の區別が判りませんから結局意味ないのです。夜中に便所へ抱いて行く際には必ずよく目をさましておかねば駄目です。

榮養のページ

腺病質の兒童とヴイタミン

虚弱兒童《きよじやくじどう》の多《おほ》くは、腺病質《せんびやうしつ》と言《い》つて、肺門淋巴腺《はいもんりんぱせん》が腫《は》れ、次《つ》いで呼吸器《こきふき》が侵《をか》され、微熱《びねつ》が出《で》たり、かぜ引《ひ》き易《やす》くなり、青春期《せいしゆんき》になると、肺炎《はいえん》や結核《けつかく》に罹《かゝ》り易《やす》い體質《たいしつ》となるものです。かやうなお子《こ》さまを丈夫《ぢやうぶ》に育《そだ》てるには肝油《かんゆ》を服《の》ませてヴイタミンAとDを充分《じゆうぶん》に補給《ほきふ》することが一ばん效果的《かうくわてき》です。ヴイタミンAは皮膚《ひふ》や粘膜《ねんまく》を丈夫《ぢやうぶ》にし、Dは太陽《たいやう》の紫外線《しぐわいせん》を浴《あ》びるのと同《おな》じような效果《かうくわ》があるからです。近《ちか》ごろでは、どんなお子《こ》さまにでも樂々《らく〳〵》と服《の》める一粒肝油《りふかんゆ》ハリバが、かような目的《もくてき》に實によく用《もち》ひられてをります

結核菌と榮養不良…は仲が良い

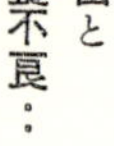

「仲《なか》が良《よ》い」と言《い》へば彼氏《かれし》と彼女《かのぢよ》でせう。しかしそれにもまして親《した》しいのは結核菌《けつかくきん》と榮養不良《えいやうふりやう》とです。からだの中《なか》に榮養分《えいやうぶん》…特《とく》にヴイタミンAとDとが不足《ふそく》すると、すぐに抵抗力《ていかうりよく》が弱《よわ》つて、寒冒菌《かんぼうきん》が近《ちか》よつたり、いやな結核菌《けつかくきん》がウインクしたりすることになります。若《わか》い身空《みそら》で胸《むね》の病《やまひ》に侵《おか》される方《かた》がたいへんに多《おほ》いものですが、それはヴイタミンADの不足《ふそく》によるものが多《おほ》いと言《い》はれます。特に春先《はるさき》は結《けつ》核菌《かくきん》の活動期《くわつどうき》です。いやな呼吸器病《こきふきびやう》に罹《かゝ》らないよう、體力《たいりよく》を盛《さか》んにするには、何《なに》よりヴイタミンADを體内《たいない》に充分《じゆうぶん》に取入《とりい》れてをくことが一ばん大切《たいせつ》なことです。

お産前後はVD《ヴイタミン》が必要

お産《さん》の前後《ぜんご》には、生《うま》れ出《で》る赤《あか》ちゃんのためと、母親自體《はゝおやじたい》のために、平常《へいじやう》に比《くら》べて、遙《はる》かに多量《たりやう》の榮養《えいやう》を必要《ひつえう》とします。特《とく》に赤《あか》ちゃんの骨組《ほねぐ》みを丈夫《ぢやうぶ》に作《つく》るため、ヴイタミンDは最《もつと》も大切《たいせつ》で肝油《かんゆ》＝ハリバがこの目的《もくてき》にもたいへん賞用《しやうよう》されてをります。

肝油を樂《らく》に服《の》むには……

…など〻言《い》つて色々《いろ〳〵》な方法《はうはふ》を用《もち》ひてあのベットリした油《あぶら》をムリに服《の》む方《かた》がありますが、それはもう古《ふる》い考《かんが》へです。なぜなら肝油《かんゆ》が効《き》くのは油《あぶら》ではなくて、ヴイタミンADなのですから…このため衛生第一《えいせいだいいち》を心掛《こゝろが》けられるご家庭《かてい》では、「油《あぶら》がごく少《すく》なくてヴイタミンAとDとが濃厚《のうこう》な一粒肝油ハリバ」を用《もち》ひられるのです。

ハリバは、小豆大《あづきだい》の甘《あま》い小粒《こつぶ》です。一粒《つぶ》は一盃分《ぱいぶん》の普通肝油《ふつうかんゆ》、或《ある》ひは十餘個《よこ》の球《たま》に相當《さうたう》するヴイタミンADがあり、小兒《せうに》、一日一—二粒《りふ》、大人、三—四粒《りふ》で足《た》り、臭《くさ》くなくお腹《なか》に障《さは》らず、愉快《ゆくわい》に服《の》めます。

吁夾竹桃志賀志那人君

岡田播陽

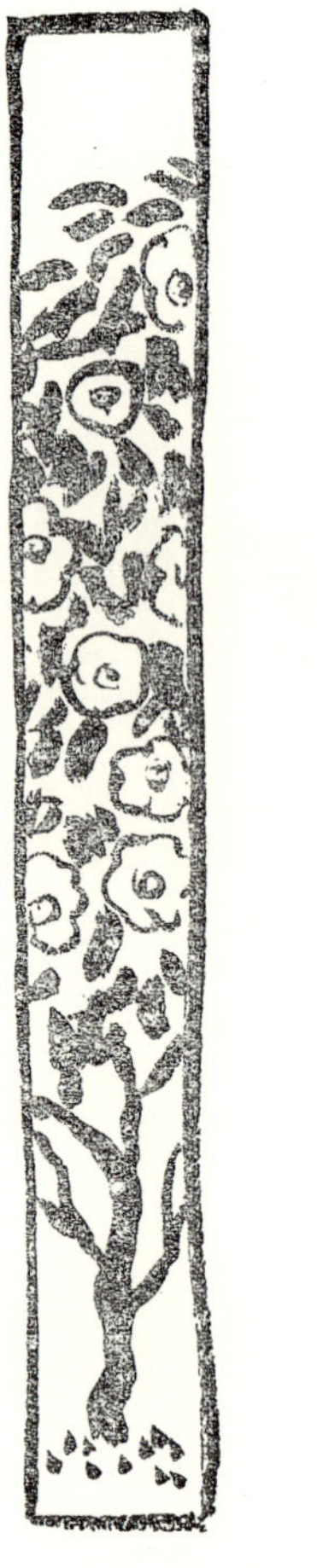

志賀さんが亡くなつた。君は先頃、私の爲めに二三の知人が開いて呉れた會合に、出席するとの返事をくれたが、當日缺席されたので、何か急用でもあつたのかと心にかゝつてゐた。處が、先日伊藤悌二氏に、はからず遇つた節、君の亡くなつた事を初めて知つた。その時の話に、志賀さんは私の前記會合の事を語つて居られたやうであるが、私は爾うしたことを聞くにつけても、志賀さんを憶ふの念に堪へない。

故人に就いて何か書いて呉れとの伊藤氏の言に、私は曩年、奈良公園をぶらついてゐた時に、三越の北村鈴菜さんが亡くなつたから、弔文を書いてくれと、近親者から頼まれたので、其園《そこ》で觀た馬醉木になぞらへて、弔ひの言葉をかき送つたが、其の後、故人の遺稿集に「馬醉木」と題してあつたので、自分の考へが見當外れでなかつたと、心嬉しく思ふたことをおもひ出しつゝ、天王寺公園を散歩《ぶら》ついてゐると、今を盛りと夾竹桃が咲き匂つてゐるのに、志賀さんが「夾竹桃」と號して、俳句をやつてゐたことを思ひ出した。自己《おのれ》に優つて、自己《おのれ》を知るものはあるまい。夾竹桃は君自らを語つた君の言葉であるだけに、君の眞姿を髣髴させる。

鳥渡見には華やかさうだが、何處やらに一沫の淋しさをほのみせる夾竹桃。生きつゝ、死につゝある人生をさとらせる夾竹桃。刻々蝕ばまれつゝも、枝から落ちない夾竹桃の花のやうに、其の身體まで、自己の任務に傾注した志賀さんは、眞に人中の夾竹桃ではあるまいか。

洋花のやうに思へるが、よく見るとさうでもない夾竹桃は、地中海沿岸にもあるさうなが、東印度原産のものは匂ひが高いとか。しかし、今は此の二種類が混合してゐるらしい。

本文に割書で註釋した書籍を「夾註書」といふから、竹に似た葉と、桃に似た花の入りまじつてゐるので夾竹桃といふのだらうが、志賀さんはクリスチヤンだと聞いてゐたけれど、死ぬる前にルンペンの共同墓標へ「倶會一所」といふ阿彌陀經の文句を題し、葬式も佛式だつたときくと、佛教徒のやうでもある。それに志賀さんは法科をやつてゐたが、途中で文科に移つたとのことを思ひ合はせると、夾竹桃は下から枝がわかれて、花の梢のさきにかたまつて咲く。理智に長け、組織的な才能に富めるとゝもに、感受性の極めて鋭敏な志賀さんその人を語つてはゐまいか。

庭木にもなるが、公園には最もふさはしい夾竹桃の其れのやうに、教育家にも適し、宗教家にも適するが、志賀さんには社會事業が最もふさはしかつた。

君が私の「大衆經」を愛讀して呉れたのは、夾竹桃の花と葉のそれのやうに、この書が「二宮尊德」と「大塩平八郎」を扱つたものだからであらう。君はその孰れにも傾倒し、天六の市民館に幾度か講演した事もあつた。而も君は自ら大塩に關する歌曲を作つて、斯道の名家をして演ぜしめた。一見單純さうな君は多岐複雜な性情のもちぬしで、其の趣味も多方面だつた。夾竹桃の葉の脈は柳に似。形は竹に似てゐるが、厚みと色は枇杷に似。花の咲き具合は石楠木に似てゐる。薄桃色は多いが、眞紅や白もあるらしい。兎に角、夾竹桃は志賀さんに似て複雜性をもつてゐる。

尤も、夾竹桃には毒がある。畠などに植ゑてゐない。葉を食つて斃れた牛もあれば、箸に使つて中毒した者もあるか。志賀さんにも缺點はあらう。だが、毒にならぬものは藥にもならない。否、毒即ち藥ではないのか。夾竹桃が害虫を防ぐべく、毒素をもつのも自然である。

熊本縣人たる君は、縣費で勉强させられたといふ事だが、さうした環境に生ひ立つた人達は、得て嫉妬に裹《つゝ》まれやすい。少し頭を擡げかけると、寄つて集《たか》つてこき下す。金持ちの子は阿呆で、重要な位置に据ゑられても攻撃されない。斯ういふ意味で批難される志賀さんは、却つて君の眞實を證《あかし》するものではないか。

一見弱々し氣なところがあつたが、ねばり強くて不斷の熱があつた。何をしても相當にやつてのける根力をもつてゐた。何地《どこ》にでも生え、枝を切つてつきさしても生長する夾竹桃は、何處までも志賀さんを偲ばせるではないか。

だが、夾竹桃が深く人の心を引くのは、その華やかな裡に藏めてゐる寂しさではなからうか。山間僻地に、ガタゴトとゆれつゝ進行する汽車が、或る小さな驛に着いて、ガタンと反動して停まると、ひつそり閑として、孤獨の谷底に陷ち込んだかのやう。すると、次の瞬間には乘客が少ない乍らも、一しきりざわめく。不圖、窓外を見ると、眞晝間の炎天下。申しわけばかりの垣根に、目ざむるばかりの夾竹桃が咲き誇つてゐる。「オ、美事な花だ！」と、思ふ間もなく、ガタゴトと汽車は再び喘ぎつゝ登つてゆく。

かくて、人氣《け》のないプラットフォームに佇む驛長と、轉轍手と共にのこつた夾竹桃は、やがて驛の小さい建物のかげにかくれて了ふ。だが、通りすがりの此の一瞬の淋しき美しさは、眼底にいたひばかりに燒きつけられる。

誰が見てくれずとも咲く時には獨りがでに咲いて、人が見てくれなくとも、得もえ知れぬ汚い羽の蝶々や蜂に、惜げなく蜜を與へ、サモ嬉しげにほゝゑむおもかげこそ、今は亡き志那人志賀さんの心の相ならじか。

大事な仕事でありながら、一向、人眼に立たない、椽の下の力持ち的な社會事業に身を投じた君の胸底には、堅い信念があつたのだ。前にいつたやうに、華やかな生活を約束せられた法科を去つて、文科に移つた君、基督教青年會の主事から、大阪市社會部（當時救濟課）に轉じた君の身中には、君をして社會事業に捨身の努力をなさしむる、火のやうな熱がもえてゐたに相違ない。

越中氷見港の漁婦等が火をつけた大正七年の米騷動後、天六の市民館長として、君が拔擢せられたことは、君の社會救濟。弱者の友たる素質の然らしむるところである。

とにかく、君は市民館長より、更に市社會部長として、汗みづくになつて、自らをこき疲らし、會ひたい人にも會へず、病床に悩む妻子を慰めるいとまもなき、志賀さんの姿を、私は彼の山間の寒驛に、わかりの惡い驛長や、驛夫に愛想よく呼びかけもし、行くところなき蜂や蝶々に、萬遍なく蜜を吸はしてゐる夾竹桃の上にみるのである。

オ、それでいゝのだ。倶會一所の覺悟ありたればこそ、ほんの一瞬、眼にみたゞけで、いつまでも〳〵、印象の淵に彫されて消えたのだ。

噫、君は逝つた。今を盛りと夾竹桃の咲く頃に……。

志賀さんと勞働運動

村島歸之

伊藤悌二様――

「志賀さんが死にましたよ。昨日、大阪で葬式に參列して來ました」と、森戸辰男先生からの電話で、初めてそれと知つて驚いたことでした。近頃、大阪の新聞を見てゐないので、葬儀の濟むまで少しも知らなかつたなんて、私も遂ひに「東京の人」となつて了つたのですね。

思へば「大阪の人」としての私も隨分と永かつたが、志賀さんは、その「大阪の人」としての私が持つた友人の中でも、最も古い部類に屬する人でせう。

話は、彼れこれ二昔も前に遡ります。

初めて會つたのは、市廳舍が未だ堂島にあつて、山口正氏の下で、勞働調査係をやつて居られた時分でした。その頃、市民館の計畫を、島村育人氏がやつてゐて、當時、外勤記者だつた私は、島村氏からそのプランを聞かされてゐたものです。それでまさか、島村氏ならぬ志賀さんがその市民館に半生を捧げるやうにならうなどとは、當の志賀さんも島村氏も私も、又お釋迦さまも御存じなかつたところでした。

その時分から、島村氏は善く語り、善く辯じる方でしたが、志賀さんは、どつちかといふと澄し屋で、此方から話しかけなければ、決して先方から私たち新聞記者に話しかけて來ることなどのない人でした。

ところが、その志賀さんと、市役所以外で、私は大變懇意に話し合ふやうになりました。それは、勞働運動の演說會で、二人が屢々顏を合せるやうになつたからであります。

さア、年月日はハツキリ記憶しませんが、私たちが勞働學校を創設するよりも大分前のことですから、大正七

八年の頃でしたらうか。

大正七八年といへば、まだ有名な大電爭議も、神戸の川崎三菱の大罷業も起らぬ前で、勞働組合は對資本家鬪爭よりも、對內的な敎育に力を注いでゐた時ですから、絕へず、勞働講座とか、講演會とか、演說會とかゞ催されました。志賀さんも私も、その集會の講師の一人だつたのです。今でこそ、勞働運動の陣營に、智識階級の者が澤山參加してゐますが、大正七八年頃は未だ十指に足らぬぐらゐで、關西では賀川豐彦、今井嘉幸、古市春彥山名義鶴、久留弘三、東忠續の諸氏とそして志賀さん及び私ぐらゐでした。勿論、岡村司博士とか、關一博士とかも時々は出てこられましたが、聽衆五十名そこ〳〵の組合支部の演說會などには、そうした人を煩す譯には行かないので常連は殆んどきまつてゐました。中津の六齋橋附近にあつた貸席から、北野邊のお寺の本堂での演說會で、志賀さんと一緒に、何かしら喋舌つた時のことがハツキリと瞼に浮んで來ます。

志賀さんの演說は、鬪士風の激越な調子は微塵もなく、座談に近い低調な話しぶりで、親しみ深いものでした。これに反し私は、興奮性を有してゐて、兎角强い言葉や調子を用ひたがる傾向がありましたので、志賀さんは私と一緒になると、いつも「僕に先にやらして下さい。その方がやりいゝから」と、自ら前座を買つて出られました。

話の內容は、いつも、立派なものでした。大向ふに當てこむやうなやり方は一切されませんでした。(私はそれをやりました)

共益社の二階で、勞働講座を開いた時にも、志賀さんは、友人の渡邊さんをも伴つて講義に來てくれられました。

志賀さんは、斯うして、小さな勞働組合の集りにも屢々出てくれられましたが、市民館の館長として、市民館のホールを、そうした集會にも貸してくれられました。これは、社會事業家としての志賀さんを語る場合にも忘れてはならぬ事です。

志賀さんによつて經營された市民館は、スラムにも働きかけ、又附近の小市民層にも働きかけましたが、同時に、組織勞働者の、秩序ある運動にも力を貸したのです。いろ〳〵の勞働組合の演說會が市民館のホールで行はれました。私も屢々その演壇をけがしたことを覺えてゐます。

これは、志賀さんが、新時代に即應した隣保事業の經營者であつたことを物語るもので、今日の隣保事業從業者が、必ずしも皆なこれをやり得てゐるとは申せないの

です。

一見、温和に見えてゐた志賀さんでしたが、こんなことをやつてのける勇氣を持ち合せてゐたのでした。

しかし、資本家に喜ばれない此種のやり方は、市會議員の反對を買はずに濟む筈はありませんでした。

――市民館で勞働者が演說會をやるのは怪しからん。志賀をやめさせろ――

そんな聲か、ブル階級の市會議員の間から起りました果然、市主腦部から、志賀さんへの注意がありましたかういふ場合、職を賭してもやり通すといふ志賀さんではありませんでした。志賀さんは鬪士型ではなく、英國風のゼントルマンだつたのでした。

志賀さんの顏は、それ以來、勞働組合の集りに見ることが出來なくなりました。市民館での集會も、活動寫眞の辯士の會合ぐらゐで、組合關係のものは殆んど無くなりました。

しかし、公人として、市民館長として、市の統制に服さなければならなかつたけれども、個人としての志賀さんは、いつも勞働組合の幹部たちに好意を寄せて、困つてゐる人には小遣を與へたりしたこともあつたのを仄聞してゐました。

大正十年末、私が西尾末廣、山名義鶴兩氏と計り、賀川豊彦氏から貰つた五千圓の金を資金に、大阪勞働學校を開校した時は、もう志賀さんは講師の一人にも加つてくれませんでした。否、志賀さんの迷惑を知つてゐたので、わざと頼みに行かなかつたのでした。志賀さんは、きつと「すまじきものは宮仕へ」の嘆を發してゐた事と思ひます。

その代り、志賀さんに代つて、當時、志賀さんの部下であつた松澤兼人氏が、市民館をやめて勞働學校の主事に就任され、そこをスタートとして、今日の無産黨のリーダー松澤氏を生み、軈ては無産黨代議士にもならうとしてゐられるのですから、申さば志賀さんがバトンを松澤氏に渡して繼走して貰つてゐるのだともいへるでせう。

いづれにもせよ。志賀さんは、秀れたる社會事業家であつたばかりでなく、異彩ある社會事業家であつたと申すべきでせう。

伊藤悌二樣――

ながながと、勞働運動の事を書いて御退屈なすつた事と存じます。だが、表から見た市民館長としての志賀さんについては、きつと多くの方がお書きでせうが、この方面の事は知らない人の方が多いと思ひますので、つひ冗々しく書いて了ひました。お宥し下さい。


なほ市民館長としての志賀さんについても、多少の思ひ出はあります。南米移民の青年のために「拓植講座」を開いて居るから、出て話をするやうにと依頼を受け、一夜、數名の青年と共に語つたあとで、志賀さんとシンミリ話した事もありました。藤井淸水氏や宮川松安氏と語らつて、浪曲改良を企てゝゐるのだといつて、自作の「瀧口時賴」の草稿を示されたこともありました。保育組合についての抱負を聞かされたこともありました。それから――。

伊藤樣、あなたを市民館へお訪ねして、志賀さんの机の周圍に三人鼎座し、そこはかとなく物語りしたこともありましたつけ。

私は、深い交りではありませんでしたが、比較的古くからの友達として、會へばいつもしんみりと話し合ふ友人志賀さんではありました。

『子供の世紀に』載る私の原稿なども善く讀んでくれられたらしく、會ふと、その話が出ました。

私も十年も前の『子供の世紀』に出た志賀さんの坊ちやん――第一回赤ちやん審査會の優良兒――の寫眞を覺えてゐて「あの坊ちやんはもうお幾つです」、と訊きますと志賀さんは、ニコニコ顏を、一層ニコニコさせて、坊ちやんの近況を物語られるのでした。

お互に、こどもには目のない方なので、こどもの話をするとゝ二人の會話は頓に元氣づいて來るのが常でした。もう、坊ちやんの話も、志賀さんから伺へません。坊ちやんは、どんどん立派に成人なさつて行くでせうのに。

宅のこどもの事も聞いては頂けないのかと思ふと寂しくなります。健一が神戶一中から横濱一中へ轉校したことや、下の眞理子が、紙障子のはまつてゐる野趣掬すべき此處、神奈川在の小學校へ通つてゐることなど、聞いて貰ひたい話が山ほどありますのに。

最後にお目にかゝつたのは、確か昭和九年秋の、關西風水害の起る少し前、綿業會館でゞした。グリコの江崎さんから、母子保健協會の役員會に招かれて、定刻きつぱりに出かけて行つた二人が偶然、待合室で落ちあひ、開會までの數十分を語り合つたのが最後でしたが、その時、私は大毎の社會事業部主事として、猪飼野の密集地帶で、婦人とこどもを主たる對象としたセツルメント事業を始めやうとしてゐましたので、斯道の先輩たる志賀さんの意見を質したことでしたが、隣保事業はどこまでやつても終點のない事を述懷して、しみじみと話されたことを思ひ出します。

あの時の、綿業會館の豪華なソファーの坐り心地までまざまざと思ひ浮んで來ますのに、それから、たつた三年半。その間に私は永らく病氣をして、つひに大毎を退職し、志賀さんは山口氏の後を承けて社會部長に進まれましたが、昨秋、東上する日まで、門外一歩も出なかつた私は、到頭社會部長としての志賀さんの英姿を仰ぐ機會に惠まれず、その儘、永の別れとなつて了ひませうとは。

私にはいつまでも、市民館長としての志賀さんの面影しか殘つてはゐません。

いつもニコニコとして、低い聲で話される眉目美しい氏の溫容が、――。

あゝ。

（昭和十三年四月廿二日）

志賀志那人氏と私の市民館時代（上）

高尾亮雄

志賀志那人君を追憶せんとすると、おのづからそこに私みづからの一生涯中の最も重要な一エポックとしての、大阪市民館奉仕時代といふものに言ひ及ぼさなければならぬことになる、公私ともに志賀君とは深い因緣の存する私は、いつか志賀君に「君の方が若いから君が生きてゐる間に私が死んだら是非とも私の告別式はこの市民館でやつてほしい」、といつたことがある、それがこんど逆緣になつて、あの壇上に黑枠に入つた君の寫眞を仰ふとは、まことに思ひかけぬことだつた。
私はふと志賀君の追憶文を書ふとして篋底をさぐると、不思議や嘗つて書きかけて未定稿になつてゐる「私の大阪市民館生活」といふ一文の斷片が現はれてきた、どうせ私の死後伊藤悌二君あたりが私の遺稿とでもして發表してくれる、志賀君の生前にそれが見せられると思つてゐたのが、いまに却つて志賀君を思出での資料になつてしまふとは、人生無常、そこで、その隨感隨想、舊稿をそのまゝに追想文に代へることにする、尤もたしかな年月等不明、記憶もおぼろなところもあると思ふが、いまはそれを許す對手の志賀君がゐないのだから仕方がない

その一　ドクトル嶋村育人

いまの大阪市廳の宏壯な大建築がまだ竣工しない以前北區出入橋の西南の地域にあつた頃、市の社會課にドクトル嶋村育人といふ人がゐた、醫學者だが脈とる醫者にあらず、哲學的、社會學者的な頭の持ち主で、社會教育者タイプの非常にオリヂナリチーに富んだ、特に兒童問題については一隻眼を持してゐたところから、私とは何かに話がよく合つて、いつも市役所の一室で閑な浪人の私と議論を鬪はしたり、無駄口をたゝいたりしたものだつた、實はこの嶋村ドクトルがそもそも日本で初めてのセツツルメント大阪市民館設立の創案者なのである、市長は池上四郎さんだつたと思ふ。

すべて、ものゝ創始といふものは仲々氣骨の折れるもので、さう着々は進まない、いわんや今日とは社會狀態が違ふ新しい施設だから困難だ、ともかく市民館ができ

るらしいといふ、こゝまで漕ぎつけるにはわれ／＼廳外のもの、若手の新聞記者連も寄り集つて大いに輿論を喚起し、隨分と應援したものだつた。ところがいよ／＼そのビルの建ちかけた時分になつて、肝心の發頭人嶋村ドクトルは、どういふわけか、何時の間にか市役所にはもうゐなくなつて、その後別に濱寺の方で生徒の父兄を悉く株主のやうなものにしてしまふ一風變つた女學校を創りかけてゐた、今の羽衣女學校がそれである。氣の變るのも速いが一方に仲々建設的の事業家らしい熱情もあつた、たしかに珍らしい有爲の人物であつたが、これも今は亡き人の數に入つてしまつた、嶋村ドクトルのあと釜に市の社會課にきたのが即ち志賀志那人君で、これが選ばれて初代市民館長となつたわけだ。

志賀君がまだ結婚しない獨身で私とは引きつゞいて話が合つて、志賀館長は私の兒童に關した建案を快くみな容れてくれた、何しろ私も當時は頗る熱意を以てゐたしこの市民館を全く兒童の福祉運動の策源地ともなし、あらゆる理想を實現してみたく思つてゐた最中であつたから、前途に輝く光明を望んでゐたのであつた、そこで天六にその市民館が建築中から押して行つて何かといろ／＼註文を持ちこんだものだつた。

その二　私が獨占した兒どもの部屋

先づ第一に兒どものための施設が大事だ、私はこれを市民館の中心事業だと考へてゐた、兒どもの部屋を作ろふそれは教室ともなるが、倶樂部でもあり、愉快に働く部屋でもある、それで二階の廣い二室の設計にかゝつた。机も椅子も新工夫であつたが、就中、墨板が振つてゐる今までの小學校なんかでは教壇の一方にしかない、しかも木板の立て掛けや傾斜があつて下部の方ほど自然に前方に出てゐる。兒どもの視線から見ると不合理なるとが免れない、宜しく改良すべしだといふので、その部屋は明り窓や出入口の扉の處を除いた四方とも全部の壁面を兒どもの手の届く限りの高さ、そのまゝ悉くボールドにしてしまふ、黒色では感じが惡いダークグリンで塗りつぶしてしまつた。こうすると教室が學校くさくなくなる先生と生徒との間が親しくなつて、兒どものすべてが自由に使用できる、色チョークで自由畫をかくものもあり、算術の運算や答へを書くものあり、そのまゝ展覽會の時にはバックに利用できる。二十年後の今もそのまゝ殘つてゐるかどうか近ごろは見に行かないから知らぬが、當時としてはまことに理想的だと自惚れて、私はこゝにお山の餓鬼大將だつた、志賀君はこんな自由を喜んで許してくれてゐた。

その三　私がむしろ館長さん

館長あり主筆あり事務員はあつても、決してお役所臭くはなかつた、常に出入する有志家制度のやうなもので月給や手當てを貰はぬこのボロンテアが勢力を占めといつては誤弊がある、みな協同一致、和氣に滿ち／＼て奉仕をしてをつた。講堂の他に婦人倶樂部室、講習室、圖書館、音樂室、法律身の上の相談室、屋上の運動場、地下室には當時一流の「千門」といふレストランがあり、理髪室等々、その當時の場末の天六には適はしからぬほどの文化施設で、丁度今の朝日會館、朝日ビルの前驅をなしたものといつてもよい。いやそれよりもある點においては組織と内容は勝れてをつたと思ふ、こゝで私は館長ならぬ館長の振舞ひをしてをつたのである。

ある時、若人らのためスポーツの講演、講習會をやつた、今の大朝の運動部長東口眞平氏が堂々たる體格で講師にやつてきた、私は接待から司會から萬事切りもりしてをつた。その後緣あつて大朝社に私が入社してみると東口氏は市民館長が社員になつてきたのかと思つてゐたらしい、だん／＼それでない事があとで解つて共に大いに笑つたとだつた。

まだ盲人の點字印刷や、市民館管絃團、合唱團、教育映畫事業や日本最初の兒童愛護運動、赤ん坊審査會の發祥等々、二三回にわたつて思ひ出を書いてみたい。

志賀志那人君ノ英靈ニ告グ

大阪兒童愛護聯盟常任理事

醫學博士　余田忠吾

志賀志那人君ハ、忽然トシテ化鶴白玉樓ニ登レリ、嗚呼悲イ哉、噫痛マシイ哉。

君ガ大阪市民館ニ在ツテ、文化事業ニ盡瘁スルヤ、君ノ學識卓見ハ直ニ近隣ノ有識者ヲ覺醒セシメ、常ニ之ヲ文化ニ善導シ、一歩々々高樓ニ登ルガ如ク、其事業ノ進展ヲ致シ、多年忍耐勉勵努力、以テ能ク大阪市ニ於ケル市民館ノ使命ヲ世ニ識ラシメ、惹イテハ、我國ニ於ケル其ノ聲價ヲ謠ハルルニ至ラシメタリ。

嗚呼君ノ業ノ何ゾ偉ナル、然レドモ君ハ既ニ蟬脫シ、天上シテ今ヤ英姿ナシ、噫悲イ哉。

君ガ茲ニ十數年ノ經營指導ノ苦節手腕ヲ世ニ認メラルルヤ、進ンデ大阪市社會部長ノ榮職ニ上リ、專ラ大阪市ノ社會事業ノタメニ日夜盡瘁ニ怠ラズ、病軀ヲ以テ猶ホ能ク其責任ヲ盡サントシ奮勵努力セラレタリシニ、噫天ハ何ゾ無情ナル、遂ニ二豎ノ犯ス處トナリ、其職ニ殉死セリ。

予等君ノ資性英明ト努力トヲ知ルモノ、洵ニ痛惜ニ堪ヘザルモノアリ。

君ガ一度其識見ヲ鬪ハスヤ、口角泡ヲ飛バシ、卓見ヲ吐露シテ堂々力アリ、且ツ論鋒峻嚴當ル可カラザルモノアリ。其ノ狀之ヲ譬フレバ、恰モ阿蘇山ノ黑煙ヲ吐クニ似タリト謂フベク、相手ヲ說服セズンバ止マザルノ慨アリシナリ。亦タ君ガ各方面ニ於ケル創意的卓見ハ、拔群ノモノアリ。我大阪兒童愛護聯盟ノ創設ニ參加セシ如キモ其一ニシテ、能ク今日ノ隆盛發展ヲ致サシメシモノ、君ノ熱誠ニ俟ツモノ大ナルモノアリ。サキニハ三野君ヲ失ヒ、今亦タ君ヲ失フ、我大阪兒童愛護聯盟ノ柱石ヲ失フコト何ゾ不幸ノ大ナル。

君ハマタ家ニ在ツテハ、嚴肅慈愛ヨク子弟ヲ教育シ、琴瑟相和シテ令嗣ノ教養ニ心ヲ盡シ、時ニハ令兒ヲ引率シテ嚴寒ノ滑雪ヲ試ミ、浩然ノ氣ヲ白封ノ乾坤ニ養ヒ、潔白凛烈ノ淸氣ヲ養フコト恰モ梅花ノ如ク、マタ春宵一刻値千金ノ夕ニモ、錦繡滿山紅葉ノ朝ニモ、詩友ヲ伴トシテ、天地幽玄ノ詩情ヲ賞シ、人生ノ雅趣ヲ味ヒシコト一年二歲ニ止マラズ、或ハ心境淸淨ヲ書道ニ求メ、俳句ヲ學ンデ我國固有ノ詩情ヲ寫シ、伸暢流麗ナル文章ヲ草シテハ文化ニ資シ、言論ヲ放ツテ公衆ヲ善導シ、陰ニ陽ニ大衆ヲ文化ノ光輝ニ浴セシメタルガ如キハ蓋シ稀ニ見ル處ナリ。

君ガ在世中ノ事業ヲ通觀スレバ、其精神ノ躍如タルヲ覺ユルモノアリ。吾等近隣ニ同ジク社會事業ニ關與スルモノ、君ノ偉風ニ覺醒セラレタルモノ頗ル大ナルモノアリ。

君ハ猶ホ春秋ニ富ミ、未ダ人生五十ニ到達セズ、其事業ノ愈々進展シテ、君ノ手腕ノ華益々其美ヲ增スベカリシニ、一朝花前ノ嵐ニ其前途ヲ碎カレシハ洵ニ洵ニ愛惜ヲスル能ハザルモノアリ。

[illegible]レドモ人生行路ハ人事ヲ盡シテ天命ヲ待ツノ外ナク古來老少不常、會者定離ハ萬古變ルコトナシ。佛語ニ曰ク「存者極樂壽無窮。亡者離苦生安養」ト。

君ハ既ニ黃泉ニ客タレドモ、君ガ精神ト其遺セシ事業トハ永遠ニ消エザルノミカ、史上赫々タル光彩ヲ放ツベシ。亦タ君ガ在世中心ヲ盡シテ其前途ヲ願望セシ君ノ令兒ハ賢明貞淑ナル君ノ未亡人ノ慈愛ニヨリテ、必ズ君ノ英靈ヲ慰メ得ルモノアルヲ信ジテ疑ハズ。

斯ク想ヒ來レバ君ノ英姿眼前ニ髣髴タルヲ覺ユ。交友多年忘レ難キモノアリ。涙潸然トシテ下ル、一文ヲ捧ゲテ君ノ英靈ヲ慰ム。冀クバ來リ亨ケヨ。

空想卽實行家

依田壯介

足跡の大きく且廣かつた故人の德を追憶する御計畫はまことに時宜を得た事であり、私共の厚く感謝する處で御座います。

私が故人に直接御世話になつたのは、僅に二ケ年に足らぬ期間でしたが、その感化を受けた範圍の實に多かつた事は、今迄に無かつたと確信して居ります。然るに未だ報恩の時なき内に、逝去された事を限り無く悲しんで居ります。

教化を受けた事ども

1、子供の取扱に關し常に自身範を垂れ、無言の中に教示を受けた事。

2、部下の失敗も決してその全部をその者に負せられず、亦罪を詫びるものに暖い抱擁を與へられた。
3、報告の文書等拙いものであつても、決してその全文を訂正される樣なこと無く、必ず起案者の個性を生すことに工夫された。
4、貧しい收入のことを顧慮されたのでせう、講演會の御供をした場合、その謝禮は半分にして私に下さつた。
5、來訪者との應待は實に鄭重を極め、對者に不快の念を與へさせられなかつた。
6、自ら進んで他人の世話をせられた、等々數々……

印象に殘ること

1、空飛ぶ雀の羽根迄染るといふ煤煙の都市、それは子供の地獄である……の名文で郊外保育を開始せられた頃の思出
2、喜ばれた時のあの童心あふれた御顏。
3、空想に近い樣な計畫でもキビ〳〵實行に移されたこと。
4、外國貴賓を市廳舍に出迎へられた時、若しこゝに兇漢現れたなら自分は其前に立ちふさがつただらうと語られたこと。

願はしかつた事

1、規定や習慣等、其他姑や小姑なしに、自由に御仕事をして頂いてゐたら。
2、社會部長等といふ政治家的な立場になかつたら、朝日新聞の靑ポストにあつた樣に、宴會禍の犧牲となられず、將來共に社會文化の向上につくされる處多かりしならんに。

此際そんな無駄な社交なしに、市政が進行して行く樣に故人の逝去をして意義あらしめられんことを、大阪市民として當路者に望んで置く。

噫志賀先生

宮川松安

兄さん志賀部長が御危篤です、今晩がわかりません、と愚弟から電話が掛つて參りましたのは、八日の午後四時頃でございました。吃驚して愚妻と共に山本の御自宅に着きましたのは、五時十分でござゐました。早速奧の八疊のお居間に通らせて頂くと、先生は東枕にやすんで居られました。お側には醫士看護婦、民子奧樣を始み御近親の方々が、御心配そうに看守つてをられました。然し私はどうしても、御危篤の御容態とは思はれませんでした。先生は私の顏を御覽になられて、誰から聞きましたかとお尋れになりましたから、弟からお聽きして參りましたとお答へ致しますと、笑をおふくみになられて、ガスが出たら治りますと仰言いましたのに、その甲斐もなくわづかに一時間餘りの後には、御家族御一同に看守られながら、兩眼を開き一同をお見廻し遊ばして、ねむるが如く御逝去なさいました。博士が御臨終ですと仰言つた時は、私はお間違ではなからうかと思つた程、何の御異情もなく安らかに御永眠遊されました。その時お子樣達は、わつとその場に泣き崩れられました。

噫々。省れば十八年の昔北市民館開館當時より、親しく親身

も及ばぬ御導きに預り、漸くにして一人歩きの出來得るやうにさせて頂きました今日、少しは御恩返しが出來やうかと樂しんでゐましたのに、その甲斐もなく、忽然として御先立たれませうとは、無情と知りつゝ、無情を泣かずにはゐられません。とは言へ先生には日頃御信仰がお厚かつたからでも御座ゐませう御生前と何のお變りもなく、ほゝ笑みさへもお浮べになられておいでになつたお顏を拜ませて頂いた時には、流石に先生と今更ながらに思はず頭が下りました。花は櫻木人は武士と申しますが、その櫻の花のやうに、淸く安らかに逝きませし先生の御誠心は、永遠に此の大阪をお護りになつてをいでになることゝ深く〳〵信じてやみませぬ。

志賀の海つら風かをるなり
をしまれてちりゆく花の名も高く

合掌

志賀先生と蔦

大阪市立北市民館
愛隣信用組合　鵜飼草人

志賀先生の急逝せられたことも知らずに、北市民館の蔦は勢ひよく芽をふきつゝある。近隣の人達は親のやうに志賀先生を慕つたが、又この蔦を慈雨のやうになつかしみ、なかには蔦の市民館と稱んでゐる人もある。この蔦を植へられたのは實に志賀先生で、先生は玄人の及ばない立派な園丁として、寒中にも自ら肥料を施され、又黑砂糖やビールがよい等とその生長に多大の苦心を拂はれた。昭和四年に　行幸を仰いだ時には未だこの蔦もやつと二階に屆いた許りだつたのに、今では殆んど全館を蔽ふてしまつた。かやうに先生は何事でも育てることが大變好きだつた。特に幼兒の健やかに伸びることを何より樂みにして居られた。これが兒童愛護聯盟の事業に深い繫りを持たれた所以であらう。

この蔦と同じやうに先生によつて育てられたものゝ一つに愛隣信用組合がある。現在藏相が熱心に提唱せられてゐることを旣に大正十二年に、自ら立つて一錢貯金の指導奬勵を行はれた。それはマッチ工場の一職工森島正明君が酒の爲めに失敗して之が更正記念に貯金の斡旋をしたのが動機となつて、その後三年間に二萬圓の貯金が集つた。そして共愛・善隣の二町內會の人達が之に參加して組合が設立され、その名稱も右の會名より一字宛とつて愛隣と名付けられた、今も此の組合は自助的庶民金融機關として旺に活躍を續けてゐる。この外先生が大阪府の協同組合運動に盡された足績は大きいが之は適當な機會に讓ることにしたい。

諸家の前大阪市社會部長志賀志那人氏觀

（到着順）

解剖的な批評と推賞

理學博士　西村眞琴

私がうけてゐる程の印象は、氏に接した人は誰でももたれると思ふが、一言にして云へば情味に滿ち、親しみにあふれた人だ、更に云へば人格の高いゆかしい仁であつた。義理を重んじて出來るだけ勸めようとするそのまじめさは、あれ程多忙な生涯を一層多端に導いたといへる。私などは、社會事業の會合で、いつもおめにかゝつてゐるが、何か一つの社會事業をやつて、其の結果が一應形をとゝのへて來ると、それを解剖的に、一々それ〳〵の點にふれて、氣持よく批評と推賞とを惜しまない、今から考へると、餘程氏は苦勞人であつたことがわかる。卽ち人の仕事に同情を寄せ得ることは、その人の體驗がひらめくからである。創作的な才覺があればこそ、我等に對しても新規な仕事への努力を認めて、慰撫してくれたのだ。葬儀の場に黑枠にかこまれたあの引き伸しの寫眞姿が、最後の印象となつてゐるが、私は氏の生命の後にのこる生命をいろ〳〵の意味で認識してゐる。

宗敎上では自由人

代議士　杉山元治郞

私が志賀氏を知つたのは古いことで天六の市民館が出來た當時である。今日でこそ隣保館と云ふものが何處でも出來、仕事も形が出來て來たが、志賀氏はよく次から次へと仕事を考へ、所謂市民館の職能を發揮した、卽ち今日の隣保事業の土臺を作つた人だと云ふても良い。

それから日本橋筋の飯島婦人科病院で開かれた變人揃ひの愛生敎會の集りにも見た、此處に來ることを思へば、一寸變つた處のある信仰上の自由人だと考へたこともある。

市の社會部長になつてから、私は能く就職のことを度々依賴に行つた、惡い顏もせず能く世話してくれ、すぐに返事などくれて今でも其の親切に感謝

してゐる。

驚嘆の外なき常識

醫學博士　有馬賴吉

お母さんの胎內から、社會事業人として生れて來たやうな社會事業人は、志賀氏でしだ。さら〳〵として流れる草薙の淸流のやうな人でした。想ひ著いたことは何でも直ぐ實行に移すが、肚の底からの社會事業人である氏の仕事には無理がなかつた。常識の發達は驚嘆に値するものがあつたが、その點では氏御自身にも自信があつた。批評家で、實行家で、指導者であつた。親しみ深い言語態度には、會ふ毎に魅入させられた、それにはあの眉目秀麗なることも一役はつとめたと思ふ。未だ働き盛りでといふばかりではなしに、氏の急逝を惜しみ、哀しまぬ者はないであらう。

JOBK最初の講演者

弘濟會々長　上山善治

故志賀君と私とは二十年餘の特別の關係を續けて來たので、同君の急逝は惜しまれてならない、大正七年米騷動直後、私が大阪市救濟課（社會部の前身）に入つてから、志賀君は大阪市へ入つたので、前後して市の社會事業に入つたのだ。志賀君が北市民館の初代館長に決定を見て、今の弘濟會に私は轉出した。社會事業界に於ける同君の名聲は書かなくたつていゝ、確かに功勞者の一人だつた事だけは明言する。

志賀君は非常に素直な男だつた、何處を索したつて意地の曲つた處は一つもなかつた。兄分だつた私は隨分意見を述べたのだが、靜かに聞いてくれたあの姿は今でも忘れられない。

志賀君は能辯だつた、JOBKが三越屋上で開設された時、たしか講演の最初の一人だつたと思ふ、對象によつて自由な講演をしたものだ。社會部長になつた頃は館長型だと云はれたが、それを云ふ方が無理で、誰だつてすぐ部長らしくなれるものではない。私が見る處では最近漸く部長らしくなつて來たのだ、惜しい事をしたこれからだのに、運命なら致し方がない。

盲人界の恩人

八尾町々長　中村三德

大正十一年早春大阪中央公會堂に於て、全國盲人文化大會の開催後、決議事項の一である全國盲學校生徒用敎科書の刊行を實現すべく、大阪市立北市民館內に敎科書刊行會を設立され、私も世話人の一人として度々市民館に行くことゝ成つて、志賀館長とも親交を結ぶことになりました。その後氏のお勸めで、同氏が會長であつた大阪府按摩マッサージ師聯合會の、會長を繼承することゝなり、次で大阪盲人會々長をもお引受けすることゝなつたのは、

淺からぬ因緣であります。氏は市民館長時代も社會部長になられてからも、少しも變つたことがなく、市廳舍の部長室に行くと、何時もニコ／＼として迎へて下さつた、氏は博覽强記の人でしたが、至つて平民的な學者ぶらぬ方でした、眞に惜しい人をなくしたものだと感慨無量であります。

溢る、慈顔の魅力

社會部保護課長　渡邊三彥

故人の下僚としての公的接觸はわづか一年にも充たないが、あの端麗な容姿、溢るゝ慈顔はまだ部長室から今にも出てこられるような氣がする。下僚の過誤をむきつけに問責せられないだけ、何んとなくこの人のためなら表裏なく、自分のベストを捧げようといつも思つてゐた私である。

お通夜に「いゝ人は何故こんなに早く逝くのか」、と故人の同僚部長が述懷されたその言葉をしみ／＼思ひだす。

官僚風のない明朗人

大阪市聯合婦人會副會長　河井やゑ子

私は故志那人氏に初めて御目にかゝつたのは、もう十六年程以前、兒童愛護聯盟の働きに婦人會も援助させていたゞく事になつて、其相談の集まりの時です。それは／＼明瞭にてきぱきと論議なさつて、しかも其論旨のとても私の思ふ事言はんとする事と同一で、すつかり敬服すべき方と思ひました。それ以來永い間府の會、市の會とも同席する機會も多く御座いました、いつも明朗で殊に官僚風はなく人情味厚く、私共女性にも其人格をみとめて下さいました。婦人會の働きに就ても意見をきくべく、市民館に參つた事も御座います。本年一月頃かと思ひますが、眼帶をして御出席、御たづねしましたら、目ばちこが出來てとの御話し、夫れが私として最後の御目もじでありました。實に大阪市廳に人物なしと言はれるこの時、この尊敬すべき將來ある方をなくした事は實に言ひやうもないわが大阪市の損失でありまた悲しみであります。

氣高き香りと苦味

天王寺市民館長　前田貞次

淸爽にして香りの佳さを有つ鮎は、その脆弱の身で急湍奔流を飛躍するさまは、まことに潑剌そのもので、しかもその優美なる姿、その氣品ある容、そして濁りなき生活に端然としてゐるところ、魚族中の白眉である。

伯爵金子堅太郎閣下曰く、溫容なるものは威嚴なし、然し志賀君はさあらずと。

鮎の佳さは、その氣高い香りと、一ところにもつ苦味である。

これが私の觀た偉人志賀のまことの姿である。

結核相談の功勞者

醫學博士　太繩壽郎

故志賀社會部長は、現在大阪市に於ける卓越した社會事業中、甚だ多くの產みの親又育ての親であつた。

君は理解に明敏で、正しく認識した事業は、即斷行と云ふ意氣の持主であつたと思ふ。

嘗て私共の創製した「ＡＯ」が世間に發表さるゝや、直ちに君は令息方に試み、又當時主宰された北市民館內幼稚園兒童の、體質改善健康增進の目的に役立たしめられた。又昭和四年春頃であつた？北市民館內に結核相談部を開始されたに就て、余は每週一回其利用者の相談を承けた、而して同七年頃まで續けたが、余は都合により中止せねばならぬことになつた。然し其當時旣に市內に完備した市立健康相談所が施設を見るに至つた、市民館の結核相談部が健康相談所開設を促進したのであつて、此事實は餘り知られてゐぬ君が功績の一つであると思ふ。

嚴肅敬虔な心構へ

玉出市民館長　矢野弘三

昨十二年の正月志賀部長は、金曜講座で年頭の所感を述べられたが、丑年に因み牛の反芻する如く、日々の仕事をもう一度よく嚙みしめて反省すべしと訓へられ、又奪人奪境の古語をひいて、事業の爲め勇往邁進する樣に激勵せられた。

御訓話半ばにして、坂間市長新年の御訓示を傳達せらるゝや、直に容を改められ直立不動の姿勢にて、諄々として市長の御意嚮を述べられたが、吾々は部長の嚴肅敬虔なる態度に胸を打たれ、上司の命を重んずる事當に斯の如くあらねばならぬ、と訓へらるゝと同時に自らを顧みて甚だ忸怩たるものがあつた。

志賀部長の此の心持、此の態度こそ館長としての、部長としての、將た市吏員としての一貫した心構へではなかつたか、と沁々考へさせられ、今更ながら敬服に堪へない次第である。

人の意見を聞く人

大阪朝日新聞社會事業團　濱田光雄

私人としての故人、仕事の上での故人の事は存じませんが、主として社會事業の聯絡上のことで屢々語り合ふた故人が私に與へた印象は、溫厚の紳士私共の話をよく聞かれる人であつた。自分の意見を多く持ち合はす人が、人の意見を聞くところに故人の優れた點があると私は考へます、素直な方といふのが私の感です。

新鮮な理想の持主

光德寺善隣館長　佐伯祐正

人生に對して新鮮な、將來性に富んだ理想を持つてゐる人程、明るく亦尊

敬すべき人はないであらう。この意味に於て志賀先生程、この條件にあてはまつてゐた人は少ないと思ふ。別して子供の問題は先生の理想のうちに特に廣くかつ深いものであつた。「自分は年に幾十の託兒所を全市に作りたいんだ」、と樂しそうにしてゐられた姿を思ひ出す。いづれにせよ先生の死は大阪の社會事業、別して惠まれぬ子供達への損失の大であることは誠に悲しいことである。

乞食の婚禮にも出た

西宮市齒科醫　野崎吉郎

一、大正十三年の十月、時の志賀市民館長に初めて接した時、ドストエフスキーの小說に出て來る何とかニコフといふニヒリストの再現のやうに感じた（アノ時代の風貌が――從つて人間そのものも）

一、それから宮川松安師の『一太郎ヤーイ』が、志賀さんの筆に成つたものと知つた時、氏の和魂に觸れた氣がした。

一、それから乞食の部落へ出入して、乞食の結婚式に招待されて行つたりするのを見てオヤ／＼と思つた。この時、私は乞食と貧乏人と大變違ふことを教へられた。「乞食君よ、酒も飲めバクチもうて、同樣に貯金もよいものだからやれ」、と勸めて成功したらしい。

一、それから貧乏人の世界にも入つて行つた姿を私は見た。

一、社會部長になつてからスラム街の無料宿泊所に泊つて、賴るべき何物もない病老ルンペンの枕頭の壁に、シヤーリーテムプルの寫眞を發見したといふ、志賀さんの新聞記事を讀んだ。私は志賀さんが五十代になるのを待つてゐた。

館長さん時代

天王寺職業紹介所長　村川敬藏

私が志賀北市民館長時代のその部下として、親しく御指導を仰ぐやうになつたのは昭和七年の夏頃であつた。夫から六年の年月が經過してゐるが、「館長さん」はその間に社會部長の榮職につかれ、私もあつちこつちに轉勤したから、ほんとうに親しく御指導を受けたのは三年位であつたらうか。從つて私に印象の深いのは後の社會部長時代よりは「館長さん」と言ひなれた北市民館長時代である。その時代無作法な私共が、無茶苦茶な人生觀や、不平を「館長さん」に述べたてたが、一向怒られるでもなく、始終默つて訊いて下さつた。然し時々、「館長さん」は、君の話しぶりは機關銃見たいで早すぎるやうだ、とユーモアに富んだ注意をして下さつた。色んなことを言はれたが、言はれた時は冗談位にしか思つてなかつたが、後で反省してみると仰せの通りだとよく思つた。君のやうな養子はちよつと少いぞ、と時にエゲツない皮肉もとばされてペチヤンコになつたりしたが、どんな皮肉を言はれても一向

慍りもせず、「館長さん館長さん」とあけすけに、自分の思ふ所を言つて憚らなかつたのは、私の心臟の強さがさうさせたとばかりは言へないと思ふ。

毅然たる深み

大阪市電氣局主計部長　高木貞治

溫厚な人ざわりで、物解りの良い人でした、常時、明朗そのものゝ樣な感じを受けますが、毅然たる深みを、ちらほらのぞかせて居られた樣にも見受けられました。麗筆と、巧みな講演は多くの人を強く惹きつけて居ました、強ひて難を言へば上手過ぎる樣にも感じられました。

昨年の病後の無理が返す／＼も殘念に思へます。

社會の實情を直觀

大阪朝日新聞社　恩田和子

いつ御目にかゝつても朗らかな方でした、思ひ切つて新しい進歩した意見を敢然と發表し、又それを實行に移すことに眞劍な努力を爲されました、其態度を神々しくながめたことも幾度かありました。これは役所勤めの人々には容易に見られぬことでありませう。他人の意見を一應は快くうけ容れる寬大さももつて居られました。「あなた方はまだ駄目だネ、お宅の今月の經濟狀態はいかゞですか――なんて調子なんだから……おい、君んとこの今月の賃の流れはいくらだ！といふ調子が自然に出るやうでなけりや、ほんとうの社會事業は出來んよ」と笑はれた事がありました、社會の實情をハツキリと視それに最適の仕事を爲す方でした。

隣保事業の開拓者

兵庫縣御影町社會事業囑託　祝久太郎

志賀志那人先生は、實に公營隣保事業の開拓者でありました。

先生以前の隣保事業は我國に於てもアーノルド・トインビー以上には餘り出でない極めてプライヴエートなものでありましたが、先生によつて開拓されました大阪市に於ける市民館事業、即ち公營隣保事業の大成功は、啻に幾たびか各宮殿下の台臨を忝ふせられましたのみならず、遂には畏くも陛下の御臨幸を賜はるの光榮にまで浴さるゝに至りました。今や全國主要都市をはじめ、農山漁村にまで公營隣保事業の發達を見るに至りましたことは何れも開拓者たる志賀先生の市民館に於ける大成功に鑑み、經營當局が確信を以て之に當らるゝ結果であります。

先生の御急逝は洵に痛惜の極みでありますが、多年に亘り終始一貫熱誠以て市民館事業に貢獻せられましたその偉大なる功績は、更に新興滿洲、支那の當局者をも動かすことになりませう。

あゝ先生こそ眞に我國、否世界に於ける公營隣保事業の開拓者であり、偉大なる貢獻者でありました。合掌。

信じ合へる先輩

大阪府社會課主事　長部英三

志賀様の溫容は接する者をして、心から親ませた。而も犯し難い威容は、近付く者をして心から尊敬せしめた。稀に見る圓滿な人格者であつた。公營セツルメントに對する非難に答へるに實績を以てし、今日の普及を見るに至つた礎を築かれた。而も私設セツルメントとの連絡を遺憾なく密にされた。志賀様の人格を以てして初めてなし得たことであらう。市社會部長の要職に就かれ、市民の期待にそむかず大に計畫を進められた。市民の福利を大に增進されやうとした、この時志賀様を失つた市の損害は大きい。殊に國民精神總動員の時局だけに、打擊は一層大であらう。志賀様は部下を指導し、且愛撫し、部下の心身向上を圖ることに熱心であつた。志賀様は凡ゆる方面に趣味を持ち、體育運動をも十分に理解されてゐた。數年前に「スキーに一緒に行かう」、と言はれたが、部長の重職につかれて冬期が御多忙であつた爲、遂に其の機を得なかつた。曾て私に「君は信じ合へる人だ」、と言つて下さつたその言葉は私を勵ました。公職にある者は常にさうあるべきであり、特に必要な要素である。私は誰とでもさうあり度いと念じてゐる。

私は尊敬して來た先輩―指導者―を一人失つた譯である。

素晴らしい幻を描く

淀川善隣館　エス・エフ・モラン

私が大阪での社會事業を志して始めて來阪した機、北市民館は恰度建築中で館長となられる筈であつた志賀さんに御目にかゝり、その場で十年來の知己の如く、大いに共鳴し合つて打ち解けて仕舞つたのでした。淀川善隣館を創設するときは土地購入問題や何かで御世話になつて、此處の習慣に馴れない私に親身になつて御盡力下さるので如何程うれしかつたか解りませんでした。爾來十餘年志賀さんが私にとつて眞實の紳士であり、情誼の友であつた丈に、忽然として歸天されたことは、志賀さんの年を考へても、もう少し永らへて欲しかつたと思ふのです。

志賀さん自身近時は仕事の上に素晴しい幻を描かれたのではないか――あれを想ひこれを惜んで、大阪から一人の價値ある市民を失つたこと――今更の如く人生の寂寞たるものを感ずるのです。

千里獨往の氣慨

牧野虎次

君の颯爽たる英姿に接して大阪市に於る斯界の前途に意を强ふしたるは、つい三月中旬の方面委員總會の時なりしに、忽焉として爰に幽明を隔てゝ追悼の文を綴らんとは、洵に夢心地する外はない。君が北市民館に於る功績は

我國公設隣保事業史に特筆せらるべきものであらう。ソーシアル・セツルメント・ウォークが我國に創められて間もなく、その事業を公設で經營して行くと云ふことは、中々容易な事業ではなかつた。君の如く一面に順應性を有して他人と協力し得ると共に、他面に獨創的才幹を有して、千里獨往の氣慨を有せらるゝ人物でなくては、到底あの樣な成績を擧ぐることは六ケ敷かつたと思ふ。君の八面玲瓏なる性格は、他の社會事業家が動もすれば偏僻になり易き障碍を超越し、社會事業界に明朗なる光明を與へたのである。大阪市の社會部長に榮進せられて、其治績見るべきものあり、更に今後の活躍を刮目囑望せしは、獨り我等同志のみに止らざりしに、嗚呼惜みても尙餘りある。

體驗を基礎として

社會衛生協會 醫學博士　山本俊平

どんな仕事を經營するにしても、又指導するにしても、體驗を基礎にして行ふ程確實性を現すものはない。理論と實際とが必ずしも常に一致するものでない事は云ふ迄もない。と云つて理論を輕蔑するのではなく、理論は理論として重要性は充分認められなければいけない。理論の是非は實際が其物指の役割をなしてこれを決める、實際は各々の現象である。それ故、より多くの現象を知る人、換言するならば、實際の經驗多き人の立てる理論は實際に非常に近いものになる。卽ち、空論から遙かに遠ざかつたものになる。立派な理論とか重みのある意見と云ふものはこの類のものに多い。そうして、かうした理論なり意見は其成功率が最も多い。志賀氏の北市民館長時代に我々の社會衛生協會と協力して仕事をすることになつた、其の最初の言が「兎に角やつて見ようではありませんか」であつた、つまらない言葉と云ふ人があるかも知れないが、志賀氏の實際に沿ふた數多の業蹟を知る人には胸に答へるものあるに違ひない。自分も以來志賀氏の業蹟を見てこの簡單な言葉に極めて深き意味を感じた次第である。多年現場職員として總ての實際に身も心も打ち込み數多くの經驗を貯へた志賀氏が、大阪市社會部長の要職に就かれた時は刮目に價する仕事をなさるであらうとひそかに期待して居つた次第であるが、就任間もなくの急逝に遭遇し殘念で仕方ない次第である。志賀氏の早逝は社會事業の大先達を失つたと云ふ損害を我國に與へるものである。悔みても尙餘りある事である。

「母子生活者」の友

大阪市社會部 福利係長　古藤敏夫

北市民館の廊下や階段で澤山の子供から「館長さん」と騷がれてゐた溫顏の志賀さん、が社會部長として『子供の世紀』にふさはしい新らしい二つの仕

事を殘されました、母子寮と水上學童寮とです。兒童の世紀に親しまれた志賀さんが、この二つの寮舍の完成の爲に費された熱意と勞苦は、大變なもので部下一同敬服して居りました。忙しい中にも營繕課長室に度々足を運ばれて、住吉母子寮の設計について、玄人をびつくりさせる樣な細かい御注文を出されましたが、その目前に控へた開所も待たれないであはたゞしく逝かれました。この間市會議員を粉濱の工事現場に案內され、中庭の材木をバックに兒童の世紀の產物である、母子ホームの社會的使命を說明された志賀さんの俤は、永久に忘れられないものとなりました。「母子生活者」と云ふ言葉を好んで用ひられた志賀さんに、私が御目にかけ樣と思つてゐた「母子親得」の額も今となつては思出の種となりました。

青少年の不良化には父兄や學校も責任を負へ

司法省保護課　大野カ男

不良青少年學生檢擧の被檢擧者數が四千人にも及び、それが取調の結果、學籍を有する學生が意外に多かつたと謂ふことは、何人も驚くと同時に、此の時局下に默過し得ない極めて重大な社會問題であります。これについては學生自身の無自覺さと謂ふことを責めなければならないのは無論のことですが、それにも增して家庭や學校當局の責任を先づ檢討する必要があるることは、今日各方面の一致した意見であり私共も亦同樣に考へさせられるのであります。

犯罪少年と家庭

家庭や學校の無責任な態度といふものが、如何に青少年の不良化の重大原因となつてゐるかと謂ふことは、私共が携つてゐる司法保護の上から見ますと、隨分ハツキリと現れて居るのであります。今丁度私の手許にある大阪少年審判所昭和十一年度統計を見ますと次の樣になつて居ります。

犯罪少年の不良化原因調

父母の素行不良	一九一
家庭不和	一二四
躾の寛	一、二一八
躾の嚴	一六八
金錢不取締	一七八
小遣錢過給	一九
小遣錢不足	二三一
父母の性格異常	五
繼父母の冷遇	二一
環境不良	六七一
其の他	一九三
計	三、〇一九

之が大阪少年審判所で昭和十一年中に保護處分を加へた犯罪少年に就ての調査でありますが閱覽して參りますと吾々の不用意に過すことの多い一日一日の家庭生活といふものが、如何に敏感に次代國民に影響してゐるかと謂ふことを教へられて、日常の家庭生活といふものに對して大に反省を加へ、お互に健全な一戶一戶を持つやうに心して行かねばならないと痛切に感じるのであります。

犯罪少年と教育

次に同じ大阪審判所昭和十一年度統計の「犯罪少年の教育調」を見ますと保護處分を加へた犯罪少年三、〇一九

人中の中途退學者は約三分の一の九四二人、其の中素行不良又は學業不良といふ理由の退學者は三分の一以上の二八一人と現れて居ります。此の樣に犯罪少年の中には性行不良、又は學力劣等に因る中途退學者が非常に多いと謂ふことを心に入れて置いて、次の中學校令施行規則を讀んで御覽なさい。

學校長ハ左ノ各號ノ一ニ該當スル者ニハ退學ヲ命ズベシ

一、性行不良ニシテ改善ノ見込ナシト認メタル者

二、學力劣等ニシテ成業ノ見込ナシト認メタル者

三、引續キ一年以上缺席シタル者

四、正當ノ事由ナクシテ引續キ一月以上缺席シタル者

五、出席常ナラザル者(四九條)

これでは何だか學校長が直接犯罪少年を作るやうではないでせうか。此の條文に關する限りに於て、學校の義務といふものが少しも現れてゐないのであります。

一體、人を教育する筈の學校が、性行不良だからとか學力劣等だからとか或は缺席し勝ちだからとか謂ふやうな理由で唯退學させて仕舞ふといふことは、吾々は今どうしても直ぐには肯けないのであります。なぜもつと責任を以て飽くまで親切に其の生徒本人の身を考へてやるといふ風にしないのか。かういふ規定があるだけでもそれが教育者の日頃の心構や態度にどう反映して來るか、といふことは想像に難くはないのであります。

此の樣に考へて參りますと先頃のあの不良青少年學生の檢擧事件に鑑みましても、私共國民は、近くは身の廻りを省み、遠くは根本的な制度の革新に迄も眼を向けお互に先づ健全なる家庭を、延いては國家革新政策達成の爲に、絶えず考へ絶えず努力せねばならないと思ふのであります。

少年の犯罪と青年の犯罪とどう違ふか?

東京農業專門學校教授　青木誠四郎

これまでの青年犯罪(不良)の調査は、青年期に入つて起つた犯罪の調査ではなくて、子供時代からの不良性或は犯罪から引續いて現れてきたものとしての調査です。が、これでは青年特有の犯罪に就て明かにすることは不可能です。

少年刑務所に收容された者約二百名に就て、五ケ年間に亙つて行つた青年期に起つた不良行爲犯罪の原因、性質の調査結果を明かにして、幼少の時代から不良性をもつてゐたものとどの點が違ふかを述べてみます。

青年犯罪の種別

青年犯罪の八五パーセントを占めてゐるのが窃盗ですが、この事實は青年の犯罪は、成人或は少年のそれとは著しく趣きを異にしてゐることを示してゐます。

成人の犯罪は文書僞造とか詐欺とか、どちらかと云ふと智能を要するものが多く、また幼少年の犯罪は、まだ生活してゐる世界も狹く、精神も充分發達してゐないので、學校或は友達から直接播拂ふのが八〇パーセントを占めてゐますが青年犯罪にはかうしたものが極めて少しゝか現れてゐないのです。窃盗に次ぐものは空巢、忍び込み、乘逃げ、持逃げですが、之等はいづれも衝動的な犯罪であることが判ります。

犯罪の原因

幼少の者の犯罪原因は買食をしたいとか、映畫を見たいとか、小遣錢の不足等が主ですが、青年期になると、遊蕩のためのもの、怨恨、出來心によるもの、家出のための窮乏等、女道樂や衝動的原因が大部分であります。

智能及び性格

十歳未滿の犯罪者では、普通の智能をもつもの三〇パーセント程度であるのに、青年では五〇パーセント以上が普通の智能をもつてゐます。

半途退學者も同樣で、幼少年では七〇パーセントもあるのに、青年期の犯罪者には半途退學四〇パーセントしかないのです。性格の點でも、幼少で不良行爲をなす者は異常性格が多いのに青年期ではこれが少く、大部分は普通人であるのです。

智能も劣らず、性格も異常でない者の犯罪が青年期には多いわけです。

家庭の狀況

正常でない家庭に犯罪者が多いのは誰でも認めてゐますが、幼少時代には繼父母、十歳から十二、三歳までで片親しかないもの、青年期では養父母の場合には最も多く犯罪者が出てゐます。

青年期には實の父母に對しても果してこれが生みの親かと疑ふ氣持さへ抱くほどで、實父母を戀ふることは非常に强いのです。家出が青年期に多いのもこれを裏書きするものです。

十歳前後の犯罪者の家庭には四〇パーセントまで大酒呑み、不品行な者、犯罪者等がありますが、青年期で罪を犯すもの、家庭では之れは二〇パーセントしかないのです、割合ひ普通の家庭に犯罪青年が出ることはこゝでも明かに示されてゐます。

青年期自體が

以上の事柄から考へてみますと、幼少時の犯罪者は本人の素質、性格、家庭環境に異常があるものに多いのに青年期では本人の素質も家庭も普通である場合に犯罪者が多く出てゐるわけで、青年期といふもの自體が犯罪的傾向をもつてゐることになります。特別の注意と愛護がなければ此の青年期は普通の善良な者にとつても危險であることが心理的に說明されるわけです。

産兒調節はなぜ悪い?
あれこそは優生學と遺傳の法則を無視したもの

東大動物學教室　岡徹理學士

先頃、議會においてサンガーイズム排擊の火の手があげられましたが、何故サンガーイズムは私共の採るべき手段ではないかを、この際明かにする必要がありませう。

サンガーイズム

サンガーイズムと云ふのは、ご承知のやうにアメリカのサンガー夫人の主唱に係る産兒調節の實行運動で、これにより婦人の生理的負擔を輕くし、また一家の經濟的困難を除かうと企圖するものであります、言ひ換へれば、「少く産んで良く育てる」といふのがその根本の主張であるかのやうです。

遺傳の法則無視

だが、私共は少數の子供を産むことによつて、果して質のいゝ子供がえられるかどうか?は大いに疑問であるといふばかりでなく、遺傳學や優生學からすれば、全然それは根據のないことだと云はねばなりません。澤山産んでこそその中に優良の子供もえられるのであつて、任意の少數を産み、これを盡く良質たらしめようと願ふのは、遺傳の法則を知らぬ愚かな人間の考へといふべきです。男か女か生れる子供が豫測できぬ以上に、生れる子供の賢愚その他の性質は神ならぬ人間の到底知りえぬ所であります。

サンガーイズムの主張の根本にはこのやうな非常な誤謬があることを先づ知るべきです。

爲政者も心せよ

多産によつて確かに母體は衰へ、一家の經濟的困窮の原因となることもありますが、かうしたことから國民がサンガーイズムへはしることのない樣に爲政者たるものは大いに心を用ちひるべきでせう。

國家の中堅衰微

サンガーイズムの最も大きい弊害はこれが知識階級乃至中流階級に容易に擴がつて、國家の中堅たるべき人々の人口自然增加を低下させることです。極端な例ですがアメリカの大學卒業生

の最近の出産率が〇・八となつて居り一人に滿たない有樣をみても、いかにサンガーイズムが恐るべき結果を齎すかゞ窺はれます。

國力を現はす列國の人口狀態

目立つ英佛の衰へ！

わが國の人口は年々八十萬から九十萬、年によつては百萬を突破する自然增加をみてをり、發展期にあるわが國として眞に心强いものがありますが、では列國における人口の自然增加の狀態はどうなつてゐるでせうか、皆樣の常識として知つておかるべきでせう。左表はわが帝國內地と列國との人口千についての自然增加率であります。

△日本內地（昭十一）	一二・四一
△オランダ（昭十）	一一・四七
△カナダ（昭十）	一〇・五八
△チリ（昭十）	九・〇九
△イタリア（昭十一）	八・七〇
△濠洲（昭十）	七・一〇
△ドイツ（昭十）	七・〇二
△アメリカ合衆國（昭九）	六・〇九
△ハンガリア（昭十）	五・八九
△スイス（昭十一）	四・一六
△イギリス（昭十）	三・二〇
△ベルギー（昭九）	二・五五
△スウェーデン（昭十一）	二・二一
△フランス（昭十）	〇・四二

【註】括弧內は調査年月、內閣統計局調べ

右の表によつても判るやうに、いま列國で一番人口の減少に惱んでゐる國はフランスで、その原因として死亡率の高いこと、產兒制限の惡弊が國民の間に浸潤してゐる事等が擧げられてゐます。

イギリスも亦人口の點では「持たざる國」で、五十年前までは日本と同じ自然增加狀態であつたことを知るとき既にこの國が老境に入つてゐることが明かです。

防共の盟友ドイツ、イタリアでは近來著々人口增加の結果をえてゐるのは同慶の至りといふべきです。

とも角人口の增減が、國力の消長を反映してゐるとみるとき、右の統計は大いに興味があります。

乳兒榮養の話（六）

大阪市立堀川乳兒院
醫學士　山田　讓

第七章「ヴィタミンの話」

乳幼兒の榮養を論ずる上に於てどうしても切り離す事の出來ない重要な問題は「ヴィタミン」の其れでせう。「ヴィタミン」と「ホルモン」は現代醫學の寵兒であり、それ丈けに一般人の注目される所でありながら、今尙認識不足と言はなければならない數多くの實例を經驗する私は些に詳しい理屈はすべて拔きにして、どうしても知つて居らなければならない「ヴィタミン」の知識に就て敢て冗筆を走らせて見たいと思ひます。

「ヴィタミン」の大體は別表で示した如くであり、これ等各種「ヴィタミン」の製劑は各會社から色々の名前で發賣されて居りますが、單なる廣告や宣傳に迷はないで、醫師に相談して責任ある品を選ぶべきです。何れも製造には相當の費用を要するものです故、値段丈けの點を考へないで、優秀な製品を使用する事が肝要です。然し私共は別に高價な藥劑を購入しなくとも「ヴィタミン」の正しい知識のもとに、豫め各種「ヴィタミン」を攝取出來る樣に食餌の配合選擇に注意を怠らなければ此等「ヴィタミン」缺乏により起される色々の疾病から逃れ得る事は實に容易な問題と申されます。現に「ヴィタミン」Bの認識の一般への普及によつて乳兒脚氣は昔日に比して非常な減少を來しました。今日では私共が成書に書かれて居る樣な定型的の乳兒脚氣を見る事は甚だ少くなつて、僅かに嘔吐とか下痢等の症狀により、乳兒脚氣を疑ふ樣な輕症なものが多いのです。此の事實は實に醫學の勝利であり、「豫防醫學」の達成こそ吾人の理想であつて見れば誠に喜ぶべき事であつて、私共は尙進んでその理想に向つて進まなければなりません。私は次に乳幼兒の榮養に必要な「ヴィタミン」即ちA、B、C、Dの四つの「ヴィ

タミンに就て述べて見たいと思ひます。

ヴィタミン一覽表

種類	性質	缺乏により起る病氣	多量に含有してゐる食物
A「ヴィタミン」	脂肪溶性 成長「ヴィタミン」	角膜及結膜乾燥症 角膜軟化症 夜盲症 發育不良等	肝油、肝臟、八つ目鰻、豚脂、魚卵、雞卵、乳汁「バター」
B_1「ヴィタミン」	水溶性 脚氣「ヴィタミン」	脚氣 發育障碍等	米糠、胚芽、酵母、卵黃、牛乳、豆類、トマト
B_2「ヴィタミン」複合體	水溶性	「ペラグラ」 發育障碍 皮膚炎	「B_1」に略ぼ同じ
C「ヴィタミン」	水溶性 抗壞血病ヴィタミン	壞血病 メルレル、バロー氏病 出血性素質 細菌感染に對する抵抗減弱	新鮮な野菜、果物（特にオレンヂ、レモン、トマト、蜜柑、大根、キャベツ、青菠薐草、茶、豌豆等）葱
D「ヴィタミン」	油溶性 抗佝僂病性ヴィタミン	佝僂病（せむし） 骨軟化症 齒牙發育不全	ヴィタミンAに略ぼ同じ
E「ヴィタミン」	油溶性 抗不姙性ヴィタミン	不姙症	腦下垂體前葉、胎盤、米、小麥、玉蜀黍の胚芽、牛酪、卵黃、酵母

第一節「ヴィタミン」A

「ヴィタミン」Aは乳汁中では脂肪球の中に多量に含まれ牛乳の方が人乳よりも多量に存在し、普通の場合は「ヴィタミンA」缺乏症は起りませんが、脫脂乳には甚だ少くなりますので、消化不良等で長く脫脂乳を用ひるとか子供が偏食して脂肪分の少い食物のみ攝取して居る時に缺乏症として夜盲症、角膜軟化症等が起り、發育も非常に障碍されます。榮養品中の「ヴィタミン」A量は晩冬から春季に最少となり、夏及び秋に最大となります。乳兒の「ヴィタミン」Aの需要量を正確に決定する事は困難ですが三分の一牛乳の脂肪中に含まれたヴィタミン量でもよいと言はれて居りますが、しかし一般に健康乳兒の健康に必要な最適量は最少量よりも甚しく大量であり、且つ需要量を超過しても大なる害はないため、むしろ大量に與へる方がよいのです。又乳汁中の「ヴィタミン」Aは母親の攝る「ヴィタミン」Aの量に左右されると言はれ、世界大戰中獨逸ではバター及び牛乳が高價となり、ために天然榮養兒中にも多數の「ヴィタミン」A缺乏症を出した事實は如何に母親の食物が乳兒の榮養に重大な影響があるかとの一證左と申されませう。私共も下層階級の天然榮養兒の中に時に「ヴィタミン」A缺乏症を見出す事があります。體內に攝取された「ヴィタミン」Aは他の「ヴ

イタミン」よりも容易且つ多量に貯藏され、肝臟がこの倉庫であるために、一時的に「ヴィタミン」Aの缺乏した食餌で榮養されたとしても、一定期間は格別の障碍を起しませんが、然し一度びこの貯藏が乳兒の需要に不足を來すとこゝに恐るべき症狀を發するのであります。

一、傳染に對する抵抗力の減弱　「ヴィタミン」A不足の場合最も初期より重要な症狀はこの病原菌に對し免疫が減少し、抵抗が弱くなり、容易に傳染性疾患にかゝり易くなる事は、それが數字的に症狀上に明確に示す事が出來ないために兎角一般に輕視され易いけれ共、これこそ實に最重要なる缺乏症狀と申さなければなりません。

二、夜盲症（とりめ）　夕方から夜になると急に視力が弱り遂ひには殆んど見えなくなつて俗に『とりめ』と稱するもので、夏に多く起ります。これは夏は新陳代謝が旺んで「ヴィタミン」Aの需要も增加して居る上に、食慾殊に脂肪分の多い食物に對する食慾減退し兩者相ひまつて「ヴィタミン」Aの缺乏を來して本病を發生します。土用の丑の日に鰻を食べる慣習はこうした點に注意を喚起させる爲めと思はれます。

三、結膜及角膜乾燥症　最初角膜の外側の結膜の所に白色の乾燥した斑點が出來て、次第に角膜を周擁し、次で眼球結膜及び角膜全體が光澤を失ひ乾燥して來ます。これが更に進行すると

四、角膜軟化症と言つて角膜の中央から潰瘍を生じて失明をする樣になつて來ます。

以上述べた樣な「ヴィタミン」Aの缺乏症に對しては、「ヴィタミン」Aの豐富な食餌を與へる事は勿論、肝油を併せ與へる事によつて危險から免れ得る事が出來ます。そこで「ヴィタミン」Aを換言すれば肝油又はその類似製劑は如何なる場合に必要用ふべきであるかを申して見ますと、

（一）夜盲症、角膜乾燥症、眼球軟化症には最も著効がある事は勿論です。

（二）色々の皮膚粘膜の變化のある時殊に小兒の氣管支加答兒等をよく起す時等に常用して効果を認められます從つて又肺炎、「インフルエンザ」其の他皮膚や粘膜よりの全身傳染病時に使用して經過を輕からしめ恢復を早めます。

（三）火傷とか、褥瘡《とこずれ》、瘤、癰等の皮膚疾患に對し軟膏中に「ヴィタミン」Aを混じて用ひると創傷を清淨且つ恢復を促進させる作用があります。

（四）一般に瘦削貧血の場合に使用し、其の他姙娠、授乳期等には多量の「ヴィタミン」Aを必要とするもの故、これが補給と榮養劑の意味に於て缺くべからざるものであります。

最後に「ヴィタミン」A殊に肝油はこれを胃の空虛な時に與へる事は差し控へ、食前又は食後直ちに服用し永く連用する事が必要です。

是非に迷ふ「ス・フ混用」赤ちゃんの肌着問題

幼兒の肌着として、木綿の晒ほど衞生上勝れたものはない——といふのが醫者の常に說くところであつたし吾々も亦これを信じ、昔から愛用して來た次第であります、ところが近く純綿の晒は跡を斷つことになり、吸濕性が強く、發散の惡い、と云はれるス・フが三割混用されることになつて、瀨下三菱銀行會長の「ス・フ混用の晒は衞生上肌の弱い幼兒にとつて寒心すべきではないか？」の反對論が現はれて來ました。尤もこれに對する商工省纖維工業試驗場長吉崎技師の解答は「心配無用」とのことでしたが、果して眞にス・フ三割混用の晒は幼兒にとつても無害であるかどうか？吾々にはもつと理論的の、また實驗上の根據を求める必要が痛感されます。

木綿と較べ殆ど變らぬ吸濕性

商工省技師 岸武八氏

吸濕性の違ひは？

乾燥時における各纖維の含有水分は、純毛一八%、純ス・フ一一%、純綿八%で、純ス・フは純綿に比べると纖維の含有水分は三%ばかり多く、吸濕性が木綿より高いわけですが、しかし晒のス・フ混用量は僅かに三割である事實を知らねばなりません。卽ち純綿と三割混用綿とでは、〇・七%乃至一%位しか吸濕性が違はないわけでこの微々たる程度では衞生上全く問題となりません。

ス・フの優れた點？

またス・フは纖維として、最も純粹度の高いものですから、アメリカではガーゼとしても旺に使用されてゐる程です。傷口などに用ひて何の障害もない位ですから、況んや赤ン坊の肌にも何の障害も及ぼさないとみてよく又ス・フは人體に必要な紫外線の透過率が木綿などより遙かにいゝので、衞生上からしてもス・フ混用の晒は決して惡くないことを確信します。

藥局方ガーゼを

併しどうしてもス・フ混用の晒の嫌な方はガーゼを用ひられるのがよく、日本藥局方の規定上ガーゼだけはス・フ混用規定から除外されてゐます。

諒解に苦しむ反對論

三越商品試驗室 荒井谷吉氏

吾々は以前からス・フに對する試驗を旺んに重ねてゐますが、反對論のどこに事實反對すべき根據があるのか諒解に苦しむ次第です。

例へばス・フ三割混用のタオル地に就て云へば肌觸りは却つて木綿よりよく、却つて乾かしても木綿のやうにコワ〲しません。又ひやつとした感じも全然なく持ちは多少純綿と比べて劣りますが、一般の心配ほどのことは決してありません。乾きの程度も殆んど變らず。要するに幼兒に用ひて衞生上決して心配ないと云へます。

保健上赤ちゃんに不向

理學士 阿部忠一氏

天然絹糸と人絹とを衞生學的に比較すると遙に天然絹糸がよい、純木綿に至つては天然絹糸よりも更に良好であり、たゞス・フは天然絹糸には劣るが人絹よりは幾分上位にある、從つてス・フは肌着には不適當であり、ス・フ混用品は人絹同樣にス・フ何パーセントと明記して賣出すべきであると主張してゐる、次はス・フと純木綿との關係を律するに足る天然絹糸と人絹との比較である。

人絹衣服は嬰兒、兒童及び老人疾病者には不適當である、人絹では汗の吸收力が少く熱の傳導度が速いため、小兒から必要量の體溫を奪ひ去り、發育を阻害する、今體溫とひとしい三十七度の溫湯をガラスのフラスコに入れ、人絹と天絹の布に包んで置くと人絹の方は早く冷却する、又人絹を常用するとリューマチス、神經痛、中風に罹りやすい。

これらの疾患が我國で比較的少いのは足袋または木綿製の靴下をはくからであるが、最近人絹が市場に出るやうになつてからは、歐米並になつたと言はれてゐる。

人絹は紫外線の吸收度が少い、今人絹と天絹とを一定數の細菌を有する溶液中に入れてのち一定時間直射日光にあてると、天絹の方には細菌の少いことが實驗出來る點から見ても、衣類に附着するものゝ殺菌作用は、人絹より天絹の方が早い事が解る。

人絹は空氣イオン化率が少い、天絹が人絹より着心地

のよいことは、天絹が空氣をイオン化させてゐるためで紫外線の吸收率が大きいからである、空氣イオンが我々の健康に關係あることは既定學說である。

人絹は染色素による中毒を起すことがある、人絹は特殊の媒染劑を使つても比較的染色に困難で有毒色素が多い、從つて乳兒が衣類を口に入れてしやぶるやうなことを考へると不適當である。

洗濯が不十分

長野縣工業試驗所技師 岡村源一氏

ス・フの混織が國策上有利とか不利とかは別として純然たる科學者の立場から云へば「ス・フと木綿の混織は赤ちゃんの肌着には益なし」といふことになりました、卽ち「ス・フと木綿の混織はス・フが水に非常に弱いために洗濯が十分に出來ず、從つて不潔になり易く、そして、一度洗ふと質が低下するので滑らかさを失ひ皮膚を刺戟し、耐久力も乏しいので不經濟でもあり、この混織は木綿の質とス・フの質の欠點だけが現れて、兩者の長所は全く失はれ、且汗も吸收しませんから、何れの點から見ても赤ちゃんの肌着には不向きです。

次に絹とス・フの混織は絹の摩擦をス・フが防ぎ、水に弱いス・フを絹が助けますので木綿との混織ほど惡くないのですが絹の本質は低下します。

羊毛との混織の場合は洗濯に對しては他に比して割合に強いが羊毛の特質は低下します、又運動の盛んな學童の服地等は耐久力がありせんから經濟的に損です、要するに商工省では十三年度からス・フの常用に適するや否やの研究に着手し、現在のところまだほんの初手の研究しか出來て居ないのに、時節柄研究が後になり、實用が先になつたためその眞價は全く未知數であり、ス・フ混織は安値だといつても從來一ケ月に晒木綿一反ですんだものが混織では三反位必要となるので一般消費者にとつては損となる」

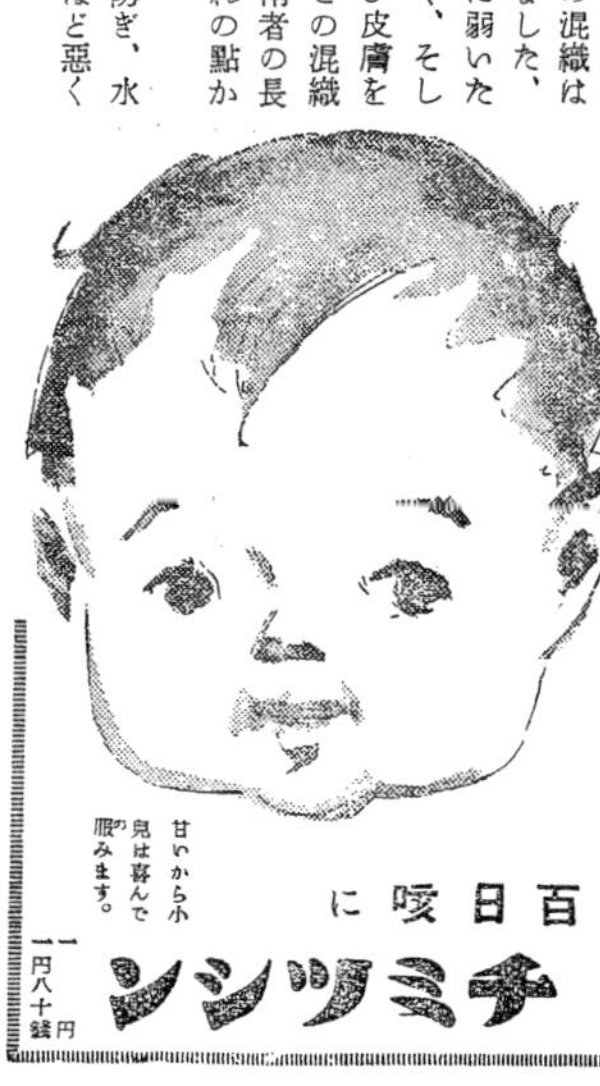

日本の南端

紅頭嶼ヤミ族の怪奇土俗と藝術

宮武辰夫

筆者宮武辰夫氏は東京美術學校西洋畫本科出身夙に一家をなし、文展・白馬會・光風畫會・大洋畫會など諸展によつて畫壇に知られるほか、原始藝術家として著名であり、アイヌ、生蕃の研究から遠くアメリカに中部インデアンの藝術を探りさらにアラスカにエスキモー藝術を究むるなど足跡各方面に及び眞摯なる研鑽を讚へられる篤學の士であります、先般、臺灣の東南五十海里にある絶海の孤島紅頭嶼に赴き、そこに原始さながらの怪奇なる生活を營むヤミ族をたづねられました。その獵奇談は既に全國の各新聞紙上に掲載され、讀者の迎へるところとなりましたが、今回本誌のために次のごとき興味ふかい原稿を寄せられました。——

千古の謎を深く秘めて原始ヤミ族が千六百年——そこは臺灣の東南遙かな海上。紺碧の黑潮に浮んだ周圍十里にも足りない孤島ではあるが、山の幸、海の幸に惠まれて島の純人達は島以外の人を知らず、自給自足の生活を續けて往古さながらの奇習土俗を今に傳へてゐるといふ眞の桃源鄕。

紅頭嶼の舟

矢羽が飛ぶやうに、漆黑の長尾をもつ島の特產黑三光鳥が、スイ〱と斜陽をよぎる頃からの部落は、一日の灼熱からほつと救はれたやうに、男達の漁撈の幸を待つ女達で一頻りざめき賑ふ。手びねりの味の溢れた土壺を頭にした鹽汲み娘の半裸に朱泥の太陽が殘りの光を投げる頃には、珊瑚岩の隙を縫つて、お伽話のやうなタタラといふヤミの舟が歸つて來る。

恰もゴンドラのやうなこの舟を見て「世界に誇る我が巡洋艦の先端のカーブにそつくりだ」といつて驚嘆したといふ海軍の權威者の言葉なども偲ばれる。大抵の原始

人の舟は大木を削つて造つたカヌウであるが、珍らしくヤミの舟は數種の板を組み合せたもので、繼ぎ目には根綿の木の根から出る纖維を充塡にして水の浸入を防いでゐる。舟の胴には信仰や傳說を巧みに織り込んだ獨自の彫刻がぎつしりと施され、その上を赤(山の土)白(シヤコ貝からとつた石灰)黑(煤)の三色で彩られてある。模樣の主なるものは裸形の人物が手足を伸ばしてゐる連續模樣で、その手足の先も頭の上部も渦卷となつてゐる。その周圍は波とも蛇の鱗とも見える三角形や線の連續で舟の前後の端には「太陽の眼」と呼ぶ圓形の模樣が彫られてある。

元來このヤミ族は自身のことはヤミといはずタウタウと呼んで、紅頭嶼のことをポンソノタウといつてゐる。卽ちタウは人の意にして自分達住民を指し、ポンソは島の意である。發祥はバアシイ海峽を隔てゝ飛石のやうにルソンに連なる島々を流れ渡つて來たもので、言葉も土俗もその一つであるバタン島に似てゐる。なべてこの一帶はインドネシアン系であるがこのあたりの古老は「太陽の眼」の彫刻に就いて次のやうに語つてゐる。その昔祖先がすばらしい勢力を持つた種族に征服されたが、その征服者の紋章が「太陽の眼」であつたので服從の意と同時にその强い太陽族の紋章を舟に刻んで舟の眼とも念じて、その勇猛に肖かり加護を希ふやうになつたとも傳へてゐるが、その大きな征服者とは當時半球を從へたアアリヤ族であつたこともうなづかれる。アアリヤ族のうち吾人の頭腦によく刻まれてゐる偉人に釋迦があるが、このアアリヤ族をシンボルした紋章こそは「太陽」であつたのである。佛像の掌に見る法輪は卽ちこのアアリヤ族の傳へた太陽の紋章の現はれで、この法輪を單純化し圖案化すると恰もヤミ族の舟の「太陽の眼」その儘となることとも興味深いことで、この舟の圖案も、インドネシアンとアアリヤ族との混和藝術である。また一方舟を一種の生物と信じて、その先端に眼を刻んで方向を與へるといふ意も存する。

舟の兩端にはモロンと呼ぶ人の形をした木彫を挿してその先に鷄の羽を結び附けてあるが、元來インドネシアン族は鷄と蛇を地上と天界をつなぐ連絡をとる靈的な動物と信じてゐる。而して海面はその地と天との中間に位するし、其海面を走る舟に鷄の羽を結びつけ、舟の胴には人の手足や頭の先を渦卷にして鷄の羽を象徵し、一方蛇の鱗をも圖案化して、共に舟の機能と安穩を希ひ念じたものである。お河童頭で裸形のヤミ達があくまで透き澄んだ碧海にかうした傳說の舟を操るさまは、此怪奇な島をいやが上にも濃い地方色に彩つて行くのであつた。

闇と奇習

千六百のヤミ族の間に一つの灯も持たない、夜は全く視覺を捨てたやうな闇の世界ではあるが、太陽のある限り女は畑に男は漁撈に暮す彼等にとつて、夜こそは人と人との集ひを樂しむときでもある、夜食も終つた彼等に殘るものは嗅、觸、聽の三覺だけの樂しみである。

薄暮せまるあたり、はちきれそうな裸形の男女が、お互に豚の油を塗つてゐるのをよく見かけるが、それは一日の勞を醫するともいふ一方、油を全身に塗つたあとの感觸と、豚油のもつ蠱惑的な嗅覺を樂しむことにもなるといふ、これも暗夜のもつ奇習でもあらう。ヤミには接吻がない。が代るにお互の鼻と鼻とを接觸して擦り合つて愛と尊敬の意を表すといふ習俗があるが、これを彼等はミヤルカンと呼んでゐる。また彼等の間でソソワンといふ變つた風習があるが、この島では女の乳房を瓢簞型に變型して、それを美の最なるものとしてゐる。それには男に乳を吸はせたり揉ませたりして形を變へるとか。さすが裸の國らしいほがらかな話であるが、かうした奇習にも觸覺と切り離すことの出來ない或るものが存するのである。總體に原始人は觸感をさま/\の部分で味はつてゐる。甘そうな獸肉などを見ると、指でよく/\いじつて、先づ觸覺から來る味感を求めてゐる。然し吾人の間でも、鮪の鮨は手摑みに限るなんて箸を避けてゐるが、これも指から來る觸覺を味ふ名殘りでもあらう。

曆

汚れを知らぬ孤島の天體は澄みきつて美しい。蕃屋の前には、男女が凭れてさうした星や月を娯しみ語り合ふ「もたれ石」といふのが必ずある。彼等にとつて星や月は唯一の夜の光明として慕はしいもので、毎夜の月には異つた名をつけてゐるし星のそれぞれにもほゝえましい名をつけて、その運行までを語つてゐる。また彼等でつくつたといふ曆に聞くと、それは完全な太陽太陰曆の形式であつて一年を十三ケ月にして、三年に一度閏年を置くあたり、彼等はなか/\天文と曆學に達識をもつてゐる。原始人の深い體驗から會得したこの曆が、彼等の年中行事を司つて些かの齟齬も來たさないといふことも興味深いことである。

イラライ社の踊りと唄

暗綠で塗り潰したやうな二千尺の山氣を頭上にうけて蕃社の夜は更けてゆく。私の宿つた小屋は見物のヤミ達で完全な重圍だ。美しいつぶらな眸が夜更けても去らな

い。それがランプといふものを見に遙かな部落からやつて來たといふのだから面白い。黑潮の遠鳴り——藻の香り——そして幽玄な唄聲が……さあ待望の踊りが始まつた。外は眩ゆいやうな美しい月が出てゐる。

踊りは九種あつて、踊るものは若い女に限られてゐるし、ときは必ず夜を擇ぶ。唄は踊り手自身で踊りつゝ歌ふが、主として奇しき祖先の傳說を織りこんでいつたものである。ところが珍らしいことにヤミ達には樂器といふものが一つとしてない。また酒も煙草も知らないといふ、原始人には實に變つた存在ではあるが、その代りさま/\の場合と形式でこの唄といふことによつて娯樂を充たしてゐるやうだ。

眞暗な夜など、海邊の涼み小屋や仕事部屋に若い男女がぎつしり寢ころんで、歌ふコーラスが聞えて來ることがあるがそれは夢幻の美しさである。文句も卽興詩のやうな形式で、一人が音頭をとると、そのあとを美しいコーラスが流れて行くそれが夜明けまで續くことがあるが男女間に決して間違ひがなく、美しい大洋に抱かれて心から唄に自然に溶け入る純眞な境地である。

その他主として男の歌ふものに祭の唄と搖り籃の唄といふのがある。男と搖り籃の唄とは凡そ調和を缺いだやうにも考へられるが、男は海に、女は終日畑に出て働くことになつてゐる彼等の間で、比較的家に多くゐるのはよく荒海に阻まれる男達であるところから、子守りも子守り唄も男の役目となつたのである。

節くれ立つた太腕に、搖籃の網を振りつゝ、奇妙な子守り唄を歌つてゐる男達をよく見かけるが、凡そ微笑ましい情景ではある。然し實際に彼等ほど子供を愛することは他地方では珍らしい。ヤミは好んで面白い土人形をも造るがその殆んどが子供を主題にしてゐる。

また、彼等の間の命名が、やはり子供本位であるといふ變つた習俗ではあるが、長男が生れると、父母も祖父母も、その長男の名に更へる。例へば長男の名をタロウと命名すると、父はシヤマン・タロウ、母はシナ・タロウ、祖父母はシヤツポン・タロウと變更する。卽ちシヤマンは父、シナは母、シヤツポンは祖父母の意である。

かくして一人でも子供をもつと、決して踊りに加はらないでひたすら愛し子を育みゆくのである。

九種の踊のうち、最後の黑髮踊こそは、この島のみのもつ、怪奇の連續である。悲壯な唄聲と共に、頭髮をふり亂して前に後ろに、左に右に、腰を屈伸して黑髮が地を拂ふまでにうち振つて、果ては夜目にも顏色が蒼白となつて、うち倒れるまで踊りぬくことがある。そのさまは恰も鬼女の輾轉するさまを偲ばすやうで、而もそこは眞の絕海、大洋のたゞ中に浮ぶ孤島の夜半である。眞に凄愴鬼氣!

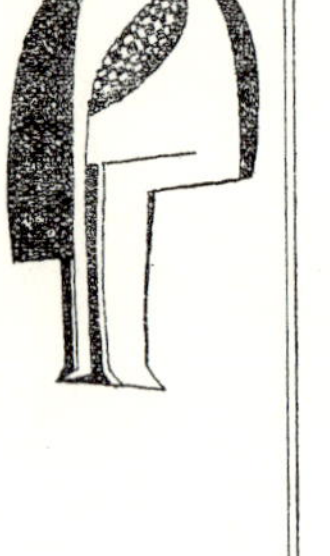

目・耳・鼻(二)

ツカダ・キタロウ

一七 御主任のメンタルテスト

大阪市並に神戶市及び阪神間の幼稚園、約二百園に近い幼稚園の、園長並に御主任保姆のメンタルテストを、約二箇月半に亘り連日擧行致しまして、無事終了、玆にその結果を御報告申す事の出來るのは、甚だ光榮とする處であると共に、又甚だ愉快とする處であります。

そしてそれと共に、數々の尊敬すべき幼稚園とその保育當事者の方々を發見して、心から喜悅を感じると共に、又數々の敎育者らしからぬ保育當事者を發見して、幼兒の爲め寒心を賦じた事であります。

その一々を報告する事は、餘りにも煩はしくもあり、又個人的の噂にも亘りますので、玆に申し述べぬ事に致しますが、幼兒保育界の御參考に資する爲め、いさゝか愚見を申述べて讀者諸賢の御敎へを乞ひたいと考へて居ります。

一八 二つの反對の傾向

いろ/\の事情で、一々幼稚園の御都合を承る暇もなく、且又御相談申す時間もありません爲め、私の都合のよい日程を御送りして、その贊否と共に御都合も承りたいものと、丁寧な依賴狀と共に發送したのでありますが、是に對して、二つの明白な反對の現象を發見する事が出來たのは、私にはよい參考でありました。

その一つは、私の巡講に好感を持つ返事でありまして、

「自分の園も日程に加へて頂いて有難い事です當日はお待ちして居ります。」

と言ふ返事であります。勿論、私を知る知らぬに限らぬ事でありまして、斯うした返事頂いて、私はその園の御主任の人格を察知して參上したのでありますが、お目にかゝつて私の豫想の的中してゐたのに、非常に愉快な思ひをした事であります。

處が、今一つの返事は、

「勝手に日程などを決めて來て、失禮千萬である。來るなら來て見るがよい。自分の園には一歩も入れないから。」

と、斯うした意味のものでありまして、然もこの返事は、以前に私のお目にかゝつたことのある御主任の方より承つたものであります。

そして、案の狀、私は訪問して玄關拂を喰つたのであります。

どうぞ間違のない樣にお讀みを願ひたいのですが、これは私の氣持を記してゐるのではないので、私は御主任から、どんな返事を頂かうが、どんなお取扱を受けやうが、少しも意に介して居りません。

てんで私は初めから、御主任方のメンタルテストのつもりで今度の計畫を發表したのですから、私に對する御主任方の態度は一切私情には關係のない事なのであります。

たゞ私の諸賢と共に考へて見たいのは、この御主任方の態度が敎育者として如何なものであらうかと言ふ點なんです。つまり、最も大切な幼兒保育の保姆として、此態度は適したものか如何かと言ふ事を、滿天下の親達と共に考へて見たいと思ふだけです。

一九　手紙なんか着いてない

私は三回に別けて大阪の公立幼稚園を訪問しましたが、第一回の書面は各園長宛にしました爲め、多數の幼稚園で御主任方に到着してない事を發見して驚いたのです。そこで第二回の書面は、第一種有封として、御主任樣宛で發送したものです。

然も亦、この手紙が到着して居らぬ園の多い事に、再び驚かされたものであります。

「幼稚園の手紙なんか。」

こんな言葉で、幼稚園への通牒を傳達せぬ園長が、大阪には甚だ多いと言ふ事を、私は御主任方に承はつて、心から驚いて居ます。園長自ら幼稚園の存在を無視してゐる事實のある事は、大阪の敎育界の或る一面を雄辯に物語つて居るとも申すべきで幼兒敎育上由々しき大問題であると信じます。

然も、或る幼稚園の御主任の言葉では、

「園長さんは忙しいのですから、知らぬ人から來た手紙等は見ずに棄てゝ終はれます。」

との事で、私はその無關心ぶりに答へる言葉もありませんでした然もこれは、信書破棄と申す、立派な刑法上の罪である事をこの園長や御主任は、御存じなのだらうか。これでも敎育者かと思つたものでした。

女性の威張つたものほど醜いものはありませんが、大阪の公立幼稚園の御主任方の中には、可成り此の種の女性のある事を知つて、幼兒保育上悲しい事と存じて居ります。

二〇　劍もホロロ

念の爲に申して置きますが、私の今度の幼稚園訪問は、私の新しく發見した「談話法」の試演にありましたので、一人でも多くの幼兒の喜ぶ顏が見たいとの念願の他は、何ものもなかつたのでありますから、一切當方で旅費支辨で、忙しい時間を無理して、毎日大阪まで參上したのでありますから、御返事の有無に不拘、幼稚園を訪問したものであります。勿論前もつて、參上する時間は御報告してあります。

中には御差支のある旨御返事下さる園もありまして、その園へは參上を差控へましたが、御返事のない園へは、全部參上したものであります。處が、行つて見ると、子供一人居ない園が數箇所あつたのです。

郊外保育とか、早く終る日だとかとの事で、何しに來たのかと小使さんに笑はれつゝ歸つて來た有樣であります。再び伺つても玄關拂と言ふ譯で、隨分頑强な追つ拂ひ策にあづかつたのは、私にはよい經驗であります。

私の最も不愉快を感じたのは、〇〇〇幼稚園。〇〇幼稚園。〇〇幼稚園。〇〇幼稚園。其の他でありまして、これを私の偏見かどうかを大阪敎育界の當事者に承りたいのであります。要するに「あすこの主任はやりてだ」と許される幼稚園は、全部なつてないと私は斷言してよいと思ふものであります。如何でせう。

二一　嬉しい數々

が然し、六十幾園の大阪の公立幼稚園の、大多數の幼稚園は私に愉快に噺させて頂き、且又非常に歡待して頂いて恐縮して居ると申述べて、感謝の意を表したいのであります。「どこの馬の骨」かも判らぬ私に、初對面であると否とに不拘、心から迎へて、幼兒に對するお噺を仲介として、いろ〳〵と御歡待下さつたり、御敎へ頂いたり、御厚意をお寄せ下さつた事は、忘れ得ぬ事であります。

舊知の間柄である浪速區。天王寺區。此花區等の各園御主任の御厚意は、東區。南區の初對面乍らの心からの御迎へと共にどれだけ私の嬉しかつた思ひ出となつた事でせう。私は〇區、〇區で味はつた數々の不愉快を忘れて、今回の大阪の巡回を心から感謝するのは全く數多くの御主任方の賜であります。私が紹介者なしで參つたのは、これが生れて初めてゞあり、且又最後であると思ひますが、全くよい見學であつた事を心から感謝して居ります。

堺市及び京都市は、引つゞき參つて居ります。然し私は、大阪市ほどに、ハッキリした對立的の反對的現象を見ません。然も、この兩市とも、私は紹介者を有してゐます御奉仕ですから記す程の事もありません。

二二　敎育者として

最後に再び私は念を入れて申します。

それはこの私の報告は、決して私の私情から述べたものではないと言ふ事です。幼兒敎育者、即ち主任保姆として、斯くの如き態度を持する事が、私は贊成出來ぬと共に、保育界の爲にも甚だ殘念な事であると申したいのです。

再び申上げませう。

女の威張つた姿ほど、世の中に笑止でもあり、且又不愉快な存在はないと言ふ事實であります。殊に、幼兒の保育には、甚だ適せぬ態度であると申上げたいのであります。

是等の態度は、世間の鼻つまみであると共に、その園の保姆達を、毎日涙なしには置かせぬに至るものであります。（事實は暫く記しますまい。御主任樣の御名譽の爲めに）と共に、幼兒達の性情を歪めるに至らしめるものであります。

私は私の自らの反省のよい資料として、今回の企を心から感謝すると共に、御力添へ下さつた御主任の方々に心からのお禮の言葉を申述べ、いさゝかその喜びを頒ちたいと、以上の如く御報告申上げた次第であります。

私事に至り恐縮ですが、おかげ樣で私の後援會の會員（おはなしを聞く會）も毎月增加して參りますので、會員外に參上する時日もなくなり再び大阪の各園を全部廻る機會もないと存じます。そこで此の際感想の一部を披瀝して、その記念と致した次第であります。妄言は御許しを願ひます。

重ねてお禮を申し添へて、この報告を終ります。

二三　戰時童話

專門學校在學生の「童話實演コンクール」が、今年も大每講堂で開催され、例により審査員の一人として參加したが、每年述べて來た「總括」的希望を今年も御參考に供しませう。

勿論、主催者たる關西童話聯盟に於ても大每童話班に於ても、「餘りに生々しい實戰描寫は、なるべく避けて欲しい。」と、再三參加校へ注意した由で、敎育上非難される樣な「話材」及び「描寫」はありませんでしたが、然し猶數々の希望したき條項のあつた事は、お互に注意すべき事と思ひます。

育兒に關係深き敎育者及び親達の、時局に對する認識、その處置に對する御參考にと記す次第であります。

二四　悲壯なる聲

（一）戰爭物語と言へば、必ずと言つてよい程に、話者が共通に陷る誤の一つは、その「音聲」であります。即ち話に用ひる聲の使ひ方であります。

「悲壯なる聲をふりしぼり」式の話し方が、戰爭物語には最も適はしきものゝ如く考へられ勝ちでありますが、これは私は贊成出來ません。

「朗かな、力强い戰」これが今次の事變の眞髓であると、政府も軍部も表明して居ります通りで、決して今次の戰は「悲壯」そのものではないのであります。

勿論、戰は悲慘であります。悲壯なる事情の數多い事も私は知つて居ります。けれども、今次の事變が、少くとも「明朗なる國交」を目標として進展されて居る限り、私共の子供達に傳へねばならぬ事は、この「明朗」さであると思ひます。戰爭即ち悲壯との考へ方は、或は事實ではありませうが、それにしても私共の子供達に與へるべき童話は、決して悲壯なもののみであつてはならぬと信じて居ます。

此の點から、殆どの今部の學生選手達が、甚だ遺憾であつた事を申さねばなりません。

もつと〳〵、力强い、もつと〳〵朗かな、底力のある聲で、「物語」つて頂きたいと第一に希望したのでありました。

二五　悲劇的話材

（二）戰爭物語と言へば直に「悲劇の好材料」と言ふ考へ方は、私の贊成し難い點であります。

日淸戰役は知らず、日露戰爭に於て語り傳へられてゐる「美談」は、凡てが悲劇であります。

「旅順口の閉塞戰」、「橘大隊長」等々と、我々の頭には、最も悲壯な物語のみが語り傳へられて居ります爲か、戰爭と言へば

「悲慘な物語」のみの如く解されて居る事は、私は子供達に對して面白く思へません。私達の愛する少年少女に傳へられるべき戰爭物語は、もつと〳〵勇敢な、もつと〳〵勇ましい物語であつてほしいのです。

戰へば勝つ、攻むれば必ず獲る式の「明朗にして力强い」積極的の話材がほしいと思ふのです。

悲壯なる戰死の物語を子供達に與へるよりは、敵の塹壕を一人で占領した物語を、即ち戰爭の慘虐性を物語るよりは、勇猛なる突擊精神を盛る話材を取扱ひたいと希望するのです。此の點に於て、餘りにも悲觀的話材の多かつた事を、私は心から殘念に思つたものでありました。

二六　堂々たる音量

（三）最近京阪神三都の幼稚園約百五十ほどを參觀して感じた事はこのまゝで放任するならば、數年ならずして、我が國の兒童は全部病人となると感じた事でありました。殊に大阪市內の公立幼稚園兒の多くは、殆ど生色なしであります。保育（手技やお遊びや）などは抛つてゞも、その體育方面に全力を盡すべきであると思つたのでありますが、一向當事者の無關心なのには一驚したのであります。然しこれは餘談だし私の子供でもないから差し出口を控へますが、この「體位の降下」せる事實を、私は今回の學生童話コンクールにハッキリ知つたのであります。それは「音聲」の問題であります。即ち「音量竝に音質」の問題であります。

選手の殆どが「上ずつた聲」「蚊の泣く樣な聲」「息のきれさうな聲」如何にも非常時には堪へられさうに思へぬ聲の所有者であつた事です。私は、子供に話す者は、「堂々たる聲」「朗々たる聲」を所有せねばならぬと思ふと共に、「何處までも不安を感じさせぬ音量」を望んで居ります。

「聲ふりしぼり」式の話し方を排斥した私は、その原因とも言ふべき、「上ずつた聲」「音量のない聲」を欲しませんが、これが甚だ多かつた事を殘念に思ひます。

童話を語るものは、人一倍の健康と體力を必要とします。運動選手にも劣らぬ元氣に溢れた體軀より、湧き出る音聲でないならば、あの元氣な子供達を得心させ得る事は出來ません。此の點に於て、僅に一人一人を除く他は、甚だ遺憾であつた事を申さねばなりません。

二七　キレギレの物語

（四）戰況童話として、最初にその第一聲を放つたのは、友人の山北淸次君でありますが、山北君ほどの語り手であつても猶戰況童話或は美談童話は扱ひこなせたとは申せなかつたのであります。

從つて、まだ研究の中途にある、或は斯道の中程にある學生諸君が、この難物（戰時ニュース童話）を噺す事は、甚だ無理であり危險であります。

私はまだ〳〵支那事變の物語や美談を子供達に話すだけの自信もなければ、又技倆もないと信じて、これを取扱はぬ事にして

ゐます。
私の用ひてゐる戰時童話は、小波先生の「水地獄」樫葉兄の「靴の爆彈」上澤謙二兄の「母のふところに」の樣なもので、いづれも普佛戰爭時代の逸話で、頗るの時代ものであります、それでも子供達はヤンヤと拍手して吳れました。私はこの點から、キレ〳〵の童話の多かつた事を、殘念に思ふもので、もつと、「れれた」童話が或は話術が欲しかつたのです。
大朝の山北君にしても、大毎の八島柳堂氏にしても、あれだけの努力を續けて居乍ら、實戰童話に於ては、子供達に徹底もし難ければ又興味も持續し難い事を思へば、我々の痩腕のよくこなし得る處のものでない事を知り得ませう。

二八　悲壯なる顏色

（五）悲壯なる話材、悲壯なる聲で語られ勝ちの戰爭童話は、その話者の顏をまでも悲壯にして了ひます。
が然し、これは私は贊成し得ません。「悲壯なる顏色」と言ふものは、なるほど眞劍味を表はすものであり、熱を持つものではありますが、私はそれに「急迫せる」が如き不安さを暗示されます。
これは子供達の童話の話者としては好ましきものではありません。
「悠々として迫らざる態度」どつしりと落ちついた態度でこそ、私共は安心して戰爭物語を聞ける話者として求めたいのであります。
話者自らが、惛愉せる又は急迫せるが如き氣分態度では、此の戰は「負け戰」の感を聽者に與へるものであります。これはお互に注意すべき事であると信じます。
此の點「底力ある」物語、「迫らざる」顏色の少かりしは殘念であつたと思ひます。

二九　子供の言葉

（六）戰爭物語に限らず、童話を語る者は、「子供の理解し得る言葉（用語）とその速度とを知る」事が第一です。
もつと〳〵「子供の言葉」が硏究されて、然もそれはすぐ口に浮ぶ樣に努力すべきであると共に、子供の聞き得る言葉の「速度」を知らねばならぬと思ふたのは、私一人ではありますまい。
もつと「やさしい言葉」で、もつと「落ちついて」、「もつとゆつくりとした」噺ぶりが欲しかつたのであります。

三〇　要するに

要するに「餘りにもセンチメンタルすぎ」、「餘りにも古い型に捕はれて」、「餘りにも聲に餘裕なく」、「餘りにも早口に話された」事が、今回の共通の缺點として、將來に硏究さるべきの問題として殘された事を思ふのであります。
もう一度くり返へしますなれば
（一）明朗な童話、話法がほしい。（臭味をぬいてほしい）
（二）朗々たる音聲、音量がほしい。（もつと〳〵音聲を練つてほしい。）
（三）純眞に熱をもつて堂々とやつてほしい。（嫌味やブリ氣味を省いてほしい。）
（四）子供の生活、遊びの觀察を深めてほしい。（言葉使ひや速度を硏究してほしい。）
まあ斯んな結論になりさうです。
いや失禮致しました。選者、選手諸君、平にお容赦を願ひます。

召波と太祇の春の句

兒童に關する俳句評釋（一九）

岡本松濱

順序から云へば今回は「太祇句選」のあとを續けて行かねばならぬのであるが、さうすると夏と秋の句を評釋せねばならぬ。時はいま陽春四月、どこへ行つても花の噂ならぬはない折柄、少し時候が外れすぎるから、茲には「春泥發句選」と、「太祇句選後篇」の春の句を俎上に上すことゝした。召波は蕪村の高弟であり、蕪村に先立つて世を去つた時、蕪村をして「我俳諧西せり、我俳諧西せり」と嗟嘆せしめたほどの名だたる作者であつた。

うれしさや養君のかゞみ割　　召波

「かゞみ割」は正月に供へた鏡餅を割る一つの祝儀であり、一月十一日に行ふときまつてゐた。昔は斯ういふ事が甚だ几帳面に行はれたものである。「養君」は何かの事情に依つて自分の手許に引取つて養ひ來つた主君の子である。幼少から手塩にかけ、我子以上に大切に育て上げた其の養ひ君が、追々成長して、今は自から鏡餅を割るまでになつた喜びを現はした句である。

寶引の味方にまいるおとな哉　　召波

「寶引」は今一般に行はるゝ福引の類と思へばよい。その主として子供の新年の戲れに行はれたのであるが、その中へ大人が味方に加はつたと云ふ句である。味方に加はつたと云ふよりも大人もつい誘ひこまれてそれに加つたのであつて、そこに寶引の賑やかさ、面白さが示されてゐる。

とし玉や抱きありく子に小人形　　召波

まだ這ふ事も立つ事も出來ず、親が抱きどうしに抱いて居るおさない子にまでも、平等に年玉が行きわたつて

その子には小さい美くしい人形が與へられたのである。

小わらはの物は買ひよきわかな哉　　召波

同じ物賣でも大人の物は買ひにくゝ、子供の賣つてゐる物は買ひやすいと言ふことは、自づからの人情であらう。此句は正月七日の七草を見越して賣りに來た若菜を買ふ場合であるが、子供の物は買ひやすいと云ふ内にも物が若菜であるだけに、子供の賣りに來た物は何となく淸らかに美くしいやうにも感じられたのであらう。

里の子が拾ひ首する椿かな　　召波

椿の花は花の形を崩さずに、ぽたり〳〵と地上に落ちるものである。村の子がそれを拾ひ集めて糸にでもつないでゐるのであらう。その椿の落花を拾つたのを見て、「拾ひ首」をしたと云ふのは、一つの異つた見方である。拾ひ首と云ふのは戰場に於て自分が敵とわたり合つて仕止めたのでなく、たま〳〵誰か外の人が討ちとめて取り捨てゝあつた敵の死骸にぶつつかつて、其の首を搔き切つて我が手柄にするのを「拾ひ首」と云ふのであり、武士としては甚だ卑怯なやり方であるから、名ある武士、心ある武士は之を快しとしなかつた。主として雜兵共の仕業として卑しんだものである。

里坊に兒《ちご》やおはしていかのぼり　　召波

第十七回の稿中に既に詳釋した句である。

凧買うて子心ぞ憂き雨つゞき　　召波

親にせがんで子供がやうやく凧を買つて貰つたのはよいが、さてそれを揚げやう〳〵と頻りに待ち構へてゐるのに、昨日も雨、今日も又雨と、毎日意地惡く雨天がうち續いて折角樂しみにしてゐる凧を揚げる日が、一向にやつて來ないので、子供心に頻りに空模樣の惡いのを怨んでゐるのである。

わかめ刈る乙女に袖はなかりけり　　召波

乙女と云へば十六七の娘盛りであり、出るにも入るにもよい衣裳を着たがつて、殊に外へでも行く場合には、色美しい振袖の着物を着て見榮を張りたがるものであるが、毎日磯邊に出て、わかめ刈る事を一つの活計《なりはい》としてゐる漁村の娘は、男の子と同じやうな黑い筒袖の着物を

着てゐる。其の漁村の娘の哀れにも淋しい姿をいとしく打ち眺めて「乙女に袖はなかりけり」と詠嘆した句。

有常は娘育てゝ家の雛　　召波

有常は紀の有常である。業平の「伊勢物語」にも書かれてゐるが、其の有常の娘は矢張り業平と情的關係が結ばれたのであらうが、この句の場合はまだ娘が幼年の頃の樣を叙したもので、無事に娘を育てゝ雛をかざつてゐる目出たさを歌つたのである。或はこの娘はまだ物心のつかぬ內、他へ預けられてゐたと云ふやうな事もあつたかと思ふが、今はつきりと記憶してゐない。尙詳しくは他日に讓る。

脫かけの袖や花見る舞子ども　　召波

紅紫とり〳〵の美しい着物を着てゐる舞子たちが、花に浮れて遊び興じつゝ、肩や袖が脫ぎかけてゐるのも知らず、夢中になつて喜び戲むれてゐる浮世繪のやうな綺麗な場面である。

やぶ入の枕うれしき姉妹　　召波

やぶ入で親の家へ戾つた姉妹が半年ぶりに互に無事な顏を見合つて、嬉しくも樂しくも語り合つたが、追々夜も更けて親の傍に枕をならべて寢ると云ふことも、絕えて久しい珍らしい出來事丈けに、しばらくは眠りにつけぬ程嬉しく思つたのである。

養父入や行燈の下の物語　　召波

之も前句と同樣、親と子と、或はそれにはらからも打ち交つて、やぶ入の夜を行燈の下で時間も忘れて睦しく語り合つてゐる。

迎ひ待つ母よ娘よ春の雨　　召波

母と娘とが打ちつれて花見にでも行つた場合かと想像される。たまの親子の行樂に、意地惡く雨が降り出した。雨が降つたら屹度迎ひをやらうと、家を出る時に約束をして來たから、もう其の迎ひが誰か來て吳れさうなものと、頻りに空をうち眺めながら、母と娘とがひそかに語り合ひつゝ迎ひの遲いのを待ちわびてゐるのであらう。

鷲尾は親子住み居て春おしむ　　召波

鷲尾は山の名である。相當深い險しい山であり、其の

山中に親子たゞ二人佗しく住んでゐる。多分山中に狩をして暮らしてゐるのであらう。其の深山に住んでゐる親と子とではあるが、折から花も散り盡し、春まさに盡きんとするのを、淋しく惜しみ合つてゐるのである。

以上「春泥發句選」の春の句は終り。以下は「太祇句選後篇」の句。

七くさや兄弟の子の起そろひ　　太祇

七草はしば〳〵說明した通り、一月七日の行事である。朝の暗い内から俎をうち囃して七草を叩くのであるが、いつも朝寢をする癖の子供が、今朝の行事を珍らしがつて兄も弟も起き揃つたと云ふ句。

嫁入せし娘も多し御忌詣　　太祇

御忌は法然上人の忌日である。本來一月二十五日であるが、現今は京の智恩院でも、東京の增上寺でも四月十八日から二十五日までに行はるゝことゝなつてゐる。其の御忌詣に、まだいとけない娘のやうに思つてゐた人の子が、いつの程にか一人前になつて早くも他へかしづいた者が意外に多いのに驚いたのである。御忌詣には多く女が參ることになつてゐるから、斯樣な句も生れたのである。

凧持つて風尋ねるや御伽の衆　　太祇

いとけない主君に侍してゐる家來共が、主君のために凧を揚げることゝなつて、廣場に出て行つて頻りに風の方向を考へてゐるのであるが、凧を揚げるには餘りに天氣がよすぎて思ふやうに風の吹かぬのを頻りに氣にしてゐると云つたやうな句である。

下戸の子の上戸と生れ春暮れぬ　　太祇

親は下戸であつて一滴の酒も飲まずに押し通して來たのに、其の子はまだ一人前の大人になるかならぬのに、早くも酒の上では相當の技量を發揮して、折からの暮春に、いよ〳〵酒に氣を吐いてゐるのであらう。

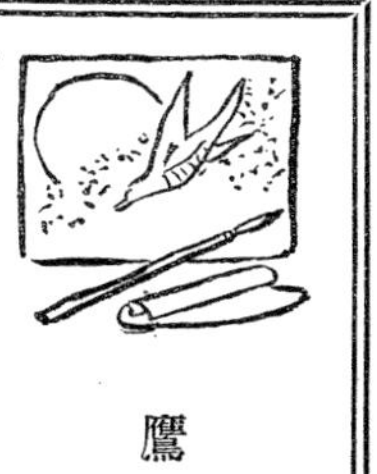

鷹

井上恒也

鷹は廣く世界的に分布してをり、わが國では古くから狩獵の目的で飼養せられたものである。從つて今日でも充分わたくしたちに親しまれてゐる鳥の一つで、殊に東洋畫には古くから描かれてをり、これの名畫も少くない。古いものには相當寫生風のものが多かつたが、その後漸次粉本風になつて來、遂には全く概念化された鷹の繪が多くなつた。

鷹は大體に於いて肉食性の猛禽類であるために、その嘴は頑丈な鈎形をなし、獲物をひき裂くに便利なやうに出來てゐる。足もまた極めて頑丈で、動物を捕へたり壓へつけたりするに適當な鈎爪をそなへてゐる。動物を捕へるところから視力も極めて強いし飛翔力も優勢である。多くは山地や海岸などに棲み、獲物を見つけるに便利なやうに、高い樹の上の見晴らしのきく小枝の歩いところにとまつて四方を睥睨する。他に恐れる外敵のないところから已れの身を隱す必要がないといふのがこの鳥の自信である。そのため、多くは樹上か絕壁の頂きなどに營巢する。

鷹類が飛翔するときは、多く弧を描いて飛び、羽搏きすることは極めて少い。獲物を攻擊する場合は多く上より逆落しに飛びかゝり、この時は羽をすぼめて彈丸の如くに襲擊するのである。獲物を捕へると同時に、その强力なる羽でたゝきつけて獲物を弱らし、それを銳い嘴でひき裂いて食ふ。面白いことに、鷹はすべて雄よりも雌の方が大きく、攻擊力も强いために、鷹狩に使はれるのは雌のみである。

さて、大體繪に描かれてゐる鷹の種類に就いて言へば、先づ大鷹(或は蒼鷹ともいふ)、隼《はやぶさ》、このり(灰鷹)等が最も多く、時としては長元坊、雀賊《えつさい》(または悅哉とも書く)等も描かれるが、そのほかに白鷹や白隼なども見受けられるやうである。このほかに日本內地にゐるものを擧げれば、小長元坊、稚兒隼、差羽《さしば》、ちうひ等がある。

大鷹(蒼鷹)

大鷹は最も普通に知られてゐる鷹であつて、通常鷹狩りに用ひられるのはこの鷹である。雉子、山鳥、兎などの小動物を捕へるには最も適してゐるやうである。この鷹は若鳥と老鳥によつてその體色が非常に異つてゐるのが特色である。若鳥は大體代赭の勝つた色をし、胸から腹にかけての横斑《ふ》の色までが代赭がかつてゐる。その横斑が若鳥は老鳥に比べて幅がひろく粗である。それが老鳥になるに從つて、所謂蒼鷹のやうに背面は蒼灰色を帶びて來後頭部と眉線は白くなり、咽喉には白地に黑の縱斑が、胸部から

腹部にかけては白地に黑の橫斑が生ずる。翼の風切の外面には灰黑褐色に同色の濃い橫斑があり、その外緣には所謂鷹斑がある。尾羽も同樣、尖端が白く、四條の黑褐色の橫帶がある。この風切や尾羽の裏面には、白灰色の地に黑色の橫帶がある。

多く繪に描かれてゐる白鷹は、この大鷹の白變りであつて、白變りとは俗にいふ白子と同じものである。この場合、趾や嘴は肉色で、目の虹彩は深紅色である。また中には純白にならずに、白色へ薄い灰色の斑點を殘すものもある。大鷹は大抵山地に棲息するやうである。

隼《はやぶさ》

隼もやはり古から鷹狩りに用ひられて來たが、他の鳥を捕獲するにはこの鳥が一番勇敢で、例へば鵠とか雁とか白鳥といつたやうな大形の鳥を捕へるにはこの鳥を使ふのである。もちろん鴨や鷭などを捕へるにも用ひられる。隼の大きさは、大體大鷹と似たやうなものであるが、たゞ大鷹よりはからだが短かく、橫幅があるためにいつそう頑強に見える。

隼は若鳥と老鳥との色の異ひが甚だしく、若鳥にあつては、背面が黑褐色で、咽喉から下部に至るまで帶黃褐色に黑褐色の縱斑がある。鷹の古畫などに、よく黑褐色の縱斑の間に白地に黑色の橫斑の羽が混ぜて描いてあるのを見うけるが、これは隼の幼鳥からだんだん年を老るに從つて橫斑に變つてゆくさまを描き表はしたものと思ふ。老鳥は頭上と顏面が黑く、背面は黑灰色である。腰部と上尾筒には濃色の橫斑があり、下面は咽喉から上胸部にかけてわづかに黃ばんだ白地に黑の縱斑が、それから下胸部から下には黑色のこまかい橫斑が入つてゐる。翼と尾羽には黑の橫斑があり、尾羽の尖端は白色である。大鷹に比べると尾が大變短く、嘴は蒼黑く、基部の方へ色がうすれていつてゐる。蠟膜と脚は鮮黃色、爪は黑色である。

隼は概ね水禽をねらふから、大鷹とは反對に水邊または海岸などに多く棲む。隼にも勿論白變りがあり、その場合は大鷹と同樣であるけれども、たゞ隼には白變りとは別に白隼といふのがあつて、これは概ね北地に棲み、北海道あたりでも稀に見うけられるさうである。この白隼は、脚や嘴などは普通の隼と同じで、若鳥には白地に黑の斑點があり、年を經るにしたがつて純白となるのである。

このり(灰鷹)

このりの雌を灰鷹といふ。この鳥は鷹としては中形の鳥であるが、その背面は青黑色で、これが美しい灰色に見えるところから灰鷹と呼ばれるのであらう。眉線と後頭部は白色、腹面はうすい鐵銹色をして赤褐色の細い橫斑がある。翼と尾は鉛色を帶びた褐色を呈し、黑褐色の橫斑があつて、尾の尖端は白色である。

雌の灰鷹は雄のこのりよりも遙かに大きく、背面は薄い青灰色を帶び、老鳥は下部に殆んど白地に黑褐色の細い橫斑がある。若鳥は全身赤褐色を帶びてゐる。この鷹も古來小禽を捕るに使用されて來た。

鷹狩りに用ひられる鷹は大體以上の三種である。

長元坊

長元坊は俗にまぐそ鷹ともいふ小形の鷹で、東京近郊に於いても最も普通に見られ、頭部、頸部、腰部、上尾筒、尾羽等は青灰色、尾羽の尖端に近く廣い黑色の橫帶がある。尾羽の尖端は白色である。背面は赤褐色で、各羽の尖端には三角形の黑い斑がある。下面は赤褐色を帶びた白色に黑い縱斑が點在してゐる。額と眉線は白色、嘴の基部は黃色、尖端は青黑色で蠟膜と脚は黃色である。雌は頭部と尾が共に栗色で、尾には黑帶が多い。この鳥は多く平地に見受けられるやうである。

雀《えつ》賊《さい》

雀賊《えつさい》は通常見うけられる鷹のうちで最も小形の鷹である。雀賊とは特に雌につけられた名であつて、雄はつみと呼ばれてゐる。この鷹もしばしば小鳥狩りに使用せられたものである。

背面は濃灰色で後頭部に白斑があり、下面は咽喉が白く、咽喉から下は薄い赤褐色に白の橫斑が混つてゐる。下腹部と下尾筒は白色、尾羽には灰褐色に三筋の黑い橫帶がある。嘴は鉛色、蠟膜と脚は黃色である。

雌は雄よりも大きく、咽喉の中央に縱に黑い條斑がある。雌は胸より腹にかけての白色の橫斑が雄よりも著しい。この鷹が小鳥の群に混つて追ひまわしてゐるところをしばしば見受けることがある。小杉放庵氏の描かれる鷹は多くこの鷹のやうである。

さしば

さしばはわが國で見る鷹のうちで他のものとは異り、春夏の候のみ棲息し繁殖して、秋には大群をなして南に渡つてゆく。その經路は鹿兒島の南端から沖繩諸島にわたり、遂にはフイリッピン、印度にまでも行くのである。沖繩の或る島の海岸の松林には、この鳥の渡りの時期の數日間といふものは渡洋に疲れたこの鳥の數千羽數萬羽が手でつかめるばかりに群れてゐるといふ。

さしばの背面は褐色で、頭上から後頭部にかけては灰褐色を呈し、前額と眉線は白く、風切羽は黑褐色で尾は灰褐色、いづれもこれに黑味の勝つた黑褐色の橫斑があり、尾羽の尖端は白色である。下面は咽喉と腮が白く、その羽軸は黑い。胸は褐色でそれに赤褐色と白色の斑がついてゐる。下方にゆくに從つて白色を增し下尾筒に至ると純白色を呈してゐる。嘴は黑く、基部と蠟膜と脚は黃色い。若鳥は一般に赤色を帶び、頭上には黃白色の地に褐色の羽軸の斑が入つてゐる。

さしばは大體大鷹よりも稍小形である。

ちうひ

ちうひは鷹としては中形のもので、他の鷹に比べるとやゝ丈が高いやうである。頭部と頸は黃土がかつた黃白色で、まばらに黑褐色の縱斑が入つてゐる。背面は黑褐色を帶びてをりこの羽の外緣は赤褐色。下面と咽喉は淡黃白色で、それに赤褐色の斑がついてゐる。胸から下はほゞ黑褐色といつていゝ。翼の次列風切と大雨覆は美しい鼠色で、その他の雨覆は赤褐色に白い斑がある。尾羽は大體灰白色で、その尖端は黃白色。嘴は青黑色で蠟膜と脚は濃い黃白色を呈してゐる。いつかの東京會展に根上富治君の描かれた『櫻に鷹』の圖はたしかこのちうひだつたと思ふ。

女兒と名

女親の意見を尊重せよ

岡本かの子

この頃知人の二三から生れた女の子の名前の御相談に與る。をとゝしの結婚月に結婚された方々がいち早く出産されたのである。

私は大體、次のやうに申上げる。名は一生使ふもので疎かには出來ない。無理に訂せば訂せないこともないが、大概は親の付けて呉れた名で通してしまふ。それは記念にもなる。だが、男親が一時の卽興で奇拔な名前をつけたために一生、人前で名を告げるとき顏を赧らめるといふやうなのは女には殊に困る。性名判斷の信不信は別として感じから言へば、强い名前は氣を引立て、優しい名は氣をやさしくするぐらゐのことは隨分ありさうだ。

× ×

近世あたりまで女の名を記錄するのに、記錄者が親か夫か、或は彼女の官性若しくは勤仕の場所のやうな普通名詞的のものだけを使つてゐるのが多い。これなど、後世のものが調べるのに隨分苦しむ。

日本一の美人といふ小町などの素性の不明なのは勤仕の局の名を取つたとすれば、小町が姉といふのが他にもあつて迷はせる。故に固有名詞にしても餘り普通名詞化したのは名の意味を成さない。

× ×

先頃、小說に警拔で新味のある女名が案用され、それが流行となつて、中には思ひ切つた名を女の子につけられた方もある。この頃は小說でも穩當で而も特殊感のあるものといふ要領であるらしい。人の名は迂濶には許されない。今までのはみな結構として、これから付けられるのならば、女の子の名はよく〳〵女親の意見を徵してもらひ度い。

挽歌

本圖晴之助

青山の青葉がくりの齋場に聲を鐘《かね》なるかなしき葬儀《はふり》
醫師《くすし》なれはた交際もひろくあれしみらに白き花輪かゞやく
自らのもたる力のいみじさに築きあげけり友の臼井や
われよりも若き臼井やうせにけれうらゝ春日もうら寂しかり
春されど生きの命ははかなけれ奇《く》しき炎《ほのほ》にやかれつるかも
櫻さく日には酌まむと契《ちぎ》りける君あやにくに淺春にちる
あなあやし主僧の紫衣もほの白うなりなむほどに並べる花輪
默《もだ》居りて念珠くりつゝ通夜をする人おしなべて佛菩薩《ぶつぼさつ》かな
はしたなく涙ながすとな言《い》ひそなきけりわれは心足らひに
通夜くだち齊食《とき》を饗《あへ》すとまのあたり作れる鮨《すし》に思出のわく
鬼さへもひしぐ姿《すがた》の風當や涙にぬれし弔辭よみ撓《た》む

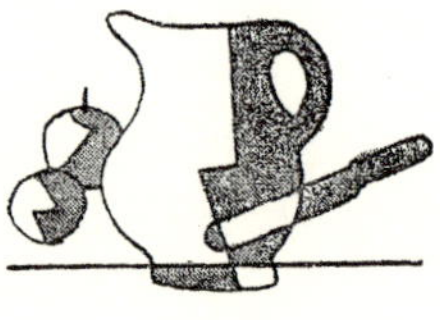

醫者と生活常識

野崎吉郎

○

神戸市で微熱のある學童の割合を知る爲めに、全市小學校に醫師會並に校醫の手をかりて調査をした。

某校では、學童數千三百に對し微熱兒童六百人であつた爲め、統計上から此の學校は微熱兒童の多いことに於いて屈指の仲間にあつた。

校長先生は、自分が學童をこんなに多く微熱兒童にしてしまつたかのやうに、亦こんな多數に及んでゐることに氣が付かなかつた事に汗顏すると共に、一方頗る腹立たしくもあつた。その爲め、自分の學校の生徒を診察に來た醫者の診斷が極端に點が辛くて、他の學校を診察した醫者には點の甘過ぎた人が多い結果だと辯解のやうな事を逢ふ人々に言はずにゐられなかつた。

校長先生には誠にお氣の毒な話である。微熱兒童だからどうであると云ふはつきりした健康上の說明は無いやうだが、校長として氣持のいゝ事でない事はお察し出來る。

然し、自分や自分の子供が醫師に健康の診斷をして貰つて、點の甘い方がよいだらうか、辛い方がいゝだらうか。

醫師が診斷する立場は、教育者の常識では解らないのが本當である。例へこの校長さんの親戚や兄弟に名醫がゐて絕へず醫術の話を見聞してゐるとしても。

醫師の診斷は、常識ではないので教育者の思ふやうにならない事だ。

病弱兒童の多い學校で教鞭を取る先生は如何に教育が

やり難いかといふ理解だけは、この一例を以てしても世間の兩親は常識としてこの理解を持つべきであらう。

○

醫術や醫者の處置を、常識で判斷出來ないかといふと決してそうではない。常識で判斷理解出來ることは多々ある。近代では豫防醫學の發達につれ、早期診斷、早期治療といふやうなことを常識的に一般の人が實行し易いやうに色々普及を試みてゐる。

その結果は、常識で判斷出來ない事まで常識で判斷し(これは判斷とは云へないが)思はぬ失敗を招くことも多くなつてゐる。この多くなつてゐることに警告をしたいのである。

つまり、醫者が患者に施した手術に對し、醫者が病人に療養上の注意を與へたことに對し、病人が勝手に判斷を下して得々たる傾向は、一つ間違へば醫者にかゝらないのと同じ結果になり、その上、醫者は信用上迷惑を蒙るのである。

こうなると醫者はどうするであらう。醫者にかゝつて病人が癒つてくれないのでは、醫師は醫師の使命が達せられないから、この病人は家庭で療養出來る、或は職業にたづさはりながら治癒出來る、更にその方が効果的でさへあると思ふ場合にも、强いて入院をさせ嚴重に醫者が監督してその病氣を癒そうといふ傾向が出て來るであらう。そうなると日常生活の上には時間の上から經費の上から見ても不便が增すことになるであらう。

そうすると最近では、入院といふことが簡易、便利になりつゝある。

うまく出來てゐるものだ。

○

序に、某小兒科の名醫の內輪話を一つ。「子供の世紀」にはその博士の名を秘す要もないのだが、私が無斷で書く話だから某博士として、扨てその話といふのは「子供の病氣は、私の言ふ通りにすればどんな病氣でも一ケ月で癒せるのだ。醫者が診て癒せる病氣ならだよ。それが癒らないで二月かゝり三月かゝり、それでも良くなつたのか惡くなつたのか解らないなんていふのは、醫者の云ふことを聽かない人が病人を看護してゐるからだ。

子供の場合は、それが殆んど母親なのだがね。先づ私が手放すまでに一ケ月はかゝると思つて診療してゐる病兒に對し、廿日まで醫者の云ふ通りに從つて來る母親は上出來の方だ。二十五日までやり通す人は甚だ少い。しかし、この殘りの十日なり一週間が病氣を癒してしまうには極く大事なところなのだ。

蛙が柳の枝に飛びつかうとして努力して、殆んど柳の枝に觸れるところまで飛んでも、それは飛び着いてしまつたのとは、大變な違ひがあるわけだからな」と。

病氣は三十日、母親の努力は二十五日で摺り切れてしまふとすると困つたものだ。

「先生、その病氣の方を二十五日に縮めて戴くわけにはゆきませんでせうか」と云つたらこの名醫はムツとした顏つきになり再び破顏して答へた。

「幸ひそうなつたとしたら母親の方は又、廿日で努力を打切りますよ。子供の病氣と闘つてゐるのは母親ばかりではないです。病兒自身が闘つてゐるし、醫者も闘つてゐる。そして醫者は三十日あれば病氣を征服できるところまで來ての話です」

「さうすると、世の母親達の頭の中には尺度といふものがはつきりしてゐないといふことの例證にもなりますな」と云つたら。

「さういふ事は私にはよく解りませんが、病氣に對しては母親のさういふ態度が一番困りもんだといふ事を痛切に感じてゐますよ」

と繰返し言はれた。

どうも母親の惡口になつてしまつたが、これは母親が惡いと言つてゐるのではない。母親が子供を病氣にさせる話ではないからである。

編輯後記

◆若葉馨る天長節の前日、府社會事業會館で社會事業聯盟主催のもとに、故志賀志那人氏の追悼會を兼ね氏に就いての追憶座談會があつた、『大阪朝日』の濱田氏司會のもとに記者も亦、上山弘濟會長、佐伯氏、大谷府社會課長、寺島市福利課長、矢野玉手市民館長等に次いで、氏の餘り世間に知られてゐない方面、即ち大正十年市民館の創業時代に館を離れ、一市民として文化協會を我々友人と創設して文化運動の先驅をなした事、亦信仰座談會を組織し（前身は獨逸普及福音教會、後に愛生教會となる）基督教佛教を問はず、各宗各派の人々を網羅して毎週熱心な研究會や講演會が開かれた事などを話したのであるが、思へば氏は單なる市吏員　平凡月並な社會事業を職業とする俗輩ではなかつたのだ。

◆歐洲大戰以後好況時代の降り坂ではあつたが、それでも其の頃は未だ餘勢があつて活氣があつた、文化運動着手の第一聲は中之島公會堂に開かれた「性に關する講演會」で、京大の教授、辯護士界の元老、醫學界の長老、文學界の人氣者等が講演者だつた、それは當時としては豪華な催しで、續いて「新宗教と思想に關する講演會」を催し海老名翁と沖野氏等が講師であつた、氏は宗教に無頓着であつた樣だが、新宗教樹立の野心があつたらしい、熊本高等學校時代より熱心なクリスチャンで牧師の代理をして說教などするのは朝飯前の事であつた、大學へ進んでからも夏季學校などにはよく出席してゐた。

◆氏は本聯盟創設に參加した一人であるが、それは第二期に屬する、聯盟は當時全き形態を整へてはゐなかつたが、社會に進出して運動をなし得らるゝやう、既に山桝、高尾、三田谷の三氏によつて基礎づけられてゐた、そして街頭に進出して日本全國に魁けをなした兒童愛護宣傳を敢行してゐた、其の頃に三野、余田、生地の三氏や、志賀氏記者などが參加して、聯盟の完全なる組織をなしたのである、この事實は我が國の兒童愛護運動史上に特筆すべき事で、大阪乳幼兒保護協會の設立はそれより七年後であるから、或る意味では本聯盟は協會に對してバトンを渡した樣なものだ、バトンを渡しつゝも尙我等は同使命のもとに更生の意氣で繼走して居るのである。

◆事業會館で過日も大谷課長から「子供の世紀の近頃の發展振りは實に敬服の至りですな、遂に貴下は此の事業をものにされましたね「と絕讚の言葉を頂いたのであるが、内容これにともなはず慙愧の至りである、然るに本月號は志賀氏の餘德の致すところではあるが、村島、岡田、高尾、余田諸先鞏を始めとして、各方面諸名家より玉稿を項戴した事は洵に感謝に堪へない、實は本誌の命名者は志賀氏であつて、山枡氏などは育兒の友程度の通俗的なものにしてはとの意見であつたが、現在の題號で持續して來たのである、最初は餘り高踏的に思はれぬでもなかつた、然し呼びなれるとさうでもないやうだ、創刊したのは昨日のやうに思はれるが月日の流れるのは實に早いものである。

◆その年に生れた娘は女學校の五年生となり、五月三日に神戸解纜の船で九日間の豫定のもと、九州巡りの修學旅行に出發するとの事で準備に忙殺されてゐる、亦當時三歲の長男は本誌の校正事務を手傳ふやうになつた、事業の後繼者は吾が兒に當らせるのはホントウではないかとつく〳〵考へるやうになつた、三代四代とかゝらねば眞の事業の完成は困難ではあるまいか、無論子供の意志を尊重しなければならぬが、世の中が進歩するに從つて我が子を商品化視する事は親として反省を要する事である。

本誌定價 一冊金參拾錢 郵稅壹錢五厘
半年六冊分 金壹圓六拾錢 郵稅共
一年十二冊分 金參圓 郵稅共
誌代郵稅は一切前金の事
前金切の場合は發送中止
郵券代用は一割增のこと
昭和十三年四月廿八日印刷（毎月一回
昭和十三年五月一日發行 一日發行）
兵庫縣武庫郡精道村芦屋
發行兼編輯人 伊藤悌二
大阪市西淀川區海老江上二丁目三七番地
印刷人 木下正人
印刷所 木下印刷所
電話福島㊺（一五三四番
二四二六番）
大阪市北區天神橋筋六丁目
大阪市立北市民館內
發行所 大阪兒童愛護聯盟
電話堀川㉟（〇〇〇一番
〇〇〇二番）
振替大阪五六七六三番

37(2)59

子供の世紀 第十六巻 第五號
大正十三年二月二十日第三種郵便物認可
昭和十三年四月二十八日印刷納本
昭和十三年五月一日發行（毎月一日一回發行）
【定價金參拾錢】

恒久國防・國民體位向上

子供の世紀

大正十三年二月二十日第三種郵便物認可
昭和十三年五月廿八日印刷納本
昭和十三年六月一日發行（毎月一回一日發行）

戰時體制下の保健號

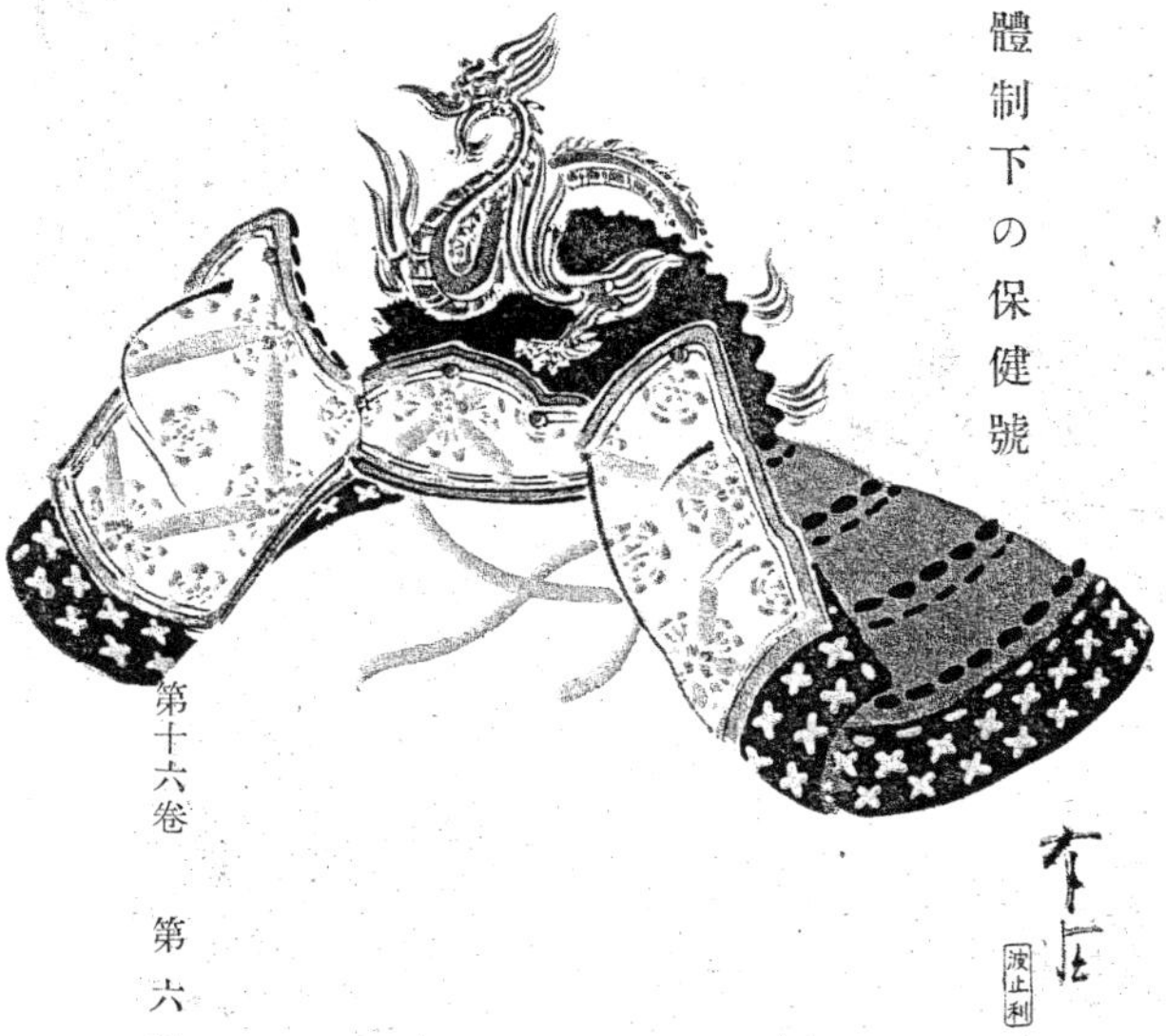

第十六巻　第六號

大阪市立北市民館内
大阪兒童愛護聯盟

國民精神總動員

恒久國防と國民體力向上を目標とする赤ちやんの審査會

第十回全東京乳幼兒審査會規定

＝本聯盟兒童愛護首唱滿十八年記念＝

趣旨　光輝ある三千年の歴史を有する我が大日本帝國は今や、東洋平和確保の爲めに物心兩面の總てを犠牲にし、國を擧げて破邪降魔の劍を奮ひつゝあります。

然もこの超非常時の意識ご國家總動員の態勢は、眼前聖戰の終熄ご共に歇む可きものでなく、我が國運の飛躍的伸張に伴つて國民は恒久的國防を覺悟し、益々第二國民體力の强化をはからなければならぬ秋ごなりました。

我等はこの未曾有なる國家總動員のバトンを、國家の基礎であり亦帝國繁榮の原動力であり、永遠の防人である子供に傳ふるの責任を痛感致します。最近朝野こぞりて國民體位向上の重點を次代の後繼者であり、盾である乳幼兒におかれるようになつた事は恒久國防上誠に慶ぶ可き傾向であります。

本聯盟は既に此の見地よりして滿十八年以前全國に魁し、兒童愛護を首唱して當局に提案し、且つは各府縣の諸團體を呼應覺醒して連絡をとり、諸般の運動を遂行持續し、殊に本聯盟獨自の創案にかゝる乳幼兒審査會は東京、大阪を中心に北海道、朝鮮、臺灣、青島等遠隔の地には使節を遣して開催し、實に十四萬五千人の乳幼兒を審査して斯界に範を垂れ、内外に名聲を博し、我が國代表都市の恒例年中行事としての權威を獲得し、又その成績は新學理と貴重なる經驗とを各方面に贈り、海外に至るまで文献を提供し、育兒科學上多大の貢献を認められてをります。

今や全國各地の社會事業團體と云はず、婦人會、產婆會、女學校、新聞社等も本聯盟創案の審査會を模倣追隨して此の事業を起し、地上にこどもの健康萬能、優良兒禮讃の時代を現出せしめんとしてゐのは超非常時の現下誠に欣幸に堪えざるところであります。本聯盟は今回東京に於て第十回記念の全東京乳幼兒審査會（大阪は第十六回）を開催するにあたり、累年の成績に一歩を進め斯道專門の諸大家に依囑して、優良兒の選出に併せて健康の相談に應じ、慈愛と育兒科學との一大體系を樹立し、聊か此の方面に貢献いたしたいと思ひます。國家を擧げて緊張を要するの秋、幸に讃同せられ奮つて御參加あらん事を希望いたします。

一、資格　**滿二歳以下**（昭和十一年六月二十三日以後出生）**の健康乳幼兒**（但し母親附添ひの事）

二、審査日時　**昭和十三年六月二十三日より二十七日まで五日間**（毎日午前九時より午後四時迄）

三、審査場所　**東京日本橋區通町高島屋四階會場**

四、方法　體重、身長、胸圍、頭圍、大顖門（おどりこ）等の測定及び榮養、體質の鑑定、並びに母親に對し哺育事項の質問（授乳、其他榮養などのことをお尋ねして參考にいたしたいのであります。）

五、總裁　厚生大臣文部大臣　侯爵　木戸幸一氏

六、名譽會長　遞信大臣　永井柳太郎氏

七、會長　東洋大學教授明治大學教授　廣井辰太郎氏

八、顧問
伯爵　二荒芳德氏
醫學博士　廣瀨興氏
前農林大臣　山崎達之輔氏
醫學博士文學博士　富士川游氏
陸軍省醫務局長陸軍軍醫中將　小泉親彥氏
醫學博士　岩原拓氏

海軍省醫務局長海軍軍醫中將醫學博士　高杉新一郎氏
醫學博士　唐澤光德氏
醫學博士　太田孝之氏
醫學博士　戸川篤次氏
醫學博士　瀬川昌世氏
醫學博士　小原芳樹氏
醫學博士　小山武夫氏
醫學博士　鎭目專之助氏
醫學博士　齊藤潔氏
醫學博士　南崎雄七氏
醫學博士　重田定正氏
醫學博士　野津謙氏
岸邊福雄氏
倉橋惣三氏
久留島武彦氏
高島平三郎氏
高島米峯氏
文部省學校衛生係長　大西永次郎氏
山室軍平氏
賀川豊彦氏
（順序不同）
九、審査主任　醫學博士　中鉢不二郎氏
醫學博士　冨田幸藏氏
醫學博士　山田治郎氏
醫學博士　柿本保氏
醫學博士（出征中）　岡田春樹氏

十、總務　日本兒童愛護聯盟理事長東京優良兒母の會會長　伊藤悌二氏

十一、申込　審査希望の方は往復はがき（往復はがき以外のものは絶對に受附ません）に

一、乳幼兒の名前及び男女の別―姓名には必ずふりかなをつけること
二、乳幼兒の出產年月日
三、父母の姓名及び結婚時の父母の年齢
四、父母の職業及び現在の體重（おほよそにてもよし）

を記入し、住所を明記し、親權者の名義を以て（復の方には必ず住所姓名を記入し）**六月十二日までに東京市日本橋區通町高島屋赤ちやん審査會事務所**宛御申込み下さい。**六月二十一日まで**に審査日を通知いたします。但し**先着順**に受附けて豫定人員（六千名）を超過した時は期限內でもお斷りする事があります。

十二、表彰
一、審査の結果優良兒には褒狀を贈呈致します。
二、右表彰式は十月中に（擧式一週間前に報告）東京日本橋區通町高島屋に於て擧行致します。
三、電話及び書面の問合せは一切御斷りいたします。

昭和十三年五月

主催　日本兒童愛護聯盟　東京・大阪
後援　恩賜財團愛育會
後援　中央社會事業協會
後援　東京優良兒母の會
協贊　厚生省
協贊　陸軍省
協贊　海軍省
協贊　內務省
協贊　文部省
協贊　拓務省

『子供の世紀』（第十六卷第六號）戰時體制下の保健號

目次

敎育結婚保險
徵兵保險
東京 第一徵兵 銀座

武田發賣
母乳がなくとも牛乳とロロンで
赤 ちやんを人工榮養《じんこうえいやう》で育てる場合、牛乳だけでは、榮養分が足りないので、体重《たいじう》が充分増さず、發育《はついく》がおくれますから、必ず添加《てんか》料《れう》を加へて不足養素を補はねばなりません。
育 兒糖ロロンは最も進《すゝ》んだ添加料で、牛乳に之を加へますと、母乳と同じ榮養價《えいやうか》にすると共に消化をもよくしますから、赤ちやんがまる〳〵丈夫に發育《はついく》します。
育兒糖ロロン
これと これとで ボクのママ
一圓五〇 二圓七〇 各地藥店にあり
發賣元 大阪市道修町 株式會社 武田長兵衞商店
製造元 大阪市堀上通 大五製藥株式會社

『母　と　子』

第十一回構造社展覧會出品

野村公雄氏作

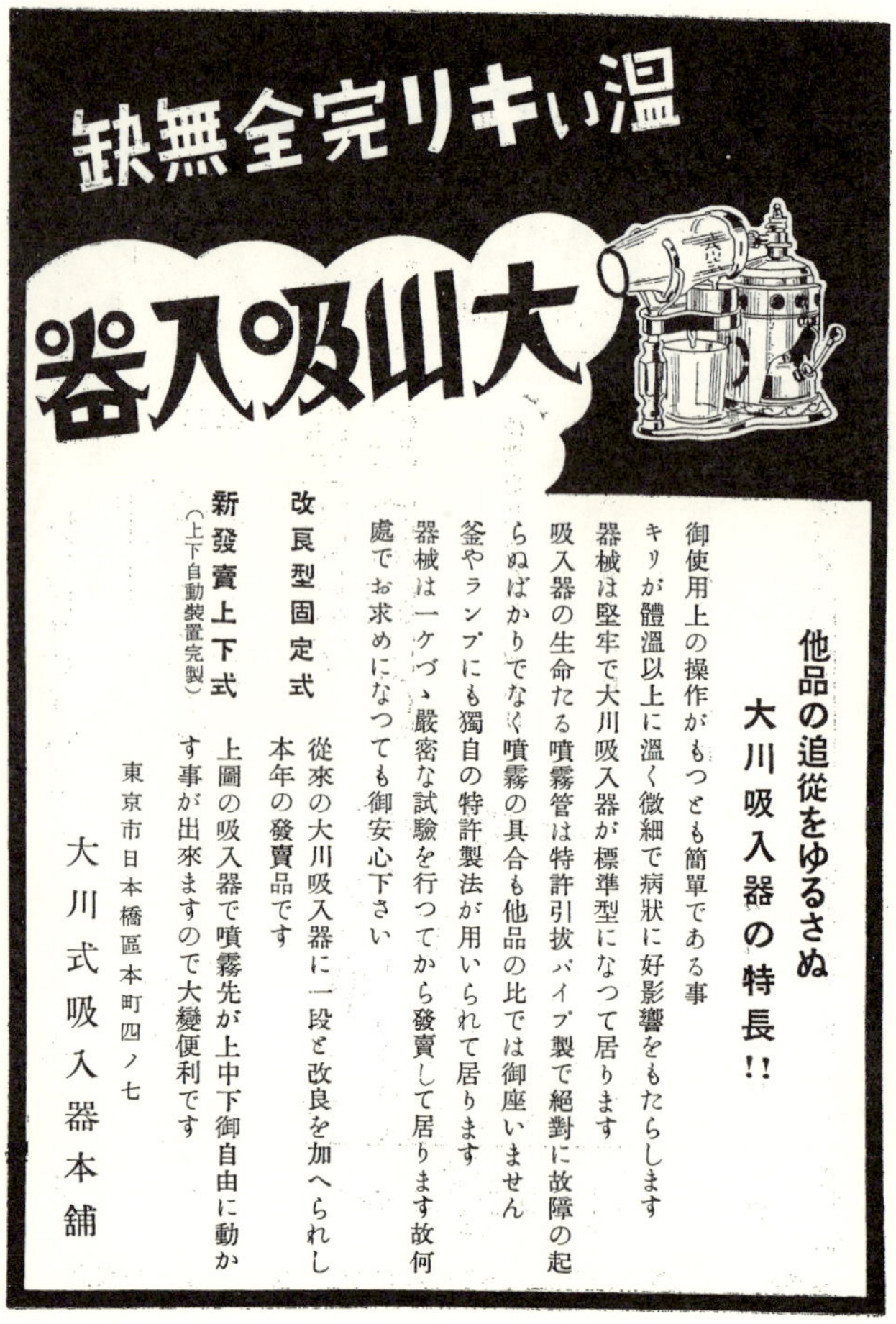
温いキリ完全無缺
大川吸入器
他品の追從をゆるさぬ
大川吸入器の特長!!
御使用上の操作がもつとも簡單である事
キリが體溫以上に溫く微細で病狀に好影響をもたらします
器械は堅牢で大川吸入器が標準型になつて居ります
吸入器の生命たる噴霧管は特許引拔パイプ製で絶對に故障の起らぬばかりでなく噴霧の具合も他品の比では御座いません
釜やランプにも獨自の特許製法が用いられて居ります
器械は一ケづゝ嚴密な試驗を行つてから發賣して居ります故何處でお求めになつても御安心下さい
改良型固定式
從來の大川吸入器に一段と改良を加へられし本年の發賣品です
新發賣上下式
(上下自動裝置完製)
上圖の吸入器で噴霧先が上中下御自由に動かす事が出來ますので大變便利です
東京市日本橋區本町四ノ七
大川式吸入器本舖

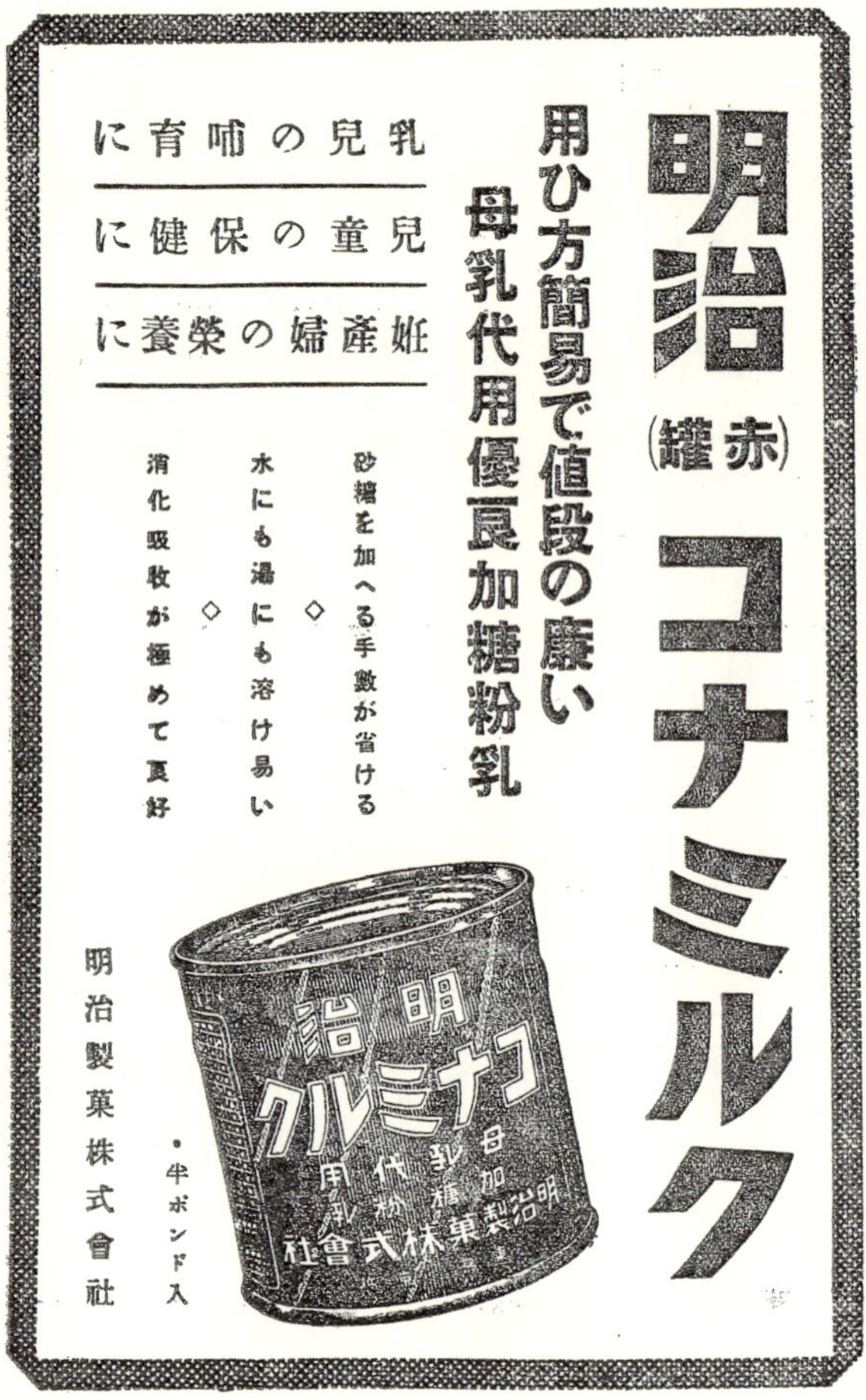
明治(赤罐)コナミルク
用ひ方簡易で値段の廉い
母乳代用優良加糖粉乳
乳兒の哺育に
兒童の保健に
姙産婦の榮養に
砂糖を加へる手數が省ける
◇
水にも湯にも溶け易い
◇
消化吸收が極めて良好
明治
コナミルク
母乳代用
加糖粉乳
明治製菓株式會社
•半ポンド入
明治製菓株式會社

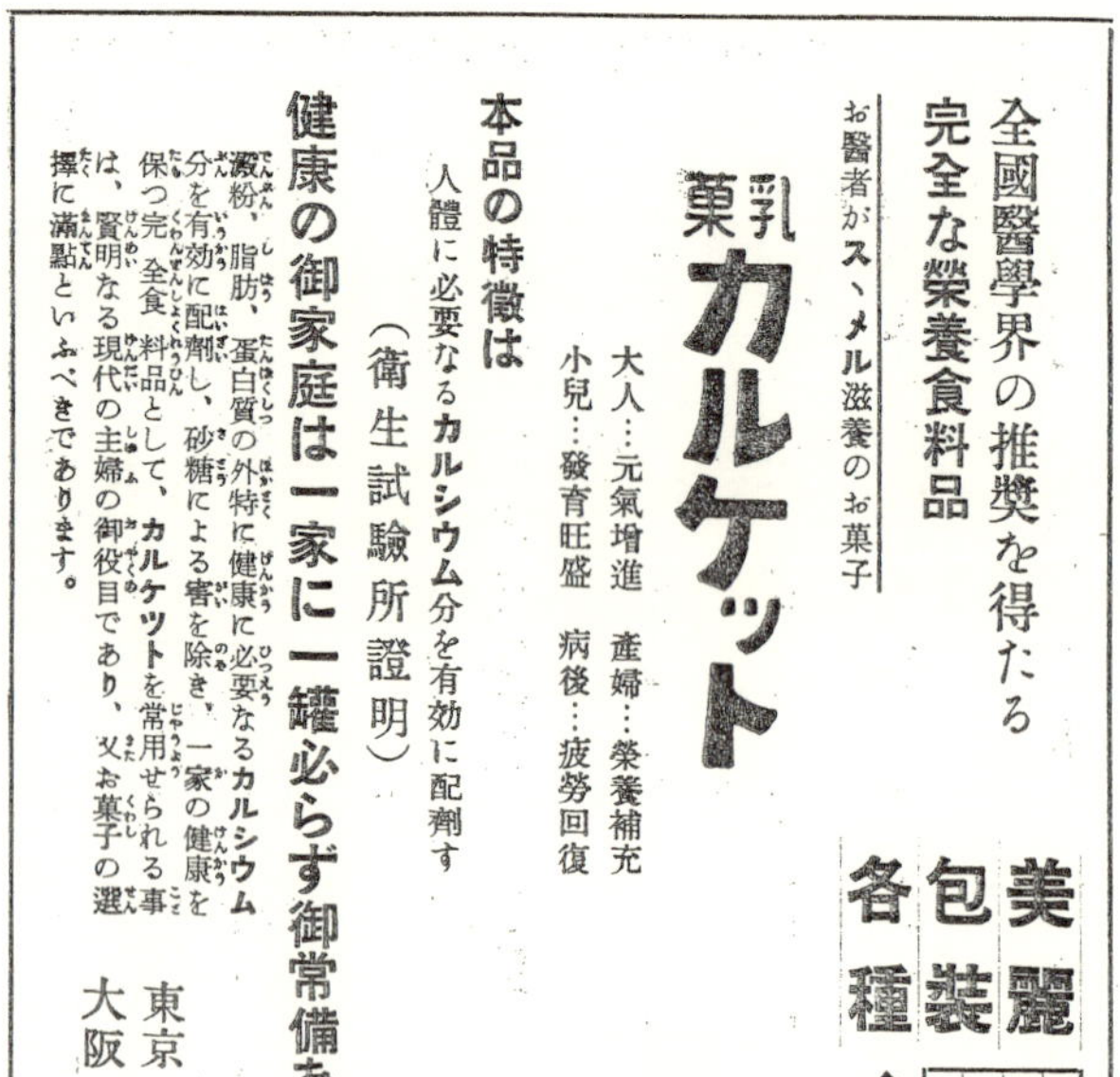
全國醫學界の推奬を得たる
完全な榮養食料品
お醫者がスヽメル滋養のお菓子
乳菓カルケット
大人…元氣增進　産婦…榮養補充
小兒…發育旺盛　病後…疲勞回復
美麗
包裝
各種
御家庭用　角罐　二、二五〇瓦
御進物用　大平罐　七五〇瓦
同　中平罐　五〇〇瓦
同　小平罐　三七〇瓦
◇外に散歩遠足用丸棒包(十錢)有り
本品の特徴は
人體に必要なるカルシウム分を有効に配劑す
(衞生試驗所證明)
健康の御家庭は一家に一罐必らず御常備あれ。
澱粉《でんぷん》、脂肪《しぼう》、蛋白質《たんぱくしつ》の外《ほか》特《とく》に健康《けんかう》に必要《ひつえう》なるカルシウム分《ぶん》を有効《いうかう》に配劑《はいざい》し、砂糖《さとう》による害《がい》を除《のぞ》き、一家《か》の健康《けんかう》を保《たも》つ完全食料品《くわんぜんしよくれうひん》として、カルケットを常用《じやうよう》せられる事《こと》は、賢明《けんめい》なる現代《げんだい》の主婦《しゆふ》の御役目《おやくめ》であり、又《また》お菓子《くわし》の選擇《せんたく》に滿點《まんてん》といふべきであります。
東京
大阪
中央製菓株式會社
カルケット

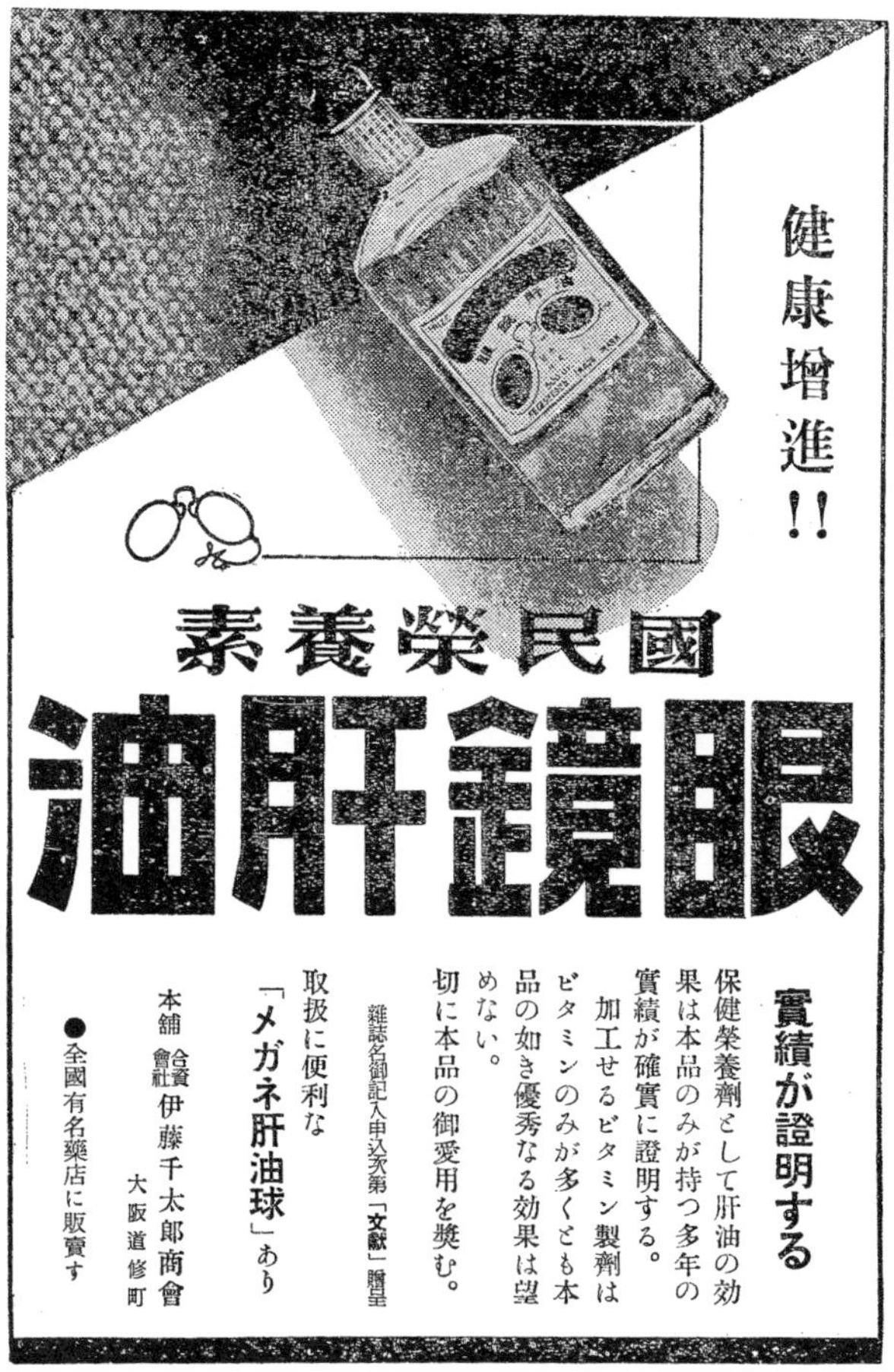

健康増進!!
國民榮養素
眼鏡肝油
實績が證明する
保健榮養劑として肝油の効果は本品のみが持つ多年の實績が確實に證明する。
加工せるビタミン製劑はビタミンのみが多くとも本品の如き優秀なる効果は望めない。
切に本品の御愛用を奬む。
雜誌名御記入申込次第「文獻」贈呈
取扱に便利な「メガネ肝油球」あり
本舗 合資會社 伊藤千太郎商會 大阪道修町
●全國有名藥店に販賣す

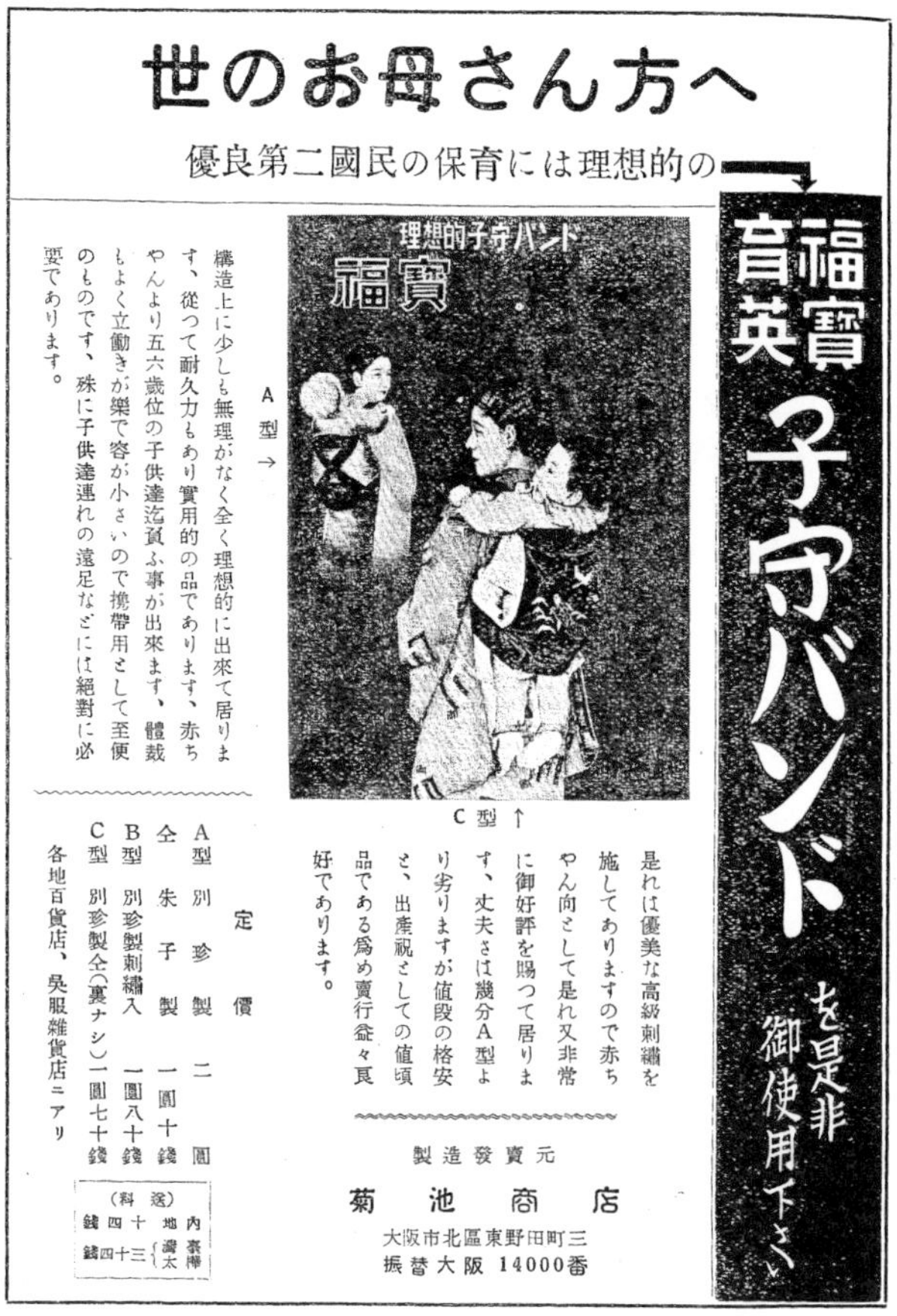

世のお母さん方へ
優良第二國民の保育には理想的の
福寶育英 子守バンド を是非御使用下さい
理想的子守バンド
福寶
A型→
構造上に少しも無理がなく全く理想的に出來て居ります、從つて耐久力もあり實用的の品であります、赤ちやんより五六歳位の子供達迄負ふ事が出來ます、體裁もよく立働きが樂で容が小さいので携帶用として至便のものです、殊に子供達連れの遠足などには絕對に必要であります。
C型↑
是れは優美な高級刺繡を施してありますので赤ちやん向きとして是れ又非常に御好評を賜つて居ります、丈夫さは幾分A型より劣りますが値段の格安さ、出產祝さしての値頃品である爲め賣行益々頁好であります。
定價
A型 別珍製 二圓
仝 朱子製 一圓十錢
B型 別珍製刺繡入 一圓八十錢
C型 別珍製仝（裏ナシ）一圓七十錢
各地百貨店、吳服雜貨店ニアリ
（送料）内地 十四錢 臺灣樺太 三十四錢
製造發賣元
菊池商店
大阪市北區東野田町三
振替大阪 14000番

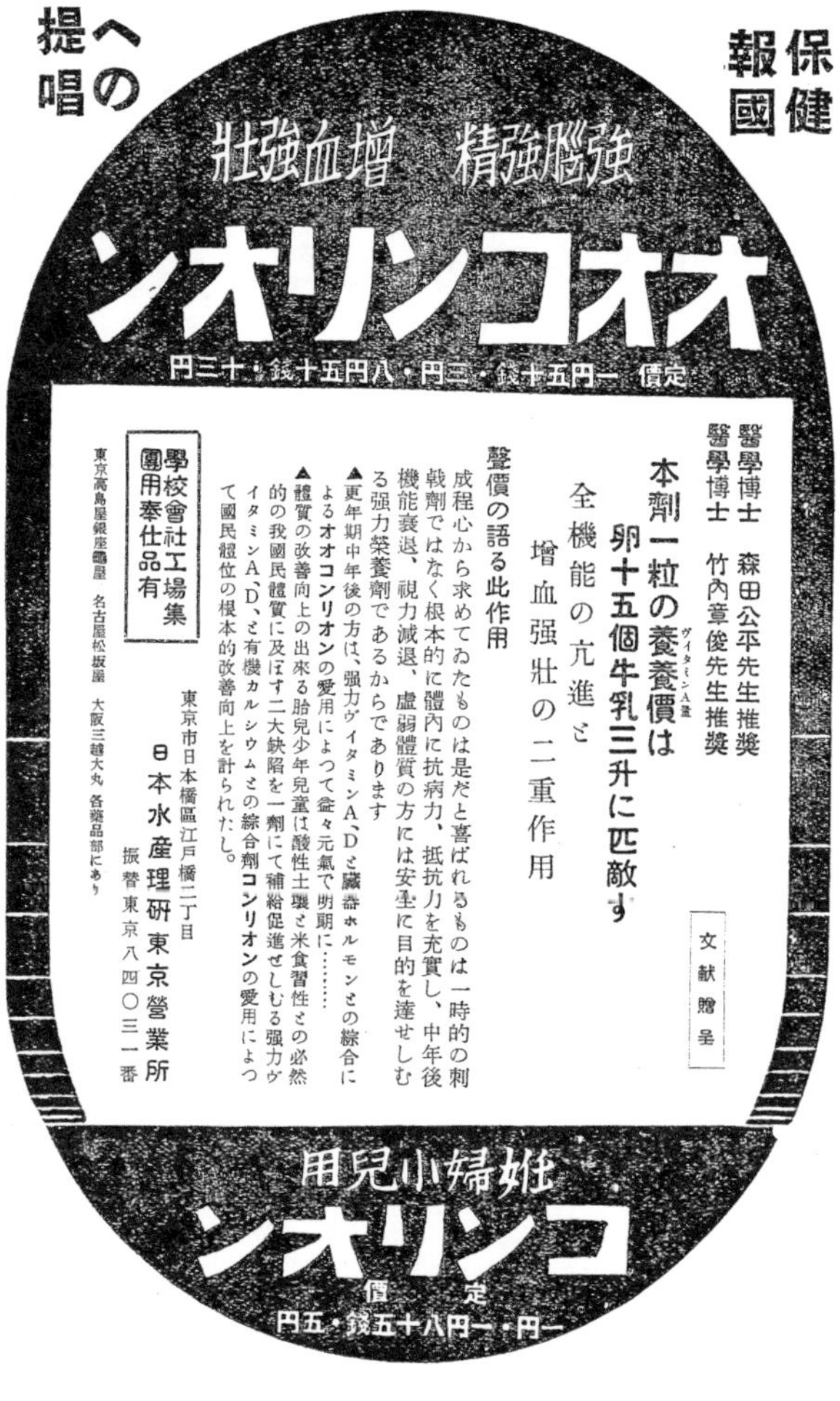

保健報國への提唱
強腦強精　增血強壯
オオコンリオン
定價 一円五十錢・三円・八円五十錢・十三円
醫學博士 森田公平先生推奬
醫學博士 竹内章俊先生推奬
本劑一粒の養養價《ヴイタミンA量》は
卵十五個牛乳三升に匹敵す
全機能の亢進さ
增血强壯の二重作用
文獻贈呈
聲價の語る此作用
成程心から求めてゐたものは是だと喜ばれるものは一時的の刺戟劑ではなく根本的に體内に抗病力、抵抗力を充實し、中年後機能衰退、視力減退、虛弱體質の方には安全に目的を達せしむる强力榮養劑であるからであります
▲更年期中年後の方は、强力ヴイタミンA、Dさ臟器ホルモンさの綜合によるオオコンリオンの愛用によつて益々元氣で明朗に………
▲體質の改善向上の出來る胎兒少年兒童は酸性土壤さ米食習性さの必然的の我國民體質に及ぼす二大缺陷を一劑にて補給促進せしむる强力ヴイタミンA、D、さ有機カルシウムさの綜合劑コンリオンの愛用によつて國民體位の根本的改善向上を計られたし。
學校會社工場集團用奉仕品有
東京市日本橋區江戸橋二丁目
日本水產理研東京營業所
振替東京八四〇三一番
東京高島屋銀座鶴屋 名古屋松坂屋 大阪三越大丸 各藥品部にあり
姙婦小兒用
コンリオン
定價 一円・一円八十五錢・五円

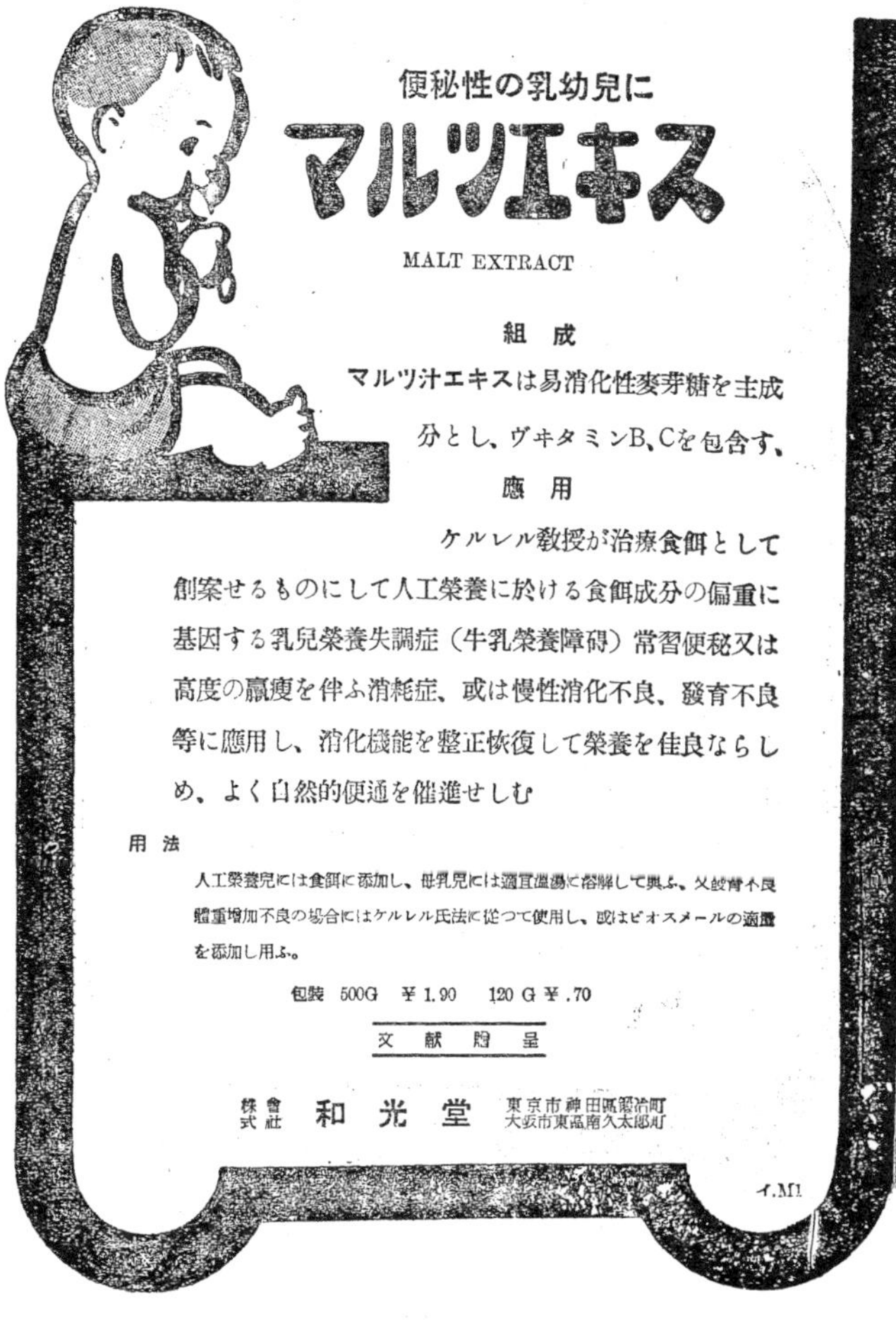

便秘性の乳幼兒に
マルツエキス
MALT EXTRACT
組成
マルツ汁エキスは易消化性麥芽糖を主成分とし、ヴヰタミンB、Cを包含す、
應用
ケルレル敎授が治療食餌として創案せるものにして人工榮養に於ける食餌成分の偏重に基因する乳兒榮養失調症（牛乳榮養障碍）常習便秘又は高度の羸痩を伴ふ消耗症、或は慢性消化不良、發育不良等に應用し、消化機能を整正恢復して榮養を佳良ならしめ、よく自然的便通を催進せしむ
用法
人工榮養兒には食餌に添加し、母乳兒には適宜溫湯に溶解して與ふ、又餓胃不良體重增加不良の場合にはケルレル氏法に從つて使用し、或はビオスメールの適量を添加し用ふ。
包裝 500G ¥1.90 120 G ¥.70
文獻贈呈
株式會社 和光堂 東京市神田區鍛冶町 大阪市東區南久太郎町
イ.M1

東京の表と裏を腦裡に刻みつく

郷土愛に燃ゆる帝都の先輩たち

（本誌記事參照）

東京蒲田の醫學博士大槻正路氏と銀座理髮ヤング軒主加川荘三郎氏は、自分たちを産んだ宮城縣伊具郡金山町高小卒業生中から、思想堅實品行方正身體健全、將來郷土の中堅として町の振興に寄與し得る見込みある者を詮衡選抜、費用一切を負擔して帝都見學をさせる事は、昨年から實施されて來たが、時節柄銃後に於ける郷土後輩指導の美談として稱讃に値する事である。

寫眞(上)羽田飛行場を見學する見學生一行(下)向つて左より前列加川守治君、佐藤芳衛君、加川茂平氏、後列加川荘三郎氏、附添ひの訓導嶋崎捨三氏、大槻正路博士

「死線を越えて」の頃の賀川豊彦氏と友人たち

（下）明治學院時代の賀川豊彦氏

（上）「死線を越えて」が滿天下に謳歌されし頃の大正十年五月、神戸に於て偶然舊友たちと共に集ひし時の記念撮影――（後列向つて左より）賀川豊彦氏、吉田源治郎氏、（前列向つて左より）堺教會牧師飯島誠太氏、沖野岩三郎氏、伊藤悌二氏。

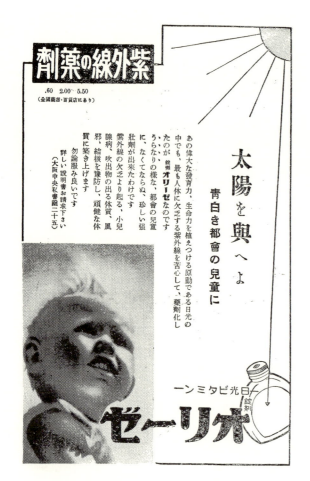

喫茶店より美味しい珈琲が出來る珈琲沸器!!
大川パーコー
美味しい香り高い珈琲は
大川パーコーにのみ依つて得られます
全國百貨店に有り
說明書送呈します
關西代理店　大阪市北區梅田新道
ニッポンブラジリアントレーディングコンパニー
まあ!!素的な香りですこと!!
喫茶店以上ですわ
東京市日本橋區本町
大川吸入器本舗
大川銀三郎商店發賣
モデル 東京松竹少女歌劇聲樂專科 對馬洋子さん一人二役

志賀志那人氏を偲ぶの會

北市民館に於ける草燈社主催の志賀氏の追憶の集ひ。（記事參照）

故人と親交厚かりし 山崎麻吉氏主催の 志賀氏を偲ぶの會（於新大阪ホテル）

（前列向つて右より） 北市民館主事鵜飼貫三郎氏、志賀民子夫人、ライオン歯磨本舗小林商店常務取締役山崎麻吉氏、本社伊藤主幹。（後列）北市民館兒童歯科部長伊藤英夫氏、野崎吉郎氏、吉田小林商店大阪支店長。

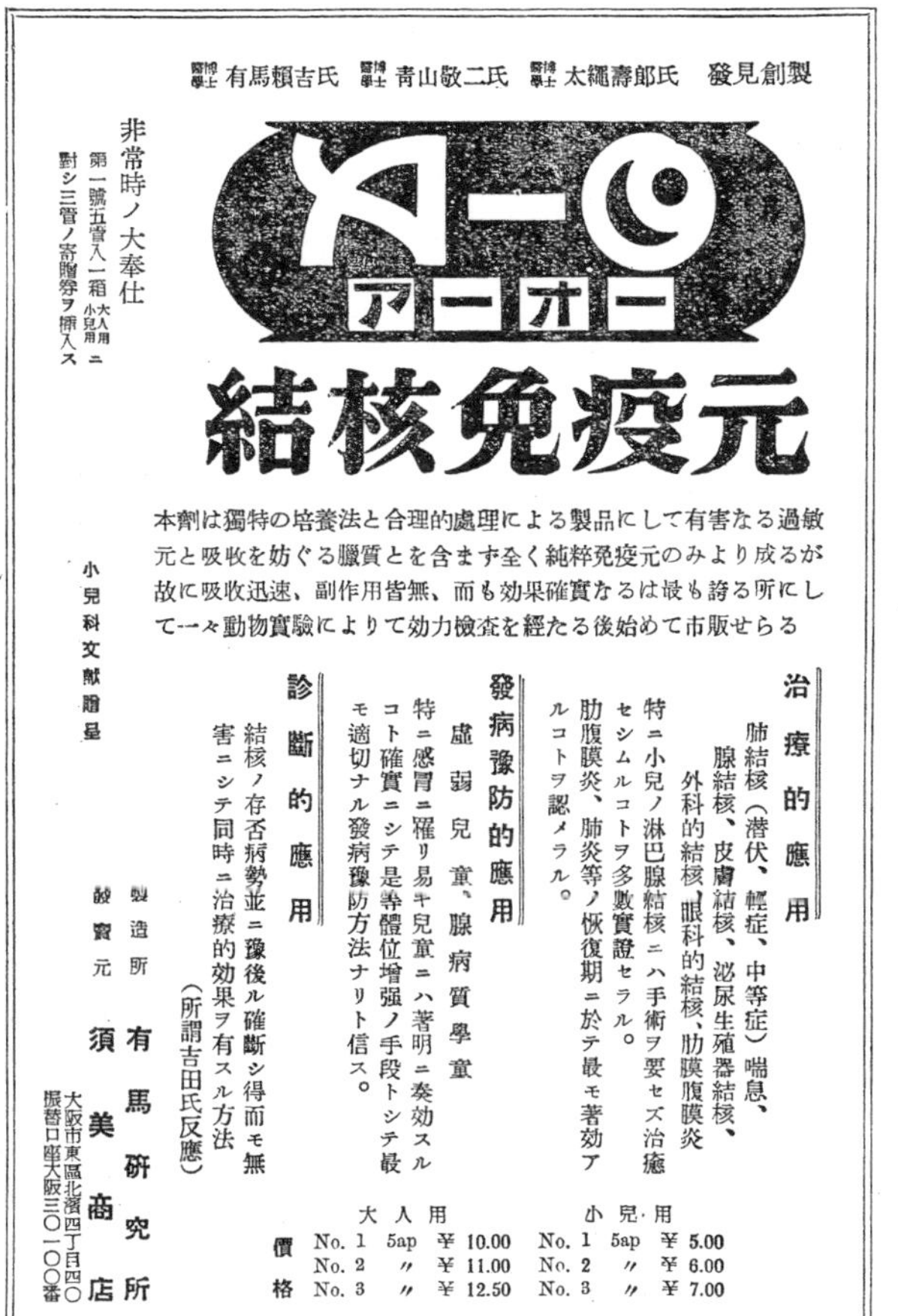

發見創製 醫學博士 太繩壽郎氏 醫學博士 青山敬二氏 醫學博士 有馬頼吉氏
アーオー
結核免疫元
非常時ノ大奉仕
第一號五管入一箱（大人用 小兒用）ニ對シ三管ノ寄贈券ヲ挿入ス
本劑は獨特の培養法と合理的處理による製品にして有害なる過敏元と吸收を妨ぐる臘質とを含まず全く純粹免疫元のみより成るが故に吸收迅速、副作用皆無、而も効果確實なるは最も誇る所にして一々動物實驗によりて効力檢査を經たる後始めて市販せらる
治療的應用
肺結核（潛伏、輕症、中等症）喘息、
腺結核、皮膚結核、泌尿生殖器結核、
外科的結核、眼科的結核、肋膜腹膜炎
特ニ小兒ノ淋巴腺結核ニハ手術ヲ要セズ治癒セシムルコトヲ多數實證セラル。
肋腹膜炎、肺炎等ノ恢復期ニ於テ最モ著効アルコトヲ認メラル。
發病豫防的應用
虛弱兒童、腺病質學童
特ニ感冒ニ罹リ易キ兒童ニハ著明ニ奏効スルコト確實ニシテ是等體位增强ノ手段トシテ最モ適切ナル發病豫防方法ナリト信ス。
診斷的應用
結核ノ存否病勢並ニ豫後ル確斷シ得而モ無害ニシテ同時ニ治療的効果ヲ有スル方法
（所謂吉田氏反應）
小兒科文献贈呈
製造所 有馬研究所
發賣元 須美商店
大阪市東區北濱四丁目四〇
振替口座大阪三〇一〇〇番
價格
大人用
No. 1 5ap ¥ 10.00
No. 2 〃 ¥ 11.00
No. 3 〃 ¥ 12.50
小兒用
No. 1 5ap ¥ 5.00
No. 2 〃 ¥ 6.00
No. 3 〃 ¥ 7.00

近代大阪名所
高島屋
新食堂街
近代建築美と衛生科學の精粹をあつめ、名實共に備はる…
味覺と榮養の殿堂
大食堂の一部
御案內
◇大食堂
◇グリル
◇支那料理
◇南味《みなみ》亭　すき燒 割烹
◇名物食堂
蘭亭 スエヒロ
深川 おしるこ
福喜鮓 銘酒場
七階大食堂は從前通り營業
南海 高島屋
大阪・なんば
◇食堂は夜間九時まで

赤ちゃん
打ち粉

パーキュロ

赤ちやんのアセモ・タダレには勿論のこと、旦那様のお髭剃りの後にも亦、奥様やお嬢様のコナ白粉の代用にもなる、肌色芳香、一罐あれば家庭の皆様が重寶する、全く時代の要求によつて産れた新様式の撒布劑はこれてす

定價
・二〇
・五〇

味の素直系

本舗 東京・京橋・寶製薬株式會社

乳兒哺育上の重要問題

母乳哺育兒に最も多く見られる障碍は乳兒脚氣でありませう。乳兒脚氣は、母親に脚氣がなくても起り、又人工榮養兒でもビタミンBの不足があれば脚氣に罹ることが明にされてゐます。前者の場合には母親と患者の兩者にオリザニンの適量を與へ、後者の場合には患兒のみにオリザニンを與へることによつて容易に治に就かしめ得るは多數文獻の立證してゐるところであります。

× × ×

又人工榮養兒に屢々起るものに壞血病があります。壞血病はビタミンCの缺乏を主因として起り その初期には食慾減退、體重減少 血管の榮養障碍、蒼白、不安、不機嫌、啼泣等が觀察されると云はれてゐます。かゝる際に三共ホーレン草末の少量（一日量1.5瓦内外） を乳汁に添加して與へると容易に恢復することが知られて參りました。

× × ×

その他、人工榮養兒にはビタミンA及Dの不足から種々なる障碍（夜盲症、佝僂病等々、又は屢々感冒に罹つたりする） を起すことも知られてゐます。かゝる場合には肝油の適量又は三共ビタミン膠球、三共ビタミン錠等で之を補給することが推奨されてゐます。

オリザニン（ビタミンBの世界的始祖） 末、錠、液、エキス、注射液各種
三共ホーレン草末（ビタミンCの含量アスコルビン酸として240瓱%） 25、50、100、500 瓦入
高橋氏改良肝油 一瓶 500 瓦 入） 三共肝乳（250・500 瓦 入）
三共ビタミン膠球（20.50 100.500.1000球入） 三共ビタミン錠（50錠入 100錠入）

東京 三共株式會社 室町

昭和十三年 子供の世紀 六月號

戰時體制下の我等の審査會（巻頭言）

山上憶良は子供をしろかねも黄金も及び難き寶だとした。キリストは、幼な兒の如くならねば天國に入るを得ずと喝破した。エレン・ケーは、二十世紀は子供の世紀だと斷定した。古來、子供の敬すべく、愛すべきを唱道した言葉は實に多い。そしてそれ等の凡べてが眞理である。しかし、つら／＼案ずるに、子供の敬すべく、愛すべきを思ふことの切實にして且つ緊要なること、今日にしくはないであらう。

光輝ある三千年の歴史を有するわが大日本帝國は、今や東洋平和を確保するために、そして、東洋を眞に東洋人の東洋とするために、國を擧げて破邪降魔の劍を奮ひつゝあるのである。非常時の意識は津々浦々にまで隈なく徹底し、老幼男女の別ちなく正に國家總動員の態勢を整へつゝあるのである。

しかし、この非常時の意識と國家總動員の體制は、眼前の戰爭の終熄と共に歇むべきものだらうか。皇軍の戰捷に依つて東洋平和は永久に確保され、國民は枕を高くして眠り得るのだらうか。

否、斷じて然うではない。

わが國運の飛躍的伸張に伴ひ、國民は愈よ非常時意識を强化しなければならない。

臺灣の傳説にこんなのがある。

太古、臺灣には二つの太陽が輝いてゐた。臺灣の炎熱もこれがためだつた。一人の男が、何とかして、この二つの中の一つの太陽を射落して、焦熱地獄から臺灣を救ひ出さうと思ひ立ち、弓矢を

背にして太陽に向つて進んだ。多くの年月が經過したが、太陽を射落すといふ彼の大業は容易に達成を見られさうもなかつた。彼は彼一代では到底實現し難きを悟り、此度は背に自分の子供を負ふて進んだ。彼一代で實現しなかつたら、彼の背の兒が彼の衣鉢を繼がしめやうといふのだ。若しその兒の一代で實現を見なかつたら、その兒の背の兒がまた父祖に倣つてその業を續けるであらうといふのだ。

わが大日本帝國をして、眞に東亞の盟主として、永く世界の大帝國たらしめるためには、われ等一代の非常時、一代の國家總動員で終るべきではない。われ等はこの非常時と國家總動員のバトンを、背の兒に傳へ、その子の背の子に傳へねばならない。

子供こそは、わが帝國永遠の繁榮を確保する砦であり、盾であり、防人である。

如何に立派な軍器が整へられ、如何に多くの戰費が用意されても、國民の體位がよろしきを得なければ、國防全しとはいへない。國民體位の向上は成年男女のスポーツの獎勵や、國民體操で達成するものではない。こどもである。凡べてはこどもである。一切の革新はこどもから出直さねばならない。

國民體位の向上は、實にこどもの體位の改善から出發せなければならない。

わが日本兒童愛護聯盟は、夙にこの點に留意し、大正十年以來赤ん坊審査會を開催すること玆に十回（大阪にては十六回）に及び、本年も又木戸厚生大臣閣下を總裁に推戴し別紙趣旨書の如く戰時體制下の緊張せる審査會を開催する事となつた、國民體力向上に留意され國家の將來に關心と熱誠をもたるゝ大方の士、各家庭の御兩親たちは奮つて參加せられん事を切望して止まぬ次第である。

第九回全東京乳幼兒審査會に於ける

母親のメンタルテスト

―產時のまじなひ、生月表―

伊藤悌二

◎お產の時どんなまじなひをしたか

調査人員 二、〇〇〇人（男 一、二七五人 女 七二五人）

種別		男	女	合計
水天宮	護符を呑む	一一八	七二	一九〇
	お守札を受る	六五	二九	九四
	腹帯を受る	二六	一四	四〇
	お守札を體につける	二一	一一	三二
	ローソクを受る	一	〇	一
鹽釜神社	掛軸を懸ける	一六	一八	三四
	お守札を受ける	二〇	一二	三二
	護符を呑む	五	四	九
	腹帯を受ける	六	二	八
	ローソクを受ける	六	一	七
	撰米を食する	四	〇	四

さげぬき地藏尊の護符を呑む	二〇	一〇	三〇
淺草觀音　守札を受ける	六	三	九
淺草觀音　お撰米を食す	一	一	二
成田不動尊の守札を受ける	六	二	八
子安地藏尊の護符を呑む	八	〇	八
中山寺　守札を受ける	四	〇	四
中山寺　腹帯を受ける	一	一	二
手古奈觀音の守札を受る	二	三	五
天理敎のおびやゆるしを受く	二	〇	二
淸水寺のお守札を受く	二	〇	二
鎌倉お產女樣の安產札を受ける	〇	二	二
安產の神樣、八幡神社のお札を受ける	二	〇	二
四國第一の安產札を受く	一	一	二

駒木成願寺のお守札を受ける	一	〇	一
伏見の安產札を受ける	一	〇	一
慈母觀音像をかける	一	〇	一
兒育觀音像をかける	一	〇	一
摩耶山のお札を受ける	一	〇	一
仙臺「定義神社」の御神符を受く	一	〇	一
茨城縣玉簾觀音のお札を受く	〇	一	一
山梨縣昌福寺の岩田帯を着用	一	〇	一
宇美八幡の腹帯を受く	〇	一	一
西新井大師のお札を受く	〇	一	一
秩父橋立觀音の腹帯を着用	一	〇	一
床の下へ物指を入れる	八	五	一三
安產の神樣から頂いた麻糸で髪を結ふ	六	四	一〇
春日神社の鹿の角で造つた櫛を頭髪へさす	六	一	七
進水式に使用の綱を握る	四	二	六
切れた弓づるを腹につける	二	一	三
孟蘭盆に佛壇へ敷く「マコモ」を敷いた	二	一	三
不動樣の行者に六三除をしてもらう	二	一	三
枕元に安產石を置く	二	〇	二
早朝御不淨の掃除をする	二	〇	二
熊の膽の干したものを帯にする	一	一	二
富士山頂上のローソクを灯す	一	一	二
後產早く出る樣コップ一杯の水を飲む	〇	二	二

便所の神樣へ灯火をあげてこれがさぼるまでに生る樣祈念す	一	〇	一
畜犬票を持つてゐる	一	〇	一
臨月の一日に干葉一にぎりと鹽一にぎりをつかんで朝七時前に水をさゝない湯で腰湯をつかふ	一	〇	一
お產フトン二枚作り二枚共ワラを七五三に切つて入れる	一	〇	一
日光大黑樣のお姿を水にうつしてその水を飲む	一	〇	一
夜泣のまじなひに赤鬼を床の間にさかさにはる	一	〇	一
稲を床の下に入れる	一	〇	一
お產直後小石を燒きたるものを酢につけてジャッとやりたるものをかぐ	一	〇	一
刑務所の囚人の草鞋を貰ふ	一	〇	一
十一の神社佛閣の砂を家の周圍に撒いて淨める	一	〇	一
干葉と南天の葉を煎じて飲む	一	〇	一
神社の砂を床の下へ入れる	一	〇	一
安產した人の用ひた紐を腰に結ぶ	一	〇	一
お撰米を重湯にして一杯のむ	一	〇	一
辰巳の方向へ枕をする	一	〇	一
玉錦關の頭の元結の麻ひもを使つた	一	〇	一
家傳にてお產の時に熊の手をかけて皆安產したさいふので熊の手をかけた	一	〇	一
いゝにぼしの頭を煎じて飲む	〇	一	一
黑ゴマをすりつぶして食す	〇	一	一
髪の毛をくはへてゐる	〇	一	一

種別	男	女	合計
日蓮樣の百十日の修業したワラブトンをフトンの下に入れる	〇	一	一
生米三粒のむ	〇	一	一
まじなひなさず	八七一	五一二	一、三八三
合計			二、〇〇〇

◎このお子さんは何月に生れましたか

調査人員 二、〇〇〇人（男 一、二七五人 女 七二五人）

	男	女	合計
1月	184	140	324
2月	150	73	223
3月	142	73	215
4月	108	59	167
5月	65	35	100
6月	43	25	68
7月	71	32	103
8月	85	40	125
9月	105	46	151
10月	102	64	166
11月	123	75	198
12月	97	63	160
	1,275	725	2,000

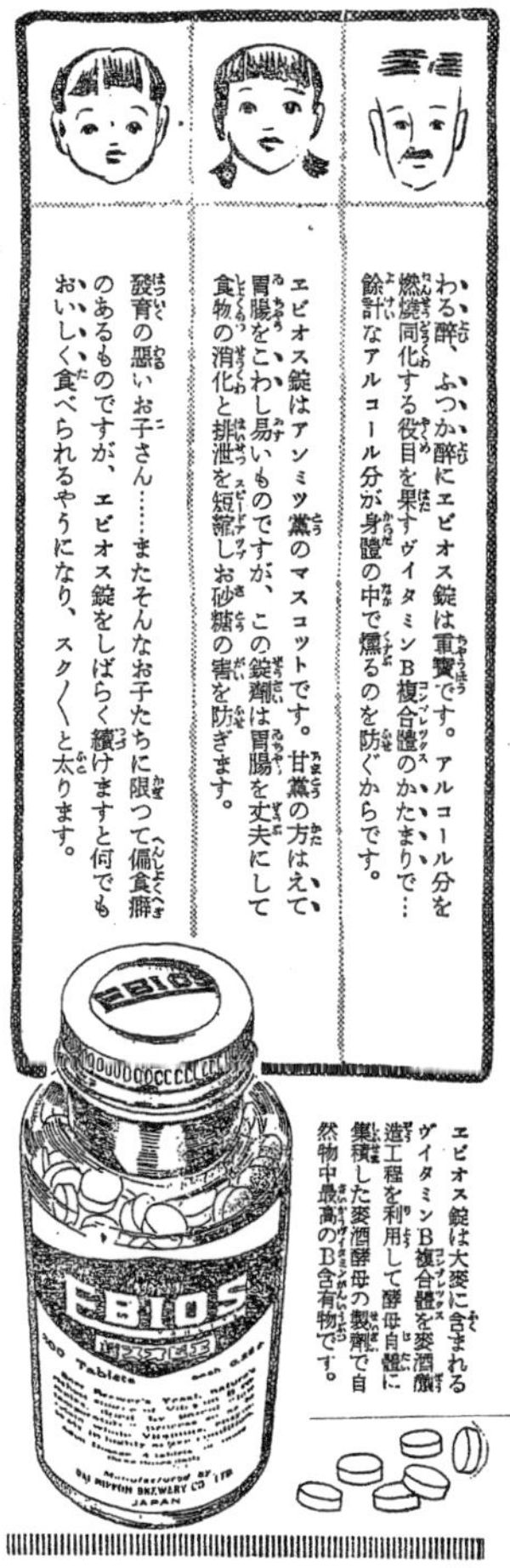

青少年の禁酒・禁煙に就いて

東京帝國大學名譽敎授 醫學博士　林　春雄

人間を動物にする麻醉藥の働き

こゝに遵法週間に當りまして、酒と煙草のことに就いて、全國の青少年諸君、並に父兄の方々に一言申上げたいと存じます。申すまでもなく、我國では、法律によつて、未成年の諸君の酒を飲むこと、煙草を吸ふことが禁じてあります。從つて、我々臣民と致しましては、法律を遵奉致すべき義務あるは、勿論でありますが、私は茲に、何故に酒や煙草が禁ぜられたかと云ふことの、學問的の基礎を申上げたいと存じます。先づ私は、簡單に酒の人體に對する働きに就て、御話したいと存じます。酒は一種の痲醉藥であります。「モルヒネ」や「クロ、ホルム」などと、大體似て居りますが、痲醉と云ふのは、神經を鈍らせることであります。酒は不思議にも、神經の內で最も遲く分化（發達）した、最も高等な所を、まづ先に鈍らせます。故に道德心とか、精密な思考力（物事を考へる力）とか、判斷する力とか、注意、反省とか凡て精神の最も高等の所が鈍痲しまして、大人であればそれが子供のやうになり、子供に近くなります。卽ち飲んだ御當人は樂天的になります――子供は樂天であります。始終面白くやつて居ります――子供の樣に面白く愉快になりますと同時に我儘になります。泣いたり笑つたりもします。善い事と惡い事との區別が解らなくなります。そして他人の迷惑など省みない、たゞ自己の本能に從つて動きます。之點は、本能のみで動く動物に近くなります。禮儀など勿論忘れてしまいますし、又爲すべからざることをなし、口にすべからざる事を云ふやうになります。また運動神經も鈍りまして、手足が自由に動かぬやうになり、子供がヨタ〱して居ると同じ樣に、巧者な運動が出來なくなります。それに加ふるに、先に申した通り注意、反省、考慮などの重要の働きが鈍りますから、仕事をさせれば能率が上らず、仕くじりが多くなり、勞働者であれば、怪我をする、機械をこはす、それでなくても仕事の出來上りが惡くなる、と云ふことになります。それについて手近な一例を擧げますと、自動車の運轉手でありますが、之は我國でも交通取締規則に依り、酒氣を帶びて運轉すれば處罰されるのでありますが自動車の事故と酒との關係は獨り我國のみでなく、各國共大いに注意致して居りまして、獨逸あたりでは、事故を起した自動車の運轉手に對しては、直ちに其の血液を檢査して、その內のアルコールの分量を測り、酒を飲んで居ればすぐ判りますから、本人は飲まないと申立て、またホンの少量で醉つたといふ自覺がない樣な場合でもその樣な極めて微量なアルコール分でも害をしてゐるのでありますから、社會の安全を脅かすものとして、いや應なしに處罰して居るのであります。その外の方面でも目にははつきり見へなくても、酒を飲んだために、どの位の間違を起し、どれほどの損害を與へつゝあるか、その害は測り知られないのであります。

酒は永い間に身體にどう響くか

然しながら、酒が廣く多くの人々に用ひられるのは、どういふわけでありませうか。それは、今まで申しました酒の痲醉作用のために、心配とか、不平とか、苦悶とか、又は疲勞とかに對する感覺を鈍痲させ、大いに愉快にさせることに因るもので「酒は憂の玉箒」などゝ云ふ諺のある所以であります。而して左樣云ふ時には、酒飲みは自分では、大層疲が治り、力が出た樣に感ずるのでありますが、それは誤りであつて、精密に檢査すれば、力も無く、持久力もなくなるのであります。故に運動競技者も、飛行家も、その他登山、探險、發明、研究等、充分の働きをするのには、酒を飲んではだめだとなつて居ります。酒を飲む人々でも皆、大酒や泥醉は良くないと云ふことは知つて居ります。しかも知りつゝ之れに陷るのはどう云ふ譯かと云ふと、始めは愼しんで少し飲む積りで居りますが、少し飲むと、前に云つた通り愼みがなくなりますから、なアにと云つて、更に杯を重ね、だん〳〵深入りして終に泥醉する樣になるのです。之が酒の恐しい所で、昔の諺に、一杯にして人・酒を飲み、二杯にして酒・酒を飲み、三杯にして酒・人を飲む、とあるは、實によく酒の働きと、その害とを云ひ表したものと考へます。それから、酒は飲みまして後數時間、乃至十數時間血液の內にありますが、それが燃へて消へて仕舞へば、神經の働きも、身體の働きも元の通りになります。勿論醉つてあばれゝば、疲は殘りますが、大體は元の通りになるのであります。而しながら、酒は元々一種の毒でありますから、目に見へない樣な害が後に殘りま

して、それが僅かづゝでありましても、永い年月重なりますと、一種の病氣になります、丁度、雨垂れが石の上に落ちて、長い間にそこに穴ができます、また着物や機械が、永く用ゐてゐると、磨り切れたり、磨り減つたりすると同じことであります。之を慢性アルコール中毒と云つて、色々の違つた型の病氣になります。又、はつきり中毒とならなくても、身體が弱つて、他の色々な病氣に罹りやすくなります。丁度、古い切地が裂けたりすると同じであります。卽ち、直接間接に身體を傷めるのであります。

始めを愼むが何より大切

今日この非常時に當り――否今日の樣に交通機關や通信機關の發達で世界が狹くなつて、民族の生存競爭が劇しくなり、或は益々劇しさを加へつゝある秋に當り、非常時は最早非常時にあらず、常時でありますから、我々は益々緊張して、精神、肉體共に强壯にして、大いに國家のために働かねばならぬ時であります。一般臣民、殊に諸君の如き、之れからの日本を背負つて立たねばならぬ人々が、酒などに醉つて業を怠り、身體を惡るくしては第一、上は　天皇陛下に對し奉り、また父兄は勿論、一般國民に對し申譯がないではありませんか。私は、酒を飲むことを敢て罪惡だと申します。罪惡を犯すかどうかと云ふことは、始めを愼むことが大切であります。諸君が法に遵つて二十歲迄酒を飲まぬ、更に之を繼續していつ迄も酒を飲まぬことにすれば、酒害を受けることはないのであります。何事も初めが大切であります。それについて他の例を申しますと、我國では幸ひに阿片と云ふものが禁じられて居ります。これは日本に來た時から禁ぜられたもので、米國公使ハリス氏の忠言のお蔭で、早くも德川時代に禁ぜられました。それゆえに、我國民には幸ひ阿片を吸ふ癖が付いて居らないので、何んでもない樣に思つて居りますが、隣邦支那の樣に、阿片煙毒にかゝつて仕舞ふては、最早之を禁ずるといふことは非常に困難な仕事であります。手近な例では、臺灣の如き我國の領土となつて三十餘年、あれだけの當局の骨折で未だに之を根絕し得ないのであります。始めを氣をつける事の大切なことがこれでもよくわかりませう。

煙草の害は寧ろ酒以上甚し

次に簡單に煙草のことを申上げます。之れはコロンブスがアメリカから持つて來たもので、我國にも足利の末に來たものでありまして、歐亞の舊世界には、四百餘年前には、全く無かつたものであります。もちろん人間の生活には不必要なものであります。タバコの害は、着物を燒くとか、吸殼から火事を起すとか云ふこともありますが、酒の害のやうに醉つぱらつて他人に迷惑をかけるといふ風なことがない爲に、その害を輕く見勝ちであり

ますが、その個人の健康に及ぼす害のひどいことは、寧ろ酒以上でありまして、之も、急性、慢性の中毒を起し色々の害をするものであります。青年諸君は二十歲前は法律上吸へないのでありますが、其後も吸はない方が勿論よろしいので、その癖を付けさへしなければ、四百年前の我々の祖先の如く、煙草などはなくとも、なんでもなく居らるゝ譯であります。

先輩は身を以て子弟を率ゐよ

最後に世の父兄、並に人の師表となるべき方々に申上げます。殊に、今回新たに未成年の禁酒・禁煙法が實施せらるゝ事となりました朝鮮、臺灣、樺太の方々に申上げますが、靑少年諸子をして禁酒禁煙を實行せしめるのに之れが法律で禁じてあるからいかんと云つて、若い者を叱り、自分達は大人だからよろしいと云つて、飲酒喫煙をしたのでは、若い者が心から服して云ふことを聞く譯がありません。坪內博士は、早稻田中學校の校長になつた時に、生徒を訓戒するために、自分から率先、禁酒禁煙をされたときゝます。帝國の將來を背負つて立つべき靑少年を、酒や煙草によつて、その精神力や體力を蝕ませない樣にするためには、我々世の父兄たるもの、自ら禁酒禁煙を實行するは勿論、行を愼み、業を勵み、身を以て子弟を率ゆる覺悟が必要であると、お互に相戒むべきであると存じます。（第七回禁酒禁煙遵法週間記念放送）

家庭と兒童衛生

元東京市學校衛生技師
醫學博士　岡田道一

近頃學校衛生兒童衛生と言ふ事が喧しく論ぜられるなり、又實際に於いて學校建築の用式に、課目の敎授に、兒童の體育に、養護に、それ〴〵進步發達して來ました事は私共の樣に長い間その必要を唱導し又その事に從事して來たものにとつては誠に喜ばしい限りであります。然し學校衛生と言ふものは只學校に於いて行はれるのみではいけません。これは學校でばかり喧しく言つても、兒童の心身に及ぼす影響は、家庭に於いての時間の方が長いのでありますから、それ等に注意しなくてはなりません。それ故それをよく導くものは家庭敎育に携はる兒童の保護者卽ち父母でなければなりません。例へば學校衛生の一部の體育の問題でも、體育と言へば、直ぐ運動競技を連想し世人は、これは學校に於いて然も體操の先生のみが行ふ敎育とのみ思はれてゐますが、それは間違ひで、體育の本當の意味は、衣食住各般に亘つた合理的生活、殊にその實際的の訓練であつて、學校で行ふ體操は、僅かにその一部に過ぎないのであります。かく體育の意義の衛生敎育である事を悟るならば、その實際上の指導者は各小學校に携はる敎育家と、そして家庭に於ける兒童の保護者、卽ち父母である事は明白でありませう。ひとりこれは體育のみならず、學校で行ふ所謂兒童衛生の全般に亘つての有力な指導は家庭であらねばなりません。

一　身體檢査の結果に對する家庭の處理

丁度今この頃は學校に於ての身體檢査が終つたばかりと思ひます。この身體檢査は只檢査を行ひ、統計を作製すると言ふ丈で終つては何等效果のないもので、又家庭にあつては家の子は身體檢査に出したから、もう心配はない、身體の具合が惡ければ、學校から何んとか通知があるだらう位に考へてゐてはなりません。

身體檢査の目的は、これによつて兒童養護の目標と定め、その養護の實を擧げる處にあるのであつて、從つて檢査の結果を、如何に處理するかと言ふ事が、最も重要な問題なのであります。

兒童の養護　體育其他をひとり學校のみに責任をもたせ又學校は家庭のみにこれをまかせると言ふ事も出來ませんばかりでなく、その實を擧げると言ふことは家庭は學校、學校は家庭と協力しなくてはならないのであります。

そこでその身體檢査の結果は現在の多くは通信簿を利用されて、家庭に通知されるのでありますが、それも學校によつては檢査後一ヶ月或は二ヶ月も經つてから、漸く通信簿に記入され、兒童が持ち歸る處は少くないやうであります。このやうな長い期間を空しく過してゐる中には、檢査當時發見した病氣の內年々この時に發する病氣も亦治つて了つてゐたり、又著るしく惡化し

お子様のお洋服は
可愛い、お丈夫な、三越のお洋服を
御用命下さいませ
四階
大阪
三
越
夏の子供服
13.5

て治療上に困難を與へる事は申すまでもありません。さてそこで通知を受けた場合、はつきり分らぬ處は學校に問合せ治療すべき所は速かに治療すべきであります。これは當然な事でありながら何故か世間の父母は案外安閑としてこれを放任してゐるやうであります。これは例へば脊柱彎曲と記されても大した事はあるまい、と感じるからでありませうか、これは兒童の發育、心臟肺臟に影響を及ぼし、又取り返しのつかぬ事になるものです。それに反して子供が生爪をはがしたなんて泣いて歸つて來ると、父母は顏色を變へて、それ醫者と驅せつけるのですが、脊柱と比したなら生爪位は消毒が完全であれば、そのまゝにしても何時か治つて又新らしい爪さへ生へて來ますが脊柱はそれに氣がついて、適當に矯正しなければ、どん〳〵健康を害するものであり、再び爪のやうに害つたからとて生じて來るものではありません。これはほんの一例でありますが通信簿に記載されてある、發育とか齲齒又は腺病質、耳疾其他は兒童の發育或は健康に最も深い關係を有してゐるもののみを、謂はゞ書き抜いてあるのですから、齒だから其の中にと輕視する事は禁じ度いものであります。

又年齡に達しませんと、耳疾其他近視等は空欄になつて從つて通信簿には記載されませんから、一年に一回なりと兒童の健康診斷を主治醫又は其他の醫師によつて、各家庭でなされん事を是非共望むものであります。

健康診斷或は健康相談の必要は、假令へ健康な兒童であるやうに見えても何かしら潜伏してないとは限りません。

それ故學校の身體檢査にあつては、多くの兒童の中、ピンからキリまで一人々々の兒を深く診る事は到底出來得ない事であります。そこで是非共家庭にあつて、兒童のため、愛兒のために、健康相談を御奬めする次第であります。

二　夏季の兒童衞生

兒童は活動性のもので、これが又開放された夏には一層甚だしいものです。健康兒と虛弱兒との別なく少しの時間でよいのですから新鮮な空氣、日光に親しまして戶外に出して運動遊戯をさせるやうに父母の注意が必要です。暑いからとて家にばかり居るのは止めさせなくてはならぬ、ゴロ〳〵させて置いては身體に倦怠を感じ、そればりでなく虛弱なものは一層弱い子供として了ひ、健康なものでも弱くなり勝であります。夏にはどうしても手足の運動を妨げない殆んど裸體に近い衣服を纒はして、汗の盛んに出るまで運動をさせるのに限ります。夏運動して澤山汗の出ないやうではいけません。汗が出る丈け健康の徵であります。

然し汗の出るのは夏の衞生として、結構な事でありますが、運動をして汗をかいたら拭ひ、汗をかいたまゝに絕對にしない事です。ですから兒童には手拭を必ず何處へ行くにも携帶させねばなりません。

その手拭を利用して皮膚を健康にする目的から、全身の皮膚マッサージをするがよいのです。この方法を毎日行ふと、非常に皮膚が清潔になつて光澤が現はれ、健康美を添へるばかりでなく、全身の健康法となり、冷水摩擦をするのと同じやうな効果が得られのです。冬期に入つて皮膚の鍛錬が出來て風邪に冒されるやうな事がなくなります。實にこれは夏季なればこそ容易に出來る方法なので兒童を持つ父母方には特に

おすゝめいたします。

さて一般に夏季は皮膚の汚れ易いものですから、皮膚を清潔にする目的と、健康にすることから、溫浴即ち入浴を盛んにするものですが、此の際注意すべきは手足の皮膚であります。兒童の手や足は身體の健康なものだけ汚れてゐるものです。これは入浴以外でも時々注意が肝要であります。

さて次に食物の事ですが、夏だらうが一向平氣で子供はよく食べますが、これも發育中にあるのですから、決して無理はありません食べられるのは誠に結構な事です。またそれ丈運動も必要であります。然しいくら食するからといつても、夜間の臥る間に飲食物は攝らぬやうにする事です。又如何に消化がよいものだといつても、暴食になつたらいけません。麥湯がよいからといつて、これをいやに甘くして暴飮すれば惡い結果になる事は申すまでもなく明らかな事ですから、よく注意して頂き度いものです。

又よくあれがいけない。これは消化が惡い、これが消化がよい、とあまり心配する結果、甚だしく食物を撰擇する御家庭がありますがこれは一方には誠に結構な事であるやうですが、丈夫な子供であるなら心配する必要はなく、夏だからと言つて、激しく食物を撰擇する事になりますと、子供に必要な榮養分が不足になつて、發育を妨げることになりますから、大抵少しづゝは與へてよいので、一方にのみ食物が偏すると人に必要な成分が攝れなくなる、そして健康上に惡いと言ふ事をお考へになつて欲しいのであります。ことに子供はカルシユームその中でも人體に吸收されるよいカルシユームが必要なのです。カルシユームを含む食物としては新鮮なる野菜、牛乳、貝類白魚、干鮎の小魚の類を食べるのがよいのです。又夏休中に特に注意すべき事は飲料物で、有名なサイダーなどは、さう害もありませんでせうが、名も知れない駄菓子屋の一錢二錢で買ふラムネ、ミカン水等はあまり兒童に勸むべきものではありません。先づ喉が渴いたときは麥湯を少し飲ませるのが一番です。又子供に氷水を飲ますのはもう今更申上げる迄もない惡いことなのです。

兎に角夏季中に冷たい飲料物をして、無暗に與へるのは、子供はよろこぶでせうがあまり感心いたしません。

三　夏季中の體育施設

夏季林間學校は兒童の體育改善に必要なものであります。これを適當な仕組で兒童を飽かせないやうにして、毎日通はせることが出來れば、その効果は著るしいものであります。

然もこれが人間生活に最も必要な、日光と空氣とに十分親しみますために、靑天井の下に教育されるので、毎年私が東京市の小學校でそれを兒童に行ひ、頗るよい成績を上げて居ります。例へば、家庭に於てこれを行へば避暑でありますが、何事をするにも規則的に行ひ、そして日を送つたならば、子供は愉快に遊んで、知らず知らずのうちに、身體の改善が出來るのであり、健康なものは、一層健康增進を完うする事が出來るのであります。

子供は夏休みに學校がないからいつまでもながく寢てゐられますが、これは極めていけない事です。そのため夏休中の早起會といふものが各所で催されて居ります、それに參加させることを御すゝめ致します。

（終）

結核の豫防に就いて

醫學博士　芳　山　　龍

生活改善と食糧問題

結核の豫防は日常生活狀態に關係するもので、收入を多くし、生活を豊にせば衣食住の改善が結核豫防の根本問題である事は云ふ迄もありません。

獨逸の結核死亡率　は歐洲大戰前は著しく減少して居たものが、戰爭中に急に增加し、人口一萬人に對し二十三人の割に上つたものが、戰爭後極力結核豫防に努めた結果一九二九年の統計では八、七人に減じてゐる。

我國の結核死亡率　は同年一九、六人に相當し、世界文明國の最高位にある狀態で、減少の傾向に乏しい原因に就いては、色々の方面より觀察せられねばならぬ問題であつて、氣候の相違、體質の相違、生活様式の相違、衞生機關の發達程度、衞生思想普及程度等が考へられるが國民食料如何も亦密接な關係を持つてゐる。

世界各國の牛乳の生産額　を見ると、日本を含む十九ヶ國の文明國の生産額は、平均一年一人一石二斗に上り其中四割は生乳、三割五歩は牛酪、殘りの二割は粉乳練乳、アイスクリーム等に消費せられてゐる。

我國牛乳消費量　は、近年漸く增加せりと雖も、昭和九年度牛乳全消費額一、二四二六五三石一年一人宛一升八合强にて、其中生乳として消費せらるゝ量は一年一人九合五勺に過ぎない。牛乳を常用とする歐洲人の體軀は堂々として居るに反し我國民の體軀矮少なるは、牛乳を飲用せざる爲めであると外國の榮養學者は云つて居

る、之が邦人の體軀矮少な原因の全部でないことは勿論であるが、多少の根據がないとは云へない。

肉類及鷄卵の消費量を比較すると

肉類一年一人當		鷄卵一年一人當	
亞爾然丁、濠洲	三十貫内外	英國	三、二七
英、米、加奈陀	二十貫〃	米國	二、〇七
佛蘭西、丁抹	十貫〃	獨逸	一、一七
伊太利(歐洲最少)	六貫〃	加奈陀	一、一〇
日本	五百匁〃	日本	三七

歐米人が盛に牛乳を飲み牛肉や鷄卵等動物性食物を攝取するに對し、邦人は古來菜食に慣れ、蛋白質の供給は魚肉、味噌等に仰いで居たが、榮養價値の上より遺憾乍ら太刀打は出來ない。外人の評に日本は金齒の國と云ふ語がある。齲齒の多い事は齒の手入が惡いと云ふ計りでなく、體質の缺陷、云ひかへれば食事の不合理な點も考へさせられる。

國際聯盟の爲め八年前世界の食糧問題を研究すべく來朝せる、エガートン、チャールス、グレー教授の發表が下村博士の講話に出てゐる、其要旨を抄錄してみると、

日本人の食糧　は量に於ては十二分であるが、質に於ては最惡を示してゐる、世界何れの國に於て、日本に於けるが如く、疫痢、腸炎、脚氣其他の消化器病が第一位を占め、群を抜いて居る事實があらうか、日本人の榮養不良は、筋肉の薄弱、呼吸器の成長不完全、粘膜のカタル症狀を來すと共に、小兒を腺病質に導く、國民の榮養改善に依つて呼吸器病の多くは消滅すると信ずる云々

我國は古來農業國である爲、外人が動物性食料を主とするに反し、菜食が主であつて、組織の構造に必要な含窒素（蛋白質）の需要を充す爲めには、多量の食料を攝取する事になり、重荷が消化器に加はつて、消化器病の原因となる事が比較的に多いばかりでなく、米の精白によつてビタミンが少からず消失せられて、脚氣を起す事は周知の事實である。消化器病の多い原因は樣々であるが、食糧の榮養素の配合が當を得ず、質に於て劣る事は蔽ふ可からざる事實であらうと思はれる。

日本は山國で牧畜に適せずと云ふも、牧畜に使用され得べき山腹が無視されて居ると、グレイ博士が述べてゐる。

現在內地の牛乳の價格は歐米に比して著しく高價で、外國の樣に子供に牛乳をたらふく飮ませたくとも、親の口が乾上つてしまふ、將來牧畜が盛んとなり、牛乳や肉類が安價で豐富に市場に出る樣にならなければ「ウソ」である。

現今は子供と雖も頭を使ふ事が昔の比でない故、昔の儘の食料では身體も、頭も維持出來ない、子供の食事をぞんざいにして、無理に勉强せしめた揚句は、結核で學校を中止せねばならぬ實例は世上「ザラ」に見る所である、結核豫防上又は子供の發育上、生活改善殊に食糧の改良が根本問題であると思ひます。

我々同胞は保守的氣分が未だ〳〵濃厚で習慣を改めること中々六つかしい、脚氣の豫防に胚芽米が良い事は判つてゐるが實行出來にくい、家を新築するにしても庭園に金を惜まぬが子供の遊び場は閑却せられ勝である、公私共に惡習慣を改善したいものである。

要するに結核の豫防問題は、世界各國を通じて衣食住改善から出發せねばならぬのであるが、醫學的立場から論ずると、成可く結核感染の機會を避ける事と、結核菌を吸込んでも之に堪へられるだけの抵抗力を養ふ事の二つである。

感染機會の豫防

結核は屋外で傳染するよりも、家族感染する場合の方が遙かに多い、咯痰から空中に飛散した結核菌は、日光に直射せられ日數を經るに從つて弱つて行く、少々吸込んでも感染しないが、家族中に結核菌の出る開放性結核患者があれば咳嗽から來る飛沫が室內に飛散してゐるから、疊の上を這ひ廻る子供に最も危險である、患者を隔離するのが先決問題である、患者を隔離し得ない場合には、次の樣な注意が大切である。

一、患者の室　南向の室を選び、日光の射入をよくする事が最大切である、結核菌は室內光線にて三週間に死滅し直射日光にては數時間に死滅す。

二、換　氣　を良くする爲めに、時々窓を開放せねばならぬ、冬でも日中は一時間每に十分程開放するとよい斯くすれば室內の結核菌の附いた塵埃を室外に放逐できます。

三、患者の室の掃除　に箒を用ひてはならぬ、リゾール水にて拭きとるがよい。

四、患者の咯痰　は古新聞に吐かしめて竈にて燒却するか、若しくはリゾール水の入れた痰壺へ吐かします。

五、患者の夜具　には包布をかけ、肌着と共に屢々日光に曝し、洗濯する、同じ押入に積み重ねてはならぬ。

六、食器類　は熱湯につけて洗ふ。

七、書　物　の消毒はホルマリンを浸したタオルと共に

箱に入れて密閉し一晝夜放つて置く

八、附添人　はなるべく豫防衣をつけ食事には之を脫いで手は石鹼とブラシにて洗ひ、アルコール、リゾール水等で消毒する、時に含嗽をする。

九、其他の家族　も食器、タオル、洗面器等を別とし、手の消毒と含嗽を怠つてはならぬ。

素因的豫防

結核に對して身體の抵抗を强める事を指す。交通機關が發達した爲めに、人の住む所はどんな僻地でも結核患者が居る、結核死亡數から想像すると、人口千につき三十五人乃至五十人の結核患者が居る譯で、如何程注意しても全然感染の機會を避ける事は至難であるから、各自健康の增進につとめ、結核菌を吸込んでも之に打勝つだけの抵抗を持つて居る事が大切である。

酒の害

醫學博士　螺良四郎

酒《さけ》の利害《りがい》はすでに論《ろん》じ盡《つく》されたるが如くしてなほ吾人《ごじん》に新鮮《しんせん》な議題《ぎだい》を提供《ていけう》してゐる。酒《さけ》は嗜《し》好品《かうひん》として人間生《にんげんせい》活《かつ》の骨《ほね》の髓《ずゐ》まで食《く》ひ入《い》つてゐる。酒《さけ》は毒物《どくぶつ》なりや、將又《はたまた》長壽延命《てうじゆえんめい》の靈藥《れいやく》なりやは其質《そのしつ》と量《れう》とにも關係《かんけい》があらう。實際酒《じつさいさけ》は嗜《し》好品《かうひん》たるに止《とゞ》まらず興奮劑《こうふんざい》醫藥《やく》としてまた榮養價《えいやうか》ある飮料《いんれう》としての價値《かち》は相當認《さうたうみと》められる。だから酒《さけ》の害《がい》はその濫用《らんよう》にあつて、その節度《せつど》を守《まも》れば反《かへ》つて益《えき》なりと論《ろん》ずる人《ひと》もあり、一理《り》は確《たし》かにある。

しかし人間生活《にんげんせいかつ》の大局《たいきよく》より觀察《くわんさつ》すれば矢張《やは》り危《き》險《けん》なる飮料《いんれう》として絕對《ぜつたい》に排除《はいじよ》すべきものである。法律《はふりつ》を以《もつ》て禁《きん》酒《しゆ》を斷行《だんかう》した米國《べいこく》が失敗《しつぱい》に終《をは》つたのは、法《はふ》の力《ちから》のみでは斷壓《だんあつ》が出來《でき》ぬ程人間生活《ほどにんげんせいかつ》に滲《し》みこんでゐるからで、吾々《われ〳〵》は酒《さけ》の害《がい》に關《かん》する知識《ちしき》を深《ふか》くし、酒《さけ》の誘惑《ゆうわく》から避《さ》けんことを望《のぞ》み、またすでに酒《さけ》を嗜《たしな》む人《ひと》も十分《ぶん》その節度《せつど》を守《まも》らんことを希望《きばう》するが故《ゆゑ》にこゝに酒《さけ》の害《がい》を列擧《れつきよ》する。

酒《さけ》の害《がい》は主成分《しゆせいぶん》たるエチールアルコールに因《よ》るものであるから、アルコールの含有量《がんゆうれう》の多《おほ》い酒《さけ》ほど害《がい》が多《おほ》いことになる。酒《さけ》は種類《しゆるい》によつてアルコールのみならずその芳香《はうかう》と味《あぢ》とを由來《ゆらい》する種々《しゆ〳〵》な物質《ぶつしつ》が異《こと》なるのである。惡《わる》い酒《さけ》で頭痛《づつう》を起《おこ》すのはフゼール油《ゆ》のためである。また防《ぼう》腐《ふ》の目的《もくてき》で混入《こんにふ》されるサリチール酸《さん》も量《れう》が多《おほ》ければ有害《ゆうがい》である。これは內務省令《ないむせうれい》でその量《れう》が制限《せいげん》されてゐる。アルコール以外《いがい》の物質《ぶつしつ》の有害作用《ゆうがいさよう》はあるにはあるが、まづアルコールの作用《さよう》が大部分《だいぶぶん》とみてよい。

酒は胃腸を惡くする

酒《さけ》をのんで消化液《せうくわえき》の分泌《ぶんぴつ》が增進《ぞうしん》し、食慾《しよくよく》も增《ま》し、吸收《きふしう》もよくなるのは極《きは》めて少量《せうれう》を用《もち》ひたときのみである。大《たい》

量《れう》に殊《こと》に強烈《けうれつ》な酒《さけ》を飲《の》めば、咽喉《いんこう》、胃腸《いてう》の粘膜《ねんまく》を刺戟《しげき》して炎症《えんせう》を起《おこ》し、咽喉《いんこう》カタル、胃腸《いてう》カタル、下痢《げり》を起《おこ》し長《てう》日月《じつげつ》に及《およ》べば胃癌《いがん》、食道癌《しよくだうがん》等の發生《はつせい》に好條件《かうでうけん》を提供《ていけう》するといはれる。

酒は心臓血管を弱くする

酒《さけ》を飲《の》むと顔面紅潮《がんめんこうてう》して元氣《げんき》らしく見《み》える。これはアルコールによる皮膚《ひふ》の血管《けつかん》が擴大《かくだい》するためであるが、内臓《ないざう》の血管《けつかん》は反《かへ》つて収縮《しうしゆく》する。酒《さけ》を飲《の》めばアルコールはすぐ血液中《けつえきちう》を循環《じゆんかん》し、その九九プロセントは血中《けつちう》で燃焼《ねんせう》するから、その熱《ねつ》を放散《はうさん》するために血管《けつかん》が擴張《かくてう》するので、さめた後《のち》は急《きふ》に血管《けつかん》は収縮《しうしゆく》する。さめ際《ぎは》に寒氣《さむけ》がするはこのためで體溫《たいおん》の調節作用《てうせつさよう》がうまくゆかぬ勝《か》ちで感冒《かんぼう》や肺炎《はいえん》に侵《をか》され易《やす》くなる。

抵抗力は増加しはしない

アルコールが血液中《けつえきちう》に流《なが》れこめば、身體《からだ》の防禦作用《ばうぎよさよう》に大切《たいせつ》な役目《やくめ》をする白血球《はくけつきう》の運動《うんどう》が痲痺《まひ》して防禦陣《ばうぎよぢん》は弱體《じやくたい》化《くわ》する、赤血球《せきけつきう》も各臓器《かくざうき》の細胞《さいはう》もその機能《きのう》は遅鈍《ちどん》となり常用者《ぜうようしや》では、腎臓《じんざう》、肝臓《かんざう》をはじめ多《おほ》くの重要《ぢうよう》な臓器《ざうき》に退《たい》行現象《かうげんせう》が起《おこ》り、不治《ふぢ》の疾病《しつぺい》の基《もとゐ》を作《つく》る。

血液《けつえき》の中《なか》を流《なが》れてゐるアルコールに殺菌作用《さつきんさよう》はない、アルコールに殺菌作用《さつきんさよう》のあるのは五〇―七〇プロセントであるが、五〇プロセント以上《いぜう》のアルコールはすでに粘膜《ねんまく》を腐蝕《ふしよく》させる作用《さよう》があるから危險《きけん》である。

神經機能を痲痺させる

酒《さけ》は適量《てきれう》のときは興奮作用《こうふんさよう》を示《しめ》し、言語《げんご》、動作活潑《どうさかつぱつ》となるが、これは嚴密《げんみつ》にいへば興奮作用《こうふんさよう》でなくすでに痲痺《まひ》が始《はじ》まつたことになる。酒《さけ》を飲《の》むと大腦《だいのう》の機能《きのう》の内《うち》でその機能《きのう》の優位《ゆうゐ》にある微密《びみつ》なる注意《ちうい》、判斷《はんだん》、思考《しかう》、覆考《ふくかう》、結合等《けつごうとう》の能率《のうりつ》がまず痲痺《まひ》し、劣位《れつゐ》にある能力《のうりよく》は常態《ぜうたい》を保《たも》つ。酒《さけ》による元氣《げんき》は外界《がいかい》の危險《きけん》を顧慮判斷《こりよはんだん》せず注意力《ちういりよく》の缺乏《けつぼふ》によるものである。酒《さけ》は腦《のう》のブレーキの役《やく》をする作用《さよう》をまづ痲痺《まひ》させるから、意思《いし》は集中《しふちう》せず、感情《かんぜう》は徒《いたづ》らに興奮《こうふん》して、言語動作《げんごどうさ》常軌《ぜうき》を逸《いつ》して放歌高談《はうかこうだん》、笑《わら》ひ上戸《ぜうご》怒《おこ》り上戸《ぜうご》や泣《な》き上戸《ぜうご》となり他人《たにん》の迷惑《めいわく》などは意《い》に介《かい》さなくなる。

高尚《こうせう》なる德性《とくせい》は酒《さけ》によつて鈍痲《どんま》し慾望《よくぼう》に制御力《せいぎよりよく》を缺《か》き色慾《しきよく》は異常《いぜう》に昂進《こうしん》して種々《しゆぐ》の惡德《あくとく》の因《いん》を作《つく》り、また性病《せいべう》

の感染《かんせん》に最大《さいだい》の機會《きかい》を作《つく》る。犯罪《はんざい》の動機《どうき》も酒《さけ》が作《つく》るといつても過言《くわごん》でない。愼《つゝし》むべきは酒《さけ》と色《いろ》にあり、これ禁酒《きんしゆ》運動《うんどう》の目標《もくへう》となつてゐる。

酒《さけ》による體位《たいゐ》の低下《ていか》も問題《もんだい》である。發育期《はついくき》の青少年期《せいせうねんき》の飲酒《いんしゆ》は嚴禁《げんきん》すべきで、殊《こと》にスポーツに酒《さけ》は禁物《きんもつ》である。交通事故《かうつうじこ》の頻發《ひんぱつ》は酒《さけ》による注意判斷力《ちういはんだんりよく》の缺乏《けつぼふ》に因《いん》することが多《おほ》く酒《さけ》の害《がい》に歸《き》すべきものが多《おほ》い。

飲酒《いんしゆ》は習癖《しふへき》となれば阿片《アヘン》中毒《ちうどく》と同《おな》じく中々《なかく》その惡習《あくしふ》からのがれられない。酒量《しゆれう》はます〱まして疾病《しつぺい》の素因《そいん》を作《つく》り貧困《ひんこん》の原因《げんいん》となる。

飲酒家《いんしゆか》にて殊《こと》に素質《そしつ》の弱《よわ》い者《もの》はアルコールにより一時《じ》的《てき》の精神病《せいしんべう》が起《おこ》る、またアルコール中毒者《ちうどくしや》に特有《とくゆう》な精神病《せいしんべう》が起《おこ》る。アルコール中毒者《ちうどくしや》は子孫《しそん》に惡質《あくしつ》の遺傳《ゐでん》をのこすことも統計《とうけい》に示《しめ》すところであり、優生學的見地《ゆうせいがくてきけんち》から酒《さけ》の常用《ぜうよう》は絶對《ぜつたい》に排撃《はいげき》すべきである。

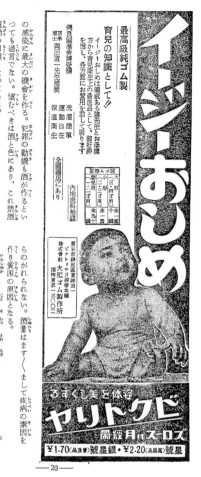

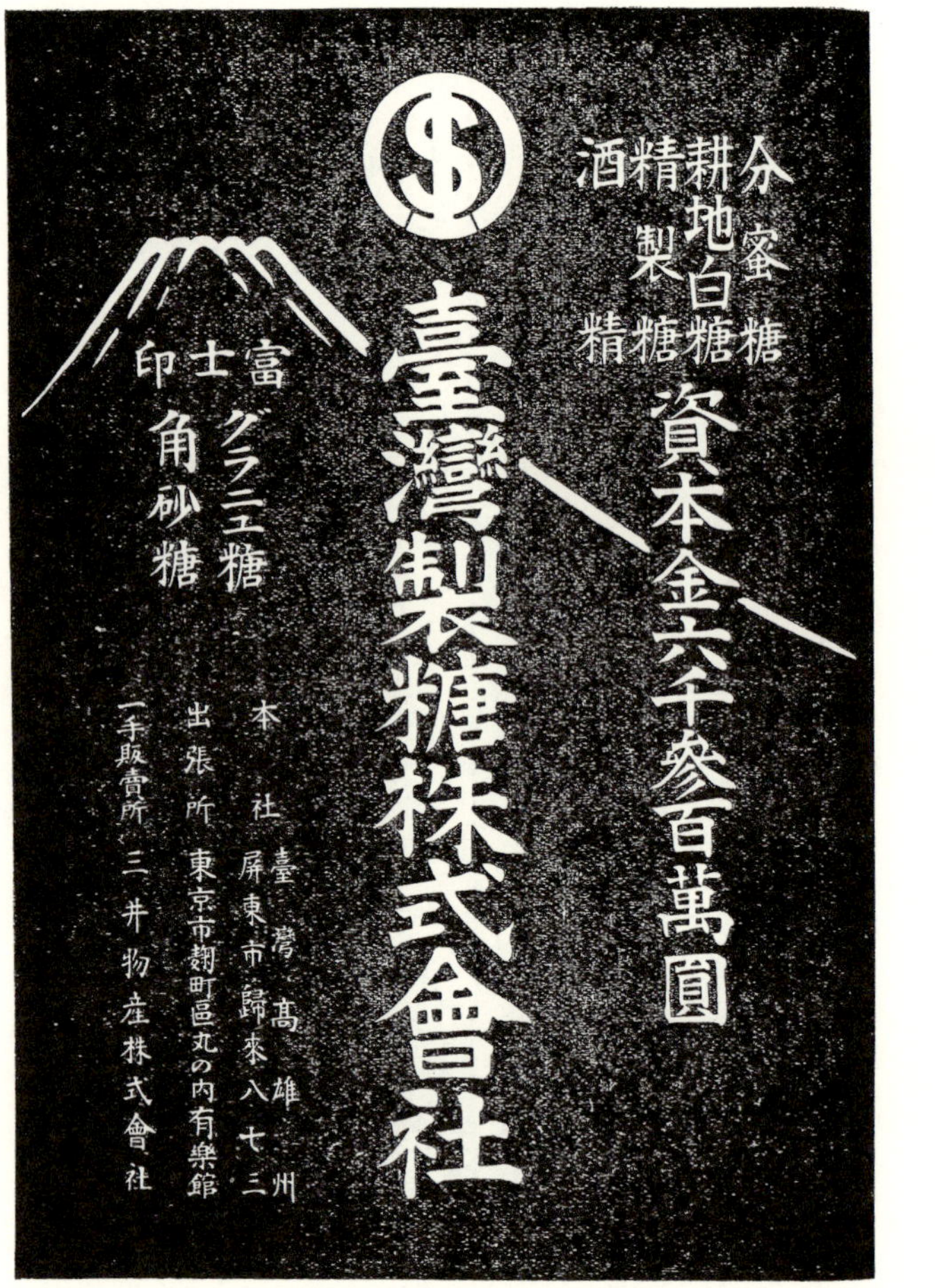

街頭醫學

お産の日を早く知る法

毎月のものが止まつて愈よ姙娠だときまると、姙娠十ケ月とは無論知つてゐても、分娩日はいつになるか?は一日も早く知りたいのが人情でせう。で以下に便利で簡單なお產日の早判り法をお知らせ致しませう。

一般に分娩は最後にあつた月經の第一日から起算して、二七〇—二九〇日の間に起るとされてゐます、從つて大體二八〇日目を以て豫想分娩日とします。

そこでこの豫想分娩日を早判りするには、最終月經の第一日に相當する何月何日（例へば三月十五日）の月の數(三)に九を加へ、日の數(一五)に七を加へた月日(十二月廿二日)が豫想分娩日となります。

最終月經が三月以降の月の場合は、月數に九を加へる代りに三を減ずればよく日數には同樣七を加へます。また日數に七を加へて卅一、卅、或は廿八を越える場合は翌月に繰り越して計算します。(例へば十二月廿三日となれば一月二日のわけ)

右の豫想分娩日の早判りは、月經の週期を二十八日とみた大體の計算法で一週間前後の誤差は無論あると知らればなりません。一般に平素の月經週期が廿八日より短い婦人はこの計算の結果より早く、廿八日より長い婦人はそれだけこの計算より遲れるとみれば宜しいでせう。(醫學博士山田尙允氏)

お誕生過ぎの赤ちやんの食物

滿一年から二年までの間の子供の食物は子供の體質の強弱や病氣や病後で消化力に相違がありますから、夫々の狀態に應じた形で與へなければなりません。その上食物が常に同種類でしかもその數が少いと、偏食になり勝で子供の發育にも障りとなります。

そこで食物は子供に消化出來る形で、色々な種類を與へるといふ事が最も必要な要件となります。

(一)先づお米はお誕生過ぎのまだ御飯には間のある子供にはお米を磨いで洗つて干て擂鉢で碎いて粉にしたもの（上新粉でもよろしい）或は粗く碎いた碎き米を水に入れてよく煮、糊狀かお粥がかつた柔かいものにして砂糖或はお醬油少々で味をつけて與へるとよろしい。或は牛乳で煮たり、煮魚の汁をお湯でうすめて煮ると甚だ滋養に富んだおかゆになります。だん〳〵之に馴れて來たなら、普通のお粥やおじやに變へ、一年半となれば大抵軟い御飯をたべさせてよろしい。

(二)お米以外のもので大體同じやうなものはビスケット、パン、せんべい、うどん、そうめん等ですが、おせんべいは口の內で軟かになるもの、そうめんはよく煮てから與へます。

(三)副食物は、野菜の煮物、煮魚、燒魚、卵、バタ、豆腐、田麩、魚の粉、麩等何でもよろしいが、お菜として煮なくともいゝおじやに混ぜて炊いても喜びます。

(四)果物は汁又はおろして適宜加減して與へます。かうして食べ易いものを種々取り合せて與へてゐれば發育上支障はないのですが、なか〳〵十分な榮養を與へる事はむづかしいと見えて兎角必要な成分が一つ二つ不足し勝ちです、そこで其不足を補ふ意味で母乳或は牛乳はずつと續けて少しづつ呑ませる方がよいのです。分量は母乳ならば一日二、三回牛乳ならば半立以下(二合五勺以下)です。

兎に角子供の食事は面倒でも一寸手をかけて作つてやる事で大人のお膳まわりをさせて、不消化のものを與へる事は愼しまればなりません。（東京市保健局）

赤ん坊はなぜ泣く?

眼にも入れたいほど可愛い坊やがうまれたのは嬉しいが、何しろ生きた人間の子供ですから生れ落ちると直ぐから泣くは泣くは……大抵のパパやママも神經衰弱になつて了ひます。

ところで、最近アメリカのカリフォルニヤ大學育兒研究所員M・ジョーンズ博士及びB・パークス博士は、赤ん坊の泣くことに就て次のやうな興味ある發表

をしてゐます、即ち

博士等の云ふには、赤ん坊といふものは生れて最初の三月の間が最もよく泣くもので、次の生後滿四ケ月目が最も少く、その後はまた泣き方が激しくなつてゆきます。それは最初の三ケ月間は生れて間もないことであり、抵抗力が最も弱くいろ〳〵の內的の障害を起し勝ちで、その爲特に強く泣くのです。

四ケ月になつて泣くことが割に少いのは、赤ん坊が或る成熟の段階に達するからで、この月は赤ん坊にとつて一轉機に相當します。そろ〳〵玩具が目につき始め、音や光やその他外界のいろ〳〵の刺戟にも反應するやうになります。赤ん坊は今や成長してきたのです、だから四ケ月が過ぎて又泣き方が少し盛になるのも、前の三ケ月間の場合とは意味が多少違つてゐます、即ち前の三ケ月間は內的の理由によつてゐたのですが、こんどは主として外的の理由によつて泣くことになります、即ち玩具をひろひ上げたいと云つては泣き、知らぬ顏の人間をみて恐れては泣き、抱いて貰へないといつて拗れては泣くのです。

右のジョーンズおよびパークス博士等の發表は判り切つたやうなことですが、この點をよく呑込んで赤ん坊をあやすのが上手な育兒法といふものでせう。

呼吸器を病む夫婦の感染率

夫妻のいづれかが肺を病んで居た際には感染するか——東北帝大醫學部熊谷內科副手三神秋子さんは近く京都帝大で開催の第十回日本醫學會第十六回結核病學會で「夫婦間における結核感染率」といふ興味深い研究を發表します。結核病國とさへいはれるわが國では注目すべき研究です。

この研究は熊谷內科で昭和に入つて以來取扱つた患者中で夫婦で診察を受けた人で、しかもレントゲン寫眞を撮つて十分に健康診斷した六十三組を選んで調査したものですが、その結果は夫婦間の感染率は五五・六パーセントといふ高率を示し、その感染期間は結婚したばかりの五年間が最も高率を示して居ます。

調査した六十三組のうち夫婦の一方が健康體であるものは二十八例、感染者は三十五例で、その內血行性のもの十七例（四八・六パーセント）浸潤性のもの十四例(四〇パーセント)混合性のもの四例(一一・四パーセント)でしかも注目すべき現象は夫婦共同型が多いことです。

さて、結婚による發病期は三十組のみが結婚期を明かにしてゐるのでこれについて詳細な調査の結果は次のやうです。

	夫	妻
診察當時健康	二	一四
結婚前發病	五	〇
結婚後		
一—五年發病	一〇	一〇
六—一〇年發病	六	二
一一—一五年發病	一	二
一六—二〇年發病	二	一

即ち結婚後一年から五年までの間に發病した者が實に三割三分を占めて居ます。從つて年齡的には二十代から三十代の青年が最も多いのです。

次に六十三組の患者中で祖父母、父母等に肺結核患者のあつた者は夫が十五人、妻が八人あり、男は十五人の全部が發病し女は八人中七人までが發病して居ます。つまり結核は遺傳ではありませんが結果に於ては遺傳に近い現象を來たしてゐます。

長命の敵は煙草、酒、過勞

短命か、長命かといふ人間の命數を左右する要因は種々あるが、第一に擧げらるゝのは煙草である。愛煙家は煙草を喫まない人よりも早死しやすい。事實平均的に見て早く死んでゐる。

此結論は生命統計表から得られたものであつて、年齡三十歲の煙草を喫まない者、中等度の喫煙者、過度の喫煙者各々十萬人の三つのグループのうち、例へば六十歲になつたときに、煙草喫まない人は六六、五六四人はなほ生存してゐた、中等度の喫煙者は六一、九一一人、過度の喫煙者は四六、二二六人しか生存しなかつた、パール博士は次のやうに云つてゐる。

この研究によつて明かなやうに喫煙といふものは人間の壽命を短かくする重要な原因である、この喫煙の壽命に及ぼす惡い影響は喫煙者によつて

喫まれる煙草の日常量の多寡に比例する、過度の愛煙者には重大な影響を及ぼし中等度の愛煙者により少く影響する。しかし中等度の愛煙者に及ぼす影響は、前者に及ぼす影響よりも少いとは言ふものゝ、やはりかなり強い、統計上測定されるほどの影響を及ぼすものである。

次にアルコール愛用について、『壽命に對するアルコールの影響は、喫煙の影響とは違つてゐる』とパール博士は指摘してゐる、煙草にあつては中等の愛用も過度の喫煙同樣に、煙草を喫まない人間よりも壽命が短いけれども、酒にあつては過度の酒のみは若死するが、適度の愛酒家は禁酒家よりも壽命が短いといふやうなことはない、第三には過勞について——壽命の長短に及ぼす困難な肉體的勞働の影響もまた統計方法によつて研究された、パール博士の報告によると、四十歲になる以前の困難なる勞働は、戶外であると室內であるとを問はず、壽命に對して何らの影響も與へない、けれども四十歲以後に於ける過勞は個々の壽命を著るしく縮める

パール博士自身は植物學者であるが博士は長壽を保つには如何に生活したらよいかを忠告することの出來るのは醫者だけだと言つてゐる。（レイモンド・パール博士報告）

健康な時には爪の(め)が多いか

爪の(め)といふのは、學問的にはその形狀から「爪半月」又は「爪月」と云ひます、この爪月を厚い爪發芽層のために現れる像で、これは血液の赤い色を透視することが出來ず、從つてこの部分が白色に見えるわけです。

さて、爪月と健康との關係に付て、その結論から云ひますと、爪月の出現は人によつて多い人と少ない人があり、統計的に同一人について見ますと榮養、健康度の高い時に、多く現れ、低い時には減少し或は消失するやうです。又、組織學的に見ましても榮養がよく健康度が高ければ、前述の爪根と爪體の境附近の增殖が盛んになり、その部分はいよ〳〵厚くなり爪月が增してくるわけです。

ですから同一人に於ける爪月の增減は健康のバロメーターとまでゆかなくとも、一つの參考になるわけです。

更に爪月は氣候風土等には關係がなく、寒い國でも暑い國でも健康度の高い時には現れ、低い時には減つて行くものです、ともかく、生來爪月の少い人、多い人があるので少ないからと云つて弱いとは限らない譯ですしかし前述のやうに同一人に於いての增減は健康度の高い低いの參考になります。

この爪月は年齡に正比例して多數になるもので、乳幼兒には極めて少なく、學齡期になつてだんだん增加し、大人になりますと大多數に現はれるものです

性別的に見ますと、男子の方が女子よりも多く出現し、右手と左手とでは右手の方によけいに出現し、各指においては拇指が一等多く、示指、中指、環指小指の順に出現度が少くなつてゐます。(醫學博士堤庸三氏談)

曉を覺えぬほど春はよく眠る

春眠曉を覺えず——で、一年中でこの頃ほど眠りが心地よく、殊に朝方は瞬時でも多くこれを貪りたい氣持になる季節はありますまい。なぜ春には特に眠りが快く深いのか?その理由を考へてみませう。

(一)腦の貧血狀態

第一に春には氣溫が上昇してくるので、その影響で血液は皮膚面に多く流れ、腦は貧血狀態になります。この腦の貧血こそ眠りを誘ふ一つの要因で、冬でも炬燵に當つてゐるとすぐ眠くなるのと同じ理窟です。

(二)疲勞を覺える

第二に、春になると人間生活の一般が急に活動狀態に入りますので誰でも冬の蟄居狀態よりは疲勞を覺えて來ます、適當な疲勞こそまた眠りを誘ふ一つの要因です、この點單に人間の活動が增すといふ結果だけでなく春には生理狀態そのものが疲勞を覺え易くなつてくることも考へに入れればなりますまい。即ちホルモンの分泌をはじめ、新陳代謝がすべて寒い冬の間よりずつと旺盛になるので、從つて又それだけ疲勞素も多く身邊に

蓄積されるわけで、靜かにしてゐても眠くなるのです。

(三)夜更しも一つ

その他冬の間は蟄居狀態にあるので眠らうと思へばいつでも蒲團に入れるし、夜も早く眠りますので從つて朝も早く覺めることが出來ます、これに反し陽氣が暖かくなると夜更しもするし疲れもするので、春眠曉を覺えずといふ結果になるのです。又夏のやうに暑くなく蚤や蚊のゐないことも春の眠りを快くします。以上の理由からして睡眠にはいろ〳〵の型があつて一概には云へませんが、健康な青壯年者であれば確かに春眠曉を覺えぬ狀態がえられるわけです。しかし前述のやうに春には一般に生殖腺の活動が旺盛となり外界の刺戟も多くなるので、腦神經の抵抗の弱い人や、精神病の素因のある人は興奮を來し易く却つて春にはよく眠れぬといふ結果にもなります。(醫學博士金子準二氏)

果して女は男に劣るか?

それは因襲が與へた「個人差」に過ぎない

日本勞働科學研究所　桐原葆見

××　×××　××

小さい子供から大人に至るまでの一萬二千人の日本人男女に就て、先頃私は智能檢査を行つてみましたが、その結果は平均的には女子の方が男子よりも劣つてゐました、併しこれは今日までの男女の教育に大きな差異がある以上、果して現れた結果が本質的なものであるのか、又は單なる教育の差異によるものであるのか、明言の限りではありません、いま現れた男女智能の差異を少しく項目的にみてみますと

辨別の能力

物事を辨へ區別する働きは男子の方が早く、その代り女子は精密で緻密であります。

力と持久力

力は何といつても女子は男子の半分より少し高い位ですが、その代り長く持ちこたへる仕事力には富んでゐます

運動の速さ

運動の速さに就ては、男子が女子よりも平均一割位は優れてゐますが、指覺では確かに女子の方が優れてゐて、例へばピアノやタイプライターの操作では男子は女子には及びません。

物の注意力

物に注意する働きに就ては一時的に物に全精神を集中するといふことには男子が勝れてゐますが、長く平均的に持續的に注意をもちこたへる點は女子が優れてゐます、從つて仕事でも同じ態度を長く保たなければならぬ、さうして男子なら直ぐに單調の感じを起して飽く種類のものを、女子は辛抱強く續けて倦むところを知りません。

リーの觀察

リーといふアメリカの大學教授は多くの仕事に就て觀察した結果、「女子は男子に比べて仕事の計畫をたてたり、方針を定めたりする創造的の才能には乏しいが、一度計畫を定められ、與へられた仕事をするには甚だ正確で綿密で、長く持續することが出來る、けれ

ども途中で故障が起つたり、不意の事故が起つた場合に、それに直ちに男子ほど早く臨機應變の處置をとることが出來ない、かやうな點からして、女子は創造的でなく、生產的でないといふ風に言はれるのだ」と說いてゐます。

リーの誤認

併し乍ら、右のリー氏の結論に對しては、少し「待つた」を挿まねばなりません、人間は誰でも何物かを創造する天分に惠まれてないものはありません、問題はこれをいかに創造するかであつて、女子が假りにリー氏が言つたやうに物事を計畫したりすることは出來ぬが、命ぜられたことを長く續けることはよくやる―としたにせよ、これには前述のやうに因襲的な教育の影響や、またこれまでの職業上における婦人の地位といふものゝ影響が大いに考慮に入れられねばなりません、從來の女子教育は、單に良き妻たり賢き母たるやうに注がれてゐたし、また職業上では女子の賃銀は同地位の男子に比べて薄く、結婚までの中間的仕事であるに過ぎず、從つて機械の原理、仕事の性質への理解や經營への參畫は殆んどなく、勢ひ途中で支障が起つた場合臨機の處置をとりえないのも當然だとせねばなりません。

單に個人差

リー氏に限らず、從來一般に男性の側から女性に與へられてゐる―創造力に乏しいとか生產的でないとか、職業意識が旺んでないとかの定評的な評價は、今日の現狀においては果して的を射てゐるでありませうか、これを以て直ちに女性の最後の、永久の決定であるとするのは當らないと思はれます。

要するに男女の能力の差異は今日においても個人差に過ぎず、女子にも男子より勝れた才能をもつものゝ多いことは明かであります。

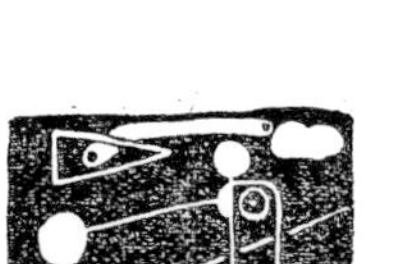

乳幼兒死亡の統計的考察(三)

內閣統計局　浦上英男

五、乳兒死亡率の都鄙別比較

前月號に於ては乳兒死亡率を地方、府縣別に觀たのであるが、今度は之を都鄙別卽ち都會と田舍に分けて觀察しやう。內閣統計局の發表する統計では生憎市部と郡部に分けた乳兒死亡の數字が明らかにされず、判るのは專ら人口十萬以上の都市に於ける數字だけである。そこで此の人口十萬以上を有する內地の三十四市(昭和十年の國勢調査當時の人口)の昭和十一年に於ける合計に就て觀ると、乳兒死亡數は死亡總數の一六・五%・五歲未滿の幼兒死亡者の五九・八%となつて居り、全國の場合の夫々一九・九%及六三・一%より割合が少い。又乳兒死亡率は出生百に付九・六%で全國の一一・七%より著しく低いのである。之は何も昭和十一年だけに限つた事でなく、每年大都市に低いのである。

尙「愛育會」の愛育調査資料第三輯「出產・出生・死產及乳幼兒死亡統計」に據れば、昭和八年全國に於ける乳兒死亡率は市部一一・一四%、郡部一二・四八%で市部が遙かに低率を示して居る(此の場合の市部とは人口の多寡を問はず市全部の合計である)。無論一縣一縣に就て比較せば市部に高率を現す處もあるが、全體を通じた場合は概ね市部に低く郡部に高いのが通例である。

之を外國に就て調べて見ると、北米合衆國は昭和九年市部(人口一萬以上の都市全部)に五・八%郡部に六・二%を現して市部に低く、獨逸に於ては昭和十一年人口一萬五千以上十萬未滿の市部六・四%、人口十萬以上の五十七大都市六・二%を示し、全國平均の六・六%より低いのである。伊太利に在つても同樣昭和十一年人口五萬以上十萬未滿の市部九・〇四%、人口十萬以上の二十

二大都市八・九%を現し、人口五萬未滿の町村に於ける一〇・三二%に比し低いは勿論全國平均の一〇・〇四%より低率である。

茲で和蘭の昭和十一年に於ける事實を左に特記して見やう。

人口階級	乳兒死亡率
五千未滿	四・三五
五千以上二萬未滿	四・一五
二萬以上五萬未滿	三・九二
五萬以上十萬未滿	三・六七
十萬以上	三・〇三
全國	三・八九

（十萬以上は六市）

御覽の通り同國の人口階級別乳兒死亡率は此の點に關する典型的な論證を提供してくれる。卽ち人口が少ければ少い程その市町村の乳兒死亡率は規則的に高く、殊に人口五千未滿の村落に於ては人口十萬以上の大都市に較べ四割以上も高率となつてゐるのである。

斯くの如く乳兒死亡率は、獨り我國のみならず大抵の國で、市部に低率、郡部に高率といふ事に相場が決つてゐるのである。蓋し都市就中大都市に在つては諸般の衞生施設も完備し、都會人の衞生思想が郡部居住者に比し遙かに向上してゐる爲であらう。更に郡部に較べ著しく低い都市の出生率が其の乳兒死亡率に尠からぬ好影響を與へてゐる事も見逃せない。

但し例外は英國で、昭和十年イングランド及ウエールスに在つては大都市（大倫敦を除く）六・六%、郡部四・九%で大都市の方が寧ろ高い。又大都市を除いた他の市部は五・五%で矢張り郡部より高いが、全國平均の五・七%よりは辛くも低率に置かれてゐる。從つて同國は我國或ひは米、獨、伊、和等と全く正反對で、田園生活の方が却つて乳兒の健康に良いといふ事になる譯である。

次に十萬以上の人口を擁する本邦内地の三十四大都市に就き、各々乳兒死亡率を較べて見ると、昭和十一年に於ても高知の一五・五%最も高く、第二位金澤の一五・二%と共に嶄然群を拔いて居る。之に亞いでは小倉の一三・九%、八幡の一三・二%、福岡、小樽の各一二・九%、濱松の一二・五%、岐阜の一二・三%、大牟田の一二・一%、廣島の一一・八%等高率の部類に屬し、何れも全國平均一一・七%より高い。以上の十市を除く他の二十四市は總て全國平均より低位に在り、就中東京の七・七%最も低く、橫須賀の八・一%、川崎の八・四%、新潟の八・六%、橫濱の八・七%、神戸、札幌の各九・一%、鹿兒島の九・三%等が之に亞いで屈指の低率である。

最後に主な諸外國の大都市に於ける最近の乳兒死亡率を揭げ、夫々全國平均に對してどの程度の低率に在るかを眺め、又本邦七大都市（人口三十萬以上）に比較して如何なる差異を現すか、之を次表に依つて窺ふことにしやう。

日、英、米、獨、伊の七大都市に於ける乳兒死亡率（出生一〇〇に付）

國名	市名	人口	乳兒死亡率
日本内地（昭和十一年）	全國	七〇、二五八	一一・七
	東京	六、〇八六	七・七
	大阪	三、一〇二	一〇・三
	名古屋	一、一三〇	一一・一
	京都	一、一〇七	一一・三
	神戸	九三八	九・一
	橫濱	七三八	八・七
	廣島	三一八	一一・八
イングランド及ウエールス（昭和十年）	全國	四〇、六四五	五・七
	大倫敦	八、四七五	五・一
	バーミンガム	一、〇二四	六・五
	リヴアプール	八五五	八・四
	マンチエスター	七四八	七・一
	シエフイールド	五二一	五・二
	リーヅ	四八七	六・四
	ブリストル	四一三	四・四

國名	市名	人口	乳兒死亡率
北米合衆國（昭和九年）	全國	一二二、七七五	六・〇
	ニューヨーク	六、九三〇	五・二
	シカゴ	三、三七六	四・八
	フイラデルフイア	一、九五一	五・四
	デトロイト	一、五六九	五・〇
	ロスアンゼルス	一、二三八	五・三
	クリーヴランド	九〇〇	四・五
	セントルイス	八二二	六・一
獨逸（昭和十一年）	全國	六七、五八七	六・六
	ベルリン	四、二五一	六・一
	ハンブルグ	一、〇九七	五・六
	ケルン	七六二	六・六
	ミユンヘン	七五六	六・六
	ライプチツヒ	六九八	五・六
	エツセン	六六二	六・七
	ドレスデン	六三七	四・八
伊太利（昭和十一年）	全國	四二、九九四	一〇・〇
	ローマ	一、一五三	七・六
	ミラノ	一、一一六	八・八
	ナポリ	八六六	一〇・四
	ゼノア	六三五	六・一
	トリノ	六二九	六・七
	パレルモ	四一二	一〇・三
	フロレンス	三二三	四・九

備考　都市の配列順は乳兒死亡率の高低に依らず、人口の多寡に依つた。尙北米合衆國の人口は昭和五年の國勢調査人口。

我國では廣島が全國平均より僅か〇・一%高いのを除けば他の六市は總て之より低く、北米合衆國でもセントルイスが〇・一%高い外皆低率、又獨逸ではエツセンが同じく〇・一%高く、ケルン及ミユンヘン兩市が平均と同率に在る外悉く平均以下である。伊太利ではナポリ、パレルモが高いだけで殘る五市は何れも低率である。尙前表には載せなかつたが、和蘭の大都市アムステルダム、ロツテルダム、ヘーグなども同樣全國平均よりは遙かに低くなつてゐる。要之上記一、二の例外はあるとしても之は少く共日、米、獨、伊、和に關する限り、その大都市に於ける低死亡率（全國に比し）を立證するに大した妨げとならないのである。

但し英吉利のみは全く異例で、同國は何故か右の逆を行つてゐる。卽ち大倫敦、シエフイールド、ブリストルを除く他の四大都市は全國平均より著しく高率を呈するのである。之は曩に述べた市、郡別比較に依つても裏書きされる現象であるが、今茲に其の原因を深く立入つて檢討する暇のないのは遺憾である。

終りに本邦大都市の乳兒死亡率を英、米、獨伊のそれに比較せば、我國以外の是等四箇國に於ける二十八都市中、本邦の最低たる東京を凌ぐ高率は、英のリヴアプール、伊太利のナポリ、パレルモ計三市あるのみで、他の二十五市は總て之より低く、殊に英のブリストル、米のクリーヴランド、獨のドレスデン、伊のフロレンスは何れも四%臺に在つて東京の殆んど半ばに近い低率となつてゐるのである。我が都會人たるもの、如上擧げた外國の數字が含む眞意を理解したならば、假令郡部より優れた狀態に在るからとて安心し、徒に現狀を以て滿足する樣なことがあつてはならないであらう。

（未完）

太祇の夏の句その他

兒童に關する俳句評釋（二〇）

岡本松濱

いとをしい瘦子の裾や更衣　太祇

病ひ勝ちで見るからにいた〳〵しいばかりに瘦せて居る子が、夏を迎へて人なみに衣を更へさしたのであるが、其の新しい袷の裾が身の丈けに合はぬと思はるゝほど長く垂れてゐたのであらう。親の心はそれを見るにつけても、我子の病弱がいとも哀れに、いとをしく感ぜられたのである。

呑獅參宮を送る

餘花もあらむ子に敎へ行く神路山　太祇

太祇は長く島原の廓内に住んで、遊女の俳句の添削をしてゐたと云ふ事であり、遊女屋の主人なども二三太祇の敎をうけてゐた者もあつたが、こゝにある呑獅も大きな遊女屋の主人であり、特に太祇に親しんで、いろ〳〵衣食の世話もしたと傳へられてゐる。その呑獅が伊勢參りをするに際し、太祇が送別の句を送つたのである。時は春すぎて若葉のいろも鮮やかな初夏である。伊勢の大神の木立深きあたりには、まだ櫻の花も咲き殘つてゐるであらう。伴うて行つた子に對し、之は神路山であるなどゝ敎へつゝ、餘花などもうち眺めつゝ參詣するのであらうと、旅のさまを想ひやつて與へた句。

やさしや田を植るにも母の側　太祇

まだ年はも行かぬ娘の子が、紅い襷もかひ〳〵しく、頭には笠をかぶつて、早乙女姿にいでたつて、大人と同じやうにせつせと田を植ゑつゝある。まだ幼な心の離れきらぬ其の娘は、凡て母のするがまゝに倣つて、しかも母の影身に寄り添ひ一歩も其の傍を離れない、其の娘心のやさしさを諷うた句である。

蚊の有るに跨げるふりや稚《おさな》がほ　太祇

疊の上を蚊が飛んでゐたか、這つてゐたのを、幼ない者が跨げるやうにして通つたと云ふだけのこと。

武士の子の眠さも堪ゆる照射《ともし》かな　太祇

照射《ともし》は覗ひ狩とも云ひ、闇夜山中に篝火を焚き、其の火をしたひて鹿などの寄り來るを待ちて狩り取る業を云ひ、木の串に髮の毛を卷き、松明と共にくすべ、獸を誘ひ寄せるを火串《ほぐし》と云ふ。みな夏の夜の山中に於ける行事である。この句は其の照射に武士の親子連れが行つた場合、夜更けて眠氣の襲ひ來るのを、さすがに武士の子はそれを耐へ忍んで、曉まで狩をしたと云ふ場合を詠じたのである。

麥秋や馬に出て行く馬鹿息子　太祇

麥秋と云へば晩秋初冬の稻刈り頃と共に、農家に取つての最繁忙期であり、猫の手もほしいと云はるゝ位であるが、多分庄屋の息子でゞもあらう。うすぼんやりして平生から馬鹿扱ひにせられてゐる男が、人の忙しく立ち働らいてゐるのを尻目にかけ、悠々と馬に乘つて遊びに出かけたのである。その小づら憎い有様を眺めて、百姓達はいよ〳〵彼を馬鹿扱ひにして、高聲で何かと噂をし合つてゐる光景である。

なぐさめて粽解くなり母の前　太祇

粽は五月五日の端午の節句の供へ物であり、どの家庭でも節句を祝つて粽や柏餅などを食べるのであるが、この句は何か心にかゝる事があつて、老ひたる母が浮かぬ顏をしてうち沈んでゐるのを、孝心深いやさしい娘の子が、靜かに母を慰め、いたはりながら、粽の笹を解いてゐるのであり、現代ならば鏑木清方の繪の如き場面が浮んで來る。

二階から物のいひたや鉾の兒《ちご》　太祇

鉾は祇園祭禮の鉾である。むかしは街々を練り廻つたが、今はそれが出來なくなつて、唯飾られてゐるだけである。之はその鉾を見物しやうと云ふので、二階に席を設けて待ちうけて居る。折から其の前を通る鉾に乘つてゐる稚兒の姿が、餘りに美しく、餘りに可愛く思へたので、つひ言葉をかけて見たいやうな氣持になつたのであらう。

みどり子に筒負せて生身魂　太祇

生身魂と云ふのは、盂蘭盆に際しまだ兩親の健在なものは、それを喜んで刺鯖を供へて、兩親の健康を祝するのである。此句の場合は健全な老夫婦に孫まで揃つてゐて、其の孫のみどり子に、何かの筒を負はせ、子と孫とうち揃つて兩親を祝ふと云ふまことにすこやかな、美ましい家庭を詠じたのである。

剃て住む法師が母のきぬた哉　太祇

相當の地位にまで上つた法師の母が、法師の傍近く家を構へて住んでゐるが、之も今は浮世に用なしと、くる〳〵と頭を圓めて淸らかな姿になつてゐる。其の母が秋の夜の長さを忘れんためか、頻りに衣を打つてゐるのである。

やゝ老いて初子育てる夜寒かな　太祇

最早子供は授かるまいと諦らめてゐたのが初老にも近くなつて初めて子をもうけたので、思ひがけない嬉しさに、其子を大切に守り育てゝはゐるが、次第に老境に近づく我年齡と、この子の一人前に育ち上る年とを考へ合せると、何となく心細いやうにも感ぜられる。それを夜寒の季語に託して述懷した句。

おどらせぬむすめ連れ行く十夜哉　太祇

盆の踊には若い者は悉くうち揃つて樂しく踊り狂ずるのであるが、この家庭はやゝ嚴しく、娘をいましめて踊に出さなかつた。其の娘をうち連れて、いま十夜參りに行くと云ふのであるから、其の家庭の狀態や、親の心持は凡そ察せられるであらう。

夜歩行《あるき》の子に門で逢ふ十夜かな　太祇

親は十夜參りとて信心深く宵からお寺へ參つて、ありがたい法話を聽聞し、夜更けて我家へ歸つて來れば、平生から遊び好きの我子は、宵から何處かを遊び廻つて、

我家へ歸つて來るのと恰ど家の近くでびつたりと出逢つたのである。かうした簡單な敍述の裡にも昔のある家庭の狀態が想像されるであらう。

僧にする子を膝もとや冬ごもり　太祇

何かの事情に依つて、愛すべき我子を近き將來僧にせねばならぬ事となつてゐる。一人出家すれば九族天に上ると云つて、昔は僧にする事を以て有り難い事のやうに思ひ込んでゐる人もあつたが、扨實際親の身となれば、我子を俗界を離れて不自由な僧の生活をさす事に多少のふびんさを覺えずには居られないであらう。さうした親心から、他の兄弟達は離れて住んでゐるが、僧にすべき子丈けは少しでも手許を離したくないと云ふので、我傍に引つけて靜かな冬ごもりをしてゐるのである。人情の機微が僅か十七字中に描き出されてゐるのがこの句の働らきであり、太祇の長所を充分に發揮した句と云つてよい。

草の庵童子は炭を敲く也　太祇

別に解釋を要しない文字に現はれた通りの句で、佗しく住んでゐる庵に、幼童が炭を敲いて割つてゐる。それを調子おもしろく、興味づけたまでの事。

父と子よき榾くべしうれし顏　太祇

山中の一軒家が想像される。圍爐裏を中に親子榾火にあたつて、ほつ〳〵と語り合つてゐたが、やゝもすると榾が煙つて話の腰を折られたが、新たにくべた榾は洵に快く燃え上つたので、親子顏を見合つて喜んでゐるのである。

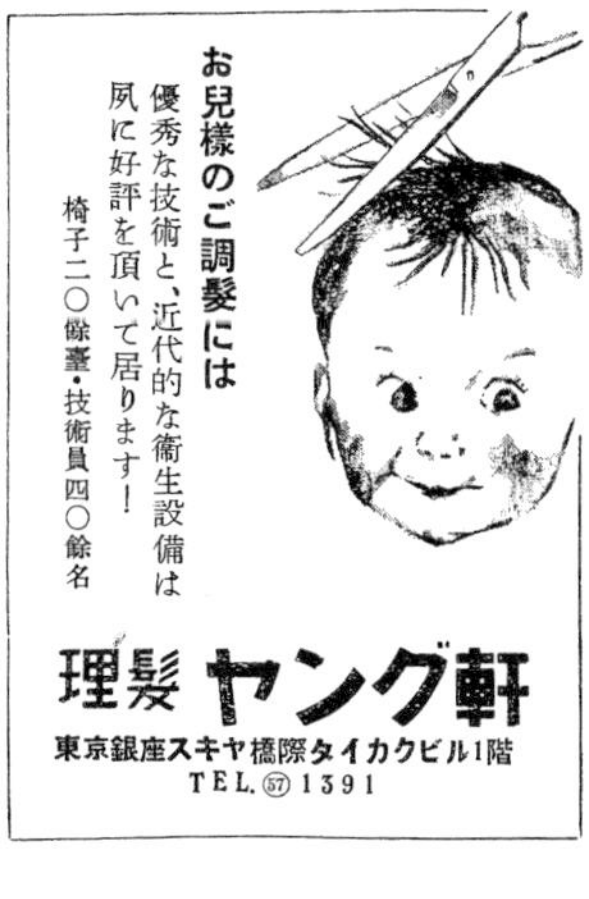
お兒様のご調髮には
優秀な技術と、近代的な衛生設備は
夙に好評を頂いて居ります！
椅子二〇餘臺・技術員四〇餘名
理髮　ヤング軒
東京銀座スキヤ橋際タイカクビル1階
TEL.㊼1391

親と子供

中川紀元

つい此頃まで親のスネを嚙つてゐたやうな氣がするのだが、考へて見ると何時しかこの自分が大勢の小供に有りもしないスネ嚙られてゐる身分になつてゐる。

大人つていゝものだなア、と七歲の腕白が突然に云つて皆を笑はした。蓋し小供と違つて誰にも小言を云はれないし、お小遣も自分で勝手に使へることを羨ましく感じたのであらう。小供に羨ましがられる大人の自分が考へる事する事は顧みれば小供とどれ程も違つてゐない氣がする。世の中に大人の上にまた大人がゐたら恐らく叱られ通しだらう。人生が一應の大人生活で打切りになつてゐるのだからどうにか大人面が出來てゐると云ふものだが。

兩親が揃つて健康で良い體格をしてゐるのに弱い小供があつたり、利口な夫婦の中に馬鹿な小供が生れたりする例は珍らしくないが、直接には人間の長短得失とも子孫に繼承したり反映したりすると限らないのが面白い。現に自分のところにも一人圖拔けて大柄な小供があつて人並以下の身長揃ひの吾々夫婦を瞰下してスク〳〵伸びてゐるやつがある。どうも合點が行かない。斯ういふ實例にぶつつかると、小供の强弱賢愚は何も親の責任ではないと云ふ氣がする。隔世遺傳とか飛んでもない昔の先祖の特質が偶然に吾子に現はれる、畢竟人生累代の一連鎖に過ぎない自分を感ずるのである。何のことはない人類リレーの一區間を受持つだけの役目と觀せられるのだ。

昔から名人は二代續かずとか云つて、いづれの方面にも隨分不肖の小供があるが、机上で割り出した優生學通りに、親の優れたところを受繼いで、それを出發にして更に進步して行つたら、人類は今頃は逸くにみんなが神樣になつてゐる。親の經驗がソツクリそのまゝ小供に傳へられたら素晴らしいものだが、小供はまた最初から經驗し出して大抵似たところでおしまひになる。具體的な科學の繼承發達と違つて、人間の精神的方面のことは昔と今とどれだけ違つてゐるか、藝術でも本質的に石器時

代の人間と現代人のすることゝどれだけ違つてゐるか、いづれもタカが知れてゐる氣がするのだ。藝術の上で人間のやることに親しい發見と云ふものは一つもない、紡棒に糸を巻きつけるやうに時代を經て太くはなつても何時も同じところを廻つてゐるに過ぎない、といふ意味のことをマチスが云つてゐる。

出來のいゝ小供を持つた親は兎に角幸福だ。つまりは人類リレーのバトンをその者に渡しただけのことで、大して自分の手柄ではないのだが、人に褒められるし鼻が高く感ずることになる。

形の上では親あつての小供だから、順序はいつも親が先に立つ。大成功者や大惡人などが現はれると直ぐにその親はどんな人かといふことが問題になるが、さういふ時にその小供はどんな人間かと云ふことは第一番には考へない。親は小供の養育や教育に責任があるのは勿論でこれは前に云つた生れついての素質の責任とは譯がちがふから、善惡ともに國家や社會に對して親は小供の責任を負はなければならない。

小供のない人、結婚しない人は世の中に尠い數ではないが、考へて見るとこの人たちの生涯は大へんな岐路に立つてゐる。その人が現存するために人類始まつて以來一度も斷絶しなかつた長い〳〵人間の連鎖がその人に到つてプッツリと切れてしまうのだ。一方に五人八人子供を持つ夫婦があつて全體としては地球上の人類を充足してゐるのだが、小供のない人は一番最初の先祖以來何千萬人も續いた人間の中で最も特殊な一人であるとも考へられる。小供は可愛く出來てゐるし、將來何になるか分らないので樂しみで、大抵の人は世の中での自分の生活や存在の程度が分つて來ると、今度は小供の生立ちをたのしむことになる。それが丁度春先の庭を眺めるやうに何かの草の芽が生へ出すのをどんな美しい花になるかたのしみで毎日に伸びて行くのを見てゐると、やがて大抵はロクでもない花や實をつける草であつたりするのとちがはないのだが、このたのしみにしてゐる間がその人の生活とも云へるだらう。

一人兒や末ツ兒が甘やかされるのは無理もないことでそれ以外にもつと小さな可愛いゝものがないので何時までも親の玩具とされることになる。次々と引續いて小供がある時は小供への愛撫が分散して一人あたりがどうしても薄くなることはたしかだ。自分の家でもいま七歳になる末ツ兒は隨分チヤホヤされるし自然甘つたれてゐるが、上の小供たちの粗雜に扱はれたその頃を思ひ出して一寸可愛想のやうな氣もする。

目・耳・鼻（三）

ツカダ・キタロウ

三一　少年滿洲

月刊滿洲社から「少年滿洲實話集」なる著書が刊行されたのは八月の末でありますが、これは撫順永安の學校の訓導合志光君の著であります。合志君は、滿鐵の敎育專門學校の出身で恩師の寺田喜治郎先生は、跋に左の如く同著を紹介して居られます。

「特に實話のみを集めたのは、世の中の多くの子供たち――中でも内地の子供たちに、滿洲といふもののほんとの姿を知らせようといふ考へから出てゐる。

滿洲は日本の分身だ。だのに子供たちは滿洲にしたしみを缺いてゐる。君たちは滿洲の田舍の果にも如何に多く美しい心の人たちがすんでゐるかを知らねばならない。うすぎたない着物をきた滿洲の人たちの中に、神に近い藝術心をもつてゐる人たちがあることも、君たちは知らなくてはならぬ。荒野原のやうに君たちは思つてゐるだらうが、關東平野を何十倍もしたやうなきれいな開墾地もあれば、砂金の流れる澄み切つた美しい河もあり、海のやうに靑くつゞいた山もある。君たちはこの童話によつて、君たちのもつてゐる世界をひろくすることが出來よう。又君たちの心が何物かによつてあたゝめられることを感じるにちがひない。」

掲載されてゐる實話は、十三篇。何れも著者の或は討伐から歸つた兵士を訪れ、或は又オロチヨン民族のリーダーに會ひ、或は夏休に北滿を旅行して得た貴重な材料のみであります。

「雪の飛行場」「頭目の子」「中尉さんの話」「採金調査隊」「李さんと小鳥」「たこ爺さん」「超特急あじあ」「撫順事變」「外山理學士を憶ふ」「豆軍艦」「北滿河川物語」「北滿通信」「太陽の子オロチヨン」。

四六版一〇三頁、定價五拾錢であります。

詳しい事は本著について御覽願ひたいですが、先年出版されし山田健二君（在奉天滿鐵旅客課）の「慰安車」と共に、友邦滿洲を知る最も尊い著書として、兒童達の文庫に是非一册を備へられたいものと思ひます。

いや、兒童のみならず、最も通俗的の滿洲事情を知る讀物として、親達の一讀もお奬め致したいものと思ひます。

本書は第一輯と添記されてありますので、將來續刊される事と思ひますが嬉しい事であります。

著者の執筆の態度に關し、跋の一部を記しませう。

「蟻がいかにもはたらきものらしい黑光りする顏をあげて」といふやうなことを合志君が童話の中に書いたことがある。生きてゐるよく寫してゐると思つて、そのことを話すと、合志君は羞しさうに笑つて「いや、運動場で三十分間ばかり蟻を見つめてゐたんです」と答へた。合志君と言ふ人は大體さういふ風なのである。筆にまかして小器用にでつち上げるやうなことを決してしない人なのである。

以て本書の價値を知る事が出來ませう。

三二　豆軍艦

滿洲國に軍艦があるなどとは、薄學寡聞の私は最近まで知らなかつたのでした。處が、合志光君の著書を見るると、十五隻もあつて、昭和十年九月には、觀艦式まで擧行されてゐるのですから全く驚きました。

お召艦になつた「定邊」を最新最大艦として、大同元年以後に作られたのが「順天」「養民」「親仁」「大同」「利民」「濟民」「恩民」「惠民」の十隻、張學良時代からのが「利綏」「濟江」「利清」「江平」「江通」の五隻と言ふ堂々たるものであります。

「定邊」「親仁」の二砲艦は大日本有限公司播磨造船所の建造にかゝるもので、その要目は、

艦種	裝甲河用砲艦
排水量	二九〇噸
速力	一二、五海里
主機械	デーゼル機關二基
兵裝	高角砲機銃數門
探照燈	一式
無線電信機	一式
乘員	九四名
起工	康德二年五月四日
命名	康德二年七月二日

そして滿洲國の北境附近、烏蘇里江、黑龍江、松察河川より興凱湖に入りて對岸の當壁鎭に達し、爾克納河に新水路を開き、國境「アパガイド」を經て、海拉爾に達する、この距離を護つて居ります。

是等の河川に活動する船舶三百十八隻、總噸數十二萬五千噸に達し、水域四二二〇粁を占めて居ります。航行可能期間は四月より十一月迄約七箇月間。この間の輸送貨物九十萬噸に及ぶと聞けば盛なりと言ふべきでせう。輸送客五十萬人の九十七パーセントは、山東より往來する苦力なりと言はれて居りますがこれは滿洲國經營上の一大問題である事は、お互に注意を要する點であります。

三三　プレイ・グラウンド

「湖畔の聲」にヴォーリズ滿喜子氏が、「清友園プレイグラウンドに就て」述べて居られますが、幼兒の遊びの本質にふれた言葉がありますので拜借させて頂きます。

「子供の本職は本氣に遊ぶ事なのでありまして、出來上つた子供だましの玩具をあてがはれて短時間あそびてはあき、ぢきに壞してしまふのは、其の本能の動作ではありません。之は大人の飜弄に對する子供の反射動作であつて、子供の眞實の發達を妨害するものであります。

子供の自發的興味を促す遊び道具は工夫を要し、自力自動の功勞によつて完成する喜悅を目的とし得る物であります。故に既成品より未成品の材料を喜び、力をこめて努力して勝ち得るゲームをよろこぶのであります。然し單に材料を與へ道具をあてがふのみでは年幼くして經驗の淺い子供には、完成の目あてを持つ事が出來ませんから、子供を愛し理解する大人が之を導かねばならぬのであります。

子供の本職は遊びであり、しかも其の遊びたるや建設的性質のものでありますから、其處に子供は生れつき智能才力性格の發育機關を持つて居るのであります。」云々。

語り得て餘す處なく、幼兒敎育上敎へらるゝ處多大であります。

この文章を見て思ひ出す事は、清風園幼稚園を見學して感心する程の人は、皆その設備の完成を賞めるのでありますが、即ちお臺所や日光部屋や木工室を賞讃しますが、私の驚いたのはそれ等でない事です。

私が敬服した運動具の二つは、一つは清風園の庭に横たへられた大木でありまして、今一つは華頂幼稚園（京都智恩院）の大木の洞穴であります。

私はこの大木の幼稚園の運動場に横たへられて自然の遊具となされてゐるのを見て、實に敬服したものでありますが、今茲に園長の言葉を讀んで、今更の如く當時を思ひ出して居ります。

三四　貳百五拾萬圓の寄附

今一つ、湖畔の聲にのつてゐる興味ある記事は、次の物語りであります。

「英國の前首相ボルドウインが、功なり名遂げて、首相職を去り、貴族に叙せられ、貴族院に列したに對し、その在職中の卓越の功勞を顧みて通贊し、殊に昨年の暮、前皇帝退位の頃の辛勞と手腕とを通贊、二百五十萬圓を寄贈した無名の紳士がある。」これは田川大吉郎氏の「時評」の一節であります。いかにも羨しい忠厚の心がけと、筆者も申されて居ります通り、當時の英國民の動靜を思ひ出すと共に、我が國民の夢にも考へる事の出來ぬ「特質」を有してゐる國民として、羨しき限りであります。

それにつけても思ひ出す物語りは、我が國二百の燈臺に住する六百の看守の家族に對して、年々慰問の書籍を送つて呉れた人があります。この人は全世界の燈臺に對して、常に通信をなし、その燈臺看守の勞苦を犒ふ爲に、要求される書籍を送つて感謝の意を表してゐたのですが、これが全世界に唯一人。局外者として、全然緣故のない慰問事業を續ける事多年。この人が實に英國人であつたのです。

當時日本でこの厚意を受けてゐたのは、三ケ所の燈臺、燈臺と言ふよりも、三人の看守でありましたが、最近英語での通信を面倒がる爲に、遂に自然消滅の姿になつたのは、惜しい事であります。

お互に日本人は、是等燈臺の當事者に感謝する處か、その感謝も受ける事が出來ぬ人種である事を思ふて、實に淋しく思ひます。

燈臺のお蔭で、全く生命拾ひをしてゐると申してもよい程の立場にある船員達でさへ、數々の小言は燈臺や燈臺局へ談じ込みますが、燈臺看守の勞苦に對して感謝をした者がなかつたのだから驚かされます。

やつと數年前、前に申した如く東都の新聞社が、讀物のスリルをねらつて、燈臺めぐりを企て、お世辭に慰問品を持參して記事の材料と交換した頃、日本丸の船長が何處かの燈臺にあてゝ感謝狀を送つたのが、燈臺が船員より感謝された最初であります。爾來これにならふものの續出したのは喜ぶべき事であります。

三五　私の燈臺見物

燈臺を見物すると言ふ言葉は、看守諸君の最も嫌ふ言葉でありまして、燈臺を見物する遊客の爲め、どれだけの苦勞と不愉快を味つてゐるか、看守の憤慨は諸君の御想像以上であります。

それで私は私の參觀した燈臺に關して申さうと思つて、ワザと見物なる文字を用ひた事をお詫び申して置きます。その譯は要するに我國の現狀では、航路標識事業に對しては、まだ〜〜遊覽の程度を越えない狀態でありますので、讀者によく判る言葉を用ひたに過ぎぬからであります。

處で、茲に私の私事に屬する事柄を三つ挿入する事をお許し願ひ度いのですが、その二つは私の友人に關する事で、今一つは私自身に關する事です。

その前に申して置きますが、私の參觀した燈臺は、三重縣の鳥羽導燈、菅島燈臺、和歌山縣の潮岬燈臺、樫野崎の燈臺、神戸の和田岬燈臺、淡路の江島燈臺、及び香川縣の男木島燈臺の僅か七箇所であります。その內潮岬燈臺は二度參つて居ります。一度は頂上まで昇り、一度は官舍までです。

そこで私の友人の話からはじめますが、その一人は、京都の友人清水たかし君の話です。何でも同君が所用で山陰旅行をして、大社參拜をした時の事。遊覽バスが出るので飛びのつたのが日御崎行。終點に着くと、日本一の稱ある燈臺が眼前に聳えて居たものです。

清水君は、私から燈臺に關する話を聞いてゐたので、これ幸ひと參觀に出かけて行つたのでしたが、參觀時間後の爲め閉扉されてゐて、希望も空しと言ふ譯。折角の事で惜しかつたので官舍を訪れて看守に會ひ、神戸のツカダの友人である旨を傳へると、看守が非常に丁寧な挨拶をして、是非燈臺を案內しようと言つて呉れたとの事です。

バスの時間もありその厚意を謝して歸つたが、あの看守は君の友人かと私にたづれて來たのでした。

第二話は、私の出雲の友人で、一週間の起居を共にその下宿で暮した永原朝吉君です。

永原君が學校の遠足で美保關に行つた時のこと、フト燈臺の話を思ひ出して關の崎の燈臺を訪れて、私の友人である旨を通じると、これ亦非常な厚遇を受けて恐縮したとの通信なんです。

私に關する今一つの事は、江崎燈臺へ生徒（保姆學校を敎へて

ゐた當時の事です）を連れて見學に行つた時の事です。看守長が私の名刺をシゲ〜〜見てゐたが、やがて、

「あなたは假名のツカダさんですか。」

とたづれ、その通りだと答へますと、非常に丁寧に挨拶されたので、生徒曰く

「假名のツカダ先生は、そんなに偉いのですか」と。

これは男木島燈臺を訪れた時にもあつた事で、大島療養所の大島丸で男木島に到着し、燈臺を訪れた時、案內役の米澤政太氏の名刺と共に私の名刺も添へて置いた爲め、特別のもてなしがあつたと喜ばれた事です。

樫野崎燈臺を訪れた時などは、可成り面白い位の樣子で、數丁もある學校まで看守長が出迎へに來て下さつたと言ふので、校長さんも大恐縮だつたのでした。

とにかく斯んな有樣であります爲め、私は常に燈臺に對しては誰でもが友達の樣な氣で參觀に出ます。從つて他の方々には御存じない愉快な見學をさせて貰つてゐます。

いづれ又詳しく記す時もありませうが、結論だけ申しますならいつでも自分の氣持の通りに相手も出て來るものだと言ふ事を敎はる譯です。菅島燈臺ではわざ〜〜船を仕立てゝ御案內下さるし、和田岬燈臺守は看守長不在にも不拘丁寧に見せて頂いたものです。

三六　童話雜誌

謄寫版印刷ではありますが、Tanと言ふ雜誌と「童話草紙」と言ふ共に創作童話の雜誌を每號頂いて拜見してゐます。

TANは個人雜誌で下畑卓君の獨りの努力により限定出版され同志に配布されてゐるもので每號進境が見えるのは嬉しい事です「童話草紙」は月刊の同人雜誌で、八人の同人の輪番編輯發行のもので、淋しい童話創作界に氣を吐いてゐます。

昔は、童話專門の雜誌が隨分あつたもので、赤い鳥を第一として、おとぎの世界、童話、金の町、金の星、等々と、記憶にあるものだけでも數種あり、私の知らぬものも澤山あつたらうと思ひます。

關東震災後と申した方がよいでせうが、その時分から段々に姿を消して終つて、「童話文學」「兒童文學」等も最近發刊されましたが、其の後如何なものでせう。

幼兒雜誌としては、コドモノクニがあつて、子供の友、コドモアサヒ等と共に幼い世界を樂しませて呉れたものですが、昔日の觀無き狀態で僅かに餘命を保つ程度でせう。

惜しい〜〜のは、岡本歸一氏の繪の無くなつた事で、後繼者出でずば殘念な事です。

純粹の童話でなくとも、少年と少女、日本少年と少女の友、少女世界に少年世界、武俠世界、冒險世界、等々の盛時を思ふ事や切なるものがありますのは、私ひとりだけではありますまい。

幸ひに再びその機運に達するを得ば幸甚。

三七　健康教育

私の親しい小學校長が、或る日職員達に、健康教育に關しての答案を提出して貰つたのを統計的に分類してお互の研究資料とす

る爲に謄寫刷として居られたのを、偶然行き合はせて一部頂いたのですが、私の貰つた分はその一部分で「健康とは」に對する答を分類したものでありました。

處が、三十人程の職員が、一々全部別々の答を提出されて居り、答案の種類は丁度職員の數だけに別れてゐたのを見て感じた事です。

平素お互に判りきつた事と考へて居る事柄の中に、さてと振りかへつて見ると、案外判つて居らぬ事が數多くあるのではなからうか。日常茶飯事として、誰一人も疑ふ者もなし、暫定的に決定されてゐると思つてゐる事柄の中に、數々の疑問、未知の事項が存在してゐる樣な氣がします。

「健康とは」の答案を大別すると

① 健康とは身體の部分のみと考へる人。
② 健康とは身心共の問題であると見る人。
③ 健康とは將來の活躍に資する爲とする人。
④ 健康とは生の問題であると言ふ人。

この四種に分れるのを見ても、各人各樣の觀察を有する事であります。

勿論、その何れもが正當な答を提出されてはゐるものと信じますが、それにしても斯く多種多樣では、生徒がその歸する處を知らざるの混亂に陷る事はまぬがれません。

茲に於てか、私共は「再認識」の必要を感じさせられます。新しい事〜〜と追ひ廻らずに「温古知新」の敎への如く、私共の些事を顧る事によつて、大いなる敎へを受くる事を知る事は目下の急務であらうと思ひます。

紙芝居を通じて兒童の心を讀む

情操教育には不向き

京橋區佃島小學校　村田訓導談

長い間各所を經巡つた經驗から考へて見ますと、同じく都會の子供と云つてもその生活狀態つまり環境によつて非常に違つてゐます。

例へば公園を例にとつてみると、一番子供の氣がすさんでゐるのは淺草隅田公園です。知らん顔をして公園に入つて紙芝居を始めようとすると「早くやれ！」と云ふ彌次がかゝる。してゐる最中も彌卑な野次を盛んに飛ばしてこれが子供かと思ふ位です。

まして見た後で坐つてゐた莫蓙を片附けるなど思ひも寄らない。上野公園はそれ程質が惡くもないが矢張り似たり寄つたりです。まあ何とか見込みのあるのは猿江、錦糸公園の子供達で、こゝでは、終りに「サア〜〜坐つてムシロは片附けて歸りませう」と云へば割合素直に片附け、散らばつた紙屑なども拾つてゐます。日比谷公園などは大抵大人連の物見遊山氣分のせゐでせうか、子供にさつぱり元氣なく餘りハツキリしない處です。

これで見ても子供のシツケなどには構つてはゐられない、母親自身にも教育のない場所の子供は粗野な片意地な傷つけられた童心の持主と云ふ事が分ります。中には級長の徽章をつけ乍らガキ大將になつて喧嘩をしたり亂暴を働く子がゐますが、學校の先生は凡らく御存知はあるまい——學校教育の表裏を見せられる樣な感じのする事もあります。では子供は紙芝居のどんな處に引きつけられるのかと云ふと、所謂街の紙芝居は舊劇、新派、漫畫に分れてゐますが、一體に殘酷な場面、グロテスクなもの、悲しい話、活劇、怪談と云つた極く刺戟の強いものを好みます、然し漫畫は例外なしにどこでも歡迎されます。

例へば或る子供が人浚ひにさらはれて、妙なキタナイボロ〜〜長屋につれてゆかれる、そして色々悲しい目に遇ふ——

と見てゐる子供は悲しい境遇には同情するが、時に、小娘がいぢめられる樣な處では一寸サヂズム的な快感を覺える、しかも「ボロボロ長屋」等と云ふ語呂のいゝ惡い言葉はすぐ覺えて眞似をする。實際影響の深く大きいのには戰慄を感じる位です。そこで考へられる事は情操教育に紙芝居を使用するのは不適當だと云ふ事實です。悲しい話を作るとしても、惡い方面も徐ろに表

さくては意味が通らないが、話を空にすると違つて、眼に之を見せると云ふ事は餘りに刺戟が强すぎる。

そこで最もよい紙芝居の利用はむしろ健康教育、學校敎育の方面にあるのではないかと思ひます。

口で公園に紙屑をすてるなとか、往來に唾をはくなといふよりも、公衆道徳を芝居に仕組む方がより効果的です

學校の敎材にも殊に底學年の場合は面白くて分り易く、といふ得點があります。讀方、理科、地理のみならず算術なども紙芝居でやれば遙かに理解が早いでせう。各家庭でも紙芝居を見るなとか、飴玉を買ふなとかいはずともお母様が子供と一緒になつて紙芝居を子供自身につくらせて御覽なさい、クレヨンなり水彩畫なり又は影繪で面白い紙芝居が出來る。

更に進んで幻燈を使つて實物を映す様にすれば旅行先のヱハガキも生きて來るし、今迄知らなかつた蠅や蚤の形や習性延いては衛生思想など、知らず〳〵一家中で樂しみ乍ら勉强出來る筈だと思ひます。

村田訓導は紙芝居草創當時の昭和五年から自畫、自作、自演の紙芝居を通じて兒童の敎化に乗り出し現在でも市の公園課と提携して各所の公園を巡つて愛市公衆衛生の普及につとめてゐられます。

地方少年の眼に映じた東京

佐藤芳衛
加川守治

三月二十七・八日

午後五時支度をとゝのへ學校に集り奉安殿並に神社に參拜し、停留場に行つた。午後六時三十分省營自動車に乘り白石驛に向つた。午後八時〇分白石驛に着いた。其の時松野先生が待つてゐた。それから菅野先生と白石町を歩いた。

午後八時四十分上野行の列車に乘込んだ。あゝこれから大東京に向ふのだと思ふと、嬉れしいやうな淋しいやうな氣がしてならなかつた。間もなく汽車は汽笛一聲走り出した。發車して間もなく丘の上に提灯を持つて松野先生のお家の方々が我等を見送つてくれた。汽車の窓から外を見ると電燈の光りがぼんやりとして寂寥を感ずる。驛では賣りこが「べんたう〳〵。あんもち〳〵」などと變な聲を出して走り歩いてゐる。ねむらうとしても眠られない。うと〳〵と眠つては又眼がさめる。

もう東の空はうすらいで來た。午前四時五十分上野驛に着いた。小學校在學時代の親友文夫君が出迎へてくれた。一、二等待合室にゐると加川茂平さんが來られた。莊三郎さんも大槻さんもお見えになつた。其れから地下の食堂で朝食をすました。我々見學生の爲に早朝よりお出迎へして下さつた上朝食まで頂いて誠に有難いことである。

午前八時三十分東京遊覽自動車に乘つた。春雨が降つてゐて遠くの方はぼんやりとけむつてゐる。上野公園を通り不忍池を見た。

上野公園の東照宮には德川家康がまつつてある。又あの維新の三傑の一人である西鄕隆盛の銅像も建てられてある。それからあの城山で自刄した隆盛が此の銅像を見たら何と思ふであらう。

それより上野松坂屋、白木屋、高島屋、銀座三越、歌舞伎座といふ順に眺め走つた。其れから築地本願寺のそばを通つた。これは昭和十年に出來たのださうだ。これから東京劇場、新橋演舞場から中央市場に行き、銀座松屋、新橋驛、海軍省、司法省を見、下車して徒歩で櫻田門に行つた。萬延元年三月三日雪の降る日井伊直弼が登城の折水戸の浪士におそはれ雪を血にそめはかない最後をとげた事を歴史ですでに學んだのである。これから宮城二重橋前に集つた。さすがに名にし負ふ昔の江戸城だけに堂々たるものである。こゝには我が大日本帝國を統治したまふ天皇陛下が九重

の奥深くおはしますと思ふと其の有難さに自ら頭の下がるのを禁じ得なかつた。

糸のやうに降りそぼる雨にお壕端の柳がうなだれて立つ姿に何となく幽寂な感じを抱いた。

宮城の廣場には楠公の銅像がある。正成が約六百年前後醍醐天皇の御爲足利尊氏と戰つて湊川に於て討死し湊川神社にまつられた。正成こそ眞に武士の鏡といふべきである。この正成が今もなほ宮城を護るかのやうにしつかりと立つてゐるのである。又かぶとの中には雀が巣を喰つて毎日「チュウ〳〵」と鳴いてゐると云ふことをきいて面白いと思つた。

それから中央氣象臺、在鄕軍人會館、神田書店街を通り九段に來た。以前は九段になつてゐたさうであるが今は平坦な斜面を作つてゐる。こゝで下車して靖國神社神門をくぐつた。大鳥居は青銅で日本一だとのことである。鳥居をくぐると大村益次郞の銅像があつた。

靖國神社には戰爭で名譽の戰死をとげた人々が祀つてある。それから半藏門、參謀本部に來た。この前には有栖川宮熾仁親王の銅像があつた。次に警視廳、內務省を見た。こゝでイタリヤ使節團が自動車をつられて通るのを見た。內務省の前には伊藤博文公の銅像があつた。外務省、文部省、國會議事堂といふ順に見て明治神宮で下車し裏參道を通り神宮に參拜した。春雨しと〳〵と降り誠に神々しく感じた。忝々しく參拜した。この明治神宮には明治天皇と昭憲皇太后の御二方がまつてある。

新宿驛、新宿營業所、神宮外苑、それから乃木邸へ。大正元年九月十三日、こゝで自刄なされた乃木大將は誠に質素な方であると聞いてゐたがお住ひは誠に質素であるが愛馬の小屋は立派なものである。其れから乃木神社に參拜した。再び乘車。高輪御所―泉岳寺に來た。此處は大石良雄が主君淺野長矩の仇を討つた有名な四十七士の墓である。線香の烟は年中絶えないさうだ。芝公園通過。こゝでは役者で有名な市川團十郞の銅像を見た。次は增上寺から愛宕山放送局へ。

愛宕神社に參拜した。愛宕山は勝安芳と西鄕隆盛がこの江戸市中を兵火にかけるのは惜しいことだから和睦しようと云ふことになつておだやかに事をおさめた所ださうだ。又水戸の浪士の勢揃した所で有名な所である。

日比谷公園、帝國ホテル、東寶劇場、美松、日本劇場、丸の內街、東京驛、停車場として日本一大きいさうだ。乘降りする人は一日平均十五萬もあるとのことである。

次は三越本店、兩國橋、國技館を通つた。國技館には見物席は一萬六千人も入れるさうだ。震災記念堂を見る。大震災の時こゝで多くの人々が燒死したのである。地下にはその英靈が眠つてゐる。こゝから吾妻橋、駒形橋、淺草松屋、淺草公園を過ぎて、上野の遊覽自動車本店に歸つた。

上野驛から午後四時半省線電車で池袋驛に下車し加川莊三郞様宅に向つた。そして夜は我等見學生の爲有益なお話を伺ひ且種々大そうな御馳走にあづかつた。誠に有難く感謝にたえない次第である。（以上佐藤芳衛記）

四月二十九日

加川茂平さんの御案內で私等二人及び島崎先生の四人で池袋驛から省線で上野へ行きました。それから上野公園に行き先づ西鄕隆盛の銅像を見ました。東照宮にも參拜しました。參道の兩側には燈籠が五十ばかり並んであります。これ等の燈籠はいづれも大正十二年九月一日關東大震災の時くづれたさうです。これ等の燈籠の上には櫻の花が咲きかけてゐました。東照宮には家康將軍をまつてあるのださうです。其のそばには日本一大きい燈籠がありました。

上野公園は私達に廣々とした感じを與へました。こんどは上野の動物園を見ました。そこには私共の未だ見たこともない珍らしい動物や大きい動物がゐました。中で大きくて珍らしいのはキリンでありました。又河馬もゐましたが、これは仙臺の動物園にはゐないので大そう參考になりました。

其の次は科學博物館を見ました。入口には大きな飛行機の發動機がありました。又各種の動物の骨格や住む場所など皆目のあたり見るやうでありました。其の中でも珍らしいと思つたのは貝殼で目方にしたら十貫位はありませう。館內を見て感じたことは學術の進歩のいちぢるしいことで、動物や地理、理科の研究に非常に役に立ちました。

國防博覽會も見ました。戰地に行つてゐるあの皇軍將士が堅忍持久の精神で働いてゐる有様、南京陷落の皇軍の様子、海軍陸戰隊の活躍、次に荒鷲隊、これ等は皆ちやうど原地で實戰を見るやうに私共の目にうつりました。其處で私は「皇軍將士のやうな思ひで働いたならば、どんなにか金山町は發展するだらう。私は其の模範となつて大槻先生や加川さんの御恩の萬分の一にもむくひたい。」と云ふことでありました。

それから滿洲館、南洋館、臺灣館などを次々に見て銀座通りに行きました。銀座の加川さん本店ヤング軒を見せて頂きました。それから東京朝日新聞社の見學に參りました。其處で大內村御出身の霜山さんにお會ひ致しました。大槻先生も來て居られました。そして應接室で晝御飯を頂きました。それから霜山さんの御案內で、職工の働いてる所、輪轉機が雷のやうな音をたてゝ廻轉してる所、其の他鉛版をこしらへる室、刷り上つた新聞を荷造りして發送する所なども見せて頂きました。此の日本一設備のととのつた朝日新聞社を見學したおかげで新聞はどうして出來上るのかゞはつきりわかりました。

それから伊達様のお屋敷に參りました。私は未だ伊達様にも中島様にもお目にかゝつたことが御座いませんが、幸ひお二方にお目にかゝることが出來たばかりでなく有難いお言葉まで頂戴いたしましたことは誠に光榮の至りで御座いました。そして私共は心をひきしめてお言葉を拜聽致しました。

其れから愛宕山の放送局に行きました。こゝでは事務員の方にくわしく案內して頂き色々の擬音を出す道具を見せられました。

夕方大槻先生の家へ參りました。そして夕飯を頂き金山會から立派な記念品を頂き色々有益なお話を伺ひ將來私共にとつて役に立つことと許りでした。

私は今日お話を賜つた伊達樣、中島樣、霜山さん、大槻先生、加川さんなどの有難い御教訓を奉戴して將來世の中にたつた時はよく働きよく勉強して私共の爲に御指導して下さる人々に對しておむくひする覺悟であります。

三月三十日、三十一日

三十日朝大槻先生のお宅でレントゲンを見せていたゞき、午前十時に先生のお宅を出て東京羽田飛行場に向ひました。そして飛行場長にもお目にかゝりました。それから案内者につれられて數ある格納庫を次々に見せて貰ひました。其の中飛行場長がお出になつて私達を飛行機に乘せて下さることになりました。加川さん島崎先生、大槻先生の坊ちやんと私等二人、それから知らない學生さん一人、皆で六人乘りました。プロペラがものすごい唸りをたてゝ廣い草原を滑走してる中にふと前の車輪が地からはなれて何時の間にか五六百米の高さに飛行機が上つてしまひました。灣内の小舟は木の葉のやうに人間は蟻のやうに見えます。市街はなゝめになつて見えたりしました。

私等は飛行機はおつかないものとばかり思つておりましたが、ちようどタクシーに羽をつけたやうに氣持ちのよいものでした。

飛行機から降りると其處に神風號が來てゐました。

先程飛行場長のお話に、

「日本は外國にくらべると航空の研究が劣つてゐるから、君達は將來航空の研究にも力を盡くして貰ひたい」と云ふお言葉がありました。

それから温室村に行きました。此の村は温室だらけでありました。野菜を栽培して居る所もあれば花ばかり栽培してゐる所もありました。野菜の中には、もう花が咲き實がなつてゐたのもありましたが其の中でもトマトは眞赤に熟してゐました。又菊の花も咲き初めてゐました。此の温室村の見學は私共のやうな農村青年に此上もない滿足を與へて吳れました。

夕方近く深川のルンペン合宿所に參りました。そして事務員に案内せられルンペンの働いてゐる所を見ました。事務所で事務員の方から何縣の者が多くルンペンになるか又どうしてさうなるかなど色々參考になるお話を伺ひました。一番多いのは東京の近縣ださうで宮城縣人も八人ばかり居つたとのことです。

七時から美松と云ふ食堂に行つて金山會の方々と一所に會食しました。

歸りには加川さん、大槻さんを始め金山會の方々が多數上野驛までお見送りして下さいました。

此のことを考へると私共はあくまで母校と金山町のため働いて御鴻恩の萬分の一にもおむくひしたいと思ひます。

金山町には午前九時三十分安着いたしました。町長さんを始め助役さん校長先生諸先生、それから生徒諸君が出迎へてくれました。（以上加川守治記）

子女への魔手は寧ろ不良以外に

調査表に現はれた僞善紳士の假面を剝げば？

東京府保導教會　藤岡愼一郎

眞面目な男女學生に誘惑、迫害、惡戲の手を伸ばすのは、所謂不良と呼ばれる者が大部分を占めてゐるかのやうに考へる方が多いのですが、果して之れは正しいでせうか――

都下の中等男女學生十二萬に對し被害調査表をそれ〴〵手交して、加害者の種類を調べてみますと、實に意外な結果が現れてゐます。

加害者の種類

先づ數の多い順に眺めてみますと、（數字パーセント）

不良とも見えぬ一見眞面目な中等男女學生が首位で、二三・四、僞學生及び不良少年少女一四・七、大學生一二・八、紳士、勤人一二・一。

この大學生、紳士、勤人から被害をうけてゐる者は男學生三五〇名ぐらゐに過ぎないのに對し、女學生は二六〇〇名以上の多數を占めてゐるのは實に驚くべきことであります。紳士、勤人、大學生が狙ふのは主として女學生であると考へられるわけです。意外に思はれるものゝ筆頭は、電車、汽車の車掌から被害をうけてゐる女學生が四一七名あることです。ダンサー、女給、不良少女、職業婦人等はどうかと云ひますと、女學生より男學生への誘惑、加害が遙かに多く、二倍乃至四倍に及んでゐます。ともに注意せねばならぬ事柄でせう。

加害の種別

加害者と加害行爲の關係を調べてみますと

△僞學生、不良少年では金品强要が多く、二四・〇

△紳士、勤人―觸手二〇・〇、握手一七・〇

△大學生―話掛二四・〇、追尾、追跡一二・〇、その他觸手、握手が増加してゐます。

△交通從業員の加害行爲は握手が最も多く、四三・〇を占めてゐます。

行爲の相違

女生徒に對する加害は性慾的のものであり、男生徒への加害は强要、脅迫暴行等が主であることは私達の常識と一致します。

とに角、斯うして調べてみますと、不良と呼ばれる者だけが怖いのではなく、他にもつと注意せねばならぬものがある事實がお判りと思ひます。

昭和學生圖繪

大量檢擧は何を物語つたか

警察の聽取書から拾ふ

非常時局下、此程警視廳全管下の盛り場で一齊に時局を忘れた學生群の檢擧を行つた結果、其總數七千三百七十三名（内女三百四十一名）といふ大量の數字を算出、子を持つ親を慨嘆せしめ教育者を少からず搖り動かしたが之らの群に對しての社會學的な解剖のメスはまだ十分に揮はれて居ないやうだ「何が彼等をさうさせた？」以下市内各警察署の聽取書に現れた學生達の告白を綴つて「昭和學生風俗圖繪」の解説とし一般の參考に供したい。

小學生の巻

映畫館の看板に見とれてゐた小學生は「花柳界は毎晩夜ふかしつゞきです。私も夜遲くまで手傳ひをしてつい朝寢坊をしてしまつた、今日は學校に試驗があるので普斷よりも一層ひどく叱られるだらう、或は試驗を受けさせてくれないかも知れないと思つて休んでしまひました。」といひ、他の貧しい父を持つ小學生は「學校へ行つてもちつとも面白くないんです。先生には叱られるし、意地惡の子供らには泣かされてばかりゐます。學校へ行つて泣かされるよりも、ひとりでぢつとしてゐる方がいゝんです」と涙をにじませて眞劍に申立てた。更に驚くべき現象として下町方面の或る小學校の女生徒は「此頃毎日のやうに私の靴に手紙が入つてゐたり、チョコレートが入つてゐたりするんです、手紙には僕と仲よしになつて下さいとか、いろ〳〵なことが書いてあります、そして學校の歸りに途中で待つて居て私を追ひかけまはすこともあります。」と早熟な小學生の性戲の數々が物語られた。

小學生に通有の不平は體力、智力の相違に原因する先天的劣等感と貧富の差による服裝、學用品、お辨當その他の階級的劣等感が主となつて居り、これらの刺戟は子供心に一つの都會的な壓力となつて感ぜられるものと見える。

中學生の巻

次は中等學校の生徒、これが一番危險な發育盛りの肉體を驅つて、奔放極まる生活態度となつて現れてゐる。喫茶店に陣取つて煙草の輪を吐いて居た一中學生は「中學校を出ただけでは今の世の中に通用しない、さりとて上級學校に入るには金もかゝるし頭も良くなければならない。どうせ見込のない我々はせめて學校時代にあらん限りの享樂をして置きたい

のだ。やがて學校を出たら、やつと最低級のサラリーマンか、丁稚小僧に毛の生えた程度の仕事しかあるまい。」と述べ、又他の中學生は顏を赤らめて「私達はもう肉體的には大人です。それだのに世間では大人として通用させてくれない。美しい戀をしたくも相手になつてくれる女も居ない。そこで私達は大きな決心と共にこの泥沼に飛込んだのです」この中學生は私娼窟から連行された者である。

これら中學校の生徒のうちには月々百圓以上の小遣ひで藝妓、娼妓相手に遊興する者さへあるのだ。彼等が學校をサボル理由の大半は何かしらぢつとしてゐられない衝動に驅られると、學校の机などは凡そ興味のない存在だ。外へ出れば明るい空がある。そして街に戀を拾ふことだつて出來るのだ――と。

かくして彼等は喫茶店へ映畫館へ麻雀荘へ撞球場へと繰り出すのである。

大學生の巻

さてその次は専門學校生、大學生だ。社會の風をまともに受ける彼等にはそれだけに人生の煩悶も大きい。彼等の多くは就職難といふ辛い味を嘗めねばならない。しかも一旦不況の風が吹き捲くる時には彼等の大半は所謂産業豫備軍として悲しくも待機若しくは絶望の淵に投げ込まれねばならないのだ。大學出といへども卒業後數年を經たものは殆ど採用するものゝない現狀である、こゝにおいて就職難突破をめざしてあらゆる競爭が行はれるのだ、正面からの競爭はまだいゝ。中には重役の伜に取入つてその卒業論文までものにしてやり、その代償として就職させて貰ふ手もあるといふ。

一方成績人物優秀にして就職運動にさほど苦勞しない者は、傍目も振らずに猛進また猛進するであらう。

然しこの線外に外れたものは、所謂人生の敗殘者と呼ばれるのである。そこに彼等の虛無主義があり刹那主義があり享樂主義があるといふわけだ。かくして彼等は最後の燈を求めて街に氾濫する。

×　×

以上消極的なる申開きの外に若干抗議的な申分を聞いてみると「卒業間近だけに送別會も多い、或は試驗最中だけに普通の授業日とは違つた時間表になつてゐる。それを考慮せずにたゞ學校へ出席してゐないといふ理由で連行するのは當を得ないと思ふ。」といふのがあり、更に現代學校教育を批判して痛烈な一矢をむくいた者があつた。今その言葉をそのまゝ借用すると「小學校では先生のことを訓導といふ。名の如く訓し導く者である。そこには師弟愛もあれば知識慾充實の希望もあつて、明朗純眞な空氣が強い、中等學校では先生を教諭といふ、教へ諭す者といふ意味であらう、こゝも亦幾分或は多分に情調を持つてゐる、或る人間に取つては中等學校時代が一番樂しかつたといふ事もあり得る。

この花園では先生から多分に教へられるものがある。さて専門學校以上になるとどうだらう。勿論、教へられることがある筈だし、事實ないとはいはない。しかし名の如く教授である。教へ授ければ

それでよいのである。學生の薫育など聞いて呆れる。或る教授は一人で二つも三つもの學校に教鞭を取つてゐる。學生の顏も覺えてゐない教授に學生を薫育出來る理由はない、學生だつて一々教授の人格を信じて德化されようとは考へてゐない。

要は學校といふ所は教育を受けてゐるといふ證據を示してくれるところ、煎じつめれば肩書をつけてもらつて、この住みにくい世の中に幾分でも優先權を與へてもらふだけのところである。或る教授の如きは十年一日の如く同じノートを讀み來り讀み去つてお茶をにごして居る。學校へ出てあわたゞしくノートを取るよりも、先輩のノートを借りるか、或は街の書店に賣出されるプリントを買つて讀む方がどれだけ增しかわからない。

相當に內容のある講義でも下手にガサ〳〵やられたんでは身にも蓋にもなつたものではない。大學あたりでは將來の希望に沿うて好きなそして爲になる書籍を勝手に下宿なり圖書館なりで讀んで居た方がはるかに利口だ。

こゝに於て單に學問をするといふ意味でならば法、經、文の所謂文科系統については大學無用論さへ出て來るのだ。やれ何々學說、何學說と世評紛々、教育疑獄、教授檢擧と矢つぎ早やに行はれる學校騷動を見ては我々またもつて何をかいはやだ。」と。

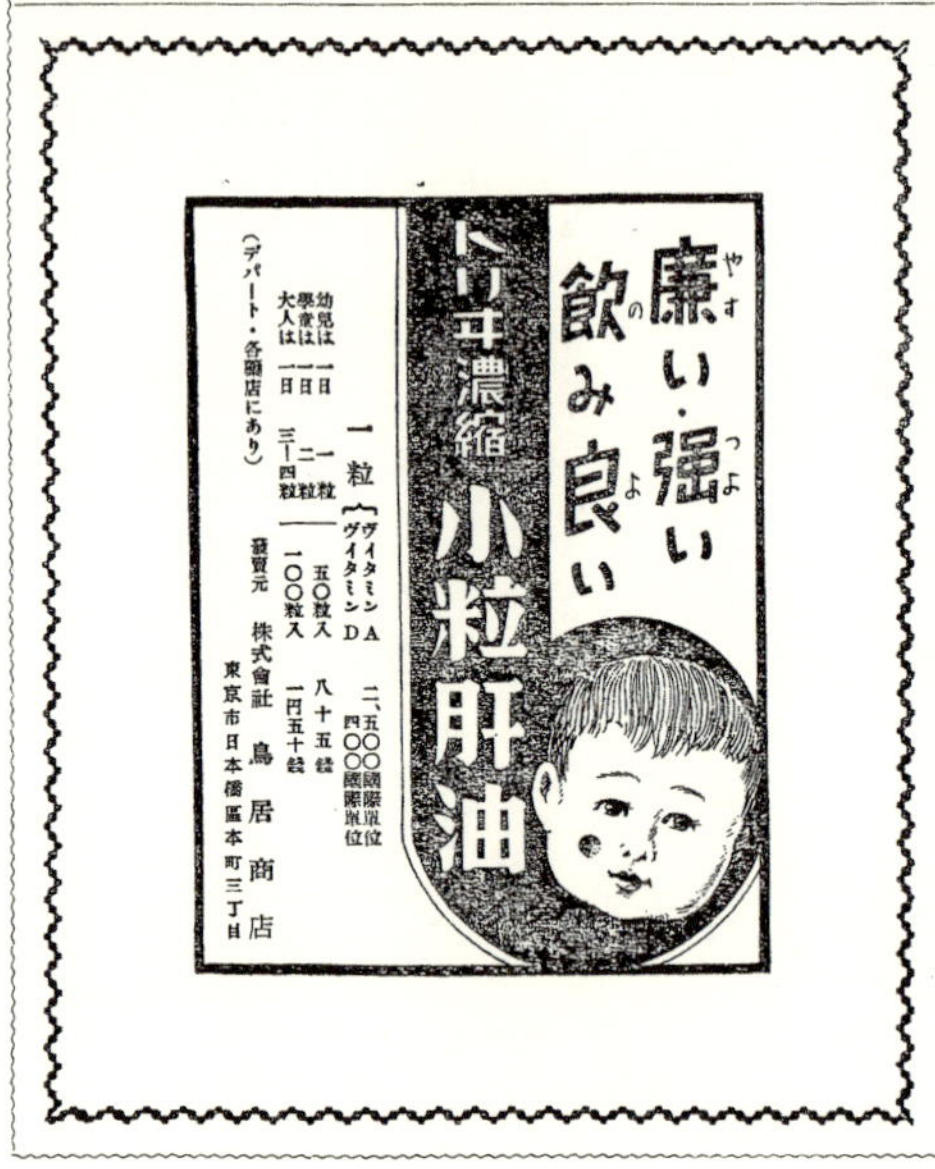
廉《やす》い・強《つよ》い
飲《の》み良《よ》い
トリヰ濃縮
小粒肝油
一粒〔ヴイタミンA 二、五〇〇國際單位 / ヴイタミンD 四〇〇國際單位〕
五〇粒入 八十五錢
一〇〇粒入 一円五十錢
幼兒は一日一粒
學童は一日二粒
大人は一日三―四粒
（デパート・各藥店にあり）
發賣元 株式會社 鳥居商店
東京市日本橋區本町三丁目

小遣が原因で不良になつた經路を調べて兩親方のご參考に

少年審判所 前田偉男

中學校、女學校への新入生を持つ家庭では、毎日渡すお小遣が多過ぎる癖をつけては子供の爲にならず、また少な過ぎれば肩身の狹い思ひをし、いぢけて了ふのではないかといふ心配があります。大阪少年審判所が三ケ年間に取扱つた保護少年六千五百七十人の中二千百廿六人が小遣錢の不足のため、百七十九人が反對に小遣錢が多すぎて不良化してゐる調査をみる時、猶更ら小遣錢の與へ方に難かしさを感ずるのです。以下子供達には一體どの位の小遣を、どんな態度を以て渡すべきかに就て少し研究して見ませう。

結果が良くない親の態度

家から學校、學校から家へと眞直ぐに往復してゐれば小遣などの必要はないといふ親、或は舍監、監督者にだけ送金して子供には渡さず、嚴重であればいゝと考へてゐる家庭からは、不良が出ることが割合に多いのです『友達に御馳走になつてばかりもゐられない』といふ氣持は少年少女には非常に強いので、盜みをしても掻つ拂つても自分が御馳走してやらうといふ氣持になるわけです。小遣が多過ぎて不良化した者が百七十九人しかないのに、小遣不足のため不良となつた者が二千百二十六人もある事實が、この消息をよく物語つてゐます。體力の伸びる時期で食物を多く必要とする年齡であることも考へねばなりません。

どの位の小遣がまづ普通か

併し、小遣が多すぎれば浪費をし惡い友達が集り易いことも事實です。前に擧げた小遣が不足して不良化したといふ者達の中にも、實は小遣が多かつた時の惡習慣のために、現在の小遣に不足をきたして不良化した者もあるわけです。少年保護協會支部の發表では、中女學校一・二年生は一ヶ月一圓の他隨時一圓までを支給（合計二圓）三・四年は月額二圓、五年は三圓の外、隨時一圓位ゐ支給（合計四圓）するのが標準といふことになつてゐます。

使つた小遣を互に檢討せよ

が、之れも子供のいふがまゝに與へたのでは無意味です。その日の小遣を明確に記入させて、消費したものに對して十分檢討し合はねば駄目です。市電が故障して省線に乘つた、學校で材料を買つた等の必要事で使はれたかどうかをみるわけです。子供とかうした相談をするには母親が適當ですから小遣も母親が渡すべきでせう。お互に相談し、檢討し合へば、無斷で映畫や食堂或は惡友と遊び廻つて使つたものかどうか想像がつくわけです。學校に大體の材料費、晝食代等を問合せておけば子供には噓はつけない筈です。仲良く思ひやりをもつて、先づ五十錢或は一圓を渡し、使つたものを記入し、話し合つて補つてやり、而もそれが一圓を超過することがないやうに導くべきでせう。

志賀志那人氏と私の市民館時代（中）

高尾亮雄

その四　愛盲事業の發祥地

市民館に盲人俱樂部といふものができた、もう二十年も前のことである。それまでとても盲人の問題は可なりの社會の注意を惹いてゐたには違ひないが、盲人教育の學校だけでも仲々まだ途中の大事業であり、盲人自らの覺醒、團結、お互ひの協力によつて社會的にまた文化的に進んでゆかふとする運動には一層の困難の路が橫つてをつた。こゝにやはり市民館世話役の一人で菅野茂八郎といふ以前から市內の按摩業組合なぞの熱心な後援者があつた、菅野氏は盲人ではないが、餘り熱心に盲人の世話燒きをするところから誰れいふとなく、茂八郎君のニツクネームを何時か「モウちやん〳〵」といふ事になつてしまつた、そのモウちやんが市民館へ盲人俱樂部を作つてくれ、先づ盲人のための點字新聞を發行しやうといふので點字の印刷機械を買入れて、これを市民館の地下室の一隅に置いて、橋本喜二郎といふ盲人が毎日毎夜コツ〳〵とやつてくれるのであつた。

私はいつかこの橋本君と懇意になつた、熱心なクリスチヤンであり、インテリであり、仲々の議論家でもあつた、當時また私はエスペラントの宣傳家で、これまでエス語の研究會を作つて、一週一回は必ず集りを開いてゐたが、貧乏な小さな會はいつもその集會場所に困つて、あちらこちらと浮草のやうに轉々してゐた、その時丁度幸ひ市民館ができたものだから直ぐにこの方へ乘込んでまだ床のコンクリートが充分に固らない先から蠟燭をともしてうす暗い室で數名の集をしたものだつた、恐らく市民館開館前最初の文化的な集會はこれであつたかと思はれる。これほど私は市民館に對しては橫暴な振舞ひをしてをつたのに、館長の志賀君は私に對して一ことの小言もいはず許してくれてゐた寬容さは今思ふとまことにお耻しい次第である。

ある夏休みの間、桃谷の市立盲啞學校の教室を借りて例のエスペラントの講習會をやつてゐると、教室の外の廊下を二三の青年盲人連がきて、妙な言葉だと思つたか一寸立ち止つて聞耳を立てゝゐる、こちらも幾人に聞かそうと同じことだから、引張りこんで一緖にエスペラントの難有さを說教に及ぶ、一日二日とだん〳〵斯うしてゐる間に、眼あきよりか盲人の方が熱心でよく覺へてくれる、茶話親談會では講習生中の學生たち（大學や專門、高等學校の學生が多かつた）が、むしろこれらの盲靑年を中心に談が盛んになるのであつた、その中の一人は前にいつた橋本君であり、また一人は今盲人中の學者である岩橋武夫君でもあつた、岩橋君は早稻田の理學部在學中失明したので、もうこの世の學問をあきらめてアンマにでもならうか、先づ盲學校で點字でも習ふかと思つてきてゐたのである、無論暑中休暇で、學校の課業はなかつたが、家に籠居してゐるよりはと、令妹に手を引かれながら學校へ毎日遊びにきてゐたのが私たち同志と緣を結ぶ機會を作るに到つたのである。

すると、ま好い機會にはロシアから放浪の盲人音樂家であり、詩人であり思想家であるエロセンコも大阪へ來て、岩橋家へ滯留するやら、ます〳〵親密の度が增して檜屋町のメソヂスト教會で盲人大會を開いてエロセンコの音樂と講演を開いたり、インテリ盲人界の自覺發憤は油に火をつけたやうに急に旺んになつてきた。

橋本盲人はいつも市民館の地下室で、點字の教科書を印刷してきてくれる、この印刷機といふのが頗る簡單なもので、ブリキの板に六點からなる凸凹をこしらへ、インキ入らずに厚い紙をあてゝグツと押しさへすれば本になるのである、漢字を一々拾ふて組むインキの印刷物よりも數等文化的であるともいへるところから私は、丁度その時分本町橋の博物場（今の貿易館）に櫻楓會主催で開催中の文化博覽會へ生きの人間の盲人文化の陳列品としてこの橋本盲人を煩はし點字印刷機と共に毎日參考室へ矢張勞作をやつてもらつたのである。

盲人用點字印刷の實物出品は觀客に對して非常な興味と注意を以て迎へられた、女子大卒業のインテリの若奧樣や令孃たちの幹事連は橋本君を大いに德となし、その熱心な勞力、奮闘振りに感激もし不自由な身に同情をしたのであつた。

この市民館の地下室から生れた盲人文化運動はやがて大毎の點字新聞となり、岩橋君の今日のライトハウスともなるに到つた、謂はゞその種まきの仕事であつたのだ、當時の橋本盲人は十數年前すでに逝き、館長であつた志賀君また今日亡し。まことに寂しい哉。

（十三年五月二十日）

夾竹桃

故志賀志那人氏を偲ぶ會

主催　草燈社

大阪市立天王寺市民館長　前田夢一記

時　昭和十三年四月二十七日夕

所　大阪天六　市立北市民館

來會者　余田忠吾、宮川松安、宮川寅代、水田朝吉、淺井都響、三木勝代、佐伯祐正、伊藤悌二岡村林、梅田晉三郎、小喜多六三郎、神戸林吉、山本貫一、日高忠實、增田裕治、足立敏郎、藤井幸作、久保田治、西口叙、松本末太郎、松本君江、安村俊雄、吉村重利、伊藤英夫、鵜飼貫三郎、松本愛、渡邊愛子、笠松一枝、茨木てい、前田貞次

御遺族　志賀民子樣　志賀裕樣　志賀市子樣

われわれ同人にとつては志賀社會部長が歿くなつたと言ふより「俳人志賀夾竹桃樣が死んだ」と云つた方が遙かに悲しみが大きい、それ程我々と故人とのつながりは尋常ではなかつた、唯役目の上とか或は偶々机を隣合せたといふだけの結ばれのやうなものではなく、お互に自分の純眞な心情や生活感情を表現して、それをお互が樂しみ、お互がよろこび合つた間であり、位や權力をそつち退けにした赤裸々の間であつたからである。

故人の死のしらせを受けたものは皆一樣に自分の耳を疑ぐつた、それ程驚き且つ悲しんだもので既に二七日を過ぎた四月廿七日この日故人の追悼座談會が催され、各々その案內狀を手にし乍らまだ故人の死を眞實と信じ切ることが能きなかつた程で。集つて來た者皆、故人の死の餘りに俄であり且つ賴母しい、懷つかしい人を亡くしたといふ悲しみの涙が先に立つのであつた。その席場へ凛々しく太つた二男裕樣を伴れられて民子未亡人が見へたので會が始められた。

その日のお世話役としての私は起つて、故人の二七日に方り追悼座會談を催すことは、普通ならば僧を招いて讀經し法事を營むべきであるが故人の人格や質性をよく知つてゐるから今日は尋常の途を辿らず故人の前で故人生前の思出を語り合ふことに致したいといふ事をまづ述べて次で故人は部下をよく愛した、その一例として、私の友人で然も故人の友であつた小山義孝氏が私へよこした手紙の文中に、「前田はいつも自分勝手氣まゝの理窟を並べてよくない、もつと見識を博くもつやうにしなくてはいけないといふことを君から話して貰ひたいと部長がよく申して居られたから大いに努力しなさい云々」といふ事が書いてあつた、この手紙に依つても判る如く、部長は直接本人である私には何も云はれなかつたがその蔭では部下の將來の爲に人一倍心配して下さつてゐたことを窺ふ事が出來るのである。

又、金子伯爵からの御書面中に、「志賀君の腕と力量と人格に大きな期待を持つてゐたもので、大阪市の市實である志賀君を拔取ることは無理であらうが之ば市民に懇願して貰受け近く新設せられる厚生省へ來て貰つて、我日本の社會事業の爲に腕を振つて貰ひたかつた、」と云つて居られるのは實に故人の全人格をよく洞察せられたもので自分達も洵に有難く感ずる。然し既にこの人は故人となつて、この閣下の御思召も役立たなくなつた事は返す返すも殘念であると結んで挨拶に代へ、次で左の順に各々起つてそのなつかしい思出の數々が次々と話はいつまでも盡きず然もその一つ一つが未亡人の面を曇らせたのである。然しその日會場の中央正面に揭げられた寫眞の故人だけは笑を含んで何か一言云ひたげな面持で之れがいやが上にも皆の涙をそゝつた。

「會場中央には在りし日の故人の英姿が揭げられその兩側に故人の筆になる句の短册、その下に伯爵金子堅太郎閣下より大阪市長に宛てられた故人に關する書簡左側は故人が常に好まれた吟行の際の記念寫眞、右側は俳友に贈られた短册色紙軸ものその頃よき場所に丹念に書かれた法華經の寫字或は愛隣信用組合の綱領等實に會場は故人の遺墨で一ぱいであつた。」

思出を語られし人と要旨

小喜多白鷗氏

北市民館で始めて先生にお目にかゝつたのは既に久しい前の

事である。その時酒のことに就て「僕のやうな馬鹿正直な者は何時も宴會等で最後迄殘り悧口な人のやうに早く歸へれない」ことや、先生の親しくしてゐられる詩人の生活は實に質素で何時も詰襟の洋服を着てゐられるがその生活內容の勝れてゐることなど話されたやうに記憶してゐる。自分が職業をかへて始めての句會が澤西邸で開かれた時、故人は漢約の聖書は非常によいとてマタイ傳第五章の「野に咲く百合を見よ明日爐に投入れられるこの花すらも神はかく裝はせ給へばなり」とを短册にかゝれたが、私もこの言葉か大變好きであると云ふと今度色紙に書いて置かうと其の儘頂く機會を失つたのは洵に殘念であるが、今日故人の遺墨の內にこの聖書の言葉があつたのを見て今更ら先生の清いお考へがよく解つたやうに思ふ。

澤西草風氏

故人との交りは隨分長いもので五年や六年のものではない隨て思出も多い、然し自分の胸底に殘るものは、秩父宮殿下御成の砌故人が市の社會部長として御案內御說明申上られた。その時の故人が殿下に對せられる奉答の言語と云ひ態度といひ洵に立派であつた、之は故人が平素から修養が積まれてゐたからで決して一朝一夕の修養であれ丈の立派さは生れるものでない

宮川松安氏

學校に通つてゐる娘が學校から貰つて來た本に一太郞やあいの事が書いてあり娘がそれを讀んでやつた處泣き出した、こんな頑ぜない子供でさへ悲しむのであるから之を大人に聞かせたらきつと聲を上げて泣くであらうと思つて此の事を故人に話したら故人は大いに贊成して下さつてでは自分が筆を下ろすから君は一太郞親子の住んでゐる丸龜へ行つて實地を調べて來なさいといふ事で私は直に丸龜に發つた。さうして遂に浪曲「一太郞やあい」が出來上つた。

之が天下に公表し口演したところが到る處稱讚せられざるところなく大評判となつた、之は全く故人の筆の巧みなのと今一つは社會敎化の仕事をして居られた賜である、又故人が金子閣下や石黑閣下に知られるやうになつたのは色々の事情もあるが故人の人格が兩閣下の御氣に召した事は云ふまでもない、更に故人がいかに偉い方であつたかは、その死の時ではつきり判つた、人間は死の時こそ眞の姿を見せるもので、故人が佛のやうな姿で大往生を遂げられたことは故人の大人格の表はれである。

余田竹郷氏

故人が書に心を寄せられてゐた事は、長い交りではあつたがよく知らなかつた、今日此の席で故人の書を見て、その見事な筆勢に驚いた、又妙法蓮華經や或は愛隣信用組合の綱領の如き長い隨分骨の折れるものを一字一句忽がせにせず謹書してゐる點は餘程心底が落着いていないと出來ない、然も詩を書く場合一番頭を惱ますのは題を擇ぶことで、此の題を擇ぶと云ふ事は餘程修養が積まれていないと出來ない、然るに會

場內に在るもの悉く立派な題で、此の一事を知る丈でも故人が常に修養されてゐたことを窺ふことができる。

佐伯祐正氏

故人は少し型破の所があつて何んでも型破りの事をする、然しその型破りも善い意味の方で唯徒に奇を好んだものではなかつた、或時外國船の解體船が大阪へ回航されて來たのでそれを二人で見に行つて、船長室を買つて終つた、それを船に積んで甲子園の濱へ運んで來たのであつたが、砂地で地盤が柔かい所へ鐵が重い爲陸上げが出來ないで賣つて終つたといふやうな話がある。又故人は非常に動的の人で、館長時代十日程無沙汰をして行つて見ると場席が變つてゐる又十日程して行つて見ると變つてゐると云つた調子でいつも變つてゐた之の動きは事業の上にも現はれていつも活動してゐた、然も此の活動が斬新で、社會情勢に適つたものであつたことは故人の偉い所であつた、

增田裕治氏

故人とは社會部長になられる前、即ち昭和四年に大阪市の社會事業大系を樹立する爲め始めて社會事業研究會が出來た時より非常に懇意にして頂いた研究會は六つの部會に分れてゐたが故人は社會敎化に關する大系の第六部會の幹事として種々御指導下されその該博な知識には敬服させられた。その時に社會敎化の目的は『社會人の完成である』と申された。この短い言葉は實に深い意味を持つもので、よく社會事業の全般を表はしてゐると思ふ。この社會人といふ言葉は經濟人といふ言葉と併せ考へ洵に意義深いもので、氏は實に言葉に就ても獨創的な方であつた、もう一つ忘れられないことは隣保事業は地區內に生活して細民と親炙して地區の改善を圖られば ならぬといふ獻身的な熱意を持つてゐられた、このことに依つて私は社會事業に對する根本的な敎へを受けた、以上二つの言葉は永久に忘れられないもので今も記憶に新たな處である。

山本貫一氏

私が故人を知つたのは師走のルンペン忘年會の時で。この時に感じた事は世間では既に市の社會部長級になると下層生活者に對しては冷膽になつてゆくものであるに、故人は師走の忙しい然も部長といふ地位に在り乍ら自分だけの宿をも有たない下層ルンペン達の集合の所に出席して共に句を作つて樂しみ共に闇汁を吸つて愉快を感じるといふ事は餘程の人格者でない限り出來ないところである。

伊藤悌二氏

故人と自分とは餘りにも深い交りで何から話してよいか判らない位數多くの思出がある、その裡餘り世人に知られてゐないやうな逸話といつたものを二三紹介しやう、故人と或る事情で一家で寢起きをしてゐた時の事で。或時故人が三日程どうしても起きて來ないので行つて見ると、布團を冠つて寢てゐる、譯を聞いて見ると、緣談が持上つてゐるんだが、それで惱んでゐるとの事である、そこで自分が媒介の勞を執ることになつた、所がその結婚式の日私が病氣の爲め出席出來な

いでゐると花婿である故人は自ら禮服を着用して私を呼びに來たといふやうなおもしろい話がある。又故人は常に新しい事を考究し之を實行に移した人で中でも兒童愛護の必要を叫んでこの事に努力せられた、今我邦唯一の年中行事となつてゐる赤ん坊審査會の如きも實に故人の創案にかゝるもので、その後兒童愛護聯盟から發行の機關雜誌の表題も故人が『子供の世紀』とせられたもので、その後兒童愛護の進展に關し大きな力を添へてゐる。

この外幾多の事業が故人獨自の創案に依つて始められ、このバトンを後人に渡して歿くなられた譯である、この故人の偉さを新聞は、西に賀川豊彦あり大阪に志賀志那人在りと評したのは決して誇張ではない。

水田朝吉氏

故人を知つたのは勞働學院で故人から講義を聽いた時からでその話術の巧なことは、どの講師も及ばなかつた、私は故人にお世話になる事が多々あつて今の妻を貰つたのも故人の媒介であつた、又勞働問題研究をしてゐる自分達の集りに對しトインビー倶樂部と名をつけて下さつていつも鉄がさず出席してよく指導して下さつた。又故人は裁縫講習の修了式の時の訓辭に「女はやがて嫁入しなくてはいけない、妻となればその夫が假に泥棒であつて妻に見張りを命じた場合でもその命に從つて見張りをしてゐる程の覺悟がなくてはならないといふ意味の事を云はれた、こんな言葉は尋常平凡の人では到底考へもつかない事でそこに故人の偉さがある。

足立芦生氏

私が役目の關係で税金を受取りに行つたところが大變氣嫌が惡い、どうしたのかと思つて聞いて見ると、税金の告知書に「志賀支那人」と書いてあるそれが機嫌を損じたらしい自分は新米であつたしどうしようかと思つて恐縮してゐると、軈て故人はにづこり笑つて税金を下すつた事がある、故人に童心のあつた事を窺ふ事が出來た。　以　上

思出は泉の如くいつ盡きるともわからないので又の日を約して會を閉じることにした。

春愁の漂ふ部屋を出たのが十時を過ぎてゐた、

（第七十頁へつゞく）

賀川豊彦氏『死線を越へる』まで

村島・歸之

一、「死線を越へて」樂屋ばなし

戰線にある勇士の許へ送る千人針の布片に、五錢白銅を結びつけ、「死線（四錢）を越へて」無事に凱旋の出來ますやうにと、緣起をかつぐ、軍國の母、勇士の妻もあるといふ。迷信や緣起を排擊する賀川豊彦氏の名著の名が洒落とはいへ、かうした緣起事に用ひられるといふことは些さか微苦笑ものであるが、それと同時に「死線を越へて」といふ小說の題名が、それほどまでにポピュラーになつてゐる事も微笑ましい思ひをわれ等に抱かせる。

「死線を越へて」は、賀川氏の九十六冊とかに上る著書の中でもこれほど有名になつた書物はない。否、氏の著書のみならず、明治大正昭和に亘る數多い小說書の中にあつても餘り比類を見ない。

「死線を越へて」は、一般に普及した點において、明治の「不如歸」と並び稱せらるべきだと思ふ。

今から十九年前、大正九年十月、「死線を越へて」が出版され、今では珍しくはないが、當時としては破天荒といはれた新聞半頁大の廣告がデカ〳〵と東西の大新聞に出た頃、「死線を越へて」を讀まないものは、時勢に遲れるやうにいはれたものだ。

畏いことであるが、その後、外國において御薨去遊ばされたさる宮様は、御渡歐の御途中、折柄、御同船の榮に浴したMドクトルが賀川豊彦氏を扶け、神戸葺合新川のスラムで、貧困者救療事業に當つてゐたと聞召し、特に御引見になつて、「死線を越へて」につき種々御下問があつたといふことをMドクトルから聞いたことがあつた。「死線を越へて」の評判は、雲の上にまで屆いてゐた

のである。

それほど、「死線を越へて」は有名であつた。そして、それ以前は一部の識者にのみ知られてゐた「スラムの英雄賀川豊彦」の名が、この小說一度出るや、俄然、津々浦々まで鳴り響くやうになつた。

「死線を越へて」の出た頃の氏は、まだ概ね和服を着てゐた。羊かん色に色褪せた紋付——團子二つを積み重ねて縱に串を突きさした紋が賀川家の定紋である——を羽織り、紐も、すがりついて來るスラムの子のために引きちぎられて紛失したのか、その代りに紙のこよりで無雜作にくゝつて、着流しのまゝ出歩くといふ氏であつた。

大正八年から九年へかけて、私は大阪每日新聞社の神戸支局に勤務してゐた。當時、月曜の「神戸版」紙面の一角に「月曜論壇」といふ欄を設けて、時事問題の短評を試みたことなどがあつたが、氏は私の乞ひを容れて每週のやうに匿名で執筆してくれた。そして日曜の正午頃になると、上に記したやうな書生〳〵した格好をした氏が、その原稿を携へ、支局樓上の私たちの部屋へ下駄履きのまゝ登つて來ては「出來ましたよ」といつて屆けてくれたものだつた。

私事は書いて恐入るが、もう少し聞いて頂きたい。氏が改造社と緊密な關係を持つやうになる抑もの緖口も、斯くいふ私の手で開いた。改造社初代の編輯長橫關愛造氏は、私の同學の先輩であり、且つ私の恩友であつた。私はその橫關氏の依頼を受けて氏に「改造」へ原稿執筆の取次をした。その後「改造」と氏との交渉は急速に深まつて行つて、卓越せる論文の外に、小說「死線を越えて」までが連載され、それが單行本になる運びとなつた。

私は前からその小說を知つてゐた。「改造」へ載る以前、私は葺合新川の氏宅で、この小說を見たことがあつた。

罫も何もない只のロール半紙に、天地左右の餘白もあけず、ぎつしりと詰めて、毛筆で認められた原稿を示された時、實をいふと、四五枚讀んだだけでウンザリして了つた。この部分は「新生」と題し、氏が貧民窟に入る遙か前、三河の海岸で、呼吸器病の療養をしてゐた頃書出したもので、いはゞ氏の文學靑年時代の所產である。氏はこれを明治學院の先輩である島崎藤村氏に閱讀を乞ふたことがあつたが、藤村氏は叮嚀に一覽した後、「これは後になつてあなたの大切な記錄となるでせうから、大事にしてしまつて置きなさい」と評して返された。藤村氏のその書信を氏は「新生」の序のやうにして、原稿の最初の頁に綴込んでゐたが、スラムに入つてから、誰が洟をかんだのか、その大事な最初の部分が紛失して了つた——と、氏は私に語つてゐた。

「新生」は、その後、氏の血のにじむやうなスラムにおける體驗を附け足すことによつて、驚くべき偉大な作品となつた。「改造」に「死線を越へて」と題して揭載された最初の部分は前記「新生」の時のものそのまゝであつたが、後半は中途から洗練さ

れた筆で新しく補足された貴重なスラムのルポタージュであつた。

私は氏がそれを書き足してその小說が全く面目一新した偉大なる作品となつてゐるのを知らず、依然たる「新生」改題したものとのみ思つてゐた。

改造社で、「死線を越へて」を單行本として出版する議の起つた時、私は前記橫關氏から相談を受けた。私は迚ても賣れる筈はないと思つた。それで直ぐには返事も出さず、やつとしてから、出版してあげてほしいとは思ふが、澤山賣れるとはどうも考へられない——と返事をした。橫關氏から折返し手紙が來た。それには、君の返事の來るのが遲かつたので、山本社長の言ふが儘兎に角出版することゝした。僕も些か不安だ。——と記されてあつた。

「死線を越へて」が本になつて世の中に出た。氏としてはそれ以前に「イエス傳論爭史」とか、名著「貧民心理の研究」とか、その他宗敎書や少年向讀物などの著書はあつたが、文學書特に小說としてはこれが最初のものだつた。しかしその頃、世間の一部では、頭腦の秀れた學者としての氏の價値を認め初めてはゐたが、文學方面の作者としての氏を認めるものは皆無だつた。從つて書物の賣行も香しくはなかつた。

ところが、大正十年夏神戸の川崎三菱兩造船所三萬の大勞働爭議が勃發し、氏はリーダーとしてその陣頭に立つた。そして勢ひの赴くところ、ついに氏は囹圄の身となつた。

神戸の爭議はわが國始まつて以來の大爭議として天下の耳目を轟かした。そしてそのリーダーとしての賀川豊彦氏の名も、善かれ、惡しかれ、ひろく人口に膾炙されるやうになつた。

氏の名聲は、俄かにたかまつて來た。そして、その賀川氏が「死線を越へて」の作者であるといふことで、この小說の存在が再認識され評判に上るやうになつた。

改造社ではこの好機を逸すべからずとし、橫關氏は、思ひきつて大きな廣告を新聞に揭載した。いふまでもなく、神戸の大爭議のリーダー賀川豊彦の作であることを誇示して——。

この策戰は巧く中つた。本はどん〳〵賣れて行つた。そしてこれを讀んだ人は、氏のスラム生活の記錄にみな驚異の目を瞠り、感激の淚をそゝいだ。これは全く破天荒の大文學だつた。

私は評判を聞いて、此度は全卷を通讀した。そして、後半に記されてある氏の尊き體驗に思はず頭の下る思ひがした。

葺合新川のスラムには、氏の案內で度々足を踏入れ、氏が九年八ケ月の永きに亘つて住んだ二疊敷をも親しく訪問して知つてはゐたが、そして、貧民の特有な心理は、「死線を越えて」と共に不朽に殘るであらう氏の名著「貧民心理の研究」に依つて敎えられてはゐたが、小說を通じて氏の忍從と苦鬪との記錄を讀むことによつて、感激は更らに一層切實なるものとなつた。

私は以前「死線を越へて」を高く評價しなかつた自分の不明を恥ぢた。

「死線を越へて」は、私の不明を嘲笑するかのやうに文字通り飛ぶやうに賣れた。十版、五十版、百版、百五十版と增刷又增刷で殆んど停止するところを知らなかつ

た。「この本は賣れまい」と診斷した自分は何といふ先見の明のないことであつたらう。

「死線を越へて」が百五十版を刷つた時、氏は時勢の變運に伴ひ、或る部分の文字を削除したいと思ひ立つた。そして、私は多忙な氏に代つて全卷を改めて目を通して若干添删をした。往年この本は賣れまいと豫言した私がである。私は朱を入れ乍ら微苦笑を禁じ得なかつた。

「死線を越へて」は誰知らぬ者とてはないほどに普及した。「賀川豊彦」の名も、今は天下に隠れもないポピュラーな名となつた。

しかし、ポピュラーとなつた「賀川豊彦」の名において、人々は一體、何を想起するのであらうか。その第一はいふまでもなく、「スラムの英雄」としてゞあつた。

「死線を越へて」のおかげで、見るもいぶせき葺合新川部落も一躍して、日本の一新名所となつた。

今年は賀川氏が神戸のスラムに入つてから數へて三十年に當るといふので、私たち同志が相謀り、最近、區劃整理のため取こぼたれた氏の往年の古巣二疊敷御殿を貰ひ受けて舊原型のまゝ、再建し、「賀川豊彦記念館」として後世に遺すことゝなり、目下着々計畫を進めてゐる。

「死線を越へて」以來、賀川豊彦の名において人々の想起する第二のものは、賀川氏が呼吸器を患ひ乍らも身を挺してスラムの眞つ只中に住み込み、貧しき人々の友となり、これがため却つて病魔を屈服し、完全に「死線を越へた」といふ驚くべき闘病の事實である。

この點からいつて、「死線を越へて」は畢竟、呼吸器患者の勝利の小説である。たとへ兩の肺が蝕れても、强き精神力と敬虔なる信仰を持つて居れば、當然到達すべかりし死線をも突破し得るといふ病者にとつての「希望の書」である。

落膽するな、病友よ、望みはあるぞ。救ひが來るぞ。自然の治癒を信じ、醫家の指圖に從つて、あせらず、氣落ちせず療養の一途を辿れ——と、「死線を越へて」の一卷は、聲なき聲を病友に呼びかけてゐるのだ。

神は病友の肺臓の中に君臨し、常に内在して壞された細胞の一つ〳〵を修繕して下さつてゐる。神の補修工事を信ぜよ。病友よ！醫家が安靜をすゝめるのも、畢竟、その自然の治癒——内在の神の補修工作を前提とするからではないか。

肺病は癒る。神がきつと癒して下さるのだ。その活ける證人として、此處に「死線を越へた」賀川豊彦が存在する。

「死線を越へて」の一卷は、この事實の證しをしてゐるのだ。

「死線を越へて」は、肺を病む人々のための福音書である。

病友よ！「死線を越へて」のロマンスに、讀者自ら讀まれて了つてはならぬ。必ず、この病者に對する福音を活字の裏から酌み取らねばならない。

二、驚くべき超人的活動

もちろん、賀川氏のやうな人は特別だ。賀川氏の病氣は、あの異常な氏の信仰があつて始めて癒やされたのだ。賀川氏の信仰が、賀川氏の病氣を癒したのだ。氏の如き透徹した信仰を持たないで、たゞ氏の行つた闘病術を模倣したとしても、氏と同じ程度の病氣が癒されるものとは限らない。或は却つて病勢を惡化するかも知れない。

假に、氏の足迹を慕ふてスラムにセツルする肺病青年があつたとしても彼の病氣は氏と同じやうにスラムにおいて癒ゆるものとは決つてはゐない。おそらくは、却つてその陋巷において仆れて了ふのがオチであらう。

氏の闘病史は、だからそのまゝ後進が踏襲して善いといふものではない。

たゞ、しかし、强き精神力が信仰が、醫藥だけでは癒り難い固疾をも癒すといふ事實だけは、氏の闘病史において十二分に認識せしめられるのである。聖書に所謂汝の信仰、汝を癒せりといふ言葉の眞實なることを、氏の闘病史を通じて確信せしめられるのである。

賀川氏の過去及現在における超人的活動は、まことに驚くべきものがある。

血を吐きつゞけ乍らも、九年八ケ月にわたつて葺合新川の密集地區の中央に住み、幾度かゴロツキの白刄の下に立ち、全身不髓の女や、狂人や、不良少年や、淫賣婦を世話したり、或は貰子殺し常習者の手から辛くも救ひ出して來た嬰兒を扶養したりして、つぶさに人間苦と社會苦の實相を極め、又無産階級解放の大理想を以つて勞働運動に闘與するや、穩健着實なる理論を提げて全勞働階級を指導し、神戸の大爭議の際の如き、その下獄前後における氏の體重は僅かに十一貫、瘦軀鶴の如くであつたが、それでも不思議に支へられた。

闘東震災の報神戸に至るや、氏は消費組合を始め氏の影響下にある各團體に號令して物資を調達し、自らリュツクサツクを背に逸早く山城丸に搭乘して焦土の東京を訪れ、爾來、本所の燒跡にテントを張つて、物的復興のみならず、道德復興に努め、その間、帝國經濟會議議員を命ぜられて樞機にも參劃した。

その後、國民使節としてアメリカに使ひすること三度

毎日六回七回の講演を續け、或時は過勞のため、腎臓より出血を見たことさへあつて、ロサンゼルスの同志、平田博士は氏を診察し、若しこの强行軍をつゞけるなら餘命は三年を出でないであらうと豫言し、その自省を要望したほどであつた。でも氏は依然として、千人、二千人甚しきは七千人の大衆に向つて獅子吼を試み、豫定通りのプログラムの全部を强行した。濠洲に使した時も同樣であつた。

數年前、岡山で說敎中には、幾年ぶりかで喀血した。大津では講壇に立つたまゝ視力を失つたがそれでも終りまで話をやめなかつた。無理の連續が、こうして安全瓣をも吹きあげたのである。

氏の肉體にはいろ〳〵の病氣が巢喰つてゐる。長年月にわたる貧民窟生活の結果生じたトラホームは最早病膏盲に入り、アメリカ上陸の際は、いつも、この「虎」が問題となり、三年前の渡米の際は、大統領が裏書して始めて上陸を許可されたといふ曰く附きの「世界的眼疾」である。失明を傳へられたことも一度や二度ではなかつた。

腎臓炎も慢性となつて、肉體を酷使すると兎もすれば血便が出た。その血便をくり返してゐればいつかは中風のやうな狀態になる惧れがあるといつて、今妹芝八重子女醫さんがいつも心配してゐるのだ。

氏が一見肥つてゐて健康さうに見えるのも、實は、腎臓から來たむくみである。

先年、自動車事故で負傷して以來は、背骨の一部の關節がはづれてゐて、背中をうしろに曲げるとポキリと不氣味な音をたてゝ、正しい位置に歸へるのだ。

疲れて來ると、椅子のもたれにつかまり、越後獅子のやうにそりかへつて關節をはめるのだといつて、その矯正術を實演して見せて貰つたこともある。

胸の疾患は既に固つてはゐるが、永年の痰持ちは依然として癒らない。この多くの病を體内に持ちつゝ、氏は世界を舞臺に超人的活動をつゞけてゐる。

いつ、どこで仆れるか判らない。たゞ不思議に支へられて、仆れるところまで使命のために働きつゞけやうといふ氏でもある。われ等と同じ、胸に病ひを持ち乍ら、何と驚嘆すべき超人的存在ではないか。氏の存在は、昭和の日本の奇蹟である。尤も、氏と雖も自分の働きが規を越へてゐることを知つてゐる。そしていつ何處で仆れるかも知れないといふことをも知つてゐる。

いつだつたか、病軀を押して雪深い北海道へ傳道に赴く時氏は春子夫人を顧みて

「春さん、此度は背になつて歸るかも知れないよ……」

と訣別を告げた。夫人も普通なら無理にも押し止めたいところだが、止めて踏止る夫ではないことを百も承知である。使命のために一身の安危を考へる暇もなく、男々しくも出て行く夫を、さりげなく送り出す夫人の心中はどうあらう。

賀川氏を思ふ時、そのかげにある夫人の存在をも忘れてはならない、賀川氏の貧民窟生活も本年で三十年に當る。換言すれば「死線を越へて」以來の三十年である。苦しい闘病の抑もの始めから起算すれば正に四十年になん〳〵とする。

闘病の四十年——われ等は氏の口からこの闘病試練の尊い體驗談を承らうと思ふ。

志賀夾竹桃追悼句

春眠のさむることなきうらみかな　岡田葉都女
夕立にまがふ春雨に驚きぬ　松本捷雄
旅に來て句友の訃報花ぞ散る　有田虛石
色々の花片殘し春逝きぬ　佐伯祐正
箱つゝじ抱いて屎する漢かな　安村一閑
旅立つを惜しまれ春の逝きにけり　鵜飼草人
御佛をしのびて供ふ夾竹桃　松本末太郎
蔦の芽や主なき館を延びつくす　吉村充里
これからの春闌なるをよそにして　神戸雲外
三七日にホ句を捧げて寂し春　三木淳女
三七日の夕を春の名殘かな　足立芦生
行春や君にさゝくるホ句いくつ　淺井都與女
培ひし牡丹を看すに君逝けり　神戸堂舟
三七日の名花を偲ぶ今宵かな　岡村風生
言葉なく花の白さを更けに見る　梅田五堂
鳥雲に歸らぬ人を惜みけり　小喜多白鷗
友を想ふ詩に涙あり春の雨　余田竹鄉
追悼に集る人々や春の雨　宮川松安
朧よりかほあらはるゝおもひかな　前田夢一

以上

名作曲家の列傳（一三）

フランツ・リスト　Franz Liszt

秋保孝藏

洋琴家として、作曲家として、當代を風靡せるフランツ・リストは外交家で、交際家で、而して何時も勝利者であつた。彼の作品は、今尚好樂家の間に汲めども盡きない生命を有つてゐる。

洪牙利國レイデングの小驛に、とある簡素な家で、靜けき或る夕、主人のアダム・リストは一日の活動を終へて、古びたピアノに向ひながら、好きなハイドンの曲を彈いてゐた。妻はその傍に椅子を引寄せて、裁縫に餘念がない。縮毛の可愛い少年フランツは、まだ六歲に滿たなかつたが、ピアノの傍に立つて、美しい音響を繰出す魔術師でも見るやうに、その父を見守つてゐた。父は彈く手を休めて、フランツを顧み、「お前もこれが好きかい」とたづねた。碌に物も言へない少年は、ただ首を下げて點頭くのみであつた。「お前は大人になつたら音樂家になりたいか」と問はれて、壁に掛けてあるベエトオフエンの肖像を指し、「僕もあのやうな音樂家になりたい」と叫んだのである。その後、父はせがまれるまゝに、この子に音樂の初步を敎へかけた。父の彈方では獨習だから勿論正則な敎へ方は能なかつたらうが、熱心なこの少年はよく覺えて、直きに譜を見ることが能るやうになつた。父のリストは子供に音樂的天分の閃きがあることを發見して非常に喜んだ。

フランツ・リストの生れたのは一八一一年で、その年は彗星が現はれた。十二月二十一日卽ち彼の誕生の夜、彗星は家の上で長い尾を現はしたので、家の人々は何か善い前兆であらうといひ合つた。母の感化でもあつたらうが、幼少な溫和な子であつた。母の感化でもあつたらうが、幼少の折から極めて宗敎的であつて、毎日曜日敎會に行くことを何より好んでゐた。或るクリスマスの夕、父が提灯をぶら下げながら、一族の者どもを引連れ、淋しい田舍道を靜かに步いて敎會堂に行つた時の、その神秘的な光景は、纖細な少年の心に拭ひ去ることの能ない印象を與へた。この印象は彼が後年作つた聖曲「クリスタス」の中の「降誕節」によく表はれてゐる。

前にも述べたやうに、フランツは六歲の折から音樂の練習を始めピアノに向つてゐない時は、樂譜を樂書きして遊んだ。文字を書くことを覺える前に既に樂譜を書くことを覺えた。手が小さくて、望み通り彈けないので、彼はいろ〳〵滑稽な眞似をした。指の屆かぬ部分を鼻の尖で彈くこともあつた。段々六ケ敷い譜が彈けるやうになつた時の彼の熱心は、何物を以てしても抑へることが能きなかつた。

彼は至つて快活な、正直な子供で、何か惡いことでもすると直ちに告白して改めるのであつた。この少年は實にリスト家の誇りであつて、リスト家の「藝術家」といはれた。或る時、隣町のオルデンブルヒで音樂會の催があつた。アダム・リストは子供を連れて來て、何か彈かしたらどうだとの相談を受けた。その時フランツは僅か九歲の少年であつたが、之を聞いて非常に喜んだ。父と共にオルデンブルヒに發つた時は、彼に取つて實に忘るゝことの能きない嬉しい日であつた。音樂會の席上では彼はライスの司伴曲と自作の幻想曲とを管絃樂の伴奏附きで彈奏した。この初舞臺の演奏で、將來必ず成功するだらうと豫想させる二つの特質を表はした。それは優れた才能と熱心とであつた。聽衆は彼を聽いて喜び且つ滿足した。アダムは自分の發起で、再びその子のために演奏會を催し、以前に劣らぬ成功を見たのである。父はその子の才能天分を確めたので、彼を本物の音樂家に仕上げやうと決心し、レイデングに於ける執事を辭し、その子を伴れてヴインナに住むことにした。プレスブルグに到る道すがら、彼等はアイゼンシユタツトに留まつて、エステラーゼ公爵を訪ねた。公及び夫人は彼等に親切な助言を與へ、プレスブルヒで、フランツのために演奏會を開くやうに取り計らはうといふことであつた。やがてプレスブルヒに着するや、公の宮殿で演奏會が催され、高貴の人々が澤山集つた。少年フランツの熱情あり、獨創味ある彈奏を聽き、彼等はこんな天才には一刻の猶豫もなく、適當な音樂敎育を授けねばならぬと激勵した。アダム・リストにその子を敎育する充分の資力のないことを知つた六人のハンガリイ貴族等は、年收のうちから醵金して向ふ六ケ年間、彼を補助する約束をしたのである。アダムは早速名高い洋琴家のヒンメルに宛てた手紙を出して、その子の指導を賴んだ。ヒンメルからは敎へてもよいが、一回毎に二十法を要する旨返信があつた。

ヴインナに着するや、當時一流の洋琴家であるカアル・チヤーニーにその子の指導を依賴した。チヤーニーはベエトオフエンの高弟であつたが、少年リストの彈奏を聽いて、直ちに之を承諾した。彼はヒンメルと異り、この熱心なる天才に對して極めて親切であつた。十二回練習を續けた後、父は謝禮をしようと思つてチヤーニーを訪うた。チヤーニーはこれを固辭して受けない、一ケ年半の全課程を卒るまで、好意を以て指導してやるから謝禮の心配には及ばぬとのことであつた。チヤーニーは專門家だけあつて、初めはやかましい先生であつた。フランツも無趣味乾燥な練習には弱はつてゐたが、段々自由な學習を許された。專門的智識の基礎はなかつたが技術の方面には著しき進步があつた。チヤーニーは彼の缺點を指摘し、音樂家は明確な柔い彈方に熟達せねばならぬことを注意した。彼は一生懸命勉强した。そして理論の方面はサリエリに就て硏究した。やがて彼は分解して彈いたり、聯合曲を奏したり、短歌や小讃美歌曲をも作るやうになつた。

この頃彼は音樂以外に廣く智識を求めねばならぬことを感じ、讀み書きを自習し始めた。彼の才能、快活、溫情は多くの貴族等から愛せられ、この頃から婦人を引きつける天分を有つてゐた。彼はヴインナに於て十八ケ月專心勉强した。父は久振りに彼のために演奏會を開く計畫を立て、一八二二年十二月一日と翌年一月十二日と兩回公會堂に於て之を開催した。彼は以前よりも確實な自信と洗錬された技能を以て演奏し、稱讃と喝采とを博した。少年リストの噂がベエトオフエンの耳に入つたのはこの二回目の演奏後であつた。フランツと父とは幾回も崇敬するベ氏に面會を求めたけれども駄目だつた。ベエトフエンの弟子なるシユンドレルは、是非その師に面會が能きるやうに盡力して吳れと依賴されてゐた。ベ氏は當時全く聾してゐたので、彼はベ氏の日誌の中にかう書いて筆談した。

「少年リストは明日の演奏會のために何か作曲して下さるやうに、貴方に依賴して吳れと私に賴み込んで來ました。彼は演奏會が開會さるるまで封を切らず、愈々彈奏する時に初めて開封、卽座に彈くさうです。この少年はチヤーニーの生徒で、今年僅か十一歲です。この少年の獎勵にもなりますから、貴方も臨席して聽いてやつて下さいませんか。御願ひ致します」

この演奏會の開かれたのは一八二三年四月十三日であつた。聽衆は堂に滿ちた。フランツが壇上に進み出た時

にすぐ近くに、大先生ベエトオフエンが坐を占めてゐるのを見付けて小さい胸は躍つた。彼はこの名譽を傷けぬようにとて全力を注いで彈奏した。今までになかつた程、立派に出來た。ベ氏は身を起し、壇上に昇つてこの少年音樂家を抱きしめ、幾度も幾度も接吻した。これを見た聽衆は不思議な感動に打たれたのである。

この頃から、彼は當時のピアノの名手の一人に數へられるやうになつた。新聞は彼を賞めはやした。多くの人々からは音樂の天才モツアルトに比較された。父はその頃もつと廣い世界を彼に見せて、一層深く勉强させようと思ひ、彼を巴里に伴ふことにした。當時巴里には音樂學校の校長で名高い作曲家ケルビニと云ふ人がゐた。巴里に行く途中、彼等はムニヒ、ストラスブルヒ及びスタツトガルトに立寄り、演奏會を催して喝采を博した。

巴里に到着するや直ちに學校を訪ひ、校長に會ひ、入學を申込んだ。校長は此處は佛國の國立學校であるから外國人の入學を許可する譯にはゆかぬとて斷つた。少年リストは之をきいて失望落膽したが、淚を以てもう一度賴んで見た。けれども駄目だつた。間もなく彼はフエルデナンド・ベエヤアと知合になり、彼の下に作曲を硏究するやうになつた。彼は著しき進步を遂げ、益々名高くなつて來た。新聞は彼を「世界の第八不思議」といひ或は「第二のモツアルト」と稱へた。彼は當時の流行兒で第一流の名手であつた。父の滿足は想像するに難くない。彼はその頃小歌劇「ドン　サンコ」を作つたが、これはその頃度々上演された。

その時分、ロンドンの本店から遣はされてゐたピアノ製造人エラアドと云ふ男がゐた。その頃所要あつて英國へ歸らうとしてゐたが、リスト父子を英國に伴はうといつて相談を持ち込んだ。彼等はその勸誘に贊成したが、ただ費用を節約するため、當時巴里に同居してゐた母を墺國の姉に歸し、二人だけでロンドン訪問に出懸けることに定めた。少年リストに取つては、母と別るるのは實に悲しいことであつたので、是非母も一緒にと懇願したが、父はその要求を容れなかつた。その後暫く彼は母の名を聞くだけでも淚を催したのである。一八二四年五月彼等はエラアドと共に英國に渡つた。ロンドンでは名家の家庭で彈奏を試み、或る日の如きはジョオヂ第四世陛下の御前演奏を試み、豪い成功を贏ち得たこともある。その後一旦佛國に戻つたが、再び英國を訪うた。その頃彼は十四歲の青年であつたが、名高い洋琴家の一人となつてゐた。巴里に歸るや、六ケ月間アントン・リイカに就いて重複旋律法を硏究した。

一八二六年からその翌年にかけて、彼は瑞西に滯留し

その後三度英國を訪うた。名高い演奏家のモシエレスは彼の彈奏を聽いて、「フランツ・リストの彈奏はその力からいつても、困難なる譜をよく彈きこなす點からいつても、曾てない勝れた人である」と稱讃した。その頃、過度の勉强の結果であらうか、以前のやうな元氣もなく、陰鬱で、氣むづかしくなつて來た。彼は教會に足繁く通うて人知れず慰安を求めてゐた。父はこれを心配して、佛國に連れ歸り、ブローナ地方の水の多い處で暫く保養させることにした。彼の健康は幸ひ快方に向つたが、反對に父はその健康を害し、ブローナに於て終に不歸の客となつてしまつた。獨り取り遺された彼は、早速墺國に在る母の許に手紙を送り、今回巴里で母と共に一家を持ち、ピアノの教授をやつて生計を立てたいが、どうしようと相談してやつた。父の病氣や葬儀のために貯金も使ひ盡したので、涙を呑んで大切なピアノを賣拂つて巴里へ出たのである。彼はエラアドの家に暫く寄寓して母の來るのを待つた。

やがて母を迎へ、家を借りてピアノの教授をはじめたが、これをきいて高貴の人々はどし／＼弟子入を申込んで來た。中にカロリンといふ十七歳になる才たけた綺麗な伯爵家の令嬢があつた。同年輩のフランツとは會ふ度毎に、互に親みが募つて行つた。一時は彼女の母の死によつて、暫く練習を休まなきやならないこともあつたが、その後練習は再び開始された。彼等の間柄は益々濃厚になり、練習の終つた後も、互に甘い物語に時を過ごすのであつた。彼女の父はこれを知つて不快に思ひ、彼等の間を遠慮なく裂いてしまつた。

若い純眞な青年リストに取つては、これは非常な痛手であつた。初戀の夢はむざ／＼破られてしまつた。母はその子の心事を氣遣つて慰安につとめ、力づけてやるのに多大の骨を折つた。彼は數週間、教授を休んだ。教會に行つては心の痛みを神に訴へる。一時はその愛する藝術をも棄てて、僧侶にならうとまで決心した。意氣消沈して、ただ毎日家に閉ぢ籠つてばかりゐた。世間ではリストは死んだと噂した位であつた。然し段々元氣も恢復して來た。彼はその頃から音樂の研究と共に文學、政治歷史、科學の各方面に趣味を覺え、手當り次第に本を讀んだ。そして淋しい心を慰め、之に打ち勝たうとした。斯る際卽ち一八三〇年、佛國に大革命が突發した。彼の若い血は躍つた。若し母の嚴重な監視がなかつたら、彼は革命の渦中に身を投ずる處であつた。

當時佛國が革命によつて目醒めたやうに、フランツ・リストも或る意味に於て自己に目醒めたのである。彼はその藝術を以てもつと偉大なものを表現し、一つの形式

の中により深い精神を發表せねばならぬと思つた。その頃聽衆を魅惑せずには措かないパカニニのヴアイオリン演奏を聽き、大いに感ずるところがあつて、彼自身のピアノ彈奏に一種の改革を施したのである。當時、若い作曲家ヘクトル・ベルリオツと交り、その作風の感化を受け、又ピアノの奇才ショパンのホ短調司伴樂や、ポーランド舞踏曲や、幻想曲を聽き深い印象を受けた。彼は一八四九年ショパンの略傳を書いた位、彼に對して深いインタレストを有つてゐた。

彼が廿三歳に達した時には、熱心な研究の結果、音樂に關する智識は益々擴大され、諸所貴族の家庭で演奏を試みた。その頃の彼の作曲や彈奏は、その經驗と智識の深さを充分窺知するに足るものがある。社交も廣くなつて、諸方面の名士と知合になつた。この立派な青年は至る所で、稱讚の的となつた。女流作家ジョージ・サンドとも交を結んだ。ラブリナレイデ伯夫人とも懇意になつて彼女の一家とひと冬瑞西の別莊に過ごしたこともある。

これまで、私は彼の芳ばしき生涯について述べて來たのであるが、茲に最も遺憾と思はるゝ一事件を見逃す譯にはゆかない。その初めは一八三三年の冬のことである。伯爵夫人ダグールは彼の藝術に迷ひ、彼を十年間捕虜としてしまつた。彼女は夫と子供とを棄てて彼の許に走つた。彼は彼女と同棲するのやむなきに至つた。彼女を思ひ切らせようと努力したには違ひないが、どうしても駄目だつたらしい。彼女は何時も彼の旅行の侶となつて、暫く瑞西に滯在したこともある。此處で彼は數多き曲を出した。

一八四三年、彼は母とダグールとその子供を巴里に殘して、獨り北方に演奏旅行に出懸けた。ペテルスブルグでは五萬法の報酬を得、モスコウでは一回だけの筈が六回に及んだ。ババリア、サクソニイ其他獨逸國内の諸所で演奏した。ヴアイマルで太公の宮廷樂隊長となつて、此處に暫く留まることとなつた。その翌年から一八四五年にかけて彼は西班牙、葡萄牙の方面に出懸けた。

その頃彼はベエトオフエンの記念碑を、その誕生地のボン市に建設しようと骨折つた。獨逸諸侯の寄附を仰いだが、足りなかつたと見え、彼は裸一貫になつた位、これがために失費して、樂聖ベ氏のために盛んな記念祭を催し、自らその祭歌を作つたのである。

一八四八年政治上の混亂から、彼は再びヴアイマルに歸り、宮廷樂隊長の職に就いた。彼は此地を獨逸國内に於ける有數の音樂市にしようとして骨折つた。彼がリチヤード・ヴアグネルの天分に惚込み、廣く世に彼を紹介

し、彼の名を擧げさしたのも此頃であつた。ヴアグネルは彼の助によつて大家として世に知らるるに至つた。ヴアグネル自身もこれを認めて感謝してゐる。

ヴアイマル在住中、彼は巴里とローマには時々旅行した。彼がローマを訪うたのは、サイン・ヴイツトゲンシユタイン公令嬢との結婚を、法王に承認して貰ふ目的であつたと噂されてゐる。一八六四年、彼はローマで師の稱號を受けた。この頃リスト師は多くの曲を出し、澤山の弟子にピアノを教へた。彼等の中には、後世名を成したものも數多いが、これは全く彼の指導がよろしきを得たからである。

一八七一年、洪牙利政府は彼を貴族に推薦し、三千弗の年金を給與した。一八七五年には、ブタペストの專門學校の校長に擧げられ、又歐洲武士道同盟の會員になつた。

フランツ・リストは、一八八六年八月一日、バイロイトの友人ヘル・フローリヒの宅で七十五歳の高齢を以て逝いたのである。夏はいつもさうだつたが、實はヴアグネルの傑作の手助をするため此地に來てゐたのである。氣品高く、溫情に富んだピアノの大家リストは、かうして不歸の客となつた。

彼は多くの力あるピアノの曲を出した。彼の十五種のハンガリアン狂曲《ラプソヂ》や、ロ短調の奏鳴曲《ソナタ》や、司伴樂《コンチエルト》や、その他數多き樂曲は、現代の樂壇でも絶えず演奏せられ、尚ほその外にも世に紹介さるべき幾多の名曲がある。聖曲「クリスタス」や、「エリサベツ」等の名曲は、彼の天分を示す生くる永久の記念碑である。

五月の日記（編輯後記）

◉第十回記念全東京乳幼兒審査會は六月下旬開催と決定したので、其の準備工作のため五月六日の鷗號にて上京、七日正午、九段遞信大臣官邸に於て永井大臣閣下に御目にかゝる、幽邃な奥庭は苔むして、靑楓の若葉が薰風にそよいでゐた、過般木戸侯爵に於かせられては本會總裁たる事を御快諾になつた旨を御報告に及べば「それはよかつた」と心から喜ばれるのであつた、森春濤の書に關する物語りなど窺つて辭去し、歸途高島屋木村宣傳部長と協議した。

◉八日、鎌倉に親戚の加藤少佐宅を訪れ、由井ケ濱から八幡宮まで五月雨の中をあゆみ參拜した、九日、蒲田にライオン本舗の平野部長、大槻正路博士を訪れ、午後、村島歸之氏ホテルに來訪されたので久々に快談し驛まで見送る、十日、陸軍省醫務局に梶浦大尉を、新聞班に大久保中佐を、副官室に吉田副官を訪れた、いづれも「御期待に添ふやう盡力する」と心から勵まさるゝのであつた、「それより厚生省に工藤政務次官、南崎博士、重田博士を、慶應大學に中鉢博士を訪ふた、何處へ行つても私心なき國家的事業に對する諸家の御懇情は唯涙の外はない、歸途伊勢丹に日本畵展を觀て居ると偶然岸邊先生に御目にかゝる、「今年は必ず會へ參ります」と約された、夜は吉村氏訪問、防人の繪が出來上つてゐたので嬉しかつた。

◉十一日、文部省に内ケ崎政務次官、木戸侯爵、是松文部秘書官に御目にかゝり、多大なる御庇護を感謝し、愛育會に齋藤常任理事を、中央社會事業協會に高島主事を訪れ、後援方を依囑す、それより慈惠會大學病院に戸川博士にお目にかゝり、本年度審査の實施方法に就いて御願ひした。

◉十二日、麹町に唐澤博士を、四谷ライオン兒童齒科院に岡本院長を訪れて年來の御援助を深謝し、神田白十字會に村島氏を訪ふ、夜は長崎東町に保尊書伯、星健三氏を訪れた、十三日、廐橋のライオン齒磨工場を山崎常務取締役の懇篤鄭重なる御案內を蒙り、その働く者本位の宏壯な新しい設備を見學して益する處多かつた、午後は柿本博士を訪れ、黃昏遲く迄高島屋にて審查會場の設計圖をひき、協議を續け、夜は西牧氏を訪ふ。

◉十四日、慶應病院に川勝重役御母堂の病氣を見舞つてから、小兒科醫局に中鉢博士と種々打合せをなし、牛込に鷲尾吾一氏を十年振りに訪れた、夜は風見小石川產婆會長と藤原副會長宅に會して、審査に就いての明細に渉る協議をこらした、十五日（日曜）沖山氏、廣井會長、大川銀三郎氏等を訪れ、夜は遲くまで富田博士御夫妻と物語る、十六日、高圓寺に服部氏を訪れ、始めて成吉思莊の御案內をうく。

◉十七日、海軍省に醫務局長高杉軍醫中將を、文部省に大西先生を御訪れして例年の如く、審査會の件を御願ひした、私共の働きは第二國民本位の邦家的事業とは申せ、至るところにて祝福と支持の溫情に接する事は限りなき感謝である、午後高島屋に於て三度目の打合せをなす、十八日、荻窪の木村氏宅を訪問、午後、親戚平田上等兵の光輝ある沈默の凱旋を上野驛に御迎へした、それより戰爭美術展を觀たが松岡映丘先生の『矢表』の前では淚を新にした。

◉十九日、松坂屋に狩野、長谷川、遠藤三畵伯の展覽會を觀た、それから高島屋寫眞部長大岩氏、部員の奧平氏に本誌の口繪製作を依賴した、斯樣にして審查會諸般の準備は後援協贊の關係方面並各位に御願ひして完了したので、二十一日の鷗號にて一先づ歸阪する事とした、偶然賀川豐彦氏と同じ車だつた、以上は十五日間の在京日記であるが、出發に先つて陸軍省始め各省からの公式な協贊方の通達を手にした。

本誌定價 一册金參拾錢 郵稅壹錢五厘
半年分六册 金壹圓六拾錢 郵稅共
一年分十二册 金參圓 郵稅共
誌代郵稅は一切前金の事
前金切の場合は發送中止
郵券代用は一割增のこと
昭和十三年五月廿八日印刷（每月一回）
昭和十三年六月一日發行（一日發行）
兵庫縣武庫郡精道村芦屋
發行兼編輯人 伊藤悌二
印刷人 木下正人
大阪市西淀川區海老江上二丁目三七番地
印刷所 木下印刷所
電話福島㊺（一五三四番 二四二六番）
大阪市北區天神橋筋六丁目
大阪市立北市民館內
發行所 大阪兒童愛護聯盟
電話堀川㉟（〇〇〇一番 〇〇〇二番）
振替大阪五六七六三番

無代進呈
恐るべき鼻病の新治療と云ふ
小冊子御申込次第送呈
鼻
大川ユーカリ吸入器
恐るべきは鼻の病ひ!!
鼻と脳との關係は薄い骨一枚で隣り合せて居るものですから鼻の障害が直に脳へ及ぼす影響はそれは〳〵强大なものです
貞淑であつた御婦人が俄にヒステリー症になつたり頭脳明快で聞えた紳士が急に神經衰弱や憂ウツ症にかゝるのも多くは鼻の病の故なのです……
鼻がつまりますと自然口で呼吸をする様になりますので最も大切な鼻腔の保護作用と云ふものが働かず従つて咽喉や氣管を痛める原因ともなります
大川ユーカリ吸入器はホンの煙草一本召上るのと同様一回二三分間づゝ一日に三四回御使用になれば宜敷しいのです
ユーカリ油から發散するユーカリガスを吸入しますと鼻や咽喉のカタルを起してる粘膜に刺戟して仲々効果のあるものです
御婦人や御子様にも容易に使用出來て決して見苦しいものでもありませんし又携帯至便で電車の中でも事務所でも何處でも御使用になれます
定價
鼻専用 ユーカリ油付 金一圓也
鼻喉兩用 〃 金一圓五〇也
〃 〃 上 金二圓也
發賣元
東京市日本橋區本町四ノ七
大川式吸入器本舗

明《めい》色《しよく》美《び》顔《がん》白粉《おしろい》
専《せん》賣《ばい》特《とく》許《きよ》品《ひん》
あまり美《うつく》しく附《つ》くのでどなたも驚《おどろ》く！
明色美顔白粉《めいしよくびがんおしろい》のお化粧《けしやう》の美《うつく》しさにはどなたも驚《おどろ》かれます。
しかも
お化粧《けしやう》して時間《じかん》が經《た》つほどサエて一層《そう》
美《うつく》しくなるのが此《こ》の白粉《おしろい》の特長《とくちやう》です
未《ま》だの方《かた》は一日《にち》も早《はや》くお試《ため》し下《くだ》さいお喜《よろこ》びキット満點《まんてん》です！
明色とは……眞《しん》に明麗《めいれい》なこれまでにない美《うつく》しいお化粧《けしやう》が出來《でき》るので附《つ》けた名《な》です。
色味《いろみ》は白色《はくしよく》・肌色《はだいろ》・濃肌色《こいはだいろ》・淡黄色《うすきいろ》などの種類《しゆるい》があります。
明色美顔水（明色水白粉）
明色美顔粉白粉
明色美顔固煉白粉
明色美顔煉白粉

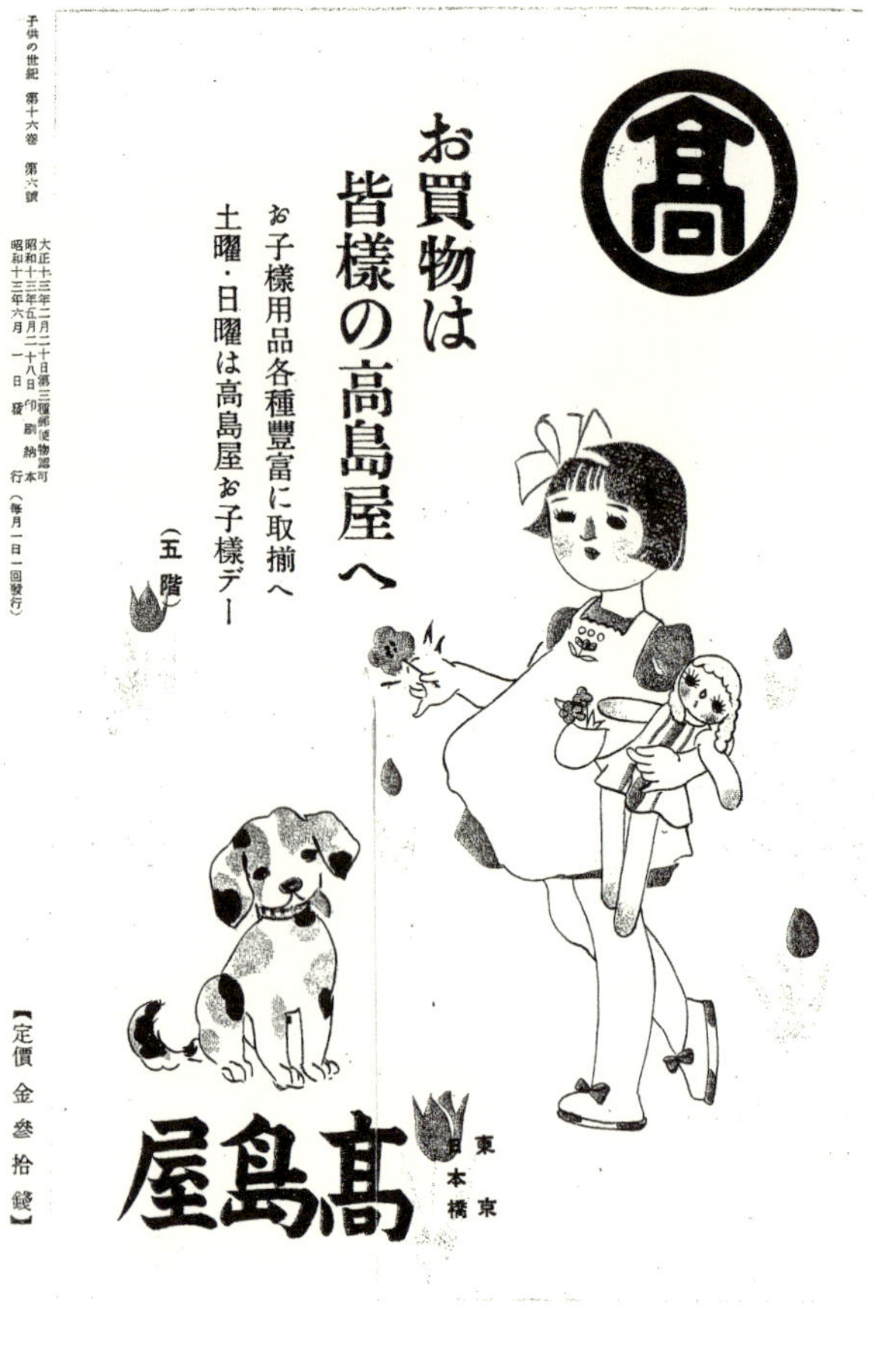
子供の世紀 第十六卷 第六號
大正十三年二月二十日第三種郵便物認可
昭和十三年五月二十八日印刷納本
昭和十三年六月一日發行（毎月一日一回發行）
お買物は
皆様の高島屋へ
お子様用品各種豐富に取揃へ
土曜・日曜は高島屋お子様デー
（五階）
東京日本橋
高島屋
【定價金參拾錢】

武田發賣
虚弱兒の强壮劑は……
ポリタミンに限る
(1) ポリタミンは「牛乳蛋白」を消化した比類のないアミノ酸製劑です。從つて……
(2) 胃腸の弱い子にも、ムダなく吸收されて血肉成分を補ひ、体重を増加します。
(3) その上アミノ酸獨特の細胞賦活作用によつて休質を改善し、抵抗力をつよめます。
(4) また消化液の分泌を促して、著しく食慾をすゝめ、便通をとゝのへます。
(5) 更にビタミンBを配してありますから、一層全身の榮養をたかめます。
(6)、すこぶる甘美味の液劑です。
こんな子に最適
呼吸器の弱い子
食慾のない子
榮養不良の子
微熱のつゞく子
れ汗をかく子
疲勞し易い子
小瓶（一圓五五）
中瓶（二圓五〇）
大瓶（四圓五〇）
各地藥店にあり
發賣元 大阪市道修町 株式會社 武田長兵衛商店
製造元 大阪市堀上通 大五製藥株式會社
33(2)64

恒久國防・國民體位向上

子供の世紀

事變下の東京審査會記念號

第十六卷　第七號

大阪市立北市民館内

大阪兒童愛護聯盟

大正十三年二月二十日第三種郵便物認可
昭和十三年六月廿八日印刷納本
昭和十三年七月一日發行（毎月一回一日發行）

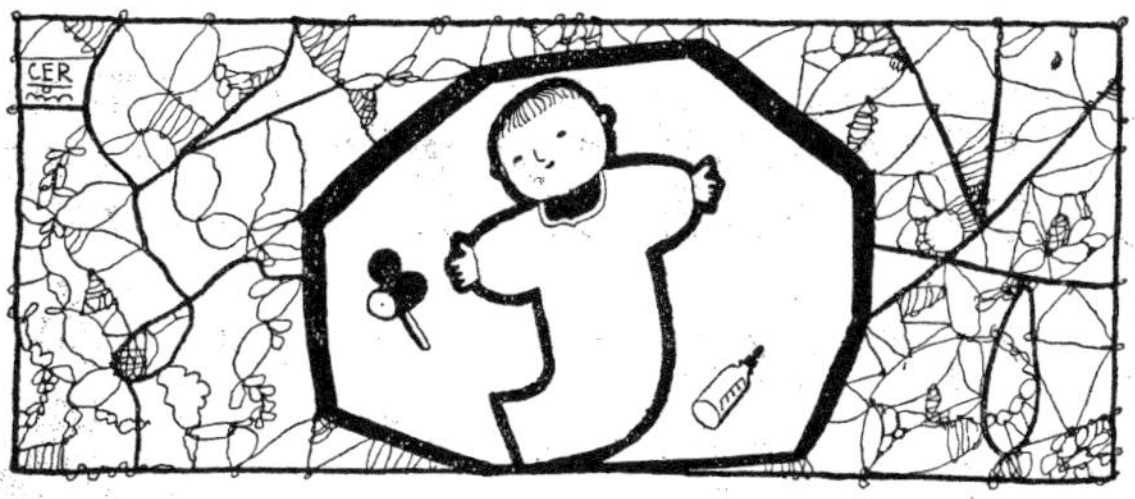

『子供の世紀』（第十六卷第七號）事變下の東京審査會記念號

目次

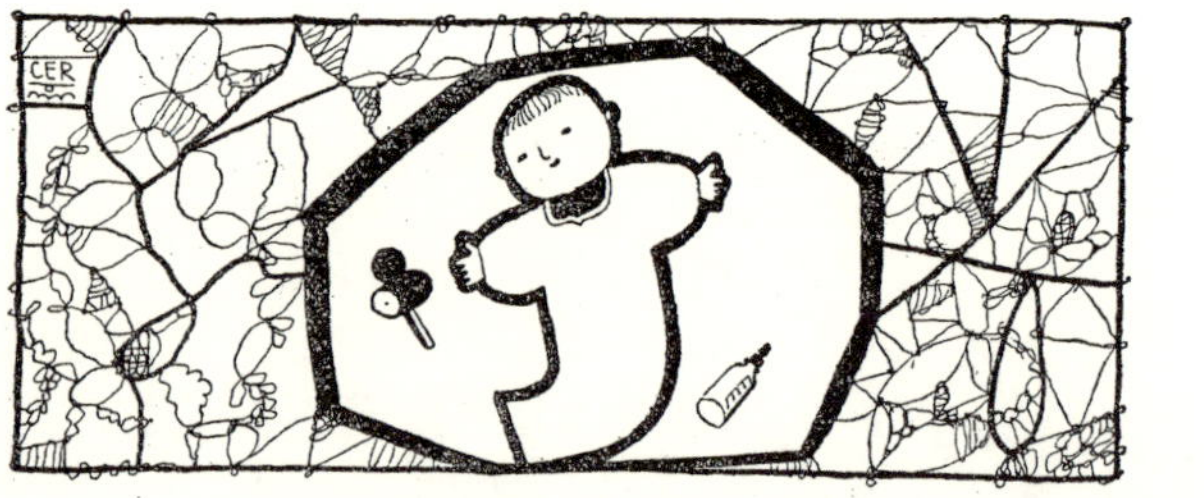

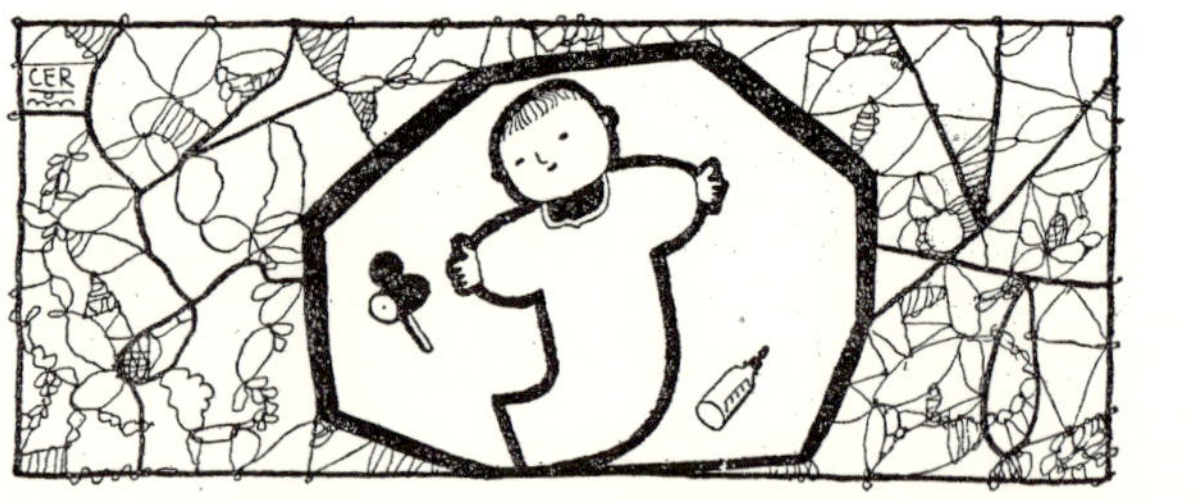

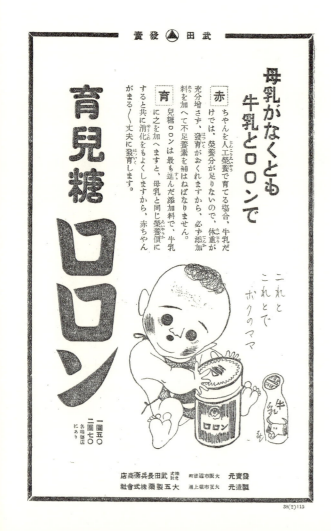

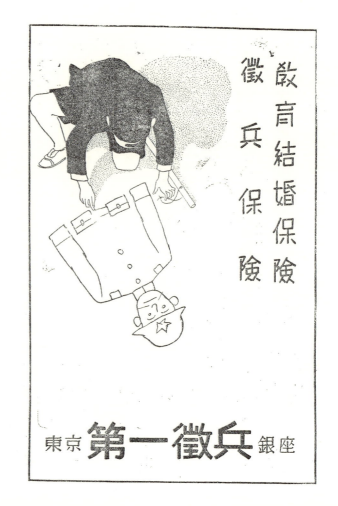

銃後の第二國民を祝福さるゝ木戸厚生大臣

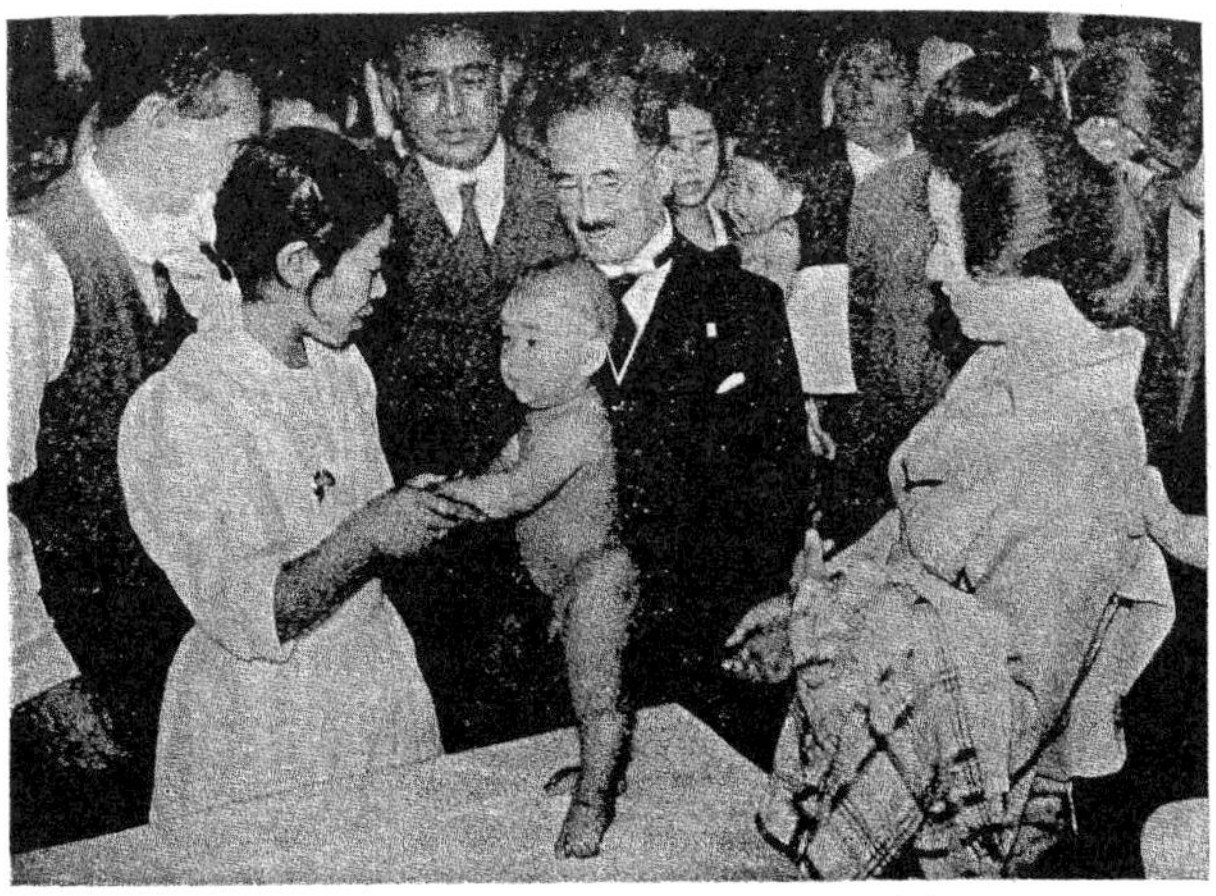

第十回全東京乳幼兒審査會に於て

第十回記念全東京乳幼兒審査會總裁木戸厚生大臣閣下には、時局柄公務御多端にもかゝはらず、戰時體制下の意義ある乳幼兒の健康狀態を御視察のため、六月二十五日午後一時二十分、本會々場に御臨場になり、多數來會の母子達を祝福された。

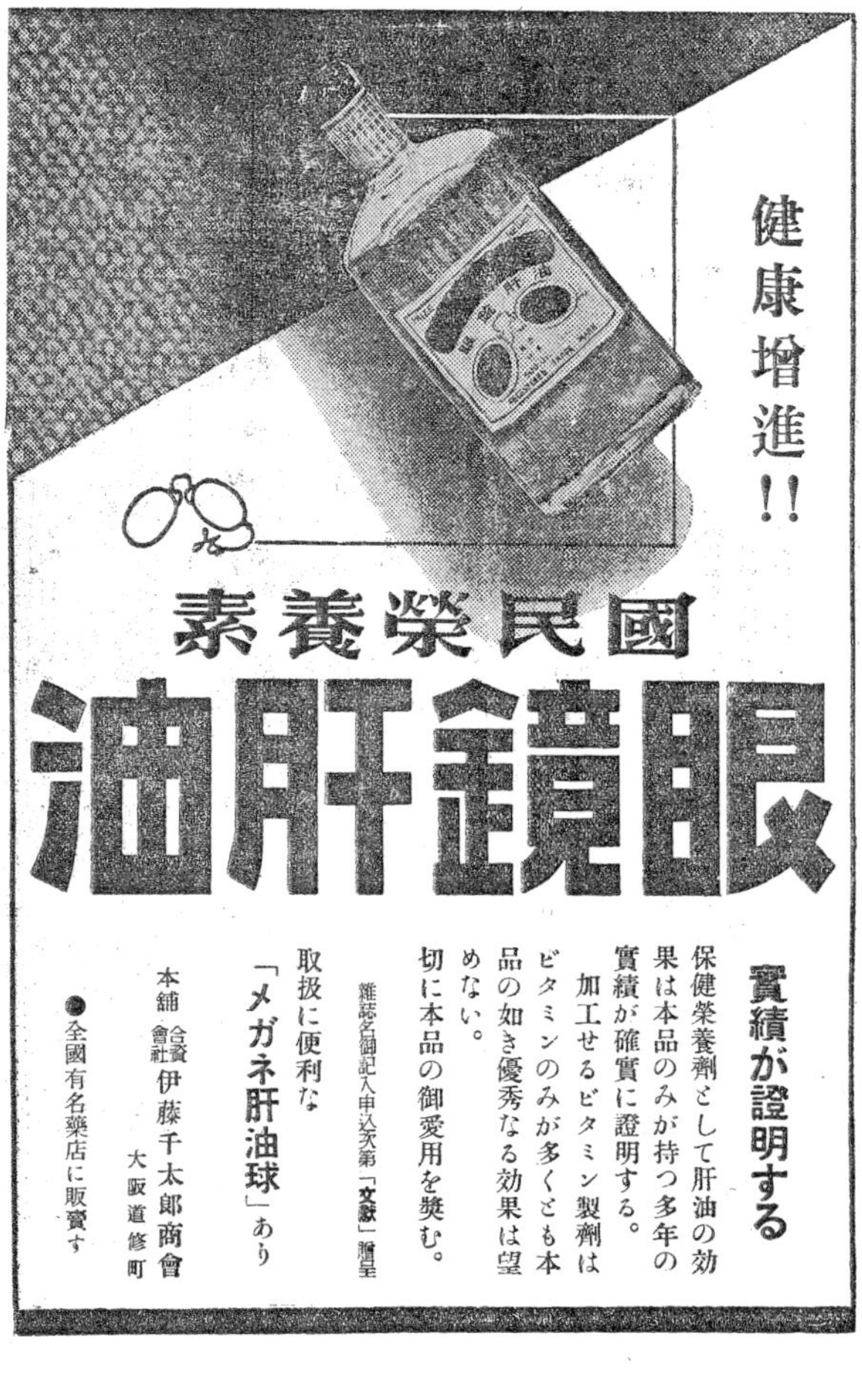

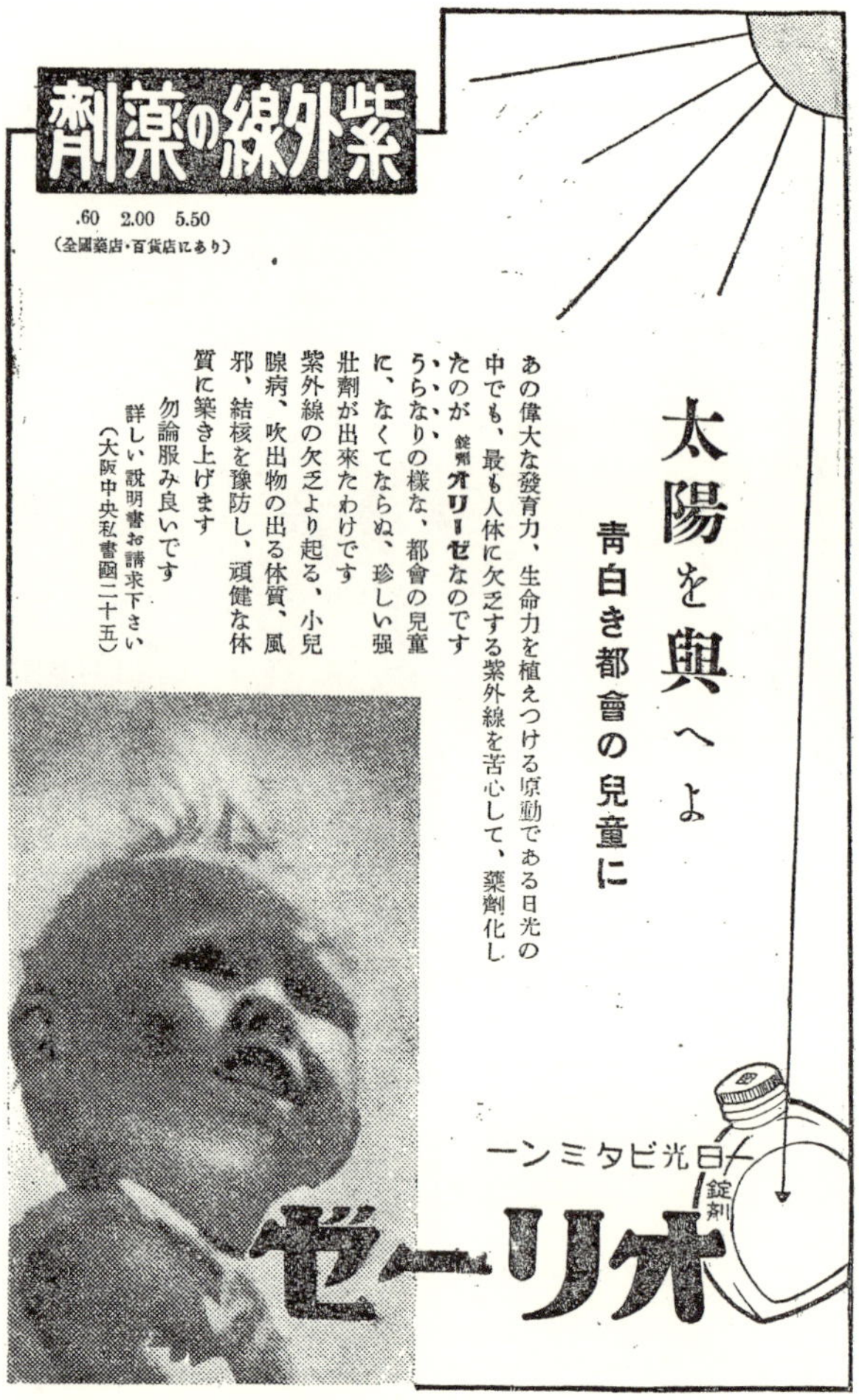
紫外線の薬劑
.60 2.00 5.50
（全國薬店・百貨店にあり）
太陽を與へよ
青白き都會の兒童に
あの偉大な發育力、生命力を植えつける原動である日光の中でも、最も人体に欠乏する紫外線を苦心して、薬劑化したのが 錠劑オリーゼなのです
うらなりの様な、都會の兒童に、なくてならぬ、珍しい强壯劑が出來たわけです
紫外線の欠乏より起る、小兒腺病、吹出物の出る体質、風邪、結核を豫防し、頑健な体質に築き上げます
勿論服み良いです
詳しい説明書お請求下さい
（大阪中央私書函二十五）
日光ビタミン—
錠剤
オリーゼ

中元の御祝儀には！
贈る方でも 戴いた方でも 最も御便利重寶な
松坂屋の商品券
五圓以上御好みにより、体裁よく
御調進申上げます
◇……商品券は大阪、東京（上野、銀座）、静岡名古屋の各店に共通致します。……◇
其他御進物用の好適品を嚴選し全店に充滿致しました。何卒本年も御用命を！

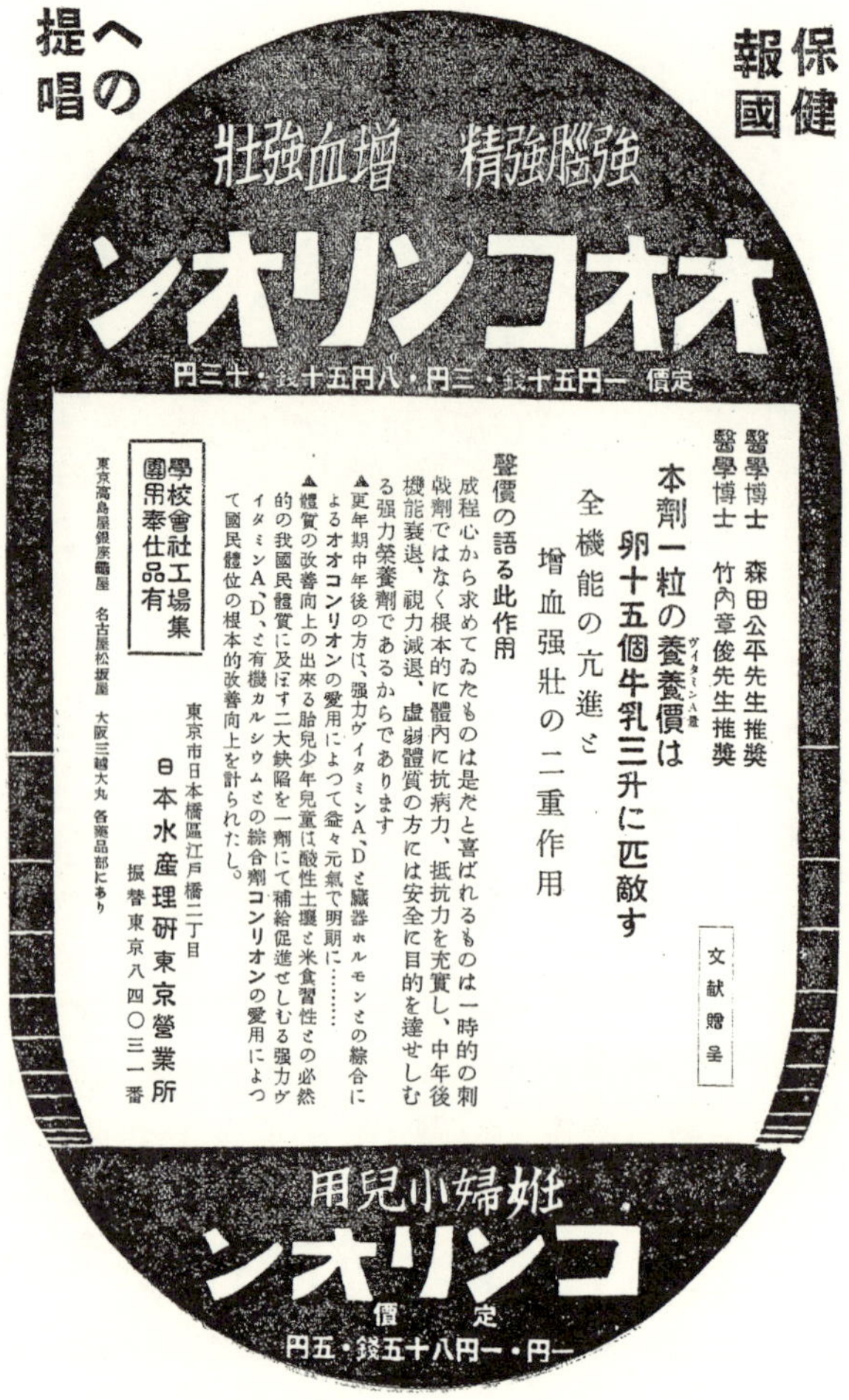
保健報國への提唱
強腦強精 増血強壯
オオコンリオン
定價 一円五十錢・三円・八円五十錢・十三円
醫學博士 森田公平先生推奬
醫學博士 竹内章俊先生推奬
本劑一粒の養養價《ヴイタミンA量》は
卵十五個牛乳三升に匹敵す
全機能の亢進と
增血强壯の二重作用
文献贈呈
聲價の語る此作用
成程心から求めてゐたものは是だと喜ばれるものは一時的の刺戟劑ではなく根本的に體内に抗病力、抵抗力を充實し、中年後機能衰退、視力減退、虚弱體質の方には安全に目的を達せしむる强力榮養劑であるからであります
▲更年期中年後の方は、强力ヴイタミンA、Dと臓器ホルモンとの綜合によるオオコンリオンの愛用によつて益々元氣で明朗に……
▲體質の改善向上の出來る胎兒少年兒童は酸性土壤と米食習性との必然的の我國民體質に及ぼす二大鈌陥を一劑にて補給促進せしむる强力ヴイタミンA、D、と有機カルシウムとの綜合劑コンリオンの愛用によつて國民體位の根本的改善向上を計られたし。
東京市日本橋區江戸橋二丁目
日本水産理研東京營業所
振替東京八四〇三一番
學校會社工場集團用奉仕品有
東京高島屋銀座鶴屋 名古屋松坂屋 大阪三越大丸 各藥品部にあり
姙婦小兒用
コンリオン
定價 一円・一円八十五錢・五円

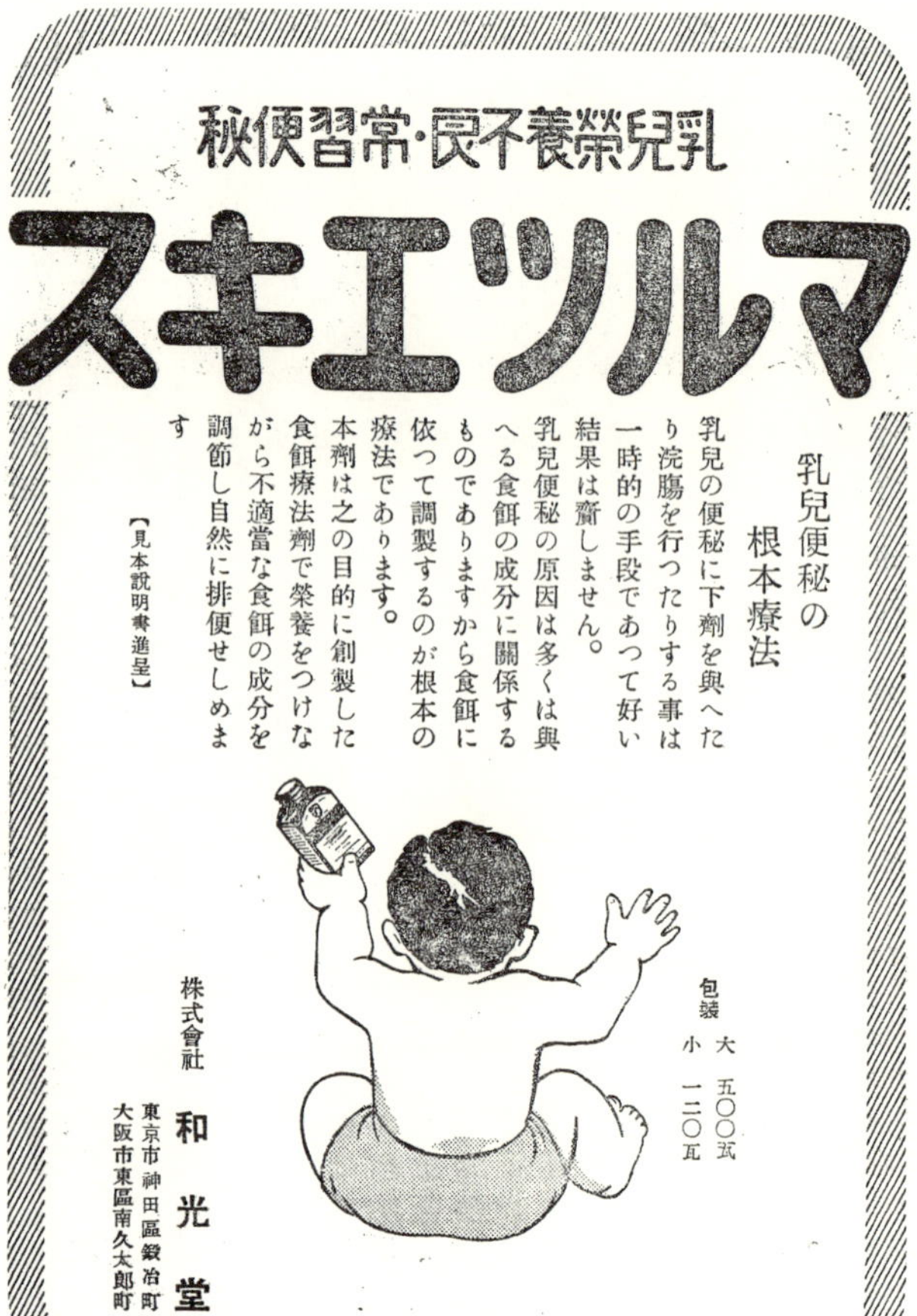
乳兒榮養不良・常習便秘
マルツエキス
乳兒便秘の根本療法
乳兒の便秘に下劑を與へたり浣腸を行つたりする事は一時的の手段であつて好い結果は齎しません。乳兒便秘の原因は多くは與へる食餌の成分に關係するものでありますから食餌に依つて調製するのが根本の療法であります。本劑は之の目的に創製した食餌療法劑で榮養をつけながら不適當な食餌の成分を調節し自然に排便せしめます
【見本説明書進呈】
包裝 大 五〇〇瓦 小 一二〇瓦
株式會社 和光堂
東京市神田區鍛冶町
大阪市東區南久太郎町
M・3・6

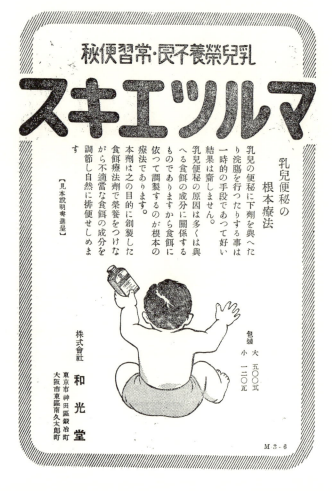

赤ちゃん部隊總動員

――― 永井遞信大臣閣下の御臨場 ―――

寫眞特報 東京日日　將來の躍進日本を背負ふ赤ちやんの第十回全東京乳幼兒審査會は、厚、陸、海、內、文、拓の各省協贊で、二十三日午前九時から日本橋高島屋で開かれた、事變下銃後の母の純情が沸きたつてか、申込受付が約八千人に及び、名譽會長永井遞相も、赤ちやんを抱へて大ニコニコであつた。(原文の儘)

李鍵公妃殿下の御台臨

――― 昭和十三年六月二十三日、本會々場にて謹寫 ―――

畏くも殿下には去る昭和八年、第五回全東京乳幼兒審査會開催の砌も本會々場に御台臨遊ばされ、今回再び御台臨の光榮に浴したのである、殿下には場內のほゝ笑ましい情景を御興深げに御覽あらせられた。

體位競ふ銃後の健康乳幼兒たち

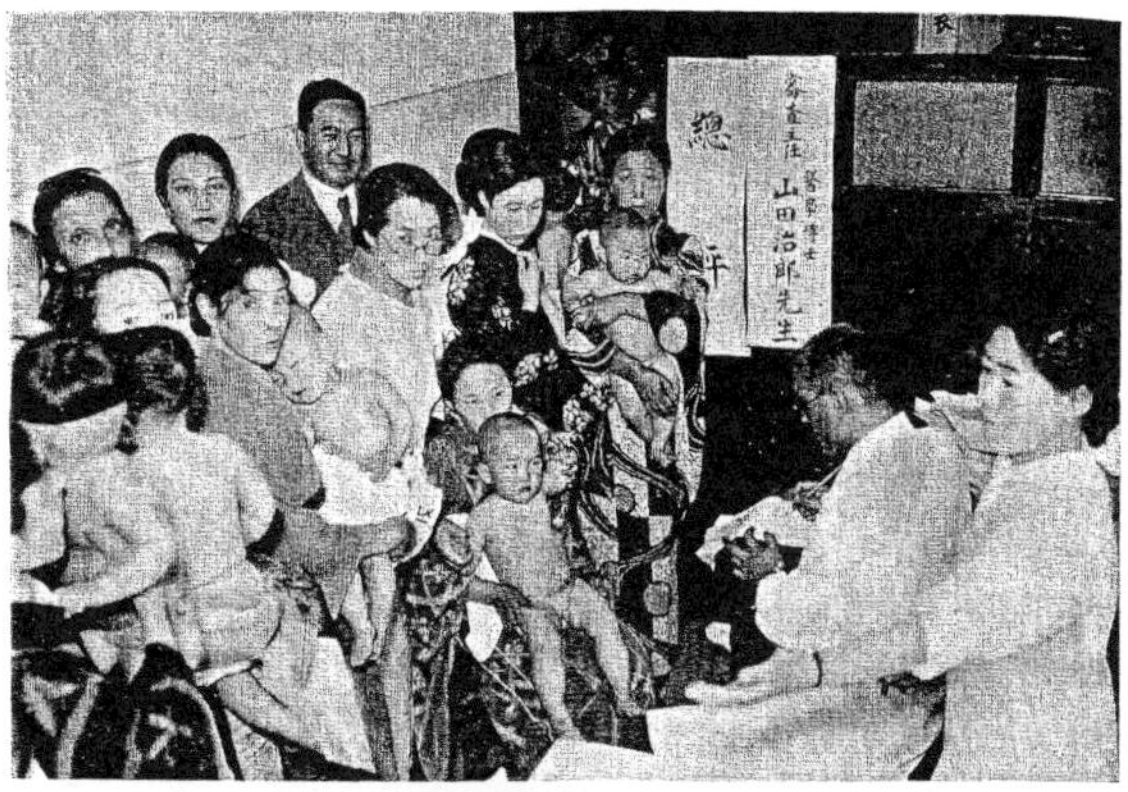

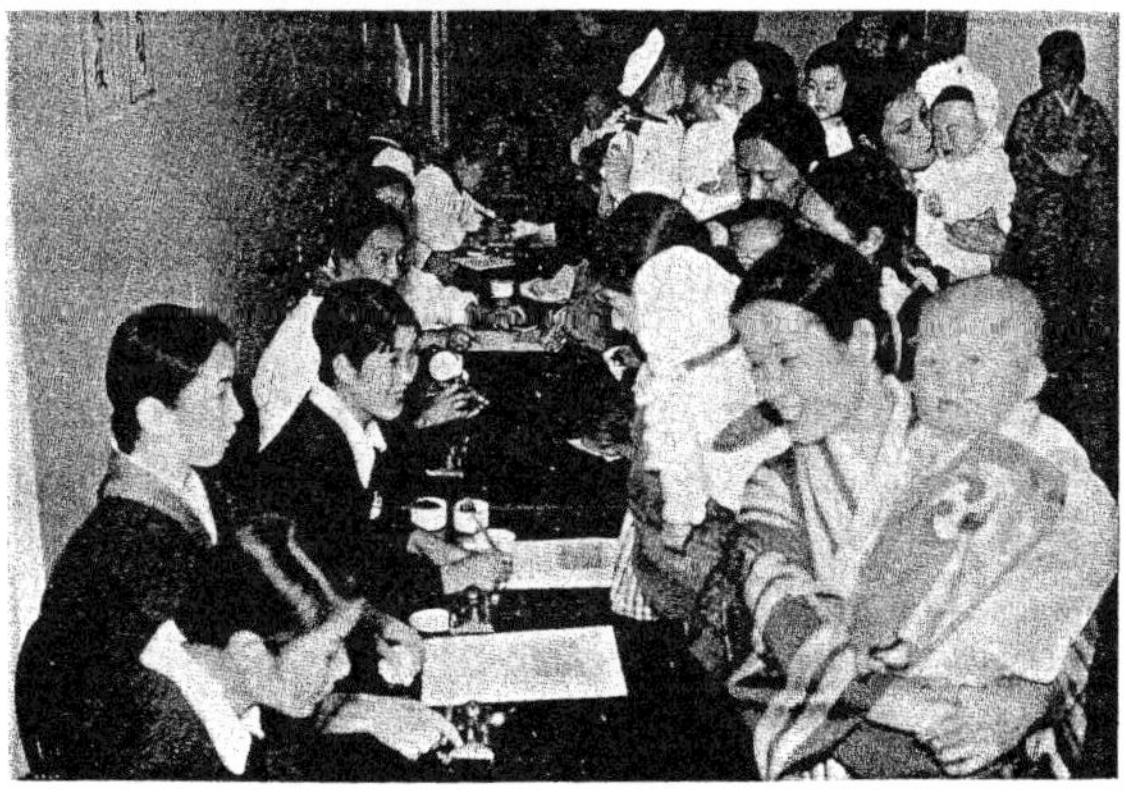

(上)　昭和二年以來本會の審査會に奉仕さるゝ山田治郎博士の總評ぶり。
(下)　戸籍と出産前後の調査にあたられる小石川區產婆會員、高島屋女店員諸姉。本聯盟は審査會創始者としての權威を保持し、然も秩序整然と他會の追隨を許さぬ審査を實施して來た。

近代大阪名所

高島屋 新食堂街

近代建築美と衛生科學の精粹をあつめ、名實共に備はる…

味覺と榮養の殿堂

大食堂の一部

七階大食堂は從前通り營業

◇食堂は夜間九時まで

南海 高島屋 大阪・なんば

御案内

◇大食堂

◇グリル

◇支那料理

◇南《みな》味《み》亭　すき焼　割烹

◇名物食堂　蘭亭　スエヒロ　深川　おしるこ　福喜鮓　銘酒場

發見創製　醫學博士 有馬頼吉氏　醫學博士 青山敬二氏　醫學博士 太縄壽郎氏

アーオー

結核免疫元

非常時ノ短期大奉仕

第一號五管入一箱 大人用 小兒用 ニ對シ三管ノ寄贈券ヲ挿入ス

本劑は獨特の培養法と合理的處理による製品にして有害なる過敏元と吸收を妨ぐる臟質とを含まず全く純粹免疫元のみより成るか故に吸收迅速、副作用皆無、而も効果確實なるは最も誇る所にして一々動物實驗によりて効力檢査を經たる後始めて市販せらる

治療的應用

潜伏結核、肺結核の初期、眼結核、外科的結核、初期泌尿生殖器結核、皮膚結核、肋腹膜炎等には7―10日に一回第一號を使用して發病防止的効果頗る顯著なり

發病防止的應用

一般虚弱者及腺病質の小兒學童等に對し、一ケ月に一回第二號を使用して發病防止的効果優秀なり

診斷的應用

AOの治療量注射の前後に於て白血球檢査により簡單に結核の存否病勢並に豫後を確斷し無危險のみならず同時に治療を兼ねたる診斷法（吉田氏反應）なり

試品解說進呈

製造所 有馬研究所

發賣元 須美商店　大阪市東區北濱四ノ目四〇　振替口座大阪三〇一〇〇番

ムシ歯と膿《のう》漏《ろう》を防《ふせ》ぐ……

ライオン齒磨

丈《ぢやう》夫《ぶ》な身《から》體《だ》で時《じ》局《きよく》の波《なみ》を乘切りませう。

國《こく》民《みん》の體《たい》位《ゐ》向《かう》上《じやう》は寢る前《まへ》の・・・・ライオン齒磨から！

赤ちゃん打ち粉

パーキュロ

赤ちやんのアセモ・タダレには勿論のこと、旦那様のお髭剃りの後にも亦、奥様やお孃様のコナ白粉の代用にもなる、肌色芳香、一罐あれば家庭の皆様が重寶する、全く時代の要求によつて産れた新様式の撒布劑はこれてす

定價 ・二〇 ・五〇

味の素直系

本舗 東京・京橋・寶製薬株式會社

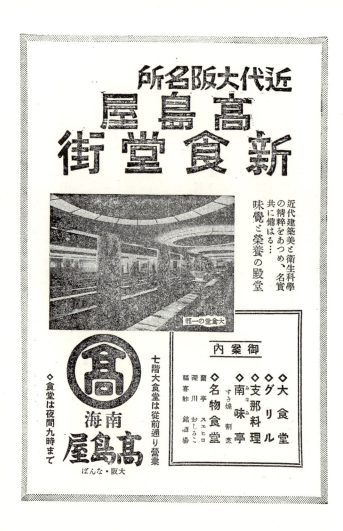

昭和十三年 子供の世紀 七月號

厚生省に感謝を披瀝す（巻頭言）

本聯盟が大正十四年以來、東京に於て劃期的な國民運動としての乳幼兒審査會を開催して來たのであるが、其の當初から内務省、文部省當局の同情と理解ある御世話を蒙つて今日に至つて居る、云はゞ本事業敢行上の生みの親と申してもよい程御庇護を仰いで來たのである。

それが今回世界歴史に將來特筆大書さる可き支那事變下の近衞内閣が、光明と希望に燃えつゝも厚生省を新設さるゝに至り、本聯盟事業の所管も厚生省に移されるやうになつたので、自然、體力局企畫課にも足繁く御邪魔して御示敎を煩はさねばならぬ事となつた。無論個人的には同省内の野津謙博士、是松秘書官には以前から知遇を忝うして居るが、我々野人の直觀する處ではどの課へ行つても官僚風でなく、眞に國民の友となつて呉れさうな、恩情に充ちた人々のみが控へて居られ、亦どの室をのぞいても、其の會議のいかにも活氣ある意見を鬪はして居るのを、聽くとはなしに聽いて胸の躍るを禁ずる事が出來ないのである。

記者は最初、南崎博士の御紹介で重田技師に御目にかゝつて、過般の第十回記念審査會開催當初より、終了の日迄萬般に渉つて御厄介になつたのであるが、書類の編成に就き、大臣の御臨場に關し、省内の事務進行に就き御配慮を煩はして來て、實にその懇切鄭重なる涙ぐましい態度には感謝の言葉もない程なのである。

記者は亦本會終了の次の日、兒玉體力局長に御禮の御挨拶に上りし際、恰も次官室に會議中の局長が、態々席をはづされて次室の應接室に於て面會され、洵に溫容に笑みを湛へられて勞をねぎらつて下した、其の第一印象は白髪の木下博士を聯想せしむる程、親しみを感ぜしめた、どこに所謂御役人らしさがあらう、舊幕時代風の感じのする時勢遲れの官吏ならば「會議中なんだ」とか横柄に出なければならぬ處なのだが………

記者は信ずる、新設の厚生省は必ず斯うした方々によつて、新時代に卽した、國民の福祉增進を第一義とする、國家繁榮の基をなす意義ある新事業が次から次へと計劃され實施さるゝに至るであらう事を……而して本聯盟の育ての親となつて頂いた事を心から感謝する者である。

李鍵公妃殿下の御台臨を仰ぎ

木戸厚生、永井遞信兩大臣閣下の御臨場を蒙り

第十回記念全東京乳幼兒審査會は開催された

永井遞信大臣閣下の御臨場

永井遞信大臣閣下が過去五年の間、或は本會總裁として、或は名譽會長として多大の御盡瘁をされて來た事は、主催者として心から感謝しなければならぬ、然も本年は事變下御公務御繁多の折柄、六月二十三日の開會初頭に當り、午前十時から重大閣議が開かれる事になつて居るにかゝはらず、早朝九時に會場である高島屋正門前に自動車を止められる程それ程正確に時間を嚴守され、本會を思ふの御溫情流露の樣を眞のあたり見るを得て涙ぐまざるを得ないのである。

親が子を思ふの至情は必ず感應する、審査會に出席のため正門前の扉の前に、お待ちしてゐた幾百の若き母親達は珠玉のやうな愛兒をそれ〴〵抱いて我等の名譽會長を御迎え申上げたのであつた。

そして貴賓室で「年々乳幼兒、少青年の健康狀態はよくなつてゆくが、入學試驗のために臺なしにして了ふから、それを救ふため善後策を講ずる必要がある、本會は厚生省の仕事の先達をして、斯方面の開拓をして來たのであるが、尚一層國民の啓蒙運動をする必要がある、そして一度表彰した優良兒の再審査、三審査を實施しやうではないか……」と高島屋村松理事、小川支配人、中鉢博士等と物語られて會場に臨まれた。會場にては本誌口繪の如く、亦街頭ニュースにある如く大勢の母子達に包圍され、一々二十年後の日本を守る愛兒たちと、鋴後に雄々しく立つけなげなる母性たちを祝福されるのであつた。

そして中鉢博士の總評と岡本院長の齒科審査に關する說明を聽取され、各新聞社寫眞班のむけるレンズの攻擊を拒まれやうともせず、三十分の後なごやかな會場を辭去されたのであつた。

李鍵公妃殿下の御台臨

永井名譽會長の御歸りになつて間もなく、

李鍵公妃殿下には別當、女官の方々を從へさせられて午前十時半、會場に御台臨遊ばされた、殿下には戸籍と出產前後の調査から脫衣所の混雜したほゝ笑ましい情景迄、一々御興深げに御覽あらせられた、御附き方に「昭和八年、第五回の審査會を開催の砌、殿下の御台臨を仰ぎました、」と申上ぐれば、殿下は「いつも〳〵御苦勞な事です」、と仰せられ、奈良女子高等師範學校敎授の能力の檢査に關する御說明を御聽取遊ばされたが、齒科の部門も御興深げに拜せられた、そして子供優良必需品展覽會を御巡覽になり、二十分の後お歸り遊ばされた。

木戸厚生大臣閣下の御臨場

畏くも皇太后陛下の御心をそゝがせ給ふ癩病者のための集ひが、六月二十五日午後一時より日比谷公會堂に開催され木戸厚生大臣閣下には其處へ御臨場の後、本會へ同二十分御着きの報を厚生省から受けたのであるが、やはり御繁多の中を割かれて時間を嚴守され本會へ御臨場を煩はしたのは有難き極みであつた。

「閣下には此の度本會總裁たる事を御快諾下さいまして、洵に光榮に存じます」、と申上ぐれば「北陸に旅行して最初の日に來れなかつたのは殘念でした」、と云はれた。

「審査は體格、體質その他内科等の各部門に及ぼす以外に、健康兒の咽喉にある黴菌の種類を調べ、亦能力の檢査、色調の審査をも致します」、と御問ひに御答へすれば、「生後の月別に相違があつて審査に困難ではないですか」、と申されたので標準表による旨を御說明申上げた。

會場入口より東京朝日、東京日日その他各社の映畫ニュース班が時は遲しと待ち構へ、何萬燭光のライトの暑過ぎるのに閉口せざるを得ない、そして脫衣所や、胸圍と頭圍測定の部門、能力檢査の部門にてレンズの中にはいられた、閣下の一番興味を持たれたのは能力と色調の審査であつたやうだ、「痲疹等危險性のある者は來ないでせうね」、と御心配の御樣子であつたが、それには厚生省の野津博士が御說明申上げた。閣下は「次は」、「次は」、と說明を求められ、最後に「これでお了ひですか」、との御言葉のある程本會へ始めての御臨場としては實に興味を持たれたやうであつた、そして貴賓室に再び御休憩の暇もあらせられず同二時に會場を辭去された。

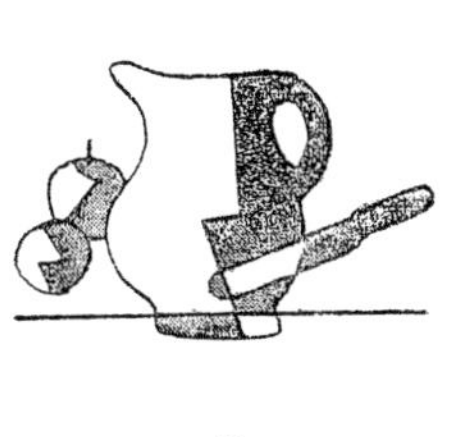

乳幼兒の食品に就いて

醫學博士　芳山龍

一、スープ　は野菜、果實、肉類等の煎汁であります。

通常野菜スープと云へば、新鮮な野菜、例へば菠稜草、人蔘、蕪菁、大根、白菜、花野菜、キャベツ、トマト等に水をたつぷり加へて弱火で約三十分煮沸し、粗布にて裏漉にせる煮汁に少量の食鹽、又は醬油を加へて味付けたものですが、此中に一定量の穀類若くは肉汁、卵等の配合せられたる野菜スープが賞用せられます。

イ、菠稜草スープ

（材料）菠稜草一二〇瓦、食鹽一瓦、バター二瓦、沸騰水二五〇瓩。

（方法）若き菠稜草の根を除き、良く水にて洗ひ、沸騰水にて茹で、裏漉にかけた煮汁に鹽とバターを加へます。

ロ、トマト スープ

（材料）トマト一二〇瓦、人蔘一五瓦、メリケン粉三瓦、バター六瓦、鹽二瓦、砂糖四瓦、水二五〇瓩。

（方法）トマトを洗つて細く切り、人蔘を洗つて皮を剝ぎ細く切り、兩者に水を加へて煮る。別に鍋にバターを溶しメリケン粉を加へて焙り。焙つたものを煮汁の中に入れ暫く煮て裏漉にかける。

ハ、花野菜スープ

（材料）花野菜一個、メリケン粉六瓦、バター六瓦、鹽二瓦、卵黃一個、肉エキス少量、沸騰水五〇〇瓩

（方法）花野菜を細く切り沸騰水を注ぎて十分間放置したる後水洗す、次で鹽水で二、三十分煮て裏漉にす、別に鍋にバターを溶しメリケン粉を入れて焙る。

焙つたものを煮汁に入れ混和煮沸、裏濾にして熱い中に卵黄と肉エキスを加へて攪拌す。

ニ、人蔘スープ

（材料）人蔘一〇〇瓦、肉（骨共）一〇〇瓦、鹽三瓦、水五〇〇瓱。

（方法）人蔘を洗ひ皮を剝ぎ細く切つて水半量加へて煮て裏濾にす。別に脂肪の少ない赤味の牛肉又は鶏肉を細く切つて半量の水で良く煮て裏濾にす、兩煮汁を混和し食鹽で味つける。

ホ、馬鈴薯スープ

（材料）馬鈴薯二〇瓦、人蔘二〇瓦、豌豆又大豆一〇瓦、大根一〇瓦、鹽二瓦。

（方法）馬鈴薯、人蔘、大根を水洗し細く切り、豆と共に鍋に入れ水一立を加へ蓋をして四時間煮る。約二五〇瓱になるまで煮詰れば裏濾にし、更に火にかけ鹽にて味つける。

ヘ、林檎スープ

（材料）林檎三〇瓦、砂糖茶匙三杯、ビスケット大一個、水二五〇瓱。

（方法）林檎を鍋に入れ水を加へて十五分間煮て裏濾にし、ビスケット及び砂糖を加へ更に煮て裏濾にす

ト、魚肉スープ　煮魚の汁を捨てずに之を適量の湯にて稀釋し裏濾にす、之を以て野菜を煮て魚肉野菜汁を作る、或は之を以て米を煮てオジヤを作ります。

チ、ブイヨン（肉汁）

（材料）牛肉又鶏肉一二〇瓦、人蔘又花野菜一五瓦、食鹽二瓦。

（方法）肉は挽き魚は碎く、野菜は適宜に切る、水一立に材料を入れ蓋をして徐々に煮て數時間を經て二五〇瓱までに煮詰れば裏濾にかけ澄して脂肪を去る。

二、牛肉エキス製品　オキソスープ及びカルイニン等

オキソスープ一匙をコップ一杯の湯にとけば普通の肉汁が出來る。

カルイニンは生肉エキスであります。

牛肉の生食が結核患者に有効なることは歐洲人の經驗に基く所であるが其惡嗅は吾人に堪へられない、カルイニンは生の牛の牛肉を眞空裝置にて火氣を用ひずに搾り取つたもので、一匙は生肉百五十匁に相當すと廣告してゐる。佳味にして腺病質、虛弱體質等の補血强壯劑として用ひらる。

三、ケルマー氏のマルツ汁

（材料）小麥粉三〇瓦、牛乳三〇〇瓦、マルツ汁X又は水飴一〇〇瓦、水六〇〇瓦。

（方法）小麥粉に牛乳を加へよく混和しつゝ加熱し、

別にマルツ汁Xを湯に溶解す。兩者を混和して煮沸し濾過す。

本品は含水炭素の多い⅓牛乳にて、千瓦は七〇〇カロリーの熱量を有し略牛乳に相當す、乳兒榮養障害に賞用せらる。

四、バター穀粉乳

（材料）小麥粉五—一〇瓦、バター一〇瓦、白糖四—八瓦。牛乳一〇〇乃至二〇〇、水一〇〇。

（方法）バターを鍋に塗り弱火にかけ、木匙にて攪き廻しつゝ加熱五分間、メリケン粉を入れ攪き廻しつつ加熱五分間、水と白糖を加へ一同煮沸し細い篩にて裏濾にし未だ溫い中に牛乳を混和す。

本品は離乳期に用ひ又年長兒の萎縮症に賞用せらる。

五、牛乳プヂング

（材料）牛乳五〇瓱、水二五〇瓱、米粉四〇瓦、砂糖四〇瓦、卵黄一個、卵白一個、食鹽一、五瓦、重曹二—三瓦、バター一〇瓦。

（方法）米粉、砂糖、食鹽、牛乳、卵黄、水を良く混和し重曹を加へ混和したものを、泡立たる卵白に注いで混和す、右の材料をバターを塗つたプヂング型に流し込み約三十分間蒸す、蒸せたら裏濾にかける。裏濾にせるものに野菜汁⅓量を加へて攪拌するもよい。野菜汁は玉葱、人蔘各一〇〇瓦に水をたつぷり加へ火にかけ濾したものを用ふ。

六、粉末乳プヂング

牛乳の代りに粉乳を用ふ、材料方法同上。

七、肉汁プヂング

牛乳の代りに肉汁同量を用ふ、材料方法同じ。

八、卵黄プヂング

牛乳の代りに卵黄二個を用ひ水三〇〇とす、その外材料方法同上。

九、馬鈴薯クリーム

（材料）馬鈴薯裏濾大匙一杯、メリケン小匙一杯、牛乳五勺、砂糖小匙二杯、バター小匙一杯。

（方法）馬鈴薯の皮を剝ぎ切り長時間鹽水で煮て柔くなれば裏濾にかけ、別にフライ鍋にバターを塗り火にかけ攪拌しつゝメリケン粉を加へ、サラ〳〵となつた頃牛乳を少し宛注加し、次で馬鈴薯の裏濾及び砂糖を加へ混和して攪拌しつゝ煮沸し、クリーム様になれば火から卸す。

十、人蔘クリーム

人蔘の皮を剝ぎ切つて煮沸し裏濾にす、材料及方法同上。

十一、芋キントン

（材料）芋裏濾一二〇瓦、食鹽二瓦、牛乳六〇瓱、バター一、五瓦、砂糖小匙二杯。

（方法）薩摩芋又は馬鈴薯の皮を剝ぎ切り鹽水で三十分煮る柔くなつたら裏濾にかける、バターを加へよ

く攪拌し、更に牛乳と砂糖を加へ攪拌して溫める。

十二、卵料理

（材料）牛乳五勺、卵一個、メリケン粉大匙一杯、砂糖大匙一杯、レモン少。

（方法）卵の卵黄と卵白を分けて置く、牛乳に卵黄を入れてよく混ぜメリケン粉を加へる、レモンの皮を入れ火にかける、始終攪拌しつゝクリーム狀となれば稍冷す、別に卵白を泡立てゝ雪を拵へる、器に雪を盛り上にクリームを載せる。

十三、卵菓子

（材料）卵一個、牛乳一〇〇、メリケン粉茶匙山一杯鹽一瓦、砂糖茶匙一杯、バター二瓦。

（方法）牛乳にメリケン粉と鹽を加へて攪拌す、別に卵に砂糖を加へ泡立てゝ攪拌す、燒器にバターを引き兩者を注ぎオーブンで五分間燒く。

十四、牛乳ゼリー

（材料）牛乳又はクリーム一〇〇瓱、砂糖一三瓦、ゼラチン（阿膠）一枚、レモン汁又は苺汁少。

（方法）牛乳に砂糖を加へ煮る、ゼラチンを少量の湯にとかしレモン汁を加へる。兩者を混和し攪拌しつゝプヂング型に流し込んで冷し固まれば器に盛る。

十五、バナナクリーム

（材料）バナナ一本、砂糖小匙一杯、牛乳一二〇瓱、バター二瓦。

（方法）バナナの皮を剝ぎ薄く輪切にす、鍋に牛乳を入れバナナを加へ十分間煮る、鹽と砂糖、バターを加へて更に煮て裏濾にかける。

十六、トマト、ピュレー

（材料）トマト二五〇瓦、バター三瓦、食鹽二瓦、砂糖五瓦。

（方法）トマトを洗ひ皮を去り細く切る、鍋にトマト及びバターを入れ弱火にかけ、攪拌しつゝ十五分間煮て裏濾にし、砂糖と鹽を加へ更に五分間煮る。

十七、豌豆ピュレー

（材料）豌豆二五〇瓦、バター三瓦、食鹽二瓦、砂糖五瓦。

（方法）鍋に材料全部を入れ、浸る位の水を加へ三十分間煮る、豌豆が軟くなれば裏濾にす。

十八、人蔘ピュレー

材料は同様、熱湯に鹽と薄く切つた人蔘を入れ四、五分煮て、砂糖とバターを加へ裏濾にす、人蔘を煮る途中に牛乳又はクリームを入れて煮るもよろし。

十九、栗ピュレー

（材料）栗一五〇、牛乳一合、鹽一、〇、バター二瓦

（方法）栗の皮を剝ぎ熱湯で茹でる、牛乳を煮沸し栗を入れて一時間徐々に煮る、裏濾にかけ鹽とバターで味付け、前の煮汁を少し加へ混ぜながら煮ます。

育兒知識の要諦（第十一篇）

大阪市立今宮乳兒院長
醫學博士　野須新一

赤痢及疫痢

赤痢

原因　赤痢《せきり》菌《きん》である、此《こ》の菌《きん》には志賀《しが》菌《きん》の外《ほか》に、フレキシナー型《がた》、ストロング型《がた》、Y型、駒込《こまごめ》A、B、型等《がたとう》の異型菌或《ゐけいきんあるひ》は箕田《みのだ》菌《きん》、大原菌等種々《おほはらきんとうしゆ〴〵》ある。最近《さいきん》志賀《しが》博士《はくし》は是等《これら》の原因菌《げんいんきん》を三つの型《かた》に分類《ぶんるゐ》して居《ゐ》る、是等《これら》の原因《げんいん》菌《きん》が飲食物《いんしよくぶつ》等《とう》と一所《しよ》に消化管《せうくわくわん》に入《はひ》ると赤痢《せきり》が起《おこ》る。小兒《せうに》では主《おも》に二歳《さい》から五歳迄《さいまで》の間《あひだ》に多《おほ》い、而《しか》も短時間《たんじかん》の間《あひだ》に生命《せいめい》を奪《うば》ふ危險《きけん》な病氣《びやうき》である。

症候　潜伏期《せんぷくき》は不定《ふてい》であるが數時間《すうじかん》から數日《すうにち》となつて居《ゐ》る、急《きふ》に熱《ねつ》が出《で》て腹痛《ふくつう》を訴《うつた》へ、同時《どうじ》に下痢《げり》が起《おこ》る、幼兒《えうじ》では高熱《かうねつ》を起《おこ》すと共《とも》に、嘔吐《おうと》を發《はつ》し、痙攣《けいれん》を起《おこ》す。大便《だいべん》は始《はじ》めは黄色《くわうしよく》の粘液便《ねんえきべん》であるが、後《のち》には粘液《ねんえき》の外《ほか》に膿《のう》や血《ち》が混《まじ》はり、又《また》は綠色粘液下《りよくしよくねんえきげ》痢《り》便《べん》を出《いだ》し而《しか》も腐《ふ》敗性《はいせい》の極《ご》く惡臭《あくしう》がある。而《しか》も一回《くわい》の大便《だいべん》の量《りやう》は餘《あま》り多《おほ》くはないが、回數《くわいすう》は甚《はなは》だ多《おほ》く一日《にち》に五回《くわい》以上《いじやう》二十回《くわい》、時《とき》には三十回《くわい》以上《いじやう》にも及《およ》ぶことがあり、而《しか》も大便《だいべん》の出《で》る時《とき》には裏急後重《りきふこうぢゆう》と言《い》つて俗《ぞく》にしぶり腹《はら》を來《きた》す。大便《だいべん》に行《い》つても便《べん》が充分《ぢうぶん》に出《で》きらない感《かん》じと肛門部《こうもんぶ》がやける様《やう》に痛《いた》む。重症《ぢうしやう》になると嘔《は》き氣《け》や嘔吐《おうと》が多《おほ》く時《とき》に珈琲《コーヒ》かすの様《やう》なものを吐《は》き出《だ》し意識《いしき》が溷濁《こんだく》して來《き》、或《あるひ》は痙攣《けいれん》を伴《ともな》ひ急激《きふげき》に心臓《しんざう》の衰弱《すゐじやく》を起《おこ》して來《く》るものがある。豫後《よご》大抵數《たいていすう》日《じつ》から數週間《すうしうかん》の中《うち》に治《なほ》るが劇症《げきしやう》のものでは二十四—四十八時間《じかん》の内《うち》に死亡《しばう》することが尠《すくな》くない。稀《まれ》には再發《さいはつ》して慢性《まんせい》になる。年長兒《ねんちやうじ》のものは豫後《よご》が良《よ》いが、乳幼兒《にうえうじ》では

不良《ふりやう》なことが多《おほ》い。

豫防法　口《くち》から傳染《でんせん》するのであるから飲食物《いんしよくぶつ》に注意《ちうい》するのが必要《ひつえう》である、特《とく》に誘因《いういん》となる所《ところ》のものを避《さ》けねばならぬ。例《たと》へば腐敗《ふはひ》に傾《かたむ》いた食物《しよくもつ》を澤山《たくさん》にたべるとか、小豆類《あづきるゐ》、ゆであづき、氷《こほり》、そば、ひややつこ、ビール、不良《ふりやう》の清涼飲料《せいりやういんれう》、不良《ふりやう》の飲料水《いんれうすゐ》、汚染《をせん》せられた果物《くだもの》とか野菜《やさい》とか其他《そのた》冷《つめた》いものを澤山《たくさん》に攝取《せつしゆ》するとか、夏季寢冷《かきねび》えするとか、不消化物《ふせうくわぶつ》を澤山《たくさん》たべるとかによつて誘發《いうはつ》される事《こと》が少《すく》くない。

療法　安靜《あんせい》と食餌療法《しよくじれうはふ》が大切《たいせつ》である。初《はじ》めの一日位《にちくらゐ》は一定時間《ていじかん》は白湯《さゆ》、番茶《ばんちや》とし漸次容態《ぜんじようたい》に應《おう》じて重湯《おもゆ》、葛《くづ》湯《ゆ》、スープ、果汁《くわじふ》、牛乳等《ぎうにうとう》の流動食《りうどうしよく》を攝り、次第《しだい》に増量《ぞうりやう》して粥《かゆ》、食《しよく》パン、卵黄等《らんくわうとう》を攝取《せつしゆ》する、必《かな》らず醫師《いし》の指導《しだう》により嚴重《げんぢう》に食餌療法《しよくじれうはふ》を守《まも》らねばならぬ。

疫痢

夏《なつ》から秋《あき》の初《はじ》め頃《ごろ》に小兒《せうに》殊《こと》に三歳《さい》から六歳位《さいくらゐ》の幼兒《えうじ》に屢々《しばしば》起《おこ》り、劇《はげ》しい中毒症狀《ちうどくしやうじやう》を現《あら》はし、便《べん》は數《すう》が餘《あま》り多《おほ》くないのが特徵《とくちやう》で綠色《りよくしよく》の粘液《ねんえき》の混《まじ》つた下痢便《げりべん》を二三回《くわい》或《あるひ》は五六回排出《くわいはいしゆつ》す、よく熟《じゆく》してない果實《くわじつ》や、不消化物《ふせうくわぶつ》アイスケーキ、みつ豆《まめ》、西瓜《すゐくわ》、氷《こほり》、を食《しよく》したり、暴飲暴《ばういんばう》食《しよく》或《あるひ》は寢冷等《ねびえとう》が本病《ほんびやう》の誘因《いういん》となるのである。

症候　重症《ぢうしやう》の赤痢《せきり》と同《おな》じ様《やう》に急《きふ》に熱《ねつ》が出《で》て嘔吐《おうと》が起《おこ》りグツタリして變《へん》だなと思《おも》つて居《ゐ》る中《うち》に意識《いしき》の障碍《しやうがい》が起《おこ》つて呼《よ》んでも答《こた》へなくなり、全《まつた》く物事《ものごと》に無頓着《むとんちやく》になつて顔《かほ》つきも無慾狀《むよくじやう》となり、更《さら》に嗜眠昏睡《しみんこんすゐ》の狀態《じやうたい》に陷《おちい》り、或《あるひ》は眼球《がんきう》が吊《つ》り上《あが》り、全身《ぜんしん》の痙攣《けいれん》を起《おこ》し、手足《てあし》が冷《つめ》たくなり、唇《くちびる》や手足《てあし》の先《さき》にチアーゼを示《しめ》し脈搏《みやくはく》も甚《はなは》だ數多《かずおほ》く、且《か》つ小《ちひ》さくなり頗《すこぶ》る重篤《ぢうとく》な症狀を表《あら》はして來《く》る。大便《だいべん》は既《すで》に述《の》べた様《やう》で赤痢《せきり》とは違《ちが》つて回數《くわいすう》は餘《あま》り多《おほ》くはない。重《おも》い場合《ばあひ》には更《さら》に珈琲《コーヒ》の様《やう》なものを吐《は》いて來《く》る。豫後《よご》重《ぢう》篤《とく》なものでは十二—四八時間《じかん》の内《うち》に死亡《しばう》する。死亡率《しばうりつ》は三〇—五〇%となつて居《ゐ》る。然《しか》し此《こ》の時期《じき》を經過《けいくわ》したものでは割合《わりあひ》に速《すみや》かに恢復《くわいふく》して來《く》る。

手當法　早《はや》く醫師《いし》の手當《てあて》を受《う》ける事《こと》が最《もつと》も必要《ひつえう》である

小兒慢性傳染病

一、先天性黴毒

小兒《せうに》が生《うま》れる前《まへ》に母《はゝ》の胎內《たいない》にあつて、母《はゝ》の身體《しんたい》から傳《でん》

染《せん》されて起《おこ》つて來《く》るもので生《うま》れてから後《あと》で傳染《でんせん》して來《く》るものでなく、生《うま》れながらにして罹《かゝ》つてゐるといふ譯《わけ》で、先天性黴毒《せんてんせいはいどく》と言《い》はれて居《を》ります。之《これ》に對《たい》して後天的《こうてんてき》に生《せい》後《ご》に於《おい》て感染《かんせん》した黴毒《はいどく》は小兒《せうに》では極《きは》めて稀《まれ》であります。

病原菌　「スピロヘータ」「パリダ」といつて纖細《せんさい》な螺旋狀《らせんじやう》の菌《きん》であります。

傳染經路　先天性黴毒《せんてんせいはいどく》の傳染經路《でんせんけいろ》は、胎盤血行《たいばんけつかう》を介《かい》して黴毒《はいどく》を有《いう》する母體《ぼたい》からして母胎內《ぼたいない》に於《おい》て傳染《でんせん》されるものであります。それで母親《はゝおや》に黴毒《はいどく》がなくつて、その子《こ》に黴毒《はいどく》は起《おこ》らないものですから子供《こども》に先天性黴毒《せんてんせいはいどく》が起《おこ》つて來《く》れば母親《はゝおや》の身體《しんたい》は診《み》なくとも黴毒《はいどく》があるものと斷定《だんてい》して差支《さしつか》へありません。

父親《ちゝおや》から直接《ちよくせつ》に子供《こども》に黴毒《はいどく》の傳染《でんせん》することは殆《ほと》んどないと言《い》つてよろしい。よく母親《はゝおや》が黴毒《はいどく》に感染《かんせん》してゐても何《なん》の徵候《ちやうこう》もなくて、自分《じぶん》では何《なに》も知《し》らないでゐる中《うち》に子《こ》供《ども》が生《うま》れて、子供《こども》が先天性黴毒《せんてんせいはいどく》であつて始《はじ》めて自分《じぶん》が黴《はい》毒《どく》に感染《かんせん》してゐると驚《おどろ》かれることが屢《しばしば》あります。之《これ》と反對《はんたい》に親《おや》に殊《こと》に母親《はゝおや》に黴毒《はいどく》があつても、その子《こ》に黴毒《はいどく》の徵候《ちやうこう》の出《で》て來《こ》ぬこともあるもので、こんな時《とき》はその小兒《せうに》には全然《ぜんぜん》毒《どく》がないのではなく黴毒症狀《はいどくしやうじやう》が現《あらは》れずして潛《せん》在性《ざいせい》の狀態《じやうたい》にあるものと言《い》ふべきであつて、親《おや》の黴毒《はいどく》が極《きは》めて輕症《けいしやう》であるか又《また》治療《ちれう》された場合《ばあひ》には其《そ》の子供《こども》は全《まつた》く黴毒《はいどく》から危《あや》まれて生《うま》れて來《く》ることもあります。

分類　先天性黴毒《せんてんせいはいどく》は、胎兒黴毒《たいじはいどく》、乳兒黴毒《にうじはいどく》、遲發《ちはつ》性黴毒《せいはいどく》、とに分《わか》たれる。

胎兒黴毒　黴毒性胎兒《はいどくせいたいじ》は姙娠《にんしん》四—七箇月頃《かげつごろ》になると多《おほ》くは流產又《りうざんまた》は死產《しさん》します。母親《はゝおや》に度々《たびたび》流產《りうざん》や死產《しさん》の起《おこ》る原因《げんいん》としては、黴毒《はいどく》が甚《はなは》だ主要《しゆえう》な原因《げんいん》となつてゐるためで、此《こ》の病氣《びやうき》を診斷《しんだん》するに當《あた》つてもその母《はゝ》に流產《りうざん》や死產《しさん》があつて同胞《どうはう》が澤山《たくさん》死《し》んでゐるといふ事《こと》は大切《たいせつ》な特徵《とくちやう》となつてゐます。

乳兒黴毒　生《うま》れて直《す》ぐに症狀《しやうじやう》が出《で》るものもあり、多《おほ》くは生後《せいご》一—二箇月後《かげつご》に始《はじ》めて出《で》て來《く》るものもあります

主なる症狀

一、鼻閉塞《びへいそく》、生《うま》れて直《す》ぐから別《べつ》に感冒《かんばう》に罹《かゝ》つた様《やう》にもないのに、鼻《はな》がつまりクス〳〵言《い》はせてゐるのが之《これ》で、大《たい》抵《てい》お母《かあ》さんはどうも子供《こども》が鼻《はな》がつまつてお乳《ちゝ》を呑《の》みにくがるとか、良《よ》く眠《ねむ》らないと言《い》つて訴《うつた》へて來《こ》られる。

二、脫毛及《だつまうおよ》び貧血《ひんけつ》、皮膚《ひふ》の血色《けつしよく》が惡《わる》くなり蒼白《さうはく》であるば

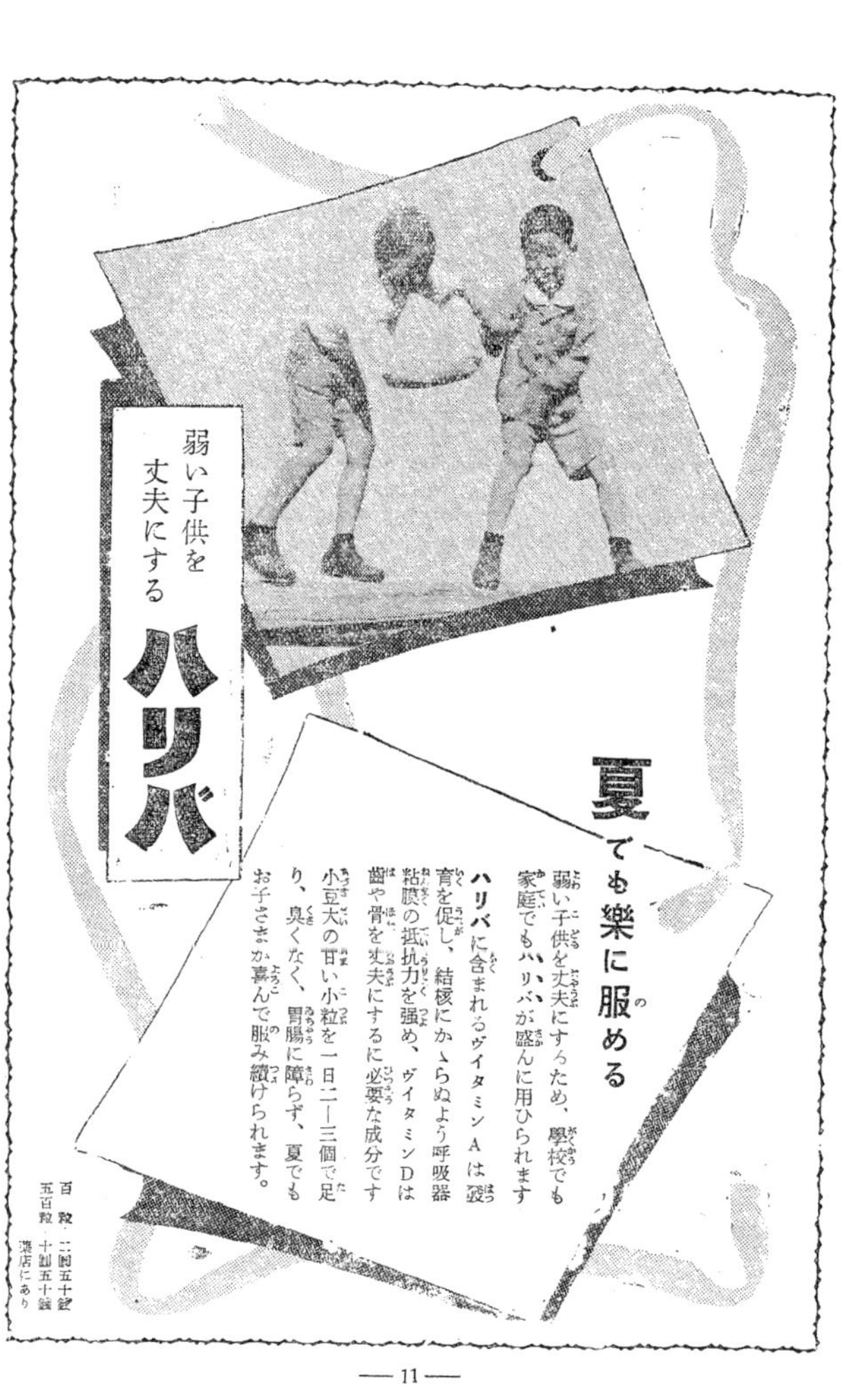

かりでなく、やゝ黃褐色《くわうかつしよく》を帶《お》びて來《き》ます。又頭《またあたま》の毛《け》が良《よ》く拔《ぬ》ける。

三、唇《くちびる》のまはりに龜裂《きれつ》が出來《でき》て、之《これ》が治《なほ》つて瘢痕《はんこん》を殘《のこ》すことがあります。

四、手掌《てのひら》や（足蹠《あしのうら》）等《とう》は皮《かは》が張《は》つて、赤《あか》く赤銅色《せきどうしよく》に一種《しゆ》の光澤《くわうたく》を帶《お》びて來《き》たり、上皮《じやうひ》が葉《は》の様《やう》に脫落《だつらく》して來《き》ます又天疱瘡《またてんはうさう》と稱《しよう》する大豆大乃至梅實大《だいづだいないしばいじつだい》の膿疱《のうはう》が出來《でき》て來《く》ることがある。

五、皮膚《ひふ》の抵抗《ていかう》が弱《よわ》くなつて殊《こと》に股《また》の間《あひだ》や、臀部《でんぶ》が爛《たゞ》れたり、濕疹《しつしん》が出來《でき》たりする。

六、上肢《じやうし》の腕《うで》の所《ところ》や、下肢《かし》の膝節《ひざぶし》の處《ところ》が腫《はれ》て襁褓《おむつ》を換《か》へる時《とき》に、ひどく泣《な》き、手足《てあし》がぶら〳〵となつて恰度麻痺《ちやうどまひ》した様《やう》になることがある。之《これ》を假性麻痺《かせいまひ》と言《い》つて骨《ほね》に黴《はい》毒性《どくせい》の變化《へんくわ》があり、その痛《いた》みの爲《た》めに起《おこ》つて來《く》るものである。

七、腦膜炎《なうまくえん》の様《やう》な症狀《しやうじやう》を起《おこ》し、腦水腫《なうすゐしゆ》を起《おこ》して頭《あたま》が大《たい》變《へん》に大《おほ》きくなつて來《く》る。そして腦《なう》の靜脈《じやうみやく》太《ふと》く、みみづ張《は》れになること多《おほ》い。

遲發性黴毒

之《これ》は黴毒《はいどく》の症狀《しやうじやう》が乳兒期《にうじき》に起《おこ》らず、第二生齒期《だいにせいしき》といつて、六—七年以後《ねんいご》から思春期《ししゆんき》になつて現《あら》はれて來《く》るもので、黴毒《はいどく》の第三期《だいき》が護謨腫《ごむしゆ》を作《つく》つて來《く》る時期《じき》に當《あた》る。

症狀　角膜實質炎《かくまくじつしつえん》といつて眼《め》の角膜《かくまく》に白《しろ》い曇《くも》りが出來《でき》、齒《は》が特有《とくいう》な形《かたち》となり、又內耳《またないじ》に病氣《びやうき》が起《おこ》つて聾《つんぼ》になる。此《こ》の三つを「バツチンソン」氏《し》の三大重要徵候《だいぢうえうちやうこう》と云《い》つてゐる。この外《ほか》、鼻《はな》の骨《ほね》が凹陷《おふかん》して鞍《くら》の様《やう》な形《かたち》をなし所謂鞍鼻《いはゆるくらはな》を作《つく》つて來《く》る。

手當法　乳兒《にうじ》の先天性黴毒《せんてんせいはいどく》では必《かなら》ずその母《はゝ》の乳《ちゝ》を哺《ほ》乳《にう》せしむることがよい。乳母《うば》の乳《ちゝ》は乳母《うば》に乳兒《にうじ》の黴毒《はいどく》を傳染《でんせん》させる懼《おそ》れがあるから、乳母《うば》は不可《ふか》である。

藥劑《やくざい》としては「サルバアルサン」劑《ざい》、水銀劑《すゐぎんざい》、沃度劑《ようどざい》、蒼鉛劑《さうえんざい》を用《もち》ひられる。

乳幼兒死亡の統計的考察（四）

内閣統計局　浦上英男

六、男女別乳幼兒死亡

前章迄は專ら乳兒死亡率を基礎とする乳兒死亡量の綜合的俯瞰に止まつたのであるが、本章からは愈々之が量の分析的考察に入ることゝする。其の第一は男女別に觀た乳幼兒死亡の特質である。

昭和十一年本邦內地に於ける五歳未滿の死亡が三八八、六三三に達したことは曩に述べたが、之を男女に分つと男は二〇七、二六一、女は一八一、三七〇で、女一〇〇に付男一一四・三の割合となつてゐる。此の割合は年に依つて多少の高低を見るけれども、此の逆に女が男より多數を示すことはないのである。尤も毎年の出生數は必ず男に多い事實からするも、乳幼兒の死亡が男超過を現すは、男兒の死亡率が極度に低率ならざる限り當然の現象と言へやう。況んや後に述べる如く男兒の死亡率が女兒のそれに比し常に高率なるに於てをや。

內閣統計局から發表された第五回生命表に基いて、昭和五年乃至同五年に於ける五歳未滿の平均死亡率を算出して見ると、人口千に付男は五〇・三四、女は四六・三七で男が高率を示して居る。判り易く言へば、五歳未滿の人口が男女各々千人あつたと假定すると、五歳に達する前に其の中男は五〇人以上、女は四六人强が必ず死亡する運命に在るといふ意味である。

（註）此の死亡率は人口動態統計に普通用ひられる所謂年齢階級別死亡率とは算出方法を異にするもので、其の意味及方法は後に詳述するであらう。

以上は五歳未滿全部を通じての觀察であるが、尚之を第一回乃至第五回の生命表に據り各歳に就て調べて見やう。第一回生命表（明治二十四年乃至同三十一年）に基く平均死亡率は〇、一、二、三、四の各歳共例外なく男の方が高率であつた。然るに第二回卽ち明治三十二年乃至同三十六年に於ては男が〇歳及一歳に依然高い外二、三、四の各歳は女の方が高率となつた。其の後明治四十二年乃至大正二年の第三回調査、大正十年乃至同十四年の第四回調査、之に引續き行はれた最近昭和元年乃至同五年の第五回調査に於ける夫々の死亡率は何れも第二回と同樣〇歳及一歳に男高く、二、三、四の各歳に女の高いことを示してゐる。昭和五年以降最近に至る迄も此の傾向が持續されたか否かは今後の調査に俟たねば判明しないが、第二回乃至第五回に亘る調査結果から推して此の趨勢に狂ひを生じたとは考へ難いのである。して見ると昭和元年―同五年に於ける五歳未滿全部の平均死亡率に關して曩に記した男の高率、女の低率は要するに〇歳及一歳就中此の前者に於ける男の異常に高い死亡率から招來されたものと解して差支あるまい。

今右の死亡率の意味をもつと徹底的に理解する爲、男女各々の生存者が一歳、二歳と年齢を加へるに隨つて死亡の爲どれだけ生き殘るかを說き、併せて色々の附隨的現象を說明しやう（昭和元年乃至同五年の本邦內地人の事實を盛る第五回生命表に據る）。

さて茲に同時に生れた男女各十萬人の生存者があると假定しやう。すると是等の者が滿一歳に達しないうちに男は一四、〇一〇人、女は一二、四一四人死亡してしまふのである。從つて〇歳の死亡率は生存者（人口と言つてもいゝ）千に付男一四〇・一〇、女一二四・一四といふことになる。さて此の不幸から免れて滿一歳に達した赤ん坊は男八五、九九〇人、女八七、五八六人に減ずるが、是等の者は又滿二歳を迎へるに至らずして男三、七〇八人、女三、六八七人を喪ふのである。此の一歳の死亡率は人口（卽ち滿一歳に達した當初の全生存者）千に付男四三・一二、女四二・一〇となり、〇歳の時に較べて約三分の一に低下するが、こゝ迄は相變らず男の方が高率を持續してゐる。斯くて滿二歳を迎へ得た男八二、二八二人、女八三、八九九人の中滿三歳に達せずして男一、八四一人、女一、九〇〇人が不幸先立つ運命に置かれる爲、此の死亡率は人口千に付男二二・三七、女二二・六五となり、茲に始めて女が男を凌ぐ高率を現すのである。幸ひにも滿三歳をスタートすることゝなつた男八〇、四四一人、女八一、九九九人の中男一、二〇七人、女一、二七七人の命が滿四歳のゴールに入る前に散つてしまふ。其の死亡率は人口千に付男一五・〇〇、女一五・五七で、滿二歳に引續き女高く、斯うして滿四歳の聲を聞く事の出來た者は男七九、二三四人、女八〇、七二二人の少數に減じた譯である。此の中から更に滿五歳の誕生日を待たずして男七七人、女八五六人が死亡し、死亡率人口千に付男九・八一、女一〇・六〇が得られるが、年齢の長ずるに連れて男女共著しく死亡數を減じ、死亡率を低下するとはいへ依然女が高率を示すことに變りはない。

而して目出度く滿五歳を迎へ得た男兒は七八、四五七人、女兒は七九、八六六人であるから、結局彼等は生後滿五年間に、最初の各十萬人から右を差引いた男二一、五四三人、女二〇、一三四人だけの一緒に生れたお友達を失つたことになるのである。此の〇―四歳を平均した死亡率が曩に記した人口千に付男五〇・三四、女四六・三七であることは最早當然氣附かれたであらう。

以上述べた事實を根據として、昭和元年―同五年調査の生命表から次の樣な圖表を作成して御覽に入れやう。卽ち最初同時に生れた男女各十萬人の赤ちやん達が滿五歳に達する迄にどれだけ死亡し、どれだけ生殘るかゞ下の圖に依つてはつきりお判りになることゝ思ふ。前述した樣に女の死亡率は二歳から男のそれを超えるが、何分〇歳及一歳に男が非常に高率だつた爲、其處に生じた男女の開きは中々恢復出來ず、滿五歳に至る迄の生存者數は終女に多いのである。

第五回生命表に現れたる
乳幼兒の男女年齢別生存數

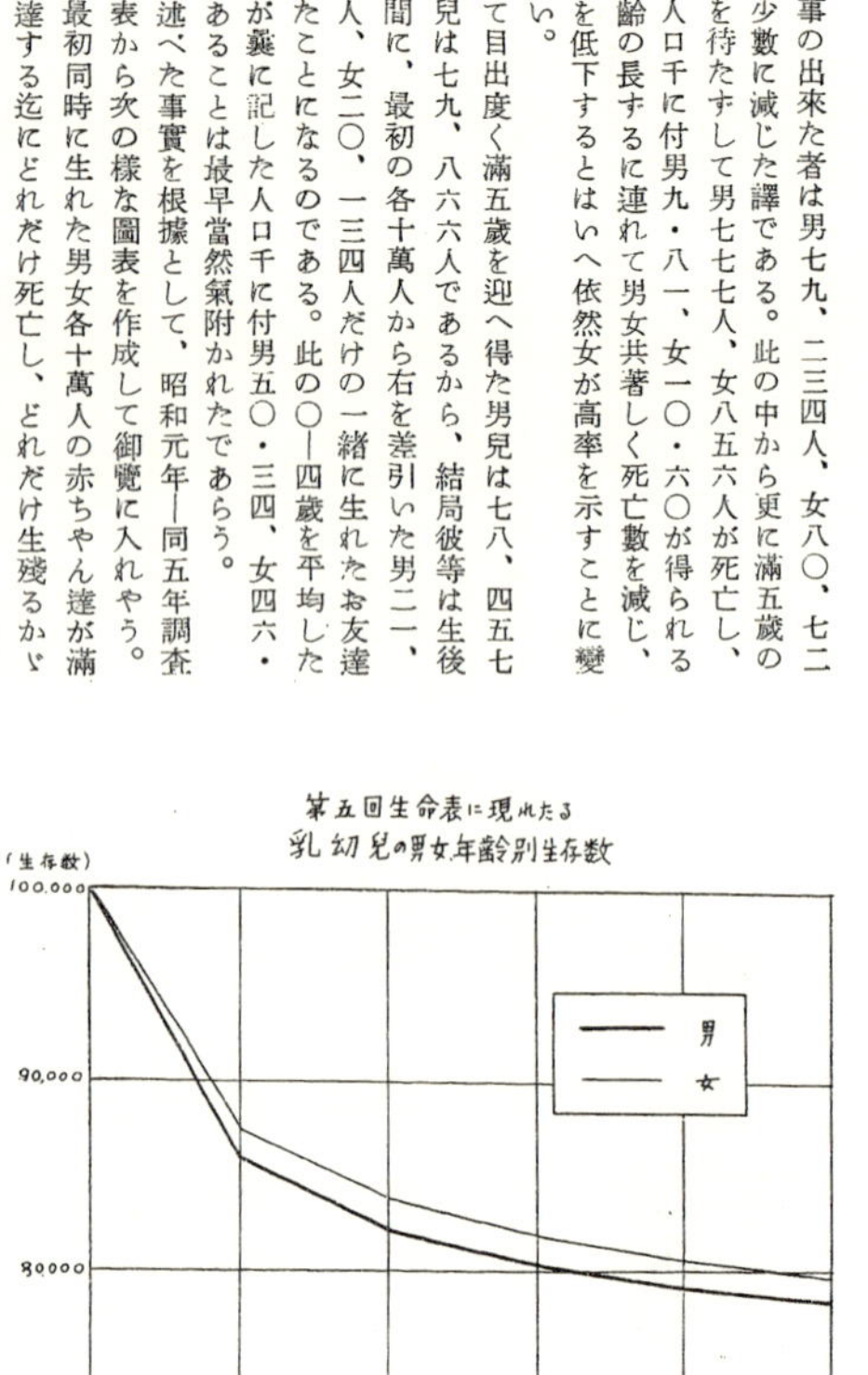

茲で再び〇歳卽ち乳兒の死亡率を問題にしやう。上述せる〇歳の死亡率は生命表に基く計算で、前月號迄に論じた所謂乳兒死亡率とは觀念的に略々一致するが、算出の方法は之を異にするのである。そこで出生數に對する乳兒死亡の割合を意味し、一般に用ひられる乳兒死亡率を再び取上げて、之を既往に遡り男女別に吟味して見やう。それに先立つて前に指摘した昭和十一年に於ける幼兒死亡の男女別割合卽ち女一〇〇に付男一一四・三といふ數字を想起して戴きたい。之を乳兒死亡の場合に就て觀ると同年男の死亡は一三三、八九九、女のそれは一一一、四五六で女一〇〇に付男一二〇・一に該り、幼兒全體の時より男超過の度が著しい。此の割合は明治三十二年の一一七・一に始まり、男超過の度は逐年漸減の傾向を辿り、大正三年には一一三・八を示すに至つたが、爾後漸增の步調に轉じ、大正の末年には一一七・〇を超え更に近年は昭和七年の異例を除き一一八・〇を超え、昭和九年の一一九・三を經て昭和十一年には遂に前述の通り一二〇臺を示現したのである。

然し以上は要するに死亡實數の比較であつて、假令男の死亡が多いと言つても之は男の出生が非常に多數だから當然の現象だなどゝ解釋されないとも限らない。それでは困るから男の乳兒死亡は男の出生數に、女は女のそれに夫々對比せしめた男女各別の乳兒死亡率を眺め、之に依つて眞の意味の比較を試みやう。

明治三十二年には男一六・一%、女一四・六%であつたが、其の後共に一高一低を繰返し、明治四十二年に男が一七・五%を現したのを唯一度の例外として大正四年に至る迄は男一五・〇%乃至一七・〇%、女は一四・〇%乃至一六・〇%の間に在つた。然るに大正五年より著しく上昇し始め、大正七年には男一九・八%、女一七・九%といふ未曾有の高率を現したのである。然し翌大正八年より再び低下に移り、昭和元年には男一四・〇%臺、女は一三・〇%臺に、昭和七年以降男は一二・〇%臺、女は一一・〇%の低位に降り、昭和十年は男一一・三%女一〇・〇%と空前の低率を記録したのである。昭和十一年は前年に比し稍々騰勢を示したが、然し之とて必ずしも前途を悲觀せしめる程の材料ではないと思ふ。（未完）

大阪
三越
お買物は
良品の三越へ

帝都下 全新聞の我等が審査會觀

——全紙上寫眞入り——

愛兒はこの通り丈夫
想ひは同じ銃後の母ごゝろ凝つて
審査會へ赤ちゃん八千餘人殺到

一目みせたや戰地の夫へ

聖戰はや一年、大陸の野に猛暑と闘ひ、酷寒を征服して勇躍する勇士たちが僅かに結ぶ露營の夢に通ふは家郷に殘して來た愛兒、ましてや出征後に生れ出たまだみぬわが愛兒の幻であらう、思ひは同じ銃後の母は無心に乳房をふくみすく〱と生ひたつ兒の顔に戰線の夫を偲びせめても一目『あなたは戰爭に召されてもこの兒だけは強く丈夫に育てゝゐます』と戰野の夫に見せたい、自慢したいのが母ごゝろであらう、かうした銃後の母心が廿三日から開かれる乳幼兒審査會に反映して『私の赤ん坊こそ健康優良兒です、戰線の夫への手柄話の種にするのですから證明して下さい』とばかりどつと押しよせた

『廿年後の青年日本に備へて……』帝都を中心とする滿二歳以下の乳幼兒の愛護を目ざす全東京乳幼兒審査會も回を重ねること十回、今年も日本兒童愛護聯盟主催、恩賜財團愛育會、中央社會事業協會、東京優良兒母の會後援、厚、陸、海、内、文、拓の五省協賛の下に廿三日から五日間日本橋高島屋で開かれるが、事變下銃後の國民の自覺が拍車をかけていまゝで五千人の豫定を六千名に繰りあげたのに受付を開始してみると思ひがけぬ銃後の母の純情が湧きたつて豫定をはるかに抜く八千名を突

破締切までにまだ〱申込みが殺到しようといふ審査開始以來の盛況を呈することになつたのだ。

審査は慶大醫學部小兒科々長中鉢博士を主任として富田、山田、柿本の三博士を加へた審査醫が體重、身長、胸圍、頭圍、をどりこなどの測定、榮養、體質の鑑定を行ひ一定規格以上の優良兒に『最優良』『優良』『佳良』の判定を與へるものだが、今年はかうした涙ぐましくも眞劍な銃後の母と戰線の父の心を汲んで『父はゐなくても銃後の子供はこれこの通り』と自慢の證據を殘すやうに審査結果をカードにして保存、次に時々の榮養狀態を記入して凱旋の曉に父を喜ばせると同時に廿年後の壯丁檢査の資料とすることになつた。

廿三日には午前九時から名譽會長永井遞相が審査ぶりを見るほか會期中には總裁木戸厚相も會場を訪れ銃後國民の體位向上への好もしい熱誠ぶりを親しく見ようと異常な緊張ぶりである。

思はずホロリ　伊藤總務談

全東京乳幼兒審査會總務伊藤悌二氏は語る『年々增加の傾向ですが今年は豫定よりあまり多いので不思議なことだと調べましたところ、それがみな子供の近況を戰場の父に知らせたいといふ母性愛の現はれとわかり、思はずホロリとさせられました、かうした母の氣持がこもつてゐるだけ特に今回の審査は眞劍にやらねば銃後を守るわれ〱としては相濟まんとつく〱感じた次第です』

——寫眞(縦二寸、横三寸)——(讀賣新聞、六月二十二日夕刊)

お母さんたちが『鼻の高さ』を競ふ
けふから赤ちゃん審査會

既報、日本兒童愛護聯盟主催の第十回全東京乳幼兒審査會は廿三日より廿七日まで五日間、日本橋高島屋四階で開催されるが今年は特に『恒久國防と國民體力向上を目標とする赤ちゃん審査會』と銘を打つて係員も親達も大變な張り切り方で、第一日の廿三日は午前九時、名譽會長の永井遞相の挨拶で開會したが御自慢の坊ちゃん、孃ちゃんを抱いたお母さん連が續々と詰めかけ午前中早くも七百名を突破した

審査は第一部で戸籍調査があり、第二部出産前後の質問では

『お産は輕かつたですか』

『生れた時の目方は……』

『病氣はしませんでしたか』

『良く寢ますか』

等々お母さんへの質問があり、第三部で赤ちゃんの體重身長、頭圍、胸圍等の檢査があり、この關門を通過すると審査主任の中鉢博士外四名の醫師の手で能力檢査等一般的の審査が行はれる。

この間さすが親御さん御自慢の赤ちゃんも檢査場に溢れる競爭相手の仲間?に驚いてギヤー〱ワアワア、まるで戰場のやうな大變な騒ぎだ、同十時半には御來店の**李鍵公妃殿下**もこのほゝ笑ましい情景を御興深げに御覽あらせられた。

——寫眞(縦、横三寸五分)ニコ〱顔の名譽會長永井遞信大臣=けさ乳幼兒審査會にて——(六月二十三日夕刊、東京日日新聞)

赤ちゃん部隊の裸攻撃
審査會に永井さんホク〱

二十年後の壯丁の體位向上を目指す日本兒童愛護聯盟主催恩賜財團愛育會、中央社會事業協會、東京優良兒母の會後援の第十回全東京乳幼兒審査會は厚、陸、海、内文、拓六省の後援で二十三日午前九時日本橋高島屋で開かれた。

定員六千名に對し申込八千に達する盛況、午前九時から體重、身長、胸圍、頭圍、榮養、體質の檢査臺へ赤ん坊群の行進は續く、愛兒を抱く銃後の母の群の中に名譽會長永井遞相は同九時半來場、抱き上げた赤ん坊に鼻や口をつまれながらカメラに納まる。

慶大醫學部小兒科々長中鉢博士等審査員の手で帝大の卒業成績みたいな最優良、優良、佳良の總評を附せられ審査は二十七日まで續行十月中旬成績發表を行ふ豫定である。

なほ李鍵公妃殿下にも同日午前十一時會場に御成りになり御一巡、同二十分過ぎお歸り遊ばされた。

【寫眞(縦四寸、横四寸五分)は赤ちゃんに取圍まれた永井遞相】

(六月二十三日夕刊、東京朝日新聞)

勇士の赤ちゃんも
赤ちゃん審査會

銃後の第二陣、赤ちゃんの健康を目指す『乳幼兒審査會』が日本兒童愛護聯盟の主催で二十三日から日本橋高島屋で開かれた、すくすくと育つた御自慢の赤ちゃんを

抱へたお母さん達が會場に殺到、係員の身長、體重、榮養などの審査に眼を丸くして見護つてゐる、赤ちゃん好きな永井遞相も名譽會長として朝早くから顏を見せ『おゝ立派な兵隊さんになるぞ！』と丸々太つた赤ちゃんをだつこして大喜び、審査は二十七日まで七日間續け約六千人が繰込む豫定だが戰線にある勇士のお子さんも澤山ありお父さん達にも一目見せたい賴もしい風景である。

——寫眞（縦三寸七分、横四寸）は中央が永井遞相（六月二十三日夕刊、報知新聞）

戰線の夫よ喜べ『赤ちゃん報告書』

丸々丈夫に育つてゐます

可愛い審査會

帝都を中心とする滿二歳以下の赤ちゃんの愛護を目ざす第十回全東京乳幼兒審査會は廿三日午前九時から日本橋高島屋四階で開かれた。

事變下銃後の母の純情が沸きたつて全部の申込受付は八千名、例年より二千名も多い、この朝お母さんの背中に神妙におぶさつてゐた廿年後の躍進日本を背負ふ天晴れ赤ちゃん、脫衣場からまづカン〳〵にかゝるまでは黒豆のやうな瞳をはりきらせて「一體何するんだらう」てな可愛らしい顏、顏、顏をしてゐたが身長、胸圍をはかるころから一人の赤ちゃんがワッと泣き出すと、燎原の火の如く一齊に未來の國家の力强い原動力も口ばし揃へて泣き出す、まさにピチ〳〵した勇ましい帝國繁榮のコーラスだ、お母さん達は汗だくでそれでも顏をゆがめたり、舌を出して大童のあやし方、折柄名譽會長永井遞相が會場に姿を見せるや「こりや元氣な赤ちゃんばつかしだナ、賴母しいね……オ、ヨシ〳〵泣くんぢやない、いゝ子だね』と不自由な足も忘れ抱き上げて微笑ましい熱意ぶりをしめす、また今年は夫の出征後生れ出た赤ちゃんが澤山あつて、戰線の父はまだ見ぬ愛兒の幻を儚かの露營の夢に結んでゐるであらうが、銃後の母は父の心を汲んで「お父さんは居なくてもこれこの通り丸々肥つてもうあんよするんですよ」と自慢の審査カードを貰ひ戰線へ「赤ちゃん報告書」を送らうと云ふ淚ぐましい眞劍な母、下谷區谷中初音町四の一三八醫學博士岡田春樹（三六）氏夫人節子（二八）さんが長男正春（二つ）ちゃんを抱いて

夫は昨年夏內田部隊所屬で軍醫少尉で出征しましたが出征一ヶ月後に正春が生れたんです、夫はまだ子供の顏を知らないので審査カードと正春の寫眞を送つて夫を喜ばしてやらうと思つて審査會に參加しました

と力强い言葉を洩らしてゐた外同樣健氣なお母さん達が數百名も參加、誰も「夫の凱旋の曉には夫を喜ばせるんですよ」と愛兒の顏をしげ〳〵と見つめては、思ひは戰野の夫の上に走つてゐた、審査會は五日間行はれ一定規格の優良兒には「最優良」「優良」「佳良」の判定が與へられる。

——寫眞（縦三寸五分、横四寸五分）遞相に抱かれて喜ぶ赤ちゃん、右岡田春樹醫學博士夫人と正春ちゃん——（六月二十三日夕刊、國民新聞）

銃後の護りは固いのウ

永井さんを包圍した赤ちゃん部隊

戰時下に相應しい優良兒は何處にと第十回全東京乳兒審査會が厚、海、陸、內、文、拓各省後援で廿三日から五日間高島屋四階ホールで開催、參加乳兒は約六千名の壯觀、第一日の廿三日は名譽會長永井遞相が出席しまる〳〵ふとつた赤ちゃん達に取圍まれ、『銃後の守りは固いのウ』と大ニコ〳〵、成績發表は十月中旬。

——寫眞（縦三寸五分、横二寸五分）赤ちゃん達に圍まれた永井遞相——

（六月二十三日、都新聞）

永井さんニコ〳〵

第一日に集つた赤ちゃん 選手千二百名から

揃つた勇士の愛兒

東京一優良乳幼兒を選ばうといふ銃後國民の體位向上に相應しい日本兒童愛護聯盟の第十回東京乳幼兒審査會の第一日は二十三日朝九時から日本橋高島屋で開かれた申込み八千の中には夫を戰線に送つてからもすく〳〵と生ひたつ愛兒をあるひは夫のまだ見ぬ愛兒達を『この子はこれこの通り』と育てあげた母達が戰線の夫への自慢に健康優良兒をめざして詰めかけた、名譽會長の永井遞相も正九時から來場して丸裸になつた坊やを抱きあげるなど大ニコ〳〵で歸つて行つた、かくて第一日は一千二百名の審査を行つたが引きつゞいて五日間にわたつて全申込者を審査し優良兒を決定するが、第一日の朝のひとゝき應召軍人の愛兒に集まつて貰ふと九名が揃つた。

△本鄉區駒込神明町一四八片田基義君（父忠三郎氏）△向島區寺島町七ノ九九下野賞永君（父忠永氏）△本所區綠町三ノ一木內希宗君（父二郎氏）△下谷區谷中初音町四ノ一三八岡田正春君（父春樹氏）△本所區東駒形四ノ二田邊一男君（父正一氏）△赤坂區新町五ノ三四青木方高橋進治君（父義則氏）△本鄉區湯島新花町九九瀧澤勝義君（父彥三郎氏）△神田區和泉町一ノ六中村延子ちゃん（父金太郎氏）△品川區北品川一ノ四六荒川悅子ちゃん（父勝榮氏）

——寫眞…集まつた勇士の赤ちゃん達（縦三寸七分、横三寸）とニコ〳〵の永井さん（縦二寸五分、横二寸）

六月二十三日夕刊、讀賣新聞

體位競ふ『事變ッ子』

お誕生を前に鐵兜がお好き

父は戰地から聲援

二十三日から高島屋に開かれてゐる全東京乳幼兒審査會で二十五日、審査の赤ちゃんの中には、蘆溝橋に銃聲一發、今事變勃發の昨年七月七日生れの坊やが十名も、登場その中の一人は父親が遙か北支戰線から坊やガンバレと勇しい聲援を送つてゐる。

この坊やは小石川區西丸町五九小泉喜英君、當時お父さんの梅吉さんは鶴見東京製鐵工場に勤めてゐたが、記念すべき日に初の赤ちゃんの生れたのを大變喜び『喜びの英雄』といふので喜英君と命名『僕も安心して國家に御奉公出來るぞ』と妻の淺子さん（二四）と語つてゐる中に、衞生一等兵とあつて戰地から坊やの育兒法について種々注意を與へたためか、おかげで喜英君は東京一の優良赤ん坊を目指して名乘りを上げる程マル〳〵と大きくなつたものである、二十四日夜モスリン店を營んでゐる同家を訪れるとまだ、お誕生前とも思はれない程大きな喜英君を抱いて母親淺子さんはニコ〳〵と語る、この通り玉錦の樣に肥つてゐるので身體が重くハヒ〳〵も出來ませんが、流石にお父さんの子で、鐵兜や機關銃のオモチヤが大好きです、去年五月に中野寶仙寺であつた兒童健康相談所の赤ちゃん大會では、四百人中十三等でしたから今度こそ一等をとつて戰地のお父さんに萬歲を叫ばせたいと思ひます。

——寫眞（縦二寸五分、横一寸五分）戰地の小泉衞生兵と誇りの坊や——（六月二十四日朝刊、東京朝日新聞）

話の港（讀賣新聞）

日本兒童愛護聯盟の主催で日本橋高島屋に開催中の「第十回全東京乳幼兒審査會」に押寄せた八千人の赤ちゃんの中には、昨夏七月七日支那事變勃發當日に生れた男

の子が十人もゐる。

杉並區井荻二ノ一五魚商小林矢三郎氏の愛兒由治ちゃん△芝區新橋四ノ一ノ五飲食店向山義廣氏の貴司ちゃん△江戶川區小松川三ノ五一會社員杉田宏氏の健三ちゃん△牛込區榎町三五魚商河合喜市氏の芳市ちゃん△豊島區長崎南町一ノ一九四〇建築業春山新三氏の哲郞ちゃん△向島區寺島町一ノ一九九製材業遠藤武夫氏の勇ちゃん△芝區白金三光町七二電話交換器製作小河湍氏の彰ちゃん△澁谷區穩田一ノ一二五海產物商河野正照氏の照秀ちゃん△品川區五反田二ノ一二九景品卸商平石忠氏の孝ちゃん△小石川區西丸町五九小泉梅吉氏の喜英君はお父さんが譽れの出征中。

蘆溝橋に轟いた銃聲に呼應？この世に呱々の聲をあげた『事變記念兒』諸君、萬歲！（六月二十四日朝刊）

ニュース縮刷版（東京朝日）

去る二十三日から日本橋の高島屋で開かれてゐる、赤ちゃん審査會に二十五日午後、木戶厚生大臣がひよつこり現れ、審査ぶりを見學した、大臣のお目にとまつて母さんも嬉しさう。

——寫眞（縦一寸二分、横一寸七分）——六月二十六日朝刊、東京朝日新聞。

ポケットニュース（報知）

木戶厚生大臣は二十五日午後一時半、高島屋に開催中の赤ちゃん審査會場に來場、審査ぶりを見學、いづれ劣らぬ見事な肉體美競演に大滿足の體だつた。

——寫眞（縦二寸五分、横二寸）は見學中の厚相——六月二十六日朝刊、報知新聞。

お臍くすぐつたいョー

張りきつて育つ赤ちゃん

むく〳〵張りきり育つた赤ちゃんをごらん下さい、子供を育てるならこの樣に健やかに育てたいものです。「頭の大きさを計つて……帽子作つてくれるのかしら」「あれあれ今度は胸を、やだな……ウワン……」とうとう泣き出してしまひました、こちらの坊やは「お臍くすぐつちやいや……うつうつ……こんどはロアーンか、僕まだむし齒なんかないよ……」かうして動員された赤ちゃん八千の中から、あつぱれ健康兒が選び出されました。

——寫眞（縦六寸、横二寸）は高島屋で行はれた日本兒童愛護聯盟主催の第十回全東京乳幼兒審査會から——（六月二十八日朝刊、國民新聞）

子を捨てる數

松本幸四郎

　新聞を見ると毎日のやうに親子心中の記事が出てゐます。貧乏で死ぬやうになつたり、夫婦喧嘩からヒステリーを起して子供を道連れに死んだり、長病ひで生きる見込みのないことを悲觀しての自殺であり、原因は樣々ですが、子供を道連れにする點は同じであります。子の可愛さは誰も變りない筈ですから、憎くて殺す譯ではなく可愛ければこそ、この憂き世にいたいけな子供を殘して置くにしのびないのでせう。そこで、自分と一緒に連れて行く氣になるのだらうと思ひますから、洵に無理のない話で、寧ろ同情するのですが、しかし、生ひ先き長い子供の將來を考へると、その中には何んな天才がゐるのかも分りませんし、道連れにすることが子供のために仕合せか、不幸か分らないやうな氣がいたします。勿論死なゝければならぬ程つきつめたのですから、その人の一生は多難でありそんな苦しい住みにくい世の中に、可愛いゝ子供を殘して、自分と同じやうな不幸を經驗させることはたまらないと考へるのでせう。無理のないことゝ思ひますだけ私には、その親子がお氣の毒で、涙ぐましく新聞を膝へ置くのであります。そして、もし、子供を安心して殘して置ける設備、或は機關があつたら、何んなに人助けだらう、と考へない譯には參りません。

　私は戰爭の直前、滿鮮を皇軍慰問の芝居で歩いて參りました。この奉天に立ち寄り、同善堂といふのを見物して參りました。親子心中の記事を讀みます度に、私はこの同善堂を憶ひ出し、日本にも同善堂みたいなものがあればよいと考へます。

　同善堂を造つた人は、サホーキと云ふ人でこの人は日清事變に平城で戰死しましたが、この人の事業は立派に

殘り、何の位人助けをしてゐるか分りません。私は、同善堂を三升君と二人で見に行きました。奉天の城外に、二千坪からの土地を取つて、捨兒の育英事業をやつて居ります。何うしても子供が育てられないといふやうな人は、同善堂の子を捨てる場所へこつそり捨てゝくればよいのです。子供を捨てる所は淋しい所で、人通りもありませんから、人に見咎められるやうなこともなく、泣き別れの愁嘆場を人に見られないでもすみますし、恥しい思ひをする必要もありません。子供を載せる銅の板がありますから、そこへ子供をのせますと、電氣仕掛でジーンとベルが鳴ります。すると、係りの人が驅けて來て子供を抱き上げて行つてくれます。眞夜中でも、誰か宿直の人がゐることになつてゐるから、子供が獨りで泣いてゐたりひもじい思ひをするやうなことはありません。

　私達の訪問した時小さい子供が、二十人からゐました。危くないやうに網をはつた四尺位の長方形のベットの上に寢かしてありました。

　引き取られて成長し、小學校へ通はせてある子供も二十人程ゐました、丁度食事中で嬉々として食事を攝つてゐました。更に養老院の設備もあり、こゝでは將棋や碁のやうな娛樂の用意もあつて、極めてノンキに餘生を送つてゐるやうに見えました、この方は日本にもありますから、それ程には思ひませんが、捨子の世話には大いに打たれました。しかも、女の子は年頃になると結婚の世話までしてくれますし、男の子はそこの役人になつて事務を執るなぞ、その子供の性質、天禀を生かして、何かと一生の面倒を見てくれることになつてゐます。その上に、捨兒の親が成功して引き取りたいとなれば何時でも今までかゝつただけの費用の實費を出せば返してくれますし、その子に見込みがあるから欲しいとなら、子供と談合の上、やはり實費を出せば任意に引き取らせてくれます。花嫁さんを貰ひたい人も、同じく、その女の子にかゝつた實費を支拂ひさへすればよい譯であります。同善堂は、斯うして、ずーつと長い間、收支つぐのつて、この捨子養育の社會事業を續けてゐる譯であります。

　三升君と私は、是非、日本へ歸つたらこの仕事みたいなものを計畫したいと思ひましたが、日本では捨子そのものが法律上いけないことになつてゐるので駄目だと分りました。誰しも廉恥心を持つてゐるのでよく／＼でなければ捨子しないでせうし、方面委員に頼んで養育院や孤兒院へ入れる手數はかけないでせうから、同善堂のやうに手續きも何もなく、養育してくれる設備があつたら子供を道連れに心中する數もすくなくなるのにと考へます。

私も餘生すくなからうと思ふにつけ、是非よい仕事を殘したいものと考へ、毎日の親子心中の新聞記事を讀みます度に同善堂の施設を思ひ浮べ、この仕事こそやり甲斐のあるものと思ふのですが、日本ではやれないものでせうか？よしやれるにしても、獨力でそんな大きな仕事は出來ますまいから、大方の諸君の力を仰がなければならないのですが、本氣になつて考へてくれる人、智慧をかしてくれる人はないものか、と、そんな夢みたいなことを考へて居ります。大きな資本家が、そんな仕事に乘り出してくれ、完全な施設と大規模な仕掛けで、小さい子供の救助のために乘り出してくれるやうになつたら、いよ〳〵申分なしだと思ひますが、始め申し上げますやうに捨兒がいけないとなると、手續きの問題がうるさくなりますので「汽車に注意せよ」の標札のやうに、死の一歩手前で、工合よく引き止めることが難しくなりさうです。最近考へてゐることゝして、この事を書きつけることにしました。皆樣に考へて頂きたいからと存じまして。

「春泥發句選」より

兒童に關する俳句評釋（二一）

岡本松濱

齋に來て幟うらやむ小僧哉　　召波

齋はときであり、佛家の言葉であつて食事のこと、正午をすぎざるを法とすとある。齋の膳につく前に、簡單な誦經などがある。この句は寺の小僧が檀家の法事に參つたと云ふ意味に解すべきであらう。其の家には幼ない子供があり、その子供のために床には鎧甲をかざり、庭前には幟を立てゝ端午の節句を祝つてゐたのであるが、早くから佛弟子となつたこの小僧は、その樣な祝ひをして貰つた事がないので、在家の幟を見て其の境遇をうらやみ、墨染の衣につゝまれてゐる自分の姿をかへりみて今更ながらに淋しさを感じたと云ふ、洵に哀れ深い句である。

ことし又おと子うみけん幟數　　召波

おと子は末の子と云ふ意。既に二三人も男の子をまうけて、人からも羨まれつゝある或る家庭に、今年又もや男の子を產んだのであらうか、在來の古い幟を立てゝゐる中に、又新しい幟の數が殖えてゐたと云ふ句。

十五から列卒《せこ》にさゝるゝ射照《さもし》哉　　召波

列卒は勢子であり、狩獵の時、鳥獸を狩り出す人夫のことである。照射はともしであり、前號太祇の句の場合に說明した如く、夏の夜の山狩りである。この句は獵師の子が至つて健やかに、充分狩にも馴れてゐる事が、覘ひ狩に依つて明らかに分つたので、十五の少年ながらも

う何時でも勢子に出らるゝ資格はあると、傍にゐたものが云ひ囃したのであらう。山育ちの健康の姿が躍如としてゐる。

むせるなと麥の粉くれぬ男童　　召波

近所の男の子が、折からの麥秋に刈り取つた新麥で、麥の粉を作つたので、それを重箱に入れて持つて來て與れたのであるが、其の口上に麨《はつたい》を上げますから、むせないやうにお上り位の事を云つたのであらう。新麥はかをりが強いから、つい咽喉に引つかゝつてむせるものである。それを率直に云つて退けたのは男の子らしくて面白い。

いぶせきや子のあまたある蚊帳の內　　召波

文字の示した通り、蚊帳の中に多勢の子供が枕をならべて寢てゐるのを見ると、いかにもいぶせき心持がしたと云ふこと。

少年の犬走らすや夏の月　　召波

夏の夜は月がなくとも明るくて涼しい心持のするものである。其の上に白銀の如き月の光りがさしわたると、一層涼しく、爽やかに感ずる。其の涼しい月の道を、一人の少年が犬を走らして嬉しさうに飛び廻つてゐると云ふ、いかにも夏の月夜らしい情景を歌つた句で、近代的の明快さを持つてゐる。

かしこくも羯鼓學びぬ鉾の兒《ちご》　　召波

羯鼓と云ふものは鼓に似たもので、首から胸へかけて紐で釣り下げ、細い鞭でうち鳴らす樂器であるが、同じ樂器でも鼓などと違つて古代のものであり、段々それを習ふ者が尠くなつてゐるが、鉾に乘つてゐるこの稚兒はいつの間にか其の羯鼓を習ひ覺えて、かつ〳〵と打ち鳴らしてゐるのを見て、珍らしく異樣にも感じてこの句を成したのである。「かしこくも」は用意周到にと云ふ意味に解してよからう。

兒《ちご》つれて法師のしのぶ御祓かな　　召波

御祓《みそぎ》はむかし六月晦日、夏の邪氣を掃ふため、川のほとりに假の社を設け、はらひをしたものであり、夏越《なごし》の祓《はらひ》、夏祓《なつはらひ》とも云ひ、或は紙にて人の形を作り、名と年とを書きしるし、我が身代りに川へ流したもので、之を形《かた》代《しろ》と云ふ。今も氏子の家々に形代を配り、晦日にそれを集めて修祓をする習はしを持ち傳へてゐる神社も稀には殘つてゐるやうであるが、大體に於てすたれてゐる。此句は神社とは緣の遠い僧侶が、自分ひとりでは具合が惡いので、何處かの子供をつれて行つて、御祓に列したのであらう。「しのぶ」と云ふことは、この法師が僧體でありながら、御祓に對して大いに敬虔の心持を抱いてゐたと云ふ意か。

乙の君ある夜ひそかに踊かな　　召波

主筋にあたる人の末の子を乙の君と云ふ。或は第三者が家柄の人の子を斯樣に敬稱する場合もある。この句の場合、乙の君は女性であるらしい。その乙の君が、召し使ひのものをうまくあざむいて、ひそかに屋敷を拔け出して、踊の人々の輪に交つて面白げに、樂しげに踊つてゐたのである。身分輕からぬ人が、思ひがけなくも多勢の人にうち交つて共に踊つてゐると云ふ處に、時代の匂ひ相當深く感じられる。

子の顏に秋かぜ白し天瓜粉　　召波

子供の顏に天瓜粉を打つた。それがしろ〴〵として如何にも秋らしい趣を感じたので、卒直に「秋かぜ白し」と表現したのである。之で始めてこの句は生きて來る。

寺子屋のてら子去にけり秋の暮　　召波

寺子屋は幼少年の敎育場で、今の幼稚園ほどの設備も規模もなかつた。普通の部屋に雜然と机をならべて、學科も單に讀み書きを敎へると云ふ至極簡單なものであつた。日暮前に子供が歸つてしまへば、片隅に机を積み重ねて置くのであらう。秋の日は暮れやすく、又いやに淋しさを誘ふものであるが、この句は多勢の子供達が去つてしまつた寺子屋の落寞たる光景に、しみ〴〵と秋の暮の心細さを感じたのである。

移竹十三回忌

乙御前や顏見ぬばかり月の前　　召波

移竹は召波の句友達であり、共に蕪村の門人であつたが、移竹は特に早く世を去つて、この句の如く既に人々の手に依つて十三回忌まで營まれてゐたが、その移竹の忘れがたみの末子が、その頃はまだ生れて間もなく、親の顏さへ充分に見知らなかつたのを、殊に哀れに覺えて折から月の前で、まだ見ぬ父の顏を偲べよかしと思ひや

つた句。

禪院の子も菓子貰ふ冬至かな　　召　波

むかしは僧に妻帶は許されず、殊に禪宗は最も掟がきびしかつた筈であるが、この句の場合はどうした譯かその禪寺に子があつて、今日折からの冬至と云ふので、その子も共に菓子を貰つて喜んでゐると云ふ句。事實あり得ない心持がされる。

水鳥に唐輪の兒《ちご》の餌蒔かな　　召　波

いづれかの大きな別邸か、或は相當大きな寺院でゞもあらう。庭には廣い泉水があり、そこに數多の水鳥が浮いてゐる。唐輪に結うた美くしい幼な兒が、池に向つて頻りに餌を蒔いてやつてゐると云ふ、洵に極彩色の繪のやうな句である。

雪の日や隣家の童子欠木履　　召　波

雪の日に隣の子が歩いてゐるのを見ると、木履の齒が欠けてゐたと云ふ、說明すれば唯それだけの事であるが此の句は一句の調子が恰かも漢詩の如く、甚だもの〳〵しく敍されゐる。しかも其の內容が子供が欠木履をはいてゐたと云ふ、甚だ調和しないやうであつて、其處に俳諧的の興味をそゝらうとした處に若干の面白みがある。

雪の朝童子茶臼を敲く也　　召　波

前回に掲げた太祇の「草の庵童子は炭を敲く也」と內容表現頗る相似た兄弟の如き句である。漢詩の調子をまねた句であること、兩句同じであるが、この句は童子が茶臼を敲いていかにもけさの雪を喜び樂しんでゐる趣が深く味はれる。それだけに召波の句がいく分勝つてゐるやうである。

扨あかき娘の足袋や都どり　　召　波

娘が赤い足袋をはいてゐるのと、都鳥が赤い足をしてゐるのとを思ひよせ、いかにも面白げに歌つた處がこの句の山である。「扨あかき」と云ふ扨の字が、それを役立たすに相當の用をなしてゐる。

子の母よいく度結ぶ足袋の紐　　召　波

みどり子の足袋の紐がいく度び結び直してもすぐにほ

どける。又結んでやるが、子供は片時もじつとしてゐないから、足袋の紐は又してもほどけかゝる。母親は其の面倒さを厭ひもせず、日にいく度びとなく足袋の紐を結ぶと云ふ、何でもない日常茶飯事の內に母親の子を育てるための煩はしさ、忙しさが描かれてゐて、其處に一脈の母性愛が忍ばれる。

山伏も舞子も住みて火桶哉　　召　波

山伏と舞子とは全くかけ離れた緣の遠いものであるがその山伏と舞子とが、金蒔繪の火桶を圍んでゐる場面を想像すれば、甚だあでやかであり、又雅びた趣が感ぜられる。召波は多分その不調和な調和に深く面白さを感じ空想でこの句を捻出したのでないかと思はれる。普通山伏と舞子とがたとへ一時的にせよ共に住んでゐると云ふ場合があり得ないから。

めでたしな御子達からの臺の鰤　　召　波

何處かの屋敷の子供達に、何かの指南をしてゐる師匠の家へ、立派な臺に乘せて大きな鰤がとゞけられた。多分歲暮の贈り物であらう。それをうち喜んで、「めでたしな」と詠嘆したのである。

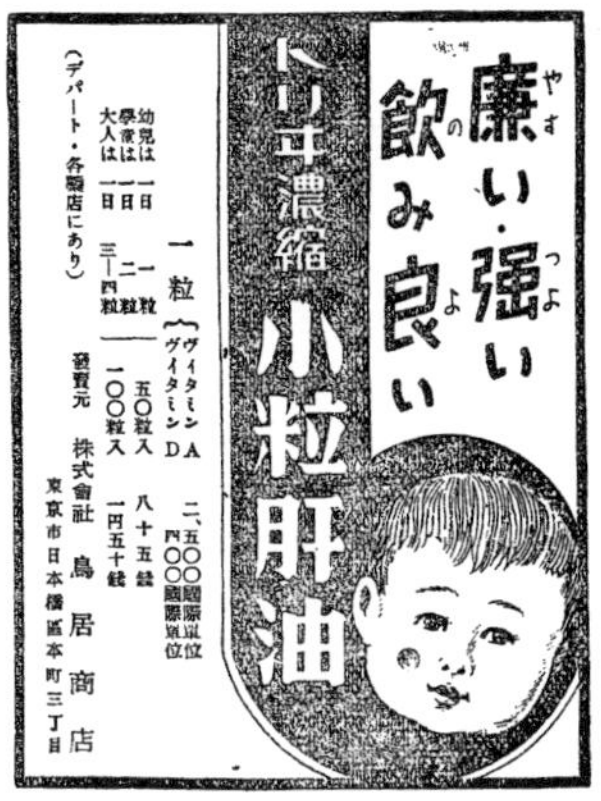
廉《やす》い・強《つよ》い
飲《の》み良《よ》い
トリヰ濃縮
小粒肝油
一粒（ヴイタミンA 二、五〇〇國際單位 ヴイタミンD 四〇〇國際單位）
幼兒は一日一粒
學童は一日二粒
大人は一日三—四粒
五〇粒入 八十五錢
一〇〇粒入 一円五十錢
（デパート・各藥店にあり）
發賣元 株式會社 鳥居商店 東京市日本橋區本町三丁目

國衆は舞子が好きで年忘　　召　波

國衆はお國の人と云ふ意味で、江戸又は大阪の如き都會人に對して云ふ言葉である。或は武士であるか、或は町人百姓であるか、其邊ははつきりしないが、若し平たく云へば田舍人である。私はこの句を讀む每に、大阪の藏屋敷詰の田舍侍が、出入の御用商人の主人か番頭に招待されて新町邊の茶屋で、舞子や藝妓を相手に、我を忘れて亂醉してゐる光景を思ひ浮べるのである。

憂ふべき幼兒日本

河崎なつ

白銀にも黄金にもかへがたい家の子寶は、更にまた次代をつぐ國の寶、社會の寶としてより廣く、より高い見地から護られ、育てられねばならないのであるが、どうにもならない生活難から、この寶を裏街のドブ板へ放り出し、田圃の畦を這はせてゐる。そして夏は消化不良、腦膜炎で、冬は肺炎、百日咳で、生後一年以內にして一割三分は死亡、更に學齡までには、生れた子の半分近くを死なせるといふ「幼兒日本」の現狀である。託兒所はかうした幼兒達にとつての溫かい母の手ともなり行きとゞいた姉心ともなるため、今日その必要を痛感されてゐる。わけても應召遺家族の子供のために、この溫かい手は、どんなに戰場にある父の心を輕くすることであらう。

◇

にも拘らず、一千萬人以上の幼兒に對してたつた七百の常設託兒所で、僅か五萬人の子が護られてゐるに過ぎない。これでは軈て流行期に向ふ痲疹、百日咳、ヂフテリヤ等の猛威を思ふだけでもゾッとする。厚生省もこれをとりあげて、國民體位向上の國策遂行に乘り出さうとしてゐるが、一般の婦人達がこの仕事に協力することは、何としても大きな力である。

◇

日婦團聯が託兒所委員會を設けて、「全國に託兒所を！」と呼びかけ、その應急案として板橋岩の坂と深川白河町の婦人達が、空地で「時間保育」をしたといふニュースは、近頃立派な婦人の集團行動であつた。小學校とちがひ、託兒所は廣い場所も設備も技術も必要としないから、全國七萬の寺院十一萬の神社の境內は、さしづめ好適の保育所とならう。理解ある神官僧侶と協力して、その靈域を國の寶である子供等のために、活して使ふことを全國の御婦人へお勸めしたい。

志賀志那人氏と私の市民館時代（下）

高尾亮雄

その五　音樂結婚式（離婚式の主張）

大阪の西洋音樂發達史といつたものを綴るとすれば、私は可なり多くの知已を持つてをるものの一人だ。一時花やかなりし羽衣管絃團の時代を一區劃としてそれ以前にも遡らばならないが、それはまだ達者で生き殘つてをられる老音樂家たちも數名をられるから、こゝにはそれに觸れないこととする。今から二十年も前、大阪にも大分洋樂が理解されるやうになつた頃のこと、陸軍出で金馬雄策氏を指導者として組織された樂星會といふ青年たちのオーケストラ團がつて、私たちのお伽劇の一座と一緒に德島市へ演奏に行つたこともある位、私とは親しい間柄であつたが、その樂團は大阪に歸つてきても、いつも練習の場所がなくて困つてゐた、無理もない、あまり上手でもない騷々しい音が頗る近所迷惑であつたのだから場所の貸し手がないわけだ。

それで、世話好きの私が、天六に市民館ができたのでこれ幸ひとこの一團を持ちこんだ、何かに理解ある志賀君のことだから直ぐ快く引き受けてくれたばかりでなく、市民館の文化運動には是非ともなくてはならぬものだとして、名も大阪市民館管絃團と改めて、新しく樂器などの買入れもしてくれて、こゝに面目は一新する、基礎は强固になる、メンバーも增加してみつちりと練習もできるといふ幸運に惠まれた、これ偏へに故志賀君の賜ものといはねばならぬ。だから志賀君は大阪の音樂界にとつても大恩人の一人であると思ふ。

さて、この樂團に終始幹事として働いてくれてゐた青年で竹中喜二郎君といふのがある、市民館管絃團ができた數年の後、良緣あつて結婚することとなり、その式は音樂結婚として緣故の深い市民館講堂で擧げる事となつた今でこそ珍しくはあるまいが、恐らくこれは大阪で最初の事であつたろふか、館長の志賀君は無論立會人で堂々たる主張を述べた祝詞演說をしてくれられた、こゝにも志賀君の面目は覗はれるのであるが、私はそれよりもこの時、公の席では口にせられなかつたが、私ら數名極うちわの座談の中に頗る興味ある話柄を耳にした、それを私は今に記憶してゐるから發表してみたい。志賀君がいふのに、世に結婚式があつて離婚式といふものがないのは片手落ちだ、結婚の時だけが人生でない、離婚せなければならないやうな苦しい人生のある時にこそ親密な友人はほんとの世話をしてやらねばならぬ、敢へて式といふやうなものではなくとも、これを理解し、双方ともまた新しいスタートとして世に立つてゆくやう、つまり双方の顏のたつやう、きれいさつぱりと朗かな生活に這入つてゆくやうにしてやるのだ、結婚の方ばかりを重大にして離婚の時は有耶無耶にして先きに案內した友人知巳に無斷でやつてしまふ、道理に合はない事だといふやうな意味であつた。

ルンペンの結婚式にまで立合する志賀君の事だから、こんな事まで心中で考へてゐたのであらふ、實行はとも角としてそこまで深く考へてゐたところが志賀君の社會事業家らしい長所ではあるまいか、勿論當時の志賀君は元氣一杯、若くて理想に燃へる年齡であつたが、その後現實の社會にぶつつかつては、そう〳〵輕はづみな無茶な事を口外されなかつたであらふが、とも角も、傾聽に價する志賀君の主張だと思はれる。

まだ書き殘した事もあるが、志賀君追憶の記としては一先づ筆を擱く。（六月十日）

子供のはなし

尾崎一雄

先日子供二人連れて動物園へ行つた。なんでもよく晴れた土曜日で、公園一帶大變な人出だつた。いつでも公園へは行けるのに、ほこりつぽい人出の日に出かけるのは馬鹿々々しかつたが「今日は洗濯デーにしたから、邪魔者總動員でどつかへ行つてくれ、動物園がいゝだらう」と家內が云ふので止むを得ず兩方の袂に一人づつぶら下げて出かけた。

上の七つの女の兒、下が四つで男、この二人に道々改めて相談すると、やつぱり動物園に限ると云ふ。子供二人は無料だから、まるで僕が動物園へ入るやうなあんばいだつた。家からぶら〳〵歩いて五分位で動物園につく。子供二人はめい〳〵ランドセルを背負つてゐるが、上の兒のには、象や猿にやるためのサツマイモがいつぱい入つてゐる。下の兒の背中には、子供二人分の菓子が入つてゐる。僕も忘れずに煙草を十分用意した。二三時間たのむと云はれて出て來たのだ。

公園にも動物園にも櫻が咲いてゐる。そしてエライ人出だ。うつかりしてゐると子供を失くす懼れがあるので餘程注意を要する。

園丁が象に乘つて廣場を歩いてゐる。象は時々大きな聲でうなり、藝をしたりする。象の足の頑丈さ、不恰好さには呆れた。僕は動物園はこれが二度目位で不案內である。子供の方がよく知つてゐる。それで子供に案內されて方々見て歩いた。

一時間位經つて僕等は羊を見てゐた。羊は紙を食ふと云ふので、誰も彼も鼻紙をやつてゐる。羊の柵の中には紙がいつぱいちらかつてゐる。これではいくら羊でもうんざりしてゐるだらうと同情した。同情しながら眺めてゐたが、ふと氣づくと男の兒が見えない。一寸慌てたがなアにその邊にゐるだらうと附近を搜したが見つからない。僕は本當に慌て出した。

上の子を羊の柵の前のベンチに掛けさせ、キヤラメル

をあてがつて、どんなことがあつても、こゝを動いてはいけないと云ひきかせ、僕は動物園中を驅け廻つた。何しろエライ人出だし、小さい子供のことで、雜草の中へころがり込んだボールを見つけるやうな困難さだ。途中で氣がついて裏門のところへ行き、受付の娘さんに、これこれから云ふ子供が現はれたらつかまへといてくれと賴んだ。娘さんは笑ひ乍ら、表門の方へも手配願ひますと云つた。その受付には六つ位の女の兒が迷子の先輩としてしほれた恰好で椅子にかけてゐた。

僕は上の兒のゐる所へ戻り、手を引いて大急ぎでまた一渡り見て歩いた。そして表門のところへ行つてみるとうちの男の子がどこかの夫婦連の人の間にはさまつて門脇のベンチにかけ、大きな口を開いて泣いてゐた。お禮を云つて引取つたが、散々驅け廻つたりしてエライ損をした。

表門と裏門以外に出口はなく、出ようとすれば門衞にひつかゝるから、動物園內の迷子は先づ安心である。しかしあやまつて白熊のゐるところへでも落ち込んだら助からない、その點いくらか心配した。あそこはもつと嚴重にして置くべきだらう。

うちの男の子は一人で遠つぱしりをする癖がある。そののちも、近所の奧さんにつれられて公園を行き、奧さんが上の子（うちの）に水をのませてゐる間に居なくなつた。上の子が「鮎雄ちやんまたゐなくなつた、おばちやん一所懸命搜してる」と自家へ注進に來たので、家內は慌てゝ飛び出した。たうとう公園の交番でつかまつてゐるのを發見、家內はお巡りさんから「迷子札をつけよ」と叱られたさうだ。近所の奧さんは廣い公園を搜しあぐねて途方にくれてゐると、美術學校のところで子供をつれてくる家內に逢ひ「よかつた」と云つただけで泣き出しさうだ。御心配をかけた。

一昨年の十二月頃、彼が二つの時、當時ゐた馬場下の家をいつか出て喜久井町の坂を登り、原町に出て、たうとう一條公爵邸の廣い庭に入つて泣いてゐたことがある。その時は交番にも賴んだりして三四時間搜した。僕は穴八幡の崖下や、ドブの中まで覗いてみた。一條家の向ひの老婦人が發見して、苦心の末馬場下の方らしいことを子供の樣子から嗅ぎつけ、交番につれて來てくれたので助かつた。

翌日家內が子供をつれてその老婦人とこへお禮に行つたら、子供は覺えてゐて先に立つて入つてゆき、遊んで行かうと云ひ張つたさうだ。どうも先の案じられる奴だ。さうだ、迷子札をつけとかないといけない。忘れてゐた。

『さんび歌を洗濯しながら歌つていゝか』

野崎吉郎

安雲の小父さんが仲人役になつて、安雲さんの工場の熟練工の一人と、知人の家の女中をしてゐた娘さんとが教會で結婚式を擧げると、安雲さんの自宅の近所へ家を持つた。

安雲小父さんは或るキリスト教會の長老をしてゐる人だ。

或る日、隣りの奧さんが安雲さんを捕へてこんな事を言つた「あすこへ越して來た新家庭の花嫁さんは、よく洗濯をしてゐますが、自分の赤いお腰を洗ひながら讃美歌を歌つてゐます。讃美歌は教會で神樣の前で歌ふものでせう。洗濯をしながら歌つてもいゝのですか」と。安雲さんは何と答へたか聞かなかつたが、あの娘は一日中讃美歌を口づさみながらよく働いてゐるらしいよと言ふ話であつた。

心に太陽を持て
さうすりや何が來ようと平氣ぢやないか！………
唇に歌を持て
さうすりや何が來ようと平氣ぢやないか！………
唇に歌を持て。
勇氣を失ふな。
心に太陽を持て。
さうすりや何だつてふつ飛んでしまふ。

こんな詩をどこかで讀んだ氣がする。何でも子供が見てゐた本の中だつた。

或る青年が田舍を放浪してゐて急病になり知らぬ他人の介抱の中で最後が近づいた。周圍の人が氣の毒がつて「何でもお前の欲しいものを言ひなさい、叶へてあげる」

と言つたら青年は「歌を聽かせてくれ、歌を聽きながら死にたい」と言つた。

　それが讃美歌のことらしいので、若い人達のところへ使を走らせて歌を歌つてくれる人を探させたが、この村には讃美歌を知つてゐる人が居なかつた。仕方がない、何でも歌を聽かせてやれといふので、畑に働いてゐる乙女達を呼んで來て盆踊の歌を兎に角聽かせてやつたら、青年はそれを聽きながら呼吸をひきとつた、といふ新聞記事を見たことがある。

　死期に近づいた病人が、讃美歌を聽きながら死にたいといふ注文は屢々ある。僕などは好きな讃美歌のレコードを持つて旅行する必要があるだらう。なほ用心の爲めに（蓄音器がない村落だつてあらうから）ポータブルも用意して行くことだ――とまで考へると日本で、讃美歌を聽きながら死ぬといふことは未だ贅澤なのだと思つたりする。

　小學校で、先生が生徒に「お前の家では神樣を祭つてあるか」といふ質問に對し、一生徒は「祭つてあります。そして毎日毎晩お祈りしてゐます」と直ちに答へた。「どんな神樣だ」と再び聽かれて「マリア樣です」と言つたら先生は「外國の神樣を拜まないで日本の神樣を拜め」と言はれ、歸宅して兩親に告げた。兩親の家は代々のカトリック信者だつたが、子供の教育の爲めに信仰が惑はしくなつたと、その子のお母さんから聽かされた。

　このお母さんの說を延長してゆくと、日本に再びキリシタンバテレンの踏繪時代が來そうだが、問題を吾が子の教育といふ立場から見て、このお母さんの子は一年生で、實は私の子も一年生で同じ學校へ通つてゐるのだが家の子は神樣の事では一向に問題を起さなかつたばかりでなく、私の家内は、その受持の先生の事をすつかり感心してゐる。何を感心してゐるかといふと、未だ小學一年生の家の子が學校で屢々時局問題を聽かされて、それを歸宅してちやんと話をする、偉いものだといふ。うちの子が偉いのかと聽くと、さうぢやない、一年生に時局問題を解らせる先生が偉いのだと思ふといふのである。

　そりや先生は偉いに違ひないが、一年生の子は、これを時局問題として聽いて來て母に語つてゐるのではない。それは參觀に行つて見てゐれば解ることだが、先生は朝、新聞を見て來て、その記事の中から軍用犬の話や最前戰の戰況や、大空襲の成功やらを拾つて大砲や飛行機の假聲音を使つて、ほんの三四分間話すのである。「日本の飛行機がブーンと飛んで行くとな、支那軍の方からは倍も三倍もの飛行機がブーン、ブーン、ブーンと向つて來た。それを日本の飛行機がドドドドンと皆な射ち

落して、南京の上へ爆彈をバンバーンと落して歸つて來たんだ。どうだ、日本の飛行機は强いだらう」といふ調子である。

　子供は話が面白いから聽いて歸つて來て話すのである。母親はその朝の新聞記事を委しく讀んでゐるから、これを時局問題と解釋するのである。

　こんな調子だから、子供が學校で聽いて來て「こんど服を作るときはステーブル、フアイバーで作りなさいつて先生が言つたよ」と話した時などは、新聞を見てゐる家内は「そうかい。そりあスフなら安くていゝけれども赤ン坊には冷くていけないんだよ」てな事を言つてゐる。子供は自分には關係なしと見てとつて「母ちやん、ステーブル、フアイバーつてどんなもの？」と改めて質問すると母親は、タオルだの行李の中から絹や木綿の布地片を出して見るものゝ說明がつかないうちに子供は遊びに出てしまふ。

　百の數の加減算術も出來ない一年生に時局問題や、ステーブル、フアイバーの科學的性狀やら信仰上の判斷やらが出來る筈がないのだ。こんな子供には周圍の者の行ひが善ければ、善くなるし、だらしが無ければその感化を一番强く受ける。だから親が信仰によつて正しい美しい生活振りを示してゐれば、それが何より善い事だ。日本精神といふことも、子供に話して聽かすだけでは體得困難である事を痛感するのである。

　父親が、たまの休日に子供を連れて遊びに出ると、翌日子供はよく腹をこはしたり熱を出したりする。母親は「あなたが食堂へ入つたりして色んなものを食べさせるからです」といふ。一般には、これを月曜病と名づけてゐる。こんどは、母親が連れて出るやうにすると、矢張り病氣をする。月曜病は父親の專賣ではないことが解つた。連れてゆく先が、大人には丁度よくても子供には刺戟が强過ぎて疲れるのが原因らしいが、その調節は仲々取り難い。かういふ近代生活を横から見ると、子供に對して父や母の持てる智識は遲れてゐるといふより他ない。

　小さい子供が三人も居て女中に居なくなられると、家の中が一日中混亂し續ける。近頃は、女中が拂底の爲め家庭のこの混亂が二月でも三月でも續く、子供は泣き放題に泣かせ、女房は朝から晩まで詠嘆と奇聲を發してゐれば適當に疲れて睡眠もよく出來るらしいが、父親は閉口する。家政婦に來て貰ふ。家政婦にも色々あつて半日だけ洗濯や臺所の洗ひ物に來てくれるやうなのもあるから使ひ方を少し研究したら經濟でもありきちんとするだ

らうと思ふのだが、家内の方も疲れてゐるとみえて研究どころではない。そして居付いた女中のやうに右から左へ使ほふとして思ふやうにならないのである。

　しかし、こんな洗濯婆さんの中に偉い人が澤山居るのに驚く。年頃の娘や息子を二人も三人も學問をさせて、その寄宿費などを自分が働いて出してゐるらしいのである。一見人の好い無智な四十餘りの職人の女房みたいな人達であるけれども子供を教育してゐる力には驚くの外ないのである。身體の何處からそんな力が出てゐるのか解らないのである。たゞ外見から言へばこの人達は年齡よりは老けて見へること、もう一つ氣づいた事は皆相談したやうにゴールデン・バットを持つてゐる。仕事の切れ目や歸りがけに一服吸ふのである。

　若手の宿りがけで來る中堅家政婦の中には、病人の看護もやれば、料理屋旅館の仲居の代理もやらされ、所謂家政婦として食事や子供の守もする器用な人もゐて、こんな人は、家政婦は若い婦人にとつて良い仕事ではないと斷言してゐる。仲々見識が高いなと賞讃すると、見識が無ければ仕事が續きませんと言つてゐる。

　時には、家政婦になつたばかりでまるで狎れてゐないで眼に餘る人にぶつかる事もある。

　誰が惡いと一言で言へない家庭の不幸の爲めに夫に別れ子に別れて若い身空で家政婦になつたらしいので、初めて來た夜など獨りで泣いてゐたりして、家内にあの人は病氣ではないかと尋ねると、そうではないらしいと女房の見識を發揮し、蔭ながら同情してゐることもある。

　それで、家政婦さんの場合でも、何か歌を歌ひながら洗濯をしたり片づけ物をしてゐる人がある。讃美歌のやうな節を歌つてゐることもある。そういふ人は全體が健康な感じのする人々だ。その歌聲もラヂオのやうに頭へびん〳〵來なくて邪魔にならない。

　それどころではない。私は家政婦會で家政婦たちに日の丸行進曲でも教へるやうにして貰ひたいと願ふ。

　街頭で五六歲の男の子や女の子が愛國行進曲を張り切つて歌つてゐる。毎日歌つてゐる、あのむづかしい歌詞を間違へるとお互ひに訂正し合つて大眞面目で歌つてゐる。非常に上手だ。

　もつとも、私の家の近くには小學校もあるし、住宅地の中に「日の丸こども會」などゝいふ會があつて月に二三回、坊ちやん孃ちやん連が集つて、童話家が來て話をしてゐる。そんな時に必ず愛國行進曲を合唱するから子供は愛國行進曲が歌へないと「こども會」のお話が聽かせて貰へないと思つて一生懸命歌つてゐるのかも知れない。愛國行進曲なら何處で誰が歌つても心配する人はない。讃美歌も平素口づさんでゐればこそ教會でうまく歌へるといふものだらう。

秋田の童歌

相場野歩

手つなぎ遊び

女の子の輪の中に混つて、手をつなぎながらぐる〳〵廻る。握つた柔かい手から、溫い體溫がほのかに傳はつて來る。

ごんささめぐり
空《から》めぐり
小豆煮えだが
喰つて見ろ
まだ煮えれ
まだ煮えれ

×

かげざらざーらざら
かげざらざーらざら

握つた手を上に上げてトンネルをこしらへ、一人づつもぐらしてやる。トンネルの手を脊に受けないで無事に通ればいゝ子。

地獄極樂お前さんは可愛《めんげ》よ
―地獄極樂お前さんは憎《にぎ》よ

人とり遊び

二組に別れて、あつちさこつちで自分の好きな子供を雀に名ぞらへて呼ぶ、美しい對話遊戯である。

雀、雀欲《ほー》しよ
どの雀欲《ほー》しよ
○○雀欲《ほー》しよ
羽根コ無《ね》くて行かれね
羽根コけるがら飛んで來《け》ェ

さ、兩手を羽根の樣にバオ〳〵さ上下に振りながら走つて來る。あほり風で、女の子のほとりつ臭い髮の匂ひが、ぐいさ鼻先に流れる。

目隠遊び

盲になる坊さん一人を立たして皆野原へ散る。

坊さん、坊さん何處サ行ぐ
山田の寺サ
何餅喰ふに行ぐ
小豆餅喰ふに行ぐ
それから何餅喰ふに行ぐ
おつけ餅喰ふに行ぐ
又それから何餅喰ふに行ぐ
豆の粉餅喰ふに行ぐ
そら《ホウ》、汝家《んがえ》其處だ

さ突き出してやる。

仲間から外れ、ずつさ河原へ走つて來て「此處だよウ」さ叫ぶ。日暮の野邊に夕月のやうな月見草がほつかりさ咲いてゐる。

人當て遊び

一人二人三めのこ
四人手のご手のごで
箸でつつけばむくれんづ
山の下の嚢さがし

拾て喰ェや雀コ

一文句づつ指差し、糞さがしとそれを拾つて食ふ雀コに當つた子供はしよげる。

蔦

かーつと澄んだ大空に、兩翼をのび〳〵と擴げた蔦が、尾で梶をとりながら飛行機のやうに廻る。ピロロロ……と時折鈴を振つたやうな鳴聲を落してよこす。

さーび、とび
鰊一本けるがら廻れ廻れ
さーびとび
三度廻れば明日《あした》天氣頁《え》
さーび、とび
三度廻ればぼた(墟引)あげる。

鴉

鎭守の森が茜色に染り、殘り柿を二つ三つつけた裸木が、珊瑚の樣に空に光る一羽二羽三羽——頭上を鴉が、サワサワと羽音を立てて急ぎ足に飛んで行く。

村端れには、子供達の上向きの顏が四つ五つ並んで鴉の行方を見守る。

鴉、鴉
汝家《んがえ》コ何處だ
松山越えで
杉山越えで
とびんの下だ

暮六つの鐘が田を渡り、暮色が村家に忍ぶ。淋しい秋の夕、日がとつぷりと暮れるまで子供達は叫ぶ。

鴉、雀、蔦

からすと、すゞめと、とびは、四季を通じて居り、子供達には一番深い馴染になつてゐる。

からすがあがあがコ喰てだ
すずめコちゆんちゆん小便《しゆこ》垂れだ
さーび戸山の鐘叩き

蝸牛《かたつむり》

梅雨晴れの庭垣が、したたか靑つ臭い重い殼を脊負つた「かたつむり」が土堤蕗にひたつとくつついてゐる。おそる〳〵ぬら〳〵した身體を伸ばした所をこつんと叩くと、すーつと殼の中にかくれる。

かさつむりめんめェ
錢《ぜん》コ百けるがら
角コ出して
見ひちや見ひちや

螢

團扇と空瓶を持つて田圃に出る。村家から田圃に流れた蚊遣火の煙が、蒼黒く田の面に垂れてゐる。見えない所で、どく〳〵と水音がし、蛙の聲が嵐の樣に夜空をゆぶつてゐる。

ホウホウ螢來い
あつちの水は苦いど
こづちの水は甘いど
ホウホウ螢來い
山道來い
行燈《あんど》のかげがらかくれて來い

夜露を踏んで、どんと堰を股ぐと蛙がボチヤンと水に跳れる。團扇を空振りして後向くと、稲面をすれ〳〵に光つて逃げて行く。

と ん ぼ

土藏の白壁に止つてゐるのを捕へ樣と忍び寄る。大きな目玉をぐるつと動かして羽根をすへる。目玉のレンズに靑空が映つてゐる。

手を持つて行つた瞬間、すーうつと飛んで了ふ。

だんぶ、だんぶ、へえれよ
へえれば親だんぶさ
皆しかせてけら

く も

眞菰の葉を菱形に危んで巣を作る。その葉を捧げながら歌ふ。

くもコ、くもコ
赤い飯炊《まんまた》け
白い飯炊け

面倒くさくなり、葉を破ると、白い薄膜の中から親蜘蛛が飛出し、白い飯粒の樣な卵を脊負つた儘、あはてふためいて逃げて行く。

蟻

炎日、しやがんでじーつと地面を見つめる。くるみの木の根元から垣根まで蟻道が續いてゐる。棒切れで巣をつつくと穴の中の蟻がおつとり刀で出て來る。

蟻山火事だ
道具脊負つて逃げれ

水 か ま き り

子供達は、てんげェぼと云ふ。小川に棲む尻の長い虫である。身體は土色だが形は紙魚に似て、尾を時々水面に出して空氣を吸ふ。

網を入れると、げんごろうやすゞきり虫に混つては入つて來る。尾を持つと沖で、踊るやうに觸角や四肢を動かす。

でんげェぼ、でんげェぼ
男だら太鼓叩げ
女ゴだら踊れ

ほ う づ き

兩手で柔く揉んだ眞赤な實に口をあて、中の汁と種を吸取る。靑梅を喰ふやうな酸氣に舌がしびれるが、間もなく心頁い酸つぱさの後味が唾液の中に殘る。

ほうづき、ほうづき
唇も尻《けつ》コも切らされで
たもれたもれ

他所の子供を罵る歌

見知らぬ子供が村に入り込むと口々に罵つてやる。

あの子何處の子だ
さんだの子
藁一把持つて來い
汝尻《んがげつ》皆燒いでけら
大人との喧嘩には
尻《けつ》から火事出で水かけだ
膨れだ〇〇〇〇どんとはれた

×

頭の大きい奴飯《まま》よげ喰ふ
脛コの細《ほ》せ奴ガツコよげ喰ふ

花柳病を罵る

チョイチョイござ嫁貰つた
鼻ぱぢ腐れで戻されだ

大便を堪える

裏に坊主居だ
明日《あした》まで待づてけれ

尻 た く り

おらの若い時
尻《けつ》たくりはやた

仲良しを彌次る

男子《おとこ》と女子《おなご》と火遊《しゆう》び
下駄コぶつつけても離れねェ
足駄コぶつつけても離れねェ
磨汁《しろみづ》かけだけアやつと離れだ

優生遺傳の研究

進んで大衆との接觸を計れ

岡本かの子

「斷種」や「優生遺傳」に具體的な効果を圖らうとする機運となつて、またこゝに學界總動員で研究會が催されると報ぜられてゐる。誠に結構なことである。

*

それに就て思ひ浮ぶのは血筋といふことである。赤穗義士の後始末に關する記事を讀んでみると、義士の面々が切腹したあとで、その子とか血筋の繫がるものを、諸藩の士は爭つて引取つたり緣組みしたがつてゐる。その榮譽を敬慕するにもよるであらうが、また精神的にも同じきものが流れてゐると思ひ做したからである。

歷史を顧みると、日本人にこの考へは隨分多い。

*

福澤諭吉氏が明治十五年新聞紙を創めたときに水戸藩は代々、好學の血の流れてゐる土地だから文筆の士に適するといふ見解の下に、藩中の靑年から育成の記者を採擇したといふ話がある他に詮衛の方法も少ない當時では、これが直ぐ考へに來るものだつたかも知れない。

人々には探せば必ず何等かの長所特技の血筋が傳はつてゐるであらう。

かういふことを人文學的地文學的に研究することも含めて優生遺傳の主科學を補つたら、如何ばかり國民能力の埋藏量を發見することだらう。尙望むことは實踐に適する研究の結果を得次第、國民厚生の大局に資すると共に、何等かの施設によつて、こまかく個人個人の相談相手にもなれるやう接觸を保つて欲しい。

子弟の教育方針、結婚、就職の場合また失意懷疑や轉業の場合—等にいかに力强き指針を得ることであらう。

街頭醫學

乳兒死亡の因つて來る理由三つ

日本の一ケ年の出生は昭和十年度二百十九萬七百四十人、このうち廿三萬三千七百六人が死んでゐるのです、これは全國平均で、東京だけについて見ると出生百に對し死亡七人となつてゐます。

これを諸外國とくらべて見るとイギリスでは同年に五・七、フランスが六・九、ドイツ六・八、北アメリカ五・八で日本の全國平均も東京よりも少いのです その原因は何かといふと第一は父母の體質の影響ですが、これで多いのは先天性の弱質です、これが六萬四千三百六十九人あります。

つぎは早産で五千六百八十五人、つぎは先天性の畸形で三千五百十九人、つぎは黴毒で三千九人、つぎは先天性の引きつけで二千八百八十人となる、これらは何れも父母の體質の影響を受けて生れ、それが原因で死亡するのだから父母さへ健康なら皆生きて丈夫に育てることが出來、乳兒の全死亡から三割四分だけ減することが出來ます、第二に多いのは榮養關係で、昭和十年の乳兒死亡で下痢、腸炎が原因となつてゐるものゝ數は四萬十二人、ビタミン缺乏症のもの五千八百四十九人で、これ等はお母さんのお乳の飲ませ方が惡い、不適當な食物を與へるなどで、お母さんが少し育兒に注意すれば防げるのです、殊にビタミン缺乏症は脚氣が主ですがこれなどお母さんが白米をやめて七分搗米なり胚芽米を主食にしてゐれば防げることです、第三は呼吸器關係でこれが五萬六千七百六十九人あります。著物を着せすぎて汗をかいたのをそのまゝにしたゝめとか、寢冷えしたのを知らずにゐて風邪を引かせ肺炎となり、氣管支炎となり、そのために生命を奪はれたもので、これも少し注意すれば豫防が可能なのです、以上のやうな諸點に注意、愛護して行けば日本の乳兒の死亡は、もつと〳〵少くなること請合ひで、またそれが國に對する義務でもあり、家庭的には子供に對する親の責任であると考へられます。（東京府社會事業主事朝原梅一氏談）

健康乳兒の標準

最もむつかしいのは乳兒の育て方です、乳兒の病氣は變化が甚だしいので、ちつと油斷すると取返しのつかないことになります、乳兒の異狀を早く知るためには健康な乳兒の狀態を十分に知つて置く必要があります。

× × ×

體重 初生兒の體重は平均八百匁、生後しばらく體重減り、十日乃至十四日で舊に復す、五箇月で約二倍となる。

皮膚 緊張して赤い、皮下脂肪が豊富、組織に彈力性がある皮膚だけ薄くつまめるのは不可

手足 むく〳〵と肥えて横に深いくゝれがある、動作が活潑老人のやうに縦皺のあるのは不可。

顔 眼は澄んで美しい、愉快な表情をしてゐる、ドンヨリとして興味のない顔をしてゐるのは不可。

頭 頭は割に大きく、香はほとんどない位に短い、生れて間もない内は種々の間隙がある、大顖門と小顖門で俗に『ひよめき』といふ、小顖門は生後間もなく閉ざし、大顖門は一年半で完全に閉ぢる、この『ひよめき』は種々の病氣に兆候を現し、虚弱兒はその閉鎖が遅れる、あまり早く大顖門の閉ぢるのも腦の發達が惡い證據。

腹 緊張して呼吸は主として腹式呼吸をする、やゝ長じて胸で呼吸する。

胸 胸は割合に小さく胸圍は頭圍よりもやゝ小さい、それが生後一年たつと頭圍と同じ位になり、共に平均四十五センチ程となり、それからはだんだん胸圍の方が大きくなる。

體溫 體溫には大人のやうに朝夕の差がほとんどない、朝も晩も三十六度前後、脈搏は一分間百二十から百三十呼吸は一分間三十から四十。

便 尿は母乳で育てる兒なら一日十回から十五回位、人工榮養兒はもつと多い、便は一日一回から三回位、便の色は鮮黄、少し酸臭があり、軟膏狀である

人工榮養兒は灰白色を帶びて、少々便臭がある、綠色便、靑便粘液便、水便など何れも不可。（醫學博士田村均氏談）

乳兒の虫齒豫防

乳齒に虫齒を生じた場合、何等の手當をしないで放置するのは良くない、殊に乳齒と永久齒と代はる頃に乳齒が出來易いがこれを放つておくと永久齒まで虫齒にして失ふ虞れがある。だからたとへ小兒でも虫齒があれば專門醫の治療を受けることが肝要である。

乳兒に齒が生えだしたら、その時から授乳の後は必ずガーゼか脫脂綿で齒を拭いてやるやうにすることである。三つ四つになつたら子供用のブラッシで磨いてやることである。

ブラッシなどを使はないで立派な齒をしてゐるが、それは良い素質を親からゆづり受けてゐるものであるが、これとても更に齒を丈夫にするためには磨くことがよい。

何しろ最近十年間において、全國兒童の虫齒が十六パーセントも增加して居る。一般に齒の素質は惡くなる傾向であるが、これは一つに小兒の齒に對する衞生上の注意が足りないためで直接的には間食に砂糖を多量に使用した菓子類を食べるからで間接的には偏食が原因になつてゐる。

即ち、虫齒を作るバクテリヤは砂糖を含んだところで非常に繁殖するもので全身的には血液のアルカリ度を低くしてすべての機能が弱くなる結果齒の抵抗も弱くなるわけである。

虫齒の豫防としては、何よりも偏食をさけ齒の成分として必要な十分の榮養を攝る一方、口中をいつも淸潔にして、虫齒を作るバクテリヤの影を少くしておくことが必要である。小兒でも大人でも虫齒の多いのは俗に六歲臼齒といはれる第一大臼齒（殊に下顎）である。齒から全身病を起すのもこの齒と親知らず齒（智齒）が一番多い。第一大臼齒の虫齒になるのはその表面にある小さな穴或は裂け目から蝕まれるのであつて早くからこれ等の部分を塞ぎ止める工夫をすれば將來の苦痛を防ぐことが出來る。この所謂六歲臼齒の保護は極めて必要で一般に徹底させたいものである。（奧村鶴吉博士談）

百日咳などに多い口內炎はどう處置する

こどもでは百日咳だとか痲疹ヂフテリア、猩紅熱などに罹つた場合、婦人では月經時や姙娠したとき、また一般的には風邪を引いたりすると、口內にしば〳〵炎症が起きます、特にこどもが百日咳などにかゝると必ず口內炎を起して來ます、この口內炎を起す病菌は溶血性の連鎖狀球菌、肺炎双球菌、その他さま〳〵の黴菌でそれが健康な狀態でゐる間は非活動性で作用をしませんが體力が衰へる場合は忽ち活動します、ことに溶血性連鎖狀球菌や肺炎双球菌或はヂフテリア菌などが他の黴菌と一緒になつて傳染した場合は潰瘍性の口內炎或は壞疽性口內炎にしても非常に炎症を增惡することが多い、これにはどうしたらよいだらうか、豫防としては平素の過勞をさけ休養と睡眠を十分に全身的の病氣ある場合はその方の治療を、つぎには常に口內を淸潔にして置くことが大切です、元來が口中にはさま〳〵の細菌が無數といつてもいゝ程度に存在してをり、平素は前にいつたやうに靜止狀態でゐますが、一旦口內の條件が活動に都合のよい狀態になると直ぐに活動性に轉じて來るのです。

特に近代人はその生活樣式の無理から健康にも缺陷があつてさうした點から輕度の意識しない口內炎があるものが極めて多く殊に喫煙家や飲酒家に顯著です、從つてそれが急性になつた場合は病勢の增惡はいふまでもないことです、そこでさういふ黴菌の繁殖を防ぐためにも口內の淸潔保持は大切でこのためにはうがひの勵行が好ましい、これは丁度全身がつかれた場合、よごれた場合に入浴をするやうに口もうがひといふ風呂に入れるのです、また義齒を入れてゐるものは每回食後には外して洗ふくらゐにつとめる必要があります。

手當としては出來た場合は家庭的には硝酸銀で燒くとかヨードチンキを塗るとか或は風邪で

咽喉をいためた場合につけるルゴール氏液をつける、しかし全身的の病氣が原因で起きて來てゐる場合の口內炎たとへば白血病などのときはこんなことではなか〳〵治りません、齒槽膿漏の場合なども同じです、かうしたときは醫師の手當を受けなければならぬわけです。（日本齒科醫專教授柴田信博士談）

痛む所の變るのが盲腸炎の特徵

◇原因は暴飮暴食

歐米には『月曜盲腸炎』といふ言葉がある、これは土曜から日曜へかけての休日に暴飮暴食をして月曜日發病することが多いからです、暴飮暴食をすると消化を惡くする結果が、排泄が粗雜になり盲腸のせん動に圓滑を缺くと同時に黴菌の侵入する機會を多くしかつ黴菌に對する抵抗力を弱めることが發病の原因となるのです。

◇盲腸炎と食べ物

盲腸炎を手術すると盲腸の中に大抵糞石といふものが溜つてゐる、これは消化物（または不消化物）が盲腸へ入つたまゝ排出されず石のやうに固くなつたもので、この糞石の原因を作るものには魚の骨、するめ、エビの殼または尾、果物の種、小石（御飯の中の）髮の毛、ガラスのかけら等が多い、食事をする時にはこれ等のものを食べぬやうに注意すべきです。

◇警戒すべき便秘

便秘の人は盲腸炎にかゝりやすい、これは腸內に排泄物が溜まる結果同樣排泄物が盲腸に侵入する機會が多くなるためです

◇症　狀

最初右の下腹部（盲腸のあるところ）が痛むのが先づ普通の筈ですが、事實は胃の周圍、へそ、腹の左部等が痛むことが非常に多いのです、ために專門家でも胃けいれん、急性胃カタル急性らつぱ炎、子宮外姙娠と誤診し勝ちです、胃けいれんがきてその刺戟で盲腸を起すなどゝ考へてゐる人も多いですが、それは最初から盲腸炎なのです、また姙婦は姙娠のための痛みだと速斷して手後れになる場合が多い、盲腸の痛みはだん〳〵痛む場所が變つてくるのが特徵で胃病や婦人病のやうにその箇所だけが痛むのと異なるところに注意して下さい、もう一つは腹部が緊張することで、患部の炎症が甚だしい程緊張の度は強い特に右側の下腹部を注意してなでるとかたいものが出來てゐるやうな氣がします、大抵おう吐を催し食慾不振で便秘する、熱が一度下つて再び上つた時は病勢が惡化したと考へて下さい。

◇手　當

痛み出してから十時間以內に必ず醫者を呼ぶこと、盲腸炎の疑ひがあつたら必ず盲腸の部を冷すこと、これを最初溫めると炎症の度を強くし生命にかゝはることがあります、便秘を伴なふのでよくヒマシ油を飮む人がありますが、これは最も危險で腸の刺戟を強くし盲腸の化膿を破裂させ、腹膜炎を起しやすいのです。

◇早期手術の必要

輕症な方は痛みが二三日から一週間でとまり痛みがとまつてから盲腸の箇所を押すとちよつと痛む程度です、しかし早いうちに手術をして取除くのが最も安全です、盲腸は尾骨と共に人類の進化道程においては一役勤めたものかも知れぬが現在では人體に害あつて全く益なき部分であるのです。（醫學博士杉山仲氏談）

近視の大部分は遺傳性ではない

スイスのスタイゲル博士が、近視は遺傳するといふことを強調して以來、今日では一般にもこの遺傳說が信ぜられてゐるやうです。そのため近視のある年頃の女性は、時に緣遠いといふこともあるやうです。

遺傳關係はない

併し近視が明かに遺傳すると考へられるのは、全體の〇・五%にあたるごく強度の少數者に限られ、多くの場合直接の遺傳關係はないといふのが今日の研究の結果であります。從つて近視を遺傳と結びつけて重大に考へるのは誤りで、寧ろ近視は細かい文字を讀み精密な仕事をする必要によつて生じた眼の文化への適應の結果であると考へた方が至當です。

學生の調査では

近視者は大學生では全體の六

〇%にも達しますが、これら夥しい近視眼者の群の中に果してどの程度に病的なものがあるか最近東大眼科で近視の人三千名について調べたところ、八五%は屋內で仕事をするには却つて都合のいゝ輕度（八度）のもので殘り一五%が眼鏡をかけても不自由な病的なものでした。この數字をみても判るやうに、近視の大多數は些して問題とならぬ輕度のものです。

病的近視と豫防

しかし近視も八度以上になると病的となるので、これ以上は度が進まぬやうに豫防策を講ぜねばなりません。それには適度な眼鏡を用ひること、近距離の仕事に際しては採光を十分にして姿勢をよくし成べく卅センチ以上の距離をおくこと、屋外運動につとめ、全身の強化を圖ること—等がすべての人の常識として實行されねばなりません。（東大醫學部長醫博石原忍氏談）

甘えッ子對策

子供の成長に應じたお母さんの態度

心理的離乳は何故必要か

法大講師　波多野完治

子供は誰でも七八ヶ月から一年の間に離乳します。これは滿一ヶ年前後となると母乳がそろ〳〵榮養に合はなくなり、それだけでは却て子供の發達を阻害するやうになるので、母乳の代りにおまじりや牛乳や林檎のお汁やおかゆを與へて子供の成長を助けなければならないからです。

精神の方にも丁度これと同じ事があります。心理的の離乳は生理的の離乳と違つてその時期は滿一歲から滿十四歲に涉つてゐます。その第一期は滿一歲の生理的離乳と同時に始まります。

生理的離乳は是非必要なものですが往々子供に甘い母親は四つ五つになつても乳房を與へたがる。

こんな子は大抵我儘でその癖友達の中へ入ると意氣地がない。つまり赤ん坊の生活がとり切れて居ないので、性格までが意氣地がなくなるのです。然し子供は概して大人と同じ物を食べる事を喜ぶ性質があり、うまくやれば離乳を嫌がる筈はないのですからこの時期にキッパリ離乳をする事が身體、精神兩方面から云つて大切な事です。第二期は滿三歲前後。この頃は子供は何でも自分でやりたがります。玩具を持つたり、小道具のネヂを開けたり、色々の事を自分でしたがりますが、この時母親が氣を利かした積りで手傳ひ過ぎると、心理的離乳は困難になります。

成程子供は玩具をいじるのは下手ですが、下手は下手なりで面白いのですから、其度に手傳つて折角の子供の獨立心を摩り減さない樣に注意する必要があります。

女中をつけて遊ばせる場合等は殊にさうです。女中自身お守は樂な方がいゝから、サッサと手傳つて遊ばせてしまふ、女中任せの子に獨立心がないのはかうした理由からです。次の第三期は滿八、九歲。この頃の子供は遠出を好み、ガラクタでポケットをふくらまし、手足を汚し、洋服を裂いて歸つて來る。

この時母親が心配の餘り叱りつけたり、外出を禁ずるのはよくない。

第四期、青年期の始めは心理的離乳にとつて一番大切な時期で、この頃子供は自分を一人前と感じ出し、自分の判斷に從つて行動し、どんなよい注意

でも親の教へて呉れた事だと氣に入らなくなります。母親から見るとこの時が一番危險に見え、ハラハラしてジッとして居られない。

然し、子供の判斷が危いからと云つて、何時も親の判斷にばかり賴らせては一生赤ん坊で過さねばならなくなります。

昂じると新婚旅行にさへ母親と一緒でなければ嫌だなどと云つて、母親を當惑させる息子も出來る位です。一人ツ子、末子、女姉妹中の一人息子、年老いて出來た長男等の心理的離乳の困難もかう云ふ所から起ります。若し眞に子が可愛いなら餘り世話を燒きすぎず却て之をつき離す氣で子供の獨立、人格の完成に助力するのが親の責務ではないかこの點への反省が非常に大切です。

子供の導き方を誤つてはゐぬか？

—幼兒に甘く——青少年に辛く— は間違つてゐます

下田靜志

或る一つの例

蓄音機をかけることを覺えた男の子が、お客さまの座敷で次から次と何枚もレコードをならした。初めは客も父親も「お上手だね、お利口ですね」と褒めてゐたが、餘り繰返されるので話は出來ず、退屈にもなつて了つた。

「さア向ふの座敷でおやり」と、兩親は云ひつけたが、大勢のゐる前で遊びたい子供は云ふことを聞かず、蓄音機が隣室へ運ばれるのを見ると矢庭に泣き出して了つた。「あゝ泣かなくてもいゝよ。さア、ではこつちでおやり」兩親は子供をなだめ乍ら再び機械をもとの座敷へ戻して子供を遊ばせ續けた。

幼兒に甘くは逆

事柄は異つても、之れと同じやうな有様はどこの家庭でも度々見られることです。子供に泣かれて再び元通りに子供の要求を滿たしてやるならば、向ふで遊びなさいなどと云はぬ方が餘程いゝのです。

五、六歳の子供でなく、之れが中學生でゝもあるならば、兩親は大聲で怒鳴りつけるだらうと思ひます。幼兒には甘く、少青年には嚴しく—といふのが普通の家庭の導き方です。併し私達に云はせれば、之れは全く逆で、幼兒には嚴しく、少、青年には甘く—でなければならないのです。

少、青年には甘く

思慮分別の出てきた者に嚴しく口やかましくすることはその少、青年が外向性の者であれば猛烈に反抗心を起して反撥するし、内向性の者であれば意氣沈滯して自信を失ふ結果を招くだけです。

幼兒を叱ることは勿論いけないが、守るべきこと、實行すべきことは必ず嚴重に勵行させねば、成長してからも身のまはりのことすら出來ないものとなります。

服從する習慣を

石蹴り、縄跳び、鬼ゴッコ等の子供の遊戯をみてゐますと、線を踏んだからいけない、石が外れた、手が觸れた—と、遊びの道德を極めて嚴重に子供達は守つてゐます。誰がきめたといふのでもない規則を無上のものとして、嬉々としてこれに從つてゐます。道德、規則を無視しては子供の遊びが成立たぬからです。これは子供に從ふべきものには從ふものだ—といふことを明かに示すものです。

兩親、先生は幼兒にとつてはこの上ない偉い者で、その言葉、行動は凡て大きな力を持つてゐます。自分のことは自分でしなさい、いけないと云つたら止めるのですよ……と、云ひきかせれば幼兒は必ず守る筈です。幼兒時代にあまやかしておいて、成長してから叱りつけるのは最も劣惡な導き方です兩親方はこの錯誤を犯してはゐないかどうかを檢討してみるべきでせう。

賀川豊彦氏

『死線を越へる』まで

村島歸之

三、父賀川純一氏の人となり

賀川家は阿波十八ケ村の大庄屋の家柄で、代々名主を勤め、名字帶刀を許されてゐた。豊彦氏の祖父盛平氏は阿波一の大川、吉野川のあの美しい流域に、四間に十二間及び二十四間に五間といふ大きな二つの藍の寢床を持つてそれが明治まで續いた。

賀川家からは代々傑物が出た。元祿の頃、十八代賀川嘉右衞門は憐みの心深く、他國から流浪して來たとか、遍路の途中、病氣になつた者などの面倒を見てやつた不幸にして、知らぬ他國の空でその儘死んだ者などは、懇ろに弔ふてやつた。中には名主として公儀を憚らねばならぬやうな者の最期を見てやつたことさへあつた。現に賀川家墓地の中にはそれらしい、全然、素性の判らぬ者の墓碑も殘つてゐる。

豊彦氏の父君、純一氏は、嘉右衞門を凌ぐ人材であつた、名字帶刀を許された家柄でも士分ではないため、學問をすることも憚かられて、純一氏は幼時から博覽强記善き素質を持ちながら、これといふ正式の學問を修める機會に惠まれなかつたが、それでも全くの獨學で一人前のところまでやつてのけた。

純一氏には兄弟が十人あつた。そして長兄を除いては皆それぐ阿波や大阪の豪家へ養子に行つた。森家の養嗣に行つた弟などは數十萬の財産を承け繼ぎ、德島の多額納税者の一人となつた。

純一氏もまた養子に來たのだが、年少、明治維新に際會し、政治革新の渦卷の中に青年となつて、その志は家業の藍問屋などになく、政治の方に向つてゐた。時、恰かも隣國の土佐では板垣退助等の自由民權運動が起つてゐた。俊鋭純一氏がその影響下に立つことに何の不思議

もなかつた若しその儘で進んで行つたら、氏は自由黨の黨員として明治の議政壇上に勇ましき活躍振りを見せてゐたに違ひない。

しかし、純一氏は板垣退助等自由民權派の人々——特に第一帝國議會の議長を勤めた中島信行氏等と深い親交を持つたまゝ、氏は民權運動とは別の道を歩んで行く運命だつた。

純一氏の才華は、舊德島藩主蜂須賀茂韶侯の認むるところとなり、公が、藩知事を任命された時、擢んでられて、大屬官となつた。大屬官といふのは、今の總務局長のやうな位置であつた。

茂韶侯は藩知事をやめて後、明治五年から十二年へかけて英國に留學し、華冑界の新知識として渴仰を受け、後には駐佛公使や貴族院議長、文部大臣、樞密顧問官等に歴任した人物だつたが、當時、讃岐、阿波兩國にわたる縣治に身を入れるといふことをせず、事務方面は殆んど賀川大屬官に委せ切りであつた。

今でも香川縣は小作爭議の名所であるが、明治初年にも屢々百姓一揆が起り、有名な讃岐の一揆の際には、賀川大屬官は蜂須賀知事の代理として竹槍の林立する中に臨み、よくこれを鎭撫したといふ。後年、豊彦氏が農民運動の生みの親となつたのにも何かの因縁なしとはしない。

純一氏は官は一大屬官であつたが、事實は知事の仕事をしてゐた。豊彦氏は少年の頃「あなたのお父さんは縣令のやうなエライ人でしたのじや、あんたも、お父さんに負けずにエライ人にならんといかんぞい」と人から言はれたといふが、父純一氏はその通り、なかなかの傑物だつたのである。

その後、地方官を辭して中央に出で、元老院權少書記官となつた。犬養毅、尾崎行雄兩氏も當時は統計院權少書記官であつた。

けれども、萬事に規則づくめの役人生活は純一氏の性には合はなかつた。氏は間もなく官を辭するやうになつた。否辭しなければならなくなつたのである。

純一氏は官吏となつてゐても、決して去勢されてはゐなかつた。心には常に自由民權の思想が、力强く脈打つてゐた。純一氏が德島にあつた頃、民權運動の先輩であり、明治十四年、自由黨結黨當時の副總理であつた中島信行氏が二十年十二月發布の保安條例のため東京を退去することを命ぜられ、横濱市外太田村に卜居してゐたのを氏は屢々訪れては國事を談じた。こんな事は現在から考へると何でもない事のやうだが、その頃は未だ朝野の對立激しく、官吏の身を以てして國事犯人に類する者を

訪問するなどゝいふことは、到底許されないことであつた。果然、純一氏は上司から爾今、中島氏を訪ふてはならぬ旨を言ひ渡された。氏は尻の穴の小さい官僚の生活に厭氣を生じ、その儘辭表を敲きつけて官界から足を洗つて了つた。こんなところにも豐彦氏の父君らしい人となりを見ることが出來やう。

官界を去つた純一氏は、再び民權運動は着々効を奏し帝國の憲政はその緒についてゐて、最早昔日の如き建設的努力を要しないからであつた。純一氏としては人の努力で贏ち得たものに中途からこれに便乘するが如きことは潔しとはしなかつた。

氏の眼光は國内から遠く中外に向けて開かれてゐた。それも徒らなる歐化運動は氏の組織するところではなく將來の日本——世界の日本を建設する基礎として經濟的工作をなす必要があるとし、自らその開拓者たるべく、昨日の官員さまから、今日は横濱商館の一兩替屋へと思ひ切つた飛躍を試みた。

誰も彼もが官途に望みを持たうとする時、卒然として志を替へて一商人に轉向しやうといふには、餘程の決心がなければならない。と同時に、これだけの飛躍を敢て行はうといふからには、餘程、人物がしつかりしてゐなければ到底爲し得るところではない。純一氏は、その一事を以てしても、尋常一様の刀筆の吏でなかつたことが知れる。

維新草創の際、經濟の重要性を認めて、率先商人となつた者に山城屋和助があるが、これは御用商人で、純粋の商人とはいへない。多分、純一氏が見て以てこれに倣はうとしたであらう一人の先覺がある。それは「天下の糸平」の名を以て知られた勤王實業家田中平八である。

田中平八氏は清川八郎、伴林光平等と交はつて國事を談じ池田屋の變には長州の志士吉田稔磨の書を携へて下阪し、筑波山一擧の際には那珂港の戰に參加し、明治元年甲州路勝沼の戰には官軍のため間道を指示して戰捷の因を作り、五月彰義隊討伐にも官軍に參加した人物であるが、夙に經濟方面特に海外貿易に着手して舊幕時代早くも洋銀賣買をやつて資金を得、横濱爲替事務、生糸貿易事業、横濱水道瓦斯等、横濱港の商業の隆盛のため、平八氏の致した力はまことに大なるものがある。明治六年からは更に東京に進出して蠣殼町中外商行會社、金穀相場會社、兜町米商會所の首腦となり、十六年八月に年五十で歿した。

純一氏は一官僚、一黨員たるよりも、むしろ天下の糸平の如くならうとしたのであらう。氏が天下の糸平がやつたと同じやうに爲替業から手をつけ出したのでもその

邊の消息が窺はれる。

純一氏はその後、横濱よりも郷里德島に近い兵庫の開發を計畫し、又、海國日本の發展のためには、まづ海運を盛大にする要ありとし、郷里の先輩近藤廉平氏が岩崎彌太郎の懷刀として三菱汽船を提げ太平洋汽船會社とその航路を爭ひ、又共同運輸會社と爭つて、つひに今日の日本郵船會社の基礎を作るに至つた際には進んで近藤氏を扶けて奔走するところがあつた。そして郵船會社の成るや自らその神戸の荷客取扱所を引受けて一運送店の主人となつた。

何といふ思ひ切つた、人の意表に出る行き方をする人物であらう。これも一つの「捨身」である。豐彦氏が肺患を抱いて貧民窟に飛込むに至つたその思ひ切つたやり方は、父君の遺鉢を繼いでゐるものともいへやう。己が所信を行ふに當つては、成敗利鈍や人の毀譽褒貶を顧みることなく、斷乎、その目標に向つて驀地に勇往邁進するところ、この父子は全く共通點を見出すのである。

純一氏が神戸に運送店を置いてゐるのに拮抗し、兵庫港により多くの重點を置いた爲めである、純一氏は神戸の一大知己である。神戸と神戸市民は賀川純一の名を忘れてはならない。

四、寂しい日蔭の子豐彦君

純一氏は尋常一様の人物ではなかつた。平凡な誰でもが歩む道を歩むことは、氏の快しとしない所だつた。それだけに、氏の前にはいつも坦々たる大道は拓かれずに常に荊の道が續いた。

かうした行き方をする人に得てして有り勝ちな放蕩の生活を、氏もまた生活してゐた。その頃は政治家を始め社會の上層に位する人はみな放埒な生活をすることを自分達の特權の如く考へてゐた。大臣とか大官とかいはれるやうな人々は、待合や妾宅から役所に通つて恬として恥ぢなかつた。大官の常宿の濱町あたりの待合の門前には、いつも大官たちの乘馬が繫がれてゐたといふ程である。豪腹な純一氏もまた多分にその傾向を持つてゐた。

純一氏は養子の身分であつた。德島には家付きの娘がゐた。氏はその妻を愛しない譯でもなかつたが、窮屈な家庭の外に、羽を伸ばして享樂することの出來る安息所を求めて一人の美しき歌姫を妾とした。それが豐彦氏の母上であつた。

圓らな眼なざし、きりつとした口元——それは、豐彦氏に生寫しの美しさだつた。「母はうちの梅子によく似てゐましたよ」と、氏は語つてゐる。

純一氏との間には、四人の男の子と、二人の女の子が生れた。豐彦氏は二男で、上から三人目に生れた。父君

の血を引いて皆、頭腦の善い人たちだつた。父君は放蕩な紳士ではあつたが、酒豪ではなかつた爲めに、アルコールに蝕まれた惡質は遺傳してゐなかつたのである。これは今日の賀川氏の在る所以で、世界にとつても、日本にとつても幸ひなことであつた。

兄弟はみな俊才揃ひだつた。氏の次弟永井益慶氏は嘗ては大阪で肥料問屋を營み、一時は獨力百萬圓の會社を組織するまでに盛大であつたが、歐洲戰後の財界恐慌で一敗地にまみれ、現在は某會社の課長である。益慶氏の次の賀川敬喜氏は海軍に在る頃、下士の身を以て特別なる信號を發明し、今も賀川の賀を取り『カ式信號』として海軍において使用されてゐる。その後、商船學校の課程も踏まずして、船長の資格を獲得し、現に支那方面の海運事業に活躍中である。

たゞ氏の兄のみは父君の放蕩の血を承けついで、頭腦はよかつたが、十六の頃から酒色に耽り、一時は七人の女を持つてゐたほどの蕩兒だつた。そしてこの放埒な生活のために、大成することなく若くして長逝した。

實母は豐彦氏の五歳の春、三十三歳の若さで、美しき瞳を永久に閉ぢて了つた。そして「母なき子」となつた豐彦少年は、その生誕地であり、幼時の思ひ出深い兵庫島上町の家を離れ、二人の弟と一人の妹とも別れて、兄の引取られてゐる德島の義母の許へ姉と一緒に引取られて行くことになつた。

その日は兵庫の港に六甲颪が寒く吹き荒れてゐた。氏は姉と共に德島行の船の甲板の上に立つて、棧橋の上に殘る三人の弟妹の姿を今にも泣き出したい氣持でいつまでもいつまでも見入つてゐた。幼き日のその別れの辛かつたことを四十數年經つた今でも思ひ出すと胸が痛くなると、氏は語つてゐる。

もちろん、德島の義母の家の生活は、豐彦少年にとつて決して樂しいものではなかつた。義母にとつては自分の腹を痛めた兒でないのみか、良人の愛を奪つた妾の子である義母が愛をもつて氏を包む筈はなく、いつも「お前は藝者の子だよ」といつて豐彦少年の心を傷めさせた。

たゞ彼を慰めるものはといへば、阿波の自然だけだつた阿波の北部山脈の裾野に近い東馬詰の平原の小川で、田螺で蝦を釣つたり、壞れた瓶に、自分が掘ですくつて來た鮒を飼つたりするのが一番樂しみであつた。小溝の流れと、めだかの行列と、菱の實と、樫の葉のそよ風に搖る音が、最大の慰めだつた。

だが、阿波の自然は明るくても、足一歩、家に歸ると豐彦少年の心は、途端に暗くなるのが常であつた。

豐彦少年は幼時から頭がよかつた。それに、名門の子

といふことも手傳つて、學齡にも滿たぬ滿五歳の春、早くも尋常一年に就學した、なさぬ仲の義母も、悧潑なこの兒の將來を期待してゐた。

だが、日陰に生れた少年は、兎角、健康狀態がよくなかつた。七歳の時には赤痢に罹つて永らく休學しなければならなかつた。そしてこんなことがいよ〳〵少年の心を暗い方へ〳〵と導いて行つた。

十一歳になつて、少年は禪寺へ孟子と論語の素讀に通はされた。しかし、それは文字を知るよすがとはなつても、少年の心の扉をひらく鍵とはならなかつた。

氏は後年、或る集會で、青年達を前にして、その當時のことを次のやうに物語つたことがあつた。

私の父は、藝者であつた私の母を妾としてゐた。私の母の系圖については知らない。私はそういふ家庭に育つたのだから、自分もその道に行くだらうと思つてゐた。禪宗の寺で、論語と孟子の教を聞かされて、聖人になれ君子になれと教へられたが、私の血の中には君子の血筋はなかつた。これ等の書物は實に厭な感じを私に與へた。家は淋しいし、藏の中には淫本が澤山ある。さういふ家庭にあつて、神聖なる教育を受けなかつた私に、論語と孟子の教は役に立たなかつた、これは駄目だと思つた。私の兄は七人の妾を持つた多淫な生活をしてゐた。私は中學へ行くのに藝者の家から通つた。兄は放蕩だし、私も藝者の家から學校へ行つてゐた位だから私もまた沈沒するだらうと思つてゐた。藝者の家には佛壇もあり、神棚もあつて、朝々鹽をまき、盆には美しく飾るが、さういふことは別に魂に關係がなかつた。私の魂はいつも泣いてゐた。

やがて氏は縣立德島中學へ入學した。通學の便宜から、德島市の伯父の家に預けられた。

伯父の家は、阿波指折りの豪家ではあるが、極めてつつましやかな生活をして、常に一汁一菜、魚肉が食膳に上るといふやうなことは、何か喜びごとでもある時に限られてゐた。

發育盛りの少年にはそれで十分の榮養が攝れる筈はなく、その上寂しい日蔭の子が、さらに居候の生活をするのである。精神的にも榮養は常に不足した。

中學生豐彦君は、圖破抜けた秀才だつたが、一面においていつも涙ぐんでゐるやうな多感な少年だつた。

十二歳には大患に罹つた。十四歳にはそれが結核であると診定された。醫者は「中學を思ひきつて退學して、田舍で十二分に養生しないといけない」といつた。でもその田舍へ歸つても、彼を温く包んでくれる母の懷はなくて冷たい義母の眼があるだけである。

氏は引つゞいて中學へ通つてゐた。

十五歳の春、氏は兄から英語を勉强することを勸められて、恰度、その頃德島の町に說敎所を持つてゐた宣敎師ローガン、マヤス兩氏の許へ通ふやうになつた。それは最初は單に英語を學ぶためであつたのだが、彼はそこでゆくりなくも、更らに〳〵大きなものを學んだ。

初め說敎所への來たてには未だ彼はよくメソ〳〵と泣く少年だつた。しかし、少年の身の上を知つてゐるマヤス先生は「泣くな」といつて叱りはしなかつた。

或る日、英語を勉强してゐた豐彥少年は何を思ひ出したのか、またメソ〳〵と泣き出した。するとマヤス先生は「こつちへおいで」といつて彼れを戶の外へ連れ出した。外は、もう暮れが近いので、鴉が啼きながら塒へ歸つて行つた。夕日があかあかと山の端を染めてゐた。

先生は彼の顏を、夕日の方へ向けて立たせた。そしていつた。

「賀川さん、あなたの顏の淚を夕日で蒸發させなさい。そしてすつかり淚が乾いたらまた英語の續きを敎へてあげますから」

豐彥少年は、マヤス先生のそのやさしい心づかいに感動して、もう泣くことをやめた。そして一生懸命に英語を勉强した。

胎教に就いて（三）

文學博士　下田次郎

「此仁齋翁妻姙娠の時、毎夜毎夜先生孝經並に聖經賢傳の佳書等を讀みては、是れを講讀し聞かせ給ひしとかや。されば生れし子東涯先生にして、博識の君子、世以て知る所なり。

この胎教も、これも人の語りしを感じて記す。」と或書に出て居ります。

明治の大儒中村正直先生の兩親は、始め子無きを憂ひ、一日母、香華院なる江戶大塚本傳寺に詣り、男子を擧げんことを禱る。

旣にして姙めることあり、月滿ちて產まれたるは、卽ち先生であつたといふ。古來英傑の士にはかゝる例があつて、神佛の申し子とせられた者がある。これは子を擧げんことを禱るほどであるから、姙娠しても兩親とも心を純潔に保ち、愼しみ深く生活したので、自ら胎教の趣旨に叶ひ、立派な子が生れたのであらう。

原胤昭といふ人は、惡事をして懲役に處せられた者が監獄から出て來たのを引取つて、世話をして、正心に歸らしめ、正業に就かしむる事、卽ち出獄人保護事業なるものを、三十年以上もして居る人でありますが、この人が長い間出獄人を取り扱つて見て、彼等の惡人になつたのは、何よりも第一に母が良くなかつた事を實地から澤山に知り「母と子」といふ本を書いて居られますが、その中にやはり胎教の事が出て居ります。

「世間一般の人は、人の性質とか、性分とか云へば、自然任せ、天任せで、とても人間業のものでは無い、殊に性分と云へば、產みの親は全く關係の無いもの、父母の不調法は無いものと思ひ、加之惡い子を持つた人は、寧ろ惡い子を產ませられたと、天を恨んで居る程のものであります。或人は道理も無い迷の說を信じて、前世の約束だの、罪の報だのと云つて、思ひ諦ら

め、少しも父母の誤謬、家庭の罪過とは思はないで、濟して居る人が幾千もあります。

著者の實驗によりますと、確に善い子を產むも、惡い子を產むも、强健な子を生むも、弱いなよ〳〵した子を產むも、全く父母其の者の心得方一途にあると認めます。大酒家の子供が病身で、妾のある家の子供が放蕩で女狂ひをする、賭博遊びをする人の子が不正直であると云ふことは、今では大概世間の人も知つて居る事柄ではありませんか。

茲に又妙な事實のあるのは、三人四人とある子供の中に、一人突飛に惡い者があり、前後の子は立派な紳士淑女である。これが同父同母の實子であつて、如何して斯樣も相違ものが產れたか、さても〳〵性分は不思議なものだ、性分だから仕方が無いと諦めて居る事があります。併しこの諦めは確に謬見です、矢張り父母の所爲でございます」

と言つて、原氏は左の如き例を擧げて居られます。

一、兄は大惡人、弟は高等官吏　ある日の夕、一人の紳士が原氏に遇ひたいといふので、遇つて見ると、かねて知面の紳士であつた。

紳士の面目なげに內密に話すのを聞くと、豈計らんや、二三日前原氏の收容した前科强盜放火五犯といふ難物の出獄人は、その兄であつた。どうしてこんな大惡人の兄が生れたかと、段々調べて見ると、父が維新前金物で、立派な役人であつた時、酒に、女に、放蕩をして居た最中、迎へた妻に出來たのがこの兄であつた、

つまり嫉妬やら、心配やらで、新婦が心を惱まして居る絕頂に、飮倒れ、醉つぱらひの、醉中の胤を宿したのが、この兄なる大惡人であつたのであります。これに反して、維新後一家が故鄕に移住して、土地開墾の業に就き、正直に勤勞して、夫婦睦しく暮して居た時出來たのが、この弟の紳士であつたといひます。

二、兄は良、弟は不良、末弟は最良　呉服商で繁昌して、睦しく溫き新家庭に始めて生れたのが兄で、これは性質が良い。その父が企業に急り、全然競爭に失敗して、身代も、名譽も、友人も失つて、煩悶苦痛の最中、そして母も怨みと、羨みと、貧乏とに心を惱ましゐたときに出來たのが次男で、これは不良であります。その後、家產を復し、一家親睦平穩和樂の時代に受胎り、生れたのが最良の三男であつたのであります。

三、長は餝屋、次は大泥坊、末は大番頭　維新の改革に家祿を失つた士族が、手習師匠を始め、大層評判がよくて、弟子も澤山取れた頃、妻を迎へて、老母と共に、一家が平和と喜びの中に暮らして居た時、擧げたのが長

男で、これは後に餝屋になつた、その後、小學校が出來て、手習師匠の廢れるに及んで、貧乏と、姑の不和のために、夫は面白くないから、外で遊ぶ。益々貧乏と一家の風波はひどくなる。その頃に生れたのが次男で、後には竊盜八犯といふ惡人になつた。その後夫は巡査に採用せられ、品行方正で、家庭は質素儉約に、夫婦和合して、和氣靄々裡たる時に受胎つて、溫き父母の手に育てられたのが、三男でこれは丁稚より仕上げて、商家の大番頭となり、妻を迎へて裕かに暮し、老母に孝養して居るさうです。

これらの實例からして、原氏は次の如く言ふて居られます。

「讀者よ。貴方に今すでに、三四人の子供衆あらば、獨り靜かに考へて見て下さい。その性質と見るべき彼の子供等の心意が三人が三人異なる狀態のある事を見出すでありませう。而して自己卽ち產の父母が其の子の受胎る頃より、三歲四歲に育てる迄の時代に於ける父母相互、親愛の濃薄、心意の正邪、境遇の浮沈、一家の盛衰などを、細かに考へ出して、之を對照して御覽なさい。他人には云ふを憚る事ですが夫婦間には左樣だ、左樣だ、此の子果して彼の時代の寫眞だ、彼の子、確に彼の時代の產物だと思ひ當る事實を認める事が出來るものです。果して其處に思ひ當る事があつたなれば、その結果を獨り子供の罪にのみ冠らせては、可哀相ではありませんか。深く顧み思ふて、改良の責をその父母も背負ひ、前後策を考へて遣らねば不可ません」

自分は原氏の意見は尤も至極であると思ひます。固より生れた後の家庭の狀況、父母の敎育の仕方、境遇の如何等が、子供を良くし又は惡しくするに、與つて力あるに違ひありませんが、母の胎內にある時に受ける影響の大なることは、疑はれぬのであります。これ卽ち胎教の忽せに出來ぬ所以であります。

西洋にも斯る例はあります。少しく西洋音樂に趣味を有する人は、モツアルトを知らぬ者はありますまい。モツアルト胎內に居た時、母は非常に音樂を好んで、熱心にやつて居りました。そして生れたのが、この墺國の大音樂家であります。然るに、その後音樂をやめてから出來た次男は全く樂才を缺いて居たといひます。獨逸にバヘといふ一族があつて代々多くの音樂家を出しましたが、これは遺傳ばかりであるまい。一つは姙娠中母の聽く音樂が、胎兒に影響したのであらうと、考へる人もあります。又佛國の有名な作曲家グーノーは、その自傳に「我が母は確に、乳ほどに音樂を我れに吞ましめたり。

母は唱歌せずして、我れに哺乳せしめしことなし」と言つて居ります。これは生れ落ちた後の事でありますが、胎内に於ける音樂の影響についても、多少の暗示を與へるものと思ひます。

八、文學に現はれたる胎教

一、ホフマンの「スキュデリー孃」

今から百四十年程前に、巴里にカルヂヤツクといふ一人の錺屋が居りました。當時巴里は勿論、恐らく世界に於てこれほどの錺屋はないほどの名人で、胸飾、首飾、指環、何でも、この人の手に成つたものは、實に立派な出來で、そして勞力を厭はず作る割りに工作料が安いので、立派な寳石を持つて來て、仕事を頼む者が多くありました。唯この人の妙な癖は、約束の日が來て、出來上つた品物を渡す時には、如何にも惜し相に、渡しにくがつて、何とか角とか言つて手許に置かうとする。それでも先方が强硬に談じ込むと已むを得ず渡しはするが、その時の不機嫌と厭な顏といつたらない、それで王や王妃などから御用を命ぜられると、拜むやうにして御斷りするのであつた。

當時巴里に不思議な犯罪が行はれて貴重な飾を身に附けて居た紳士淑女がよく殺されて、その飾を持つて行かれた。一昨晩は誰がやられた、昨夜は何某がその犧牲になつたといふので、巴里市中は恐慌を起して居る。警察では何とかして犯人を捕へようと苦心するが、どうしても捕まらない。現にやつて居るところに出遇つて、追つかけたが、犯人は何處へか消えて仕舞つたこともある。

かゝる程に錺職の名人カルヂヤツクも短劍で刺されて殺された。疑ひは弟子のブリツソンに掛つて、拘留せられた。この弟子が拘留せられてからは、恐ろしい兇行は全く跡を絶つた。いよ〳〵憎むべき犯人は、此奴に極つたとなつた。然るに、ブリツソンは犯人は自分ではない、一度内々でスキュデリー孃に話したい事があるから面會さして呉れといつて、許を得て、孃に秘密の話をした。この人は、詩人で當時の王及び王妃にも御覺えめでたく、宮廷にもよく出入せる中老の婦人で、カルヂヤツクが生前好意を表し、又ブリツソンの母親が、大恩を受けた人である。

ブリツソンは、或時偶然の機會でカルヂヤツクが、虎の如く飛び掛つて、一人の士官を道に倒した現場に出會つて、これまでの恐るべき犯罪は豈計らんや、師匠のカルヂヤツクであつた事を知つた。しかし、弟子は師匠の娘を愛して居たし、又師匠の一種の力に壓されて、そのまゝ過して居る中に、或夜例の如く、カルヂヤツクが一

人の士官を倒さうとして、反對に倒されたのであつた。カルヂヤツクの家には、これまで取つた飾の寳物が澤山あつた。カルヂヤツクが弟子に見つけられた後、或時次のやうに白狀したといふ。

學者は婦人の姙娠の時、外から受ける感動が腹の子に驚くべき影響を及ぼすことについて、色々言つて居るが、自分の母に就いても變つた話がある。自分が生れる數ケ月、前離宮で盛大な祝宴が催された時、他の婦人と一緒に母も行つたのである。其時、スペインの服裝した一人の士官が、首の廻りに寳石の鎖を懸けて居るのに、目が留つて、母はそれが欲しくて、たまらなかつた。數年前母がまだ娘であつた頃、その士官は母に結婚を申し込んだことがあるが、拒絶された。今見ると、ダイヤモンドを光らして、高貴の樣は、まるで別人のやうである。士官は母の樣子を見て、ツカ〳〵と母の方へ近づいて來た。母はその美しい寳石の鎖を攫んだ。その時どうしたことか、卒中ででもあつたか、士官は突然倒れてそのまゝ死んで仕舞つた。この精神の激動のため母は病氣になり、一時は心配されたが、やつと活つて生れたのが自分である。しかしその瞬間の母の精神の激動が自分に影響したのである。それで子供の時から、寳石や黃金の飾が好きでたまらず、機會さへあれば、盗んだりして、親から酷く罰せられた事も度々であつた。そんな事で、自然に寳石や黃金を取り扱ふことを覺え、一所懸命にやつた結果、遂に一といはれる錺屋になつたのである。

かうなると、暫く抑へつけて居た天性が、また頭を擡げて來て、錺の細工物が出來て渡すと、不滿と不愉快で眠ることも出來ない。そして夜も晝も錺を受取つた人がそれを附けて、自分の目の前に立つて居るやうに見え、そして「これはやはりお前の物だ、取れ取れ、死人にダイヤモンドが入るものか」といふ囁きが聞えるのである。

カルヂヤツクは斯の如く告白した。それから後の事は前に記した通りであります。この話は、獨逸の有名なる作家ホフマンがその例の深刻な、そして不氣味な調でもつて書いた小說「スキュデリー孃」の大要であります。この話は固より想像の作物に過ぎませんが、胎敎の力といふ事について、考へさゝずには置かぬものであります。

目・耳・鼻（四）

ツカダ・キタロウ

三八 幼兒敎育

「幼兒童話」と銘打つた本誌に、肝心の幼兒童話に關する記事が尠いので、甚だ恐縮して居りますので、前記「子供の世紀」に執筆した「忘れられた敎育」（その五）を再記させて頂きませう。

義務敎育が八年制に延長されると聞いた時に私は、幼稚園敎育を加へればよいと申し、敎育家に非難されたのでありますが、今日の「幼兒敎育」ほど、忘れられてゐる敎育問題はないと思ふからであります。

と言ふと或る人々は、今日の幼稚園は飽和狀態であるかの如くに申しますが、それは私立幼稚園の經營上から論ぜられる言ひ分であつて、決して幼兒敎育の本體からの議論ではありません。つまり是れ以上幼稚園が出來ては、園兒が減少して、經營が困難になるからと言ふ、園主又は園長の收支經濟に立脚した言ひ分なのです。

それはとにかくとして、現在では公私立とも幼稚園に子供を通はせてゐる親達の考へは、その大部分が家庭的の體裁か、邪魔にならぬ樣にとの事情かゞその理由であつて、幼兒の事情を考慮されて居る事は尠いのであります。

從つて、幼稚園の敎育方針も幼兒自體の敎育、滿足よりも、兩親の滿足喜悅を主としてゐる樣な場合が多く、お遊戲一つにしても、コドモ會に出演して拍手を得る事を目的として敎へられ、手技にしても、親達へのお土產として喜ばれるものが、數多く選ばれるのであります。

それですから、遊戲にしても手技にしても、敎育上最も大切なる部分——即ち完成までの過程——これが忘却されてゐて、出來上りのみを重視して居る有樣であります。極端に申すならば、今日の幼稚園敎育の多くは、保姆の仕上げた手工をお土產に持ち歸へる有樣で、親と保姆とで、幼兒を愛玩用或は又觀賞用の兒童に育てあげてゐると申しても過言ではないと思ひます。

「せめて幼稚園にゐる間だけでも、幼兒達の思ふ存分に遊ばせ歌はせ、元氣一杯に伸び〳〵とさせてやりたい」

とは私の尊敬する神戶幼稚園田中園長の言葉でありますが、幼稚園で家庭より以上の躾を施してゐる幼稚園が數あるのには驚く他ありません。

今日の幼稚園を大別すれば

①躾を嚴重にして、幼兒を畏縮させてゐる幼稚園
②幼稚の自由に放任されて、少しも保育が行はれず、園兒は我が儘一杯に暴れてゐる幼稚園

この二種に歸着する樣です。そして私は、その何れもが幼兒敎育上由々しき誤りであると信じます。

「保姆の顏色をうかゞふ」園兒のゐる幼稚園やら保姆がどなつてゐる樣な幼稚園で、幼兒敎育は完成するとは思へません。

「子供をのび〳〵とさせてやりたい」
「のび〳〵した子供をつくりたい」

私はこの意見に滿腔の敬意を表すると共に、高い月謝を拂つてまで、子供達を「大人」にしたり「見世物」にしたり「叱つたり」する必要のない事を斷言します。

吳々も忘れてはならぬ敎育問題の第五は、この「幼兒敎育問題」であります。

以上がその大意であります。つくさぬ處は、「談話法」に追つて申述べませう。

三九 子供の空想

私の友人の西谷宗雄君は、京都市で小兒科醫として令名高き一人ですが、「母性愛」と言ふ雜誌を獨力で月刊發行して居る特志家です。その七月號に「お伽噺をきく子供の心」と題して、伊福部敬子さんの「空想の價値」についての一節があります。事後承諾を得る事として、處々拜借して見ませう。

「空想的なお伽噺は子供にきかせるべきでない。といふ說をなす人があります。それは子供に空想する娛しみを與へることは即ち現實逃避の習慣をつけるから、健實な發達を妨げることになると論ずるのです。この說は、或る程度までは當を得てゐるといへませう。が、空想のすべてが現實逃避であるときめてかゝるのは些か早計で、從つて、お伽噺の中にある空想的な部分が、皆子供に現實逃避の傾向を助成すると考へることも早計でありませう。

私は空想は、子供によらず、大人によらず、すべて願望のあらはれであると解釋してゐるのですが（この點夢を以てゐると考へてゐるのですが）この願望が、現實の世界に於て抑壓される場合、觀念の世界で達成しようとする。この場合、逃避的な空想といふことになるのでせう。

ところが、空想はかういふ種類のものばかりではありません。日本人のもつてゐるのでは、あの「花咲爺」なども、實に素晴らしい空想であると思ひますが、これは前に言つた樣な現實逃避ではなくて、反對に積極的建設的な意慾を盛つた空想であると考へます。西洋のお噺では、ロビンソンクルーソーなども、同じ意圖を盛られたものと考へられます。子供の創造性などといふものは、必ずしも今唱へられてゐるやうな生活敎育や勞作敎育と通じてのみでなく、空想的なお伽噺の中にだつて、十分役立てられる要素はもつてゐると思ふ」

これは眞に御尤なお說と存じます。

「健全な空想は理想の母體」と言ふ言葉さへあると聞いて居ります程で「夢のない人生は淋しい」ものであります。人生に「幻」

を見ぬならば、眞に人の一生は無味乾燥なものです。
空想の尊ぶべき所以をお互に教はる事多大であります。

四〇　ロビンソン・クルーソー

ロビンソン・クルーソーであるがこの物語の如きも百年前後に亘つて子供の本の中で、古典としての位置を占めて來た。然し、抑々は誰のために書かれたものかと言ふに、眞面目な大人——例へば、ロンドン市の大商人、英國海軍の水兵達を相手に書かれたものであつたのだから、この本の中には、著者が全力を擧げてゐる。藝術上の全力ばかりでなく、知識、智力、經驗等をも、力の限り用いてゐる。決して所謂「特に子供のために書かれた書物」ではない。それにも不拘、學校通ひの子供の歡喜の對象物となつてゐる。

以上は、有名な佛國の大文豪アナトール・フランスの童話論の一篇の中心點として、小島政二郎氏が其著「コザック騎兵」序文に記されてゐる一節であります。そして、これは、D夫人なる人の、子供の讀物の選擇に對する返書なのであります。

フランスは言葉をつゞけて

「私が屢々オデッセイのいゝ飜譯を少しづつ子供達に讀ませた事がある。誰も彼も皆大喜びであつた。それから「ドンキホーテ」これも思考を必要とする部分を省いて終へば、十二歳位の少年にとつて、この位面白い魂を溺らせる讀物はあるまい。

私の如きも文字を知つて以來、幾度大セルヴアンテスのこの著作をアッチ讀みコッチ讀みしたことであらう。私は熱心に、大セルヴアンテスを愛した。さうして彼の精神の中まで深く這入つて行つた。今日の私が尙所持してゐる心の快活さの如きもその大部分は實に彼に負ふてゐるものと信じてゐる。」云々

メーテルリンクの「青い鳥」にしても、又有名な「イソップ物語」にしても何れも、子供の讀物として著はされたものでない事は、世界周知の事であります。

これは味ふべき言葉であり、又心得べき事柄であります。

四一　お話の處女經驗

これは畏友大塚喜一君の「おはなしの深さ」文中に發表されてゐるもので「話方研究」誌に二回に續いて記載されたものであります。

「今日こそ、私の生涯を通じて、保姆として初めて幼兒の前に立つお話をする門出の日であります。

日曜學校で、子供達にお話をして來たものの、何だか今日の日がうら恥かしい樣な、胸の動悸が波を打ちます。落付いて心配はいらない筈なのに、子供が話して呉れるわよ、子供の眼がれ、さう大塚先生がおつしやつたのに、何でそんなに心配なのでも私は心配です。

さう〳〵ベルが鳴りました。私は急に全身が緊張した樣な氣がしました。友と二人、夢中に走りました。氣がついて見ると知らぬ間に二人の手はしつかりと握つてゐるのです。

子供達が、あの澄んだ目で、あのあどけない顔をほころばせて、私を迎へて呉れた時、下手も上手も側の先生も友も心配も

ふきとんでしまひました。これが夢中といふのでせうか。(先生此所なのでせうか。童心の淸き強き光に打たれたとは)それでも私には、子供達一人々々の顔がはつきりと感ぜられてゐるのです。じつと見つめた子供の目、今日の日まで、こんなにも美しいとは思ひませんでした。「先生お話面白いわ」と私の手を握りに來たマリ子ちやんを見た時、自分はあんなに心配だつたお話をしてしまつたのだ。いゝえ子供が語らして呉れたのです。

そしてお話面白いわえ——とまで。

本當に、本當に、私の心の奥底から、心配ぢやない決して子供におはなしする事は。自分の力の足りない事を本當に安心させて呉れるのは子供である。子供が話して呉れます。私の足りないお話でも、本當に滿足してくれるのです。

そして、子供の眼を見る事によつて、全てを私に話して呉れます。あの夢中だつたお話の一ときが「幼兒の世界」だつたのです。大人の世界の諸事情よりのがれ、子供自らの心の純眞靈の若さに、生きみち〳〵たあのお話の一ときは、私にとつて一生忘れ得ぬ一時となりました。

私は今、淸きのどかな「子供の世界」に遊んだ。あの朝の感激の心をもつて、又再びの日を待ちつゝペンをとゞめます。」

以上がその感想文の一つです。そして大塚先生は

「聽く子と倶に一心に」

を標語として「倶に語る」事を主張して居られます。これは尊い體驗から出た教訓であります。

四二　幸ひの子

「ひとりの親が書いた子供の教育雜誌」との表題で、毎月發行されてゐる「市橋善之助個人雜誌」の名稱であります。

そして毎號教へられる處多大。最近號よりその一端を拜借させて頂いて御紹介申しませう。

『子供の嘘は、だからすべて先生の仕業である。本當の事をいひなさいと子供に教へるのは、嘘のつき方を教へるやうなものである。皆さんは子供達を統御し、支配し、教へようと熱中してゐるが、皆さんの自由になる充分な手段は決して見つからない。(中略)

だから子供を嘘つきにしたいと思つたら、子供にやかましくし子供に思ひ切つて教育的な態度を取り、子供に道德を要求すればいゝのである。だからさきにもいつたやうに、教育家の子供が嘘つきにもなるのである。

とにかく子供にやかましくいへばいふ程子供がよくなるやうにおもふのは迷信だと私はおもつてゐる。反對の結果になる場合もあるのである。」

こんな風に、次から次へと記されてあるのです。そして、今一つ面白い物語があります。

「こないだ遊びにいらした立敎の學生さんから聞いた話が面白い。死なれた基督教徒の內村鑑三氏は「罪から遁れるには罪のことを忘れてゐたがいゝ」といつてゐられたさうだが、なか〳〵の名言だと私はおもつてゐる。そしてこれはひとり罪を遁れる道ばかりでない。病氣を遁れる道であり、子供達を惡化させない道である。なほ此の內村さんの話にはかういふ話がある。「基督教の

研究」といふ雜誌をやつてゐられたが、印刷屋の借金がたまつたので、印刷屋からとう財産差押へをやつた。で、內村さんのお宅へ執達吏がやつて來た。內村さんは原稿をかいてゐられたが、

「あつ、さうですか。私がわるいのです。さあ〳〵差押へをして下さい」

と快く執達吏を迎へた。するとその時おうちにいらつした內村さんのお坊ちやんも執達吏に、

「小父さん。これ持つて行つて下さい」

といつて、その坊ちやんまで自分の持つてゐるものを執達吏のところへ持つて來た。執達吏はこれにはすかつかり驚いて、やがて內村さんのお弟子になつたといふことだが、何といふ惻々として人に迫る物語だらう！

かういふ、內村さん一家の行ひこそ私は英雄的な行ひだとおもひ、內村さんは立派な教育者だつたわけだと私はおもつてゐる。

御紹介ついでに、幸ひの子社は、東京市葛飾郡龜有町二ノ一四五八です。

四三　天使中校

そこで思ひ出すのは、救世軍の出版物で「天使中校」と言ふ小冊子のあつた事です。今著者が手許にありませんので、詳しい事は申せませんが、これは「救世軍中で最もよく働いた一人」として激賞されてゐる。英國の一婦人士官に關する物語りであります。

この著を讀んで、私が一番感じた事は、

「救はれた人を導く最もよい方法は、その罪を忘れさす事にあります」

との、天使中校の主張であります。

そして救世軍はじめ此の種の街頭キリスト教の好んで用ひる處の「證しを立てる話」を、天使中校は好まなかつたのです。「證」を立てる事も必要ですが、いつまでも罪を犯してゐた時分の物語りを得々としてゐる事は、救はれる道ではない。一日も早く罪の過去から離れ去る事が必要で、それにはすべてを忘れさせるのが何より大切である。との考へから回心者を指導して行つた天使中校の考へ方には私は滿腔の敬意を表します。

「酒と煙草を飮まないものには、基督教は必要がないぢやあないか」と路傍說教を批評してゐた通行人のあつた事を見ましたが斯ふ言はせる事は考へものであります。

「恐ろしい罪を犯してゐた私が、救はれて今日になりました」と、過去の罪惡を雄辯にのべたてゝゐる救世軍將兵士の證言を聞いて「私はまだ救はれるほど惡事をしてゐない」と皮肉つた聽衆がありましたが、これもお互に反省すべき事でせう。

酒と疾病

岡山醫科大學々長 醫學博士 田村於兎

酒については色々の見方がある。我々の身體に對する酒の害についても、『惡いものだ』と誰しも考へてはゐるが、其一方には、『多く飮まなければよい』『少しは良い』と考へてゐる方々も少くない。むしろ世間には、少しぐらゐ飮んだ處で、ほろ醉ひ機嫌の程度なら身體に害はない、と思つてゐるのが大抵で、飮めば元氣がつく、勢ひがよくなると考へてゐる向もある。が然し、吾々の醫學の立場からアルコールの作用を調べて見ると、酒を飮んで元氣のついた感じがするのは、一見その働きが高まつた樣に見えるけれども、實は眞に高まつたのではなく、一方の働きが弱められた爲に、他の働きが高まつた樣に見えるのみである。

では、一體アルコールは、人體にどんな働きをするのであるか、それを申上げたい。

一、神經系統が冒される

吾々が酒を飮むと、酒は消化器管を通つて、血液の中を循環する、その間にアルコールは次第に燃燒されて、その一部は、尿となつて排泄される。その時の身體に對する第一の働きは、吾々の云ふ中樞神經系統(腦や脊髓)に對するものである。その中でも一番大切なものは大腦の働きで、これは神經系統中でも最も大切なもので、精神的働きの中樞をなしてゐるものである。所謂統制的合理的に他の神經の働きを支配してゐるのが大腦である。然るに酒を飮むと大腦が冒される。そのために他の色々な神經の働きが統一的な支配を失ひ、それ〴〵勝手放題な運動をやり出して來る、そこで日頃の愼しみはなくなつて、ひどく機嫌がよくなり、口數の少い人も多辯にな

り、手も足も調節を失つて、留め度なく働くので、一見力が増し、活動がよくなつたと見えるのであるが、それは抑制がとれたからのことで、つまり大腦の痲痺によるもので、これが卽ち醉ふた狀態である。これが次第に度を增せば、亂醉の狀態になり、腰がたゝないと云ふ樣になる。

二、血液循環に及ぼす作用

第二には循環器である。先づその一には心臟に對する働きであるが、酒を飮むと、アルコールの爲め心臟の鼓動が多くなり血壓が高まり、動悸がはげしくなる。次には末稍毛細血管が痲痺して血管が開いてくる、顏が赤くなるのは其の現れである。卽ち體の表面の血管が開いて來るからで、一見血行が良くでもなかつたかの樣に見えるが、實は大變なことで、熱の放散が高まつて、體溫が失はれて來る。泥醉者が屢々凍死するのは其の爲である。

三、內臟諸器官が直接害される

第三には、直接に內臟諸器管に及ぼす害である。吾々が酒を飮むと、アルコールは直接に、食道や胃の粘膜の表面に對して害毒を及ぼすのである。これは、アルコールの細胞に及ぼす働きを考へれば、よく判ることである。アルコールは細胞の原形質を侵し、そこから水を奪つて、蛋白質を固める作用をなしてゐる。それゆえ若しも、その力が強い場合には、しばしば其處の細胞が破壞される。卽ち胃腸の粘膜が壞される事になる。この樣に、一般的にアルコールの働きを、醫學上から見ると、一時性に見ても少しも有益のものではなく、惡いものであることがよく判るのである。

四、慢性のアルコール中毒

更に考へなければならないことは、アルコール常飮者の場合で、これは、先程申上げた一時性のものが、永い間に亘つて繰り返されるのである。然らば、どんな害が現れて來るかと云ふと、先づ第一に腦に對しては、それを痲痺させることが繰り返されてゐると、その細胞が侵されて次第に惡くなり、遂には其の働きが停止することもある。それの甚だしいものとしては、震顫譫妄症と云ふ一種の精神病がやつて來る。絕へず手先が顫へ、うは言を云つてゐる、精神病の劇しいものである。もちろん斯ういふひどいものは、數多くはないが、かなり相當多くの人が冒されるもので、特に注意すべきものは、血管の硬化症である。

血管硬化症　これは老年になると大抵の人に見られるもので、アルコールから丈け來るものと云ふのではなくそれ以外のものからも來るのであるが、アルコールを飮めば、それを起し易くすることは事實で、先き程申上げた樣に、先づ血壓が高まつてくると、そのために血管の

內面が傷つけられて、終に硬化するのである。硬化と云ふのは、血管の內面が厚くなり、從つて內腔が狹くなり遂には小さな血管では、その中が埋まつて、血液が通らなくなる。そしてそれが遂には潰瘍となる。この樣になると、血液の流れがだんだんと妨げられる。そして一方には心臟の働きが之を補ふ爲に、血壓がだんだん高くなる。

第二には、これがひどくなると、血管が破れる危險が出て來る。そこで血管硬化症が腦等にある人は、腦溢血となるのである。

腦溢血　と云ふのは、非常に危險なもので、腦は全身の機能を司つてゐるものであるから、そこに故障が起れば、そのために全身の働きを停める樣になる。卽ちかの「卒中」と云ふのは、腦に溢血が起つた時に見られる症狀である。また半身不髓となるのは、一方の腦半球がやられて駄目になるからである。この樣に危險なことが起きるのであるが、その他血管硬化は腦だけでなく、最も重要なのは「腎臟」である。老年になつて小便が近く、また多く出るのは、「萎縮腎」と云ふのである。

萎縮腎　これは腎臟に來てゐる血管が硬化して細くなり、それがために、血液が行かなくなる。これが惡くなると、長い時間かゝつて身體の頹敗物を出さなければならなくなり、そして又、水分を多く要するので、年がよると尿が多く出る樣になるのである。

胃潰瘍　第三に動脈硬化のために起きる最も大切なものに胃潰瘍がある。これも色々の原因で起り得るけれども、動脈硬化のために起きるものが少なくない。それは前述べたと同樣に、胃の粘膜がアルコールに冒されて、そこの細胞が死滅して起きるのである。またその外に、これに似た樣なもので、「脫疽」と云ふのがある。

脫疽　これは、手足に行く血液が、血管の硬化のために行き難くなり、そこがだんだん腐つて來るものである(主に足である)。この樣に、動脈硬化から種々の病氣が出來るのであるが、その動脈硬化は、酒のために一層罹り易くなると云ふことは、知つて置くべきである。

肝硬變症　次に酒によつて來る病氣として、肝硬變症がある。これは肝臟が萎縮するのであるが、どうして起るかと云へば、吾々の飮んだアルコールは、腸から吸收されると、先づ第一に肝臟を通ることになるので、その場合にアルコールが肝臟を傷めるのである。アルコールでだんだん細胞が傷められると同時に、結締織(纖維細胞)が殖えて來て、ゴツゴツの固いものになり、肝臟の容積が次第々々に小さくなる。そして表面は「顆粒狀」と云ふ、ボツボツのものになる。そして、この病氣になると、腹に水が溜まる樣になり、榮養が惡くなる。それは

門脈と云つて肝臟に入る血管の血液が通りにくゝなり、鬱血が起き、水分がだんだん腹の中に溜まると云ふ樣になるのである。

このことを尙一層惡くするのはアルコールで、常習飮酒者では、アルコールが直接消化管の粘膜を刺戟するので慢性の胃カタル、腸カタルが起き、其爲に胃腸に集積した毒物が、アルコールと同時に、肝臟を害する原因となるので、一層、硬變症となり易いのである。

五、飮酒者は癌に罹り易い

次に、アルコールを――殊に強いアルコールを用ひてゐる人に起り易いものに「癌」をあげたい。一體癌と云ふものは、色々の場所に色々の形で現れる。癌は一つの腫物であるが、普通の腫物と異つて、それは外から惡いものが入つたのではなく、身體の內部から出來たものである。

人間の身體は、凡て細胞から出來て居り、生理的には其細胞が壞されても、他の細胞が都合よくそれを補つてくれる樣になつてゐるのであるが、その細胞が一旦性質を變すると、身體に都合のいゝ樣に增殖するのでなく、我儘勝手に殖ゑはびこる事になる、それが卽ち「腫瘍」と云ふのであつて、その中で最も惡性のものが癌で、つまり上皮細胞から出來る腫瘍である。この上皮細胞が限りなく增殖されることになると、その細胞の性質が變る。卽ち惡性になるのである。

然しこうなるには、一ぺんになるのではなく、徐々に、だんだんに變るのである。そして、その原因は一定の刺戟で、その刺戟が上皮細胞に働いて、そこの細胞に變化を及ぼし、遂に惡性のものとなる、それが癌の發生原因であつて、酒飮みが癌になるといふのは、アルコールがその刺戟として、上皮細胞に働くからである。卽ちアルコールが直接ふれた場合、そこの細胞が傷められ、傷められたことは變ることであつて、それが次第々々に惡性になる、これは酒飮みに、しばしば見られる處である。

六、酒は病氣の素因を高める

今日茲に御覽に入れる標本はこれ丈けであるが、尙素因と云ふ事を一言申上げたい。吾々の身體が病氣になるのには、色々の原因がある。例へば細菌の樣なもの。然し、それが身體に來れば、必ず病氣にかゝるかと云ふに決してそうではない。何故かと云へば、人間の身體には病源に對する抵抗力と云ふものがあるからである。そこで、抵抗力のある人はよいが、その抵抗力の弱い人は病氣にかゝると云ふことになる、吾々はそれを、病氣にかゝる素因と云つてゐるが、その素因を造る上に、アルコールは重要なる役割りをなす、卽ち「アルコールは一定の病氣の素因を高める」と云ふ重大なる意味を持つのである。

以上甚だ粗雜な講演でありましたが、我々醫學の立場から見ますと、**アルコールは百害あつて一利ないものである**。皆さんは善くこのことを知つていたゞきたい。それが御理解願へますなら誠に幸ひであります。

伊勢紀行

大平登美子

大神宮參拜

神路山山腹《はら》かけて吹く風は若葉風なり匂ひこもらふ
木洩れ陽の日かげをりをりゆらめきて老杉叢《むら》の冷えを覺ゆる
もの古《ふ》りし杉の大木のしげり葉を透《す》きてし見ゆる日のありどころ
眞澄みゆく心おぼえていみじけれ乙女舞ひさぶ大和の舞は(御神樂)
舞ひの手を止めし一時黑かみのかざしの花のゆれやまざりき

二見ヶ浦宿泊

星かげのかげまれまれに松が枝を透《す》きて昇れる月ありにけり

伊勢灣舟行

眞淋《まさび》しき母とて今朝はなげくらむ旅に泊まれば子等がかなしも

しほざゐはこゝにきこえず海の夜の夜更けて思ふ吾子《あこ》が目覺めを

黑潮はこゝには來なく若布《わかめ》刈る小舟はひたにたゆたひ居るも

潮風はいたくは吹かず磯躑躅《いそつゝじ》岩かげにして咲けるものかも

磯躑躅靑葉がくれに色そへぬ伊勢の浦わの舟のゆききに

午《ひる》かけて沖のもやひは晴れやまずまなかひにして知多のかげ淡し

遠來つる我等なるかも志摩の岸ゆ三河の陸は見ゆとふものを

黑髮は長からむかも蜑女《あま》の乙女《こ》が卷きたる布の下のまきがみ

人の世の相《すがた》と思へかにかくに蜑女はあらはに錢をくれといふ

海底に今日は今日のみの糧《かて》ひろふ蜑女の口笛きくに得堪えず

審査會前記（編輯後記）

◉本年度に於ける記念すべき全東京乳幼兒審査會の豫告を、帝都下の各新聞紙に發表したのは六月上旬であつたが、募集豫定人員六千名を超ゆる事、實に二千名突破と云ふ盛況で係員も驚愕する有樣であつた、事變下に於ける第二國民體力向上運動のことなれば、銃後の若き母性たちの眞劍さは當然であるが、洵に二十年後の我が國にとり賴母しき限りと云はねばならぬ。

◉右の次第で東京から頻りに上京を促して來るので、安閑として居れず六月六日の夜行にて東上、自分は八日に文部省に出頭、矢野君は手を別けて陸海軍兩省に出頭した、夜は辰巳柳太郞君の處にて日本一の人氣者で謙遜家なる双葉山關に會つた、十日は厚生省に出頭、重田技師に面會、諸般の事項を御願ひした、午後二時九段遞信大臣官邸に於て永井大臣閣下に御目にかゝり、本會の經過を御報告申上げた、尙閣下から早稻田大學敎授時代の面白きお話しなど窺つた「十七日に下阪するが審査會迄には必ず歸京するから」、との御言葉なので安堵して邸を辭去した。

◉霖雨降りしきる十三日、是松秘書官を厚生省に御訪れし、且つ重田技師にも御目にかゝる、兒玉體力局長、多湖企畫課長を本會顧問に御願ひしたるに直ちに御快諾になつた、十四日は東京病院に戸川博士を御訪れして目睫の間に迫つた審査の諸事項を御賴みした、記者は唐澤博士と戸川博士に信賴して今日に及んでる、十七日、文部省に本聯盟理事池崎參與官を訪ふて諸般の經過を報告した、例年の事乍ら前景氣の頗る良過ぎるのに驚きの御樣子だつた。

◉木戸厚生大臣閣下の會場御臨場に關する打合せを重田技師に御目にかゝりてすませ、多湖課長に御禮を申上ぐ、(十八日)午後五時、本會を毎年熱誠こめて援助さるゝ小石川區產婆會々員二十名の招待會を兼れて種々打合せをなした、風見會長は風見内閣書記翰長の御令姉で滿五年間、懇篤に本會を助勢されて來たのであるが、我々主催者に取りては全會員愛の無慾の奉仕を心から感謝しなければならぬのである、實に本會は全市民全國民の運動であればこそである。

◉十九日(日曜)改めて厚生省に提出すべき本聯盟の規約並歷史、本會の豫算表、全日本に魁けて兒童愛護の事業を創始した動機と經過等の諸書類を淨書して深夜に至り、それ等を持參して二十日に厚生省に出頭した、尙、夜は審査上の打合せを兼れて懇談會を開催した、池崎文部參與官を始めとして、陸軍省の梶浦軍醫、海軍省の木津軍醫、審査主任の中鉢、富田、山田、柿本四博士、小山學士、岡本院長それから高島屋宣傳部、事業部、奉仕部の方々等の會合を見、時の移るを知らぬ程諸家から有益なるお話しを拜聽する事が出來た、殊に參與官の最近の支那視察談は實に興味あるものであつた。

◉二十二日、文部省から遞信省に至り、大臣室に於て永井大臣閣下に御目にかゝる、時に九時「明朝九時閣議の前に行きます」、と約された、直ちに廣井會長宅に趣く、讀賣新聞の夕刊は各紙に先手を打つて別項記載の如き前景氣のよい模樣を五段抜きに大々的に書いたので關係者一同茫然自失の有樣だつた。

本誌定價 一冊金參拾錢 郵稅壹錢五厘
半年分 六冊 金壹圓六拾錢 郵稅共
一年分 十二冊 金參圓 郵稅共
誌代郵稅は一切前金の事
前金切の場合は發送中止
郵券代用は一割增のこと

昭和十三年六月廿八日印刷(每月一回
昭和十三年七月一日發行 一日發行)

兵庫縣武庫郡精道村芦屋
發行兼編輯人 伊藤悌二
大阪市西淀川區海老江上二丁目三七番地
印刷人 木下正人
印刷所 木下印刷所
電話福島㊺ 一五三四番 二四二六番

大阪市北區天神橋筋六丁目
大阪市立北市民館内
發行所 大阪兒童愛護聯盟
電話堀川㉟ 〇〇〇一番 〇〇〇二番
振替大阪五六七六三番

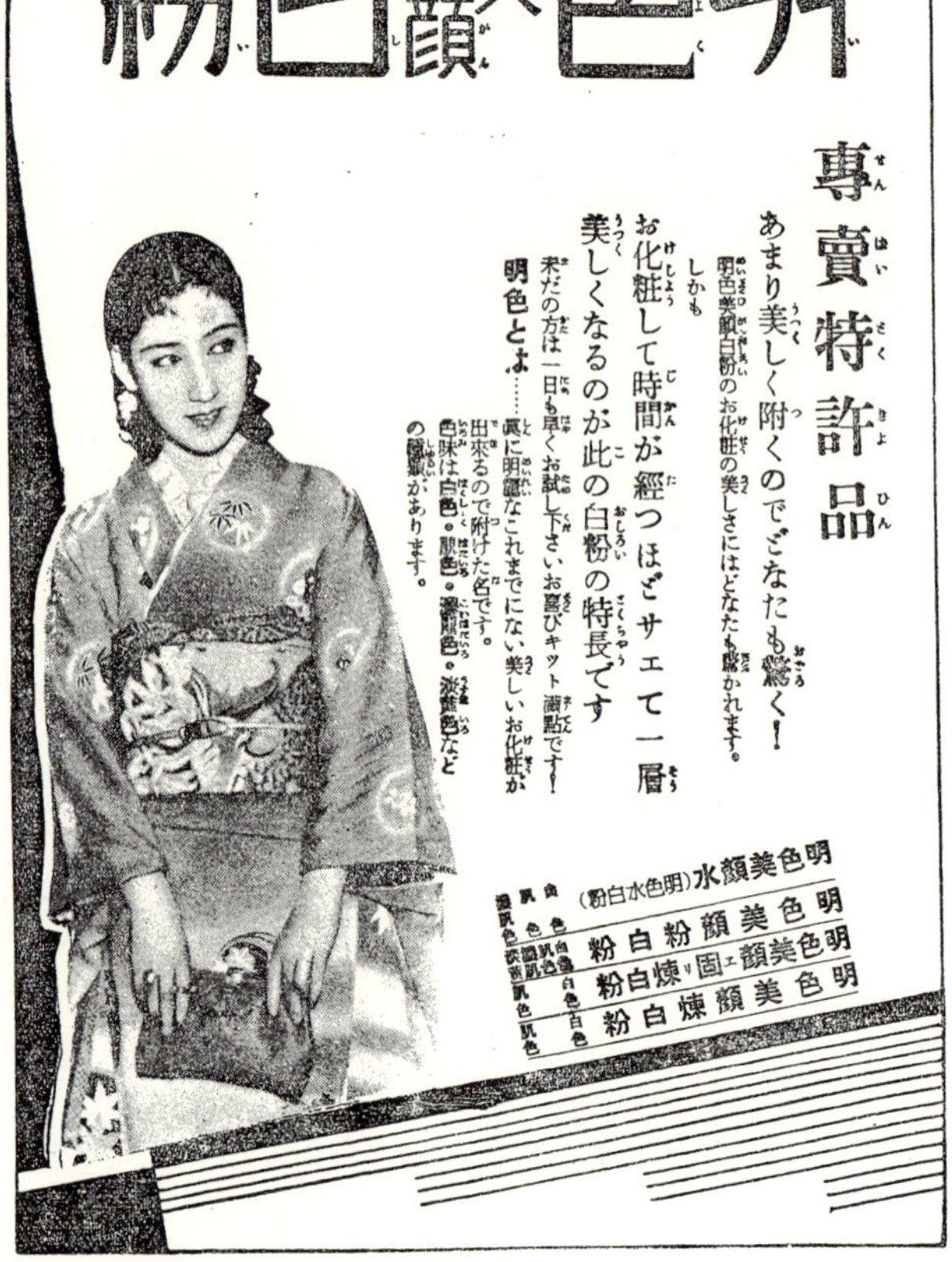

武田▲發賣
虚弱兒の强壮劑は……
ポリタミンに限る
(1) ポリタミンは「牛乳蛋白」を消化した比類のないアミノ酸製劑です。從つて……
(2) 胃腸の弱い子にも、ムダなく吸收されて血肉成分を補ひ、体重を增加します。
(3) その上アミノ酸獨特の細胞賦活作用によつて体質を改善し、抵抗力をつよめます。
(4) また消化液の分泌を促して、著しく食慾をすゝめ、便通をとゝのへます。
(5) 更にビタミンBを配してありますから、一層全身の榮養をたかめます。
(6) すこぶる甘美味の液劑です。
こんな子に最適
呼吸器の弱い子
食慾のない子
榮養不良の子
微熱のつゞく子
れ汗をかく子
疲勞し易い子
小瓶（一圓五五）
中瓶（二圓五〇）
大瓶（四圓五〇）
各地藥店にあり
發賣元 大阪市道修町 株式會社武田長兵衛商店
製造元 大阪市堀上通 大五製藥株式會社
38(2)64

髙
お買物は
皆様の高島屋へ
お子様用品各種豐富に取揃へ
土曜・日曜は高島屋お子様デー
（五階）
東京 日本橋
髙島屋

子供の世紀 第十六卷 第七號
大正十三年二月二十日第三種郵便物認可
昭和十三年六月二十八日印刷納本
昭和十三年七月一日發行（毎月一日一回發行）
【定價金參拾錢】

基礎鞏固　經營眞摯

創立　明治四拾四年

コドモの保険

日本徴兵

入營・嫁入　準備

出世・教育　資金

子を持つ親心

可愛い子供の爲に何程かづゝの貯金をしてやらうと考へるのは、凡ての親としての至情で、男子ならば適齢迄、女子ならば嫁入迄と誰しも心掛ける所ですが、さて實行はなかなか困難です。

最良の實行方法

徴兵保險、生存保險のコドモ保險は此需用を充たす最良の施設で、一度御加入になれば知らず識らずの間に愛兒の爲に必要な資金が積立てらるゝことになります。

日本徴兵保険株式會社

本社　東京市麹町區内山下町一ノ一

恒久國防・國民體位向上

子供の世紀

聖戰下母性再教育號

十六巻　第八號

大阪市北市民館内

大阪兒童愛護聯盟

大正十三年二月二十日第三種郵便物認可
昭和十三年七月廿八日印刷納本
昭和十三年八月一日發行（毎月一回一日發行）

『子供の世紀』（第十六巻第八號）聖戰下母性再教育號

目次

母乳と同成分の世界最良粉乳

森永ドライミルク

夏《なつ》は胃腸《いちやう》の弱《よわ》る時《とき》です
せめて消化《せうくわ》の一番《ばん》よい
森永ドライミルクを
選《えら》んで樂々《らく》と吸收《きうしう》
させ赤《あか》ちやんを
元氣《げんき》にまる〳〵と
お肥《ふと》らし下《くだ》さい

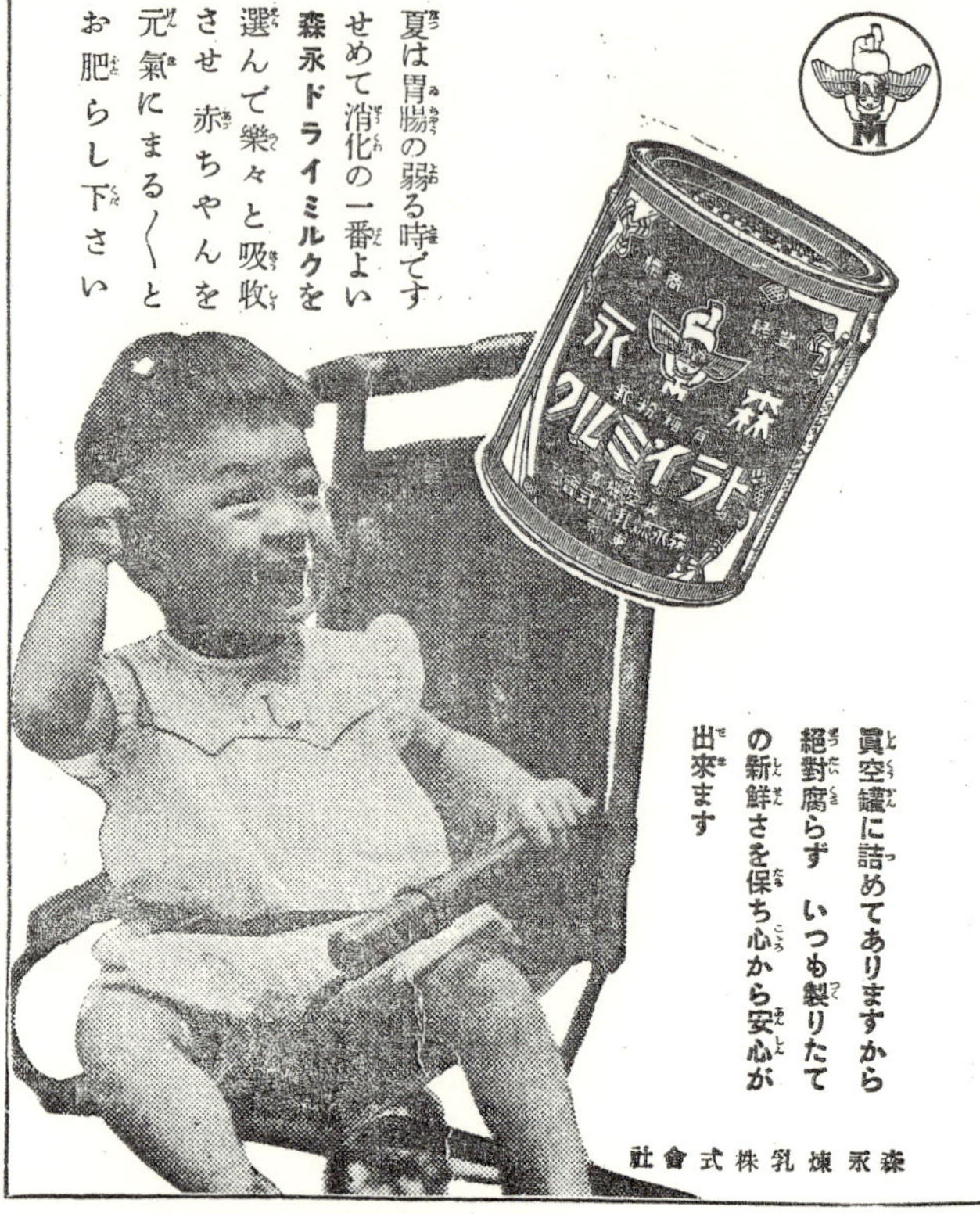

眞空鑵《しんくうかん》に詰《つ》めてありますから
絶對腐《ぜつたいくさ》らず　いつも製《つく》りたて
の新鮮《しんせん》さを保《たも》ち心《こゝろ》から安心《あんしん》が
出來《でき》ます

森永煉乳株式會社

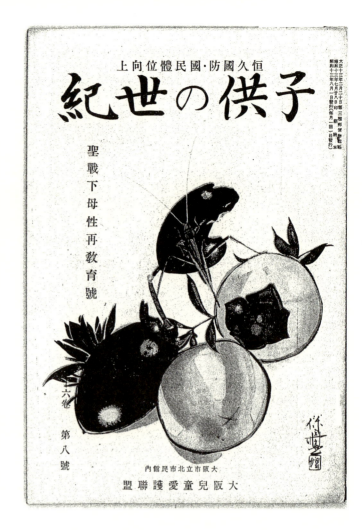

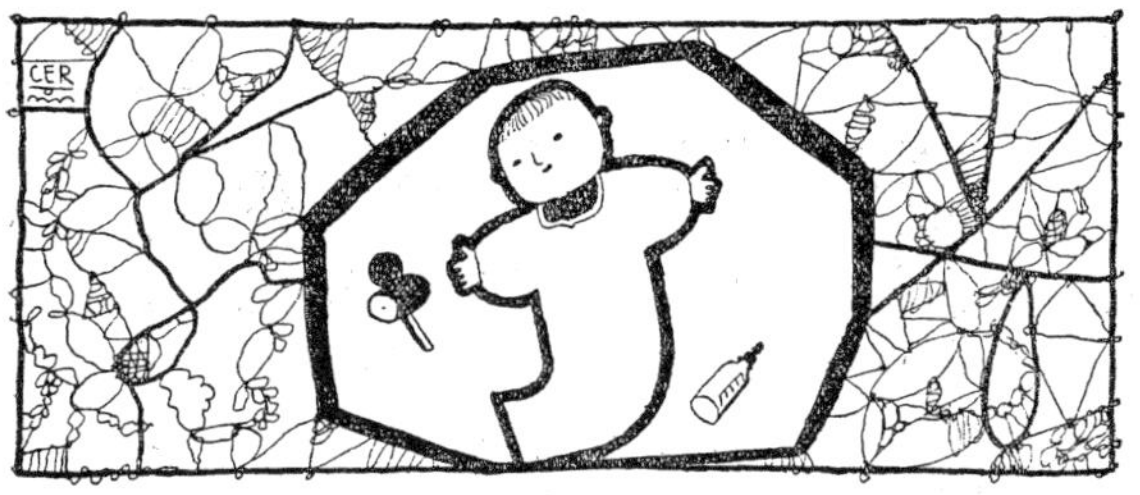

婦人の覺悟

先人の足跡

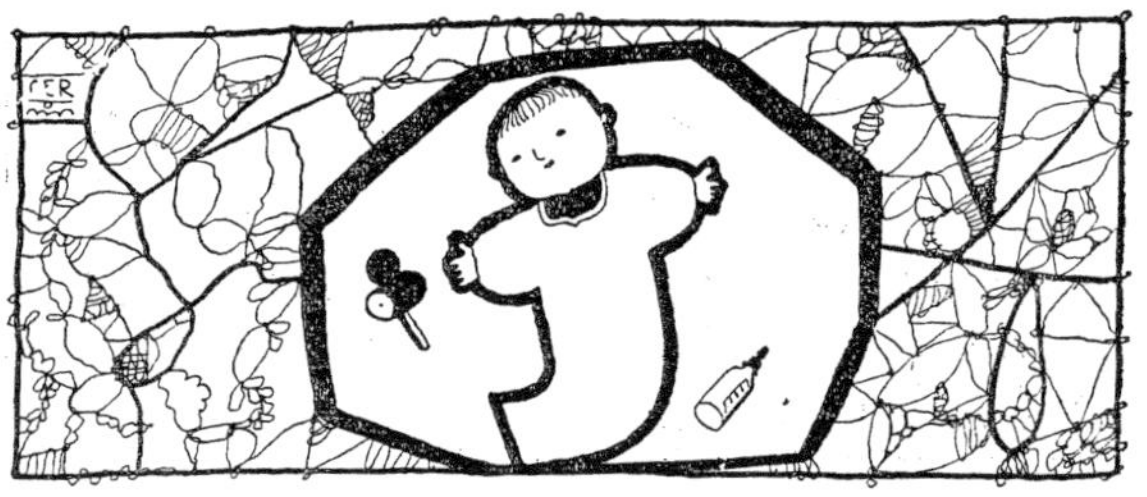

街頭醫學

聯盟彌榮

38(2)115

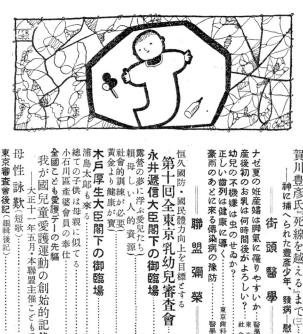

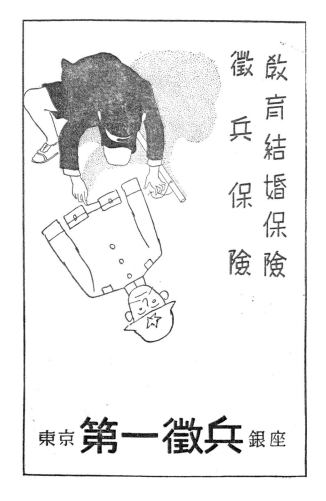

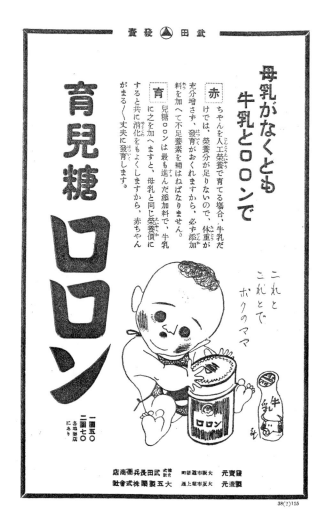

喫茶店より美味しい珈琲が出來る珈琲沸器!!
大川パーコー
美味しい香り高い珈琲は
大川パーコーにのみ依つて得られます
全國百貨店に有り
説明書送呈します
關西代理店　大阪市北區梅田新道
ニッポンブラジリアントレーディングコンパニー
まあ!! 素的な香りですこと!!
喫茶店以上ですわ
東京市日本橋區本町
大川吸入器本舗
大川銀三郎商店發賣
モデル　東京松竹少女歌劇聲楽專科對馬洋子さん一人二役

あゝこれ麗しき不滅なる一幅の名畫

——永井遞信大臣閣下の御臨場——

正義日本の勇士となれ

あゝこれはなんと麗しい一幅の名畫だらう
古の聖者に祝福されしにも優り
ペスタロッチに抱かれしにも優りて
幸福なるはこの嬰兒たちだ!
聖戰下の大臣に抱かれた嬰兒たちだ!
願くは御身等よ永久忘れないで
輝く正義日本を護る勇士となれ!!

あゝこれはなんと麗しい一幅の名畫だらう
重大閣議に出席される數分前の
國務大臣に抱かれた嬰兒と嬰兒の囁き!
この囁きは二十年後の日本に就いてゞあらう?
戰時體制下の意義ある審査會に
我等の大臣に抱かれた事を忘れないで
輝く正義日本を護る勇士となれ!!

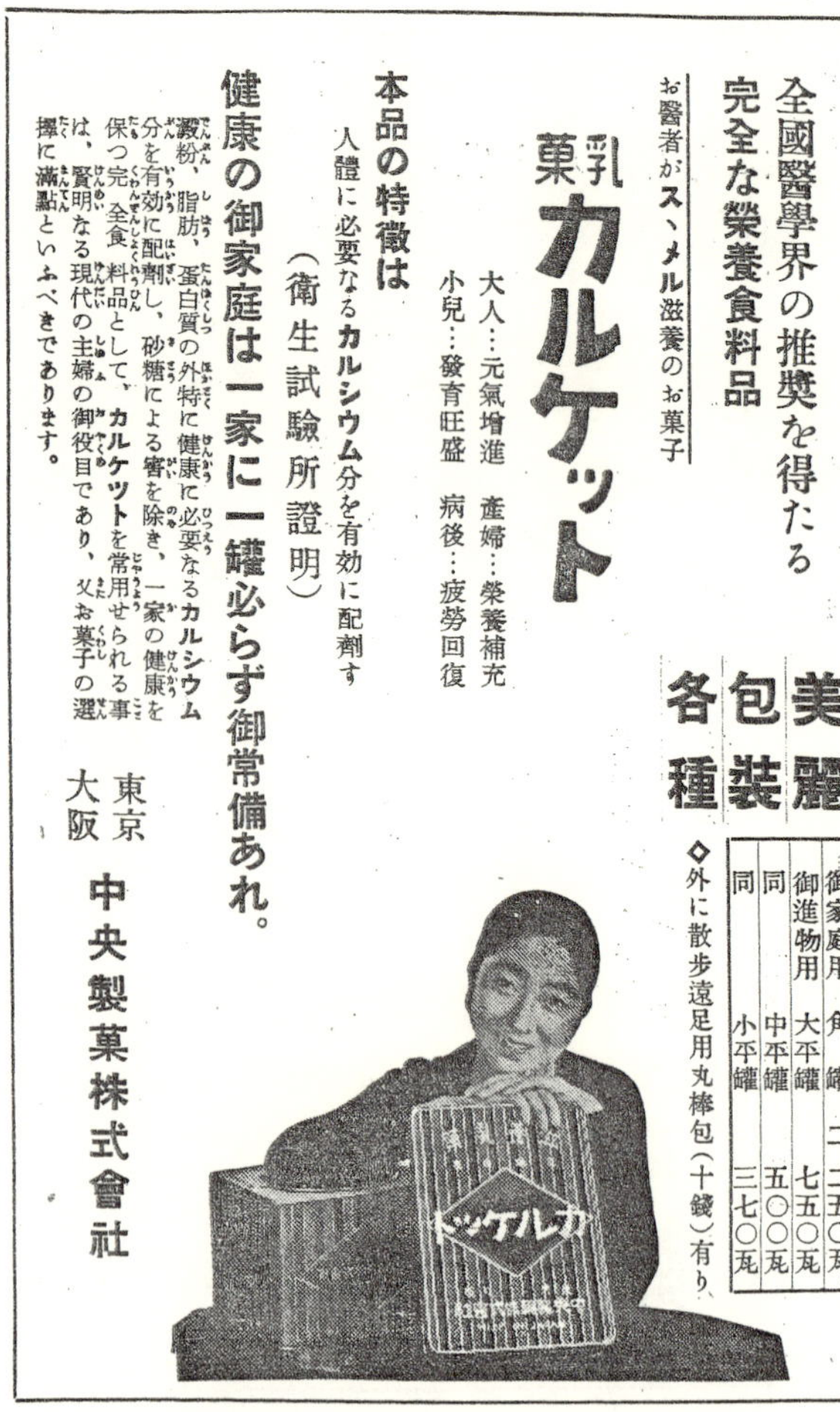
全國醫學界の推奬を得たる
完全な榮養食料品
お醫者がスゝメル滋養のお菓子
乳菓 カルケット
大人…元氣增進　産婦…榮養補充
小兒…發育旺盛　病後…疲勞回復
本品の特徴は
人體に必要なるカルシウム分を有効に配劑す
(衛生試驗所證明)
健康の御家庭は一家に一罐必らず御常備あれ。
澱粉《でんぷん》、脂肪《しぼう》、蛋白質《たんぱくしつ》の外《ほか》特《とく》に健康《けんかう》に必要《ひつえう》なるカルシウム分《ぶん》を有効《いうかう》に配劑《はいざい》し、砂糖《さとう》による害《がい》を除《のぞ》き、一家《か》の健康《けんかう》を保《たも》つ完全食料品《くわんぜんしよくれうひん》として、カルケットを常用《じやうよう》せられる事は、賢明《けんめい》なる現代《げんだい》の主婦《しゆふ》の御役目《やくめ》であり、又《また》お菓子《くわし》の選擇《せんたく》に滿點《まんてん》といふべきであります。
美麗包装各種
御家庭用　角罐　二、二五〇瓦
御進物用　大平罐　七五〇瓦
同　中平罐　五〇〇瓦
同　小平罐　三七〇瓦
◇外に散歩遠足用丸棒包(十錢)有り
東京 大阪 中央製菓株式會社
カルケット

明治(赤罐)コナミルク
用ひ方簡易で値段の廉い
母乳代用優良加糖粉乳
乳兒の哺育に
兒童の保健に
姙産婦の榮養に
砂糖を加へる手數が省ける
◇
水にも湯にも溶け易い
◇
消化吸收が極めて良好
明治製菓株式會社
・半ポンド入
明治コナミルク
母乳代用加糖粉乳
明治製菓株式會社

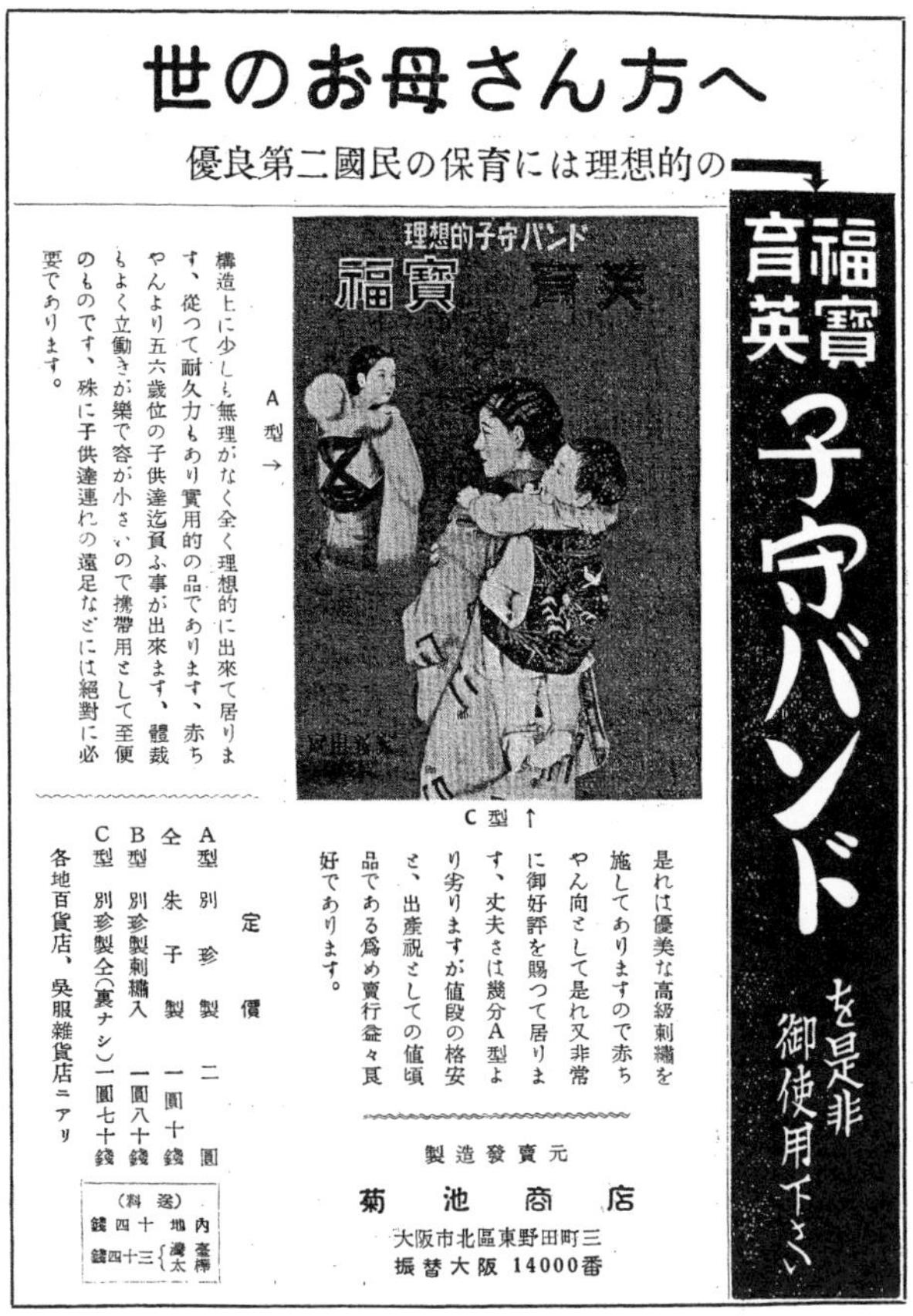
世のお母さん方へ
優良第二國民の保育には理想的の
福寶育英
子守バンド
を是非御使用下さい
理想的子守バンド
A型→
構造上に少しも無理がなく全く理想的に出來て居ります、從つて耐久力もあり實用的の品であります、赤ちやんより五六歳位の子供達迄負ふ事が出來ます、體裁もよく立働きが樂で容が小さいので携帶用として至便のものです、殊に子供達連れの遠足などには絶對に必要であります。
C型↑
是れは優美な高級刺繡を施してありますので赤ちやん向きとして是れ又非常に御好評を賜つて居ります、丈夫さは幾分A型より劣りますが値段の格安さ、出産祝としての値頃品である爲め賣行益々良好であります。
定價
A型 別珍製 二圓
全 朱子製 一圓十錢
B型 別珍製刺繡入 一圓八十錢
C型 別珍製全(裏ナシ)一圓七十錢
各地百貨店、呉服雜貨店ニアリ
(送料) 內地 十四錢 臺灣樺太 三十四錢
製造發賣元
菊池商店
大阪市北區東野田町三
振替大阪14000番

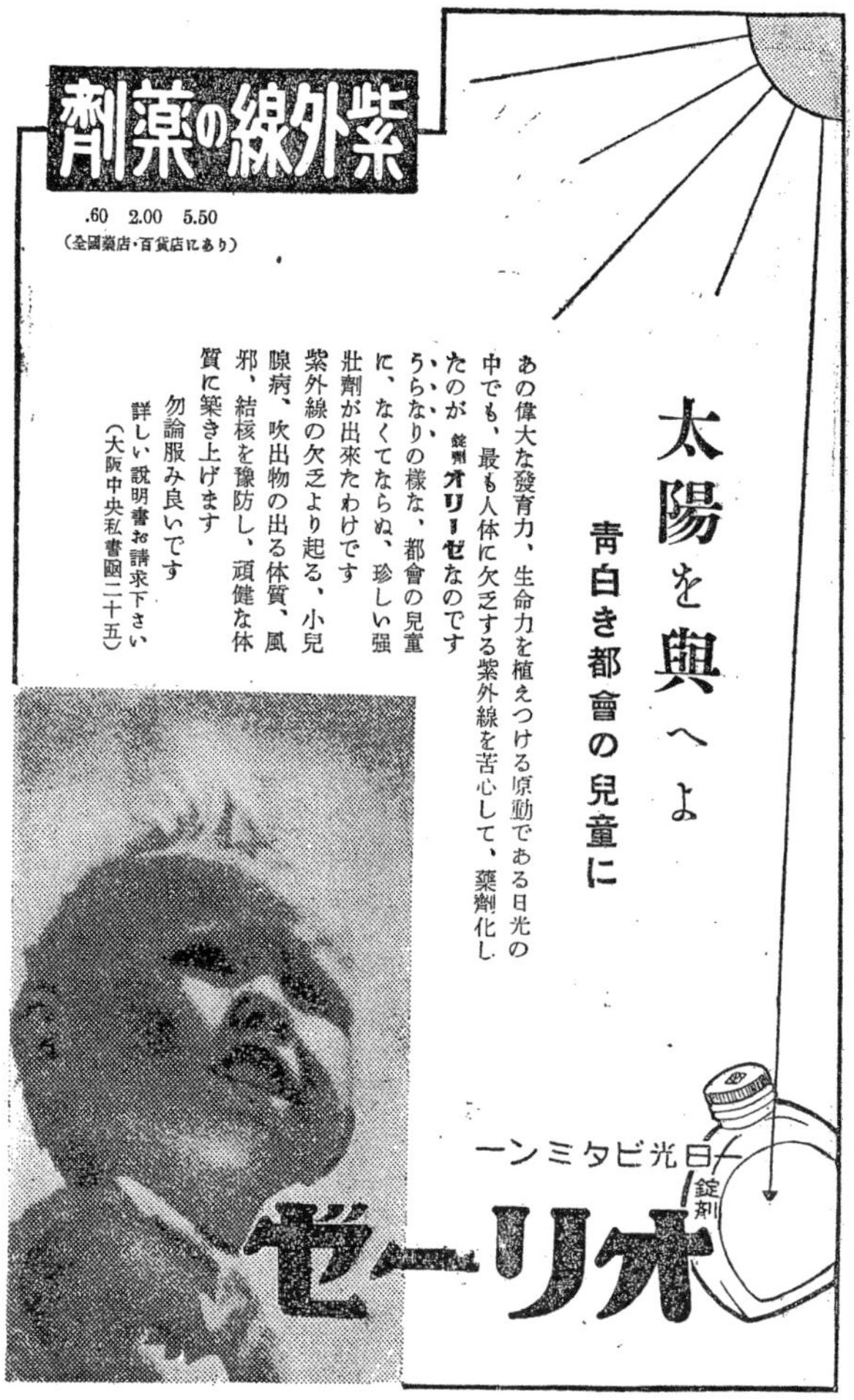
紫外線の藥劑
.60 2.00 5.50
(全國藥店・百貨店にあり)
太陽を與へよ
青白き都會の兒童に
あの偉大な發育力、生命力を植えつける原動である日光の中でも、最も人体に欠乏する紫外線を苦心して、藥劑化したのが錠劑オリーゼなのです
うらなりの様な、都會の兒童に、なくてならぬ、珍しい强壯劑が出來たわけです
紫外線の欠乏より起る、小兒腺病、吹出物の出る体質、風邪、結核を豫防し、頑健な体質に築き上げます
勿論服み良いです
詳しい說明書お請求下さい
(大阪中央私書函二十五)
―日光ビタミン―
錠劑
オリーゼ

戰線へ慰問品を!
特設慰問品賣場には各種の
好適品を豊富に網羅陳列
すると共に事情に精通せる
店員を配し專ら御用承り
すべて御便宜に御奉仕申上
げます……
特設賣場
一階中央
地下二階
慰問袋
主催 大阪毎日新聞社
新北支展覽會
「古き北支」より「新らしき北支」へのあらゆる姿を描き盡したる大展覽會!
九月一日より十四日まで 七階會場
大阪 日本橋
松坂屋
八日は定休日・電話戎三〇〇三番

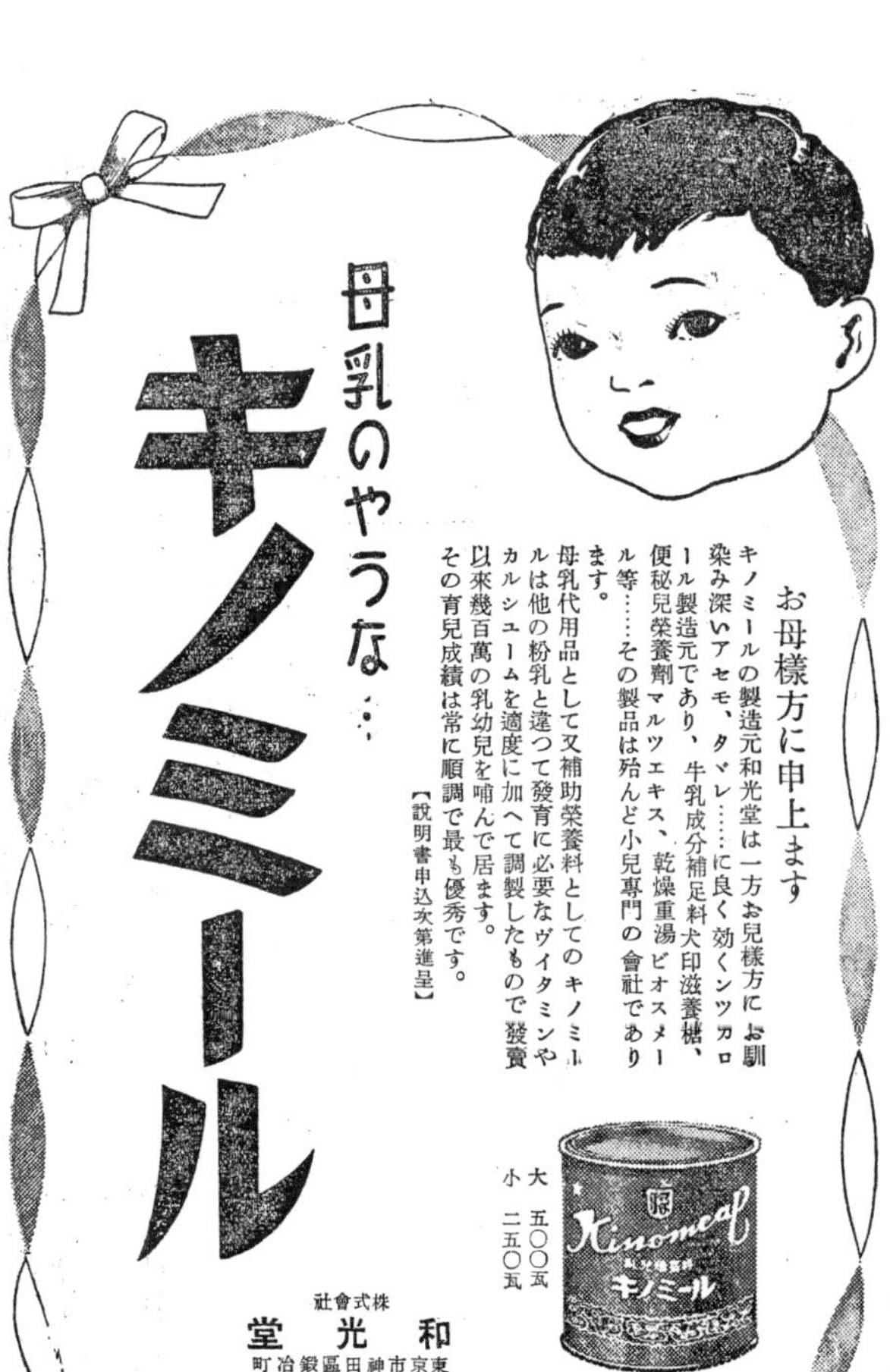
母乳のやうな…
キノミール
お母様方に申上ます
キノミールの製造元和光堂は一方お兒様方にお馴染み深いアセモ、タヾレ……に良く効くシッカロール製造元であり、牛乳成分補足料犬印滋養糖、便秘兒榮養劑マルツエキス、乾燥重湯ビオスメール等……その製品は殆んど小兒專門の會社であります。
母乳代用品として又補助榮養料としてのキノミールは他の粉乳と違つて發育に必要なヴイタミンやカルシユームを適度に加へて調製したもので發賣以來幾百萬の乳幼兒を哺んで居ます。
その育兒成績は常に順調で最も優秀です。
【說明書申込次第進呈】
大 五〇〇瓦
小 二五〇瓦
Kinomeal
キノミール
株式會社
和光堂
東京市神田區鍛治町
大阪市東區南久太郎町
K13—6

戰線の夫よ喜べ！子等は斯く雄々し

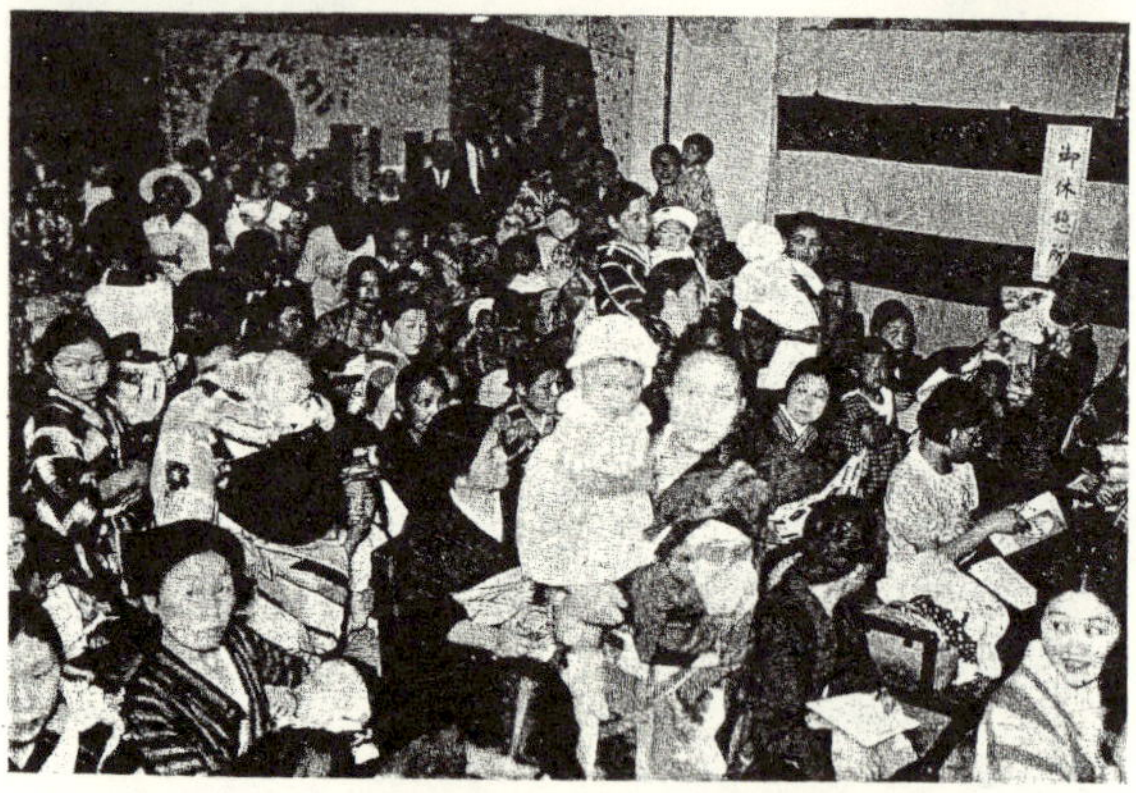

（上） 健康日本の兒童愛護戰線は斷じて異狀なき事を思はしむる光景！無論この中には戰線に父君を送つて居る愛兒たちも多くあつた、然も異狀なき我等の兒童愛護の運動は、將來の日本を富嶽の安きにおく事を誓言してもよい。（圖は最後の總評の室前に立つた母子達）
（下） 五日間に六千人を審査した會場入口の待合所、秩序整然たる本審査會は待つ時間を永く費すやうな事はしない、亦有益な育兒本も配布されてゐた。

聖戰下の國民保健運動に光榮あれ!!

——木戸厚生大臣閣下の御臨場——

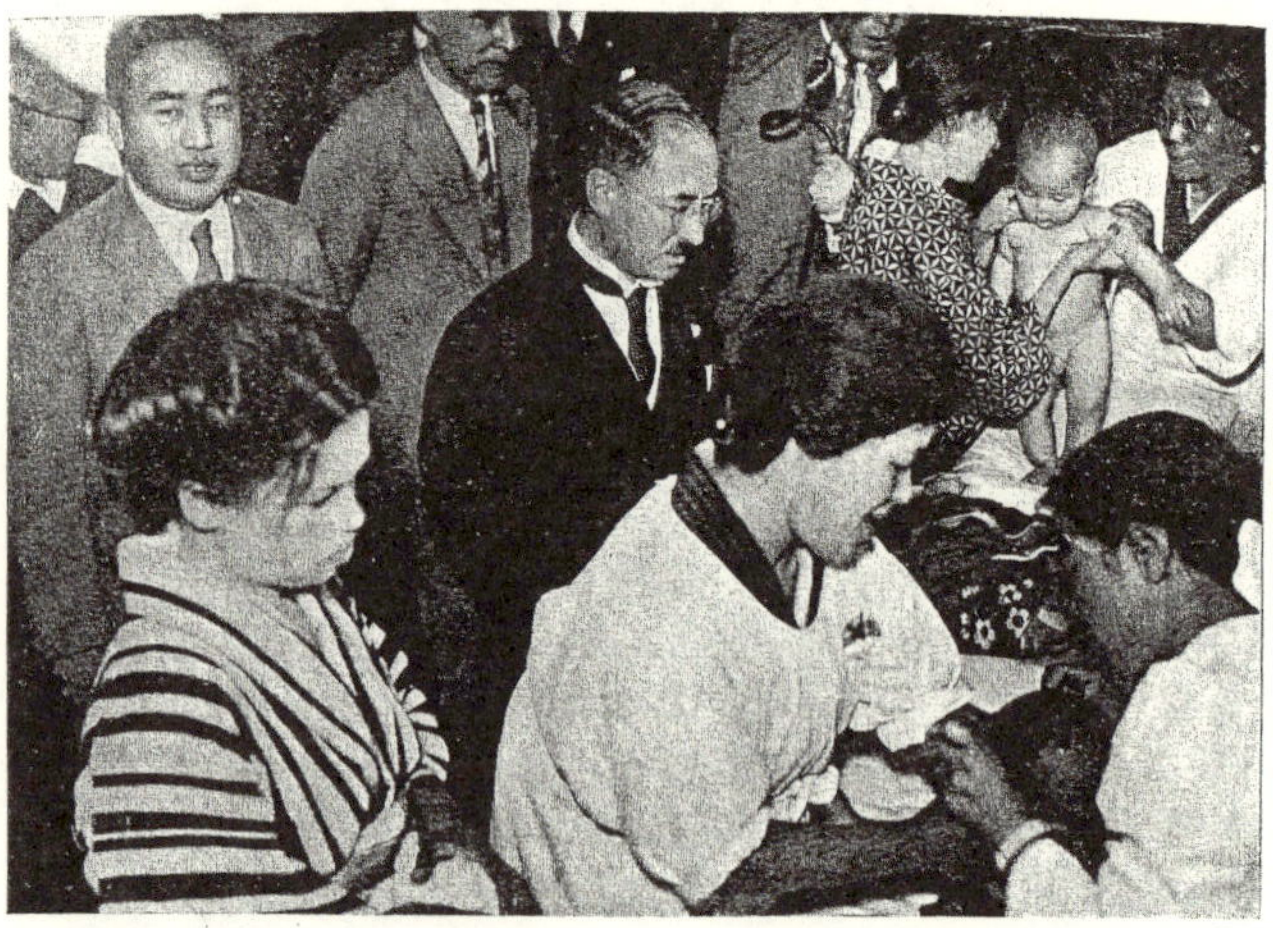

子等よ感謝せよ

健康躍進日本の序曲の前に
聖戰下の國民保健を統べらるゝ
我等の總裁　我等の木戸厚生大臣は
希望に燃えてお迎へした幾千の母子達を
體位競ふ事變下の子等を
慈愛のまなざしもて激勵された
あゝ忘るゝな此の歡喜！この感謝!!

二十年後の日本を背負ふて立つ嬰兒たちの前に
戰線にある勇士の愛兒等の前に
健康日本のために心を碎かるゝ
我等の總裁　我等の木戸厚生大臣は
國民體力の源をなす幾千の子等を
慈愛のまなざしもて祝福された
あゝ忘るゝな此の歡喜！この感謝!!

正義日本後継者の強化運動

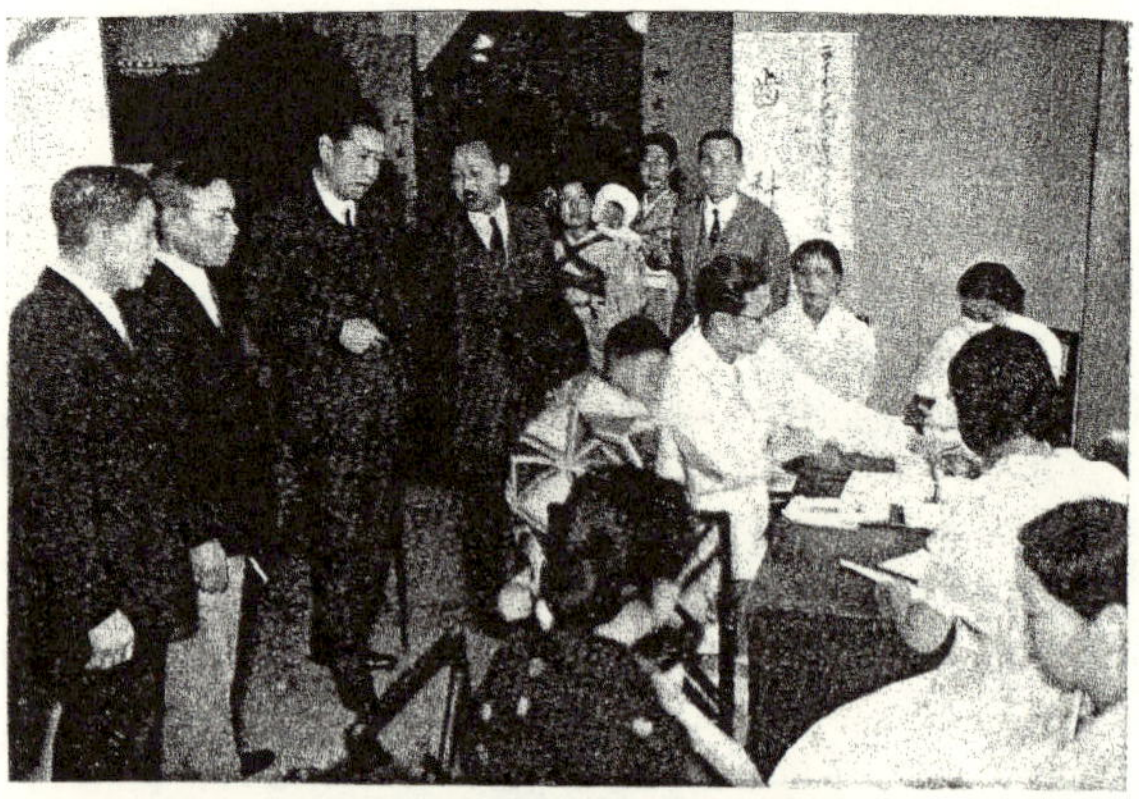

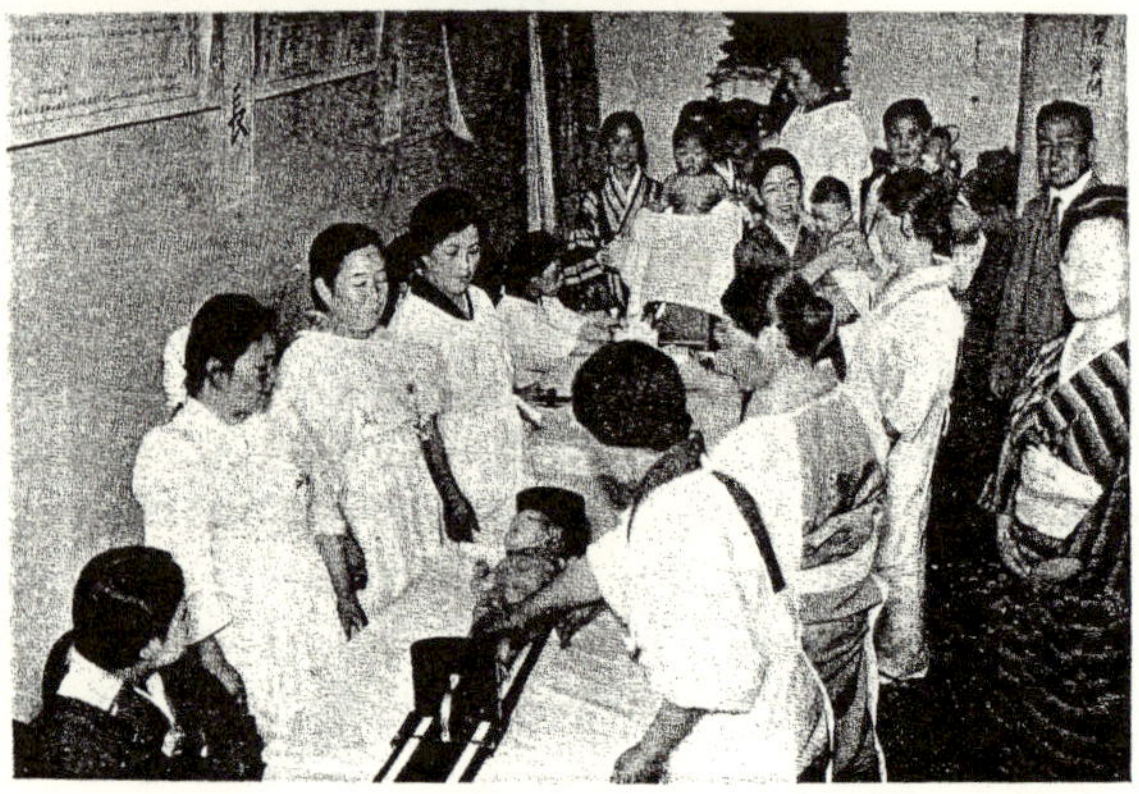

（上） 例年四谷のライオン兒童齒科醫院の先生方は、汗だくにて奉仕的に齒科審査に奮闘されるのであるが、最近乳幼兒の齒に關心を持つ兩親の多くなつた事は喜ばしい事だ、六月二十三日早朝御臨場の永井遞信大臣閣下には、岡本院長から子供の齒に就いて説明を聽取された、向つて右端は木村販賣本部長。
（下） 小石川區產婆會々員の奉仕（記事參照）體重計の前に立たれて居るのは藤原副會長で、此處は體重の外に身長、座高等を審査する部門である。

醫學博士 有馬頼吉氏　醫學博士 青山敬二氏　醫學博士 太繩壽郎氏　發見創製

AO
アーオー

非常時ノ短期大奉仕
第一號五管入一箱 大人用 小兒用 二
對シ三管ノ寄贈券ヲ挿入ス

結核免疫元

本劑は獨特の培養法と合理的處理による製品にして有害なる過敏元と吸收を妨ぐる臘質とを含まず全く純粋免疫元のみより成るか故に吸收迅速、副作用皆無、而も効果確實なるは最も誇る所にして一々動物實驗によりて効力檢査を經たる後始めて市販せらる

治療的應用
潜伏結核、肺結核の初期、眼結核、外科的結核、初期泌尿生殖器結核、皮膚結核、肋腹膜炎等には7―10日に一回第一號を使用して發病防止的効果頗る顯著なり

發病防止的應用
一般虚弱者及腺病質の小兒學童等に對し、一ケ月に一回第二號を使用して發病防止的効果優秀なり

診斷的應用
AOの治療量注射の前後に於て白血球檢査により簡單に結核の存否病勢並に豫後を確斷し無危險のみならず同時に治療を兼ねたる診斷法（吉田氏反應）なり

試品解説 進呈

製造所 有馬研究所
發賣元 須美商店
大阪市東區北濱四丁目四〇
振替口座大阪三〇一〇〇番

健康增進!!

國民榮養素

眼鏡肝油

實績が證明する

保健榮養劑として肝油の効果は本品のみが持つ多年の實績が確實に證明する。
加工せるビタミン製劑はビタミンのみが多くとも本品の如き優秀なる効果は望めない。
切に本品の御愛用を奬む。

雜誌名御記入申込次第「文獻」贈呈

取扱に便利な
「メガネ肝油球」あり

本舗 合資會社 伊藤千太郎商會 大阪道修町

●全國有名藥店に販賣す

乳兒哺育上の重要問題

母乳哺育兒に最も多く見られる障碍は**乳兒脚氣**でありませう。**乳兒脚氣**は、母親に脚氣がなくても起り、又人工榮養兒でも**ビタミンBの不足**があれば脚氣に罹ることが明にされてゐます。前者の場合には母親と患者の兩者に**オリザニン**の適量を與へ、後者の場合には患兒のみに**オリザニン**を與へることによつて容易に治に就かしめ得るは多數文献の立證してゐるところであります。

×　　×　　×

又人工榮養兒に屢々起るものに**壞血病**があります。**壞血病**は**ビタミンCの缺乏**を主因として起り、その初期には食慾減退、體重減少、血管の榮養障碍、蒼白、不安、不機嫌、啼泣等が觀察されると云はれてゐます。かゝる際に**三共ホーレン草末**の少量（一日量1.5瓦内外）を乳汁に添加して與へると容易に恢復することが知られて參りました。

×　　×　　×

その他、人工榮養兒には**ビタミンA及Dの不足**から種々なる障碍（夜盲症、佝僂病等々、又は屢々感冒に罹つたりする）を起すことも知られてゐます。かゝる場合には肝油の適量又は**三共ビタミン膠球**、**三共ビタミン錠**等で之を補給することが推奬されてゐます。

オリザニン（ビタミンBの世界的始祖）末、錠、液、エキス、注射液各種
三共ホーレン草末（ビタミンCの含量アスコルビン酸として246瓩%）25、50、100、500瓦入
高橋氏改良肝油（一瓶 500瓦入）**三共肝乳**（250・500瓦入）
三共ビタミン膠球（20. 50. 100. 500. 1000球入）**三共ビタミン錠**（50錠入・100錠入）

東京　**三共株式會社**　室町

赤ちゃん打ち粉

パーキュロ

赤ちゃんのアセモ・タダレには勿論のこと、旦那様のお髭剃りの後にも亦、奥様やお嬢様のコナ白粉の代用にもなる、肌色芳香、一罐あれば家庭の皆様が重寶する、全く時代の要求によつて産れた新様式の撒布劑はこれです

定價 ・二〇 ・五〇

味の素直系
本舗 東京・京橋・寶製藥株式會社

昭和十三年　子供の世紀　八月號

握り飯に梅干　畏し賀陽宮さま御一家

毎週御一回日の丸辨當

陸軍大學教官に在す賀陽宮殿下には、戰線に活躍する將兵の勞苦を思召され、御日常極めて御質素な御生活を遊ばされてゐるが、殊に事變も長期戰に入つてからは毎週一回は必ず妃殿下、若宮、姫宮樣方御共々日の丸辨當を召され、前線に奮戰する勇士をはじめ擧國一致銃後に活躍する國民の上を偲ばせられる御由にて、職員はじめ一同恐懼感激申上げてゐる、麴町區三番町の御殿には兩殿下をはじめ學習院に御在學の治憲王、章憲王、文憲王、宗憲王、女子學習院に御在學の美智子女王各殿下が在すが、去る三月ごろから毎週一回大體水曜日を日の丸辨當日とお定め遊ばされ、御殿にては梅干を入れた握り飯で御八歳の文憲王、御四歳の宗憲王兩殿下も御共に御揃ひの御食卓につかせられ、戰線將兵の勞苦を偲ばせられつゝ種々御物語りあらせられると承るが、この日は學習院御通學の若宮、姫宮樣方は御同樣日の丸辨當を御持參遊ばされる御由で、この畏き思召に宮家職員一同深く感激してゐる、勝田事務官は謹んで語る。

『各殿下には御揃ひにて將兵の上を思召され、御日常の御生活にも御身の廻りを御節約遊ばされ、又傷病兵を御慰問になり、慰問袋を賜ひ常々尊き御身を以て國民に範を垂れさせられて在しますが、日の丸辨當も將兵の勞務を偲ばせ給ふ深い思召によらせ給ふものと拜察申上げます』と。

夏の急性傳染病
疫痢、赤痢、腸チフスの話

醫學士　山田　讓

夏《なつ》は口《くち》から入《はひ》る消化器《せうくわき》の傳染病《でんせんびやう》の流行《りうかう》に都合《つがふ》の良《よ》い季節《きせつ》ですから、子供《こども》を持《も》たれる親達《おやたち》にとつては非常《ひじやう》に恐《おそ》ろしい時期《じき》です。然《しか》したゞ恐《おそ》れてばかり居《を》らないで、進《すゝ》んで適當《てきたう》な注意《ちうい》を拂《はら》ひ、無邪氣《むじやき》な子供達《こどもたち》をこれらの病魔《びやうま》の手《て》から救《すく》はなければなりません。

一、疫　痢（ハヤテ）

原因《げんいん》　赤痢菌《せきりきん》（大腸菌《だいちやうきん》と云《い》ふ人《ひと》もあります）

好發年齡《かうはつねんれい》　三才《さい》から六才位《さいぐらゐ》。

症狀《しやうじやう》　今迄元氣《いままでげんき》に遊《あそ》んで居《ゐ》た子供《こども》が急《きふ》に元氣《げんき》が無《な》くなり、次《つい》で發熱《はつねつ》、嘔吐《おうと》を初《はじ》め、間《ま》もなく意識《いしき》が無《な》くなり、昏睡《こんすゐ》したり、又《また》は痙攣《けいれん》を起《おこ》します。手足《てあし》の先《さき》が冷《つめ》たくなり、口唇《くちびる》や爪《つめ》の色《いろ》が紫色《むらさきいろ》に變《かは》り、脈《みやく》は早《はや》く且《か》つ觸《ふ》れ難《がた》くなり、重篤《ぢうとく》な時《とき》は半日位《はんにちくらゐ》で其《そ》の儘《まゝ》死亡《しばう》します。大便《だいべん》は赤痢《せきり》と異《こと》なり、回數《くわいすう》も左程《さほど》多《おほ》くなく、初《はじ》めは少《すこ》し不消化《ふせうくわ》な綠便《りよくべん》が出《で》る位《くらゐ》で、膿《うみ》や血液《けつえき》の混《まじ》つて居《ゐ》る事《こと》は少《すくな》い故《ゆゑ》、浣腸《くわんちやう》した大便《だいべん》が餘《あま》り惡《わる》くなかつたからと云《い》つて油斷《ゆだん》は出來《でき》ません。吐物《はきもの》は初《はじ》め食《た》べた物《もの》を其《そ》の儘《まゝ》吐《は》きますが、重篤《ぢうとく》になると「コーヒ」の殘渣樣《かすやう》の血液《けつえき》を吐《は》きここまで來《く》れば殆《ほとん》ど絕望《ぜつばう》です。

經過《けいくわ》　俗間《ぞくかん》に「ハヤテ」と云《い》ふ樣《やう》に疾風《しつぷう》の樣《やう》に子供《こども》を襲《おそ》ひ、幼《をさな》い生命《いのち》を奪《うば》ひ取《と》る恐《おそ》ろしい病氣《びやうき》で、重篤《ぢうとく》の時《とき》は半日《はんにち》—二日《か》位《くらゐ》で死亡《しばう》します。

死亡率《しばうりつ》　三〇—五〇%。

治療法　一時凌ぎの賣藥で素人療法などは一切嚴禁で其の間にも病氣はずん〳〵進行します故、一刻も早く信用《よう》ある醫師《いし》の指示《しじ》に從《したが》はなければなりません。醫師《いし》の來《く》る迄《まで》の大體《だいたい》の看護法《かんごはふ》は

一、初期《しよき》にヒマシ油《ゆ》を一〇—二〇瓩與《あた》へ、「グリセリン」浣腸《くわんちやう》をする事《こと》。（何回《なんくわい》もヒマシ油《ゆ》を與《あた》へたり、頻々《ひん〳〵》と浣腸《くわんちやう》をする事《こと》は害《がい》あつて益《えき》はありません。出《で》た便《べん》はとつておいて醫師《いし》にみせること）

二、安靜《あんせい》にして頭部《とうぶ》を冷《ひ》やし、手足《てあし》の先《さき》を溫《あたゝ》め、且《か》つ腹《ふく》部《ぶ》溫濕布《をんしつぷ》をする事《こと》。

三、醫師《いし》の指示《しじ》を受《う》ける迄《まで》は乳《ちゝ》や他《た》の食物《しよくもつ》を與《あた》へないやうにして、患兒《くわんじ》が口《くち》が渴《かわ》く時《とき》は冷番茶《ひやしばんちや》か白湯《さゆ》を少《すこ》しづゝ與《あた》へます。

二、赤　痢

原因《げんいん》　赤痢菌《せきりきん》。

好發年齡《かうはつねんれい》　大人《おとな》も子供《こども》も同樣《どうやう》に犯《をか》しますが、幼《をさな》い子供《こども》程《ほど》危險《きけん》な事《こと》が多《おほ》い。

潜伏期《せんぷくき》　數時間《すうじかん》—數日《すうじつ》。

症狀《しやうじやう》　突然發熱《とつぜんはつねつ》、腹痛《ふくつう》（特《とく》に左下腹《ひだりしたはら》が痛《いた》く觸《さわ》ると索《さく》狀物《じやうぶつ》がふれる）下痢《げり》を以《もつ》て始《はじ》まります。時《とき》に嘔吐《おうと》、痙攣《けいれん》も起《おこ》します。大便《だいべん》の回數《くわいすう》は非常《ひじやう》に多《おほ》く、一日《にち》に五—十—二十回《くわい》、初《はじ》めは黃色粘液便《くわうしよくねんえきべん》ですが、間《ま》もなく膿《うみ》や血液《けつえき》を混《こん》じ、精液臭《せいえきしう》があり、排便《はいべん》の時腹痛《ときふくつう》、裏急後重《りきふこうぢう》（排便《はいべん》後《ご》でまだ何《なん》だか大便《だいべん》が出《で》たい樣《やう》な氣《き》がするが大便《だいべん》はあまり出《で》ません）を訴《うつた》へます。

經過《けいくわ》　順調《じゆんてう》なときは十日《か》—數週《すうしう》で治《なほ》ります。疫痢程《えきりほど》死亡率《しばうりつ》は高《たか》くありません。

治療法《ちれうはふ》　疫痢《えきり》と同樣《どうやう》に行《おこな》ひ其《そ》の他《た》は醫師《いし》の指圖《さしづ》に從《したが》ふ事《こと》。

三、腸チフス

原因《げんいん》　腸《ちやう》チフス菌《きん》。

好發年齡《かうはつねんれい》　乳幼兒《にうようじ》には少《すくな》く五—六年以後次第《ねんいごしだい》に多《おほ》くなる。

潜伏期《せんぷくき》。一—二週《しう》。

症狀《しやうじやう》　初《はじ》め全身《ぜんしん》が倦怠《だる》く食慾《しよくよく》が無《な》く頭痛《づつう》其《そ》の他身體《たしんたい》の諸所《しよ〳〵》が痛《いた》み、其《そ》の中《うち》に突然寒氣《とつぜんさむけ》がして熱《ねつ》が出初《ではじ》めます。大便《だいべん》はむしろ便秘《べんぴ》に傾《かたむ》きます。熱型《ねつけい》は特有《とくいう》で第《だい》一週《しう》は毎《まい》日階段狀《にちかいだんじやう》に熱《ねつ》が上《あが》り、遂《つひ》に四十度以上《どいじやう》となり、第二週《だいしう》は

四十度内外《どないぐわい》の熱《ねつ》が下《さが》らずに毎日《まいにち》つゞき、第三週《だいしう》に入《はひ》ると一日《にち》の間《あひだ》に熱《ねつ》の昇引きがありますがそれでも尙解熱《なほげねつ》はしません。第四週《だいしう》から日一日《ひにち》と解熱《げねつ》し初《はじ》め病氣《びやうき》の終末《しゆうまつ》に近《ちか》づいた事《こと》を示《しめ》します。高熱《かうねつ》の時《とき》は倦怠《けんたい》、頭痛《づつう》、腰痛益々《こしいたますく》ひどく時《とき》に下痢《げり》し、舌《した》に白苔《こけ》が出來《でき》、食慾全《しよくよくまつた》く缺乏《けつばふ》し時《とき》に意識《いしき》が不明《ふめい》となり、薔薇疹《ばらしん》と言《い》ふ小《ちい》さな淡紅色《たんこうしよく》の斑點《はんてん》が胸《むね》、腹《はら》、背《せ》などに出來《でき》ます。

合併症《がつぺいしやう》　心臟衰弱《しんざうすゐじやく》、腸出血《ちやうしゆつけつ》、穿孔性腹膜炎《せんこうせいふくまくえん》、肺炎《はいえん》、脚氣《かつけ》などが合併《がつぺい》すると經過《けいくわ》が惡《わる》くなります故注意《ゆゑちうい》を要《えう》します。

小兒《せうに》チフスは一般《ぱん》に大人《おとな》の樣《やう》に熱型《ねつけい》も定《き》まらず經過《けいくわ》も輕《かる》いとされて居《ゐ》ますが往々重症《わう〳〵ぢうしやう》な例《れい》もありますし、その上《うへ》一度《ど》成人《おとな》が傳染《でんせん》すると非常《ひじやう》に危險《きけん》です故《ゆゑ》、不明《ふめい》の熱《ねつ》がつゞく時《とき》は尿及《ねうおよ》び血液《けつえき》の檢査《けんさ》を受《う》けねばなりません。

乳幼兒《にうようじ》**チフス**　一層症狀《そうしやうじやう》が輕《かる》く、たゞ不明熱《ふめいねつ》がつゞくのみで、他《た》に大《たい》した變化《へんくわ》の無《な》い事《こと》もありますが、時《とき》に食慾《しよくよく》が無《な》く、嘔吐《おうと》、鼓腸《こちやう》、下痢等《げりとう》があります。

經過《けいくわ》　熱《ねつ》は下《さが》つても貧血《ひんけつ》、衰弱等《すゐじやくとう》が恢復《くわいふく》するには解《げ》熱後《ねつご》三、四週間《しうかん》かゝります。

豫後《よご》　小兒及《せうにおよび》幼乳兒《にうようじ》は大體輕《だいたいかる》く、老人《らうじん》、酒客《さけのみ》、肥滿《ひまん》者《しや》、姙婦《にんぷ》、產褥婦《さんじよくふ》は死亡率《しばうりつ》が高《たか》い。

治療法《ちれうはふ》　不明《ふめい》の熱《ねつ》の時《とき》に矢鱈《やたら》に解熱劑《げねつざい》を服用《ふくよう》させる事《こと》は禁物《きんもつ》です。其《そ》のために熱型《ねつけい》が狂《くる》ひ、醫師《いし》の診斷《しんだん》の邪魔《じやま》となります。

一、絕對安靜《ぜつたいあんせい》。二、食餌療法《しよくじれうはふ》、有熱時《いうねつじ》にても「カロリー」多《おほ》く「ヴイダミン」に富《と》み消化《せうくわ》し易《やす》き流動食《りうどうしよく》をとり次第《しだい》に半固形食《はんこけいしよく》に移《うつ》ります。或《あ》る一派《は》の人《ひと》の云《い》ふ樣《やう》に初《はじ》めより固形食《こけいしよく》を與《あた》へるのは過度《くわど》にすぎますが以前《いぜん》の樣《やう》に重湯《おもゆ》、葛湯《くづゆ》丈《だ》けで長期榮養《ちやうきえいやう》する事《こと》はいけません。恢復《くわいふく》期《き》は食慾急《しよくよくきふ》に進《すゝ》みますがこの際充分攝制《さいじうぶんせつせい》を守《まも》らないと腸出血《ちやうしゆつけつ》、穿孔性腹膜炎等《せんこうせいふくまくえんとう》を起《おこ》し、千仭《せんじん》の功《こう》を一簣《き》に虧《か》く事《こと》となります。口渴《こうかつ》には番茶《ばんちや》、麥茶《むぎちや》「リモナーデ」を充分《じうぶん》に與《あた》へます。

三、褥瘡《とこずれ》の起《おこ》らぬ樣《やう》身體《からだ》の位置《ゐち》を時々《とき〴〵》變《か》へ、寢床《ねどこ》に常《つね》に接觸《せつしよく》する臀部《でんぶ》、背部等《はいぶとう》を常《つね》に清潔《せいけつ》にするため「アルコール」で一日《にち》二、三回拭《くわいふ》きます。又空氣枕《またくうきまくら》、圓座《えんざ》等《とう》を敷《し》きます。

四、豫防法

消化器傳染病《せうくわきでんせんびやう》**一般豫防法**《はんよぼうはふ》　傳染力強《でんせんりよくつよ》く、死亡率《しばうりつ》も高《たか》い

これらの病氣《びやうき》も一寸《ちよつと》した注意《ちうい》で完全《くわんぜん》に豫防《よばう》し得《え》らるゝものです。百の治療《ちれう》より一の豫防《よばう》、轉《ころ》ばぬ先《さき》の杖《つゑ》です。先《ま》づ豫防《よばう》の完全《くわんぜん》を期《き》さねばなりません。

一、飲食物《いんしよくぶつ》は必《かなら》ずよく煮沸《しやふつ》し、生水《なまみづ》、未熟《みじゆく》な果物《くだもの》、腐敗《ふはい》しかゝつたものは絶對《ぜつたい》に食《た》べぬ事《こと》。

二、平素《へいそ》より胃腸《ゐちやう》を丈夫《ぢやうぶ》にし、暴飲《ばういん》、暴食《ばうしよく》、買喰《かひぐ》ひをしない事《こと》、夜分《やぶん》は殊《こと》に食《た》べ過《す》ぎぬ事《こと》。

三、大小便《だいせうべん》の後《のち》、外出《ぐわいしゆつ》から歸《かへ》つた後《のち》、食事《しよくじ》の前《まへ》には必《かなら》ず手指《てゆび》をよく洗《あら》ふ事《こと》。

四、寢冷《ねび》えをしない様《やう》にする事《こと》。

五、便所《べんじよ》は水洗式《すゐせんしき》が良《よ》い。出來《でき》ねば落《おと》し口《ぐち》に蓋《ふた》をし、汲《くみ》取口《とりぐち》に金網《かなあみ》を張《は》り蠅《はへ》の出《で》ない様《やう》にし、時々《ときどき》消毒劑《せうどくざい》を撒《ま》き、發生《はつせい》した蠅《はへ》の驅除《くぢよ》に努力《どりよく》する事《こと》。

六、下水《げすゐ》、塵埃箱《ちりばこ》に蓋《ふた》をし、時々《ときどき》消毒劑《せうどくざい》を撒《ま》く。消毒劑《せうどくざい》は藥局《やくきよく》で「クレゾール」石鹸液《せつけんえき》を求《もと》め、約《やく》三十倍位《ばいぐらゐ》に稀釋《きしやく》して用《もち》ふ。

七、不幸《ふかう》にして患者《くわんじや》の發生《はつせい》した時《とき》は直《たゞ》ちに隔離《かくり》し、患者《くわんじや》の用《もち》ひた寢室《しんしつ》、衣服《いふく》、食器《しよくき》、寢具《しんぐ》、書物等《しよもつとう》の消毒《せうどく》、大《だい》小便《せうべん》、吐物《はきもの》も充分消毒《じうぶんせうどく》する事《こと》。

八、内服《ないふく》「ワクチン」を豫《あらかじ》め服用《ふくよう》すること。

九、「チフス」は、「チフスワクチン」豫防注射《よばうちうしや》が有効《いうかう》です。

十、保菌者《ほきんしや》に對《たい》する注意《ちうい》、赤痢《せきり》や「チフス」に罹患《りくわん》した後《のち》に永《なが》く菌《きん》を身體《しんたい》の中《うち》に持《も》つてゐる人《ひと》や、菌《きん》を持《も》つてゐても其《そ》の本人《ほんにん》は病氣《びやうき》にならない人《ひと》は病氣《びやうき》を傳播《でんぱ》する恐《おそ》るべき運搬人《うんぱんにん》で大《おほ》きな流行《りうかう》の原因《げんいん》となる事《こと》が多《おほ》い故《ゆゑ》保《ほ》菌者自身《きんしやじしん》は公徳上《こうとくじやう》、注意《ちうい》をしなければなりません。

缺食兒の辨當

西村誠三郎

政府の提案で、一汁一菜を奬勵すると謂ふ。大いに良い事だと思つてゐたら、大概の農家では、謂はないでも一汁一菜だから取止めると謂ふ。何にが何やら分らないが、一汁一菜は、大いに奬勵すべきことだ。都會人は得てして贅澤になつて、五菜でも、八菜でも數多い程得意がつてゐる。歐洲大戰に當つて、獨逸が一皿主義を勵行したことは、有名な話だが、都會の庭園を菜園にしない迄も、一汁一菜は良い事だ。

無論貧乏人の家では奬勵しないでも、一汁一菜は實行してゐるのだが、富有階級の眼に餘る贅澤振りは、時局柄大いに制限すべきことだ。寧ろ一汁一菜を勵行するなら、こうした階級に、より一そうの必要があるのだ。家庭内の皿數にまで極端な制裁を施さないまでも、公開の食堂では一汁一菜主義でありたい。法律で禁じるの何にのと謂ふと多少角が立つが、大體に於てその心構へで食事をすることが望ましい。

一汁一菜では、國民が皆榮養不良になつて、青菜に鹽のやうな顔になる。決してそんなことは無い。材料なり、調味なりを、十分に注意すれば、一汁一菜も結構榮養食になる。某博士が、味噌汁に澤庵丈の朝食では、榮養價が足りないことを主張されてるのを、何にかの記事で讀んだが、日本國民の大部分は、現在の朝食は大概それだ。それでゐて決して榮養不良には陷つてゐない。これは食事そのものゝみから見る一方的の解釋に依るからで、他の一面である人間そのものゝ活動を、割合に輕視してゐるからだ。それならば日本の人間は、皆榮養不良になつてゐなければならないのだが、事實はそうでも無い。材料と、分量と、消化この三つのものが完全に一致しなければ、榮養、不榮養は謂はれない。

殊に最後の消化、詰まり健康がまた大いに問題になるのだ。

それとこれとは少し話が異なるが、私は最近よく處々の學校に行く、そうして小學校の小使室で、缺食兒童の給食辨當なるものを見る。親が子に辨當を持たせてやれない位悲しいことはあるまいが、そうした兒童が、どの學校にも多少はある。世間では、軍需景氣だの、金献納だのと云つてるが、晝の辨當を學校から支給して貰はなければならない兒童の少くないことを忘れてはならない。

學校で辨當を兒童に支給することが善いか惡いかは、別問題として、私はこの辨當を見る度に、云ひ知れぬ哀れさを感じる。これは東京の市内の小學校だが、或る校長の話に依ると、支給辨當費は、區に依つて相違もあるが、一食五錢位だとのことだ。五錢ではいくら兒童の辨當でもどうにもならないので、大概は經費不足になつて仕舞う。その經費不足をどうするかまでは聞かなかつたが、時折り辨當調べをして見る。

小形のアルミ製の辨當箱に、胚芽米と、菜入の方には、豚肉や馬鈴薯の煮付、それに澤庵の二切位が多い。パン食を支給するのが、一番面倒でないのだが、それは多く廢せられたやうだ。榮養價と、兒童の嗜好には、大體適してゐるものが多いやうだが、併しその取扱ひ方には遺憾のものが尠くない。

支給辨當は、小使部屋に置かれて、晝食時間になると兒童がそれを取りに來るが、同じ容器のものが、無雜作に棚に並べられてゐる。それを多く低學年の兒童だが、飛んで來て貰つて行く、中には洋服の裾に隱すやうにして持つて行く。其態度が如何にもいぢらしい。給食辨當であることを、童心にも愧ぢてゐるやうだ。

これは芝方面の或る學校で見たことだが、五六名しか無い缺食兒で、容器丈は各自持で、風呂敷までも添えてあるその學校の小使は、仕出屋から持つて來た食料を、それに適當に分配して、ちやんと風呂敷に包んで渡してゐた。こうすれば少しも給食辨當らしく無い。兒童もそれを受取つて隱す心要も無く。喜んでそれを持つて行くのを見たが、これなぞは校長の心盡しが思はれて、偶々それを見てゐた私にも、云ひ知れぬ愉快さを感じさせる。

こうした取扱をしてゐる學校は、餘り無いやうだが、教育もこゝまで細心の注意が拂はれてゐれば、何んとしても喜ばしい。小學校も、低學年の兒童の樂しみは辨當にあるのだから、それを愉快な氣持で喰べさせることは、中味の如何よりも、精神的に及ぼす影響が、決して少いものでは無い。兒童が隱して喰べねばならぬやうなことは、どんな優良兒でも卑屈にする。理想的に云へば、支給辨當は全廢したい。金錢で補足することは幣害もあるかむを得ないが、せめて取扱ひ丈は大いに注意を要する。

金の經濟から、物の經濟に移つて、物資の節約、物價の取締さ、なかくやかましいが、五錢の給食辨當は、いくら子供でも悲慘である。これは節約しやうにも全然餘地が無いので、一方給食ならざる兒童に、牛乳の廉價配給等の計畫もあるが、給食兒童は益々哀れな情態に追ひ込まれる。最近市内に新築された學校を見るさ、徃々にして必要以上さ思はれるやうな贅澤な設備が施されてゐる。一校建設費三十萬圓位のはざらにあるが便所の取手が切子の硝子玉であつたり、手洗所に面取りの鏡が張り付けてあるなぞは過ぎたるは及ばざるが如しの感がある。教育が設備萬能では無く、それで二部教授があつたりしては、何んの意味も無い。家庭さ餘りに掛け離れた學校生活、それが兒童教育であつては、其間の不調和を誰れが教育するのであるか。

或る校長、實際こんな話もしてゐた。餘りに會議やら打合せやら、事務が多過ぎて困つてゐる。調査、報告、それが各方面から同樣なことを云つて來る。自分でも知らない位の多くの委員や、役員になつてゐる。これでは肝腎の兒童の訓育に全力を注ぐことは出來ない。教師が落付いて物を研究する餘裕が無くては、教育の實績はどうしても擧らない。缺食兒、虚弱兒の問題も考へねばならず、優良兒と云つても、それは眞の意味の優良兒では無いが、全體の標準が低下する。困つたものですと、これは本當の告白だ。眞面目に考へたら、一日も職に留まれないかも知れぬ、何にが何にやら判らずに暮れて仕舞う。少し大きな學校には、專任の書記の一人位は置けさうなものだが、それも經費の都合で許されない。本當に困つたことだ。

國民の教育はなぞと、大局高所からの議論はよく聞かれるが、實際上の問題になると、得てして隅つこの方に押し込められてゐる。それをやるものは、教育家の特志者で、一言の褒め言葉位で、浮つかりすると反對に非難される。これではどうにもならぬ。どの學校にも、缺食兒童のあることを知らぬものも多からうが、これを根絶する方法は、他に無いものか、勞働奉仕も至極結構である。併し餓えたるものには食を與えよである。五錢の給食辨當を十錢にするが爲めには、大いに考えて然るべしだと思はれるのだが、そうした勞働有償は無いものか、事柄は小さいやうでも、影響する所は決して尠くは無い。

大阪
越
三越
お買物は
良品の三越へ

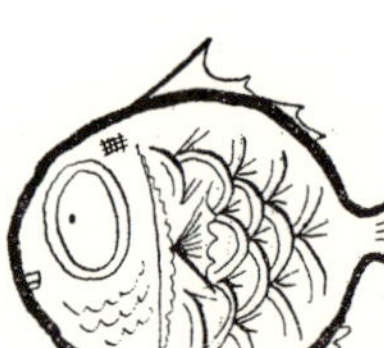

學童に贈る

水泳する時の注意

大阪市體力課長
醫學博士　深山杲

暑い夏が來ました。皆樣方坊ちやん孃ちやん達は、さぞ、海に川に或はプールに、水を慕つてゐらつしやる事でありませう。

水泳は暑い夏を淩ぐのに最も涼しくて好い遊びであるばかりでなく、又身體を丈夫に鍛へ上げる上から云つても一番理想的な運動でありまして非常時局下の夏，國民の體位向上を圖る爲めには最も適はしいものであります。

スツキリと晴れた大空の下で靑々と松の繁つた白い砂濱に立ち、遠く海の彼方の入道雲が色んな形に變つて行くのを面白可笑しく眺め乍ら心ゆくばかり澄み渡つた大氣に觸れてゐますとそれだけで旣に氣分もサツパリとし身も心も云ひ知れない爽やかさを味はふ事が出來ます。然かも燒きつくやうな太陽の熱と光とを身體一杯に浴びる爲めに皮膚の色は見るからに丈夫さうな赤銅色となり健康そのもの丶樣な色澤を帶びて來ます。

水泳が健康上如何に好いかと云ふお話は未だ〱有りますが大體これ位にして「衞生上の注意」を申上げませう。

先づ水泳を始めやうとされる方が一番初めに注意しなければならない事はその人の健康狀態であります。成程水泳は大變體に好い運動ではありますけれど、一步過つて病氣の人が不注意にも水泳をやりますと丈夫になるどころか却て大事な命をすら落すと云ふ危險を招きます。

さてどんな病氣がいけないかと申しますと、之は絕對に泳いではいけない病氣と注意して泳げば差支へないの

みならず場合によつては却て病氣が治ると云ふ種類とがあります。

絕對に泳いでいけない病氣としては先づ中耳炎であります。この病氣は恐ろしい病氣でありましてこれが惡くなりますと腦膜炎を起して命をなくします。又重い脚氣や心臟に病氣のある人も泳ぐと益々心臟が衰弱して急に死ぬ事がよくあります。尙又風邪をひいてゐるのに押して泳いだ爲めに肺炎を起して死んだりする事がありますから注意しなければなりません。其他一般に腎臟病、胃腸病、呼吸器病、眼病、外傷等のある人が泳ぐといけない事は今更申すまでもありませんし、又癲癇癖のもの丶不適である事も明らかな事であります。申し添へておきますが最近一年以內に盲腸炎を患つた人は譬へ旣に治つてゐても今夏の水泳は充分に愼まないと再發の惧れがあります。又痔疾のある人も症狀の出てゐる時には泳いではいけません。

次ぎに注意して泳げば却て病氣が治る場合のものを擧げて見ますと先つ腺病質や何處となく身體の弱い所謂虛弱質や或は輕い呼吸器病(浸潤)などであります。之等の人は泳ぐと云ふより水につかる程度にして過激な運動を避け後はラヂオ體操位をやりながら適宜に日光浴をしてゐますとそれが自然に所謂冷水浴とか日光浴或は空氣療法となり筋肉の整調運動と相俟つて大變に身體の爲めに好い效果を及ぼすのであります。

尙又よく腦貧血を起す性の人は帽子を冠つて絕えず頭を濡らしておれば自然に發作が少なくなります。其他單純な下痢は甲羅乾しをしてお腹を溫めると治りますし、よく筋肉の痙攣を起す人も注意して豫め手足の關節を屈伸せしめて、急に過激な運動をせず又體を冷し過ぎたりする事を避ければ段々に發作は少なくなつて來ます。

要するに病身の方は必ず一度最寄の醫者に診て貰つて水泳をしても好い狀態であるかどうかを尋ねる事が必要であります。

次ぎに愈々水に入るに當つての注意をあらまし申上げる事に致しませう。

先づ水に入る直前の注意としては第一に氣をつければならない事は滿腹の時、空腹の時、過激運動後など大變に身體の疲勞をしてゐる時には決して泳いではいけない事であります。滿腹の時に泳ぐと著しく消化作用を妨げて胃腸を害ねる事になりますし空腹の時に泳ぐと腦貧血を起して倒れる事がありますからお腹の具合の好い時に泳ぐやうにするとよろしい。又身體の疲勞してゐる時に泳ぐと疲れに乘じて色んな病氣が起り時には心臟痲痺で急死する場合すらありますから適當に身體をやすめてから泳ぐやうにしなければなりません。其他何となく氣の進まない時は決して水に入つてはいけません。尙雨の降つてゐる時に泳ぐのは一寸面白い樣ですが體にあたる雨の爲にきつと風邪を引いたりしますから雨が降つてゐる時は泳いではいけません。

次ぎに水に入る際の注意としては先づ充分手足の關節を折り屈げ尙あらかじめ深呼吸や體操などの運動準備をして身體の動

きを圓滑にしておく必要があります。そうしないと泳いでゐる內に手足の自由を失つて痙攣を起す心配があります。手足の關節を折り屈げる事は水に入つてゐる間でも時々行ふと宜しい。

次ぎに耳に水の入らない用意でありますが、曾つて耳の病をした事のない人でしたら生綿などで栓をすることは柔らかい耳中の皮膚を傷つけて外耳炎などを起す基になる事がありますから何もつめないで唾を耳の內面につけておくだけでよろしい。以前に中耳炎をやつて鼓膜に孔の開いてゐる人、或は外耳炎で耳垂れの出る人が泳ぐ場合には餘程注意して耳に栓をしておかないと水が入れば危險であります。それには先づ生綿で奧深く〇をして次ぎにパラフインかオイルを浸ました生綿で又〇をしてその外へ普通の生綿をつめると云つた具合にして三段位にわけて詰め水から上れば充分に掃除して水分をとり去つておく事を怠つてはいけません。

次ぎに水中での注意としては先づ第一に頭で濡らす事であります。泳いでゐる間も始終頭を濡らさないと腦貧血や日射病にかゝりますから氣をつければなりません。水泳帽を冠つてゐますと比較的永く頭が濡れてゐますから好いだらうと思ひます。

深淺の判らない處で初めて泳ぐ時は決して急に飛び込まない事です、思ひ掛けなく淺かつた爲めに怪我をしないでもありませんし、もつと危險な事は其處が大變に冷たい水であつた爲めに急激な變化でフツと氣絕をして仕舞ふ事すらありますから最初は必ず靜に水へ入りなさい。

泳ぐには水底に岩の多い處は避けないと牡蠣で足を切つたり藻で辷つて怪我をしたりしますから立ち上るのに安全な場所例へば砂地のやうな處で泳ぐと宜しい。立ち上るにしても急に立つと運惡く物のカケラで足を切る事がありますから立ち泳ぎの姿勢で靜かに足を水底において安全と知つてから踏み構へないといけません。この意味で水が濁つて、底の見えない處を泳るのは大變に危險です。

一寸話が外れましたが次ぎに水の中で顏の濡れた時よく眼を拭く人がありますがそう云ふ事を度々すると疲勞を增す許りでなく眼の中へ無理に惡いものをすり込んで結膜炎を起したりしますから顏に水のかゝつた時は眼を閉ぢて水を拂ふ程度で濟ませる癖をつけないといけません。尙水に潛る時眼を閉ぢてゐると岩などにぶつゝかつたりしますから潛水中は眼をあけてゐる癖をつける必要があります。泳いでゐる時の呼吸は必ず口から吸つて鼻から出すやうにしないと鼻から吸つた拍子に思はず水が氣管へ入つたりして氣管支炎等を起す事があります、若し鼻に水が入つた時は水に顏をつけて鼻から强く息を吐けば出ます。

泳いでゐる間に何となく氣分が勝れないやうに感じたり寒氣を催したり、大分疲れたと感じたやうな時には直ぐに水から上つて休養するなり場合によつては醫者に診て貰ふなりしないとそれを押して泳いでゐると取返しのつかない事になる事があります。又、友達から口唇の色

が紫色だと云はれた時には直ぐに水泳を止して體を暖める様にしなさい。

次に時折水中で何かにさゝれる事がありますが直に上陸してアムモニア水をぬれば直ぐに治ります。もし棘などがさゝつてをりますと必ず抜いておかねばなりません

最後に水泳を止して陸に上つた時の注意としては先づ耳に水の入つてゐる場合先づこれを取り去ります。それには耳を下向にしてトン〱足踏すれば直ぐに出て仕舞ひますが尙頭を振つてゴロ〱耳がなるやうだつたら水が殘つてゐるのですから綿棒につけた脫脂綿で吸ひとるか或は水を吸ひやすい日本紙で紙撚をつくりその先きの方を一寸ちぎつてやはらかく開いたまゝにしたものを耳に入れてグル〱廻はして水をとればよろしい。此の方法ですと絶對に皷膜を破る心配がありませんから之をおすゝめします。何れにしても水は奇麗にとつておかないと外耳炎とか中耳炎を起すやうになります。

次ぎに必ず眼を奇麗な眞水で充分洗つておかないといけません。尙プールなど水の汚い處で泳いだ後は眞水で洗ふ他に〇・五プロのチンク水か三プロ位の硼酸水を眼に垂らしておくと一層によろしい。

其他鹽で身體がねば〱したり汚い水で泳いだ後などは眞水を浴びるなり風呂へ入るなりして必ず體を奇麗に洗つておかないと色んな皮膚病をおこしやすいです。

尙何時までも濡れた水着のまゝで遊んでゐるとお腹を冷したり又リウマチの因となりますから水から上つて仕舞へば出來るだけ早く着物を着るやうにするとよろしい

終りに臨み一般的の注意として申上げておきたい事は水泳の時間でありますが初めて入る時はごく短時間に止めて段々に泳ぐ時間を延ばすやうにしないとお腹をこはしたり風邪を引いたりします。又どんな丈夫な人でもあまり長く水の中にゐると決してよくありませんから注意しなければなりません。身體を陽に燒くにしましても初めから急に長時間陽に曝すと御承知の通り大變に痛みますし又水膨れが出來そこから不潔物が入つて膿を持つやうになりますから徐々に時間を延ばすやう加減する事が必要であります。

尙水泳をすると喉が乾くから必要以上にガブ〱と冷めたい飲料水を飲み過ぎ易いですが、夫では丈夫なものでも胃腸を壞しますから愼しまねばなりません。

以上は坊ちゃん孃ちゃん方の水泳をされるに當つて心得てゐなければならない衞生上の注意の大體でありますがこれは大變必要な事でありますから充分心掛けて忘れないやうにしなければなりません。そして萬一耳が痛むとか熱が出るとか或は又非常に身體がだるくなつた時などには一刻も早く近所の醫者に診て貰つて適當の手當を受ける事も決して忘れてはならない事であります。

愛兒の健康に

林間學校と海濱學校

どちらがよい

子供たちのまちこがれる林間學校や海濱學校は、七月廿一日から開かれますが、子供たちの健康を增進させるため、お母さん方は林間と海濱いづれを選びますか。どちらも同じやうに考へられますがよく調査すると、林間と海濱では健康增加の效果、程度が次のやうに違ふのです。

	海濱	林間
身長	〇・四センチ	〇・六五
體重	〇・三キロ	〇・五六
胸圍	〇、八センチ	二・一
肺活量	一五〇立方センチ	一九五

これは東京府が、一年間七萬人にのぼる海濱、林間學校兒童生徒について二、三週間の短期保養による健康の平均增加を調べたもので、林間の方がすべての點ですぐれてゐますが、貧血などによつて促進される赤血球の沈降速度は海濱の方がなほりやすく、海では百人のうち六十六人がよくなり、林間では廿三人といふ比較です。次に家庭で注意しなければならぬことは海や山での病氣で擦過傷、刺傷、裂傷、捻挫濕疹、感冒、扁桃腺炎、外聽道炎、中耳炎、結膜炎、ものもらひ、胃腸病などですが、海と林間によつてどういふ病氣にかゝりやすいかといふと、氣管支炎は海に多く、胃カタルは同じ程度腸カタルにかゝるものは、林間より海の方が倍で、扁桃腺や結膜炎は林間に多いのです。耳疾の外聽道炎は兩方同じくらゐですが、中耳炎は海に多く、皮膚病の濕疹もまた海です。

しかし擦過傷その他の外傷は、海より林間に多いのですから、用心するに越したことはありません。また家庭へ歸つてからもよく學校と聯絡して健康狀態の變化に注意することがのぞましいと思ひます。（東京府衛生課　小林技師）

育兒知識の要諦（第十二篇）

大阪市立堀川乳兒院長　醫學博士　野須新一

小兒結核に就て

大人の解剖に際して、生前自覺的に結核性の疾患に罹された事のない人に於ても、其の身體の何處かに（重に肺の）結核に罹つたことのある痕跡が發見される。又結核性の疾患の有無を檢べる方法に「ツベルクリン」反應といふものがあるが、大人では殆んど其の大多數に於て反應陽性に現はれる。此の結果から見るも、誰れもが一度は結核に感染したことがあるといふことを意味するのであつて自分は結核に罹つた事はないと威張つても駄目といふことが解る。

結核は治り得る疾病である

以上の如く誰れも結核に感染して居らぬ者はないといふことは、誠に氣味の惡い事ではあるが、觀方によつては結核といふ病氣は不治の病氣ではなく、却つて癒り易い病氣であるといふ證據にもなる。到る所に機會があつて結核菌を吸ひこんだとしても其の割合に結核に罹る人や、結核で死ぬ人の少いといふことは、我々の身體は假令少し許りの結核菌が侵入しても、勿論直ちに發病する譯のものではなく、一度に澤山の菌が入るか、或は身體の抵抗力が著るしく弱つた時でなければ感染せぬもので又他方感染して少し位結核に罹つても知らぬ間に治癒して居ることが多いからである。斯う云ふと、結核は割合によく癒ると云ふことが出來るけれ共、さて實際に就いて見るに結核が難治であることは餘りにも明瞭である。此の樣な矛盾の起る原因は結核性の疾患の程度によるものであつて、初期の結核はよく治癒することが出來るが病狀の進行してゐるものは治癒が困難であるといふことになるのである。

結核の殆んど大多數は既に小兒期に於て感染してゐる

肺結核と言へば恰も大人に好んで來るもので、小兒には少ない樣に見える、然し實際の所肺結核は小兒にも多い。「レントゲン」寫眞による診斷「ツベルクリン」反應檢査、及臨牀的、解剖的に從來調査せられた所によると結核の殆んど大部分は小兒期に於て、既に感染したものであることは明らかである。

例へば「ツベルクリン」反應檢査を見ても次の表に示すが如く、既に四―五歳にもなると一萬人の中半數位は反應陽性を示すもので、百人の中半數は結核に感染したことがあると云ふことになります、故に結核と小兒とは如何に密接なる關係にあるかと云ふことが窺知出來ませう。

又ハンブルゲル氏の解剖上の統計に據つて見ますに、諸種の原因で死亡した小兒の屍體解剖に於て、結核性の疾患でない他の病氣で死亡した者、又は生前には全く結核の症狀のなかつた者に於ても、結核性の病變を身體の一部分に證明されるものが以外に多數に及ぶものであることが解ります。

小兒結核の特長

大人の結核とは餘程其の趣を異にする。

肺門淋巴腺結核（小兒第一期結核）小兒には最も多い肺門淋巴腺結核といふのは肺門部、即氣管、及び氣管の分枝部の周圍部にある淋巴腺が結核菌と鬪つてゐる時期のものである。

小兒が結核菌を吸ひ込むと菌は先づ細かい氣管枝を通じて、肺に侵入し其處で最初の小さい結核性の病變が起ります。これを所謂原發病竈と言つて居る、この小病竈から結核菌は更らに淋巴道によつて、一番近くにある氣管枝淋巴腺に到着します、すると淋巴腺は其中に侵入して來た黴菌を取り押へて、此處より先へは行かぬ樣にし更らにこの關所で淋巴腺內の白血球と結核菌との戰爭が始る、其の結果淋巴腺は腫れて大きくなつて來る、即ち肺門淋巴腺結核を起すのである。此の儘で治れば全く肺結核は外に表はれずにすむ、又實際に此の程度で治るものが一番に多い。

所謂潜伏性結核とは此の肺門淋巴腺のことである。即ちこれが第一期結核である。

小兒結核の多くは第一期、第二期のものである　第三期結核のものは稀れである。

症狀は餘りはつきりせず、この時期には熱が出て、だん〳〵身體が瘦せて來、顏色が惡く蒼白くなつて來る。

此時期に早く注意して醫療を加へることが大切である。

尙此の外に屬するもので乳幼兒によく見る結核性氣管枝炎がある。之は肺門淋巴腺が氣管枝內に破れ起るもので治療し難きものである。尙腸間膜腺結核といふのがあつて、牛乳その他の食物攝取による腸感染に由來することがあるが、多く其他の結核病竈から續發性に來る。多くは衰弱して死の轉歸をとる。

肺門淋巴腺結核が進むと其の淋巴腺から淋巴管によつて附近の肺を犯すことになり肺結核となるのである。更に進んで腦膜炎を起し、骨結核、腸結核又は眼の粘膜に「フリクテン」といふ樣なものを生ずるに至れば第二期である。肺組織の破壞が起り空洞形成を生ずるに至れば第三期の肺結核で之は小兒には稀である。

第二期に屬するものは、粟粒結核、頸腺結核、基結核性浸潤、腺病質等に分類されてゐる。

潜伏性結核とは何か

肺門淋巴腺結核は其の程度で治癒することが屢々あることは既に述べたる如くであるが、全く治癒せずして往々病氣の進行が停つて結核病變の活動性が全く休止の狀態にあることがある。斯くの如き狀態にあるものを潜伏性結核といつて身體が瘦せてゐたり、顏色が惡かつたりする位で大した熱も咳も出ず、全く之は決して治癒したものでないから何か身體の抵抗を弱める樣な事（例へば感冒に罹つたり、ひどく下痢をした後）、等或は何か其他の原因によつて今迄休止してゐた狀態が忽ち活動性になつて來ることがある。卽ち、潜伏性結核は恰度何時爆發するか分らぬ休火山の樣なものであることを忘れてはならぬ。

結核の感染

結核の病原となるのは誰も知つてゐる結核菌であるがこの結核菌には人結核菌と牛結核菌とがあつて、人型結核菌は勿論人間に感染するが、牛型菌が人類の結核の原因となるやに付いては諸學者によつて色々と論爭されてゐる。之が人類の結核に對して問題となるのは牛乳であつて結核牛の乳中には結核菌を含んでゐることがあるからして、此如き牛乳を用ひる時は、結核に感染する危險があると云ふことが問題である。殊に牛乳をよく飮用せる乳幼兒は牛結核に感染することが多いのは注意すべきことである。煮沸消毒をすれば結核牛の乳でも危險はない。

結核菌の抵抗力

假令結核菌が牛乳中にあつても煮沸消毒をすれば殺菌されるから危險がない事になるのである。

喀痰中に居る菌は水中又は土壤中に於てもよく生存し死滅せぬと云はれてゐる。然し太陽直射光線中に於ては數時間で死滅する。

溫度に對する抵抗―寒冷に對しては攝氏零下六―一〇度にて一週間以上も生存し、熱に對しては攝氏七〇度では二十分間、八〇度では五分間で死滅する。

石炭酸水を喀痰と等量に混和したもので二十四時間、十倍のリゾール液では十二時間を要すると云ふ。

結核は遺傳しない、生後に感染したものが多い。然し結核に罹り易い體質或は素因は親から子に遺傳するとせられてゐる。親が結核の時その子によく結核の發生を見るのは甚だ屢々ではあるが、之は生れて後、母親から（或は父親から）感染して起るものが大多數を占めてゐる。稀には既に母の胎內に於て母の結核に感染してゐることもある。

初生兒に於けるピルケー氏反應

（報告者）	（檢査人員）	（成績）
吉田氏	九〇	全部陰性
ファルギー氏	一九〇	同
ボンギー氏	三五〇	同

安井氏等の成績

（年齢）	（ピルケー氏反應陽性率）
一年以下	三・六%
一―二年	九・三%
二―三年	一五・八%

以上の成績を見ても明らかな如く滿一年以內の乳兒にあつては結核に感染して居るものは極めて少ないのである。（未完）

事變下に於ける婦人の覺悟

大阪市立天王寺市民館長　前田貞次

非常時と內職

最近私の處へ一通の手紙が參りました、其の手紙に依りますと斯う云ふ事が書いて有ります。近頃物價が段々高くなつて來るのに收入がその割に殖へて來ない、どう計算しても又どう節約しても生活が思ふやうに行かない、次第に苦しくなつてゆくばかりであります、若も不幸にしてこの上に子供が病氣をするとか或は又主人が倒れるとか致しました場合、一體私の家はどうなる事でせうか、今の裡に何とかして置かなくてはならないと思ひますから何か私に出來るやうな仕事を敎へて貰ひたい。と斯う云ふ意味の事が書いてあります、この手紙は至極簡單なものではありますが今日の世相を充分に物語つてゐるやうに思はれます。

又世間には之と同じやうな惱みをもつて居られる方が澤山あらうとも思はれます、然しこれらの惱みを持つ人の內で、生活が苦しくなつて來れば苦しくなつて來ただけに、それ丈の對策を講じて居られるでせうか、私はそれが先づ第一に伺ひたいと思ふ點であります。何の對策も講じないで唯從前通りの生活方法で、それで生活が苦しいとか、やり難いとか言つてゐるのはどうかと思ひます。働く丈働いて、又節約する丈節約をして、それで尙生活が苦しいと云ふのならばよろしいが、働かないで、それでゐて生活が苦しいと云つて悲鳴を擧げるのは是は大きな恥辱だと思ふのであります、此の意味で、私は今日家庭にお出での御婦人に對しまして、內職をお奬めしたいと思ひます、勿論色々の事情の爲に內職をする時間の餘裕のない人とか何か身體に鈌陷があつて內職の出來ないやうな人は之は別でありますけれ共、例へ一時間でも三十分でも、時間に餘裕のある人、又內職の出來る可能性のある人は是非共內職をして戴きたいと思ひます、內職をする、唯單に賃金が獲られるといふ丈ではなく、一方敎育的方面から云つても又精神的方面から申しましても共に大きな收穫があるのであります御承知の通り、今日は非常時であり又國民精神總動員の秋でもあります、此の非常の時局に對しましても、又總動員に參加すると云ふ意味から申しましても、是非共內職をして戴きたいと思ふのであります、私が斯樣に申しますと或人は、內職なんて一日どんなに精一ぱい働いた處で、僅か二十錢か三十錢位しか儲からないそんな苦しい思ひをして内職をしなくてもどうにか斯うにか生活が樹てゝ行かれるのであるから、そんなものはする氣にはなれないと仰しやる方があるかも判りません、又或人は、自分の主人は一寸相當な地位に在るのであるから内職なんかしてゐると主人の顔にもかかわるし、又アノ奥さんは内職までせなくては生活が樹てて行かれないのかしらんと世間の人から思はれるのが嫌だからと仰しやる方もあるかも知れません、又或人は自分の方は少し借家も持つてゐるし、お金も少々位あるしするから、そんな内職なんかをしなくてもと斯ういふ風に仰しやる方もあるかも知れません、仰せの通り人には體裁もあれば、又見榮もあります、又外聞も御座いませう、然し乍ら此の人達は一體日日どう云ふ生活をして居るのであるか、私はそれが問題ぢやないかと思ふのであります、斯う云ふ人達の中には、どうか致しますと主人が勤めに出ました後は、近所の奥さん達と、今年の衣裳の流行がどうの、主人の性格がどうの、或はあそこのデパートの食堂の味がどうの、芝居がどうの、活動がどうのと、色々の噂話に全く一日をつぶして終ふと云ふ人があるといふ事であります。國家の非常時にデパート廻りや演劇の話に日も足らないと言ふ生活と内職をすると云ふ事とどちらが外聞がわるく、又どちらが體裁が惡いか、深長に考へなくてはならない問題だと私は思ふのであります。

内職とはどんなことか

さて私は御婦人に内職をお奬め致します關係から、内職とはどんな事かと云ふ事と、又現在今日世間で行はれて居ります所の内職のありさまはどうであるかと云つた此の二つの事に就いて少し話して置きたいと思ひます。内職と申しますのは、至極く判り易く申しますと、本職以外に營む仕事でありまして、然も家庭に於て家事の暇にする賃仕事の事を云ふのであります、所が世間では副業と云ふ言葉を使つて居る所もありますし、又授産と云ふ言葉を用ひて居る所も有ります、或は又授職とか職業補導とか色々の言葉を用ひて居るやうでありますが、然し之は皆その目的とか仕事の方法が違ふのでありまして、もし唯今申した所のものが内職と同じだと思ひ、又内職と同じ目的を持つてゐるものだと思つて居りましたならば、それは間違つてゐると申さなくてはなりません、近頃授産といふ文字をよく見受けますが、此の授産と云ふのは、主として生産的な作業を給して之に必要な施設を利用せしめそして收入の道を與へると云ふ所に重點がある譯で有りますが、職業補導とか授職とか申しますのは簡單な方法に依つて職業能力を指導助長して適當な職業に就く基礎を與へると云ふ所に使命が有るのであります、ですから一方は目前の收入などの事を問題としないで職業上の技術を覺へると云ふのに反しまして、一方は色々の設備、例へて申しますと、ミシンとか電氣とかさう言つたものを利用させて貰つて收入を得ると云ふのでありまして、其處に自ら目的が違ふと申す譯であります、處が内職は此の二つの何れにも屬してゐない、即ち技術を教はるのでもなければ、設備の利用をさせて貰ふのでもない、唯仕事をして金を儲ける、その金を儲ける方法が自分の家で、家事の暇を利用して致します處の賃仕事を云ふのでありますから、授産のやうに生産的な作業ではない

のであります。

内職の情況

現在内職をしてゐる情況と云つたものをお話し致しまして是れから内職しやうとせられる方々或は内職をして頂く方々の何かの參考に供したいと存じます。

今内職をして居られる人々は女の人か男の人か、どちらかと申しますと、殆んど女の方であります、然し中には男の人もあります、けれ共それは至極少數でありまして、例へば夫が老齢で働けない、妻は若くて稼ぎに出て一家の生計を支へてゐると云つた場合その老人の夫が内職をすると云ふやうな場合などであります。

それからこの内職をしてゐる人はお嫁さんが多いか世帯主が多いか娘さんが多いか、それとも母親が多いかといふ事を調べて見ますとお嫁さんが一番多くて、その次が世帯主で、次が娘さん、最後が母親と斯う云ふ事になつて居ります。お嫁さんが何故一番多いか、それは夫が外で汗水流して働いて居るのに自分が遊んでゐては相濟まぬといふ氣もちと、もう一つはさうしなくては生計が樹ててゆけないといふ事情からであります、之と反對に娘さんの尠いのは、昔と違つて近頃の娘さんは家で束縛される事が少くなりましたのと、今一つは世間が若い娘さんに多くの職場を與へた爲とであります、それから幾つ位の人が一番多いかと申しますと、三十五位から四十五六歳位迄が一番多くて、二十歳前後と七十歳前後が一番尠いのであります、六十から六十五六までの老人が可なりありますが之は家計が困難な爲めに年を取つてもなほ内職をしなければ生計が保てないと云ふ悲慘な事實が潜んでゐるからであります、そして是等の家族の人數はどうかと申しますと夫婦と子供一人と云ふ三人家族が斷然多く夫婦きりの二人暮らしと子供が四人も五人もあると云ふ家族が比較的少いのであります、夫婦二人きりで、相當時間の餘裕があるにも拘らず、何もしてゐない家庭と然も子供が三人も四人もあつて家の事や子供の世話に手がかゝり、その上内職をする時間も少く、收入も又少い、それでも尙内職をつゞけなくてはならないと云ふ家庭と比較致しまして子供のない時間に餘裕のある人は時節柄餘程考へなくてはならない事かと思ふのであります、又、内職をしてゐる人は其の主人が屋外勞働者が一番多くその次は自分の家で一寸した商賣をしてゐる者が多いのでありまして、爰でも御考を煩したい事は、會社員とか銀行員とか又は吏員とかその外給料生活をしてゐる妻君が餘り内職をしてないと云ふ事實であります、是は一體何を物語つてゐるものでありませうか、大いに研究しなくてはならない問題だと思ふものであります。

武士の内職

茲で私は昔の事ではありますが、少し明治御維新の革命に依つて封建制度が崩壊し、今までの常職を失つた士族が、その生活の糧として内職をしたと云ふ先輩吉川氏の言を藉りて以下その當時の涙ぐましい話を致しまして、之も又何かの參考に供したいと存じます。

常祿を失ひました士族は、その上に社會上と經濟上の種々の變

革にぶつつかりまして次第に窮乏のドン底に轉落して明治九年の祿制廢止の後に至りまして遂に全國に亘つて約二十萬人の士族の一大無産失業群を作つたのであります、今日でも二十萬人と申上げますと大へんな數でありますが、其の當時の事ですから實に大きな社會の一大重要問題として論議されるやうになりまして、爰に士族の授産と内職と云ふ仕事が生れて來たのであります。

德川時代に於ける武士階級の窮乏は必らずしも其の末期丈では厶いません、局部的にはその初期に於きましても其の事實があつたのでありますが、それが中期以後から漸次一般的となりまして幕末に及んで窮乏の程度が深刻となつたものであります、そこで生活に困つた武士は憐れにも自分の着物とか袴とか器具とか云つたものを古物屋に賣つたり或は衣食を節約したり又召使ひを斷つたりして出來る丈生活を切り詰め、或は又高利貸から高い利子のお金を借つたりいたしまして一時の急を凌いだものも有ります。それでも尙いけない者は種々の手段や方法を講じまして、自分の身分迄も賣つたりしたものがありました、その最も甚いのは、物取强盜にまで成り下つたものも決して尠くなかつたといふ事で、斯うした事から遂に士族の間に内職が盛んに行はれるやうになつたのであります、安政二年大久保仁齋の「富國强兵問答」の中に三十俵三人扶持取の談として斯う云ふ事が書いてあります、それに依りますと、

常に忠孝武備を心掛けんよりは内職專用ならざれば仰いで奉公ぶりも成し難く、又父母に孝養振りも致し難く、伏して又妻子を養ふに道あるなし、勤め其外都ての諸雜費は悉く内職の利潤に依るのみ」と斯う云ふやうな事が書いてあります、之に依つて見ましても御家人階級の間には内職が絶對的の生活補給の手段であつたと云ふ事が判るのでありまして、又是等の事例に依りましても幕臣の間に於て内職が如何に廣く行はれたかと云ふ事も十分推察する事が出來ると思ふのであります、さてその當時行はれました内職と云ふのは一體どんな事をしてゐたかと申しますと、その當時行はれました内職の種類は實に種々雜多でありまして、或は紙捻細工とか、彫刻とか、又は木板彫、木版摺りと云ふやうな手工業或は、つつじ、朝顔、菊、菖蒲、萬両などのやうな栽培又は鈴虫、金魚、小鳥と云つたやうなものゝ飼育までも内職として行はれてゐたのであります、文政四年起稿の、甲子夜話にも『米澤の筆、長門の傘、鍋島の竹子笠、秋月の印籠、小倉の合羽の裝束の如き皆下々細工に致し』とありますし、又福井縣史に據りますと『福井藩では下級藩士は、奉書、紬織、漁獵を、鯖江藩では綞布、提灯、傘を、丸岡藩では、木綿織、畑作、大野藩では、煙草、小濱藩では若狹塗、瑪瑙細工を夫々内職とし』とあります、又更に「和田豊治傳」といふ本に據りますと、中津藩に於ける下級藩士の内職の状況を記しまして『男子は指物細工、漆器塗物の加工及彩色、團扇の製造、元結を捻る事、提灯を張る事、等最も普通に從事せられしが殊に手工に巧みなる者は下駄或は傘を造り更に進んで戸障子戸棚等を作りて普通の指物師と相競ふ者あり、此の中團扇製造最も盛にして問屋と特約して材料たるべき竹を仕入れるもの、竹を削ぎて糸を以て之を編むもの、紙を貼るもの等皆分業的に獨立して盛んに製産に從事し、女子は男子の内職を助くる傍

ら紡績裁縫に勉め甚だしきは他人の家に傭役せられて賃銀を得之に依りて一家の生計を助くるものすらあり』云々と書いて有ります、以上に依つて思ひまするに、その當時の武士階級が『常職を失ひ、是れ迄のやうに俸祿は貰へず、あまつさへ爲すべき業もなく又施すべき術もなく、生計を營まんとして彷徨する』と歎息したと申しますが、洵に無理のない事であつたらうと思ふのであります。

我國の現狀と婦人の覺悟

今日の現狀はそれ程ではないかも知れませんが、それでも決して平穩無事な時世であるとは申されません、政治の上から、經濟の上から、又外交の上から、思想の上から、隨分穩かでない問題が山積してゐるのであります、又一面日支事變は今後尙續けられることでありませう、或は幸にして歇まるかも判りません、幸にして事變が終熄致しましても、經濟上の問題は一層深刻重大となりまして益々困難になつて來やうと思ふのであります。

此の時に當つて何が一番必要であるか、之には種々必要なものがあらうと思ひますけれ共、私は心の緊張即精神を引締めると云ふ事が何より大事な事ではあるまいかと思ふのであります、まして臺所を預つて居られる御婦人は特にこの必要がある譯でありまして、又此際精神の緊張と共に金の大切であると云ふ事、又金は尊いものであると云ふ事を特に深く認識して頂きたいと思ひます。私はこの認識を深くするのに一番適當でよいと思ふ事は、勤勞といふ事であらうと思ひます即ち働くといふ事であり汗を出すといふ事であります、内職は努力の割に報酬が少い、けれ共、この爲に内職から獲るところの金に尊さがあり又有難さがあると思ひます、金の尊さを知り金の有難さを知ると云ふ事は家庭經濟に及ぼす影響が實に大きいと思ふからであります。非常時、非常時と唯口先丈のものでなくて眞の非常時を認識し、こぞつて家庭に在る婦人は、内職をしてほしいと思ふのであります。

終りに一言、私は民間の各位に對しまして特にお力添へをお願ひ申上げたい事が厶います、それは少し話が後へ戻りますが……常祿を失ひました武士が、自ら求めて内職を初めました事は既に述べた通りでありますが、一方是等の士族を救濟せんとして政府が積極的に授産政策を採りました事と、今一つは府縣或は民間が士族に生産を與へる施設を爲したさいふ事と、

當時、苟も時勢を憂ふる者は此問題に心をとめないものは一人もなかつたと云ふ點に就いてゞあります、即ち士族窮乏の原因を論じてその救濟を說くとか、或は士族救濟の必要を說いて其の授産の方法を陳べるとか、或は政府の授産方策を捕へて其の當否を論評するとか大いに力を入れたものであります、然るに今日の情態は如何でありませうか、財界不況の爲に多くの失業者を出し、然も生活困難の爲め悲しむべき母子心中の如き憐れな事件が日々の新聞に數多く發表されて居ります、更に又、今次の日支事變に方つて、我國からは多くの出征勇士を出し、其の爲に殘された家族の中には一時に働き手を取られ、生活が困難となり困つて居られる家庭が尠くなく洵にお氣の毒な事だと私は深くお察し申上げて居ります、然し是等の家族の方々には是等は皆お國の爲めです

（第四十七頁へつゞく）

母の性心得

科學から見た喰合

理學博士　醫學士文學士　石倉英一

二種以上の食品を同時に、又は一定時間に於て喰合せることに因つて、下痢、腹痛、嘔吐、皮膚發疹等の症狀を起し、甚だしきは死に至るやうな場合を喰合又は「食禁」と稱してゐる。其食品は次の八十二種類に及んでゐる。

鴨肉、數の子、昆布、棗、葱、おはぎ、枇杷、小豆、海豚、草餅、赤貝、土筆、西瓜、饅頭、鱒、馬鈴薯、熊の胃、餅、菜つ葉、生姜、牛乳、酢、鯉猪肉、鮎、油、甘酒、わらび、薄荷、鰯、うどん、仁丹、胡瓜、山芋、あひる、ところてん、バナナ、秋刀魚、蟹、氷、牛蒡、柿、茄子、甘藷、唐辛子、セメンエン、ざくろ、鹽辛、茸、雉肉、海老、梅、田螺、黑砂糖、蛸、まくわ瓜、胡麻、桃、鯖、いか、雀、そば、鰻、銀杏、いもがら、南瓜、どぢよう、寶丹、兎肉、蜜柑、人參葉、牛肉、菠稜草、蛤、なます、玉蜀黍、筍、飴、鮒、卵、にんにく、トマト。

現今日常の使用食品を約四百種とすれば、約五分の一の食品が喰合食品の中に入ることになる。是等八十二種の食品中「喰合」となる場合の最も多い食品より順次に列記してみる。

梅、西瓜、鰻、海老、かに、田螺、氷、馬鈴薯、そば、茸、甘藷、小豆、枇杷、桃、まくわ瓜、鯖、蛸、蛤、其他。

次に如何なる食品が「喰合」になるかに就いての傳說を表示すれば次の如し。

桃に數の子　腹痛を起す。
青梅に飽　死に瀕す。
李桃に雀　命にかゝはる。
棗に饂飩　胃病を起す。
鰻　に　梅　死亡す。
鰻と銀杏　死に瀕す。
八ツ目鰻と鮓の物　下痢を起す。
鯉に猪肉　命にかゝはる。
鯉に紫蘇　腹痛を起す。
鯰に猪肉　死に瀕す。
鰌に眞瓜　腹痛となる。
天ぷらに茸　胃病を起す。

油揚と瓜　胃腸病となる。
章魚に鯖　胃病となる。
章魚に梅の實　中毒を起す。
章魚に淺漬　腹痛となる。
章魚に胡麻　腹痛を起す。
干鱈に西瓜　死に瀕す。
鰊と桑の實　腹痛となる。
蛤に玉蜀黍　腹痛を起す。
蛤に蜜柑　胃腸を害す。
淺利貝に松茸　腹痛となる。
赤貝と土筆　腹痛を起す。
蜆と栗　胃腸を害す。
田螺に豚肉　眉毛拔ける。
田螺に玉蜀黍　命にかゝはる。
田螺に蕎麥　胃腸病となる。
栗飯と山芋　胃に食滯す。
小豆と枇杷　腸を傷む。
薩摩芋と柘榴　腹痛となる。
薩摩芋と鹽辛　胃腸病を起す。
筍に鮒　痔を起す。
蕨に豌豆　胃腸を害す。
山牛蒡と犬肉　死に瀕す。
榧に茶　頭痛起る。
蜂蜜に蒜　癪起る。
黑砂糖と筍　腹痛を起す。
燒酎に梅干　腹痛を起す。
燒酎に軍鷄肉　痔起る。
燒酎に奴豆腐　胃腸を害す。
辛子に兎肉　胃病となる。
辛子に鮒　痔起る。
辛子に薩摩芋　腹痛を起す。
辛子に菊菜　死に瀕す。
河豚にナッ菜　死す。
河豚に青菜　胃腸を害す。
河豚に小豆飯　死す。
蟹に椎茸　腹痛を起す。
蟹に小豆飯　命を落す。
蟹に柿　命を落す。
蟹に氷水　腹痛を起す。
蟹に煎豆　腹痛す。
蟹とフキ　胃腸を害す。
海老に牡蠣　腹痛となる。
海老に茸　腹痛を起す。
海老に梅干　胃腸病となる。
鯖に芋殼　腹痛となる。
鰯に椎茸　中毒を起す。
秋刀魚に西瓜　胃腸病となる。
茸に菠稜草　死す。
松茸に生米　下痢す。
茸に鶉　死す。
人肉と玉子　死す。
生馬肉に山芋　眞田蟲わく。
生牛肉に菠稜草　眞田蟲わく。
熊の膽と西瓜　血を吐く。
熊の膽に數の子　命にかゝはる。
熊の膽に筍　腹痛を起す。
熊の膽に竹輪　腹痛を起す。
セメンエンに薩摩芋　死に瀕す。
寶丹に南瓜　死す。
薄荷に馬鈴薯　死す。

而して結果の多いものより順に各成分を調査し、科學的に研討してみると。

1、梅と鰻の場合

成分	鰻	梅干
蛋白質	二八・〇九	〇・五〇
脂肪	一四・一〇	一・三三
含水炭素	…	四・九〇
纖維素	…	〇・六〇

灰分	五・一七	一三・五〇
ヴィタミン	A	C(?)
水	…	…

此の表で見るやうに鰻は蛋白質、脂肪共に多い。一般に脂肪が多いものは胃中に入つてゐる時間が非常に長い。殊に鰻は一〇〇グラムも食べれば、胃内を通過するに四時間以上もかゝるのであるから、消化のよいものだとは云へない。殊に消化機能が弱つてゐるのに、土用鰻などゝ云つて餘り多く食べ過ぎると、梅を食はなくても下痢を起し易い。一方梅の未熟なものには青酸なる猛毒があるから、漬梅にしても場合によつては下痢を起すことがある。鰻を過食し其上未熟なる梅を食べたとすれば、其中毒症状の激甚なことは容易に想像することが出來る。其他梅と泥鰌、梅と田螺、梅と蛤、梅と蛸等があるが、不消化の點は同様であるから注意しなければならない。

2、西瓜と天ぷら

成分	西瓜	天婦羅(エビ)
蛋白質	〇・四〇	二四・七二
脂肪	〇・一〇	一五・九八
含水炭素	二・九〇	一・五〇
纖維素	〇・一〇	…
灰分	〇・二〇	
ヴィタミン	C	一・三八
水	九六・〇〇	…

西瓜は大部分が水で、纖維素も相當にある。殊に西瓜は冷やして食べるので勢ひ下痢を招き易い性質を持つてゐる。亦天ぷらは蛋白質も脂肪も多く、殊に海老の天ぷらは消化が惡いから、同時に食べれば下痢を起すのは當然のことである。水分の多いものと、油ものとを一緒に食べれば下痢のもとで、西瓜と肉類、殊に鰻と氷を一緒に食べれば下痢を起さないが不思議な位である。

3、田螺と蕎麥、眞桑瓜

成分	田螺	蕎麥
蛋白質	一五・九〇	五・〇二
脂肪	〇・七二	一・三五
含水炭素	二・五〇	二四・一三
纖維素	…	〇・二六
灰分	二・六四	〇・八一
ヴィタミン	A	B

田螺と蕎麥と練り合せたものは、盲腸炎の藥(塗布)と云つてゐるが、如何なる作用か判らない。田螺は蛋白質灰分等が多く、食品としては優良のものであるが、食用に供するのは多く夏で、時節柄非常に腐敗し易く、長く煮れば固くなり消化も惡くなる。蕎麥は含水炭素多く、ヴィタミンもあるので、主食品の代用として適切なものである。しかし多くは汁と一緒に食べるので咀嚼しない所に缺點がある。又一方醱酵作用も割合に大であるので、不消化の田螺と「喰合」すると腹痛、下痢を起すことはある。眞桑瓜も不消化物だから同一の結果になる。

3、薄荷と馬鈴薯

成分	薄荷	馬鈴薯
蛋白質	一・一〇	二・〇〇
脂肪	〇・一〇	〇・〇三
含水炭素	一九・二二	一七・三〇
纖維素	一・三六	〇・五〇
灰分	一・〇三	〇・六七
ヴィタミン	A.B.C	A.B.C

馬鈴薯は美味で消化もよく、健康者は勿論、病人にも子供にも大いに利用すべきものである。唯だ馬鈴薯の新芽の中にソラニンなる毒素が含有されてゐるので、芽を十分除きさへすれば薄荷と一緒に食べても何等危險はない筈である。薄荷と馬鈴薯と一緒に食べて新たに一種の毒物が産生されるといふやうな考へがあるが、之れは改めねばならないでせう。

5、枇杷と小豆

成分	枇杷	小豆
蛋白質	〇・六〇	二〇・五〇
脂肪	〇・四三	〇・六六
含水炭素	一〇・三〇	五五・七〇
纖維素	〇・一六	五・二〇
灰分	〇・五二	三・〇五
ヴィタミシ	A.B.C	B

小豆に限らず凡て豆類は良質の蛋白質を豊富に含有し、又白米を主食とする日本人に最も不足し勝な「ヴィタミンB」も相當にあるので、動物性食品の得難い山村又は寒村では魚の代りに用ひて良い位である。豆類は原形の儘用ふるよりも加工して、例へば黄粉、豆腐、油揚等にして用ふれば、利用價がズツト高くなる。卽ち原形の儘では不消化の纖維素が多いからである。故に便秘に傾き易い人にも、最良の便通劑になるが、反對に子供等に喰べさせると下痢を起すから、子供には黄粉とする方がよい。枇杷は非常に腐敗し易く水分も非常に多いから、纖維の多い豆類と共食すれば下痢を起すことは當然である。

6、其他

成分	甘藷	鰹塩辛
蛋白質	一・一〇	八・二四
脂肪	〇・二三	一・〇七
含水炭素	二七・七〇	(－)
纖維素	〇・七〇	(－)
灰分	〇・七四	二六・三二
ヴィタミン	A	A

成分	車エビ	心點	茸
蛋白質	六・一〇	〇・〇六	一・九〇
脂肪	〇・二九	〇・〇一	〇・三四
含水炭素	(－)	〇・七二	六・二〇
纖維素	(－)	(十)	二・五〇
灰分	〇・五六	〇・〇八	〇・八一
ヴィタミン	A	〇	AB
水分	…	九九・〇九	…

成分	桃	鯖	數ノ子
蛋白質	〇・六〇	一六・四〇	二〇・五二
脂肪	〇・〇五	八・四五	一・九五
含水炭素	四・二〇	(－)	(－)
纖維素	一・五〇	(－)	(－)
灰分	〇・三〇	一・一〇	〇・六六
ヴィタミン	C	A	AB

成分	菠薐草	雉肉	章魚	柿
蛋白質	二・二〇	二一・二六	一七・七〇	〇・七一
脂肪	〇・三九	一・〇七	〇・九七	〇・四〇
含水炭素	二・四〇	(－)	一・五〇	一四・六〇
纖維素	〇・四〇	(－)	(－)	〇・一六
灰分	一・三三	一・六〇	一・五八	〇・四六
ヴィタミンABC		…	…	…

右の分析に因つて見るも何等有毒物質は含有されてゐない。刺戟性のもの不消化のもの、脂肪の濃厚なもの、或は形、色、嗅等に原因して單純な迷信的なものに過ぎないのである。

要之「喰合」は次の如く區別することが出來る。

1、元來食品が未熟な爲め又は新芽の殘存等に因つて食品其物に有害物が含有されてゐるもの、例へば梅、馬鈴薯、桃等。

2、榮養價は豊富だが消化吸收が不良のもの、例へば田螺、鰻、數ノ子等。

3、纖維素と水分が極度に多いもの。例へば西瓜、トコロテン、果物等以上の食品を一緒に攝取する爲に輕重樣々の症状を起し易いのであつて、一般に二種以上の食品を喰合せた結果、各々の成分が化合して新たに或種の毒物を生成する爲めに、中毒症状を惹起すかに解釋してゐるのは間違ひであつて、食品が有する成分が、斯る現象をも惹起することは、理論的にも實驗的にも何等根據のない所で、從來の迷信傳說曳いては習慣となつてゐるのが多いやうである。

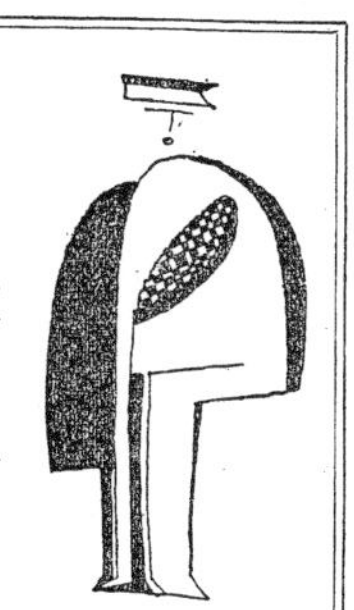

目・耳・鼻(五)

ツカダ・キタロウ

四四、オイハヒノコトバ

オオツカセンセイ ガ チイサイ トキ ニ イツショ ニ アソンデ イタダイタ エンチヤウセンセイ ノ オイデニナル サカイダイ三ヨウチエン カラ ガツカウ ヘ オイデナサル ミナサン ヘ オイハヒ ノ オテガミ ヲ カキマス オオツカセンセイガ ヨウチエン ヘ ヨセテイタダイタ トキハ ミンナ ニコニコ ト ゲンキ デシタネ イツショ ニ ナカヨク オアソビシマシタ ネ オハナシ モ イツモオモシロク キイテ イタダイタ ノデ タノシク デキタ コトヲ ウレシク オレイ ヲ モウシマス。

コンナ ニ ホンキ デ ゲンキナ ミナサン デスカラ コレカラ ノ ガツカウ ノ ベンキヤウ モ ヨク オデキニナル コト ト タノシミ ニ シテヰマス ヨ ドンナニ オホキク ナツテ モ イツマデ モ ナカヨク シマセウ ネ。

ミナサン

ツヨイ 日本ダンシ 一 ナツテ クダサイ ヤサシイ 日本ノ オカアサン ニ ナツテ クダサイ。

二五九七ネン三ガツ 一十三ニチ

四五、幼稚園の祝辭

以上は京都平安女學院の保育科に「談話」を講じて居られる大塚喜一先生の祝辭であります。そして、これは平素大塚君が暇をつくつては噺に行つた幼稚園の幼兒達の、その卒業式に際して、自ら朗讀する祝辭の一つであります。同日に數箇園で卒業式を擧行される場合には、この祝辭を送りて代讀して貰ふ爲め、又自らの朗讀の場合でも、幼兒達に示しつゝ朗讀する必要上、全部片假名書きになつてゐます事は、前記原文の通りであります。

幼兒教育に少しでも經驗のある方であれば、私がこの祝辭を特に記した理由が御判明の筈ですが、實際に式典の來賓祝辭に惱まされる事の甚しいのは、幼稚園に於てゞあります。

四六、幼兒を理解して下さい

幼稚園の園長さんや御主任さん達に、私は呉々もお願ひしたい事は、幼稚園の卒業式は、園兒の爲のものであつて、決して來賓の爲のものでもなければ、又保姆の爲のものでもない事を判つて頂きたいのです。

幼兒の辛棒出來る時間は、極く〳〵短い事は心理學でも生理學でも、充分に證明してゐるのでありますから、無駄な訓辭や祝辭の爲に時間をさつて、幼兒を苦しめない樣にして頂きたいと切望してゐます。

大塚先生の祝辭を、どうぞ繰返して讀んで判つて頂きたいと思ひます。

四七、恩物論

恩物は兒童及び宇宙の本性を象徴した人工的玩具で、これを作業的遊戲に使用して、兒童をして個性の發現、知識の同化をなさしめ、又兒童の受容的能力を敏活確實にして、且つ推理力を增進するための手段とするものである。從つてその恩物は兒童の開展して行く意識に適合する樣、又その發達に適當なる新概念を與へ且つその技工的數學的構成なる發達を助長する樣、多大の注意と研究とによつて制定されたものである。フレーベル氏は恩物が具備すべき條件として

① 子供の外的世界即ち宇宙を完全に現はすべきこと
② それを用ふる遊戲に於て兒童の內的世界即ち彼の個性を十分に現はし得るもの
③ 恩物はそれ自身が完全で且つ秩序ある統一體又は單位を現はすもの
④ 各恩物はそれより以前の總ての恩物の性質を包含すると同時に之に續く他の恩物の性質をも暗示するものであること

等を擧げた。この條件に從つて彼は次の如き恩物を制定した。

以上は後藤眞造氏著「敎育者としてのフレーベル研究」に記された處であります。

幼兒敎育には極く〳〵の新米であります私には、あの恩物が如何なる必要と價値があるのか判らなかつたものであります。机の上で、角や丸の木片を竝べたり崩したりしてゐるだけの事なら、何もやかましく言ふ程の事もない譯で、あまりにも幼稚すぎる、無駄すぎる、冗漫すぎると考へてゐたのでありますが、此の著を讀んで初めてフレーベル恩物の價値がハッキリした氣がします。

① 宇宙を完全に現はす
② 個性を十分に現はす
③ 恩物は單位を現はす

この三箇條を讀んで、頭の下る思ひをします。この三つの事が完全に行はれたとすれば、敎育の最高の目的が達したのでありまして、大學の學究の努力してゐるのも、結局はこの三つの具現化であると申しても過言ではありますまい。

これを幼稚園で、然もあの幼兒達に、ハッキリと敎へる事が出來ると思ふ時に、恩物の價値は、人生に於て重要なるものであると思はざるを得ません。斯く考へて來る時に、フレーベルの偉大さは、スバラシイものとなると思ひます。

果して、これだけの大理想の下に、どこの幼稚園でも、恩物が活用されて居るや否や。これはお互に反省を要する重大な問題であると信じます。

念の爲め、第一恩物より順次、恩物の說明を、後藤眞造氏の著書より拜借して、お互の保育の再認識の栞とさせて頂きませう。

四八、ボール

第一恩物　直徑一吋半の毛絲製、赤靑黃紫綠樺、着色毬六個

（一）ボールに對する哲學的意味

ボールといふ語は萬物の「象」との意味である。自然物の形狀は多樣であるがその最も原始的本源的な形狀は球形である。又力は各方向へ同樣に自發的活動をなすといふことを表示する意味よりいふも、力の表徵は球狀である。

これら實例に見るに、大に日月星辰より小は水空氣塵埃に至るまで皆同樣でないものはない。球形は萬物の根源たる統一性を現はすものである。球形を考察して見ると、その表面は悉く點、悉く線、平面、側面たり得るもので凡ての自然物の形狀をその中に同時に包括せるものである。

ボールは自ら完全性を表はし、自然物の普汎性を現はすのみならず、自己自然そのもの及びその本質を知らしむるもので、即ち「靜と動多と一、特殊と普遍を現はし、物と精神とを結合するものである。」「眞に發育し生活に滿ちたるもの」を意味するものである。

それでボールは凡ての物の鏡、凡ての生命、特種にして然かも普遍の兩性を有する人間の鏡である。」

要するにボールは宇宙の力の法則、統一性、完全性、特別と普遍性、雜多と單一性とを吾人に知らしむる表現である。兒童は彼自身に完全なる者として自ら生命を支持し生命を發展せしめ、又彼自身に內在する生活の反射を自然性に適合せしめつゝあるも、尙彼自身の「相方」として彼に反對にして然も相似のものを求むるものである。かゝる物は第一、兒童の性質を十分に自由に發展せしむるものであつて、その物に依つて色々の物を思料せしめられ、且つ彼が欲する所の諸物を作らしめらるゝものでなくてはならぬ。

第二、兒童に反對なるものとしては他の或物に對する手段目的でなくてはならぬ。かゝる要件を具有するものはボールである。再言せば「自然と人間殊に兒童とは、その間に遠隔せる處と近似せる所とがあつて、この矛盾を結合するには第三の結合力を要する。この第三者は自然の各全一體の性質と生命の全一體としての兒童の性質とを自ら結合し、而かも兩者の何れでもないものでなくてはならぬ。これを滿足するものはボールである。

兒童はボールを好む。正しくボールは中點であつて融合點である。ボールは兒童の自己發展及び敎養に對する「相方」となるべき代表的のものである。兒童はこれによつて、彼等の慾望、意志感情の無數を完成し表現することが出來、彼の生命を發展し、彼の矛盾を調和し、彼の周圍のものを模倣することを得るのである。ボールはかくの如く內界表現の手段で且つ「兒童をとりまく外界に導く道具である」かくの如く自然と人間との仲介者としてボールを出現せしめたのは、人が自然を理解するために、或る意味に於ては特に新に自然を彼の內外に創造せねばならぬといふ必須要求より起るものであるとフ氏は考へた。

（二）ボールが兒童敎育上に及ぼす效果

ボール及びこれを用ひて行ふ遊戲によつて得らるゝ敎育上の效果は甚だ多いが、これを要するに

（一）兒童全體の力を强め、體力を練り、四肢感官の作用を旺盛ならしめ

（二）感覺、注意、意思、記憶を練り、言語の發達を助長し、獨立行動を養ひ

（三）兒童と兩親、自然物と自然界、神等との間の精神的結合をなさしめ、兒童を一個の人間として、萬物人類の中央に立たしむるものである。

（四）尙道德上の缺陷を醫し、兒童の氣分を輕快ならしむる「護り札」となる。ボールは普遍的にして而かも必然的に兒童に喜ばれる先天性を具有するから、敎育上甚だ價値あることは當然である。これフ氏が第一恩物として特にボールを選んだ所以である。

（三）ボール使用の實際とその理論

フ氏によれば、ボールが敎育上恩物として最も有用なのは全く兒童本來の要求とボールの性質とに起因するものである。嬰兒は物を摑み握ることを好み、自分の母指或は手を握らんとするもので、而して嬰兒の手そのものはボールを握り物を摑むに甚だ適便に作られてをることは特に注意すべきことである。であるから幼兒は早く（生後二、三箇月頃）より着色せる毛製の柔かきボールを繼續して與へ最初は唯これを摑まし、小指をボールの周圍に環の如くに置かしむるも次第にそれを持ち、これを固く握る樣になる。斯樣に握毬せしむることは直に兒童の指手腕の諸筋力を增加し、これを發達せしめボールを有意的に取扱ひ遂には他物をも正しく取扱ふに至らしむるものである。人間生活は兒童の時代に於ても、物を適當に握り正しく取扱ふことに負ふ所甚だ多い。それで幼少の時より外物を實際に取扱はしむることは兒童將來の生活に殊に重要なることである。かくの如く手指及び感官の使用增加すればボールは彼等にとりては一外物即ち自己に非ざる物として認識され、自己を他物より別種のものとして認識するに至るものである。かくして外界の諸物の認識はボールに依つて端緒が開けるものである。

兒童が外物としてボールを認識する樣になると直にそのボールを牽き兒童の手よりこれを引上ごる。さうすると兒童は固く毬を摑み、腕は引上げられ、その絲を弛めると手腕は握つたボールと共にその重さで下に落ちる。かゝる運動の變化と同樣、力の使用の感じは幼兒を喜ばし、この活動に於ける腕の使用はそれを敏活にし、且つ强力にするものである。こゝに於て母と幼兒とはボールの仲介に依つて遊戲を始め、絲にてボールを上下し兒童の手からボールが脫出し一個體として幼兒の前に自由に動けば、幼兒に對して新しき遊戲新しき或物を與へるこの遊戲によつて、或は握つた時の或る物、或は自由に動く時の或る物として外物に對する新しき感情と認識とを與ふことが出來る、この事は簡單な事ではあるが、これを愼重に考察すると、甚だ重要なる意味が含有されてゐて、この理由からして出來るだけこれを繰返すべき必要があ る。これによつて人間一生に大切な感情と認識とを幼兒の心に堅く明確に養ふことが出來る。幻滅の觀念は在不在といふことより兒童の知覺に發達するものである。融合の觀念は合一と分離とい

ふことより、未來の再有の觀念は現在及び過去の所有といふことより兒童が知覺する樣になる。かくの如く存在、所有、轉化等の觀念は人生にとりて最も大切なるもので幼兒に於ては最初に朦朧たる認識である。これ等の認識から直ちに物、空間、時間の三大知覺が發達するものである。蓋しこれ等に最初は一集合知覺であつたが、空間と物とに關係せる存在所有轉化生成の知覺より、それ等に聯關して時間に關係ある過去未來の新觀念が發達する。實に兒童に新客觀生活の端緒を開いたこれ等九つの知覺は、唯一ボールの不斷の遊戲によつて、幼兒に最も適切實に發達せしむることが出來る。

吾人が、兒童の發達は殆んご感知し難い知識と知覺とに、その根據を有するものであることを知り、且つ幼兒の最初の殆どわからない程度の知覺も、これを無限に反覆することに因つて、固定增進せらるゝものであることを發見する時、吾人はこゝに二種の知覺は一度これを幼兒が受納すると第三第四の知覺は必然的にそれから生ずるものであることを推知し得るものである、養育者が兒童生活の初期に於けるこの眞理に十分の注意を拂ふことは兒童養育上最も重要なことである。又幼兒の時、外界を觀察し、これを記憶に留め或はこれを結合して假現生活と實在生活とを連結することは、たとへ最初は漠然たる知覺であるとも是れ亦敎育上重要なことである。何者人の未來の運命を正確に獲得することは物空、時、存在所有、轉化の性質を知ることに因るのみならず、過去現在未來の正しき理解に因るからである。母の誘導によつて矛盾の統一、靜動二性の合一、恒常と流轉、見ゆるものと見えざるもの、物と精神との合一等から心に認識されたものとなり、對象の意識が明確となる。かゝる方法で意識は次第に兒童に發達するのである。幼兒が意識的になることは彼等の最も重要なる事である。遊戲によつてこれと共に發達し來る他のものは、幼兒の遊戲言葉の形成である。即ち母は、種々の言葉調子は未だ幼童の情緒を養ひ、言葉使ひを實地に具體的に示範するものである。幼兒が幾分か話し得る樣になると、物の運動を記憶し、その運動から起る音を眞似る樣になる。この言葉を發する時期は、殊に敎養上注意すべき時であつて、母の言葉使ひ唱歌等によつて養はるゝ情操は、互に相作用し合ふ意志と行爲との根本となるものである。

水害を報ずるの記

芦屋毛賀金にて　伊藤悌二

泰然自若たる日本婦人

何《なに》よりも幸《さいはひ》であつた事《こゝ》は、東京《とうけう》の審査會開催中《しんさくわいかいさいちう》の好《かう》天候《てんこう》に惠《めぐ》まれた事《こゝ》であつて、東海道不通《とうかいだうふつう》の噂《うはさ》が屢々報道《しばしばはうだう》されたのは、會《くわい》の終了後《しうれうご》であつた、それで關西地方《くわんさいちはう》の水《すい》害《がい》などは豫想《よそう》もしなかつた。それより滿足《まんぞく》に東海道《とうかいだう》を下《くだ》れるかどうかと云《い》ふ事《こゝ》が第《だい》一に懸念《けねん》され、吉村畫伯《よしむらぐわはく》などは三日《か》の夜《よ》訪《たづ》ねた時《とき》「命賭《いのちが》けの冒險事《ぼうけんじ》だから、列事《れつしや》の旅《たび》は遠慮《ゑんりよ》なさつては如何《いかゞ》ですか」、と云《い》つて心配《しんぱい》して下《くだ》した程《ほど》であつた。

東京《とうけう》で遭《あ》ふ人毎《ひとごと》に「此《こ》の豪雨《がうう》は關東《くわんとう》のみを襲《おそ》つたので關西《くわんさい》は大丈夫《だいぢやうぶ》だ」、と云《い》はれる、然《しか》し天慮《てんりよ》は量《はか》り難《がた》いものだ、兎《と》に角《かく》四日《か》の夜行《やかう》でライオンの山崎重役《やまざきぢうやく》も下阪《げはん》されるとの事《こゝ》であり、旅《たび》は道連《みちづ》れと云《い》ふ譯《わけ》で、同《おな》じ列車《れつしや》に乘《の》つた、無論《むろん》その夜《よ》は東京《とうけう》は雨《あめ》が降《ふ》らなかつたが、車中未《しやちうみ》明頃《めいごろ》から細雨蕭々《さいうせうせう》と降《ふ》り出《だ》したのを覺《おぼ》えて居《ゐ》る。

梅田驛《うめだえき》で赤帽《あかばう》から「西之宮《にしのみや》、芦屋《あしや》の浸水《しんすい》は大變《たいへん》なんです」、との情報《じやうはう》をきいた、同時《どうじ》に盆《ぼん》を覆《くつがへ》すやうな雨《あめ》だ、後《あと》で聽《き》いた話《はな》しだが、なんでも半年分《はんとしぶん》の雨《あめ》を一日《にち》で降《ふ》り盡《つく》したのだと云《い》ふ事《こゝ》だから、あの間斷《かんだん》のない大量《たいれう》の降《ふ》り方《かた》が當然《たうぜん》だと思《おも》つた、五日《か》の午前《ごぜん》九時《じ》に芦屋驛《あしやえき》に着《つ》いた儘《まゝ》電車《でんしや》は動《うご》かなくなる程《ほど》の强雨《けうう》だ。さうだその頃《ころ》は芦屋川《あしやがは》上流《ぜうりう》の堤防《ていばう》が決潰《けつくわい》し始《はじ》めたのであつた、驛前《えきまへ》の自動車《じどうしや》は駄目《だめ》だし、唯運《たゞうん》を天《てん》にまかせて、あの狭苦《せまくる》しくちいさい改札所《かいさつしよ》で雨《あめ》の止《や》むのを待《ま》つより外仕方《ほかしかた》がない、氣《き》の毒《どく》なのは明石《あかし》や神戸《かうべ》に歸《かへ》る人々《ひとびと》や、「阪神電車《はんしんでんしや》が不通《ふつう》になつたので省線《せうせん》は大丈夫《だいぢやうぶ》だと思《おも》つて此處迄來《ここまでき》たが」、と全身《ぜんしん》ぬれ鼠《ねずみ》となつて寒《さむ》さにふるへてゐる母娘連《おやこづ》れ等《なき》であつた、一番平氣《はんへいき》で微苦笑《びくせう》してる樂天家《らくてんか》は巡禮《じゆんれい》一人であつた。斯《こ》んな時《とき》は誰《た》れしも、無限《むげん》の雨量《うれう》を藏《ざう》する天《てん》を恨《うら》むと云《い》ふ氣《き》持《もち》になるであらう、次第《しだい》に線路《せんろ》が川《かは》をなし、その水量《すいれう》が多《おほ》くなつて來《き》て、驛內《えきない》まで浸水《しんすい》して來《き》たからたまらない靴《くつ》を脱《ぬ》いで腰掛《こしかけ》の上《うへ》に上《あが》らねばならぬ。十幾人《いくにん》かの人《ひと》がゐたが顔色次第《がんしよくしだい》に蒼白《さうはく》になつて來《く》る、それでも一人《ひとり》の中《ちう》年婦人《ねんふじん》が泰然自若《たいぜんじじやく》として小說《せうせつ》を讀《よ》み、亦他《またた》の一人《ひとり》が編《あ》み物《もの》をしてるのには驚《おどろ》かされた、歐米人《おうべいじん》の絶讃《ぜつさん》する日本婦《にほんふ》人《じん》の膽《きも》ツ魂《たま》とはこゝらあたりを云《い》ふのだらうとホト／＼感服《かんぷく》した。

芦屋全村赤泥の海

三時間《じかん》も降《ふ》り續《つゞ》いた雨《あめ》が、やゝ小降《こぶ》りになつたので、子供《こども》のやうに驛員《えきゐん》に手《て》を曳《ひ》かれ、ズボン下一《したひと》つになつて外《そと》に出《で》たが、俄然道路《がぜんだうろ》一面《めん》が濁流化《だくりうくわ》し、塵芥《ちんかい》、流木《りうぼく》などが流《なが》れて來《き》てなか／＼危險《きけん》である。平常《へいぜう》なら七分間《ふんかん》で家《いへ》へ行《ゆ》ける處《ところ》なのだが……眞《しん》に此《こ》の時《とき》ばかりは鬼界《きかい》ケ島《しま》の俊寛僧都《しゆんくわんそうづ》の心持《こゝろもち》が解《わか》つたやうな氣《き》がした。

「日本一《にっぽん》を誇《ほこ》る阪神國道《はんしんこくだう》も大河同然《たいかどうぜん》ですから、危險《きけん》で御宅《おたく》などへは行《ゆ》けますかいな——」、と顔見知《かほみし》りの運轉手《うんてんしゆ》が云《い》ふ、斯《こ》んな時《とき》は、どんな人《ひと》の自家用自動車《じかようじどうしや》でも役《やく》にはたゝないし、如何《いか》なる文明《ぶんめい》の利器《りき》と雖《いへど》も自然力《しぜんりよく》の前《まへ》には意氣地《いきぢ》がないの歎《たん》を深《ふか》からしめた。

荷物《にもつ》は驛《えき》に預《あづ》けた儘《まゝ》、國道《こくだう》を横切《よこぎ》る爲《た》めには、一度山《どやま》手《て》の方《はう》へ登《のぼ》つて遠廻《とほまは》りの必要《ひつよう》がある、それで省線《せうせん》の架橋《かけはし》を北《きた》に渡《わた》り、芦屋教會《あしやけうくわい》の前《まへ》に出《で》やうとしたが、既《すで》に道路《だうろ》一面《めん》は赤泥《あかどろ》の河《かは》となつて了《しま》つて居《ゐ》る。それ計《はか》りではない、堤《てい》防《ばう》を決潰《けつくわい》した大濁流《だいだくりう》は前《まへ》の楠晴崖《くすのきせいがい》の家《いへ》など十數軒《すうけん》メチャ／＼に倒壞《たうくわい》し盡《つく》して、富豪《ふがう》の土藏《どざう》の足《あし》をさらつて斜《なゝめ》に傾《かたむ》け、省線《せうせん》、國道《こくだう》をも横斷《わうだん》し、我々《われ／＼》の住《す》んでる三八通《どほ》り（よく夜店《よみせ》の出《で》る）をして芦屋川《あしやがは》の代理《だいり》をつとめさせる事《こゝ》にしたのだから、實《じつ》に大自然《だいしぜん》の暴力《ぼうりよく》は豪勢《がうせい》にも皮肉《ひにく》に出來《でき》てるものだ。

斯《こ》んな地變《ちへん》のある時《とき》でも、警鐘《けいせう》一《ひと》つたゝかない芦屋《あしや》の住民《ぢうみん》は、誠《まこと》に大國民《だいこくみん》の襟度《きんど》とでも云《い》つてよいのか、落着《おちつ》き拂《はら》つたものである。

記者《きしや》は自分《じぶん》の家《いへ》はどうなつてるかさへ知《し》らずに、（實《じつ》は大丈夫《だいぢやうぶ》だと確信《かくしん》しながら）濁流《だくりう》の畔《ほとり》に立《た》つて、簞笥《たんす》、鏡《けう》臺、夜具等を始めとして、家寶紋と思はれる懸軸その他の骨董品が玩具のやうに手輕に惜氣もなく流されて行くのを見て、賴み難きは此の世の實の感に打たれた。すると誰れやらが後に立つて「今、二十四になる娘さんが、自分《じぶん》の衣物《きもの》を持《も》ち出《だ》す爲《た》め簞笥《たんす》のある室《へや》へ這入《はい》るや否《いな》、家《いへ》が流《なが》されて行方不明《ゆくへふめい》になつた、運《うん》の惡《わる》い人《ひと》だ」、と云《い》ふのであつた。

斯《か》うした時《とき》には新聞社《しんぶんしや》の飛行機《ひかうき》とか、慰問《ゐもん》と稱《せう》して國《こく》道《だう》をうろつくトラックなどは、ひやかし半分《はんぶん》の如《ごと》く實《じつ》に癪《しやく》にさはるものである。芦屋《あしや》の地面《ぢめん》の低《ひく》いメーンストリートが川《かは》の役《やく》をつとめたのが、今回《こんくわい》の前代未聞《ぜんだいみもん》の災害《さいがい》であつたので、眞直《まつす》ぐに歸《かへ》れる道路《だうろ》を態々遠《わざ／＼とほ》く迂回《うくわい》して、甲陽市場《かふやういちば》の裏門《うらもん》に辿《たど》りつき、市場《いちば》でパンを買《か》ひ求《もと》め、三八通《ごほ》りの濁流《だくりう》を猿又一《さるまたひと》つで渡河《とが》し、やはり裏口《うらぐち》から漸《やうや》く自分《じぶん》の家《いへ》に着《つ》いたのであつた。

無論《むろん》一面黄河《めんこうか》のやうな泥水《どろみづ》で、溝《みぞ》も道《みち》も解《わか》らない、隣《りん》家《か》の奥《おく》さん達《たち》は孰《いづ》れも主人《しゆじん》の留守中《るすちう》の事《こゝ》とて淋《さび》しげに、「あつ、伊《い》藤《とう》さんの旦那《だんな》さんが御歸《おかへ》りですよ！」、と異口《いく》同音《どうおん》に叫《さけ》ぶ　亦《また》「あつ危《あぶな》い、其處《そこ》堀《ほり》です、溝《みぞ》です」、と敎《おし》へて呉《く》れる、斯《か》うした連中《れんちう》は平常《ふだん》ツンとして無愛想《ぶあいそう》なものと相場がきまつて居るやうだ、二階の東口の窓からニコ／＼とした顔を出してゐる妻を見た時、自分ながらホツとした。

妻の覺悟決心

空腹だが飯どころでは無い、次第に水の引きつゝある床上の積り重なつてる泥土の仕末をつければならぬ、京都帝大を出て家に出入してる吉野君に手傳つて貰つて、縁側の邊の泥を除去したのであるが、堤防が決潰して、家中に浸水甚だしかつた午前中長男の敏和、姪の豊子さ妻の三人で大方必要品は二階に運んだし、審査會の大事な公の文献を始めさして、聯盟の重要書類等は常に二階に藏してあるから、今回の水害の難はのがれたのである。ぬれたのは捨てゝもよい古雜誌や古着類程度のもので、疊は全部屋敷內の道路に敷く事にした、さうしなかつたら災害後十日間位は家の出入は困難であつた、家主は一週間位知らん顔をしてゐたし、役場の人々の戸別訪問は十五日後の事であつた、青年團員は堤防警備に出て居るから、村民を保護したり手傳つて貰ふなどゝ云ふ譯にはゆかない。

何さ云つても系類は一番有難いもので、姪の節子が嫁いてる渡邊君兄弟が、大阪から半ば徒歩でかけつけて來て、家中の赤泥の洗禮を受けた疊の仕末をしたり、屋敷中を綺麗にして呉れたので助かつた。續いて木下印刷所や大阪日日の竹田氏始め各社の方々が來訪され力強く感ぜられた、殊に食糧不足の時、大阪から國道不通の難行を敢てして、自動車を飛ばし、野菜類一切罐詰類に至るまで、屆けて下した 松坂屋の白根氏の御厚意は涙が出る程有難い事であつた。

案じてゐた春世は夕暮時まで小學校から歸宅しなかつたが、先生がオンブして川向ふまで送つて來て下した、亦神戸の女學校へ行つてる順子が一夜消息不明であつた、然しこれさても先生方の御心配で友人の家に一夜をあかし、六日の午頃「のびて了ひさうだわ、灘から線路傳へにあるいて歸つて來た、足が痛い／＼」、さ聲高らかに戻つて來たので一同愁眉をひらいた。

黄河に船を浮べて住む人等でも、我々の今の生活よりは幸福だらうさ羨んだ、何の事はない泥田の中で毎日罐詰のおかづで食事をしてるやうなものだ、こんな野暮なハイキングは何處の世界にもなからう。

又我々日本人はパンのみでは腹が承知して呉れないのだ、態々高價な罐詰を御贈り下した大勢の知己、親戚、友人、先輩の方々には甚だ失禮千萬で申譯がないが、着く荷物、來る小包が毎日、罐詰、罐詰の連續なのには 途に根が盡きて了つたのである。

果物がほしいな——さ思ふ事がある、幸、水は掘り抜き井戸だから心配はないが、ガスのない不自由さ加減さ云つたら無かつた、泥の中では不愉快だから何を食つても便秘するか、下痢するかごちらかである、それなのに一家健全で通つて來たのだから神に感謝しなければならないさ思ふ。

妻は後で述懐した、「水が一寸二寸さ増して來て荷物も大方運び、皆が二階へ逃げあがつてホットしたが、春世にも順子にも遭はれずに、離れ／＼に此世を去るさ思へば心細く思ひました、しかし何時召されても覺悟決心だけは出來てゐました」、さ。

水害の教訓

六甲苦樂園《かぶくらくゑん》に今回《こんくわい》の水害《すいがい》の日《ひ》の前日轉居《ぜんじつてんきよ》して來《き》た一家《か》三人《にん》が、家財諸共流失《かざいもろともりうしつ》して行衛不明《ゆくゑふめい》となり、然《しか》もそれを目撃《もくげき》した婦人《ふじん》が發狂《はつけう》した。

甲南小學校《かふなんせうがくかう》で兄弟《けうだい》四人《にん》が手《て》をとつて避難《ひなん》しつゝあるところへ、消防手《せうぼうしゆ》が現《あらは》れ、「私《わたし》は一番《ばん》ちいさい方一人《かたひとり》だけ抱《だ》いて上《あ》げます」、と云《い》つて受取《うけと》つたが、不幸《ふこう》にして消防《せうぼう》手《しゆ》は健在《けんざい》だがその幼兒《えうじ》は流失《りうしつ》した。

二人《ふたり》の子供《こども》は幸《さいは》ひ小學校《せうがくかう》へ行《い》つてゐたため無事《ぶじ》だつたが、九人《にん》の家族《かぞく》は女中諸共《ぢよちうもろとも》、行衛不明《ゆくゑふめい》となつた住吉《すみよし》の某《ぼう》富豪《ふがう》がある、令夫人《れいふじん》の死體發掘《したいはつくつ》の際男女《さいだんぢよ》の別《べつ》が不明《ふめい》であつて、漸《やうや》くダイヤの指環《ゆびわ》で解《わか》つたのである。

以上《いぜう》のやうな悲慘《ひさん》な出來事《できごと》に比《くら》ぶれば、我々《われ／＼》の災難《さいなん》などは問題《もんだい》にはならないのである、文句《もんく》でも云《い》つたら實際《じつさい》罰《ばち》が當《あた》る事《こゝ》であらう。

H翁が支那《しな》から歸《かへ》つて來《き》て「天然《てんねん》の地形《ちけい》を無視《むし》して川《かは》幅《はゞ》を狭《せま》くし、徒《いたづ》らに道路《だうろ》を廣《ひろ》くした爲《た》め今回《こんくわい》の災害《さいがい》があつたのだ、亦何十年前《またなんじふねんぜん》に斯々《かく／＼》の水難《すいなん》があつたと云《い》ふ歷史《れきし》を考慮《かうりよ》せずして、土木工事《どぼくこうじ》をした當事者《たうじしや》の責任《せきにん》だから、次《つぎ》の工事《こうじ》には……云々《うんぬん》」、と云《い》つたが、それは恰度《てうど》關東《くわんとう》震《しん》災後《さいご》に地震學者《ぢしんがくしや》が「斯《か》うであつてほしかつた」、と云《い》ふ後《あと》の祭《まつ》りの寢言同然《ねごとどうぜん》な事《こと》で、過《す》ぎ去《さ》つた災難《さいなん》を鞭韃憤慨《べんたつふんがい》して何《なに》になるであらう。若《も》し左樣《さやう》に早《はや》く解《わか》つてゐたら何故《なぜ》御自身達《ごじしんたち》が私財《しざい》を投《とう》じてその工事《こうじ》を敢行《かんかう》しなかつたであらう、事後《じご》の大言壯語《たいげんさうご》程價値《ほどかち》のないものはない、世《よ》の名《めい》士諸君《ししよくん》は事前《じぜん》に於《お》てモット大地《だいち》に足《あし》をつけた世《よ》の益《えき》になる事《こと》を實行《じつかう》してほしいものである。

芦屋《あしや》のやうなところでは靑年團《せいねんだん》、消防組《せうぼうぐみ》の援助《えんじよ》を各自《かくじ》が求《もと》められると思《おも》つたらそれは誤《あやま》りであらう、これは芦《あし》屋《や》に限《かぎ》るまい、今回《こんくわい》の堤防決潰《ていぼうけつくわい》のやうな時《とき》は、各自《かくじ》の家《いへ》が危險《きけん》なのである、だから各家庭《かくかてい》の自治《じち》、自衞《じえい》、自護《じご》の覺悟《かくご》が必要《ひつえう》である。防空演習《ばうくうえんしふ》の時《とき》などのやうに組織的《そしきてき》に行《ゆ》くのは、各自《かくじ》の家《いへ》に眞《しん》に災害《さいがい》がかゝつてゐないからではないか、一旦緩急《たんくわんきふ》ある時《とき》は、各自《かくじ》の生命《せいめい》は各自《かくじ》が保護《ほご》しなければならないのである、況《ま》して各家庭《かくかてい》の婦人《ふじん》は體《たい》力《りよく》の外《ほか》に精神的《せいしんてき》の準備《じゆんび》と訓練《くんれん》が必要《ひつえう》であると考《かんが》へる、殊《こと》に有爲《いうゐ》の壯靑年勇士《さうせいねんゆうし》が出征《しゆつせい》して、正義《せいぎ》の戰《たゝかひ》を戰《たゝか》つてゐる最中《さいちう》なのであるから斯《か》うした覺悟《かくご》は尙更《なほさら》の事《こと》ではあるまいか……今回《こんくわい》の災害《さいがい》は文明《ぶんめい》の行《ゆ》き過《す》ぎであり、亦天啓《またてんけい》であると見《み》るのがホントウであらう。

十二支を喰つた私の行狀記

原始藝術研究家　宮武辰夫

バリー島の女

「原始地ではたべものに、お困りでしよう……」邊鄙な世界の未開地へ旅する私に對して、知人の誰れもが發する言葉であります。然し私は一度もこの原始地での食物について不便を感じた事もありません。それどころか、むしろ名物食べ歩きといつた樂しみをさへ覺えまして、原始地ところ／″＼の土人の食つてゐるものを極めて味つて居ります。

つり合の惡い、醜い肉體をもつて居た日本女性のために、それをかくし誤魔化す美しいキモノが生れました。生な天然物に乏しい大陸支那には、技巧で食はす料理と云ふものが發達しました。

排他的な原始人は一層自給自足の風を持つて居まして、只管彼等の體驗から生んだ生活樣式に終始して居ります住居にしても、衣服にしても、一見怪奇には見えますが、それはその土地環境に適つた必須性をもつて居ります。

食べものに至つては猶更らです。祖先から祖先へ、遠い往古から、その土地と生活にぴつたりと適つたものがそこに傳へられて居る譯です。味噌汁や澤庵は日本に適つて生れたものです。澁いセンチは懷郷趣味から、こんなものを北極エスキモー部落で食つて居たら、直に凍死するかもしれません。私はエスキモーの藝術を見に、一年近くもそこで暮しましたが、エスキモーの常食は殆ど肉類と脂肪であります。それに少量の海藻で野菜の代りをして居ます。灯皿に盛つた魚油をなめて居る美しい娘をよく見かけました。油はエスキモーの大好物であります。

エスキモーには橇をひく大きい犬が一家に何頭も飼は

れて居ります。これも主食は肉類と干魚であります。犬好きの私はたう／＼その二頭を日本に連れて歸りましたが、水や食べ物が變つては……とやさしい思ひやりの心算りで、お里のエスキモーと同じ食物を相當財政上無理をしてまで與へて居りましたが、腸は毀はすし、皮膚病にはなるし、散々手子摺つた揚句、ふと思ひついたのが、その土地ではその土地の食物を……といふ私の持論でありました。早速日本のパテント、味噌汁に飯を續けましたところ、二ケ月足らずですつかり、昔の若衆の美しさにかへりました。

チブスが常識の支那では夏でも熱湯をすゝり灼熱インドには舌の痺れるようなカリーが生れて居ります。又零下何十度のアラスカでは鱈の肝油を常食して、盛んに肝油を攝取して居ります。體驗といふものは恐ろしい合理性を持つて居ります。

再び云ひます。その土地ではその土地の食物を……これが私の原始地行脚に健康と力を保つて行けた因子となつたのでありましようが、その間、相當の思ひもよらぬ惡食もやつたものであります。而して指折つて見ますと、何と驚いた事には十二支の動物を全部試食濟みといつた事になりました。然し龍だけは未だですが、これもまあ鰐によつて代理をしたわけです。全く祖先には聞かし度くない行狀記でありますが、十二支のうち、珍らしい動物の場合だけを拾つて見ましよう。

犬・料・理・

遠く文化の歩みからとり殘されたように、原始さながらの秘俗と藝術を擁して居ります山の純人トライヤ族と云ふのが、赤道下セレベス島の中央山岳地帶に、ほんたうの自給自足の生活を續けて居ります。そこは全くお伽話の世界でありました。怪奇な型の家庭や穀倉が美しい彫刻に覆はれて夢のように並んで居ります。信仰的に、前齒を磨り切つた、眸のつぶらな美しい娘も見られます。日本の褌そつくりのものをしめて、はてしない緑の高原を跳び廻つて居る若者も見られます。

そのトライヤ族にとつての第一の貴重な料理として犬を使用して居ります。朝までよく吠えて居た犬の姿が見えませんので、尋ねますと、さつき御馳走したのがその犬であると自慢さうに答へるといふ原始振りであります。トライヤは犬を食用家畜の一つとして居りますが、美味のものとして鼠料理がこれに次ぎ、蛇は又これに次ぐとされて居ります。

犬を喰ふ……お聞きになるだけでも顰蹙ものでありましようが、これとて只民族の生活樣式や宗教などから來る觀念の相違に過ぎません。私達の食ふ豚を忌み恐れる

回敎徒や、牛を食ふ事を極度に嫌つて居ります臺灣人の例と何の差もありません。

觀念……その觀念でさへ、時代と共に遷り變つて居ります。食用蛙はすでに古い、食用蝸牛が出て來たかと思ひますと、臺灣では試驗場で食用鼠を飼育して居まして、その試食に舌鼓を打つて居るといふ今日、犬御料理のネオンが出ないものでもありません。

一應トライヤの犬料理を記して見ましよう。先づ生きのいゝところを殺します。鷄の毛を燒きとるように火で焙つて毛を燒きとり、肉を簀の目に切つて尺餘の太い靑竹に少し入れ、其の上にグルナンコといふ香りの高い植物の葉を入れ、その上から唐辛子や鹽を撒いて又その上に犬の肉、グルナンコ、犬の肉……といふ順に重ねまして、靑竹一杯に詰めて栓をして、焚火の上で長い間靑竹を廻しつゝ焙りますと、竹の焦げる頃には云ひしれぬ美味な犬料理が出來上ります。これを犬と知らずに食べますと、先づその美味に一驚する事でしよう。

虎・料・理・

乳房に明け乳房に暮れるバリー島……そこは東印度きつての女護ケ島でもあり、妖幻蠱惑の戀獄でもあります。世界一の美しい乳房を持つ島……と三嘆したフランスの名彫刻家の言葉が偲ばれるように、半裸の女達は素足で、惜し氣も無く若い乳房を灼光に吸はせて、頭上豊かに、果物や水壷を運ぶ樣は眩しいように美しいものであります。

かうした和やかな半面に、島の西部には太古さながらの一大原始林が續いて居まして、虎などもよくそのジャングルに姿を現はします。名も知らぬ見あげるような古木の枝に、木を組んで坐をつくつてあるのをよく見かけますが これは水を飲みに來る虎をかくれ射る場所であります。ジャングルに近い村の家々には、よく虎封じの護符を吊してあるのも見かけました。

大抵の旅人はジャヴアから北岸のブレレンに渡りますが、私は逆に、殆ど人のさらないバニユワギからバリーの南方ネガラに渡りました。これからアンロサイの村までは全くの原始林で半裸のバリー女には、痛しい氣のする凄愴さでありました。この深林近くの寒村にかゝつた時、未だ血の附いた生々しい虎の皮が軒端に吊されてありました。村の名は確かソークワーと記憶して居ります。

村人の話しでは數日前に近く射とめたもので、御望みなら肉を食べて見ないかと云ひます。いかもの食ひの私です。辭退なんかしつこありません。ちよつといけます。料理法は、椰子の實の肉壁に附着して居る白いものをとつて、その水の中に虎肉と共に入れて墟や野猪の油や、唐辛子などを混じて煮つめたものであります。

本年の二月、福良虎雄氏が朝鮮から飛行便でとり寄せたといふ虎肉を、十數人の趣味人と共に試食しましたが、福良氏はオリジナルな虎肉を味はふ爲めに、殊更らに加味調理をしないで、

只單に燒き焙つたものでありました。成る程、これもよき試みでありましたが、その味はどつちかと申しますと淡白過ぎるものでした。美味の點ではバリー島の方が遙かに上でしたが、眞の虎の持味は福夏氏の方で頷けた事でした。

龍の代理……鰐

支那の所謂龍は、揚子江の鰐の一種だとも云はれて居ります。詩の國、形容詞の國、而して噓の國の繪空事、鰐を名代にしましたわけであります。

マレーから東印諸島へかけては鰐の本場ですが、中でもひどかつたのは赤道下のハルマヘラ島近くのバチヤン島でありました。ラブハといふその部落には、アマシン川といふ濁り江が中央に流れて居りますが、そのアマシンといふ意は鰐といふ土人語であります。ほんとに物騷な言葉です。それ程その川には鰐が多いのです。

夜半、便所に出かけた土人の娘が長い間歸つて來ないので、その父が迎へに行つて見ると、便所の口をふみ外したのか、その口に半身を入れて兩肘で支へて居る……と思つてその娘を引き上げて見ると、乳から下の胴體は無かつたといふ話もきゝました。このあたりの便所は長い土俗から必ずかうした川の上に架け出してあります。又殺した鰐の腹から、土人達の女が足に嵌めて居ります銀の足輪が五個も出て來たとか、土人達の遊び場として人の集まる屋内にまで出て來て、玉轉がしをして居た男の足に喰ひ下つたとか、慄然たる慘話は限り無く續いて行きます。

然し土人達は鰐に對して一種の信仰を持つて居ます。アロー島のリデバス地方の土人なんかは、鰐を象徴化した彫刻として護り神のように畏敬して祭つて居る程であります。鰐は何といつても南海きつてのギャングであります。一見鈍物らしいですが、その實非常な悧巧さを持つて居まして、よく意表の早業をやつてのける事があります。

數多い狩獵のうち、この鰐狩り程壯快なものはありますまい。獰惡な鰐に對しては一種の深い憎惡を感じます。そこに鰐狩りの敵對的な壯感があるのであります。然もそれは深夜刳舟によつて濁り江を迴回しつゝ一つ彈を打ち込むのですから壯快であります。ちようど私のやつた鰐狩りはマレーでしたが、ポケツトに電池を入れて、その線の端のランプを額に結びつけまして十二連銃をそのスポツト、ライトの投げる點に凝しつゝ、カヌーを靜かに流すのですが煙草のような眞紅に光る眼玉へ、スポツトライトがぶつつかつたが最後、それは獰猛な鰐の存在です。眞紅に光る眼玉の間を釣瓶射ちに數發、輾轉する鰐に紐の附いた銛を打ち込む土人達……しばらくは人と鰐との肉迫戰で、刳舟は右に左に引き擂られて行きます。その數刻は慄然たる暗のだんまりであります。

人を喰つた鰐が、再び人の胃の腑に入るなんて考へては食べられません。肉はサラリとした美しいものです。魚とも獸とも鳥ともつかない淡白なものです。つけ燒なんかに適して居ります鰐の雄は非常に稀れでありますが、その男根はすばらしい媚藥として土人はもとより、文明人も血眼になつて入手につとめ

て居るといふ始末です。大阪の十三附近に工場をもつ大製藥會社の御曹子が、遙るばるシンガポールまで來られて、この効驗いやちこな陽物を體驗して、その効果に驚かれて、數本を高價な金と代へていつたといふ話をシンガポールの鰐商から聞いた事がありました。

東印度の土人達の話では、鰐は非常に多妻で一疋雄鰐で何百疋の雌鰐を御して行くが、生れた子鰐が雄の場合は、全部雄親が喰ひ殺して、雌鰐のみを殘して置くのです。然し雄親が老衰して多數の雌鰐を御して行く精力がなくなつた場合には雄の子を只一疋だけ殘し育てゝ自分の名代とする……と云つて居りました。何としても壯んな事ではありませんか。

猿料理

廣東あたりの料理にも猿の頭を槌で打ち碎いて食ふと云ひますが、私の食猿もほゞこれに似て居りました。原始人は血液に靈が存すると考へます。喰人も一つにこの敵の靈……つまり勇武の原動力たる血のふくまれて居るものを自分の體内に受け入れて一倍強くなるといふ事に因るようです。日本の古語として傳はる血……つまり「チ」といふ音は靈といふ意味であります。原始人の血液の信仰と對比して興味ある事ではありませんか。又原始人は自分の及ばない運動をする動物を畏敬して居ります。空を飛ぶ鳥や、木から木を巧にとび渡る猿などに對する信仰がそれであります。そして鳥の羽根を身に着けてその運動に肖かるように願つたり、又猿の生血を飲んでその血の靈を自己に受け入れるように希つて居ります。

東印度諸島でも猿の生きたものを打ち殺してその腦味噌をつゝき合ふ部族が居りました。この地方の島々にはしつとりと蒸れ肥えた低地にむく／＼と立ちならんだサゴの原始林が茂つて居ります。このサゴの木こそは原始人にとつては唯一の常食澱粉であります。その幹の内部には白い澱粉がぎつしり充滿して居ります。この粉を湯で粘つて、猿の肉と共に鍋の汁の中に入れて鹽や唐辛子などで味をつけます。

この珍料理は味ひ得たものゝみの語り得る美味でありますが、これに添へるにバロといふ木から採つた酒があります。南の島は四時衣の要もなく、海の幸、山の幸に懷かれて和やかな毎日が續いて居ります。

蛇の味と鼠の焙り肉

セレベス・トライヤの村マカレには遙かな高原の彼方から、さま／＼の物を持ち寄つて、物々交換が行はれて居ります。そこには精細無比な竹細工もあれば、雅味の溢れた手織布も見られます。勿論食用としての犬も持つて來ます。一日私はそこに、胴廻り一尺あまりの大蛇を籠の中に入れて來て居るのを見うけて慄然としたものでしたが、これが珍味として土人達に食はれると聞いて再

驚した事がありました。この大蛇の切り身なんかは、殆どそれが何であるか解りません。白い美しい肉です。土人達はこれを焙つて鹽と唐辛子で味つけをして居ります。又鹽漬けとして生でも食つて居ります。双方とも捨て難い味を持つて居ます。

鼠の肉はすでに臺南にて試食濟みでありますが、臺灣の日本人は多くこれをすき燒式に料理をして居ります。然しトライヤ族では大きい鼠の肉を竹串に通して爐端に立てゝ長時間遠火に焙つて、殆ど干物のようにして居ります。この味は恐らく、いかもの喰ひのうちでの最たるものでありましよう。然も相當長い間、保存も出來ますので、珍客の來訪などには、當然すゝめられるものであります。

牛、兎、馬、酉、猪、などはあまりにも膾炙し過ぎて居ります。羊にしても北京で、蒙古料理と呼んで、夜空を仰ぎつゝ、鐵炙を圍んで焙り食つて居る程でありまして、別に珍らしい事でもありますまい。

習慣と觀念を捨てゝ旅に出るのに限ります。地方々々には思ひもかけぬ美味が待つて居ります。

（終）

（第二十四頁よりつゞく）

から是れ位の苦勞は當然の事でありますと云つて、何の不平も又何の不滿も洩らしては居られません、洩らして居られないと云ふよりも寧ろ一家一門の譽れだと云つて却つて喜んで居られると云ふ事を聞いて居ります、でありますから今後如何に事變が擴大されましても、又如何に事變が長期に亘るやうな事がありましても此の爲に問題が起るやうな事は斷じてないと信じて居ります、信じては居りますが然し私は不平不滿が起らないからといつて、それで良いと考へ、平然としてゐると云ふ事は斷じてゐけないと思ふのであります、大正七年に起りました御承知の米騷動の事を思ひ浮べましても判りますやうに、アノ事件もアノ當時もうすこし早くその對策が講じられて居りましたならば、アレ程に大きい騷擾にはならなかつたのではなかつたかと思ふて居るのであります故に民間の御助力と、一つは家庭に在る御婦人方が此上一段の緊張と努力を拂はれまして、國民精神總動員の實を擧げ、然して今日の非常時を乘り切つて頂きたいと念ずるものであります、爰に重ねて之の事を切望念願致す次第であります。

几董、太祇の句など

兒童に關する俳句評釋（三）

岡本松濱

圖「井華集」は無村の高弟で夜半亭の後を嗣いだ几董の自選句集である。太祇、几董、召波みな天明に於ける代表的作家であつた。

手を添へて引かせまいらす小松かな　几董

むかしは正月初めの子の日に、殿上人が野山に遊んで小松を引いて祝うたものであり、之を小松引、子の日の遊び、子の日の松、初子の日、子の日草など云ひ慣はし、後には民間の者も之を學び試みたやうである。この句は和子《わこ》、公達《きんだち》など云はるゝ相當身分ある家の少年が、また自分で小松を曳くほどの力さへなく、家來などが其の子達に手を持ち添へて、小松を曳かせたと云ふのである。「曳かせまいらす」と敬語を用ひたところに、其の子の地位の低からぬことが明らかに示されてゐる。

海士の子や舟の中より紙鳶《いかのぼり》　几董

海士はあまであり漁師である。其の漁師の子が舟の中から凧を揚げてゐたと云ふ、平地でなくて、舟中から凧を揚げつゝあつたと云ふ珍らしい光景を描いて、漁村に於ける一つの異つた風趣を現はさうとした句。

僧に成る兒《ちご》にはくれじ雀の子　几董

誰かゞ雀の子を捕へたので、子供に吳れてやらうとしてゐるのであるが、ふと見ると四五人連れの子供の中には、近く僧に成ると云ふ子が交つてゐたので、其の子の將來を考へて、雀の子をやらぬと云ふたまでのことであるが、理性に勝つた句である。

ほとゝぎすいかに若衆の聲がはり　几董

少年期から青年期に移らうとする頃は、男の子は皆一度は聲がはりと云ふものを經驗せねばならぬ。いまゝで澄みわたつた聲の子も俄かに濁つた、太い聲を出したりする、卽ちそれである。其の少年の聲がはりと、頃しもほとゝぎすの鳴くのとを何と云ふことなしに思ひよせたものであらう。

いとし子に毛虫とりつくはし居かな　几董

いとし子は愛する兒、最もいたはる兒と云ふ意。其の子供と共に緣側近くにはし居をしてゐたら、いつの間にか子供の膝か肩かに毛虫が這ひわたつてゐたと云ふ句。外の子供にはつかず、さう云ふ事に最も神經をなやますいとし子に、毛虫がついて子供を驚かしたのである。

祇園會

うす痘《いも》の見えずていとし鉾の兒《ちご》　几菫

うす痘は天然痘のあとがうすく殘つてゐるのを云ふ。この鉾の稚兒も平生はそのうす痘が誰の眼にも見えるほどであるが、今日は鉾に乘つてゐるので、顏には化粧をし、身なりも裝ひ飾つてゐるので、うす痘も隱れてしまつてゐるが、いつものうす痘が、化粧で隱されてゐるだけに、一層其の子が哀れに感じられたのである。前書の「祇園會」は全く無駄である。

かなしくも小姬が顏の熱痛《あせぼ》かな　几董

姬と云へば地位あり、門地ある人の女の子と云ふことは問はずして明らかである。この句は「小姬」とあるのは幼少な姬と云ふ意味であらうとは想像されるが、さう云ふ言葉が果して許さるべきものであるか、たとへ許されたとしても、又意味は通じたとしても、甚だ穩かな用ひ方ではない。扨句の意味は、多勢の腰元達のかしづいてゐる程のいとけない姬の顏に、あせぼが出來たと云ふのである。貧しい者の子であれば、あせぼが出來たところで誰も問題にはしないが、掌中の珠の如く大切に育て参らせてゐる姬の顏にむざんにもあせぼが出來たことは殊に哀れにも悲しくも感ぜられると云ふ意である。

夕顏や鼠葬るめくら兒《ちご》　几董

鼠の死骸が、そこらに捨てられてゐた。誰もそんなものを問題にする者はないが、盲の兒が其の事を聞き知つて、鼠のむくろを哀れに思ひ、それを庭の片隅に埋めてやつたと云ふのである。盲の子は兎角家人からもうとんぜられ勝で、平生から心淋しく、悲しい日を送つてゐたに相違ない。その淋しい悲しい心に、鼠の死骸の捨てられてゐるのが、殊の外哀れ深く感じたと云ふことは、まことに哀切の限りである。しかも鼠を葬つたのが、夕顏の花の咲きかゝつてゐる夕暮時であつたと云ふだけに、一層哀れふかく感じられる。

御相撲や五年前見し美少年　几董

御相撲と云つて特に敬語を使つてゐる點から見て、この角力取は大名か何かに抱へられたもので、一般の相撲取と違つて、何處かに權威を持つてゐるし、人も又それに對して相當の敬意を拂つてゐることが分る。その今を時めく勢ひの相撲取も、よく〳〵見れば四五年前によく見掛けた町內の少年であり、或は自分等も冗談を云つてからかつたりした事もある、あの少年であつたかと、いさゝか驚きの眼を以て角力取を見上げてゐる心持であらう。

朝がほや稚き足に蚤のあと　几董

朝早く家人達が起き揃つて、緣側に出てさわやかな風に吹かれながら、朝顏の花などを眺めてゐるのである。ふと見ると一番幼ない末の子の足が、蚤にかまれて眞ッ赤なあとを殘してゐる。それをいとしく思ひやつた親の心を表現した句。

遠く遊ぶ子に貰ひたる紙子かな　几董

自分の子が膝もとを離れて何處か遠方に學問修業に行つてゐるのであるが、其の子は次第に老いまさる親の身を案じて、遊學の手許からわざ〳〵紙子を送つて來て、少しでも父の寒氣を和らげやうとした。其の孝心に對して、父は一入之をありがたく思つたと云ふやうな句。

寒聲やあはれ親ある白拍子　几董

むかしは寒聲と云つて歌舞音曲に身を立てやうとする者は、寒中の眞夜中、或は川の傍へ出たり、或は屋根の上に出て、霜に身をぬらしながら、咽喉から血の出るまで稽古にはげんだものである。今も嚴格な師匠は之を實行さすであらう。其の寒稽古の中に、まだ年端も行かぬが將來白拍子にならうと云ふ女の子が、涙を氷らし、咽喉をからして稽古をしてゐる。その哀れな姿を、若しまことの親が見たら、いかに悲しく感ずるであらうかといつた句。

以上「井華集」の少年の句は終りである。少し紙數が足りないやうであるから、太祇の殘りの句を追加することゝした。

よひやみや門に稚き踊聲　太祇

もう盆も五日六日とすぎて、宵の程は月も出ぬ闇である。其の闇の中に子供の踊の聲がしたと云ふのである。大人は時が遲れても月の出るのを待つて踊るのであるが、子供は遲くまで起きてゐられないから、闇の中でも自分達幼ない者ばかりが踊つてゐたと云ふ、そこに秋の闇の淋しさがある。

手習子《てらこ》や門うつ子あり朝さむみ　太祇

寺子屋へ通つてゐる幼兒が家の都合で朝早く起され、食事もそこ〳〵に寺子屋へ來て見ると、あまり早すぎてまだ起きてゐなかつたので、ほと〳〵と門口を叩いてゐるのである。それが秋も次第に老いまさつた此頃の朝寒に一層冷たさを感ぜしめる。

醫師へ行く子の美しき頭巾かな　太祇

病弱の子を醫師の許へつれて行くのであるが、醫者へ行くにも着る物、かぶるものに氣をつけて、大事に取つて置いた美しい頭巾をきせて出したと云ふので、さう云ふ處にも子を思ふ親の心が現はれてゐる。

稚子の寢て物とふや藥ぐひ　太祇

むかしは何處の家庭でも絕對に獸肉を食はなかつたのであるが、唯寒中、養生のためと稱して、ひそかに四五人うち寄つて猪や鹿の肉などを喰つた。之を藥喰《くすりぐひ》と云ふのであるが、それも一般に漏れるのを怖れて、納屋の隅とか、物置などに隱れてやつたものである。この句も大人達がひそかにうち寄つて藥喰ひをはじめたが、子供はちらとそれを眼に止めて、寢床へ入つて後も、母親にいろ〳〵根掘り葉掘りして聞きたゞしてゐる。母親は返事にこまつて、子供をだましすかしてゐるのであらう。

髮おきやちと寒くとも肩車　太祇

髮置は七五三の祝である。其の祝ひの子をつれてお宮參りをするのである。「ちと寒くとも肩車」とある通り、遠い道を歩くのは大變だから、少し寒く〳〵とも肩車にのせてやらうと云ふ意。

かみ置や抱え相撲の肩の上　太祇

角力取を抱えてゐると云ふのであるから、相當の大家である。其家の大事の子が髮置の宮參りをするので、相撲取が肩に乘せて行くと云ふ、まことに派手な生活振りであり、隨つて其の子は勿論親や供の人々まで、それぞれきらびやかに着飾つて、目も綾な光景であることも想像される。髮置の豪華版と云つた光景。

かみ置やうしろ姿もみせ步く　太祇

かみ置の女の子を衣裝萬端充分に着飾らせ、髮の容ちから顏の化粧まで、親々はあらん限りの心を盡して裝ひ飾らせてゐる。そのきらびやかな裝ひは、親の目にはかぐや姬の再來とも思へるであらう。更にもう一つ注意せねばならぬ事は、その子の帶が特に親の自慢のものを用ひてゐることである。そこで親としては其の帶まで見て貰ひたさに、うしろ姿をわざ〳〵見せ步いたと云ふ句である。

以上六句は「太祇句選後篇」の句であり、以下三句は同じく太祇句集「石の月」に出てゐる句である。

こけとまる瓜にむかふて這ふ子哉　太祇

誰かゞ瓜を持つて來て、板の間にでも置いたのが、ころ〳〵と轉がつて、やがてよい處に止つた。それを見てゐた幼な子が、よち〳〵と這うて行つて、ころげ止つた瓜を取らうとしたのである。

手習子《てらこ》やの疊は黑きあつさかな　太祇

（第五十六頁につゞく）

北畠顯家公を偲ぶ

魚澄惣五郎

一

元弘建武《けんこうけんぶ》からして吉野朝《よしのてう》五十七年《ねん》の歴史《れきし》ほど、わが國《こく》民性《みんせい》が美《うつく》しく發揮《はつき》された時《とき》はないのであつて、鎌倉時代《かまくらじだい》における元冠《けんこう》の國難《こくなん》は對外的《たいがいてき》に國民的自覺《こくみんてきじかく》を喚《よ》びおこしたが、吉野朝廷《よしのてうてい》の建設《けんせつ》は國內問題《こくないもんだい》からして、即《すなは》ち思《おも》ひもよらぬ南山《なんざん》に朝廷《てうてい》の立《た》てられたことからして、わが國體《こくたい》の尊嚴《そんげん》を深《ふか》く悟《さと》らしめることになつた。まことに吉野朝《よしのてう》廷《てい》こそは後世《こうせい》に深《ふか》い感激《かんげき》と影響《えいけう》とを與《あた》へたのである。殊《こと》に後醍醐天皇《ごだいごてんのう》の延元《えんげん》三年《ねん》といふ年《とし》は、吉野朝廷《よしのてうてい》にとつて取《と》りかへしのつかぬ殘念《ざんねん》な年《とし》であつた。即《すなは》ちこの年《とし》五月《がつ》二十一日忠烈雙《にちちうれつなら》びなき北畠顯家公《きたはたけあきいへこう》が、和泉《いづみ》堺浦《さかひうら》の南石津《みなみいしづ》川《がは》の畔《ほとり》にて討死《うちじに》せられたのをはじめ、同年閏七月《どうねんうるふがつ》二日《か》には新田義貞公《にったよしさだこう》が越前藤島《えちぜんふぢしま》にて壯烈《さうれつ》な最後《さいご》をとげられ、またこの年《とし》の末《すゑ》には結城宗廣公《ゆふきむねひろこう》が、伊勢灣頭《いせわんとう》で千古《こ》つきざる恨《うらみ》をのこしつゝ悲壯《ひさう》な最後《さいご》をなされたのである。往時《わうじ》茫々《ばう〳〵》は、こゝに六百年《ねん》の星霜《せいさう》を閱《えつ》したけれども、これら吉野朝廷忠臣《よしのてうていちうしん》の英靈《えいれい》は永《とこし》へに泯《ほろ》びず、護國《ごこく》の神《かみ》として躍《やく》進《しん》に躍進《やくしん》を重《かさ》ねつゝあるわが國運《こくうん》を擁護《ようご》されてゐる。

殊《こと》に本年《ほんねん》は陸奥守兼鎭守府大將北畠顯家公《むつのかみけんちんじゆふたいせうきたはたけあきいへこう》の六百年祭《ねんさい》に相當《さうたう》し、本市《ほんし》鎭座《ちんざ》の別格官幣社阿部野神社《べつかくくわんぺいしやあべのじんしや》にてその祭《さい》典《てん》が行《おこな》はれるに當《あた》り、一層感慨《そうかんがい》止《や》み難《がた》きものがある。申《まう》すまでもなく顯家公《あきいへこう》は村上源氏《むらかみげんじ》の出《で》で、吉野朝廷《よしのてうてい》の柱石《ちうせき》准后《じゆんごう》北畠親房公《きたはたけちかふさこう》の長男《てうなん》として生《うま》れた。元德《げんとく》二年《ねん》四月《がつ》年齒《ねんし》僅《わづ》かに十三歳《さい》で中宮權亮《ちうぐうごんのすけ》、權左中辨《ごんさちうべん》となられたが、翌元《よくげん》弘元年《こうがんねん》十四歳《さい》ではやくも參議《さんぎ》に任《にん》じ、左近衞中將《さこんゑちうじやう》に任《にん》ぜられた。この年《とし》の春主上後醍醐天皇《はるしゆぜうごだいごてんのう》は西園公宗《さいをんきみむね》の北山第《ほくさんだい》に行幸《ゆうこう》あらせられ、盛《さか》りの花《はな》を賞《め》でさせられたが、この時催《ときもよほ》された花《はな》の御宴《ごえん》に主上御親《しゆぜうおんみづか》ら笛《ふえ》を吹《ふ》かせたまひ、顯《あき》家公《いへこう》は陵王《れうわう》を舞《ま》うたが、その進退動作《しんたいどうさ》が優美《ゆうび》で、その美《うつく》しい姿《すがた》は一《ひと》きは目立《めだ》つたので、主上《しゆぜう》もいたく御感《ごかん》あらせられたとのことである。公《こう》の天禀《てんぴん》はまたかゝる方面《はうめん》にも

窺《うかゞ》はれる。

その後《ご》、後醍醐天皇《ごだいごてんのう》が隱岐《おき》から御還幸《ごくわんかう》あらせられ、いよいよ御理想《ごりさう》の公家《こうけ》一統《とう》の政治《せいぢ》を實現《じつげん》せられることゝなつたが、公《こう》は思《おも》ひがけなくも十六歳《さい》の若年《じやくねん》を以《もつ》て擢《ぬき》んでられて陸奥《むつ》の國司《こくし》に任《にん》ぜられ、鎭守府將軍《ちんじゆふせうぐん》といふ重《おも》き任《にん》務《む》につくことゝなつた。若冠《じやくかん》の身《み》を以《もつ》てかくの如《ごと》き重責《ちうせき》に任《にん》ぜられたことは、當時《たうじ》においてもいぶかしく思《おも》はれることで、これはもとより父親房公《ちゝちかふさこう》の庇護《ひご》によるところ尠《すくな》くないと思《おも》はれるが、また一に建武中興政治《けんぶちうこうせいぢ》の大精神《だいせいしん》が公《こう》をしてこゝに至《いた》らしめたもので、それは後醍醐天皇《ごだいごてんのう》が「公家《こうけ》既《すで》に天下《てんか》を一統《とう》したる上《うへ》は文武《ぶんぶ》の道《みち》に二つあるべき道理《だうり》でない。今《いま》の天皇親政《てんのうしんせい》の下《もと》においては公家《こうけ》といへども武《ぶ》を兼《か》ねて皇家《こうけ》を擁護《ようご》せねばならぬ」と仰《おほ》せられたによつても明《あきら》かであらう。元來東北地方《ぐわんらいとうほくちはう》は武士勃興《ぶしぼつこう》に因緣《いんえん》の深《ふか》いところで、源平兩氏《げんぺいれうし》の祖先《そせん》が陸奥守鎭守府將《むつのかみちんじゆふせう》軍《ぐん》として、多年蝦夷《たねんえぞ》に對《たい》して武《ぶ》を練《ね》つてゐたところ、また鎌倉武士《かまくらぶし》の根據地《こんきよち》たる關東《くわんとう》を近《ちか》きに控《ひか》え、これを牽制《けんせい》する位置《ゐち》にある意味《いみ》においても、陸奥地方《むつちはう》の重要《ぢうえう》さが想《さう》像《ざう》されるのである。顯家公《あきいへこう》がかゝる建武新政府《けんぶしんせいふ》の興廢《こうはい》のかゝるともいふべき重大《ちうだい》な任務《にんむ》に拔擢《ばつてき》されたことを思《おも》ふにづけても、公《こう》が武人《ぶじん》としての凛々《りゝ》しい英風《えいふう》が偲《しの》ばれるのである。而《しか》も顯家公《あきいへこう》は僅《わづ》かに十六歳《さい》で陸奥宮城郡多賀《むつみやぎぐんたが》國府《こくふ》に赴任《ふにん》して、伊達《だて》・結城《ゆふき》・南部諸氏等《なんぶしよしら》の堂々《だう〳〵》たる豪《がう》族《ぞく》を率《ひき》ゐてよくその任《にん》を果《はた》し、天皇《てんのう》の御業《ごげふ》を翼贊《よくさん》されて宸襟《しんきん》を安《やす》んじ奉《たてまつ》つたことは、もとより義良親王《よしながしんのう》を戴《いたゞ》かれたるに根本《こんぽん》の原因《げんいん》はあつたにしても、その颯爽《さつさう》たる英風《えいふう》はまことに偉大《ゐだい》であつたといはねばならぬ。

二

さきに鎌倉幕府《かまくらばくふ》は滅《ほろ》ぼされたけれども、遉《さすが》に關東《くわんとう》、奥《おう》羽《う》地方《ちはう》は源家《げんけ》が累代本據《るゐだいほんきよ》を構《かま》へたところだけに、その統《とう》制《せい》は容易《ようい》でなかつたと思《おも》はれるのであつた。然《しか》るにかねてより野心《やしん》を抱《いだ》いてゐた足利尊氏《あしかゞたかうじ》が、北條時行征伐《ほうぜうときゆきせいばつ》を名《な》として鎌倉《かまくら》に入《い》り、遂《つひ》に天皇《てんのう》に叛逆《はんぎやく》してしまつた。新田《にった》義貞公《よしさだこう》と共《とも》に尊氏《たかうじ》を討伐《たうばつ》すべく勅命《ちよくめい》を受《う》けた顯家公《あきいへこう》は、非常《ひぜう》な困難《こんなん》を顧《かへり》みないで、建武《けんぶ》二年《ねん》十二月《がつ》二十三日義良《にちよしなが》親王《しんのう》を奉《ほう》じて、遙《はる》かに陸奥《むつ》を出發《しゆつぱつ》し、路次《ろじ》の敵軍《てきぐん》を擊滅《げきめつ》しながら西上《せいぜう》し、鎌倉《かまくら》に入《はい》つた。この時尊氏《ときたかうじ》は既《すで》に鎌倉《かまくら》を出《い》で京都進擊《けうとしんげき》を策《さく》し、義貞公《よしさだこう》の軍《ぐん》と箱根《はこね》で戰《たゝか》つて、はやこれを破《やぶ》り西《にし》に向《むか》つたから、公《こう》はその後《あと》を追《お》ふて進《すゝ》ん

だ。

程《ほど》なく尊氏等《たかうじら》の賊軍《ぞくぐん》は京都《けうと》に入《い》つたから、京都《けうと》の困亂《こんらん》は名狀《めいぜう》すべからざるものであつた。しかし顯家公《あきいへこう》の軍《ぐん》が尊氏《たかうじ》の後《あと》を追《お》うて入京《にふけう》し、新田義貞《にったよしさだ》・楠木正成《くすのきまさしげ》・名和長《なわなが》年公等《としこうら》の勤皇《きんのう》の諸軍《しよぐん》と力《ちから》を合《あは》せて尊氏等《たかうじら》の賊軍《ぞくぐん》を破《やぶ》つたから、尊氏《たかうじ》は遠《とほ》く逃《のが》れて九州《しう》に走《はし》つたことはよく皆人《みなひと》の知《し》るところである。この時《とき》における公《こう》の勳功《くんこう》は決《けつ》して正《まさ》成公《しげこう》や義貞公《よしさだこう》に劣《おと》るものではない。陸奥《むつ》の地方《ちはう》から遙々《はる〴〵》困難《こんなん》を重《かさ》ねて軍旅《ぐんりよ》につき、京都《けうと》に入《い》るや息《いき》もつがずに强《けう》大《だい》な賊軍《ぞくぐん》と戰《たゝか》つて攝津《せつつ》まで敵軍《てきぐん》を追《お》ひつめられたので、その精力《せいりよく》と智謀《ちぼう》の俊邁《しゆんまい》なるはまことに驚《おどろ》くべきものである。これは恰《あたか》も公《こう》が陸奥《むつ》を出發《しゆつぱつ》して一ケ月半後《げつはんご》のことであつた。

尊氏《たかうじ》が九州《しう》に沒落《ぼつらく》したので、延元元年《えんげんぐわんねん》三月《がつ》のはじめ公《こう》は畏《かしこ》くも勅命《ちよくめい》を奉《ほう》じて、再《ふたゝ》び義良親王《よしながしんのう》を奉《ほう》じて東國《とうごく》に赴《おもむ》き、朝廷《てうてい》の右翼軍《うよくぐん》としてそれ〴〵劃策《くわくさく》を進《すゝ》めてゐた。ところが尊氏再《たかうじふたゝ》び九州《しう》より東上《とうぜう》するや、大楠公《だいなんこう》をはじめ京《けい》畿《き》の官軍《くわんぐん》は惜《お》しくも破《やぶ》れ、後醍醐天皇《ごだいごてんのう》は畏《かしこ》くも神器《しんき》を奉《ほう》じて吉野山《よしのやま》に移《うつ》られた。そこで直《たゞ》ちに天皇《てんのう》は延元元年《えんげんぐわんねん》十二月勅書《がつちよくしよ》を顯家《あきいへ》に賜《たま》うて、官軍救援《くわんぐんきうえん》のため再《ふたゝ》び西上《せいぜう》すべきことを顯家公《あきいへこう》に命《めい》ぜられた。しかし吉野《よしの》からの勅書《ちよくしよ》を戴《いたゞ》いた時《とき》、陸奥《むつ》では賊軍《ぞくぐん》の勢《いきほ》いがいよ〳〵盛《さか》んで、顯家公《あきいへこう》は國府《こくふ》さへ維持《ゐぢ》することが出來《でき》ないで、義良親王《よしながしんのう》を奉《ほう》じて伊達郡靈山《だてぐんれいざん》上《ぜう》に移《うつ》つてゐた位《くらひ》で、到底西上《とうていせいぜう》の機會《きくわい》はなかつたのであるが、剛勇《がうゆう》にして忠烈無比《ちうれつむひ》の公《こう》は、尊氏膺《たかうじよう》懲《てう》のため謹《つゝし》んで天皇《てんのう》の勅《ちよく》を畏《かしこ》み、再《ふたゝ》び京畿救援《けいききうえん》の計畫《けいくわく》を立《た》てた。そこで延元《えんげん》二年《ねん》九月顯家公《がつあきいへこう》は義良親王《よしながしんのう》を奉《ほう》じて結城宗廣《ゆふきむねひろ》・伊達行朝《だてゆきとも》・南部師行諸公《なんぶもろゆきしよこう》の聯合軍《れんがふぐん》等を率《ひき》ゐて靈山《れいざん》を發《はつ》して白河《しらかは》の關《せき》を越《こ》え、暫《しばら》く宇都宮《うつのみや》にとゞまり、十二月《がつ》こゝを發《はつ》して西上《せいぜう》の途《と》についた。この時尊氏《ときたかうじ》の子《こ》義《よし》詮が鎌倉《かまくら》にあつて東國《とうごく》の賊軍《ぞくぐん》を糾合《きうがふ》し、兵《へい》を利根川《とねがは》に出《だ》して公《こう》の官軍《くわんぐん》を防《ふせ》いだ。しかし顯家公《あきいへこう》はこれをも破《やぶ》つて進《すゝ》んで鎌倉《かまくら》を陷《おとしい》れた。翌延元《よくえんげん》三年正月顯家公《ねんせうがつあきいへこう》は大軍《たいぐん》を率《ひき》ゐて鎌倉《かまくら》を出發《しゆつぱつ》し東海道《とうかいだう》を西上《せいぜう》したが、官軍《くわんぐん》の意氣《いき》大《おほ》いに擧《あ》がり、破竹《はちく》の勢《いきほ》いで益々《ます〳〵》西《にし》に進《すゝ》んで遂《つひ》に美濃《みの》に入《い》つた。賊軍《ぞくぐん》では事態容易《じたいようい》ならずと見《み》て大軍《たいぐん》を以《もつ》て拒《ふせ》がしめたので、兩軍《れうぐん》は同國靑野《どうこくあほの》ケ原《はら》で大《おほ》いに戰《たゝか》つた。しかし衆寡敵《しうくわてき》せず官軍《くわんぐん》は敗《やぶ》れ、且京都《かつけうと》に入《い》ることも容易《ようい》でないことが分《わか》り、垂井《たるゐ》から道《みち》を轉《てん》じ迂廻《うくわい》して伊勢路《いせぢ》に出《い》で、櫛《くし》田川《だがは》等に戰《たゝか》ひながら伊賀《いが》を經《へ》て大和《やまと》に入《い》り奈良《なら》に着《つ》い

た。延元《えんげん》三年《ねん》二月顯家公《がつあきいへこう》は南部《なんぶ》で勢力《せいりよく》を恢復《くわいふく》すると共《とも》に京都《けうと》を衝《つ》かうとする策戰《さくせん》を立《た》てたので、賊軍《ぞくぐん》は師直《もろなほ》・師《もろ》冬以下《ふゆいか》の大軍《たいぐん》を奈良《なら》に發向《はつかう》し、遂《つひ》に二月下旬奈良般若坂《がつげじゆんならはんにやざか》方面《はうめん》の戰《たゝか》ひとなつたが、官軍《くわんぐん》はまた散々《さん〴〵》に敗《やぶ》れた。幸《さいは》いに義良親王《よしながしんのう》は吉野《よしの》に入《い》らせられたが、顯家公《あきいへこう》は漸《やうや》くのがれて河內《かはち》東條方面《とうでうはうめん》に走《はし》つた。

河內《かはち》で軍《ぐん》を整《とゝの》へた公《こう》は三月《がつ》の初《はじ》めには大阪天王寺《おほさかてんのうじ》方面《はうめん》に進出《しんしゆつ》しようとそれ〴〵計畫《けいくわい》を進《すゝ》め、ついで天王寺《てんのうじ》の賊《ぞく》將《しやう》細川顯氏《ほそかはあきうじ》の軍《ぐん》を攻《せ》めて大《おほ》いにこれを破《やぶ》つて天王寺《てんのうじ》を守《しゆ》備《び》した。京都《けうと》ではこれを聞《き》いて大《おほ》いに狼狽《らうばい》し、弟直義《おとうとただよし》自《みづか》ら天王寺《てんのうじ》に向《むか》はうとし、先《ま》づ高師直《かうのもろなほ》を總大將《そうたいしやう》として主《しゆ》力軍《りよくぐん》を擧《あ》げて天王寺《てんのうじ》における顯家《あきいへ》の軍《ぐん》を攻《せ》めた。三月《がつ》十五日渡邊橋《にちわたなべはし》、十六日天王寺《にちてんのうじ》で激戰《げきせん》が行《おこな》はれ、翌《よく》十六日《にち》は賊將細川顯氏等《ぞくせうほそかはあきうじら》が阿部野《あべの》に進出《しんしゆつ》したので、官軍《くわんぐん》は遂《つひ》に敗《やぶ》れて退《しりぞ》いてしまつた。

この頃吉野朝廷《ころよしのてうてい》では西國《さいこく》の勤皇軍《きんのうぐん》に屢々東上《しば〳〵とうぜう》を促《うなが》されたが、皆《みな》それ〴〵の地方《ちはう》の戰《たゝか》ひで餘裕《よゆう》がなく、お召《め》しに應《おう》ずることが出來《でき》なかつた。北國《ほくこく》における義貞公《よしさだこう》も同樣《どうやう》であつた。されば顯家公《あきいへこう》は正《まさ》に孤軍奮鬪《こぐんふんとう》といつてもよいのであつた。さてこの四月中《がつちう》の公《こう》の行動《かうどう》は明《あきら》かでないが恐《おそ》らく河內《かはち》にあつて勤皇軍《きんのうぐん》を鼓舞《こぶ》して恢復《くわいふく》を計《はか》つてゐられたことゝ思《おも》はれるので、五月《がつ》になつて公《こう》はまたその英《えい》姿《し》を表面《へうめん》の舞臺《ぶたい》に現《あらは》し、東國《とうごく》の軍《ぐん》を率《ひき》ゐて和泉堺浦《いづみさかひうら》に出《い》で、賊將顯氏《ぞくせうあきうじ》は高師直《かうのもろなほ》・師冬《もろふゆ》等の援軍《えんぐん》を得《え》て和泉北部《いづみほくぶ》各《かく》地《ち》で激戰《げきせん》が行《おこな》はれた。然《しか》るに延元《えんげん》三年《ねん》五月《がつ》二十二日堺浦《にちさかひうら》の戰《たゝか》ひで、官軍《くわんぐん》は大敗《たいはい》し顯家公《あきいへこう》も遂《つひ》に悲壯《ひさう》な戰死《せんし》を遂《と》げられたのであつた。時《とき》に公《こう》は廿一歳《さい》。此《こ》の時名和義高《ときなわよしたか》・義《よし》量・南部師行諸公《なんぶもろゆきしよこう》も戰死《せんし》したのである。

（第五十二頁よりつゞく）

寺子屋の疊が大勢の子供の手足の汚れと、墨をこぼしたので眞ッ黒になつてゐる。そこに特に暑さを感じたといふ句。

醫者へ行く子にかぶせたる頭巾かな　太祇

前掲の「醫師へ行く子の美しき頭巾かな」と同類の句であり、いづれか一つは抹殺さるべきものである。「子にかぶせたる」は自然であり、「子に美しき」はいさゝか技巧が加はつて、親の心裡まで打ち出さうとした苦心が見える。作者太祇としては後者に自信を持つてゐるに相違ない。

賀川豊彦氏

『死線を越へる』まで（三）

村島歸之

五、神に捕へられた豊彦少年

豊彦少年が習つてゐた英語の本といふのは基督教の聖書であつた。ところが一心になつてその聖書を讀んで行く内に、こういふ言葉にぶつかつた。

「野の百合の花をごらん。誰が手入れをしたといふのでも、ないのに、何といふ美しさだ、どんなに榮華を極めた王様でも、この百合ほど立派ではなかつたであらう。神さまは、今日は野に咲いてゐて明日はいろりの中に投込まれる草花すら、このやうに美しく咲かせて下さるのだ。ましてあなたがた人間を、どうして粗末になさらうぞ」

豊彦少年はこの言葉を英語で學んで、今さらのやうに天地の神の偉大なることを知つた。氏はその頃の心境を後年次の如く記してゐる。

ローガン先生の英語の聖書研究會に出るやうになつてルカ傳の山上の垂訓を暗誦して、私の心の眼は、もう一度世界を見直した。

私は何故、私の周圍が頽廢して居るかゞすぐわかつた。それは「神」が無かつたからであつた。偶像の統治の闇があまりに暗いものであつた。そして私はその闇を破る勇氣がなかつた。然し私に米國宣教師の導きと愛が加はるとともに私の胸は躍つた。ローガン先生とマヤス先生は、私の親のやうに、私はまた彼等の子のやうに、いつ如何なる時でも、愛しいつくしんでくれるが、私は彼等を通じて、イエスを見た。そしてイエスの道がよくわかつて來た。阿波の山と河は、私に甦つて來た。そして、私は甦の子となつた。（イエス「の宗教とその眞理」の序）

物心の漸くつき始めた五歳の年から十五歳まで、閉された儘だつた氏の心が漸く此處に開くことを得たのである。

傷つけられたる魂にイエスの言葉は惠の膏である。それは溫泉の如く人を溫め、噴水の如く力づけてくれる。解放の日に、イエスの愛は感激の源であり、犧牲の旗印である。神は強い。そしてイエスはその最も聖く最も強い力の神を敎へてくれる。

イエス自身が、神の符號である。つまり言葉である。イエスによつて、神が人間に向つて發言權を持つて居るのである。イエスはロゴスである。道である。行動である。生命である。慰めである。

私にとつては、イエス程新しくなつかしい姿は無い。阿波の德島の暗い生活に、初めて、イエスの山上の垂訓の意味が徹底して來た時に、私は躍り上つて彼を私の胸に迎へ入れた。（同上）

暗かつた德島の空が急に明るくなつたのだ。氏が「愛」を敎へられたからである。そして愛は最上のよろこびだからである。

しかし、氏の家は佛敎徒である。白壁で塗つた豪農の家に、基督教を入れることは許されなかつた。英語を西洋人に就て學ぶことを勸めた兄君も「ヤソだけにはなるなよ」と注意した位だつた。氏がその中を突切つてヤソになるには餘程の覺悟と冒險とが必要だつた。

庶子の氏には、金の自由になる筈はなく、三十五錢の聖書を買ふにも苦心が要つた。敎會へ通ふ事すら許されなかつたほどだから。

しかし、氏はこれを突切つて行つた。氏にとつて、そうした冒險を敢てさせるほどイエスは慕はしく、敎會が懷しくあつたからだ。

氏は自分を生かしてくれる生命の神、百合の花を生し給ふ神を信じた。それから毎晩、床の中に這入つて祈つた。ヤソ嫌の母君に見つからぬためである。

「私に清い生活を送らせて下さい。父や兄の道を踏まないやうに導いて下さい」と祈つた。氏は「その時、蒲團の中でコツソリと祈つた祈りを今も忘れない。そしてこの祈りが私の一生を支配してゐる」といつてゐるのである。

かくて明治三十七年一月三十一日、氏は洗禮を受けた。父も祖父も、曾祖父も、そのもう一つ前も四代の間妾の子が家を繼いでゐた賀川家に始めて純潔と平和の日が來たのだ。

豊彦少年の心の眼はひらいた。しかし、一方、漸進的に內側から蝕んで來た肉體は、この心の轉期とほゞその時を同じくして俄然、眼に見えて無くなつて行つた。

十七歳で初めて喀血し、十八歳で再び喀血した。四十度以上も熱がつゞいて、もう死ぬだらうと醫者は宣告した。

その時、氏はひたすら神に祈つた。そして、祈りの間西日に向つて一時間半位凝視し續けた。眼瞼も動かさぬ、呼吸も音が出ぬ位に靜かにしてゐると、急に痰が一度に出て樂になり、熱が三十七度五分に下つた。

其後喀血は度々あつた。然しその一時間半の靜止の時を繰返したが、その度毎に嬉しい氣持になつた。この方法は凝視療法とでもいふべきであらう。精神療法の一種である。

六、發病——慰安者

賀川氏　結核鬪病の歷史は、此處から始められるのである。

しかし、此處で特に記して置かねばならないことは、この病める少年のために、父とも母ともなつて慰め、いたはり、勇氣づけてくれた人の存在である。それは、肉身でもなく、親戚でもなく、同鄕者でも又日本人でもなく、實に外國人のローガン先生とその夫人の弟であるマヤス先生夫妻である。

ローガン先生については、氏は後年、ローガン先生著「創世記講義」の序文として次の如く書いてゐるのである。

阿波の聖徒ローガン先生

想ひ出すのも嬉しいことである。私はローガン先生のこの創世記の講義を聽いて、十五歳の春、始めて人間らしい氣持になつたのであつた。（中略）

私が德島中學校の三年生の、第三學期の事であつた。亞米利加から始めて來られたローガン先生は、私達の爲にイエス傳の講義を、德島市通町の日本基督敎會で一週間に一回づゝ、英語の練習の爲に開いて下さることになつた。これがそもそも私が西洋人から英語の發音を聽いた最初の時であり、また基督教らしい話を聽いた始めての時であつた。それまでに私はローガン先生の夫人の弟に當らるゝ、マヤス先生夫婦の顏を見た事はあるが、話を聞いたことは一度も無かつた。

ローガン先生はステパノを思はす樣な、美しい柔和な輝く顏の持主であつた。第一私はローガン先生の顏が好きであつた。ローガン先生は私達に、青インキで書いた蒟蒻版刷のイエス傳の梗概を講義のあるたび毎に二三頁づゝ渡された。その叮嚀な準備が私の心を捕へた。先生は美しい發音の持主で、銀鈴を振る樣に自分の書いて來られた講義の梗概を讀んで行かれた。

私が數年來、聖書研究の梗概を、何時も謄寫版刷にして居るのは、最初私がローガン先生の蒟蒻版から受けた強い刺激を、そのまゝ眞似をしてゐるのである。

然し不幸にして、ローガン先生の聖書の講義は二三回で中絕して仕舞つた。そしてマヤス先生が、その後を繼がれる事になつた。

その後ローガン先生は再度毎火曜日の晚に、創世記の講義を、中學生や一般の希望者の爲に開いて下さる事となつた。私は中學校の英語の時間より、毎火曜日の晚のローガン先生の創世記の時間で、英語を勉强する時間が多かつた。

其當時は、私の知識慾が最も盛んな時であつたから、私は一晚をローガン先生の宅に費すことを、隨分惜しく思つたが唯ローガン先生が好きだつたものだから足繁く通つた。

實際を云へば、その當時私は世界で最も寂しい靑年であつたので、親切にして吳れる人を搜して居た。無償で英語を習つた上に、面白い天地創造の話を聽かしてくれ童話に出て來るお爺さんの樣に、親切なローガン先生に自然と引つけられたのであつた。

私はちつとも噓を云つては居らない。私は今でも、ローガン先生は、世界中で最も聖い、最も幸福な美しい人だと思つてゐる。私は基督教の教理を聽かなくつても、ローガン先生の樣な人を見て、基督教の何を意味するかと云ふことを直ぐに感受した。

信仰の父マヤス

又大正十一年十一月號の「雲の柱」誌上「五軒長屋より」の中に、氏はローガン先生の義弟マヤス博士のことについて左の如く記してゐる。

マヤス先生は私の信仰の父です。私が貧乏して居た時にいつも金を貰ひに行つたのはマヤス先生でした。肺病の病院に入れてくれたのもマヤス先生でした。アメリカ行の金をくれたのもマヤス先生とその姉さんのお婿さんのローガン先生です。私が十五の時にプリンストン大學總長パトンの書いた『神學緒論』を英文で教へてくれたのもマヤス先生です。マヤス先生は私に早敎育をしてくれられたのです。

私が十七の時に四十日抱いて寢て貰ひ、十九の時に肺病で倒れて居る時にも、漁夫の家の疊の無いところで二日も一緒に蓆の上で寢てくれたのもマヤス先生です私の性格の上に、最も大きな蔭を投げたものがありとすれば、それはマヤス先生です。私はマヤス先生のことを充分云ひ盡すことが出來ない程感謝して居ます。マヤス夫人は、私を My Prodlgalson と云ふ名をつけられた。私が煩悶してゐる時にいつも泣いてくれるのはマヤス夫人であり、私の仕事を悦んで泣いてくれるのもマヤス夫人であつた。大正元年頃まで私の爲めに特別の椅子と、特別のナプキン・リングとを備へて下すつて、私の淋しい家の無い生活を慰めて下すつたのはマヤス夫人である。今でもマヤス夫人は自分の息子と同じやうに、私を心配して下すつて夫人の机の上には私の若い時の寫眞が今も飾られてあります。

私は私の暗い過去を顧みて、マヤス夫妻の愛と保護とを心から感謝してゐます。何時かは私もマヤス先生の御恩返しをする時がくるであらうと思ふて居ります。先生は米國では歴史あるワシントン・リー大學の優等生であり、その大學の神學博士であるが、その街に行くとマヤス・ストリートと云ふ横町のある位で、土地の人は彼の一族に非常な尊敬を持つて居ることを私は知つた。

日本のために、こんな善い人を送つてくれた米國の教會に、私は心から感謝する。(下略)

賀川氏の今日あるは、氏の優れたる天分と、天よりの加護に據ることは勿論であるが、このマヤス・ローガン兩家族の庇護がなかつたら、或は今日の「現代において基督に最も近き人」と評せらるゝ賀川氏は存在しなかつたかも知れぬといつても、敢て過言ではないであらう。

暑中御見舞申上げます

昭和十三年八月一日

日本兒童愛護聯盟
大阪兒童愛護聯盟
役員一同
『子供の世紀』編輯局
乳幼兒審査會事務所

暑中御伺ひ申上げます

事變中にかんがみ暑中の御挨拶を特に遠慮仕り略儀乍ら誌上を以て皆様の御健勝を祈り奉ります

昭和十三年盛夏

兵庫縣芦屋　伊藤悌二

街頭醫學

ナゼ夏の姙・産婦は脚氣に罹りやすい？

夏の姙産婦は脚氣に罹り易いものですが、これを防ぐには偏食を避けることが何よりです。最近喧しくいはれてゐる胚芽米は、ヴィタミンBが多分に含まれてをり身體への吸收率も大變いゝものですからおすゝめします、それから新鮮な野菜類や果汁には、ヴィタミンCが含まれてをり、胚芽米に含まれてゐるBと共に、體には極めて必要なものでこれは姙婦によいだけでなく、胎兒の發育や、生れてからの發育、健康にまで重大な關係があるのです。幸ひこれからはさうしたものに惠まれてゐるのですから、せつせとおとりになることです。それから夏は、とかくアッサリしたものばかりをとるやうになりがちですが、姙産婦の場合これでは體が持ちませんから、バタとか、あぶらつこいものも缺かさないやうにしなければなりません。

次に夏は、とかく冷たいものを喰べたり、飲み過ぎたりして下痢し易いのですが下痢、高熱は、流、早産の動機となりますから、氷類や不消化物に注意する事も大切です。

夏はまたよく、手足が痺れたり浮腫たりすることがありますが、かういふ時には、腎臓から來てゐるものか、ヴィタミンBの不足による脚氣性のものであるかを、直ちに專門醫に診て貰ふことが必要です。また尿道炎膀胱炎なども夏は罹り易いものですが、姙娠末期には一般に小便が近くなるもので、素人は間違へやすいから、これも直ぐ醫師の診察をうけるやうに。

膀胱炎がひどくなると、發熱し、更に惡化すると出血することもあります。

以上は主として、姙婦の注意ですが、食物は産婦の場合も變りはありません。たゞ自宅でなさつた場合、産婆は日に一度しか廻つて來ないので從つて一番大事な外陰部の消毒も日に一度といふ事になるわけですが、これはどうしても、日に二度から三度はしなければならないものですから、産婦が自分で出來るやうになるまでは、付添へなり家族のものが、怠らずこの面倒を見なければいけません。

消毒液は百分の一に薄めたリゾール液で、これを脫脂綿にしめし、外陰部についた惡露をよくふきとります。これを十分に行はず、不潔にしておくと怖ろしい産褥熱とか産褥性膀胱炎、延いては腎盂炎をひき起します。なほリゾール液は、濃いとかぶれる事がありますからむしろ薄めの方がよいでせう。産褥にある時は、姙婦の時以上に飲み物も欲しますが、これは授乳と關係あることで適當な清涼飲料水を十分に與へなければいけません(日赤産院柴山幸一博士)

産後初のお乳は何時間後がよろしい？

産婦が生れたての赤ちやんにはじめてお乳をのませるには、産後何時間經てからのませたらいゝか、すぐのませるとお乳を吐くし産婦も休む間がなく、乳の分泌量も少いといふ理由から分娩廿四時間後の授乳を主張する學說習慣がありますが、最近東京市の産院で、五百七十餘の乳兒に、早くお乳をのませる試驗を行つたところ、生れてから十時間—十五時間にのませるのが、一番適當であるといふ結論を得ました。

生れたての赤ちやんの體重を平均八百匁とすると、呼吸、汗尿、胎糞などを排出する新陳代謝が、さかんになる關係で、赤ちやんの體重はしばらくの間生れた時より一割から一割五分くらゐ輕くなります、これは普通一週間から十日ほどで、生れたときの體重にもどり、また黄疸も三四日から一週間内に起し、これもすぐ回復するのですが、早くお乳をのませると、體重や黄疸の回復をはじめ、おヘソの落ちるのまですべて二、三日は早くなるばかりでなく、のむ乳の量も早くはじめた方が多いので、發育ぶりがいゝのです、それに試驗の結果、乳を吐くことや産婦の障害などもなく、廿四時間後にやつたものと比較すると、すべての點でいゝことがわかり、産後廿四時間後の授乳說には、何の理由根據もないことがはつきりしました。(東京市社

會局兒童掛　森童靜夫氏)

幼兒の不機嫌は虫のせゐか？

よく虫が起つたといつて、まるで體内に虫でもゐるやうに云ひますが、實際はそんなことは極めて少ないもので、多くは神經質な子供が、何かの原因で神經が昂つてゐることが多いのです。萬一ほんたうに虫のゐる場合は、多くは寄生虫の卵が野菜などについてゐて、これを食べた人が罹るので、お乳だけ飲んでゐるうちは決して罹らないものです。從つて神經が昂ぶつてゐるやうな場合、虫下しを飲ませたり、又は虫封じと稱して見慣れない所へ連れて行つたりするのは却て良くありません。どこか身體に故障があつて、そのために神經質になつてゐることが多く、よく原因を確めて治癒を受けることが必要です。本當に腹の中にゐる虫はどんなものか、子供に最も多いのは蛔虫と蟯虫です。

蛔虫は蚯蚓に似た白い虫で四寸位から大きいのは一尺以上もあり、この卵は患者の便の中に澤山混つてゐて、これが肥料として使はれ野菜果物につき、或は飲水に入つてゐて、それ等を生で食べた場合に罹るのです。卵が腸に入りますと腸の中で小さな幼虫になり、幼虫は腸壁をも喰ひ破つて身體中をまはり、色々といたづらをして再び腸に歸り大きな虫になつて小腸に住むものです。子供の場合は多く腹痛、嘔吐のやうな胃腸の症狀を起し、澤山ゐますと貧血を起し、弱い子供は痙攣を起したり夜泣きをしたり、又熱の出ることもあります。

ときには黄疸になつたり、澤山腸の中に集まつて腸閉塞のやうな症狀を起すことさへあります。豫防として時々便の檢査をし、虫卵があつたら虫下しを服ませるのですが、驅虫藥は量を過ごすと身體に害がありますから醫者に相談することです。

便の檢査もしないで、素人考へで虫下しをのませるのはつゝしむべきです。

蟯虫は長さ二三分の細い絹糸のやうな蟲で、腸の下の方に住んでゐて蛔虫のやうに重い全身症狀を起すことはありませんがこの雌は夜肛門の外へ卵を生みに出てきますので、こゝを刺戟して非常に痒く、そのため眠りを妨げられ神經質になることが度々あります。又爪で搔くために肛門や陰部に炎症を起したりします。夜分に痒がるやうでしたら、靜かに脫脂綿で拭ふとこの虫がついて取れることがあります。しかし明い所の嫌ひな蟲で、一旦卵が爪の間に入つて再び口から入り腸に行くと成蟲になり、一度寄生しますとなか〳〵治らないものです。豫防としては手を淸潔にして爪を短く切り、必ずパンツをはかせて搔かせないやうにすることが肝腎です。

そして夜寢る前には浣腸して肛門のまはりはよく洗ふことです。内服藥も、浣腸藥もありますが、之等は醫者に相談すべきです。(乳幼兒保育相談所)

正しい齒列は健康に導く

消費節約と榮養價から、胚芽米が奬勵されてゐるが、これを食べる場合に、完全咀嚼を實行するやうにすれば、その効果は更に大きくなると思ひます。

食物を完全咀嚼しますと不完全咀嚼の時よりも、食物を約二割だけ多く消化吸收すると云はれて居り、從つて體位向上に資することが、それだけ大となる譯です。完全咀嚼の條件としては、先づ齒列の正しい健全な齒であることが大切で、この健全な齒で食物をよく嚙むことにあるのです。義齒を入れた場合と入れない場合における食物の消化吸收を調査した結果義齒を入れた場合の方が食物の消化吸收が約二割多かつたと云ふ報告を見ましても、健全な齒と不健全な齒との間に大きな差のあることがわかります。

齒を健全にするためには二つの大きな注意が必要です。

その一は、母親が姙娠中に、胎兒のために又齒のために、つとめて日光に親しみ、偏食をさけ、生後の母乳を有効にすること、その二は、齒が生えたならば、定期的に齒科醫の診査を受けることです。

定期的に診査を受けるといふことは、早期に處置が出來ますから、齒列不正にしても、齲齒

にしても、豫防上極めて必要なわけです。

さて、齲齒ですが、これは細菌と食物の共同作用によつて起るもので、齲齒の細菌は砂糖のない所には發育しないものです食物の種類によつて、その細菌數は増減するもので、ハードレー氏が齲齒に惱む青年に就いて實驗したところによりますと、口腔内の細菌數は一立方ミリに平均十五萬であつたものが、砂糖の少ない食物を與へたら、一萬に減じたと報告してゐる程です。ですから齲齒の豫防には、常に口内を淸潔にして、食物の殘りを口内に溜めぬことが肝腎であり、又多數の兒童の調査では齲齒のない兒童は、食慾旺盛で偏食性がなく、且食事が規則的ですが、これに反して、齲齒のある兒童は、食物に偏食性があつて、而も食事が不規則であるといふ結果になつてゐます。

ですから口内を淸潔にすると同時に偏食をさけ、食事を規則正しくとることが、齲齒の豫防になるわけです。(東京齒科醫專中井博士)

豪雨のあとに來る傳染病の豫防

人驚かせの地震まで織りませた六十年ぶりの記錄破りの豪雨にわれ〳〵は實に慘澹たる憂目をなめさせられましたが、こゝで大雨一過にホッと安堵するのはまだ早いのです。豪雨のあとに襲ひくるであらう赤痢の大流行、或ひは感冒、胃腸障害の罹患にたいし、サア、みんな元氣でその豫防處置にとりかゝりませう。

第一の注意は食物で、雨で身體が弱つてゐるこの際、消化の惡いもの、冷いものを避け、暴飲暴食は絶對に愼みませう。また特に子供に寢冷えをさせぬやうに腹卷をすることで、惡性のものではないが、大分風邪がはやつてゐます。次に久しぶりにお天道さまが顏をだしたなら、早速、家の内外の敷地、道路などを水でキレイに洗ひ流しませう。何しろ到る所の便所があぶれだし、汚物がはんらんしてゐるのですから。便所の汲取及び消毒は、早急にする筈ですが、なほ家庭でも、デシン、クレシン等の消毒藥（三〇倍に薄めたもの）を撒布されゝば結構です。

・水浸しになつた家庭では、床下をあけ、雨戸をとり拂ひ、また戸棚、本たて、簞笥などの置き場所も變へ、十分風通しをよくしませう。火をおこして、室内の乾燥を早くするのもよいことです。勝手もとの消毒には、晒粉を用ひるのがよく、普通野菜の消毒に用ひる晒粉一匁水一斗の割りを、少しこい目にすればよろしい。くさいが、消毒力に遺憾はありません。食器の消毒は煮るのが一番です。

かうして、家庭内外の消毒に手をつくすと共に、便所へ行つたら必ず手をよく洗つて、勝手に入るのを忘れぬやう。例へば子供の大便を始末してのち、母親や女中が、碌に手も洗はず炊事にかゝり、その結果家中が赤痢になる場合が非常に多いからです。また輕くても下痢をしたら、この際早く手當をうけることで、何しろ百餘名の赤痢患者が連日發生するこの頃です。浸水地區においては、殊にこの赤痢にたいする警戒が肝要です。豪雨のあとの處置―要は淸潔と乾燥に努めることです。(警視廳防疫課長　醫博井口乗海氏)

恒久國防と國民體力向上を目標とする

第十回記念全東京乳幼兒審査會の記

日本兒童愛護聯盟理事長　伊藤悌二

プロローグ

光輝ある我が大日本帝國は總動員をなして、暴戾支那に對し、二段構へ、三段構への決心覺悟を必要とする秋となつた、然も我が國は物心の總てを犧牲にし、恒久的國防に重點をおく所以のものは、我が東洋をして東洋のものたらしめ、全東洋に永遠の平和を確立せんが爲めであつて、我が同胞の身命を賭して戰ふ戰は、正義の戰である事を世界人に知らしめなければならないのである。

此の上下を擧げて緊張を要する事變下に、國家的事業である第十回記念全東京乳幼兒審査會が、去る六月二十三日より五日間、東京に於て開催された事は洵に偶然ではない、本聯盟が過去十八年間、心血をそゝいで稱道し、且つ實施して來た國民體位の向上運動が、最近漸く天下の贊同を得るに至つた事は遲きに失するの恨みがある。

我々は今日迄沈默して長年月の間、飢渴を凌いで第二國民の福祉增進のために奮鬪して來たのは、斷じて名利の爲めでない事は有識者の弘く認識するところである、それにしても我等は一天萬乘の大君のために、幾百萬の同胞兄弟のために、尙も尙も奮進しなければならぬのである。

六月二十三日(木)の記

永井遞信大臣閣下の御臨場

――露營の夢に浮ぶ愛兒たち――

此の日、本會名譽會長永井遞信大臣閣下の御臨場と、李鍵公妃殿下の御台臨の光榮に浴した事は既に前號に記載した

のであるが、大臣閣下は貴賓室で「五年間見て居るが、どうも體格は大型の赤ん坊よりも、所謂コダック型でカッチリした者の方が健康ではなからうか? 例年審査主任の說明もある事だが丈夫な子供は頭をあげるやうだ、爾後優良兒の首席を定める方針を採つてはどうだらう……永年の間厚生省の先導を承るやうな事業をして來たから、將來新方面を開拓しやうではないか……」、と記者を顧みて云はれるのであつた。

今日は審査の最初の日の事とて、「朝日」「日日」「讀賣」「報知」「國民」「中外」「都」「同盟通信」……等記者團の方々の來訪があつたので、本年度に於ける申込者の範圍、職業別、地方別、それから審査方針等に就いて挨拶を兼ねてお話しをした。無論出征軍人の愛兒達が多く、本會審査主任の一人である岡田春樹博士の令夫人は、未だ父君の顏を知らぬ正春ちやんを抱き、二愛兒を連れて來會されたのは人眼を惹いた、戰線の父君はまだ見ぬ愛兒の幻を露營の夢に結んでゐるであらう。

支那事變下第二年の、然も全國民の緊張を要する今回の審査會にあらはれた、各種各方面の記錄は、必ずあらゆる意味に於て、歷史的な尊き資料を後世に遺すであらう事を確信する者である。

賴母しい人的資源

今日の總評は午前は中鉢博士、午後は山田博士である、審査人員は五日間を通じて正に六千名、一日に一千二百名、(午前、午後六百名づゝ)であるから、本會を熱誠應援さるゝ慶應病院、東京病院各小兒科醫局員、ライオン兒童齒科院醫局員、小石川區產婆會員、高島屋男女店員諸氏の大車輪である事は言語に絕すると云つてもよい程で、事實俵女史あたりが世話されなかつたら、一日中一滴の水も飮まずに働かねばならぬ事であらう。

參觀の人々が「これで今日一日に審査し盡せますか」、とけげんな顏をして尋ねらるゝのも無理のない事である、それでも完全に一點の過失もなく、正規の時間には無事結了するのだから、長年月に涉る經驗も亦尊いものだと思はれる、「三年や五年の人の眞似事しか出來ぬかけだし連の思ひもよらぬ處だ」、とも一見學子は云つてゐた。

今日は大阪市立北市民館の鵜飼貫三郞、伊藤英夫兩君、星宮城縣金山小學校長(記者の母校)その他各方面より祝電が屆いた。數多い參觀者の中にライオン齒磨本舖小林社長、神谷專務、山崎常務兩取締役、東京京橋保健館の水野淸司氏、

それから福永文之助、阿部義興、水野恭平、鈴木金藏等の諸氏があつた。

「わたし藤子ですが、あなたは伊藤先生でせうか」、と云ふ若い一人の奧樣がある、「私は存じませんが」、「六歲の頃、伊東の廣井家に居つた者です」……なる程、二十年も前の事で忘れてゐたが、幼な顏は爭はれぬものと思つた、幼い娘も何時の間にか斯うして人の子の母親となつて、審査會目がけて集まつて來るところを見ると、我が日本帝國も實に賴母しい限りではないか、誠に產めよ、殖へよ、地に滿てよである。斯くて健全な人的資源の豐富充實を圖る可きである。

六月二十四日(金)の記

社會的訓練が必要

審査會日和、第二國民日和、恒久國防日和……と云はれる程、本會は天候に惠まれてゐる、例の關東を襲つた大豪雨の眞最中であつたら、どうであつたらうなどゝ慄然たらざるを得ない。前日の東京全市新聞の夕刊が四段抜き、五段抜きで大々的に報道したので、今日は早朝から臨時申込者が殺到したが、正規を踏んで發表當時一ヶ月前に申込んだ人のみに限る事とした、それにしても混雜は名狀し難い程である。

今日は會場內の一部を早くから改造して、脫衣場を整理する爲めに產婆會の方々に其の係を依囑したところ、來會者の停滯を見ず、氣持よく進行する事が出來た、高島屋でも會場に萬遺漏なからしむるために、各賣場や宣傳部から勤勞奉仕の店員諸姉を募集して、受附及び第二部の出產前後の部門等に配置されたので、全員の活動を順調ならしめた。(前號口繪參照)

斯樣にして主催者が全身全靈を賭して働いて居るのに、若き母親達は、大勢の赤ちやんの泣き聲に度膽を拔かれてか、茫然自失したのか、極度に神經を興奮させて、係員に當り散らす者もあり、物品を失ふ者もあり、個人主義を發揮して衣物を散亂せしめて、後始末をせぬ者もあり、落ち着き拂つて長時間に亘つて乳を飮ませる者もあり、脫衣臺を所狹しと我が家の如く振舞ふ我が儘な者もあると云ふ有樣で、母親達の社會教育は全然成つてゐないと云つてよい。夫君をお伴に連れて來る者も可なり多いが、さうした人々は起居振舞は至つて痴拙であるやうだ、さうかと思ふと三人四人と子

供を多勢連れて來て、迷ひ兒を出したりして係員を困らせて居る人もあるが、これも頰笑ましき審査會の一情景だらう。要するに國家總動員に際して社會人としての訓練は、云ふ迄も無く男子だけに割り當てられたものでもなく、防空演習の時だけに必要なものとも限らないのである。

黃金より健康が寶

今日は厚生省の重田技師が參觀に來られ、審査主任の富田博士、能力檢査の桑野教授、組織解剖學の金子博士等と面談され、本會の審査の系統順序等を一々記者から聽取され、「審査人員の多勢な割合に案外靜肅に進行してるのに驚いた」、と稱讚されるのであつた、そして木戶厚生大臣閣下の本會御臨場に就いて種々打合せをされて辭去された。

尙、東京市保健局の本田朝知氏、同盟通信の村山尙寬氏、沖山斌基氏等を案內して居ると明治製菓の相馬社長が御見えになつて、「何の爲めに斯う何千もの母子達が集まつて來るのでせうか、大臣の表彰狀や最優良兒としてのメタルの爲めでもないでせう、つまりヴアニテイはヴアニテイでも最も聖化された誇りであるから純眞なものですね、諸博士の健康證明書を受領する事は、結婚の時の直ぐなくなる持參金よりも確實で意味があります、健康は不滅の寶だから……」と云はれた。

參觀者の總てが異口同音に、「看護婦諸姉の不休の奮鬪振りと、朗らかな群童の笑顏泣顏をみて居ると、世の中の陰鬱な、梅雨空の妖雲のやうな話しは霧のやうに直ちに消えて了ふ」、と云はれるのであつた。

六月二十五日(土)の記

木戶厚生大臣閣下の御臨場

審査會五日間を通じて、今日一日は慈雨が朝から降りしきつた、今日は木戶厚生大臣閣下の御臨場のある日で、(前號參照)重田技師から打合せの電話があり、亦本會顧問野津博士が先きに御見えになつたので、宣傳部の柳生氏は大臣を日比谷公會堂へ御迎えに行つた、一時二十分と云ふに記者は閣下を貴賓室に御迎えして、出征軍人の愛兒たち、殊に名

譽の戰死者の遺兒のすくなくない事を申上げたるに、感慨無量の御面持であつた、「永井遞相からも御話しがありました、今日は生憎の雨天で出席率に影響はないでせうか」、と云はれるので「例年左程の影響も御座いません」、と御答へすれば、「それは不思議ですね」、との御言葉である。「閣下、どうか會場が餘り騷々しくありますから、御驚きになられぬやう御願ひします」、と申上げて會場を御案内した、控室の雜沓も午前中からの係員の訓示と準備で靜肅に整頓されてゐた、そして讀者諸君が既に各社の映畫ニユースで御承知のやうに、會場隅なく御參觀になつて非常に御滿悅の御樣子であつた、ニユースのトーキーが云ふやうに國民體力向上の總本山、總元締である閣下を御迎えした事を無上の光榮としなければならぬ。

浦島太郎も來る

今日の總評は午前は柿本博士、午後は小山學士である、そして大いにヒットをあげて頂いた、去る昭和九年の審査會に愛兒が表彰された福野みね女(啞)が二男勝正君と十一歲の令孃を連れて見えた、五年前、永井閣下が非常に御讃めになつた優良兒は成長して今日は御伴をして來てる。

參觀者の中には前年度の表彰者大山陽通君父子の方、小岩つぼみ保育園の荒木園長、小笠原島母島の名望家菊池廉藏翁等があつた、翁とは二十五年前、小笠原島を旅した時の知人で、晩年の浦島太郎の如く白髮霜を頂き、記者に對つて「一體此の莫大な費用は何處から出るのですか？」、と誰れもが質問する質問を發して歸られたが、質問よりも實際的喜捨行動をとつて財的根據のすくない本會を援助されたらどうであらう。

今日も審査人員一千二百人を降らないが、次第に場内整頓されて來、然も順調に萬事が進行するに至れば閉會の近くなつた證據なのである。

六月二十六日(日)の記

總ての子供は母親に似てる

前日の木戸厚生大臣閣下が本會御臨場の記事が、「東京朝日」「報知」紙上に掲載されて居る、連日の各紙上の記事や

街頭のニユース等にてセンセイションを彌が上にも捲き起し、臨時申込が多いがそれらは全部斷らねばならぬ盛況振りである。場内日增に活氣を呈するので、會場整理のため高島屋にては連日店員を動員される有樣だ。

太田菊子女史が令孫を連れられ早朝から見えた、「孫ともなりますれば可愛いものです」、と熱心に附添つて總評をされる審査主任に種々質問して居られた。日曜のため今日は夫君のお伴が多いやうだが、非常時には斯うした甘黨連も次第に減じ、然も五六年前に比すれば雲泥の差がある。

企畫院が、國民精神總動員を主題とする、映畫製作に着手してるので、その中の健康篇に本會の光景がはいるらしく、係の人々が熱心に撮影して行つた。尙、又藝術映畫社の森井輝雄氏も明日各部門の撮影をして、保育方面の資材とするとの事である。

「總ての子供は母親に似てる……譬へ健康であつても無くとも、子孫繁榮の目的を達すれば、薄命など問題でない」、と云ふ意味の事をショッペンハウエルが云つたが、どうも子供の總ては母親によく似てると云ふ感が切實である。瞳、髮の色、體質、表情、聲……等々。

今日の總評は午前は中鉢博士、午後は柿本博士である、自由學園の生徒たちは、自分の學校の展覽會の宣傳に來たから許可してやつた。夜は柿の木坂の義兄宅を訪ね、義弟小出大佐等と久々で面談した。

六月二十七日(月)の記

小石川區產婆會員の奉仕

午前正九時に高島屋正門の扉が開くのであるが、來會場は開扉前より何百人と殺到する有樣である、愈々最後の日ではあるが、係員の方々には連日大奮鬪だが疲勞の氣色も見えない。小石川區產婆會の藤原副會長と高水女史は五年前から體重の部門を、身長の部門は日下女史、(六千人全部の赤ちやんの頭部を双手で支へられる役だ、此の中には將來どんな人が輩出するかも知れぬが、その總ては女史によつて既に按手されて居るのだ)頭圍と胸圍の測定は山田、渡邊、櫻井三女史、第二部は主として矢野、及川、助野、北村四女史、俵女史は各部署についてる十數人の看護婦の取締と、內

科五室の見廻り役、山村、山內二女史は脫衣所、風見會長は總監督と云ふ水も漏らさぬ陣容なのである。

本年は特別相談室を設置して、健康兒の咽喉に附着してる黴菌を檢査する事にした、これは學術的には非常に價値ある項目で、去る昭和八年度本會第五回の時にも、慶應病院小兒科醫局の方々によつて既に試みられた事があり、既に專門の雜誌に發表されて居るのである。

今日の總評は午前は富田博士、午後は山田博士である、參觀者としては白十字會の村島歸之氏、田口喜久子女史、黑田二郎氏等で、村島氏は未曾有の盛況振りを祝福して、まれに見る秩序整然たる審査振りを稱贊され、學生時代に永井閣下に敎授された當時の事を話して辭去された。

それから藝術映畫社の石本、森井二氏來りて撮影され、續いてライオン齒磨本舖製作の「躍進健康の日本」なる映畫の資材にと梅田美喜氏が係員を同行して來て撮影された。

高島屋宣傳部の松井氏は今日迄度々會場の成行を心配されて巡視された事、竹原氏は終始一貫會場監督の任に當られた事を感謝しなければならぬ。

全國 こども愛護デー

大正十一年五月(本聯盟主催第一回目の文獻)
我が國兒童愛護運動の創始的記録

(畫)大人の爲めの大學大講演會

□五月の五、六、七の三日間にわたり左の處で大學大宣傳講演會を開きます。
□子を持つ人も持たぬ人も是非とも聞きにお出で下さい。

□日時……場所……講師……演題

□五月五日(午後七時より)

□西區九條第一小學校(九條通二丁目)
「誤らざる愛」　高臺幼稚園　上々手よし子氏
「學校の一年進級制を廢すべし」　刀根山療院長　醫學博士　有馬頼吉氏

□西區三軒家第三小學校(三軒家上之町)
「愛護の本質」　大阪母親相談所　竹村一氏
「國を愛せ、兒を愛せ」　大阪府學務課　皆吉質氏

□東區東平野第一小學校(東平野町七丁目)
「育兒上の注意」　大阪市立乳兒院　醫學士　三野裕氏
「コドモノ欲求」　大阪市視學　村田次郎氏

□南區難波新川小學校(新川三丁目)
「職業の見習に健實なる基準を與へよ」　大阪市立少年職業相談所　大西孝羨氏
「コドモ愛護と禁酒法案」　婦人矯風會大阪支部　林歌子氏

□中央公會堂(中ノ島)
大阪齒科醫師會後援
兒童愛護聯盟主催
コドモ愛護の講演、幻燈活動寫眞大會
「こどもの齒に就て」　東京市囑託ライオン齒磨研究所理事　齒科醫　絲川宗作氏

ペイゼント
「ボーイスカウトの一日」
大丸文化博覽會少年少女團實演

◻五月六日（午後七時より）

□西區明治小學校（阿波座中通二丁目）
「星のひとみ」 大阪市立市民館長 文學士 志賀志那人氏
「子供の模倣性と創造性」 御津幼稚園長 小山ひで子氏
「未　定」 大阪府衞生會 原田違三氏

□西區西九條小學校（西九條）
「本末論」 小泉澄氏
「こどもをマジメに育てるしかた」 大阪市立少年職業相談所 稻葉幹一氏

□南區道仁小學校（南綿屋町）
「小供か子供か」 帝國ローマ字クラブ理事 法學士 加茂正一氏
「泥濘の上の高樓」 大阪兒童學會 醫學博士 矢野雄氏

□南區ランバス女學院（高津南ノ町）
「社會と子供」 大阪市社會部 法學士 酒井利男氏
「自　治」 高津中學校敎諭 西川平吉氏

□玉造尋常高等小學校（森ノ宮町）
「中學三年と小學二年」 高津中學校敎諭 松本健氏
「平和思想と幼兒敎育」 本田幼稚園 三宅とも子氏
「兒童愛護の精神を誤解せぬやうに」 大阪市立兒童相談所長 西居靈證氏

□第二西野田小學校（今開町）
「大阪兒童の四種類」 文學士 朝日直樹氏
「こどもごゝろ」 大阪市社會部 經濟學士 宇治伊之助氏

□北區菅南小學校（菅原町）
「生かすべく愛せよ」 高津中學校長 文學士 三澤糾氏
「理想のフィルム圖書館」 學校映畫協會委員 交野宗一氏
「活動寫眞映寫」 學校映畫協會出張

□南區日本橋小學校（日本橋三丁目東入）
「まことの愛」 大阪市立市民館主事 友常三郎氏
「兒童に對する活動寫眞の新使命」 大阪市收入役 澁谷祥三氏

□北區濟美第二小學校（與力町）
「未　定」 大阪市立產院長 醫學士 余田忠吾氏
「住居と兒童」 日本兒童協會 神崎泉氏
「未　定」 大阪府衞生會 藤井秀二氏

□東區浪花小學校（南久太郎町二丁目）
「題二つ」 大阪市社會部事業課長兼調査課長 文學士 山口正氏
「最近歐洲に於ける兒童の狀況に就いて」 醫學博士 森元良雄氏

◻五月七日（午後七時より）

□東區相愛女學校（本町四丁目）
「子供の創作的表現より學びたる玩具の種々」 江戶堀幼稚園 膳たけ子氏
「山と子供」 大阪市立市民館 林學士 前田清氏
「兒童智力の愛護」 大阪醫科大學 醫學博士 櫻根孝之進氏

□北區濟美第一小學校（茶屋町）
「兒童と娯樂」 大阪市社會部 法學士 齋藤彌生氏
「子供の齒が親の不品行を物語る」 齒科醫 喜多見行正氏
「未　定」 ドクトル 嶋村育人氏

□東區集英小學校（今橋一丁目）
「烈日のもとに」 大阪市立市民館長 文學士 志賀志那人氏
「自然の力と生物の發育」 醫學博士 緖方政次郎氏

□東區中大江東小學校「糸屋町」
「こども王國」 大阪市立市民館 法學士 松澤兼人氏
「子供の能率增進に就いて」 大阪市立市民博物館 近藤榮藏氏
「未　定」 東京お伽學校長 樋口紅陽氏

□大阪市立市民館（天神橋六丁目）
「兒童教育上より見たる童話の撰擇」 大阪外國語學校教授 高木敏雄氏
「未　定」 大阪兒童學會 ドクトル 三田谷啓氏
「誰の子も私の事を思はせましやう」 大阪こども研究會幹事 高尾亮雄氏

標語

子寶みがけば國ひかる!!
自然と自由はコドモの生命!!
こども育てよ先づ眞直に眞圓に!!

大阪のコドモの爲めに設けて欲しい事業

大阪《おほさか》のこどもの爲《た》めに眞面目《まじめ》に考《かんが》へねばならぬ秋が參《まゐ》りました。こどもの福利《ふくり》を增《ま》すため差當《さしあた》り次《つぎ》のやうな事業《じげふ》を一日《にち》も早《はや》く設《まう》けてほしいのです。

○牛乳《ぎうにう》をこどもの月齡《げつれい》と強《つよ》さによつて調合《てうがふ》して與《あた》へる場所《ばしよ》

○子供《こども》のある家庭《かてい》を訪問《はうもん》して育兒法《いくじはふ》に就《つい》ての注意《ちうい》を

する巡回婦《じゆんくわいふ》

○こどもの齒《は》の病《やまひ》を治《なほ》したり又豫防《またよばう》したりする小兒《せうに》齒科院《しくわいん》

○こどものうち窮困《きうこん》のものへ食事《しよくじ》を與《あた》へることゝ

○重病後《ぢうびやうご》のものや、轉地《てんち》を必要《ひつよう》とするこどもの爲《た》めの兒童保養所《じどうほやうしよ》

○兒童專用《じどうせんよう》の遊園地《ゆうゑんち》

○兒童《じどう》が四季《しき》を通《つう》じて泳ぐことの出來《でき》る水泳館《すいえいくわん》

○優秀《いうしう》のこどもを教育《けういく》する學校《がくかう》

○身體《しんたい》の弱《よわ》い學童《じどう》を收容《しうよう》する常設林間學校《じやうせつりんかんがくかう》

○異常兒童《いじやうじどう》を適當《てきたう》に教育《けういく》する機關《きくわん》

○こどもの虐待《ぎやくたい》を防止《ぼうし》する爲《た》めの事業《じげふ》

○こどもの娯樂《ごらく》を適當《てきたう》に指導《しだう》する設備《せつび》

○母親《はゝおや》の爲《た》めにする育兒學校《いくじがくかう》

○兒童研究所《じどうけんきうしよ》

○コドモの爲《ため》の活動寫眞館《くわつどうしやしんくわん》

○兒童相談所《じどうさうだんじよ》

コドモの爲めのお伽會
七日の午前と午後

【午後一時】

□大阪市立市民博物館（天王寺公園）
『大發明家の少年時代』 日曜世界社長 西阪保治氏

□大阪市立兒童相談所（今宮中學校前）
『赤い船』 大阪兒童講演團 金阪天園氏

□南大江（男）小學校（南農人町一丁目）
『花よりだんご』 大阪兒童備園 側恒其雄氏
『智惠と齒は毎日磨け』ライオン講演會 樋口紅陽氏

【午前九時】

□淸水谷圖書館（淸水谷小公園）
『東鄕大將の少年時代』大阪お伽倶樂部 朝倉義氏
『私のピアノ』 高津中學校 松本健氏

□阿波座圖書館（阿波座小公園）
『鬼のお父さん』 小國民新聞社 後藤牧星氏
『題未定』 大阪市敎育部 吉田由造氏

□御藏跡圖書館（御藏跡小公園）
『人のまごゝろ』 佛敎少年聯合會 羽田觀頂氏
『子寶山』 大阪時事新報社 小田切平和氏

□西野田圖書館（西野田小公園）
『愛の花』 帝國ローマ字クラブ 大宮季治氏
『お宮の前で』 近藤義雄氏

【午後一時】

□九條市民殿（九條南通二丁目）
『アントンスックの袋』 大阪市立市民館 法學士 松澤兼人氏
『カナリヤ姫』 學校映畫協會 山田健造氏

□大阪市立市民館（天神橋六丁目）
『大統領とコドモ』 大阪こども研究會 高尾亮雄氏
『山の神と森の神』大阪市立市民館林學士 前田淸氏
『自動車で天まで』 梅村英氏

標語

打つな叱るな甘やかすな!!
小言の雨はコドモの心をしめらす!!
愛せよ敬せよ強く育てよ!!
コドモは世界の公有なり!!!

夏の味噌汁
暑い時にはカラ味噌が定跡

魚介類の味噌汁には辛味噌、野菜には甘味噌。夏は辛味噌、冬は甘味噌。—この二つが味噌汁の根本定跡ですが一般家庭では、毎日魚介類の味噌汁というわけにはいかない。辛味噌に野菜でも勿論結構。が、問題はそのつくり方です。長い時間火にかけ、グラグラ煮たて、またそれを二度三度と煮返したのでは、味噌の味、香りは失はれ、野菜はドロ〳〵となつてうまい筈はない。最初鰹節のダシをとつたら、汁の實に用ひる野菜類をサツとこれで煮てザルに引あげておく。次にダシで、よく味噌をとき火にかけ、ジツと蓋をせずに鍋をみつめてゐて、ブツリ〳〵と泡が立ち沸騰したら、直ぐ火からおろします。そこで、前に別にしておいた野菜をそれ〳〵適當に椀にもり、上から汁をかけていたゞく方法が、最もよろしい。時間の都合で、二度に朝食をとる家庭ならば、煮たてずに汁を温める程度で、やはり、別にしておいた實にかければ、おいしく味噌汁が食べられる。豆腐だけはダシで煮ずに、一つまみの鹽を入れた湯につけておき、そのまゝ椀にもり、汁をかけます。馴れゝば少しも面倒ではないので、うまく味噌汁を食べるために、是非實行して貰ひたいものです。味噌の冷汁、これも夏のものです。辛味噌を古折箱などの杉板へのせて、ゆつくりと焼き、よくすつて冷い煮出汁とまぜ合せ、葱をミヂンに切つたのをパラリとふりかけて食べる。杉板がなければ、金網で焼いても結構。一週に一度位は、この冷汁も變つてゐて面白いでせう。が、夏は辛味噌、辛味噌には魚介類の定跡通りに、鯉、ドゼウ、キスその他の魚の熱い味噌汁が、夏はやはりいゝ。

これは味噌汁といふよりも、味噌煮といふ方が當つてゐるかもしれない。先づ辛味噌をダシでとき、一、二時間トロ火で魚を煮つめておき、これをダシと味噌で薄めのばし火にかけ、ブツと沸騰したところで食べる。夏痩せを防ぐ意味でも、これなど宜しいでせう

（木山荻舟氏）

母性詠歎

大平登美子

女てふ名をこそ負ひて子のあはれ人形遊びの母となるなり
紙人形まだとゝのはぬ帶ながらお太皷帶に結び居るなり
母さびし我と思ふもさみしけれ吾子《あこ》があそびをうつゝに見れば
潮風がさら〳〵走る砂の上にたど〳〵しもよ吾子の書く名の
大石に坐りて遊ぶ吾子の上に幼き時の我を思へり
この夏を吾子に着せなむうすごろも今宵灯かげに裁《た》ちにけるかも
何一つたらちねらしさは持たなくにかなしき子ろよ家に居よとふ
夕されば吾子が待ち居む家思ふけふはけながく母をまちけむ
なぐさまぬ心直してみなづきを子等へのつとに買ひにけるかな
ひた〳〵と子へよる心そゞろ夕づく町のほのあかりかな
留守の間は鶴など折りて居たりてふ吾子をしまらくいだきてやるも
ゆめにさへ軍歌を唄ふ吾子《あこ》のため八幡の弓を買ひにけるかも
宵早くいねたる吾子のまくらべにみやげの弓を我は置きたり
朝あけの山の寒さは身にしみぬ吾子がくつ下なをしてやるも
足揉みてやればやうやくねにつきし子のおとろへのあはれ目に立つ（子病む）
健やかな旅の一日にぬく〳〵とたべし鯛燒病みて子の言ふ
子をみとる夜をかなしき螢かな一つおくれて光り居るなり
子をみとり心もしぬによはりけりおくれて光る螢いとしむ

東京審査會後記

◉本年度に於ける東京の審査會は、厚世省を始め陸、海、内、文、拓の六省御協賛と銃後に於ける全國民の熱烈なる支持後援の御陰で、本聯盟創設以來曾つて無い盛況裡に結了を見たので、閉會の次の日（六月二十八日）直ちに一人で厚生省に出頭、重田技師、多湖企畫課長、南崎博士、野津博士是松秘書官、兒玉體力局長等に面會して御禮を申上げた、恰も全國社會課長會議があつたので、大阪府の大谷氏、宮城縣の進氏等が挨拶した、二日間絶間なく降り續く豪雨に一先づ霽れ上つた三十日の午後、高島屋の木村宣傳部長と改めて御禮廻りの爲め、厚世省に至り、秘書官の御案内で木戸大臣閣下に御目にかゝつたのは二時頃であつた「もう無事澄んだんですか」、と云ふ溫和ないかにも平民的な御言葉で、さながら近親者をねぎらう如く情愛溢るゝ御態度には唯々恐縮の外はなかつた、そして此の難局を背負って立たるゝ閣下の御健闘を祈らせらるゝのであつた。

◉間も無く陸軍省にて新聞班の大久保中佐、醫務局の梶浦軍醫に、海軍省醫務局にて高杉局長、大久保、木津兩軍醫に親しく御禮を申のべたところ、既に新聞紙上にて御承知のやうに、時局柄出征軍人のいぢらしき愛兒達が大勢審査會に參加した御話しに花が咲き、殊に談名譽の戰死をされた勇士の遺兒達に及へば主客共に敬吊の默禱を捧ぐるのであつた「年々乳幼兒の體位が向上するとすれば、其の文獻の完成が緊急を要する事で、貴會の使命も重大な次第です」、と高杉中將閣下は云はれた、それから文部省に岩原體育課長に御目にかゝる「いつ迄も倦まざる御奮闘振りは感服の外はありません」、と勵まれた、課長は本聯盟が關東大震災後の東京で、本事業を開始した十四年前から、變らざる御盡力をして下さる事は實に感謝の言葉も無い程である。

◉澁谷常盤松の李鍵公邸へ御台臨御禮にあがつたのは午後四時半であつた、妃殿下には御外出中の由にて、應接間に出て來られた事務官は「御叮嚀に恐れ入りました、其の旨御言上申上げます」、と鄭重に云はれるのであつた、今日大阪朝日新聞社に赴任さるゝ木村氏令弟は東海道線不通の爲め、中央線經由で黃昏の新宿驛まで見送つた、列車は出征軍人で滿員の有様だつた、その夜は鶯亭に於て審査主任會議を開き、主任の諸博士並に木村宣傳部長の御出席があつて、審査方針に就き懇談を重ねた。

◉七月一日、服部蕃伯寄贈『冷泉爲恭』傳を讀み終る、午前中、報知新聞社に岩崎重役を訪れたところ「今年九歲の長男が、社前の永井遞相と貴殿の大寫眞を見て、この人はお父さんの友達だと云つて自慢してゐます」、と喜ばれる、そして其の大型の寫眞を寄贈さるのであつた、午後、高島屋宣傳部の竹原氏と三回目の御禮廻りをする、先づ麴町の唐澤博士邸から九段の遞信大臣官邸に趣き閣下に御目にかゝつて諸般の御報告を申上げた、閣下は「木戸厚生大臣が御出で下してホントウに結構でした」、と心から喜んで下した。

◉それより四谷のライオン兒童齒科院、慶應病院小兒科、小石川の風見産婆會長宅、藤原副會長宅、芝の東京病院小兒科、沖山嵯基氏宅、廣井會長宅、下谷の柿本病院等へ車を飛ばして全く御禮廻りを終つた、それで人々のすすめらるゝ儘我等の審査會がニュース映畫となつてる由なれば、歸途東京劇場地階にてニュースを見たが、畏くも妃殿下と厚世大臣の御姿はハッキリしてゐたが、自分は老齡じみて寫つてゐた。

本誌定價 一冊金參拾錢 郵稅壹錢五厘
半年分六冊 金壹圓六拾錢 郵稅共
一年分十二冊 金參圓 郵稅共
誌代郵稅は一切前金の事
前金切の場合は發送中止
郵券代用は一割增のこと
昭和十三年七月廿八日印刷（毎月一回）
昭和十三年八月一日發行（一日發行）
兵庫縣武庫郡精道村芦屋
發行兼編輯人 伊藤悌二
印刷人 木下正人
大阪市西淀川區海老江上二丁目三七番地
印刷所 木下印刷所
電話福島㊺（一五三四番 二四二六番）
大阪市北區天神橋筋六丁目
大阪市立北市民館內
發行所 大阪兒童愛護聯盟
電話堀川㉟（〇〇〇一番 〇〇〇二番）
振替大阪五六七六三番

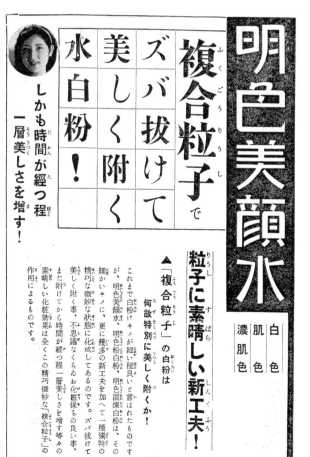

子供の世紀　第十六巻　第八號
大正十三年二月二十日第三種郵便物認可
昭和十三年七月二十八日印刷納本
昭和十三年八月　日發行（毎月一日一回發行）
【定價金參拾錢】

鍛へよ常に！
お子様用品は
日本橋高島屋で……
（五階・お子様用品賣場）
高島屋
東京・日本橋

武田▲發賣
虚弱児の強壮剤は……
ポリタミンに限る
(1) ポリタミンは「牛乳蛋白」を消化した比類のないアミノ酸製劑です。從つて……
(2) 胃腸の弱い子にも、ムダなく吸收されて血肉成分を補ひ、体重を增加します。
(3) その上アミノ酸獨特の細胞賦活作用によつて体質を改善し、抵抗力をつよめます。
(4) また消化液の分泌を促して、著しく食慾をすゝめ、便通をとゝのへます。
(5) 更にビタミンBを配してありますから、一層全身の榮養をたかめます。
(6) すこぶる甘美味の液劑です。
こんな子に最適
呼吸器の弱い子
食慾のない子
榮養不良の子
微熱のつゞく子
寝汗をかく子
疲勞し易い子
小瓶（一圓五五）
中瓶（三圓五〇）
大瓶（五圓五〇）
各地藥店にあり
發賣元　大阪市道修町　株式會社武田長兵衞商店
製造元　大五製藥株式會社
SS(2)64

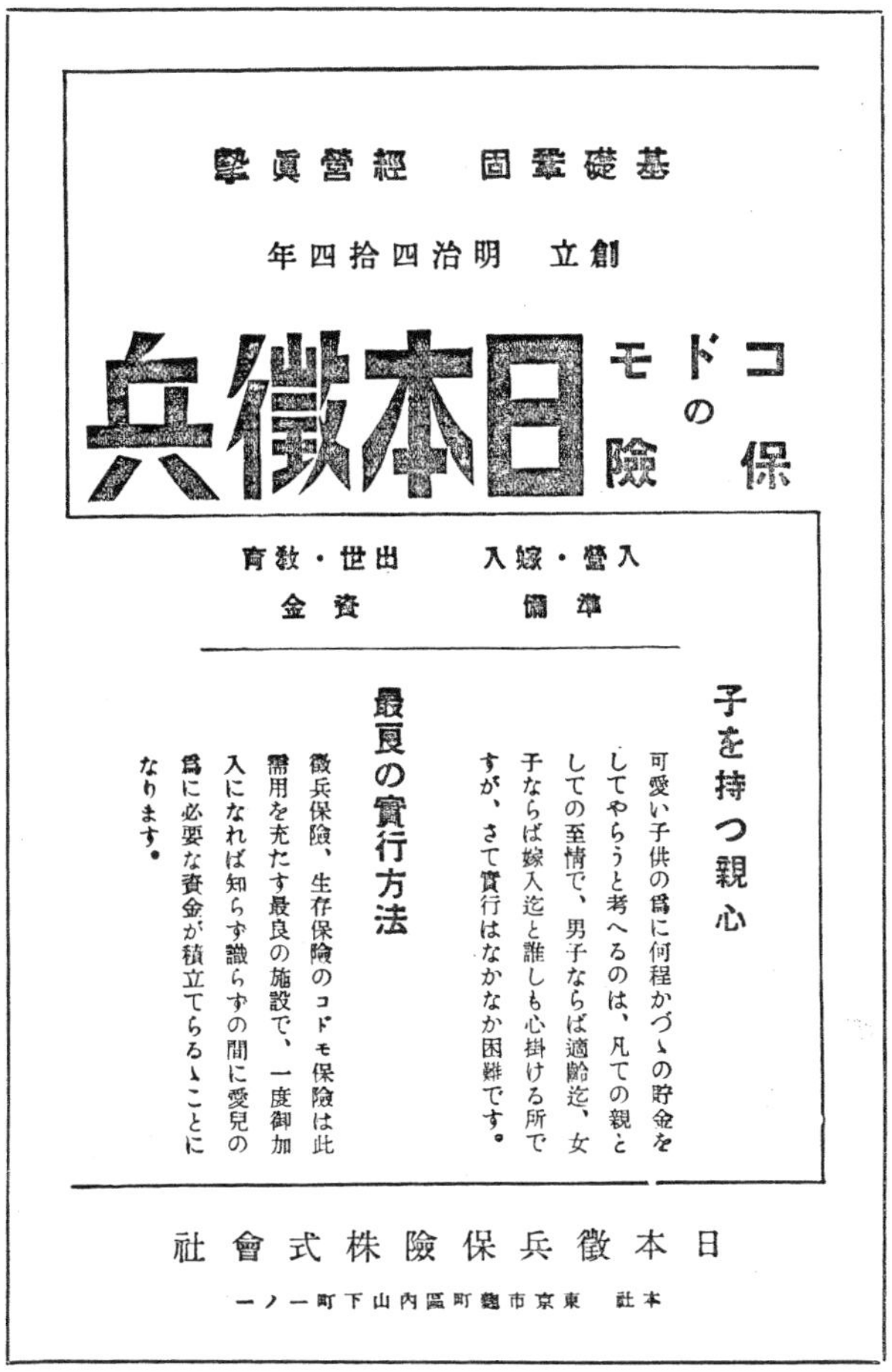

基礎鞏固　經營眞摯
創立　明治四拾四年
日本徴兵
コドモの保険
入營・嫁入
準備
出世・教育
資金
子を持つ親心
可愛い子供の爲に何程かづゝの貯金をしてやらうと考へるのは、凡ての親としての至情で、男子ならば適齢迄、女子ならば嫁入迄と誰しも心掛ける所ですが、さて實行はなかなか困難です。
最良の實行方法
徴兵保險、生存保險のコドモ保險は此需用を充たす最良の施設で、一度御加入になれば知らず識らずの間に愛兒の爲に必要な資金が積立てらるゝことになります。
日本徴兵保險株式會社
本社　東京市麹町區内山下町一ノ一

大正十三年二月二十日第三種郵便物認可
昭和十三年八月廿八日印刷納本
昭和十三年九月一日發行（毎月一回一日發行）
恒久國防・國民體位向上
子供の世紀
銃後の資源愛護號
第十六卷
第九號
大阪市立北市民館内
大阪兒童愛護聯盟

『子供の世紀』（第十六卷第九號）銃後の資源愛護號

目次

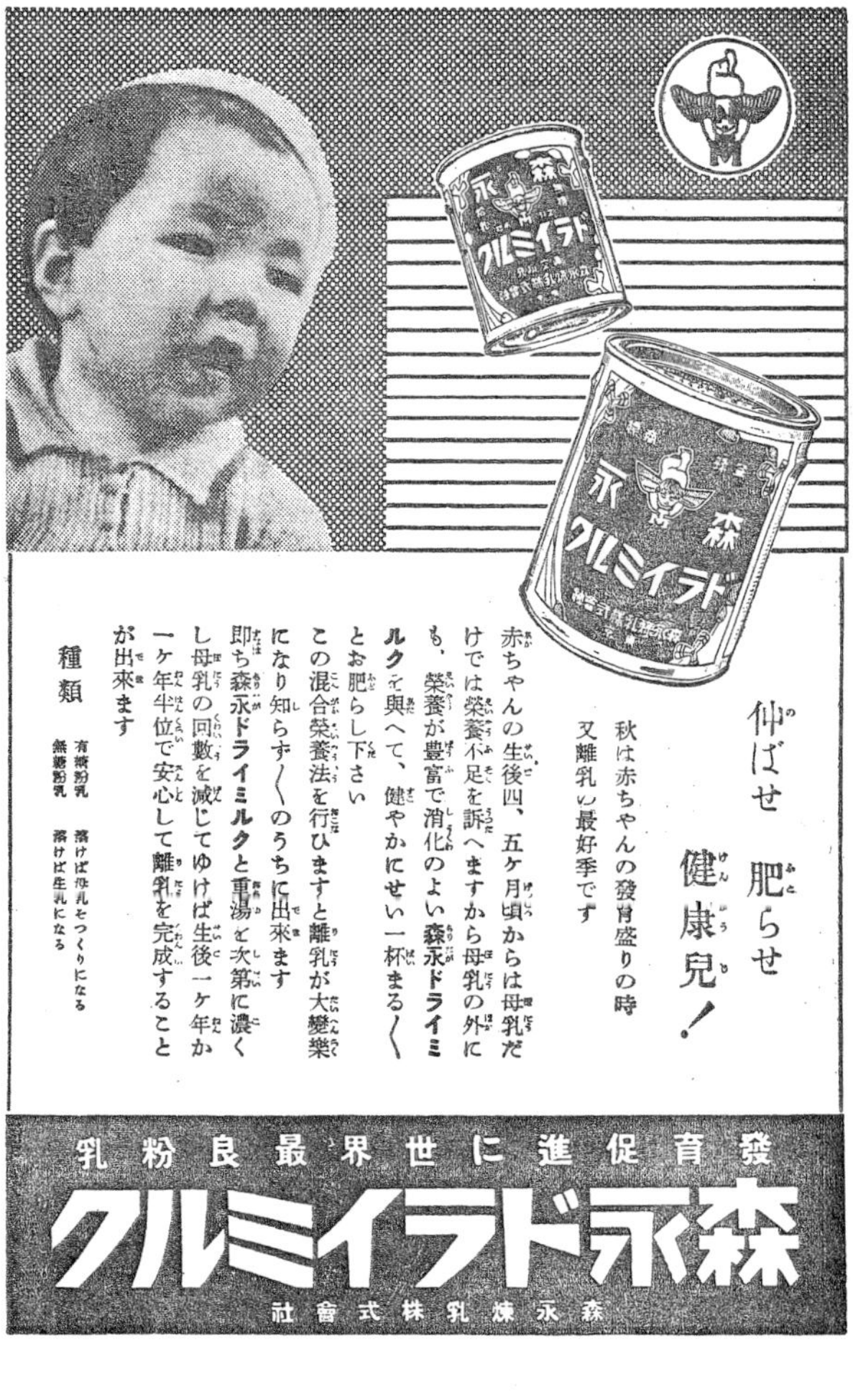

伸《の》ばせ　肥《ふと》らせ
健康兒《けんこうじ》！
秋は赤ちゃんの發育盛りの時
又離乳の最好季です
赤ちゃんの生後四、五ケ月頃からは母乳だけでは榮養不足を訴へますから母乳の外にも、榮養が豐富で消化のよい森永ドライミルクを與へて、健やかにせい一杯まる〲とお肥らし下さい
この混合榮養法を行ひますと離乳が大變樂になり知らず〲のうちに出來ます
即ち森永ドライミルクと重湯を次第に濃くし母乳の回數を減じてゆけば生後一ケ年か一ケ年半位で安心して離乳を完成することが出來ます
種類
有糖粉乳　溶けば母乳そつくりになる
無糖粉乳　溶けば生乳になる
發育促進に世界最良粉乳
森永ドライミルク
森永煉乳株式會社

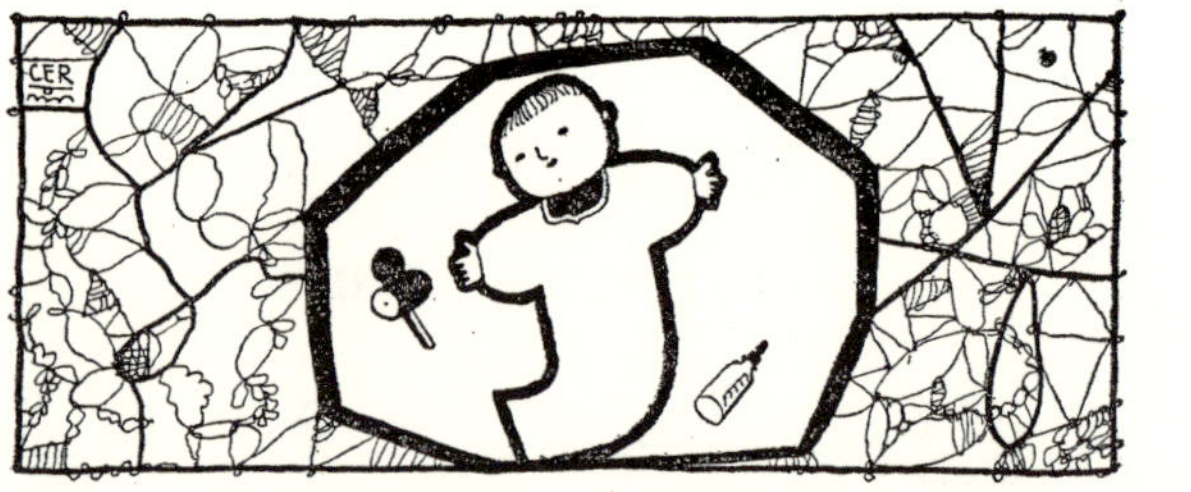

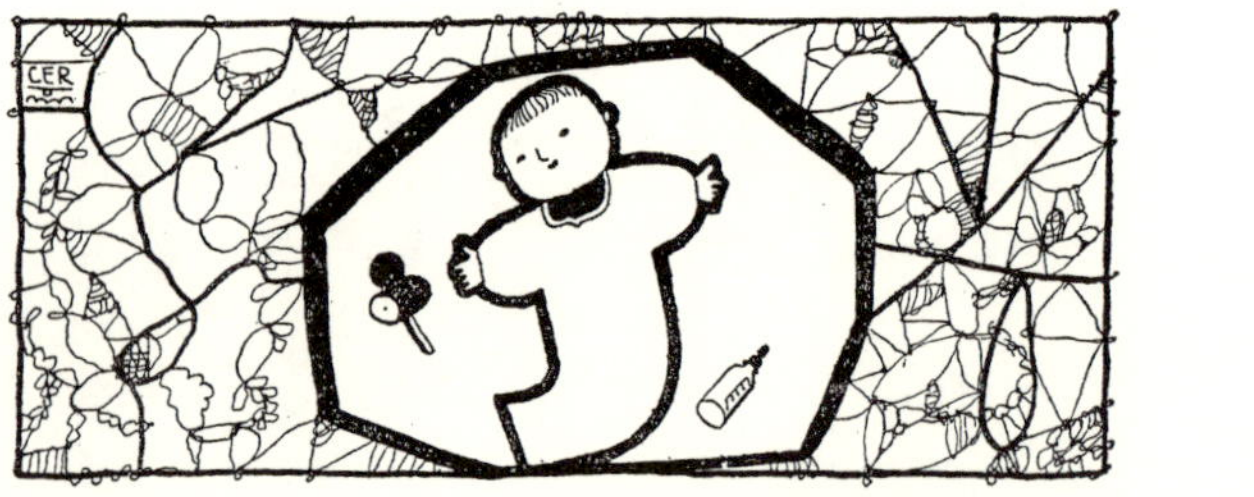

38(2)115

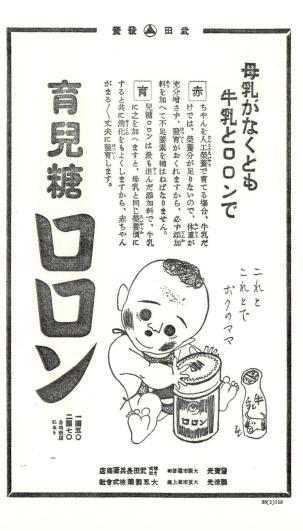

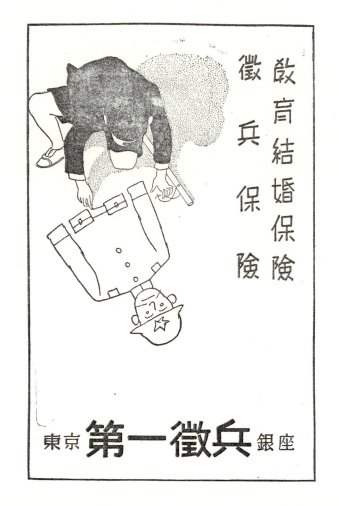

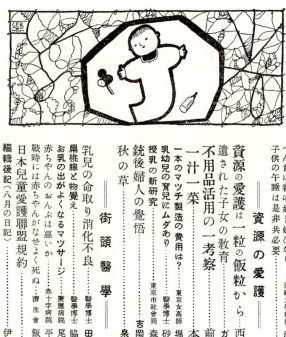

温いキリ完全無缺

大川吸入器

他品の追從をゆるさぬ
大川吸入器の特長!!

御使用上の操作がもつとも簡單である事
キリが體溫以上に溫く微細で病状に好影響をもたらします
器械は堅牢で大川吸入器が標準型になつて居ります
吸入器の生命たる噴霧管は特許引拔パイプ製で絶對に故障の起らぬばかりでなく噴霧の具合も他品の比では御座いません
釜やランプにも獨自の特許製法が用いられて居ります
器械は一ケづゝ嚴密な試驗を行つてから發賣して居ります故何處でお求めになつても御安心下さい

改良型固定式 從來の大川吸入器に一段と改良を加へられし本年の發賣品です

新發賣上下式（上下自動裝置完製） 上圖の吸入器で噴霧先が上中下御自由に動かす事が出來ますので大變便利です

東京市日本橋區本町四ノ七
大川式吸入器本舗

李鍵公妃殿下の御台臨と
本會名譽會長永井遞信大臣の御臨場

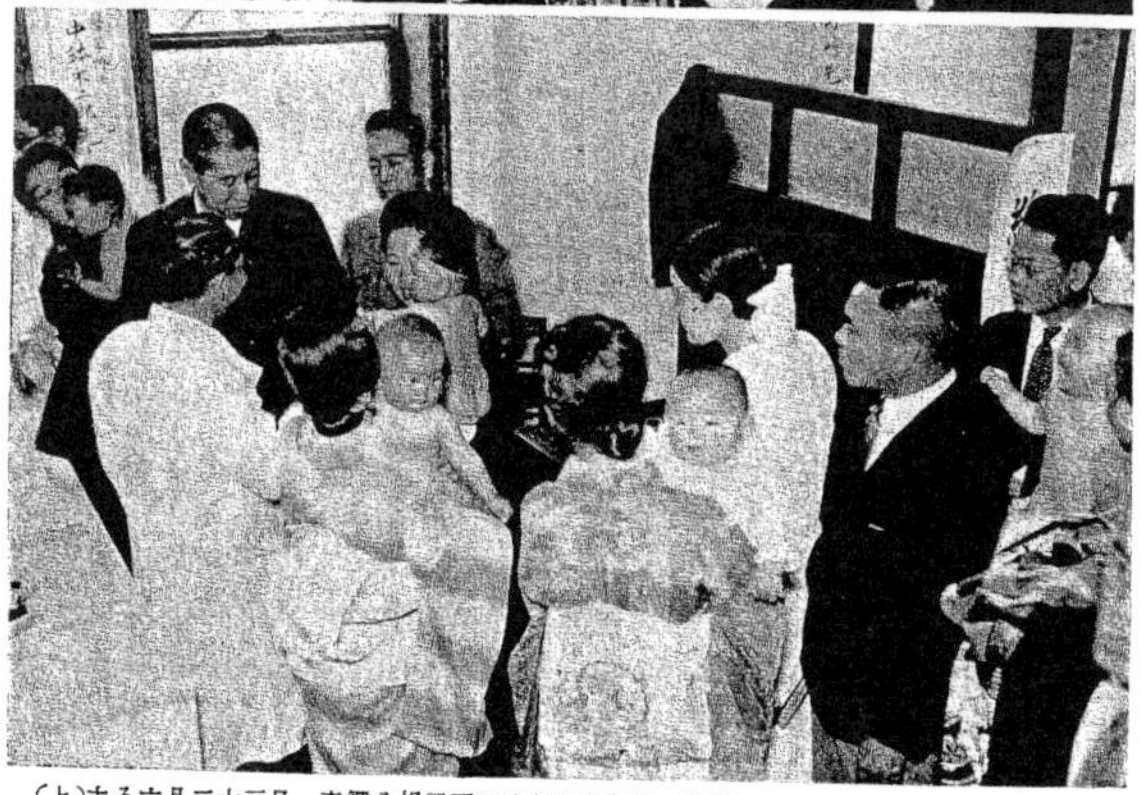

(上)去る六月二十三日、李鍵公妃殿下には東京高島屋に開催の、第十回全東京乳幼兒審査會に御台臨遊ばされた事は、既に本誌前號に記載した通りであつて、本聯盟の光榮とするところである。(歯科審査部にて謹寫)
(下)永井名譽會長には總評擔任の中鉢博士から審査の概評を聽取され、銃後の母性たちを勵まされた。

世のお母さん方へ

優良第二國民の保育には理想的の

福寶育英 子守バンド

を是非御使用下さい

A型→

C型↑

構造上に少しも無理がなく全く理想的に出來て居ります、従つて耐久力もあり實用的の品であります、赤ちやんより五六歳位の子供達迄負ふ事が出來ます、體裁もよく立働きが樂で容が小さいので携帶用として至便のものです、殊に子供達運れの遠足などには絶對に必要であります。

是れは優美な高級刺繍を施してありますので赤ちやん向として是れ又非常に御好評を賜つて居ります、丈夫さは幾分A型より劣りますが値段の格安さ、出産祝としての値頃品である爲め賣行益々頁好であります。

定價

A型　別珍製	二圓
全　朱子製	一圓十錢
B型　別珍製刺繍入	一圓八十錢
C型　別珍製全(裏ナシ)	一圓七十錢

（送料）內地十四錢　臺灣 樺太 三十四錢

各地百貨店、吳服雜貨店ニアリ

元賣發造製
菊池商店
大阪市北區東野田町三
振替大阪 14000番

起て健康總動員!!

空《そら》は青《あを》いぞ――いざ行《ゆ》かむ大氣《たいき》の中《なか》へ

◇勤勞奉仕用品賣場……二階
◇ハイキング用品賣場……二階

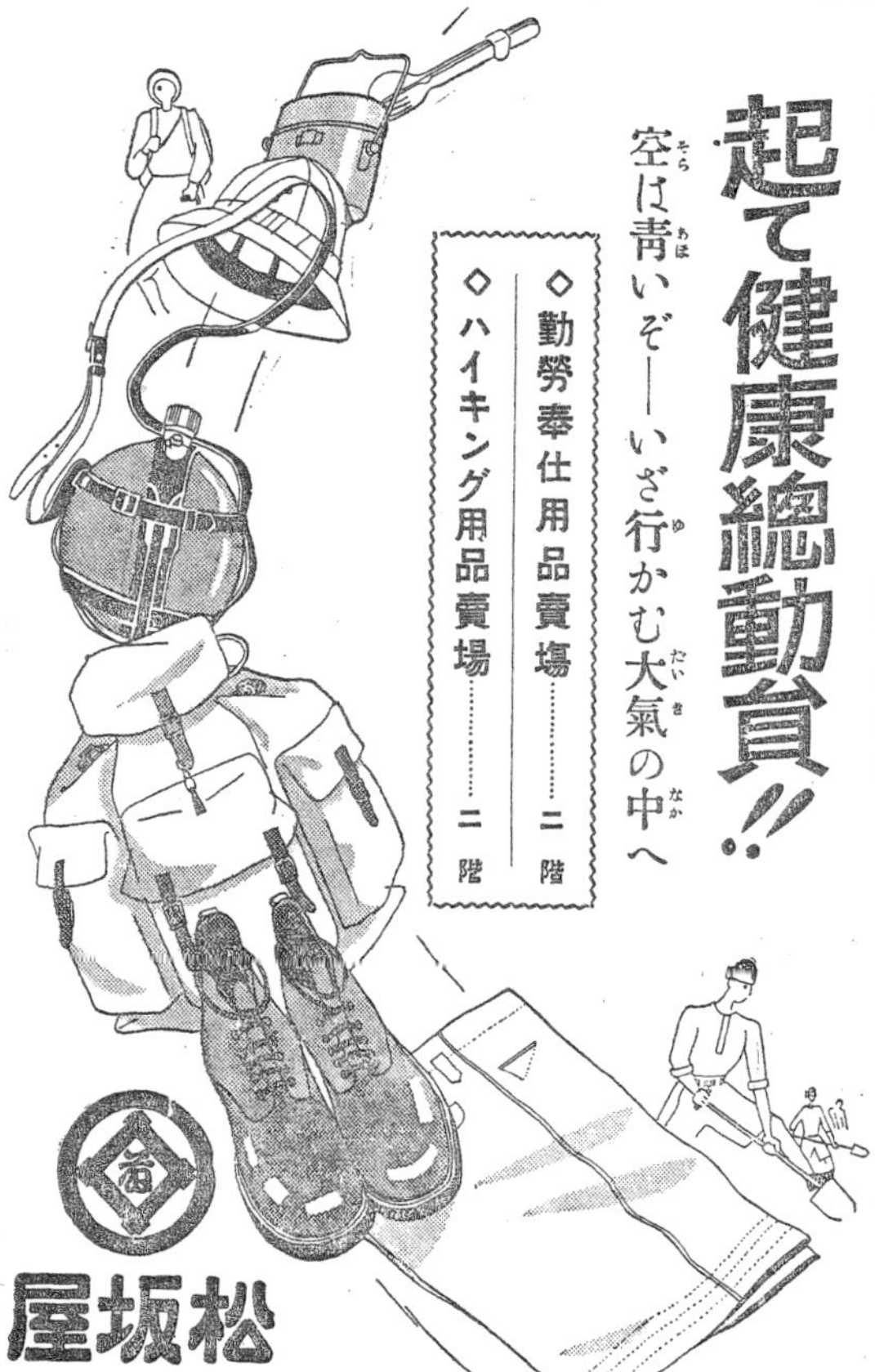

松坂屋
大阪日本橋

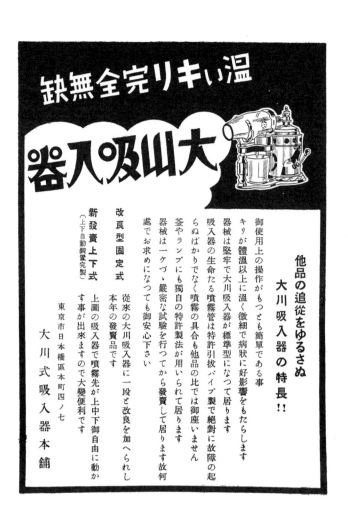

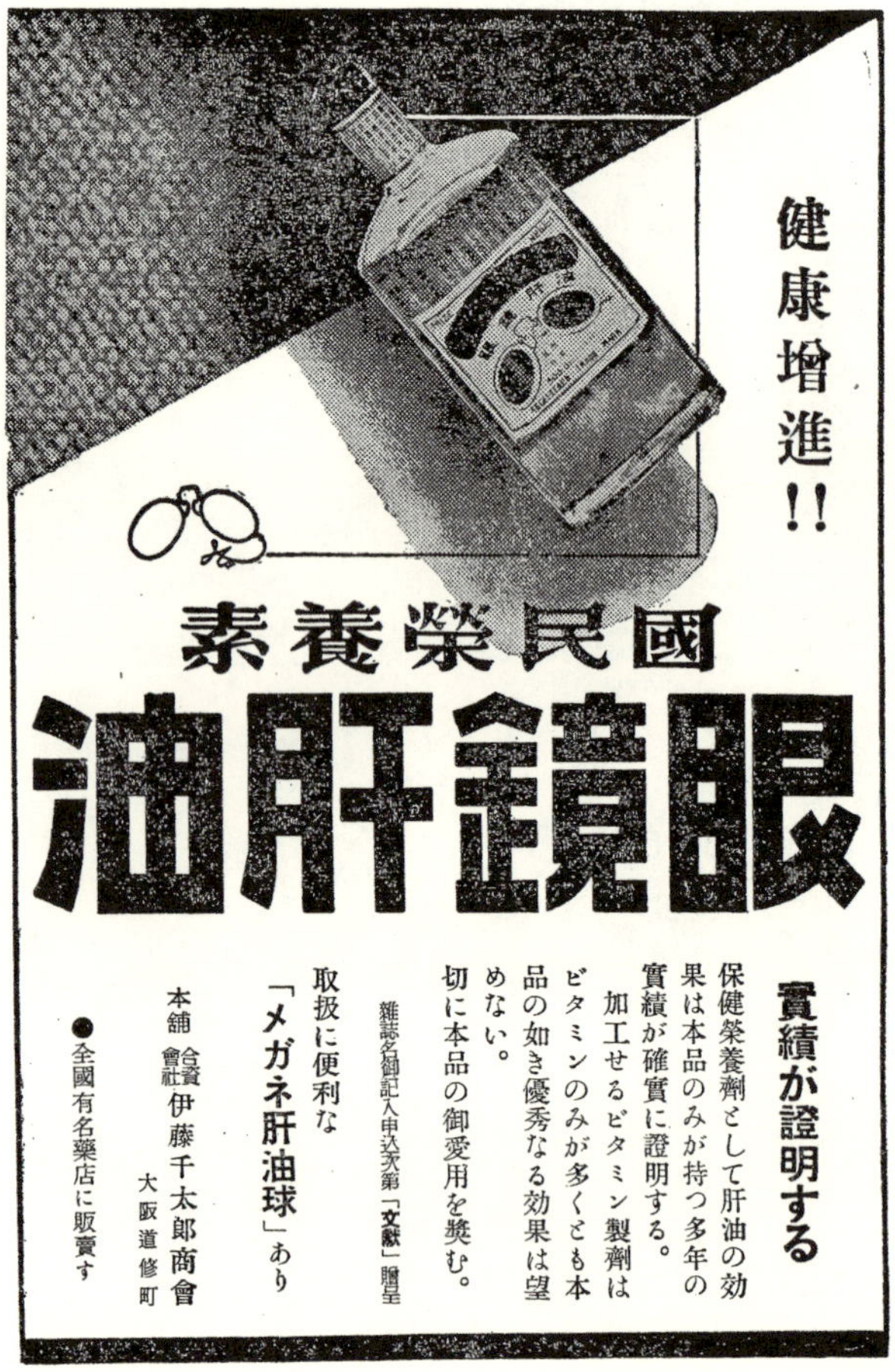
健康増進!!
國民榮養素
眼鏡肝油
實績が證明する
保健榮養劑として肝油の効果は本品のみが持つ多年の實績が確實に證明する。
加工せるビタミン製劑はビタミンのみが多くとも本品の如き優秀なる効果は望めない。
切に本品の御愛用を奨む。
雑誌名御記入申込次第「文獻」贈呈
取扱に便利な「メガネ肝油球」あり
本舗 合資會社 伊藤千太郎商會 大阪道修町
●全國有名藥店に販賣す

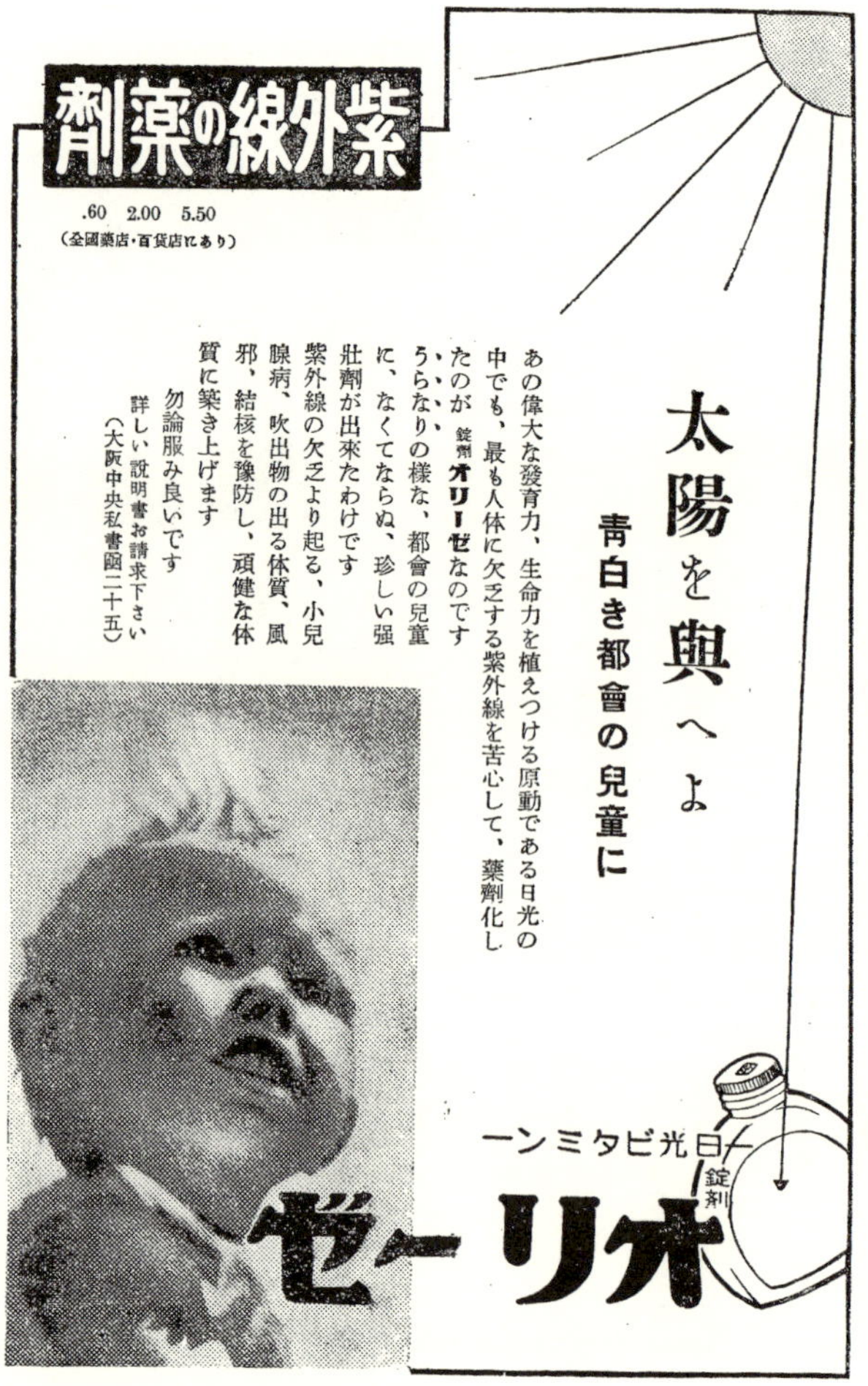
紫外線の藥劑
.60 2.00 5.50
(全國藥店・百貨店にあり)
太陽を與へよ
青白き都會の兒童に
あの偉大な發育力、生命力を植えつける原動である日光の中でも、最も人体に欠乏する紫外線を苦心して、藥劑化したのが錠劑オリーゼなのです
うらなりの様な、都會の兒童に、なくてならぬ、珍しい强壮劑が出來たわけです
紫外線の欠乏より起る、小兒腺病、吹出物の出る体質、風邪、結核を豫防し、頑健な体質に築き上げます
勿論服み良いです
詳しい説明書お請求下さい
(大阪中央私書函二十五)
日光ビタミン
錠剤
オリーゼ

醫學博士 有馬頼吉氏 醫學博士 青山敬二氏 醫學博士 太縄壽郎氏 發見創製
AO
アーオー
結核免疫元
非常時ノ短期大奉仕
第一號五管入一箱(大人用 小兒用)ニ對シ三管ノ寄贈券ヲ挿入ス
本劑は獨特の培養法と合理的處理による製品にして有害なる過敏元と吸收を妨ぐる臘質とを含まず全く純粋免疫元のみより成るが故に吸收迅速、副作用皆無、而も効果確實なるは最も誇る所にして一々動物實驗によりて効力檢査を經たる後始めて市販せらる
治療的應用
潜伏結核、肺結核の初期、眼結核、外科的結核、初期泌尿生殖器結核、皮膚結核、肋膜炎等には7―10日に一回第一號を使用して發病防止的効果頗る顯著なり
發病防止的應用
一般虚弱者及腺病質の小兒學童等に對し、一ケ月に一回第二號を使用して發病防止的効果優秀なり
診斷的應用
AOの治療量注射の前後に於て白血球檢査により簡單に結核の存否病勢並に豫後を確斷し無危險のみならず同時に治療を兼ねたる診斷法(吉田氏反應)なり
試品解説進呈
製造所 有馬研究所
發賣元 須美商店
大阪市東區北濱四丁目四〇
振替口座大阪三〇一〇〇番

乳兒哺育榮養料
理想的乾燥重湯
胚芽ヴイタミン含有
ビオスメール
赤ちゃんと重湯
赤ちゃんを牛乳やコナミルクで育てる場合、ビオスメールを加へ榮養價を昂めて與へる事は哺育の常識として小兒科に推奨せられて居ります、斯くすると胃腸の具合を整へて大變丈夫に育ちます。
離乳に…
重湯やお混りは離乳期の乳兒の大切な食餌です。ビオスメールで作る重湯やお混りは榮養があり濃度が正確で安全に離乳が出來ます。
ビオスメールは……ビタミンや滋養塩類を含み榮養豊富調製簡便で容易に濃淡自由な重湯を作る事が出來ます。
【見本説明書進呈】
大 1/3 小 一〇〇瓩
母乳代用粉末乳 キノミール
便秘兒榮養劑 マルツエキス
牛乳成分補足料 犬印滋養糖
小兒無鉛撒布劑 シツカロール
株式會社 和光堂
東京市神田區鍛冶町
大阪市東區南久太郎町
BM13—6

永井閣下を驚かした福野さんの愛兒たち

去る昭和九年、第六回全東京乳幼兒審査會開催の砌、時の總裁永井拓務大臣閣下から優良兒として表彰された、東京荒川區町屋の豊君(當年六歳)は健康に成長して居るが、本年はその弟の勝正君(二歳)がやはり優良兒めざして第十回の本會に參加された、母君は福野みね子さんで言葉の不自由な事は實に御氣の毒であるが、斯くも優秀なお子さんたちが惠まれてる事は、斯方面にさして大進歩大發見もなき現代の科學に痛棒を與へるものであり、眞面目な學者の輩出を祈つて止まない。

木戸閣下金子博士の新研究を聽取さる

我等の總裁

我等の全東京乳幼兒審査會に
御臨場の木戸厚生大臣閣下には、
記者團と各社の映書ニュース班とに
包圍されても別に不快なお顔もされずに、
審査各部門を御熱心に巡視され、
最後に學者として最も眞面目の定評ある
我が國に二人とない組織解剖學の權威から、
三百種もある人間の瞳と皮膚の色の説明を
いとも御興味ありげににこやかに聽取されて、
非常時下の厚生大臣として好印象を殘された、
我等は斯くも國民に信望ある閣下を
總裁として戴く光榮を心から感謝したい。

(昭和十三年六月二十五日)

志賀志那人の氏故郷を訪ねて

(上) 久住高原麓二里の山道を馬で
(下) 熊本縣阿蘇郡產山村の生家
(記事參照)

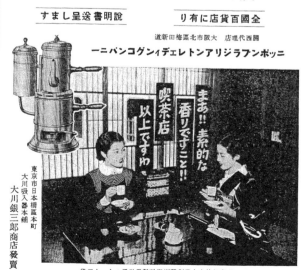

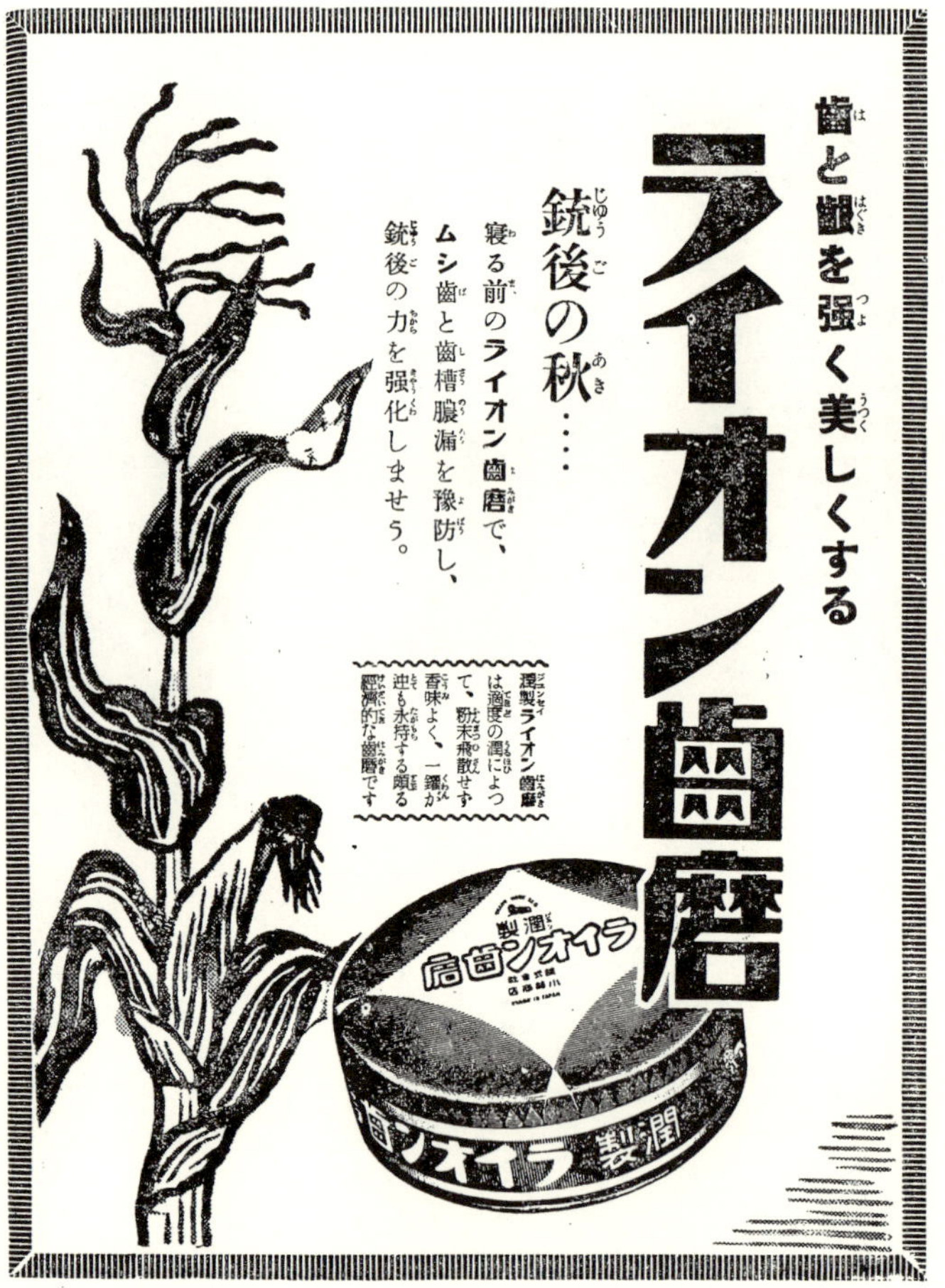

昭和十三年　**子供の世紀**　九月號

黄金線の彼方

何年か前支那に旅した時のエピソート。炎熱やくやうな、或る日の午後、中學校の講演をすまし人力車で宿舍に歸らうとしてS街を急いで居ると、黒山のやうな群衆が此方に向つて動いて來るではありませんか、何事だらうと驚異の眼をみはりながら近よりますと、大勢の者に圍まれて居る十一二歳の少年が二人繩で手を縛され、裸足の儚うなだれてあゆんで居るのであります、型の如く鉛の玩具のやうな軍人が銃劍を以て護衞して居ります。それに倚驚いた事は少年の胸間と背後に綺麗な漢字で、「此の兒童は馬賊に組して圃の作物を盜んだ罪により、黄昏某の郊外で死刑に處すべき者なり、若し希望者があらば銀〇〇と兒童を交換すべし」、と記した紙を掲げて居る事であります。群衆の中には誰一人これを不思議に感じ、又これに不滿を持つてるやうな者はないやうでした、無論人道の大問題だなどゝ叫ぶ若者もなかつたのです。金銀と人の子とを交換出來るものだらうか、又は交換してよいものだらうかと、自身に向つて反問してみたのであります、幸少年は死刑を免れたと後できゝましたが、其の時の印象は生涯消えぬだらうと思ひます。

數年前ある都市の郊外にあつた出來事。卒業證書を手にして、いそ〳〵と夕暮の田舍道を家路に歸る花のやうな乙女が不良青年の手により、慘めな最後を遂げた事があります、聞く處によると毎夕方、娘を停留場まで出迎えてゐた母親は、不幸にも其の日に限つて途中で、寶石入の指環を叢の中に落したと云ふ事です、母親なる人は娘も心配であつたと同時に指環も氣懸りであつたのでせう、遣瀬ない心持で叢の邊りを右往左往して居る單時間にあの慘事が演ぜられたと申します。白金や黄金よりも人の子の尊貴な事は何人もよく知つてゐます、然し知りつゝも幼き者を自己の享樂の犧牲に供する場合があるやうです。結納は野蠻時代の遺風であるときゝました、社會萬般の事黄金で解決の出來るものでない事は當然な話しであると共に、吾人は黄金線を超えて、黄金の彼方に、黄金線を突破して人間の内に潜む尊きものを發見する必要があるやうに思はれます。

— 1 —

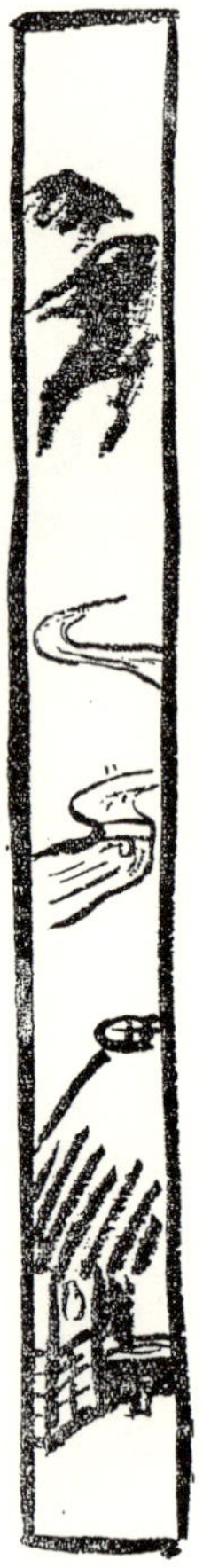

志賀志那人氏の故郷を訪ねて

―肥後國阿蘇郡産山村の里に―

伊藤悌二

八月十三日の出帆

志賀志那人氏の遺骨は百ケ日の法要を營んだ去る七月十五日から、其の儘續いて光德寺本堂に安置されてゐたのであるが、愈々八月十三日午後二時、大阪天保山出港のむらさき丸で民子夫人、長男香苗君、次男裕君、長女市子さん等に捧持され、記者も亦知己、朋友、その他各方面の代表者として松本氏と共に氏の郷里迄お伴をする事となつたのである。

靈柩は氏が十數年間產みの親として人知れず苦鬪された北市民館前を通つて、館員一同の禮拜をうけ、そして最後の思ひ出多い市廳舍前を過ぎて、築港海員ホームに暫し安置され、一般見送り人の燒香を受けたのであつた。公には改めて出發の時日を發表もしなかつたが、天保山棧橋迄は田坂市社會部長を始めとして部員一同、その他市各部員及び親戚、朋友、知己の方々二百餘名の見送りがあり、倚神戸まで行を共にさるゝ數名の人々もあつた。

海上は無論平穩で、さゞなみ一つたゝぬ程な靜けさである。記者の瀬戸内海の船旅はさして珍らしい事ではない、即ち大正十二年、支那靑島に國際兒童愛護運動の擧行の時、昭和二年、朝鮮に審査會開催の砌、昭和十年、臺灣に兒童愛

— 2 —

護事業施行の節等三回とも往復共に此の航路であつたし、亦初代堀川乳兒院長三野裕氏の郷里高松へは二三回渡つて講演などをして居るから、內海の航路は今更特筆する程の事もない。

唯、夫人と三人の御愛兒とを見守りながら、はる〴〵と彼の久住高原の麓邊まで、無事に氏の遺骨を見送り且つ葬る事の大責任が果せるかどうかと云ふ心配で、船中一夜碌に安眠も出來ず、未明の三時からデツキに起き出で松本氏と二人して數奇に富んだ故人の數々の逸話を物語るのであつた。

別府から一日の行程

志賀氏の故郷は熊本縣阿蘇郡產山村であつて、順路としては別府より汽車にて大分を經て、彼の山窩物語りなどで名高い大野川の岸邊に沿ふて溯り、寢覺の床を彷彿たらしむるやうな犬飼の山狹のあたり、短距離ではあるがトンネル亦トンネルに惱まされながら、三時間餘にして豐後の竹田驛に着くのである。

尚それから自動車で細い山道を一時間程はしれば、漸くにして氏を產み且つ育んで少年時代の夢をまどろましめた產山村字產山に着くのであるが、最早や氏の實家は形態は昔の儘であるが今は寺院になつて居るので、我々を竹田まで懇ろに出迎へられた令兄志賀良人氏の家のある田尻まで、自動車を乘り捨てた字山鹿から坂道を二時間馬の脊に搖られて登らなければならない、だから大阪からの汽船が早朝八時頃別府に入港するとして、田尻へは遲くとも夕暮頃の六時には着く事が出來るのである。

竹田、直入の所藏家

話は前に戾るが、大野川を左に取つて溯る時戶次と云ふ邑が丘の彼方に點綴して居る、此處で興味のある事は大分縣で多額納稅者として有名なと云ふよりも、彼の竹田、直入の所藏家（價額百五十萬圓）として全國に名高い帆足家のある事である。帆足家は帆足杏村の一族で今も尙酒の小賣店をして居る、明治維新に百姓一揆が蜂起した時、主人は暴民に對して酒の大盤振舞ひをなし、其の隙に先祖代々傳はつた大判小判を幾頭かの馬に荷なはせて山境まで逃がれしめ、爲めに大難をのがれたと云ふから、帆足家には代々智慧者があつたのだらう。智慧者と云へば、當家の主人が曾つて別府の煙草屋に八百圓の金を貸した、然し期限が來ても返金されないので、遂に傳家竹田の丹頂鶴の双幅軸物を受取つたが

なんとその軸物は時價十五萬圓と云ふから驚く。虫干しの日には竹田、直入始め五岳、淡窓等の所藏品が餘りに多くあるので一日では見盡せないとの事である。

尙、當家現主の處世訓としては「決して腹を立てぬ事」、の一事にあるので、旅行先きから歸つた時は必ず使用人から次々へと土產物を配ると云ふ程、使用人を大事にするので主從關係の親密圓滿な事は決して他に見られぬと云はれて居る。

そして酒の小賣をしてる爲め、使用人は競ふて得意先大事に働くのであるが、一斗以上を賣つた者には其の日〳〵に何割かの賞與を與へる方針を取つて居るので、店員に二三萬圓を貯蓄してる者は珍らしい事ではない由である。

軍神廣瀨中佐の出生地

竹田驛に下車して豫想もしなかつた令兄の笑顏に接した時は地獄で佛の感がした、我々一行は直ちに大野川を眼下に見られる料亭に通され鰻の御馳走になつたが、その味のよさはデパート食堂の鰻などの到底及ばざるものであつた。

竹田は畵聖竹田の誕生地で、その家は竹田村莊、竹田書屋、竹田墨莊、三我書屋、雪月樓、對翠樓の雅稱がある。翁は壯年醫と儒とを以て藩に重きをなし、その藝術は一世に冠絕して居る、彼の文豪山陽が竹田莊に來遊したのは文政元年十月で、山手の洗竹窓で燃ゆるが如き楓樹を賞しながら快談數刻に及び、然も其の時山陽外史、布衣田憲、九華山人として韻を分ち、詩をつくつた三幅對の有名な傑作が現存して居る。

荒城の月で有名な天才音樂家瀧廉太郎が本町高等小學校時代に、この岡城公園の廢跡を逍遙し、仲秋の名月を仰いで詩的情操を湧かせたのは明治二十五六年頃であつて、後年晩翠翁筆の荒城の月記念碑が公園に建てられたのも決して故なき事ではない。

尙大手門は淸正の設計になり、天然の斷崖を利用した天險無比の名城で築城史上に異彩を放つてゐる。

それから竹田は直入の外に彫刻家朝倉文夫、軍神廣瀨中佐の誕生地である事は餘りにも有名であるが、此の城下を流るゝ大野川を溯る事五里餘の山間に於て、我が國隣保事業、兒童愛護事業の先驅者であり且つ創始家として血みどろの汗を流し乍ら、社會事業のために力戰奮鬪されて、開拓者としての使命を果した我が志賀志那人氏が呱々の聲をあげた

と云ふ事も決して偶然ではないのである。

大自然に育まれた少年時代

古來山水明媚の地俊傑を出す、と云はれて居るが、生前氏は言葉を極め機會ある每に、誇つてゐた九州アルプス久住高原（九重山をも含む）が、北方の天を覆ふ如く廣く全面的に聳えて居り、東南にははるかに夢幻のやうに祖母嶽が群靑色に輝いて居る。性來孤獨を樂しむ氏が幼少の時代に度々登つたであらうところの家の裏山に登るならば、西南遠く煙を吐きつゝある阿蘇山を眺められるのである。我等は此の雄大にして際限なき綠のテイブルの如き形態を具へ、今尙活けるが如く九州の天地に橫はつて居る外輪山に魅力を感ずるのであるが、氏も亦年少の頃斯うした山々の無言の囁きを聽き、斯うした麗しい環境の感化を無言の中に享けた事は確かであらう。

語らず云はずその聲聞えざるに、その響は全地にあまねく、その言葉は地の果にまで及ぶ、神はかしこに帷幄《あけはり》を日のために設け給へり、日は新郞が祝の殿を出づる如く、勇士は競ひはしるを喜ぶに似たり、そのいでたつや天の涯よりし、その運りゆくや天のはてに至る……と云ふ古き詩篇は此の山間にて味ふ可き聖語であらねばならぬ。

氏の生家は丘の中腹に建てられ、同じやうな對涯の丘には畦が段々をなして豊かに稻田が設けられて居る、だから居乍らにしてその中間の淸らかな谿流を見る事が出來る、眼をさへぎるものは總て靑々と打ち續く水田のみと云つても過言ではない。

丘又丘の此方彼方には撫子花、尾花、桔梗、萩等の七草を始めとして野菊やまさきのかつらなどが樂園のやうに咲き亂れて居る。

當時、暑中休暇で歸省中の熊本醫學校の學生だつた叔父君の那須敏男氏（現在朝鮮大邱に開業）や、令兄の志賀良人氏は頻りに此の產山川であぶらめ、はへ、やまそうばい等を漁る事をすゝめた事であつたらうが、野山をかけめぐる事を餘り好まない蒲柳の質の氏は、奧の暗い一室で讀書を樂んだ事であつたと思はれる。氏は一家を爲して後もよく記者に云はれた「僕はどんなに順境であつても薄暗い室が好きだ」、と。

尙、廣瀨中佐を產んだ大野川の上流に生れた氏は、海軍兵學校を志願して身體虛弱のためはねられたと云ふが、若し

無事にパスしてゐたら、性來忠君愛國者なる氏は或は中佐位の働きをして居つただらうと考へられるのである。

馬上二里の山道

私共一行が古驛のやうな山鹿（生家から數町先き）で自動車を下りたのは、八月十四日午後三時頃であつた、大阪を出發する時から我等と行を共にし、且つ古くより志賀家の信任を受けて居られる松本氏は、氏の靈柩を身邊より寸時も離さうとしないのは實に淚ぐましい情景であつた。

字山鹿の左手の丘陵上には志賀家代々の菩提所（志賀姓を名乘つたのは四代前よりで、先祖は筑紫姓である）があるので、今日は埋葬の日ではないが、一同靈柩を捧持して行き假りに安置して、菩提所を參拜した。それから松本氏は靈柩を背負ふた儘、志賀夫人、香苗氏、裕氏等は共に徒步にて、市子さんと記者とは迎えに來て吳れた馬にまたがり、其處から二里餘、久住山の南麓に沿ふて令兄の家のある田尻まで山阪を登らねばならぬのである。

山阪と云つても生前氏から聞かされて想像してゐたよりは樂であつたし、綺麗に開墾されてゐる田畠を見るといかにも氣持よく、此の邊一帶の住民は東北邊の百姓よりは餘程勤勉なるを思はしめる。

馬の背に搖られながら刻一刻、黃昏れてゆく風光に見とれて居ると、槪して粗野ではあるが、いつしか京都八瀨大原のあたり、又は東北の靑根溫泉靑嶺閣へ登る途中の風景を思ひ出さしめるのであつた。

靈泉がほとばしるやうに湧き出でゝる阿蘇神社に先行の徒步連が休息してゐたが、記者は咽喉の渴いた儘默して社前を馬の儘通り過ぎやうとしたら、志賀夫人はやはり默して柄杓に冷水をゆたかに入れて渡さるゝのであつた、此の瞬間昔人の情に泣いた流罪人の心持を充分味はふ事が出來た。

八年前歸鄕された時は夫人は馬であつたが、今日は徒步である、我等はその健脚に感歎せざるを得ない。大阪出發前市役所で田坂社會部長をお訪ねした時、「それでは恰度、漱石の草枕ですね」、と云はれた旅路を思はしめた、道々には木華の花、まさきのかつら、撫子花、鬼百合等が姸を競ふて咲きみだれ、亦我等の一行をさへぎるが如く、迎ふるが如くおびたゞしい燕の影が去來し、群れなす紅がら蜻蛉も數限りなく中天に舞ひあがつてゐた。

一行は夕刻の五時四十五分に田尻の志賀家に着いて、大野川の源泉の源泉なる淫流で足を洗つた、靈柩は今日から三

日間當家に安置され、一族親戚の方々によつて香花を捧げられ、埋葬式が營まるゝ豫定である。

逆境なりし青年時代

志賀氏は東京帝國大學文科の學生たりし頃、記者は弱年ながら既に若き宗教家として世に出てゐた、氏は基督教青年會館の舍監代理をつとめ、その他二三の仕事をして五十圓程の收入を獲得して學資金に充てゝゐた、無論此の五十圓で大學の學資が充分だと云ふのではない、細川侯を會長とする（熊本縣出身の者で學資に不足してゐる後輩を助成する爲めに組織してゐる會）奬學會から月々援助金を支給されてゐた。

然し此の援助金合計金八百圓也も責任感の强い氏は大阪市役所に奉職するやうになつてから、賞與金など受けた時、次から次へと返還して最早や既に返却濟となつてゐる、聞くところによればそれは別に返金しなくともよい事になつてゐた由であつた。

氏はこれより前、熊本第五高等學校を卒業の際、學資金の見込みが立たず、大學に進む事を諦めて教師たらんとしたが令兄良人氏が心から勵まし、「萬一の場合僕の財産を抵當にしてもよいから」、とて奬學金を借りうける事になつたと云ふ、これを見ても氏の青年時代は實に總てが涙の谿をあゆむやうに何時も難路であつたのだ。

支那事變の見通しがつかず、我が國が未曾有の難局に處して居ると云ふ今日只今、喫茶店などに悠々自適してゐる現代青年諸君がありとすれば、眞に氏の前に慚死すべきであらう。

以上のやうにして苦學生活を送つてゐた當時、記者はよく基督教夏期大學が京都同志社大學や御殿場の東山荘などで開かれた時、同大學の事務をとつてゐる氏の姿を發見して、よく天下國家を論じたものであつた。

それから何年かたつて愈々大學を卒業し、大正八年大阪基督教青年會の主事として佐島氏の下に働くやうになつたのは、氏の社會生活に踏み出した第一歩であつたのだ。

其の頃は帝大出身者で市役所や宗教界にはいるのが珍重がられてる時代だから、各方面からも歡迎された事も當然であつた。

それ故關西の大商業都市大阪の青年の間に、新智識を以て我れ人共に許した氏は、如何に得意滿面であつたかは想像

に難くはない。

稚氣に富み、ちいさな問題にも有頂天になり、多少ペタンチックで亦相當心臟が强く、向ふ行きも强くて敗ける事の嫌ひであつた氏の青年時代は實に天下無敵と云つてよいものを藏してゐた、此處が氏の取り柄でもあつたのだ、然し此の敗けじ魂が或は遂に氏を短命ならしめたのではなからうか？

愉快だつた獨身時代

大正九年五月上旬、關東に於ける記者の十年間の宗教家としての生活を淸算し、若い妻と五歳になる惠子と呼ぶ獨り娘を連れて大阪に赴任して來た。

未だ現在の芦屋に居宅を定めない二ケ月間は、南區内安堂寺町にあつた先輩故青木律彦氏の牧してる獨逸普及福音教會（教會卽住宅）の一室に、御世話になつてゐたのであるが、其の室の二階の四疊半の座敷には、豫想だもしなかつた志賀氏が以前から下宿されてゐた事は、偶然としては餘りに偶然過ぎる程不思議なものであつた。

其處で私共は再會を如何許り喜んだ事であらう、氏は當時獨身ではあつたが、純潔で精神生活もシンプルな一個の文學青年でしかなかつた、けれども相當野心を持つてゐた。御互白晝の仕事に疲れて教會に戻つて來て、深夜蕎麥を喰べに外に出た事は何回あつた事か、氏は戀愛を論じ、哲學を語り、文學を談じ、詩歌を吟じ、且つ現代の宗教を惡罵したりした。

ある時記者に斯んな事を云つた、

「德富氏の『みゝずのたはごと』の「梅一輪」と云ふ一文があるが、あの主人公のお馨さんは米國へ行つて短命に終つて居る、伊藤さんのお孃さんは惠子ちやんでは餘り緣起がよくないから改名しては如何ですか？」と、其の惠子が氏の豫言のやうに神戸松蔭女學校の二年生の時、母の郷里千葉に旅してる最中、病に犯され町醫者の無暴極まる誤診の結果永眠して了つた。

斯樣にして我々は兄弟のやうに起居を共にし、同じ釜の飯を食べ乍ら御互の仕事にいそしんでゐたが、氏は遂に大阪市社會部に入り、勞働調査の係員となり、雨の日など朝早くから古いレインコートを着て出勤する姿を時々玄關で見う

けて氣の毒な感がしたものである。

そして夜になると皆で食後の漫談をしたり、オルガンに合せて讃美歌などを高唱したり、時には中座の福助と料車の演じた武者小路氏作『二つの心』の眞似などをして、刀をふりあげ不節操な愛人を切る實演をして皆を喜ばしたものであつた。

其の頃は演說病にとりつかれてゐたから、どんな小集會にも出て行つてどし〱新智識をふりかざし、聽衆を啞然たらしめてゐた。北市民館が新築されるやうな話しの出たのは、斯うした生活をして居つた一年後の事である。

氏は後に市民館長となり社會部長に迄榮進して、「自動車で通はれる身分になつた」、と人から羨まれるやうになつて靑桐が嵐に折られたやうにポキリと折れて了つたのである。

斯樣にして氏には幾百の知己、朋友、同僚、親戚もあつたであらうが、然しその中から記者が最後の最後まで、氏の遺骨を見守り乍ら、はる〲と豐後と肥後の分水嶺まで來なければならぬやうになつたとは何たる緣因であらう。

無論氏とは性格の相異から、亦宗教上の異なる見解から口角泡を飛ばして、議論のし別れをも敢てし兼ねまじき事もあつた、けれどもそれ程の事で友情に龜裂を生じなかつたのは、一は東北人で一は九州人であつた爲めででもあつたらう。而して遂にはともに兒童愛護を首唱して、同運動戰線の勇士として同じ戰場に出でざるを得なくなり、運命を共にするに至つたのであるから思へば總ては攝理であるかも知れぬ。（つゞく）

小馬と裕君

遺骨を背負ふ松本氏

（田尻令兄宅）

久住高原の麓に

伊藤悌二

馬上吟（山鹿より田尻へ）

道はたの水車のきしみ馬の背にきくはのどけし山鹿坂道
遠空にかすむ祖母嶽みかへりつ黒き蝶とぶ坂を登るも
山峽ひの茂みを出でしたぎつ瀨に馬を休ませ萩などを折る
藤袴葉裏をしろくひるがへし久住山端《やまは》を渉る夏風
茜さす空に群れ飛ぶあかとんぼ馬いそがせつながめけるかも
大君に生命捧げし阿蘇武士のおくつきの邊に咲く女郎花

田尻郷滯在吟（志賀家にて）

朝な〱久住山根に手に汲みて口漱ぐ水匂ひゆたけし
杉山を見んとて坂を登りつめ祖母嶽にかゝる虹を見しかな
まき雲ののどかに浮ぶ蒼穹《そら》の下阿蘇をみやりつ馬とたはむる
はてしなき久住山根の波野原瞬間《たまゆら》は憂きことも思はじ
おびたゞしく燕のかげの亂るゝを見るは淋しも雨後の山村
寂《しづ》かなる此の山村に來し夕むれなす燕かくるを見たり

深夜雜詠（田尻吟其の二）

鳥の寢息きこゆる如き靜もれる夜半の枕邊さす蒼き月
かたはらにやさしき寢息たてゝある三人《みたり》の遺兒に我れ淚しぬ
高原の月の光は冴え〴〵て杉の梢を輝らし出しつ
君を產みし阿蘇《あそ》產山《うぶやま》は美しき水の湧く村百合の咲く村
夏草の繁りに繁る里ながら君產みし故尊くあるも
いなづまは夕立の中劔のごと光りてやまず阿蘇のいたゞき

友の遺骨を葬る日（八月十七日）

友のむくろ葬らんとて幾山川越えて山鹿に來は來つれども
遺されしいとし妻子を見まもりつむくろ捧げて阿蘇までは來ぬ
永久に友を葬る高原の野面いちめん咲くは撫子花
烈日のもとに桔梗は咲き居れり友のなきがら待つが如くに
鳳仙花かぼそき莖に君が性《さが》思ひ出づる日琉璃鳥はなく
ふるさとに葬りし君よ今も尙鈍才我れを戒めんとすか

途上にて

夕映の輝りてあかるき大野川見つゝも竹田直入をきく
肌白き山鹿饅頭喰みながら夕立やむを待つ山の茶屋
日もすがら蟬なき止まぬ豐後路を古き車に搖られて登る

離乳はこれから

まづ二三日は重湯 副食物にも注意なさい

大阪市技師
阪大講師 廣島英夫博士談

乳兒の離乳によい時期が來ました。生後七、八月の乳兒ならばそろそろ離乳が必要です。まづ離乳にかかる前には規則正しく乳をのませる習慣をつけねばなりません。體重が適當に增さぬのは離乳方法に缺陷のある證據ですから、離乳中月に二度は體重を測るのがよろしい、食べたがるからとて急にたくさんの食物を與へず、殊に食物の變つたときは初め控へ目にやつて故障がないのを確かめてから少しづつふやします。面倒だからといつて大人の食物を自分の口で細かくかんで與へたりせず、必ず離乳に適した料理をつくつてやることです、最初二、三日は重湯をやつてみて變りがなければ、すぐ細かく碎いた米で一日一回五〇瓦宛つくつた粥か裏漉しした粥を與へます。はじめは五%くらゐの薄いのを五〇グラム一日一回與へます。調味料は食鹽、味の素、鰹節、脂肪の少い魚、野菜でつくつたスープがよろしい、お茶はスープ類か、人蔘、菠薐草、百合根、馬鈴薯、キャベツなどの裏漉しを茶匙に一、二はいからはじめます、卵は離乳にかゝつて一、二ケ月もしてから卵黃半分くらゐからはじめて、半熟、茶わんむし、かき玉汁、卵豆腐にするか、粥スープの中へ入れます、魚は脂肪の少いカレヒ、ヒラメ、アヂ、キスなどの白身を煮るか燒いて細かく碎いたものを、粥が一日二回食べられるやうになつてから與へ、牛肉は誕生をすぎるまでは與へない方がよろしい、菓子はウエフア、輕燒からはじめ、ビスケツト、カステーラ、煎餅類を牛乳かスープと一緒にやりますが、多過ぎぬやう時刻をきめるやうにします、果物は誕生近くなればおろすか、または細かく切つて與へます、赤チヤンの最初の危險な關門離乳期を無事に過ごすのには、是非家族がみんなそろつてその氣で食卓につくのが何より大切な心構へです。

結核病の治療

醫學博士 芳山龍

子供の體質を改善せしむる爲に最も大切な物は食事である、學童の中には血色の勝れない榮養不良兒が少くない、體質、潜伏性結核、寄生虫、過勞、睡眠不足、偏食等色々の原因から來るものであるが、粗食若くは缺食の爲である者も少くない。

「先づパン、然る後に教育」といふ標語がある。

子供の保健結核の豫防には榮養を十分ならしめる事が先決問題である。

食事と共に新鮮な空氣、十分なる日光、適度の運動、身心の休養が必要で一言すれば自然に從ふ事であるが、小兒の衞生に注意すると共に躾を良くすることを忘れてはなりません。

弱い小兒を強くするには相當の年月が必要である、一夏海水浴へ行つたからとて皆が丈夫になる譯でない、長期に亘つて體質療法（氣候、運動、食事）を繼續せねばならぬ、腺病質や結核病の小兒は親が犠牲を拂つて適當な海濱又は郊外の健康地に小兒が丈夫になるまで移住する位の覺悟がなければならぬ、家事都合で家を離れられぬ場合には專門醫の指導の下に空氣浴、日光浴に兼て適當な運動と十分なる榮養を與へ、輕快するに從ひピクニツク、ハイキング等に子供を伴ひ自然の懷に身心の訓練を行ふ可きであります。

一、空氣療法

換氣 人間生活に空氣の大切なことは、魚に水の大切なると同然であります。假りに六疊の室に二人居住して完全に外氣との交通を斷つとせば、一時間にして室內の空氣の炭酸ガス量が〇・三五%より一・〇%に增量すと謂はれて居ます。

　世上往々肺炎患者を看護するに當り冬季戸障子を密閉して室溫を高める結果、却つて病症を惡くして居ます、斯る場合に室を開放して十分外氣を取入れるか、若くは室を代へて新鮮な空氣の許に靜養せしむると、忽然として呼吸困難が緩和して輕快に向ふ者が少くありません、換氣の大切なこと知る可きであります。

冷涼なる空氣は　精神を爽快にし、皮膚及び粘膜の抵抗を强めると共に、全身の新陳代謝を盛にして食慾を促します。

　結核患者に對して安靜と同時に病室の窓を開放して、新鮮なる外氣を呼吸せしむる事が最も大切な療法の一つであります、歐米のサナトリウム療養所では、四季晝夜を通じて病室の窓を開放して大氣療法を實施して居る樣である、我邦内地では風が多くて實行困難であるが、風當りの少ない土地で設備の完備せる病院では或程度まで之を實行して居ます。

　大阪刀根山病院では病室の蒸氣煖房を廢して患者各自に湯タンポを與へて保溫し、窓を開放する事によつて何等の故障なく成績が佳良であると發表して居ます。

　結核患者の空氣療法として、室内開放生活に慣れてから戸外庭園に於ける安靜大氣療法に進み症狀輕快するに從つて更に皮膚を大氣に曝露する所の所謂空氣浴、又は裸體體操に移るのが順序とされて居る。

空氣浴　は小兒結核のみならず虚弱體質、滲出性體質腺病質等に應用して感冒を豫防し、食慾を促す効能がありますから、奬勵に値するものであります。

　空氣浴は四季を問はず、雨天でも室内で實行出來ます小兒結核に對しては夏季は日光浴よりも空氣浴の方が重實であります。

空氣浴場　四方に低い樹木の檣、又は低い板塀のある外部から見えぬ場所が理想的であつて、凡そ百五十坪の廣さが適當であるが、風の吹かぬ日には人通の少ない所なれば何處でも利用されます。

空氣浴の仕方　成可く裸體で素足で芝生や濡れたる砂の上を歩くのが原則であるが、寒冷の候には薄い着衣一枚が許されます「シャツ」「パンツ」はハズさねばなりません。屋外では日蔭を選び、薄衣で歩行するとよい。

　空氣浴を始める前には準備として、數日間室で練習し次で屋外で實行する方が安全である。

　肌をぬげばタオルで乾擦し、歩行後は着衣して靜臥するのが順序であります。時間は季節によつて相違しますが、練習によつて漸次延長す可きで、夏は最長一時間、冬は遙に短く十分位で足ります。

京都を中心とする三戸式空氣浴の處方は

	春季	夏季	秋季	冬季
一日	室内歩行 五分	室内歩行 五分	室内歩行 五分	室内歩行 三分
二日	五分	五分	一〇分	三分
三日	一〇分	一〇分	一五分	五分
四日	一〇分	一〇分	二〇分	五分
五日	一五分	屋外歩行 一〇分	屋外歩行 一〇分	一〇分
六日	一五分	二〇分	一五分	一〇分
七日	二〇分	三〇分	二〇分	一五分
八日	屋外歩行 五分	四〇分	二五分	一五分
九日	五分	五〇分		一五分
十日	一〇分	六〇分		屋外歩行（ネル又袷一枚着用） 三分
十一日	一〇分			五分
十二日	一五分			五分
十三日	二〇分			一〇分
十四日	二五分			

二、日光療法

　日光の生物に與へる恩惠は廣大無邊である、植物に就て云へば、裏成りの慘さに比べて陽を浴びる花木の生動を見ても日光の尊さが判る、日光の入らぬ所に醫者が這入ると云ふ通り暗い家は不吉であるが、陽氣な家は何となしに吉相がある、忙中偸閑、日向ぼつこする時ほど筆者にとつて爽快を覺ゆるものはない。

　日光を滿喫する事が如何に子供の健康に役立つか判り切つた事が案外實行せられて居ない。眞理は平凡な處にある事を忘れてはなりません。

紫外線　日光の生物に對する作用は波長によつて異り就中、波長の最も短い紫外線が殺菌力に富み、種々の治療上有効なる化學作用を現はすもので、紫外線を發生する人工太陽燈が醫療に應用せられて居るが、之は主に局所治療に用ひられ、全身の新陳代謝を促す爲には日光直

射の優れるに如かず。

日光の照射量　が季節により又、天候や時刻により差あるが故に、太陽紫外線の量も同然にて所によつては日光直射の强烈なる夏季一日の紫外線量は冬期一ヶ月分に相當すと謂はれて居る。

　紫外線は空中の瓦斯體に吸收せらるゝ以外に、煤煙や塵埃に遮ぎられて地上に達する量が少くなるから、工場地帶には稀少で、山村水鄕や海濱地方に多い。

日光浴場　高山地帶の空氣は氣壓低く、日光照射强い計りでなく淸淨で、オゾン、エマナチオンに富み、紫外線も亦豊富に含有せられる所から、夏季結核患者の養生に賞讃せられて居るが、田園又は海濱で南を受け、風當りの少い場所は必らずしも高山地帶に比し遜色がある譯でなく、樹木や、低い塀で圍まれた場所は日光浴場として適當である、家庭では南向の椽側や物干場が利用せられます。

　近來は紫外線を吸收せぬ特種の硝子（ウヴイオール硝子）を用ひた日光浴室が設備せられますが一ヶ年位は硝子の効力に大差はないが年數を經るに從つて効力が減退して行く樣である。

日光の醫療的作用　日光を醫療上に用ひ始めたのは遠い昔からであるが、一八九九年フインゼン氏が太陽スペクトルの各色の性質を研究して天然痘に亦、狼瘡に紫外線が有効なる事實を發表してから、長足の進歩を遂ぐる樣になり、維納の小兒科醫エツシエリヒ博士が病院の屋上に日光浴室を設置し、高山地帶の日光療法を平地で試みて以來各國に流行する樣になり、我邦でも到る處で實施せられて居る。

　日光の殺菌作用は甚だ强大で、標本に塗抹せられたる結核菌は略海上では五時間、千米の高さで四時間、千五百米の高さで三時間と云ふ程度で滅殺せられる程である。

　此外日光には熱作用（赤外線）及び有力な化學作用（紫外線）ありて、適度に皮膚に照射せらるゝと、皮膚に充血が起り、肺臟の循環を促し、内臟の欝血を除く効があつて、新陳代謝機能が良好となるのみならず日光中の紫外線が皮下脂肪組織中のビタミンDの母體であるエルゴステリンに作用して、ビタミンDを發生する事は有名な事實であります。

日光浴の適應症　日光療法は古くより外科的結核（骨及關節）に應用せられて居る、此外肋膜に欝血のある肺氣種、慢性成形性結核、恢復期にある肋膜炎及び腹膜炎等にも賞用せられて居る、就中常に行つて良好のあるのは小兒肺門結核である。

　之に反し熱のある開放性肺結核、心臟、腎臟等に病變

のある者には有害である、日光浴にて惡化せる場合には恢復が至難であるから、豫め診察を受け專門醫の處方に從つて行はねばならぬ。

日光浴の要領　日光浴に大切な事は、日光の照射を少量より始め漸次增量する點である、日光の照射量は季節によつて大差がある計りでなく、天候や時刻によつても著しき差違があるから、患者に實施するには適當に加減せねばならぬ。

　冬季は直射の强い午前十一時より午後一時迄の間を選びますが、氣溫十八度以下なれば寧ろ空氣浴の方がよい。

　夏季は午前八時迄に行つて差支ないが、寧ろ直射日光を避けて青空の見へる建物の蔭で紫外線だけを浴びる方がよい、此日蔭の光線浴を直射日光浴に對して、散射光線浴と呼稱して居ます。

　日光浴は土地の日光の强さを考へ又、個人の體質や症狀程度に應じて適宜取捨せねばならぬ。

日光浴の仕方（三戸式）　日光浴を始める前に家の内で一、二日、屋外で庭園を二、三日、毎日五分乃至十分間裸體になつて歩行する空氣浴に慣れて置く方が安全である。

　青天井の下に籐寢臺又は籐椅子を持出し、毛布を敷いて臥し次の順序で日光に浴します、夏は麥藁帽子を被り褐色眼鏡を用ふるとよい。

	（體の前面）		（體の脊面）	
一日		五分		
二日		五分		五分
三日	五分	一〇分		五分
四日	五分	一〇分	五分	一〇分
五日	一〇分	一五分	五分	一〇分
六日	一〇分	一五分	一〇分	一五分
七日	一五分	二〇分	一〇分	一五分
八日	一五分	二〇分	一五分	二〇分
九日	二〇分	二五分	一五分	二〇分
十日	二〇分	二五分	二〇分	二五分
十一日	二五分	三〇分	二〇分	二五分
十二日	二五分	三〇分	二五分	三〇分
十三日	三〇分	三〇分	二五分	三〇分
十四日			三〇分	三〇分

日光浴後　は裸體の儘浴場を歩行して空氣浴をなすこと二十分、空氣浴後冷水摩擦をなして着衣し靜臥三十分檢溫す。

注意

一、日光浴中眩暈を感じ發汗すれば中止す。
二、日光浴後體溫の上る者は良からず中止す。
三、日光浴を繼續して皮膚全體が微に潮紅する者は良いが、初から紅斑が出來たり落屑する者は光線に對する抵抗力の弱い事を示すものであるから數日休んで輕く徐々に行はねばならぬ。

育兒欄

四ヶ月の赤ちゃんの育て方

醫學博士　野須新一

四箇月《かけつ》の赤《あか》ちゃんの標準《へうじゆん》の身長《しんてう》や體重等《たいぢうとう》は表《へう》に示《しめ》した様《やう》で、男《をとこ》の子《こ》では體重《たいぢう》六・六六瓩（一・七七六貫《くわん》）身長《しんてう》六二・一糎《センチ》、女《をんな》の子《こ》では體重《たいぢう》六・一五瓩（一・六四〇貫《くわん》）身長《しん》六〇・八糎《センチ》となります。四箇月半《かげつはん》になりますと男《をとこ》の子《こ》の體重《たいぢう》は七・〇一瓩（一・八七〇貫《くわん》）身長《しんてう》六三・〇糎《センチ》となり、女《をんな》の子《こ》では體重《たいぢう》六・四八瓩（一・七二八貫《くわん》）身長《しんてう》六二・一糎《センチ》となるのが標準です。

月齢		身長（糎）	體重（瓩）	頭圍（糎）	胸圍（糎）
四ヶ月	男	六三・一	六・六六（一・七七六貫）	四一・一	四一・七
	女	六〇・八	六・一五（一・六四〇〃）	四〇・一	四〇・三
四ヶ月半	男	六三・〇	七・〇一（一・八七〇〃）	四一・六	四三・二
	女	六二・一	六・四八（一・七二八〃）	四〇・九	四一・〇

精神上の發育　第三箇月《だいかげつ》の項《かう》に述《の》べたやうな色々《いろいろ》の働《はたら》きが進《すゝ》み段々《だんだん》慥《たしか》となる許《ばか》りでなく腹這《はらは》ひにして置《お》くと頭部《とうぶ》を自分《じぶん》で提擧《あけようき》する。又《また》よく首《くび》を自由《じゆう》に動《うご》かすやうになります。又何《またなん》でも觸《ふ》れたものを直《すぐ》に摑《つか》みます。而《しか》も指《ゆび》でつかまないで兩手《れうて》でつかもうとします。又觸《またふ》れたものをよく吟味《ぎんみ》するがやうに觸《さ》はります。笑《わら》ふのに聲《こゑ》を出《だ》して笑《わら》ふやうになります。又濕《またしめ》つたお襁褓《むつ》を更《か》へる時《とき》に、おとなしく横《よこ》になつて居《ゐ》るやうになります。又顔《またかほ》の表情《へうぜう》もだん／＼はつきりして活々《いきいき》として來《き》ます。玩具《おもちや》を見《み》ると嬉《うれ》し相《さう》にします。又相手《またあひて》の表情《へうぜう》を眞似《まね》てこちらが笑《わら》へば答《こた》へて笑《わら》ふやうになつて來《き》ます。

榮養法　母乳《ほにう》を與《あた》へるには三・五時間乃至《じかんないし》四時間毎《じかんごと》で一日《じつ》五回《くわい》——六回《くわい》が宜《よろ》しい。一回《くわい》には十五分位《ふんくらゐ》お乳《ちゝ》を哺《の》ませます。この頃《ころ》の赤《あか》ちゃんの飲《の》むお乳《ちゝ》の分量《ぶんれう》は一日《にち》に大體《だいたい》八三八瓦《グラム》（四合六勺《ごふしやく》）で一回《くわい》には五回《くわい》であれば約《やく》一七〇瓦《グラム》（約九勺《やくしやく》）六回《くわい》であれば約《やく》一四〇瓦《グラム》（約八勺《やくしやく》）となります。牛乳《ぎうにう》で育《そだ》てる場合《ばあひ》には牛乳《ぎうにう》二と重湯《おもゆ》一の割合《わりあひ》に混《ま》ぜて一回量《くわいれう》を大體《だいたい》一四〇瓱（約八勺《やくしやく》）とし之《これ》に大體《だいたい》五%の割合《わりあひ》に滋養糖《じやうとう》（七瓦、茶匙《ちやさじ》二杯弱《はいじやく》）を加《くは》へて三時間半《じかんはん》置《お》きに一日《にち》に六回與《くわいあた》へます。既《すで》に先月號《せんげつがう》にも述《の》べました樣《やう》に、便秘《べんぴ》して二日《か》も三日《か》も大便《だいべん》のない樣《やう》な場合《ばあひ》には滋養糖《じやうとう》の代《かは》りに白砂糖《しろざとう》や、マルツ汁《じふ》エキス又《また》は水飴《みづあめ》を加《くは》へて與《あた》へます。尚《なほ》ヂタミンCを補《おぎな》ふことが必要《ひつえう》でお乳《ちゝ》と一緒《しよ》に或《あるひ》はお乳《ちゝ》の後《あと》で果汁《くわじふ》を與《あた》へます。林檎《りんご》の搾《しぼ》り汁《じる》、トマトの搾《しぼ》り汁《じる》、或《あるひ》は大根《だいこん》の搾《しぼ》り汁《じる》を始《はじ》めは二倍位《ばいくらゐ》に薄《うす》めて茶匙《ちやさじ》一杯位《ぱいくらゐ》から與《あた》へます。林檎《りんご》、トマト、大根《だいこん》を下《おろ》しにかける前《まへ》に、充分《じうぶん》によく水《みづ》で洗《あら》ひ、更《さら》に熱湯《ねつとう》に二、三分浸《ぶんひた》して、表面《へうめん》に附着《ふちやく》せる汚物《をぶつ》や細菌《さいきん》の類《るい》を除去《ぢよきよ》することを怠《おこた》つてはなりません。殊《こと》にトマト、大根等《だいこんとう》には寄生蟲《きせいちう》の附着《ちやく》することが多《おほ》いので呉々《くれぐ》も御注意《ごちうい》が肝要《かんえう》であります。

重湯の作り方　一、白米《はくまい》五勺《しやく》に水《みづ》五合《がふ》五勺《しやく》を加《くは》へて弱火《よわび》にて三〇—四〇分煮《ぶんに》て、上清《うはずみ》三合《がふ》（五〇〇瓦）の粥汁《かゆじる》をとり、之《これ》に二・五瓦の食鹽《しよくえん》を加《くは》へて用《もち》ひます。又《また》ほうれん草《さう》、人參《にんじん》、大根等《だいこんとう》を入《い》れて重湯《おもゆ》をとると、更《さら》に榮養分《えいやうぶん》に富《と》んだものがとれます。

果物汁のつくり方　オレンヂ、レモン、蜜柑《みかん》、夏蜜柑《なつみかん》などは横《よこ》に二つに切《き》り、搾《しぼ》つて汁《しる》を落《おと》すか、又《また》は果汁器《くわじふき》でつぶして汁《しる》をとり、これを茶濾《ちやこ》しか、二枚位重《まいくらゐかさ》ねた「ガーゼ」でこします。トマトは幾《いく》つかに切《き》つて、清潔《せいけつ》な布巾《ふきん》でつゝんで搾《しぼ》ります。林檎《りんご》、大根《だいこん》などは皮《かは》のまゝ或《あるひ》は皮《かは》をむいて大根卸《だいこんおろ》しですつたものを布巾《ふきん》か、ガーゼで濾《こ》します。大根《だいこん》の汁《しる》は出來《でき》てから暫《しばら》く置《お》くとだんだんに辛味《からみ》が拔《ぬ》けて來《き》ます。

果物の汁の與へ方　かうして出來《でき》た汁《しる》を初《はじ》めは湯《ゆ》さましで倍《ばい》に薄《うす》め、砂糖《さとう》を少《すこ》し加《くは》へたものを一日《にち》一回《くわい》一匙《さじ》だけ與《あた》へます。與《あた》へる時間《じかん》はお乳《ちゝ》と一緒《しよ》か又《また》はお乳《ちゝ》の後《のち》或《あるひ》は分量《ぶんれう》が増《ふ》えてくればお乳《ちゝ》とお乳《ちゝ》の間《あひだ》に與《あた》へます。三、四日《か》の間《あひだ》同《おな》じく、一匙宛《さじづゝ》續《つゞ》けて、元氣《げんき》にも、お通《つう》じにも變《かは》りがなければ二匙《さじ》にします。又《また》三、四日樣子《かやうす》を見《み》て變《かは》りがなければ三匙《さじ》にし、だん／＼ふやして十匙位《さじくらゐ》が何《なん》ともなく與《あた》へられるやうになつたら、こんどは與《あた》へる量《れう》をふやす一方《はう》、うすめ方《かた》もへらしていつて最後《さいご》に薄《うす》めぬそのまゝの果汁《くわじふ》を十五、六匙《さじ》までにいたします。その次《つぎ》には一回《くわい》に與《あた》へる量《れう》はやはり十五、六匙《さじ》で變《かは》りませんが回數《くわいすう》を二回《くわい》に増《ま》します。さうして二回目《くわいめ》はうすめぬものを一匙《さじ》から始《はじ》めてやはり十五、六匙《さじ》までふやし、その後《ご》はその儘《まゝ》一日《にち》二回宛《くわいづゝ》あたへる事《こと》を續《つゞ》けます。果汁《くわじふ》の量《れう》が増《ふ》えて一回《くわい》に十匙《さじ》となればお乳《ちゝ》とお乳《ちゝ》との間《あひだ》に與《あた》へるのがよろしい。

赤ちゃんの大便　母乳《ぼにう》で育《そだ》てられて居《ゐ》る赤《あか》ちゃんの便《べん》は黄色《きいろ》で軟膏樣《なんかうやう》のかたさで少《すこ》し酸味樣《さんみやう》の匂《にほ》ひがありますが、決《けつ》して嫌《いや》な臭氣《しうき》ではありません。牛乳《ぎうにう》で育《そだ》つて居《ゐ》る乳兒の大便は薄黄色か或は灰黄色の少し堅目で粘土樣の大便《だいべん》（所謂石鹼便《いはゆるせきけんべん》）を排出《はいしゆつ》します。そして少《すこ》しく刺戟性《しげきせい》の鼻《はな》をつく樣《やう》な臭氣《しうき》を持《も》ち、やゝ不快《ふくわい》な腐敗性《ふはいせい》の臭氣《しうき》を帶《お》びて居《ゐ》ます。便《べん》の回數《くわいすう》はまちまちでありますが、大抵《たいてい》は一、二回《くわい》が普通《ふつう》であります。乳《ちゝ》を飲《の》み過《す》ぎ又《また》は何《なに》かの原因《げんいん》で腸《てう》を惡《わる》くするやうな場合《ばあひ》には大便《だいべん》は綠色《りよくしよく》となり、又《また》白《しろ》いぶつ／＼が澤山《たくさん》まじり、又粘液《またねんえき》がまじつて絲《いと》を引《ひ》く樣《やう》になります。其他《そのた》水分《すゐぶん》が多《おほ》くなり便《べん》の回數《くわいすう》も増《ま》して泡《あわ》立《だ》つこともあります。臭《にほ》ひも強《つよ》く鼻《はな》を刺《さ》す樣《やう》な不快《ふくわい》な臭氣《しうき》がします。家庭《かてい》では平常乳兒《へいぜうにうじ》の便《べん》の性質《せいしつ》をよく見《み》ておく事《こと》が必要《ひつえう》であります。

着物とおしめ　着物《きもの》は出來《でき》るだけゆつたりと窮屈《きうくつ》でないものがよい。季節《きせつ》によつて加減《かげん》するのは勿論《もちろん》でありますが一日中《にちぢう》でも朝《あさ》とか夕方《ゆふかた》、氣溫《きおん》の下《くだ》る時《とき》には相當《さうたう》の注意《ちうい》を要《えう》します。餘《あま》りに厚着《あつぎ》さす爲《ため》に皮膚《ひふ》が弱《よわ》くなり風邪《かぜ》をひき易《やす》くなり汗疹《あせぼ》などが出來《でき》ます。身體《からだ》がしつとりと汗《あせ》ばんでゐるのは既《すで》に着《き》せ過《す》ぎであります。肌着《はだぎ》はガーゼか晒木綿《さらしもめん》がよく冬《ふゆ》はフランネルなどを用《もち》ふ。おしめは二十組程《くみほど》用意《ようい》しておけばよい。なるべく足《あし》の自由《じゆう》を束縛《そくばく》せぬやうにゆるくまき濡《ぬ》れた時《とき》は直《す》ぐによくかわいたものと取《と》り換《か》へる。三角《かく》おしめを止《と》めるには普通《ふつう》の留針《とめばり》でなく安全《あんぜん》ピンを用《もち》ふ。晒木綿《さらしもめん》かリンネルで作《つく》り、もし古《ふる》い布片を用ふるときにはよく洗濯したものを使用し一度煮立《にた》てゝ用《もち》ふるとよい。

風呂の入れ方　生《うま》れてから一年《ねん》ぐらゐまでは毎日《まいにち》お湯《ゆ》をつかはせる。湯《ゆ》の溫度《おんど》は攝氏《せつし》四十度（華氏《くわし》百〇四度《ど》）位《くらゐ》で十分以内《ぶんいない》でよい。お湯《ゆ》はなるべく午前《ごぜん》のうちで食餌《しよくじ》の前《まへ》につかはす（或《あるひ》は午後《ごご》二時頃《じごろ》か）腋窩《えきくわ》、頤《あご》の下《した》、股《また》のつけね、おれかがみのところは入念《にふねん》に洗《あら》ふ。生後《せいご》四箇月《かげつ》までの乳兒《にうじ》では頭部《とうぶ》がまだぐらぐらの事《こと》があるから、耳《みゝ》の中《なか》に水《みづ》の入《はい》らぬ樣《やう》に氣《き》をつけなければなりません。顔《かほ》は別《べつ》に新《あたら》しいお湯《ゆ》をもつてガーゼ又《また》は脫脂綿《だつしめん》で力《ちから》を入《い》れずに洗《あら》ふ。お湯《ゆ》が濟《す》んだらば直《す》ぐに大《おほ》きい柔《やわら》かい西洋手拭《せいやうてぬぐひ》で身體《からだ》をまいてよく水氣《みづけ》を吸《す》ひとり汗粉《あせこ》を撒布《さんぷ》して手早《てはや》く着物《きもの》をきせる。冬《ふゆ》はタオル、衣服《いふく》を豫《あらかじ》めあたためておく方《はう》がよい。乳兒《にうじ》に用《もち》ふる入浴道具《にふよくだうぐ》は別《べつ》に一纏《まと》めにして大人《おとな》のと區別《くべつ》しておく方《はう》が便利《べんり》である。

入浴道具　浴用寒暖計《よくようかんだんけい》、タオル、脫脂綿《だつしめん》、ガーゼ、櫛《くし》、汗粉《あせこ》、夏《なつ》には一日《にち》二回《くわい》ぐらゐお湯《ゆ》をつかはすか又《また》はたび／＼腰湯《こしゆ》をする方《はう》がよい。

夏の注意　夏《なつ》は赤《あか》ちゃんの一番《ばん》にお腹《なか》を壞《こわ》し易《やす》い時期《じき》です。氣候《きこう》の良《よ》かつた冬《ふゆ》、春《はる》を過《す》ぎて暑《あつ》さにじつとしてゐてもじわ／＼と汗《あせ》の滲《にじ》み出《で》るやうな眞夏《まなつ》には抵抗力《ていかうりよく》の弱《よわ》い赤《あか》ちゃんはすぐに暑《あつ》さ負《ま》けをして病氣《びやうき》に罹《かゝ》り易《やす》くなつて居《を》ります。殊《こと》に胃《ゐ》や腸《ちやう》の消化力《せうくわりよく》は弱《よわ》まつて居《を》りますし、又直《またす》ぐに下痢《げり》を起《おこ》し易《やす》い傾向《けいかう》があります。ですから母乳《ぼにう》の分量《ぶんれう》を少《すこ》しく控《ひか》え目《め》にして出來《でき》る丈時間《だけじかん》を決《き》めて規則《きそく》正《ただ》しく與《あた》へることが大切《たいせつ》です。そして間《あひだ》にはたび／＼湯《ゆ》ざましの水《みづ》か、うすい番茶《ばんちや》を飲《の》まして渇《かつ》を防《ふせ》いでやります。牛乳《ぎうにう》で育《そだ》てゝゐる小兒《せうに》はなるべく滋養糖《じやうとう》を用《もち》ひる方《はう》がよろしく白砂糖《しろざとう》角砂糖《かくざとう》や水飴《みづあめ》を使《つか》ふ場合《ばあひ》には餘《あま》り甘過《あます》ぎぬ樣《やう》入《い》れ過《す》ぎぬやう注意《ちうい》が肝要《かんえう》です。又牛乳《またぎうにう》は成《な》るべく新《あたら》しい中《うち》に用《もち》ひること又牛乳《またぎうにう》のくさらぬやう、牛乳《ぎうにう》を冷《ひや》すことを怠《おこた》つてはいけません。冷藏庫《れいざうこ》でもあれば結構《けつこう》ですがなければ勝手元《かつてもと》の涼《すゞ》しい所《ところ》に水《みづ》につけ瓶《びん》の頭《あたま》の處《ところ》にはぬらした布片《きれ》をかけて裾《すそ》を水《みづ》につかるやうにして置《お》きます。冷《ひや》したり暖《あたゝ》めたりすることは牛乳《ぎうにう》の腐敗《ふはい》を一番《ばん》に起《おこ》し易《やす》いのですから牛乳《ぎうにう》を調合《てうがふ》する場合《ばあひ》には必要《ひつえう》の分《ぶん》量丈《れうだけ》を別《べつ》の容器《ようき》に移《うつ》し取《と》り牛乳瓶《ぎうにうびん》はすぐ元《もと》の冷藏庫或《れいざうこあるひ》は水《みづ》の中《なか》に入《い》れるやうにして頂《いたゞ》き度《た》いです。又重湯《またおもゆ》もよく腐敗《ふはい》し易《やす》いものです。牛乳《ぎうにう》と混《ま》ぜて使用《しよう》する場合出來《ばあひでき》れば午前中《ごぜんちう》に午後《ごゝ》のは夕方迄《ゆうかたまで》に、夜分《やぶん》のは夜《よる》にと一日《にち》に三度位新《どくらゐあたら》しく調製《てうせい》する方《はう》が安全《あんぜん》であります。朝作《あさつく》つた重湯《おもゆ》を夜分迄《やぶんまで》、午後《ごご》のを朝使《あさつか》ふ等《など》の事《こと》はよく腐敗《ふはい》した重湯《おもゆ》を使《つか》ふ危險《きけん》があります。一々調製《てうせい》の面倒《めんだう》を避《さ》ける爲《た》めには重湯末《おもゆまつ》（三共）やビオスメールを用《もち》ふるのも一法《ぱふ》です。大體《たい》三—五%の割合《わりあひ》に重湯末《おもゆまつ》を入《い》れます。

急に引きつけた時　赤《あか》ちゃんや幼兒《えうじ》が俄《にはか》に引《ひ》きつけが起《おこ》つた時《とき》にはすぐに衣服《いふく》をゆるめ、かけ蒲團《ぶとん》は出來《でき》る丈《だけ》輕《かる》くするか或《あるひ》は之《これ》を取《と》り除《のぞ》き、胸《むね》を少《すこ》し開《ひら》き頭部《とうぶ》を冷《ひや》して、すぐに灌腸《くわんてう》をしてやります。出《で》た大便《だいべん》はその儘捨《まゝす》てないで取《と》つてお醫師《いし》の來《く》るのを待《ま》つて見《み》せるやうにします。又食物《またしよくもつ》は何《なに》も與《あた》へぬようにし、白湯《さゆ》か番茶《ばんちや》を與《あた》へて置《お》きます。強《つよ》く身體《からだ》を抱《だ》きしめたり、ゆすぶつたりすること、或《あるひ》はあはてゝ騒《さわ》ぐ事《こと》は却《かへつ》て小兒《せうに》を刺戟《しげき》して餘計《よけい》に痙攣《けいれん》を强《つよ》めることになります。部屋《へや》は少《すこ》し暗《くら》い目《め》にし、涼《すゞ》しくしてやることも大切《たいせつ》な事《こと》です。又出來《またでき》れば體溫《たいおん》を計《はか》つて置《お》くことも忘《わす》れてはなりません。尚灌腸《なほくわんてう》をして出《で》た大便《だいべん》が假令《たとひ》大《たい》して惡《わる》くない樣《やう》であつても二度目《どめ》、三度目《どめ》に出《で》るお通《つう》じがだん／＼惡《わる》くなつて行《ゆ》くことが多《おほ》いのでありますから、油斷《ゆだん》しないで醫師《いし》の指導《しどう》に從《したが》ふことが大切《たいせつ》です。尚病氣《なほびやうき》の原因《げんいん》となるやうな寢冷《ねびえ》とか、不消化物《ふせうくわぶつ》、果物《くだもの》、氷水《こほりみづ》、アイスクリーム等《など》を食《た》べた事《こと》が分《わか》つて居《ゐ》る場合《ばあひ》には直《す》ぐに醫師《いし》に本當《ほんたう》の事《こと》を告《つ》げて一刻《こく》も早《はつ》く適當《てきたう》な手當《てあて》をうけることが病氣《びやうき》の豫後《よご》にも大《おほ》いに關係《くわんけい》することを忘《わす》れないやうにして戴《いたゞ》き度《た》いものです。

遺傳關係より觀たる赤ん坊

醫學博士 余田忠吾

人が生れ落ちた瞬間には、此世には未だ何等の經驗もなく、人として最も清淨無垢な時であると謂はねばなりません。然し是れは唯だ外觀上から赤ん坊を觀たときの感想であつて、普通の考へ方に過ぎません。私ども、生れる赤ん坊を日々觀るものには、生れた赤ん坊を全然無垢なものであると觀ることが出來ない樣な感じがします。試みに一輪の花を摘んで、靜かに其の出所由來を考へて見れば其花と、咲いた根本は一粒の種子であります此なければ一輪の花は咲かない。若し又其花が紫であるとせば紫色の花を咲かすべき種子がある筈であります。櫻の花は櫻實が本であり、朝顏の花は朝顏の種子が本で咲いて來るのであります。すなはち朝顏の種子を觀れば此中には夏の曉に吾々を氣持ちよくする所の朝顏の花が眼前にちらつく樣な氣がします。此の樣な感じは又事實となつて必ず現はれて來ます。即ち櫻の實から朝顏の花が咲かないと同樣に朝顏の種子をまいて櫻の木がはえて來ない。此の中に隱れて居る眞理は私が生れた赤ん坊を漫然と無垢であると言ひたくない理由であります眼界を擴げて動物界と云はず、植物界と云はず、あらゆる生物界を見渡しますれば、一見簡單な、細かに觀察すれば複雜極まれる關係を認めることが出來るのであります。人は是等の關係に種々な名目を附けて或は生物に遺傳現象が行はれて居ると云ひ、又因果因緣の說を事柄に當てはめて或る事柄は偶然起るものでないと解釋して居るのであります。

科學の進步、人智の發達は愈々細より密に進んでゆく勢ひでありまして過去に於て漫然と觀察して居た事でも今日ではボンヤリ觀察することを許さない樣になりまし

た。即ち今日學問の進步した時代に於ては、赤ん坊を觀察するにもボンヤリとした觀察では いけなくなりました、即ち其顏の格好はどうであるとか其顏型は兩親の何れに似て居るか或は祖父母の何れに似て居るかと云ふことを詳しく觀察すれば事實上種々な關係が現はれて居るのであります。即ち兩親及祖父母の遺傳が明かに露はれて居ることがあるのを認めます、或は眼とか鼻とか口とか耳とか體格とか性質とか種々な點に於て其遺傳を認むることがあります。彼の有名なガルトン氏は種々の研究から祖先遺傳の法則を作りピヤーソン氏は之を實驗的に證明して數字に其法則を表はしました。即ちガルトン氏は子の素質を正方形で表はし其の四分の一は父親又四分の一は母親の素質が子の素質に入つて居る、其の上祖父母の素質は合せて八分の一即ち祖父の素質は十六分の一祖母の素質は又十六分の一と云ふ樣に、兩親及其の先祖素質が含まれて居ると申して居ります其他の先祖の素質を持つて居る割合はピヤーソン氏によれば$(0.5)n$(nは先祖の代數を表はす)式にて知ることが出來ると申して居ります。即ち生れた赤ん坊は祖先の血が全部入つて生れて來たものと說明されて居るのであります。是れがガルトン及ピヤーソンの遺傳法則と云はれて居るのでありますが、人間の遺傳關係は仲々複雜でありますから明かに遺傳の關係を知ることが出來ないのであります。又出來ることは極めて簡單な表徵に就て觀ることが出來る位でありました。が、遺傳學の進步は各種の方面に新らしき現象を發見して居るのであります。例へば遺傳學上彼の有名なるメンデル氏の如きは實驗的に豆類に就て其遺傳關係を詳細に研究しまして、深い觀察の結果遂にメンデルの遺傳法則と云ふものを作成したのであります。此れが今日遺傳研究の根本となつて居るのであります。

即ちメンデル氏は實驗的に丈けの高い豌豆と、丈けの低い豌豆との間に出來た豌豆は、丈けの高いものばかりが出來る、即ち雜種の一代目には種の一方にばかり似ると云ふ現象を認めました。雜種の二代目には高いものが三と低いものが一即ち三と一との割合に出來るものであることを發見したのであります。メンデル氏は斯の如く豌豆の身長に就て研究しまして得た結果を、同じ此種子の形に就て實驗し、猶ほ子葉の色(黃と綠)及豌豆の花の列び方に就て研究して、身長と同じ結果を得たのであります。其結果優性と云ふ現象(雜種が親の一方に似ぬこと)即ち支配の法則と云ふのを認めたのであります。又一方に分離の法則を認めたのであります。即ち雜種の二代目に於て兩親の形質が一定の割合に分かるゝことを認めたのであります。

然しコレンスの研究によれば優性現象即ち一方の親にのみ似ると云ふことは、雜種に毎常現はるゝものでない即ち「オシロイ」花には紅と白との間に桃色が出來ると云ふことを認めたのであります。

實驗遺傳學の研究は植物に就て行はれました、だがメンデル法則が人間に就てどの程度迄現はれるかの問題は仲々興味ある問題ではありますが、遺傳關係の複雜なる爲め、今日も總て明かとなつたと云ふ程度まで進んで居ないのであります。人類の遺傳に就て研究された事實は現今では可なり多くなりました。

ダヴエンポート氏は家系の明かな百四の家族に就て身長を研究し、次の事實を認めました。

一、祖父母の身長が比較的に差のないときは子女の身長に差が少ない。

一、父母兩系の祖父母の身長に著しい差があるときは子女の身長に著しき差を見る。

一、祖父母四人が身長に各著しき差あるときは兄弟姉妹の身長に著しき差を見る。

一、祖父母四人が同一程度の身長のときは其子孫の兄弟姉妹の身長は同一程度のもの。

と云ふ樣に子の身長は父母の身長にも關係し祖父母の身長に著しい關係があると云ふことを認めたのであります。

人間では身長の外眼の疾患、例へば夜盲症、近視症、亂視症、色盲症、綠內障、白內障と云ふものも遺傳すると云はれて居ります。又血友病と云ふ病氣もそうであり聾啞の遺傳、結核素質の遺傳、癌腫素質の遺傳、精神病素質の遺傳は一般に信ぜられ居ります。此の外多産の遺傳、多胎姙娠の遺傳例へば三ッ子(品胎)、或は四ッ子(要胎)と云ふ風な、一度に澤山の子を姙娠するのは遺傳性があると云はれて居ります。

又人間の指紋の中楕圓形指紋及重複圈狀指紋は遺傳すると云はれて居ります。又頭髮の「ツムジ」即ち頭髮の廻旋方向も遺傳すると云はれて居ります。又「左ギキ」の如きも遺傳する樣に思はれます。

最近ヒルスツフエルド及ブロクマン氏等は、正規のヂフテリヤ抗體は、血球中の異種血球凝集素と共に遺傳せらるゝと云ふ興味あることを發見しました。

茲に又興味ある遺傳學上の事實があります。其れは人間の血液に大約四種(現今では六種乃至八種もあると云はれて居ります)類が區別されて居ります。

人間の血液は一見何等差別のない樣に思はれますが、決してそうではありません。例へば甲の人の血清(血液を採つて試驗管に入れて、冷藏庫に入れて冷しておけば

血球と血清とが美事に分れる。血球は凝固し血清は透明の黃色の液として分れる)五六滴中に、乙の人の血球を洗つて生理的食鹽水を入れて稀釋し、其二三滴を甲の人の血清中に入るれば、十分乃至十五分間を經て乙の人の血球が凝固します。此現象を、人間同種の間に起る所から同種血球凝集作用と名付けて居ります。又犬の血清中に、人間の血球を前の樣に洗つて入れれば、人間の血球が凝固します。此の現象を人間と動物と違つて居る所から異種血球凝集作用と呼んで居ります。又犬の血球を猫の血清中に入れれば、犬の血球が凝固するのであります。又自己血球凝集作用と云ふものがあると云はれて居ます、是れはランドスタイネルと云ふ人が家兎、鶏、馬、山羊等の血清中に眞の自己凝集素を、只低溫度殊に攝氏零度にて其凝集反應を認めたと云ふて居ります。今人の血液の種類はランドスタイネルが證明しました二種の同種凝集素に基づくものでありまして、モッス氏は第一第二第三第四型と云ふ樣に分類して居りますがフオン・ヂユンゲルンと云ふ人は、赤血球の構造をＡＢ ABＯの四種に區別して居りますし、其血清をａｂｏabの四種として居ります。此の樣に區別されて居るけれども是以上に區別すべきものであると云ふ樣に考へられて來ました。

此の樣に種類のある血液が遺傳すると云ふことから、之を親子の鑑別に用ひようとしたのが、千九百十年フオン・ヂユンゲルン氏が最初でありました。此の根本となる所は一血球の類屬的構造や、血清內の同種血球凝集素は、一度決定すれば一生涯變化せずに、其構造又は凝集素はメンデル氏遺傳法則により遺傳し、血液のＡ及びＢ型は遺傳學上優性と見るべきものであると云はれて居ます。

父	母	子			
Ｏ	Ｏ	Ｏ	Ｏ	Ｏ	
Ａ	Ａ	Ａ	Ａ	Ａ	
Ｂ	Ｂ	Ｂ	Ｂ	Ｂ	
Ａ	Ｏ	Ａ	Ａ	Ｏ又Ａ	Ｏ又Ａ
Ｏ	Ａ				
Ｂ	Ｏ	Ｂ	Ｂ	Ｏ又Ｂ	Ｏ又Ｂ
Ｏ	Ｂ				

以上の表から見ますと、子供の血液を檢査してＡ又はＢがあれば兩親中少くとも一人にはＡ又はＢがなくてはならず又子供がＡ又はＢなるに兩親が共にＯなるか或は子供がＡなるに兩親中Ａなきか或は子供がＢの血液である

のに兩親中の血液にＢ種がないときは、其子は兩親の子でないと云ふことになります。茲に九州醫科大學第一外科で取扱はれた面白い例があります。此れは患者が貧血の爲め、他の人の血液を入れてやることが適當と云ふので、其妻が四人の子供から血液を採つて患者に輸血(他人の血液を患者の血管內に注入すること)すると云ふ場合でありましたが、患者の血液を檢査しました所が、患者はＯ型の血液で、妻はＢ型、長男はＡ型、長女はＯ型次男はＡ型、次女はＯ型でありました。

遺傳關係から云へば父Ｏで母Ｂ型なれば子供はＢ又Ｏ型であらねばなりませぬ。子供にＡ型のある譯はないのみあります。其處で調べられた結果、其の實子でないことが判明したと云ふことであります。即ち子供等の眞の母即ち先妻の血球は、子供の血球から想像して當然Ａ型でなければなりません。然し甲と乙の血球を調べて見て子はＡ母はＯ甲はＡ乙はＢであつたとすれば、其子は甲の子でなければなりません。

此の樣に人間の遺傳的關係を研究しますれば、仲々興味あることであります。此外赤ん坊の顏に就て考察しても、種々な點に就て遺傳的關係を認めねばならぬ事實が多いのであります。例へば顏の型とか眼、口、鼻、耳、眉、頭型、體格、性質、動作、手足の形、爪、皮膚色、或は頸筋、髮のはえぎわ迄遺傳する樣に思はれます。

育兒談叢

綴方教室――ジャーナリズム天才を殺す?――

松下茂

「綴方教室」といふものが非常に評判になつて居ることも、綴方教室といふ書物が何版と重ねて居る事も、誠に申譯の無い次第ではあるが新築地劇團の綴方教室の公演が大阪の朝日會館で開かれるまでは注意も拂はずにゐた。そこで公演があるといふので遲蒔き乍ら綴方教室といふ書物を求めて一讀した。さうして前篇個人指導の部分の豊田正子といふ少女の綴方には勿論相當に其客觀的描寫の鋭さに感心した。しかし後篇の學級指導篇を讀んで一層其書物の價値を高く見た。例へば後篇第一に出て來る

「テブチノヲチカガキノカラヲウテキロソヤシタトモウツカタ。」

といふ白痴に近い兒の綴つた文章を、ある校長がいろいろと調べてやつと、

「鐵砲うちの叔父さんが昨日鳥をうつてきて蠟燭燒をした。とてもうまかつた。」

と記した、その誠意に敬意を表するものである、この熱こそ教育の總てを解決する源泉であると思ふ」いふと淸水先生の指導篇中には、決して豊田正子に劣らない作品が多數にある、綴方教室といふ書物は此後篇を讀んでこそ十分の意義があるのであると思つた。

さて新築地劇團の綴方教室を觀る。山本安英の正子は勿論その少女になりきつてより以上に個性を生かしてゐた。全體を通じて八田良範の脚色は、あの短い少女の綴方を上手に生かしゝ全場面に點綴した處は、さすが脚色者の腕まへであると敬服した。私は今此處で其劇の出來ばへを批評しやうとするのではない、又あゝした劇――商賣道具の自轉車を盗まれて八圓のそれを買ふ金にこま

つて二圓や三圓づゝ拂つたり、きよねんのくれのことを思ふとおあしなんて一錢だつてむだにはできませんと主人公の少女に思はせるやうな生活を書いた劇――を大衆に觀せることが無意義だといふのではない劇其物としては近來見ごたへのあつた劇で私も感激した觀客の一人であつた。たゞ問題は其處にあるのではなく、劇團新築地が豊田正子なる少女を表面に出した、其處に吾々の立場からは問題があるのである。

先新築地劇團公演と大書した刷り物を見やう、其第一頁の表面には大きく現在の豊田正子の寫眞を出し中央に十二歳（當時）の天才少女豊田正子原作、古川良範脚色「綴方教室」と大書してある。勿論之は宣傳文書であるから之を云ふ者こそ愚の骨頂であるかも知れぬ、しかし個人の正しい發展を希ふ吾々にとつて何とこの毒々しいジヤーナリズムであることよ、十で神童二十歳で才子三十過ぎれば只の人といふ古い諺は既に云ひ古されたことであるが、此「十二歳の天才少女」といふこの言葉は果して作者豊田正子にどんな影響を與へたであらうか、（此刷り物が新築地劇團或は出版書肆の作者の利用であることは其宣傳文の最後に、「自己の仕事に、否、自分自身の生活に忠實たらんと希ふ人はこの本を讀んでみてほしい」と書いてあるのだけでも十分判明する、之は別事であるが附加して置く）。

次に私は新築地劇團のプログラムを觀やう。其プログラムを開いた第一の頁に「豊田正子さんと弟稔坊」として二人の寫眞が半頁大に出て居る、一體今迄の舊劇或は新劇を通じて作者の寫眞をそのプログラムに刷り出したものがあるであらうか、若し慣例なれば之も止むを得ぬことであらう、しかし少くとも今迄私の觀た芝居のプログラムにはかゝるものをも見たことはない、勿論其主役を演ずる役者の寫眞を出したものはある、之は其人の爲にも觀客の爲にも紀念となるのであるから之は何の不都合もない、寧ろ有る方こそ望ましいものであるが、單に學校での綴方に過ぎぬ作者を斯く麗々しく作者云々としてプログラムに寫眞まで掲げることはその人個人の將來の爲如何なものであらうか、之は作者を利用するものであつて決して其の人を思つてした仕事ではないと思ふ。私は此處にも現代ジヤーナリズムの惡い現れを見ると思ふ。

さてその寫眞の下、此處にも問題がある、その下には「懷しい舞臺」といふゴヂツク活字の題で、『「マー公」と呼ばれて危く返事』と肩書きして「原作者、豊田正子さんの感想文」と但し書きがしてある。私は參考の爲以下之を掲出してみやう。

自分の綴方がどんな芝居になるかと、不安な氣持で開幕を待つた。いよ〳〵幕が開くと舞臺は貧乏なブリキ屋の家だつた。もと居た家とよく似てゐてこれも懷しかつた。そして私の氣持はとても落着いて見られるやうになつた。

父ちやんも、母ちやんもとても本物に近かつた。中でも父ちやんには一番感心した。一幕終る度に弟の稔と「本物の父ちやんみたいだね」と云ひあつた。芝居の父ちやんが機嫌よく喋べつてる時なんか、私も一緒に喋べりたいやうな氣持になつて私は一人で笑つてゐた。日高さんの母ちやんは、ちよつときつかつたし、垢拔けがしてゐたけれど、思つてゐたより母ちやんらしかつた。坐る時の仕草も晝寢の樣子もよく似てゐたので驚いた。

芝居の母ちやんは、とてもキンとした聲であつた。あの通りのいゝ聲で、度々「マー公」といふので、こつちであやふく返事でもしさうになつてはつとした。稔も同じやうなことをいつてゐた。自分で自分の姿を見るのは鏡にうつした時だけだから、山本安英さんが私に似てゐたかどうかはわからない。でも舞臺の山本さんはどう見ても子供としか思はれなかつた。はき〳〵やつてくれたのが何より嬉しかつた。嬉しい時や驚いた時の樣子がとてもよくでてゐた。やはりうまいもんだと思つた。「お勘定」の場面では舞臺の山本さんと一緒に私も泣いてしまつた。「はだしたび」の場面の最後で雪の降るところはとても綺麗だつた。あの時山本さんが大きな足袋をずらすやうにしてゆく樣子をもつとはつきり見たかつた。

稔になつた子供が「母ちやん一錢おくれよう」等といふところは本物に近かつた。光男になつた子も平氣でやつてゐてとてもよかつた。着物をツンツルテンに着てゐる樣子が、次の弟の貞夫によく似てゐるので可笑しくなつた。その他天野さんも、梅澤さんも、おりえちやんのお母さんも皆よく出來た。先生もよく出來たが、もう少し、父ちやんや、母ちやんに親しみを見せて貰ひたかつた。でももつとなれてくるとよくなるのかも知れない。でも皆よくやつてくれて私はとても嬉しかつた。もう一度行つてみたいと思つてゐる。

以上の感想文を讀んで人は第一に何を感じるであらうか、私の先第一に感じたものは天才とまで書かれた當時の少女豊田正子に比して客觀性の缺如である。此感想文は通り一遍の女學生の觀劇の感想と何の異る處はない、斯るものを誰が書かせたか、ジヤーナリズムであると思ふ。若し單なる觀劇の批評であれば或は現在の豊田正子

も、もつと正しい客觀性のある文章を書いたかもしれぬ。上記の文章を「綴方教室」（書物）中の「自轉車」或は「困つてゐた頃のこと」などに比較して見れば既に其處に數年の距りがあるに拘らず、何等特異なものゝ無いのみならず寧ろ現在の文章が前のものに較べて緊張を缺いた退歩したものである事を誰でも氣付くだらうと思ふ。若しジヤーナリズムが彼女を利用せずつゝましいブリキ屋の子供として大木先生の指導のみによつて來てゐたなれば、或は今頃は「綴方教室中」の實生活のにじみ出た作品を一層發展させたものを吾々に示してゐてくれて、眞に天才少女であつたことを吾々が認める時があつたかも知れぬ。然るに豊田正子個人の爲に延いては社會全體の爲に不幸にもジヤーナリズムは天才を殺してしまつたやうに私は思ふ。

新築地劇團ほどのものが何故豊田正子を利用したか、無意識か有意識か、知つてか或は無智の爲か、此處に吾々は考へなければならぬ問題があると思ふ。（八・三一）

胎教に就いて（四）

文學博士　下田次郎

ハーデーの「夢見る女」

又英國現代の作家に、トーマス・ハーデーといふ人があります。この人の短篇小説に、「夢見る女」といふのがあります。

英國の或海岸に、夏の保養に來た者の中に、マーチミルといふ一家族があつた。主人のウイリアムが逗留すべき素人宿を探して、ホテルに歸り、妻のエラと相談の上そこへ引移ることにした。この宿には不斷間借りをして居る獨身の紳士があるのだが丁度その頃は向ふの島に逗留して居るから、その部屋をも貸して貰つて、一家全體を占領し、夫婦と子供三人がやつと居られるやうになつた。主人は鐵砲製造業を營む人で、趣味も何も無い平凡の人であるが、妻は文學趣味のある婦人である。宿は借りた。妻は獨身の紳士の居た部屋を片附けやうと思つて入つて見ると澤山本がある。それに持主の名が書いてあるのを見るとロバート・トリユーとあつた。トリユーといふのは、豫てその作物を讀んで感心して居た詩人であるので、此部屋にあの詩人が住んで居たのかと驚いた。エラは嘗て詩を作つてジョン・アイビーといふ男子名で時々雜誌に出し、殊に或同じ出來事について作つた自分の詩と、トリユーの詩が、同じ雜誌の同じ頁に出たこともあつた。しかし自分は詩才に於ては、とてもトリユーには及ばぬことを知つて、日頃から景慕して居たのである。ところが、今その留守の室に、自分等が居ることになつたので、大層喜び何となくなつかしく、一度遇つて見たいと思つて居た。そして夫が外出の留守に、押入から、詩人の雨外套を出して着、帽子を冠つて見て、トリ

ユーさんの心臓は、この外套の中で鼓動した、その腦髓はこの帽子の下で働いたと想像しながら、鏡を見て居る所へ夫が歸つて來て見られた事もある。

　その翌日この詩人が向ふの島から一寸本を取りに來るとの主婦の話に、今日こそ遇へると待つて居たが來なかつた。本人が見られなんだからせめて寫眞をと思つて主婦に聞くと、壁に懸けてある額の裏に入つて居るとの事で、夜になつて、こつそりその額の中から取り出して見ると、黑い髯の大きな黑目の、威嚴のある立派な若い紳士であつた。エラは嘆美の眼を以て、飽かず眺め、果ては涙さへ浮べた。そして、この人の方が、自分の夫よりは眞の我れに一層近く、又一層親密であると、獨り噺いた。そこへ夫が入つて來たので、慌てて寢床の枕の下に寫眞を隱した。

　次の朝夫は一寸都へ用があつて行くといふので早く起きて蒲團を動かした拍子に、詩人の寫眞が落ちたので怪しまれた。妻は慄へながら、これは部屋の主で、詩人であることを說明した。

　その中に休みの期限も濟んで、マーチミル一族は、都の郊外の新宅に歸り、エラは日々爲すこともなく過して居る內、トリューの新作が讀みつけの雜誌に出て居た。その文句の數行は、宿の詩人の部屋の壁に、鉛筆で書いてあつたことを覺えて居るので、たまらなくなつて、ジョン・アイビーの名で、嘆美の手紙を送つた。それから時々文通をするやうになつた。その內ある傳手があつて詩人がエラの家に訪れる事にうまく仕たので、その日エラは出來るだけ裝を凝らして待つて居た。ところが來る時偶然ステーションで、自分の詩を激しく批難した文章を、評論雜誌で見て、詩人はひどく落膽して、そこから引き返して仕舞つた。

　その後數日して、ふとエラが新聞を見ると「詩人の自殺」と題して、トリューの死を傳へて居る。その友人への遺書の載つて居るのを見ると、世間には自分を同情してくれる者がないせめて母なり、姉妹なり、又は自分を知つてくれる婦人でもあつたならば生きても居やうが、そんな者は居ないから死んで仕舞ふといふ意味である。エラはそれを讀んで、トリューが自分の居るのを知つて居たならばと泣きくづれる。

　エラは夏の宿の主婦に手紙をやつて、亡くなつた詩人の髮と寫眞を送つて貰つて、寫眞を見ては泣き、髮は白いリボンで結んで懷中に收めて時々出しては見る。それを夫に見られて咎められる。數日非常に嘆いた後、エラは意を決して何處とも云はず夫の留守に出て行つた。附添ひの者は、身を投げたのだらうと心配する。夫は心當

りがあるか、早速汽車に乘つて夏に行つた海濱に來て、そこの墓場を探し廻ると、妻が詩人の新墓の所に膝づいて居るのに、死んだ人を慕うて、こんな狂人ぢみた事をするとて、妻を批難する。妻は自分を疑はれるのは、大なる侮辱だと憤る。兎に角連れて戾つた。

　それから數箇月立つた。この事については、二人の間に少しも話が出なかつた。しかしエラはいつも浮き〳〵せず、悲しさうにつらさうに見えた。

　かくて、五月には子は生れたが、エラは間もなく詩人の後を追うた。死ぬる前に、エラは夫に、過ぎし夏海濱で妙な思想に取りつかれて、心が變な狀態にあつた事を言ひかけて息を引き取つた。

　エラが亡くなつて二年の後、後妻を迎へるので、古い書類を片づける際、詩人の髮と寫眞が出て來た。マーチミルはそれを見て暫く考へて居たが、思ひ當ることがあつたか、まだヨチ〳〵步く男の兒を連れて來て、膝に載せ、子供の髮と詩人の遺髮を比べ、子供の顏と詩人の寫眞とを較べて見ると、疑ひもなくよく似た所がある、髮は色まで同じであつた。

　彼方へ行け。お前は己れに關係はない。

と言つてマーチミルは子供を向ふへ押しやつた。

九、胎敎に關する傳說

　以上はハーデーの話の大要であります。婦人が夫と離緣して、他の男子に嫁し、餘程間を置いて生れた子が、先の夫に似て居ることを、テレゴニー（感應遺傳）といひます。その「例」として、或白色人種の女が黑人の男に嫁し、後分れて白人との間に出來た子が黑人の特徵を有つて居たといふことが傳へられて居ります。このテレゴニーは、動物でも、犬、馬、猫、羊、牛、鼠、鳩などに、その「例」があるとて、これは卵子又は精子が、母の以前の受胎、又はその結果の影響を受けたのであらうなどと云つて居る人もありますが、一般學者間には一も信據すべき事實はないとの結論に達して居るやうであります。

　ハーデーのエラは、これと少しく違ふので、前に詩人と關係があつたのではなく、詩人とよく性質が合ひ、且その作品に感嘆して、その人をあこがれて居たといふだけであります。それでも精神的にその感動を受けて、その子の身體が詩人に似て居たといふのであります。

　斯樣に外物から姙婦の精神が感動されて、その物に似たものを生むことを獨逸では、フエルゼーエンといひます。感受錯成とでも借りに譯しませう。エラの第四子の如きはそれであります。

　この事は、昔から東西ともに民間に色々の話が傳はつて居ります。例へば、昔或る所に牛を殺して賣る者があ

つた。その妻は常にこれを罪な事と思つて居たから、生んだ子の足が丁度牛の足のやうに、二つに割れて居て指がなかつたとか、獵師の妻の生んだ子が猿に似て居たとかいふ話があります。支那人でも、或家に數年龜を畜うて居たところが、生れた子が、五人とも傴僂であつたとか、金剛神を祭つた寺の側に住んで居た女が、夜叉のやうな形の子を生んだとかいひます。また西洋でも、或婦人が熊のやうな身體の子を生んだ。それは前に熊の壁畫を見たからだとか、猪のやうな身體の子、象のやうな頭の子等、色々生んだ話があります。獨逸の婦人科の醫者のウエルレンブルグといふ人は「過去及び現在に於ける婦人のフエルゼーエン」といふ本を書いて、昔からこの事に關する傳說を澤山繪を入れて列擧し、これに關する古來諸家の意見を紹介して居ります。

　それから姙娠中或物を見たりしたるに身體の何處かに印を押したやうに、跡がつくことがあると、俗に言つて居ります。これを母斑（スチグマ）といひます。元祿の香月啓益の婦人壽草には、

「姙婦火炎のとき、出て火をみるべからず、心氣を驚動して胎氣やすからず。生子かならず身中に赤痣出來るもの也。私俗これをほやけといふ。中花の醫書にていまだかんがへず。しかれども多くこゝろむるに違はざること也。」

とあります。これは今日でも廣くいふ事であります。

　さてこのテレゴニーとか、フエルゼーエンとか、スチグマとかいふ事實が實際あり得るものか、否かは學問上では斷言できません。研究的態度を以つて說くには、成るべく控へ目に取つた方が安全でありますから、大膽にこれらの事實が、確にあるものとしてまで、胎敎の力を强めずとも可いのであります。定說でもないものを應援にするのは贔屓の引倒しになりますから、私は唯だ斯る事を云ふ人もあるといふ紹介に止めるのであります。斯る事を見ずに置いても、胎敎の大切なる事はいへると思ひます。それでこれから少しく學問的に分けて說いて見ようと思ひます。

婦人と社會

村岡花子

＊この箇所は著作権継承者の許諾が得られず掲載できませんでした

（六花出版編集部）

消化不良や疫痢が激増する時季！

可愛いゝお子だちにはこんな注意が必要です

甘《あま》いものなら何でも食《た》べるのに、さてご飯《はん》どきになると、あれは嫌《いや》だ、これは食《た》べないなどとお母様を手古摺《てこず》らせてゐるお子達が見受《みう》けられますがそれはきつと胃腸が弱《よわ》いのです

胃腸が弱いと偏食《へんしよく》するばかりでなく消化不良をおこしたり、便秘《べんぴ》したりはては疫痢《えきり》などの傳染性《でんせんせい》胃腸疾患に侵《おか》され易いものです。

疫痢《えきり》の恐《おそ》ろしいことは言ふまでもありません治療法《ちれうはふ》に迷つて手遲れになると—小さな生命まで脅《おびや》かされがちなものですが、その原因は—體内にヴィタミンB複合體《コンプレツクス》が缺乏したゝめ胃腸が弛緩して食《た》べたものが完全に榮養化《えいやうくわ》されず不消化物が長時間腸内に滯《とゞこほ》つて腐敗《ふはい》し病菌を繁殖させる機會を與へるためです。

豫防には何よりもB複合體《ヴイタミンコンプレツクス》を充分補給《ほきふ》することで、それにはエビオス錠が効果的《かうくわてき》です—B複合體《ヴイタミンコンプレツクス》の最高含有物《がんいうぶつ》=麥酒酵母の製劑《せいざい》で…胃腸の弱いお子だちに與《あた》へますと、食慾は進み、消化も早まり、便通の具合《ぐあひ》も良くなり腸内は綺麗《きれい》に保《たも》たれ病菌の巣食《すく》ふ餘地《よち》を與《あた》へなくなるわけで　。

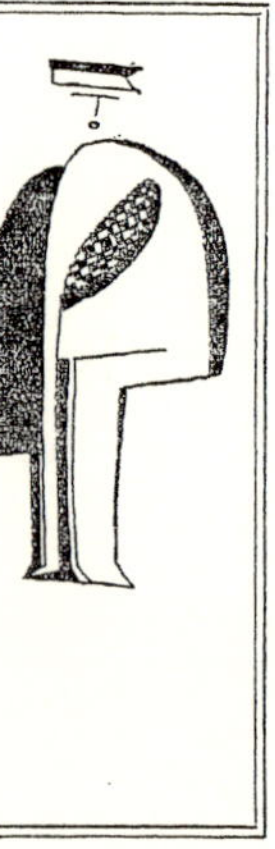

目耳・鼻（六）

ツカダ・キタロウ

四九　フレーベルの話

今時フレーベルの話でもあるまい、と言はれさうですが、古を温ねて新を知る事の最も大切な時代に於て、幼稚園の開祖の再認識をなす事は、蓋し最も大切な事であるとも思へぬ事もありますまい。

その名もフレーベル館の高市慶雄氏の著「實地踏査に基くフレーベル全傳」より、いさゝか拜借して共に敎へを受けたいものと思ひます。勿論此の著は、その序文にも記されてあります通りで「全國の盟友たる幼稚園保姆諸姉の參考となり、保育といふ類なく崇高なる使命へのインスピレーションの一助ともならば」との著者の意志の許に、全國の各幼稚園に漏れなく配布されたものでもあり、私も關西保育聯盟大會當日頂いたものでありますから、保姆諸姉の先刻既に御存じのものであります。素人の私が、事更らしく記す事は、笑止千萬かと思ひますが、私の考へでは必ずしも、無駄でないとの自信があつて、再記する譯です。と言ふ譯は、六月より七月、九月より十月と約三箇月に亘り、京阪神三都の幼稚園約百五十園を參觀した事は、前に記した通りでありますが、僅に數園を除くの他は、殆ど「フレーベル何處にありや」との感を深くするものがあつたからであります。

私とても、フレーベルの昔の（創始當時の）方法そのまゝを今日採用する事が、幼稚園としての最善でない事位はよく知つて居りますが、フレーベルが幼稚園を創始したその理想その信念は、千古不滅のものであつて、幾千萬年と雖も、決して變らぬもので、幼兒教育者は、保姆と言はず母親たるとを問はず、すべての遵守すべき又もつて範とすべきの性質のものであると確く信じて居ります。

「幼稚園よ何處へ行く」

隨分古い形容の仕方ではありますが、今日の多くの幼稚園に、斯く呼びかくるは敢へて私一人ではありますまい。これは再び三度フレーベルを記す所以であります。

五〇　逆境の恩寵

「逆境の恩寵」と言ふ有名な著書があります事は、宗教界に熟知されてゐるのでありますが、私はフレーベルに對して、再びこの言葉を發見して、私の最近の境遇と思ひ合せつゝ讀んだ一項があります。

「フレーベルは實名フリードリッヒ、ウィルヘルム、アウグスト、フレーベルと稱し、母はフリデアと呼び、母はフレーベルの生後、產後の肥立惡しく、十箇月目に物故したので、幼兒フレーベルの保育は多く家婢の手に委ねられた。幼くして慈母を失へるフレーベルの境遇は元より甚だ不幸なものであつたが、四人の兄姉の骨肉の愛に抱かれて、すくすくと成長した。

然るに數年後に至つて繼母を迎へ、其の一男が擧げられて後には、日を追ふて母の冷過を受け、家庭内は冷やかに、日夜快々として樂まず、悲しみの中に幾年かは過ぎた。

斯かる境遇に於て、子供はいぢけ、ひがみ遂には不良兒に墮するのは世の一般であるが、わがフレーベルは此の間に却つて多くの試練を積み、後日人格大成の基礎を築くと共に、一般幼兒の境遇に同情し、其の幸福の增進の爲に生涯を捧ぐるの熱情を懷くに至つたのである。

フレーベルが若し普通の暖い家庭に生れて居つたら「幼稚園は遂に生れなかつたかも知れない。轉禍爲福とは洵に此事で、コメニウスの場合と同樣、艱難人を玉にし幼兒期の不幸却つて一大幼兒教育者を育成したのであつた」

これは眞に尊い敎訓で、幼稚園の創始されし事と共に、後世の教育家の以て範とすべきの敎へであります。

五一　先生樣

「先生はお賢いね」

と言ふ言葉があるかないかも知りませんが、女の子は「先生」にするものではないと、私の親類の者が申して居ります。

「若い娘が、幼稚園の先生なんかになると、急にえらくなつて終つて、一生の不幸を醸し出す。決して嫁入り前の娘を先生にするものではない」

これは自ら姪を保姆として苦しんだ、私の親類の女性の言葉であります。

「今時の先生には、苦勞が足らぬ」

などと申しますと、これだけ忙がしく働いてゐるのに、怪しからん奴だと、お叱りを受ける事と思ひますが、實際に於て

「今日の教育家には苦勞が足らぬ」

と思ふのは、私だけではありません。

「幼學年の取扱法を學ぶのには、奈良女高師附屬學校が一番よい。是非參觀しなさい」

私の親しい校長が、私の幼學年の話法を見て、斯う勸めて下さつたので、機會を得て參觀に參りました。

教育者でない私の參觀記は、特に興味あるものですが（うぬぼれて）私の最も敎へられたのは

「尋常一年生受持の河野伊三郎先生」

の授業でした。

歸神後、奈良女高師附屬校に最も關係の深かつた知人の校長にその話をすると

「河野先生は、とても苦勞をした人だから、ほんたうの教育が、出來るが他の人は苦勞が足らぬので、駄目さ」

と、唯一言で私の說を肯定されたのです。

「先生樣」は「御苦勞が足らぬ」

これが今日の敎育に根本的に影響してゐる一つの大きな原因である事に、お互注意せねばなりますまい。

五二　貝殼蟲

苦勞話のついでに今一つ。

「人の苦勞を考へずに用事を言ひつけるのなら何でもないが、少しでも苦勞を少くして動かさうとするのには、仲々の苦勞なものです」

校長の言葉は續きます。

「學校の記念樹に貝殼蟲がついてね。何とかして驅除しようと思つたのだが、これを小使に命令してとらせれば、何でもない事の樣だが、その代り小使の苦勞は並大抵ではない。

そこで、いろいろ考へて約一箇月の間研究して、剪栽して枝を少くし、その殘つた枝も、職員達に一人一枝づつの驅除をして貰つて、扨て殘つた二本の樹の貝殼驅除を小使に命じたものです。

斯うすれば、小使の苦勞は、千分の一にも減る譯だから、小使も氣持よく働いて吳れますが、これが人を使ふ苦勞と言ふもので、これがなければ人は働きませんよ」

世間でよく「あの人は苦勞人だ」と申しますが、私の近くに泊つた兵隊さんの中にも

「あの隊長の爲にたら、皆命を棄てゝも惜しくないと」

と言ふてゐるのを聞くと、その隊長は苦勞人だと言ふ有樣です。「艱難汝を玉にす」と行かずとも、苦勞は「身の爲め、他人の爲め」であります。

五三　綠の心臓

「フレーベルの人格に、大いに影響したと思はれる今一つのエレメントは、自然の環境即ちそれである。フレーベルの生地チューリンゲン地方は「獨逸の綠の心臓」と呼びなさるゝ程あつて鬱蒼たる大森林に蓋はれ、雄大壯美、且つ山紫水明の境地である。

動く雲、流るゝ水、伸びる樹木を眺めては、躍進奮起の心生長發達の原理を悟り、泰然たる山、鏡の如き湖面を眺めては、不動不壞の志、明鏡止水の情をも養ひ得たであらう。

少く共、フレーベルの深き思索的傾向、自然に對する愛着、自然研究熱等が、その幼少年時代に於ける自然的環境の感化に負ふ所絶大であつた事は疑を容れない」

「山紫水明が人物を造る」とは、古來言ひならされた金言でありますが、これは旅行をしますと、一層ハッキリと判ります。

そこで思ひ當る事は、海に近く山の迫り、猫の額ほどの田畑を爭ふ我が國の國民性と、洋々として對岸を見る事が出來ぬ河（揚子江）山を見られぬ一眺千里の平野に住む支那人との間に格段の差のある事です。

これをも知らずして、隣邦を論じ、隣邦人に接するならば、彼我共に不幸を招來する事は明白であります。心すべき事であり

ます。

五四　專　門　外

「餅は餅屋」と言ふ事があると共に、「臭いもの身を知らず」と言ふ事もあります。「負ふた子に敎へられて淺瀨を渡る」一事は丁度「岡目が八目」にあたるのと同じであります。

茲に、專門の尊さと共に、專門外の素人の價値を有する事と思ひます。

「敎育史上に偉大なる足跡を殘されてフレーベル先生の御生涯は、當時に於ては決して、しかし順潮なものでなかつた事は、此の小傳を見ても充分に了解さらるゝ所と惟ふ。既に早く幼少の時に、慈母を失つて冷い家庭の試練を堪へ、少青年時代には經濟上の都合で自力により苦學力行し、僅少の負債の爲に囹圄に繫るゝ憂目さへ負ふたのであつた。

また幼兒敎育運動に携つて後に政府の無理解の爲め度々彈壓を受け、最後には文部當局より幼稚園禁止令に接し、其の解除に先立ち、不遇懊惱の中に世を去つたのである。先生の御生涯は實に荊棘の道であつたと申さねばならぬ。

特に注意すべきは、先生は始めから敎育に志し、今日の師範學校、高等師範の樣な學校で敎育者としての順潮な修養を積み正規の學歷を有する人では決してなかつた。學問としては重に博物學、殊に鑛物學を專攻し、職業としては、事務員、商人、測量師、建築家、甚しきは芝居の役者にならうとさへ志した事もあつた。先生が敎師となつたのは寧ろ偶然の機會からであるが、敎職の先生に於けるは恰も魚に水、鳥の空に於けるが如く、こゝに始めて生涯搖ぎなき天職的使命を自覺せられたのであつた。即ち先生は他人の力を藉らず、自學力行の人であると共にまた天成の敎育家であつた。

「荊棘の道を歩む素人の精進」これはいつの世にも尊いものではありますが、數多くの迫害や壓迫や誤解を受けるものでありますこれは世界の聖人先達等の常に歩まれた道であると共に後世の敎育者の、又親の進むべきの道でありませう。

五五　チユーリンゲン森林地帶

フレーベル先生はチユーリンゲン森林地帶に於て生まれ、活動し、逝去せられたのでありまして、都會に出て活動する事を好まれなかつた樣に思はれます。チユーリンゲンこそ、先生とは切つても切れぬ關係の淸い地方と申すべきです。此の地方は我が國で言へば木曾山中の如き所で、先生の故地オーベルワイスバツハ又はリーベンシユタイン等と申しましても伯林などでは殆ど識つてゐる人はないといふ樣な片田舍であります。

此の地方は獨逸の中部地方にある山岳森林地帶で、景色のよい事と樹木の多い事とを以て知られて居ります。「チユーリンゲンに住まひ得る者は神に愛せらるゝ證據である」といふ諺があります。此の地方はまた最も獨逸的と申しますか所謂獨逸の本源地と謂はるゝ所で、過ぐる歐洲大戰當時祖國のために最も勇敢に戰つたのも此地方の住民であつた樣です。

五六　訪日伊太利使節

訪日伊太利親善使節一行は、時代の潮流にのつて全國を擧げての歡迎裡に、關西にまでその姿を見せて呉れた事は嬉しい事であります。全市を擧げて小學校兒童と言はず中等學校の生徒と言はず、その通路となる道側に並んでは、小旗をふりつゝ、ヴイヴア・イタリヤナと叫んで歡迎したものであります。

私も世間並に、須磨浦公園への途中を迎へて日本流にバンザイを叫んだ一人でありますが、團長はじめ團員達の「應酬ぶり」には、ホト〱感心させられたものがありました。

パ團長はあの長い道中を、ズツと自動車の上に大の字に立つたまゝ、手を擧げて歡迎の子供達に應へ、又團員は自動車の窓から半身をのり出して、小旗を振つて歡迎に應じて、少しも疲勞とか尊大とかの風のなかつた事であります。

これは東西の國情の違ひから生じる事とは思ひますが、あれでこそ親善であり、使命も全うせられるのだ、と感ぜずには居られませんでしたのは、獨り私のみではない樣です。

あの親しみ深い、何も彼も明け廣げた態度に對して、お互はどんな歡迎ぶりをしたかと思ふ時に、如何に事情に暗いとは言へ、いさゝか冷汗を感ぜずには居られません。

小さい兒童を、二時間も前から道側に立ちん坊をさせて、肝心の使節の通過する時分には、ヘト〱になつてゐてロク〱萬歲も言へぬ有樣であつたのは、笑止と申すよりは、慘めと評すべきでありませう。

あまりの待ちくたびれから、何の關係もない外人の自動車を使節の自動車と間違へて萬歲を叫び、ヤレ〱と歸校して終つて、折角雨の中を何時間も待たせた子供達に、折角の使節の歡迎もさせ得なかつた先生さへあると聞いては、呆れてものも言へぬ事であります。常識もこゝまではづれると、申し分もないと思ひますねえ。

五七　裸　體　勉　强

湯あがりの子供に、早く衣服を着せ樣とする親心は、衣服を着たからぬ子供達と、いつも爭の原因となるのは、川柳にさへものされてゐる程でありますが、果してこの親心に誤ちなきかお互に反省の必要があります。

體育を重んじる事で全國的に有名な學校での事實でありますが、角力をすませた子供の中に、自分の番を待つ間に勉强をするのに、裸體のまゝで平氣でゐる子があるのを發見した先生が寒くはないかと心配してたづねると一向平氣だとの事です。

それにしても、他の子供は衣服を着てゐるのにと思つてよく調べて見ると、この子供は前に養護學級（薄弱兒組）に編入されてゐた爲め、常に裸體で健康增進の訓練を經て來た爲に、皮膚が鍛錬されて居て、却つて普通兒よりも裸體である事が苦にならず、寒さにも割合平氣なのだと判つて、先生もその習慣の力の偉大さに驚いたと言ふ話があります。

湯あがりと言ふものは、皮膚には濕氣を多分に含んでゐるものでありますから、これをそのまゝ覆ふて終ふと、冷めると共に冷えて風邪をひき易いものでありますから、一通り乾燥する迄衣服を着ずに於て、その上で衣服を着る事が大切であるとの醫師の言は眞に尤もな事であると思ふと共に、子供がこの自然の法則に從はんとするのを、無理矢理に風邪をひく樣に努力して衣服を着せるのに骨を折るなどは、いさゝか親たる者考へざるを得ませんねえ。

風呂から歸りに浴衣がけで歸ると風邪をひかぬのに、風呂でシヤツを着て歸ると、却つて風邪にかゝるなどの實例は、此の間の消息を雄辯に物語つてはゐますまいか。

雪國ほど薄着で寢るとか、北國あたりでは冬は裸體で寢ると聞いてゐますが、眞に理に合つた事と言はねばならぬかと思ひます。この邊の事情は、理窟ではなしに事實でありますから、育兒上にも注意せねばならぬ事と信じます。

五八　氣を病むを病氣と言ふ

病氣と言ふと、舟體の故障の樣に思ふて居る人が多い樣ですが勿論身體に故障のあるものが病氣には相違ありませんが、身體に故障のない病氣が仲々多いと聞いて見ると、なるほど「氣を病む」のが病氣だなあと判ります。「病は氣の持ち樣一つ」などと昔から申しますが、眞に尤もなことゝ思はれます。

「腹の中に赤い蟲が住んでゐる」と最初に診斷された或る病人が、何人醫師を替へても少しも快方に向かはず、毎日檢便してもその赤い蟲が降りぬので、毎日腹痛を起して苦しんでゐた事があります。

心得た醫師が最後にその患者を診察して申すのに、「何でもない事だから、私がすぐ治してやらう」と、丸藥數個を與へて服用させたと言ふのです。

やがて患者が檢便すると、赤い小さな蟲が澤山降りてゐて、腹中の赤い蟲は全部排出された樣です。喜んだ患者は、それつきり全快して、以後一切腹痛を訴へなくなつたと言ふ事ですが偖その醫師の與へた丸藥なるものです。

丸藥とは名のみで、實は赤い絲を細かく割いたものを、飯粒でねりあげて作つたものだつたと言ふのです。勿論、諸君のお察しの通りで、赤い蟲と見えたのは、丸藥中の赤い毛絲であつたのです。

が然し、これで流石に頑固な患者の腹痛も、ケロリと治つたから愉快です。いや、當り前の事で、初めから赤い蟲等が腹中に居た譯ではないのに、患者自ら氣を病んでゐたに過ぎぬのですから。

が然し、こんな例は數へればキリのない事でありまして、讀者諸君も、フフンなどと腹の中でお笑ひになる事の、一つや二つはお持ち合せの事と信じます。

人間つて面白いものであります。

五九　「阿呆やナア」

京都府の或る幼稚園の保姆さんが、京阪神の幼稚園の見學に來て、神戶の或る幼稚園で參觀した實驗談を聞きました。が、其の幼稚園には保姆養成科が附設されてあつた事を、特に御注意願ひます。

丁度參觀した時は、お噺の時間でありまして、その幼稚園の保

育主任らしい人が、頻りに幼兒に話をされてゐたのださうです。

「皆さん、白い細長い花は何か知つてゐますか。」

この問に幼兒達は、顏見合せて返事をしなかつたので、主任さんは、兩手を揃へて兩方に出し、細長い筒樣の形をつくつて幼兒の眼前にそれを示し乍ら、

「それ、こんな格恰をした白い花です。さあ、何かわかりましたか。」

併し幼兒は仲々返事をしさうにありません。顏を見合せてばかり居りますので、參觀人の手前もあつたのかも知れませんが

「わかりませんか。皆さんこんな事位がわからぬのですか。」

いさゝか御機嫌斜めで、聲をつよめて質問を繰返へされたのださうです。

幼兒はおそれをなしたと見えて、一人二人口ごもり乍ら答へました。

「キクです。」

「バラです。」

「いゝえ違ひます。それこんなに細長いんです。そして白い色の花です。さあ、なんですか。」

折角の幼兒の努力も水泡に歸して、却つて御主任樣の御怒りにふれたので、幼兒達は再び口をつぐんで終ひました。

すると、イラ〱した顏で御主任樣は申されたのです。

「皆さんは、ほんとうに阿呆ですねえ。」

これが、保姆養成所のある幼稚園での事實なんだから、いささか驚かされますねえ。

六〇　どこで見ましたか

同じ幼稚園での參觀談であります。

その次の時間は、「觀察」とかの時間でありまして、園長先生らしい外國婦人の保育です。正面には、美しい海の繪の繪が揭げられて、水の上には船が浮んで居り、海の底にはサンゴ（珊瑚）が美しく並んで居ります。

そこで園長先生の質問からはじまります。

「これは何ですか。」

「海の畫です。」

「これは何ですか。」

「船です。」

「これは何ですか。」

「サンゴです。」

幼兒は問につれて答へて行きます。

（此の項未了）

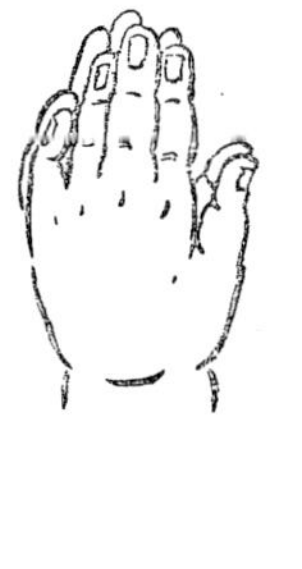

子供を″生む″より子供を″作れ″

厚生省優生課技師　靑木延春

結婚。民族を强固にするのは、健全な子供をどん／＼生むことにあります、我國の出生率が近頃遞減しつゝあるのは誠に寒心すべきことで、心身共に健康な配偶者が決りましたら、少くとも三兒以上生んで、我大和民族を彌榮に榮させたいものと思ひます、私達の叫んでゐる優生結婚は、右の趣旨に悖るものでは決してない、避姙や斷種も一つの方法として奬勵するものでありますので、健全な夫婦間にも實行され、屢々逆淘汰が行はれるのはむしろ遺憾に思つてゐるのです、さて優生結婚は歐米諸國ではつとに行はれ、次の時代のよりよい民族發展のために、（イ）遺傳病（精神病、低能等の中）（ロ）慢性傳染病（癩、梅毒等）（ハ）惡性中毒（アル中など）の者の結婚は禁止しようと叫ばれ、ルーマニア、フランスを除いて世界中殆ど各國に實行されて居ります しかし單に「禁止」は、禁止された同志に一層濃厚な結婚が實質上結ばれますので、新しい方法としては、豫防して結婚させること、卽ち避姙、斷種が擧げられてきてゐます、ドイツでは一九三三年斷種法、三五年優生結婚法が制定され、結婚前に健康診斷を受け、健康證明書を受け、それによつて「結婚有効證明書」の下付を得て結婚することになつてゐます。これはまだ實行されませんが、とにかく、さきに列擧した三點にあてはまる人達は、斷種して結婚するのが合理的だと思はれます。

以上の「よりよい次の時代の民族」を目指して現代の未婚婦人に次のやうな御注意を呈したいのであります、第一は「健康證明書」の交換を是非實行して欲しいことです、若し遺傳病、慢性傳染病等いろいろの缺陷があつて、それを承知でそのまゝ結婚するのは罪惡なのであります、その證明書は單に丈夫であるかないかではなしに、遺傳する病氣があるかないか、遺傳する低能があるかないか等の精神狀態の證明（出來れば家系）血は純潔であるか、どうかの血液檢査等も含まれたものでなくてはいけないのです、或ひは亦大酒飲みで、酒をのむと前後忘却し、人格がかはるやうな酒亂――惡い反應を示すものは、矢張り拒否しなくてはならないことも同然です、次に、近來の學說は、次の時代を作る上に女性の地位を非常に高く評價するやうになつてきました、女性は子を生むのでなくして、子を作るのであります、遺傳學上、父よりも母より傳へられる知能が大きいことが判明してきたのです、卽ち子が低能であるか、優秀であるかは、母が低能であるか、優秀であるかによつて定まるのです、從つて女性はこの點に大きな誇りを持つと共に次の時代を作る女性の如何に重大なるかを認識して自己の知性を磨くと共に輕率な苟且の結婚をしてはならないのであります。

發育上必要な子供の間食

夏には材料の選擇に特に注意

東京市保健局衞生課

子供は三度の食事だけでは滿足しないのが普通です、丈夫な子供ほど運動がはげしく、體はどんどん發育するので、大人に比べて割合ひに澤山の食物が必要となり、又一度に澤山の食物を攝るわけに行きませんから、間食が必要となります。

生後三年以下の子供は、三度の食事に、消化のよいものを選んで與へます關係から、とかく偏食になり易いものですから、間食で、その不足の榮養分を補ふことが肝要です。

それには色々の榮養分を一緒に含んでゐるもの例へばビスケット、カステラ、バタ付パンなどは大變よろしい。

おせんべい、落雁、おこし、飴等は榮養分が偏つてゐますから、これ等を與へる場合には牛乳を一緒に與へるやうにします。又間食には普通の食事と同じやうなものを與へても一向差支ないのです。

例へば、おむすび、お芋、のり卷などでもよいのです。

この時にも牛乳か卵などを一緒に與へると更によいわけです。一體に飴類ドロップ、キャンデー類のやうな砂糖を主成分としたものだけを與へるのはよくないやうです。この種のものは食事前などに少し多く食べますと、肝腎の食事が少くなつて、却て榮養分が少くなることもあります。

ですからこの種の菓子は、食後か運動後の疲れ休めなどに、二つ三つ與へる位がよろしい。三年以上の子供になりますと、食事の時に大概のものが食べられますから、特別な子供以外は、偏食にはなりませんから、間食には穀類やその粉で作つたお菓子がよろしい

それには三年以下に適した間食の他にお饅頭、おはぎ、大福餅など餅菓子類もよいのです。

しかしこれ等は必ず新しいもので、餘り色つけてないものを選ぶことが大切です。殊に夏期は注意を要します。

斯樣に間食は子供にとつて大切なものですが、これを有効にするためには次の注意が必要です。

（一）間食は時間を定めること、三度の食事と共に大體時間を定めて與へることで、一日に一回又は二回で四年以後は午後一回でよい。二回の時は午前は朝食と晝食の中間、午後は晝食と夕食の中間がよろしい。

（二）間食の分量を決める事。榮養價からいつて、一日の食物全體との割合は三年以下は全體の二割、三年以上は全體の約一割五分位が適當です

（三）お菓子の材料を吟味することと材料が清潔で、出來てからの取扱ひも清潔で、新しいのがよい。餘り色のつけてないものがよい。

（四）始めてのものは控へ目に與へること。これは子供には特別にあたるかも知れないから用心のためです。

季節の病氣

急性流行性小兒麻痺

本病は一名脊髓性小兒麻痺又はハイネ、メヂン氏病とも稱する急性傳染病の一つであつて我國では散在的に小流行を見ます。昨今大阪地方に於ても稍々小流行の兆がありますのでそのお話を申しませう。

本病は夏季に比較的多く流行し二―四歲の幼兒に多い。病原體は未だ不明ですが傳染徑路は鼻、咽頭から中樞神經の方に病原體が入込むものとされてゐます。本病に一度罹ると永久に再感染しません。

症候　潜伏期は四―十日で次で前驅期、初發麻痺、永久麻痺を來す。即ち突然發熱し二―三日で下熱すると共に麻痺の存在に氣付くのが普通である。病氣の初めには突然體溫上昇し卅九度以上にも及び二―三日持續し同時に不機嫌、頭痛、筋肉痛、皮膚の知覺過敏、著るしき發汗を來します。其他下痢、嘔吐或は「アンギーナ」、氣管支炎等を認め無慾倦怠の狀態となり時には痙攣、嗜眠狀態となる。發熱二―三日して多違の發汗と共に下熱し次で麻痺が現はれる。

麻痺は初期には廣く蔓延するが一―二週間すれば漸次範圍が縮少して一定部位に限局する。最も多いのは四肢で一側の上肢又は下肢稀には兩肢に麻痺が來り、之に次でよく來る麻痺は腹筋、腰筋項部筋の麻痺であるが、稀には顏面神經領域の筋肉又は呼吸筋が侵される。

麻痺は弛緩性で筋肉に彈力がなく弛緩し且つ萎縮する電氣興奮性の減弱、腱反射の消失又は減弱を來す。

經過　麻痺は早き時は數週或は數ケ月で漸次輕快する事があるがそれは比較的少數で大多數は輕快せずして遂に一定の筋肉群に永久麻痺を殘す。麻痺した部分は萎縮し厥冷し發育障礙を受けて上下肢の短縮を來したり尖足內飜足、脊柱彎曲等を起す。

本病は其他種々多樣の異常經過を取る事がある。

豫後　死亡率は流行時によつて異るが大體十―廿％位と云はれてゐます。麻痺が半ケ年以上を經ても輕快しない場合は完全なる恢復は望み難い。

療法　初期には絕對安靜を命じ食餌に注意し溫かき飲料を與へ發汗せしめ醫師の手當を待ちなさい。

發病後暫くして刺戟症狀が去り麻痺が限局して來ると水浴法マツサージ、電氣療法を行ふ。又成る可く患兒自ら四肢の麻痺した部分を運動さすやう仕向け或はお母さんが他動的に動かすやうにして筋の萎縮を豫防する事が大切である。

其他整形外科的手術に依つて一定度四肢の機能恢復を得る事もあります。

とかくコドモのへん食は親の好き嫌ひから

ちよつとむつかしい矯正法

法政大學教授　波多野完治

子供の偏食は母親、或ひは家族のもの丶嗜好が、大きな原因となることはいふまでもありませんが子供の心の發達と結びつき年齡に應じて、異つた現れ方をするといふ深い心理的の原因も見逃してはならぬものです。子供は四五歲になると、心の中にはつきり自分を持たうとする動きが芽生えてきます。母親家族を離れて子供の生活はなかつたのですから、一つの自分といふ性格が生れるためには先づ周圍から離れ、獨立せねばなりません。理由もなく反抗したり、逆のことをいつたりするのはこの自分をうち立てようとするあがきなのです。

「お父さまにご飯ですといつて頂戴！」と、母親にいはれて「お父さまご飯まだですよ」と、反對の表現をしたり、「ボク、お母さまだい嫌ひだ」と、わざと大聲を出したりするのは凡てそれです。「ボク嫌ひだ。食べない！」といふ子供の言葉を反對表現と知らずにそのまゝ正直に受取ると、偏食の習慣をつけることにもなつてくるのです。この年齡には色や形で、所謂食はず嫌ひとなる場合も多いのですから、色や形を變へて與へることです。四、五歲ならば、かうした調理上の工夫で偏食を矯正できますが、八、九歲になると食品をよく知つてきますから、これが不可能です。

駈足、マリ投げ、遊戲など、肉體的のことでは、この年頃では母親などより優れてきますし、また家庭內での兩親の一寸した動作の失敗なども、目についてくるに從ひ、兩親といふものを批判してきます。全智全能で世界中で誰よりも偉かつた兩親が、だん／＼それほどでもなくなつてきます。と同時に自分に對する自信、誇りの氣持がにはかに高まつてくるのです。友達の足をふんでも、過失を犯しても、自分が間違つてゐたといふ態度をみせないことが多いのは、子供を觀察する方にはすぐ判りますはじめて經驗するこの強い誇りと自信は、食物に對しても結びつき現はれてきます。好きな肉類が極端に好きになり、野菜は一切口にしない、などの強い偏食が出てくるのもこの爲です。で、この年齡では食品の外形をゴマかしても効果はありません。

兩親に代つて子供の前に大きく現はれてき、密接な生活關係をもつてくるのは友達ですから學校給食或は近所の子供と一緒に何んでも食べるやうにすることがよい方法です。

子供の午睡

體に溜つた毒素をさるため 是非とも必要です

疲勞と睡眠の關係

疲勞と睡眠とは離れることが出來ない關係にあります、なぜわたし達は睡眠をするかといふのですが、わたし達が活動をしてゐる中に一種の毒素が體の中に溜つて來るのです、これは石炭を燃やした後に殘る石炭灰だとか、線香花火の後に殘される煙硝かすのやうにいろ〳〵不使用なものが出て來ますそれがわたし達の神經に働いて神經の活動を鈍くして行き、これが眠くなる原因の一つなのです、夜眠くなるのは電燈がついたからでも暗くなつたからでもありません、一日活動した時に體に出來た不必要な物質が溜つて來たためです、これを疲勞物質といひ、これはたゞ睡眠と休息とによつてのみ解消することが出來ます。

子供と疲勞物質

ところでこの疲勞物質は發育盛りの子供だとか、大いに活動する人々だとか、特別にその日に體を使つた時などそれから季節の變り目などにはこの疲勞毒素がいつもより澤山に出來るのです、それには適當な休息をしなければなりません、特に子供の場合など體が十分に整つてゐないので毒素に影響を與へられることが多いのです。

刺戟の特に多い夏

その上夏のやうに刺戟の多い季節には特にかうした生理に注意してやらねば非常に子供の健康をそこなふやうな場合が多いのです、從つてこれからの刺戟の多い季節には一定の午睡を與へることが最も大切です、では夜は早く寢かせれば回復するのではないかと一應考へられさうなことでありますが、毒素の量が澤山に溜ることは危險なのです、藥でもごく僅かでこそ利くのですが、量を越すと返つて毒になるのと同じ理窟になるのです。

午睡の時間

だから疲勞の毒素の澤山に溜らない午後の僅かな時間を睡眠時間に與へることが肝要です、兎角これからの季節には子供は體をそこなふやうな事が多いのですから、午睡はさうした體の健康の上に是非共實行したいものです、午睡の最も良い時間はどの位かといひますと、五六歲前後から七八歲までの子供は一時間半位、學齡兒童で下級生は一時間位、上級生は出來れば半時間位が適當です。

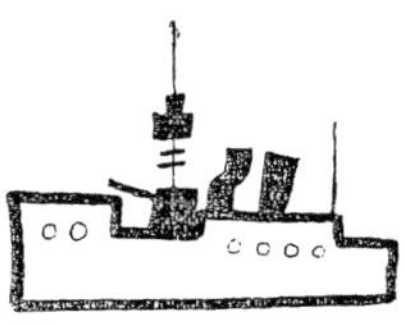

資源の愛護は一粒の飯粒から

西村誠三郎

戰時體制下になつて、政府も資源の愛護と謂ふことをやかましく奬勵する、これは必ずしも、鐵や、紙や、ガソリンのこと許りではない。食物にも、大いに無駄は省かなければならない。

呑めもせぬ酒を無やみに呑んだり、食べもせぬ料理を無理に注文したりするのは、戰時體制下で無くても、愼まなければならないことだが、一體に、日本の食事には無駄が多いやうだ。物を豊富にすると云ふことは、決して惡いことではないのだが、それを理由なく粗末にすることは不可ない。大概は無關心と、見榮坊から來るんだが、早い話が、飯粒などは存外粗末にされる、米の足りるの、足りないのと云つてゐるが、料理屋では云ふまでもなく、個人の家庭でも、殘飯がふんだんに出る。よく食物屋で見掛けるが、食べた後の皿や鉢には、必つと飯粒だらけだ。

殊に近頃の若い連中には、さうしたことが多いが、それをまた遠慮なく洗ひ流して仕舞ふ。一粒の飯でも大切にするやうな心掛けは殆んど無くなつた。米を磨ぐ時に流し、また食事をして捨て、これは全國では、決して少い量ではあるまい。

汽車辨などになると殊更に甚しい。半分も殘して、それを惜氣もなく捨てゝゐる。無駄もこれより甚しいものは無い。

それから、並べる主義も不可ないのだ。旅館の食事などになると、食べても食べないでも、二の膳付などで持つて來る。さうして彼方此方と突つゝき廻す。出す方も出す方、食べる方も食べる方、共に無駄が多い。獻立表を見せてから作つたらどうかと思ふ。自分などは、よく

見てゐて箸を付けず殘す皿が多い。これは不味いからではない。一箸付けても、それは食べ殘しになるからだ禪僧の箸を付けたら、それ丈は殘さぬ遣方が良い。

調味料なども、不必要に多く用ひられる場合が多い。カツレツにソースをだぶ〳〵に注いで、宛然泳がせるやうにして食べてゐる。後には多量のソースが殘つてゐる。これなども普通のことのやうになつてゐるやうだ。あれでは本當の味は分らない。ソースは無闇にかけるものでなく、味の調節をする爲めにあるもので、寧ろかけないことが原則だ。かけなくても食べられるやうに、既に味は調つてゐるのだ。漬物に醬油をふんだんにかける習慣が拔けないからだ。

紅茶や、珈琲に入れる角砂糖なども數が多い。二つ以上は餘分なものだが三つも四つも持つて來るのがある。何處の喫茶店でも、砂糖壺は客の自由にまかせて、出しつ放しになつてゐるが、これなども贅澤に過ぎる。自分は歐洲戰後の米國に旅行した時、紐育の一流ホテルで、紙に包んだ角砂糖が、皿の上に、たつた一つしか無かつたことを今でも記憶してゐる。砂糖壺などは無論置いて無かつた。

露西亞人などは、帝政時代でも角砂糖の堅いのを、一つ先づ口に入れて、それの自然に溶けるまで何杯でも紅茶を呑む。無闇に糖分を取ることは、健康上からも良くない。日本の子供に蟲齒の多いのも、糖分の攝取の過剩から來る。

煮物に、何んでも砂糖を用ひるのは、決して褒めたものでない。寧ろ鹽味の方が好いのだが、砂糖を使はねばならぬ先入觀念は改めなければ不可ない。西洋料理でも支那料理でも、砂糖を用ふることは殆んど無いと云つて差支ない。鹽は、如何なる場合にも、重要な調味料だ。これも大きな無駄の一つだ。

話の序だが、米國の家庭では紅茶の出殼を捨てない、それを取つて置いて染色用に使ふ。これなぞも考へさせられることだ。

それから煙草だが、日本人は無暗に、吸ひかけを道路に捨てる習慣がある。危險でもあれば無駄でもある。東京の市中を歩いてゐるとバツトの空箱なぞは、いくらでも落ちてゐる。吸口などは、殆んど用ひられない場合が多い。銀紙獻金もある際に、心無いことだ。空箱の中箱でも立派なメモになる。一本の煙草を、何人もで喫む野戰の兵士のことを想はなければならない。

食物の材料の取扱にも、無駄がとても多い。飲食については貧乏人でも大名である。魚類は、頭部も、骨も、內臟も捨てる。食べる所は、ほんの一部の肉丈である。

鳥類でも、獸類でも、內臟や、骨は、餘り顧みない。野菜でも、大根の葉は捨てる。三つ葉の根は捨てる。ほうれん草の赤い莖さへ捨てる。手が掛る、面倒だと云ふ大概の理由で、どし〳〵と捨てる。

支那人の料理法などを見ると、日本人の捨てる所が、寧ろ珍味として利用されてゐる。血でも、內臟でも骨でも利用される丈利用する。氣長に煮て一切合切を營養價値の高いものにする。萬事が一事で、隨分無駄がある。

それ許りか、家庭の婦人でも、料理の研究を殆んど行らない。旨いものと云へば金錢をかけること、不味いものと云へば、蔬菜料理、煮豆屋の繁昌するのも、さうした所から來る。外國なら家庭で作るべきものを、デパートなどでは盛んに賣つてゐる。冷え切つた既成品、そんなものが美味な筈が無い。あれは、外國のデパートにも市場にも見られないことだ。

客に出す食事なども、店屋物で無ければならないやうに考へてゐる。家庭でする客の食事は、蔬菜で結構だ。湯豆腐一つでも、それは云ひ知れぬ味がある。此處にも大きな無駄がある。さうして、つい他人の作つたものだと粗末になる。金さへ出せばが不味くないのだ。金で萬事が濟むものなら、食事は一切合切戶外ですることにした方が良い。鮭の頭部の味噌汁でも、鰯の團子汁でも、何んでも家庭で料理する所に尊さがある。

そんな、しみつ垂れたことがと云ふかも知れぬが、德川侯だつたか、上海の戰地に行つて本當に食物の味を知つたと云はれてゐたやうだが、平常贅澤をしてゐる連中には、葱一本の有難さは判らない。關東と、關西では異なるが、葱の青い所を切り捨てゝ、白い部分丈を食べるやうなことは、材料を無視するものだ。

野菜でも、嫁菜でも、土筆でも美味だ。林檎なぞ、皮を剝いで捨てるのは、林檎の味を知らないものゝすることだ。かうしたことを云へば際限無くあるが、要はもつと無駄を省くことだ。知らずにやつてゐることも多いのだから、もつと食物に對する智識を豊富にしなければならない。

食物の研究と云へば、唯營養の方面にのみ走りたがるものだが、それは食物の一面にしか過ぎない。普通一般に捨てゝ顧みないやうなものゝ中にも、到底得難い珍味もあると云ふものだ。これを巧みに利用して、各自の食膳に上せることも、現在のやうな時局に臨んでは、大いに必要なことだ。

資源の愛護も、一粒の飯粒よりである。無駄丈省いても、それは大きい。

一番重大なのは 遺された子女の教育

未亡人を保護する爲には「母子ホーム建設」

厚生省臨時軍事援護部では最近各婦人團體の代表者を集め、勇士の遺族に關し「未亡人の再婚問題」「未亡人アパート」その他の問題につき援護對策協議を行ひました、時局柄極めて注目される問題なのでその内容をガンドレット恒子女史に伺ひました。

× ×

まづ遺家族のため「母子ホーム」が議題となりましたが、これを集團的にやつた方がいゝか、小さくとも各自の家を持たせてしみ〴〵とした家庭生活を味はゝした方がよいか、について種々意見が交されましたが、結局永續性のある保護といふ見地から「母子ホーム」の設立が最善といふことになりました、これは今後政府の手で各地に建設されませう、近代的施設を完備したもので、風呂場、炊事場などを共同にし、各婦人團體が政府に協力して遺家族に出來るだけ幸福な生活を送らせようといふプランです。

◇

次に未亡人の再婚問題が論議されましたが、まだ戰爭の最中で出征中の方もあり、これから出征する方もある際ですから、これを今問題にするのはどうかと思はれるといふ議論が大多數で結論には觸れませんでした。

私が歐洲に行きましたのは大戰の翌年でしたので、黑い喪のヴユールをかぶつた未亡人の姿が街々に多く非常にお氣の毒に感じましたが後家を通すか再婚するかは御當人の意思によるもので、はたからどうすることも出來ません。

たゞかうした一身上の問題については官服のいかめしいお役人殊に男の方に相談することは困難ですから、婦人團體の協力が必要になつてくるわけです。

◇

一時賜金や扶助料については、最も緊急を要する遺家族に十分行きわたつてをらないといふ現在の手續上の缺陷を指摘し、一時賜金目當の結婚などに引掛からないやうその有効適切な保護方法をお願ひしておきました。

◇

更に遺家族の保護で一番重要なことは片親を亡くした子女の教育だと思ひます、託兒所で扱ふやうな幼い子供でなく小學校を卒へたものゝ教育が特に重要で、これには五年十年後の先を見越した十分な輔導が必要です、いぢけた不良な子供にでもなつたならば國家に及ぼす影響が大きく勇士達の英靈を慰めるゆゑんでないと思ひます。

不用品活用の一考察

大阪市立天王寺市民館長 前田貞次

日本から、外國へ隨分澤山の絹糸が輸出されて居ります、外國ではそれを、服とか下着とか色々の物にしますが、婦人の履く靴下にも又澤山作られて居ります、處が此の靴下が澤山廢物になつて、屑物同樣に賣られて居るといふ事で、それを買ひ集めまして元の日本へ送り返して參ります、その靴下を漂白して、糸繰器で、元の糸に卷き戻し、それを又色々の色に染めて再び外國へ輸出するのであります、斯う云ふ事を考へますと頭の働かせ方と用ひ方とで、隨分不用な物が有用な物になるものであると思ひます、目下我國が非常時であると言ふ事は既に百も二百も御承知の事で、說明の要はありませんが、時局が非常時であればある丈に、男子は勿論の事でありますが、一家を預かる主婦に取りましては、又と得難いよい機會を與へられたのでありまして、この絶好の機會を逃がさないで、出來る丈工夫をして種々の不用品を利用又は、更生させる事を研究して頂き度いと思ふのであります、茲で私は、特にでありますが子供さんの教養に當つて居られる、お母樣やお姉樣方に對しまして、子供の身の廻りの物とか、或は學用品とか、玩具と言つたやうなものゝ不用品を、どうして利用するか、又どうして更生させるか、と言ふ事に就いて、二三の思ひつきを申上げまして、皆樣と共に研究して見たいと思ふのであります。で私の話は私の話それ自體が、直ぐ皆樣の役立ちになると言ふのではなくて私の話から何かヒントを得て頂く、端緒を得て頂く、斯う言つた程度の話である事を豫め御承知置き願つて置き度いと思ふのであります、是れに就きまして、私は先づ先に、お母樣方に對して、一つの提案があるのであります、それは御近所のお母樣やお

姉さま方が集まつて、不用品消費結束團と申しますか、廢物利用更生結束團とでも申しますか、之はどうも、妙な名前でありますが、兎も角もこんな團體を編成して頂きたいのであります、此の結束團の仕事に就いては是れから話をして行きます内に度々出て參りますが、その主なものは、子供が廢物を喜んで用ひるやうに、或は利用更生された不用品を進んで身に着けるやうに、さうさせる役目を果すものであります、それは幾らお母樣やお姉樣方が苦心をして、作りました廢物利用品でも、夫を子供の方が嫌つて用ひなかつたならば、何の役にも立ちませんし又役に立たないと云ふより却つてその爲に、要らない費用と勞力を費すことになりまして詰らないと思ふからであります、今一つは子供の心理を捉へまして仕事をするといふ事であります、之れに就いて一つの例を申上げますと、子供と云ふものは、どうも人の持つてゐるものが欲しくなるもので、向ひの子供が赤い洋服を着て居りますと自分も赤い洋服が着て見たくなり又、隣の子が軍艦の玩具を持つて居りますと、直ぐそれが欲しくなります、又筋向ひの子がお菓子を食べて居りますと、自分も直ぐ、そのお菓子と同じお菓子が食べて見たくなります、之は子供の心理でありまして、お母樣達に此の子供の心理を利用して、不用品の消費問題を解決して頂かうと云ふのであります、先づ初めに私は子供の玩具卽ち「おもちや」に就いて考へて見やうと思ひます、子供さんのあるお家で、玩具のない家はまづ無いと云つていゝ位に、玩具丈は十分に買ひ與へられて居るやうでありますが、所が此の玩具と云ふ奴、案外壽命の短いもので、ものゝ十日も現形を保つてゐるものはなく、大概は四五日位で壞されて終ふやうであります、そして子供からは見向きもされないやうになるのが常で、直ぐ又次の新しいものを買へとねだられます、此の爲に玩具が、何處の家でも澤山ありまして、それがあちらこちらで、邪魔物扱ひにされてゐるのをよく見受けるのであります、然も此の玩具に費される金を見積つて見ますと、隨分大きい額に上るのでありますから特に時局柄、勿體ない事と思ふのであります、そこで、どうかして此の見捨てられた玩具をもう一度更生させて子供に用ひさせたいと思ふのでありますが、尤も私達は人形師や玩具師ではありませんから、足の壞れた人形に足を附けるとか、ゼンマイの切れた自動車を動くやうにするとか言つた、そんな更生は出來ませんけれ共、こちらの手で直せる部分は出來る丈入念に直してやつて、その上次のやうな方法で利用させて見ては如何だらうかと思ひます、それは、先に申上げました結束團が申合せをして、此の不用の玩具を全部一

處に集めて終ひます、そして此の玩具は誰の物、是は誰の物と、勿論印をつけて置くのですが、そして子供達全部に此の一週間は誰も彼れも、此の古い玩具で遊ぶのですよ、そして動くものとか、新しいきれいなものは次の時にしませう、と斯う云つて納得させるのであります、子供等は、何んだ詰らないと言つて顏をふくらすでせうけれ共、どの子も此の子も古い玩具でなければ持たして貰へませんし事實向ひの子も隣りの子も皆、不用になつた玩具をもつてゐるのですから、子供の心理上、終には諦めて終ひますし、又却て、それが興味を呼んで、子供は子供丈に智慧をしぼつて、それで何か遊ぶ事を考へ出すものであります、算盤に燐寸を乘せて汽車ごつこなどをしてゐる所をよく見受けますが、あれを見ましても、此の事は全く不可能の事では無いと思ふのであります、勿論斯うした事は、母親達の倦まず又たゆまざる所の努力と熱意とが必要でありまして、只の一ぺんや二へん位で効果を擧げやうとしましても、さう「た易」く効果の擧がるものではありません、ですから、どうしても根氣よく入念にやつて頂かなくてはならないと思ふのであります、次は繪本類でありますが、此の種のものは、一ぺん讀むか、見るか致しますともう再び見やうとはしないもので、それが一冊とか二冊位のものならば、それもよろしいでせうが、是れが何十冊と言ふやうに澤山になつて參りますと、邪魔になつて仕方がない、と云つて之を屑屋に賣らうとしても、一貫目幾らと云つて、一冊の値にも足らないやうな安い値で買取られるんですから、どうも馬鹿らしいやうな氣がして、賣らずに置きます、すると、後から後から、段々段々と殖へて參りまして益々困るやうな事になるのでありまト、私は此の不用の繪本の更生利用法の二三を工夫して見ました、それは此の繪本の綴じを上手にほどきまして、一度バラバラにして了ひます、そして是れを大きいボール紙か板かに、ピンで繪の順序に重ねて貼りつけます、是れで俄造りの紙芝居が出來た譯でありますが、お母さんかお姉さんが、紙芝居屋になつた積りで、此頃ですと、夕方食事の濟んだ後に涼しい所で、之をお話風に讀んでやれば目先が變りますから、子供達は悅んで見直す事と思ひます、或は此の繪本も、先に話しました結束團が申合せまして、子供の持つてゐる全部の古本を集めて、お互にまだ見てゐないものと交換させて讀ませるとか、見させるとかするのです、斯う致しますと、假に一軒の家から、一冊出すと致しましても、十軒あれば十冊の變つたものが次から次と見られると云ふ勘定で、相當長い間お互に費用入らずで樂しむ事が出來るのではないかと思ふのであります、さ

うして全く總ての本を總ての子供が、見て終つた場合は此の繪本の一枚一枚を離して、之を廊下の兩側の壁とか二階へ上る階段の兩側の壁とか、或は又便所とか、又は子供の部屋の壁などへ、きれいにピンか何かで、貼つてやりますと、壁が汚れないばかりでなく、無味な壁に色彩が出來ますし、又若し此の繪が敎訓的のものでありますれば、知らず識らずの間に、敎化されると言ふ效果もあらうと思ふので有ります、又或は味つけのりの這入つてゐた空罐とか、砂糖の這入つてゐた空箱とかに、此の繪本の繪を色々貼らせて見てもよいと思ひます、此の上慾を申せば、花ならば花、動物ならば動物、と云つたやうに、夫々鋏できれいに切り抜かせて、貼らせて見る事も效果があらうかと思ひます、それは、鋏を使ふ事が上手になると云ふ事と、今一つは繪を切り抜くと云ふ事は塗繪以上の效果があるからであります、斯うして張られた箱は一寸目先が替つて居りますし、又何でも一寸したものなら入れられますから役に立つと思ひます、更に斯う云ふ事も考へられるかと思ひます、それは、此の繪本の中の繪の一枚を縦とか横とか、又は斜とかに幾つかに切り離して、之を子供に渡して、元の繪になるやうに繼ぎ合せて御覽と云つて、子供の智慧だめしに利用する事も一案だと思ひますし、又近所の子供達が集まつた時、一人一人に此の切り離したものを渡して早く元の繪にして御覽と云つて競爭させて見る事も、又一つの思ひつきではないかと思ふのであります、以上は玩具に就いて、その思ひつきの二三を申上げたのですが、次は學用品に就いて申上げて見たいと思ひます、學用品で、先づ申上げたいものは鉛筆で、此の鉛筆位無駄な用ひ方をしてゐるものはないと思ひます、子供のしてゐるのを、ちつと見て居ります、と餘りよく切れない「ナイフ」で鉛筆を削つて居ります、やつと中の芯が出て來て、もうアノ邊でよいと思ふ頃に芯がポキリと折れます、すると子供は又初めから削り直します、すると又頃合の所で芯がポキリと折れる、と斯う云つた工合で、見てゐる間に鉛筆は半分位になつて終ひます、之はナイフで削つてゐる子供の圖でありますが、私は初め買ふ時に少々金がかゝつても、ハンドルを廻して削る、鉛筆削りを買つてやるのが一番經濟的だと思ひます、又學校の敎室にも、此の器械が一つや二つ位、備へつけて置いてやつて好いのではないかと思ひます、又使ひきつて、手で持つて書く事の出來ないやうになつた鉛筆は、筆の使ひ古したのを二つに割つて、その中へ鉛筆を挾んで、紐かなんかで、固く括るか又はその筆の軸へ、確かりした輪をはめ込んでやれば、又暫く使ふ事が出來ると思ふのであります、次は字

を書く時に使ふ墨でありますが、之れが小さくなつたものは、硯の中に殘つた磨り殘りの墨汁を他の罐か何かへ移して、其の中へ此の小さくなつた墨を漬けて、時々搔き廻して置きますと、それが溶けて頃合の墨汁となりますから、後で使ふのに大變便利だと思ひます、又習字をする時の紙は、新聞の古いのを使ひますが、デパート等で包んで呉れます紙を利用する事もよいと思ひます、次は靴下でありますが、此の靴下は冬になりますと一番惱まされる問題でありまして、この靴下の不用になつたものは、くるぶしの所から、すつぱり切り離しまして之を古足袋に縫ひ繼ぎますと、之は平常遊ぶ時に履く靴下が出來上ると思ふのであります、又何時も買ふ時に氣をつけて出來れば同じ色の物を買つて置きますと、繕ふ時に間に合ふと云ふばかりでなく、廢物になつても、之をいくつか繼ぎ合はせまして學校で敷く座布團など製へる事が出來ると思ふのであります、次は靴でありますが、この靴が破けるか、小さくなるかしましたら之を、スリツパのやうに踵とを體裁よく切り取つて、それに前鼻緒を立てゝやりますと、又暫く履く事が出來ますし、子供も珍らしがつて履く事と思ひます、又、此の靴を長く保たせるには買つた時は勿論のこと、氣の付いた時々に、靴屋さんの使ふ蜜蠟と言ふものを靴の縫目縫目に塗り込んで置きますと案外長く保つものであります、次は幼稚園とか、託兒所などへ子供さんを上げていらつしやる、お家のお母さんやお姉さん方に、今の時季のもので一寸した思ひつきを申上げたいと思ひます、それは此の託兒所とか幼稚園とかへ行つてゐる子供はよく砂いぢりや水遊びを致しますし、その外運動も激しく致します爲め隨分汗を搔きます、ですから園から歸る時は、服もズボンも或はエプロンも、泥だらけや汗だらけにしたのを、そのまゝ着て歸つて行くのを見受ける事があります、之はも少し工夫して見る必要があるのではないかと思ひます、保健の上からも衞生の上からも體裁の上からも又洗濯をする手數の上からも、新しい工夫が欲しいと思ふのであります、そこで私は斯ういふ事を考へて見ました、其の子供の着古したものとか、小さくなつた洋服か兎も角も不用になつた物がありましたら、それで腕の無い胸の空いた、至極自由な「いたづら着」を作つてやつて、それを園へ預けて置きます、そして子供が園に着きましたらすぐそのいたづら着と着換へさせて貰ふのです、すると子供は水遊びでも、砂いぢりでも、何の頓着もなく活潑にやる事が出來ますし、又歸りには汗のつかない汚れてゐないものと着換へて氣持よく歸る事が出來ると思ひます、尚もう一つお考へ願ひたい事は、學童ならば學校幼

兒ならば幼稚園とか託兒所、或はそれより小さい子ならば先に申した結束團などが協力致しまして、若し子供が洋服とか、ズボン、靴下、是は何んでもよろしいのでありますが、兎も角も繕つたものとか、更生したものとかを身に附けて行きましたならば、その時、先生から或は結束團から皆の前で、賞めてやつて貰ふのであります、そして「賞められ帳」とか「感心帳」とか兎も角もさう云つたものを備へて置いて貰つて、それにその子供のして來た事を書き込んで貰ふのであります、すると妙なもので、子供達は繕つたものとか、不用品の更生されたものを進んで身に附けて行くやうにならうと思ふのであります、そして其の上先生から、不用な物を斯うして使ふ事は自分の利益になるばかりでなく、之は皆お國の爲になるのですよ、と附加へて貰ひますれば一層效果があると存ずるのであります、之は子供さんの敎養の任にあるお母さまやお姉さまが、斯くする事に努力されたいと願ふのでありまして、之れこそ今日お母さん方に負はされた所の大きい務めではあるまいかと存じます。以上申上げました事は數も少く、又皆さんが既に御實行になつて居られるやうな目新しくない事ばかりを申上げましたが、要は初めに申上げました通り、私の唯今申上げました話に依つて何かヒントを得て頂けは、それで私の願ひは叶ふわけで、どうか時局を十分認識して頂いて、どしどし、不用品の消費を活潑ならしめるやう一層の御努力を切にお願ひ申上げる次第であります。

一汁一菜

本山荻舟

一汁一菜が、食膳の儉素を意味することはいふまでもない。そこで非常時の強調に際し、これが勵行を提唱されたのは、最も時宜に適した說であるに拘らず、提唱者が時の官僚であり、支持者が寧ろ中流以上の生活をする有産若しくは有閑階級であつた爲、却つて皮肉な反動を受けて、そんなことは非常時を俟つまでもなく、從來大多數の國民、殊に農漁村の勤勞者は平時に於ても夙に實行し、寧ろそれさへも實行し得ない下層階級の方が、多數なことを知らないのだといはれると、いつの間にか一汁を省かれて、一菜主義といふことに改裝され、盛んに宣傳されてゐるらしいが、問題は標識よりも精神である。大した昔に溯るまでもなく近世では白河樂翁の寬政改革、水野越前守の天保改革等、時弊匡救策として、最も適切な措置であつたに拘らず期待したほどの實効が擧がらず、却つて往々批難の種を蒔き、それが因由となつて、或ひは勇退し、或ひは失脚しなければならなかつたのは、ナゼであるか。勿論當時に比較して、時勢も國情も切迫してゐることは明かだが、切迫の度が強ければ強いほど、形式よりも精神の方が、重んぜらるべきは當然である。

謂ふところの一汁一菜は、在來の料理獻立に傳はる一汁三菜、一汁五菜、二汁五菜、二汁七菜、三汁七菜、三汁九菜乃至三汁十一菜などといふ、必要以上の贅澤であると同時に、寧ろ形式を主とした本膳式に對する稱呼で日常食膳の標準となるものではない。冠婚葬祭若しくは社交上の慣習に過ぎず、でなければ特殊の贅澤階級である。先づこれ等を矯正して、簡素ならしめる必要はわかつてゐるが、少數者若しくは特殊の場合の爲めの故に、多數者の日常を律しやうとすれば、趣旨の徹し難いのは當然であり、徹底しなければ實績は擧がらない。特殊の

宴席等に於て着々實行されるとしても、從來の經驗等に徵して、どれだけの永續性があるかは疑はしく、大多數の國民生活に、この形式主義を强要し、且永續性をもたせやうとすれば、忽ち起るのは榮養問題である。現にその虞れがあればこそ、一汁一菜の粗食主義と、國民保健の關係とが、各方面に研究され、論議されてゐるのではないか。

同じ一汁一菜でも、形式に囚はれると、高級の鰻屋で上等の蒲燒に、特製の椀盛で上白の溫飯を食ふ、それでも一汁一菜である。座敷天麩羅の鍋前で、近海の活きた海老を揚げさせる、晝飯は簡單な鮓で濟ませるといつて吟味した材料の握り立てをつまむ、これ等は汁を省いた一菜であるが、精神以外には批難する言葉も、制遏する途もない。眞の食養生活は、そんなものではない、またそんなものであつてはならぬ。假りに一日三食として、一食毎に一汁一菜なら、一日分では三汁三菜になる、一汁を省いても三菜である、しかもその都度獻立を改めるとしたら、既に贅澤でもあり手數でもある。われ等の經驗によると、一日三食を通じて、一汁一菜でも事が足りる。朝は漬物で茶漬、晝は味噌汁、晩にだけ一菜を作ればよい。漬物も一菜だといふなら、鹽を嘗めるだけでもよい。地方の慣習にもよるが、昔はその程度の生活をしたものが多く、現在でも存してゐる筈だ。

關西人に經濟的觀念が多いのは、文化が古いからである、艱難に磨かれた經驗の蓄積である。日常食を簡素にする代り、嗜好食に金を吝まぬ傾向は、經常費を緊縮して、臨時費に充てる用意である。江戸ツ子は宵越しの金を使はぬといふ、あるがまゝに費消する者は、經常費を膨張せしめて、臨時費の用意を怠る、日常食に奢る代り嗜好食となると因緣をつけたがる、今の東京人の多くが日常食と嗜好食とを混同するのはこゝに胚胎してゐる。關西地方では昔から、朝は冷飯の茶漬か、粥を常食したのに對し、江戸では飯を朝炊にする慣習から、毎朝味噌汁を作つた。江戸ツ子にいはせれば、贅六の吝つたれであり、上方人にいはせれば、關東のへげたれである。文化の古いところには、古來屢々戰亂があり、所謂非常時を繰返されたから、平時に於てもその覺悟があつたのに對し、寧ろ新開の江戸は、開府以來泰平が續いて、宵越しの錢を持つ必要がなかつたから、いざとなると惶惑して、幕府瓦解の時の如き、常の口ほどにもない醜態を暴露しなければならなかつたのだ。

少くとも非常時に於て、國民生活の再建設を必要とするに方り、江戸以來の東京人の生活を、標準とすることは一部は存續してゐる筈だ。國情も、國民性も、體質も

異つてゐる外來の學問等を襲用する前に、傳統生活の再檢討が先決問題だといふ所以である。

一汁一菜等の粗食でいかにして健康を保ち得るやといふのが、當面の問題である。筆者の如く一日三食を通じて、一汁一菜でも足りるといつたら、今の所謂文化人は耳を掩ふて目を廻すかも知れないが、事實は歷史が證明してゐる料理屋、飯屋等の發生以前、手料理自炊時代の粗食人が、いかに今の文化人に比して、體質に於ても體位に於ても、乃至健康長壽の點でも、優れてゐたかを顧みればわかる。攝取する材料は簡素でも、本質を活かして無駄を出さず、悉く消化吸收し、榮養能率の增進に自から徹底し得たからである。

人體に必要とする榮養量、若しくは熱量といふ如きものも、各人によつて異るべきを、單なる性別、年齡別、若しくは職業別等によつて、公式的に定めると、その間に必ず過不足を生ずるのは當然だ。凡ての標準を定めることは便宜でも囚はれると諸弊の因となる、融通の妙味を存するところに、家庭料理の長所がある。團體生活は便宜を先とするから、最低量を標準として、多少の餘裕を存する必要がある、全量を攝つて不足を感ずるものもあれば、攝り得ずして食ひ殘すものもある、そこに材料の無駄を生じ、無駄を生ずまいとして過食すれば、當然消化障碍を起し、或ひは榮養過剩に陷る。團體料理と家庭料理とを混同してならぬ理由はこゝにある。團體若しくは公衆目標の調理人は、調理技術の專門家であるから當然の職分としても、調理上の技巧を厭はぬ道理で隨つて手法と食味とを複雜にする、調理は技巧に加へるほど榮養價を減じ、食味は複雜なほど好き嫌ひを多くする好きなものは過食し、嫌ひなものは偏食する。これを救はうとして益々調理を複雜にするのが、今の團體調理でありこれを文化的として踏襲するのが所謂榮養料理である。

一般家庭の厨房は、主婦の片手間仕事である、格別の有閑者でゝもない限り、調理技術の複雜は禁物である、そこで一汁一菜の意義が初めて、活現することになる、技術も食味も、單純なほど普遍的であり、司厨者の魂は簡素な調理にこそ躍動する、調理人の魂が籠るから材料の魂も活きる、選食勝手の多汁多菜は、いはゞ料理の烏合熱であるが、一汁一菜は背水陣である、責任の回避が許されない。當然司厨者の全精神が集注される、されなければならぬ、第一は材料の選定であり、品質の選擇である、選擇された材料は、尊重されなくてはならぬ、尊重される材料は、一片一端も無駄にはされぬ筈である、全材料が活用される時、美味と榮養とが兼備はることはいふまでもない。これによつて養はれる家庭が、健康の

幸福に浸り得るは當然であり、人間の食養は健康でさへあれば、自然の欲求に應じて謬りなく公式的の局量などは、第二段の問題である。

假りに一汁一菜として、いかなる材料を選ぶべきかは土地の狀況により、生活程度による、端的にいへば身分相應である、この言葉に籠る含蓄を味ふべきで、身分不相應の贅澤が許されないと同時に、身分不相應の吝嗇も許されないと同じである。眞の食養は必ずしも粗食主義にあるのではない、粗食は贅食に對する戒めで、いはば修養上の方便である、要は資源の擁護にあり、それでなくては永續性がない。身分不相應の美食が、美食材料の資源を涸渇せしめる、粗食しなければならぬ階級の咽喉を締めることになるからである、所謂美物にしろ蔬物にしろ、問題は濫費を警めることで、天惠の豊かな我が國に於ては、諸人が濫費をさへ愼めば、資源は適當に涵養されて、子孫萬代に傳へ得るのだ。これは必ずしも非常時のみの問題ではない、當時に於ても服膺すべき永遠の大事である。さて粗食を必要とする大多數の國民に、蔬物等の一汁一菜で、いかにして榮養を保ち得べきかの土壇場に達した時最後の切れとして殘るのが、主食問題である。歷史の證明する上代人の强健が玄米食にあつたことはいふまでもない。理想は玄米食であるが、主食の改變は急激に實行し得ず、また强ひて實行すれば、却つて消化不良等の弊害を現象する爲め、半搗米から七分搗と順次讓歩して、現に提唱される胚芽米である。白米食に比べると、胚芽米固より結構ではあるが、理想としては初歩であることを忘れてはならぬ。主食改變が最も大事であるからとて、先づこれを强調する趣旨は、充分諒承するところだけれど、同時にまた大事であるだけ、最も難事であることも明かである。これを斷じて行はんとするには、少くとも最高の理想を掲げて、標識とすべきで、ナゼ大理想の傘下に集めないのか、學者が自說を固執して蝸牛角上に爭ふから、國民の信用を博し得ないのだ。且實行方法としては、麥、粟等の雜穀併食麵類等の代用食等、他にいくらもあるに拘らず、畵一法のみに囚はれるのは、地方の狀況と生活程度等を無視した机上の僻論ではないのか。更に重大な錯誤として、主食と副食とは車輪の如く、片廻りしたのでは効果がなく、必ず併行さるべきであることを、等閑視されてゐる嫌ひはないか。主食の改變には副食が伴はなければならず、副食の改變にも主食が伴はなければならぬ。蔬物の一汁一菜でも、粗白米と併食するならば一日二食に節しても、なほ且榮養はあり餘る。

『資源愛護』の敎へ方

一本のマッチ製造には

どれだけ費用が要る？

國民精神總動員の一項目として「資源愛護」が擧げられてゐますがこの事柄を子供達にはつきりと納得させるのは、なか〳〵困難です。で子供の興味をひくお話と平易な理科の話を交へて、勉強にもなり、國策の線にも沿ふといふ一石二鳥の家庭指導法を考へてみたいと思ひます。

◇マ　ツ　チ◇

二本のマッチに點火して、一本は焰を下にし、一本は焰を上にしますと、前者はドン〳〵軸が燃えるが、後者はすぐ消えてしまひます。そこで『なぜ焰を下にすれば燃えるの？』と子供にききます。マッチの軸木には例外なく、パラフィンが塗られてゐて、下に向けた焰の熱でこれがとけ、火を導く事實を示し、子供の興味が動いたら、一本のマッチ製造にも莫大な費用と勞力がこのやうに拂はれてゐることゝ、木材は紙の原料となることを話すのです。ドイツの小學校では、理科の實驗をする場合にも、教室全體のガスに、一本のマッチしか使用しない話なども、子供にはきゝめがあります。マッチの空箱は捨てずに、横は何センチ、縱は何センチとはからせ、空箱二つを横に並べれば何センチ、三つ重ねればいくらと計算に用ひます、模樣のある紙を貼らせて、オハジキや小物を入れるに役立たせ或ひは、幼兒の玩具にも利用できます。實際に役立つことが判れば、愛護の考へを起してきます。

◇ビ　ン　類◇

レッテルのあるキズのないものと、破損したものとを子供により分けさせ、屑屋さんに賣る時、その場に立あはせます。整理したキズのないものは、高く賣れる事實をみせ、次に大抵のガラスには、古い屑ガラスが再製されてゐることを話します。破片を捨てゝおけば危險だが、拾はれゝば、ビンや板ガラスになる話など割合ひ喜ばれるものです。

◇紙、畫用紙◇

ドイツの子供は、新しい畫用紙を使はないと、古い紙へ色とり〳〵の屑紙をちぎつて、何かの形に貼りつけてみせます。高い繪具など使はずにかうして油繪の基礎を習ふドイツの例話は、子供が紙を粗末にすることを矯正します。イギリスでも一區何ペンス、二區何ペンスといふバスや電車の切符を持ち歸り（外國では車掌は切符をとらない）拾ひ集めて、學校で算術の實地教育に用ひてゐる話なども、興味をひきませう。

その他ゴム採取や、再製の話が判らなければ、タイヤが草履になる例でもよし、また罐にエナメルを塗れば花立てに、穴をあければ植木鉢になることでもよし、とに角實際に子供が、あゝさうか、と感ずる實例や話で示すことです。浴衣のス・フと混入だけを考へずに、ス・フと木材、木材と紙、マッチといふ具合に考へを及ぼし進め、指導と資源愛護に役立たせればいけません。

（東京女高師附屬主事堀七藏氏）

可愛い乳・幼兒達の育兒にもムダあり！

お乳や間食は規則的に
海水浴など無益

あらゆる方面に無駄の排除が叫ばれてゐるとき、とかく可愛さのあまりムダの多い育兒法について省る必要はありますまいか。

育兒上のムダといへば、育兒上餘分なこと、害あつて益ないこと、その爲に却つて小兒の發育を害するやうなことで、まづ乳幼兒の衣食についてみますと――衣は一般に、厚着させる傾向（いまは夏で問題はないが）があります。これは正しくムダで、害あつて益がない。厚着は皮膚の働きを弱くするばかりか、身體の運動を妨げ、從つてまた血液の循環を惡くする。肌着には必ず汗の吸收のよいサラシを用ひることでメリヤス、毛織りの類を肌にヂカに着せると、皮膚を刺戟して濕疹をおこす、おむつカバーも同樣で、暑いときに乳兒の腰のまはりを大きなカバーで強くしめてゐたり、その上おむつの取換へを怠つて半日で腰や陰部に濕疹を誘發したりするのはどうかと思はれる。

衣服全體としても體裁ばかりで非衞生的なものが多い。經濟上からしてもこれは一考を要する、次ぎには食で、乳兒にとつて母乳は唯一無二の食物だが、與へ方にムダはなからうか。

授乳の時間を嚴守することは、この意味から必要で、不規則な授乳は消化不良の原因となるばかりか、母親のお乳の出にたいしても惡い影響を及ぼしお乳の出が十分でなくなつてくる。一面にはまたこの不規則な授乳は、心理的に乳兒に不規律や氣儘を敎へることになる。授乳は生れたはじめから規則的にすることだ。幼兒の間食も亦同樣で、とかく不規則にながれやすい間食の時間は、午前十時―午後三時といふ風に限つて與へること。ダラ〳〵の間食は食慾を害し偏食に導くことになるまた子供は神經質になりむろん發育障害を起す。小兒の貧血、神經質、偏食さては疫痢などの原因や誘因は、ダラシのない間食にあることが多い。

なほ乳幼兒の時期は鍛錬の時代ではなく、養護の時であるのを知られる心要がある。從つてあまり強い刺戟は禁物で、例へば夏の海水浴などは、乳幼兒にとつて害あつて益なく、全くムダである。

虛弱な兒童も同樣で日歸りの海水浴などは刺戟が強すぎ惡い病氣にかゝることが多い。國民體位向上をはき違へぬやう。その他乳幼兒をつれての觀劇銀ブラなども寒心のことがらで、母親は宜しくかやうな二重のムダ（育兒と經濟）を排することです。（赤十字產院乳兒部　**醫博砂田惠一氏**）

産後初のお乳は

何時間後がよろしい

授乳の新研究

産婦《さんぷ》が生《うま》れたての赤《あか》ちゃんに、はじめてお乳《ちゝ》をのませるには、産後《さんご》何時《なんじ》間經《かんた》ってからのませたらいゝか、すぐのませるとお乳《ちゝ》を吐《は》く〳〵し産婦《さんぷ》も休《やす》む間《ま》がなく、乳《ちゝ》の分泌《ぶんぴ》量《りやう》も少《すく》いといふ理由《りいう》から、分娩《ぶんべん》廿四時《じ》間後《かんご》の授乳《じゆにう》を主張《しゆちやう》する學說習慣《がくせつしふくわん》がありますが、最近東京市《さいきんとうきやうし》の産院《さんゐん》で、五百七十餘《よ》の乳兒《にうじ》に、早《はや》くお乳《ちゝ》をのませる試驗《しけん》を行《おこな》つたところ、生《うま》れてから十時《じ》間《かん》―十五時《じ》間《かん》にのませるのが、一番《ばん》適當《てきたう》であるといふ結論《けつろん》を得《え》ました。

生《うま》れたての赤《あか》ちゃんの體重《たいぢう》を平均《へいきん》八百匁《もんめ》とすると、呼《こ》吸《きふ》、汗《あせ》、尿《ねう》、胎糞《たいふん》などを排出《はいしゆつ》する新陳代謝《しんちんだいしや》が、さかんになる關係《くわんけい》で、赤《あか》ちゃんの體重《たいぢう》はしばらくの間生《あひだうま》れた時《とき》より一割《わり》から一割《わり》五分《ぶ》くらゐ輕《かる》くなります、これは普通《ふつう》一週間《しうかん》から十日《か》ほどで、生《うま》れたときの體重《たいぢう》にもどり、また黄疸《わうだん》も三四日《か》から一週間內《しうかんない》に起《おこ》し、これもすぐ回復《くわいふく》するのですが、早《はや》くお乳《ちゝ》をのませると、體重《たいぢう》や黄疸《わうだん》の回復《くわいふく》をはじめ、おヘソの落《お》ちるのまですべて二、三日《ち》は早《はや》くなるばかりでなく、のむ乳《ちゝ》の量《りやう》も早《はや》くはじめた方《はう》が多《おほ》いので、發育《はついく》ぶりがいゝのです、それに試驗《しけん》の結果《けつくわ》、乳《ちゝ》を吐《は》くことや産婦《さんぷ》の障害《しやうがい》などもなく、廿四時間後《かんご》にやつたものと比較《ひかく》すると、すべての點《てん》でいゝことがわかり、産後《さんご》廿四時間後《じかんご》の授乳說《じゆにうせつ》には、何《なん》の理由根據《りいうこんきよ》もないことがはつきりしました。（東京市社會局兒童掛　森重靜夫氏）

銃後婦人の覺悟

母よ強かれ

坊やの健康第一に

吉岡彌生女史談

『あとのことは心配なく！』――夫の榮えある征旅の門出に、力強くこの言葉をいはなかつた妻が、日本の妻の中にたゞの一人でもゐるでせうか？女は弱いといはれる、しかし少くとも妻は強い、母は更に強い！軍服の夫の寫眞に陰膳をそなへ、丸々と肥えた坊やの頭をなでながら『戰場のあなた、うちの坊やは丈夫です』とさゝやくことの出來る母の幸福はどんなでせう、それは一人の母の幸福ではありません、銃後千百萬の母性の幸福です、その母たちよ、あなたがたの責務はいよ〳〵重くなつて來ます、しかし缺乏と困苦の中から強く正しい少國民を育て上げて行くことに限りない生甲斐を感じる母でなければ、眞に大きい日本の母とはいはれないでせう、日本のお母さん！覺悟は出來てゐますね！それらの母親によつて長い戰ひにもビクともしない銃後の鐵環を作つて下さい。

無駄を省いて

一意貯蓄に邁進せよ

羽仁もと子女史談

日本婦人の長所のかげに隱れてゐる弱點は、その頭腦を數理的、合理的に働かせないために、その手で取扱ふ家庭生活に隨分ムダが多いことです、毎日取扱ふ食器の一つ〳〵から交際、社交、その他生活の萬般に對してもつと〳〵愼重に考慮をめぐらしてムダをはぶいて下さい、殊に簞笥の中に死藏される衣類は、頭を働かせれば隨分澤山の有用品にかへることが出來ます、しかし女ばかりでムダをはぶいても、八十億の貯蓄が立ちどころに出來るなどとは思つてゐません、一家のうちで男の費す部分は全く大きなもので、酒、煙草、宴會、遊興――それらは女の方からかれこれいふ前に、男自身で考へなければならない領分です、男女一人々々が力を合せて無駄をはぶけば、八十億の貯蓄は必ず出來ると思ひます、この確信を以て進んで下さい。

正しく簡易に

生活の革新へ

大江スミ女史談

眞のけん約は正しい精神によつてのみ輝きを増します、たゞけん約するのではない、それが正しい精神の成長のために行はねばならないことだから、けん約するのです、生活を切詰めませう、少しでも生活のあかをためて置くのは恥です、出來るだけ簡易にしませう、この心は同時に精神を高揚し世の中を住みよくすることです、常に精神のし緩をいましめ合つて正しい生活は謙虛な心からのみ生れることを信じませう、この生活革新のために戰ひませう。

秋の草

泉鏡花

女郎花を露ながら、淺ぎ優しき嫁菜の花、藤袴、また我亦紅――は、今年よく伸び、よく茂り、慌てた蛙は蒲の穗と間違へさうに（我こそ）と咲いて居る。添へて刈萱の濡れたのは、篶とも言はず、秋の雨を其まゝの姿である。中に千鳥と名のつくのは、瀟々たる夜半の風に、野山の水に、虫の聲と相觸れて、ちり〳〵と鳴りさうに思はれる、その千鳥刈萱。通稱はツリガネニンジンであるが、色もおなじやうな桔梗の花を薄く絞つて、俯向けにつら〳〵と連り咲く紫の風鈴草、或は曙の釣鐘草と呼びたいやうな草の花。皆、玉川の白露を鏤めたのを――其の里に實家のある、私の近所の方から、毎年のやうに、土産にして頂戴する。

何年か前三日月の頃の初夜すぎて、實家へ出向いたかへりだと云つて、まだ寢ぬ門を訪れて、框にしつとりと置いて歸んなすつた。

慣れても、新しい風情の中に、その釣鐘草の交つたのが、わけて珍らしかつたのである。

畫家、淸方さんが、まだ濱町に居た頃である。壁も置かない綺麗事の庭の、小さな池の緣に、手で一寸劃られるくらゐな土に、蓼の花、露草、蚊帳釣草、犬ちやらしなど、雜草なみに扱はるゝのが、田舍の狀を髣髴として秋の薄日に亂れた中に、釣鐘草が一莖高く丈伸びて、たとへば月夜の村芝居に、青い幟を見るやうに、色も燈れて咲いて居た。遣水の音がする。萩も芙蓉も此の住居には顯かれる。植木屋の手に掛けたり、緣日の鉢植を移したものとは思はれない。「あれは何うしたのです。」と聞くとお照さん――鏑木夫人が――「……春ね、玉川へ遊びに行きました時、まだ何にも生へて居ない土を一かけ持つて來たんですよ。」

卽ち名所の土の傀儡師が氣を咲かせた面影であつた。さら〳〵と風に露が散る。また遣水の音がした。

金をかけて、寂びた茶座敷を營むより、此の思ひつき至つて妙、雅にして而して優である。

……其の後、つくし、餅草摘みに、私たち玉川へ行つた時、眞似して土を麴一枚ばかりと、折詰を包んだ風呂敷を、一度ふるつては見たものゝ、土手にも畦にも磧にもすく〳〵と皆小さな穴がある。――釣鐘草の咲く時分に、振袖の體なら可いとして、靑だいしやうがによろ〳〵などは肝を冷す、と何だか不氣味で、手をつけなかつた覺えがする。

「何を振廻はして居るんだい、早く水へ入れてお遣りよ。」

でん〳〵太鼓を貰つたやうに、嬉しがつて居る家內のあとへ……椽へ出た。

「根の方をほぐしてからでないと、何ですか、胡蝶が寢て居さうで、いきなり桶へ突込んでは可哀想ですからさ。」

柄にない。

フン、と苦笑をする處だが、こゝは一つ敢て山のかみのために辯じたい。

秋はもつと深かつた――露の凝つた秋草を、霜早き枝のもみぢに添へて家內が麴町の通の花政と言ふのから買つて歸つた事がある。

……其時、木の葉とか、あをばとか稱ふる小さな木兎を持つて來た。

手廣い花屋は、近まはりを求めるだけでは間に合はない。房州、相摸はもとより甲州、信州、越後あたりまで、持主から、山を何町歩と買ひしめて、片つ端から鎌を入れる。朝夕の風、日南の香、雨、露も霜も一齊に貨物車に積込むのださうである。――今年活けた最初の錦は、奧州のしのぶの里、りんだうは熊の平、碓氷の山岨で――、刈りつゝ下枝を透かした時、冀の半輪の月を裏山の峰にして。ぼかんと留まつたのが、その木兎で。若い衆が串戯に生捉つた。こんな事はいくらもある「酒落に御覽なせえ。」と、花政の爺さんが景ぶつに寄越したのだと言ふ。……人柄が思はれる、お孃さん、奧がた、婦の風采によつては、鶯、かなりや、せめて頬白ともあるべき處を、木兎は、あゝ、人柄のほどが思はれる

が、秋の日の縁側に、ふわりと掛つて、背戸草に浮上つて、傍に、その、もみぢの枝に、團栗の實の轉げたのを見た時は、恰も買つて來た一束の草と枝の中からぽッと飛出したやうな思ひがした。

いき餌だと言ふ。……牛肉を少々買つて、さしつけては見たけれど、恁う嘴を伏せ、翼をすぼめて、あはれに悄氣てポーと晝の夢に魘へたやうに鳴く。……その眞黄色な大きな目からは、玉のやうな涙がぽろ〳〵と溢れさうに見える。山腹の稚いの、惡道士、邪仙人の魔法で呪はれでもしたやうで、牛肉どころか、よし野龍田の彩色の、かあいゝ干菓子でも喙みさうで、しほらしく、痛々しい。……その干菓子の袋を添へて、駄賃を少々、もとの山へ戻すやうにと云つて、すぐに花屋へ返したが。

まつたく、木の葉、草の花の精が顯はれたやうであつた。こゝに於て、蝶の宿をきづかつたのを嘲らない。

「あゝ、ちら〳〵。」

と、ほぐす葉を散つて小さな白いものが飛んだ。障子をふッと潜りつゝ、きのふけふ蚊帳をとつた掻巻の袖に、裾に、ちら〳〵と舞つたのは、其れは綿より輕い蘆の穗であつた。

街頭醫學

乳兒の命取り 消化不良の癒し方

乳兒が消化不良症にかゝるのは、季節その他の關係もあるが、要はその月齡に不適當な食物を食べた爲に起るので、母乳を飲んでゐる乳兒よりも、牛乳その他の人工榮養品で育てゝゐる乳兒の方がかゝりやすいことは爭へない事實です、たとへばこゝに生後四五十日の乳兒があるとします、玄米粉がよいといふので、牛乳の中に玄米粉をとかして與へてゐるとします、成程、玄米粉を入れゝば、それ丈食餌の榮養價は高まります、しかし數字的にカロリーが增したからとて乳兒の消化器官內で、それが十分に利用されるとは限りません。その榮養の高い食餌が乳兒の身についたものでなければならないのです。こゝに人工榮養のむづかしさがあります、そこで消化不良症には完全な治療法があるか否かといへば、殘念乍ら、今日のところまだ十分な治療法がありません、といふ譯は早く手當をすれば治るものも、重症となると治療の效果が思ふ樣に現はれないといふ意味です、この病氣の初期には、元氣もそれ程衰へないし、熱も上らないので大低の母親はあまり心配しないのです、たとへば乳兒の便が綠便になつても直ぐに回復するだらうと手當をしない、これが間違ひのもとで、重症になつてしまふと治療の效果も擧らず、命を落すやうなことになるのです。治療の中心となるものは減食療法です、それも生やさしい減食では思ふ樣に行きません、たとへば輕症から中等症に進んだ乳兒には、三分の一乳を一回量三十グラムとして三時間置きに與へる位に極端な減食です、やゝ重症の乳兒には、十二時間から廿四時間の絕對禁食をさせ、其の後も一回量五グラム乃至十グラムを二時間置に與へる程度にします、今まで、一合飲んでいたものを七勺に減らすぐらゐではなか〳〵效果が現はれるものではありません全乳を二分の一乳にし、一回量二百グラムに減らしたぐらゐで快癒するのは極めて輕症のうちで本當はこの程度のうちに手當をして良便が出るやうにし、おもむろに乳量を增して行くのが最も賢い方法なのです。

重症の消化不良症には何といつても母乳に限ります、眼はドンヨリとして腹はふくれ、水樣便たつゞいてしきりに吐くといつたやうな重症になれば、人工榮養を廢して母乳(お母さんの乳が出ないからの牛乳だから、他の人の乳になるわけですが)をしぼつて與へます、他の人の乳を貰ふといふことはなか〳〵大變なことですが、この場合はごく少量で一回量五グラム乃至十グラムで二時間每に一日十回與へるとしても一日に五十グラムも百グラムで足りますからそれ程困難ではありません、又他の人の乳を五十グラムとか百グラムとか一度に貰つた場合は一度煮沸して栓を固くし、冷藏して置くことです。(醫學博士田村均氏)

扁桃腺がはれると物覺えが惡くなる

【イ】讀者のお子さんは風邪をひきやすく、いつも顏色が惡くて、偏食の癖がありませんか?。

【ロ】もと〳〵頭のよい子だつたのに、段々成績が落ちて來ませんか?。

【ハ】氣がソハ〳〵して顏にしまりがなく、寢るといびきをかいたり、ちよい〳〵粗相をしたりしませんか?。

【ニ】ふだんポカンと口をあいてゐたり、よだれをたらすやうなことはありませんか?。

【ホ】每日のやうに微熱が出ることはありませんか?。

かういふ　子供さんは例外なく扁桃腺が肥大してゐると見て差支へありません　その扁桃腺もごく大きくはれてゐる場合は、素人のお母さんがのぞいて見ただけでわかりますが、それ程肥大してゐないとちよつと見ては發見出來ません、否、かなり大きくはれてゐる場合でも二つの半島のやうに向き合つて咽喉の兩側から出てゐる扁桃腺が、咽喉の奧向きにはれてゐるやうな時は、なか〳〵わからないものです、では扁桃腺が大きくなつてゐなければよい

かと申すに、目立つてはれてゐなくとも、その內部に化膿層があるやうな場合には、X線で調べてみると大抵肺門淋巴腺が冒されてゐます。

ではなぜ……　扁桃腺がはれると物覺えが惡くなつたり、微熱が出たり、顏色が惡く、生氣がなくなつたりするかといふと、扁桃腺の周圍をとりまいてゐる血管綱が、扁桃腺のはれのために壓迫を受け、頭腦神經を養ふ血液の新陳代謝が自由奔放に行はれないために記憶力は鈍り、頭痛もちになり、顏に生氣がなくなるばかりでなく時には盲腸炎、腎臟炎、關節炎などを誘發することが少くないのですから、扁桃腺肥大は全身病といつて差支へないのです。

除去するのが一番です

扁桃腺と健康體の關係について一つの著しい例をあげませう――健康な老人の咽喉を見るとほとんど例外なく扁桃腺がなくなつてゐることです、自然の巧妙な作用が扁桃腺を完縮させてしまつてゐるのです、あつてかへつて種々のわざはひを招く邪魔ものを、なるべく早く除去することを、世のお母樣方にお勸めします。(醫學博士脇田政孝氏)

お乳の出がよくなるマッサージ

すべての赤ン坊が母乳をのんで育てば小兒科の病氣は半減するだらう――といはれるくらゐで、母親のお乳こそは、赤ン坊にとつて無二の榮養なのです。だからお產のあと、母乳が不足の場合、あきらめて早く人工榮養にたよるまへ、一應母乳が出るやうな、あらゆる方法を講ずる努力を怠るべきではありません。昔から民間に行はれてゐる乳もみ――今日の言葉のマッサージも、催乳のための有力な方法で、寧ろ產後には、どなたも一應やつてみる必要があります。

初めてのお產のときは、お乳がはつて困るぐらゐでも、乳首が固くて乳汁がうまく出ず、赤ン坊もまた吸ひ馴れないで困るものです。この場合マッサージをやれば、ラクにお乳が出るやうになり、同時にマッサージの刺戟によつて、益すお乳の出がよくなつてきます。またお乳がはつてゐるのに出ないとき起り勝ちな乳腺炎を豫防することにもなつて、一石三鳥といふものです。

次にお乳が不足で困るとき、お產の翌日から數回マッサージを行ふと、大變效果があるのは、改めて申すまでもありますまい。この際マッサージの刺戟で反射的に子宮が收縮し、幾分お腹がいたむものですが、これは心配ありません。併し數回マッサージを行つて、效果がみえぬ場合は、乳腺そのものゝ發育が惡いためと知り、早く乳腺の發育を促すための治療をうければなりません。即ちこのためには、卵巢ホルモン、腦下垂體ホルモン、人乳などの注射、または腦下垂體へのレントゲン照射、乳房への紫外射、或ひは催乳劑の服用などが行はれます。

マッサージは將來、すべての產婆によつて行はるべきものですが、今日のところ、十分熟練ある專門家にたのむよりほかありません。家庭では乳房への溫濕布と、はつて困るときは搾りだすことが大切です。

、なほ乳房のどこかに固くて、痛い部分があつて、表面が赤くだん〳〵熱もでゝくるやうな場合は乳腺炎の疑ひがあります。乳腺炎と知らずにマッサージをやると厄介なことになります。(慶應病院產科敎室尾島信夫氏)

赤ちやんを背中におんぶは惡いか

銃後をあづかる我が國の婦人は各方面に甲斐々々しく立働かなければなりませんが、その結果赤ちやんを背負ふ機會も多くなつて參りませう。そこで赤ン坊を背中におんぶすることが、果して非衞生かどうか?を檢討してみませう。赤ン坊をゆつたりと前で抱き、或ひは乳母車に乘せてあるくのと較べると確かにおんぶは、少々非衞生であるといへます。伸び〳〵と育てなければならぬ赤ン坊を、窮屈な不自然な恰好に背中にひつくるのですから。然し、また子供の發育に惡影響を及ぼすほどの害がおんぶにあるとも考へられません。例へば脚のみにくい彎曲が、子供時代のおんぶに歸因

しはしないかの心配にしても、まづ多くの場合、まつたくの杞憂であるといへます。赤ン坊の骨が軟かいにしろ、おんぶ位ゐで簡單に曲るものではありません。しかし赤ン坊が、首をうしろにのけぞつて眠つてゐるのに拘らず搖ぶつて步いたり、赤ン坊の身體をあまりきつく壓迫したり、帽子がとれてゐるのも知らず、日盛りに長時間さらしたり……などは勿論よくなく、これらは直接間接赤ン坊に害を及ぼすことを知られねばなりません。

要するにおんぶの習慣は、わが國の社會的、經濟的の事情に源を發してゐるので、非常的になり人手が不足して來れば、一時的におんぶの習慣を採るのもやむを得ませんし、またそれほど害のあるものでもありません。(赤十字病院小兒科部長平野博士)

戰爭と姙娠率低下

戰爭は婦人の姙娠能力をよわめる!その最もよい例を日露戰爭時のわが國、及び世界大戰時における各國の出生率にみることができます。日露戰爭がはじまるまでのわが國の出生率は、人口千について三二代の比率だつたのが、卅七年では三〇・六、卅八年では三〇・五、戰後の卅九年では二八・九にまで低下してゐます。

また世界大戰時のイギリス、フランス、イタリア、ドイツ、ベルギーなどの參戰各國の出生率は、戰爭のはじまつた翌年、翌々年、戰爭の終つた年、その翌年などにおいて著しい低下をみてゐます。この戰時における出生率――つまり姙娠率の低下の原因として、男子の減少、物資の缺乏――とくに食糧の缺乏誤つた非常時觀念により質の惡い食物を精神鍛鍊の美名のもとに食べる傾向、戰後における性病の流行、過勞、精神的影響――などを擧げることができます。

このうち食糧の缺乏――つまり榮養の不良こそ最も大きな原因の一つとして、今日われ〳〵が十分考へておかねばならぬ問題です。

姙娠のための榮養として一番大切なものは動物性の蛋白質及びビタミンEです。蛋白質は卵の(人間の)榮養となり、胎兒の發育のためになくてならぬものまた卵巢及び子宮の働きの基礎をなすもの、そしてその働きを旺んにするものがビタミンEです。

さて、この二つの最も大切なものは、また最も不足しやすいもので、大戰當時ドイツ、ロシヤをはじめ參戰各國は、すべて動物性蛋白の給源である獸肉に大窮乏をきたしました。

これは獸肉を生產するには、一定の單位面積を必要とし、また人間の食べるやうな食糧を獸類もたべるので、不經濟な家畜類の生產を各國がおさへたことによりますその結果、ドイツでは戰爭の二年目頃から、無月經の女性が續出し、流、早、死產がまし、また大戰終り頃から結核が非常な勢ひでふえ、これが益す姙娠の低下を來しました。カロリーの點で亦、體溫が保てず、蒲團をひつかぶつてジッと寢てゐたといふ慘めな補給の有樣だつたのです。

そこで長期戰下の我國の婦人は榮養のどんな點に留意すれば姙娠能力を衰へさせずに濟むか?といひまするに、幸ひ我國では海產物が豐富なので蛋白質の給源として鯨、鰯、その他の魚類を食べればよく、またビタミンEは主食である米(七分搗、胚芽米)から必要にして十分な量が最も經濟的にとれます。その他シチヤ、キヤベツ、小松菜ホーレン草などの菜つ葉類を食べるのがよく、また蛋白質の補ひとしては安價な大豆を利用すればよいのです。

非常時だからとて、姙、產婦が好んで日の丸辨當を食べるやうな愚は斷然廢めるべきです、非常時だからこそ經濟的な榮養食をとり、姙娠能力を高め健康な子供をたくさん生みそして、國運の發展を期すべきであります。(榮養研究所技師藤本薰喜氏)

戰時には赤ちやんがなぜよく死ぬ?

昔の戰爭は強剛な兵士を一人でも多く戰線に送れば事足りたのですが、今の戰爭は、銃後の支援如何といふ事が最も大きな力を持つやうになつてゐます。

世界大戰時の調査では一人の戰線の兵員を維持する爲に銃後の軍需作業力はドイツ二・六人、フランス二・九人を要したことになつています。人口の增加と國民體位の向上が切に望まれるわけですが、クヰーン大學のバイアー教授が「英國の兵が戰場で九人戰死する間に國内では十二人の乳兒が死んでゐる」と叫んだやうに戰爭中の乳兒死亡は、各國共に激增してゐる。

出生一〇〇につき一年未滿の死亡數を調べてみますと、ドイツは戰爭前年が一五・一であるのに戰爭第一年で一六・四、二年目で一六・七となり休戰の年も一五・四の率を示し、イタリアは戰前の一三・七の數字が一四・七――一八・七、二一・一、最後の年ですら一九・二とはるかに多くなり、フランスも同樣の一一・二の戰前の率の一四・一とまで昇つてゐます、――が戰爭終了後十年目にはドイツ一五・一(戰爭前年)が八・九にイタリアは一三・六が一二・〇へ、フランスは一一・二から九・二へと共に死亡率減少し、一九三五年ではこの三國がそれ〲六・八、一〇・二、六・九と更に戰前とは全く比較にならぬまで死亡率が低下してゐます。これは各國擧つて乳兒保護の施設、指導に力を注いできたからです。

日本では世界大戰の前年は一五・二でほゞドイツと同じでありますが、十年後ドイツが八・九であるのに一三・八、一九三五年にはドイツ六・九、日本一〇・七と約二倍に近い率をみせてゐます。盟邦ドイツに對してもまことに恥べき數字で、各方面、家庭及び特に軍需勞働者の反對を望む次第です。といふのは各國共に勞働者の收入の急激な增加は、不良少年の場合も同樣ですが、生活及び體位を向上させ乳兒の死亡率を減少させるよりも寧ろ逆の結果を示すことが多いと嘆じてゐるからです。榮養の法則を忘れた美食は反つて害がありまた飲酒、遊蕩による花柳病その他の疾病の增加は乳兒死亡にも影響してくる事實が報告されてゐるのです。

出征遺家族への協力愛護も大切ですが、かうした好況部門にも幾多の問題が殘されてゐわけです。(濟生會　飯村保三氏)

日本兒童愛護聯盟規約

名　　稱

第一條　本會ハ日本兒童愛護聯盟ト稱ス

事　務　所

第二條　本會ハ事務所ヲ大阪市北區天神橋筋六丁目二十九番地大阪市立北市民館内ニ置ク

目　　的

第三條　本會ハ恒久國防ト第二國民ノ體力向上ヲ目標トシ健全ナル育兒知識ノ普及ヲ圖リ兒童ノ體質改善ト兩親ノ再教育ニ盡瘁努力シ國民體力ノ基礎ヲナス乳幼兒期ヨリ兒童期ニ至ルモノ、福祉增進ニ貢獻寄與スルヲ以テ目的トナス

事　　業

第四條　本會ハ右ノ目的ヲ達成スル爲メニ左ノ諸事業ヲ行フ

A、機關雜誌『子供の世紀』ノ發行

B、愛兒叢書、愛兒カレンダー(以上年數回ニ涉リテ)等ノ發行

C、乳幼兒審査會ノ開催ト指導

D、小兒保健所並ニ兒童相談所ノ設立

E、小學兒童ノ夏季林間學校ノ實施

F、乳幼兒死亡率ノ調査及ビ其ノ對策

G、子供ノ福祉增進ニ關スル各方面各種ノ統計的觀察

H、情操教育ヲ主眼トセル兒童ノ童謠童話ノ集會開催

I、父ノ會、母ノ會ヲ開キテ兩親ノ再教育ヲナス

J、育兒知識ニ關スル講習會ノ開催

K、講師及ビ乳幼兒審査會指導者ノ派遣

L、女學校婦人團體ニ於ケル兒童愛護ノ講演

M、其他兒童ノ福祉增進ニ關シ必要ナル事業

役員及役員會

第五條　本會ノ役員會ヲ理事制トナシ理事長一名、常任理事二名、理事十二名以上ヲ以テ組織シ理事ハ總會ノ決議ニヨリテ選出シ理事會ノ決議ニヨリテ顧問數名、會長一名、名譽會長一名ヲ推擧スルヿアル可シ

尙理事長、常任理事、理事ノ任期ハ滿二ケ年トナシ顧問、會長、名譽會長ハ滿三ケ年ナリトス、但シ改選ノ結果其ノ重任ヲ妨ゲズ

役員會ハ原則トシテ毎月一回開會シ理事長、常任理事合議ノ上之レヲ招集シ尙必要ト認メタル時ハ臨時役員會ヲ開クヿヲ得

執　務　者

第六條　本會ハ理事會ノ決議ニヨリテ有給ノ主事二名以上、書記二名以上、會計一名ヲ置キテ本會ノ實務ニ當ラシメ理事長及常任理事之レヲ監督ス

加　盟　者

第七條　本會ノ加盟者ヲ個人加盟者、團體加盟者ノ二種トナシ個人加盟者ハ會費年額金一圓、團體加盟者ハ會費年額金十圓ナリトス

總會及例會

第八條　本會ノ總會ハ年一回理事會ニ於テ招集シ尙理事會ノ必要アリト認メタル時ハ臨時總會ヲ招集スルヿアル可シ

本會ノ總會ハ個人加盟者、團體加盟者ヲ以テ組織シ全加盟者三分ノ二以上ノ出席ナキ時ハ總會成立ノ効力ナク亦總テノ提案事項ハ加盟者ノ出席者全數三分ノ二以上ノ贊成ニヨリテ決議ス

例會ハ年六回理事會ニ於テ招集シ尙理事會ノ必要アリト認メタル時ハ臨時例會ヲ招集スルヿアル可シ

本會例會ハ個人加盟者、團體加盟者ヲ以テ組織シ全加盟者三分ノ二以上ノ出席ナキ時ハ例會成立ノ効力ナク亦總テノ提案事項ハ加盟者ノ出席者全數三分ノ二以上ノ贊成ニヨリテ決議ス

維 持 方 法

第九條　本會ノ維持ハ基本金ノ外ニ加盟者ノ會費、篤志家ノ自發的ニヨル寄附金、機關雜誌其ノ他ノ外ニ公ノ助成金等ヲ以テ之ニ充テ、定期總會及例會ニ於テ報告ヲナシ加盟者ノ諒解ヲ受クルモノトス

尙會計ハ毎月末本會ノ支出入ヲ明カニシ現金ト共ニ之ヲ理事會ニ示シ理事長並ニ常任理事ノ檢印ヲ受クルモノトス

規約ノ改正

第十條　本會規約ノ改正ハ本會總會ニ於テ本會加盟者ノ出席者全數三分ノ二以上ノ贊成ヲ經ルニ非ザレバ濫リニ改正スルヿヲ得ズ

編輯後記(八月の日記)

◎本聯盟創設者の一人として、亦常任理事として十數年に涉つて聯盟の進展の爲めに盡瘁された、前大阪市社會部長志賀氏の永眠されたのは去る四月八日であつて、去る七月十五日、既に百ケ日の式も終つたので遺骨を故山に埋葬する事となり、それにはどうしても知己朋友等數名が遺骨を捧持して行き、次手に熊本市で記念講演會を開催し飛行機で歸阪しやうとの議も起つたが、結局時局柄ではあり、且つ鄕里の令兄の希望もあつたので、遺族の他に記者と松本氏のみが御見送りして行く事となつた、當時の旅日記は別項記載の通りだが、今月號のみでは滿載し切れず、次號に割愛した、尙、故人の長男香苗君、次男裕君が父君の誕生地や周圍の大自然を數十枚のフィルムに收めて歸られたが、それも讀者に對つて次から次へと御紹介申上げたいと思つて居る。

◎八月二十一日、無事に使命を果して歸宅・次の日直ちに坂間大阪市長に御目にかゝり萬般の事を御報告申上げた處「志賀君は實に素破らしい山間で生れたものですね」と感嘆され三十分間程旅の物語りを珍らしげに聽取されるのであつた、それから社會部にては田坂部長、田部井庶務課長、中馬同係長、古藤福利課長、增田同係長、渡邊保護課長等に高山植物の馨る久住高原麓の志賀家代々の墓所の事、亦御一同からの香花料で墓地に石燈籠を寄進するやうに決めて來た事等を報告した、部長は漱石の『草枕』を讀む心地がすると感を深くされるのであつた。

◎來る十月九日より五日間、大阪三越に於て、戰時下の第十六回全大阪乳幼兒審査會が開催される事に決定し、既に坂間市長に御目に懸つた時申上げたやうに、今年は名譽會長に池田大阪府知事を、總裁に永井遞信大臣を、名譽總裁に木戸厚生大臣を推戴する事となり、各關係方面の準備に忙殺されて居り、そのために九月早々上京する豫定になつて居る、我等は及ばず乍ら銃後に備ふる國民の保健運動には一切を捧げて働いて來た事を感謝して居る者である。

◎過般の水害に際し各方面から御見舞と御慰問を忝うした事を茲に心から御禮を申上げなければならぬ、殊に永井柳太郎閣下からは長文にわたる激勵の御手紙を頂戴した事は身に餘る光榮であつた、あの當時、次から次へと速達、電報、書信等が着く度に、自分等は斯く諸方の同胞から愛せられて居るのだから、尙數十倍のヒットを上げて邦家のために働かねばならぬと覺悟を新にさせられるのであつた。

◎大正十年の頃、本聯盟と聯絡を取り、瀨戸内海兒童愛護聯盟を設置し、全國的に活躍された別府市の梅田凡平氏の御遺族に親々御目にかゝりたく念願してゐたのであるが、過般私共一行は熊本からの歸りに別府滯在中、「未亡」人、御令息が態々旅館を來訪され種々過ぎし昔を追憶した、生前氏は桃太郎の姿をして、米國の日曜學校大會に出席すると云ふ程な童心の權化であつた、氏のやうに無心無慾、天眞爛漫の士が次第に地上から去つて行く事は實に寂寞の感がするのである。

◎去る八月二十四日、阪神電車中で偶然有馬賴吉博士に御目にかゝつた、博士は「志賀さんはホントウに惜しい事をしましたれ、然し御事業は年々と御隆盛で御喜びして居ります」、と誠に鄭重なる御挨拶で恐縮の外はなかつた。

本誌定價　一册金參拾錢　郵稅壹錢五厘
半年分六册　金壹圓六拾錢　郵稅共
一年分十二册　金參圓　郵稅共
誌代郵稅は一切前金の事
前金切の場合は發送中止
郵券代用は一割增のこと
昭和十三年八月廿八日印刷
昭和十三年九月一日發行(毎月一回一日發行)
兵庫縣武庫郡精道村芦屋
發行兼編輯人　伊藤悌二
大阪市西淀川區海老江上二丁目三七番地
印刷人　木下正人
印刷所　木下印刷所
電話福島㊺(二一五三四番
二四二六番)
發行所　大阪兒童愛護聯盟
大阪市北區天神橋筋六丁目
大阪市立北市民館内
電話堀川㉟(一〇〇〇一番
一〇〇〇二番)
振替大阪五六七六三番

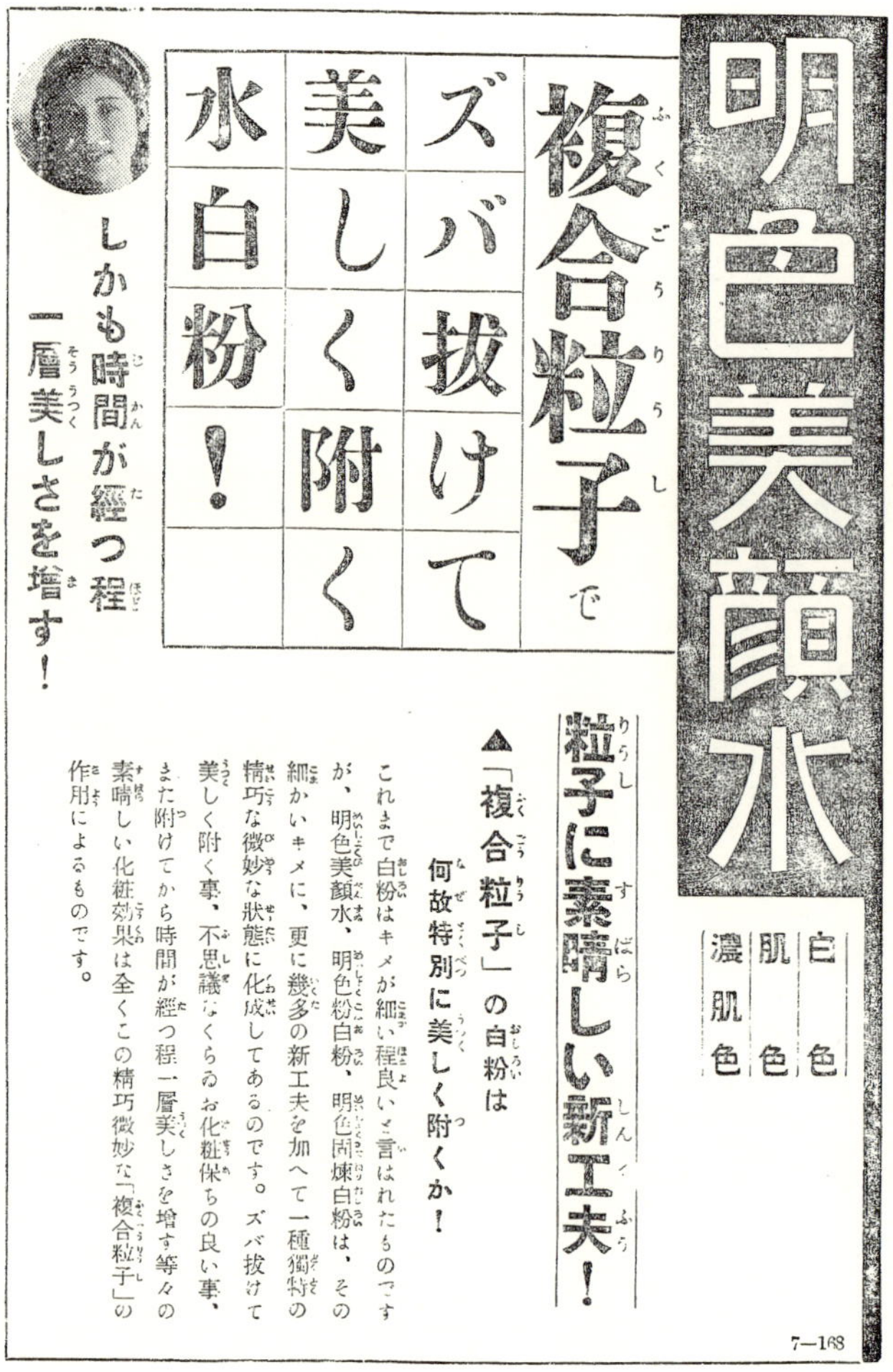

子供の世紀 第十六卷 第九號
大正十三年壹月二十日第三種郵便物認可
昭和十三年八月二十八日印刷納本
昭和十三年九月一日發行（毎月一日一回發行）
【定價 金參拾錢】

恒久國防・國民體位向上

子供の世紀

大正十三年二月二十日第三種郵便物認可
昭和十三年九月廿八日印刷納本
昭和十三年十月一日發行(毎月一回一日發行)

愛育問題の厚生

十六卷 第十號

大阪市立北市民館内
大阪兒童愛護聯盟

基礎鞏固　經營眞摯

創立　明治四拾四年

日本徴兵 コドモの保険

入營・嫁入　準備
出世・教育　資金

子を持つ親心

可愛い子供の爲に何程かづゝの貯金をしてやらうと考へるのは、凡ての親としての至情で、男子ならば適齢迄、女子ならば嫁入迄と誰しも心掛ける所ですが、さて實行はなかなか困難です。

最良の實行方法

徴兵保險、生存保險のコドモ保險は此需用を充たす最良の施設で、一度御加入になれば知らず識らずの間に愛兒の爲に必要な資金が積立てらるゝことになります。

日本徴兵保險株式會社

本社　東京市麹町區内山下町一ノ一

伸《の》ばせ　肥《ふと》らせ　健康兒《けんかうじ》!

秋は赤ちゃんの發育盛りの時
又離乳の最好季です

赤《あか》ちゃんの生後《せいご》四、五ケ月頃《げつごろ》からは母乳《ぼにう》だけでは榮養不足《えいやうふそく》を訴《うつた》へますから母乳《ぼにう》の外《ほか》にも、榮養《えいやう》が豊富《ほうふ》で消化《せうくわ》のよい**森永ドライミルク**を與《あた》へて、健《すこ》やかにせい一杯《ぱい》まる／＼とお肥《ふと》らし下《くだ》さい

この混合榮養法《こんがふえいやうほう》を行《おこな》ひますと離乳《りにう》が大變樂《たいへんらく》になり知《し》らず／＼のうちに出來《でき》ます

即《すなは》ち**森永《もりなが》ドライミルク**と重湯《おもゆ》を次第《しだい》に濃《こ》くし母乳《ぼにう》の回數《くわいすう》を減《げん》じてゆけば生後《せいご》一ケ年《ねん》か一ケ年半位《ねんはんくらゐ》で安心《あんしん》して離乳《りにう》を完成《くわんせい》することが出來《でき》ます

種類
有糖粉乳　溶けば母乳そつくりになる
無糖粉乳　溶けば生乳になる

發育促進に世界最良粉乳

森永ドライミルク

森永煉乳株式會社

「子供の世紀」(第十六卷第十號)愛育問題の厚生號

目次

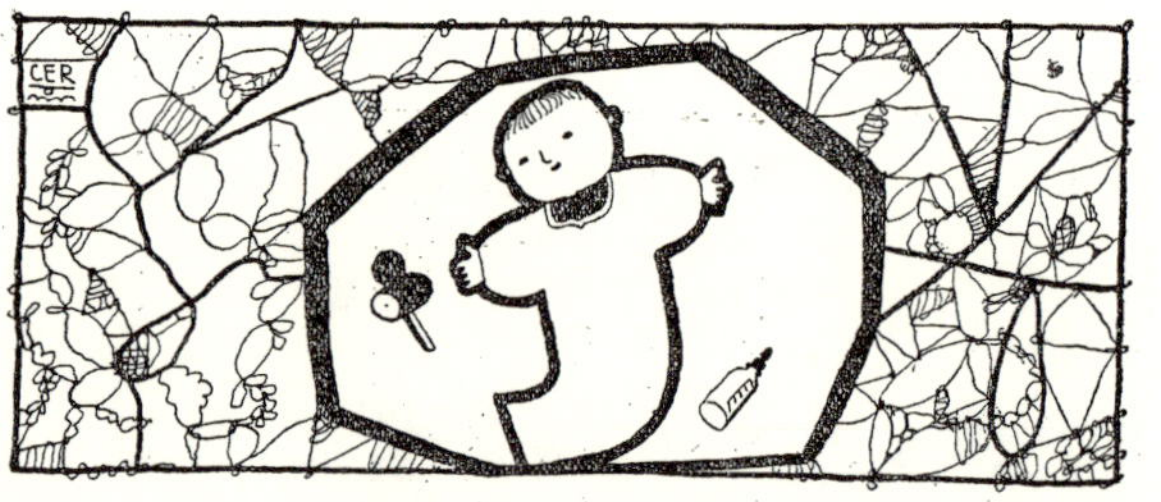

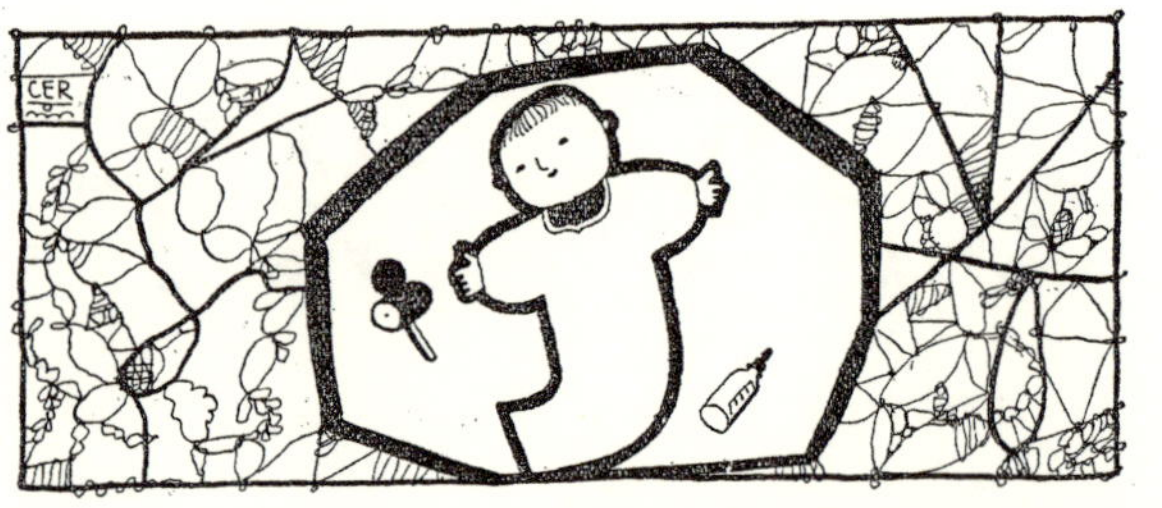

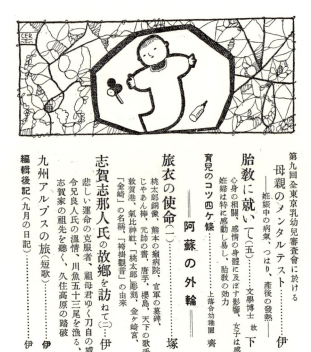

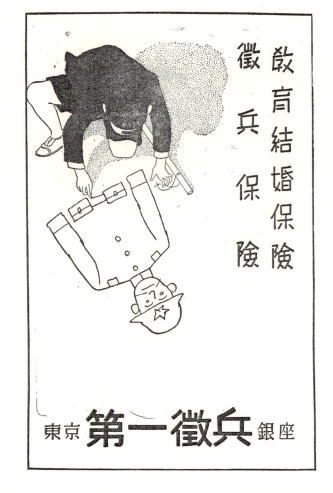

秋爽かなる澁温泉

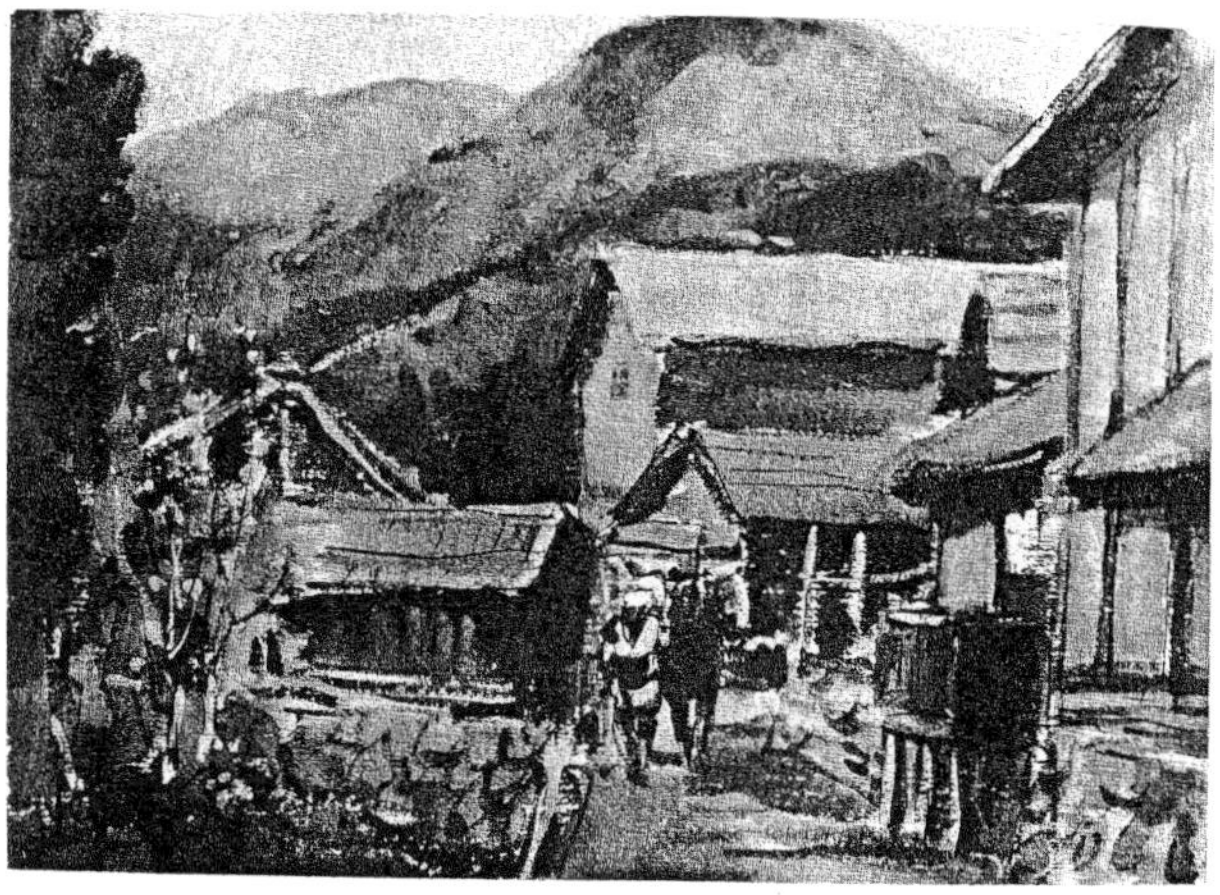

東京　西牧恭平書伯ゑがく

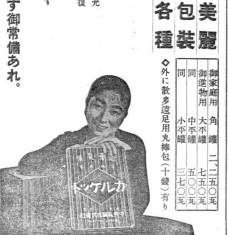

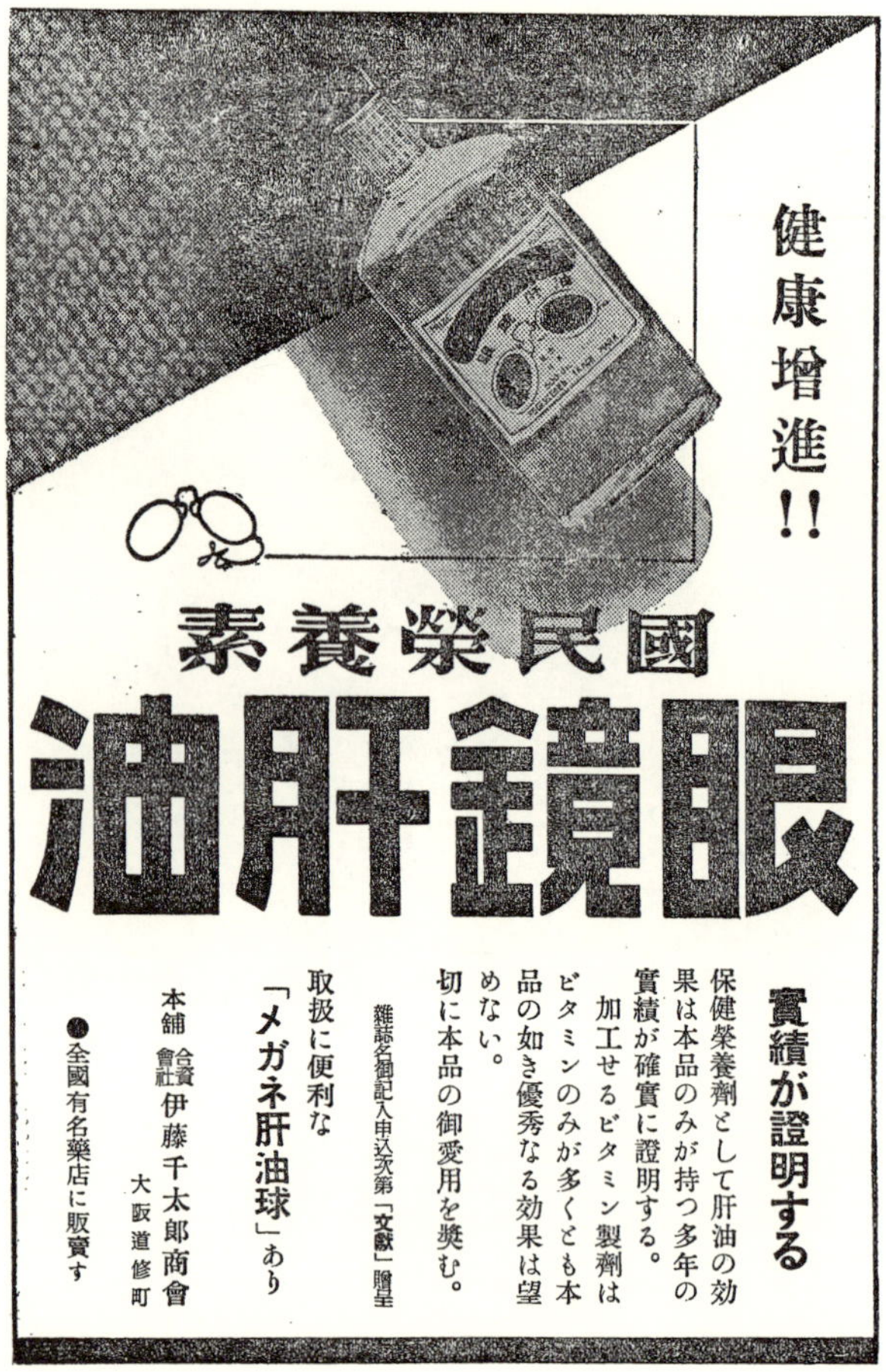
健康增進!!
國民榮養素
眼鏡肝油
實績が證明する
保健榮養劑として肝油の効果は本品のみが持つ多年の實績が確實に證明する。
加工せるビタミン製劑はビタミンのみが多くとも本品の如き優秀なる効果は望めない。
切に本品の御愛用を奬む。
雜誌名御記入申込次第「文獻」贈呈
取扱に便利な「メガネ肝油球」あり
本舗 合資會社 伊藤千太郎商會 大阪道修町
●全國有名藥店に販賣す

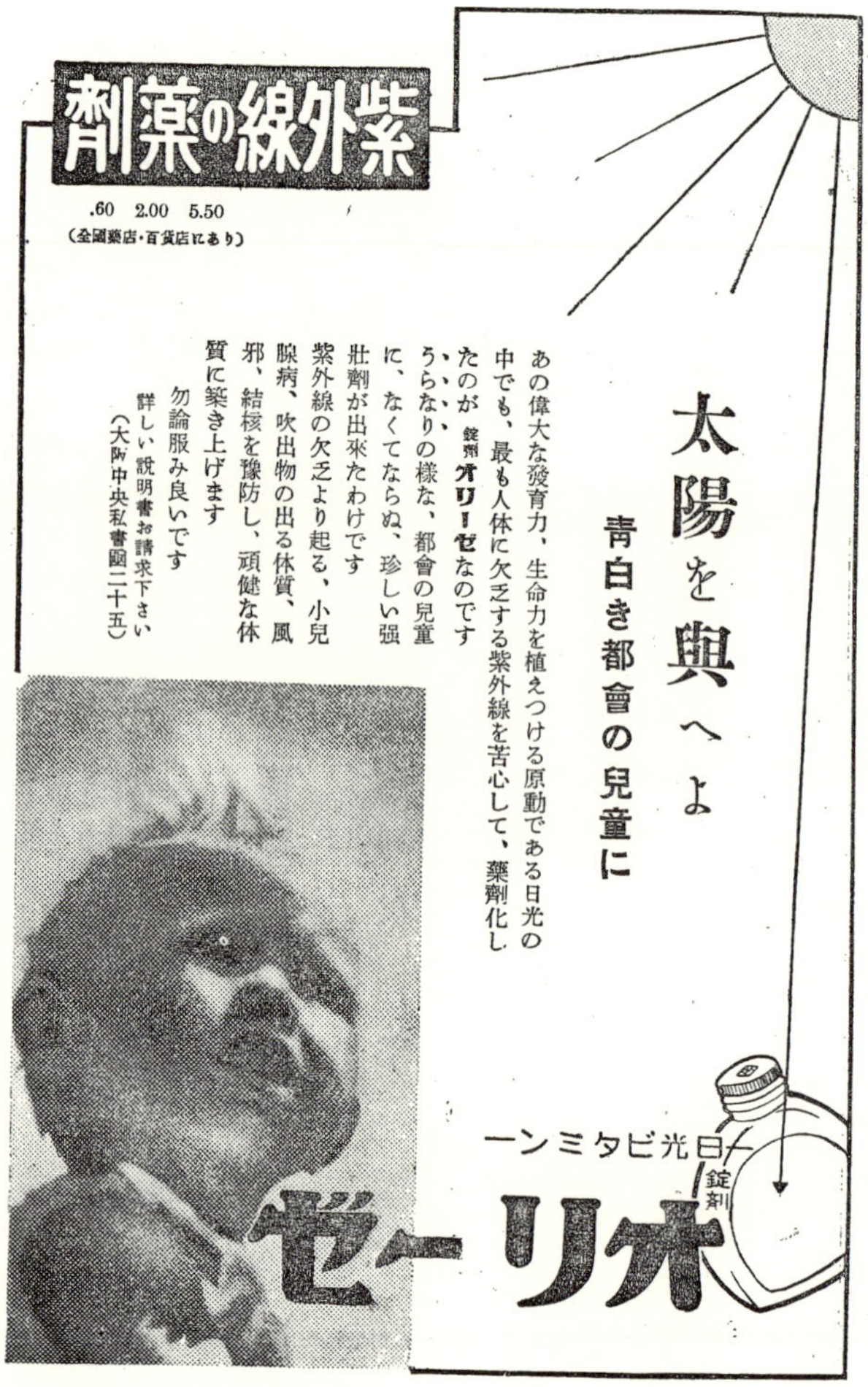
紫外線の藥劑
.60 2.00 5.50
(全國藥店・百貨店にあり)
太陽を與へよ
青白き都會の兒童に
あの偉大な發育力、生命力を植えつける原動である日光の中でも、最も人体に欠乏する紫外線を苦心して、藥劑化したのが錠劑オリーゼなのです
うらなりの様な、都會の兒童に、なくてならぬ、珍しい强壯劑が出來たわけです
紫外線の欠乏より起る、小兒腺病、吹出物の出る体質、風邪、結核を豫防し、頑健な体質に築き上げます
勿論服み良いです
詳しい説明書お請求下さい
(大阪中央私書函二十五)
日光ビタミン
錠劑 オリーゼ

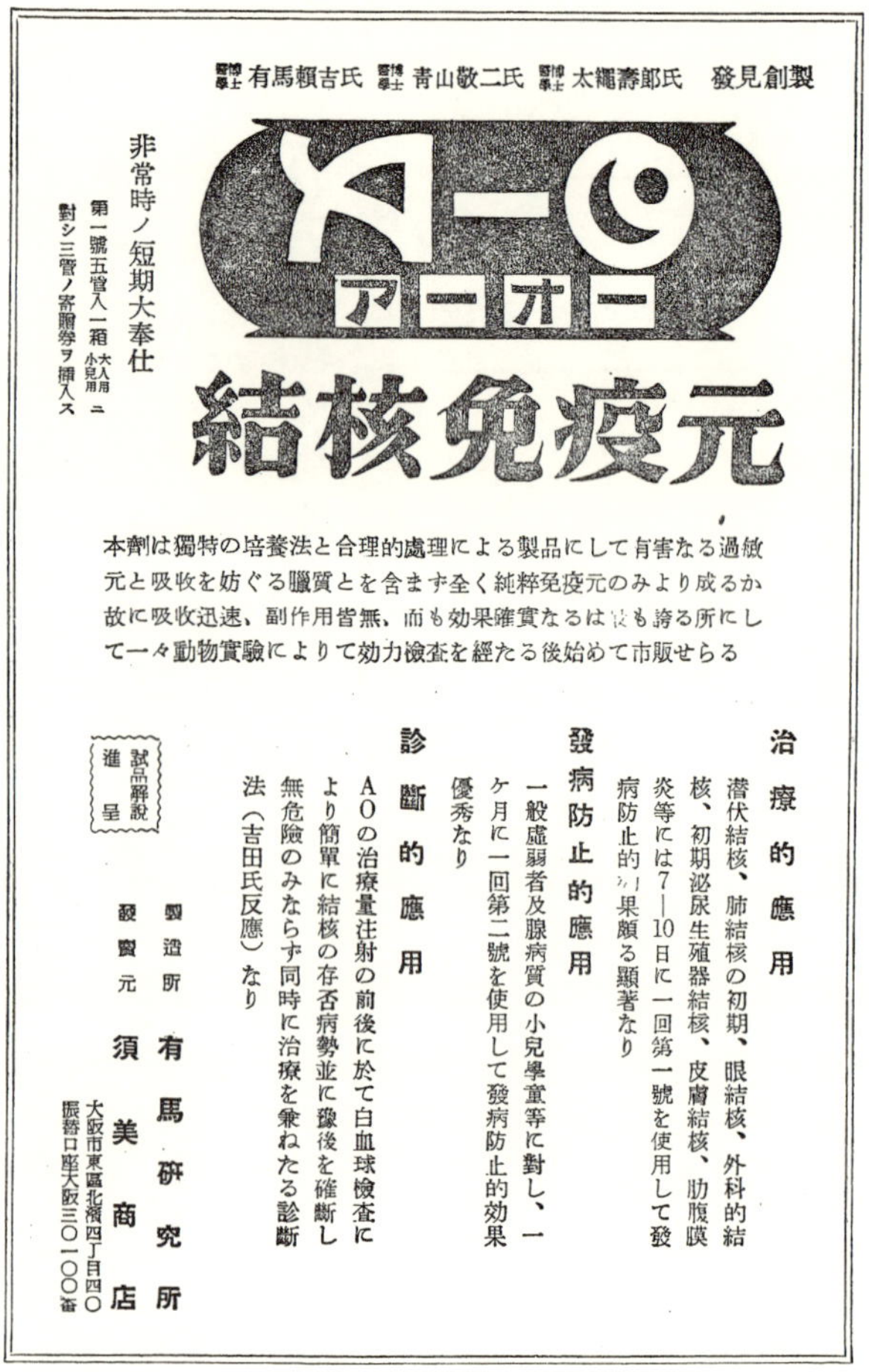
醫博士 有馬頼吉氏 醫博士 青山敬二氏 醫博士 太繩壽郎氏 發見創製
非常時ノ短期大奉仕
第一號五管入一箱(大人用 小兒用)ニ對シ三管ノ寄贈券ヲ挿入ス
アーオー
結核免疫元
本劑は獨特の培養法と合理的處理による製品にして有害なる過敏元と吸收を妨ぐる臟質とを含まず全く純粹免疫元のみより成るか故に吸收迅速、副作用皆無、而も効果確實なるは最も誇る所にして一々動物實驗によりて効力檢査を經たる後始めて市販せらる
治療的應用
潜伏結核、肺結核の初期、眼結核、外科的結核、初期泌尿生殖器結核、皮膚結核、肋膜炎等には7―10日に一回第一號を使用して發病防止的効果頗る顯著なり
發病防止的應用
一般虚弱者及腺病質の小兒學童等に對し、一ケ月に一回第二號を使用して發病防止的効果優秀なり
診斷的應用
AOの治療量注射の前後に於て白血球檢査により簡單に結核の存否病勢並に豫後を確斷し無危險のみならず同時に治療を兼ねたる診斷法(吉田氏反應)なり
試品解説 進呈
製造所 有馬研究所
發賣元 須美商店
大阪市東區北濱四丁目四〇
振替口座大阪三〇一〇〇番

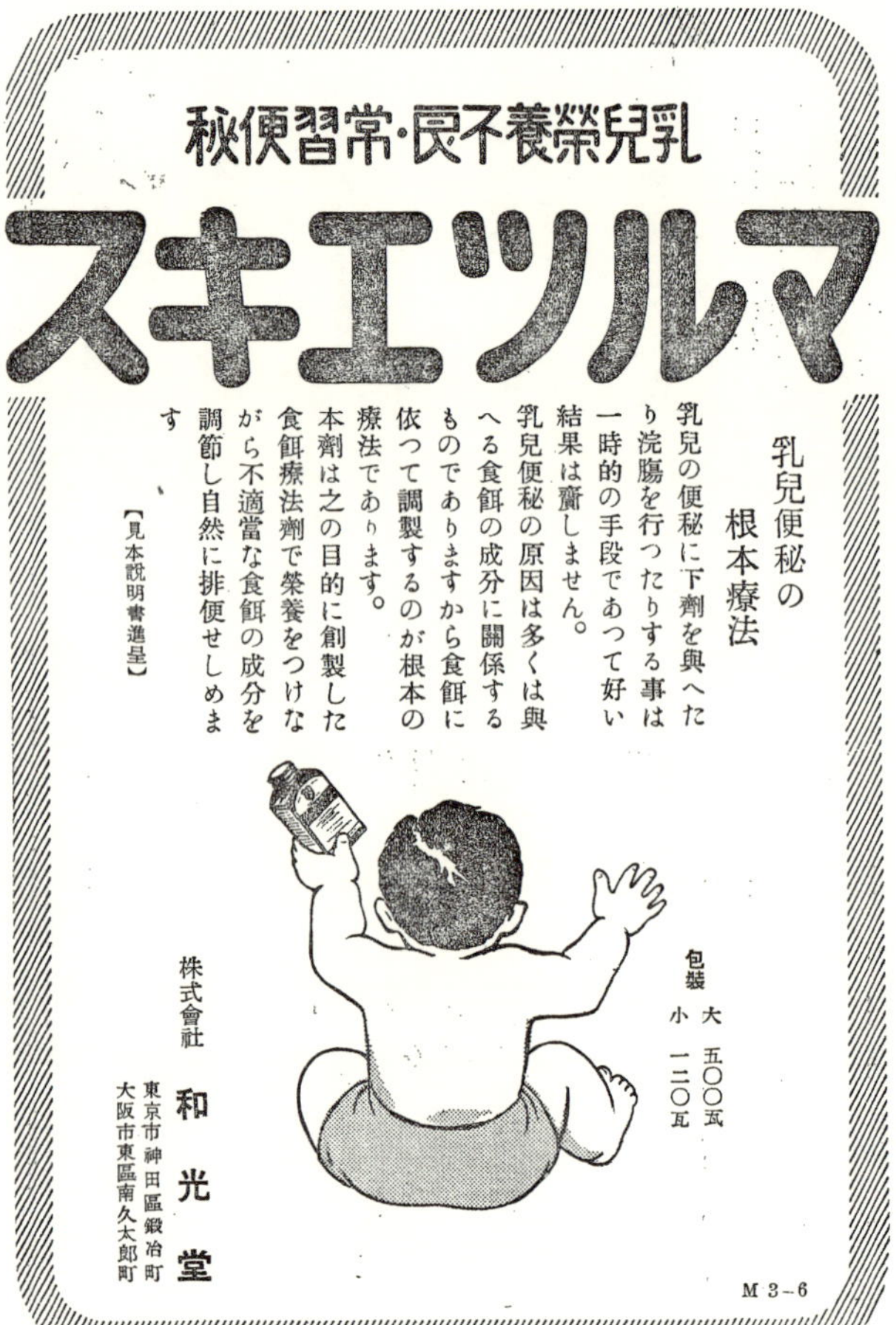
乳兒榮養不良・常習便秘
マルツエキス
乳兒便秘の根本療法
乳兒の便秘に下劑を與へたり浣腸を行つたりする事は一時的の手段であつて好い結果は齎しません。
乳兒便秘の原因は多くは與へる食餌の成分に關係するものでありますから食餌に依つて調製するのが根本の療法であります。
本劑は之の目的に創製した食餌療法劑で榮養をつけながら不適當な食餌の成分を調節し自然に排便せしめます
【見本説明書進呈】
包裝 大 五〇〇瓦 小 一二〇瓦
株式會社 和光堂
東京市神田區鍛冶町
大阪市東區南久太郎町
M 3-6

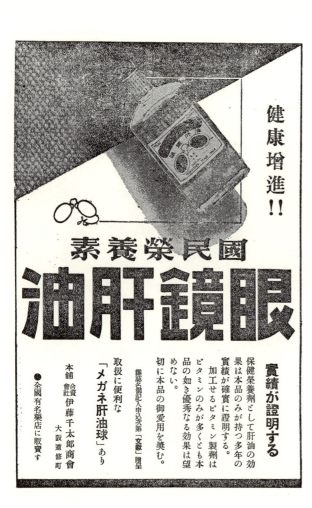

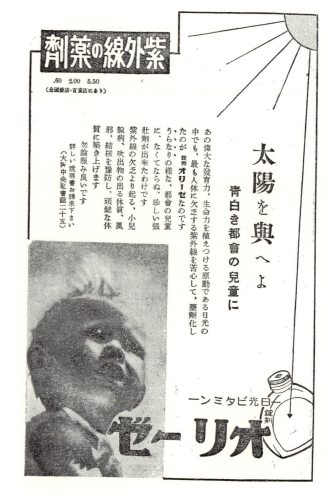

九州アルプス
久住高原踏破の日（記事參照）

肥後志賀家累代の墓地に於て（下）

中學時代の志那人氏

向つて左は中學二年生の志賀氏、右は那須敏男氏、後ろは嚴父馬九郎氏、前は夭折した氏の令弟。

本年度に於ける東京の劃期的大事業

木戸厚生大臣閣下を總裁に、永井遞信大臣閣下を名譽會長に推戴した、昭和十三年度に於ける第十回記念全東京乳幼兒審査會は、本年度の最も劃期的な事業である計りでなく、本聯盟創設以來未だ嘗つて無かつた程有意義なもので、全日本的に種々なる方面に大なる反響と刺戟を與へたのであつた。（中央は永井遞信大臣）

志賀志那人氏の故郷を訪ねて（記事參照）
——令兄良人氏の住宅——

馬で二里の山道を登る（上）

志賀氏を人物に育てあげた祖母君ゆく刀自（中央）と叔母君那須醫師夫人（向つて右）

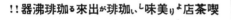

世のお母さん方へ

優良第二國民の保育には理想的の

福寶育英 子守バンド を是非御使用下さい

A型→

C型↑

構造上に少しも無理がなく全く理想的に出來て居ります、従つて耐久力もあり實用的の品であります、赤ちやんより五六歳位の子供達迄負ふ事が出來ます、體裁もよく立働きが樂で容が小さいので携帶用として至便のものです、殊に子供達連れの遠足などには絶對に必要であります。

是れは優美な高級刺繍を施してありますので赤ちやん向さして是れ又非常に御好評を賜つて居ります、丈夫さは幾分A型より劣りますが値段の格安さ、出産祝さしての値頃品である爲め賣行益々頁好であります。

定價

A型 別珍製 二圓
仝 朱子製 一圓十錢
B型 別珍製刺繍入 一圓八十錢
C型 別珍製仝（裏ナシ）一圓七十錢

各地百貨店、呉服雜貨店ニアリ

（送料）
内地 十四錢
臺灣 樺太 三十四錢

製造發賣元

菊池商店

大阪市北區東野田町三
振替大阪 14000番

起て健康總動員!!

空《そら》は青《あほ》いぞ――いざ行《ゆ》かむ大氣《たいき》の中《なか》へ

◇勤勞奉仕用品賣場……二階
◇ハイキング用品賣場……二階

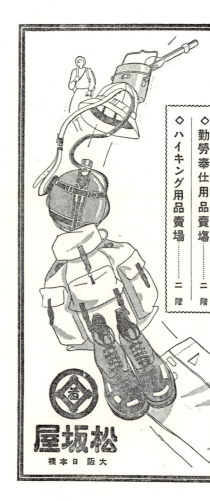

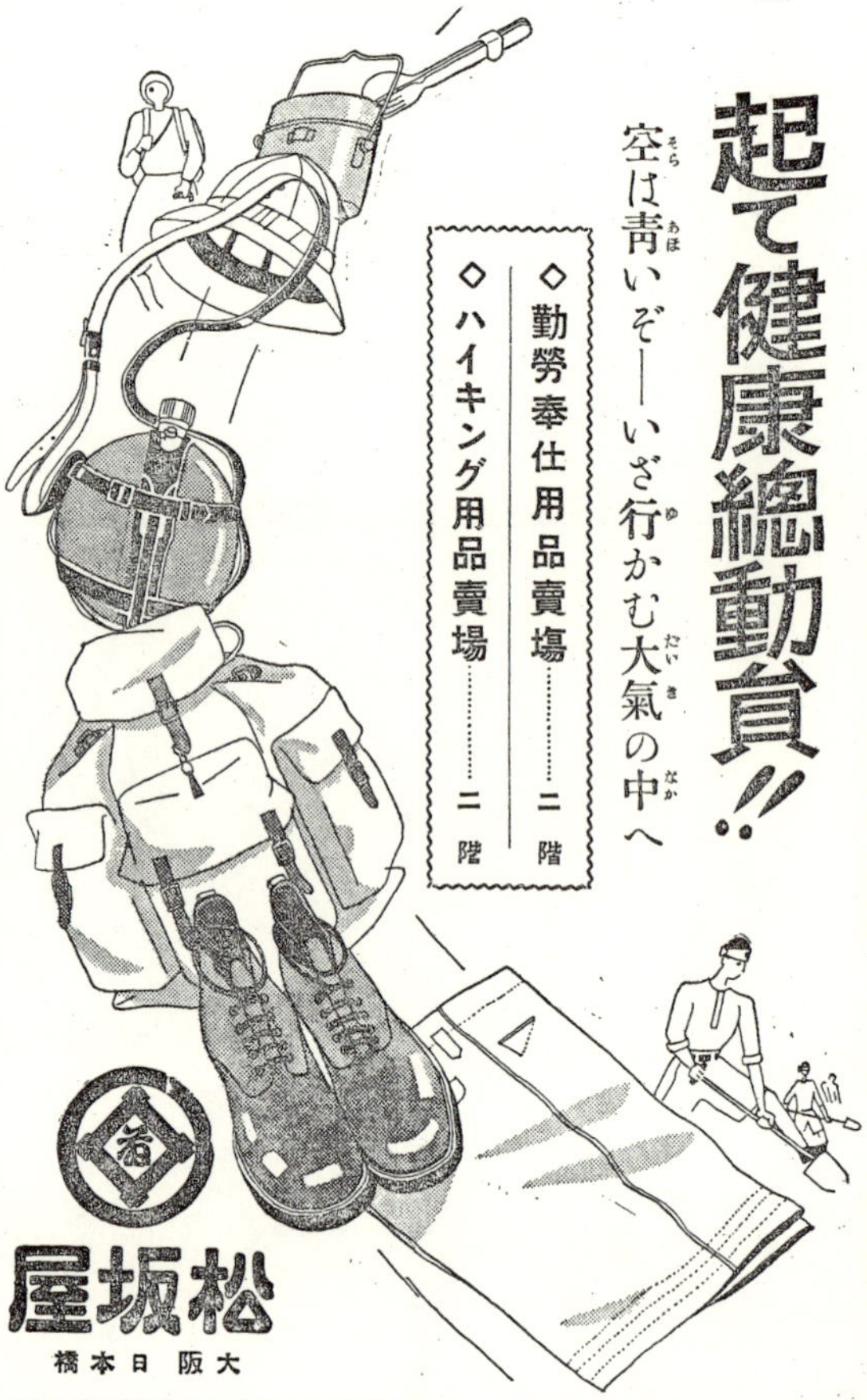

松坂屋

大阪 日本橋

乳兒哺育上の重要問題

母乳哺育兒に最も多く見られる障碍は乳兒脚氣でありませう。乳兒脚氣は、母親に脚氣がなくても起り、又人工榮養兒でも**ビタミンBの不足**があれば脚氣に罹ることが明にされてゐます。前者の場合には母親と患者の兩者に**オリザニン**の適量を與へ、後者の場合には患兒のみに**オリザニン**を與へることによつて容易に治に就かしめ得るは多數文献の立證してゐるところであります。

× × ×

又人工榮養兒に屢々起るものに**壞血病**があります。壞血病は**ビタミンCの缺乏**を主因として起り、その初期には食慾減退、體重減少．血管の榮養障碍、蒼白、不安、不機嫌、啼泣等が觀察されると云はれてゐます。かゝる際に**三共ホーレン草末**の少量（一日量1.5瓦内外）を乳汁に添加して與へると容易に恢復することが知られて參りました。

× × ×

その他、人工榮養兒には**ビタミンA及D**の不足から種々なる障碍（夜盲症、佝僂病等々、又は屢々感冒に罹つたりする）を起すことも知られてゐます。かゝる場合には肝油の適量又は**三共ビタミン膠球**、**三共ビタミン錠**等で之を補給することが推奨されてゐます。

オリザニン（ビタミンBの世界的始祖）末、錠、液、エキス、注射液各種
三共ホーレン草末（ビタミンCの含量アスコルビン酸として246瓩%）25、50、100、500瓦入
高橋氏改良肝油（一瓶 500瓦入）**三共肝乳**（250・500瓦入）
三共ビタミン膠球（20．50．100．500．1000球入）**三共ビタミン錠**（50錠入 100錠入）

東京 **三共株式會社** 室町

赤ちゃん打ち粉

パーキュロ

赤ちやんのアセモ・タダレには勿論のこと、旦那様のお鬚剃りの後にも亦、奥様やお孃様のコナ白粉の代用にもなる、肌色芳香、一罐あれば家庭の皆様が重寶する、全く時代の要求によつて産れた新様式の撒布劑はこれてす

定價 ・二〇 ・五〇

味の素直系

本舗 東京・京橋・寶製薬株式會社

昭和十三年　子供の世紀　十月號

素人醫學の惡流行（巻頭言）

総ての場合半可通と云ふ事程危険なものはまたとあるまい。衛生保険の思想が次第に高まりつゝある昨今家庭に於て、主婦たちが醫學的智識の探求に心を染むるやうになつたのは賀す可き事である。併し斯うした際に其の半面に眼を注ぐ必要はなからうか？即ち素人向きの通俗的な醫學上の叢書とか雜誌が、果して社會を益するものであるかどうかと云ふ事である。問題は惡用するか善用するかにあると思ふが、約言すれば醫へ如何に安價に出版されたものであるにしても、長年月を費して研究したものがどんなに教育ありと自負する人々にも、さう急に合點の行く可きものではない。優して其の書類が他よりの剽竊である、と云ふ場合尚更考慮を要する事であらう。

或る日S博士の病院に、背部一面にやけどをした赤ん坊を連れて來た、さる上流の一婦人があつた。可憐な嬰兒の悲鳴の中にS博士に告白した處によると、其の婦人は某氏著の或る叢書に「腦膜炎の前兆ある時は發泡膏を頭部より背部に塗る可し」、とあつたので平常姑の前に新智識を振り翳してゐた手前早速實行したと云ふ事だ。然し分量が餘りに多かつた爲め前述の悲劇を生んだのであつた。斯うした類は非常識と云ふより無常識と云ふ可きであらう。

尚數日の後同博士を訪問して來た若き主婦があつた。懐に抱かれて居る乳兒をよく視ると、衰へた鯉の瞳と毫も違はない瞳を微かに輝かして居るのであつた。其の主婦もやはりさる醫學雜誌に「腸の惡い時は脫脂乳を與へよ」と云ふ文句を極めて素直に惡用して、それを長時日に渉つて與へたのだからたまらない。普通の牛乳でさへ乳兒の爲めには理想的とは云はれないのに、況んや大事な脂肪を拔きにしたものを無限に飲ましてゐたと云ふ事は無智と云へばそれまでゞあるが、これは世の親達の反省しなければならぬ緊急事であると考へる。醫學的智識の普及の全盛期に、斯うした百害あつて一利なき半可通を戒むと共に、謙讓の德の如何に尊いものであるかを痛切に學びたいものである。

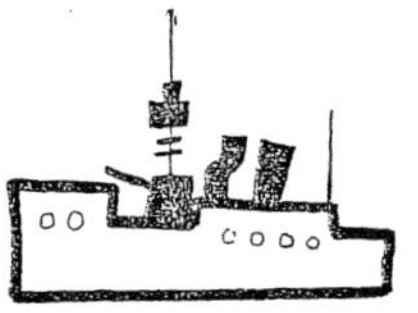

國力と三大傳染病

——結核・性病・消化器傳染病——

大阪市保健部醫務課長
醫學博士　利　齋　潔

一

支那事變勃發以來一年有餘、我國未曾有の大軍が陸に海に空に廣漠なる戰線に出動し、他面銃後よく産業に、貿易に、物資調節に貯蓄に、或は體力の向上に、或は又傷病將士の保護に遺族の援護に、疾病の豫防に、心身の鍛練に努め、朝野心を一にし、茲に國民總動員の戰となつた。即ち國力を擧げての戰となつたのである。今や國力を貯へ國力を發揚する事が絶對に必要となつた。此の時飜つて國民の疾病の事を考へると、誠に暗然たらざるを得ないのである。國力の最大要素たる人的資材其の物が疾病の爲に損耗され、次いで冗費の支出なり、延いては産業の萎縮となるのである。疾病の中でも特に結核と花柳病と消化器傳染病の三つは國力を阻む重大傳染病であつて此の三大傳染病の豫防が達せられたならば銃後の守りの過半は完しと稱して過言では無いのである。國民精神總動員で銃後の經營に勵む今日、此等傳染病の豫防は國民實踐の最大項目と信ずるのである。

二

結核、我國の結核死亡者は、年々十二三萬人に上るのである。今爾の事變に就いては、知る由もないが彼の大戰日露戰に於ては戰死者總數が八萬人と聞いてゐる。然るに結核と云ふ一疾病に依つて之れ以上の人々が、然も年々に失はれてゐるのは誠に慨嘆に堪えないのである。尚結核に罹り治療費を支出し職業を捨てた爲に生産能力を失つてゐる人は死亡者の十倍以上と推定せられるので全國に百五十萬人位が存在すると考へねばならぬから結

核が國力を損亡する事誠に極まれりと言ふべきである。しかも結核は慢性の疲勞から發すると言はれてゐる。目下我が國民擧げての戰の眞最中である。一日を二日とし一人が二人分の能率を上げて働くべき時であるから特に結核に對する正確なる認識を持ち、豫防思想を養ひ、豫防措置を講じ、體力を增進せしめて以て之れが防遏に成功せなければならぬ。

由來戰時には種々の傳染病が蔓延する。特に結核の災害が恐るべきものであつて世界大戰に際し各國共これが大きな惱であつた。特に獨逸に於ては其の侵害甚だしく爲に敗戰したとさへ言はれてゐるのである。然し乍ら流石獨逸魂で敢然立つて結核豫防に邁進したのである。其の結果戰後の蔓延を防止したのみならず今日にては戰前の約半數に減少せしむることに成功し、やれば出來るものであることを明かに示したのである。これを日本人が成しとげ得ない筈がないと信ずるものである。

では結核豫防は如何にすれば宜いかと云ふに一言にして云へば感染防止と發病防止の二つに盡きる。現今社會生活の發達に伴ひ我々は至る所に結核感染の機會を持つてゐるから全面的感染防止は不可能に近いものであつて大抵は人は成人するまでには數回に分ち輕微なる感染を受けるものであるが體力と健康生活に依つて發病防止に成功してゐるのである。茲に注意すべき事は、小兒に對する濃厚なる感染の事である。抵抗力弱き小兒が濃厚なる感染を受けると直に發病するものであるから感染源からは遠ざけなければならぬ。例へば家庭内の結核に注意し結核の友達を避け不健康な集會に出入せしめざること等である。其爲には小兒の周圍の人々の健康診斷が是非必要である。

小兒時代を經過し青壯年時代になれば發病防止に心掛けねばならぬ。過勞を重ね、榮養不良の日が續くならば發病し易くなるのである。戰時と雖も伸びんが爲めの休養は是非必要なのである。榮養と云つても高價美味なもの丶謂ではない、物質節減の時局下幸に我國は經濟にして榮養價の高い食品に惠まれてゐるのである。

此の他外氣や日光に親しみ睡眠を正しくし適正なる運動に依つて體力を培ふならば發病防止は成し遂げられるのである。

不幸にして發病した時は早期の養生が最も大切である。早期ならば大抵は治癒するものである。小兒に於ては特に早期發見が大切であつてこれが爲には一家揃つて定期健康診斷の實行が望ましいのである。

今や眞劍の時局である。國民の一人一人が眞劍に注意するならば、結核の豫防は全く、かくて健康報國の實を

擧げ國力の確保を期し得るものと信ずるのである。

三

花柳病、花柳病は今日まで、比較的等閑に附せられてゐた傳染病である。病氣の性質上幾分止むを得なかつた點もあるが、此の疾病の國民體力に及ぼす影響は並々ならぬものがあり國力減耗著しきものがある。且つ戰後は蔓延するを常とする疾病であるから花柳病に對する認識を新にする必要がある。

花柳病は左記の四つの傳染病の總稱であつて夫々別種の病原菌によつて發病するものである。

徽毒　病原菌はスピロヘータ、パリダ、硬性下疳を生じ、横痃は無痛にして化膿せず。

軟性下疳　病原菌は軟性下疳菌、これによる横痃は有痛にして化膿し易し。

淋病　病原菌は淋菌。

第四性病　病原菌は不明、一名鼠蹊淋巴肉芽腫と稱す。

花柳病が人類を侵してゐる範圍は頗る廣汎なものであつて、單に徽毒のみに就いて言つても平均日本人の一割は徽毒感染者であるから約九百萬人存在することゝなる。これよりも遙かに多い淋病を加へ尚他の花柳病をも加算するならば莫大の數に上ることであらう。

徽毒は人體の重要器官を襲ひ又精神病を將來し尚ほ遺傳徽毒として子孫に傳はるのである。

徽毒を有する母性の過半數は流産、早産、死産を經驗し白痴、低能、唖聾、盲目、夭折は遺傳徽毒兒に多い。淋病について云へば男子の生殖不能の八割以上、女子の不姙者の半數は淋疾の爲であり又盲者の三割以上は淋菌による膿漏眼の結果である。

花柳病は死亡原因として顯はれて居るよりも遙に甚だしく國民の健康を蝕み出産率を減じ無能力者を作りかくて著しく國力の損耗を齎らすのである。

花柳病の豫防は先づ軟弱なる遊興を捨て剛健なる精神の養成に在るが尚早期に完全治療を遂行する理解を有すべきである。今や我國の現狀が益々國民の體力を增進せしめ聖戰の目的遂行の爲にはいよ／＼國力の充實を計らざるべからざるの秋に當り擧國一致各人の自覺と理解に俟つ所甚大なるものがあるのである。

四

消化器傳染病、腸チフス、パラチフス、赤痢及び疫痢の事でいつもながら危けな傳染病である。

結局は糞尿の始末が不完全だから年々流行するのである。便所の構造を完全にして蠅の出入を少くするか又は始終消毒劑を撒いて便所を消毒することが肝要である。殊に保菌者と云つて本人が健康でありながら病原菌をど

し〳〵排泄してゐる人があるのであるから便所の始末が一番大切である。それから臺所、居室等の淸掃の通風に心掛け、手足の洗滌を勵行し、不潔な買喰を止めるなど各人が衞生生活に心を用ひねばならぬ。

今や我國は東洋平和の爲め聖戰の眞最中である。吾人はよく此の三大傳染病の防遏に成功し以つて國力の充實を計り聖戰の目的を遂行し我が國をして名實共に東洋の盟主たらしむるは實に銃後の努めである。

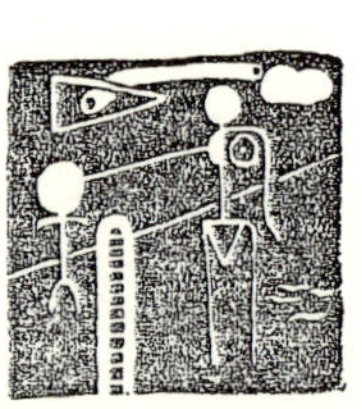

乳幼兒死亡の統計的考察（五）

内閣統計局　浦上英男

六、男女別乳幼兒死亡（承前）

斯くの如く累年の男女別乳兒死亡率を観察すれば判る通り、男は女に比し常に高率を持し、唯の一年も女より低位に降つた事がないのである。而して上昇、低下の孰れの場合をとつて見ても男は女に較べ大幅の動きを示すものゝ如くである。例へば大正元年乃至同七年に於て女は一四・五%乃至一七・九%を上昇し其の開き三・四%に過ぎないが、此の間男は一五・九%乃至一九・八%卽ち三・九%の開きを示し、又昭和元年以降九年に至る間に女は最高一三・三%から最低一一・一%を現し其の開き二・二%であるが、男は一五・〇%から一二・四%で二・六%の開きが生じてゐるのである。

尙男が前年より低下した年は女も同樣低下し、男が上昇せば女も之に追隨するのを常とするが、明治三十八年及同四十年は男が夫々前年より稍々上昇したにも拘らず女は低下し、之に反し明治三十九年は男が低下、女は著しい增高といふ事實を見るのである。然し之は過去三十八年間に於ける前後唯三年のみの例外に止まり、今後と雖も斯かる現象は滅多に起きないと解してよからう。

本邦に於ける乳幼兒の死亡率を吟味した結果は大要以上の如くであるが、更に之を諸外國に較べて、我國乳幼兒の保護が如何に急務であるかを一層適確に認識する必要があると思ふ。先づ各國の生命表に基いて〇歳乃至四歳の死亡率を男女別に示すと左表の如くである。

生命表に依る各國の男女、年齢別乳幼兒死亡率（人口千に付）

年齢	男	女
日本（内地）昭和元年―同五年		
〇歳	一四〇・一	一二四・一
一歳	四三・一	四二・一
二歳	二二・四	二二・七
三歳	一五・〇	一五・六
四歳	九・八	一〇・六
イングランド及エウールス 昭和五―同七年		
〇歳	七一・九	五四・六
一歳	一五・三	一三・五
二歳	六・六	六・〇
三歳	四・四	四・一
四歳	三・六	三・四
北米合衆國 昭和四―同六年		
〇歳	六二・三	四九・六
一歳	九・九	八・八
二歳	五・二	四・六
三歳	三・六	三・三
四歳	三・一	二・七
獨逸 昭和七―同九年		
〇歳	八五・四	六八・四
一歳	九・三	八・二
二歳	四・五	四・〇
三歳	三・四	二・九
四歳	二・七	二・五
佛蘭西 昭和三―同八年		
〇歳	九〇・二	七一・六
一歳	一六・九	一五・一
二歳	六・七	六・三
三歳	四・三	四・〇
四歳	三・四	三・二
伊太利 昭和五―同七年		
〇歳	一一五・三	一〇二・三
一歳	三九・〇	三九・一
二歳	一三・二	一三・二
三歳	七・四	七・二
四歳	五・一	四・九
英領印度 大正十年―昭和五年		
〇歳	二四八・七	二三二・三
一歳	九一・八	八六・五
二歳	五六・四	五〇・六
三歳	三九・二	三四・〇
四歳	二七・四	二三・三

備考　我國は内地に於ける内地人のみ、北米合衆國は白人のみに關する事實である。

右に掲げた死亡率がどういふものであるかは旣に詳述したから再言の要はあるまい。此の際各國の死亡率を男女別に比較した結果の要點を簡單に說明すると、屢述せる通り我國の死亡率は〇歳及び一歳に男が高く、二歳以上に至れば女が高い。然るに右表に載せた諸外國の數字を一瞥すると、伊太利の一歳に女の高率が見られる外はどの國も各年齢に於て一律に男が高率を現してゐるのである（右表中伊太利の二歳が一三・二の同率となつてゐるが、之は四捨五入の關係で實際は男兒一三・二四、女兒一三・一八で男が高いのである）。

又特に表示はしなかつたが、墺地利（昭和五―同八年）和蘭（大正十一年―昭和五年）、フィンランド（同上）、瑞典（昭和元―同五年）、丁抹（同上）等に在つても總て同樣各歳共男の高率が示されて居る。卽ち男の乳幼兒は洋の東西を問はず總ての國に於て、女の乳幼兒に比しより多く生命の危險に曝されてゐると看做すことが出來るのである。

よしんば我國獨り異例を爲すとはいへ、諸外國の乳幼兒が概ね男に高死亡率を呈するは其處に何等かの理由がなければならぬ。其處迄究明するのは本文の目的ではないけれども、之は最近の生物學的、遺傳學的研究の立證する所に據れば、女が先天的に男より旺盛なる生活力（ヴァイタル・フォース）を有する爲だと說明されてゐる。此の說は、女が姙娠、分娩、授乳、育兒等男より生理的に過重な重荷を負ひ乍ら而も全體の死亡率に於て常に男より低率を現し、平均壽命又男より長命なる事からも首肯し得るものゝ如く思はれるが、專門家ならざる筆者のよく結論し得る所ではない。

最後に前の表を用ゐて我國の乳幼兒死亡率を諸外國のそれに較べて見れば、第二章に於ける乳兒死亡率の比較に現れたと全く同じ差異を再び發見するであらう。卽ち印度を除く他の主要國は皆我國より遙かに低く、〇歳に於ては男女共我國に比し二分の一、一歳以上の各歳に於ては三分一或ひは四分の一の低率である。僅かに盟邦伊太利が比較的我國に接近した高率を示してゐるに過ぎないのである。

印度は一般死亡率（人口に對する死亡總數の割合）に於ても我國を凌ぐ高率であるが、乳幼兒死亡率の場合は更に其の差著しく、各年齡の男女共我國の倍近く乃至倍以上の高率を呈してゐるのである。印度を特に紹介した理由は、我が日本人より不健康な國民もある事實を謂はゞ氣休めの意味で知つて置いてもいゝと思つたからである。

尚出生に對比せる所謂乳幼兒死亡率の男女別國際比較は些か蛇足の嫌ひがあるから玆には割愛しやう。

七、乳兒死亡者の日齡、月齡

前第六章は乳幼兒死亡の男女別檢討を主題としたものであるが、此の場合〇—四歳の各歳を觀察單位とした事は當然の方法であつた。然し幼兒は兎も角乳兒死亡に於て單に〇歳を一單位とすることは、右の如く研究對象が死亡者の性別に在つた場合にこそ容認され得るものゝ、之を改めて死亡發生時の生後期間所謂年齡を問題とする場合妥當ならざるは言ふ迄もない。即ち〇—四歳の乳幼兒死亡を代表するかの觀を呈する〇歳の乳兒死亡は其の量に於て一歳以上四歳迄の死亡全體に優に匹敵否寧ろ之を凌ぐ重要性を有するからである。されば標題にも示した如く乳兒死亡者の日齡即ち生後幾日、月齡即ち生後何箇月を等閑に附す譯にいかないのであつて、以下時間的に之を俯瞰したいと思ふのである。

先づ昭和十一年本邦內地に於ける乳兒死亡二四五、三五七を日齡、月齡別に示すと次の如くなる。尚後段に必要な資料として明治三十二年及び大正九年に於ける割合も併せ揭げた。

本邦內地に於ける日齡、月齡別乳兒死亡

日齡、月齡	昭和十一年 死亡數	昭和十一年 百分比	大正九年 百分比	明治卅二年 百分比
總數	二四五、三五七	一〇〇・〇	一〇〇・〇	一〇〇・〇
一箇月未滿	一〇一、〇四三	四一・二	四一・六	五〇・七
五日未滿	四一、九四八	一七・一	一五・二	一九・二
十日未滿	二〇、五六九	八・四	一〇・六	一五・七
十五日未滿	一四、五四五	五・九	六・三	五・八
十五日以上	二三・九七二	九・八	九・五	九・九
日不詳	九	〇・〇	〇・〇	〇・〇
二箇月未滿	二八、九三五	一一・八	一三・三	一三・六
三箇月未滿	一九、九一三	八・一	八・二	七・六
六箇月未滿	三八、二五四	一五・六	一五・一	一三・二
六箇月以上	五七、一九九	二三・三	二三・九	一七・〇
月不詳	一三	〇・〇	〇・〇	〇・〇

月齡を標準にして觀れば一箇月未滿が最も多く、總數の四一・二%を占め、二箇月未滿は一一・八%であるから生後二箇月に滿たないで既に五〇%を超える譯である。三箇月未滿は八・一%、六箇月未滿は一五・六%、六箇月

以上は二三・三%で、表面割合を增したかの如く見受けられるが、之を月平均にすれば著しく減るが故に、生後時日を經過すればする程死亡する割合の少いことが窺はれるのである。

而して一箇月未滿を更に日齡に依つて區分すると此の關係がもつと明瞭になつて來る。即ち生後五日未滿は乳兒死亡總數の一七・一%で、三箇月以上六箇月未滿の一五・六%よりも多く、十日未滿は八・四%、十五日未滿は五・九%、十五日—一箇月は九・八%を示し、生後幾何の日數も經ずして死亡する者の如何に多いかを物語るのである。

以上は昭和十一年の事實で、之を我國人口動態統計が初めて編成された明治三十二年及現在に至る略々中間たる大正九年の兩年に遡つて檢して見ると右表の數字が現れる。

明治三十二年に在つては一箇月未滿が乳兒死亡總數の五〇・七%を占めてゐたが、大正九年に至り四一・六%と其の割合を減じ、更に昭和十一年の四一・二%に減退したことを發見するであらう。此の反面一箇月以上一年未滿のそれが四九・三%から五八・四%、五八・八%と割合を增したのである。此の傾向は後段に於て述べる事實に重大な關係があるから特に注目する必要がある。

而して一箇月未滿を細別し日齡別に較べると、五日未滿は當初可成り多かつたものが、大正九年頃に稍々減じ、近年に及んで再び增加に轉じた。此の傾向は十五日以上一箇月未滿階級と全く同樣である。又之と反對に十日以上十五日未滿は中間時に其の割合が最も多くなつてゐる然るに五日以上十日未滿の割合のみは一五・七%、一〇・六%、八・四%と規則的に漸減してゐる。

次に一箇月以上を月別に觀ると一箇月以上二箇月未滿は一二・六%、一二・三%、一一・八%と遞減の趨勢を辿り、之に對し三箇月以上六箇月未滿の一二・二%、一五・一%、一五・六%、六箇月以上一年未滿の一七・〇%、二二・九%、二三・三%といふ增加が頗る目立つてゐる。

之を要するに明治三十二年、大正九年、昭和十一年と三回に亘る調査の結果から觀測して、初め一箇月未滿の割合が一箇月以上のそれより多かつたに拘らず、此の形勢は徐々に變化し、近年に至つて逆に後者の方が多くなつて來たのである。素より的確な動向は此の間三十餘年を通じて逐年檢討して初めて明らかにされるのであるが以上の抽出調査の結果が正しいといふ證明は次號に之を擧げるであらう。（此章未完）

大戰時に於ける獨・伊・英・佛・墺等の兒童保護施設（一）

厚生技師　南崎雄七

緒言

歐洲大戰當時其の參加國の多くの大國に於て乳兒死亡率が低下しなかつたと云ふ論者が最近大分あるやうである。如何にも其の數字の絕對値の上では戰前と戰後とに比し大差がない。否時には寧ろ戰時の年に於て乳兒死亡率は低下して居るものもある。然し一方に於ては乳兒死亡率は生產率に隨伴して上下するものである、生產多ければ乳兒死亡多しと簡單に片付ける識者もある。歐洲戰時には參戰國の出生率は著しく低下したのは事實である。從つてこの種の論法に從へば戰前の出生より半減した戰時の出生率に對し乳兒死亡も半減すべきである。然るに乳兒死亡に於てのみ殆んど同位であつたから逆に乳兒死亡は倍となつたことにもなる。大戰時に於て戰爭に依る凡ゆる壓迫が母子に加はる場合其の影響ない筈はないのであるが其等をよく防止し得た反面には母性兒童保護に對する異常の努力がなくてはならぬ。果して然らば如何なる努力の跡が見らるゝのか主なる參戰國に於ける母性兒童保護施設の大要を檢討して見たい。

（一）獨逸

獨逸は二十數年前迄は乳兒死亡の高率なる國の一つであつた。出生率の高き間は比較的無頓着であつたやうである。然しデイトリツヒや、ラングスタイン、ホイプナーシユロスマン等の如き指導者の忠告努力に依り戰前母性兒童保護施設に相當の發展を示しつゝあつた丁度其の勃興の時代に歐洲大戰に遭遇したのである。かの有名なカイゼリン、オグステ、ヴイクトリア院が設置され其の地鎭祭の擧行されたのは實に一九〇七年十二月三日であつた。歐洲大戰勃發の八年前である。爾來之を中心とし

て凡ゆる乳兒死亡防止機關が施設され其の效果は着々として擧げられつゝあつたのであり戰前には乳兒死亡率も生產百に付十四迄低下して居たやうな狀態であつた。今其の當時の數字に就て少しく檢討するに獨逸の大戰時に於ける一般死亡率と結核死亡率とを觀察して見ると次表のやうになつて居る。

年次	人口千に付一般死亡率	人口一萬に付結核死亡
一九一二年	一五・六	一五・六
一九一三年	一五・〇	一四・二
一九一四年	一九・〇	一三・九
一九一五年	二一・四	一四・八
一九一六年	一九・二	一六・二
一九一七年	二〇・六	二〇・六
一九一八年	二四・八	二二・〇
一九一九年	一五・六	二一・一
一九二〇年	一五・一	一五・四
一九二一年	一三・九	一三・六
一九二二年	一四・四	一四・一
一九二三年	一三・九	一五・〇

即ち戰爭前に於ては一般死亡率は一五內外結核死亡は一三乃至一四程度であつたものが戰時に入りてより死亡率の增加は元より結核死亡の如きは平時に比し著しく增加し戰爭の末期即ち一九一八年一九一九年には二二乃至二一となつたのである。

而して其の當時に於ける國民の榮養給與を調べて見ると一九一四年の戰爭の初めに於ては一般國民に對する所謂プロート、カルテに依り給與は成人一日平均カロリーは二、八〇〇であつたが一九一六年には一、六六四カロリーに減少し更に一九一七年から一、一〇〇迄に低下せしめたのである、この榮養量の低下は即ち結核死亡の增加となつて現はれて來て居る。即ち結核死亡は一四から一六、二〇更に二二迄上昇した、即ち榮養給與量を下げると反比例に結核死亡は增加した。

かく著明な國民保健の低下を來たしたのに乳兒死亡はどうであつたかと云ふに次表の如くであつて乳兒死亡は戰前と殆んど大差なく寧ろ減退した感をも懷かしめるのである。今戰前と戰時との獨逸の生產率と乳兒死亡とを比較して見ると

年次	人口千に付生產率	生產百に付乳兒死亡
一九一〇年	二九・八	一六・二
一九一一年	二八・六	一九・二
一九一二年	二八・三	一四・二
一九一三年	二七・五	一五・一
一九一四年	二六・八	一六・四
一九一五年	二〇・四	一六・七
一九一六年	一五・二	一四・八
一九一七年	一三・九	一五・〇
一九一八年	一四・三	一五・四
一九一九年	二〇・〇	一四・五
一九二〇年	二五・九	一三・一
一九二一年	二五・三	一三・四

即ち戰時に於ても結核死亡や一般死亡の如く乳兒死亡は增加しなかつたのである。

然しこの乳兒死亡の低下しなかつたと云ふことの一面には戰時に於ける獨逸の生產率の低下と云ふことを考へなければならぬと思ふ。即ち多くの人々の考へる如く乳兒死亡が生產率の多少に正比例するものであると云ふことが正しいことであるとするならば、戰時に於ける生產率が約半數に減じた獨逸に於ては其の乳兒死亡も半數に減ずべきであるが、事實は平時と其の數値に於ては變りがなかつたと云ふことは取りも直さず之は倍になつて居ることゝなるのである。然しこの觀察は正しくないとすると乳兒死亡には影響がなかつたと云ふことになるのである。

この戰時に於ける乳兒死亡の增加しなかつたと云ふことは獨り獨逸ばかりでなく大戰參加の多くの國が何れもそうであつた。この依つて來る所をいろ〳〵觀察して見ると當時英佛獨等戰時困苦を忍びつゝも、母性兒童保護に對し何れの國も之を等閑視しなかつた努力の跡を見逃してならないのである。

今獨逸に於ては戰時母性兒童保護に關し如何なる施設が行はれたかを觀るに實に左の如きものがあつたのである。

× × ×

大戰勃發當時には戰爭の初期の混亂と興奮と醫師看護婦の不足の爲めに母性小兒福祉は大打擊を受け初めの數ヶ月間は乳兒死亡の增加を來したのである。然しこの混亂と興奮とが冷靜に歸るや着々として母性兒童保護事業を着々として踏みしめて行つたのである。先づ一九一四年八月十九日には逸早くもプロシア內務大臣は地方當局者に對し兒童福祉事業を等閑視してはならぬ戰時中と雖も乳兒ホームや託兒所や其他の母性兒童保護事業を充分に繼續して行くやう命令を發した。又同時に獨逸皇后陛下には全獨逸乳兒保護同盟に書を送つて母子健康增進の活動の益々必要なることを指摘せられたのである。かゝる有力なる意見と戰爭開始後約二ヶ月間に於ける乳兒死亡の上昇と全獨逸國に於ける小兒科專門醫の警告等は兒童保護施設の戰時特に必要なることを覺醒せしむるに充分であつたのである。茲に於てか獨逸兒童福祉事業は再興と共に地方及聯邦諸國に於ても新しく兒童福祉事業團體が作られ、新活動は戰前よりも增して盛となる氣風を

示し戰前何等も無かつた地方に於てさへも種々の事業が開始せらるゝやうになつた。又之迄個人團體に依つてなされた兒童保護事業は自治團體に依つて繼承する傾向が增加した。ストラスブルヒの如きは戰前個人經營であつた母性兒童保護團體の支出し得なくなつた費用を全部自治團體で補ふやうになつた如きも其の一つである。

メクレンブルヒ、シューエリン大侯國では新乳兒福祉センターが設けられ、又ウルテンベルヒにても乳兒幼兒保護の地方委員會が作られサクソニアでは乳兒に對する組織的の事業が各區各地方各郡市の義務として一九一七年に改組せられ、サクソニア全體を通じての中心機關となり委員會が設けらるゝに至つた。

この間にあつて伯林のアウグステ、ビクトリア皇后院では國庫から戰前六萬マルク以上受けたことが無かつた國庫金は十萬マルクに增額の出資を受くるに至つた。

戰時後見 Kriegspatenschaft は大戰中多數の乳幼兒を有福者が責任を以て母子の面倒を見る施設となつて現はれ子供にとりては戰時後見人となり母子を共に同居せしめるとか又は單に子供が母親の厄介になる間就中授乳中母子を支持する金額の給與等をなした。

小兒ヘルスセンターの活動は戰時中更に拍車をかけた傾きがあつた。戰爭の始めにはセンターは約八百ケ所あつたが所に依つては戰時閉鎖の止むなきを見たが其等は多く個人經營のものであつた。多くのセンターは大體に於て衰へず地方に依つては更に新設された所もありミュンヘンの如きは六ケ所が開設されポーゼンの如き始めて設立されたものもあつた。一九一八年迄には伯林は九ケ所、ケルンは十三ケ所、ライプチヒは六ケ所などは何れも市營であつた。又センターで世話を受ける子供の數も增加した例へばノイケルンの如きは戰前三八%のものが戰時には六六%の兒童を世話した如きがあつたが、多くのセンターは生產率の低下の爲め少くなつた所が相當あつたとも云はれて居る。

センターの仕事はいろ〳〵多方面に利用された。例へば姙婦の診療所を開くとか又學齡前兒童迄其の範圍を延ばすとか、ミュンヘンの如きは兒童食供給の貯藏所の役をするとか、又乳兒及母親の飮む牛乳はこのセンターを通じて供給するとかいろ〳〵利用さるゝに至つた。

センターからの家庭訪問はさすがに戰時中は獨逸では振はなかつたやうである。

出生前の保護としては單にセンターに出入する姙婦を診察し忠告を與へるとか其他は例へばマグデルグに於ては市當局と婦人團體とが協力して姙婦にして病氣の者を入院せしめるとか、又は姙婦收容所などが都市に設けら

れるとか、又ベルリンの如きは町々で祖國婦人會の手を經て姙婦に臨月中手當金を與へる如きが見られた。

乳兒の榮養問題として牛乳が漸次缺乏して來た爲め種々の自治團體は之が供給方に付て公平な方法を執らんとして苦心した。或る町々では雌牛を買入れて乳兒用牛乳を得た所などもありフランクフルトでは一九一七年に之を始めた。

一九一五年十一月獨逸全國に命令を以て授乳中の母親姙婦及小兒へ其の優先權を與へることに依つて牛乳供給を統制することを大都市に命じた。又脂肪監督局は各階級の人々に與ふべき量を一定し又純クリーム牛乳の使用を小兒、病人、授乳中の母親及び分娩以前三ケ月の姙婦に制限した。同時に病人がクリーム牛乳を使用する場合は公衆衞生官の證明書を差出し得る者のみに限ることゝした。

母親は幼兒の爲めに牛乳以外の食料に付ても特別の規則が設けられ、多數の町々は母親及小兒に附加的の食糧を保證しやうと着手した。必要に應じ他の人々の食糧は母親へ餘分供給の關係から削限せられるやうになつた。

更に一九一六年十月には脂肪監督局では人工榮養中の乳兒又は授乳中の母親に最少量の食物供給を命じた。又戰時食糧局は一九一七年五月に地方當局に對し姙婦乳兒及小兒の榮養に關し一定の指示を與へた。更に一九一八年に至り戰時食糧局はかゝる人々の要する充分なる榮養物及最小食糧の重要なることの注意を喚起した如きは戰爭終期に至つても、兒童の榮養に關心して居た獨逸官權の頭腦の良さには一驚を喫せざるを得ない。

大都市よりも獨逸では田舍地方に於て戰時兒童保護の困難なことを痛感したので之にも相當の注意を怠らなかつた。例へばバワリアでは軍人家族の保護を目的として官廳より二萬マルクを受けて人口五萬以下の自治團體に於てのみ使用する乳兒福祉事業を建てた。ウルテンベルヒでは田舍に夏期晝間託兒所又は夏期幼稚園を開設したり又は田舍地方に娛姆を任命し乳兒保育の方法の巡回講演をなすとかの事業を行つた之等の財源は一部個人又は大商工業團體の寄附に依つた。ケムニッヒの如きは乳兒訪問を行ひ又ベンネツケンスタインなどでは大戰開始後三名の婦人を使用して無料投藥又は多數の兒童に無料牛乳供給をなし其他乳兒保護の連續講演等を行はしめた。母親及女子少青年者に對する兒童保護敎育宣傳として女學校に於ける育兒敎育や、母親に對する乳兒保護の講習や母親學校等の行はれ同時にアウグステ、ビクトリア、ハウスでは小冊子や注意書の無料配布、小兒育兒法、小兒衞生學の圖解等を公にした。

出征軍人留守保護としては大部分の父親が軍役に就くや婦人は單身で其の兒童を支持する困難に對し一九一四

年八月法律を以て軍人の妻に對し夏期は月額九マルク、冬期は十二マルクの手當金を授けた。又此の法律に依り子供は一年一人に付月額六マルクを受けた。

戰爭の繼續するに從ひ、手當金額も增加を見るに至り一九一九年十一月に其の手當金額を月額母親に對し三〇マルク各子供に對し二〇マルクに增加した。

其他疾病保險會に於ては一九一四年八月四日帝國緊急勅令を以て分娩に關し保險會の支拂は法律の規定する强制母性給付に限られ、個人的財源に依つて紹介せられた一切の附加的給付は戰時中停止することに定められた。然るに保險會は最初懸念せられた程の打擊がないことが明白になつて其事業の一部を續行する許可が得られた。然し始めは一般に保險加入者の婦人のみを庇護したが戰爭の繼續するや最初の規則は種々に擴張せられて行つた。下附金は遂に從來の階級以外に水夫農夫政府雇員の妻、政府の事業に從事する妻、保險に加入しない夫を有する貧乏人の妻、出征手當金受領中の軍人の妻全部及軍人の子供の寡婦なる母に迄及ぶに至つた。

一九一四年七月から一九一五年七月に至る間に五千百三十五の疾病保險會に强制的に加入せしめられた婦人の數は三百五十一萬九千八百七十一より四百六十萬六百五十一に上つた、この數字は獨逸內の總被傭者の約五分の三に當ると云ふことである。

大戰勃發後婦人が產業に從事する結果として託兒所の不適當なものが多くなつたが之等は閉鎖されることにした。獨逸の託兒所は三四歲以上の子供を容れないので多數の晝間託兒所は學齡兒童と同時に開かれた。

夜間交代に從事する婦人の用に便する爲め託兒所の多くは晝夜開かれた、託兒所の中では世話の出來る範圍以上の多數の子供を收容した。託兒所に關しデュッセルドルフの市長の出した命令は甚だ興味あるを以て玆に引用するに託兒所又はセンターの開設許可は警察官なること建設目的主任者及び主任醫師に關する事項と工作計畫を提出すること、建物の一部には浴室及牛乳調理所を附設すること、新に收容する兒童の健康狀態を決定する爲め特別觀察室を設置すること、突然收容すべからざる狀態になつた兒童の別室を設置すること、病兒は收容すべからざること各託兒所は醫師可成小兒科醫なること、醫師は收容志望の兒童を診察し且つ全兒童を少くも一週二回診察すること、疾病者には必要なる手段を講ずること、全兒童の兒童二十人に對し一人の事業員を要すること、全兒童の記錄は保存すること等の規定を設けた。上記の命令は大戰最中の一九一七年九月三十日であるのに鑑み獨逸官憲當局者が保健衞生に如何に關心を有するかを窺ふに足ると思ふ。

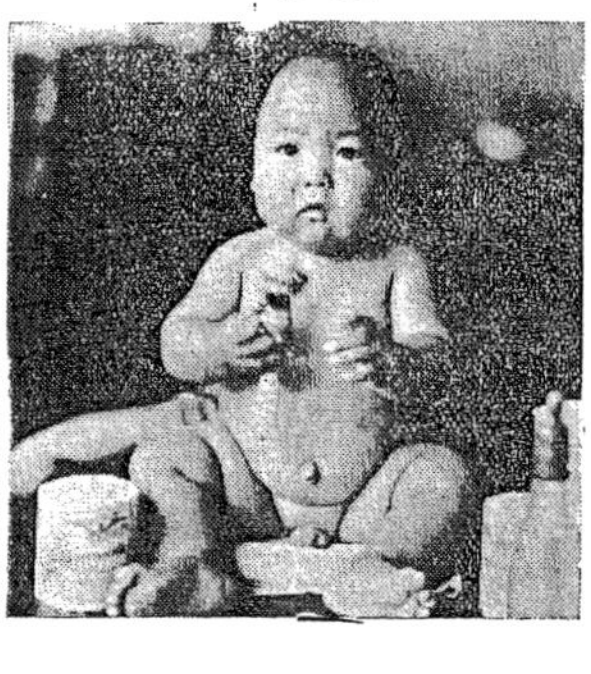

山莊にありて

納　秀子

山雲のあまねきに鳥の啼きこもるここ山中の落葉松《からまつ》の原
短袴《たんこ》して馬を駈《か》ちつゝ山中のしげみをぬけぬ富士を仰ぎつ
七色の花のいきれか空ひくゝ虹のあざやか山中の丘
戀ふらくはひとりのものにあらざらむここ七草の野にわれのたち
都人あなやといひて息ふせぬあかときの不二紅の富士
目に遠く瑠璃の色こきみづうみにヨットはあらずその人も居ず
山莊に十一人のこもり合ひ火を焚きて月をながめけるかな
わが息の白くなびきて山をこめ月も朧になりにけるはや
うづくまる山の獸かいなあらずさむさに首をちゞめける人
山の水あまり甘さに息つかずのみて在すよ都の人は

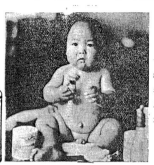

がやがやとこゝの一夜は鳥の巣をくつがへしたる九月十日よ
ぬれてこそよからめど袖をうちふりぬわが思ひ人は遠くありけり
さらばとて右と左に別れゆく歸るは同じ東京なれど

颱風ののち

紅《あか》き枝黑き幹さへしろしろと折れてくねりし庭のあさまし
ごうと叫びざつと音して一しきり我をうつもの颱風か戀か
いとしさに撫でし石楠花《しやくなげ》あはれあはれいづくに吹きて去りにけるかや
耳のうちにかよわき草の花ゆれて散るが惜しまる颱風きけば
この家のゆるるはよしや心きめて吾子と納戸にこもり寝にけり
いと太《ふと》き枝に敷かれて茄子の實の紫こきがあはれなりけり
風と雨の二部高唱にまじりつゝ何の虫ぞも一夜し啼きぬ
曉のすこし靜まる外《そと》の面《も》に何か鳥なくあわたゞしけれ

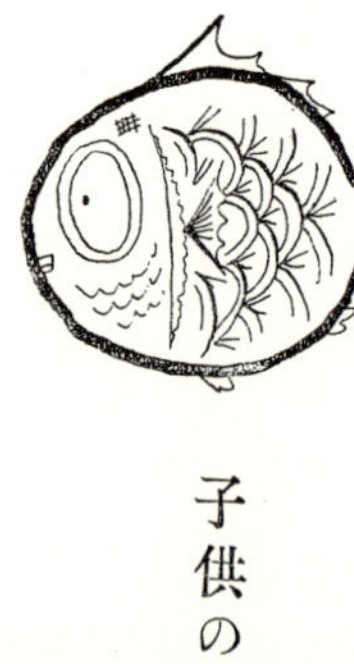

子供の歯に就て母に語る（一）

ライオン
兒童歯科院長　岡本清纓

赤ちやんに見るムシ歯

赤ちやんの口中に可愛らしい歯が生えた時の兩親の喜びを、そのまゝ延長して戴いたなら今日の此ムシ歯から完全に解放されてゐることゝ存じます。例年日本兒童愛護聯盟主催の高島屋で開かれる赤ん坊審査會に歯科の診査を引受けて赤ちやんの口中を診て驚くことは、可憐な生えたばかりの歯が僅かの間にムシ歯に罹ることです。

『赤ちやんのお口に歯が生えたのは何ヶ月ですか』と尋ねてみると、お母さんは實によく明瞭に答へてくれます。よく憶へてゐるもんだと感心する位に初めて歯が生えた事の喜びを味つてゐることが分ります。この答へを表にしてみますと、非常に興味がありますから御覽下さい。（次頁參照）早い子は一ヶ月經つか經たぬうちに生えますし又遲い子は十八ヶ月經つて漸く生えるのもあります。一番多いのは七ヶ月で次が六ヶ月八ヶ月といふことになります。此曲線をみると中央が高く左右が略對稱的に低くなつてゐます。つまり七ヶ月の所が一番高くそれから左右に段々低くなるのですが、かういふ曲線をケトレー曲線といひます。例へば人間の身長でも身長の特別に高い六尺もある人や、特別低い四尺五寸といふ人は少く大抵五尺二三寸から四五寸といふのが多い。それと同じく歯の生え方も特に早いのも少ければ又特に遲いのも少く、平均して七ヶ月が一番多く順次それを中心として左右に少くなります。かういふ生物界の現象をケトレーの法則といひ、お母さんの答を全部集めると此法則に從

ふことが分ります。そしてお母さんの答が如何に正確であり、如何に最初に生える歯に注意してゐるかが窺はれる證據となります。

それにも拘はらず、「このムシ歯はいつ頃から出來ましたか」とムシ歯を持つ赤ちやんのお母様に尋ねてみると（え？ムシ歯ですつて？）と愕きの色を浮べて、いつ出來たかなどと氣の附くお母様はめつたにありません。赤ちやんの歯卽ち乳歯は早いのは歯が生えて三ヶ月經つとムシ歯に罹ります。生後十ヶ月の赤ちやんがムシ歯になつてゐる例は決して珍らしくありません。滿二歳以下の赤ん坊には百人中七八人はムシ歯に罹つてゐます。此事實を知らない多くのお母様方が、赤ちやん時代の歯の衞生に無關心なのは止むを得なかつたかも知れません。

乳歯を大切にする心掛を

一體お母様方は乳歯を粗末に考へてゐる傾向があります。乳歯は脫けかはる歯です。だからムシ歯になつても次に生える永久歯さへ保護すれば差支ないと考へてゐる人が多いのですが、實際は乳歯こそ一生の健康の基礎を作る重大な使用を帶びてゐるのです。乳歯の大切な理由は、

第一　は發育盛りの幼年時代の榮養を完全にする爲に咀嚼を充分行ふことです。食物が如何に榮養素に富んでゐても食べ方が惡かつたなら、卽ちよく嚙まなければ滿

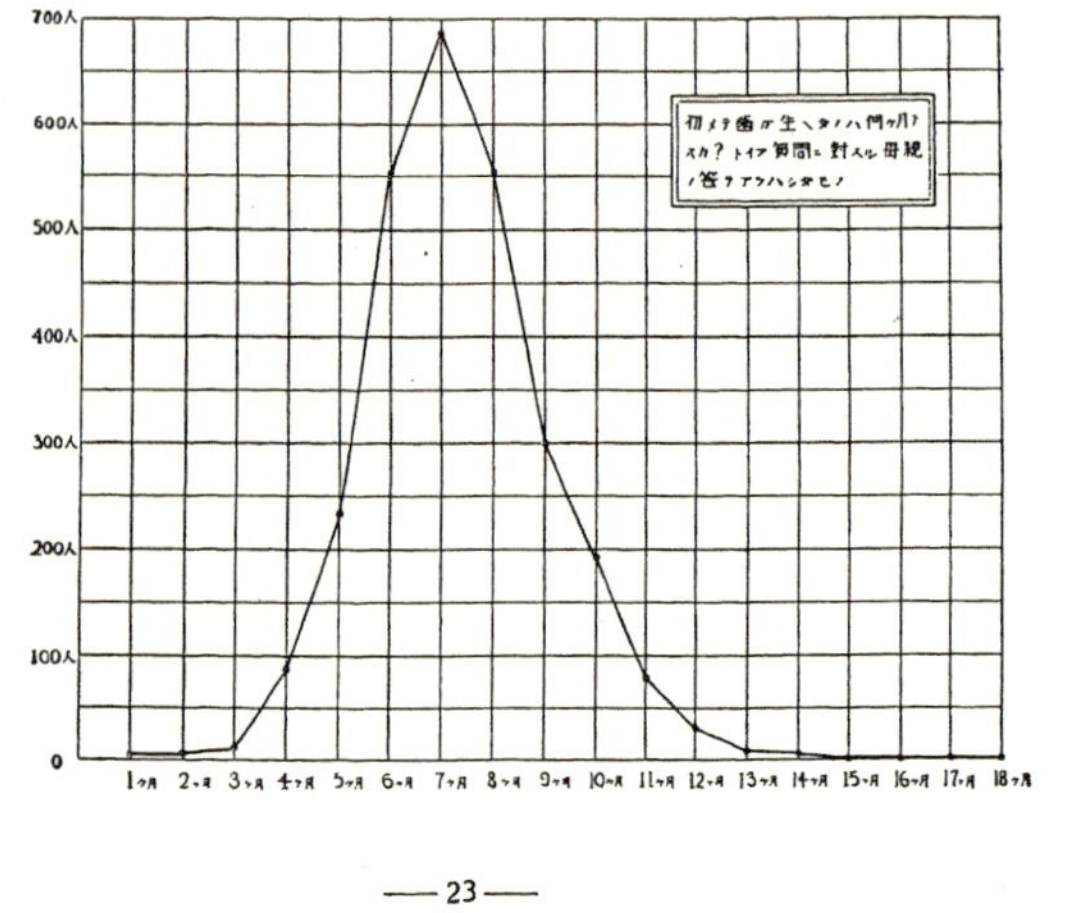

足に消化吸收は行はれません。澤山食べ澤山排出する、無駄が多い結果となるのみです。いづれ詳しく述べてみたいと思ひます。

第二　は頭や顏の發育を完全にする役目として乳歯が大切に保存されねばなりません。頭や顏が育つには顎がよく育つことが第一の條件となります。顎が發育するには完全な乳歯が何より必要です。乳歯でよく嚙むことが顎骨に機能的な刺戟を與へて、顎骨が發育し、それにつゞく顏面骨や頭蓋骨が發育するのです。

第三　は乳歯は永久歯の指導者として大切な事です。もしムシ歯や外傷の爲に乳歯が脫けてしまふと永久歯は正しい位置を占めることが出來なくなり、所謂亂杭歯―歯列異常の原因となります。

かういふ大切な乳歯でありながら、現在の子供といふ子供が四五歳の頃になると百パーセントに近いムシ歯罹患率を示してゐることは、保健國策の叫ばれる今日、最も寒心に堪へない事實として、特にお母様方の御注意を願ひたいと存じます。

ムシ歯豫防は赤ちやん時代から

赤ちやんの歯がムシ歯になる順序は、赤ちやんがお乳を呑んで其儘にしておく爲にお乳が口中の細菌の爲に醱酵されて酸となりその酸のために歯表面の琺瑯質が破壞されてムシ歯ができるのです。だからムシ歯を豫防して赤ん坊を丈夫に育てやうといふ強い決心を以て實行し得る母親があれば、必ずムシ歯は出來ないのです。私はお母様の強い温い愛を只管祈るばかりであります。

赤ちやんの歯を保護するには、第一圖のやうに一本でも歯が生えたならば、授乳後にお母様が脫脂綿を指に卷いてソット歯の表面を拭ふてやることです、この際に歯磨は未だつけなくてよく、微温湯に水歯磨をうすめるか或は重曹水を用ひて効があります。初めてムシ歯の出來るのは大抵上の前歯の表面ですから、そこを叮嚀に靜かに拭くことです。これを怠るために忽ちムシ歯になるのです。

乳歯が上下八本位揃つたら、お母様は赤ちやん用の歯刷子で水歯磨をうすめたのを浸して磨いて下さい。赤ん坊の歯刷子のあることを知らない方がありますが、ライオン歯刷子の六號がそれです。歯磨はまだ無理です。

生後二十ヶ月近くになつたら、犬歯や第一乳臼歯も生えますから、そろ〳〵赤ちやんの手を取つて歯を磨く習性をつくる第一とする事が大切です。まだうがひがうまく出來ないでせうが、歯を磨く時には水を飮まないで吐き出すことを敎へていただきます。滿二歳を過ぎ三歳近くになれば、乳歯は上下全部で二十本生え揃ひ、物心も

つきますからうがひの仕方など反覆して教へ、ひとりで歯を磨くことを教へていただきます。この頃の教育がむづかしいのですが獨りで歯を磨いてゐても、それで充分清潔になつたとは謂はれませんから、お母樣は常に監督し、よく磨けてゐるかどうか、よく磨けてゐればそれだけ褒めながらよく注意を與へるやうにして欲しいと思ひます。この頃になればライオンコドモハミガキをお使はせになればお子樣が喜んで磨くやうになります。コドモハミガキは小さいお子樣のムシ歯を防ぐ爲に、幼兒の心理學的方面から研究したもので、小兒歯科學上是非ともお母樣方にお奬めしたいと存じます。

育兒百話

睡眠に就いて

醫學博士 廣島英夫

「寝《ね》る子《こ》は達者《たつしや》」と云《い》ふ通《とほ》り、發育盛《はついくざか》りの子供《こども》には睡眠《すいみん》は必要《ひつえう》です。夏《なつ》の午睡《ごすゐ》は尚更必要《なほさらひつえう》です。

子供《こども》は如何程《いかほど》眠《ねむ》ればよいかと言《い》ひますと、

（一）達者《たつしや》な生《うま》れて間《ま》のない赤《あか》ん坊《ぼう》は乳《ちゝ》を飲《の》む時《とき》か、風呂《ふろ》へ入《い》る時《とき》の他《ほか》は大抵《たいてい》は眠《ねむ》つてゐます。

（二）二、三ケ月目《げつめ》の赤《あか》ん坊《ぼう》は一八—二〇時間眠《じかんねむ》ります

（三）六—一二ケ月目《げつめ》の赤《あか》ん坊《ぼう》は夜《よる》一二時間《じかん》、朝《あさ》と晝《ひる》に二時間《じかん》宛餘《あま》り眠《ねむ》ります。

（四）生後《せいご》二年目《ねんめ》では夜間《やかん》一二時間《じかん》、晝《ひる》一時間餘《じかんあま》り晝寝《ひるね》すればよい。

ベツトに寝《ね》かす時《とき》は、手足《てあし》を充分伸《じうぶんの》ばして運動《うんどう》が出來《でき》るやうな廣《ひろ》いものがよろしい。寝《ね》てゐる間《ま》に向《む》きを變《か》へてやれば、尚《なほ》よく眠《ねむ》ります。

赤ん坊の寝不足の原因

（一）惡《わる》い食物《しよくもつ》
（二）おむつが汚《よご》れるか、ぬれた時《とき》
（三）乳《ちゝ》の與《あた》へすぎ、又《また》は足《た》らぬ時《とき》
（四）不規則《ふきそく》な食事《しよくじ》、又《また》は度々《たびく》與《あた》へすぎた時《とき》
（五）着物《きもの》の着《き》せすぎ
（六）病氣の時《とき》
（七）氣持《きもち》の惡《わる》い苦《くる》しい位置《ゐち》
（八）新《あたら》しい空氣《くうき》が充分《じうぶん》で無《な》い時《とき》
（九）寝具《しんぐ》及《およ》び衣物《いるい》の氣持《きもち》の惡《わる》い時《とき》
（十）寝《ね》る前《まへ》に昂奮《こうふん》しすぎた時《とき》
（十一）惡《わる》い習慣《しふくわん》のある時《とき》、即《すなは》ち
イ、目《め》を醒《さ》まして泣《な》けば、いつもあやす癖《くせ》のある時《とき》
ロ、泣《な》くのを止《や》めさす爲《ため》に、乳《ちゝ》を飲《の》ます癖《くせ》のある時《とき》

赤《あか》ん坊《ぼう》はよく寝《ね》ない時《とき》は、ですから上《かみ》に述《の》べたやうな原因《げんいん》を除《のぞ》く事《こと》です。尚又規則的《なほまたきそくてき》な時間《じかん》に寝《ね》る習慣《しふくわん》をつける事《こと》が大切《たいせつ》です。寝《ね》る前《まへ》に入浴《にふよく》するのもよろしい。睡《ねむ》り藥《くすり》を飲《の》まして眠《ねむ》らせる事《こと》はいけません。

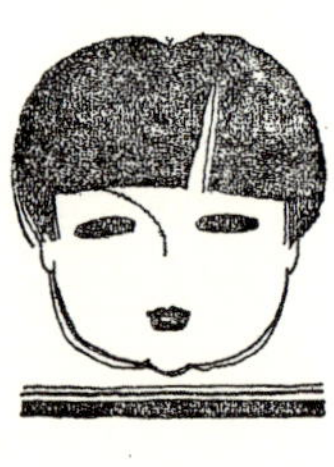

小兒の結核（其一）

山形市立病院濟生館
醫學博士　宇留野勝彌

醫學的知識から小兒の結核を少し述べてみませう。勿論小兒結核と大人の結核とは同じ結核の黴菌から起るのですから小兒結核といつても特別變つた珍らしい話ではありませんが、色々の點で大人の結核と趣きが違つて居るのです。さうした違つて居ることや、特に注意せねばならないことを二、三記述してみやうと思ひます。

黴　菌

結核菌に人型菌と牛型菌とあり、牛型菌といふのは主に牛の結核をおこす黴菌ではあるが、まゝ人間にも病氣をおこすものです。大人の結核菌は大抵人型菌ですが、小兒―殊に五歳以下では屢々牛型菌で結核になることは諸學者の意見が一致して居ります。小兒の結核でも皮膚の病氣の狼瘡といふのや、瘰癧といふ頸の淋巴腺腫脹の時や、腸や腸間膜淋巴腺系統の結核のときにはこの牛型菌が却つて人型菌よりも多い位だといはれます。何故腸とか腸間膜淋巴腺等の結核の時には牛型菌が多いかといふと、牛乳や乳製品で小兒を榮養する時にさうした飲みものゝ中に牛の結核菌が死なずに混じつて居るからだと言はれて居ります。

菌の侵入する箇所

たまには腸からも菌が侵入しますが、何といつても一番頻繁に入るのは呼吸器からで、從つて肺の中に入つた菌が最初に尻を落付けます。この侵入して尻を落付けた場所を初感染病竈と六ケ敷く名付けますが、さうした最初にもぐり込んで巢を作つたところは至極小さなもので豌豆大から榛實大、時には肺を解剖してくはしく探して辛うじて見出す位小さなこともあるのです。同時にその侵された肺の部分に連なりを持つて居る淋巴腺―氣管枝

淋巴腺―も菌に侵されて腫れて來ます。

この初感染病竈は肺の内でも肺の表面で肋膜の丁度下で、左の肺より右の肺、上、中肺葉の方が下肺葉より多いものです。時には腸が侵入門戸になり、腸に肺と同じやうに初感染病竈を作ります。

先天性結核

昔は結核は遺傳病だと思つて居りました。日本では現在でも可成り多くの人が信用して居る馬鹿げた考へです。しかし姙娠した時胎兒の母體との連絡で胎兒にとつて一番大切な胎盤といふものが結核に侵されることは稀でありません。それで若し分娩後間もなく赤ん坊が非常に進行した結核症狀で死んだとすれば恐らくは子宮内で胎盤結核から胎兒結核となり先天性結核として出產したものと認めねばならなくなります。

かうした例は珍らしいことで、先づ小兒結核殆んど全部は前記の呼吸器と腸管から傳染して病氣となると見てよろしいのです。

感染する具合

開放性肺結核患者、つまり結核菌を戸外に吐きちらかす病人が居るからこそ小兒が感染するに至るのです。咳嗽をすると大小のしぶきが飛散しますがそれには結核菌がくつついて居る譯ですから面前でさうした咳嗽をしたとき、小兒が直接吸込めば結核に感染する譯です。理窟は正しいので、昔はかうした經路で傳染するものと信じて居たのですが、現今は割引して考へるやうになりました。つまりこの感染の仕方もあるにはあるが、それよりはむしろさうして空氣中に出た結核菌が塵埃と混じて飛散し、洗濯物、衣服、家具、寢床などに附着して居て間接に小兒に感染するのが多い。乳兒であれば大抵母親が結核で、その黴菌が今言つたやうな身邊の物に附着して、それをなめたり、菌のついた汚れた手をなめたり、或は鼻先で母親が咳をすれば前記のやうに直接でも感染したり、色々の方法で感染する譯です。床を這ひ廻つたり、轉げ廻つたりする位の年齢の小兒は菌の混じて居る床の塵埃を手足にくつつけ、それを口にしたりすれば感染が容易におこる譯でせう。最初述べた牛型菌の侵入は菌の混じて居る牛乳を食むのが原因となり、人型菌の侵入の方は主として今述べた手足、身邊のよごれから來るのです。

感染して居る歩合

ビルケーといふ學者がツベルクリン（結核菌の毒素）を皮膚に塗擦すると赤味を帶びた腫脹を呈して來るのは結核に感染した人ばかりで、さうでない人、つまり一度も

體内に結核菌の侵入したことのない人なら皮膚に何等の變化も現はれて來ないといふことを證明し、このビルケー氏反應を多くの人々にやつて、結核感染の有無を檢査することが出來るやうになりました。小兒期の末期、即ち十四、五歳時分は五〇―七〇％はビルケー氏反應が陽性、つまり結核に感染して居ることが證明されるに至りました。尤も肺結核患者に日頃接觸して居る小兒、結核の居る村の小兒、結核敎師を戴いて居る小兒等は感染率が遙るかに多いのです。又よしんば家庭、或は村に結核が居るにしても、その周圍に菌をふりまかぬやうに、不潔にならぬやうに、さうした危險性のあるものから小兒を遠ざけるやうに、防護すればするほど感染率は少なくなつて來る譯であります。文化と野蠻の違ひで結核の多い少ないが出て來るのはそのせいです。

小兒でも年齢の多寡で病氣が違ふ

小兒は結核菌に感染し易いもので、結核菌の方から云へば小兒の體は菌が侵入し易く、住み込み易いやうです同じ小兒でも亦若ければ若いほど菌が強く働きかけて、病的症狀を色々とおこし易い傾向を多分に持つて居ります。例へば乳兒期には先般述べた初發病竈が擴張して、俗にいふ肺癆（素人のいふ肺結核）に進み、大部分の肺が乾酪化して壞れて來ます。

生後第二年以上の小兒では かうしたことがないのです。もう一つ小兒の早い時期には又よく二次的に體内中に菌がふりまかれて恐ろしい腦膜炎、粟粒結核といつたやうな致命的の病氣になる傾向が多いのです。

もう一つ大切なのは小兒期では氣管枝淋巴腺結核が來るのが特長で、大きな腫瘍（はれもの）のやうに淋巴腺が腫れて來ますが、その淋巴腺が破壞して菌が血液循環中にもぐり込んで體中にひろがると腦膜炎、粟粒結核になるのです。

尚大人に多い肺癆（素人のいふ肺病）にかゝる年齢は丁度思春期に入つてからで、小兒には實に少ないものです。

最後に結核の經過から見ると矢張り小兒の年齢が嵩んで居るものほど初發病竈が治癒する傾向が強くなつて居ます。死亡率はこの點最も正直に吾々に示してくれまして、乳兒結核は殆んど死亡するものと見られて居ります。年長するにつれて死亡率が減じ、思春期の肺癆出現に及んで俄然再び死亡が增大して來ます。

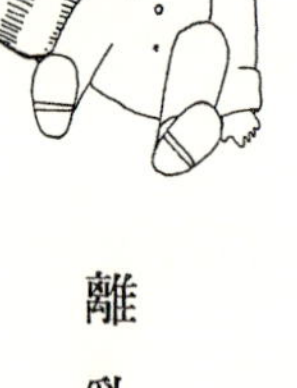

離乳の準備

醫學博士　一色　征

離乳《りにう》を始《はじ》めるに當《あた》つては先《ま》づ授乳《じゆにう》の時間《じかん》を規則正《きそくたゞ》しくする習慣《しふくわん》をつけ、授乳《じゆにう》を四時間毎《じかんごと》とし一日《にち》五回《くわい》として置《お》きます。不規則《ふきそく》な授乳《じゆにう》をしてゐては到底完全《たうていくわんぜん》な離乳《りにう》が出《で》來《き》ませぬ。離乳《りにう》は急《いそ》いで行《おこな》ふと必《かなら》ず失敗《しつぱい》しますから徐々《じよ〳〵》に二、三日《にち》の間隔《かんかく》を置《お》いて次第《しだい》に濃《こ》い食餌《しよくじ》に變《か》へ且《か》つ量《れう》を增《ま》して行《ゆ》き、誕生頃《たんぜうごろ》までには是非離乳《ぜひりにう》を終《をは》るやうにして頂《いたゞ》き度《た》い。

赤《あか》ちやんが欲《ほ》しがるからと云《い》つて一度《ど》に澤山與《たくさんあた》へたりお母《かあ》さんが口《くち》の中《なか》で嚙《か》み碎《くだ》いて口《くち》づてに食餌《しよくじ》を赤《あか》ちやんに與《あた》へる樣《やう》な事《こと》をしてはなりませぬ。神經質《しんけいしつ》の子供《こども》でお乳《ちゝ》の他《ほか》はどうしても食《た》べないやうな時《とき》は充分《じうぶん》お腹《はら》を空《から》にした時《とき》に離乳食餌《りにうしよくじ》を與《あた》へるか又《また》は他人《たにん》に食《た》べさして貰《もら》ふかして辛棒强《しんぼうづよ》く與《あた》へて見《み》るがよろしい。

母乳榮養兒《ぼにうえいやうじ》では生後《せいご》四ケ月頃《げつごろ》より果汁又《くわじふまた》は野菜《やさい》スープを初《はじ》め一、二茶匙《ちやさじ》一日《にち》一回《くわい》より始《はじ》め後《のち》には一日《にち》一回《くわい》五〇瓦位與《グラムくらいあた》へるやうにし、人工榮養兒《じんこうえいやうじ》では生後《せいご》二、三ケ月《げつ》頃《ごろ》より前同樣《ぜんどうやう》の分量《ぶんれう》から與《あた》へ始《はじ》めて離乳《りにう》の準備《じゆんび》をして置《お》くのがよろしい。

離乳の方法

離乳《りにう》に當《あた》つて先《ま》づ初《はじ》め重湯《おもゆ》を與《あた》へますが之《これ》はカロリーに乏《とぼ》しいものですから長《なが》く重湯《おもゆ》を飲《の》まして母乳《ぼにう》の飲《の》む量《れう》が少《すく》なくなるやうな失敗《しつぱい》をせない樣注意《やうちうい》して下《くだ》さい。

先《ま》づ最初《さいしよ》は野菜《やさい》スープで作《つく》るか又《また》は野菜《やさい》を入《い》れて作《つく》つた重湯《おもゆ》を五〇瓦位《グラムくらい》一日《にち》一回授乳前《くわいじゆにうぜん》に與《あた》へて、其後《そのあと》へ母乳《ぼにう》を與《あた》へます。二、三日續《にちつゞ》けて與《あた》へ便《べん》に異狀《いぜう》なければ重湯《おもゆ》の量《れう》を增《ま》して一〇〇瓦位《グラムくらい》にし二、三日更《にちさら》に續《つゞ》けて異狀《いぜう》な

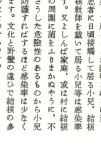

ければ最初《さいしよ》の日《ひ》には擂粥《すりがゆ》を或《あるひ》は米《こめ》を細《こま》かく碎《くだ》いてよく煮《に》た(碾割米粥《ひきわりまいかゆ》)を盃《さかづき》に一杯《はい》或《あるひ》は三〇瓦《グラム》位《くらい》與《あた》へ後《のち》母乳《ぼにう》を與《あた》へます。かやうにして機嫌《きげん》も良《よ》く便《べん》に變《かは》りなければ盃《さかづき》に二杯《はい》更《さら》に三杯《はい》と漸次《ぜんじ》分量《ぶんれう》を增《ま》しつゝ粥《かゆ》の濃《こ》さも濃《こ》くして一日《にち》一回《くわい》宛《づゝ》母乳《ぼにう》に添《そ》へて與《あた》へます。子《こ》供茶碗《どもぢやわん》に二杯《はい》約《やく》百五十瓦《グラム》位《くらい》與《あた》へ得《う》るやうになつた時《とき》は全《まつた》く母乳《ぼにう》を添《そ》へない様《やう》にして粥食《かゆしよく》を朝夕《あさゆう》一日《にち》二回《くわい》子供茶碗《こどもぢやわん》に二杯宛《はいづゝ》とし粥食《かゆしよく》を子《こ》供茶碗《どもぢやわん》に一杯半乃至《はいはんないし》二杯《はい》與《あた》へ得《う》る時期《じき》になると同時《どうじ》に色々《いろいろ》の野菜《やさい》(馬鈴薯《ばれいしよ》、百合根《ゆりね》、人參《にんじん》、ホーレン草《さう》、トマト、キヤベツ、青豌豆等《あをえんどうとう》)の裏漉《うらごし》を副食物《ふくしよくぶつ》として粥《かゆ》に添《そ》へます。初《はじ》め茶匙《ちやさじ》に二杯位《はいくらい》より始《はじ》め次第《しだい》に多《おほ》くし便《べん》に變《かは》りなければ(但《たゞ》し人參《にんじん》、ホーレン草等《さうとう》を與《あた》へた時《とき》は便《べん》に色《いろ》がつきますが、便《べん》の性質《せいしつ》に變化《へんくわ》なければ心配《しんぱい》は要《えう》しませぬ)半熟《はんじゆく》にした卵黄《らんこう》を半個《はんこ》一日《にち》一回《くわい》與《あた》へます。

次《つぎ》には粥《かゆ》を朝晝夕《あさひるゆう》三回《くわい》とし母乳《ぼにう》は二回《くわい》或《あるひ》は午前《ごぜん》十時《じ》と午後《ごご》三時頃《じごろ》に牛乳《ぎうにう》五勺《しやく》にビスケツト二、三枚《まい》又《また》は少量《せうれう》の食《しよく》パンを添《そ》へて與《あた》へます。

次《つぎ》には脂肪《しぼう》の少《すくな》い白身《しろみ》の魚肉《ぎよにく》を少量《せうれう》或《あるひ》はよく煮《に》たうどん、燒麩《やきふ》のすまし汁《じる》、豆腐《とうふ》などを與《あた》へます。果汁《くわじふ》は漸次《ぜんじ》止《や》めて果物《くだもの》を卸《おろ》したそのまゝ又《また》は細《こま》かく切《き》つて與《あた》へます

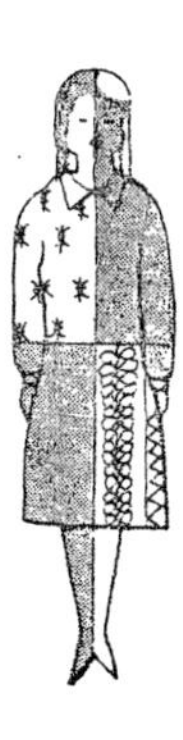

かやうにして漸次《ぜんじ》粥食《かゆしよく》を增《ま》し誕生頃《たんぜうごろ》には全《まつた》く母乳《ぼにう》を廢止《はいし》するやうにいたします。

人工榮養兒《じんこうえいやうじ》の場合《ばあひ》も母乳榮養兒《ぼにうえいやうじ》と同様《どうやう》に初《はじ》めスリ粥《かゆ》を盃《さかづき》に一杯《はい》一日《にち》二回《くわい》與《あた》へその後《あと》へ牛乳《ぎうにう》で作《つく》つたお乳《ちゝ》を一五〇—一七〇瓦位《グラムくらい》添《そ》へます。二、三日樣子《にちやうす》を見《み》て便《べん》の性質《せいしつ》に變《かは》りなければ粥《かゆ》を二杯《はい》次《つい》で三杯《はい》と增《ま》してそれに添《そ》へて與《あた》へる牛乳《ぎうにう》は其《それ》に應《おう》じて一五〇瓦《グラム》、次《つい》で一〇〇瓦《グラム》—九〇瓦《グラム》へと減《へ》らしてゆき粥食《かゆしよく》を子供茶碗《こどもぢやわん》二杯位卽《はいくらいすなは》ち一五〇瓦《グラム》位與《あた》へるやうになると、牛乳《ぎうにう》を全《まつた》く添《そ》へない樣《やう》にし、粥食《かゆしよく》を一日《にち》二回《くわい》に增《ま》し其《そ》の他《ほか》に牛乳《ぎうにう》一八〇瓦宛《グラムづゝ》一日《にち》三回《くわい》與《あた》へ又此《またこ》の頃《ころ》より前記《ぜんき》同樣《どうやう》の副食物《ふくしよくぶつ》を少量《せうれう》より粥《かゆ》に添《そ》へて與《あた》へ始《はじ》めます。次《つい》で粥《かゆ》を一日《にち》三回《くわい》牛乳《ぎうにう》は一日《にち》二回《くわい》の割合《わりあひ》で與《あた》へ離乳《りにう》を終《をは》ります。

離乳中《りにうちう》は時々《ときどき》體重《たいぢう》を測定《そくてい》し發育狀態《はついくぜうたい》に注意《ちうい》して離乳《りにう》が順調《じゆんてう》に行《おこな》はれてゐるかどうかに氣《き》をつけて一週《しう》一回位《くわいくらい》は育兒相談所《いくじさうだんしよ》を利用《りよう》するやう心掛《こゝろが》けて下《くだ》さい。

育兒知識の要諦（第十三篇）

——小兒結核に就て——

大阪市立堀川乳兒院長
醫學博士　野　須　新　一

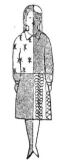

結核に罹り易い體質

之は問題である、一見して結核に罹り易い體質或は素質と考へられる場合でも仔細に觀察すれば、實は傳染機會の多いためと云ふ點に歸着させねばならぬ事が多い。次に示す表の如く、

グランシヱ氏事業成績報告(一九二三)

一、結核病母に保育されたる幼兒の結核

罹病率　六〇%
死亡率　四〇%

二、結核病母より離してグランシヱ氏事業所にて保育せる幼兒の結核(二、五〇〇人に就き)

罹病率　〇・三%
死亡率　〇・一%

卽ち結核に罹つた親から離して保育すれば子供も結核質を免れることが出來る事が分る。都會に於ては田舍に於けるより結核に感染する率が大である。此の事は住居の關係や生活狀態の如何や其他種々の關係によるものであるが、感染する機會の多い事も大なる原因である。結核感染を示すピルケー氏反應成績は田舍に於けるより都會に於て常に陽性率が高い事でも分る。

結核は幼少なるもの程感染し易く、又死亡し易い、結核に感染しても必ずしも發病するものではないことは既に述べたることであるが、此事は年齡の進んだ時期に於ける場合の事であつて、幼若なる小兒、殊に乳兒に於ては感染はしたが發病せぬと云ふ如き場合は甚だ稀であることも統計で分つてゐる。而して次の表に示す如く滿一年以內にあつては結核患者の殆んど大部分は死亡するも年長兒となるにつれ、結核患兒と雖も必らずしも死亡せず、漸次治癒する數が增加することが明らかである。

小兒結核患者中死亡せるものゝ百分率

年齡	檢査人數	死亡率%	
生後三ヶ月以內	四	一〇〇	
四—六ヶ月	一三	一〇〇	九〇
七—十二ヶ月	三二	八〇	
二年	七四	七〇	
三—四年	一〇二	六七	
五—六年	三八	六〇	
七—一〇年	四一	六八	
一一—一四年	三一	五〇	

結核菌排出者(結核患者)と同居せし者に於ける結核病變の有無の割合と年齡との關係

年齡	調査例數	臨牀上結核性病變あるもの（但しピルケー氏反應陽性）	臨牀上病變なきもの
一歲以內に同居せるもの	二〇七	二〇〇	七
一歲以後三歲以前に於て同居せるもの	六一	四五	一六
三歲以後に於て同居せるもの	五七	七	五〇

結核の豫防と治療

一、肺病の母親は決してその子供を哺育してはいけない。そして隔離しなければならない。前にも述べた様に肺病にかゝつてゐる母親が子供を哺育するとその子供は殆んど感染を免れない。然し母親の結核が輕症で熱も無く、咳も痰も出ないと云ふのであれば充分注意すれば哺育しても差支ない。萬一咳でも出る様なことがあればマスクで口を覆ふ。寢童は別でなければならぬ。

二、母親でなくとも家族や近親のものに結核患者があれば、成るべく子供と接近せしめない樣にしなければならぬ。重症者は矢張り隔離せねばならぬ。

三、他人にはなるべく接近しない樣にしなければならぬ咳をして居る人に近よつてはならない。多人數群集せる場所やデパート塵埃の多い所へはつれて行かないこと。

四、母親が結核或は其の他の事情で乳母を雇ふとか、里子にやるときは、乳母或は里親とその家族に結核の有無を確かめねばならぬ。然して又乳母以外の使用人を雇ひ入るゝ時も健康診斷を受けて疑はしい者は決して雇ひ入れてはならぬ。

五、ゴムの乳豆は勿論の事玩具その他子供が口に入れる恐れのあるものは絶えず消毒せねばならぬ。同時に又子供の手足は常に清潔に保たしめねばならぬ。

六、百日咳、痲疹、インフルエンザ、肺炎等の急性傳染病にかゝりたる小兒は結核に感染し易いと同時に、既に感染して潜伏して居るものは此の機會に發病惡化する事が多いから、少くとも二年以下の小兒にはなるべくこれらの傳染病にかゝらせぬ樣にしなければならぬ。若し罹れば嚴重に養生させて一刻も早く健康の回復を計るべきである。

七、新鮮なる空氣、並に十分なる日光、及び榮養に注意を拂ふことが第一條件であるが、殊に小學校兒童等に於て成績をよくする爲、又は入學試驗の爲め等で無理をさす事は抵抗力を弱めることの大なる原因である、又抵抗力を增進さす目的にて種々なる運動又は健康法なるものがあるが、それ等の方法は總ての人にとつて必ずしも無害と云はれぬものも少くない故に、若し小兒にそれ等の方法を試みさせんとするならば豫め醫師に相談して可否を決して後に初める方法が安全である。

殊に感冒に罹り易い小兒等に於て屢々試みらるゝ冷水摩擦の如き豫め十分に其適否に就いて考慮したる後始めて實行すべきものである。

八、AO、其の他の特殊結核ワクチンを豫防的に之を試むるも又一法である。

一般的治療法

治療　なるべく早く治療すること、結核は不治の病のやうに考へられて居るが、病變の程度により年齡の如何によつては決して不治のものでなく却て仲々によく治癒し得るものである、結核の治療に於て最も肝要なることは病變の餘り運行せぬ中になるべく早期に於て治療することであり、發病の初期に於て十分なる治療を施す時は多數に於てよく治癒するものである。

治療法の原則

一、充分なる日光、新鮮なる空氣、充分なる榮養、此の三點を滿足さすに止まるものであつて諸種樣々の治療法もすべて此三原則以外に出ない、之等三原則は初期結核に於ては勿論其後のいづれの時期に於ても必要なるものであるが此原則より出發したる方法を如何に適用すべきか、例へば日光療法、氣候療法等を如何なる場合に如何に實施すべきかに就いては全く醫師の指導監督に俟たねばならぬものであつて決して素人考へに行ふべきものでない。

發熱のあると云ふことはつまり病勢が活動しつゝあることの證據であり又病勢進行しつゝあることの徵候でもあるからして此時期に安靜を破る事は病勢の進行を助長さす危險がある、然し此れも亦程度問題であつて適當の時期に適度の運動をなさしめる事も治癒の上に缺くべからざる一つの方法である、然し其適應を定むる事はやは

り一に醫師の指圖によらなければならぬものである。

確實なる特殊療法はない

ツベルクリン其他のワクチン療法、カルシウム療法、レントゲン療法等は割合に廣く行はれて居るものであるが總ての結核に對して確實なる効果を癒らし得ぬことは止むを得ぬとして是等の適應症と云はれる種類のものに對しても確實に奏効することは到底望めない、其他の多種多樣の療法に至つては更に不確實又は無効と見做されて居るものが多い。

尤も結核の治療法と一口に云つても結核なる病變には色々の時期があり色々な程度があるものであるからしてある治療法の効果の有無を論ずる場合、如何なる程度の結核に有効なりや或は無効なりやを明らかにしなければ誤解の起る恐れがあるのであるが、然し之等の總ての特殊療法に就いて簡單に云ふならば、一般療法を除いてはいづれの時期に於ける結核に對しても有効確實疑ひなしと見做されるものは未だないのである。之を要するに結核治療に當つて最も肝要なる點は信用ある醫師の指圖監督であつて、如何なる治療を行ふともすべて醫師の監督によつて行ふことが最も安全で、色々の素人療法又は廣告に惑はされることは結局有害無益に終るものである。

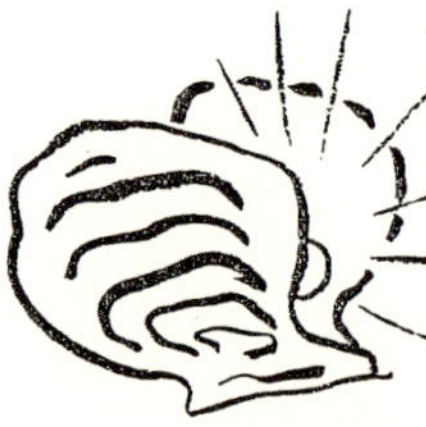

賀川豊彦氏

『死線を越へる』まで（四）

村島歸之

七、再び先考純一氏について

「死線を越えて」を讀んだ人は、賀川氏その人であるらしい主人公新見榮一が、父に反抗し、その悖徳行爲を糺彈するところのあるのを見て、實在の賀川氏を、性來の「反抗兒」或はこれを更らに歪曲して「親不孝者」の如く解する者もあるやうだ。妻を生家に放置して顧みず妾狂ひをする父の放埒さもさこそながら、父親を面罵する榮一の態度にも好感を持ち得ないとする讀者が多い事であらう。

しかし、「死線を越へて」の讀者よ、安んぜよ、少くともこの物語は事實ではなくて、小説にすぎないのだからその證據を示さう。

賀川氏の父君純一氏は、明治二十五年十一月十九日、即ち豊彦氏の五歳の冬、あたら俊英の才を抱き乍ら、わづか四十四歳この若さを以て逝去されてゐるのである。

五歳——嚴格にいへば滿四歳半——で父に永別した豊彦坊やが、如何に天才であつても、片言交りで父を諫めることも出來まいではないか。これは、青年になつて後若し今父在しませば、どんなにかうれしい事であらうと懷しく父の面影を偲び乍ら、しかも、實父母共亡き子として（生母益榮さんも父君に遲るゝ僅か二ケ月の翌二十

六年一月十七日に逝去せられた）なさぬ仲の母の下に育てられた寂しい少年の日を回想し、小説またの形式を借りて、純潔を愛し、一夫一婦を主張する基督敎的立場から冷徹なる批判を父に下したものに外ならぬと思ふ。殊更ら此處に父を怨み、父を罵つてゐるのは却つて氏があくまで父を愛し（たとへ、父にどんなに不品行があつたとしても）父を慕ふ切なる子の心持を逆に置き替へて表現にしたものと解される。

氏は今でも「父は豪い人だつたらしい」といつてゐる。賄賂を取る新見市長の登場の如きは、要するに、ブルジュア政治家の現實を、この小説を借りて曝露したに過ぎないもので、氏の父君とは何等の關係はない、只だ政治家であつた父の連想が、小説の構想の上で、偶々父を背徳市長に作り上げて了つたゞけである。多分、父君は地下において「豊彦め、ひどい事をしよる。」と苦笑して居られることであらう。

もちろん、氏の父君は「徳島市長」ではなかつた。氏が父君らしき人物を市長として描いてゐるのは、純一氏が明治九年から十二年まで「高知縣徳島支廳長」に就任してゐたゝめであらう。當時、土佐、阿波二國を合せて高知縣と稱してゐたが、縣廳は高知にあつて行政の便宜上阿波一國を分轄するために徳島に支廳を置いてゐたのである。徳島支廳長は、だから、今日の徳島縣知事と同じ仕事をしてゐた譯である。

もちろん、支廳長は勅任官の知事ではなく、奏任官であつたが、その頃はまた高等官は一縣に四五人とは無く封建制度の名殘がなほ人々の頭の中にこびりついてゐて支廳長に對する縣民の崇敬の念の厚きことは、到底今日の浮草稼業の知事などの比ではなかつた。

實をいふと、筆者の父も、明治の初年奈良縣（初め堺縣と稱し、後大阪府最後に奈良縣と改稱、大和國を管轄す）の大區長（後郡長と改む）を勤めてゐて、一頃は、式上、式下、宇陀、十市郡長を兼任し、有名な十津川の山崩れで玉置吉野郡長が横死を遂げた時などは、その吉野郡長も兼任して一人で五郡の郡長を兼ねてゐたこともあつたその頃の話を母から聞かされて覺えてゐるのは、地方へ行くと郡長の手植の松などといふものもあつたこと、宇陀や吉野の山奥の舊家に泊ると、疊を何枚も積み重ね、その上へ蒲團も同じやうに重ねて、まるで大名扱ひであつたこと、農民への私信に名宛を上部へ書いたといつて美談として傳へられたこと、高等官の提灯——横に太い赤筋が何本も這入つてゐた——といふものがあつて、その提灯が行くと、郡長さんだといつて皆、道をよけたこと等々、今日から考へると、たかゞ一高等官ぢや

ないか、まさか、と思はれるほどであるが、官尊民卑の風のあつた上に一縣に勅任官は知事一人、奏任官もせい〴〵四五人といふ明治九年頃は、地方官の往來も今日の如く繁くなかつたことだから、支廳長の御巡視などといへば、土下座をして迎へたものもあつたに違ひない。異動常なき今日の大臣よりもその權勢は大なるものがあつたことは確かなやうである。

氏が、幼時、近所の人たちから「お父さんのやうなえらい人にならないといけませんよ」と常に言はれてゐたといふことも、當時のこの邊の事情を知つて始めて首肯せらるゝところである。

氏は五歳の頑是ない時に別れた兩親の面影を、朧げにしか記憶してゐないで「死線を越えて」の中にもハッキリとは記してはゐない。父純一氏のことを「背の低い方で、顏は小黑い、嚴格な顏で口髯は無い」と記してゐる程度である。

八、母君のこと

母上は明治二十六年一月十七日、前に記した如く、夫君の逝去せられてたつた二ケ月後、四十九日の法要が濟んだばかりで、五人の愛兒を遺し永眠された。五歳の豊彦坊やにはまだ眞の母の死の悲しみといふものが判らなかつたであらう。

母君の亡くなつたのは、三十三の厄年であつたといふ。筆者は一度、母上の寫眞を見たことがあるが、どつちかといふと病身らしい、淸楚な感じのする純日本式の美人であつたやうだ。花でたとへるなら、西洋花ではなく、日本の野につゝましく咲く白百合といふ印象を與へる女性である。藝妓出身でも、さすがは名妓といはれるやうな氣品の備はつた美人である。

「死線を越えて」の中では單に「眉から鼻筋の恰好、口元のしまつた具合が榮一——氏自身——に、そつくりだ」と記してゐるだけだが。

しかし生母は眉目形の美しいばかりでなく、溫順なそして賢い婦人であつたやうだ。「死線を越えて」の中でも「榮一さんのお母さんは悧好であつた。なか〱お母さんが生きておつたら、お父さまに金をつかはすものか、悧好な人であつた。榮一さんはお母さんの顏を覺えてゐるかい。お前さんに善く似ておつたな、そら綺麗な人であつたな」と神戸の店の番頭をして語らせてゐる。

筆者は、嘗て風俗問題研究のため各地の花柳界の情況を調査したことのあるものとして、一言附け加へて置きたいのは、徳島の藝妓制度の特異性についてゞある。

一概に藝妓といつても、ピンからキリまである、それ

は單人でも大將から二等兵まである如く、先生といつても、大學教授から私塾の先生まであると同樣である。

　昔の階級は士農工商といふ業態別によつたもので、士分の者はたとへ足輕の末輩でも、任友鴻池の大町人の上に在りとされた、しかし、今日では各業態を横に截斷しその最上位のものは士農工商のそのいづれにあるを問はず、特權階級として權勢を保ち、最下位のもの卽ち水吞百姓日傭勞働者大道商人といふのは、一例に無產階級として搾取制度の下に立たしめられる。それと同じく今日の社會では、藝妓全體が世の侮蔑を受ける階級にあるのではなく、或は名妓と稱せられ、或は技藝に長じてそれ〳〵の門の「名取」に列してゐる藝妓の如きは、優に藝術家として上流階級の中に伍してゐる。往年の大阪南地の名妓富田屋八千代とか（彼女は畫家菅楯彦氏の夫人として貞淑の聞え高かつた）今の小唄の勝太郎、市丸等を醜業といふ者はないであらう。

　もちろん、彼女たちにも旦那といふパトロンはある。しかし、その旦那なるものがその日〳〵によつて變る所謂「朝に呉客を送り、夕に越客を迎へる」式の者と、特定せる一人のパトロンを守つて、さながら一夫一婦の如く貞節をつくす者とは、おのづから區別さるべきである前者を「不見轉」といひ後者を「封鎖藝妓」といふ。

　徳島の藝妓制度の特異性は、その封鎖藝妓を主とする點にあつて、特に一流、二流の藝妓は獨立した家屋を構へ、その旦那との間に生んだ子供と共に棲んで、一般の家庭と少しも變るところがないのだ。筆者は嘗て徳島へ方面委員の講演に赴き、知事の招宴に臨んだ際、試みにそこへ侍つた一流藝妓の一人々々をとらへてその生活狀態を聞いたことがあつたが、彼女たちは一種の矜りを以て「屋形」や「置屋」ならぬ「わが家」の有樣を物語り百聞は一見に如かず、一度見に來て下さいといつた者さへあつた。外の土地では藝妓の屋形「家とはいはない」へ、客の出入することは堅き御法度だが、徳島では家を持つ前記の封鎖藝妓に關する限り、それは大つぴらである。

　賀川氏の生母益榮さんは、當時、徳島切つての名妓であつた。大屬官、支廳長の如き當時徳島として最高地位にある官員さんに近づくには、矢張りそれ相當の地位を占めた藝妓でなければならなかつた。賀川氏の父君は、この名妓を愛し、これを自分獨りの者として封鎖し、後落籍せしめて公然たる妾としたのである。

　賀川氏は「藝妓の家」といふものゝ雰圍氣を知つてゐるといひ又、藝妓家から學校へ通つたこともあると語つてゐるのは、恐らくは生母のゆかりの藝妓のその「家」に

出入したのであらう。

　いづれにしても、氏の生母を考へる時、東京、大阪感服出來ぬ藝妓と同一視してはならぬといふことを、些かその道を知る者として此處に書き添えて置く。これは決して賀川氏のために辯ずるのではない。賀川氏は價値はそんなことで左右されるやうなものでないことは判り切つた事實だからである。

九、父の死―一家の離散

　父純一氏と母益榮氏との間には、端一――榮子――安子――豊彦――益慶――敬喜――（筆者は端一、安子氏以外は皆知つてゐる）の六人が生れた「死線を越えて」には笑子といふ妹のあることになつてゐるが、これは小說で事實ではない。小說には姉が出てゐない。多分姉を妹に置き替へて一沫の可憐味を出したのであらう。

　父の死後この一家はどうなつたか。兄端一氏が家業の回漕店を嗣いだが、いろ〳〵の事業に手を出す一方放蕩のため身を持ち崩し、つひに莫大の借財を作つた。そして其のために祖先傳來の阿波の家も人手に渡り、兵庫の回漕店もこれを手離さなければならなくなつた。

　阿波の舊家として聞えた賀川家もつひに沒落した。大黑柱のテカ〳〵と黑光りに光つた母屋が既に人手に渡つて家族たちは裏座敷へ移つて佗しく暮すことゝなつた。

　兄端一氏は一旗揚げるために父祖の地を去つて朝鮮へ出かけて行つた。兄に代つて、賀川家の中心たるべき豊彦氏はまだ十六歳の中學生である。眼前に、祖先傳來の家、倉藍床が順々に人手に渡るのを見ても、何等施すべきを知らない、たゞ憂鬱に日を暮すばかりであつた。

　その頃氏は或る塾に寄宿してゐたが、家が破產して學資が來なくなると共に斷られて了つた。そこで已むなく遠緣に當る小學校教師の家に身を寄せてゐたが、こゝもそう永くは居られず、ついに叔父森六兵衞方へ移つて行つた。

　一時は飛ぶ鳥も落す勢ひだつた賀川純一氏の一家は斯うして櫻花がやちり〳〵の歌の文句のやうに散り〳〵となつた。

　この奇しき「家なき兒」の豊彦氏を慰めてくれる人は、前回に記したマヤス・ローガン兄弟の兩先生だけだつた。「夕日で涙を干かせ」とマヤス博士にいたはれたのも、此の頃であつたのである。

　叔父の森六兵衞方では、二つ年下の從弟のために英語や數學の勉强を見てやつて、それで學校へ通はせて貰つた。

一〇、中學生時代

　五歳にして父母を喪ひ、なさぬ仲の母や祖母の下に、日蔭の子としての暗い生活を送り、漸く長じて中學へ通ふやうになつたかと思ふと、此の度の兄の失敗のために弟と別れて只だひとり肉親とはいへ、叔父の家に小さくなつて居候の生活を過さねばならぬとは――普通のこどもに取つては天國の如く樂しかるべき幼少年時代だのに豊彦少年だけには餘りにも寂しい、悲しい日がつゞくのだつた。

　悲しい雨の朝、寂しい風の夕、その悲しさ、寂しさをみづからまぎらさうとして、氏は遮二無二に書物にかぢりついた。十五歳でバントの「神學緒論」を讀んだ氏は、マヤス博士邸の書齋から、次々と原書を借りて來ては、むさぼるやうにして讀んだ。トルストイの「人生論」や「宗教論」もラスキンの「胡麻と百合」も、普通の中學生なら到底齒の立たぬ原書のまゝで讀了した。氏の語學は、性來の天分もあつたには違ひないが、この憂愁の日々の讀書のうちに、グン〳〵とその力をあげて行つたのである。

　讀書によつて養はれた智囊は、中學の課程を遙かに越えて了つた。教科書は氏には餘りにも幼稚過ぎた。智識の過剩は氏をして筆を訶して、徳島の新聞に堂々たる論文を寄稿させたりした。

　氏はまた雄辯家として鳴つてゐた。論理の透徹と、學識の豐富と、辯舌の爽やかな點は、到底中學生とは思へぬほどだつた。日頃氏が友人とも口を利かず、どつちかといへば傲慢にさへ見える態度に、快からず思つて、機會があつたら鐵拳でもくれてやりたいと思つてゐる上級生も一度、討論會や演說會で、その一頭地をぬく雄辯に接してはすつかり感心させられて了つた。

　昭和六年冬、筆者が賀川氏と同道して渡米した際、シアトルで會つた徳島中學出身の某氏は「僕は賀川さんを何度毆つてやらうと思つたか知れなかつたのです。それほど氏は超然と澄ましかへつてゐたのでした。が、一度その該博な雄辯を聞いてからは內心、ひそかに敬服の念を起さずにはゐられませんでした。今顧みて、よく毆らなくてよかつたと思ひます。もし毆つてゐたら、私の手は曲つてゐたかも知れませんからね」と諧謔を以つて語つてゐた。

　中學の辯論部では部長をも勤めたが、氏の該博な演說は、此の從兄新居格氏と共に徳島中學の異彩とされた。新居格氏は今の文藝評論家の新居氏である。そして新居氏は社會主義的演說を試みて、徳島中學を二週間の停學處分になつた。賀川氏は新居氏ほど矯激ではなかつたがラスキンやトルストイ張りの社會思想が、矢張り學校當

局から注意されてゐた。

　氏が中學卒業間近くなつて、朝鮮に行つてゐた兄端一氏が腦溢血で京城で客死したといふ報を受取つた。氏は自分の責任の重いことを痛感した。しかし、それは義理とはいひながら母を扶養し、姉を助け、幼き弟の面倒を見る責任の重さではなく、兄の如く放埒に身を持ち崩しては、自分を守つてゐてくれられる神に對して相濟まぬといふ反省だつた。

　氏は祈つた。自分の進むべき道を啓示し給へと祈つた。その時、氏の耳に囁いた神の聲はわれに來れ、そして憐れな人たちの中へ行けといふことだつた。前に讀んだキヤノン・バーネットが牛津大學生と共に東倫敦の貧民窟に自ら居住し、貧しき人々の善き隣人となつて働いたといふ物語が幻の如く瞼の中に展開された。

一一、叔父の家を追はる

　氏は中學を卒へると共に、明治學院高等部へ入學し、宗教哲學を學ばうと決意した。しかし氏の頭腦の善さと辯舌の鮮かさを知つてゐた叔父六兵衞氏は、氏を法科大學へ送つて官吏か辯護士にでもしやうと考へてゐたらしかつた。これは氏の父君が政治家であつたと否とに拘らずありさうな事と思はれる。

　しかし、一方、賀川氏自らは空疎な政治家などはてんで念頭になかつた。氏は自分の天分は宗教哲學の方にある事を自信し、且つ天よりの使命が、憐れな人々の中へ行くこと以外にないことを確信し、その順序として明治學院に學ぶことに決意した。

　氏が基督者になつたことさへ快らず思つてゐた叔父森六兵衞氏は、さらに進んでミッション・スクールに學びあらうことかあるまいことか基督教の傳道者たらんとする甥の志望を聞いて烈火の如く怒つた。もうお前の世話なんか出來ぬ、卽刻出て行け！といふのである。已むを得ない。何事に對しても無抵抗であれと心に定めてゐる氏は二年間の世話を感謝しつゝ叔父の家にさよならを告げた。しかし、叔父の家を出て一體どこへ行くのか。父祖傳來の家はもう人手に渡つて了つてゐる。賴む兄も死んで了つた。肉身の伯父たちは多くあつても氏を迎へてくれはしない。あゝ、氏の行くべき處は天が下に一軒もないのだ。

　その時、氏のために兩手をひろげて迎へてくれた溫いホームがあつた。それはマヤス博士の一家であつた。

　筆者は尊敬する賀川氏の物語を記しつゝ、氏に危機の來る毎にいつも、風の如く來て救ひの手を差しのべるマヤス博士のあることをどんなにか心强く且つ嬉しく思つ

たかを讀者も屹度同感して呉れられるだらうと信ずる。
餘談ではあるが、筆者もマヤス博士に個人的の感謝を持つ一人である。筆者は賀川氏の同志の一人——その頃は、まだ入信前で單に勞働運動の同志としてであつた——といふので、マヤス博士を知つてゐた。大正八年ごろの事である。福原遊廓移轉演說會にも一緒に演壇に立つた。その時も博士は「遊廓はみな北極へ移すがよろしい」と諧謔して大喝采を博した。賀川氏を中心として、神戸の仲間（その中には馬島ドクトルや遊佐敏彦氏や、今の土屋群馬縣知事や久留弘三氏や筆者などがゐた）が集りをするにも時々顏を出した。賀川氏の貧民窟十年記念會をその仲間だけで催した時にも博士はニコ〳〵し乍ら會に來た。その時、皆で一緒に寫した記念寫眞が、その後意外なところで見せられたことがある。それは澤田正二郎氏の樂屋でゝあつた。賀川氏の「死線を越えて」が澤田氏の一座で上演された時、登場人物の一人でウイリアム博士（マヤス博士のこと）に扮する役者が、なるべくモデルに似通つた扮裝をしたいといふので、賀川氏の許から借りて來たのがその寫眞であつた。
澤田氏は筆者と仲よしであつた。或晩、その樂屋へ遊びに行くと「村島さんの寫眞が來てますよ」と顏をし乍ら澤田氏はいふのだ。どれといつて手にして見ると、まごう方なき記念會の寫眞で、白の結襟を着た筆者（當夜の司會者だつた）が、マヤス博士の前に賀川氏と並んで寫つてゐるのだ。
その後大正十一年、筆者が濕性肋膜炎に罹り、賀川氏のお世話で神戸衛生病院に入院してゐると、博士が「おあんばいはいかがです」といつて、ヒョッコリ訪ねて來られた。「これはうちの奥さんの作つたパンです。おあがり下さい」といつて温いパンを贈られた。それから數日たつて又見舞に見えた。「けふは面白いお話をいたしませう」といつて、日本語の舊約聖書を取り出し、やおら口を開いていはれた言葉は、「ダビデは放蕩者でした。が、悔ひ改めました」といふのだつた。その頃筆者は箸にも棒にもかゝらぬ放蕩兒だつた。賀川氏夫妻も「村島さんだけは迚も救はれつこはない」と、さじを投げてゐた程だ。博士の言葉は筆者に對する當てつけだつた。筆者は苦笑し乍ら默つて聞いてゐた。博士の話は要するに「神の最も喜び給ふものは、碎けたる魂の捧げものである。ダビデのやうな放蕩者の悔ひ改めこそ、最も神の喜び給ふものだ」といふにあつた。それは詩篇第五十一篇のダビデの歌の言葉であつた。筆者は非常なる感銘を覺えた。
それから一年たつて、賀川氏の依頼により、筆者は御殿場東山荘に開かれたイエスの友會第一回夏季修養會に「勞働運動史」及び「廢娼問題」の二つの講義をするために出席したが、その席上

七草物語

衣笠滋三

秋の七草とは、萩、尾花、葛、撫子、女郎花、藤袴及び朝顔を指すのである。これは萬葉集に收められた、山上憶良の秋の八千草から七草を選定した、芽之花乎花葛花撫麥之花姫部志又藤袴朝顏之花の歌から來てゐるのである。數ある秋草の中には是等よりも一層美しい花が澤山あるに何故に憶良はこの七種のみを選んだか、これは何も深い考があつたのではない、憶良が一日京洛の秋の野を逍遙した折しも、眼に觸れたのを漫然屈指して卽吟したのであらう。七種の中で朝顏が桔梗であるといふ說が多いが、何れにしても秋草の美を代表してゐるとはいへない、しかし何となく秋らしい寂しみある野趣の裡に韻致を湛えて、詩想をそゝる花である。

萩

荳科の植物で我國到る處の山野に自生してゐる、その花容樹姿共に趣深いので、古來文人墨客の賞讃をうけてゐる。庭の籬の小蔭などに植ると、一入風情を增すものである、葉は三個の小葉を有する複葉で互生し、秋の初紅紫の蝶形の小花がそのなよやかな枝に簇開して露に濡れてる樣は譬へやうもなく美しい、その種類は木萩、絲萩、宮城野、蒔繪萩、萩、猫萩など澤山ある。はぎは和名で漢字では胡枝子と書く、漢名では胡枝子の外に、天笠花隨軍茶和皿丹などといひ、吾國にても盛に歌文に詠まれてゐる。鹿鳴草、野守草、初見草、濃染草、月見草などはその主なものである。この栽培には實生株分法といふのがあるが、多く株分法を行ふ、これには春新芽の三四寸に伸びた頃が一番好期で、土壤は選ぶ必要なく肥料は人屎、堆肥が宜しい、手入としては秋の末その莖を刈るのみでよい。

尾花

薄の穗に出たるを指すのである、多年生の草で年々宿根から莖葉を叢生し、長さ五六尺にも伸びる、葉は細長くして質甚だ堅くその堅端は銳利で、之れに觸れると切傷を蒙ることがある、秋、梢上に花莖を抽き、黄白色の穗卽ち尾花を簇生する、花としては美しくないが、穗先をそよ風に靡かせつゝ皎々たる月に對した姿は他に見られぬ風情である、これを繁殖させるには晩春株分をする。別段手入しなくとも繁茂する、花穗の豊かなのを望む場合は燐酸肥料を與ふれば宜しい。

葛

荳科の山野に自生する宿根草で、七草中唯一の蔓性の植物である、葉が大きく三個の小葉からなり、九月頃葉腋に五六寸の穗をなした紫赤色の蝶形の花を開く、他の樹枝に絡みつき秋風に白き葉裏をかへす姿は泌々と秋の哀れを感ぜしめる、此根から葛粉を採取する。吉野の晒葛が最も著はれ、滋養に富み、種々の調理に用ひられてゐる、年々舊株より新芽を出すが、園養するには秋の末根を掘り植ゑ付けて柵などに倚らしめればよろしい。

撫子

漢名『瞿麥』と書き、石竹科の宿根草で、我國の山野に自生してゐる、莖の高さ一二尺、其葉腋から多く枝梢を出し、各頂きに二輪づゝ優しい花を着生する、花は淡紅色で花瓣は深く複雜に切れ込んで糸のやうである。伊勢撫子、麝香撫子の樣に濃艶な花ではないが、花葉共に瀟洒な嫌味のない風趣は邦人の性情に適つてゐる栽培は春秋の二期に實生又株分をする、苗の數寸に伸びた頃一度芯を摘んで數本立とする、土質は壤土を好み、肥料は何でも宜しい。

女郎花

敗漿科の宿根草で、我國及び支那の特有植物である、春舊根から芽を生じ高さ三四尺にも達し、葉は菊に似て花は黄色の細小なる五出の鐘狀で、莖頭に多數着生し秋の野に黄金色に咲き亂れる眺めは捨て難い雅趣がある。栽培は花後か、春期株分するか、初夏の頃挿木を行ふても宜しい、挿木すると矮性なのが出來て盆栽として恰好のものが得られる、壤土で日當りよき所が最も適地である、此草花は害虫にかゝり易いからその驅除を怠つてはならぬ。

藤袴

菊科植物で、山野に雜草と交り自生してゐる、秋の初め、梢枝毎に細さな紫色の花が傘狀に簇つて生ずる。七草中芳香高きは此草を措いて他にない。花の色が藤に似

て花冠が筒狀をなし恰も袴のやうであるから、この名を負ふたのである、其名から多く和歌には人の穿く袴になぞらへて詠まれて居る、實生、株分、挿木の三方法により栽培されるが普通は株分法のみである。

桔梗

七草の歌の終りにあるのは朝顏である、之を牽牛花となすもの、木槿となすもの、桔梗と說くなど種々の說があるが、秋草としては桔梗を入れたいものである。多くの人々も桔梗說に傾いてるやうだから、茲にも桔梗としておく、桔梗は桔梗科の宿根草で容姿中々氣品あり莖が直立して二三尺に達し花の色は山野に自生してるのは紫色であるが、園養のものは白絞りなどがある又ふたへざきやうとて一見重瓣の樣なのがあるが、一重の方が如何にも秋草らしい。栽培法としては、秋季莖葉の枯れた時掘り出して見ると今迄あつた莖の元には、はや芽がふいて居る、此芽を二三付けて株分するこの草根は肺經、肺氣を清くし、腎經、咽喉の痛みを治し、又大黄、甘草と同じ藥効があると云ふので、古來藥用として利用されてゐる。我國では主に觀賞用とされてゐるが支那では多く藥用として栽培されてゐる。

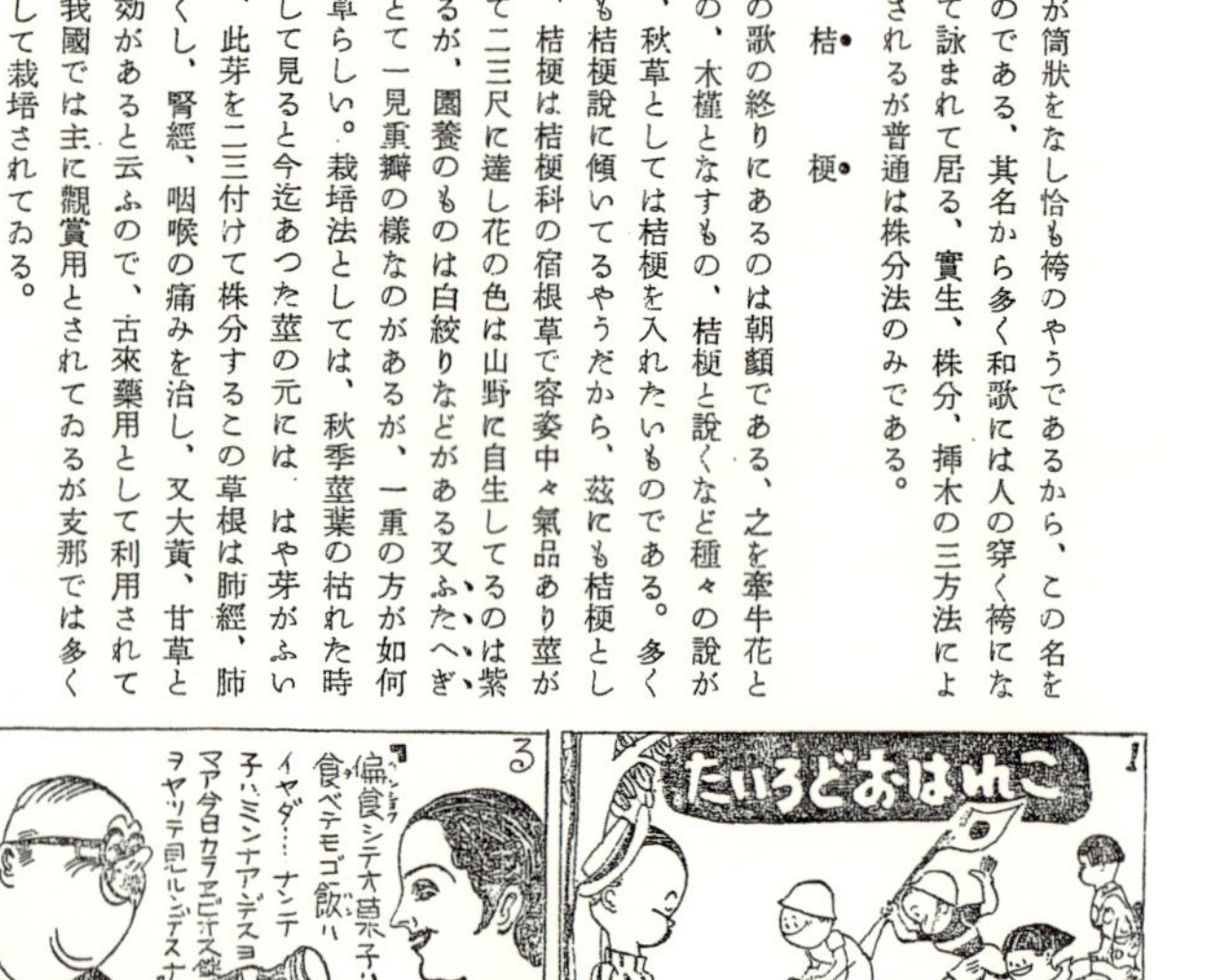

第九回全東京乳幼兒審査會に於ける

母親のメンタルテスト

妊娠中の病氣、産後の發熱、つはり

調査人員 二〇〇〇名（男 二七五 女 七二五）

伊藤悌二

◎妊娠中どんな御病氣をなさいましたか。——

期日＼病名	脚氣 男	脚氣 女	腎臟炎 男	腎臟炎 女
2日	1	—	—	—
3日	1	—	1	1
5日	2	—	1	2
7日	1	1	1	—
10日	4	—	0	1
15日	1	3	3	1
20日	1	1	2	—
30日	4	2	5	4
40日	1	—	1	—
2月	4	1	3	3
3月	5	1	1	—
4月	1	1	—	—
5月	1	2	1	—
7月	—	—	1	—
10月	2	—	—	—
不明	23	13	10	6
計	52	25	30	18
	77		48	

期日＼病名	風邪 男	風邪 女	腎盂炎 男	腎盂炎 女	盲腸炎 男	盲腸炎 女	胃腸病 男	胃腸病 女	神經痛 男	神經痛 女	肋膜 男	肋膜 女	其他 男	其他 女	合計 男	合計 女	無病 男	無病 女
2日	2	—	—	—	1	—	1	—	—	—	—	—	—	—	5	—		
3日	—	3	—	—	1	—	—	—	—	—	—	—	—	—	7	—		
5日	—	—	—		—	—	1	—	—	—	—	—	—	—	6	—		
7日	—	—	2	—	—	—	—	—	—	—	—	—	1	—	6	—		
10日	1	—	1	1	1	—	—	—	—	—	—	—	—	—	9	—		
15日	—	—	—	—	—	—	—	—	—	—	—	—	—	—	8	—		
20日	—	—	—	—	—	—	—	—	—	—	—	—	1	—	5	—		
30日	1	—	—	—	1	—	—	—	1	—	—	—	1	—	19	—		
40日	—	—	—	—	—	—	—	—	—	—	—	1	—	—	3	—		
2月	—	—	—	—	—	—	—	—	—	—	1	—	—	—	12	—		
3月	—	—	—	—	—	—	—	—	—	—	—	—	1	1	9	—		
4月	—	—	—	—	—	—	—	—	—	—	—	—	—	—	2	—		
5月	—	—	—	—	—	—	—	—	—	—	—	—	—	—	4	—		
7月	—	—	—	—	—	—	—	—	—	—	—	—	1	—	2	—		
10月	—	—	—	—	—	—	—	—	—	—	—	—	—	—	2	—		
不明	—	—	—	—	—	—	—	—	—	1	—	—	2	1	56			
計	4	3	3	1	4	0	2	0	1	1	1	1	7	2	104	51	一、一七一	六七四
	7		4		4		2		2		2		9		155		一、八四五	

◎産後の發熱は何度位でしたか。

期間＼熱度	三七度 男	三七度 女	三七・五度 男	三七・五度 女	三八度 男	三八度 女	三八・五度 男	三八・五度 女	三九度 男	三九度 女	三九・五度 男	三九・五度 女	四〇度 男	四〇度 女	四〇・五度 男	四〇・五度 女	四一度 男	四一度 女	合計	無熱 男	無熱 女
1日	4	1	3	3	18	8	2	0	8	3	—	—	2	2	—	—	—	—	54		
2日	4	2	4	3	15	6	1	2	13	3	—	—	1	1	—	—	—	—	55		
3日	8	2	5	2	9	6	1	0	3	4	—	—	2	1	—	—	—	—	43		
4日	—	—	2	2	7	1	—	—	0	2	—	—	—	—	—	—	—	—	14		
5日	6	1	2	0	4	1	0	1	3	0	—	—	—	—	—	—	—	—	18		
6日	—	—	—	—	0	1	—	—	0	1	—	—	—	—	—	—	—	—	2		
7日	1	1	2	2	2	1	—	—	1	2	—	—	—	—	—	—	—	—	12		
8日	—	—	—	—	1	0	—	—	—	—	—	—	—	—	—	—	—	—	1		
9日	—	—	—	—	0	1	—	—	—	—	—	—	—	—	—	—	—	—	1		
10日	2	2	2	1	—	—	0	1	3	1	0	1	0	1	—	—	—	—	14		
14日	1	—	—	—	—	—	—	—	—	—	—	—	—	—	0	1	—	—	2		
15日	—	—	—	—	—	—	1	0	—	—	1	0	0	1	—	—	—	—	3		
21日	1	—	1	0	—	—	1	0	—	—	—	—	—	—	—	—	0	1	4		
25日	—	—	1	0	—	—	—	—	—	—	—	—	—	—	—	—	—	—	1		
35日	—	—	—	—	—	—	—	—	1	0	—	—	—	—	—	—	—	—	1		
合計	27	9	23	13	56	25	6	4	32	16	1	1	5	6	0	1	0	1	76 149	一、一二六	六四九
	36		35		81		10		48		2		11		1		1		225	一、七七一	

◎妊娠中のつはりは何ケ月頃何日間ありましたか。

期間＼月數	一ケ月 男	一ケ月 女	二ケ月 男	二ケ月 女	三ケ月 男	三ケ月 女	四ケ月 男	四ケ月 女	五ケ月 男	五ケ月 女	六ケ月 男	六ケ月 女	七ケ月 男	七ケ月 女	合計	つはり無し 男	つはり無し 女
3日	2	1	12	8	17	7	3	1	—	—	—	—	—	—	51		
5日	1	0	7	7	9	11	2	1	3	0	—	—	—	—	41		
7日	2	5	17	11	25	23	2	1	1	0	1	0	1	0	89		
10日	1	3	27	15	38	22	7	5	1	1	—	—	—	—	120		
14日	—	—	12	4	4	4	1	0	—	—	1	0	—	—	26		
15日	2	2	17	12	39	25	2	1	—	—	—	—	—	—	100		
20日	3	2	43	26	45	31	7	4	1	1	1	0	2	1	167		
25日	—	—	1	7	5	3	—	—	—	—	—	—	—	—	16		
30日	4	2	58	45	69	39	13	4	3	2	—	—	3	2	244		
40日	3	0	23	10	13	10	2	0	0	1	0	1	1	0	64		
50日	1	2	14	7	8	3	2	1	—	—	—	—	—	—	38		
60日	2	3	35	19	14	13	—	—	1	0	0	1	—	—	88		
70日	0	1	5	2	2	1	—	—	—	—	—	—	0	1	12		
80日	0	1	3	1	—	—	—	—	—	—	—	—	—	—	5		
90日	3	2	15	11	7	1	1	0	—	—	—	—	—	—	40		
100日	1	1	5	3	1	2	—	—	0	1	—	—	—	—	14		
4月	1	0	3	0	1	0	2	1	1	0	—	—	—	—	9		
5月	2	0	3	4	0	1	—	—	—	—	—	—	—	—	10		
6月	—	—	2	2	—	—	—		—	—	—	—	—	—	4		
7月	—	—	1	0	3	0	—	—	—	—	—	—	—	—	4		
8月	2	0	3	3	3	0	—	—	—	—	—	—	—	—	11		
合計	30	25	306	197	303	196	44	19	11	6	3	2	7	4	449 704	五七一	二七六
	五五		五〇三		四九九		六三		一七		五		一一		一一五三	八四七	

胎教に就いて（五）

文學博士 下田次郎

精神の身體に及ぼす影響

一、心身の相關

精神と身體とは、極めて密なる關係あるものであります。身體を薪とすれば、心はその燃えて居る火の如きものであります。身體が健康であれば、氣分も勝れ、心も活潑に働きますが、不健康であれば、氣分あしくて、心の働きも鈍ります。五官に故障があれば、十分に外物を觀察して、正確な知識を得ることも出來ず、身體を傷ければ、痛みを覺えて、心の亂れることもあり、手足が利かねば、心の欲することを實行することも出來ません。

これらは身體が、精神に及ぼす影響でありますが、その反對に精神が身體に及ぼす影響も亦大なるものであります。何か愉快な事があれば、一體に身體の生活作用が盛になり、血行もよくなり、筋力も增し、食慾も進み、運動も活潑になりますが、苦痛な事があれば、反對にその作用が衰へます。概して愉快は身體に有利に作用し、苦痛は不利に作用します。それで何時も愉快に暮らす人は、血色もよく、健康でありますが、心配苦勞が絶えないと、顏色蒼く、瘦せ衰へて、遂に死ぬこともあります。それで身體の健全を期するには、唯身體の衞生のみならず、精神の衞生にも注意せねばなりません。よく「病は氣から起る」といひ、又病の下に氣の字を加へて「病氣」と云つて居るように、氣から病になることは隨分あります。しかし又「病は氣から起る」といへると同じ程度に、「病は氣から癒る」とも云へると思ひます。藥ばかりで病人を治さうとする醫者は、良醫ではありません。「一に看病二に藥」といふやうに、醫者も病人の心配するやうな言動をせぬやうにし、介抱人も病人の心を休めるやうにすると共に、病人自身も氣分を面白くもつて居れば、病も治

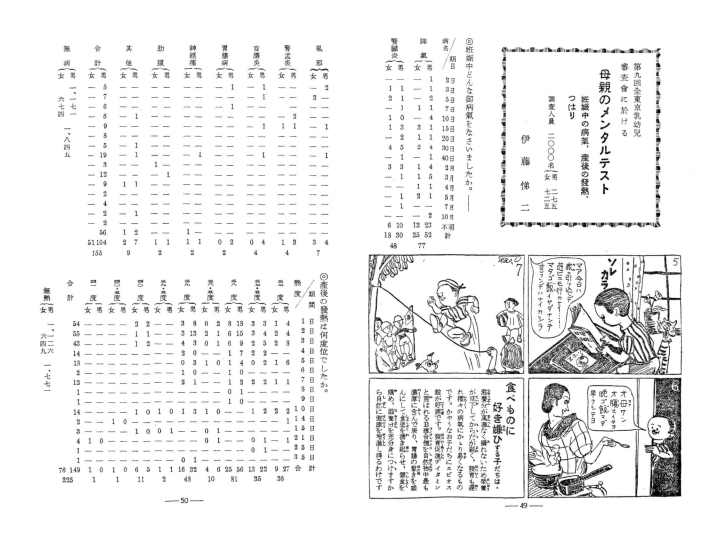

り勝ちであります。

又火事などの時には、氣が出るから、常にはとても動かぬやうなものをも、持ち出すことがあります。徒歩競走や、ボートレースでも、外から聲援があり、旗など振つて勵ますと、力が出て勝つことがあります。

これらは皆精神が身體に及ぼす影響の例であります。而して精神作用の中でも、感情が最も強く身體に影響するものでありますから、左に二三の感情について、その影響を示しませう。

二、感情の身體に及ぼす影響

喜び は適度に心臟を興奮して、その働を強め、呼吸を促進し、筋肉の活動を盛ならしめます。又食慾を增し、消化、營養を良くし、血行を盛にし、末梢の血管を擴張せしめるから、皮膚が紅潮し、生々として健康に見えます。それで、常に喜びある人は、身體の衞生上甚だ結構なことであります。

悲しみ は心臟の働を弱め、呼吸を緩にし、筋力と物質の代謝機能を弱め、食慾を減じます。末梢の血管は收縮して、皮膚が靑白く、萎びて、病氣らしく見え、骨に附いた筋肉は、容量と緊張力を失ふから、頰が落ち込み歩行も重く、物うげに姿勢は前屈みとなり、涙腺のみは興奮されて、涙がこぼれることがあります。

怒り は過度に心臟を興奮して、鼓動を高め、呼吸を進め、血行に激動を起さしめ、顏が眞靑になつたり、眞赤になつたりします。怒りは攻擊的態度を取らしめるもので、筋肉の緊張は高まつて、硬ばり、痛いやうに感ずることもあり、代謝機能も盛んになり、特に唾腺が興奮されて、口に泡を出すことがあります。又餘り怒ると、一時口が利けなくなることもあります。通例聲が強くなり、わめき叫び、又慄ひ聲を出すこともあります。食慾は咽喉が硬ばつたやうで減退します。

恐れ は、怒りの攻擊的態度を取るに反し、防禦的、退却的態度を取らしめ、身體の機能をすべて萎縮減退させます。

喫驚 すると、ひどい時は一時心臟の鼓動が止まり、それから早く打出します。呼吸も一時妨げられ、又強くなります。喫驚は不意に來る心の激動で、一時すべての筋肉が收縮します。それから隨意筋の緊張は弛んで來ますが、血管の收縮や、不隨意筋、特に腸の筋肉の痙攣は尙續きます。そして顏は蒼白くなり、毛囊筋も收縮しますから、髮が逆立ち、皮膚には蟻が這ふやうな感じがします。汗腺の分泌は盛になりますが、皮膚の血が減退して居るから、濃い冷汗が流れます。又下痢を起し、

小便が出ぬこともあります。子宮の筋肉もまた不隨意筋より成るもので、喫驚の影響は少くないのであります。又喫驚は腦の故障と並んで、癲癇の最も多き原因があるといふ醫者もあります。

心配 も悲しみの如く、身體の活動を弱め、生理機能を下げるものであります。一八七〇年、獨逸軍にストラス、ブルグ市が包圍された時には、心配の餘り、聲が嗄れたり、出なくなつたり、喀血したりした者が多く、病氣の者は一層惡くなつたといひます。又心配すると髮が早く白くなり、又脱けるやうであります。支那の周興嗣は、一夜に千字文を選んで、心勞の餘り、髮が白くなつたとかいひます。

以上は感情の或ものに就いて、それが如何に身體に影響するかを示したのであります。特に感情が脈博、血壓、呼吸に及ぼす變化の如きは、これを計る器械があつて、精密に示すことが出來るほどであります。

しかし感情はこれだけに限りません。愛情、同情、慾情、怨恨、嫉妬、希望、不平、良心の滿足呵責、眞僞美醜に對する感情、信仰より起る感情等色々あります。これらの感情は皆それぞれ身體に良好なる、又は不利なる影響を與へるものであります。而して感情が屢々起り、又は永續すれば、一時の影響に限らず、身體にその結果を留めるに至ります。否、ひどく喫驚したりすると、唯一度でも心身の病氣の基となることがあります。

感情の激動は、概して身體の爲に良くありません。そのために心臟の筋肉の肥大、心臟血管の石灰變性を起すことがあり、皮膚に發疹し、髮が白くなり、又脱けることもあります。中には、四十年前に獨逸で、十三になる癲癇持ちの娘が、顚癇の外に、八日乃至十四日定期に、精神が興奮したり、沈鬱したりする。それに連れて、髮が淺褐色から黄赤色になり、又あべこべに變つたといふ事實があります。

感情は又體內の物質の代謝機能に影響するものであります。悲しみは涙腺に、怒りは肝臟に、恐れは腸に影響し、心配は便秘を起します。食物や仇を見付たときには、犬の體溫が上る事を實驗した人もありますが、人間でも甘い物を見れば、食べぬ先から唾が出ます。感情は排尿の分量のみならず、その成分をも變化することがあります。

又ヒポコンドリーといつて、病氣でもないに、自分は胃が惡いとか、肺が惡いとか、想像で病氣をもつて居る人があります。すると後には、その思つて居た機關が實際惡くなることがあります。或は毒を吞んだと思つて、その中毒に相當する徵候を身體に現はすこともあり、又

催眠術などで、手を火傷したと暗示すると、そこが充血して赤くなることもあります。暗示が身體に變化を起す例は澤山ありますし、時には死に至らしめることもあります。

精神が身體に影響する例はまだ澤山ありますが、以上述べただけでも、その影響の如何に廣く且つ強いかゞ分ること丶思ひます。それ故、衞生に注意する者は、身體の衞生と共に、精神の衞生を忘れてはなりません。それを忘れた衞生は、片輪な衞生であります。

女子特に姙婦は感動し易し

一、女子は感動し易し

女子は、男子よりも、特に精神に身體の影響され方が一層強いのであります。これを女子の感動性といひます。例へば、赤面は女子の方がよくします。これは血流の嵐であつて、外來の刺戟に血管運動神經が興奮され易いためであります。又女子は男子よりもよく笑ひ、よく泣きます。これも神經の發作的作用で、詰り感じ易いからであります。女子はよく口を尖らしたり、額に皺を寄せたり、色々に顏を動かすものであります。これも顏面運動神經が刺戟され易いからであります。喫驚することも女子の方が強い。大抵の娘は蛇などを見ると、大聲をあげて逃げ、動悸もひどい。又よく恐ろしがつて、氣絶することがあります。神經病の一なるヒステリーも女子に多い。天氣や氣候の工合も、女子の氣分に強く徹へるのであります。

斯樣に女子の感動性は男子よりも強く、精神の影響が強く、身體に徹へるのであります。それは何に由るかといふに、

(一)女子の血液は男子ほどに濃厚でない。血液中精力を蓄ふると赤血球の數が、男子では一立方ミリメートルに凡そ五百萬といふのに、女子のは四百五十萬位であります。隨つて女子には多少貧血の傾があります。この事は女學校の式場などで、生徒の倒れることがよくあるのでも分ります。加之月經や出產も血を失はせます。かやうに女子は貧血の傾があるから、從つて男子よりも神經が稍薄弱で、感じ易いのであります。或人は、これは病人が多感なのと同じことで、唯その度合が違ふのみと言つて居ります。

(二)男子は生理上言はば平坦な道を歩るいて居りますが、女子は波形に歩きます。月經はその波動の頂に達した時であります。血液の濃度も、年齡により、又月經のある時と、ない時とによつて違ひがあつて、男子よりも

波瀾があるのであります。從つて、女子は男子よりも氣分が動搖し易く、機嫌が變り易いので、特に月經時は身體も精神もその影響を受けて、感動性も一層強いのであります。

(三)胃とか腸とかいふ腹部の臟腑の工合が惡るいと、餘程感情に徹へるものであります。然るに、女子は男子よりも腹部の臟腑が割りに大きい。これが又女子の感動性を強からしめる一つの有力なる原因であります。就中女子の生殖機關は、大に之に與つて力あるものであります。それで、生殖機關を取つて除けると、女が男のやうな性質になります。卽ち生殖機關は、心身ともに、女子を女子たらしむる主要な原因であります。

以上の三項は、みな女子の感動性を、男子よりも強からしめるものであります。次には、婦人にあつても、姙娠中は特にこの感動性が強いといふ事を申したいと思ひます。この事は、姙婦の身體一般の樣子と、生殖機關とに就て見れば分ります。

二、姙婦は特に感動し易し

(一)姙娠中は「我が血の溫き波より生の芽は出づ」といはる丶如く、我が血で胎兒の身體を作り上げるので、母體の精力は大にその方に吸收されますから、一體に姙娠中は身體が弱り、眼は落ち、頰はこけ、體軀は痩せ、神經も薄弱になります。その上に、常よりも餘計に、腹に子といふものが潛んで居るから、それだけ餘計の刺戟、影響を身體は受けることになります。それ故、唯さへ感動性の強い婦人が、姙娠中は一層感じ易くなります。從つて、平常の時には平氣で居られたやうな他人の言動も、姙娠中には氣になつたりして、心を痛め、身體にさし響きます。

(二)身體の機關中、生殖機關は特に感情や想像の影響を受け易いものであります。挑發的の小說などは、想像を促がして、靑年を墮落さすことは珍らしくありません。女子でいへば、何か心配があると、月經が止まつたり、喫驚すると、生殖機關に痛みを覺えたり、出血が強くなつたりします。又子宮病はヒステリーの原因たるよりも、結果たる方が多いと云はれて居ます。

又乳房は生殖機關と密接な關係があるもので、姙娠すると、乳房の內部に變化が起つて、膨れ、出產すると乳が出ます。それで、乳房は生殖機關の一部であると云つて居る學者もある程です。さてこの乳房は、精神の變動から、隨分大なる影響を受けるものであります。乳は、母の精神が平穩でないと、良く出ないものであります。乳は、母が、乳が出ぬが出ぬがと心配したり、傍から出ぬといつ

て、やかましく言つたりしますと、少しは出て居た乳も、パッタリ止まつて仕舞ひます。それで、乳をよく出させようと思へば、心配させぬやう、氣を安らかにもつやうに、本人も心がけ、傍からも仕むけねばなりません。これは人に限らず、牛でもさうで、乳牛は極めて平穩な生活をなさしめねばいけないといひます。何か喫驚するやうな事があると乳が少くなり、又は出なくなります。それで乳牛を飼ふ人は、餘程注意していたはるものであります。

精神の變動は唯乳の分量を變ずるのみならず、またその成分を變ずることがあります。英國で或大工が、その家に止宿して居た兵士と爭論し、兵士は拔劍して迫つた。そこで大工の妻は大いに驚いて、二人の中に飛び入つて、兵士の劍を奪つて折つた。かくてその感情の激動の終らぬ中に、子に乳を呑ましたところが、健康な子が中毒して死んだといふ事もあります。又南アメリカの森林中に植民した夫婦きりの者があつて、妻は子を生んで死にました。そこで、夫は乳呑兒を自ら胸に抱いて乳房を吸はして居たところが、遂に乳が出るやうになつたといふ事もあります。これらは、精神の變動が如何に強く乳房に影響するかを示すものであります。

生殖機關と密接の關係ある、又はその一部とせられる乳房がこの通りであるとすれば、生殖機關が如何に強く精神の感動を受けるかは、推測するに難くありますまい。生理上女子の女子たる所以は、その生殖機關にありといつてもよい位で、女子の感動性の強いのも、この機關が預つて大に力のあるものであります。生殖機關が女子の強き感動性の原因たるのみならず、感情は又生殖機關に大に影響するのであります。卽ち、餘り心配したり、悲しんだり、喫驚したりすると、流產することがあります。流產せぬまでも、胎兒にはそれだけの利目はあるので、流產といふ形に現はれないでも、出來た子に好くない影響を及ぼします。これに反し、精神がいつも愉快で、平和であれば、生殖機關も順當に働いて、胎兒も順當に育つ譯であります。

三、胎敎の効力

以上に於て先づ胎兒の發育の非常に著るしきこと、個體發生と種族發生の關係から見て、胎內生活の間が、その子の一生に取つて非常に大切であること、精神は身體に影響を及ぼすものなること、その影響は男子よりも女子の方強く、姙婦に於て一層強きことを述べました。これらの事柄に據つて、學問上胎敎の大切なる理由を認めることが出來ると思ふのであります。

胎敎とは姙婦の身體に、精神上から良好なる影響を與へて、優良なる子を生出せしめんとの用意をいふのであります。

然らば、姙婦の身體に於ける精神上の影響は、如何に胎兒に影響するでありませうか。中には、母の精神が直接胎兒に影響するといふ人もありますが、學問上からは、斯る斷言をすることは出來ません。又姙婦が火事を見たから、子の身體にほやけ(火燒け)が出來たといふやうに、明確に因果の關係を指示するほどに胎內の影響があるものとも考へないのであります。それで私は、姙婦の精神の感動が、その身體に影響し、その身體の影響が、又子の身體に影響することがあるといふ範圍に於て、胎敎の効力を認めるのであります。誇大的に胎敎の効力を主張するのではありません。學問上からは、今日はまだこの範圍以上には出られないと思ひます。然らば、胎敎は胎兒の身體にのみ影響を與へるので、精神には及ばぬかと問はれゝば、身體の出來工合で、心の出來も違ふから、胎敎は間接に胎兒の精神的素質に影響を與へるといふ事は出來るのであります。

姙婦の身體の生理的變動が、胎兒に影響を及ぼすことは爭はれません。それは、胎兒は姙婦の身體の一部であつて、身體の他の部分と有機的關係を保つて居るからであります。生れた上は別の人でありますが、胎兒はまだ姙婦の身の內であります。卽ち、胎兒は母胎內に在つて胎盤と臍帶とに由つて、母體と連絡して居るので兩者の間には、密接にして複雜なる關係があります。それで胎敎が大切になるのであります。つまり胎敎は精神の方から姙婦の身體に良好なる影響を與へて、これを胎兒にまで及ぼさんとするものであります。

米國の五ッ兒が敎へた

育兒のコツ四ヶ條

ダフホー醫師の尊い實驗

人類の奇蹟とさわがれた例のカナダの「五ッ兒」を滿足に育て上げたことによつて、一躍五つ兒同樣世界的に有名になつたダフォー醫師は、先頃ペアレンツ・マガジン誌上に「五ッ兒を育てる上の苦心」といふ實驗談を發表してゐます。

月足らずの子でも、五ッ兒でも最初から育たないと考へてはいけない。育て方によつては、生れた時の不利な條件を克服し挽回することができる。――と、前書で力強く信念を述べて居り、我が國の母さま方にも參考となる點が多いので、その記錄の骨子をなす「育兒のコツ四ヶ條」を簡單に述べてみます。

(一)部屋を溫かくし、できるだけ薄着をさせること――厚着が赤ン坊の發育をさまたげ、姿勢を惡くし、皮膚を弱め、病氣しがちの子供にしてしまふとは、度々いはれてゐることです。低い氣溫や冷たい風なども、赤ン坊にはいけないことも判つてゐます。ダフォー醫師は實際の經驗から、いま更のやうに強く、この事實を感じたといつてゐます。(二)母乳で――何よりも先づ母乳で、といふ言葉も簡單ではあるが、眞實をうがつてゐます。(三)どんな小さい傷でもつくつてはならぬ――怪我はいふまでもなく、虫にかまれることも深い注意を拂つて避けねばいけないといふのです。

蚊の涙ほどの出血も傷も、またその刺戟も大人とは比較にならぬ程赤ン坊には打擊であるといふのです。(四)止むを得ない場合のほか、身體をいぢらぬこと――赤ン坊の肉體に刺戟、動搖を與へるから……といふ醫學上の經驗以外に、この言葉の中には、心理學上の大切な意味も含まれてゐるやうに私共は考へます。わけもなく頰ずりし撫で抱き上げる習慣は、赤ン坊の心身に愛情の過剩を生みつけます、抱つこばかりされてゐた子供は終生抱つこの氣持から拔けられません。夫よりも母を、妻よりも母を戀しがつて悲劇を生む男女はこの愛情の過剩になれたものであり、また獨立の精神力のないものも、それであると、ワトソン博士はいつてゐます。可愛いがり、

いぢりまはすことは心理的にもいゝ影響をもたらさないのは明かなのです。ダフォー醫師は醫者の立場から、その眞理を喝破してゐるわけです。味はうべき四ヶ條であります。(上落合幼稚園齋田晃氏)

旅衣

(一)

ウロタキダカツ

一、旅衣の使命

「旅に聞く」及その續篇さして記しました「鄕土は語る」の二篇は、非常な好評を博しまして「目・耳・鼻」の益々好評なるさ共に、讀者諸君より再三その執筆の御要求があり、光榮さ思ふさ共に恐縮して居る次第であります。

久しく旅を休んでゐました私も、追々身邊の整理も進んで來ましたので、やゝ小閑を得るさ共に、又々旅に出る機會も生じて來ましたので、禿筆を走らせて、悪文を御覧に入れ樣さ思ふたのだが、この「旅衣」であります。

讀者諸賢の御迷惑かさも存じますが、平素の御厚意に甘へて御辛棒の程をお願ひ申します。

さて本篇を「旅衣」さ命名します理由は、別に大した理由もありませんが私の「旅日誌」を大學帳に記した、さ申すよりも手あたり次第に貼りつけたのが「旅衣」さ題して、既に數十册に及んで居ります。

これは、旅の思ひ出のよすがさもなる紙片やら、繪ハガキやらを、手に入れた順序に貼付したもので、一週間か十日の旅には、二三册づゝ作り上げて持つて歸る習慣になつて居ります。

いさゝか、此の「旅日誌」にあやかるの意を以て、本篇を「旅衣」さ題したのでありますが、果して何が飛び出す事やら、例によつて例の如してありまして御用心さ御要心さをお願ひ申します。

勿論此の「旅衣」たるや、破れ衣にして、ボロ〲にして、御座敷に出せるものでない事丈けは、筆者の私が保證して置きます。

二、到津の桃太郎銅像

旅に出て友にあふ程嬉しいものはありませんが、それが思ひがけぬ場所で、先輩にでもあへば、確かに歡喜すべきでありませう。

門司に大阪每日新聞社の藤野福雄兄を訪れ、不在の爲め出張先を小倉に追ふて電話をかけるさ、久留島武彥先生さ同行さの事で、早速お宿に參つて、久々の拜眉を得たのは、思ひもかけぬ嬉しい事でした。

然も、久留島先生の御用件さは、小倉の到津(イタウヅ)遊園地に、天長節を期して、北九州の子供達の壹錢據金を基礎さして美事な「桃太郎銅像」の建設されるにあるさ聞いては、因緣淺からぬ私は、思はず嬉し涙を浮べたのであります。

思ひ起せば十數年前、神戸の子供達の手で、子供の銅像を建てんものさ、故人になつた佐治繁一君の主唱で、私共不及乍ら努力して、約五百圓(五萬人分)の寄附を得、これを久留島先生に送つて

「これで桃太郎の銅像を建てゝ下さい」

さ頼んだものです。

そこが素人の強さで、銅像が何程かゝるものやら一向に知らればこそです。額は五百圓の小額でも、これは五萬人の子供の心の結晶であります。

「よろしい。必らず建てゝやらう」

さ力強く引受けて頂いたのが、偶然の事から現代の巨匠渡邊長男氏の傑作を、その義俠心により僅かの額で立派に銅像さして送つて頂く因緣を産み、日本一の桃太郎の銅像が、再度山に神戸港を眺んで立つに至つたのであります。

これが、大軌あやめヶ池遊園

地にその弟分を建てるに至り、今又九州の地にその建設を見る事は、久留島先生の大なる御努力による事とは申せ、日本の少年少女の爲に、斯んな嬉しい事はありません。

三、熊本の癩病院

由來熊本は癩病院の本場でありましてリデル孃の救癩運動以來、我が國救癩運動史上に不滅の尊い足跡を起した土地でありまして、敬愛園訪問（國立第三癩療養所）の私の旅には、缺く事の出來ぬプログラムの一つであります。

九州療養所に再度見舞をなした私は、今度は熊本に於ける二つの私立癩療養所を訪れて、平素の感謝を捧げると共に、その狀態を見學したいと、第一歩を熊本に印したのであります。そして、回春病院を訪れて院內を拜見し、待防院に車を飛ばして御案內を頂いたのであります。處が、不幸にして癩問題に、いさゝかでも關心を有する私には、その何れも甚だ遺憾の意を表せればならぬのは、甚だ殘念な事であります。

回春病院は誰知らぬ人もなきリデル孃の創立經營になり、故人になられてからは親族の婦人により繼續されてゐるものでありまして、待防院は貧兒救濟養老事業等と共に、カトリック教派の經營になるものであります。然も、この二つの歷史ある最も古い癩病院に對して、何故私が甚だ遺憾の意を表さればならぬかと申しますと、これは「消毒が甚だ不完全」なからであります。否、實際は「不完全」と申すよりも「無消毒」と稱すべき狀態に放置されてある事です。

素人の私の考へによると、癩病傳染病であると確認されてゐる今日に於ては、癩病院の消毒は絕對的に必要であると考へるのであります。

病者と健康者（即ち職員、外來慰問者等）との隔は充分之を注意して嚴重になされ、然も病者の區域の消毒は完全になさるべきであると思ひます。然も是れは官公立の病院では特に注意されてゐる處であります。

然るに、熊本に於ける私立の二つの病院、即ち回春病院と待防院とは、病者と健康者との區域に判然たる區別なく、然も何等消毒の設備もなくして、院內は勿論の事、一般民家にまでも患者が平氣で出入してゐる有樣であります。

これは癩豫防上由々しき事實でありまして、明かに癩豫防法の違反であると信じますが、縣當局も、病院の當事者も、一向平氣であるのは、專門外の素人の私には、判らぬ事であります。

熊本の癩病だけは特別菌にして、他には傳染せぬとの學說にてもあるかの如く回春病院は一人の醫師もなくして、數十人の患者を收容してゐる有樣で、「醫師の居らぬ病院」なるものを、私は初めて發見して、世の進步に驚いたのであります。

救癩運動の當事者、果して如何となすや。

四、官軍の墓碑

鹿兒島に來て目立つ事は、西南の役の戰死者の墓碑であります。西鄕方の石碑はもとよりさして、官軍の兵卒の墓碑も數多く見受けられます。勿論丘の上に南洲神社を祀り、その前面一杯に、大西鄕先生を中心として薩軍將士の立派な墓碑が立ち竝ぶに對して、官軍の石碑は、市外に近き、「磯」の隅に、小さき碑が、整然と淋しく立ち竝ぶを見れば、當時の薩摩人の心情や如何にと察し得られますが、官軍の墓碑を見おろして、すぐ其の丘の上に、東鄕元帥の遺髮を埋めし墓碑の立てられ、將來「東鄕神社」が此の地に建立されたと聞くのも、面白い因緣事でありませう。

それよりも異とすべきは、この官軍墓地の東端に、「傘の銅

像」の存すると云ふ事實であります。恐らく「傘の銅像」は全國にその比を見ぬ事と思ふと共に、今後もなからうと思ふのでありますが、これは有名な「島津公のしぐれ傘であります。

由來島津公合戰の折は、必ず時雨るゝとの事より、傘を用意して戰ひし古事を偲ぶ爲めの銅像にして、其の建立者の心情に心憎きほどの微笑と羨しさとを覺えさせられます。が然し、旅人の感じたのは、あの「反官」の思想の盛なりし薩摩の地に、官軍の墓が「たとへ小さくとも」存在せし事は、限りなく嬉しき事であると思ふと共に、島津公の傘の銅像が味方の墓地にあらずして、官軍の石碑をぬらさじとしてゐると思へば、誰が建てしか、人情の强かりし者とこそ思はれて昔の人の心を慕しく感じたのであります。

五、じやあん棒

磯（鹿兒島市海水浴場）の絕景はもとよりの事、珍味「じやあん棒」の甘さも亦嬉しい旅の思ひ出となりませう。「二箇」との意味を有する「じやあん棒」は竹串二本さしの小味噌餅にして甚だ美味。二本差しの形狀よりして兩刀差し（武士）の愛用せしとか聞くも面白き物語でありませう。

「じやあん棒、じやあん棒を食ふ」等は、錦繪にでもすれば珍風景でありませう、鹿兒島には、この「じやあん棒」と今一つ珍菓ありて「ウマノマラ」と稱せし、芋のねり菓子なりし由なるも、その形より來りし命名が禍して、今は「春駒」と改稱され、實物の極小のだんご棒と化し終つてゐます。これは種々の事情よりして、止むを得なかつたものと語り傳へられてゐますが、あたら名菓を、その名と共に亡ぼしたものと惜しくて堪りません。

似僞道學者流の小人の、何時の世にもはびこつて世間を狹くするのは困つたものです。

五、元帥の書

東鄕元帥の書と言ふものは、珍品中の珍品にして、容易に手にも入られば見る事も出來ぬものと信じ切つてゐた私は、敬愛園に來てその附近の小學校を廻るに及んで、この考へを一掃せればならなかつたのは、驚くと共に羨しい限りであります。

大姶良村を中心とする肝屬郡一圓には至る處に、東鄕元帥の書を揭げ、小學校によつては三枚も四枚も額となす有樣にて、校長室は勿論、應接室、さては廊下の端にまでも、東鄕元帥の書「平八郞」と署名を見るは、いさゝか食傷の感なきやと思ふばかりであります。鹿兒島縣高校の元帥の書は晩年の作にて、實に美事なものでありますが、大姶良地方のものは、元帥の若かりし頃の筆とかにて、多少の差見ゆれども、眞實に元帥の書なる事毫頭相違なく、羨しき限りであります。

元帥の書に限らず、鹿兒島の地方は、至る處偉人先輩の書多く見え、さすがに「出世國」の全勢を示してゐます。堂々たる書の、いづこに行くも揭げられてあるのは、後進の指導上、眞に得難い事と思ひます。

が然し、それにしても鹿兒島の文化の運れさ加減でありますあれだけの偉人先輩の簇出した鹿兒島にして、今日の如く文化の進まざるを、唯に「交通の不便」に丈け歸せしむる事、果して當を得たりや否や。是れは思はざるを得ぬ事實であります。

聞くならく。鹿兒島の人は、利にさとくして偉人傑士の如何程輩出するありとも、鄕土に力を致すの人稀にも見る事なしとか。勿論、國家に盡すに忙しくして私事を顧みる餘地なき事とは察しますが功なり名とげて後にも猶、鄕土開發の餘力なきとは考へられません。

俗說の眞ならずとは思ひます

が、鹿兒島の先輩の心事や如何にと、案ずる者唯に旅人のみならんやでありませう。

杞憂ならば幸甚。

七、唐　芋

俗稱サツマ芋、鹿兒島に來れば一步西に逃げて「カラ芋」と稱する。恰も「關東煮」と稱するもの、關東にては「おでん」と稱するが如きか。

唐芋にせよ、サツマ芋にせよ、甘薯の美味さと言ふものは、女ならずとも私の好きな食物の一つでありまして、此の地の芋の甘さに、驚き親しんだ一人であります。

南校植木校長の厚意により、お手料理の「芋飯」竝に「サツマ汁」を一夕頂く食の進む事妙なりと言ひ度い程。思はず二食分ほど頂いたのであります。

處が、がこの芋を此の地の人々は、卑めて食する事を嫌ふとの風評あり、噂なくもその傾ありとすれば、眞に悲しむべき心情と申すべきであります。

食物は、その土地に產するもの最も美味にして　然も滋養に富む事は、既に定評のある處にして、神の聖業の不思議な恩寵とも申すべきでありますが、餘りに惠み豊かなればその恩愛になれて、是を嫌ふが傾向を有する事は、自他共に戒むべきの事であります。「オサツ」との愛稱により、全國的にその美味の傳へられる「サツマ芋」が、最も美味なる此の地に於て食されずして、果して薩摩人は「何を食さんとするや。」寒心に堪えぬものがあります。

縣民一致協力して、芋飯を食し、サツマ汁を吸ふて、大いに精力を養成されん事を、旅人は心から祈るものであります。

八、櫻　島

憧れの山、櫻島を仰ぐ。

今度の旅の最大の目的の一つである櫻島は、今や眼前にあり。その秀嶺、その噴煙、その熔岩その麗姿。

私は、私の知れるすべての言葉を竝べても言ひつくせぬ悅びを、櫻島に對して持つたのであります。

鹿兒島より垂水へ。垂水より鹿兒島へ山々の端に、僅かに現はす姿にも、言ひ知れぬ悅びを持つて、姶良の旅を終始したのであります。

東西に流出せしと傳へられる熔岩の大山脈。幅一里に及ぶと聞くその偉大なる天然の力を私はまざ〳〵と見たのであります。

奇岩と稱するも現し得ぬ種々の熔岩の連立する間を、唯一人步む時に、言ひ知れぬ自然の中に觸れた樣な氣がしたのであります。

斯くて、櫻島に渡つた感激を今も足の裏に感じつゝ、私は櫻島の物語を記してゐます。

櫻島。

それは私が今までに見た、最も麗しい姿であります。そして、やがてはこの山に登る日のある事を、心に誓ふた山であります。たとへ今日は、その麓の熔岩路のみを橫斷するに過ぎぬとしてもです。

櫻島大根の名によつて、天下にその偉大さを誇る產出を有する他に、梨、枇杷の果實にも亦惠まれてゐる櫻島は、度々の噴火にも負けずに住民達の努力が續けられて居るとの事であります。

九、天下の歌手

櫻島大根の產が鹿兒島隨一に有名な如く、鹿兒島に於ける肥料（人造肥料となん申す）は、全部櫻島に於て消費されてゐたものゝ由でありました。世間のならはしの如く此の地方では、櫻島住民の恩惠を忘れて櫻島の住民のことを「肥たんご」と稱してゐたとの事であります。

天罰とも申すべきか、大正三年の櫻島の大噴火以來、數萬の住民が島外に移住するの止むなきに至つたため、鹿兒島市は忽ちに肥料責めに遭ふたなどと言ふ悲喜劇もあつた程であります。

往年の如くならずとも、今も猶西櫻島村一帶に、大根の花盛りなりとの事でありますが、小さな島に數多くの住民のあつた昔を物語る噂さえも聞くのは、島民の往時の苦心を知るよすがともなりませうか。

レコード歌手として有名なる「喜代三」姉、この櫻島の產の由にて、大根と比ぶべくも無き事乍ら、共に有名なるは、奇しき因緣でもありませうか。

北陸の旅

一、敦賀へ

憧れの地敦賀へ來た。などと言ふと笑はれるかも知れませんが、全く憧れの地である敦賀には、再三再四の旅行の計畫の失敗の後、遂に此の地を踏んだのだから、敦賀港を見晴した時の嬉しさは、全く他の人の想像の出來ぬ悅びであつたのです。

何が斯くも憧れさせたかと言ひますと、勿論蘇國竝に滿洲國との兩樣の國際關係――一は益々親善に、一はやゝともすれば危機をはらみつゝ――とにかく最も緊密な關係にある北方國境線上の、最も大切なる要港、否唯一無二の良港としての敦賀港を見たかつたのが其の最大原因ではありますが、それと共に數々の特殊事情が私の心を敦賀に惹きつけてゐたものであります。

第一は、氣比神宮の國寶「桃太郞の木影像」次に金崎城址の物語、金崎公園よりの敦賀灣の眺望「常宮」の奇習等々が私を敦賀へ〳〵と呼んでゐたものであります。そして今敦賀に來て私の豫期以上に嬉しい狀態にあり、樂しい旅の第一頁を飾り得た事を、私は心の底から悅ぶと共に感謝に堪へぬものがあるのです。

敦賀行は、前述の如く再三の計畫の結果にして、たゞ「敦賀に來られた」だけでも頗るの滿足である譯ですが、前日午後五時に敦賀驛に到着し、翌朝十時四十二分發の小濱線に乘る迄の「短時間」に不拘、印象の數々を深め得た事は、いつも乍らの「旅の惠」と感謝と悅びに堪へません。

二、敦賀港

いつも自分勝手の事情のみを申し述べて恐縮ですので、少しは世間竝に御參考の爲にと、旅行記風にも記して見ますと

敦賀市は福井縣の南部敦賀灣頭にある裏日本有數の開港場で此の地古く「笥飯」（ケヒ）又は「角鹿」（ツヌカ）と呼ばれ、韓土との往來の要津に當り、崇神天皇の朝には、任那（ミマナ）の王子、此の地より上陸して大和朝廷に貢した事があり、古來近畿地方との交通開け、天平時代迄我がくに外國交通の門戶であつた。

吉野朝時代には金崎の地は一時戰亂の巷となつたが、北國の商港として江戶時代に及び、舊藩時代には酒井氏一萬石の與封地となつてゐた。

敦賀灣は斷層沈の降に由つて出來たと言はれるだけに灣內は水甚だ深くして天然の良港をなし云々。

上記は日本旅行協會發行のツーリスト案內叢書第十二輯の記す處であります。

全くその通りで、案內記事はよく「お手盛り記事」のあるものと聞きますが敦賀に關する限り「お手控え」の如く思はれます。「金崎城址」（本丸址）の御展望所址あたりより見る「敦賀灣」の絕景は、見ぬ者に判らぬと申した方が早判りでせう。

三、氣比神社

官幣大社にして伊奢沙別命、仲哀天皇、神功皇后を祭神とし

て、目下本殿改築中であります が、驛前大通り約一粁半、朱塗の大鳥居は有名であります。

　傳へ聞く、天保年間佐渡より漂着せし一本の樫樹により柱を作りしとか、高さ三丈六尺、總朱塗の四脚造りで、笠木の上に屋根のついた兩部鳥居の形式にして慶長年間建立の御本殿と共に國寶に指定されて居ります。

　もと／＼敦賀の灣には、漂流船の漂着せし事古より傳へられ藥神として有名なる「小彦名命」も、パンヤ(藥種)を持ちて此の地に上陸されしと傳へられて居ります。敦賀地方一帶の山野に產する「カガミ」と稱される桃に似た種子を持つ草種は、このパンヤの後裔なりとか聞いてゐます。「カガミ」は「嬶實」より來りたる名稱にして、「ノカガミ」「ヤブカガミ」等、すべて此の種に屬するも、說明は記すを避ければなりませんが、これ「我が國藥種の最初なり」と申されて居ります。

　「本殿行梁下拳鼻」に彫まれてある數々の彫刻は、桃太郎（と稱す）浦島太郎、因幡白兎、三申等々と何れも桃山時代の名作として、「國寶」として貴重なるものに屬します。

四、「桃太郎」彫刻

　「神社記」には、明かに「桃太郎彫刻」と記されてあり、一般にも斯く信じられてゐる一作品に關して、全然世間的に有名になつてゐるに就ては、私も其の責任の一半を負はねばならぬので、これが、「敦賀行」の重要な理由を一應說明せねばならぬのです。

　それは數年前の事であります。

　當時桃太郎の誕生地問題の盛なりし頃偶然の事から氣比神社の社務所より「桃太郎人形」の參拜者に頒布される由を聞き知り、五十組を下附願つて全國の童話家に頒布せし事があります。

　爾來此の地桃太郎の關係地として一躍有名になり、同人の注意を惹くに至つたものでありますが、藥學博士木村權右衞門氏の說を聞きしに、此の像桃太郎に非ずして、その果實も桃ならざるやとの疑ありとの事であつたのです。然も「私の頂きし」「桃太郎神符人形」は、桃太郎と稱するよりも、「桃に似た果實に乘り給ふ神」の形であつたのです。

　此の事あつて以來、常に私の頭を往來してゐた問題は、一度內陣を拜觀して、(國寶と知る由もなければ)よく得心の行く樣に拜見したきものとの願ひであつたのです。

　そして今やその希望が達せられたのでありますから、敦賀行も亦重大な譯であります。

　素人の私には、折角の拜觀も何等の暗示も得難いものでありましたが、たゞハッキリ申す事の出來る事は、
　彫刻の果實は、確かに桃の果にして、これは祭神の乘り給ふ果實以外にも猶數個刻まれて居り、ハッキリ桃と斷定出來る事。

　割れた桃果に立てる姿の人形は、赤ん坊に非ずして、古代の神々の衣裳をつけた、非常な老人である事。

　この二つです。

　そこでハッキリ判る事は、果實は「桃」に相違なき事、人形は「赤ん坊」に非ざる事、かうして、此の彫刻は桃に關する物語の表現には相違なきも決して坊間傳へる處の「桃太郎物語」に關係を有するものでないと言ふ事であります。

　即ち、俗に申す「桃太郎の木彫」ではない事だけは明言出來ると信じます。

　これで私は肩の荷の降りた感のする事、猶高松淺外「鬼ヶ島」の誤れるを訂正せし時と、同斷であります。嗚呼。

五、金ヶ崎宮

　昔はよく神社に頒けてゐた、

木版の神社境內記と同じ型のもので「金崎城址」と記した圖面を私は大切にしてゐます。そしてこれは私の亡父が敦賀土產として持ち歸つたもので、その絕景を私に物語つたのでありました。

　これが私の幼な想ひ出の一つとして今日まで殘つてゐて、數十年（ハッキリ書くと年齡が判るので恥しいですよ）後の今日に至る迄も、私を敦賀に惹きつけた最大原因であります。「幼な物語」の大切なる一實例でありますが。とにかく私は私の敦賀行で、一番先きへ見たかつたのが金崎城址であり、そこから眺めた敦賀灣であつた事だけは御想像願へると思ひます。

　官幣中社にして、御醍醐天皇の皇子尊良親王恒良親王を祀るる宮で、これぞ「建武中興と金崎」との因緣を、今に語り傳へてゐる悲しい物語であります。

　城戶址。月見御殿址。本丸址と今に殘る金崎城址は、攝社絹掛神社に祀られある、藤原行房新田義顯、氣比氏治、瓜生保など、延元の役に殉死せし諸將と共に新田義貞と足利高經との激戰の秘話を今に傳へて居ります。

　「建武中興」は我々國民として忘る事の出來ぬ歷史上の一大事蹟であると共に金崎城の戰もお互に學ばねばならぬと信じます。

　今、六百年記念祭事業として編纂されし、小林健三氏(東京帝國大學講師)の叙述、「建武中興と金崎」なる册子より大樣を寫させて頂いて、敦賀記事の數頁を飾らせて頂きたいものです。

六、「金崎」の名稱

　金崎城のあつた地點は、古くは金前寺(こんぜんじ)の本堂觀音堂のあつたところで、この金前寺は越前一宮氣比社の神宮寺の子院に屬し、延元の城地以前にあつては、氣比社に屬する金前寺の寺城であつた事を知る事が出來ます。

　金前寺の所傳によれば、金前と言ふのは金光を發する十一面觀音からその名義が出たのであるが、聖武天皇宸筆の金光明經一部を金櫃に封じて陵丘に埋めさせ給ふた。それより此の山を金崎と名づけ寺を金前寺と號すると稱されて居ります。而して本寺の本尊の十一面觀音は泰澄大師の作に係り、俗に「袴掛觀音」と呼ばれてゐます。

　金前寺の觀音は、延元以前にあつては專ら靈驗あらたかなる緣結びの觀音として史上にあらはれてゐます。

　此の金前寺の寺城こそ、延元に入るや北國の鎭護として下向し給ふた恒良親王尊良親王を迎へ奉つて、忠勇義烈の士が賊の大軍を引うけて一大血戰の本營に充てられたのであります。

七、「袴掛觀音」の由來

　昔、泉長者に一人の娘があつた。よい配偶者を望んだのであるが、思ふにまかせぬので、兩親は悲しみながら家の後ろに御堂を建てゝ觀音を安置し供養した。程なく父母死したので、其の後は家は次第に貧しくなり、果ては衣食にも困るに至つた。娘は朝夕觀音に祈願した。

　ところが或る夜夢に老僧あらはれて云ふには、汝至極哀れなれば、よい夫を婿さんと思ひ、呼び遣はしたから、明日は見えるであらう。と。夢さめて娘は觀音が自分を助け給ふのであると思ひ、その前に詣でゝ禮拜しながら、心待ちに待つた。

　すると其の日の夕方、馬の足

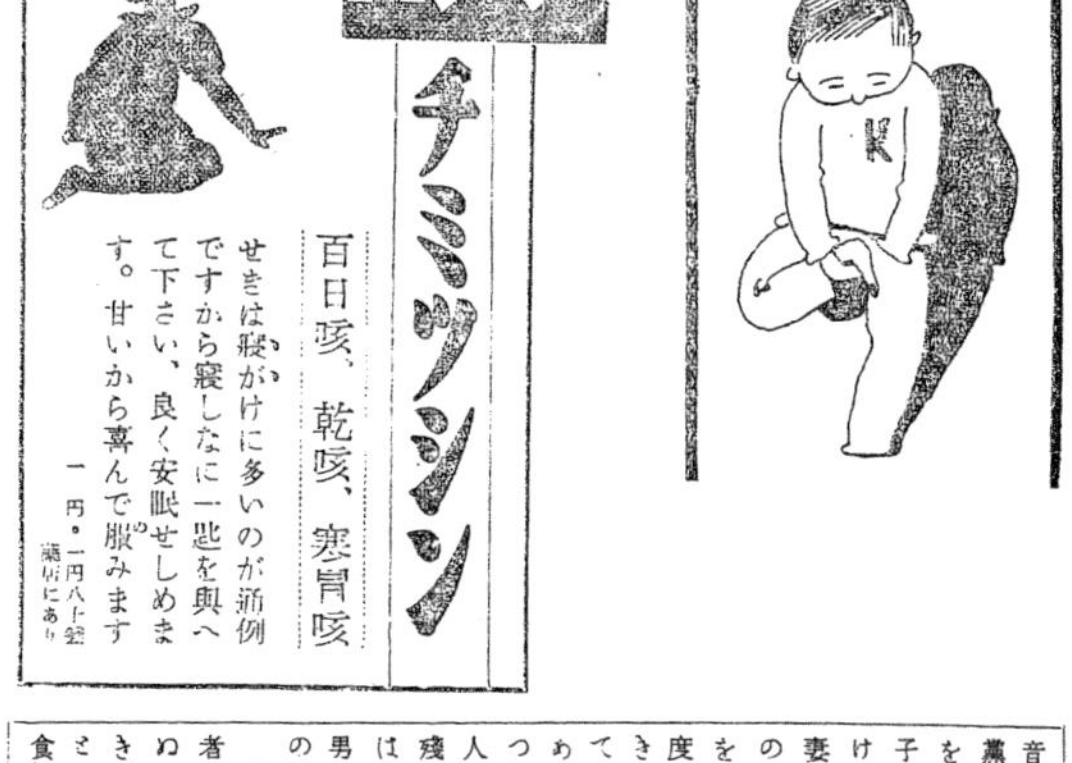
咳《せき》
チミツシン
百日咳、乾咳、寒冒咳
せきは寢がけに多いのが通例ですから寢しなに一匙を與へて下さい、良く安眠せしめます。甘いから喜んで服みます
一円・一円八十錢
藥店にあり

音がして三十許りの男が從者郞黨七、八十人召連れて來たり宿を求めた。男は美濃の長者の一子であつて、親の財產を讓りうけて此の上なき富者であつたが妻に先立たれて後、世話するものあつたが、先妻に似通うた女をと思ひ過してゐた。それが今度若狹に用事があつて出かけてきたのであつたが、此の娘を見て、亡妻に露違ふことなき女であると思ひ、あこがれたのであつた。其の翌日男は郞黨四、五人に從者とりまぜ二十人許りを殘して若狹に行つて終つた。娘は今は貧しき身であつて、かの男の賄をし馬を飼ふ手段もないので思ひ歎いて居つた。

　その折である。親が召仕へた者の娘であるといつて、見しらぬ一人の女が來てこの次第を聞き、然らば自分が代つて賄せんといつて出て行つたが、やがて食物や馬草を用意してきて郞黨どもを饗應した。

　翌日若狹から件の男が歸つてきたので、その女は多くの物をもつてきて上下の者共に饗應した。其の夜、男は女に向つて明日は美濃へ伴ひ申さんといつた。

　そこで娘は、かの助けにきた女に、形見にもと、何かの用意にもと殘しておいた紅の生の袴一腰を進上した。

　やがて出立の間際となり、この娘は何日かに亦拜み奉ることも出來ようと思ひ觀音堂に詣でゝ拜むと、不思議にも觀音の肩に赤い物が懸つてゐたのである。見れば昨日の袴ではないかそこで娘は、觀音が變じて自分を助け給ふたのであると思ひ、伏しまろんで泣いたのであつた云々。

　「今昔物語」卷十六に見える傳說で、「宇治拾遺物語」、「平康賴の寶物集」などにも見ゆる處であります。

志賀志那人氏の故鄕を訪ねて（一）

―肥後國阿蘇郡產山村の里に―

伊藤悌二

悲しい運命の克服者

ヨセフの子と呼ばれ、マリヤの子と視られ、弟妹に氣の知れぬ兄視せられて、雪の冬、泉の夏、野花の春、山の月の秋と、こゝナザレの山の上に過ぎし三十年の生涯よ。想へばなつかし、知りたし。君何を見て何を感じ、誰と語りて何を學び、如何に談笑し、如何に人の子と交はり、子として、兄として、父なきあとの主として、何を削り何を作り何を想ひて日を送り給ひしぞ。されど此は岩山の胸深く秘められし泉の歷史、土の下なる芥十の種の生涯、唯神之を知り給ふ。……とは志賀氏が青年時代に愛讀して止むを知らざる德富氏『順禮紀行』の一說である。

性來多感なりし氏は產山川の流れの音を聞いても、秋の夕暮れに桐の葉の落ちるのを見ても、必ずや悲哀に明けて、悲哀に暮れると云ふ程な寂しい少年時代であつたであらう、殊に古城のやうな氏の故鄕の氏を育んだ字おむらんつるの屋敷のあたりに、蓼の花、露草、蚊帳釣草、犬ぢやらしなどの雜草をみるにつけ、亦氏の物言へし石、氏の囁きし樹、氏の涙せる丘、氏の沈思默考せる谿々、氏が四年間學びし茅葺の尋常小學校等をさながらに見てその感を切實にし惻々と胸に迫るものがあつた。

幼なき頃より、事情あつて慈母なる人と永く同居する事の出來なかつた程、順境に惠まれなかつた氏の心眼は美しい大自然に向つて開かれた事は當然であつて、將來社會事業家として煤烟の大都市大阪に於て苦鬪の中にあつても、自然詩人としての面目を失はず、自らは自然を友として、病める者、悲しめる者の友となつて一生涯を貫かれた事は故なき事ではない。

氏はナザレの山里に成長したイエスの如く、弟妹に氣の知れぬ兄視せられる程夢想家であつたらう、悲しみの子と運命づけられた氏は、其の天與の境遇を開拓しなければならぬ、と立ちあがつた處に氏の尊さはあつた。人間の一生は其の少年時代に於て決するやうであるが、凡人、非凡人の別れ道は氏の如き境遇に置かれた場合、その意志力によつて立つか倒れるかのいづれかにあるので、實に氏のやうに運命を征服し得る人こそ天晴れの偉丈夫と云つてよからう、氏にとつては感謝すべきは順境ではなく、悲しみの子として生れ出た事であると云つても敢て過言ではあるまい。

祖母ゆく刀自の感化

氏の生家の裏山から、東南遠く祖母嶽を眺められるのであるが、氏は幼少の頃より祖母嶽をはるかに見やり乍ら、慈愛ゆたかなる祖母なる人の手によつて、成人したと云ふ事は何たる奇縁であらう。

昔から祖母育ちの子は三文安いと云ふ言葉があるが、志賀氏の場合此の言葉はあてはまらないやうである、祖母（母方の）ゆく刀自は賢夫人としての聞え高かつた人で、性質極めて溫順であり、殊に經濟思想に富み、家重代の物品を大事に保管し、倉庫の隅々に至る迄整理し、一家他出後も永く獨りで家を守つて留守番をする程、故鄕に居殘り、所謂祖先墳墓の地を護つたのであつた。そして親戚の學生等が休暇中に歸省した時など、所謂山鹿饅頭その他山海珍味の饗應をすると云ふやうに情愛があり、總てに行き屆いて貞淑のほまれ高く、曾て村から表彰された事もあつたが、二十七年前那須一家は朝鮮に移住したが、その時は無論同行せず、十數年前朝鮮にゆかれて永眠されたのであつた。

氏の實父は馬九郎氏、實母はモトヱ夫人（那須醫師の令姉）である、父君は所謂公共事業家ではないが、村の公共事業に興味を有し、村治開發の實行家であつた、卽ち山を貫通し水路をつくつて村民の便をはかり、亦私財を投じて水田稻作の改良に努力し、專ら稻の植付に關しては村內に新智識を普及する事に苦心し、肥料改良の指導等に寢食を忘れて

盡瘁され、尙村の學務委員として敎育方面に多大の貢獻をされたのであつた。

斯く考へ來る時に、氏は我が國に於ける隣保事業の創始者として幾多の苦練をなめ、天職を完ふされたその素因は、幼少時代に於ける溫良貞淑なる祖母君ゆく刀自と、村治改良の公共事業に熱意を打ちこまれた父君の感化が、あづかつて力あつた事は爭はれぬ事實である。

殊に慈母に代りて慈母をも及ばないやうな、行き屆いた愛育をされし神の如き祖母君の感化の如何に深く高いものであつたかは、氏は生前屢々口にして絕讚された事によつても解る事である。

何事にも不平を云はず、總ての人に從順に、一片の紙きれをも粗末にせず、日々の生活に於ては與へられた物を感謝して頂戴する……と云ふ不文律を實行されたゆく刀自の尊い精神は、溯つては我が國隣保事業の根本を育み培ひ築きあげてゐたと云つてもよからう。

令兄良人氏の温情

八月十四日の夕刻、志賀氏の遺骨を捧持した我々一行が、或は徒歩で、或は馬で、久住高原の南麓に沿うて二里の山道を登りつめ、氏の令兄宅のある產山村字田尻に着いて、家の前を流れてゐる谿川の水で足を洗ひ、屋敷の南方にそゝり立つ杉山の梢を見て居ると、そゞろに自分の生れた磐城國金山の里の生家を思ひ起すのであつた。

產山村はモット解り易く云ふならば阿蘇外輪山を南に控へ、久住高原を北に控へた谿谷の中の部落であつて、云はゞ高原と高原の中の狹間につくられた村邑のやうなものである、無論人家は點々として、醫者を賴みに行くにしても、豆腐屋へ行くにしても二三里をあゆむ事を覺悟しなければならない。

一行が令兄宅に着くや、直ちに氏の遺骨を床の間に安置し、一家親族の方々によりて代る〳〵香花が捧げられた、記者は四日四晚氏の遺骨と起居を共にする事が出來、五日目の朝、志賀家累代の墓地に永久に葬むる迄、深夜中まどろむ間も傍らを離れなかつたから、今尙何も思ひ殘す事はないのである。

大阪を出發する前日、坂間市長と森下助役に御目に懸つて、「故鄕に錦を飾ると云ふ事がありますが、故人に花束にても御贈りして頂けますまいか、實は令夫人は皆樣に重ね〳〵御迷惑をかけるので遠慮されてゐるのですが……」と申上げたところが、「志賀君ともある可き人の事でさう遠慮する必要はありません、然し不幸にも故鄕に骨となつて歸ら

るのは殘念で御座います、どうか我々の名前でも役に立つなら、花束を捧げて、故人の靈を慰めてあげて下さい」、と鄭重に云はれるのであつた。その事を令兄良人氏に傳へた處、「實に有難い事です、弟も生前公務多端で、碌々歸鄕して靜養する暇も與へられず、亦先祖の墓參りをする事も、母校の小學校や中學校へ來て後輩のために、訓話をする事も出來なかつた多忙な一生涯を思へば、故人も殘念でありましたらう、然し骨身を碎いて大阪市のために働いて吳れた事は卽ち國家へ一身を捧げた事でありますから、考へやうによつては私共は滿足して感謝しなければなりません、どうか市の皆樣に宜しく御傳へ下さい」、と涙乍らに物語られた。

花屋へ行くには五里も山を下らねばならぬ、それよりも久住高原一帶の自然の草花を朝な〳〵靈前に捧げる事は、いかにも故人の遺志のやうにも思はれたので、一切所謂花屋の花は捧げぬ事にし、民子夫人は每朝新鮮な麗しい草花を具へられたのであつた。

そして市長、助役、社會部長その他市の各位から頂戴した御香花料をもつて、墓前に石燈籠を製作して献げるやうに協議一決し、金額の總てを令兄に御願ひする事にした。

「舍弟は病に冒される度每に、歸鄕して故山に風月を娛み、餘生を送らうとも考へると、便りのあつた時、私はよく申しました、杉山には材木が澤山あるから家を建てる時は無償で提供する、名も大事だが命も大事だ、早く歸鄕して靜養するやうにと、然し舍弟の性格としてはそれは出來なかつたのです、それのみ誠に遺憾千萬に思はれます」、と涙ながらに記者に沁々と話されるのであつた。

川魚五十三尾を漁る

我等一行六人は令兄良人氏宅に於て、四日間に渉り實に懇切鄭重なる饗應をうけたのであるが、その爲めには一家總動員は愚か、隣村に嫁がれて居る志賀氏の令姪愛子さんが山を越え、御主人諸共赤ちやんを連れられ、泊りがけで手傳に來られると云ふ有樣で、朝から晚迄一日中臺所內は多忙を極められて居るやうであつた。

一日令兄は「川肴を御馳走するから近所の谿川へ同行して貰ひたい」、と云はれるのであつたが、遺骨を見送つて來てゐる者は佛式に從ふならば、精進を守る可きであるやうに思はれたので辭退し、大阪や東京その他各方面への通信を認めてゐたら、いつの間にか三人の御遺兒も民子夫人も松本氏も令兄のお伴をして大網を二つ程肩に荷なはれいそ〳〵と

出懸けて了つた。

無論大野川の上流なる谿川であつて、このあたり一帶は何れも皆基底岩盤を侵蝕して生じた峽谷で、源を久住高原に發し、至る處絕壁、碧潭、激流の自然の妙美を現して居る。

碧空は高く、深淵は藍を湛へ、峽流は白泡飛沫を吹き、その兩岸は奇岩怪石をなして都人士の魂を奪ふものがある。川魚を漁る邊に至る迄には山の裾を縫つて、迂餘曲折の小徑を進まなければならないので、我々のやうに肥大な體格の持主には甚だ危險であるから、遠慮するのが賢明であつたかも知れぬ。

暫くたつて一行は歸つて來たが、草履も裾もびしよ濡れになつてゐる民子夫人の話しでは、一度に五十三尾網にはいつたと云ふ事である。

其の昔、基督が十字架の橫死をとげた時、弟子等は悲歎絕望して四散した、處が漁師であつたシモンペテロがトマス、ナタナヘル、ゼベダイの子等と共に、悲しみを秘め或る夜テベリヤの湖畔で魚を漁つたが何の所獲もない、其處へ復活した基督があらはれて、「網を舟の右に撒つならば所獲があるであらう」、と云つたので始めて彼等は自分達の師である事を知り、殊にあはて者のペテロの如きは裸であつたのを、態々衣をつけ帶をして湖に飛び入る狂態などを演じた。兎に角ペテロが舟へゆき、網を岸に曳いて來たところが、その網の中に魚が百五十三尾はいつてゐた、と云ふ記事が聖書の中にある。自分は民子夫人から五十三尾の川魚の事を聞いて、急に約翰傳第二十一章の記事を思ひ出し、實に感慨無量であつた、然しテベリヤの湖の場合よりも百尾足りないのが遺憾であつた。

偶然とは云へ五十三尾と云ふ數は斯うした場合、不思議に合致してゐるのは誠に愉快であつた、必ずや志賀氏の靈は故鄕にも大阪にも復活する事を信ぜざるを得ない。その夕は「一番大きい魚を伊藤さんに上げて下さい」、と令兄に云はれうや〳〵しく頂戴した。

此の土地の習慣として食事前に茶の饗應がある、その時例の手製の饅頭が澤山盛られて、食臺にのせられるのであるが、裕君の如きは大きいのを五個位頑張つて一座を笑はしてゐた。

志賀家の祖先を聽く

八月十六日の夕暮れ時、小雨そぼ降る中を、一人の僧侶が白の平常着の僧衣を着け自轉車で令兄宅を訪れて來られ

た、それは明朝志賀氏の遺骨埋葬に先つて、埋葬の式を司られる志賀家の檀那寺である臨濟宗の住職であつた。

此處は熊本縣であるが、お寺は大分縣白丹にあるので、つまり二縣にまたがる分水嶺の地點から、六里程ある山道を自轉車で來られた譯である。住職は早速齋戒沐浴されて夜の九時過ぎから式を始められたので、連日に渉り高原や谿川の畔で、遊び疲れた市子さんなどは、早くから就寢される有樣だつた。禪宗は眞宗と異なり頗る原始的なところがあり、讀經の調子も莊嚴で最後に喝を與へらるゝ處はいかにも痛快であつた、記者はそゞろに十年前支那山東省に旅し、田舍の寺を訪れた時の事を追憶したのであつた、亦記者の實家も同じ禪宗の曹洞宗であるのも面白い對象と云つてよからう。その夜は嚴肅なる諸式を終り、代る〳〵燒香をなし、亦臨濟宗獨特の精進料理をも頂いて、久々にて原始宗敎の素朴な氣分を味はふ事が出來、脫俗した法悅の境地に入る事が出來た。

住職の方の興味ある談話は、それからそれへと盡きやうとはしない、お蔭で我々は志賀家の先祖の物語りをも窺ふ事が出來たのである。

天正十三、十四の兩年に渉つて、島津公は九州全土に暴虐を働いた事があり、豊後の國十六城を陷れ、最後に竹田岡城を掠奪にかゝつたが遂にその時は、流石の島津の軍勢も岡城だけはどうしても掠取する事が出來なかつた。それは誠に當然な事で、城主の筑紫公(志那人より三代前までは筑紫姓である)は豪勇ならびなき名將であつたと云ふ事である。尙又白丹の稻葉公は大友一族に亡ぼされたのであるが、その家老に志賀姓を名乘る者あり、現在墓石によつて調査しても歷然と志賀何々守と明記して居る事が解るのである。我々はその夜志賀氏の御嚴父が、生前に書き殘されたと云ふ系圖書を令兄の手を經て拜見したのであるが、岡城の名將と云へ、稻葉公の家老と云へ、志賀家に關係深きものであると共に、先祖である確證も發見されたと云ふ事も窺つたのである、一說には志賀の一族はその昔今の滋賀縣より移住されたものだとも云はれて居る。

兎に角「瓜の蔓に茄子がならない」、のであつて、遺傳學上から考へても代々の炭燒きの家からは、偉い人の輩出するのは珍らしい事であらう。大野博士は記者の旅行記を讀まれて、「ひどい山間僻地から、素晴らしいスマートな紳士が生れたものだ」、と云はれたのも故なき事ではない。

古老の談によれば平家が壇ノ浦の合戰に於て敗北した後、所謂落武者でなくとも、戰ふ資格のない老若婦女子は(合

戰の前からも)豊後、肥後の山奧に逃避したと云ふ事であるから、志賀氏などにも充分さうした貴族的な血液が流れて居るのかも知れぬ。記者は馬であの邊を旅して、時々農家から出て來る無表情にも上品で、貴族的な美女を散見したのであるが、或はその美女たちは平家の末孫であるかも知れないと思はせられた。

久住高原の踏破

八月十七日、今日は我々の大阪を出發してから五日目になる、豫定によるならば今日遺骨の埋葬をすませ、阿蘇登山をする事になつてゐたのであるが、曇り勝ちで時々雨さへ降り出しさうな遠山の雲行きでは登山も斷念して、埋葬の後令兄良人氏の御案內で、御自慢の久住高原を踏破する事に豫定を變更した。

愈々埋葬の日となつたので、志賀家の親戚に當る眞宗の若き僧侶の方も、早朝から我々の寢込みを襲はれると云ふ有樣である、我々一行が四日前に登つて來た二里の山坂を、今日はやはり馬にて亦は徒步にてくだり、志賀家の菩提所まで急いだ、高原であるから朝夕は褞袍がほしい程な涼し過ぎる氣溫であるが、何と云つても日中は凌ぎ難い程の暑さである。

菩提所では若き僧侶の方の讀經の後一同燒香をなし、志賀家累代の墓下に(コンクリートの空洞)遺骨を無事に納める事が出來たのである、そして一同は記念の撮影などをした。(口繪參照)

大阪から遠路遺骨を捧持して、二里の山坂の往復をも背負はれると云ふ程な情熱の權化松本氏は、今日無事に總ての使命を果したので、我々より一足先きに歸阪する事となり、久住高原の登山口の宿場のやうな驛で別れたのであつた。

久住高原には飛行臺と云ふ高臺があつて、恰も飛行機上から眺められる風景と伯仲してる絕景がみられるので斯く名づけたと云ふ、いかにも一眸千里、波濤のやうに起伏する山々峯々は際しなき濃綠のそれである、曾つて日本畫壇の鬼才山口蓬春氏が帝展に出品した波野原の描寫も此の附近と聞いてゐたが、此の邊りを旅する者は誰れしも受くる靈感は皆同じであらう。

畏くも各宮殿下御遠望遊ばされし地點の風景などは、筆舌に盡されぬやうな絕勝で、人をして羽化登仙の感をなさしむるのである。我々一行は自動車を捨て、紅紫とり〴〵に夏草の咲き亂れてる丘の上で、辨當をしたゝめて居ると、俄雨に襲はれたので我れ先きにとあはてふためいて山を下つたのであつた。一行は再び志賀家に戻るには、その裏山の高

原なる牧場迄徒步にて、露に濡れた草原を急がねばならないのである、車をすてゝ二里程もあらうと思はれる廣漠たる高原の道は草蓬々の中で實に苦心を要する、時々後ろから雨雲が襲ふかと思ふと、碧空が輝くと云ふ變轉極まりない山の天候だ。志賀家では足弱の我々を案じて二頭の馬を然も提灯の用意迄して、裏山の牧場(朝夕登つて牛馬と戯れた)迄迎へに來られたのは實に有難い事であつた、斯樣にして志賀家に最後の一夜をあかし、十八日の早朝途中迄情愛の籠る見送りを受け、馬上からハンカチを打ち振り乍ら思はず涙にぬれつゝ田尻鄕を立ち去つたのであつた、そしてその日は阿蘇登山を試み、戸下溫泉に一泊した。

市子さんの乘馬姿

產山川の谿谷

九州アルプスの旅

伊藤悌二

肥後追分(產山村に入らんとて)

豊の國これの峠をそのかみの平家の公達越えしときけば
馬ひきの阿蘇の訛りをなつかしみ釣鐘草咲く野路を急ぐも
崖下に產山川の晃々と旅に疲れし眼にはしみ來ぬ
豊後肥後國の境を越えければ汝が鄕土見んと心は躍る
半生の交りにして尙足らぬ深きえにしを山にて思へる
若き日の故國のゆきゝに見しならん肥後追分の此の石じるし
くつわならべ阿蘇路を登る乙女子はまどろみて笑み笑みてまどろむ

田尻鄕滯在吟(志賀家にて)

さよふけて月の光りの消ゆる頃杉の木肌を飛ぶ栗鼠を見し
山狹ひの眞夏のあした寒ければ相撲などしてはしやぐ人あり
遠つ國の客もてなさんと山越えに來し若妻の嬰兒の頰
谿に咲く籔しやうぶかも阿蘇乙女小暗き室にひと日はたらく
うたゝねを醒ませし僧の一喝が阿蘇の谿間にこだませしなん
鈸のひゞきは山に谺して北支の旅を思ひ出しぬ

激《たぎ》つ瀬に魚を漁るよき身振り木の間がくれに暫しながむる

山の牧場にて（八月十七日）

すゝき野をかきわけ下る足もどに寶珠と見しは龍膽の花
姫百合の花辨《はなびら》すべる雫さへたましひに響く寂しさを知る
牧原の草のしどねに我れ臥して夢にも似たる阿蘇をながむる
たそがれて杉皮葺の番小屋にけものゝ如く歸る人見ゆ
後ろより襲ひ來れる雨雲におびへつゝ下る桔梗咲く原
蓬春の筆も及ばぬ波野原にたてがみたてゝ踏《と》ぶ仔馬あり

故人追憶（八月十六日）

山の家に今宵は共にいねなんと友のなきがらひきよせんとす
年若く尙健《た》けかりし志賀大人《しがうし》の面影思ふ產山淋し
かくばかり美しき山に登り來て君かまさぬを恨みとなせり
禪僧の夏の夜がたり長ければ野冷え山冷え身にはしむなれ
曙に散りし芙蓉の花に似て氣高き姿世にはのこしぬ
村雨のすぎゆく如く我れも人もすぎゆくものと知れば悲しも
國のため殉し給へる君が墓にぬかづきてあれば淚止め得ず

編輯後記（九月の日記）

◉第十六回全大阪乳幼兒審査會準備の爲め去る九月五日午前八時半東京驛着、驛にて朝餉をしたゝめ直ちに厚生省に出頭、先づ體力局長兒玉閣下に御目にかゝつた處、閣下には記者の顏を見られるなり過般の芦屋の大水害の事を案ぜられ、巨細に渉つて水の屋内に浸入した當時の事や、泥土がどれ程疊に積つたかなどゝ懇篤に尋ねられるので實に恐縮の外はなかつた、記者は閣下のあたゝき御溫情に御禮を申のべ、東京と同樣大阪の審査會にも御協贊を褒るやう御願ひして、是松祕書官を御訪れした、時恰も木戸厚生大臣閣下の御車が玄關に着いた間際の事とて、幸にも大臣の御居間に通され、應接所に御待ちして居ると態々足を運ばれて來て親しく、「先般の兵庫縣の災害の時は誠に御心配でしたね」と實に御鄭重な御言葉で明細に當時の有樣を御尋ねになるので誠に身に餘る光榮を感じつゝ心から御禮を申上げた、そして閣下を大阪審査會の名譽總裁に推戴の儀御願ひした、閣下には「七月の東京の審査會には豫想したよりも大勢の來會者があつたので、あれ程集つてるとは思はなかつたので驚きました」等の御話しがあつたので來る十月下旬の表彰式の事を申上げ、陸軍省に梶浦軍醫殿を訪ふた。

◉七日午前十時、九段の遞信大臣官邸に永井大臣閣下を御訪れした「事業に內容と實質があれば、新聞社などを眞似て何々協贊と云ふやうに竝べなくとも、堂々と國家的事業の實施が出來ると思ふから確信を以て進みなさい」、「十月下旬は故大隈侯の百年祭や種々多忙だから、表彰式をのばしてはどうですか？」等の御話しがあり、大阪審査會の總裁推戴の件を御願ひして、その日は高木、吉村兩畫伯、富田博士等を訪問して一日を過した、八日は海軍省にて醫務局長高杉中將閣下に面會した、恰度各聯合艦隊が橫須賀に入港して居る際とて、各聯隊の御歴々の方々が來て居られた、大阪審査會御協贊の事を御願ひした處、木津軍醫殿には懇々記者を副官室に案內されて副官殿に御紹介をうけた、午後は上野に院展、青龍展、二科展を觀た。

◉九日、再び厚生省に至り南崎博士、多湖企畫課長、重田技師に御目にかゝり、十一日東京を出發、十二日神戸解纜の蓬米丸にて來る十六日フィリッピンにたゝれる宮武氏宅を白根氏と共に箕面牧落に訪れ、十三日は大阪市社會部にて田坂部長、田部井、古藤兩課長、中馬、增田兩係長等に面會した、此の日田坂部長には本聯盟常任理事に就任の件御快諾になつた、それより保健部に深山、利齋兩課長を訪問した、それから十四日は余田、原田(龍)二博士、山田、岩本二學士と府社會課の長部主事を、十七日は酒井博士を、十八日は橫田、生地、前田三博士と產婆會の三宅コタミ女史を、十九日には保嬰館に西川博士を、帝大病院眼科に中村博士を、齒科に弓倉博士を、小兒科に笠原博士を、法醫學に中田、大村、松倉三博士を、二十日には谷口、高階二博士を二十一日には一色、奥野、余田三博士を、二十二日は原田(達)大野二博士を、二十三日は女子醫專に落合、山本二博士を御訪れしてそれ〳〵審査會の件を御願ひした。

◉二十五日夜は北區菊屋に於て審査醫員の打合せ會を開催した、本年は時局柄發表二日間にして滿員締切りとなり、五千名以上を斷りつゞくる程の盛況振りである。

本誌定價 一册金參拾錢 郵稅壹錢五厘
半年分六册 金壹圓六拾錢 郵稅共
一年分十二册 金參圓 郵稅共
誌代郵稅は一切前金の事
前金切の場合は發送中止
郵券代用は一割增のこと
昭和十三年九月廿八日印刷（毎月一回
昭和十三年十月一日發行（一日發行）
兵庫縣武庫郡精道村芦屋
發行兼編輯人 伊藤悌二
大阪市西淀川區海老江上二丁目三七番地
印刷人 木下正人
印刷所 木下印刷所
電話福島㊺｛一五三四番 二四二六番
大阪市北區天神橋筋六丁目
大阪市立北市民館內
發行所 大阪兒童愛護聯盟
電話堀川㉟｛〇〇〇一番 〇〇〇二番
振替大阪五六七六三番

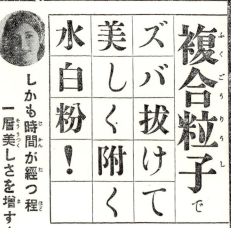

子供の世紀　第十六卷　第十號
大正十三年二月二十日第三種郵便物認可
昭和十三年九月二十八日印刷納本
昭和十三年十月一日發行（毎月一日一回發行）
【定價金參拾錢】

基礎鞏固　經營眞摯

創立　明治四拾四年

コドモの保險　日本徴兵

入營・嫁入　出世・教育

準備　資金

子を持つ親心

可愛い子供の爲に何程かづゝの貯金をしてやらうと考へるのは、凡ての親としての至情で、男子ならば適齢迄、女子ならば嫁入迄と誰しも心掛ける所ですが、さて實行はなかなか困難です。

最良の實行方法

徴兵保險、生存保險のコドモ保險は此需用を充たす最良の施設で、一度御加入になれば知らず識らずの間に愛兒の爲に必要な資金が積立てらるゝことになります。

日本徴兵保險株式會社

本社　東京市麴町區内山下町一ノ一

『子供の世紀』（第十六卷第十一號）戰時下保健對策號

目次

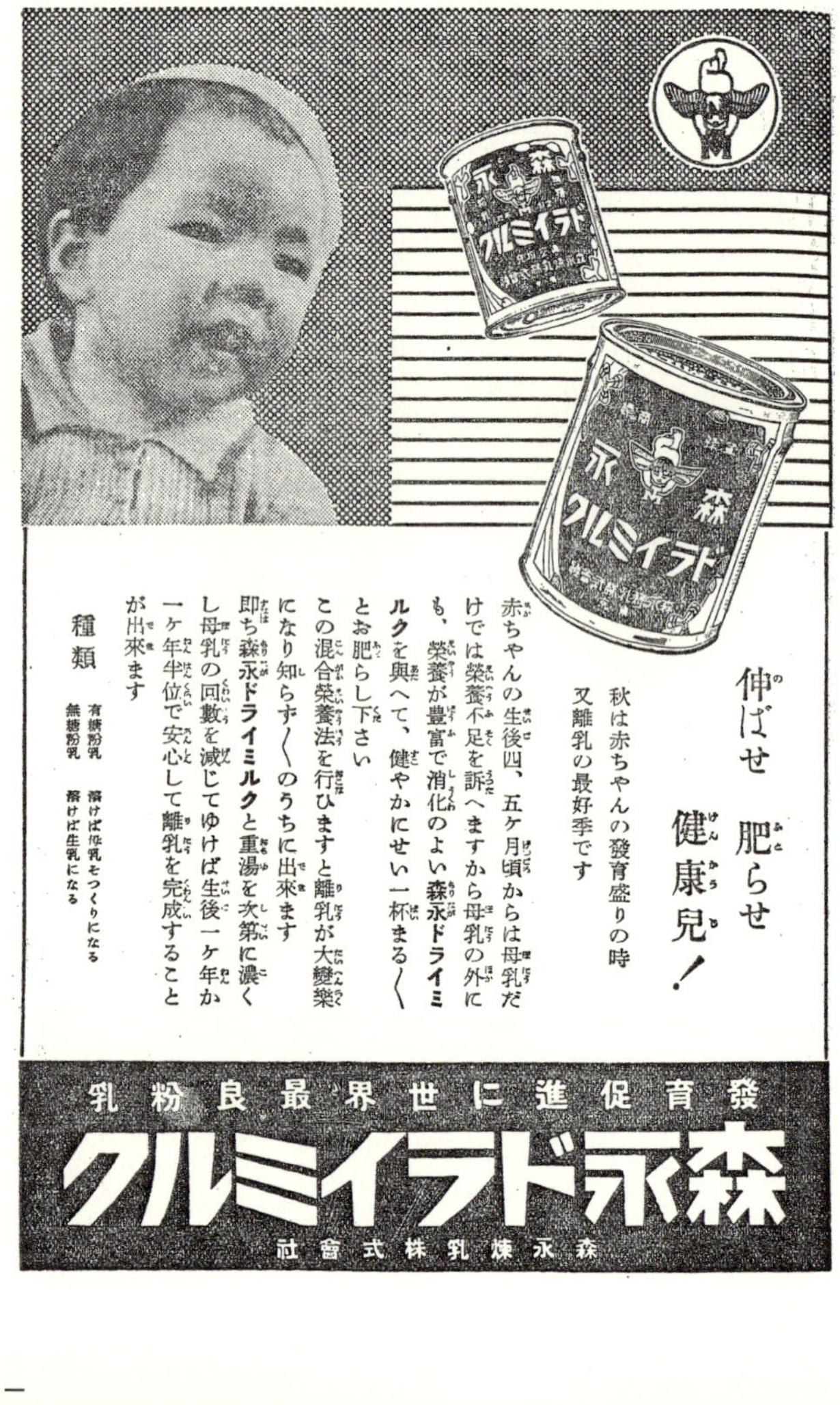

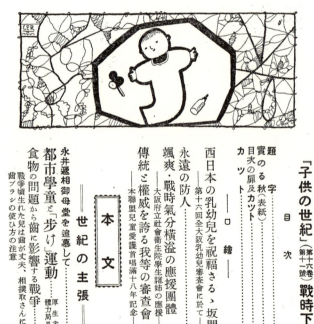

赤ちやんの生後四、五ケ月頃からは母乳だけでは榮養不足を訴へますから母乳の外にも、榮養が豐富で消化のよい森永ドライミルクを與へて、健やかにせい一杯まる〳〵とお肥らし下さい
この混合榮養法を行ひますと離乳が大變樂になり知らず〳〵のうちに出來ます
即ち森永ドライミルクと重湯を次第に濃くし母乳の回數を減じてゆけば生後一ケ年か一ケ年半位で安心して離乳を完成することが出來ます

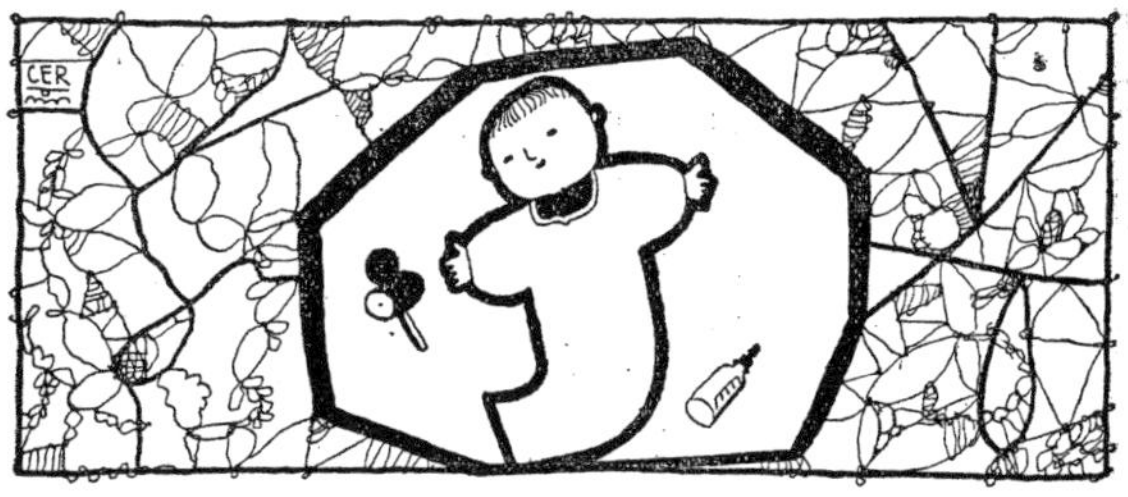

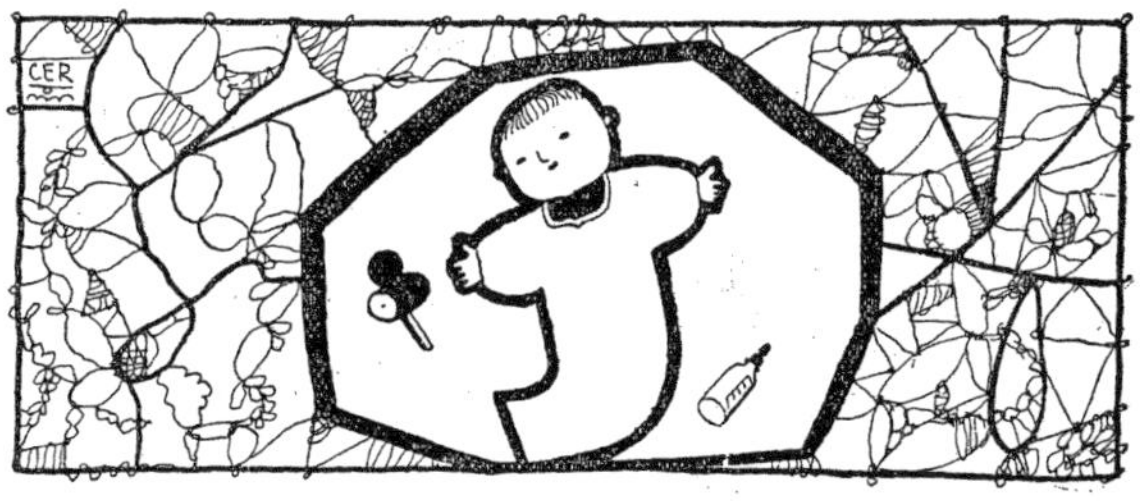

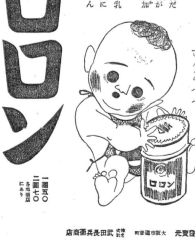

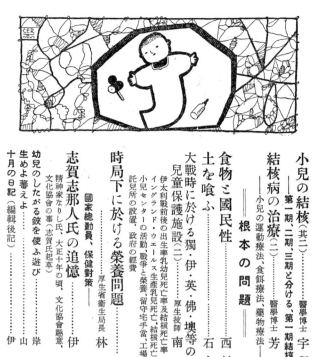

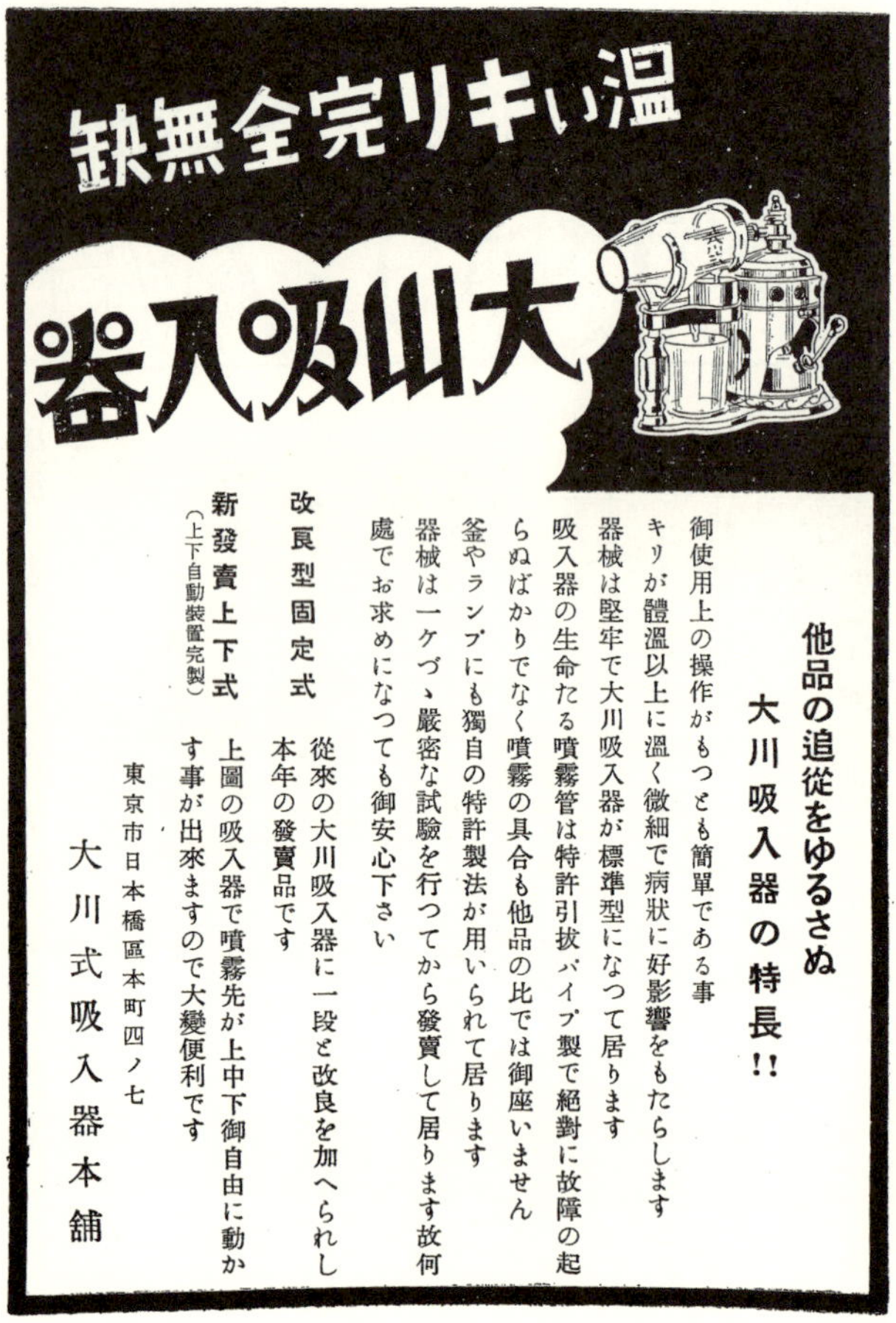

西日本の乳幼兒を祝福さるゝ坂間市長

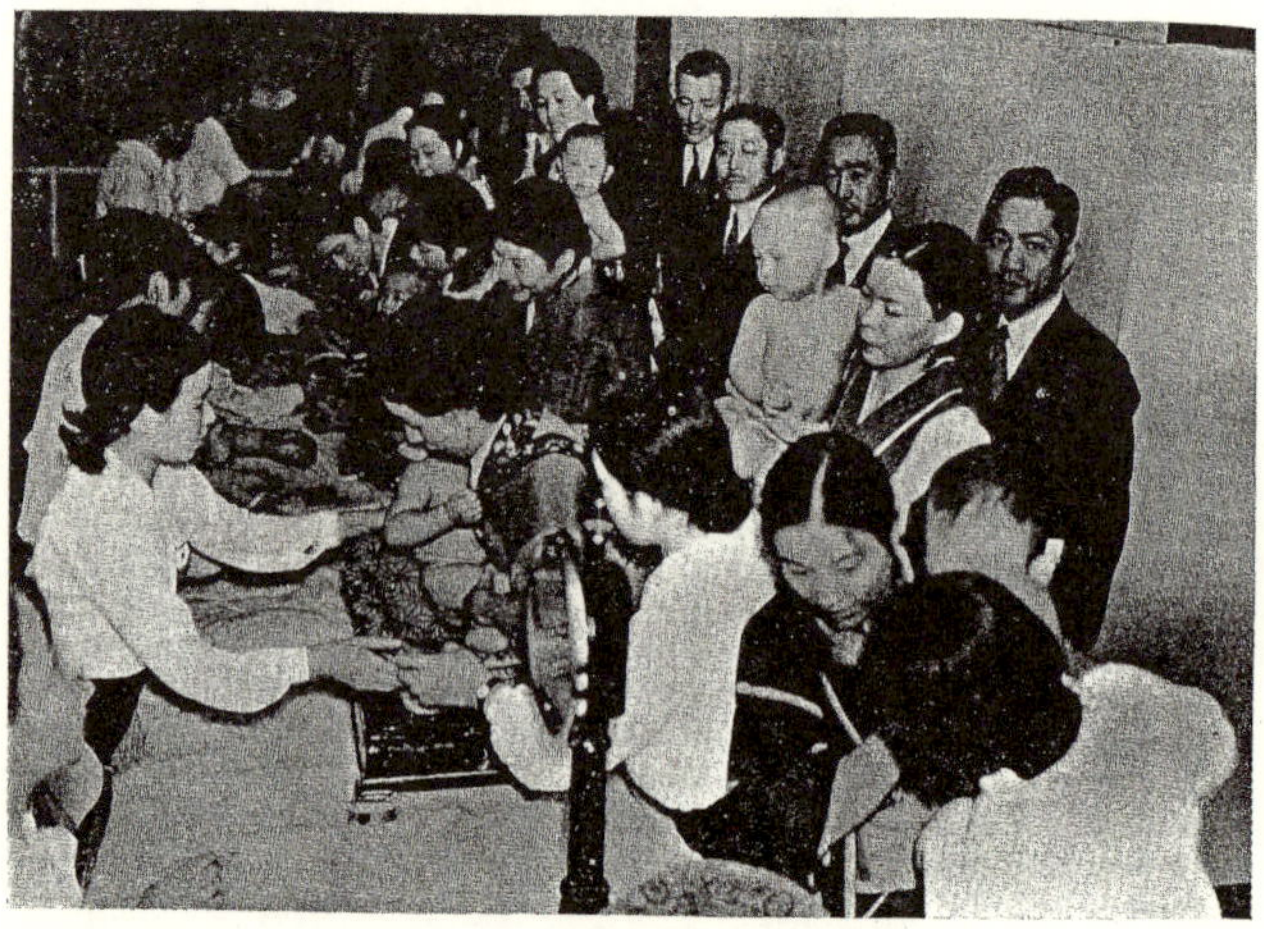

第十六回全大阪乳幼兒審査會は、厚生省をはじめとして、陸軍、海軍、內務、文部、拓務等六省御協會のもと華々しく開催され、會長坂間大阪市長は例年の如く、御繁忙中の尊い時間を割かれて會場に臨まれ、長期戰下の若き母性たちを慰撫激勵された、我等は市長の御熱誠を眼のあたりに見る度、故關市長を追慕せざるを得ないのである。

(後列向つて左より二人目は坂間市長)

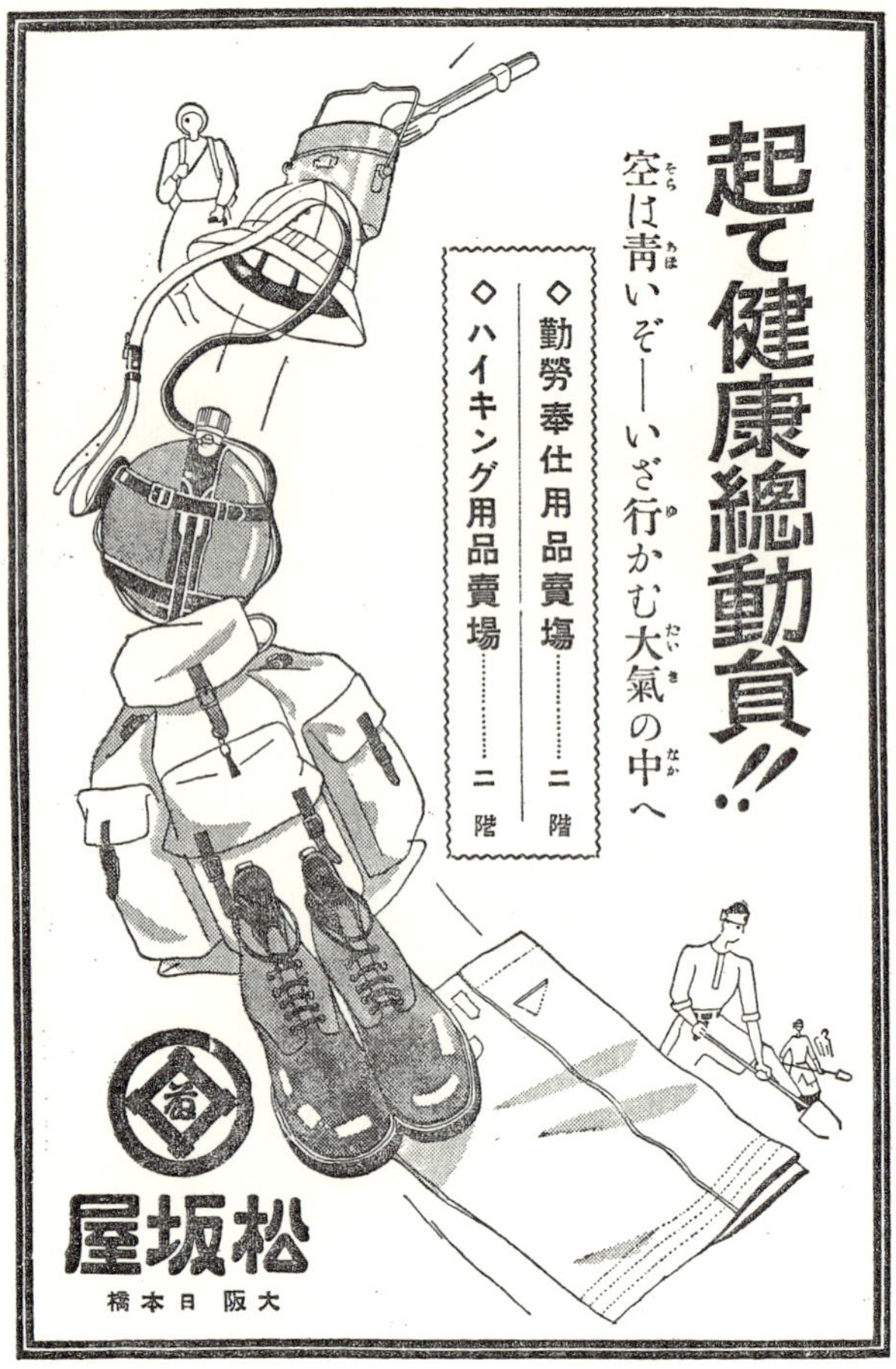

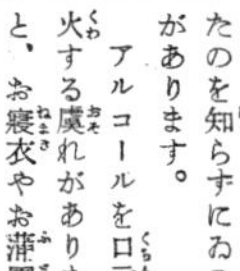

上手な吸入のさせ方

吸入《きふにふ》や含嗽《うがひ》は、あまり重《おも》い病人《びやうにん》には著《いちじる》しい効果《かうくわ》はありませんが、早《はや》くやると侮《あなど》り難《がた》い効《かう》を奏《そう》するものです。外出後咽喉《ぐわいしゆつごのど》がちよつと變《へん》だと思《おも》ふときは、大人《おとな》なら含嗽《うがひ》をすればよいのですが、小《ち》さいお子《こ》さんでは、それができませんから、吸入《きふにふ》に替《か》へます。吸入器《きふにふき》にはいろ〳〵有《あ》りますが注意《ちうい》したいのは、薬液《やくえき》と一緒《しよ》に冷《つめた》い風《かぜ》が起《おこ》り、却《かへつ》て吸入《きふにふ》をしたために、よくない場合《ばあひ》の起《おこ》るやうなものを、避《さ》けるといふことです。使用上《しようじやう》の注意《ちうい》といたしましては釜《かま》の湯《ゆ》は三分《ぶん》の一くらゐ注《そゝ》いで、なくなる前《まへ》に注《そゝ》ぎ足《た》します。湯《ゆ》のなくなつたのを知《し》らずにゐると、破損《はそん》することがあります。

アルコールを口元《くちもと》まで入《い》れると、發《はつ》火《くわ》する虞《おそ》れがあります。吸入《きふにふ》をかけると、お寝衣《ねまき》やお蒲團《ふとん》が濕《しめ》りますから、防水布《ばうすゐふ》やタオルをかけておき、寝《ね》たまゝの病人《びやうにん》なら徐《しづ》かにかけてあげて下《くだ》さい。赤《あか》ちやんの吸入《きふにふ》は無理《むり》にお口《くち》を開《あ》かせる必要《ひつえう》はなく、玩具《ぐわんぐ》で機嫌《きげん》よく遊《あそ》んでゐるときでも、吸入器《きふにふき》の方《はう》を近《ちか》づけて、あたりの空氣《くうき》を軟《やはら》くしつとりさせて、少《すこ》しづゝでも吸《す》ひ込《こ》ませるやうにします。一回分《くわいぶん》をあまり長《なが》くかけると倦《あ》きますから、一日《にち》に三四回《くわい》にしてコップに二杯《はい》ぐらゐで結構《けつこう》です。終《をは》りましたら蒸《む》しタオルで拭《ふ》いて、後《のち》にクリームなどをつけてあげると、お顔《かほ》の荒《あ》れを防《ふせ》ぎます。

吸入液《きふにふえき》の作《つく》り方《かた》

薬液《やくえき》はいろ〳〵有《あ》りますが、お子《こ》さんには一%の重曹水《ぢゆうさうすゐ》で結構《けつこう》です。(約《やく》一合《がふ》の水《みづ》に茶匙《ちやさぢ》一杯《はい》)又《また》は重曹《ぢゆうさう》と食鹽《しよくえん》を各々《おのおの》一%の割《わり》に溶《と》かしたものを用《もち》ひてもよろしい。

うがひ薬の作り方

二%硼酸水《ほうさんすゐ》 硼酸《ほうさん》は冷《つめた》い水《みづ》に溶《と》け難《にく》いが微温湯《びをんたう》を用《もち》ひますとすぐ溶《と》けます。大人《おとな》の水薬《すゐやく》二日分入りの瓶《びん》は通常《つうじやう》二百瓦《グラム》入りですからこれに四瓦《グラム》入れればよろしい。

二%鹽剝水《えんぼつすゐ》 鹽素酸加里《えんそさんかり》は常用《じやうよう》としてうがひに用《もち》ひるのはよくありませんが、殊《こと》に小兒《せうに》には用《もち》ひぬのがよろしい。

三%過酸化水素水《くわさんくわすゐそすゐ》 過酸化水素《くわさんくわすゐそ》又《また》はオキシフルを水百《みづひやく》に對《たい》して三の割合《わりあひ》に二百瓦《グラム》入りの水藥瓶《すゐやくびん》なれば六瓦《グラム》入れます。過酸化水素《くわさんくわすゐそ》はごみ、又《また》は日光《につくわう》熱等《ねつとう》にあへば酸素《さんそ》を發生分解《はつせいぶんかい》して無効《むかう》となりますから瓶《びん》は清潔《せいけつ》なものを用《もち》ひ、戸棚《とだな》か押入《おしいれ》等《など》の暗所《あんしよ》に置《お》かねばなりません。

颯爽・戰時氣分横溢の應援團體

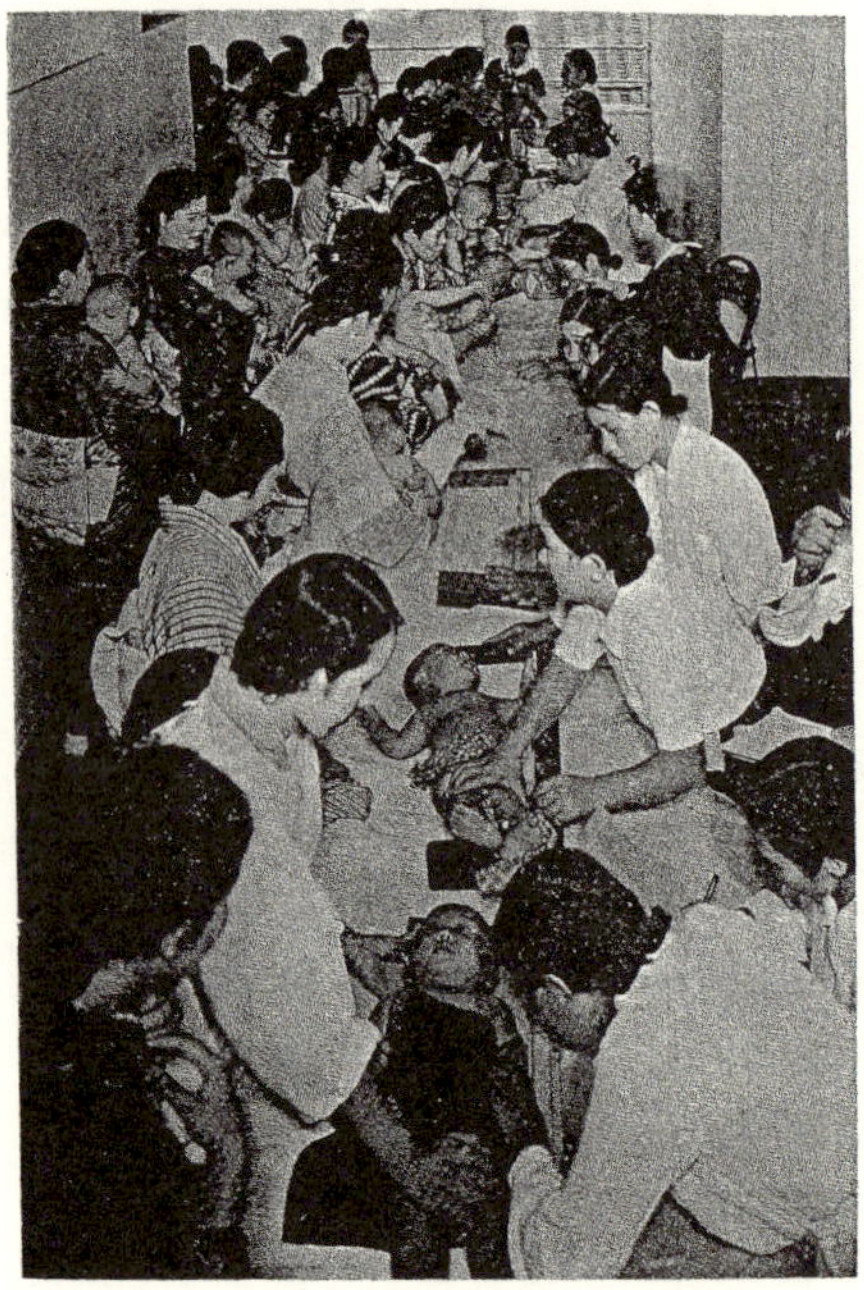

大阪府立社會衛生院二十五名の學生諸姉は連日に亘り、體重、身長、胸圍、頭圍測定の部門を擔當されて、戰時下の女性にふさはしい奮闘をされ、來會者の母性たちや參觀人の眼をうるませたのであつた。

永　遠　の　防　人

吉村忠夫畫伯ゑがく

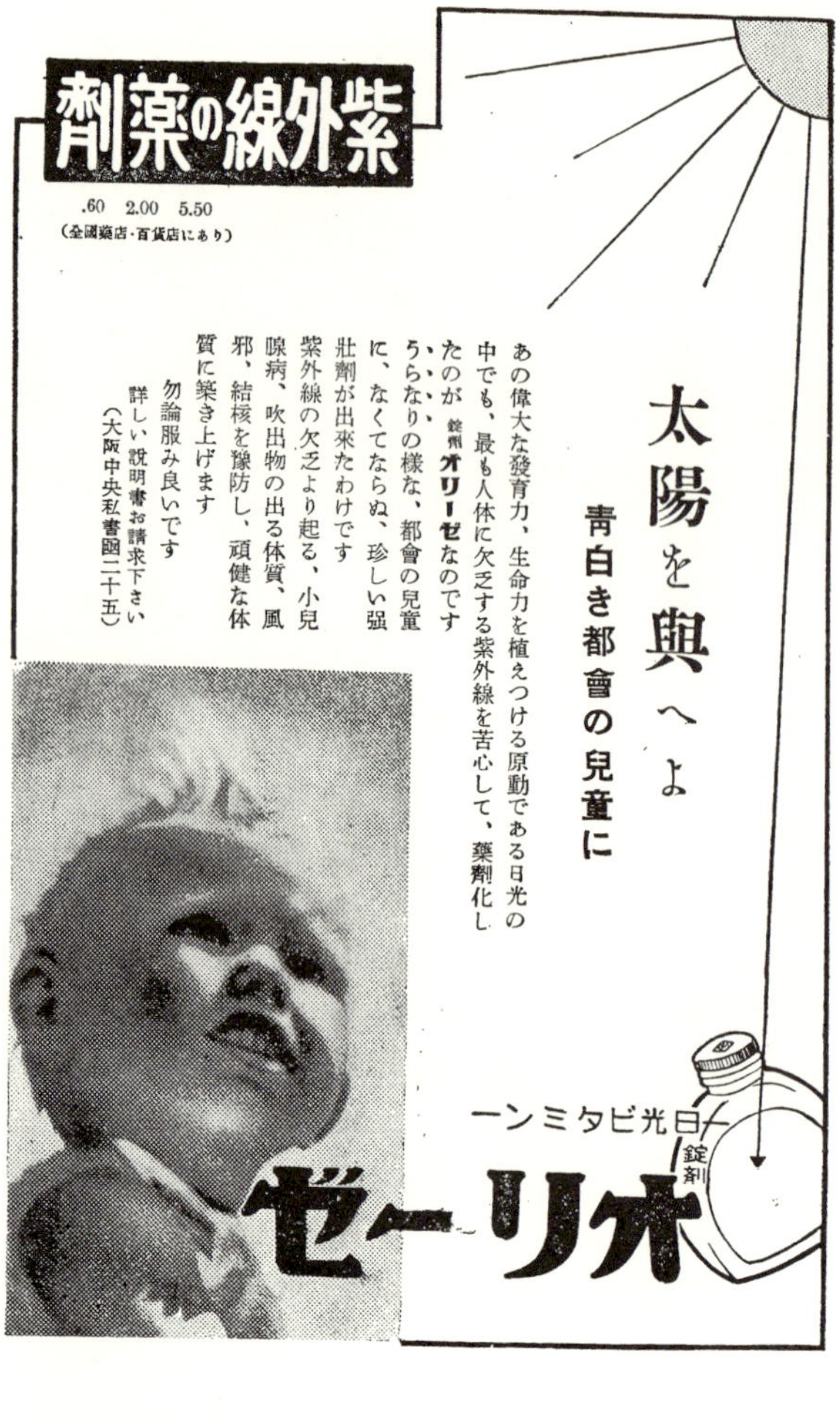

紫外線の藥劑
.60 2.00 5.50
(全國藥店・百貨店にあり)
太陽を與へよ
青白き都會の兒童に
あの偉大な發育力、生命力を植えつける原動である日光の中でも、最も人体に欠乏する紫外線を苦心して、藥劑化したのが錠劑オリーゼなのです
うらなりの様な、都會の兒童に、なくてならぬ、珍しい强壯劑が出來たわけです
紫外線の欠乏より起る、小兒腺病、吹出物の出る体質、風邪、結核を豫防し、頑健な体質に築き上げます
勿論服み良いです
詳しい說明書お請求下さい
(大阪中央私書函二十五)
日光ビタミン
錠劑
オリーゼ

傳統と權威を誇る我等の審査會

斷じて他の追從をゆるさぬ秩序整然たる審査の進行は、水の低きに流るゝやうに、いともなごやかにはかどるので、榮養狀態、齒科、眼科、能力檢査、總評と母親たちは追ひかければならぬやうに審査が進行するのであつた。

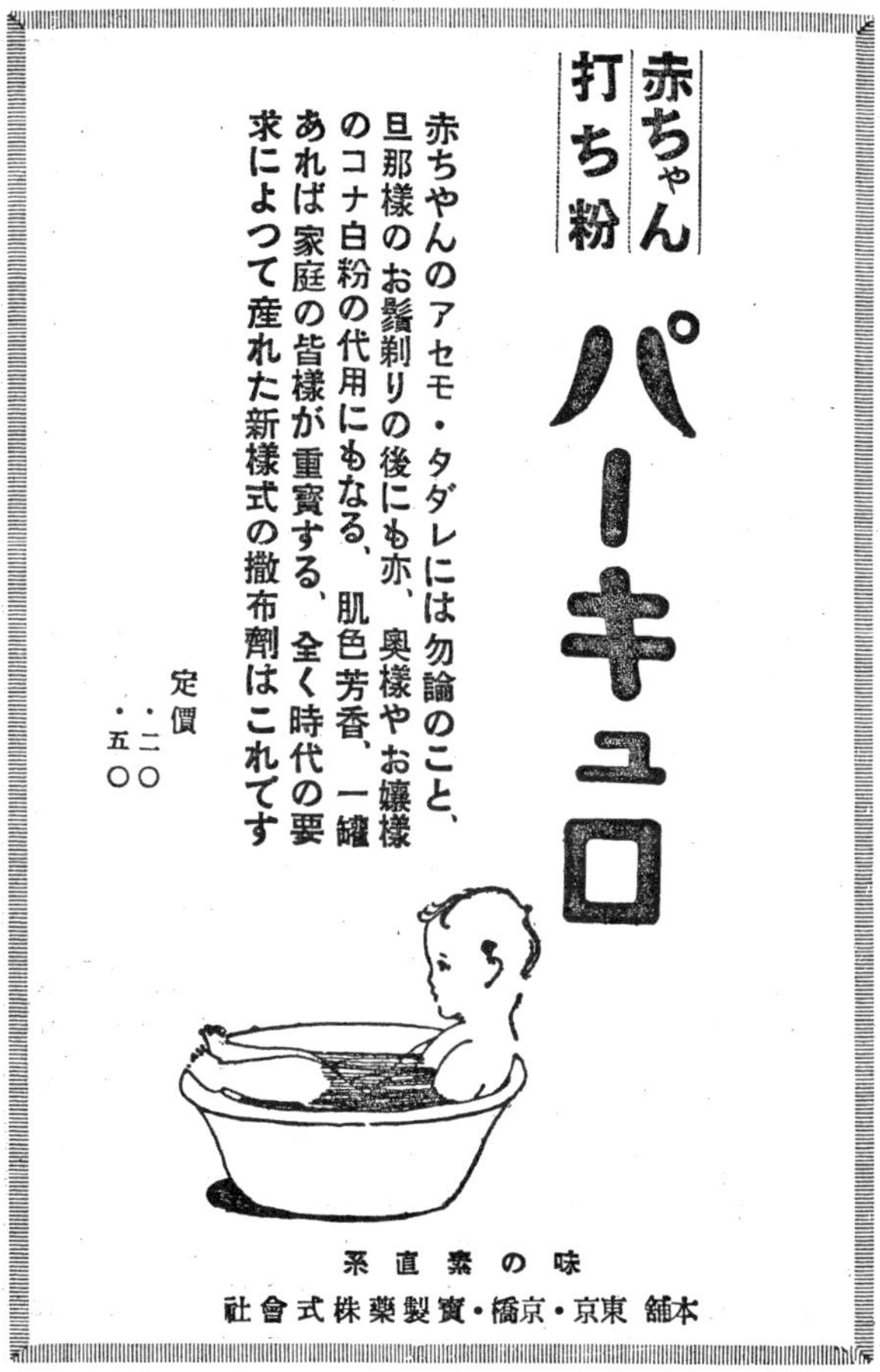

永井遞相御母堂を追慕して

伊藤悌二

本聯盟名譽會長、全東京乳幼兒審査會總裁永井柳太郎閣下の御母堂つる刀自は、豫ねて御病氣中のところ、去る九月二十九日午後三時半東京澁谷區千駄ヶ谷の御自邸に於て、七十八歳の天壽を一期として御逝去の趣、御通知があつたので急遽上京したのであつたが、既に御遺骸は九段一口坂の遞信大臣官邸に移されてあり、御靈前には畏き邊りよりの御下賜品を始めとして、近衛首相、町田總裁等文武顯官、各閣僚その他朝野諸名士の花環、供物等が嚴かに飾られ、然もそれらが廊下より門内の庭園より街路に溢れる有樣にて、洵に故人の崇高なる御人德をしのぶ事が出來たのであつた。

記者は着京するや直ちに、閣下御夫妻に哀悼の御挨拶をして、御靈前にぬかづいたのであつたが、大阪から先着の竹田氏と東秘書官等の指圖に依り、十月一日の夜の壯嚴なる御通夜に列席して、故人を追慕して或は丹波より、或は金澤より集ひ來れる方々から實に得難き靈的の教訓にあづかる事の出來た事を感謝する者である。

尚、葬儀委員長としての町田總裁が、青山齋場に於ける御挨拶中にあつたやうに、故人は實に日本婦人の鑑として讃美するに足る淑德の譽れ高き方であつたのである。遞相の御嚴父は明治の初頭に於ける志士であつて、大久保卿を亡きものにせんと企てたのであるが、同志の第一班に屬する島田一郎が其の目的を達したので、第三班の御嚴父等は遂に捕へられたのであつた。然し獄中に於て飜然大悟徹底するところあり、新日本のために貢獻し、多事多端なる國家を救はんには、どうしても初等教育から出直さなければならぬ、即ち第二國民の教育事業こそその使命達成の主眼點であると一切を犧牲にして丹波の國にかくれて、專心二十有餘年の間山間兒童の訓育に沒頭されたのであつた。

遞相の御母堂は、夫君が志士として諸國を流浪して轉々とし、政治的運動をしてゐる際にも、亦裕福ならざる山國の生活に於ても、實に一切を天にまかせ、子女の成育の爲めに如何に苦難の行路を辿られしかは想像にかたくないのである。

町田總裁の御言葉にあつたやうに、永井遞相の今日の輝く地位聲望は、無論次子令夫人の内助の功によるのは言を俟たないが、御母堂の鞭韃と恩愛がより絕大なる背後の力であつたのである、そして將來ある政治家として育て上げられし御母堂の靈が、永久に安かに天上に瞑されて居る事を信ぜざるを得ないのである。

現下の日本に於て、眞に誰れでもが渇仰してゐるのは、外に飛び出す母親でなく、御母堂の如く家庭の玉城にありて國の寶、家の寶を慈愛の魂もてはぐゝむ母親ではあるまいか。

都市學童と「歩け」運動

厚生省體力局長 兒玉政介

國民の體力向上を目標として厚生省が新設せられ、體力局はその一局として、積極的に國民の體育問題に乘出すことになつたのである。

今日迄の體育運動は、成程オリムピック大會等には、漸次好成績を擧げて、スポーツは隆盛になつて來たが、之は未だ一部の人士にとゞまつて、國民の全般に亘つて國民の日常生活に織込まれた體育運動としては遺憾乍ら見るべき多くのものありとは云ひ得ない。國民の健康生活に、體育運動が必要なることは、古今東西を通じて變りはない。然るに文化の進むに伴つて、交通機關が便利になり、都市民の日常生活に織込まるべき體育運動が不足になる傾向がある。壯丁身體檢査に於て都市民が惡い結果を示してゐることは、以上の事實を裏書するものと思はれる。殊に、この文化の影響を受くるものは、發育期にある青少年を最とする事は常識を以ても想像し得る事である。厚生省は全國的に、今春以來歩け運動を提唱してゐる。農民よりも都市民に奬勵せらるべきは當然の事であつて、我々が歩け運動を殊に都市學童に鼓吹する所以のものは、以上の理由によるのである。兒童は、人生に於ける最も重要なる青春期を後に控えてゐる。青春期は身體的にも精神的にも、發育の最も旺盛なる時期である。この時期を積極的に利用するためには、學童期に充分なる健康習慣を附け置くべきである。殊に體育運動を日常生活に織込む習慣は、國民體力向上を目標として、都市學童に最も重要と信ずる。その體育運動は、「歩け」より始めるのが手近であつて、かくして歩け運動は順次他の體育運動に發展すべきである。

歩け運動は、市街より勿論郊外に於てするを可とする。然し、市街に於ても電車に乗るよりも、歩くべきである。斯くして眞に運動の日常化を具現し得るのである。從來關西地方は登山歩行の比較的盛んな地方であつて、我々は一層此の運動の發展を希ふ次第である。

食物の問題上から齒に影響する戰爭

――非常時を認識する母親は幼兒の口腔に注意を拂へ――

野崎吉郎

戰爭頃生れた兒は齒が丈夫

英國《えいこく》の或《あ》る地方《ちはう》では、歐洲戰爭中《おうしうせんさうちう》に生《うま》れた赤《あか》ン坊《ばう》は、その後《ご》成長《せいてう》して齒《は》が非常《ひぜう》に健康《けんこう》だといふ。ムシ齒《は》に罹《かゝ》る率《りつ》が二十パーセントぐらゐ、戰爭前《せんさうぜん》、戰爭後《せんさうご》の者《もの》の罹患《りかん》率《りつ》は八十パーセントから九十五パーセントである。どうして大戰中《たいせんちう》に生《うま》れた赤《あか》ン坊《ぼう》だけが生後《せいご》齒《は》が丈夫《ぜうぶ》なのだらうか、大生理學者《だいせいりがくしや》ワーレスは答《こた》へていはく

「それは、その當時《たうじ》の母親《はゝおや》が、チョコレートやドロップやその他《た》甘《あま》い菓子《くわし》を、自分《じぶん》で食《た》べる代《かは》りに、戰線《せん〱》の兵《へい》士《し》に送《おく》つて仕舞《しま》つたからだ」

即《すなは》ち甘《あま》い物《もの》を食《た》べ過《す》ぎなかつたことが重大《ぢうだい》な要素《えうそ》である、また緊張《きんてう》して規則正《きそくたゞ》しい無駄《むだ》のない生活《せいかつ》をしたのが原因《げんいん》であると説明《せつめい》した。

日露戰爭《にちろせんさう》の時《とき》、文字通《もじどほ》り難攻不落《なんこうふらく》であつた旅順口《りよじゆんこう》の露《ろ》兵《へい》の籠城《ろうぜう》は五ケ月《げつ》の長《なが》きにおよび城内《ぜうない》の露兵《ろへい》は永《なが》い間《あひだ》兵《へう》糧攻《ろうぜ》めに苦《くる》しみ、軍馬《ぐんば》を殺《ころ》して食《く》つたりして青《あを》い野菜物《やさいもの》などは夢《ゆめ》にも口《くち》に入《はい》らなくなつた。その内《うち》に兵士《へいし》の中《なか》で口《くち》の中《なか》が腫《は》れ上《あが》り潰《つぶ》れて膿毒症《のうどくせう》みたいになつて死《し》ぬ者《もの》が多數《たすう》におよんだ。これは壞血病《スコルブート》と稱ふ病氣《べうき》である。ところが將校達《せうこうたち》は一人《ひとり》もこの病氣《べうき》で倒《たふ》れなかつた。それは、將校達《せうこうたち》は城内《ぜうない》の緑葉樹《りよくえうじゆ》の葉《は》を嚙《か》んでその汁《しる》を飲《の》み、この難病《なんべう》を遁《のが》れたのであつた。今日《こんにち》いふところのヴイタミンの補給《ほきう》を常盤木《ときはぎ》の葉《は》でして助《たす》かつたわけだ。

これと同時《どうじ》に健康《けんこう》な齒《は》は名譽《めいよ》の勳章《くんせう》に價《あたひ》する。矢張《やは》り歐洲戰爭《おうしうせんさう》の時《とき》の事《こと》だが、イタリーのトレヴイゾといふ町《まち》

には火薬庫《くわやくこ》があつたために敵軍《てきぐん》に狙《ねら》はれて、戰爭中《せんさうちう》、敵《てき》の飛行機《ひかうき》が落《おと》した爆彈《ばくだん》の數《すう》は二百六十幾個《いくこ》。ある時《とき》、敵《てき》の爆彈《ばくだん》が火薬庫《くわやくこ》の堤《つゝみ》に落《お》ちた。幸《さいは》ひに不發彈《ふはつだん》であつたが口火《くちび》には火《ひ》が吹《ふ》いてゐた。これを發見《はつけん》したベゾーツといふ憲兵少尉《けんぺいせうい》は、一大事《だいじ》とばかり勇奮《ゆうふん》、不發彈《ふはつだん》に飛《と》びつくと突差《とつさ》に口火《くちび》にかぶりついて火《ひ》の吹《ふ》きつゝある口火《くちび》を嚙《か》み切《き》つてしまつた。この決死的勇士《けつしてきゆうし》には後《のち》に特別名譽《とくべつめいよ》の勳章《くんせう》が授《さづ》けられたといふ記録《きろく》がある。

相撲取さんには虫齒がない

ガラス食《く》ひは變態《へんたい》だが、これも嚙《か》んで食《た》べてゐる。練《れん》磨《ま》によつて忍術師《にんじゆつし》は瀨戸物《せともの》の皿《さら》を嚙《か》んで食《た》べるし、練磨《れんま》によらずとも相撲取《すまふど》りなど針金《はりがね》を嚙《か》み切《き》るだらう。

ムシ齒《は》の統計《とうけい》ばかり眺《なが》めてゐて氣《き》を腐《くさ》らせた一齒科醫《しくわい》が、東京相撲《とうけうずまふ》の力士《りきし》の齒《は》の審査《しんさ》を試《こゝろ》みてみたところが、ムシ齒《は》がない。特《とく》に十兩以上《れういぜう》にゐる力士《りきし》にはムシ齒《は》が一本《ほん》もないことが確證《かくせう》され、すつかり氣《き》を良《よ》くして、有名《いうめい》力士《りきし》の手型《てがた》ならぬ齒型《はがた》を採《と》らせて貰《もら》ひ展覽會《てんらんかい》をした。だから見《み》た人《ひと》もあるだらうが、とにかく、ムシ齒《は》が一本《ほん》でも出來《でき》るようでは有名力士《いうめいりきし》には成《な》れぬことがわかる。

力士《りきし》に成《な》る成《な》れぬは別《べつ》として、若《わか》い人《ひと》が大《おほ》きなムシ齒《は》を四本以上《ほんいぜう》も持《も》つて平氣《へいき》でゐると就職戰線《しうしよくせん〱》で工場《こうぜう》や會社《かいしや》への採用體格試驗《さいようたいかくしけん》で思《おも》はぬ損《そん》をする。それは、ムシ齒《は》の多《おほ》い人《ひと》は能率《のうりつ》が上《あが》らず頑張《がんは》りが利《き》かず、病氣《べうき》に罹《かゝ》り易《やす》いと標準《へうじゆん》をつけられるからである。

※

現代人《げんだいじん》の齒《は》は、昔《むかし》の人《ひと》の齒《は》と比較《ひかく》して、硬度《こうど》は低《ひく》く、數《かず》は減《げん》じ、型《かた》は小《ちひ》さくなりつゝある。

齒《は》の表面《へうめん》の琺瑯質《はうらうしつ》は、石《いし》かガラスくらゐに思《おも》つてゐるとこゝにも神經《しんけい》があると發表《はつぺう》されるし〃齒《は》ぐらゐ〃と思《おも》つてゐると、醫學上《いがくぜう》では齒《は》は臟器《ざうき》の一つで高等《かうとう》な器官《きかん》なのである、決《けつ》して簡單《かんたん》なものではない、そしてムシ齒《は》は文明病《ぶんめいべう》だ。

近代《きんだい》、齒《は》の不健康《ふけんこう》をやかましく注意《ちうい》するのは、消化器《せうくわき》官機能《かんきのう》の缺陷《けつかん》の再認識《さいにんしき》が然《しか》らしめてゐるので、食物《しよくもつ》によつて、齒《は》や胃《ゐ》や腸《てう》を丈夫《ぜうぶ》に強《つよ》くする方法《はうほふ》が重要《ぢうえう》である如《ごと》く、齒《は》や胃《ゐ》や腸《てう》を丈夫《ぜうぶ》にして、全身《ぜんしん》の榮養《えいよう》を十分《ぶん》に取《と》る方法《はうほう》の重要性《ぢうえうせい》が一段《だん》と強《つよ》く認識《にんしき》されつゝあるためである。

※

今《いま》からでも、遲《おそ》くはない――といふ方法《はうほふ》について語《かた》る

ならば、何時《いつ》から初《はじ》めても結構《けつこう》なことは、早期診斷《さうきしんだん》と早《さう》期治療《きちれう》である。これは少《すこ》しでも早《はや》く、自分《じぶん》の齒《は》の惡《わる》いところとその程度《ていど》や、病狀進行《べうぢやうしんかう》の程度《ていど》を知《し》つて置《お》くことゝ少《すこ》しでも早目《はやめ》に手當《てあて》をすることである。一度《ど》、穴《あな》のあいた齒《は》は放《ほ》つておけば必《かなら》ず惡化《あくくわ》するが、放《ほ》つておいて輕《かる》い風邪《かぜ》のように決《けつ》して元《もと》の姿《すがた》に戻《もど》らない。齒槽膿漏《しそうのうろう》で初期《しよき》以上《いぜう》に侵《をか》された齒齦《はぐき》は再《ふたゝ》び元《もと》の位置《ゐち》には回復《かいふく》しないから都合《つがふ》が惡《わる》い。齒齦《はぐき》が退縮《たいしゆく》した口元《くちもと》は、年《とし》が老《ふ》けて見《み》えるぢゝむさいとかばゝむさいとかいふ感《かん》じである。

早期診斷《さうきしんだん》といふことを合理化《がふりくわ》するには、一年《ねん》に、二回《かい》乃至《ないし》四回定期的《かいていきてき》に齒科醫《しくわい》に診査《しんさ》して貰《もら》はねばならない、若《わか》い人《ひと》や子供《こども》ほどムシ齒《は》の進行《しんかう》は早《はや》い。

齒ブラシの使ひ方の注意

齒《は》ブラシは清掃上《せいさうぜう》また齒《は》ブラシそのものを清潔《せいけつ》にしておくために、合理的《がふりてき》な型《かた》のものを選《えら》び植毛《しよくもう》の毛《け》の彈力《だんりよく》を利用《りよう》して齒齦《はぐき》のマッサージを併《あは》せ行《おこな》ふようにしてしなければ嘘《うそ》だ。齒《は》ブラシへ齒《は》ミガキをつけて口《くち》へ入《い》れたら、毛束《けたば》を上下《ぜうげ》に運動《うんどう》さすのであるが、齒齦《はぐき》に向《むか》つて毛束《けたば》の毛《け》を斜《なゝめ》に當《あ》てるように押《お》しつければ、毛《け》の彈力《だんりよく》が出《で》るから、上《うへ》からは下《した》へ押《お》し下《さ》げ、下《した》からは上《うへ》へ押《お》し上《あ》げると壓力《だんりよく》の加《くは》はつた良《よ》いマッサージが出來《でき》るし、毛《け》の硬《こは》さで齒齦《はぐき》を痛《いた》めることもない、硬《こは》い毛《け》は齒《は》の咀嚼面《そしやくめん》を掃除《さうぢ》するのには必要《ひつえう》である。

われ〱日常《にちぜう》の食物《しよくもつ》は調理《てうり》が軟《やわら》かくねばつこいから、食事《しよくじ》だけの齒《は》の運動《うんどう》では、齒《は》も齒齦《はぐき》も顎骨《がくこつ》も運動不足《うんどうふそく》になり、汚《よご》れ易《やす》く抵抗力《ていこうりよく》が落《お》ちるので、そのためには、なんといつても夜《よる》の就寢前《しうしんぜん》に少《すこ》し氣永《きなが》にゆつくりと齒《は》ブラシを使用《しよう》し、齒《は》の掃除《さうぢ》と同時《どうじ》に齒齦《はぐき》のマッサージをやらねば健康《けんこう》が保《たも》ち難《にく》いのである。寢《ね》る前《まへ》の齒《は》ブラシ使用《しよう》の習慣《しうかん》は、全身的《ぜんしんてき》にも非常《ひぜう》に快調《かいてう》をおよぼすものであるし口《くち》の中《なか》の抵抗力《ていこうりよく》を增《ま》す實《じつ》によい衞生法《えいせいはふ》である。

從《したが》つて、日中仕事《につちうしごと》の途中《とちう》、便所《べんじよ》へ行《い》つた時《とき》や大欠伸《おほあくび》をする時《とき》に、序《ついで》に含嗽《うがひ》だけでもちよつとする癖《くせ》をつける必要《ひつえう》がある。物《もの》を考《かんが》へ續《つゞ》けてゐて、それをちよつと止《や》めた時《とき》に齒《は》を磨《みが》くと、心理的《しんりてき》に生理的《せいりてき》に物《もの》が考《かんが》へられなくなる。

チユウインガムを嚙《か》みながら事務《じむ》をとると注意力《ちういりよく》が散漫《さんまん》になつて能率《のうりつ》が上《あが》らないが、緊張《きんてう》し過《す》ぎる時《とき》に興奮《こうふん》を和《やわ》らげるにはよいわけだ。

思想的《しそうてき》にいふと、われ〳〵は、口《くち》の中《なか》は汚《きたな》いものと定《き》め過《す》ぎてゐるようである、觀念《かんねん》が消極的《せうきよくてき》である。コドモの齒《は》、即《すなは》ち乳齒《にうし》はムシ齒《は》になるものと思《おも》つてゐる、それが免疫思想《めんえきしそう》と結《むす》びついて、子供《こども》のムシ齒《は》は將來《せうらい》ムシ齒除《はよ》けの免疫《めんえき》になると思《おも》ひたいらしい、實際《じつさい》はこの考《かんが》へは逆《ぎやく》である、乳齒《にうし》を健康《けんこう》に保《たも》ち乳齒《にうし》で良《よ》く嚙《か》んでゐてこそ、交接《かうかん》して來《く》る永久齒《えいきうし》が健全《けんぜん》に育《そだ》ち完全《かんぜん》に發生《はつせい》するのである。

子供《こども》のムシ齒《は》が痛《いた》み出《だ》すのは四五歳《さい》ごろからであるがそのムシ齒《は》の初期《しよき》は、生後《せいご》一年半《ねんはん》ごろから發生《はつせい》して四五歳《さい》ごろに増惡《ぞうあく》、惡化《あくくわ》したもので、この豫防的注意《よはうてきちうい》は、離《り》乳期《にうき》と同時《どうじ》に初《はじ》めねばならない、つまり生後《せいご》八ヶ月《げつ》ごろから乾《ほし》こんぶとか食《しよく》パンの皮《かは》とか砂糖黍《さとうきび》の莖《くき》とか丸ごとに剝《む》いたリンゴとかを玩具代《おもちやがは》りに與《あた》へ（口《くち》でいふと簡單だが相當《さうたう》な注意《ちうい》と工夫《くふう》を要《えう》する）榮養《えいよう》を兼《か》ねて齒を丈夫に清潔《せいけつ》にするのである。

齒《は》は牙《きば》にかはる文明《ぶんめい》の歩兵的武器《ほへいてきぶき》である、歩兵なくしては敵地《てきち》の占領《せんれう》が不可《ふか》であるように……。

筆者紹介

野崎氏は社會事業方面に活動してゐた方ですが最近は西宮千歳町に齒科醫を開業しながら、この方面の研究をつゞけてをられます。

生後一ヶ月の赤ちやんの育て方

醫學博士　廣島英夫

赤《あか》ちやんにはお母《かあ》さんのお乳以上《ちゝいぜう》の御馳走《ごちそう》はありません。乳不足《ちゝふそく》は赤《あか》ちやんの大《おほ》きな不幸《ふこう》です。

お乳不足《ちゝふそく》は寢不足《ねぶそく》、過勞《くわろう》、運動不足《うんどうふそく》、心配《しんはい》や悲《かな》しみのためにおこりますので赤《あか》ちやんのため心身《しんしん》の健康《けんかう》に注意《ちうい》しませう。

お乳《ちゝ》の發育《はついく》の不充分《ふじうぶん》な時《とき》には乳房《ちぶさ》を刺戟《しげき》することが大切《たいせつ》です。多少出《たせうで》がわるくとも努《つと》めて吸《す》はせて見《み》ると赤《あか》ちやんが良《よ》く吸《す》い付《つ》いて來《き》ます。

又蒸《またむ》しタオルで濕布《しつぷ》しマツサージをやります。催乳劑《さいにうざい》やホルモン劑《ざい》の内服《ないふく》もきゝめがあります。

お母《かあ》さんに脚氣《かつけ》があると赤《あか》ちやんが乳兒脚氣《にうじかつけ》になりますので、お母《かあ》さんの食物《しよくもつ》は大切《たいせつ》です。

母乳《ぼにう》は三時間《じかん》おき、一回《くわい》十分《ぶん》―二十分《ぶん》と大體定《だいたいさだ》めて與《あた》へ、泣《な》く度《たび》に與《あた》へぬ事《こと》。一日《にち》の哺乳回數《ほにうくわいすう》は七―八回《くわい》が適當《てきたう》です。授乳《じゆにう》の前後《ぜんご》には必《かなら》ず乳頭《にうとう》を二%硼酸水《ほうさんすい》か微溫湯《ぬるまゆ》で清拭《せいしき》するやうにして下《くだ》さい。

お産《さん》の後幾日《のちいくにち》かの間母乳《あひだぼにう》の出《で》の悪《わる》い時《とき》は、哺乳後湯《ほにうごゆ》ざましを與《あた》へるのもよろしい。母乳《ぼにう》が足《た》らぬと思《おも》はれる時《とき》は必《かなら》ず御來院御相談下《ごらいいんごそうだんくだ》さい。

空乳首《からちくび》は害《がい》があります故吸《ゆゑす》はせてはいけません。抱《だ》き癖《ぐせ》をつけぬやう一人《ひとり》で寢《ね》かせ、すべて今《いま》の中《うち》から良《よ》い習慣《しふくわん》をつけませう。

赤《あか》ちやんは多《おほ》く授乳時《じゆにうじ》のみ眼《め》を醒《さ》ますものですが、寢《ね》てゐる時《とき》には頭《あたま》の形《かたち》の悪《わる》くならないやうに、時々頭部《とき〴〵とうぶ》の位置《ゐち》をかへる必要《ひつえう》があります。

お湯《ゆ》には毎日入《まいにちい》れ、股《また》の間《あひだ》は特《とく》に清潔《せいけつ》にし、亞鉛華澱粉《あえんくわでんぷん》、天華粉等《てんくわふんとう》を撒布《さんぷ》し、耳《みゝ》や眼《め》には水等《みづなど》の入《はい》らぬやうにし、顏《かほ》は別《べつ》の湯《ゆ》で洗《あら》ひます。

衣類《いるい》は清潔《せいけつ》なものを用《もち》ひ、肌着《はだぎ》は「ガーゼ」又は晒木綿《さらしもめん》を使《つか》つて、決《けつ》して「フランネル」等《とう》の毛類《けるい》を用《もち》ひてはなりません。

大便《だいべん》は最初《さいしよ》四日間位《かかんぐらゐ》は胎糞《たいふん》と云《い》つて青黑《あをぐろ》いねばり氣《け》のある便《べん》が一日數回出《にちすうくわいで》ますが、其《そ》の後《ご》は次第《しだい》に黄金色《こがねいろ》に變《かは》つて行《ゆ》きますし便通《べんつう》も一日《にち》一回《くわい》―三回《くわい》あるやうになります。

生後《せいご》三四日頃《かごろ》に新生兒黄疸《しんせいじわうだん》といつて皮膚《ひふ》の黄色《きいろ》くなることが多《おほ》いのですが一―二週間《しうかん》で消《き》えるのが普通《ふつう》です。

臍帶《せいたい》は五―七日頃《にちごろ》に脱落《だつらく》するのが普通《ふつう》です。

生後《せいご》三―四日頃《かごろ》より皮膚《ひふ》が糠《ぬか》や鱗《うろこ》のやうにむけますが皮膚《ひふ》の色《いろ》に變《かは》りがなければ心配《しんはい》ありません。

體重《たいぢう》は度々《たび〳〵》測《はか》つて、赤《あか》ちやんの發育《はついく》の良不良《れうふれう》をみませう。十日《か》から三週間後迄頃《しうかんごまでごろ》に一度減《きへ》つた體重《たいぢう》も元《もと》にかへります。滿《まん》一ヶ月目《けつめ》には體重男《たいぢうをとこ》四瓩、女《をんな》三・八瓩、身長《しんてう》男《をとこ》五四・五糎《センチ》、女《をんな》五三・六糎《センチ》、胸圍男《けうゐをとこ》三五・六、女《をんな》三五・〇糎《センチ》となります。

生後二ヶ月の赤ちやんの育て方

醫學博士　廣島英夫

授乳時間《じゆにうじかん》は正確《せいかく》に守《まも》つて三時間置《じかんお》きに六回即《くわいすなは》ち午前《ごぜん》六時《じ》、九時《じ》、十二時《じ》、午後《ごご》三時《じ》、六時《じ》、九時《じ》に與《あた》へます。一回《くわい》の哺乳時間《ほにうじかん》は十五分乃至《ふんないし》二十分《ぶん》で充分《じうぶん》です。片側《かたがは》の乳房《ちぶさ》を十分吸《ぶんす》はして足《た》らぬ時《とき》は、他《た》の側《がは》の乳房《ちぶさ》を吸《す》はすやうにして下《くだ》さい。

乳《ちゝ》を飲《の》む時間《じかん》の間《あひだ》には、時々湯《とき〴〵ゆ》ざましや、番茶《はんちや》の薄《うす》いのを與《あた》へて下《くだ》さい。

夜中《やちう》の授乳《じゆにう》は成《な》る可《べ》く止《や》めるのがよろしい。でないと親《おや》も赤《あか》ちやんも充分《じうぶん》に睡《ねむ》れません。習慣《しふくわん》ですから最初《さいしよ》が大切《たいせつ》です。

月《つき》に二回《くわい》は體重《たいぢう》を測《はか》つて、その増加《ぞうか》の工合《ぐあひ》を見《み》ることが大切《たいせつ》です。毎週火曜《まいしうくわえう》、木曜《もくえう》の午後《ごご》には乳兒院《にうじいん》で健康相談《けんかうさうだん》や體重測定《たいぢうそくてい》をしてゐます故《ゆゑ》、體重《たいぢう》を測《はか》りにお出《い》で下《くだ》さい。

滿《まん》二ヶ月《けつ》で男《をとこ》五・二二瓩、女《をんな》は四・九二瓩となります。

入浴《にふよく》は毎日《まいにち》なし一日中《にちちう》で最《もつと》も暖《あたゝ》かい午前《ごぜん》十一時頃《じごろ》より午後《ごご》二時迄《じまで》の間《あひだ》がよろしい。

母親《はゝおや》の抱《だ》き寢《ね》は決《けつ》してよくありません。抱《だ》き寢《ね》の時《とき》は寢返《ねがへ》りや身體《からだ》の動《うご》きで赤《あか》ちやんの安眠《あんみん》をさまたげ、その爲《た》め夜中《やちう》の授乳回數《じゆにうくわいすう》が多《おほ》くなり、過飲《くわいん》のため消化不良《せうくわふれう》を起《おこ》したりします。又時《またとき》には乳房《ちぶさ》で赤《あか》ちやんを窒息《ちつそく》させたりして不幸《ふこう》を招《まね》くことがあります。又赤《またあか》ちやんが良《よ》く寢《ね》てゐる時《とき》はたとひ授乳《じゆにう》の時間《じかん》が來《き》てゐましても、寢《ね》かしておく方《はう》がよろしい。此《こ》の頃《ごろ》の赤《あか》ちやんの一日《にち》の睡眠時間《すいみんじかん》は二十一時間餘《じかんよ》です。

爪《つめ》を時々《とき〴〵》剪《き》つて下《くだ》さい。寢《ね》てゐる時《とき》に剪《き》ると容易《ようい》に剪《き》れます。又頭髪《またとうはつ》を剃《そ》るのは良《よ》くありません。傷《きず》を付《つ》ける恐《おそ》れがあります。毛《け》が伸《の》びれば剪《つ》んでやるとよろしい。

生後二ヶ月の人工榮養

生後《せいご》二ヶ月《げつ》の牛乳《ぎうにう》の薄《う》め方《かた》は

牛乳《ぎうにう》六五　重湯《おもゆ》六五　糖《とう》六瓦

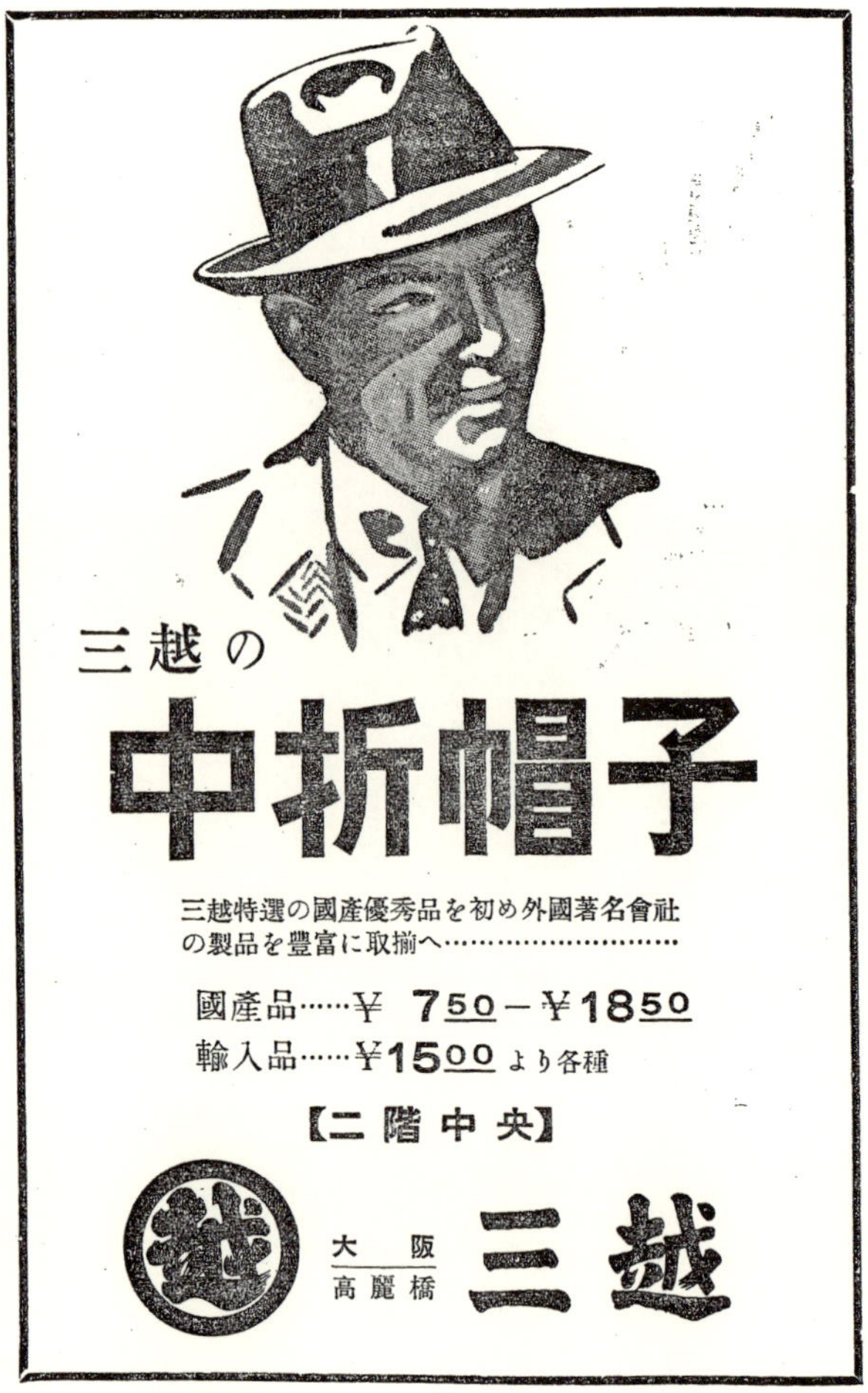
三越の
中折帽子
三越特選の國產優秀品を初め外國著名會社の製品を豐富に取揃へ……………………
國產品……¥ 750－¥1850
輸入品……¥1500より各種
【二階中央】
大阪
高麗橋
三越

を一回量《くわいれう》として四時間毎《じかんごと》に一日《にち》五回與《くわいあた》へます。重湯《おもゆ》の代《かは》りに穀粉《こくふん》（米《こめ》の粉《こ》）を用《もち》ふる時《とき》は二％の割《わり》に溶《と》かしたものを用《もち》ひます。

人工榮養《じんこうえいやう》として母乳《ぼにう》の代《かは》りに用《もち》ひてよいのは先《ま》づ牛乳《ぎうにう》です。

人工榮養《じんこうえいやう》に必要《ひつえう》な品物《しなもの》は、哺乳瓶《ほにうびん》、乳首《ちくび》、茶《ちや》サジ（又《また》は標準《へうじゆん》サジ）瓶洗《びんあら》ひブラシ、乳首《ちくび》を入《い》れて置《お》く蓋付《ふたつき》の器《うつは》鍋《なべ》、漏斗《じようご》、液量計《えきれうけい》（水《みづ》や乳《ちゝ》の分量《ぶんれう》を計《はか》る器《うつは》）、牛乳《ぎうにう》を入《い》れ置《お》く金網等《かなあみとう》です。哺乳瓶《ほにうびん》は廣口《ひろくち》で容易《ようい》に洗《あら》ふことが出來《でき》るものが宜《よろ》しい。出來《でき》れば數個《すうこ》用意《ようい》しておいて常《つね》に清潔《せいけつ》にして乾《かは》いたものを使《つか》ふやうにします。使《つか》ふ前《まへ》に急《きふ》に洗《あら》つてすぐ使《つか》ふのは黴菌《はいきん》が増《ふ》える危險《きけん》があります。

乳首《ちくび》は哺乳瓶《ほにうびん》にぢかに取付《とりつ》けるものがよろしい。長《なが》いゴム管《くわん》を使用《しよう》するものは使《つか》はぬやうにして下《くだ》さい。乳道《にうだう》の穴《あな》は二つあけねばなりませんが、餘《あま》り大《おほ》きな穴《あな》をあけぬやうにして、丁度《てうど》瓶《びん》を倒《さかしま》にして一滴《てき》づつ落《お》ちる程度《ていど》が適當《てきたう》です。以上《いぜう》の器《うつは》は皆常《みなつね》に熱湯《ねつとう》で消毒《せうどく》したものを使《つか》はねばなりません。

牛乳《ぎうにう》は配達《はいたつ》されるとすぐ冷藏庫《れいざうこ》か、冷所《れいしよ》に置《お》いて腐敗《ふはい》せぬやうにせねばなりません。

色々の手當

痂《かさ》。頭《あたま》に「かす」が溜《たま》つたなれば、「オレーブ」油《ゆ》をつけて軟《やはら》かにしてからよく洗《あら》ひ落《おと》して下《くだ》さい。無理《むり》にはがすると傷《きず》つける危險《きけん》があります。

ただれ。おむつは常《つね》に乾《かは》いてゐるやうにして、若《も》しも「ただれ」が出來《でき》た時《とき》は五〇倍《ばい》の硼酸水《ほうさんすい》で輕《かる》く拭《ふ》き、後《のち》に亞鉛華《あえんくわ》オレーブ油《ゆ》を塗《ぬ》り、其《そ》の上《うへ》を天瓜粉《てんくわふん》かシツカロール等《とう》を輕《かる》くたゝいておきます。

あせも。度々《たびたび》お湯《ゆ》で拭《ふ》いて、その後《ご》に天瓜粉《てんくわふん》かシツカロールをふつておく、もしも汗《あせ》がひどくなつた時《とき》は亞《あ》鉛華《えんくわ》オレーブ油《ゆ》を塗《ぬ》つて、その上《うへ》を天瓜粉《てんくわふん》でたゝいておけばよろしい。

赤《あか》ちやんのしやくり。赤《あか》ちやんはよくしやくりをするものですが、それを止《と》める爲《た》めに乳《ちゝ》をふくませる事《こと》は授《じゆ》乳《にう》が不規則《ふきそく》になるからよくありません。白湯《さゆ》や番茶《ばんちや》を與《あた》へて下《くだ》さい。

便秘《べんぴ》。乳《ちゝ》が足《た》らぬ爲《ため》か又《また》は病氣《びやうき》の爲《た》めに便秘《べんぴ》するのかよく診察《しんさつ》を受《う》けるのがよろしいが、そうでなく乳《ちゝ》も澤山《たくさん》あり別《べつ》に異常《ゐざう》の無《な》い時《とき》は、マルツ汁《じる》エッキスか水飴《みづあめ》を一匙程茶呑茶碗《さぢほどちやのみぢやわん》一杯《はい》に薄《うす》めて、お乳《ちゝ》の間《あひだ》に一日《にち》二回程《くわいほど》與《あた》へて下《くだ》さい。効《き》かぬ時《とき》は尚少《なほすこ》し濃《こ》いめにして與《あた》へます。

育兒欄

三ヶ月の赤ちやんの育て方

醫學博士　野須新一

生《うま》れてから恰度《てうど》三月經《つきた》つと赤《あか》ちやんの體重《たいぢう》や身長《しんてう》は表《へう》に書《か》いてある樣《やう》に男の子《をとこのこ》では體重《たいぢう》五・九七瓩《キログラム》（一・五九二貫《くわん》）身長《しんてう》六〇・三糎《センチ》、女の子《をんなのこ》では體重《たいぢう》五・六一瓩（一・四九六貫《くわん》）、身長《しんてう》五八・九糎となります。三ヶ月半《げつはん》になりますと、男《をとこ》の體重《たいぢう》は六・三一瓩（一・六八二貫《くわん》）、身長《しんてう》六一・三糎《センチ》、女の子《をんなのこ》の體重《たいぢう》は五・七五瓩（一・五三三貫《くわん》）身《しん》長《てう》は五九・五糎となるのが標準《へうじゆん》です。

		身長(cm)	體重(kg)	頭圍(cm)	胸圍(cm)
三箇月	男	六〇・三	五・九七	三九・九	四〇・一
	女	五八・九	五・六一	三八・五	三八・七
三箇月半	男	六一・二	六・三一	四〇・六	四一・二
	女	五九・五	五・七五	三九・三	三九・七

尚此《なほこ》の頃《ころ》になりますと精神《せいしん》の發育《はついく》も彌々《いよいよ》進《すゝ》み、第一《だい》今迄《いままで》ふら〱して居《ゐ》た頸《くび》もしつかり据《すわ》つて來《き》ます。物《もの》を見《み》る力《ちから》がついて、ぽつ〱父《ちゝ》や母《はゝ》の顏《かほ》を、又物《またもの》を見《み》つめるやうになります。眼《め》の球《たま》をよく動《うご》かすやうになります。そして物《もの》を摑《つか》み、又《また》把持《はぢ》しようとします。音《おと》も聽《き》く力《ちから》も出來《でき》て來《き》ます。そして音《おと》の方《はう》へ注意《ちうい》して眼《め》を向《む》けます。よく笑《わら》ふやうになり又早《またはや》い子《こ》ではよくアーとかオーとか一《ひと》つ二《ふた》つの音《おん》を發《はつ》するやうになります。滿《まん》三ヶ月《げつ》の母乳榮養兒《ぼにうえいやうじ》の一日《にち》に飲《の》む乳《ちゝ》の量《れう》は平均《へいきん》八二一瓱（約《やく》四合《がふ》五勺《しやく》）で、之丈《これだけ》を大體《だいたい》三、五時間《じかん》―四時間置《じかんお》きに、五―六回《くわい》に分《わ》け飲《の》みますから、大體《だいたい》一回《くわい》に飲《の》む母乳《ぼにう》の量《れう》は一三七瓱（七勺半《しやくはん》）―一六四瓱（九勺《しやく》）となります。人工榮養《じんこうえいやう》をする場合《ばあひ》には牛乳《ぎうにう》を使《つか》ふなれば、牛乳《ぎうにう》と重湯《おもゆ》とを等分《とうぶん》に加《くは》へて一回量《くわいれう》を大體《だいたい》一三〇瓱（七勺餘《しやくよ》）とし、之《これ》に大體《だいたい》五％の割合《わりあひ》に滋養糖《じやうとう》（六瓦茶匙《ちやさぢ》一杯半《はいはん》）を加《くは》へて三時間半置《じかんはんお》きに一日《にち》に六回與《くわいあた》へます。

便秘《べんぴ》して二日《か》も三日《か》も大便《だいべん》のない樣《やう》な場合《ばあひ》には滋養糖《じやうとう》の代《かは》りに白砂糖《しろざとう》やマルツ汁《じる》エキスを加《くは》へて與《あた》へます。尚《なほ》

牛乳《ぎうにう》で育《そだ》てる場合《ばあひ》には必《かなら》ずヴイタミンCを補《おぎな》ふことが必要《ひつえう》でお乳《ちゝ》と一所《しよ》に或《あるひ》はお乳《ちゝ》の後《あと》で果汁《くわじふ》を與《あた》へます。この頃《ころ》の果物《くだもの》としては林檎《りんご》が一番宜《ばんよ》ろしい。林檎《りんご》の皮《かは》をむき芯《しん》をとり、卸《おろ》し金《がね》で卸《おろ》したものを清潔《せいけつ》な三枚《まい》ガーゼで搾《しぼ》り濾《こ》したものを與《あた》へます。最初《さいしよ》には二倍《ばい》に薄《うす》めて、一茶《ちや》匙位《さじくらゐ》から始《はじ》めます。或《あるひ》は果汁《くわじふ》で下痢《げり》を起《おこ》す傾向《けいかう》のある乳《にう》兒《じ》にはヴイタミンCの製劑《せいざい》として發賣《はつばい》されて居《ゐ》る「ラクトビタン」やアスコル末等《まつとう》を代用《だいよう》するのが安全且便利《あんぜんかつべんり》であります。

「大小便《だいせうべん》」はなるべく室內《しつない》でおかわでさせる習慣《しふくわん》をつけて下《くだ》さい。小便《せうべん》は一日《にち》十回《くわい》から十二回《くわい》する。大抵《たいてい》乳《ちゝ》を飲《の》んで一寢入《ねいり》して眼《め》を覺《さ》ます前後《ぜんご》にするからその頃《ころ》を見《み》計《はか》らつて外《そと》の風《かぜ》にあてない樣《やう》に兩脚《れうあし》をささげてさせる。

「泣《な》く子《こ》の取扱《とりあつかひ》」お腹《なか》のすいたときには目《め》をあいて涙《なみだ》を出《だ》さずに泣《な》く。指《ゆび》を口《くち》に入《い》れると暫時《しばし》は泣《な》きやむ。この時《とき》には一時凌《じしの》ぎにお湯《ゆ》をすこし飲《の》ます。身體《からだ》のどこかに痛《いた》みがある場合《ばあひ》には兩足《れうあし》をちぢめて火《ひ》のつく樣《やう》に涙《なみだ》を出《だ》して泣《な》く。この時《とき》は衣服《いるい》を調《しら》べ、抱《だ》き直《なほ》して見《み》る、思《おも》ふ樣《やう》にならぬ時又《ときまた》おしめが濡《ぬ》れて氣持《きもち》の悪《わる》い時《とき》は頭《あたま》をふり手足《てあし》をふんばつて泣《な》く。この時《とき》はおしめをしらべ目先《めさき》をかへ、玩具《おもちや》などであやす樣《やう》にする。

これから先殊《さきこと》に暑《あつ》い季節《きせつ》になりますと、殊《こゝ》にこのおしめの交換《かうくわん》と清潔《せいけつ》とは大變《たいへん》で、弱《よわ》い赤《あか》ちやんの皮膚《ひふ》に色々《いろいろ》の糜爛《ただれ》や濕疹《しつしん》を作《つく》り、之《これ》に黴菌《はいきん》が傳染《でんせん》して膿《う》み、痒《かゆ》さや痛《いた》みの爲《た》めに赤《あか》ちやんが不機嫌《ふきげん》となり、睡眠《すいみん》を妨《さまた》げられ所謂《いはゆる》「蟲《むし》」が出《で》て癇高《かんたか》くなります。又熱《またねつ》を出《だ》し病氣《びやうき》となります。呉々《くれぐれ》もこの「おしめ」の交換《かうくわん》を怠《おこた》らぬやうにして戴《いただ》かねばなりません。「おしめ」が濡《ぬ》れたならば直《たゞ》ちに取換《とりか》へ、同時《どうじ》に少《すこ》しあつい目《め》のお湯《ゆ》を固《かた》く搾《しぼ》つてよく拭《ふ》いてやり、天瓜粉《てんくわふん》か、亞鉛華澱粉《あえんくわでんぷん》を時々撒布《ときどきさんぷ》してやるのが宜《よろ》しい。「おむつ」ですつかり兩脚《れうあし》を包《つゝ》む樣《やう》なことはなるべく止《や》めて、下肢《かし》を出《で》るやうにし、又《また》よく使《つか》はれるゴム引《び》きの「おむつ」カバーなども餘《あま》り感心《かんしん》出來《でき》ません。入浴《にふよく》は毎日《まいにち》、出來《でき》ればなるべく晝《ひる》の間《あひだ》がよろしい。入浴後《にふよくご》は天瓜粉等《てんくわふんなど》でよく身體《からだ》を乾《かは》かして靜《しづ》かに休《やす》ませます。普通入浴《ふつうにふよく》すると赤《あか》ん坊《ぼう》はぐつすりねむるものです。

「子供《こども》の抱《だ》き方《かた》」三ヶ月《げつ》ごろまでは頭部《とうぶ》がしつかりしないから前腕《ぜんわん》を枕《まくら》にするやうにして抱《だ》く。その後《ご》は眞直《まつす》ぐに抱《だ》き、時々左右《ときどきさいう》と交互《かうご》に抱《だ》いて背骨《せぼね》がまがらぬやうにする。

「子供《こども》の背負《せお》ひ方《かた》」子供《こども》を背負《せお》ふときは細《ほそ》い紐《ひも》などでつよくしめ、子供《こども》の胸部《けうぶ》を壓迫《あつぱく》せぬよう。又脚部《またきやくぶ》の運動《うんどう》が自由《じゆう》であるやうに背負《せお》ふ。

「玩具《ぐわんぐ》の擇《えら》び方《かた》」乳兒《にうじ》の玩具《ぐわんぐ》は水《みづ》につけても又拭《またぬぐ》うても色《いろ》の剝《は》げぬもので手《て》に持《も》つても餘《あま》り重《おも》くなく、手荒《てあら》く

使《つか》つてもこわれにくいものが良《よ》い。大《おほ》きさも子供《こども》の口《くち》に入《はい》らぬ位《くらゐ》のものが良《よ》い。錻力《ぶりき》、ガラス、眞鍮《しんちう》、鉛製《なまりせい》のもの、尖端《せんたん》のとがつたもの、けば〱しく彩色《しきさい》したものなどは不可《いけ》ない。

ゴム人形《にんぎやう》、木製《もくせい》のおしやぶり、ガラ〱（セルロイド製《せい》）ゴム製《せい》の動物《どうぶつ》などは用《もち》ひてよい。一般《はん》にセルロイド製《せい》の玩具《ぐわんぐ》は輕《かる》くて危險《きけん》はないが發火《はつくわ》し易《やす》いから、火《ひ》のあるそばでも遊《あそ》ばない樣氣《やうき》をつけなくてはならぬ。

「子守《こもり》」子守《こもり》は成《な》る可《べ》く雇《やと》はぬがよい、もし雇《やと》ふならば子守《こもり》も乳母《うば》と同《おな》じやうに身體《からだ》の健康《けんかう》なもので性質《せいしつ》のおとなしいものがよろしい。

「赤《あか》ちやんの外出《がいしゆつ》」乳兒《にうじ》を外《そと》へ連《つ》れて出《で》ることは、病氣《びやうき》に罹《かゝ》り易《やす》い、弱《よわ》い赤《あか》ちやんに色々《いろ〱》の發病《はつびやう》の誘因《いういん》や原因《げんいん》を作《つく》ることになりますから、出來《でき》る丈《だ》け避《さ》けねばなりません。殊《こと》に人込《ひとご》みの中《なか》、（活動寫眞《かつどうしやしん》館《くわん》やデパート）や暑《あつ》い炎天《えんてん》、殊《こと》に刺戟《しげき》の強《つよ》い眞夏《まなつ》の海岸等《かいがんとう》には連《つ》れ出《だ》さぬやうにせねばなりません。殊《こと》に少《すこ》し暑《あつ》い折《を》りは必《かなら》ず日傘《ひがさ》を忘《わす》れぬよう、輕《かる》い風通《かぜとほ》しや、水引《みづひ》きの良《よ》い帽子《ばうし》を着《き》せることも忘《わす》れてはなりません。大體《だいたい》乳兒《にうじ》の頸《くび》が完全《くわんぜん》に固定《こてい》しないで頸《くび》がぐら〱してゐる三ケ月《げつ》以前《いぜん》には外出《がいしゆつ》は避《さ》けねばなりません。普通《ふつう》の赤《あか》ちやんであれば先《ま》づ三ケ月《げつ》になれば頸《くび》が据《すわ》るものです。從《したが》つて外《がい》出《しゆつ》は先《ま》づ生《うま》れてから三ケ月以後《げついご》にするのが一番《はん》よろしいでせう。

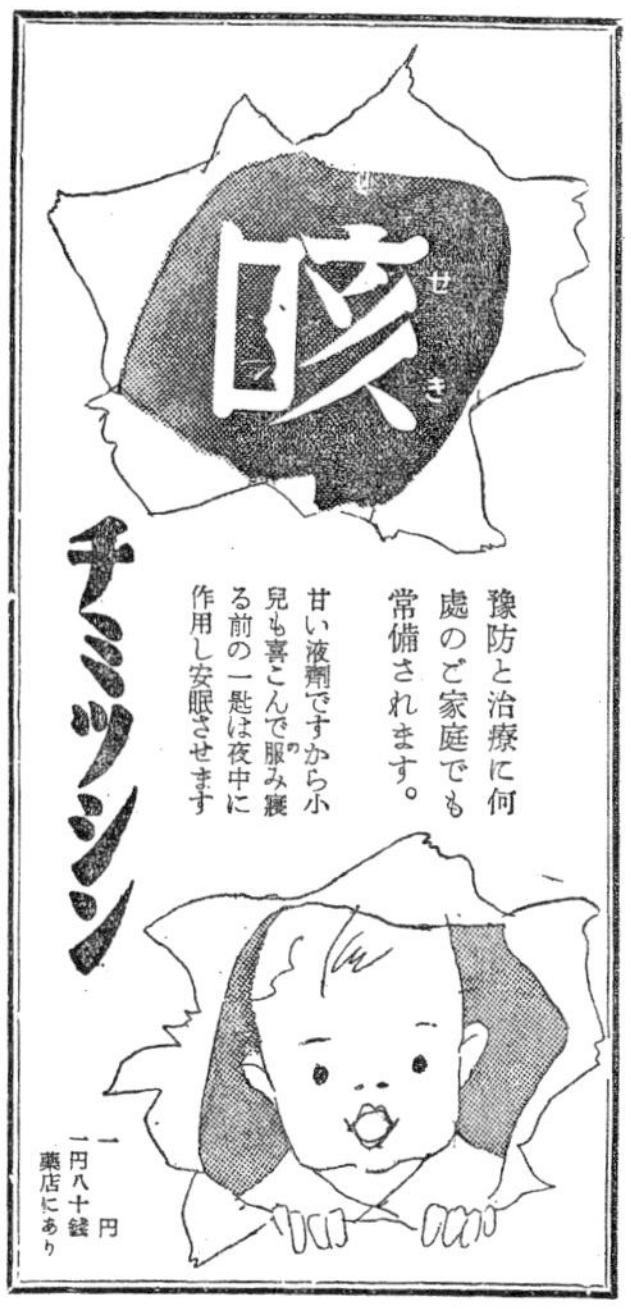

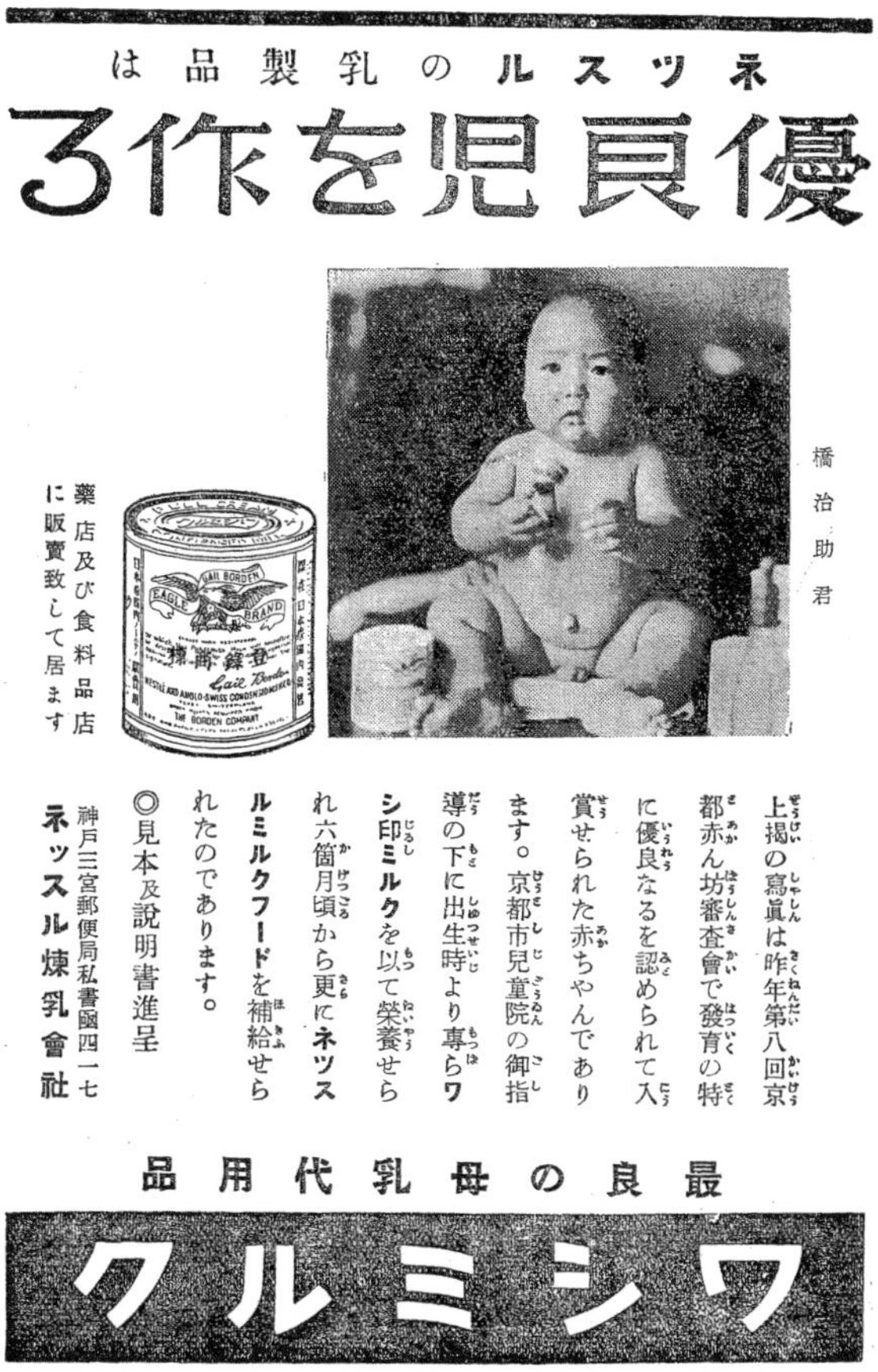

第十六回全大阪乳幼兒審査會の記

日本兒童愛護聯盟理事長　伊藤悌二

使命達成への自覺と實行

我が國に於ける乳幼兒審査會の魁であり、且つ永き傳統と權威とを誇る本聯盟主催の審査會は、意義ある超非常時下、恒久國防と國民の體力向上を目標として、木戸厚生大臣閣下を名譽總裁に、永井遞信大臣閣下を總裁に、池田大阪府知事閣下を名譽會長に推戴し、大阪府、市後援のもと、厚生省を始めとして、陸軍、海軍、內務、文部、拓務等六省の協贊を蒙り旗鼓堂々その第十六回を開催する事となつた。

今年より我等が年來主張し來れる尊き目的達成のため、組織を擴大し且つ內容の充實をはかり、從來本會を應援されて來た大阪帝大小兒科・眼科・齒科・法醫學職員諸氏、大阪市保健部醫員諸氏、大阪市聯合婦人會、大阪市產婆會、ライオン兒童齒科部、大阪市立北市民館齒科部等の外に、新に大阪府立社會衛生院、大阪高等女子醫學專門學校、大阪市社會部、公衆衛生訪問婦協會等の應援を受くる事となつた事は、本會の使命成就のため如何ばかりの力强さを感ぜしめた事であらう、それにしても本聯盟の國家に對する責任の重且つ大なるを思はしめるのである、と同時に各方面各團體に對し心からなる感謝を披瀝する者である。

十月九日の記

出征軍人の愛兒多し

我等は大和民族の血を淸め、この血を持續せしめなければならぬ、そして輝く祖國日本を護るのみならず、東洋をして東洋のものたらしめ、我が國は永久に正義人道のために立つものである事を、世界人に知らしむる天職使命を忘れてはならぬ、我等は本事業創始の當初より、如上の目的を痛感して奮闘して來た事を誇りとしたい。

本會が我が國に於ける乳幼兒保護事業の最高の人氣を獲得してる所以も亦こゝにあるので、如何なる團體の追

隨模倣を赦さぬ所以も專らうなづけるであらう。

今日は開會以前より大阪市社會部母子寮に住まはれて居る出征軍人の、然も名譽ある戰死をとげた遺家族の中の三人の愛兒が、寮の袖山女史に伴なはれ審査をうけられた事は、係員一同の涙をそゝり、會場自ら嚴肅なる氣分に滿たされたのであつた。尚、軍人遺家族援護組合の證明書を手にして來る人々多く、五日間を通じての調査によれば出征軍人遺家族の愛兒等は二百四名であつて、名譽の戰死をされし父御は實に六名であつた。

記者團の方々の來訪をうけたが、『大阪朝日』の松田氏、『大阪毎日』の岸本、馬路二氏、『大阪時事』の深海、川戸、岩津三氏、『大正日日』の森本氏等は最も熱心に會況を視察され、各般の質問を發せられ、場内を撮影して歸られた。

社會衞生院諸孃の奮鬪

今日は開會劈頭に當つて、來會の母親達一同に挨拶を兼ねて諸般の注意をした、訪問婦協會の保良女史は社會衞生院の學生二十五名と協會員五名とを引率されて來て、場内に於ける各部係の割り當てをされ、自ら陣頭に立つて奮鬪されたので秩序整然と總てが進行したのは嬉しい事であつた。昨年度迄は體重、身長、胸圍、頭圍等の測定は帝大學生諸君が擔當されたが、今年よりは衞生院の學生諸孃は如上の測定の外、出産前後の調査、指紋の手傳等に當つたので萬事なごやかに順調にはかどつた。

それから脫衣所、着衣所の萬端の世話は例年のやうに市聯合婦人會、市産婆會の會員合計三十名の方々がなされ、場内の榮養、總評、齒科、能力、色調等の審査には市保健部、市社會部、女子醫專關係の看護婦諸姉が附添つて奮鬪されたから、實に水も漏らさぬ用意周到な陣容と云つてよからう。

十六年もの歷史を有するやうになれば、自ら各方面の關係が家族的に發達して行くから、總て圓滿にはかどるのであるが、所謂よき意味の大姑小姑が多くなつて主催者にとつては有難迷惑を感ぜしむる事がないでもない、斯うした人々は大方は老女等であるが、世話の燒き過ぎも亦考へものであらう。

審査參加者の中には故飯島貫一博士の令孫や、記者の中學時代の恩師津田克太郎先生の令孫等のお顏も見え、奉仕者の中には三宅コタミ女史、市教育部の田所女史等が人目を惹いた。殺到する幾百の母子達を見て參觀者の中には「此の大勢の人々を夕方迄に審査しきれますか」、などゝ心配する者があるが、どんなに泣き叫ぶ赤ちやんが大勢あつても、一點の過失なく時が來れば無事結了するのは古き經驗の賜物でなくて何であらう。

敵前上陸の勇士も審査員

今日の總評は原田龍夫、一色征、高階經世、林隆昌、奧野善一の諸博士であつたが、高階博士は「家族とのハイキングを犧牲にして來た」、との事で實にお氣の毒であつた、亦林博士は上海に於ける戰に際し敵前上陸をされて名譽の負傷をされた勇士である。尚、高階、奧野二博士は本會の第一回が去る大正十一年、北市民館で開催の砌にも審査に奉仕された功勞者であつて、今回新しく當時の寫眞を發見して種々追憶談をした、二博士は大毎主催の會と本會とを比較されて、本會へは質に於て優秀な赤ちやんが多く來てると絕讃されてゐた。指紋の部には松倉博士、色調の部には態々東京から來阪された金子博士、能力の部には奈良女高師の桑野先生が揃はれ、榮養の部には今日は谷口、今泉二博士が學會に出席のため御姿が見えぬが、それでも永山學士、倉橋、布施二女醫の方々によつて圓滑に進行した。それから第二部の主査には余田、吉岡、山本の三博士があたられ、齒科の方は最後の日迄帝大齒科部の石野學士、ライオン兒童齒科部の高安、久保田二學士、北市民館齒科部の伊藤學士が奮鬪される事となつた。

參觀者の中には筒井實磨、伊藤千太郎、冨田侃一等の諸氏があつた。

十月十日の記

木戶、永井二閣下の御書翰

偶然とは云へ、然も審査會の最中の早朝に於て我等の木戶侯爵閣下と永井遞信大臣閣下から、御懇ろなる御書翰を頂戴して涙ぐまざるを得なかつた。

今朝の『大阪朝日』、『大阪毎日』、『大阪時事』、『關西日報』等に、本會の記事が寫眞諸共麗々しく掲載されて居るのを見た、會場の事務所へは早くから『大阪時事』の深海氏が來訪されて、「母親のメンタルテスト」に就き長時間に涉る質問をうけた。

今日も約九百名の赤ちやんを審査しなければならない、榮養の部は谷口、今泉二博士の御奮鬪により前日の如き雜沓を見ずに濟んだ。

總評は廣島、原田(龍)、肥爪、横田の四博士によつてなされたが、開會當時の手の揃はぬ時は谷口博士が進んで當られた。田所、保良二女史の奮鬪は前日の通りであつて、女子醫專と市社會部からの三人の女醫さんも常ならぬ混雜の中に、汗だくにて眼科及び能力檢査に奉仕された。桑野先生は今年は子供の發育狀態等を寫眞に殘さるるために度々撮影をされてゐた。眼科、齒科の諸先生

に熱心そのものであつた。

今日の參觀者の中には大毎社會事業團の西尾氏、乾卯の阿部部長、『百貨店週報』の上田社長、能勢電軌の江本專務、ライオン齒磨本舖の吉田大阪支店長、日本徵兵の筒井支部長等があつた。一時間に約三百名——三時間に約九百名の赤ちやんを審査するには永年に涉る經驗ではあるが、會場が廣過ぎても能率があがるものではない、寧ろ狹い位はよいのである。兎に角無事に結了したのは午後四時であつて、昨日よりも一時間早く閉會する事が出來た。

今樣金太郎君來る

今日は双生兒も見えたが、西成區東四條の藏谷國次郎氏の愛兒で、賀美雄と云ふ今年の正月生れの魁童のあつたのは、係員は云ふも更なり來會者をして驚嘆せしめた。身長七八・〇、體重一六・三〇〇、胸圍五九・〇、頭圍四七・〇……と云ふから素晴らしいものだ、坐つた儘大勢の審査員を前にしてニタ〳〵笑つてる有樣は足柄山の金太郎を彷彿たらしめた、お父さんの職業は鯨商で、お母さんは長身であるが肥大と云ふ程ではなかつた、時々赤ちやんの双葉山が現はれて來會者を喜ばしてゐる。

社會衞生院の二十五名の學生諸姉に『子供の世紀』を贈呈したら、「誠に有益な御本を頂戴して」、と云つて喜んで居つた、閉會後食堂で保良女史と堀川乳兒院の中馬女史と本會の既往を追懷して感慨無量であつた、それから金子博士を三越支店長瀨長氏、支店次長加藤氏に御紹介して專門のお話しを共に竊ふ事が出來た。

十月十一日の記

喜ばしい親族會議

早朝、保健部の中田庶務課長からの電話があつて、「これから、坂間市長には御參觀になられる」、との事であつた、今日も早刻から社會衞生院の諸孃、市産婆會の平野先生、社會部の布施先生、保良女史等が見え、早く食事を濟ませ、待機の姿であるのも實に勇ましく戰時氣分が橫溢してる。生憎の雨ではあるが初夏のやうに暖かく肌に汗がにじみ出るを覺ゆる、昨日も今日も三越の小野氏は開會の挨拶をされた、産院の植野博士は「毎年一日は雨が降りますが、これは惠みの雨です」、と云はれる。相變らず金子博士ががん張られる、最後の總評は伊藤謙吉、林、落合、大野、原田(達)の諸博士と山田學士であつた、落合博士は連日女子醫專の講義と病院の廻診を終つてから遠路驅けつけて下さるので恐縮の外はないのである。

今日の參觀者は阪南新聞社長、ネツスル會社の岡崎氏、

産育新聞社の藤原氏、北市民館の鵜飼主事等であつて、皆「御盛大で御芽出度う」、と云はれる、「斯うして年に一度十年二十年の知己に遭はれるので、喜ばしい親族會議に列席する心地がする」、と述懷した方があつた。

坂間大阪市長の御來場

暖かい秋雨を冒して、坂間市長が西尾秘書を帶同され正一時と云ふに御來場になつた、記者は坂間市長の御熱誠な御姿に接する度に、故關市長の御面影を追想禁ずる事が出來ぬ、坂間市長は今日も青バス買收に關して市會の委員會があるのであるが、それでも御多忙な時間を繰合はされ、御休憩の暇もなく直ちに審査會場に趣かれると云ふ程な御熱心振りである。

そして記者をかへりみられて、「昨年よりも混雜の度合が緩和され、大層よく整理されて來ました、帝大の學生諸君よりも社會衞生院の諸孃の方がやはらか味もあり、來會者に好感を與へるではありませんか、そしてなか〳〵能率もあがるやうだね！」、と話され乍ら體重計の附近にて新聞社寫眞班のレンズにはいられた。

記者は出征軍人遺家族の統計につき御報告すれば、「あゝそんなにあるとは驚いたね、然し皆熱心で何よりです」、と瞳をうるませられた、そして尙御歸りがけの足をとゞめられて、「子供が生れて頭の先きから、足の先き迄、徵兵檢査のやうに審査される事は、さう一生涯に何回もあるものではない、然し非常時下實に市民が體力向上に眼醒めた事は喜ばしい事です」、と云はれ、お茶をあがるお暇もなく會場を立ち去られたのであつた。

十月十二日の記

病院の如き完全なる設備

『大阪時事』その他の紙上に審査會の記事を見た、早朝市の社會部、保健部、秘書課等を訪問した、遞信局に本誌の發行所を日本兒童愛護聯盟と名稱の變更屆を出した、それから各方面に事務上の電話をなす。

今日は田坂市社會部長、中馬庶務係長、齋藤北市民館長、利齊保健部醫務課長、廣島同係長、名古屋新聞社の吉村、宇治の二氏、東京のライオン口腔衞生部長向井氏、ネツスル會社の河野氏、三越の販賣部長等の參觀があつた、河野氏は「設備の完全な事は病院も及ばない」、と云はれ、酒井老博士に遭はれて、聯盟の十七年前の昔を共に追懷されるのであつた。向井氏は「九州の旅行先きからの歸りがけだが、敬意を表するために下車して來ました」、と云はれる、いづれも本會のよき援助者なのである。

今日の總評は酒井、松尾、西川、林、前田、原田(龍)の六博士の外に、西中島健康相談所の荒木秀雄學士等によつてなされた、桑野先生は盛んに學術上の寫眞をとられた、榮養は相變らず谷口、今泉二博士である。會場が混雜して脱衣所の邊にお母さん方がうろ〳〵してると、衛生院の學生さんが聲高らかに「早く來て下さい」、と叫ぶので場内の整理が出來るのである。本會に於て三人の愛兒が表彰され、今日連れて來たのは四人目だと云ふ信濃橋邊の一母性があつた、今日は乾の若奥樣も二番目のお子さんと共に來場參加された。黄昏、弓倉教授より電話があつた。

十月十三日の記

聯合婦人會總動員

大阪市聯合婦人會の九日の應援は鴨浜、下福島、堀江、御津婦人會、十日は九條、泉尾、初花、天王寺婦人會、十一日は石田、西中島婦人會、十二日は信愛、女子體育、津守婦人會、十三日は花の井、大和田、玉造婦人會等で連日市產婆會と協力されて脱衣所と着衣所にて一般來會の母性達に叮嚀懇切なる御世話をされた。記者は久々にて河井本會副會長、產婆會の佐伯會長、三宅理事等に御目にかゝる事が出來た。

今日の總評は大野、生地、淺田、落合の四博士にて、大野令夫人も會を案じて來會された、最後の日のためでもあるまいが、午後から晴れ上つた好天氣の事なれば、前々日に來會せぬ者まで參加する有樣で場内が殺到したから、例によつて待合所にて記者は開會に先だつて挨拶を兼ねた注意をした、場内に市社會部の增田福利係長夫人と御愛兒の姿も見うけた。

去る五日間に約四千五百人の審査を、連日に涉り百五十名の係員諸氏によつて敢行された事は、如何なる團體も眞似る事の出來ぬ大事業であつて、寧ろ人業とは思はれぬ痛快事である、本會はいさゝか其の勞をねぎらふため午後四時半より七階食堂に於て感謝の小集會を催し、理事長と加藤三越支店次長の挨拶にて會を閉ぢた。

それから黄昏時屋上にて社會衛生院の諸孃の記念撮影があつた、本會は例年天候と諸團體の應援、各新聞社の後援、諸官省の協贊等に惠まれて成功裡に無事結了の出來る事を心から感謝しなければならぬ。

要救護家庭の日常生活と其の衛生狀態

慶應義塾大學醫學部病院
醫學博士(小兒科) 小川三郎
醫學士(產婦人科) 門口義六

第一章 緒言

非衛生地區の住人の罹患率、死亡率、出生率、榮養狀態、健康狀態如何といふ問題は、獨り豫防醫學的見地のみならず、臨牀上からも興味ある問題であるが惜むらくは、今日までのところ、斯樣な問題に就ては個々斷片的條項の調査のみであつて、全體的、醫學的、組織的、調査を缺いて居たやうに思はれる。

從來斯樣な問題の調査では、兎角原因的關係のありさうな一―二の要素を捉へて直ちに其の現象の原因であると獨斷する傾向が多かつた、例へば貧困者階級の小兒の榮養不良は、食品の榮養素や食量の問題に歸せられ、子供が多數であると云へば『此の階級の人々は娯樂が無いから、結局多くの子供を作るやうになるのである』と、簡單に斷定する傾向があつたやうに思はれる。

乍併、人間といふ有機的生物體群の上に起る種々なる現象は特異現象として表面に發現する前、既に幾多の潛在的要因が相互に干涉し、重複し合つて後表現するのが普通であるから、一―二の原因を以つて直ちに、其の結果を云々することは誤謬を招くものである。どうしても或る現象を說明するためには先づ現象の要素的因子を深く分析し、後之を綜合的に考察して見ることが必要である。

余等が貧困階級の家庭を研究する動機は斯樣な點から出發して居り、先づ其生活の實相を深く、廣く且正確に究め、次いで之の調査に立脚して之の階級に特異の諸現象を綜合的に考察しやうと志したからである。從つて本調査では生活上の諸條項を可及的多數に涉つて調査し、

一見無關係と思はれる事すら精査して其の實相を捉へることを念願とした。乍併斯樣な調査で苦心する點は對照が多數の人間を含む家族によつて構成される色々な世帶であるため、種々な困難に遭遇し、兎角實相に觸れ難いのを普通とするのであるが、我々の調査報告は數年間余(小川)が經營する『醫療教育部』及び上智大學「セトルメント」の「セトルメント」事業を通じて常に連絡ある家庭群のみを系統的に調査したものであるから、通り一編の義務的な調査と異つて、深く家庭生活の實相に觸れ人情の機微にまでも觸れ得たものとして貴重な生活報告であると信ずる。

第二章 調査の形式

一、組織

小兒科醫一名、婦人科醫一名、眼科醫一名及び醫科學生五名を含む八名の一團を以つて組織される。

二、調査の對照

荒川區、町屋二丁目、上智大學「セトルメント」を中心とする要救護世帶一〇一戶及び之に屬する二〇二名の父母と五一三名の小兒で合計七一五名の人員である。

此の中父で一二名、母で一名、小兒で一〇四名が死亡して居るから現在調査の對照となるものは父八八名、母一〇〇名、小兒四〇九名となる、然るに之の人員の中、實際に余等が診察したものは一〇〇名の母と三一九名の小兒であるが、母にあつては特に異狀の訴へある者のみを檢診した。

今小兒四〇九名を年齡に依つて分類すると、第一表の通りである。

第一表　小兒の年齡及び性別

年齡	男	女	計
二歳以下	二二	一四	六
三―七	七一	七三	一四四
八―一六	一〇五	九三	一九八
一七歳以上	一五	一六	三一
計	二一三	一九五	四〇九

之等小兒の屬する家庭は、卽ち當今社會事業方面でいふ所謂「カード」階級で社會的救護を必要とする世帶である。左に參考のため東京市の「カード」階級の標準を示すと、世帶人員と生活に必要な收入金額の關係は次の如くである。

世帶人員	一	二	三	四	五	六	七	八
所要額(圓)	二五	三五	四五	五五	六〇	六五	七〇	七五

となつて居るが、余等の調査材料である一〇一世帶は右の割合より遙かに低く、東京市内に於ける最も强度な經濟的貧困階級であると云へる。

三、方法

本調査のために特別の「カード」を作り、各家庭の主婦に一定時日に、出來るだけ多くの小兒を率いて來診させ、各調査項目について、出來るだけ詳細に問診、測定、診察を行つたのであるが、家庭構成の關係上、家族全部に涉つて行ふことは不可能である。

といふのは、此等の家庭は多く主人が外出して勞働に從事し、主婦は家庭にあつて副職業を營む傍、子供を養育して居り、又その子供も小學校卒業と同時に、工場又は商店に勤務、女中奉公のため家庭を後にするのが例である。從つて勢ひ之等の稍々成長した子供及び主人については問診以上に出られぬ場合が多いからである。

從つて又茲に問診による誤差の有無が本調査に取つて重要な問題となるのであるが、余等は問診に際しては必ず母親の返答の醫學的批判と反問を行つて可及的に誤謬を避けた。例へば乳兒が消化不良症で死亡したと云へば其の當時の症狀を述べさせ、疑問と思はれるものは之を除外した。特に腦膜炎、消化不良症肺炎等は小兒の生命を奪ふ最も重大な小兒病であり乍ら、醫師の診斷の不確實さと、母親の疾病に對する無智識とから常に誇張せられたり、誤診せられたりして居ることから余等は特に之の點に注意を用ひた。

四、調査の時期

昭和十二年八月二十二日から同九月五日に至る間で大體夏季である。

第三章 家庭の構成

一、住居

荒川區町屋、尾久町を含む一帶の地で、北東は荒川放水路によつて千住と境し、西南遙かに田端の高臺を望む低地で、不完全な開放性の下水や、林立した煙突の媒煙の中に櫛比した細小家屋であるから通風、採光などの衛生上の要件は凡そ顧慮されぬ地區といふても過言でない。今家族が據つて生活する家屋の狀態(家屋の構造、間數、廣さ、備品等)を述べると、第二表の如くで、大多數は長屋であり、方向は北又は東に面するものが多く間數は二間を以つて普通とし、全體の廣さも八疊に滿たぬのが多いのみならず、僅か乍らの生活必需品の家具を其の中に收めて、殘りの狹小な家屋内に數人の家族が老幼病弱混然として休息して居るのであるから、保健上甚だ寒心すべき狀態であることは云ふまでもないが詳細の點は以下の叙述に依つて推測することが容易である。

二、家族人員數

第三表に依ると、小兒を五―六人出產した家庭が一番多いが、其の中種々な原因によつて死亡し去つた者を除いて現存する小兒數に就いて見ると二―五人の小兒を持

つ家庭が普通である。從つて此の二つの事から子供は生れても死亡するものが少くないことが想像される。

第二表　家屋

種類		世帯數
家屋の構造	長屋	五四
	獨立家屋	五
	長屋二階	二
	アパート	一
	間借	三
方向	北面	一七
	東面	一二
	南面	一二
	西面	一〇
	西南面	一
間數	二	六九
	一	一三
	三	八
疊數	八	四三
	六—六・五	二二
	七—七・五	一四
	四・五	七
	九—九・五	六
	一二—一九	四
	一〇—一〇・五	二
	一一	二
ガス	無	九八
	有	三
水道	共同	九七
	自家	四
電燈數	○	一
	三	二
	二	九
	一	八九

第三表　各世帯に於ける小兒數

小兒數	○	一	二	三	四	五	六	七	八	九	一〇	一一	一二	一三
世帯數（出産數による）	一	一	九	一五	一三	二一	一八	九	八	一	三	○	一	一
世帯數（現在の人員數による）	一	三	一七	一九	二〇	二一	一三	四	三	○	○	○	○	○

三、職業

一家が據つて生活する職業は實に多彩であるが表にまとめて見ると、職工、人夫等の肉體勞働が主であるが、一方玩具工、ブリキ職、鍛冶屋、指物作り、飾職等の家庭內の職業を營む者も少くない。且何れも副業によつて生活を補足して居る。

此の副業は多く母親又は女兒によつて家庭で行はれ、簡單な特殊技能を必要としない手工業であつて、大抵は一日千個から數千個を處理して僅かに三〇錢前後の收入

を得るのが精々である。其の種類も雜多であるが「セルロイド」製品を扱ふものが一番目立つ、中には「ボタンカケ」「里子扱ひ」（里子を周旋するのを業とする）等の奇異なものもある。

第四表　六三世帯職業別表

主職業	人員	副職業	世帯數
職工	一〇	造花、紙の選分け、鼻緒作り、足袋作り、倭ホゴシ、女工、女中、セルロイド工（二名）	八
人夫	一〇	女中、ズボン吊り作り、女工、人形作り、玩具作り、セルロイド工（四名）	八
登錄清掃人夫	八	里子扱ひ、玩具作り、工場勤務、セルロイド工（二名）、襤褸扱ひ、ボタン付け	六
行商	四	裁縫、屑紙屋、セルロイド工、カモジほごし	三
玩具工	三	玩具作り、ミシン、象牙	二
ブリキ職	三	セルロイド工、洋服仕上	二
鍛治屋	三	セルロイド工、鼻緒作り、ボタン付け、工場勤務	三
勤務	三	給仕、セルロイド工	二
指物作り	三	職工、セルロイド工（二名）	三
飾職	二	玩具作り	一
失業	二	かもじホグシ、玩具作り、職工	二
鍍作り	二	造花、セルロイド工	二
露店商	二		
スリッパ型作り	一	木細工	一
鑄物	一	鼻緒作り	一
印刷工	一	裁縫	一
運送業	一	セルロイド種類分け	一
魚屋	一	セルロイド工	一
疊職	一	職工	一
目立業	一	セルロイド工	一
ミシン	一	セルロイド工、職工	一

四、收入

收入は支出（家賃、家族數、生活費）と對比して本調査では大切な要項である。

今此の貧困な家庭を具體的に知るために收入の表（第五表）を示すことにする。

之は一〇一世帯の中、八五世帯の調査表で、主收入といふのは一家を代表する父親による收入を普通とし、父が無いもの又は病弱のため勞働不能の場合は、其の人に

代つて家庭の生活費を捻出する母、又は子供による收入額で、月收一一圓から五〇圓までが一番多い。

副收入は前にも述べた通り、母親又は子供によるものが殆んど總てゞあり、一ケ月働いて一〇圓以下と見て良いが、其れ以上の收入ある家族は二—三人の子供が働いて得た金額が合して一一圓から二〇圓といふ額に達して居るものである。

第五表　收入

(一)

	月收金額	世帶數
主收入	〇—一〇	八
	一一—二〇	一五
	二一—三〇	一六
	三一—四〇	二一
	四一—五〇	一七
	五一—六〇	六
	六一—七〇	〇
副收入	〇—一〇	四一
	一一—二〇	一六
	二一—三〇	六
	三一—四〇	四
	四一—五〇	二

(二)

	月收金額	世帶數
	五一—六〇	一
全收入	〇—一〇	二
	一一—二〇	五
	二一—三〇	一一
	三一—四〇	一八
	四一—五〇	二〇
	五一—六〇	一五
	六一—七〇	七
	七一—八〇	一
	八一—九〇	一
	九一—一〇〇	〇
	一〇一—一一〇	一

今斯様な收入の範圍で生活する家庭の生活内容に立入つて考へると、收入が少くても家族が少數であれば生活は比較的餘裕があるが、反之、家族が多くて月收五〇圓程度では實に生活は困難であると云はざるを得ない、從つて一ケ月の全收入三〇圓といふても一家が二人だけの生活の時は苦しくない。東京市社會事業關係の要救護家族の標準は前掲の如くであるが、今吾々の材料でより判り易くするため平均値によつて計算して見ると、八五世帶の月總收入は四五二九圓五〇錢で、一世帶收入平均月五三圓二八錢である。然るに八五家族の總人口は五〇九人であるから、一人平均月八圓九〇錢であり、一家族一日平均生活費は一圓七八錢で、一人當り一日平均生活費は二九錢七厘となる。

五、家　賃

支出の主なものは家賃と食費である。

其の中、家賃は一ケ月平均七圓四二錢となつて居り、八三世帶中、四三世帶は滯納して居り、此の平均十ケ月に相當する。

第六表　家　賃

金額	世帶數	金額	世帶數	金額	世帶數
〇・	一	六・〇〇	七	九・五〇	一
三・〇〇	三	六・五〇	一	一〇・〇〇	六
三・五〇	二	七・〇〇	一五	一三・〇〇	一
四・〇〇	二	七・五〇	一三	一五・〇〇	一
四・五〇	一	八・〇〇	五	一七・〇〇	一
五・〇〇	六	八・五〇	一		
五・五〇	三	九・〇〇	三		

六、食　事

人間生活に重要な三大要素である衣、食、住の中食事に就いて述べる前に、衣服の點に言及すると、當『セトルメント』關係の要救護世帶は時々『セトルメント』に於て催される『古着バザー』を利用して相當良質高價の衣類を至極廉價で入手して着用して居る。且衣類は體裁・色調、品質、流行、清潔性等を考慮しない時は左程消耗性のものでないため、比較的長期に利用し得る、反之、食品に至つては時々刻々消耗せられ、肉體の健康性と緊密の關係を持つ必需品であるから、本調査に於ても亦大切な部分である。

此の食事に就ては、食品の『カロリー』、食品の種類、食量、新舊、調理法、食事の様式、食品の價額等の種々な條件によつて、同一人に於ても消化、利用される程度は全く異るもので『食』の問題は『衣、住』を遙かに凌ぐ重大問題で、本調査の對照とする要救護階級にあつては、漸く生命の保全といふ本能の最小限度の要求が満たされて居るか、否かに懸る程度である。

遺憾乍ら、斯程大切な食事であり乍ら、其の實際の調査に當つては甚だ複雜であつて簡明な表現法に苦しむ。

先づ食事の時刻に就ては朝食六時、晝食正午、夕食五—六時が普通で比較的規則正しい。

次に食品として如何なるものを、どの程度に採るかに就ては第七表に依つて概略を知ることが出來る。之(第七表)は八一世帶の主婦に質問して得た統計であるが、主婦の頭腦の程度を考慮して餘り詳細な點は避け、比較的高價な食品である肉類、次いで魚類及び野菜類の三者に大別して其の一ケ月間に於ける使用回數を數へた。

即ち朝食は何處の家庭でも大體一定して居り、味噌汁と『香のもの』がつきものであるが、中には味噌汁と米飯で濟ますものが一五世帶もある。

晝食は皆異口同音に朝食の殘りであるといふが、恐らくは朝食と大同小異と見て差支へあるまい。

夕食は一番御馳走を並べる食事であるが、表に依ると野菜料理が其の主位を占め、之以外は肉類又は魚類を月一—三回だけ用ひるのみであるから、先づ菜食といふべきである。

最も極端な四—五世帶は副食物を口にすることすら稀であるが、多くは蔬菜類を醤油、味噌等で煮付けたり、時には脂肪で處理して『精進あげ』の形で購求する。勿論肉類といふても良質のものではなく『コロッケ』の如くに挽肉として使用したものを指すらしい。

多くの家庭では魚類の使用を避ける傾向にあるが之は余等の推測によれば、安價な魚類を購求する關係上勢ひ

第七表　食品(副食物)の概略的分類(八一世帶)

食事	食品と其の組合せ	世帶數
朝食	味噌汁　香の物	五八
	味噌汁	一五
	味噌汁　香の物　其他	八
夕食	野菜煮付　魚又は肉類は月一—二回	二六
	野菜煮付　魚は月四—五回、肉は月一回	一一
	野菜煮付　肉は月二—三回	一〇
	野菜煮付　味噌汁	七
	野菜煮付　魚は隔日、肉は月一回	五
	野菜煮付　魚隔日、肉は月五—六回	五
	野菜煮付　魚は月三—四回、肉は月三—四回	四
	野菜煮付　魚肉各相當量	三
	野菜煮付　魚は月四—五回	二
	味噌汁　香の物、肉は月一回	二
	野菜類のみ	二
	野菜類を稀に用ふ	二
	味噌汁のみ、魚、肉は稀に用ふ	一
	澤庵　梅干(魚、肉は數年用ひず)	一

魚の新鮮でないものを用ひるため、不味であることが原因の一つであらうと思はれる。事實夏は魚が腐敗して居て危險であるといふ様なことを公言する母親もあつた、子供は食味に對して割合に敏感なもので、且其の感情をありのまゝに表現して嫌好を付ける。此の魚類を用ひない理由の一つに子供が魚類を好まぬからといふ事を云ふて居る世帶もあつた、動物性食品として魚類が安價で、料理も便利であることを知り乍ら割合に利用率が少いのは、此の地帶に野菜店の多いのに反して、魚商の少いのでも判る。

斯様な事情と撰擇から出發して、實際に夕食の副食物のために費す金額を十一世帶について調査した處のものは第八表の通りで、夕食の副食物を購ふに一世帶十錢乃至二五錢を支拂ふて居り、一食一人平均三錢で以つて副食物を購ふことになる。

第八表　副食物(夕食)のため支出する金額

夕食用副食物を購ふ金額	家族人員數	一人宛金額(錢單位)
二〇	四	五・
二〇	四	五・
二〇	五	四・
二〇	五	四・
二〇	六	三・三
一〇	三	三・三
一〇	三	三・三
一〇	五	二・〇
一〇	六	一・六
一〇	七	一・四
一〇	八	一・二
一人平均		三・〇

秋は離乳の好季節

醫學博士　野　須　新　一

皆《みな》さん離《り》乳《にう》の季《き》節《せつ》が參《まゐ》りました。三伏《ぷく》の眞夏《まなつ》も過《す》ぎ朝《あさ》な夕《ゆう》なに涼《すゞ》しさの愈々《いよいよ》増《ま》す秋冷《しうれい》の候《こう》も近《ちか》づいて參《まゐ》りました。可愛《かあい》い赤《あか》ちやん達《たち》の食慾《しよくよく》も一層旺盛《そうわうせい》となり、丸々《まるまる》と太《ふと》つてくるのも之《これ》からです。今迄《いままで》お母《かあ》さんのお乳《ちゝ》や牛乳《ぎうにう》で育《そだ》てゝ來《こ》られた赤《あか》ちやん達《たち》も、七、八ケ月《げつ》になると歯《は》が生《は》え、涎《えだれ》が増《ふ》えて、自然《しぜん》にお乳《ちゝ》以外《いぐわい》の食物《しよくもつ》を欲《ほ》しがる様《やう》になつて來《き》ます。そして家族《かぞく》揃《そろ》つてお食事《しよくじ》をなさる時《とき》等《なぎ》にはお膳《ぜん》の上《うへ》の色々《いろいろ》な食《た》べ物《もの》を欲《ほ》しがるのを御覧《ごらん》になるでせう。この事《こと》は赤《あか》ちやんの發育《はついく》にとつて大變《たいへん》に大切《たいせつ》な意味《いみ》が含《ふく》まれてゐるのです。つまり斯《か》う云《い》ふ時期《じき》に入《い》つた赤《あか》ちやんにはお乳《ちゝ》の外《ほか》にぽつ〱色々《いろいろ》の食物《しよくもつ》を與《あた》へお乳《ちゝ》を減《へ》らしてだん〱他《ほか》の食物《しよくもつ》に變《か》へて行《ゆ》かねばなりません。つまり離《り》乳《にう》をせねばならぬと云《い》ふ事《こと》を意味《いみ》するのであります。そしてこの離《り》乳《にう》を始《はじ》めるのに一番《ばん》良《よ》いのが之《これ》からの秋口《あきぐち》であります。

ですから生《うま》れて七ケ月《げつ》經《た》つた赤《あか》ちやんであれば離《り》乳《にう》に取《と》りかゝつて戴《いたゞ》かねばなりません。

その離《り》乳《にう》の仕方《しかた》に就《つ》いては以下《いか》順《じゆん》を追《お》ふて述《の》べてあります。何故《なぜ》離《り》乳《にう》をせねばならぬか?又《また》どんな注意《ちうい》が必要《ひつえう》か?と言《い》ふことを一言申《げんまを》して置《お》きませう。生《うま》れて一年以《ねんい》上《ぢやう》も母親《はゝおや》のお乳丈《ちゝだけ》で育《そだ》てゝゐますと赤《あか》ちやんは顔色《かほいろ》が蒼《あを》白《じろ》くなつて來《き》ます。そして大變《たいへん》に氣嫌《きけん》が變《かは》り易《やす》く、怒《おこ》り

つぽくなります。よく云《い》ふ癇高《かんだか》くなつて參《まゐ》ります。尚骨《なほほね》や筋肉《きんにく》の發育《はついく》が不充分《ふじゆうぶん》なために體《からだ》が軟《やわら》かく、弱々《よわよわ》しくなり、その上目方《うへめかた》は殖《ふ》えて來《こ》ないやうになります。又色々《またいろいろ》と智慧付《ちゑつき》が惡《わる》く遲《おく》れて來《き》ます。詰《つま》り離乳《りにう》の時期《じき》が餘《あま》り遲《おく》れると赤《あか》ちやんの身體《からだ》の發育《はついく》が遲《おく》れてくる許《ばか》りでなく精《せい》神上《しんぜう》の發達迄《はつたつまで》も遲《おく》れてくるのです。そして赤《あか》ちやんは一見《けん》して蒼白《あをじろ》く弱々《よわよわ》しい相《さう》になり病氣《べうき》に對《たい》する抵抗力《ていかうりよく》が弱《よわ》いために病氣《べうき》に罹《かゝ》り易《やす》くなります。すぐに風邪《かぜ》を引《ひ》いたり、お腹《はら》を壞《こわ》したり、其他傳染病《そのほかでんせんべう》に罹《かゝ》つたりします。而《しか》も一度《ど》病氣《べうき》になると、病氣《べうき》が重《おも》く、且永《かつなが》びくといふ事《こと》になるのです。ですから是非《ぜひ》とも離乳《りにう》の時間《じき》に入《い》つた赤《あか》ちやんはお乳《ちゝ》を離《はな》して行《ゆ》かねばなりません。つまり母乳《ぼにう》は離乳期《りにうき》に入《い》つた赤《あか》ちやん達《たち》にとつては最早充分《もはやじうぶん》な榮養分《えいやうぶん》とは云《い》へなくなつて居《ゐ》るのです。赤《あか》ちやんの發育《はついく》に必要《ひつえう》な蛋白質《たんぱくしつ》や、鑛物質《こうぶつしつ》、「カルシウム」、鐵分等《てつぶんとう》は母乳《ぼにう》を飲《の》んでゐる丈《だけ》ではとても不足《ふそく》するからであります。これで離乳《りにう》の必要《ひつえう》な譯《わけ》はお分《わか》りでせう。尚離乳《なほりにう》と云《い》ふ事《こと》は今申《いままを》した通《とほ》り大變《たいへん》に必要《ひつえう》なものでありますけれ共《ども》、この離乳《りにう》の時《とき》にはよく赤《あか》ちやんは下痢《げり》をするのを見受《みう》けます。そして折角《せつかく》母乳《ぼにう》や牛乳《ぎうにう》を飲《の》んで居《ゐ》る間《あひだ》は大變元氣《たいへんげんき》で丈夫《ぢやうぶ》に育《そだ》つてゐたのが離乳《りにう》するやうになつてから、重《おも》い消化不良症《せうくわふりやうせう》に罹《かゝ》つて弱々《よわよわ》しい子供《こども》になつてしまつたり、或《あるひ》は死亡《しぼう》するといふことも屢《しばしば》見受《みう》けます。例《たと》へば下痢性《げりせう》の腸《ちやう》疾患《しつくわん》で死亡《しぼう》する率《りつ》を統計《とうけい》によつて調《しら》べて見《み》ますと一歳迄《さいまで》は全死亡者《ぜんしぼうしや》の二〇・八%に過《す》ぎませんが一歳《さい》になると急《きふ》に増加《ぞうか》して三三・五%となつて居《ゐ》ます。このことは恰度一歳前後《さいぜんご》の離乳期《りにうき》の赤《あか》ちやんが如何《いか》にお腹《はら》を壞《こわ》し易《やす》いかを示《しめ》してゐるのであります。そしてこの原因《げんいん》は皆《みな》離乳《りにう》の仕方《しかた》が良《よ》くない爲《ため》に起《おこ》つて來《き》てゐるのです。從《したが》つて離乳《りにう》は精々氣《せいせいき》をつけて油斷《ゆだん》なく進《すゝ》めて行《ゆ》かねばなりません。勿論赤《もちろんあか》ちやんの身體《からだ》の健康《けんかう》の具合《ぐあひ》や發育《はついく》の狀態《ぜうたい》やお母《かあ》さんのお乳《ちゝ》の出具合等《でぐあひとう》によつても離乳《りにう》の時期《じき》や方法《はうほふ》は變《かは》つて行《ゆ》かねばならぬのであつて、皆《みな》が一樣《やう》にと言《い》ふ譯《わけ》には行《ゆ》きませんが健康《けんかう》な赤《あか》ちやんであれば以下申《いかまを》し上《あ》げる方法《はうほふ》でお乳《ちゝ》を離《はな》して戴《いたゞ》いて良《よ》ろしいでせう。出來《でき》れば當乳兒院《たうにうじいん》の相談日《さうだんび》を御利用下《ごりようくだ》されば無料《むれう》にて專門《せんもん》の醫師《いし》なり看護婦《かんごふ》が居《を》りまして色々御相談《いろいろごさうだん》に預《あづか》ります。次《つぎ》に離乳《りにう》に就《つ》いて注意《ちうい》を申《まを》し上《あ》げます。

離乳の注意十則

一、離乳《りにう》に取《と》りかゝる準備《じゆんび》として先《ま》づお乳《ちゝ》を飲《の》ます時間《じかん》

を正確《せいかく》に決《き》めること(例《れい》—午前《ごぜん》六時《じ》、十時《じ》、午後《ごご》二時《じ》、六時《じ》、十時《じ》の五回《くわい》)

二、離乳《りにう》は急《いそ》がず、ゆつくりと。五六日《にち》の間《あひだ》をあけて一歩《ぽ》〱一つ一つの食餌《しよくじ》に慣《な》らして行《ゆ》くこと。

三、新《あた》らしい變《かは》つた始《はじ》めての食物《しよくもつ》は少量《せうれう》からはじめて段《だん》々と分量《ぶんれう》や濃《こ》さを增《ふ》やすこと。

四、毎日油斷《まいにちゆだん》なく赤《あか》ちやんの氣嫌《きげん》や、食《た》べ具合《ぐあひ》やお通《つう》じに注意《ちうい》して變《かは》りが無《な》いかに氣《き》をつけること。

五、赤《あか》ちやんの體重《たいちう》を時々計《ときどきはか》ること。離乳《りにう》の仕方《しかた》がよければ目方《めかた》は正《たゞ》しく增加《ぞうか》いたします。

六、食物《しよくもつ》はゆつくりと食《た》べるやう、食物《しよくもつ》を充分《じうぶん》に噛《か》み下《くだ》し終《を》へぬ前《まへ》に次《つぎ》の食物《しよくもつ》を口《くち》の中《なか》へ入《い》れるやうな事《こと》の無《な》い樣《やう》に。

七、間食《かんしよく》の時間《じかん》は午前《ごぜん》十時《じ》なり午後《ごご》二時《じ》なりに決《き》めて規《き》定時間《ていじかん》以外《いぐわい》には決《けつ》して與《あた》へぬやう。

八、偏食《へんしよく》に陷《おちい》らぬやう、食物《しよくもつ》の調理《てうり》に注意《ちうい》しませう。偏《へん》食《しよく》の習慣《しふくわん》はこの赤《あか》ちやんの離乳期《りにうき》から充分《じうぶん》に注意《ちうい》して出來《でき》るだけ避《さ》けるやう注意《ちうい》しませう。

九、母乳《ぼにう》ばかり吸《す》うてどうしても他《た》の食餌《しよくじ》を攝《と》らない赤《あか》ちやんは斷然母乳《だんぜんぼにう》を止《や》めるのがよい。神經質《しんけいしつ》な母乳榮《ぼにうえい》養兒《やうじ》ではなく母乳以外《ぼにういぐわい》に何《なに》を與《あた》へても食《た》べない場合《ばあひ》があります。こんな時《とき》には思《おも》ひ切《き》つて斷然母乳《だんぜんぼにう》を離《はな》して何んな事《こと》があつてもお乳《ちゝ》を與《あた》へないのが一番《ばん》によろしい。不機嫌《ふきげん》で氣狂《きちが》ひの樣《やう》に泣《な》くことが有《あ》りましても決《けつ》してそれに負《ま》けないやう辛棒《しんぼう》するうちに何日《いつ》とはなしに他《た》の食物《しよくもつ》を食《た》べる樣《やう》になるものです。

一〇、食事《しよくじ》の前《まへ》には必《かなら》ずお顏《かほ》やお手《て》を拭《ふ》くことを忘《わす》れぬ樣《やう》に、よい習慣《しふくわん》をつくりませう。

以上《いぜう》の注意《ちうい》をよく守《まも》り、上手《ぜうづ》に離乳《りにう》して立派《りつぱ》な優良兒《ゆうれうじ》に育《そだ》てやうではありませんか。

寒くなると、どちらでも……
……お子さまの健康が心配です！

母親の話会

「まあ、お宅《たく》のお子《こ》さまは……まる〱とお肥《ふと》りになつて、ほんとうに以前《いぜん》とは見違《みちが》へるようにお丈夫《ぢやうぶ》になりましたわね……」

「お蔭《かげ》さまで……この子《こ》は近《ちか》ごろたいへん丈夫《ぢやうぶ》になりまして、かぜ一つ引《ひ》きませんのよ」

「お羨《うら》やましいわ、うちの坊《ぼう》やったら、寒《さむ》くなると、鼻《はな》がツマつたり、熱《ねつ》が出たり、かぜばかり引《ひ》いてますし それに冬《ふゆ》のしもやけも惱《なやみ》の種《たね》ですわ、あれにはいつも泣《な》かされてしまいますの」

「まあ、お大事《だいじ》にしなければいけませんわ、「かぜ」『かぜ』つて馬鹿《ばか》にしますけど肺炎《はいえん》や、結核《けつかく》などかぜ引《ひ》きからよく起《おこ》りますからね、寒《さむ》い冬《ふゆ》は子供《こども》が大《おほ》きな自然《しぜん》の試練《しれん》の中《なか》に投《ほう》り込《こ》まれたようなものですから……これに耐《た》へられるようなからだを作《つく》ることが必要《ひつえう》ですわ、殊《こと》に呼吸器《こきふき》の抵抗力《ていこうりよく》を強《つよ》めてをくことは一ばん大切ですわ」

「どうしてうちの坊《ぼう》やったら弱《よわ》いんでせう！何《なに》か丈夫《ぢやうぶ》になる法《はふ》はないものでせうか？」

「それでは、肝油《かんゆ》でも服《の》ませてご覽《らん》なさいませお子《こ》さんの弱《よわ》いのはたいてい體内《たいない》にヴィタミンADが不足《ふそく》してゐることが多《おほ》いと言《い》はれます……かぜを引《ひ》く、眼《め》が腫《は》れる、しもやけになるなぞ、みなこのヴィタミンADの不足《ふそく》だそうですつて……この間《あひだ》のラヂオ放送《はうそう》でもそう言《い》つてをりましたわ」

「でも、あのペットリした肝油《かんゆ》がうちの子《こ》に服《の》めますかしら……いつかも服《の》み始《はじ》めて二日《ふつか》位《ぐらゐ》で止《や》めてしまいましたの……」

「いゝえ、宅《たく》では一粒肝油《りふかんゆ》ハリバですの、これなら喜《よろこ》んで服《の》みますわ。だつて、小豆粒《あづきつぶ》ほどの甘《あま》い糖衣粒《たういりふ》ですもの、お腹《なか》に障《さわ》る心配《しんぱい》がないし、それにハリバはヴィタミンADが大へん濃《こ》いから一日《にち》たつた一粒《つぶ》で足《た》りるんですその上《うへ》二ケ月《げつ》でも三ケ月《げつ》でも平氣《へいき》ですわ」

「まあそうですか、今《いま》まで弱《よわ》い〱と心配《しんぱい》しながらハリバを服《の》ませることを考《かんが》へもしませんでしたわ、全《まつた》く母親《はゝおや》の責任《せきにん》ですわね…」

「ハリバさへ、服《の》ませてヴィタミンADを與《あた》へてをけば、冬《ふゆ》の寒《さむ》さなんてご心配入《しんぱいい》りませんよ、この冬《ふゆ》はきつと元氣《げんき》でをられますわ」

胎教に就いて(六)

文學博士 下田次郎

一三、胎兒の精神生活

胎兒の精神生活についてはよく分りません。精神作用と密接の關係ある腦も、まだ發育中にあるので十分に働きません。

腦の神經細胞の增加は、出生前四ケ月頃で終るといひます。それで出生後の腦の發達といふのは、神經細胞の數が殖えるのではなく、その構造が複雜となり、細胞間の連絡がつき、又神經系統の高等なる中樞と下位なる中樞、卽ち大腦と小腦及び脊髓との連絡もついて、神經系統各部が相呼應して、よく働くに至ることを云ふのであります。然るに出生當時はまだ神經系統が發達しないで高等なる精神作用を司る腦髓は眠つて居る有樣にあるので、生れて數日間は耳も聞えず、目も見えません。眼は光のありなし、卽ち明暗の感じぐらゐはあつても、物を見ることは出來ないのであります。

身體は大體出來上つて、生れ出た時さへこの有樣であります。況んやそれより前の身體の發生中に於ける胎兒の精神生活が漠然たるものである事は、推測するに難くありません。加之、胎內に在つては、空氣中に呼吸して居るのと違つて、周圍は子宮の內壁で包まれ、且液體中に居るので、外來の刺戟は母體を通じて間接に受けるに過ぎませんから、刺戟は來ても、弱く、又全く感じないこともあります。

それならば、胎內に於ては精神作用と見るべきものは全くないかといふに、さうではありません。多少精神作用と見るべきものがないではありません。今種々の學者の說を總合して見ると、次のやうであります。

胎兒が五ケ月位になると母はその運動を感じます。これは所謂胎動で、子が腹に居ることが始めて感覺せられ

るのであります。ミシュレーが「胎兒が腹の戸を叩いてこゝに私が居りますと合圖する」と、云つて居るのは、それであります。この頃になると、姙婦の腹部に冷い手を當てると、胎兒は動きます。卽ち胎兒に溫度の感覺があつて、その反動が起るらしい。又腹部を手で抑へても胎兒は動くので、壓覺を感ずることが分るといひます。しかし、これは唯の反射運動かも知れません。身體が動けば、筋肉の感覺や、運動の感覺は漠然ながらあるらしい。又生れる前になると、飢餓の感覺も、味の感覺もあるらしく、腹の工合が好いとか、惡いとかいふ感覺もあるやうであります。懷胎養生訓には、「胎兒腹內に在て、甘苦冷熱飢飽皆其苦を感ずるなり」とあります。

眼はハツキリとは無論見えませんが、光線が母體を通じて、胎兒まで來るとすれば、多少明暗を感じるかも分りませんが、第一光線が屆くか否かがよく分りません。耳には母體を通じて、音の振動が來て、朧げながら聽覺がありはせぬかといふ人もありますが、しかし耳の穴には粘い物が詰つて居るから聞えぬでありませう。鼻はガス體でなくては匂ひませんから、胎內では嗅覺はありません。しかし、反射運動はありますし、身體的愉快、不快の感じはあります。また一般感覺といつて、身體の各機關の一般の働きから起つて來る感覺卽ち何となく身體の工合が好いとか、惡いとかいふ感じは、胎兒にもあるのであります。

要するに、胎兒の精神生活については、よく分りません。まだ精神作用があるにしても、視覺や聽覺の如き高等なる知的感覺ではなく、有機感覺や、皮膚の感覺の如き、情的の漠然たるものであります。

一四、姙婦の身體

人間の出來事は、如何なる大事件でも、要するに人が在つての事であります。姙娠はあらゆる人事の發頭たる人その者を産み出すことであるから、姙娠ほど大切な出來事は、人間にはない筈であります。それで子の無い者は、子を授かることを神佛に祈つたりしますし、又古今東西文野を問はず、姙娠になると皆祝ひます。昔ギリシヤでは、姙娠すると産の神アフロダイトの御祭をして、安産を祈りました。ローマには姉妹の産の神があつて、姙娠すると、それに御供をしました。我が國でも、赤飯を蒸して祝つたり、安産の御守を戴き、五月には、帶の御祝ひなどをします。又姙婦を夫と別居させたり、家族と分離して産屋に起居させる所もあります。兎に角姙娠が神聖視され、祝福され、祈禱されたといふことに、古來どれほど人間が姙娠に重きをおいたかといふ事が見ら

れるのであります。姙娠は原始人には神祕であつたが、科學の進步した今日でもやはり神祕であります。有名な性の研究者エリスは、姙娠は自然の作用と創造の神的仕事とが、一緒になつたもので、人間の最高の智を以てしても分らず、唯我々を禮拜に導くのみであると云つて居ります。

さて、婦人が姙娠すると、體內に胎兒といふ新しい中心が出來て、身體のすべてに影響し、「血液の各の滴、各の纖維、各の機關に」變化を及ぼします。或女子美術家は、「女子の終局の目的は母となるのである。從つて姙娠すると一番美しい。」といひました。少なくも姙娠の初期は、生理作用の旺盛を來たして、眼は生々と輝き、皮膚の色は艷々と綺麗になり、毛髮は丈夫になり、胸は高まり、體重も增し、體溫もあがります。丁度受精した花が全盛に咲き誇るやうに、姙娠した女子は、これらの身體の特徵によつて彩られて、一層あでやかになるので姙娠したことが分るといひます。又姙婦の身體の姿勢は體內に植ゑつけられた「人」の莊嚴なる種の發育するに連れて變化し、胸を反らし、腹を突き出して、威張つた態度をとるやうになります。これは、腹に至寶を宿して普通の人間の水準以上に、姙婦が高められたからだといつて居る人もあります。エリスは、姙婦は女性の絕頂に達したものである。その月々の變化も姙娠のためにあつたので、その身體も姙娠の爲に造られ、その特有の心情も姙娠のために現はれたのであるとして居ります。

姙娠すると、全身の血行が盛になり、胸部は見ても、觸れても變化が分り、乳房輪は暗色になり、血液の分量も增し、その成分も變化します。又腺の活動も盛になり唾液の分泌も增すことがあります。神經系統は、循環系統と共に變化して刺戟性を增し、一般に反射運動も強くなります。嘔吐はその變化の一つの現はれであります。

姙娠の月が重なると、榮養の多くを胎兒に與へて、姙娠の容色は衰へ、皮膚の色澤もわるくなります。姙娠は皮膚に染色作用を起して、前額、首、胴などに斑痕を生じ、腹部や股に褐色又は白色の裂線が現はれることもあります。又血行の變化に由る種々の故障を起し、氣分が變り易く、神經質になります。しかしそれは一時の現象で、出産して養生をよくすれば却つて以前の身體よりは丈夫になります。

男子の身體は生れてから死ぬまで、大した變化なく、謂はば平坦な道を步いて居るやうなものでありますが、女子は成熟期に入ると、身體は波動的に生活作用を營みその波の絕頂が月經となり、その間に姙娠、出産といふ身體の大變化が起るのでありますが、濟んで仕舞へばま

た元の身體になり、更に同じ作用を數十年反復することが出來ます。それで女子の身體的生活は、坂路を上下して居るやうなものであります。しかし女子の身體は非常に彈力に富み、その創造力及び恢復力は驚くべきもので男子の身體に見るべからざる靈妙な働きがあります。それで、もし生活が創造及び變化を意味するものならば、女子は男子よりも、身體的により多く、又より高く生活するといつても可いでありませう。

一五、姙婦の心

娘が結婚して家庭の人となると、學校時代の自由と呑氣をなつかしむこともあらうが、愛する夫があり、治むべき家庭があつて、妻としての興味や奮發が起つて來ます。それが姙娠になる、我が子といふ新しい興味の中心が出來て、以前のやうに、唯夫を愛するばかりでなく、子の立場から、父として夫を見、批判し、要求するやうになります。夫が酒呑であつたり、惡い遺傳や病氣を持つて居れば、惡い影響が、生まれる子に來はすまいかと氣遣つたり、夫の年の多過ぎる場合には、弱い子が出來はすまいかと氣になつたりします。或は夫が不品行者であれば、姙娠中の夫の貞操を疑ふ事もありませう。その場合になつて、配偶者の選擇に一層注意すればよかつたと氣付いても、はや遲いのであります。

一體姙婦は、一種の深い洞察力をもつて居ると信ぜられて居ります。それで、何の夫でも皆朧げながら、又は明確に、姙婦に對し、自分は今一層高い法廷に立つてその吟味を受けて居ることを感ずるのであります。從つて價値のない夫は、心が咎めて畏縮し、或は過去の過失を改悛するものもあります。これに反して立派な夫は、心に疚しい所がないから、姙婦の十分の批判を願ふのみならず、益々向上の一路を辿るべく勇むであらう。かく見れば、姙娠は道德であり、姙婦は人の任命せる何の法官よりも大なる威嚴と、制裁力とを有する法官であります。

姙娠は身體の苦痛であり、出産は一層の苦痛であります。しかしそれは、「人」の子を世に贈るためであり、我が子のためであります。從つて、姙婦の苦痛は、歡喜の苦痛であり、苦痛の喜びに恍惚たるものであります。自己犧牲といふことは、男子よりも、女子のハートにより近くあるもので、一層女子を宗教的ならしむる所以であります。「人は苦しみ、而して愛せねばならぬ」といふことに、如何に深大なる意義の存するかは、女子、特に姙婦が最もよくこれを示すではありませんか。

胎兒の最初の胎動を感じた時に、女子は明確に母たる

ことを意識し、個人を人類に、自己を子に捧ぐるの尊い決心が起ります。母は唯腹に子の在ることを知るのみならず、胎動に由つて、胎兒と交感し、交通して居ると思つてゐる者もあります。その動き方で、胎兒の機嫌がよいとか惡いとか、遊んで居るとか、腹が減つたとか、眠むさうなとか思つたりします。胎動が激しいと、母が興奮したり、眠むれなかつたりして、その結果もさうではないかと心配する者もあります。之に反して、胎動が暫く止んだり減じたりすると、子がどうかしたのではないか、弱いのではないかと案じます。中には前以て、男又は女と決めて、生まれる子の名を決めておくのもあり、當座の可愛い名をつけて、胎兒に呼び掛け、母の思想や感情に、胎兒が應答するやうに思つて居る者もあります。それもその筈でありませう、胎兒はまだ眼には見えないが、姙婦には最も確かな實在であり、五官に由つて僅かに知る外界の存在よりも、總身を搖すぶり、全心をふるはす一層確かな存在でありますから「子供が天から來るものならば、母の胎內は地上までの中宿である。」

動物には、子の生れる前に、精巧な巣を作るものがあります。人の母も、豫め子のために、産衣を縫つたり、蒲團を作つたり、襁褓の用意などをします。動物は本能に由つてこれを爲し、人の母は目的を知つてこれをする違ひはありますが、詰る所は同じであります。それで産衣などは、出來たのを買はないで、姙婦自身の縫ふのが敎育的であり、母性の仕上げになるのであります。産後の準備を自分でするといふことは、子の母體內の生活から體外の生活への移行を、自然的ならしめるものであります。かゝる仕事は、未生前より、母子相依の感を深からしめ、出生後も舊知の思ひをもつて、子を抱擁し、哺育せしめます。母性もこれを刺戟し、練習しなければ十分發揮されるものではありません。

一六、姙婦の感想

姙娠すると婦人は如何なる感想を懷くものであるか。米國のスタンレー・ホールは、廣くその經驗ある婦人にこれを求めて、百通の感想記を得ました。ホールは、その中代表的のものを、その著書にのせて居ります。今左にその或ものゝ大要を紹介しませう。

（一）二十歳にて結婚、今二十七歳、二兒あり。私は始めて母となることが分つた時、嬉しくて眠られませんでした。私の母、別して祖母は、自分の經驗によつて、色々の注意を與へてくれました。夫はやさしくしてくれ、自分と一緒に外出できないのを、氣の毒がりました。私は始めて實生活に踏み出したやうな氣がして、交際の範

園を狭め、花園や森の中を歩き、考へることが好きになりました。生れたならば、全心、全力を以て子を愛撫して、母性を完ふしようと思つて、自重し、身體を大切にするやうになりました。産の苦痛や危險を慮らないではありませんでしたが、母となるためと思へば、これを忍ぶことを辭しませんでした。私は、夫が私を愛すると共に、赤ん坊を愛してくれることを望み、赤ん坊を愛してくれまいかと、氣遣ひもしました。かくて私の生活は一層豊富に、完全になり、娘時代に賞められた器量は、わるくなつても構ひませんでした。そして子のない美しい社交界の一婦人が、子供はやかましくて、厄介ものだと言つたので、私はその婦人が嫌ひになり、向ふも私を好かぬやうになりました。私は激情を鎭めて、子のために貴く生活しようと努めました。

（二）二十三歳にて結婚、今四十歳、五兒あり。結婚して、わびしく淋しい三年を經た後子が出來ました。私の顏の青白かつたのが消えて、私は薔薇が咲いたやうになつたと友達は言ひました。私は老成の婦人と交際することを好み、その私と喜びを共にし、種々の助言を與へてくれるのを喜びました。私は我が子を出來るだけ、丈夫に、立派に、幸福にしようと思ひ、夫の惡い性質が子に發育せぬやうに、その良い性質のみを見る事を努めました。

（三）二十五歳にて結婚、今三十三歳、一兒あり。姙娠してから夫は一層やさしくしてくれ、産衣、その他の準備をするのを喜んでくれましたから、私は幸福でした。私は最も親しい少數の人々に交際を限り、國家のために有爲の子を澤山生む娘を望みましたが、生れたのは男でした。姙娠中、私は滿足して安靜な日を送り、一番良いと思ふ事しか爲ないやうに努めました。唯遺憾に思つたのは、知識の不足といふことでした。しかし、私は他の婦人よりは優れた者であり、子も優れた子であるやうな氣がしました。最初の胎動は、決して忘れる事の出來ない大事件でした。私はこれに由つて胎兒の强健なるを知り、前以て子の性質も少しは分つたやうに思ひました。

（四）二十一歳にて結婚、今五十歳、五兒あり。最初の胎動で、實際子が腹に居ることが分つた時、突然子に對する愛情が覺醒されました。胎動は苦しいこともありましたが、これを感じて、腹の子をいたはり、生れたならばどうして撫育しようかと考へるのが樂しみでした。夫は私の負擔を輕めようとしましたが、私は平常のやうに働いて丈夫でした。夫は悔ひ改めた罪人のやうな態度を示しましたから、一層夫がいとほしくなりました。私は私の子供を世界で一番立派なものにしようとの望みをもつて居りました。（つゞく）

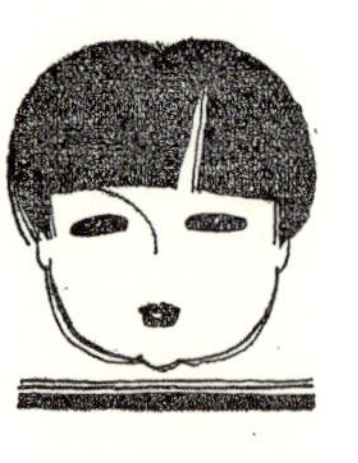

小兒の結核（其二）

山形市立病院濟生館
醫學博士　宇留野勝彌

◇第一期、二期、三期と分ける

感染して後の經過の段階を一、二、三の三期に分けるのが普通ですが、キチンと正しく區切りの出來る譯のものでなく、一期と二期の境界にあるのでどつちつかず、卽ち移行型といつたやうなのもある譯であります。

第一期或は初期といふのは菌が體內に侵入して初發病變群を形成する時期でありまして、大多數の結核感染はこの程度で治癒してしまふのです。

第二期には結核の轉移症が現はれるのが特長で、例へば皮膚、骨、關節部に結核症が現はれて來ます。又血液中に菌が侵入して全身に擴がれば腦膜炎、粟粒結核となる譯です。

第三期のは眞正の肺癆（素人の云ふ肺病）です。

◇第一期結核の症状

黴菌によつておこる病氣、卽ち傳染病は皆一定の潜伏期といふのがあります。それは菌が體內に侵入してから何かしら病的症狀が現はれ初めるまでの時期で、從つて潜伏期は健康人と何等の差異がなく、醫者が見ても病氣といへない時であります。結核菌の潜伏期は四乃至十週間といはれます。

結核菌が體內に入つて四—十週間たてばピルケー氏反應が現はれて赤く腫れて來ますからそれによつて感染を證據だてることが出來るのです。

初發病竈の出來る時には必らず症狀が現はれるとは限つて居ないで、十日乃至十二日位發熱することがあり、早期發疹といつて小さな皮膚發疹がチョイ〳〵出來ることがあります。

しかし大抵は本人も父母も氣がつかないで居る內に初發病竈が形成されてしまふのです。

氣管枝淋巴腺結核

今云つた初發病竈そのものは一般にごく小さく、退化してなほつてしまふ可能性が强いのですが、反之その流域にある氣管枝淋巴腺はひどくやられて病狀を現はして來るのが常であります。

この氣管枝淋巴腺といふのは健康人でもあるもので、氣管から氣管枝が分岐する邊に數多く集つたり、散らばつたりして配置されてあります。特に右側のがよけい腫れるもので、榛實大、胡桃大、鷄卵大にもはれ上ることがあります。

この氣管枝淋巴腺の腫れる傾向にも時期があつて、乳兒と幼少の幼兒期には腺の大きくはれる傾向が大變强いが、その後は次第に傾向が衰へ、小學生には腫れるにしても廣範圍にわたることがなくなります。

氣管枝淋巴腺結核の症狀は淋巴腺の侵されて居る樣子で色々と違ふ譯ですが、全身の何となく衰弱したこと、食慾の衰へたこと、血色の惡いことなどの症狀を呈し、就中大切なのは微熱が永らく續くといふことです。昔瘦せた小兒を見ると氣管枝淋巴腺結核を疑つたものですがそれは見當のはづれるもので、さうした外見上瘦せて弱々しいやうな小兒は血管運動神經障碍症のあるもので、ビルケー氏反應は却つて陰性で赤くなりません。

熱が出ることは前述しましたが時に高い、上り下りの强い熱のやゝ續くこともないではありません。要するに不定の熱が出るのです。

氣管枝淋巴腺結核を二型に分けて、炎症型と腫瘍型にします。炎症型の强くおこつたものですと急性肺炎と全く同じやうな聽診、打診上の所見となります。つまり肺に强い浸潤がおこるのです。小さな浸潤を作ることもあつて、その時は勿論醫者が診斷つかず、見逃してしまふことが多いものですが、熱があるのでおかしいといふのでレントゲンの寫眞をとると初めてさうした熱の原因となつた浸潤が發見されるやうになる譯です。この初發病竈のまはり、氣管枝淋巴腺の附邊に現はれる肺の浸潤は原因と認められるやうなことがなくともおこることもあり得る譯ですが、時には新らたに重複して感染するとかツベルクリン（結核毒素）の注射をやるとかした時にそれが特異性刺戟となつて起つて來ます。又氣候の變化、麻疹や百日咳や風疹に罹る等の非特異性刺戟が原因をなして浸潤をおこすやうになることも稀ではありません。

今まで病的症狀が現はれたことのない結核が感冒、麻

疹、百日咳などの後に惡化して色々の症狀の出て來ることがよくありますことは皆さんも知つて居らるゝことです。

この浸潤の症狀は一般症狀として不機嫌、倦怠、熱などで、赤血球沈降速度が促進して來ます。しかし肺炎、或は次の腫瘍型などのやうに呼吸困難をおこしたりすることが少なく、咳嗽も餘り出ません。浸潤は次の腫瘍型よりも非常に稀なもので、又持續期も永くなく、一週間乃至月餘でレントゲン寫眞にうつゝて來なくなつて、きれいに癒つてしまふ位であります。從つて病氣の豫後は惡くありません。

次に氣管枝淋巴腺結核の腫瘍型ですが、これは多くは氣管及主要氣管枝の部分、その部の大血管の周圍部などの淋巴腺が病氣にかゝつて腫瘍（おでき）のやうに大きく腫れて來るのです。從つて腫瘍のかたまりに氣管や氣管枝が壓迫され、引摺られて障害を蒙り、その方の症狀が現はれて參ります。

氣管が氣管枝に分れる場所には咳嗽をおこす帶があつて、それが刺戟をうけることになり、所謂氣管枝淋巴腺咳嗽といふ特異の咳振りをやるに至るのです。丁度百日咳の時のやうなつゝぐ響きの高い咳聲であります。この咳は生後二年までの小さい小兒に限り發するもので、それ以上の大きな小兒には最早や現はれません。

この外腫瘍狀に大きくなつた淋巴腺の壓迫症狀を證明出來ることも色々ありますが、素人には參考にならぬので省きます。

醫者の診斷法の內で最も確實なのはレントゲン寫眞です。吾々が現今氣管枝淋巴腺結核と診斷をつけ得るのは全くこのレントゲンのお蔭によるもので、若しレントゲンがなかつたら診斷は非常に曖昧なものになつてしまふでせう。

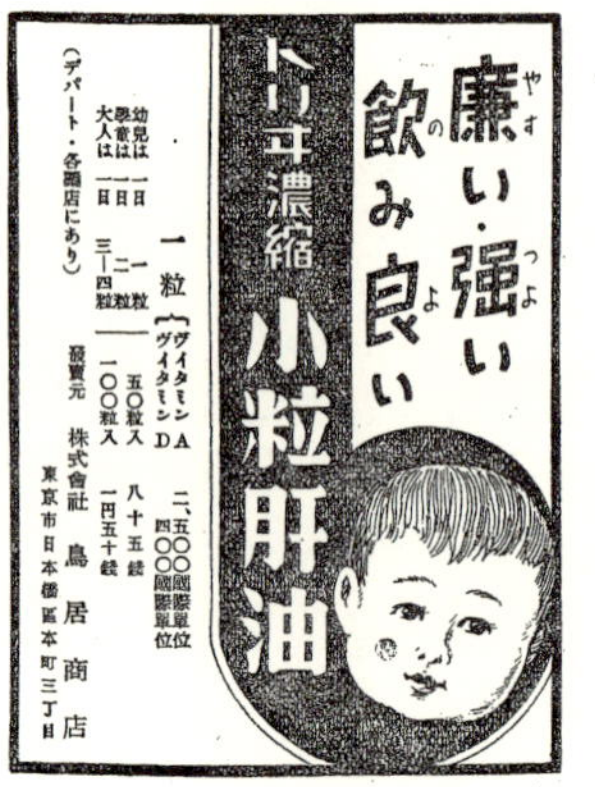
廉《やす》い・強《つよ》い
飲《の》み良《よ》い
トリヰ濃縮
小粒肝油
一粒〔ヴイタミンA 二、五〇〇國際單位
ヴイタミンD 四〇〇國際單位〕
幼兒は一日一粒
學童は一日二粒
大人は一日三—四粒
五〇粒入 八十五錢
一〇〇粒入 一円五十錢
發賣元 株式會社 鳥居商店
東京市日本橋區本町三丁目
（デパート・各藥店にあり）

結核病の治療（二）

醫學博士　芳山龍

三、小兒の運動療法

スポーツ　は過激に流れ易く往々結核性疾患を誘發するから餘程體質の良い者でない限り避けた方がよい、小兒の身體は發育の途中にあつて未完成の肉體であるからスポーツに依つて筋肉は良く發達しても內臟の發達は之に伴はなければ有害である、小兒の運動法として面白く遊ぶ程度で澤山で體力以上の運動は却つて健康を害ひます。

砂遊　神經質な貧血兒童が、偶然轉宅から頓に健康が恢復して見違へる様になつた實例がある、其母親の云ふには、此子は血色惡く瘦せて居た爲めに何處か惡いかと人に問はれる程であつて、潔癖で物を提げても手を拭ひ、玩具も几帳面に片附けると云ふ風でありましたが、今度宅の裏が砂場である爲めに近所の子供と毎日砂遊に耽り、何時の間にか潔癖は解消して身體がグン〳〵肥つて來て夏休みを過ぎると洋服の釦がかゝらず御蔭で幼稚園で優良賞を貰ふ様になりました云々、子供を丈夫にするには必ずしも轉地療養を要しない、自然は到る處に慈愛の手を伸ばして居る事を感じます。

海水浴　は健康兒は勿論虛弱體質、腺病質にも方法を誤まらなければ良い健康法である、熱のある滲出性結核には風の少ない山腹が適當であるが、熱のない良性の腺結核には海濱がよい。

海氣はオゾンと鹽分に富み、紫外線にも乏しからず、皮膚を刺戟して皮膚の抵抗を強め、呼吸を強めて感冒を豫防する効あるのみならず、新陳代謝を高めて著しく食慾を増す効能あり、著者の經驗範圍內に於ても家族と共に海濱に夏を過した爲めに從來病氣勝ちの子供が頓に健康を恢復し、醫療を絶つに到つた症例は枚擧に遑ありません。

夏季海濱學校、林間學校の短期なるに拘はらず猶相當の効驗ある様であるが、炎天の往復は却つて弱い子供に疲勞を來す事あるのみならず、家庭の豊ならざる學童は此恩寵に浴し得ざる憾あり、海濱又は林間學校は夏季之を開放して一般兒童の爲め宿泊所たらしむ可しとの學者の所論に對し識者の一考を望みます。既に之を實施してゐる縣もあります。

川遊　或る肺門部結核の一學童は症狀頑固なるも、土地海に遠くして行く能はず、兩親の肝入りにて子供の友達を作り、紀ノ川に舟を浮べて魚釣りを日課とする事を初夏より晩秋に及び、遂に症狀を擊退して愁眉を開きました。

親の熱は必ず愛兒の健康を恢復せしむるものだと思ひます。

自彊術　は故中井房五郎氏のマッサージ術を應用せる一種の體操であつて全身筋肉の運動と共に、自ら內臟の按摩をなし得る特長あり、故後藤新平伯は常に自ら型を示して人に勸誘せりと謂はれて居る。

筆者は體驗の上から之を嘗て內臟下垂症を伴ふ萎弱性體質の爲めに毎度墮胎手術を反覆せねばならぬ若き夫人にすゝめて、主人と共に毎朝實施せしめたるに數ケ月ならずして體重が十貫未滿より十一貫何百目かに增加して安產するを得一家團欒の嬉に浸れる症例があります。

自彊術解說の圖譜によつて方法を會得す可く、自宅にて家族共に愛兒に實施せしむれば虛弱兒の健康の恢復に役立ち得る可を信じます。

散步　結核の小兒は空氣浴より始め外出出來る様になれば毎日時間を定め塵埃の立たぬ所を散步させます、次第に時間を延長し坂道や丘を越える事を許します、健康に復するに至れば適當の運動法にて身體を鍛へます。

要するに小兒の運動は專門醫の指導を受け、體質若くは病症に應じて行ふ可きであります。

雲雀啼く野に辨當や子供連れ

四、食餌療法

腺病質若くは初期結核の子供は、概して少食で偏食する者が多い、結核菌毒素の作用で消化機能が衰へて消化液の分泌が減退して居る爲めである。

食餌療法を行ふには空氣浴、日光浴並に適當なる運動と共に步調を揃へなければなりません。

一般に偏食兒童は、ビタミンの缺乏に罹つて居る者が多く、適當なる氣候療法と運動に勵めると同時に食餌を變更して、肝油ビタミンD劑、酵母劑、新鮮なる野菜、果實等を與へて各種のビタミンを豊富に與へると治つて行きます。

保健食糧　乳兒期を過ぎた幼兒の一日必要熱量は體重一瓩につき七〇乃至八〇「カロリー」で、生長するに從ひ減じて年長兒では約六〇乃至五〇「カロリー」が普通であるが、結核患者にて食慾のある者は、此以上に成可く豊富なる「カロリー」を與へてよろし。

本邦大人の保健食は一日蛋白質九六、脂肪二〇、含水炭素四五〇瓦であるが、發育時期にある小兒は比較的多量の蛋白質とビタミンを必要とするものである。

殊に結核に罹つて居る子供は、健康兒に比しより以上の滋養が必要です、健康兒ならば、蛋白質の攝取量が少くとも含水炭素や脂肪で補つて行きますが、結核兒童は結核毒素の作用で、組織蛋白が破壞せられて行きますから、之を補ひつゝ新しい組織を製造する爲めに普通以上の蛋白質が必要であります。

蛋白質の中でも動物性蛋白質は一瓦四、二三「カロリー」の熱量を有するに對して、植物性蛋白質は三、九六「カロリー」で、消化吸收率も比較的に劣つて居るから、結核兒には成可く動物性蛋白質卽ち肉類、卵、牛乳等が必要な譯になります。

但し矢鱈に滋養物を與へると、蛋白質に偏して却つて瘦せますから大體動物性食物六割、植物性四割位の程度を失はぬ様にせねばなりません。

結核患者にどんな滋養がよいか　消化し易い滋養物なら何でもよい、鰻の生食がよいと推奬して居る學者がある、隨時隨所に手に入り難いが胃腸の丈夫な子供は大いに喰べてよろし。

榮養劑　としてポリタミン、カルイニン（生肉汁）ヌトローゼ、プラスモーン等澤山あります、食慾のある以上強ひて必要はありませんが、少食のものは試みてよろし

ビタミンと肝油　結核患者には成可く多量の肝油と「ビタミン」に富む野菜、果實等を與へるとよい、各種ビタミンの豊富なる供給は結核患者の一般狀態を改善し、結核菌に對する抵抗力を增し間接に奏効すると謂はれて居る。

肝油とトマト汁療法　は一九三〇年コンケー氏により提唱せられ、諸學者の追證ありて、腸結核の治療及び豫防に効果ある事を報ぜられて居るので、最近阪大今村內科より肺結核患者に應用せる臨床報告例が出て居る。

（方法）　眼鏡印肝油一二―一五瓦をトマト汁七〇―九〇瓦中に浮べて一日三回每食後に內服せしむ。

（成績）　初め二、三日は腹部膨滿の感あるも一週間もすれば治り、却つて食慾が進む傾向あり、殊に肺門腺結核の熱は多くは二、三週間內に解熱し症狀が良好に向ふ云々。

肝臟療法　肝臟殊に哺乳動物の肝臟が、惡性貧血の外諸種の續發性貧血にも効あり、結核にも有効なる事は前述の通りである、著者は小兒結核に應用して居る。

未だ症例が少數であるから發表するに憚る次第であるが、從來の治療法で捗々しく輕快せぬ結核兒童が、肝臟食療法で始めから比較的速に體重が增して行きます。

又同樣の病症を持つ小兒を比較して見ると、肝臟食を繼續して居る子供の方が遙かに治り方が速い様であります。

一例であるが糖尿病の患者（十三歲の女兒）に糖尿病食餌療法と同時に肝臟食を與へて居ますが、入院後二ケ月の間に體重が三、六瓩增へました。

子供は比較的平氣で肝臟の料理を食べます、一日十匁乃至三十匁位を肝臟食の處で述べた通り料理を變へて與へて居ますが、味噌煮や肝臟プチイングよりも照燒の方を喜びます、又肉屋で挽いて貰つた肝臟を一寸茹でた上バタにていため「ソース」をかけて熱い間に食べるとよいと云ふ患者もあります。

無鹽食療法　は食鹽を制限し新鮮なる野菜で調理し、燐、肝油及び諸種の鑛物質を含有する一種の液汁を供給する方法でビタミンに豊富であるが、比較的榮養價に乏しく食慾を減退せしめますから肺結核には賞用されませぬ、只脂肪過多を伴ふ良質の肺門腺結核又は皮膚及外科結核に應用せらるゝに過ぎません。

脾臟食療法　脾臟は白血球中の淋巴球の產地であつて結核に罹れば脾臟機能が減退するが如く、脾臟食は脾臟の機能を高めて間接に結核の進行を阻止せんとする考へから試みられて居るのであるが、未だ効能は確かでない様であります。

要するに結核患者に對しては、消化し易き榮養價の多い各種ビタミンに豊富なる食餌を出來るだけ澤山に食べさせる事が必要だが、一般に少食であるから氣候療法と適當な運動と相俟つて、おいしく食させる事を「モットー」とせねばならぬ。

食物は嗜好に適する様に調理すると同時に良く咀嚼せしむる事が大切であります。

肝油と林檎仲よしお八ツ時

五、藥物療法

結核に對する藥は汗牛充棟も啻ならぬ程澤山ありますが、未だ特効藥と云ふ可きものがなく、畢竟間接に食慾

を高め、新陳代謝を促して自然治癒を幇助するに過ぎません。

コッホ博士の創製した結核菌毒素の製劑ツベルクリンも直接結核菌に作用するに非ずして、組織細胞を刺戟して菌に對する抵抗を强め、或は白血球の食菌作用を促すものであると考へられて居ます。

製劑には色々ありますが、有熱患者には禁物です。

藥劑の中で亞砒酸の製劑は之を適用すると比較的良効があります、亞砒酸劑は造血機關を刺戟して貧血を恢復せしむるの作用が顯著である事は古くより知られて居ます、病理解剖上からも立證せられて居ます、土耳古では强壯劑としての月出初めから用ひ月の滿つるに從ひ增量し、月の缺けるに從ひ減量すと云ふ事であります。

ブフネル氏が肺結核に有効なる事を推賞して以來數多の學者によつて生活組織の抵抗を强め新陳代謝の上に好影響のある事が確められて居ます、著者は多數の小兒結核に本劑を使用して著効ある事を經驗して居ます、他日症例を集めて上梓する積りでありますが多少とも體重が增える計りでなく風を引かなくなります。

市場に醫藥以外に黒燒類、ニンニク類、諸種の皇漢藥等種々雜多の民間藥が賣出されて居ますが、藥理不明の物多く廣告に迷はされぬ用心が大切であります。

要するに結核治療上、體質療法と藥物療法と歩調を揃へて進まなければなりませんが特に榮養療法が根本で、人の一生は子供の榮養からといふ標語を以て此稿を結びます。

（完）

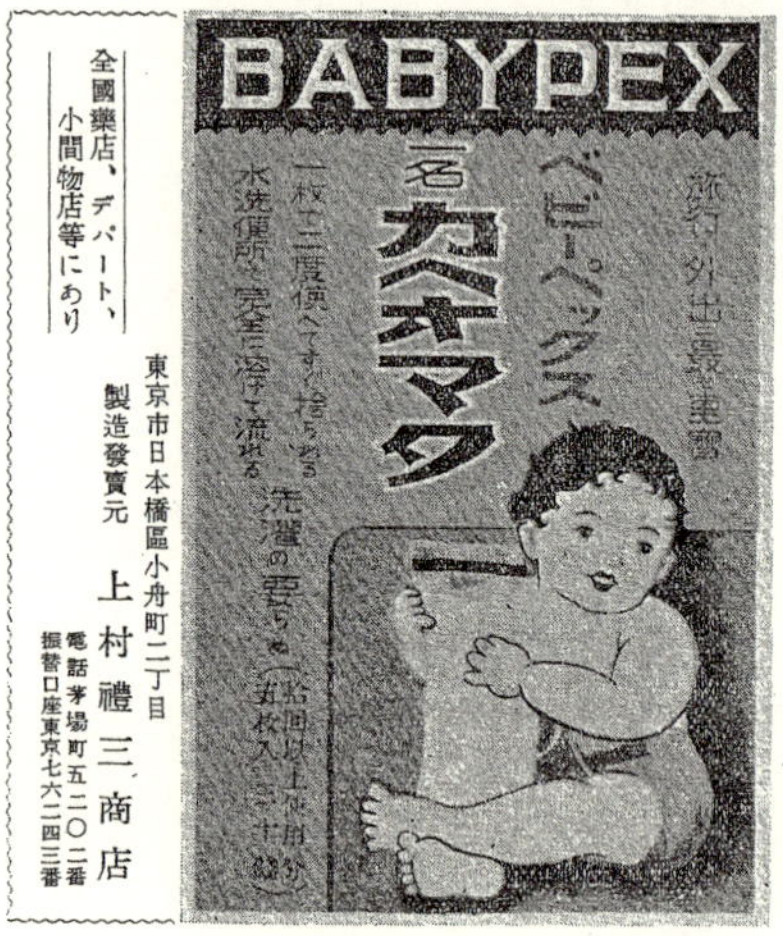
BABYPEX
ベビーペックス
一名 カヘオマタ
一枚二三度使へてすぐ捨られる
水洗便所で完全に溶けて流れる
洗濯の要らぬ
全國藥店、デパート、小間物店等にあり
東京市日本橋區小舟町二丁目
製造發賣元 上村禮三商店
電話茅場町五二〇二番
振替口座東京七六二四三番

食物と國民性

西村誠三郎

日本人の主食物は、米、と、魚と、野菜である。野菜丈は殆んど世界共通と想はれるが、この主食物の相違は國民性と非常に關係があり、同時に、地理的自然とも深い關係を持つてゐる。

人間の食物と謂ふものは、決して人種的にのみ左右されてゐるもので無い。私が海外にゐた永い間の經驗に依ると主食物は、自然に變化する事を知つてゐる。主食物許りか生理的にも、變化が起ることさへ尠く無い。これは海外許りでなく、內地に於ても關東と關西では、自然に食物に對する好みが異なる。ましてや東北と九州では言葉の訛が異なる如く、食物の嗜好に於ても非常に異なるものがある。

それが國が廣ければ、廣い程異なるし、民族が異なれば異なる程、その食物は相違して來る。これは異なるのが自然であつて、異ならなければ寧ろ不思議である。私は滿洲に永く居た關係上、特に支那人の食物、滿洲人も同樣だが、深い興味を持たれた。

滿洲に居ると、不思議に肉食が好ましくなくなる。子供なども魚肉よりは獸肉を好む。米丈は日本人たるが故に缺かさないが、小麥粉で造つた支那饅頭の味が分るやうになる。一食や二食は、米を缺かしても別段に苦にもならない。鹽鮭や干物に、茶漬などと謂ふ食味は、段々に正しくなる。これに國民的の嗜味許りか、自然がさうした要求を欲しなくなるのだ。

支那料理の濃厚さは、滿洲のあの酷烈な寒氣の襲つて來る嚴冬に於いて、特に味の優れたことを感じる。滿洲の支那料理と云つても、それは主として北方料理だ。北京料理や南京料理が重で、南方料理の廣東風のものは殆んど無い。日本內地に流行する支那料理が主として廣東料理であることも面白い現象なのだが、それは矢張り廣

東料理が日本人の口に適するからだ。

南方支那が日本人と同樣、米が主食で、氣候の暑い關係上北方料理より比較的に淡白性を帶びてゐるからだ、廣東料理で想ひ出したが、アメリカで流行してゐるチヤツプスヰも、廣東料理の米國化したものだ。私が紐育に滯在してゐた時、米が喰べたくなると、チヤツプスヰに出掛けた。其處では默つてゐても、小皿に二口か三口位だが米飯を必つと持つて來るからだ。粥では無い、炊いた飯だ、唯支那飯は、むらさないので水氣が全然なくさばついてゐる相違がある丈だ。

北方料理は南方料理に較べると、ずつと脂肪質のものが多い。內地のシューマイは無くて餃子がある。酒も名物の燒酒、高粱酒が幅を利かしてゐる。薄目の黃酒や、紹興酒では物足りない。日本酒も甘口よりは辛口のものが歡迎される。露西亞人の好むウオツカなどを想へば、直にその理由が分る。滿洲人が豚肉を好むには深い理由がある。單に寒いからとか、脂肪が多いからと謂ふ丈では無い。彼等が家畜を如何に取扱つてゐるかを知らなければ分らない。滿洲農家に飼育する豚は、皆在來種の黒豚だが、全然野性の放飼なのである。料理に多く用ひる家鷄もそれと同樣なのだ。牛肉は餘り用ひない習慣だがそれは食肉用とするには、特別の飼料も要すれば手が掛るからだ。飼料も必要とせず、手も掛らず、それでゐて强堅なもの、其處に豚や鷄の家畜を發見した。その證據には、大規模の牧畜場などと云ふものは在り得ない。農家の副業か燒鍋で稍々多數に飼育する位だ。家鴨など愛用するのも同じ理由で、野鳥は何に依らず利用する。沙鷄と山七面鳥は特に賞美するのだが、これは數も多くないので贅澤な部類に屬する。これを煎じ詰めると、根が山東人の移住者だから、生存競爭の激しい結果だと云ふ事になるのである。

飼料を豊富に與へて家畜を生育させて、それから食用に供するなどと云ふまどろしい事は行つてゐられないのだ、自然に生育するものを直に食物にする。そうしてこれを極度に利用する。詰り捨てる所なく料理するのだ。豚の臟腑でも、血液でも、鷄の脚皮でも、家鴨の腦味噌でも、珍と云へば珍だが骨髓までもしやぶる。氣長に料理して氣長に喰べる。之が支那料理の發達した理由だ。惡食でも何んでも無い、生活の必要上から起つたのだ。滿洲のやうな廣い土地に來て、どうして牧畜をやらないかと云ふのにも、其處に原因が伏在してゐるのだ。

彼等が極度に密集生活を好むのも、矢張り其處に原因がある。繁殖力の旺盛なことゝ耕地の尠いことは、いやでもおうでも密集させる。そうして不足勝の食物を奪ひ合ふ家族と共に移動し得る丈の家畜で無ければ彼等の用を爲さないのだ。總てがこうした生活本位から現實的に割出されてゐるので、國民性の異なる日本人には、食物に就ても理解し得ないことが多いのだ。韮や、蒜や、葱などを生食するものも、單に保溫や、殺菌の爲め許りでなく、彼等には絶對に必要だ。淡白なる野菜料理に舌皷を打つ日本人から見れば、殆んど野菜料理を知らないやうだが、少量でも効果的なものを欲する彼等には、豆もやしのやうなものを常食とする。高粱も滿洲のやうな乾燥地帶には、耕作上粟と共に最も適するからで、これは北支平野も同樣だ。

山東人の滿洲は總てが山東的で、地理學上から云つても、山東は南滿地帶と同樣で、北滿及び蒙古とはその素質を異にするが、由來滿洲に屬すべきものだ。恐らく山東人は滿洲に來ても、山東に居るのと同じ氣持であらう廣東方面の人間が南に發展して、印度支那、シャム、蘭印などに勢力を張つてゐるのも自然の理である。廣東料理が鹽辛いのも、南方料理の特長だが、印度カレーの辛味は、涼味を呼ぶものであることを知れば足りる。カレーライスは夏喰ふべきものだ。

實に滿洲を興安嶺以西の蒙古地帶に入ると、地勢も、氣候も、一變するので、蒙古人は決して同じ肉食人種でも豚肉は喰はない。知つての通り羊肉である。そうして盛んに獸乳を愛用する。穀類や蔬菜を殆んど耕作しないので、攝取しやうにもしやうが無い。極度の乾燥地帶で地味が不良であるため、清水にも乏しく、且つ密集生活の習慣は無いので、食物を奪ひ合ふ必要も無い。河川も尠いので一面迷信的でもあるが、魚類は絶對に口にしないので、自然それ等の補足を獸乳に求める。內地で知られてゐる蒙古料理と云へば、成吉思鍋位のものだが、羊、馬、牛などの乳汁の利用法が最も發達してゐる。有名なクミスもその一つだ。成吉思の遠征記を見ると、盛んにクミスを使つてゐる。日本の羊毛政策から來る蒙古羊の改良は、彼等の主食物丈に、決してそう簡單には行かない。羊毛の改良は羊肉を不味にするからだ。

茶を愛用することに於て蒙古人も、滿洲人も、亦滿洲に在住する日本人も異なりは無い。蒙古人が板樣の磚茶に羊乳やバタを混じ、滿洲人が茶葉を豚の脂で煎り、日本人と回敎徒丈が、清茶と稱して普通の茶を用ゆる相違はあるが、これは自然の要求から來るので、恐ろしく茶を愛用するやうになる。紅茶も日本人間には盛んに用ひられるが、滿洲人の茶呑碗と云へば、銀茶碗位の大きさである。それで何杯も呑む。紅茶を自づから煎じて硝子碗で呑むのも通常だ。露西亞人が皿で呑むのも同じ理屈だ。喫茶店で一杯位呑むのとは譯が違ふ。

大體以上でも知られる如く、食物の國民性に及ぼす影響は非常に大きいものだ。今後日本農民が何十萬となく北滿方面に進出する狀勢にあるのだが、自然日本の生活

樣式が其儘で無くとも、或る程度まで移植されるとして大事な食物の關係はどうなるかと謂ふ事である。

　米は日本人の主食から絶對に取去ることは出來ない。幸ひな事に米作も滿洲で可能である。現在鮮人移民の殆んど全部は米作をやつてゐる。五十萬石近い生產は既に擧げられた。百萬石計畫もある、だが滿洲に米作は見込が無いなどと云つた時代はもう過ぎた。內地程に反當りの收穫は望めないが、自給自足の程度までには達する。魚類だが、これは北滿には松花江始め大きな河川があるので、淡水魚なら豐富に漁獲される。味は劣るが凍魚も盛んなので、海水魚には不足を感じても、さう心配したものでは無い。野菜は土地が肥沃なのでいくらでも栽培される、こう云へば何んの心配も不用のやうだが、魚類などは他の海產物を合せて年々八百萬圓からの輸入を見てゐるのだから、移植早々十分の需要を充す譯には行くまい。同樣に米に就ても同じ事が考へられる。

　これはどうしても現地のものを利用するより外ない。高粱は、北滿には餘り適しないが、小麥は非常に適するから、大いに栽培を奬勵して、更に畜產を盛んにする事が必要である。役畜の不足には多少困難を感じるかも知れないが、これもトラクターと人力で補足する。食物は出來る丈滿洲式を採用して、これに適合する生活をやることだ、內地より不味いものを喰べるのでは始まらないが、地理的の自然條件には、どうしても服從しなければならない。北滿に移住して、內地式の生活をしやうと云ふのは、既にそれが無理である。其土地に生じるものを食し、その土地に馴れ親しむことが先づ第一に必要だ。これはどうしても始めから、さうした心掛で出掛なければ不可ない。これが移住の根本問題なのだ。反對に日本には國情に適しない食物が入り過ぎたやうだ。內地に里心の起るのは內地の生活を忘れられないからだ。滿洲を何時までも他國と想ふ考へも捨てなければならないが、國民性は何處まで行つても失はれるものではないのだから、滿洲に適合した新しい國民性を造る事も考へられる地理的自然を變更する事は人力では到底不可能だから、これに適應するやうにする必要がある。

　私は現在の滿洲人の生活が、滿洲に最も適合してゐるものだとは必ずしも思つてゐない。それは山東移民文化が最も濃厚に現はれてゐるからだ。全然これと根本を異にした蒙古人の生活にも、敎へられる所が決して尠くない許りか、露西亞人の生活なども十分參考となし得る。一擧に五十萬からの大量移民の經驗は、日本にも始めてだから衣住にも問題はあるが、先づ食の問題から大いに考へる必要がある。農業移民は、從來の南滿に進出した俸給取移民とは大いに異なるものがあるからだ。自から耕して自ら喰ふ所に、底知れぬ力强さがあるのだ。

土を喰ふ

石倉曳衣地

　パールバックの「大地」の映畫の中に、支那の農民が飢饉時に於て、土を煮て喰ふ場合があるが、土を喰ふといふことは、みみずの世界だけのことゝ思つては大間違ひ、意外に廣く地球上の人間の間に擴がつてゐる習慣である。通例どの種類の土も喰へるといふわけではなく、色、香、味、柔さ及び可塑性のやうな性質によつて或物だけが喰へるといふことになつてゐるのである。

　適食性の見地から最も重要なものは珪藻土と呼ばれるもので、極めて輕い多孔質のチョーク或は粘土があり、數千種の極めて微小な水生有機物或は珪酸殘骸より成つてゐる。藥品或は玩賞用に用ひられる土は、殆んど例外なしに極く細末になつてゐる粘土で、普通鐵を含有してゐる。

　人間は其最初に於て自然が彼等に提供してゐる凡てのものを味はひ試めして見た。そして泥土或は粘土を消費することは、鹽、胡椒、樹皮、昆蟲、蛇を喰ひ、或は猿を喰ひ、或はチユウインガム、コカの葉を喰ひ、タバコを嚙む事以上に別に驚く可き事はなかつた。勿論土や粘土は何處に於ても、正常な食物として乃至は食料として用ひられた譯ではない。何故ならば夫れは無機物より成り、自然不消化だからである。然かし飢饉時に於て代用食とした。それが兎も角滿腹の感じを與へるので飢饉の苦痛から和らげる爲めに用ひられたし、是れからでも矢張り用ひられるだらう。それは又一種の調味料乃至だしとして或種の病氣を治すものとして、又或種の儀式として用ひられた。是等は粘土及土の正常な用途である。更に又或種の病氣或は神經の狀態に伴つて異常な病的な使ひ方をされる場合もある。

　土を喰ふことは普遍的な現象ではないが、突發的には殆んど凡ての地域に於て起る。それは地域や人間の氣候、民族、信條、敎養の如何を問はない。それは文明人の間にも又原始民族の間にも行はれる同じ民族の間に於ても、個人によつて之を嗜むものもあれば、それを行はず寧ろそれを嫌忌するものもある。換言すれば此習慣は多かれ少なかれ個人的なものである。土を喰ふことは又必ずしも貧乏人に限られて居ない。

　出鱈目に土を喰ふことは健康を損ね、不慮の死を招くに至ることは明かである。十七世紀の支那の學者も之れを指摘してゐる。一方此放縱の禍害は誇張され過ぎて來た。實際時折珪藻土を用ふること、或は食物の上に土や

粘土が振撒かれてゐても何等の害もないのである。
『續鳩翁通話』（柴田鳩翁著）に
「（前略）去んぬる天保癸已の年、米穀のあたひ貴く、遠國には飢渴におよぶ人も多あるよし聞えました。さる御歷々樣、不便の事に思しめされ、「救荒一助」と題して松の皮、藁、土を食するの法を御ためしあそばされ、板に刻りて、ひろく諸人にほどこさせたまふ。御仁惠のありがたき事、申すもおそれあり。しかれども百年の後、自然その製法を失ひまする事もあらう歟と存じまして、恐れをもかへりみず、今その一法を御披露申しまする。松の皮、藁などは不自由なる地もござりませう土を食する事はいかなる饑饉にも、盡る斯なく、實に未曾有の良法でござります。どなたもヨウお覺えなさりませ。「救荒一助」の文に、
　土粥之製法、或る官醫の家法なり
土はいづかたの土にても、砂石のすくなく、土めよきを選び、土一升に水四升入れ、桶の中にてよくかきまぜ、上水を去る事數へん、また水四升入れ、よくかきまぜ別の桶に入れ、底にのこる砂石を去り、又水四升入れ前のごとくかきまぜ、水にひたしおく事、三日のあひだ、一日三べんづつかきまぜ、すまし、上水をかへるなり。葛の粉、わらびの粉を、水飛する法のごとく製法せし土へ水二升入れ煮てうすき粥のごとくして食ふ。其のうちへ菜大根など切りこみ、おなじく煮て食ふもよし。一日に三合より五合まで食ふべし。誠に此法をもちゐば、五穀を食ぜざれど飢ゑず、身體つよく、すこやかなりとぞ」と已に江戶時代に於て土を喰へと敎へてゐる。
　インドに於ては此習慣は他の國に比べて、汎く行きわたつて居り、多くの個人特に婦人にあつては紛れもない激情ともなつてゐるのであるが、其の恐るべき作用はそれに比例して增大するのである。然し土を喰ふ事の有害な作用が實に區々たるを示す經驗が記錄されてゐる。インドに於て土を喰ふ習慣を有つ婦人に就て汎く訊ねた一人の觀察者に依れば、彼女等は誰もが何等有害なものを經驗しなかつたと云つてゐる。
　土を喰ふ人々は屢々蟲の爲めに惱まされるが、之れが彼等が土を喰ふのに基因するか、それとも蟲の居ることが此習慣に基づくものなるかは判りしない。醫家の間には病的な男の感覺に伴ふ貧血症も最も屢々此習慣に基づくといふ見解である。
　互に遠く離れて住んでゐる人間に對して、同じ粘土が好ましい且つ香ばしいものである。彼等が抵抗し難くそれによつて愉快な作用を經驗してゐることを繰返し見聞する時吾々は簡單にそういふ人達に狂人の汚名を被せる譯には行かない。斯る習慣には何かに心理的な原因があるのである。
　文明人の場合に於てさへ嬰兒及幼兒の間に土を欲しがる者のあることは決して病的と考へるべきものでなく、單に彼等の日常の食事に無機物が不足してゐることに歸せしむべきものである。或アメリカ人が一日二度茶匙に二杯づつの白砂を數年間常用し、凡ての點に於て工合がいゝと稱してゐる者があつた。それから彼は腸の肉腫に罹つて死んだ。だが彼の肉腫が砂を喰つた爲めであるか否かは決定されなかつた。　（一三、八、一七）

大戰時に於ける獨・伊・英・佛・墺等の兒童保護施設（二）

厚生技師　南崎雄七

（二）伊太利

　伊太利は從來歐洲に於ても乳兒死亡の多い國の一つである。卽ち歐洲大戰前に於ては出生は我國の數年前と同等乳兒死亡は我國の二十年前と同等、結核死亡も我國の最近の數字に近似して居たのである。

　卽ち一九一四年に於て生產率は人口千に付き三三乃至三一、乳兒死亡は生產百に付一五乃至一三、結核死亡人口萬に付一五程度であつた。然るに一九一四年の戰爭參加年より生產率は著しく減少し一九一四年は人口千に付三〇以上のものが、一九一六年には二四となり、一九一七年には一九となり、一九一八年には一八に迄低下した。この出生率の著しき低減あるに拘らず乳兒死亡率は却つて上昇したのである。卽ち一九一四年に生產百に付一三のものが一九一五年には一四・七、一九一六年には一八・七、一九一七年には二一迄上昇した。同時に結核死亡も戰前人口萬に付一五程度に下つたものが一九一五年には一五・八、一九一六年には一六・六、一九一七年には一七・五、一九一八年には二〇・九となつた。卽ち結核死亡は戰爭の永續するに從ひ正比例して增加した。

　乳兒死亡は戰爭と出生率の低下に反比例して上昇した。是に伊太利では英、獨等と異なり乳兒死亡の異常なる上昇を來たしたのである。之に依り是を觀ると乳兒死亡は特に之が防止策に努力するに非ざれば戰時困苦時には明に上昇するものなることを物語つて居る。卽ち伊國に於ては英、獨の如くこの方面に對する努力が至らなかつたやうである。

　又識者のよく云ふ如く乳兒死亡は生產率に隨伴して上

下するものであるなどゝ云ふ輕斷はすべきものでないことがよく判ると思ふ。

次の表は伊太利に於ける戰爭前と戰爭後に於けるものと戰時とに於けるものとの出生率と乳兒死亡率並に結核死亡率とを對比する爲めに掲げたものである。

伊太利戰時前後の出生率乳兒死亡率及結核死亡率

年次	生產人口千に付	乳兒死亡生產百に付	結核死亡人口萬に付
一九一〇年	三三・三	一四・二	—
一九一一年	三一・五	一五・三	一七・二
一九一二年	三二・四	一三・〇	一四・九
一九一三年	三一・七	一三・七	一四・九
一九一四年	三一・〇	一二・九	一四・五
一九一五年	三〇・五	一四・七	一五・八
一九一六年	二四・〇	一八・七	一六・六
一九一七年	一九・五	二一・一	一七・五
一九一八年	一八・一	一九・二	二〇・九
一九一九年	二一・四	一二・九	一七・三
一九二〇年	三一・八	一二・七	一六・〇
一九二一年	三〇・三	一二・九	一四・二
一九二二年	三〇・二	一二・六	一四・〇

（備考）一九一四年は戰爭の最初の年一九一八は戰爭の最後の年である。

元來伊太利は里子の習慣の多い國であり戰前には母性兒童保護に對する施設は英、佛等に比し發達して居なかつたので乳兒死亡も高率であつた。

又伊太利は大戰に依つて人口問題に著しい影響を受けた爲め、乳幼兒保護の大切なることを認識する學者が出て、かのトロピアノ教授の如きは疾病及死亡を減ぜんとせば乳幼兒の疾病及死亡を低減することが必要である。一般人の壽命を延ばす者には兒童の生命を確保することが必要である。民族の改善は兒童身心の健全なる教育が絕對必要であると稱せるが如き、兒童福祉事業の大切なることを切言したものである。

戰前に於ける母性小兒の保護に關する法律は工場勞働者に限られ、工場等に於ける婦人の使用禁止と分娩月に定める等の法律があつたが、一九一〇年に法律を以て母親保險制度を布いた如きは此の種立法の世界最初のものと云はれた。

又一九〇八年から一九一五年にかけてネープルスに設けられた兒童保護機關は巴里の兒童保護所や伯林のカイゼリン、アウグステ、ビクトリア、ハウスの模範にされたと云ふ位の施設を有つて居たのである。

戰爭になつて伊太利も他國と同じく資源の缺乏からして之等の施設に大打擊を受け兒童保護の施設は英、獨、

佛の如く發達しなかつた。

兒童健康相談所や牛乳供給所は唯大都市に於て設置され、戰爭の初年に於ては十五大都市に設置された。

ネープルスの如きは牛乳供給所に於て兒童の衞生に關し母親を指導しつゝ牛乳の配給を爲し且つ一般的醫療監督をも行ふたので、兒童福祉センターの發達を促した動機となつたと云はれて居る。

兒童健康相談所は、マンタア、パルマ、ネープルス、ミラン、シランラア等に數ヶ所づゝあつたが、更に戰時一九一六年にカプアに設けられ、一九一七年には相談所の外育兒に關する巡回講演、兒童衞生學校等が開かれた。

又パドウアにては一九一六年、一九一七年に亘つて民衆大學を開いて育兒に關する講演を行つた。ロンバーデ洲では戰時醫療宣傳委員會の主催で母親の爲に育兒の心得に關する印刷物の配布を行ひ、母乳を以て哺育すべきことを力說した。ミラン洲では一九一七年から母親に月額三〇リラの授乳手當を給與し、里子に出さないで親家に留めて其の乳兒を保育するやう奬勵した。之の奬勵の爲め一九一七年には授乳をする母親の數は從前に比し五倍に達したと云はれて居る。

尚内務大臣は一九一八年全國に亘り乳母の取締規則を發布し乳母は免許狀の受けることを必要とし、乳母周旋業は洲の長官の許可を要することゝした。又公設產婆に對し年々十萬リラの補助をなし乳母に託された乳兒の黴毒豫防に關する施設に對し特別の補助をなした。

工場に於ける母性保護としては戰時工業に從事する婦人の數の夥しき增加の爲め戰時工業に於ける姙婦は工場醫に依つて每月檢尿を行ひ、姙婦の六ヶ月目より隔日勤務として出來るだけ椅子を用ひ簡單なる作業に從ふこと奬勵した。又戰時工場には學齡前迄の兒童の託兒所を設置し之等の託兒所は醫師の監督の下に經驗ある婦人が保育の任に當ることにした。

母親保險の制度は戰時中も繼續し一九一七年二月に國庫の掛金は被保險者女子一人につき一〇リラ乃至一二リラに增額し、更に母親一人につき國庫の補助金を更に一〇リラを加へ分娩手當として五〇リラを給することになつた。一九一八年の初め文部大臣は小兒科醫テデッシ博士に對し兒童保護に關する國家的組織の立案を依賴した。

戰時に於ける兒童保護施設は他の參加國に比し著しく逕庭あるを見る。從て伊太利に於ては乳兒死亡は戰時に於て異常の增加を來したのであることを見逃せないやうである。

（三）英吉利

英國に於ける乳兒福祉事業は、立法上確乎たる基礎を有つて居た。產業上では被傭勞働婦人は一九〇一年に休養を受ける規定があつた。母性保險の制定は一九一一年に開始された。產婆の業務は一九〇二年以後政府の取締を受けた。一九〇七年には一部に於て一九一五年に大ブリテンの全地域に亘り出生早期告知法が强制的となつた。有名なる出生屆出期間を六週から生後三十六時間以内に改正した法律である。是の結果として家庭訪問が地方官憲の手で大規模に企てられた。

戰爭開始から政府の與へる財政的援助のお蔭で一切の乳兒福祉事業の大發展を遂ぐるやうになつた。又地方行政者の補助金、教育省の補助金も丁度戰前支出されるやうになり、爲めに地方官憲が乳兒福祉の方策を採用するに大きな便宜となつたのである。

當時地方行政省の衞生官たるア・サー・ニユースホルム氏は乳兒保護に付き『乳兒死亡率の高いことは其國民が國民的に劣等だと斷定すべき狀態が蔓延してゐる證據で現に乳兒の死亡率の高い地方は乳兒の死亡率の低い地方に比して大人の死亡率も高い』と提唱して母性乳兒保護の必要なることを力說しつゝあつたのである。

次表は戰爭前後の數年と戰時の年に於ける、イングランド、ウエールスに於ける出生率、乳兒死亡竝に結核死亡率を對比する爲めに擧げたものである。

イングランド・ウエールス生產、乳兒死亡、結核死亡

年次	人口千に付生產	乳兒死亡生產百に付	結核死亡人口一萬に付
一九一〇年	二五・〇	一〇・五	—
一九一一年	二四・四	一三・〇	一四・七
一九一二年	二四・一	九・五	一三・八
一九一三年	二四・二	一〇・八	一三・五
一九一四年	二三・九	一〇・五	一三・六
一九一五年	二二・一	一一・〇	一五・四
一九一六年	二一・二	九・一	一五・六
一九一七年	一八・三	九・六	一六・六
一九一八年	一八・二	九・七	一七・二
一九一九年	一九・一	八・九	一二・六
一九二〇年	二五・四	八・〇	一一・三
一九二一年	二二・六	八・三	一一・三
一九二二年	二〇・九	七・七	一一・二
一九二三年	二〇・二	六・九	一〇・六

（備考）一九一四年は戰爭最開始の年一九一八年は戰爭最後の年代の年である。この前後の年代に於ける變化を觀察するさ興味がある。

政府當局の努力

戰時になつてから、地方行政省の母性兒童に對する補

助金を以てする事業の範圍は大に擴張されるに至つた。其の主たる點は產前の保護と一歲乃至五歲の兒童の保育であつた。

一九一六年には訪問看護婦及姙婦の給料及費用、產婆監督員の給料及び費用、支拂能力のない婦人の分娩時の醫師の費用、健康相談所維持の費用、分娩に原因する疾病の病院入院費、乳兒の病院治療等に對する費用等に對し補助金を交附し得るやうになつたことである。又一九一八年迄に補助金は姙婦及び產婦の食料に對し增額し、又家庭補助、產婦ホーム、產後靜養ホーム、託兒所等に對しても補助金をやるやうになつた。

地方行政省は地方官憲に對し、公費の緊縮を必要とする訓令を發すると同時に、乳兒の生命及び健康の保全を目的とする事業に對しては、益々其の活動を盛にするやう奬勵した。

更に地方行政省は總てのカウンチイ、カウンシルに對して、全區域に亘る保健訪問の充分なる計畫を樹てることを奬勵し、かくして農村地方にも行き亘るやうにした。

一九一五年の出生告知擴張法の實施は保健訪問の計畫を樹つるに大に役立つたのである。一九一四年三月に於けるイングランド・ウエールスの地方官憲の雇用して居る保健訪問員は僅に六〇〇人に過ぎなかつたが一九一五年には八一二人となり、一九一七年に一〇二四人となつた。この數は出生八〇〇に付き保健訪問員一名の割に相當したのである。

地方行政省の最低標準は當時出生五〇〇に付き一名と云ふことであつた。

一九一八年には地方行政省は姙婦及び一歲乃至五歲迄の小兒を取扱ふ事業の發展を期し、一名の保健訪問員の世話し得る出生の最大限を四〇〇と決定した。

一九一七年にはイングランド、ウエールスの保健訪問員の數は二五五五人となり、一九一八年には三〇三八人の多數に增加した。戰時如何にこの方面の活動が盛んになされたかを窺ふに足ると思ふ。

訪問員は練熟なる看護婦、有資格の產婆、有資格の衞生監督員たることを要しないが、之等の分科の少くとも二つの素養あることを必要とした。主なる仕事は家庭内の母親に助言を與へ、受持家庭の衞生狀態についても報告を齎らさしめるやうにした。

小兒センターの活動

大戰の初期に於てはセンターの事業は殆んど私設團體に委ねられてあつたが、政府は其活動の最も有効に擴張する爲め補助を與へると共に公私團體の協調を促した。

一九一七年の初頭にはイングランド、ウエールスに約

八五〇のセンターがあつたが、一九一八年の七月は其の數が一二七八に達した。この中七〇〇は都市の經營であり五七八は私設團體のものであつた。

英國に於ける兒童福祉センターは世界の模範とすべきものであることは周知の事實である。從て戰時に於てもヘルスセンターの增設を行ひ之の活動を促し以て乳兒死亡の防止に大に其の效を奏したのである。

スコットランドに於ては一九一六年に六つのセンターがあつた。エジンバラでは一九一五年王立產院と連絡して姙婦の診察が行はれた。グラスゴーでは兒童福祉計畫の一單位を形成した。それは相談所と病院とが連結してセンターの機能を增加すると云ふのである。

又一方イングランド、ウエールスでは一九一六年に地方行政省がセンターに於て施設すべき事業、職員及び設備に關する明細なる通牒を發してセンターの機能向上發揮に資する所が多かつた。

又人口稀薄なる土地に於ては公會堂、學校又は教會をセンターとして使用せしめた地方の衞生官はセンターの醫師としての代役を務むるやうになつた。

戰爭と榮養

戰爭と共にいろ〳〵な經濟問題に面接せなければならぬやうになつた。殊に好景氣の時にも生活困難であつたものにとりては一層酷かつた。戰爭開始と共に牛乳は缺乏し、且つ高價になつたが、乳兒にとつては必要品であるので、政府は姙產婦及び五歲以下の子供に對し、牛乳の優先權を主張し若干の地方官憲で之を實施したが、價格の高い爲めに資格ある母親達も之を買ふことが出來なかつた。

一九一八年二月八日イングランド、ウエールスでは牛乳令を發し地方官憲に命じて母親及び小兒に對し牛乳供給の優先權を與へ、無料又は廉價の牛乳を供給し、優先權を與へ、無料又は廉價の牛乳を供給し、優先證明書を有するものゝ手に入るやう價格を調節するやうにした。之の證明書は姙產婦及び五歲以下の子供に對して衞生官又はセンター附の醫師の命令により與へられるやうにしてあつた。

又一方戰爭の初期には、姙產婦に對する無料若しくは廉價の給食の問題が起つた。

一九一四年十一月二日地方行政省は地方委員會（困窮の豫防及び救濟に關する）に對し戰爭から起つた困窮の救濟のために適切なる手配をなすべきことを命令した。即ち婦人に適當な榮養が必要なりとの見地から無料の問題を供給することを勸告した。而して其の代價は國民戰時救濟基金から支辨することにした。

多くのセンターではこの榮養方面に仕事を進めたのが多かつたが、例へばノチンガムのセンターでは一九一四年九月中、母親に對して一萬四千の食事を供した。又一九一六年中ロンドンでは六ヶ所のセンターで母親に對し四萬四千九百五十八の食事を供した。其の中三萬千六百二十三は有料であつた。

チニングトンでは一九一三年十一月と一九一五年二月との間に赤坊世話所で母親に對し五千七百七十一の晝食が與へられ、一方から五歲迄の子供に對し約千四百が與へられた。又マンチエスター母親學校では一九一四年一萬千九百九十八の晝食を與へたが、兵士の留守手當が增加せし年より減少して來たと云はれて居る。

留守宅手當

イングランドでは家族を有する兵員一人每に卒の場合は一週三シルリング六ペンスを政府は支給した。妻に對する手當は一九一四年十月一日に一週十二シルリング六ペンスと定められた。一人の子に對する割合は一九一四年十月一日に二シルリング六ペンスであつたが、一九一五年三月一日には五シルリングに上り、一九一七年一月十五日には七シルリング、一九一八年十月一日には九シルリング六ペンス、一九一八年十一月一日に十シルリング六ペンスに增額された。家族中の各子に對して手當が支給されたが其の額は長子に對するよりも次子以下は少しづゝ減少して行つた。例へば妻一人子供四人なれど最後の支給額に從へば四〇シルリングとなるのである。

母性給付は一九一一年及び一九一三年の國民保險法の規定によつて與へられた。戰爭開始の時、陸海軍に入隊したものは必ず保險に加入することになつた。かくして陸海軍人の妻は母性給付を受ける資格があるやうになつた。この法律の下に於て一九一四年英國全土を通じて支拂はれた母性給付の額は、夫の加入したものに對して一、二五九、三三九ポンド、妻自身が加入したものに對して二一〇、九一三ポンドであつた。議會はこの事業の重要なるを認め一九一四年の保險基金が不足を示した時は五〇〇、〇〇〇ポンドの補助金に依つて之を繼續さした。翌年母性給付の額は男子に對して、一、一三六、三九五ポンド、女子に對して一八二、五〇三ポンドに、一九一六年には男子に對し一、〇八九、一三八ポンド、女子に對し一七一、一三〇ポンドに減少した。

工場母性保護

家庭外の勞働に從事する婦人の數は戰時百五十萬人を增し、其中、工場に働く者七十五萬人を算した。一九一四年七月には工業的職業に從事する婦人の數は二百十七萬六千人であつたが、一九一八年四月には更に五十四萬

人を增加した。而も之は造兵廠、ドック、砲彈工場であつた。これ等の中には姙婦又は子供を有する母親の數も可なりあつた。

工場に於ける姙產婦の特別の保護に付ては何等立法上の規定は無かつたが、一面に於て一九〇一年工場法に依る產後四週間以內は婦人の工場に於ける使用を禁止したのであるが、雇主が其の母の出產を知ると云ふ證明は容易でなかつたと云ふことである、戰爭の初期に於ては夜業及び時間外勞働は普通のことであつて、母親の雇傭に付ては其の健康に對し一つの提議をなさした。其の要旨は保護施設を常に視察監督する役員を必要とすると云ふ軍需品製造勞働者の健康に關する委員會の提案したものであつた。

工場生活の姙婦に對する實際の影響は戰時中種々論議された所である。長時間の立ち續けを要し、又は砲彈製造に於ける如く重い物を持上げることがあり、又一方に於ては婦人が解雇を恐れて姙娠を陰蔽する傾向があるので婦人科醫の非難を受けた。

託兒所の設置

戰時極めて多くの既婚婦人を雇傭するので晝間託兒所即ちクレシは非常に增加したのである。一九一八年にはイングランド、ウエールスに於ける晝間託兒所百三十七は省の補助に依つて後援された。各所一兒につき四ペンスの補助額であつたが後には支出額の五〇％の補助に增額された。

戰時勞働者の子供に對する託兒所の特別に必要なことは早く認められた。最初の託兒所は專ら軍需品工場の勞働者の子供のため計畫されたもので、一九一五年七月にハンツアース又はバーミンガムに於て作られたが軍需品工業勞働者にとつては日中も夜間も之を必要とすることが明かになり、軍需省は創設費用の七五％と實際世話をする兒童一人につき每日七ペンスを支拂ふことを同意した。

又或數ヶ所の晝間託兒所では、戰爭の爲め野外に出て勞働する婦人のために農場地に於ても託兒所を開設された。この種のものはハートフオードシア、ケント、リンカーンシア等に設けられたものが其で室內設備など極めて簡單なものであつた。

教育者の晝間託兒所に對する補助金は一九一四年乃至一九一五年には四百九十六ポンド、一九一五年乃至一九一六年には六百四十萬ポンド、一九一六年乃至一九一七年には八百十萬磅、一九一七年乃至一九一八年には一千萬七十一ポンドに增加した。

戰爭以來イングランドでは一歲から五歲迄の子供に對

する世人の注意が增大した結果、託兒學校又は幼兒學校が論議された。

政府の經費

一九一四年教育省は母親學校補助に關する規定の覺書を出し補助金を受ける範圍內に之を入れた。一方地方行政省では乳兒相談所、母親學校、センターに對しても其の仕事が母親の爲めであり乳兒の爲めであれば同樣に補助金を給與した。

一九一四年、一九一五年にかけイングランド、ウエールスの地方行政省は一萬一千ポンドに及ぶ補助金を下附した。又一九一五年一六年にかけて四萬二千ポンドが地方官憲と私設團體に補助された。更に一九一六年一七年にかけて九萬九千ポンド、一九一八年には十二萬二千ポンドが下附された。一九一九年には二十三萬ポンドに上昇した。

戰爭の末期にアメリカ赤十字社から乳兒福祉の爲めに一萬五千ポンドを受けた。其他國民乳兒カウンシルは五千ポンドをロンドンに他の五千ポンドをプロセンス地方に分與した。

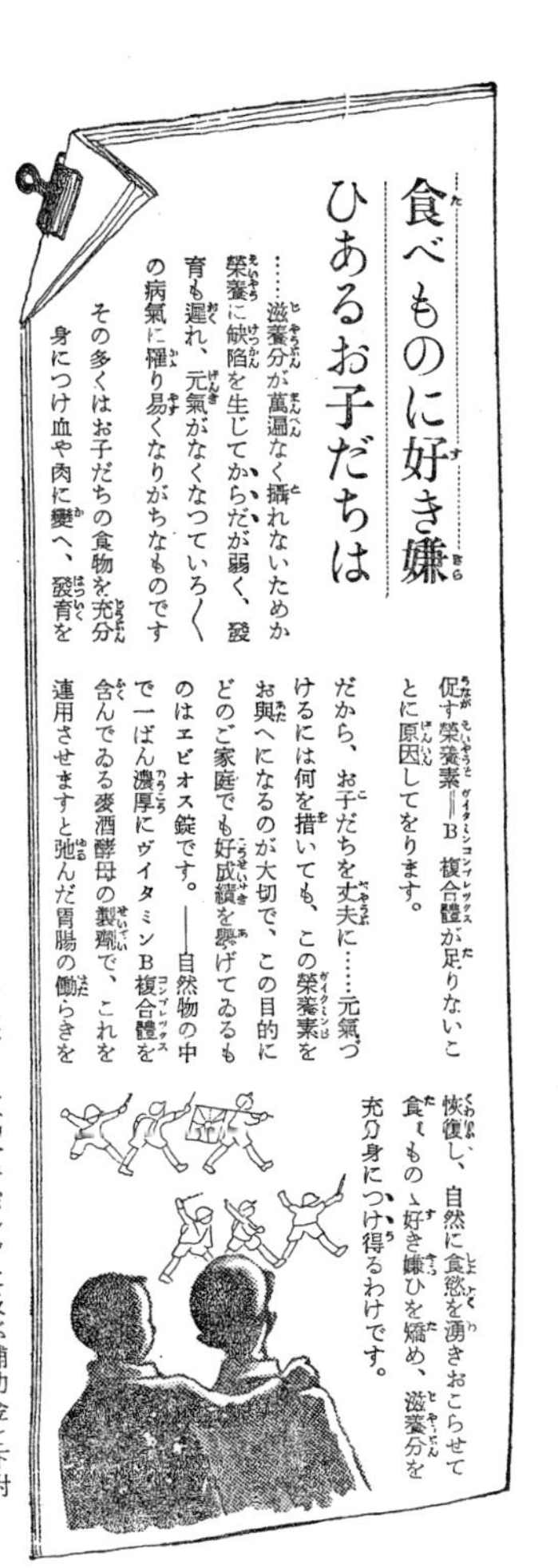

時局下に於ける榮養問題

厚生省衞生局長　林　信　夫

一、國家總動員

獅子は鼠を捕へるにもその全力を用ふると云ふ諺があります通り、凡そ此の世の中に處して事を成さんとするときそれが如何なるもの事であつても全力を傾けて之に當るべきは大切な處世訓であります。況んや一國存立の使命を遂行せんとするにあたり、凡ゆる國力を此の目的の爲めに統制强化しその最高の能率を發揮することを要することは因より言を俟たざるところであります。今や日支事變は一ケ年を經過し、長期抗戰の體制に入りました。云ふ迄もなく日支事變に抗日の勢力をもつて立つところの根源を破壞し、東洋の赤化を防止し、眞に日支共存共榮、東洋永遠の平和を確立せんとする我が國是の遂行でありまして、近衞總理大臣の言はれました通りこのことたる吾等が今日これを解決せざれば吾等の子孫が更に大なる困難の下にいづれの日にか解決を必要とするものであります。果して然らばこの日本國民の歷史的大事業を吾等の時代に於て解決することは、寧ろ今日生を享けたる我等の光榮ある責務であることを思ひますとき、我々はこゝにその覺悟を新にいたしまして、一層堅忍持久報國の誠を致さなければなりません。

凡そ國家存榮の基礎たる國力とは物と人、即ち物心兩面の綜合渾一した力でありまして、世界各國興亡の跡を知るものは物資富んで饒かなれば國運必ず隆昌たるべしとは斷じて申されないのであります。

嘗て佛國ルイ十四世はオランダを攻めましたが、却々これを征服することが出來ませんでしたので、宰相コルベールに向つて「佛國の大をもつてして小オランダを征服出來ないのは一體如何なる理由か」と尋ねましたところが、宰相は答へて曰く「國の强弱は領土の大小や貧富のみによりて定まるものではありません。國民の品性に

よつて分るゝものであります。オランダ人は勤勉にして節制あり儉約であります。國運の盛衰は國民の精神如何に依ります。ペルシヤはアレキサンダーの爲めに一たまりもなく絕滅されましたが、それはペルシヤ人が勞働を賤み、遊樂を尙ぶ國民でありまして、卑しきものと尊きものとを轉倒してゐたからであります」と答へました。

奢る平家は久しからずでありまして、國富み文化進み而も衰退その內に萠すのを見るのを常とするのでありまして物心何れを缺いても眞の國力を發揮することは出來ないのであります。

（イ）　物的資源＝さて非常時局に直面すれば先づ第一に物資の急激な需要が起つて參ります。況んや近代科學戰に於てはその戰費は益々巨額に達するものでありまして、かの世界戰爭に際し各國の消費した戰費は三千七百六十二億圓で、これを一圓紙幣で積み上げますと富士山の千二百五十七倍となり、十噸貨車で運ぶにも二萬六千六百輛を要すると云はれて居ります。

又日露戰爭に於て我軍の砲彈の使用は百萬發といはれてゐますが、かのマルヌの戰では佛軍は僅か一週間にそれだけを使つてゐるのであります。かゝ樣な理でありますから今や我國に於ても戰時經濟體制を整へ、必要物資を統制し、その使用を制限し、その價格を定め、或は生產を擴充し、あらゆる角度から物的資源の涵養並に動員につとめつゝあることは諸君の御承知の通りであります。

（ロ）　人的資源＝然し乍ら如何に多くの物資がありましてもこれを動かす人であります。從つて人的資源に缺くるところがあつては折角の物的資源も寶の持ち腐れであります。一度戰爭になれば幾多の勇士はこれを戰線に送ります而も國內では急激な人の要求が起つて來ます。

今試みに 世界大戰の 當時獨佛兩國の 動員狀況 を見るに獨逸は男子總數三千四百萬人中千三百二十五萬人を、佛國は二千萬人中八百萬人を、即ち各々男子の三九％―四〇％を召集してゐるのであります。今若しかくの如き召集を日本で行つたと假定いたしますれば、昭和十年國勢調査による我內地の男子總數は三千二百萬人でありますから、一千二百八十萬人召集せられることになるのであります。この要求を充す爲めには廿一歲から五十歲の男子では足らず、十八歲より四十五歲迄の男子でも足らないのでありまして、實に十八歲から五十歲迄の男子は一人殘らず應召して初めてその要求を充たし得るのでありまして、國內には働きのある男は居らないと云ふことになるのであります。

而も獨逸ではその五一％五百二十三萬人、佛國では七一％即ち四百五十八萬人が死傷してゐるのであります。

これに比ぶれば國運を賭した日露戰爭さへ比較にならぬのでありまして、その時は僅に男百人につき四、六人の召集があつただけでありまして今日の如きは僅かに非常時の入口に過ぎないと思ふのであります。

日支事變は長期戰に入りソ聯との國境問題は漸く一時的小康を得たりとは云へ、世界の形勢は如何に動くか豫斷の許さゞる今日誰が我國に獨佛の如き動員が來ないと斷言し得ましやうか。

此れを思ひ彼を考へ、我國の健康狀態を觀るとき果して之に應じて遺憾なしと云ひ得るでありましやうか。

勿論我國民の盡忠報國の大精神に至つては如何なる國の追隨をも許さゞるものがあるのであります。

見よ、爆彈を抱いてソ聯の戰車に突入し身と共に之を爆破した勇士あるかと見れば落ち行く飛行機の中よりハンカチを振つて戰友に別れを惜みし荒鷲あり、さては又「花の香はしきを見て惱まんとするや月の明るきを見て泣かんとするや、あらず、首をかけて空ゆく飛行機を見よ、あれよあの機、達雄は永久に生きて在るよ」と歌ふ大和女あり、幾多の美談、靑史を飾るに遺憾なしと雖も國民の總力を擧げて立ち向ふことを要する日、果して憂なしと云ひ得ましやうか、乞ふ暫く諸君と共に我國民の保健狀態を一瞥せん。

先づ第一に出生の方面より見ますと文明各國が出生率に於て過去四十年間に相當著しい低下を見て居るのに引きかえて（千人につき英二八、五―一五、二、獨三五、八―一八、九、佛二一、九―一五、三、米二〇、四―一七、二）我國は極めて低下率が低く、（三三、九―二九、九）各國の約倍の出生率を持續して居ることは將來の國家發展の基本條件に於て勝れてゐると云ふことが出來るのであつて、靑年日本の洋々たる前途を示すが如くに見らるゝのであります。然し人生れて死なからんやである。

これを死亡率の方面より見れば、各國に飛びはなれて高く而も過去三十餘年間に各國が著しくその率の低下を見たるにも拘らず（千人に付英一八、二―一二、獨二二、五―一〇、九、佛二二、一―一五、七、米一七、六―一一）殘念ながら我國は極めて微弱な低下（二一、一―一七、五）しか見て居らないのであります。

而して今その死亡の中特に乳兒の死亡に於ては各國の約二倍の率を示し（千人に付き日本一〇、七、英五、九、獨六、八、佛七、五）その死亡原因に見れば先天性弱質によるもの（二七五、四―一〇〇、〇）最も多く肺炎（一七六、六―一〇〇、〇）下痢腸炎（一七二、二―一〇〇、〇）之れに次いで居ります。

此の乳兒の死亡については更に後に世の母性に訴へた

いのでありますが、更に吾等の重大關心事たる我國の結核狀況について一言せざるを得ないのであります。結核こそは實に我國の國民的疾患であります。結核は何も我國に限つた病氣ではなく、各國とも相當に蔓延してゐたのでありますが、近年著しく減少しつゝあるに引きかえ（一萬に付英一三、八―七、二、米一五―五、七、獨二一、一―七、二）我國に於ては過去二十五年間殆んど低下の跡を見ず（二一、七―一九、一）死亡原因中の首位を占め（年々一三二、〇〇〇）て居るばかりでなくその罹病者に至つては國家活動の原動力たる靑壯年層に多きを見るとき深憂に堪えざるものがあるのでありまして、今之れを壯丁頃の者に就てマンツー反應をして見ますと五〇％にも達する有樣であります。先般ある中等學校の生徒で健康の勝れて居ると云ふ人が九十八人兵營に泊り込み演習に參りました。其處で兵の方で一つ健康診斷を仕樣と云ふのでやつて見たところが、その中三十九人迄は慢性胸部疾患を持つて居たと云ふことであります。

政府は結核療養所を增設し、極力之が蔓延の防止に努めつゝあるのでありますが、私共の宣傳標語「日に干せ日に當れ」を實行せられ、ちつとやそつと御隣の迷惑になつても、御互ひに許し合つて日の照る限り、空地のある限り隣の家もお干し下さい、私の方も干さして頂きましやうとやつて頂き度いのであります。昔から「色の白いのは七難隱くす」と云はれたものでありますが今や男も女も色白の顏などは國策の線に添はない時代遲れの代物だと高らかに叫ぶやうになり度いものであります。只今は單に結核と乳兒死亡について申上げましたが之を傳染病發生の狀況、寄生蟲、トラコーマ蔓延の狀況その他より見まして一として滿足すべき狀態ではないのでありります。

かくの如く憂慮すべき國民保健の現狀に鑑み如何にしてこれを改善すべきであらうか。

二、保　健　對　策

（イ）　病氣にかゝらぬ事＝それは他ではない、先づ第一に病氣に罹らぬ樣にすることとである。我々は今迄病氣にならない限り御醫者樣は無用と心得、御醫者樣も亦病氣にならぬうちは御世話をしないと云ふ風になつて居つたのでありますが、これが一つの大きな間違ひであつたと思ふのであります。「百日の治療より一日の豫防」年に一度や二度健康診斷を受けて、どうすれば病氣にならないか、健康を增進出來るかを相談し、醫者も亦その公共的使命に目醒めて醫は醫なきを理想とするの職分に進まれんことを希望するのであります。政府が曩に各府縣に

保健所の設立を命じ年々之れを擴張して全國に約五百五十所を設けて一般の健康の相談に應ずる樣に致したのもこの目的の爲めでありまして、大阪の如きは市自ら中央保健所を御建てになり、各區にはその分館を設けらるゝに至ることは最も望ましい事であると思ふのであります。

（ロ）　鍛錬すること＝かくて病氣におかされぬ身體が出來ますれば次に流汗鍛錬であります。愛なき社會は暗黑であり、汗なき社會は墮落である。我々は我々の身體を練り上げなければなりません。過日國民體力管理のための準備的實地調査をした時、私は都市と農村の青年にその體力に於て甚しい相違を見たのであります。卽ち周圍二十米の圓を書いてケンケンで飛ばして見ましたところ、都市の人は一二回でヘコタレ最も多く廻り得た人は二十回でありましたのに、田舍では最少二十回最大六十回でした。又自身の體重と同じ重さのものを持ち上げさして見たところが都市の者は却々上げ得ません。上げ得てもフウフウですが、田舍の者は二十回も上げて平氣でありました。非常時局に際し幾多の苦痛に堪え、その波を乘り越えて行かねばならぬ時思ひ半に過ぐるものがあります。更に都市と田舍の年齡別の人の構成を見ますと、小學校を卒へた田舍の人達は都市に集りますので、都市では青年層が丁度蛇が蛙を吞んだやうにふくれ、田舍は斷食した人のやうに青年層がへつ込んで老人と子供が多いのであります。然も頑丈に育つて來た田舍の者が都市に入つて病氣を得ては田舍に歸るのであります。諸君、東京は我國人口の十分の一、大阪は二十分の一を抱擁してゐるのです。

この二大都市の人達の健康がよくなれば、更に進んで六大都市の人達の健康が改善さるれば、我國人口の六分の一がよくなると云ふことを深く御考へになりまして一層の御協力を願ふ次第であります。

（ハ）　榮養食を攝る事＝然し如何に疾病にかゝらぬ樣にしよう、大いに體力を練らうとしましても、その根本を正さなければ出來ません。凡そ國民の保健狀態は、その國の文化の標準を示すものでありまして、その時代の凡ゆる社會施設、例へば上水道、下水道、住宅、衣服、工場の設備等の衞生條件を始め、勞働の條件、生活樣式等の綜合的結果でありますから、病氣にかゝらぬ樣鍛錬に堪え得る樣な身體を作り上げる基本問題として我々の身體を維持し發育せしむるに必要なる榮養を如何にして工風するかと云ふことが重大問題になつて來るのであります。（未完）

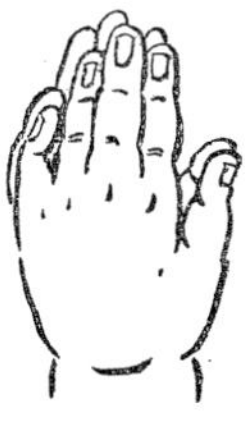

志賀志那人氏の追憶

伊藤悌二

精神家なりし氏

將來志賀志那人氏の傳記を編輯したり、亦氏の事業史の如きものを著作する場合などに、最も必要缺く可からざるものは、氏が公的人間として對社會の生活を始めた當時の環境、又は氏の心構へとか、信仰思想の方面、卽ち氏の精神生活とか內的方面等の探究であつて、これはどうしても、亦何人の場合でも閉却してはならない事であると考へられる。

大學を出て、高文をパスして官途に就き、課長、局長と鰻上りに立身出世した人などの、よく有り勝ちなのは此の精神生活の空虛な事であつて、周圍が祭り上げて吳れゝば自身も餘程《ひさかき》の人物になりすまして、一生涯を無意味に終る人が多いやうである、禍なのは實に職名であり肩書である、そして亦其の本人も惡いが周圍の醉生夢死の雜輩たちにも罪があるのである。

私は志賀氏を追想するに當り、氏の偉いと思はれるのは、氏は決して祭り上げられたくないと云ふ、賢明さを多分に持つてゐた事であつた、「眞の成功型の人」と云ふのは、頭のよい事や敏腕な事や門閥やなどを其の條件の中に入れるのであるが、眞の成功型の人と云ふのは自分自身を識る人の事なのである。例へば氏は部下の係長を捕へて「俺のラヂオ放送を世間はどう批評してゐますか」と尋ねた時「部長さんのは大へん好評です」、などゝ御世辭など云へば、此の男は心にもない媚びを云つてると、自惚れる前に相手の胸を見拔いて反省する事が先きに立つのである、これは生れ乍らの苦勞人であればこそであらう。

大阪市役所に入らない前などは、可なり自分を高く買冠つてゐた處はないでもなかつたが、晩年は一切を脫ぎ捨てゝ總てに對し從順でもあつた。それで氏の青年時代を盡知して居る舊友たちは「氏の五十歳以後に於て、あの三十代に手を染めた精神運動を今一度出直してやらして見たい」、と願望したのは何と意味深い事ではなからうか？

もと〳〵氏は決して敎授でもなく、官吏でもなく、實業家でもなく、勞働運動家でもなく、亦嚴密な意味に於て社會事業の事務家でもなかつた、氏は實に精神運動を爲しに生れて來た人、新宗敎樹立の事業をなさなければならぬ人であつたやうに思はれる。

中學校時代から高等學校時代にかけて牧師の代理をして、每週やつた說敎がホンモノの牧師よりも評判がよかつたと云ふ事であつた、それは天禀の人を魅する魅力の賜物であつたと思はれるが、氏を精神家として思ふ存分に天分を發揮させずに、社會事業の事務家たる公吏として終らしめた事は返す〴〵も殘念な事である。

大正十年の頃

大正十年に今の北市民館が建設された、初代館長として何をなす可きかと云ふ問題で、可なり頭を惱ました事は事實であつて、隣保事業そのものゝ本體をつかんでゐないその當時の氏自身も、市の當局も五里霧中ではなかつたらうかと思はれる。

それで何でも試みた、市電從業員の慰安會も、盲人の指導も、理髮部や公衆食堂の設置も、管絃團の編成も、圖書館の創設も……手當り次第試みたのである。

自分でよく云つた、「事業でも交友でも趣味でも執着してはならぬ、飽いた時は片端しから捨てゝ、新しき方面に移ればよいのだ、變化は生命だ、流轉も惡い事ではない、瞬間に活きればそれでよいのだ」と、これは氏の眞骨頂であつたかも知れぬ。役に立たぬもの、無意味なものは捨てゝかへりみない處に新發見もあつたらうが、一沫の淋しさは漂つてもゐなかつたやうであつた、晨に吳客を送りて夕に越客を迎ふると云ふ事は氏の心の生活では珍らしい事ではなかつた、趣味の點に於て然り、交友に於て尙更然りであつた。

そこで市民館創業時代に館を離れ、一市民として我々友人と共に創設したのは大阪文化協會であつて、前述のやうに永くは續かなかつたが、これは大阪に於ける文化運動と名のつく初期のものであつた、つまり先驅をなしたのである。その頃は歐洲大戰以後の好況時代の降り坂とは云へ、未だ其の餘勢がくすぶつてゐて料理屋の仲居に百圓紙幣を與へて、得意然たる鐵工所長も珍らしくはない時代であつた。

さうした時勢に文化運動着手の第一聲は中之島公會堂に開催された「性に關する講演會」で、京大の敎授、辨護士界の元老、醫學界の長老、文學界の人氣物等が講演

者だつた、それは當時としては奇拔でもあり豪華な催しで、講演の內容も今時のジャーナリストのやうに淺薄で齒の浮くやうなものではなく、內實共に豊富な權威あるもの計りであつた、然し臨監の一警部から中止を喰ふやうな醫學專門の博士などもあつて、場內が緊張もし、亦時になごやかになつたりすると云ふ珍風景を呈したりした。然して主唱者の志賀氏は此の問題それ自身、文化事業とどう云ふ關聯を持つものであると云ふ事は深く考へなかつたのであつた、唯新しい試みをやればよい、そしてそれが評判が惡かつたら、自分は物質的損害の責任はないのだから、次から次へと新しい試みをしやう、と云ふ建前であつたらしい。

だから鐵商の杉山武夫氏などは時々迷惑を受けたもので、その當時の精算などは未だに出來てゐないと云ふ有樣であるが、それは同人全部の責任である、然して大部分は故人となつて了つた。

兎に角華々しくスタートした文化協會なるものゝ趣意書は、氏の起草にかゝるもので左に掲げて當時をしのぶよすがとしたい。

文化協會趣意

私共の生活は、決して充分なものではありません。然し同時にもつともの足りない生活をして居る多くの人のあるのは申す迄もない事實です。斯かる隔りは何時でも何處にでもあります。けれども私共が現在之れを見る時は、それが何をか訴へて居る樣に思はれてなりません。其處に私共を驅つて何かを其の爲に爲さなければ堪えられない樣に感ぜしめます。

法律を以てした事があります。お金を以てした事があります。設備を以てした事があります。德敎を以てした事があります。孰れも其れ相當な效果はありました。そして之れからも盛に爲さなければならない事でせう。然し其れは與へるものと、享けるものとの心の差別を作り易い仕方になる事が多う御座います。

私共はアーノルド、ツインビーの仕事に宿つた溫い心を今も感じます。あの心こそ一切の社會事業や文化運動の原動力ではありますまいか。勿論私共は一つの階級のために——それが如何なる〇〇であつても——他の階級が犧牲とせられる事に反對します。凡ての階級が網羅されて、皆が滿足に其の生命を發達させ得る社會を理想とします。隨つて私共は此の溫い心を以て何人の爲めにも奉仕する決心を有つて居ます。

私共の今有つて居る經濟的精神的所有は實にお話にならぬ程貧弱です。けれともそれを單に自分と家族と、親しいものゝ爲めにのみ捧げる事は勿體なさ過ぎます。特

に私共の時間はもつと有効に使ひ得る筈です。

そこで私共は次の樣な申合せをして御一緒に運動しませう。

「私の時間、私の心、私の體、或は私の金其の他何でも無理を爲ないで、お互に出し合せて物足りない生活をして居る人々に捧げて、其の好き隣人として働きませう」

斯の申合せを一つの規約に依つて實行します。

文化協會の事（志賀氏起草）

私共は、昨年二月から、名の樣な會を作つて、小さいながら色々の事をして參りました。

文化敎會と申せば、今日では隨分澤山にあつて決して珍らしいものでもなく、どちらかと申せば、少し陳腐な名前で御座いますが、始めは之れをアーノルド、ツインビーのやつた樣な事をしては如何かと謂ふ考から、ツインビー協會と名付けやうと云の説もありましたが、それでは、少し變で分り惡くからうと云うので謂はば、名に困つた爲めに其の仕事の内容が、近頃申す文化運動であるから、文化協會に爲樣ではないかと云ふ事になり斯の名前を附けたのです。

文化協會と名の付くものが、今日では餘りに多いので、私共が比較的早く此の名を付けた丈け、何か流行の源となつた樣な氣もしますが、文化の眞意氣に徹底して見ると、實に容易ならぬ名を付けたものと思つて居ます。そして何か講演會をしたり、社會事業と稱えらるゝやうなものをして、上辷りをして居る裡ちに此の名前を考へる時は二三年の後に參りませう。

一體昨今のものが文化運動と申すものならば、それは頽つて了つても決して惜しい名前ではありません。それならば、お前等のして居る事も其んな下らないものだらうと申す人がありましたならば、私共は、外から見られる處は、如何であれ、自分等の目指して居るものを明瞭に認め、堅い友情の團結の下に、兎も角理想に進んで居ると丈けはお答へする事が出來ます。

昨年二月、私共は、先づ本年は斯れこそ、自分等が研究し、世間にも目醒ましい自覺を與へたいと思つた問題として、性に關する研究を提唱する爲めに、中央公會堂で大講演會を開きました。そして講演集を出す事にしてゐました所、其れが色々の事情で出來なくなり、豫約をして頂いた方には濟まぬ譯ですが中止しました。序での樣ですが之れはお詫して置かなければなりません。

それから其の後每週一、二回づつ引續いて諸所で小さい集りを催して參りました。そして問題は、色々變りましたが結局私共同志の間で、何時までも變らす又、友情を結ぶ綱となつて居たものは、私共が次第に有つ樣になつた。信仰であります。

私共は今や、總ての人の仕事は、皆宗敎的信仰に至られば駄目であると云ふ事を自覺して參りました。

そして、私共の小さい集りで、信仰と名付けらるゝ樣なものゝ形と内容とに拘らず、互に其れに就いて訴えたり、聞いたりする事に依つて强い光を此の一年間に惠まれた事は、私共を益々此の道に推し進めました。

私共は、今此の新しい時代の到着する所は、「先づ神の國と其の義とを求めるにあり」と信じ、此處に私共の方向を定め、此れを諸君に提唱します。愛生は私共の標語です。

次の號にその由來を詳しく紹介して皆樣の同意を得ませう。

幼兒のしたがる 鋏を使ふ遊び

危い！とどめ立てするな

岸邊福雄

幼兒が鋏を持ち出すと『あッ、危いッ！』とあわてゝ取上げる母親があります、果して取上げた方がよいものか一言にしていへばはさみ取上げるべからず――です、よく子供可愛さから怪我でもしたら大變だといふので、たゞハラ〱とあれはあぶない、これはあぶない無暗やたらと止めるお母樣方を見掛けますが、これは大いな誤りで、鋏の場合も大いに切らせた方がよいのです、はさみで切る遊びは幼い兒に立體的な觀念さへ養ふもので、といふのは鉛筆を持つてものを描くいはゆる繪畫の平面的なのに對して、はさみで切ることの手工は、切拔いて張れば平面的な遊びですが、菓子の空箱などを切拔いてこれを立てたり、組合せたりすれば立體的な遊びとなり、つまり子供が自分でいろ〱と勝手なおもちゃを作る、これはむしろ奬勵したい位のものです、といつてあくまでも家庭における幼兒の遊びであるやうこれが小學校への準備が目的であつては絶對いけないのです、入學してはさみの使ひ方を知らぬやうでは困るから、入學前に敎へておかうなどいふ考へから、幼兒に强ひるはさみであつてはなりません。

×

さて問題なのははさみを持たせたくない母親の唯一の原因、怪我をしたらどうしよか？です、しかしこれは母親の注意如何でどうにでもなることですし、はさみの選擇一つで即座にこの心配は解消されます、刄先のとがつてゐない刄の鋭利でないはさみを選ぶこと幼兒の遊びには厚い紙、即ち畫用紙程度のものが切れる以上鋭利な刄は必要はないのです、また力が無いから大きいはさみの必要はありません、ですからかうした幼兒用のはさみ（幼稚園で使用してゐるもので、小學校附近の文房具店等には大抵あります）を與へておけばよいのです、錐も同樣先のあまり尖らぬものを與へること、幼兒のかうした遊びには、鋏と錐さへあれば用は足りるので、ナイフの必要はなく、またナイフは使ひにくゝもあり幼兒にはまだ無理で危險でありますから、こればかりは持たせぬやう注意される必要があります。

生めよ、蓄えよ

＝同時に健康な生活を與へよ＝

山川菊榮

「生めよ、蓄えよ、二億に滿てよ」といふ景氣のよい注文が貴族院の壇上から發せられた。文明國のなかで、日本人くらゐ多産の國民はない、都會のインテリー層の中でも五人や六人の子供のある家は少くない、まして少し田舍へ行けば、七、八人から十人位はザラにある。それでゐて子供を邪魔にしたり、迷惑がつたりしてゐる親はまづないといつてよい。日本には子供を生み子供を育てることを何より樂しみにしてゐる女性が多く、産兒制限などは、貧乏や多産のためによく〱困りぬいた揚句、訴へる手段にすぎないものと思はれてゐる。

× ×

だから生む方は女に任せておいて心配ないとして、問題なのは折角せつせと生んだ子供を、途中で病氣のために失ふことが多い點である。嬰兒死亡率は以前から見れば大分低くなつたとはいつても、まだ文明國といふにはお恥しい程度だし、結核に至つては他の文明國の倍近くにも及び、殊に青年と婦人の死亡率が高く、國民の平均壽命は十年も短い。かういふ缺陷が除かれて生まれたゞけの子供が出來得る限り天壽を全うするやうに、母親にも子供にもよい生活を與へたならば、人口の減る心配などは少しもない。濫産濫死の代りに健康兒ばかりで日本を充たしたいものではある。

十月の日記（編輯後記）

◉永井遞相母堂つる刀自の葬儀は、去る十月二日青山齋場に於て執行されたのであるが、その前夜の最後の御通夜には我れこそはと云つた顏をした人々は百人餘りも居つたが、遂々一睡もしなかつたのはタッタ十人程しか無かつた、曉の前の闇が刻一刻しらみそめて、次第に鳥の鳴き聲のする頃のあの官邸の庭の濃綠りの樹木がなんとも形容の出來ぬ神々しい感がしたのであつた、十八臺目かの自動車で齋場に着き、鳩山一郎、山本達雄、頭山滿等云ふ巨頭たちのお顏も見られた、其の日式場からホテルに歸つて日中一時半計りの睡眠をとつて、本誌の編輯に着手したのであるが、どうしても前夜丹波から出て來た水口女史が話された御母堂の神の如き御生涯の事、亦遞相が少年時代に演說の練習をした鎭守の森や粗末な小學校、それから御一家の住まはれた家屋等が、その儘殘つてると云はれた言葉が思ひ出されてならなかつた、同女史がその家の庭に繁つてる常綠樹の枝を何とはなしに急いで靈前に持參し、それを首相の花環にさして故人を慰むるよすがにしたと云ふ事も、眞心がこもつてゐて實に涙ぐましく見られたのであつた。

◉厚生省に是松秘書官を御訪ねした時、「大臣から御預りしてあります」、とて記者の前に出された筒入の二枚の絹本は、「肇國宏遠」、と御染筆になりし扁額と、それから「寒梅冒雪開」と御揮毫の懸物であつた、前者には無論、木戸幸一敬書と謹書されてあるのは自ら頭が下るのである、後者は來る十月三十日に表彰さるゝ全東京乳幼兒審査會に於ける最優良兒、優良兒たちが全部、この復製を拜受する事に確定して居るのである、何たる名譽、何たる誇りであらうか、實に感謝の極みと云はなければならないのである。

◉四日間滯京して六日の朝歸阪したが、第十六回全大阪乳幼兒審査會の準備は堤、小野、矢野、伊藤英男諸氏によつて着々準備が完成してゐたので實に嬉しかつた、既報の通り、去る九月十八、十九兩日の「大每」「大朝」に二回だけしか發表しなかつたが、申込殺到して二日間にして定員四千五百名を締め切り、約五千名を不本意ながら斷らざるを得なくなつた盛況振りであつた、過去十五年間帝大醫學部の學生諸君の援助を受けてゐたのであつたが、今年からそれが出來なくなり、梶原博士、保良女史、府社會課の長部主事等の熱誠なる御盡力で、今年から毎日、府立社會衞生院の學生二十五名づゝの御助勢を蒙る事となり胸を撫で下した、本事業の四通八達であるのは實に天の惠みと云はなければならぬ。

◉大正十年に聯盟が創設されざりし以前、志賀、山桝二氏等と共に、大阪文化敎會、信仰座談會、愛生敎會等を設立して各種の運動を實施した故青木律彥、故飯島博士、故六人部延平三先輩の未亡人を去る十五日と十八日に訪ねて往事を追懷し、且つ故人たちを追慕した、本誌九月、十月號の「志賀氏の故鄕を訪ねて」に就き各方面から種々懇篤なる御通信を頂戴した事を御禮申上ぐる次第であるが、これによつても故人の德望の如何に高かつたかゞ解るので、一面識もない人々からの書信など實に感銘の深きものばかりであつた。

◉本誌十一月號より日本兒童愛護聯盟發行と名稱を變更し、從來の名稱は形態と共に其の儘にし支部加盟をする事となつた。

本誌定價　一冊金參拾錢　郵稅壹錢五厘
半年分六冊　金壹圓六拾錢　郵稅共
一年分十二冊　金參圓　郵稅共
誌代郵稅は一切前金の事
前金切の場合は發送中止
郵券代用は一割增のこと

昭和十三年十月廿八日印刷
昭和十三年十一月一日發行（每月一回一日發行）

兵庫縣武庫郡精道村芦屋
發行兼編輯人　伊藤悌二
大阪市西淀川區海老江上二丁目三七番地
印刷人　木下正人
印刷所　木下印刷所
電話福島㊺（一五三四番／二四二六番）

大阪市北區天神橋筋六丁目
大阪市立北市民館内
發行所　日本兒童愛護聯盟
電話堀川㉟（〇〇〇一番／〇〇〇二番）
振替大阪五六七六三番

明色美顔水

白色
肌色
濃肌色

複合粒子《ふくごうりうし》で
ズバ拔けて
美しく附く
水白粉！

しかも時間《じかん》が經《た》つ程《ほど》
一層《そう》美《うつく》しさを增《ま》す！

粒子《りうし》に素晴《すば》らしい新工夫《しんくふう》！

▲「複合粒子《ふくごうりうし》」の白粉《おしろい》は
何故《なぜ》特別《とくべつ》に美《うつく》しく附《つ》くか！

これまで白粉《おしろい》はキメが細《こまか》い程良《ほどよ》いと言《い》はれたものですが、明色美顔水《めいしよくびがんすゐ》、明色粉白粉《めいしよくこなおしろい》、明色固煉白粉《めいしよくかたねりおしろい》は、その細《こま》かいキメに、更に幾多《いくた》の新工夫を加へて一種獨特《どくとく》の精巧《せいこう》な微妙《びめう》な狀態《じやうたい》に化成《くわせい》してあるのです。ズバ拔けて美《うつく》しく附く事、不思議《ふしぎ》なくらゐお化粧《けしやう》保《も》ちの良い事、また附《つ》けてから時間が經《た》つ程一層美《うつく》しさを增す等々の素晴《すば》らしい化粧効果《かうくわ》は全くこの精巧微妙な「複合粒子《ふくがふりうし》」の作用《さよう》によるものです。

7—168

鼻
大川ユーカリ吸入器

無代進呈
恐るべき鼻病の新治療と云ふ
小冊子御申込次第送呈
恐るべきは鼻の病ひ!!

鼻と腦との關係は薄い骨一枚で隣り合せて居るものですから鼻の障害が直に腦へ及ぼす影響はそれは〳〵强大なものです

貞淑であつた御婦人が俄にヒステリー症になつたり頭腦明快で聞えた紳士が急に神經衰弱や憂ウツ症にかゝるのも多くは鼻の病の故なのです……

鼻がつまりますと自然口で呼吸をする樣になりますので最も大切な鼻腔の保護作用と云ふものが働かず從つて咽喉や氣管を痛める原因ともなります大川ユーカリ吸入器はホンの煙草一本召上るのと同樣一回二三分間づゝ一日に三四回御使用になれば宜敷しいのです

ユーカリ油から發散するユーカリガスを吸入しますと鼻や咽喉のカタルを起してる粘膜に刺戟して仲々効果のあるものです御婦人や御子樣にも容易に使用出來て決して見苦しいものでもありませんし又携帶至便で電車の中でも事務所でも何處でも御使用になれます

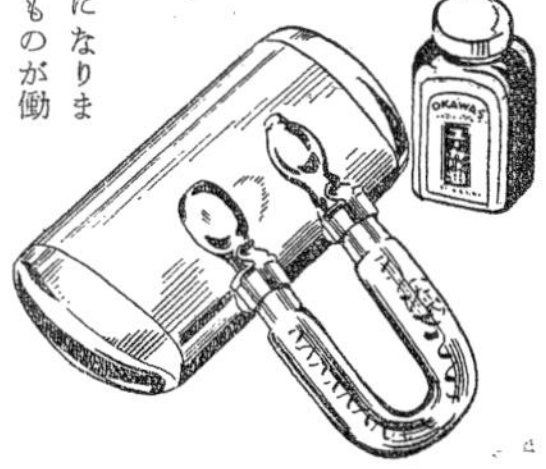

定價
鼻專用 ユーカリ油付 金一圓也
鼻喉兩用 〃 〃 並 金一圓五〇也
〃 〃 上 金二圓也

發賣元 東京市日本橋區本町四ノ七
大川式吸入器本舖
武田 發賣

虚弱兒の强壯劑は……
ポリタミンに限る

(1) ポリタミンは「牛乳蛋白」を消化した比類のないアミノ酸製劑です。從つて……
(2) 胃腸の弱い子にも、ムダなく吸收されて血肉成分を補ひ、体重を增加します。
(3) その上アミノ酸獨特の細胞賦活作用によつて体質を改善し、抵抗力をつよめます。
(4) また消化液の分泌を促して、著しく食慾をすゝめ、便通をとゝのへます。
(5) 更にビタミンBを配してありますから、一層全身の榮養をたかめます。
(6) すこぶる甘美味の液劑です。

こんな子に最適

呼吸器の弱い子
食慾のない子
榮養不良の子
微熱のつゞく子
ね汗をかく子
疲勞し易い子

小瓶（一圓五五）
中瓶（二圓五〇）
大瓶（四圓五〇）
各地藥店にあり

發賣元 大阪市道修町 株式會社 武田長兵衛商店
製造元 大阪市堀上通 大五製藥株式會社

38(2)64
お子樣用品は
日本橋高島屋で……

實用的でお德用なお子樣用品を
各種豊富に取揃へてございます
お子樣用品賣場…（五階）

東京・日本橋
髙島屋

子供の世紀 第十六卷第十一號
大正十三年二月二十日第三種郵便物認可 昭和十三年十月二十八日印刷納本 昭和十三年十一月一日發行（每月一回一日發行）
【定價 金參拾錢】

「子供の世紀」(第十六卷第十二號)「長期建設に備へて」號

目次

敎育結婚保險
徴兵保險
東京 第一徴兵 銀座

牛乳とロロンで
まる〳〵育つ！
母 乳代用に牛乳だけを用ひますと榮養分不足のために、發育がおくれ身体が弱くなりますから、牛乳の缺点を添加料で補つて母乳に近いものにして與へなければなりません。
育 兒糖ロロンは、從來の添加料の缺点に鑑みて、二種の含水炭素を主成分とし、ビタミンB、アミノ酸燐酸カルシウム等を配した最新の製品です。牛乳にロロンを加へますと、不足榮養分を補ひ、その上牛乳の消化吸收をもよくしますから、發育が旺盛になります。
最新の牛乳添加料
育兒糖
ロロン
一圓五〇錢
二圓七〇錢
全國藥店にあり
發賣元
株式會社 武田長兵衞商店
大阪市道修町
38(2)244

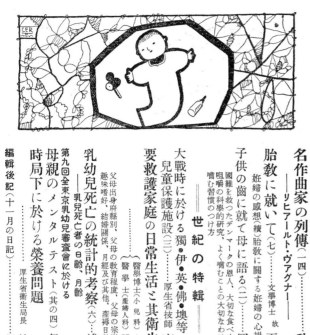

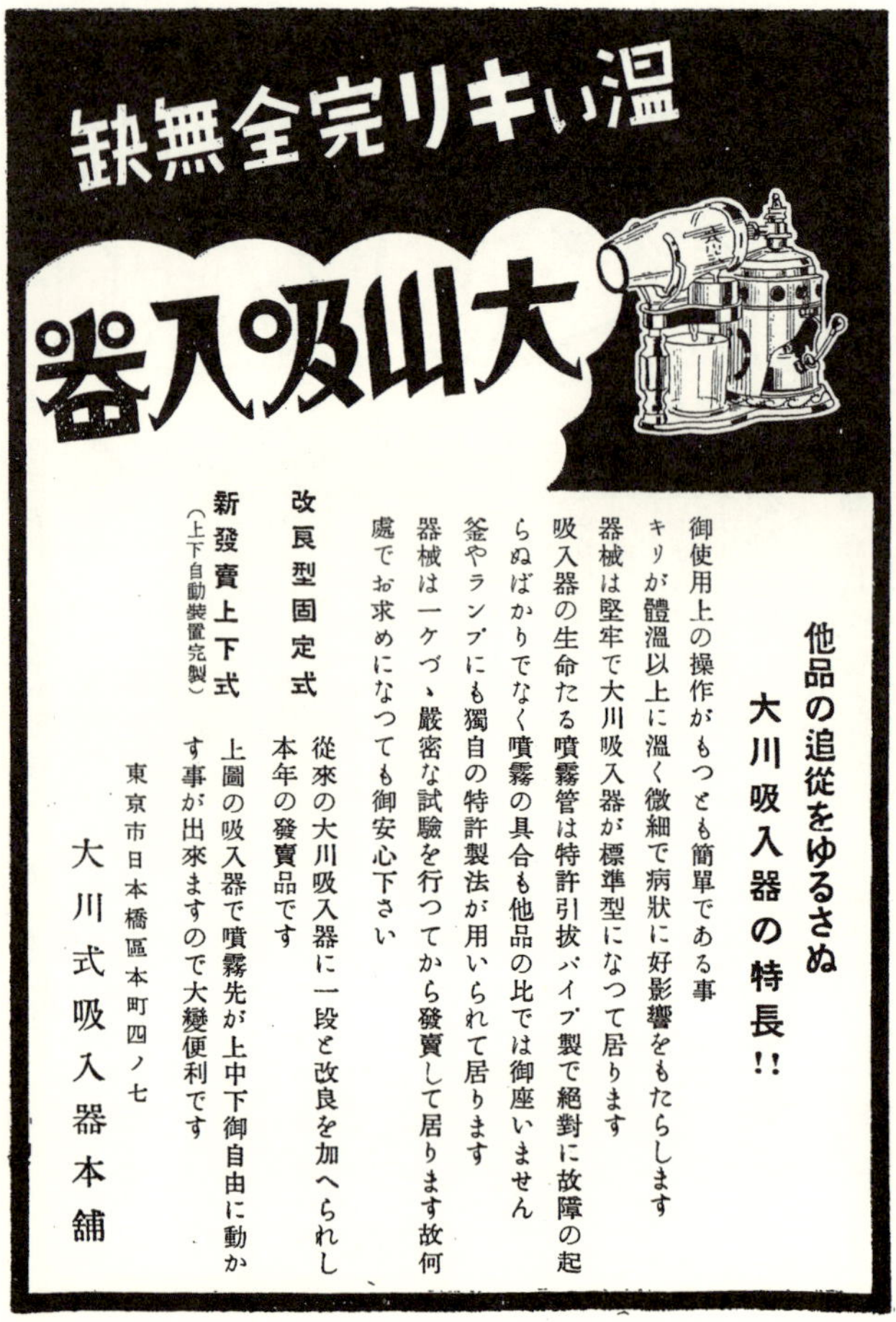
温いキリ完全無缺
大川吸入器
他品の追從をゆるさぬ
大川吸入器の特長!!
御使用上の操作がもつとも簡單である事
キリが體溫以上に溫く微細で病狀に好影響をもたらします
器械は堅牢で大川吸入器が標準型になつて居ります
吸入器の生命たる噴霧管は特許引拔パイプ製で絕對に故障の起らぬばかりでなく噴霧の具合も他品の比では御座いません
釜やランプにも獨自の特許製法が用いられて居ります
器械は一ケづゝ嚴密な試驗を行つてから發賣して居ります故何處でお求めになつても御安心下さい
改良型固定式
從來の大川吸入器に一段と改良を加へられし本年の發賣品です
新發賣上下式
（上下自動裝置完製）
上圖の吸入器で噴霧先が上中下御自由に動かす事が出來ますので大變便利です
東京市日本橋區本町四ノ七
大川式吸入器本舗

菊薫る

鏑木清方先生繪

全國醫學界の推奬を得たる
完全な榮養食料品
お醫者がスヽメル滋養のお菓子
乳菓カルケット
大人…元氣增進　産婦…榮養補充
小兒…發育旺盛　病後…疲勞回復
本品の特徵は
人體に必要なるカルシウム分を有効に配劑す
（衛生試驗所證明）
ステキな5セン包が出來ました。
澱粉《でんぷん》、脂肪《しぼう》、蛋白質《たんぱくしつ》の外《ほか》特《とく》に健康《けんかう》に必要《ひつえう》なるカルシウム分《ぶん》を有効《いうかう》に配劑《はいざい》し、砂糖《さたう》による害《がい》を除《のぞ》き、一家《か》の健康《けんかう》を保《たも》つ完全食料品《くわんぜんしよくれうひん》として、カルケットを常用《じやうよう》せられる事《こと》は、賢明《けんめい》なる現代《げんだい》の主婦《しゆふ》の御役目《おやくめ》であり、又《また》お菓子《くわし》の選擇《せんたく》に滿點《まんてん》といふべきであります。
5セン包紙10枚デ
高級コドモ漫畫雜誌呈上
東京
大阪
中央製菓株式會社

明治（赤罐）コナミルク
用ひ方簡易で値段の廉い
母乳代用優良加糖粉乳
乳兒の哺育に
兒童の保健に
姙産婦の榮養に
砂糖を加へる手數が省ける
◇
水にも湯にも溶け易い
◇
消化吸收が極めて良好
明治
コナミルク
母乳代用
加糖粉乳
明治製菓株式會社
・半ポンド入
明治製菓株式會社

初冬、風邪にまづ〝吸入〟を！

あれどめにもなる仕方

立冬はきのふ八日だつたのに日中日向を袷で歩いて汗ばんだり、かと思ふと合オーバを重ねてもなほ冷々とする宵があつたり、このごろの亂調子な氣溫の變動で風邪をひく人が多いやうです。

吸入は咽喉カタルや氣管支炎に忘れられぬ手當で殊に含嗽のできぬ乳幼兒の感冒にかかせません、重曹の〇・五%―一%液か、それに同量の食鹽を加へたものが吸入藥として普通で、家庭でも簡單につくれます、必要の度毎に新しくつくる方が重曹水として貯へておくより、はるかに効果があります。

吸入は含嗽でとゞかぬ喉頭や氣管へ藥液をおくり、その部分の粘膜を潤ほはせてセキを少くし粘い分泌物をとかしてたやすく喀き出させるはたらきがありますが、

更にグリセリンを加へると顆のあれを防ぎ、精製樟腦をとかすと强心の目的にかなひ鹽化アドレナリン液を加へたものは一層鎭咳のきゝめが強くなります。

一回の分量は百グラムくらゐ（吸入コップ、二はい）これを朝晝晩に二回くらゐづつ行ひます。

吸入ののちは外出を愼み、安靜を保たぬと湯ざめと同じやうなわけで害があります、注意を要するのは喀血時や衰弱のいちじるしい場合で、こんな際は吸入を避け絕對安靜を守らねばなりません。（醫學博士紙野圭三氏談）

日本で歴史が一番古くて信用ある

大川式吸入器

健康增進!!

國民榮養素

眼鏡肝油

實績が證明する

保健榮養劑として肝油の効果は本品のみが持つ多年の實績が確實に證明する。

加工せるビタミン製劑はビタミンのみが多くとも本品の如き優秀なる効果は望めない。

切に本品の御愛用を奬む。

雜誌名御記入申込次第「文獻」贈呈

取扱に便利な「メガネ肝油球」あり

本舖 合資會社 伊藤千太郎商會 大阪道修町

●全國有名藥店に販賣す

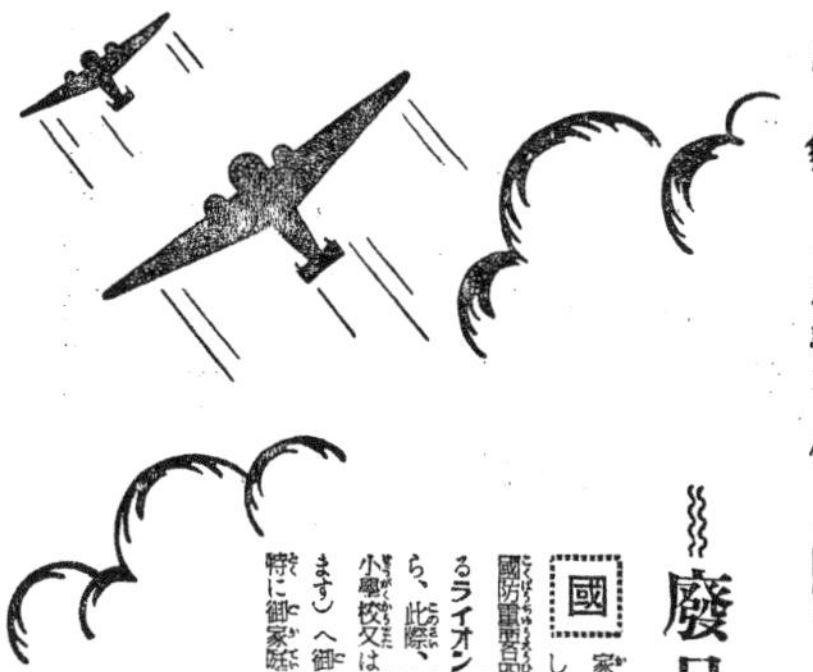

お國の爲に物を大切に致しませう

資源愛護

〰廢品回收に就て〰

國家總力戰《かそうりよくせん》に參加《さんか》する銃後《じゆうご》の國民《こくみん》は凡《すべ》て「物」を愛護《あいご》しませう。

國防重要品《こくばうぢゆうようひん》たるアルミ、錫《すゞ》、鐵等《てつとう》は、朝晩御愛用《あさばんごあいよう》を蒙《かうむ》りつゝあるライオン齒磨容器《はみがきようき》（チューブ、潤製罐）から再生《さいせい》されますから、此際《このさい》、物資《ぶつし》總動員《そうどういん》の國策協力《こくさくけふりよく》の一助《いちじよ》として右容器《みぎようき》の廢品《はいひん》を小學校《せうがくかう》又《また》は大日本飛行少年團《だいにつぽんひかうせうねんだん》（各小學校に受箱が備付けてあります）へ御寄《ごき》附《ふ》下《くだ》さい。

特《とく》に御家庭《ごかてい》の御婦人《ごふじん》の御協力《ごけふりよく》を御願《おねが》ひ申上《まうしあ》げます。

右《みぎ》の廢品處理《はいひんしより》は、小學校《せうがくかう》へ御寄附《ごきふ》の分《ぶん》は、夫々《それ〴〵》の學校《がくかう》で學童保健《がくどうほけん》の爲《ため》の經費《けいひ》に充《あ》て、大日本飛行少年團《だいにつぽんひかうせうねんだん》へ御寄附《ごきふ》の分《ぶん》は、團《だん》に於《おい》て之《これ》を第二報國兒童號（海軍機）獻納《けんのう》の資金《しきん》と致《いた》します。

東京市芝區田村町一丁目（飛行館）

大日本飛行少年團

大日本航空婦人會

協賛 ライオン齒磨本舖

健康第一

よく学び

よく遊び

御疲れの後には Ⓢ角砂糖を召上ると元氣が恢復致します

品質精撰

價格低廉

Ⓢ

角砂糖

大日本製糖株式會社

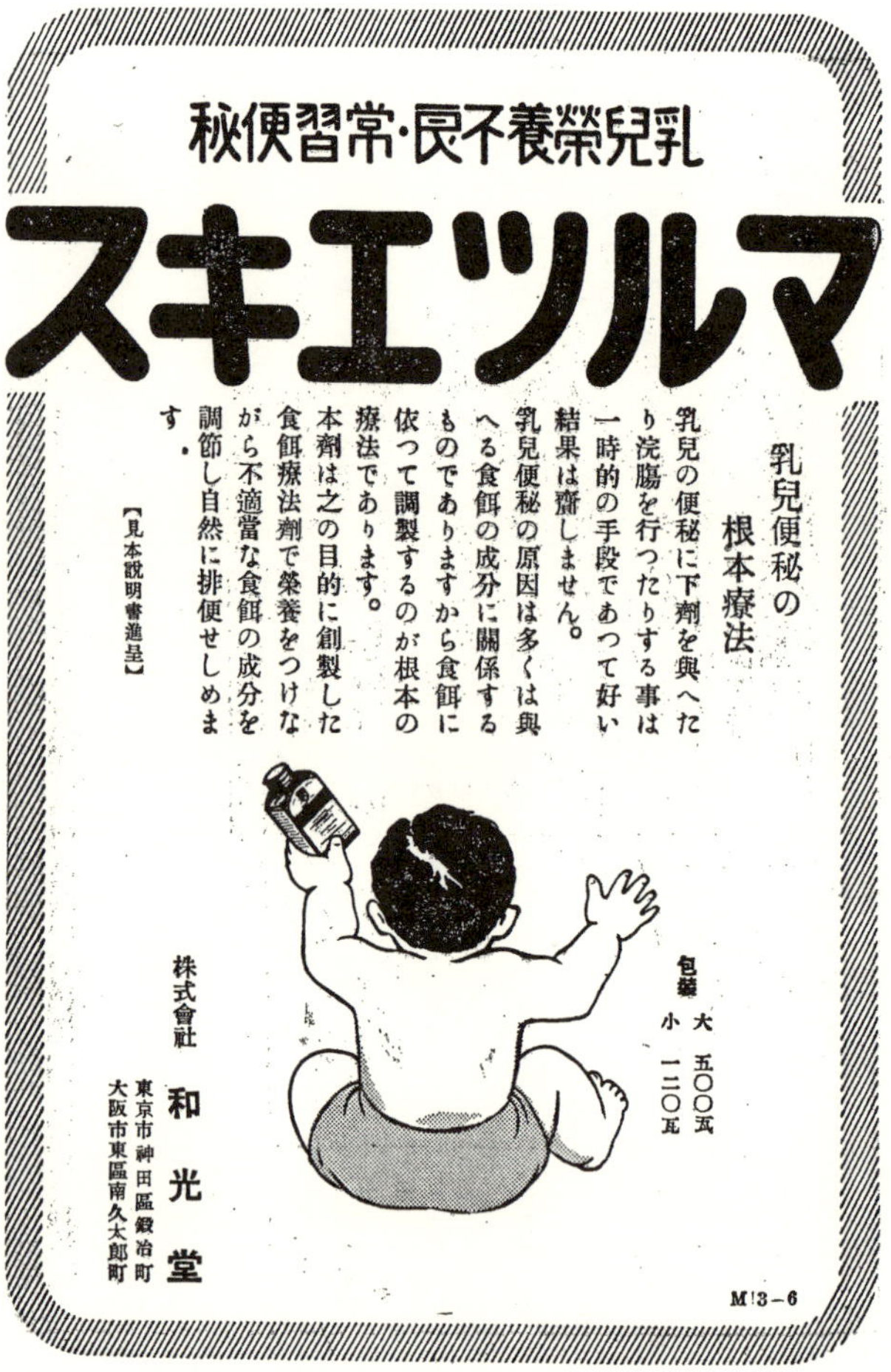

新東亞建設に備ふる我等の表彰式

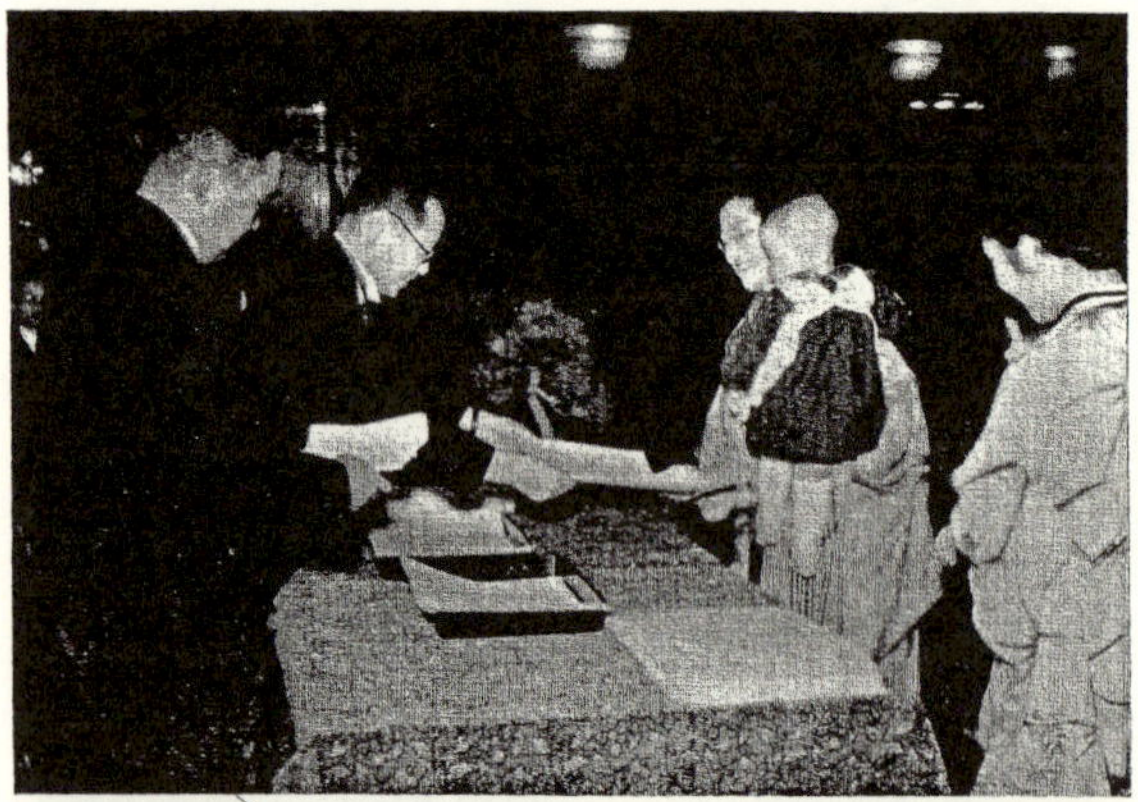

(上) 去る十月三十日、東京高島屋に擧行の第十回全東京乳幼兒審査會の表彰式に於て總裁木戸厚生大臣代理重田技師より表彰狀を授與さるる優良兒母子たちの代表。
(下) 荒木文部大臣閣下の祝辭を代讀さるる大西學校衛生係長。…………… ……………

永井遞信大臣御母堂
つる刀自ありし日の面影

旣報の如く永井遞相御母堂の御葬儀は、去る十月二日青山齋場に於ていとも盛大に營まれたのであるが、圖はつる刀自のなきがらが九段一口坂官邸に移された砌の祭壇にて、御近親を始め一般の禮拜と燒香も此處に於て行はれたのであつた。(本誌十月號卷頭言參照)

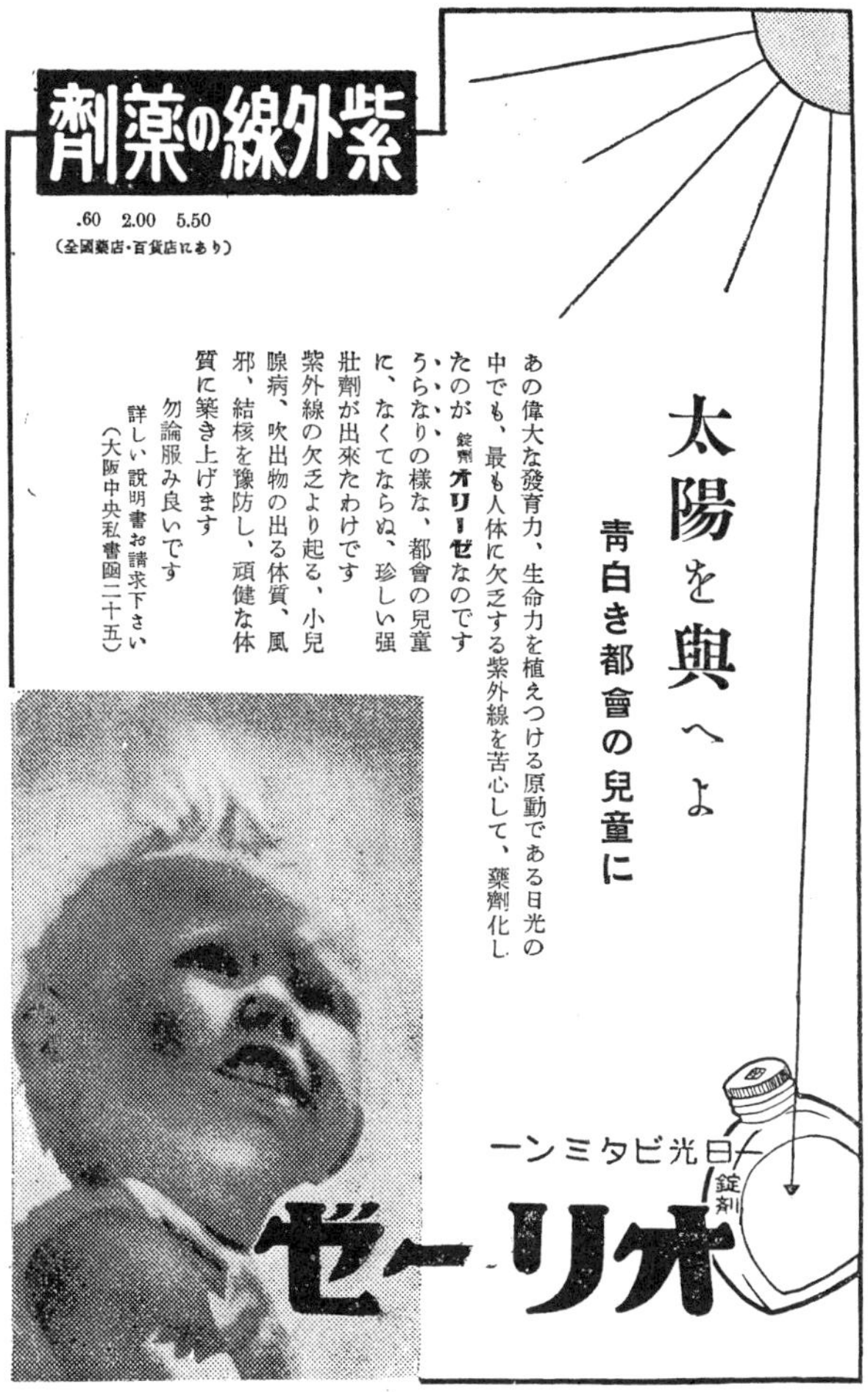
紫外線の薬剤
.60 2.00 5.50
(全國藥店・百貨店にあり)
太陽を與へよ
青白き都會の兒童に
あの偉大な發育力、生命力を植えつける原動である日光の中でも、最も人体に欠乏する紫外線を苦心して、藥劑化したのが錠劑オリーゼなのです
いゝいゝうらなりの様な、都會の兒童に、なくてならぬ、珍しい强壯劑が出來たわけです
紫外線の欠乏より起る、小兒腺病、吹出物の出る体質、風邪、結核を豫防し、頑健な体質に築き上げます
勿論服み良いです
詳しい説明書お請求下さい
(大阪中央私書函二十五)
ー日光ビタミンー
錠劑
オリーゼ

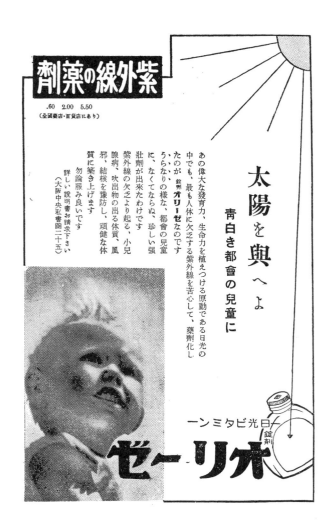

頼母しき銃後の健康母子たちの感謝

(上) 表彰を受けし一千四百有餘名を代表して、木戸總裁と廣井會長の前に感謝の辭をのべられる太田菊子女史。(高島屋寫眞部撮影)…………

(下) 歡喜と希望に輝いた當日の式場である高島屋八階ホール。(報知新聞社撮影)

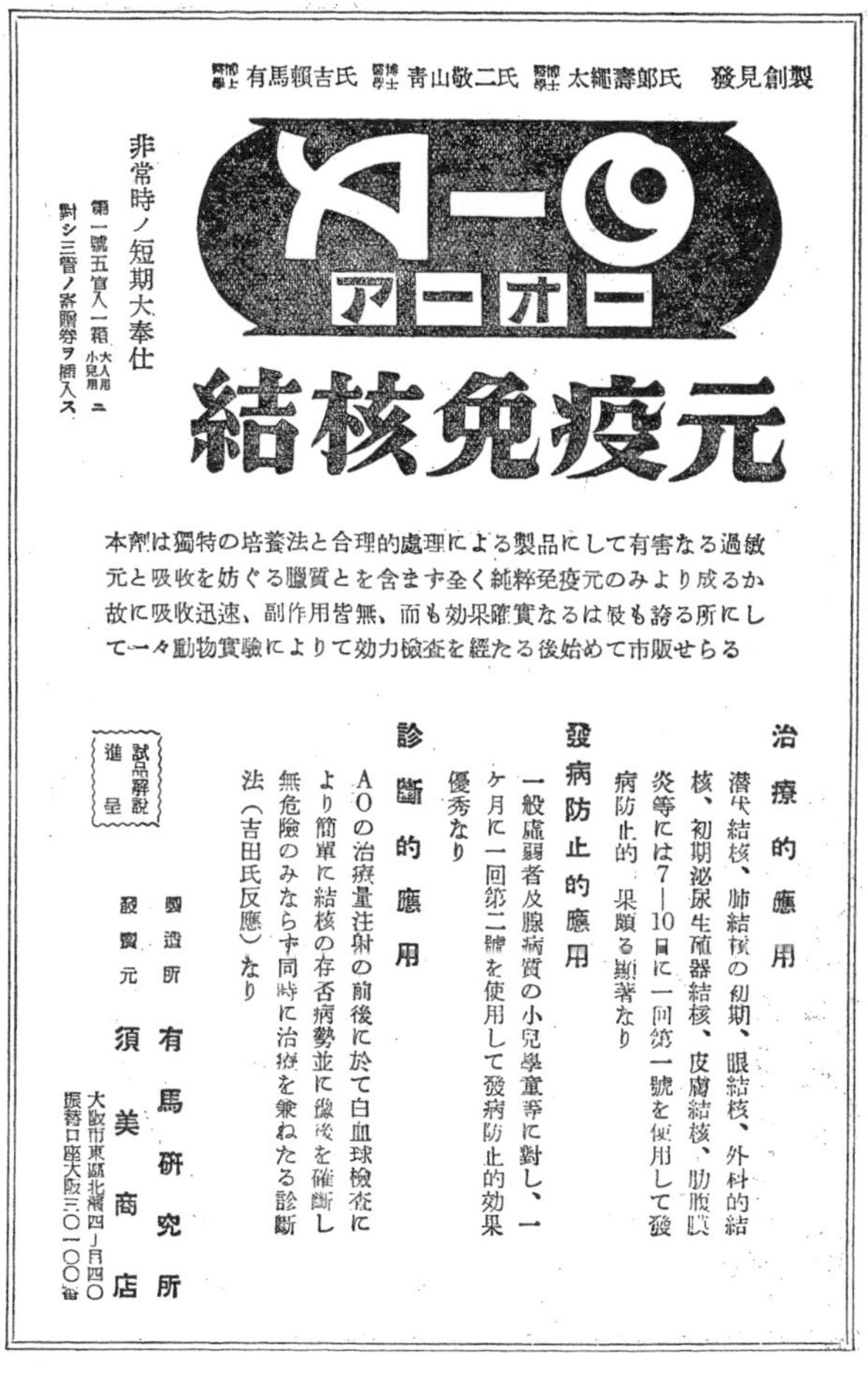
發見創製 醫學博士太繩壽郎氏 醫學博士青山敬二氏 醫學博士有馬頼吉氏
AO
アーオー
結核免疫元
非常時ノ短期大奉仕
第一號五管入一箱 大人用 小兒用 二
對シ三管ノ寄贈劵ヲ插入ス
本劑は獨特の培養法と合理的處理による製品にして有害なる過敏元と吸收を妨ぐる臟質とを含まず全く純粹免疫元のみより成るが故に吸收迅速、副作用皆無、而も効果確實なるは最も誇る所にして一々動物實驗によりて効力檢査を經たる後始めて市販せらる
治療的應用
潜伏結核、肺結核の初期、眼結核、外科的結核、初期泌尿生殖器結核、皮膚結核、肋膜炎等には7—10日に一回第一號を使用して發病防止的 果顕る顕著なり
發病防止的應用
一般虚弱者及腺病質の小兒學童等に對し、一ケ月に一回第二號を使用して發病防止的効果優秀なり
診斷的應用
AOの治療量注射の前後に於て白血球檢査により簡單に結核の存否病勢並に豫後を確斷し無危險のみならず同時に治療を兼ねたる診斷法(吉田氏反應)なり
試品解説 進呈
製造所 有馬研究所
發賣元 須美商店
大阪市東區北濱四丁目四〇
振替口座大阪三〇一〇〇番

松坂屋の
商品券
受けて喜ばれる
手輕るな贈物
五円以上調進仕ります

昭和十三年 **子供の世紀** 十二月號

全東京乳幼兒審査會表彰式祝辭

曩に日本兒童愛護聯盟が第十回全東京乳幼兒審査會を開催し、五千有餘の乳幼兒に付審査せられたる結果、優良兒六百二十名並に佳良兒八百八十名に對し茲に表彰式を擧行せらるゝに至りましたことは、邦家の爲め誠に慶賀に堪えぬ所であります。

申す迄もなく、國民の健康はその基礎を乳幼兒の時期に求むべきでありまして、此の間に於て保育愛護の最善を得ることは、即ち國民保健並に國民教育の根本を不拔に培ふ所以と思ふのであります。

本聯盟が夙によく此の點に着目し、毎年審査會を開いて發育優秀なる乳幼兒を表彰し、育兒に關する一般の知識の啓發と指導とに不斷の努力を拂はれつゝあるは、洵に有意義なる施設と謂ふべく、特に戰時下國民體位の向上愈々緊切なる秋に際し、其の成績に就ては各方面より多大の期待が懸けらるゝのであります。各位に於かれては爾今一層斯業の堅實なる發達を圖り、之れが施設の整備擴充に勉め、健全なる次代國民の育成に萬全を期して以て國運の隆昌に寄與せられんことを切望する次第であります。

昭和十三年十月三十日

文部大臣 男爵 荒木貞夫

第十回全東京乳幼兒審査會

告辭

本日第十回全東京乳幼兒審査會が、曩に選拔致しましたる優良兒の表彰式を擧げることゝなりましたことは洵に欣快に堪えません。

由來子供のことを子寶と申しまするが、實に子供は一家の後繼者でありますると共に將來の國家を雙肩に擔つて立つものでありますが、故に子供を立派に育て上げますることは親たる者の大きな義務であると謂はなければ成りません。

現下内外の情勢に照して考へまするに、我が民族が益々發展し、我が國力が益々伸張致しまする爲には先づ何を措いても强健なる國民を多數に有することが根本であります。

然るに遺憾乍ら我國の乳兒死亡率は歐米諸國に比して實に二倍の高率を示して居る實狀であり、又戰時に於ては、とかく出生率が減少するものであることなどを思ひ合せますると、尚更乳幼兒を强く健かに育て上げることが銃後國民の務として、一層大切であると言はなければなりません。

日本兒童愛護聯盟は年に乳幼兒審査會を開催致し回を重ねること既に十回に成りました、本年の審査乳兒數は昨年同樣五千餘名の多きに上つたのであります。

本日表彰を受けらるるお子さん方は、此の五千餘名の中から愼重なる審査の結果優良兒として選定せられたる榮譽を擔はれた方々でありまして、之は畢竟御兩親の健全な體質を受け繼がれ、而かも御兩親が限りなき慈愛を以て正しき養育に當られた結果でありますので、此の點深く敬意を表する次第であります、各位に對しては將來一層御愛兒の養育に意を用ひられ、健全なる一個の國民を造り上げられますやう希望致し、最後に優良兒の方々の洋々たる前途を祝福致すと共に、全國の乳幼兒の健康を禱る次第であります。

昭和十三年十月三十日

第十回全東京乳幼兒審査會總裁

厚生大臣 侯爵 木戸孝一

日本再建に對する婦人の責任

遞信大臣　永井柳太郎

一

日本婦人は、大體に於て、母性としては世界無比である。固より母が子を愛し、子が母を慕ふは、生物に共通の本能で、自然はすべての女性に、よき母性たるべき素質を與へた。然しその中にあつて、日本婦人は過去數世紀を通じ、特によき母性たることを第一の目的として、教育し、訓練せられた。從つて日本の母性程、その子に對する愛情に於いて、獻身的であり、犠牲的であるものはなからう。

海外に出稼ぎしてゐる日本婦人の中には、その子が成長して、學校教育を受けるべき年齢に達してゐるのに、入學させる學校がない場合には、その子を日本に連れ歸つて、教育を受けさせる爲め暫時夫婦別れをして、その子の爲には夫婦の生活を犠牲にするものさへ少くない。

大正十二年の關東大震災の時にも、又最近の函館の大火の時にも、燒死した子供の死骸の上に、母親がうつ伏せになつて、最後の瞬間まで身を以つてその子を庇ひつゝ死んでゐたものが多數にあつた。日本國民の偉大性はかゝる日本母性の獻身的、犠牲的精神に根ざす所大なるものがあることは爭はれない。

二

然し日本婦人は、よき母性たることに於ては、世界無比であるけれども、その社會性に關する教育に到つては從來概して閑却されてゐた。固より日本婦人と雖も、國民經濟上に於ては、既に男子に譲らざる存在である。私はこの方面に於ける日本婦人の社會性を否認するもので

ない。

日本國民の一ヶ年の生産額は、農業、林業、畜産業、工業等のすべてを通じて、約百億圓と稱せられるが、この莫大なる生産は婦人に負ふ所甚大である。農産物中最も主要なるものは、米、麥等であるが、その植付けから刈入れまで、婦人の勞力が如何に重要なる部分を占めて居るかは何人も認むる所であらう。若しそれ茶及び養蠶に至つては、大體に於いて婦人の産業であると云ふも過言でない。而して茶及び養蠶だけでも其の生産額は年々數億圓に上る。

我國の工場數は、最近の調査によれば、約六萬四五千に達し、その職工數は、百六十萬を超ゆるのであるが、そのうち女工は、約八十八萬六千人で、全職工數の半數以上を占めてゐる。殊に製絲、製綿、織物、紡績等の所謂纖維工業は、職工總數九十萬人中、七十五萬人までが女工で、總數の八割以上を占めて居る。我國の工業生産額は五十億圓を超ゆるのであるが、其の中最重要の地位を占むるものは、主として女工によつて生産せらるゝ纖維工業である。

今、日本はその貿易に於いて、諸外國の包圍攻撃を受けて居るにもかゝはらず、日本製の商品は諸外國の關税の障壁を乘越えて、盛に輸出せられ、世界の脅威となつてゐるのであるが、これらの世界を脅威しつゝある日本製の商品の多くは、綿絲布や、人絹織物や、メリヤスや、護謨製品や、玩具や、その他の雜貨や、女工の勞力によつて生産されたものが主要なる地位を占めて居るのであつて、これらの優秀なる女工なかりせば、我國の貿易は到底今日の如き發展を遂げ得なかつたであらう。

三

然し生産は、國民生活の一面であつて、他の反面は分配である。如何に生産が旺盛で日本全體としての富が增加しても、その富が日本國民中の少數者に壟斷せられ、生産に從事した大多數のものが、その正しき分配に預ることが出來ないで、生活難の爲めに、苦惱しなければならぬとすれば、それは決して健全なる國民生活ではない。國家は一面に於て男女の別なく、その全國民を最高度に教育し、各人をしてその天賦の全能力を發揮する機會を得せしめ、もつて直接間接に、國家の爲め役立ち得るものとなし、他面に於ては、苟くも國家の爲めに精神的にせよ筋肉的にせよ、その勞力を捧げて、生産事業なり、教育事業なり、又社會事業なりに從事してゐる者に對しては、男女の別なく、十分にその生活安定を保證するにたる報酬を得せしめて、大凡正直に勤勞さへすれば何人といへども、餓死する危險なき社會を建設すること

を以て政治の目標としなければならぬ。

本年は各地に水害、風害、旱害、冷害相次いで來り、農作物に大打撃を與へた結果、農村の慘狀に至つては殆ど言語に絶するものがある。東北六縣即ち青森、秋田、宮城、山形、福島、岩手の各縣を通じて各農村から藝妓、娼妓、酌婦、女工、女中等として、その娘を身賣りした數は、昭和八年に於て、二萬二千餘と報告せられてゐるのであるが、本年は凶作の爲め、この種の不幸なる娘の賣買數は、よほど多數に上つたであらう。現に秋田縣のみでも身賣りした娘の離村數は、昭和九年十月末現在で縣内三千六百人、縣外七千五百人、合計一萬一千一百人といふことであるが、然も其の身代金たる多きは三千五百圓、少きは二十圓と云ふに至つては、悲慘の極と云はざるを得ない。

然し生活難は獨り農村のみではない。都會に於いても又これに類似のものがある。政府の統計によると、全國を通じて、所謂行旅病者、即ち家なく、食物なく、榮養不良で衰弱して行き倒れになつたものが、一年七千人を超ゆるのであるが、同時に行旅死亡者、即ち所謂野たれ死にをした者も、又四千人以上であるが、斯かる不幸の人々が合計一萬有餘の多きに達するのであるが、かゝる數字だけでも、都會と農村とを問はず、國民の最下層に於ける生活難が、如何に深刻で日々到る所に、殆ど正視するに堪へざる悲劇が繰返されて居ることを想像し得るであらう。

四

かゝる深刻なる生活不安は、國民思想の上に重大なる影響を及ぼさずしては止まない。最近の我國に於ける思想の傾向は、明らかに其の危險を暴露しつゝある。一時衰微しかけたやうに見えた勞働爭議や小作爭議の如きものも、最近また〳〵勃興し、昭和三年僅かに三百九十餘件に減じた勞働爭議は、同七年倍加して八百七十件に達し、小作爭議も亦昭和三年の千八百六十六件から、同七年の三千四百十四件に激增した。

かゝる思想の傾向は、資本家對勞働者、地主對小作人の階級的反感を激成して、我國を赤化せんとする運動に絶好の機會を與ふるのであつて、昭和八年三月全國の刑務所に收容せる思想犯人が既決未決合せて千七百八十人の多きに達したと云ふ事實によつても、其の國民思想上に及ぼす影響の如何に重大なるかを推察し得るのである。

獨り思想犯人のみでない、普通犯人も亦驚くべく增加しつゝある。昭和元年全國の警察署で檢擧せられた犯罪人及犯罪嫌疑人の總數百十三萬餘であつた。これだけで

も實に驚くべき數字であるのに、僅に五ヶ年後の昭和六年にはそれが二百萬を超過し、而して此等の犯罪人及犯罪嫌疑人の大部分が竊盗や、詐欺や、賭博や、文書僞造や、凡て金錢に關係あるものなるを以て見れば、生活難の切迫と犯罪の增加との間に如何に不可分の因果關係を存するやは明白である。

日本婦人中には、婦人の責任は家庭に在りとなし、家庭以外の社會に於て何事が起らうとも頓着しない人が多い。然し家庭は孤立した存在ではない。如何なる家庭も其の周圍の社會に起り來る出來事の影響を受けずして存在することは出來ない。國民思想が惡化し、赤化運動が猛烈となれば、何時それが家庭に侵入し、最愛の子女を捕虜にするかも知れない。國民道德が頽廢し、青年男女の風紀が紊亂すれば、何時吾家の平和を破るが如き事件が突發するかも知れない。强、竊盗の如き犯罪人の增加は家庭生活の不安を激成し、生活難の結果頻出する榮養不良兒の增加は、傳染病の蔓延に拍車をかける。家庭を救ふがためには、社會を救はねばならぬ。自分の最愛の子女を護るがためには、他人の子女をも護らねばならぬ。全社會を擧げて泣いて居る中で自分と自分の家庭のみが笑ふことは天が許さない。

五

ハウプトマンは其の戯曲『日の出前』の主人公アルフレッド・ロートをして叫ばしめた。

「わたしは萬人の幸福のために戰ふのだ。わたしが幸福になるためには、わたしを取卷くすべての人間が幸福にならなくてはならぬ。わたしの周圍の社會疾病や、貧窮や、壓制や、屈從や、幾多の不正と不幸とが存在する中で、何うしてわたしのみが幸福であり得よう。」と。日本婦人よ、街頭に出でよ！　農村を見よ！　貧民を救へ！　壓制者と戰へ！　日本は新年と共に、舊年よりも一層正しき國、一層明るき國、一層强き國であらねばならぬ。而して日本が一層正しき國、一層明るき國、一層强き國であるためには、全國民は男子も、女子も、政治上、産業上、教育上、一切の陋習、積弊、罪惡、不正に對して大膽に鬪はねばならぬ。即ち國民生活の内部に在りて、其の健全なる發達を阻害しつゝある一切の不正と不合理とを革新し、國民生活の全機構を道理と正義との基礎の上に再建設して、全國民に其の天賦の人間性を完成するに適切なる生活環境を與ふることに努力しなくてはならぬ。

男子に劣らざる力を以て我國の産業を其の双肩に擔ひつゝある日本婦人は、又日本帝國そのものをも、男子と相並んで、其の双肩に擔ふ覺悟がなくてはならぬ。現代はよき母性に對し、よき國民たらんことを要求する。

春の家庭會議

今年は健康で！

病氣してから騒《さわ》ぐより豫防が大切

新年早々《しんねんさうさう》のある宵《よひ》、夕食《ゆふしよく》の卓《たく》でお父《とう》さまがいつもより一層《いつそう》ご機嫌《きげん》の良《よ》い顔色《かほいろ》で「一年《ねん》の計《けい》は元旦《ぐわんたん》にありと言《い》ふが、非常時《ひじやうじ》日本《にほん》の家庭《かてい》として一つの計劃《けいくわく》を立《た》てた」と言《い》つて一同《どう》を見《み》渡《わた》しました。卓《たく》にはやがて產《う》み月《づき》の近《ちか》いお母《かあ》さんと今年女學校を卒業《そつげふ》する日出子《ひでこ》さん、尋常《じんじやう》六年《ねん》の壽雄《としを》さんが、何《なに》を言《い》ひ出《だ》されるかと顔《かほ》をあげてお父《とう》さんの方《はう》をふり向《む》きました。

＊

「一家最大《かさいだい》の幸福《かうふく》は病人《びやうにん》のないことだ。今年《ことし》こそ自家《うち》では病氣と絶緣《ぜつえん》する、それには病氣にならないよう豫防《よばう》が大切《たいせつ》だ。國民《こくみん》が一人殘《のこ》らず健康《けんかう》で働《はたら》かねばならぬ非常時《ひじやうじ》だからね」

……「贊成々々《さんせいせい》」とまつ先《さき》に共鳴《きようめい》したのは壽雄《としを》さんでした。

★……

「それには、運動《うんどう》や睡眠《すいみん》も、もちろん必要《ひつえう》だが、大切《たいせつ》なことは榮養《えいやう》が片寄《かたよ》らないよう特《とく》にヴイタミンADを充分《じゆうぶん》にとることだ。お父《とう》さんが一家《か》の柱《はしら》として働《はたら》けるにも……お母《かあ》さんが銃後《じゆうご》の主婦《しゆふ》として、家庭《かてい》を守《まも》り、丈夫《ぢやうぶ》な赤《あか》ん坊《ぼう》を產《う》むためにも、お前《まへ》たちが第二《だい》の國民《こくみん》として……將來《しやうらい》の日本《にほん》を背負《せお》つて行《ゆ》けるだけの頑健《ぐわんけん》な體力《たいりよく》を養《やしな》ふにも……先《ま》づ榮養《えいやう》を良《よ》くしてかぜや結核《けつかく》などの病菌《びやうきん》に負《ま》けないよう……抵抗力《ていかうりよく》を強《つよ》めることが何《なに》より大切《たいせつ》だ」

★……

「ほんとうに……近《ちか》ごろは若《わか》い人《ひと》で胸《むね》の病《やまひ》になる人《ひと》がたいへん多《おほ》いからかぜや病氣《びやうき》に罹《かゝ》らないようにすることが一ばんですわ」とお母《かあ》さま……「ところでAD《ヴイタミン》を攝《と》る方法《はうはふ》だが……それには今日《けふ》から肝油《かんゆ》を服《の》まう……」「えつ肝油《かんゆ》？」日出子《ひでこ》さんと壽雄《としを》さんが一齊《いつせい》にトンキヤウな聲《こゑ》で問《と》ひ質《ただ》しました。

☆……

お父《とう》さんは笑《わら》ひ乍《なが》ら袂《たもと》から一粒肝油《りふかんゆ》ハリバの瓶《びん》を取《と》り出《だ》して話《はなし》をつゞけました「ハッハッみんな顔《かほ》をしかめたね、世の中は變つたよ、昔《むかし》のやうに服《の》みにくゝはないよ、ハリバなら樂《らく》に服《の》める。こんな美《うつく》しい小粒《こつぶ》だがヴイタミンがとても濃《こ》いから一日《にち》たつた二粒《つぶ》か三粒《つぶ》でいゝんだよ」……お父《とう》さんからお母《かあ》さんへ……ハリバの瓶《びん》は順々《じゆんじゆん》に手渡《てわた》されて行《ゆ》きました一家《か》の希望《きぼう》を卓《たく》の周圍《しうい》に集《あつ》めて、和《なご》やかに健康《けんかう》の春《はる》は一歩々々《いつぽいつぽ》近《ちか》づいてゐた。

帝都全新聞が報道する優良兒表彰式

——全紙上寫眞掲載——

賴もしいぞこの成績

銃後の赤ちゃん

一千五百名に御褒美

銃後にこの健康兒ありと漢口陷落の祝勝の最中に帝都の誇る優良兒一千二百名の表彰式が、三十日午前十時から日本橋高島屋八階ホールで擧行された、これは六月下旬日本兒童愛護聯盟主催、陸海軍、厚生、內務、文部、拓務六省後援の下に行はれた全東京乳幼兒審査會の結果選出された粒揃ひの赤ちゃん達に御褒美を贈らうといふ會、發育狀態、榮養狀態、能力テスト等々の過程を經て審査委員長中鉢博士の折紙をつけられた赤ちゃんは、最優良兒二百八十二名、優良兒三百三十八名、佳良兒三百七十五名、可良兒五百五名、これに普通兒三千七百三名の壯觀さ、銃後日本の將來は賴もしい限りだ。

表彰式は聯盟理事長伊藤悌二氏の挨拶に始まつて國歌齊唱後、木戸厚相(代理)の祝辭あり、賞狀、賞品の贈呈式があつて閉會したが、この健康赤ちゃん達以前は晩酌二合級の酒飲の子供に多かつたのが今では酒飲まず、煙草少々といふ程度のパパ、ママに獨占されてしまつたのも國民精神總動員の時勢にふさはしい變化振りだ、中でも目立つのは出征勇士の第二世が斷然たる勢威を張つて戰線のお父さんと相呼應、最優良に十人、優良に十六人、佳良に三十人、可良に三十七人、合計九十三名の多數に上り、特に各クラスの總代に選ばれた四人の中の三人までが、中支戰線に奮戰中の目黑區三谷町一三五野口巖君(二九)本所區駒形四の二田邊正一君(二九)府下吉祥寺四三一加藤忠雄君(二九)の三勇士の赤ちゃんで、弘子ちゃん(三)一男ちゃん(二)芳美ちゃん(一)といつた按排、これに太田菊子女史のお孫さん宗治ちゃん(二)が入つて會長廣井辰太郎氏から晴れの賞狀を頂戴して大喝采を博した、また江南戰線で名譽の戰死を遂げた本鄕區本鄕四の一二松澤光雄君の遺兒卓一ちゃん(二)同じく戰傷を負つた王子區上十條一一五三藤島淸一郎君の長男淸次郎ちゃん(二)がお母さんに抱かれて表彰されたのは人々の淚をそゝつた。

(十月三十一日附夕刊　報知新聞)

お父ちゃんは戰線

丸々肥つた赤ちゃん

銃後賴母し優良兒表彰

日本兒童愛護聯盟では日本橋高島屋八階ホールで去る六月廿六日行つた赤ちゃん審査會で優良兒となつた赤ちゃんの表彰式を三十日午前十時から行つた、同聯盟總裁木戸厚相(代理)、同名譽會長永井遞相(代理)も出席、會場を埋め盡した赤ちゃんは、さすが優良兒だけあつてどの赤ちゃんも頰がちきれさうに丸々と肥つて賴もしい限りだ。

先づ最優良兒六百廿名に對する表彰狀が授與されたがこの中にはお父さんが今戰線に活躍中と云ふ非常時ッ兒が卅名も居り、神田區美土代町九大島宗一さんの愛兒宗治ちゃん、目黑區三谷町一三五野口巖さんの愛兒弘子ちゃん、本所區駒形四の二の田邊正一さんの一男ちゃん、吉祥寺四三一加藤忠雄さんの加藤芳美ちゃんが自慢のお母さんに抱かれて表彰狀を受取つたが、この中で大島宗治ちゃんを除いた三人のお父さんは、いづれも皇軍勇士として目下戰線に活躍中である、戰線のお父ちゃんよ喜べ！この所戰線では漢口も陷ちた、銃後では赤ちゃんはこんなに立派に育つた、全く萬々歲だ、それにしてもこの赤ちゃん達の顏をお父さんはどんなにか見たがつてゐる事だらう、又お母さん達も一日でも早く戰線のお父さんに「こんなに立派に育てたわ」と赤ちゃんを見せてやり度い氣持で胸が一ぱいである、終つて午後一時からは佳良兒八百八十名の表彰式があつたがこの中にもお父さんを戰線に送つてゐる赤ちゃんが八十七名あつた。

(十月三十一日附夕刊　國民新聞)

優良赤ちゃん

實に一千五百名

力強し、けふ晴の表彰

日本兒童愛護聯盟では去る六月厚生、陸海軍、內務、文部五省協贊の下に銃後の赤ちゃんの審査を行つたが、

卅日午前十時から日本橋高島屋ホールでその表彰式を行つた、審査の赤ちゃん六千人のうち最優良兒並に優良兒は六百廿名、佳良兒並に可良兒は八百八十名といふ賴母しさで、この中九十七名がいま戰地にあつて奮戰してゐる兵隊さん達の子供である。

(十月三十一日附夕刊　都新聞)

靖國神社の父へ告ぐ

坊やも勝つた

優良兒審査に二人

出征軍人の愛兒が都下全乳幼兒の中から優良兒の折紙を付けられて表彰される、十四日午前十時京橋明治製菓講堂で行はれる第十回全東京乳幼兒審査會表彰式で同會名譽會長永井遞相から表彰狀を授與される二百五十名(へ全表彰者六百二十名の中第一次三百七十名は去る十月三十日高島屋で表彰式擧行濟み)の愛らしい赤ちゃんの中十八名は出征軍人の愛兒で三名の最優良兒、五名の優良兒、三名の佳良兒、七名の可良兒があり更にこの五名の優良兒の中には英靈を父にもつ二人の赤ちゃんがある。

その一人は川崎市元木町九九故錦織久雄上等兵の愛兒滿男ちゃん(二)、他の一人は昨年十月二十六日上海江灣鎭に散つた谷川部隊步兵伍長、巢鴨署勤務警視廳巡査石井直吉氏(當時二八)の一子守ちゃん(二)だ、守ちゃんはお父さんとは半年位しか顏を合せなかつたが、その名の通りお母さんの壽美子さん(二四)と板橋區板橋町四ノ一四三四におとなしく留守を守つてゐたもの、百十日目の裸の寫眞は戰線のお父さんの懷ろの中で敵中を駈け廻つたといふ勇ましい生ひ立ちを持つ、現在滿一年六月半だが三貫五百と云ふ肥り方、お母さんも腕の中では勿論、膝の上に抱いても重くて困ると悲鳴をあげてゐる、御飯もかなり、お乳は一ぱい、片言も喋り始め顏はそろ〳〵お母さんより大きくならうといふ、此三ッには十分見える守ちゃんを抱いて母壽美子さんは語る

今度優良兒として表彰されることになりまして靖國神社の父もどんなに喜ぶでせう、人一倍可愛がつてゐましたから、表彰式が濟んだら早速これを連れて靖國神社に奉告して來ます

◇

【川崎電話】滿男ちゃん(二)は昨春北滿警備に征つて中支に轉戰遂に昨秋十月五日吳淞激戰に散華した勇士錦織久雄上等兵(二五)の一粒種である、十二年夏久雄上等兵は愛妻たま子さん(二四)から〃やがて父になる喜び！〃を激

戰の裡に聽いた、九月三日満男ちゃん生誕！然し父は赤ちゃんの寫眞を同封した出生の報らせが未だ屆かない十五日に名譽の戰傷死を遂げて終つたといふ事變兒である、満男ちゃんの肥立ちは日毎、月毎によく、お父さんの一周忌を過ぎたこの頃では何でも好き嫌ひなく大人なみの物を食べるといふ、健氣な母たま子さんは語る

——ほんとにこんなに育つたこの子をあの人にせめて一目見せたいと思ひます、でもあの人はお國のために名譽の戰死を遂げたのですから……お父さんが甲種合格で赤ちゃんの時から一度も病氣をしたことがなかつたといふ人でした

（十一月十三日附朝刊　東京朝日新聞）

優良兒の表彰式

既報、日本兒童愛護聯盟主催の全東京乳幼兒審査會表彰式は十四日午前十時から京橋の明治製菓講堂で行はれた、端國神社へ合祀された石井直吉伍長の一子優良兒守ちゃん(二)と錦織久雄上等兵の優良兒満男ちゃん(二)の外去月六日中支戰線で陣歿した淺草區山谷三ノ一六柳平茂喜特務一等兵の愛兒茂夫ちゃん(二)が佳良兒としてお母さん達に抱かれて出席、これ等出征軍人の愛兒は全部で十八名もあつて力強い軍國の家庭を思はせ、表彰兒達はお母さんや附添人に抱かれて次々に名譽會長の永井遞相代理、東秘書官から表彰狀、賞牌並に木戸厚相が特に筆を執つた『寒梅冐雪開』の掛軸を授與された。

（十一月十五日附夕刊　東京朝日新聞）

勇士の坊やは健康
優良赤ちゃんの表彰式

日本兒童愛護聯盟の第十回全東京乳幼兒審査會表彰式は十四日午前十時から京橋明治製菓講堂で行はれた、入選兒二百五十名中出征軍人の愛兒十八名、中、戰死者の遺兒二名も交り銃後にあつて愛兒の育成に努力する母の力强さが良き夫人としての報告となつて現實に昂揚された。

式は伊藤同聯盟理事長の挨拶、君が代合唱、廣井會長の式辭に次ぎ富田幸穀氏から審査報告があり、次いで左の諸兒がそれ〴〵表彰された。

最優良兒　◇鈴木晃君(二)澁谷區千駄ケ谷五ノ八七五南支杉本部隊父昇六氏長男母智惠子さん◇靑木史江さん(二)芝區仲川町二ノ四遞信省勤務父五郎氏母ていさん

優良兒　◇錦織満男君(二)川崎市元木町九九父久雄氏は戰死◇石井守君(二)板橋區板橋四ノ一四三四父直吉氏は戰死◇竹内繁子さん豐島區長崎東町三ノ二三五父金藏氏は輜重上等兵として軍務に精勵中

佳良兒　◇齋藤美子さん父與策氏は淺草寺に勤務◇神田敬三君本郷區湯島三組町五一父信之助氏は洋服商

可良兒　◇柳平茂夫君淺草區山谷三丁目父茂喜氏は工兵二等兵として寺田部隊で戰死◇高橋慧子さん横濱市父出征中

（十一月十五日附夕刊　東京日日新聞）

勇士の遺兒、萬歳
東京一の赤ちゃん表彰式に
光る満男、守の兩君

銃後日本に奏でられる躍進日本の生きた姿！　第十回全東京乳幼兒審査會で優良の折紙をつけられた健康兒千五百名のうち最後に殘つた二百五十名の赤ちゃん表彰式が十四日朝十時から明治製菓講堂で開かれた。

譽れの赤ちゃん部隊は最優＝五〇（出征軍人愛兒三）優良＝五〇（同五）佳良＝五〇（同三）可良＝一〇〇（同七）でこの出征軍人愛兒十八名のうち二人の赤ちゃんのお父さんはすでに護國の英靈として靖國神社に祀られてゐることは並ゐる母親の胸を强くうつた、その一人錦織満男(二)ちゃん（川崎市元木町九九）のお父ちゃん田上部隊の久雄上等兵は昨年十月五日呉淞クリークの渡河戰で戰死、お父さんの出征後生れた満男ちゃんは父の顔を知らず戰線に送つた寫眞もお父さんは見ずじまひ、もう一人の石井守(二)ちゃん（板橋區板橋町四の一四三）はお父さんの谷川部隊直吉伍長が出征前國の守に因んで名づけた記念の遺兒である。

赤ちゃんたちは表彰狀と木戸厚相の筆になる〝寒梅冐雪開〟の書を御褒美に貰つて大喜びだつた。

（十一月十五日附夕刊　讀賣新聞）

銃後の母ちゃん
笑顔に誇り
優良赤ちゃん表彰式

第十回東京乳幼兒審査會の優良兒表彰式は十四日午前十時から京橋明治製菓講堂で擧行された〝戰地のお父さん、坊やはこんなに大きくなりました〟銃後を護るお母ちゃん自慢の出征軍人の愛兒十六名、護國の華と散つた軍人の遺兒二名を混へた二百五十名の丸々と肥つた赤ちゃんで講堂は一杯になつて割れる樣な賑やかさだ、名譽會長永井遞相（代理東秘書官）から夫々表彰狀を授與されたが、お母ちゃんの誇りやかな顔と共に健康そのものゝやうな赤ちゃんは限りない頼もしさを思はせるものがあつた。

優良兒川崎市元木町九九錦織満男(二)ちゃんは父久雄さんを去年十月五日呉淞の敵前上陸で御國に捧げたのだが、お母さんの愛情で今日の喜びを迎へたのだ、お母さんは喜びを語る「満男は九月三日に生れましたが、夫は八月十九日に出征しましたので此子の顔も知らずに戰死をしました、満男と云ふ名もまだ生れないのにをかしいと云ふ周圍の人の言ふもかまはず、出征の日に名づけて行きました、私の責任はこの子を育てる事だけです、この喜びを一目だけ見せてやりたかつたと思ひます。」

（十一月十五日附夕刊　國民新聞）

優良赤ちゃん
二百五十名表彰

第十回全東京乳幼兒審査會の優良兒表彰式は十四日午前十時から京橋明治製菓講堂で擧行された、名譽會長永井遞相から表彰される二百五十名の丸々肥つた頼もしい赤ちゃん達、中には護國の華と散つた名譽の軍人の遺兒、今戰線にある出征將士の愛兒十八名の優良兒もあり、會場は赤ちゃんの雄々しい泣聲で大賑はひだつた、同十一時半盛會裡に閉會した。

（十一月十五日附夕刊　報知新聞）

銃後の頼もしい
赤ちゃん表彰
中に勇士の愛兒や遺兒も混じる

第十回全東京乳幼兒審査會の優良兒表彰式は十四日午前十時から京橋明治製菓講堂で擧行された、名譽會長永井遞相から表彰狀を授與される丸々肥つた頼もしい赤ちゃん二百五十名、そのなかには出征軍人の愛兒、護國の華と散つた軍人の遺兒も混つた十八名の優良兒もあり、一杯になつた講堂は赤ちゃん連中の雄々しい泣き聲で割れるやうな賑やかさ、式も一時間半のスピードアップで午前十一時半盛會裡に閉ぢた。

（十一月十五日附夕刊　やまと新聞）

戰時下の人口問題と結婚

優兒多產が必要

健康診斷書の交換はこの際是非勵行したい

事變下我國の人口問題は極めて重要性を帶びて來ました、更に將來における長期建設の大業に鑑みても人的資源の培養はいよ〳〵緊要なので政府では厚生省が中心となり、人口問題全國協議會を開いて眞劍に討議を續けてゐますが、一方民間側からも公爵岩倉具榮氏等より國立常設調査機關設置の建議案が提出されるなど、人口問題はいよ〳〵重大性を加へ產めよ、殖せよ！の聲が高くなつて來ました。私共はどういふ考へを以てこの問題にぶつかつて行けばよいか。

厚生省豫防局優生課長松原久人氏のお話をお傳へしませう。

戰爭によつて出產率が低下するからと申しても全般的に產めよ殖せよ主義で行くことは私共の立場からは贊成出來ません、生れて來る者は常に優者であつて欲しい、私共は常に優者多產、劣者少產を標ばうしてゐます、人口問題對策についてはたゞ今眞劍に研究を積んでゐますが、どういふ風にして優者を多產にし劣者を少產に止むべきか、これは重大問題です、こゝに申す劣者とは遺傳的疾患、たとへば精神薄弱者の大部分、精神病、盲聾の一部、奇型等を指すものです。

ドイツではどういふ風にして優者多產の奬勵法をとつたかと申しますと、一九三三年に結婚費貸付制度を設けて健康な家族に對しては結婚費として千マルクを調度品等の商品によつて貸付ける、子供が一人生れる每に二百五十マルクづゝ還附金を免除してゆく、四人生れゝば償還無用（もつともその間に幾分づゝ返附してゐますが）といふやうな方法をとつた、健康な家族の證明、これは家系調査その他の方法により劣者の家族は斷種法を施して出產しないやうにする、結婚はして差支へないが劣者が生れないやうにする譯です、かうして優者の出產率を引上げるやうに努めてゐます。

日本でも今かうした點を十分檢討してゐます、矢張り無制限奬勵ではいけないと思ひます、インテリ階級、サラリーマンなどの出產率が低下してゐますが、經濟的な束縛から出產率が低下してゐるとすればこの方面にも國家として考究しなければならない問題があるわけです、東京市調査の產兒數の統計を見ても一家族の產兒數は平均四人七分であるのに對しインテリ階級は四人二分に低下してゐます、そこで結婚しようとする男女、その兩親たちはこの重大時局に良き子孫を殘すことも奉公の一つであることを自覺して優者の結婚に邁進していたゞきたい。

よくいはれてゐるが、なか〳〵實行されない健康診斷書の交換はこの際是非勵行するやうに心掛けて頂きたい、どうしても劣者と結婚しなければならないやうな時は斷種するやうにする。ドイツでは結婚制限法で立派にやつてゐます、結核や花柳病は遺傳的には劣者に入れてないが結婚に惡いので治癒するまで絕對に待つやうにする、かういふ風にして行かなければいけないと思ひます。要するに結婚も國家に對する御奉公の第一步といふ愛國心に立脚し、民族優生の大きい立場をよく理解してなさるやう願ひたいものです。

小兒の結核（其二）

山形市立病院濟生館
醫學博士 宇留野勝彌

◇氣管枝淋巴腺結核の診斷

これは無論醫者のやることで、家庭の人は無關係な譯ですが、常識として知つて居てよいやうなこともありますので書いて見ませう。勿論ツベルクリン反應、即ちピルケー氏反應が陽性でなければなりません。次にレントゲン寫眞をとつて淋巴腺の陰影、肺門部の陰影の有ることを確かめねばなりません。次に變化が認められたら次にはたして結核が新鮮で、活動性であるかを確かめねばなりません。活動性の時はよく皮膚に結核疹が現はれたり、脾臟が肥大したりしますからそれを證明したり、ピルケー氏反應（及マントー氏反應）が著しく陽性に現はれ、腫れあがつた中央に水疱を作つたりするのは矢張り活動性に多いものですから、そうした反應を參考にしたりします。又前號で一寸述べた赤血球沈降速度も大いに有益な參考となるもので、速度が促進して居なければ活動性でないことになります。

◇第一期結核の豫後

前述したとほり初感染は氣付かずに、何等の病的症狀も呈しないで經過するのが大多數であります。しかし前部がさうだといふのではなく、中には進んで惡化するのもある譯です。

大體のところ初感染が小兒の幼少なものほど害をするもので、又年長兒の場合では初感染が古くなつたのは害が少ないが、新鮮に感染したのでもあれば豫後が惡いものであります。

しかし中には例外があつて古くさくなつた初感染病竈

から急性の播種、即ち菌が飛出して體中にふりまかれたり、石灰質で圍まれた治癒したと思はれる病竈の中に毒力の強い結核菌が生存して居てそれが飛出して害をしたりします。前述した浸潤は一般に豫後が良好でありますす。氣管枝淋巴腺の腫れる腫瘍型の豫後も惡くはありません。

◇氣管枝淋巴腺結核の豫防

幼少に感染、發病したものほど惡いのですから、豫防も小さな子供ほど嚴重にしなければならぬ譯です。小兒の周圍に感染の恐れのある肺癆患者が居たとすれば、その患者を遠ざけるか、小兒自身を患者から遠ざけるかしなければなりません。

◇第二期結核

臨床上の變化は主として初感染病竈から菌が出て、身體各所に轉移を生ずるのが特長となつて居ります。先づ脾臟に結節を作り、皮膚に結節を作り、或はレントゲン寫眞にしてみて初めて分るのですが肺臟の中に多くの病竈が生じて來ます。

次に骨と關節に來るのが多く、その外肋膜、腹膜或は泌尿生殖器などにも擴がつて轉移を形成することがあります。こゝに最も注意すべきのは血液循環中に多數の菌がどつと侵入しておこる恐ろしい病氣の結核性腦膜炎と粟粒結核の二つです。この病氣は小兒期に最も多く、殊に生後第一年の終り頃、第二年に多いものです。この腦膜炎は發病が徐々で、症狀が少ないので診斷がつきかねるものです。弛張する熱、激烈な頭痛、嘔吐、食慾不振などが數日、十數日つゞきます。それで疑はしい時は腰の脊骨に針をさして脊髓から水をとつて檢査せねばなりません。

腺病質と呼ぶのは滲出性體質の小兒に結核性疾患が來た場合を云ふのでありまして、頭部淋巴腺の腫脹、毳毛の多いこと、鼻汁が出易いのでいつも鼻の下が赤くなつて居り、風邪を引易いのでよく咳嗽を出し、氣管枝カタルにかゝります。

尚この腺病質にはよくこゝに述べました浸潤を認めるものであります。

◇第三期結核

大人の肺結核のやうなのが第三期でありますが、小兒では大變少なく、殊に三歳以下には珍らしいものです。十歳から十二歳頃から次第に增し、思春期に至り俄かに多くなり人生中でも一番警戒すべき時期となるのです。この第三期結核は獨逸では住民一萬五千乃至三萬人に小兒肺結核一名位の割だと云ひます。男の子より女の子に多いといふのは少女の方が少年よりも多くは家庭內にとぢこもつて居るためだと見られて居ります。

第三期結核は治癒にくいものであると同時に周圍の人々に結核を感染させ易いものですから非常に危險であります。

◇小兒結核の豫防

結核の豫防は根本的に二つに分けられる譯で、第一は結核に感染することを豫防する、第二は既に感染したものにあつては發病するのを豫防することです。

發病豫防に際して第一考へねばならぬのは痲疹と百日咳にかゝらせぬやうにすることですが、痲疹の方は恢復期血淸を使用して或る點まで豫防出來るが百日咳の方は今のところうまい豫防法はありません。

感染豫防で大切なのは結核患者の居る境遇に小兒をおかぬことです。殊に家庭に開放性結核、炎症性のものなどが居れば危險ですからさうした場合小兒を病人から離さねばなりません。若しも兩親がかうした結核でもあれば離すことは仲々六ケ敷くなります。

次に學校が問題となるが、一般に學童が肺結核のひどいのになつてる場合は非常に稀ですが、反之教師が開放性結核になつて居ることは屢々あります。それでさういふ教師の存在することを嚴重に調らべることが小兒のため必要となつて來る譯ですが、現行の學校衞生位では仲々理想的にかうした點を守ることが困難であります。それは教員の職を奪ふことは學校醫として情として忍びないことなので、結核と分つて居つゝ職につかせておくことになるからです。

◇一般的結核療法

結核に感染した場合でも大多數は無害で經過することは周知の事實です。しかし新鮮な活動性の結核ならば治療を怠つてはなりません。乳兒や小さい幼兒で「ツベルクリン」反應が陽性に現はれたら感染がさう遠い過去でないことは當然なのですから活動性と見做しても差支へない譯で、これは決して放任すべきではありません。

又大きい子供でも「ツベルクリン」反應が強烈に陽性に出たときには自覺、他覺の症狀がないにしても油斷せずに治療すべきでありませう。

結核菌に直接働きかける原因的療法は現代醫學では認めて居りません。食餌療法としては食鹽をなるだけ使用しないやうに努める一種の療法が最近行はれて居ります。又脂肪に富んだ食物は結核治癒に良好に作用することは以前から信じられて居ります。最近ヴィタミンの問題がやかましく云はれて居ますが、ヴィタミンDの豊富に入つて居る肝油は、結核に効くことは昔も今も認められて居ります。

次に空氣と日光に親しむことが有效で、これは藥劑以上に結核治療に有意義といはねばなりません。ジメ〳〵した濕氣の多い、うすぐらい住宅に居る中產階級以下の人々に結核の重いのが多く、かうした場合新鮮な空氣、適度の日光照射をやれば快方に向かふことは日常經驗するところです。

藥劑は一つの治療を補助するに過ぎないもので、こゝにとり立てゝ述べるやうな特効藥は一つもありません。

最近治療よりむしろ豫防のために結核菌に對する免疫を得る方法が研究されて來ましたが、死菌を體內に送つたのでは免疫が成立せず、生きた毒性のある結核菌を體內に入れて初めて免疫が出來ることが分りました。ところが生きた有害の菌を飮ましたり、注射したりすることは危險で出來ないでカルメット氏は一種の操作を加へ人間には無害になつた生きた菌を作りましてそれを飮ませて免疫を得る方法を案出しまして、廣く行はしめて居ります。我が國では普遍的にこの實施が行はれて居りませんが、何とかして種痘で天然痘を豫防出來ると同じやうに生れたての赤ん坊に服藥或は注射して結核の免疫を得させるやうにしたいものと思ひます。

乳兒の榮養障害に就て

大阪市立今宮乳兒院長
醫學博士 野須新一

二次的消化不良症　これは乳兒が寢冷や、寒冷のため感冒に罹るとか、或は腎盂炎、膀胱炎を起すとか、又は肺炎、氣管枝炎、中耳炎などの傳染性の病氣に罹つた時には榮養法には何等の失策もないのに、下痢や嘔吐を起して來ることがあります。此の場合には原因となつて居る病氣を治すことが必要です。源の病氣が治つて來ると一所に消化不良の方も治つて來るもので、又厚着をさせたり、溫め過ぎたり或は反對に身體を冷やすこと等乳兒の養護が適當でない時にも消化不良を起して來るので注意せねばなりません。

人工榮養兒の消化不良症

先にも述べた樣に母乳以外の代用乳製品（牛乳、粉乳、煉乳、穀粉）を以て保育せらるゝ乳兒に起る消化不良症であります。牛乳或は其製品たる粉乳、煉乳等で榮養される人工榮養兒の健康便は、通常一日一乃至三回あり、稍々硬く、水分にも乏しく一見して軟膏樣で、均質性で混じりものがなく、或は固い腸詰樣です。色は灰黃色でありますが、穀粉或は麥芽が榮養品中に多量にあれば褐色を帶びて來ます。反應は「アルカリ」性を示し、特に鼻をつくやうな臭氣はないのです。この大便の模樣は色々の原因によつて變つて來ます。人工榮養兒の消化不良症は之を急性消化不良症と慢性消化不良症とに二大別せられます。

急性消化不良症　この病氣は榮養方法の誤りが主なる原因であります。例へば榮養品の濃さが過ぎたとか、分量が多過ぎたとか、砂糖を加へ過ぎたとか、又ウッカリして腐敗した榮養品を與へたとかいふ場合、或は厚着をさせたとか、反對に薄着に過ぎたとか、つまり養護上の失敗のあつた時に又體質異常のある乳兒に起つて來ます

症狀　多くのものは急劇に現はれるもので第一の徴候は下痢であります。此の下痢の前に溢乳（口から乳をダラ〳〵出す）又は吐乳を起すのもあります。然し是等の症狀に先だつて既に二三の前驅症狀ともいへる徴候が現はれます。即ち下痢の起る前一般症狀としては氣嫌が惡くなり、元氣がなくなつて平生の樣に嬉々とした快活さがない。矢釜しく常よりは餘計に泣く。睡眠も淺くて、ぐつすりと寢込まない。あやしても平常の樣に笑はなくなり、健康時のやうに身體をバタ〳〵と活潑に運動しない。皮膚の色も少し靑ざめて平常の赤味が日一日と褪めて來る。腹は張つて來る。體重は增加らなく體重が思ふ樣に增さなかつたり、便は漸次に模樣が變つて惡くなる即ち回數が三回四回となり、便も水分が增して散亂性となり、ブツ〳〵の數が增え、だん〳〵粘液が混つて來る臭も惡くなり、色も變つてくる。又時には乳の飲み方が減少して乳罎の乳を飲み殘す。或る場合には前に述べた溢乳又は吐乳を起す。

栴檀は双葉より馨し

—兒童愛護講演の資料—

伊藤悌二

◎教育社會主義を主張したポール・ナトリプは「眞の世界改造は政治的改造にも非ず、經濟的改造にも非ず、只一つ教育的改造による」と。

◎フレデリツク・ロバルトソン（彼れは十五歳の時「我れ一日にても善き事を爲さずば生ける甲斐なし」と云つた）は「心情の骨化に向つては何等治療の方法なし」と。

◎ウイリアム・ジエームスは「知識は要求する處に發生す」と。故にコドモの求むる知識を與へなければならぬ。鉛泉の如く湧き出づるものは知識であるから、新らしく潜在せるものを呼び醒まし、且つ引き出さねばならぬ。暗示など云ふ事も此の意味で必要となるのである。ビネー・シモン式精神檢査法は智的方面に重きを置くが意志とか感情の方面は閑きやくされて居る。

◎孔子は弟子を連れて旅をした、そして荒廢した城跡に來た、その時弟子は「如何なる人の居りし處か」と尋ねた、すると孔子は「此處の城主は善の善たるを知り、惡の惡たるを辨へた人であつた」と「…………」、「善を知つて之れを行はず、惡を辨へて之れを戒めないから、斯くは滅び、城も沒落するに至つた」と…………

◎一八二〇、三月二十四日生——一九一五、二月十二日永眠（文政三年—大正四年）即ち九十四年間生きて然も盲目で八千篇の讃美歌を作つて數十、數百萬の人を慰めたクロスビー女史は——生後十二ケ月にて父と別れ、六週間目に誤つた手當から失明し、三十八歳で結婚したが子供が死に、そして夫に先きだゝれた。女史を斯樣にした背後には母と祖母があつた、母は彼の女の盲目を深く不愍

に思つて「ミルトンと云ふ大文學者も盲人であつた、神樣は人をして靈的の洞察力を強くするために、時に肉體の能力を剝《そ》ぎ給ふ事がある」とてミルトンの短詩を讀みきかせ、祖母は聖書を讀みきかせた——それは恰度畫家ミレーの父が少年ミレーに敬虔の心を植ゑ付けん爲め、夕幕道すがら夕陽の沈まんとするに會ひ、彼れは脫帽して「子よ、彼《あ》れは神の御業であるぞよ」と云つたと同樣である。

女史に敬虔の心を植ゑしは祖母であつた、一日皆雨の後、女史を河添の丘に立たせて「フアニイよ！今天には美しい虹が出て居る七色が見える、お身にも見えなば幸なるが、此れは神樣が此の世に約束し給ふ御慈愛の徴である」と。——

◎林羅山は八歳にして甲斐讀本と云ふ人が父を訪ねて『太平記』を讀むのを聞いて暗記して讀本を驚かした、「これこそ生れ乍らにして知るものだ」と嘆賞せしめた。十二歳の頃稗史小說を手當り次第讀んで其の強記を人は驚いた。或る時論語を講釋したが一枚脫けてゐたので、直ちに筆を取つて謄寫したが一字の誤りもなかつた、人々はこの子こそ神童だと感心した。

十四歳の時東山に登つて長老慈稽について經文や詩篇を讀んだが忽ち寺中の博識となつた、そして寺中の年長兒も此の天才兒に疑問を尋ねた。

◎國學者富士《ふじ》谷成章《たにせいせう》も幼少から聰悟のほまれ高く、三歳にして書をよくし、七歳で立派に作詩が出來た、延享三年九歳の時、朝鮮の使臣來朝した際、小天才の成章は旅館を訪ね、詩文を筆談したが終日倦む事なく、應答神速實に鮮人は舌を捲いてその夙慧に驚嘆した。

◎英國經濟學の泰斗ジョン・スチユワート・ミルは三歳の頃から父により學問の旅立を始めた、先づギリシヤ語、更に八歳には第二外國語としてラテン語を教へ込まれ、十四歳の頃迄には一通り普通學と、父の專攻する經濟學を學び終り、今の大學を卒業した位の學問をした。是れ父の努力の賜である——父は朝は四時に机に向ひ夜は十二時まで燈下に、此の努力主義を教育に應用した、故に彼は玩具や繪本を持つて嬉戲せず、日曜でも自由に遊べず、毎日の散步にも前日の日課を復習させた、父は友人のベンタムに手紙を送り「私が死ぬやうなことがあつた場合、最もひどく私を抓る一つの考へは、長男の心を未製のまゝに殘す事だ」と書いた程心配した。然し彼は父を凌ぐ學者となり「一人が働けなくなつた時に夜が來るのだ」と座右の格言通りに生活して、父の教育を大成して「余は人事を盡くした」と大悟永眠した、そして世界に偉大な學問の所產を殘した。

◎異常な早熟の天才で、早世の文豪で名高いのはトマス・チヤタートンである、彼は十七年九ケ月の短命であつた

がそれでも英國文壇に一名家として今日に記憶されて居る。

◎早慧で大成した學者は故菊池大麓博士、博士は箕作秋《しう》坪《へい》の次男、兄は奎吾で大學少博士、二弟の佳吉、元八、共に博士となり明治學界の珍として尊ばれた。博士は文久元年七歳で蕃書取調所に入りて英語を學び、九歳で開成所世話心得を命ぜられ、既に學問性行儕輩を逸出した。慶應二年、十二歳で兄奎吾と共に幕命により英國に留學し、二年で歸朝して開成學校に入つたが、十六歳で渡英してケンブリツヂ大學に入り、バチエラー・オブ・アーツの學位を得て歸つたが、二十三歳で直に東京大學の教授となつた。

◎佛國文壇の巨星ヴイクトル・ユーゴーは十二三歳の頃より詩を作つて文學界に認められ、十七歳の時、長兄アルベルトと『保守文學』なる雜誌を刊行したが、此頃發表した「ベリー侯の死」は好評を博して、時の佛國王ルイ十八世から五百フランの賞與を受ける名譽を得た。

◎大隅種子島の生れの井澤少年が去る昭和三年に佐賀の高等學校に十四歳で入學した。小學校には五歳で入り、一年と二年を一年間に。三年と四年を一年間に。尋常を四ケ年で卒業して、九歳で中學に入り十四歳で卒業して高校に入る。今日法令のやかましい時代に斯うした問題は果して善き事か惡しき事か、亦その將來が幸福なりや否や消息不明であるが、私は中學程度以上に此の方法を利用したならばと考へる。

◎數年程前加州大學に十四歳で入學を許されたエレン・コーニツシユ、兄も二人とも十四歳で大學生となり、長兄ロバートは十八歳で前年に優等で卒業して母校の化學の助教授となり、次兄のフランシスは大學卒業、母は結婚前小學教師で家庭教育に力を盡したであらう。

◎數年前播州龍野に六人殺しのあつた時、谷田大阪控訴院長は「その內容的方面から見ても現實にこんな非傳統的な惡虐な大事件は聞いたことがない、たゞ其の原因がどこにあつたかは鄉土の環境、歷史、本人の性格、教育、宗教等巨細に調査しなければ到底判斷のつくものでない（中略）外國ではイタリーのコルシカ、シシリー邊りだが日本で親殺し兄弟殺しの多いのは水戶附近であり最も少いのは富山、福井、新潟等北陸地方である、こゝには鄉土の歷史も手傳ふが水戶が潤ひのない儒教中の硬派を尊崇するに引かへ、北陸が墨の衣の親鸞の人情こぼれる佛教の信者に富むことを思ひ比べると味が深い、高見一家にこんな見地からも文物的詮索のメスを入れる餘裕があらう」と暗示の多い言葉をもらされた。

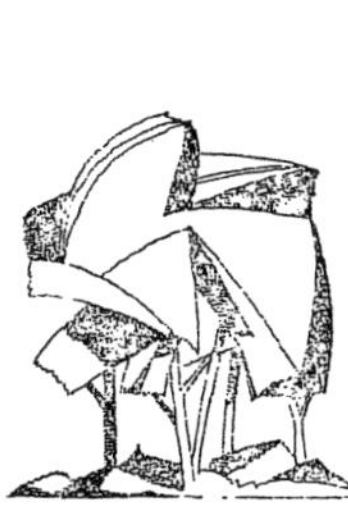

名歌
註釋

父性愛母性愛

停城一郎

子供を詠んだ歌といへば、誰れでも一番にあの萬葉集の山上憶良の

しろがねも黄金《こがね》も玉《たま》もなにせむにまされる寶子《たからこ》に及《し》かめやも

といふ歌を思ひ出すでせう。子寶といふほどで、父母にとつて子供にまさる寶はありません。この歌は憶良が役人になつて九州に行つてゐて、京に殘して來た子供の古日を思つて詠んだ歌で

瓜《うり》食《は》めば、子供《こども》おもほゆ、栗《くり》食《は》めば、ましてしぬばゆ、いづくよりきたりしものぞ、まなかひにもとなかかりて、やすいしなさぬ

といふ長歌の反歌です。しかし、憶良がそんなにも可愛がつてゐた古日は病氣で死んでしまひました。その時の憶良の歌もありますが、長い歌ですから、こゝには書きません。この歌の終りの方の意味は、あんな可愛い子供がどんな因縁で自分の子に生れたものだらうか、遠く離れてゐても、いつも目の前に見えて安らかに眠ることも出來ない、といふ程のことです。ほんとに子を思ふ親の心は此の歌に盡きてゐます。

萬葉集には澤山の立派な歌人がをりますが、どういふものか、子供を詠んだ歌はあまりありません。それが平安朝の古今集になると、もつとひどいのです。百人一首にも歌の出てゐる凡河内躬恒といふ人のが一つあるだけです。それもこんな歌です。

今《いま》さらに何《なに》おひづらむ竹《たけ》の子《こ》のうきふし繁《しげ》き世《よ》とは知《し》らずや

これは躬恒がある日物思ひに沈んでゐるとき、幼い

子を見てよんだ歌です。自分の兒か、よその兒か分りませんが、歌の心は、今さら何故に生れて來たのか、竹の子に節の多いやうに、心配や苦勞の多い世の中に、といふのです。これも親心の一つの現れです。岡本かの子さんの歌にこんなのがあります。

早《は》やも子《こ》は生《う》れ出《い》でたる悲《かな》しみをこの長病《ながや》みに知《し》りそめぬらし

ほんとに物心つく頃から、もう人の世の苦勞が始まるのです。そして、子供が苦勞を知ると共に、親の心配も始まります。

男子《をのこ》やもいとけなけれどひとなかに口惜《くちを》しきこと數々《かずかず》あらむ　（かの子）

と思ひやり、丈夫に育つて、

遠《とほ》くより見《み》れば吾《わ》が子《こ》も負《ま》けぬ氣《き》にあごしやくらせて喧《けん》嘩《くわ》なし居《を》り　（かの子）

となれば親の苦勞は絶えず、病氣にかゝるやうなことがあれば

わが子故《こゆゑ》マリヤの像《ざう》に抱《いだ》かるゝエスさへ病《や》める心地《こゝち》するかな　（與謝野晶子）

と、わが子が病氣で寢てゐると、マリヤに抱かれてゐるエス・キリストも、病氣でお母さんのマリヤに抱かれてゐるのかしらと思つたりするのです。これは晶子さんの長男の光さんが病氣で入院したときの歌です。

わが光《ひかる》日の輝《かゞや》くを透《す》かし見《み》て身《み》をかこつらし病《や》める十六

昔の人はどうして子供の歌を澤山詠まなかつたのでせうか。昔の歌集から子供の歌を探すのは困難ですが今の人の歌集には、子供をもつてゐる人ならきつと子供の歌があります。

その額に手觸《てふ》れかなしむ父《ちゝ》が顏《かほ》いぶかしげにも見《み》あぐる子《こ》かも　（窪田空穗）

求《もと》めえし氷《こほり》かゝへてましぐらに暗《くら》きを走《はし》る眞夜中《まよなか》の道《みち》を　（同じく）

かうして、病氣になればする心配も、子供のためには苦勞とは思はないのです。よくなつてくれさへすれば、何にも願ふことはないのですが、不幸にも死ぬやうな事になつたら、親の歎きはどんなでせう。

むら肝《ぎも》の心《こゝろ》千切《ちぎ》れと破《や》り果《は》てばわが悲《かな》しみは少《すこ》し足《た》るべし　（伊藤左千夫）

これは七枝子といふ娘が三つで死んだ時の歌です。心が千々に切れて破れたら、少しは悲しみがうすれるだらうといふのです

底知《そこし》れぬ謎《なぞ》に對《むか》ひてあるごとし死兒《しじ》の額《ひたひ》にまたも手《て》をやる　（石川啄木）

ほんとに死は謎ですが、子供の死を悲しむ親の心は謎ではありません。

白絹《しらきぬ》に頭《かしら》おほはれいやはての夜《よ》をかたはらに吾子《あこ》が寢《ね》にこし　（晶子）

生れてすぐ死んだ子が、産褥のお母さんの傍へ寢せられた時の歌です。

夕時雨《ゆふしぐれ》また降《ふ》りいでぬじく／＼と心《こゝろ》に沁《し》みて亡《な》き子《こ》思《おも》ほゆ　（中河幹子）

中河さんが女禮ちやんといふ可愛い女の子を死なせた悲しい歌の中の一首です。深い歎きから溢れ出る愛情がしみ／＼味はれる歌ではありませんか。

愛兒の死の悲しいやうに、愛兒のすこやかに育つのを喜ぶ親心ほど大きいものはありません。

ひとの親《おや》のこゝろなるべし足《あし》とどめ子《こ》をほめてゆくを見《み》送《おく》りゐるよ　（小金井素子）

子供を遊ばせてゐるところへ、通りかゝつた人が、「おゝ可愛らしいお孃さん！」といつてほめてゆくのを見送りながら、あの人にも可愛い子供があるのだらう、と親心の有り難さを感じた歌です。きつと素子さんが純子といふお子さんをほめられたときの歌でせう。

初冬《はつふゆ》の戸山《とやま》の原《はら》の枯草《かれくさ》を焼《や》けば喜《よろこ》ぶ吾《われ》が子《こ》三たり　（安成二郎）

焚火のまはりに、かぢかんだ手を伸ばして喜んでゐる子供達の有様が目に見えるやうです。子供の達者に育つのは、又一家團欒の樂しみです。

あたゝかき飯《めし》に目刺《めざ》しの魚《うを》添《そ》へて親子《おやこ》六たりの夕餉《ゆふがれひ》かな　（與謝野寛）

この歌はほんとに私の好きな歌です。睦まじい幸福な家庭の夕食の有様がよく現はれてゐるではありませんか。勿論これは與謝野さん自身の家のことを詠んだのでせう。

そして、かういふ平和な喜びからどうしてこんなに好い子供達が生れたのだらうと、感謝の念をもつのも人情の自然なことでせう。

ちちのみの父《ちゝ》と我《わ》れなりははそはの母《はゝ》と汝《な》がなりて生《う》める子《こ》らかも　（空穂）

でかういふ歌も出來るのです。空穂さんはこの歌の前書きに『早春の暖かな日光に照らされつゝ、遊び戯れてゐる二人の子を妻と眺めやつて』と書いてをります。さながら繪のやうな一幅の情景が目に見えるではありませんか。きつとこの二人の子の一人は、前に病んだ子の丈夫になつた姿なのでせう。

明治元年に死んだ橘曙覽といふすぐれた歌人があります。この人は子供の歌を澤山詠んでゐますが、こんなのがあります。

たのしみは三人《みたり》の兒《こ》どもすく／＼と大《おほ》きくなれる姿《すがた》みる時《とき》

たのしみは妻子《つまこ》むつまじくうちつどひ頭《かしら》ならべて物《もの》を食《く》ふ時《とき》

これは曙覽の名高い『獨樂吟』五十二首の中の歌ですが、五十二首全部『たのしみ』はを初句に『何々の時』を結局に置いてあり、清貧な生活が素朴に歌はれてをります。

ほしがりしものを買《か》ひ來《き》て妻《つま》と子《こ》のうれしがる顏《かほ》を寶《たから》にはする　（土岐善麿）

夜更《よふ》けて歸《かへ》り買《か》ひ來《き》しおもちや一々に置《お》きて樂《たの》しむ子等《こら》の枕《まくら》べに　（安成二郎）

かういふ覺えは世の父母は誰れしも持つてゐるでせう。これこそ子供を持たない人の想像し得られない幸福な世界です。實際子供を持つて初めて味ふ樂しさ、面白さほど複雜なものはありません。

寢臺《しんだい》よりころげ落《お》ちたる一大事《だいじ》わが兒《こ》をかしき夏《なつ》の夜《よ》なるかな　（善麿）

暫《しばら》くを三間《みま》うち拔《ぬ》きて夜《よ》ごと夜《よ》ごと兒等《こら》が遊《あそ》ぶに家湧《いへわ》きかへる　（左千夫）

冬《ふゆ》の陽《ひ》は南《みなみ》かたよりあまづたふその日向《ひなた》にて百子《もゝこ》匍《は》ひ居《ゐ》り　（齋藤茂吉）

左千夫さんには七人の子供達があつたのです、三間つゞきの廣い部屋をうち拔いての大騷ぎは大變だつたでせう。その湧き返へるやうな騷ぎを見てゐるのも、寢臺からころげ落ちた赤ん坊のをかしさにおどろくのも、日向を這ふ子をぢつと見てゐるのも、皆んな同じ親心です。お父さんが歌人だから、歌はお父さんが作つても、それを見てゐる心はお母さんも同じでせう。心配もあるが、をかしさ、うれしさの溢れた親心です。

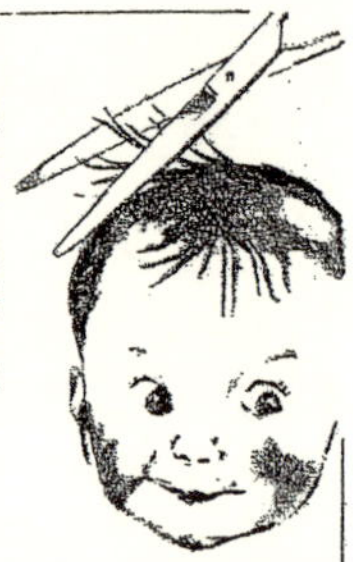

賀川豊彦氏

『死線を越へるまで』（五）

村島歸之

賀川氏の説教にいたく感動し、即座に洗禮を志願し、關東大震災に先立三日前に、賀川氏の手によつて、富士の靈峰が逆さに影を寫す東山湖の中で洗禮を受けた。筆者を導いてくれたのは畏敬する賀川先生であつた。しかし、初めて開いたマヤス博士の個人的説教「詩篇五十一篇が、筆者の固心に何の力をも致してゐないと誰が斷言することが出來やう。筆者は詩篇五十一篇の話を聞いて以來、かけ違つて一度も博士に會つてゐない。博士は賀川先生から筆者の受洗の事を聞いて知つて居られるかどうか。――

賀川氏とマヤス博士の語るべからざる關係を敍して、たま／＼博士と筆者の因緣に及んだ。讀者もこの脱線を宥して下さることと思ふ。

閑話休題――。

中學卒業を前にして叔父の家を放逐された賀川氏は、氏の魂の恩人であるマヤス博士の溫かい抱擁の裡に迎へられ美しきクリスチャンホームの一員に加へられた。博士許りではない、博士夫人の可愛がりやうは全くわが子と同樣であつた。それ以來、マヤス家の食堂には、永い間、賀川氏の席といふものが定められ、いつマヤス家を訪れても、家族の一員として賀川氏の席が待ち受けてゐた。

それは後のことだが、兎に角、氏はマヤス博士夫妻の溫い翼の下で慰められ、勵まされつゝ、明治三十八年三月、無事に德島中學を卒業し、さらに博士の庇護の下に豫ての素志通り、明治學院神學部へ入學した。「野の百合を見よ」の聖句に目に見えない別の世界の存在を知り、教會で讀んだ書物の中から、貧しき人々の實在を學び、年少既に自らの行くべき道を指し示された後、父母の死や、家の破産や叔父の家の放逐にも、その計畫は歪められることなく雲霧を掃ひのけて道は順次に拓かれて行つたのだつた。

「わが行く道いつ如何になるべきかは露知られど、
主は、　みこゝろなし　給はん
そなへ給ふ主の道を踏みて行かん一筋に」

讃美歌の言葉の通り、神は見えざる御手をもて行く道を拓き、たへずその行手を指し示し給ふのである。

賀川氏の幼少年時代の苦難も、要するにすべては神の計畫に過ぎないのだつた。氏はたゞ導かれるまゝに進んで來た、そして、今は神の膝下近くまで呼び寄せられたのである。基礎學の勉強を終へて、これから宗教哲學と社會思想との勉強が始められた。貧しき者の中へ行くべく運命づけられた者の第一段楷を此處に踏み出したのである。

一二、明治學院に入る

「死線を越えて」を披くと、開巻第一頁に出て來るのは、芝白金の丘、檜や欅の並木のある森蔭に、黒ラシヤの制服を着た背の普通より高い痩形の一青年が、草の上に横たはり乍ら讀書してゐる姿である。いふまでもなく、これが明治學院時代の賀川氏なのである。

氏はいつも斯うして讀物――特に哲學書を手から離さなかつた。氏は中學時代に既にトルストイやラスキンなどの原書を讀破してゐたことはさきに記した通りだが、二十一歳の九月、明治學院高等科に入學した後の氏の原書の讀破力は驚くべき勢ひで進んで行つた。二三百頁の英書なら一日で讀破することが出來たといふことを「死線を越えて」の中にも記してゐる。

「死線を越えて」に現れた明治學院生徒親見榮一は、既にスピノサを卒業し、ヘッケルの一元論をマスターし、さらにカントを讀み、一瞬の社會主義思想について檢討し、マルクスにまで及んでゐる。

級友が「六合雜誌」や「新人」を讀んで得意になつてゐる時、氏はリテラリー、ダイジェストの論文を讀んでゐた。

「死線を越えて」の冒頭に、新見から金五圓を惠まれる苦學生鈴木は彼より僅か一級下にすぎないのに、新見は、鈴木の讀書力の低劣さを輕蔑して「君等小兒には解るまい」といひ、「近頃の小供は印度哲學の一冊も讀よない癖に生意氣をいふ」と罵つてゐる。これはただに鈴木一人に限つた譯でなく、新見から見ればすべての級友が皆思想的の「小供であり、讀書力において「赤ン坊だつたのである。

新見は勿論、賀川その人である。賀川氏はこういふ風で級友たちを冷眼視してゐた。そして綺麗に髮を中央から分け帽子もかぶらず。いつも小脇に原書をかゝへ超然として學院の内外を濶歩してゐた。

「超然」これは級友から與へられた氏ニックネームだつた。いつも超然としてゐる氏の態度を象徴したものだが、しかしそれだけではなく、キザな男とか、生意氣な奴といつたやうな惡い意味も含まれてゐたものだ――と當時の級友の一人が語つてゐた。

或時などは、氏を毛嫌ひする連中が鳩議した末、氏の不在を見すまし、氏の部屋にあつた着類も全部屑屋へ賣つてその金でみんなで蕎麥を喰ひ、快哉を叫んだといふこともあつたといふ。

しかし、級友の全部が氏に抗的態度をとつた譯ではない。氏には多くの善い友人が與へられてゐた。ダンテ研究家として知られる中山昌樹や、往年の社會主義運動の一方の雄であり、今は再び靈的方面に復活して、皇國基督道を提唱してゐる加藤一夫氏、牧師から文壇に轉向した沖野岩三郎氏などはそれだつた。中山氏とは一頃は寄舍も同室で特に親交があり、或時など二人で相撲をとり勢ひ餘つて寄宿舍の二階の窓から二人取つ組んだ儘墜落しはあや、二人の秀才はその儘不具となるか、天國へ旅つかと思れたが、不思議にも、恰度二人の墜ちた處に枳殼の樹があつて、二人のからだはそれに支へられてゐた。

かういふ親しい友もあつたが、大勢は氏に惡く、氏の圖破拔けた頭腦と讀書力に對する嫉妬も手傳つて、多くの級友は氏を仲間外れとした。

しかし、たとへ如何やうに級友たちが冷遇し、異端扱ひしやうと、賀川氏はいさゝかも痛痒を感じなかつた。否、むしろ、その事が氏の勉强の邪魔のしてくれぬことゝなりそれだけ餘計讀書することが出來た。氏は食をし乍らも本を讀んだ。入浴中も本を離すのを惜しがつたといはれるそれ許りではない。授業中も、讀みかけの課外の洋書を讀みつゞけて、教師に見つけられ、退場を命ぜられたこともあつた。

學院の圖書室にある宗教、哲學、社會問題に關する原書の主なるものは、古典といはず、新刊といはず、殆んど全部、氏の垢によつて染められた。教師や友人の落書も片つ端しから借覽した。

そんな譯で、學校の授業などは殆んど顧る時間のないほど書物を讀んでゐたため、學生仲間は素より教師仲間からも、生意氣な奴として白眼視されてゐた。從つて試驗の採點の如き、いつも級中でも最惡の部類に屬してゐた。中には氏の英才を觀破してフルマークをくれる野々村教授の如きもあつたが、又三十點をやるのも惜しいといふ尻の穴の小さい教授もあつた。

試驗の點數や成績などは、しかし、氏にとつては全く問題外だつた。

一三、貧しき給費生として

氏はその頃既に家は破産してゐて仕送りをして貰ふ術もなく、郷里には大金持の叔父もゐたが、異端視してゐる氏に鐚一文送つてくれる筈はなかつた。その時、氏を鼓舞激勵して入學當初の一學期中、學資を送つてくれたのは、前にも記したマヤス博士だつた。でも、いつまでもマヤス博士に依頼してゐる譯にも行かないので、二學期から給費生となり毎月十一圓づゝの支給を受け、それで辛じて學業を續けて行つた。

後年、アメリカの太平洋神學校その他の神學校で、米人の篤志家の寄附になるカガワ・スカラーシツプが設けられ多くの日本人からの留學、神學生を賑はせてゐるのは、氏にとつて、明治學院時代の償ひとなつてゐる譯である。

氏は全くの貧書生だつた。氏の着物は、今日でも「一枚の衣」の誓ひを守つて氏の歌——。

一枚の最後に殘つたこの衣神のためにはなは脫がんとぞ思ふ。

の通りを實行してゐるが、學院時代は常に垢によごれた着衣をまとひ、破れや綻びもそのまゝでそれを見兼れた信者の一婦人が、

小ざつぱりとした着物をくれたことがあつたが、氏は一日か二日それを着て贈り主の好意を感謝した上、着物がなくて震えてゐる乞食にこれを與へて了つた。

たゞ一度、こんな事があつた。氏のたつた一枚の洋服が餘りにも垢じみ、その上、大きなほころびまで出來て了つた、恰度その頃、氏はフライデルの宗教哲學史四卷が教文館に屆いてゐるのを知つて、欲しくて〳〵たまらなかつた若しその儘にして置けば、たつた一揃ひしか來てゐない哲學史は、直き誰かの手に渡つて了つて、二度と再び氏の目に觸れることは出來さうになかつた。氏は思ひ立つと寸時もぢつとして居られぬ小娘のやうに、ひたむきに欲しくつて、無理とは思つたが、マヤス博士の許へ無心を言つた間もなくマヤス博士から本代が送られた。氏は天にも登る心地して本屋へ走らうとしたが、その時、餘りにも見すぼらしい自分の洋服をふりかへつた。本は來月の給費を貰つてからにして、この金で洋服を拵へて見やう。まるで、魔に憑かれたもののやうに、氏はふら〳〵と洋服屋へ這入つて行つた。間もなく洋服が出來て來た。今まで着てゐた古服とは違つて、これは當時流行の高い〳〵襟——今日ではスマートな騎兵將校にのみ見るやうな——の詰襟だつた。

（本號に挿入した寫眞の明治學院時代の氏のまとふてゐるのがその洋服ではあるまいかと思はれる）

だが、そのハイカラーの新調の洋服をまとふた瞬間、氏の頭を掠めたものがあつた。ミスターカガワ、哲學史が買えて嬉しいだらうといつてゐるらしい博士の口元のほころびだつた。

しまつたッ。信仰の道を歩まうとしてゐる自分が何としたことだ。恩師を僞つて無くてはならないといふほどでもない洋服を新調したとは。あゝ、自分はもう基督の弟子たる資格がなくなつた。基督の弟子の資格を喪へば、もう生きてゐる資格もない。

氏は良心の呵責に耐え耐え兼ねて、「死」を決心し、幾度か死場所を求めて歩いた。しかし、何としてもマヤス先生に申譯けがない。そうだ。死ぬ前にマヤス先生に會つてそれとなくお別れをして來やう。それから死なうそう決心して、持物全部を整理し、再び歸らぬ覺悟で明治學院の寄宿舍を出た。

此の時の事を沖野岩三郎はこう記してゐる。私が明治學院にゐたころ、或日友人の山野虎市君が色を變へて、「賀川豊彦君が行方不明になつたぞ」といつて來た。あんな男だから或は自殺したのかも知れないといふので、友人たちがみな心配してゐるうちに、某海岸で彼の姿を見つけた一人が、彼を學院につれて歸つて來た。彼は何ゆゑに學院を脱出したかを誰にもいはなかつた。しかし、それが後になつてわかつた。

彼は幼少の時から世話になつた。マヤス教授が、書籍を買へといつて送つてくれた金で、洋服を新調したのであつた。最初は別に氣にもかけないで、それを着てゐたがだん〳〵と彼の敏感は自分を詐欺漢だと思ひ出し、これでは傳道者となる資格が無いと思つて、學院を飛び出したのであつた。今少し手後れたなら或はその時彼は自殺してゐたかも知れなかつたのである。

もし此の儘、氏が自殺でもしてゐたら、日本は大變な損失をした譯だが、神は氏を見捨て給ひはしなかつた。

徳島へついた氏はマヤス博士の膝下にひれ伏し熱涙と共に懺悔をした。もちろん、博士はむしろ氏の回心を喜んだ。もう罪は赦された。さア、一刻も早く學校へ歸るやうにと、博士が氏を勵ませば、博士夫人は熱情の兒の肩をやさしく抱いて、わが子のやうに氏をいたはつてくれた。

氏は後年、スラムに住み、勞働運動の陣頭に立ち、世界の惱める民衆のために身を粉にして動くやうになつたのもこの熱情の現れであつた。

氏が秀れたる哲學者であることに一點疑ひはない。が、單に象牙の塔に立籠る書齋の木念人としての哲學者ではなく、十字街頭に立つ民衆指導であり、時勢に一歩先んずる豫言者であり、人間の墮落を泣く熱情の詩人であるのだ。學院時代の氏の行爲には、その萌芽が隨時隨所に見えてゐた

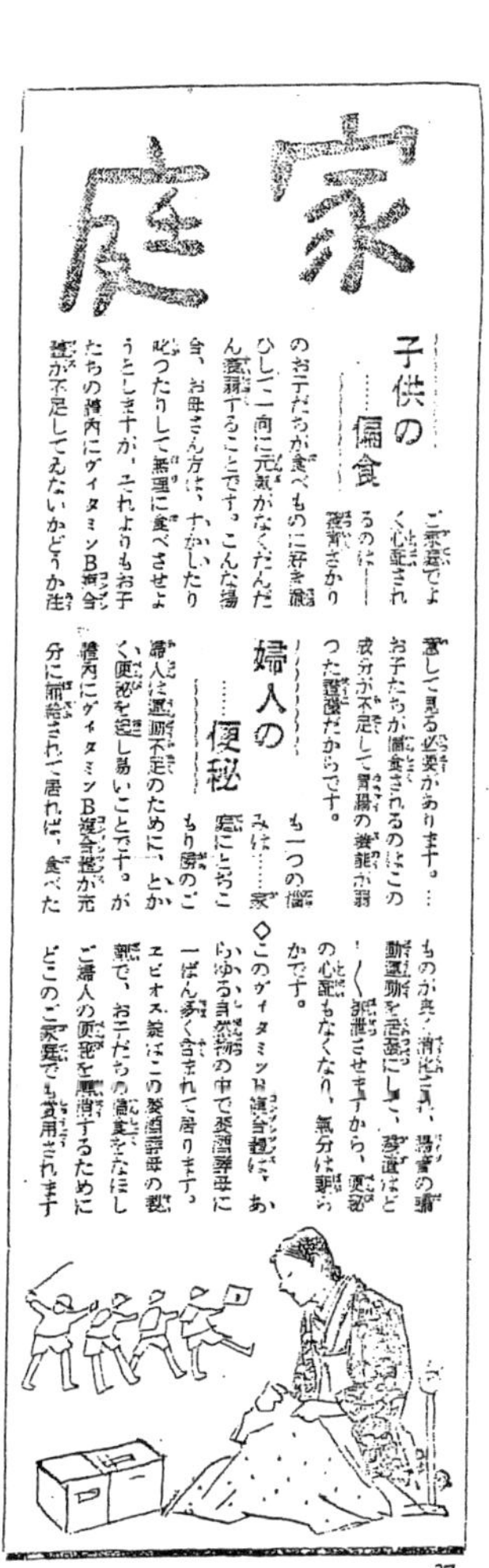

名作曲家の列傳（一四）

リヒアールト・ヴァグナー Richard Wagner

秋保孝藏

一言でリヒアールト・ヴァグナーを評すれば、彼はその才能天分に於て、その經歷に於て、その自由奔放な思想に於て、確に不思議で、また奇拔な人物だと云つてよい。彼に關する著作も數多くあるし、又自傳や手紙によつて、彼の生活、思想、人物等を知ることが出來る。然し茲にはその大略を記するに止める。

ヴアグナーは一八一三年五月二十二日、獨逸サクソニイ州ライプチヒで生れた。その頃は歐洲革命爆發前のことゝて、人心の動搖甚しいものがあつた。父は彼が生れてから六ケ月目に死んだ。母は十四歳を首に、九人の子供を擁して、殆ど途方に暮れた。夫の死後一年足らずで彼女が二度目の夫ルウドヴイヒ・ゲエヤアに嫁したことはやむを得ないといはねばならぬ。ゲエヤアは藝術的天分の豊な人で、俳優で、歌手で、作家で且つ畫家であつた。彼は初めリヒアールトを畫家にしようかと思つたが、後短歌を二つばかりピアノで彈き習ふのを見てから、音樂家にしようかとも思つた。ドレスデンの劇場に雇はれたので、一家族を引纒めて同市に移つた。然しその後久しからずして、リヒアールトの天分をも見ずに、一八二一年に死んだ。

リヒアールトは學校生活を始めてから、ギリシヤ古典を讀むことに非常な興味を感じ、ホオマアのオデイセイの初の十二卷を飜譯したとさへいはれてゐる。又手當り次第に神話を讀み、自分でも間もなく、悲劇などの創作を試みた。彼はシエツクスピーアに讀み耽り、ヘムレットとリーア王とをごつちやにしたやうな劇を書いた。これ

がために二ケ年を費したといふことである。この早熟な少年は、演劇のことにかけては氣が狂はんばかりに好きであつた。歌劇の大家ヴエーバーが、彼の家の前を通行するのを見た時は、彼は殆ど宗教的崇敬の態度を以て彼を見た。ヴエーバーは母と世間話などをしてゐる時もあつたが、少年ヴアグナーに取つては實に偶像であつた。少年はヴエーバーの『デルフライシユツツ』を殆ど諳んじてゐた。この歌劇を聽くことを許されない場合には、彼は駄々を捏ねて泣き喚き、許されたが最後、劇場へ飛んで行くのであつた。

一八二七年、家族はライプチヒに歸つて來た。此頃のことだが、彼は初めてベエトオフエンの音樂に接した。『エグモント』の序曲に感激した彼は、即座に音樂家になる決心をした。然しこれは問題であつた。彼は音樂について何等の豫備智識を有つてゐなかつた。彼は音樂に關する書物を借りて來て、一週間の中に、その內容を悉く習得しようと試みた。だがそれは無理な話で、十四歳位の普通の少年には、失望して思ひ止まるより外にない事柄である。然し彼は除外例であつて、頭の構造が違つてゐたのかも知れない。全く獨習し終つて、自分で奏鳴曲《ソナタ》や四部合奏曲や歌曲を作るやうになつた。無謀な話ではあるが、人知れず勉强した結果を世に發表しようと企てたのである。親戚等は之を聞いて驚き、音樂について何等確たる智識もなく、自身では碌に樂器も彈けないんだから、そんなことは大それた馬鹿な計畫だと極力反對したが、實は彼が密に音樂を一生懸命勉强したことを知らなかつたからの事である。家族等はそれでも彼の音樂に對する熱心に同情し、せめて教師を雇うて將來のために研究しては、と勸めた。されど氣の勝つた、氣早やなリヒアールトは教師について組織的に習ふことなどは全然嫌ひであつた。彼は遙に先を望んでゐた。數奇に富める音樂家ホフマンの生涯に若き心を躍らしてゐた。一歩一歩徐々に成功の山に登る忍耐を有つてゐなかつた。一躍山の頂上に飛び上りたかつたのである。驚くべき話ではあるが、彼はその頃管絃樂の序曲を作つて、實際にライプチヒで上演したのである。宛然魔術師であつた。

流石のリヒアールトも、もつと根底ある音樂上の智識の必要を感じて來たので、今度は有名なトーマス學校の音樂指導者テオドル・ヴアインリヒに師事して音樂を學んだ。僅か六ケ月の勉强で、彼は重複旋律法の困難な問題を了解した。次にモツアルトを研究し始めた。そしてもつと單純なものに書き換へたりした。その頃、ピアノ奏鳴曲、ポーランド舞踏曲や幻想曲などを作つた。野心家の彼は次にベエトオフエンの第九交響樂の如きものを作らうと欲し、遂にそれを成就して上演するに至つた。この作は音樂的活力に滿ちたものであると云はれてゐる。

その頃、彼は器樂の作曲位では滿足しなくなり、歌劇を作らうとした。彼が二十歳になつた時、ヴイルツブルヒ劇場の俳優であり、歌手であり、舞臺監督であつた兄アルバアトを賴つて行き、月十法の俸給で合唱隊長の地位を得た。彼は第二の歌劇を出さうと企てた。この歌劇は『小仙女』といふのでベエトオフエンやヴエーバー等の作風を眞似たものである。後年上演されたが、よく調和した作品であるといはれてゐる。

一八三四年、ライプチヒに戻つたが二十一歳で、何事にも感じ易い彼は、自由主義を主張した幾多の書籍を讀んで、政治上にも、文藝上にも、道德上にも極端な自由主義的思想を持つやうになり、現實的享樂主義が最高の善であると心得たのである。斯る思想を抱きながら、歌劇『戀愛の禁止』を作つた。その頃彼はマグデブルヒに於ける歌劇場の指揮者であつたが、當時の名歌手といはれて大いに彼を動かしたシユレエデル・デヴリエント孃を女主人公にした一歌劇を出さうとした。此地に二年間滯在して此歌劇を完成したが、稱讃を受けなかつた。それに關係した劇場も閉鎖の止むなきに至つたので、彼は此處に職を失つた。此地に滯在中、後に彼に嫁したヴイルヘルミナ・プラナアと懇意になつた。

その後、ケイニヒスベルヒに於て音樂指導者を要すると云ふことを聞き、彼は自ら出懸けてその交渉に當り、其處に職を得た。プラナアも亦此地の劇場に務めることになり、二人は一八三六年十一月二十四日此地で結婚した。女は柔和な親切な婦人であつたけれども、ヴアグナーのやうな亂暴な男の配偶になつたことは不幸であつた。彼はマグデベルヒに於て借金に苦んでゐたが、ケイニヒスブルヒに來てからは益々それが嵩んで來た。二十三歳の夫と一二歳年下の妻との此若夫婦は、來るべき當然の結果をも顧慮せず、花に戲るゝ胡蝶のやうな人生の遊戲者であつた。或る人は此夫婦を評して、柔和な一匹の鳩が鷲に娶されたのだといつた。然し彼女はいろ〳〵苦い經驗を積むに從つて、注意深く經濟的に生活の方針を立てるやうになつた。

一年後、ケイニヒスブルヒの劇場は失敗に終つた。ヴアグナーは再び職を失ひ、後に友人の世話で、リガ市に於ける音樂指導者となつた。妻のミナも此地の劇場に雇はれることになつた。此の地に來た當座は、すべて都合よく行つたが、間もなく再び借金の捕虜となつてしまつた。それに無謀な、自由奔放な彼は、リガ市位で滿足が能なくなつて、持前の野心が復々頭を擡げ出し、是非世界の檜舞臺なる巴里に出たいと焦り出した。

巴里に行く積で旅行券を得ようと思つたが、借金のために下付されなかつた。彼はこの位の事で思ひ止まる男ではない、一計を廻らし、妻ミナと愛犬と自分とが變裝

してピラウから巴里に向ふ船に乘り込んだ。リガ市に居た時、彼はハイネが逃亡和蘭人のことを書いた詩を讀んだが、計らずもそれが自分の體驗になつた。彼は此旅行について左の如く書いてゐる。

『此の航海は余の一生忘るゝことの能きないものである。災禍の多い旅行で、三週間半もかゝつた。三度暴風に遭ひ、一度はノルウエイの或る港に碇泊するの止むなきに至つた。ノルウエイ海岸の大岩壁の間を過ぎた時、余は實に不思議な印象を受けた。水兵共が話してゐた逃亡和蘭人の物語は愈々はつきりした個人的色彩を帶びて來て、現在自分等が經驗してゐる冒險的航海によつて我が身に迫つて來るやうに感じた。』

やがてロンドンに一寸立寄り、佛國海岸のブローニエに到着し、此處に數週間滯在した。此處で作曲家メイヤアベイアに會ひ、自己の身上話をし、その希望を打ち明けた。彼はこの逃亡者に對し厚き同情を寄せ、巴里に於ける音樂家等に紹介狀を書いて吳れた。この青年野心家と別れようとした時、彼は何事にも忍耐の精神が肝要だ、成功しようと思はば辛抱することを學ばなくてはならないと諭した。

將來に於ける成功を夢みつゝ上機嫌で、彼等漂流者は一八三九年九月、憧憬の都巴里に到着した。此地に於ける二年半の生活は相も變らず、困難と貧乏とに苦み通しであつた。然し此苦い經驗から、彼等は幾分自己に覺醒することが出來たやうである。當時、巴里には澤山の名ある音樂家があつたので、彼等の引立てによつて、見る見るうちに成功するものと思ひ込んでしまつた。彼は世界の大都巴里に於ても、向ふ見ずの氣象を發揮し、僅の持合せしかないのに拘らず、費用の如何を顧慮せずに此市の中央にある堂々たる邸宅におさまつたのである。

忽ち天は曇つて來た。彼の抱持してゐた希望は次から次へと消えて、何も彼も失望に變つた。賴みにしてゐた劇場も閉鎖の憂目を見た。彼の曲は六ケ敷くて了解に苦むといつて音樂指揮者から何時も不平が出た。賴みの綱は皆切れた。家賃も家具類の代價も支拂ふことが能きなかつた。門前の狼を防ぐために、仕方なく音樂雜誌に筆を執つた。此間に、彼はやりかけてゐた歌劇『リエンツイ』の組立てに取りかゝつた。これは後年、ドレスデンで上演された。

ヴアグナーの家族は大巴里の眞中で殆ど餓死せんばかりの境遇に陷つた。當時彼が物した論文の中にこんなのがある。『巴里に於ける一音樂家の最後』といふので、哀れな一音樂家が「あゝ、我は神を信ずる―又モツアルトとベエトオフエンとを信ずる」と呻きながら死ぬところを書いたものである。こはまがふ方なく、自分の行き詰つた逆境を嘆じた一文である。それでも彼等はどうにか

かうにか二年以上も此大都市で辛抱した。世界の中で最も住み心地のよいのは、何といつても故鄕であると悟つて、彼等は亡命客のやうに、密に憧憬の都であつた巴里を後にしたのである。

一八四二年七月、歌劇『リエンツイ』の演習がドレスデンで行はれた。彼は『逃亡和蘭人』を完成し、又ヴアルトブルヒに於ける歌手の競唱に關するホフマンの話に想を得て作つた『タンホイゼル』の筋書を終つた。その頃から、ヴアグナーは作曲家として段々認めらるゝやうになつた。一八四二年十月二十日、此の地の歌劇々場で『リエンツイ』が愈々上演された。これは非常な喝采を博し、翌朝目醒めて見ると、彼は既に名高い作曲家となつてゐた。この歌劇は六時間も要するので、これでは長過ぎるといふので、或る部分を削除してもつと短いものにしようと思つた。然し歌手等は『此作は實に素的なもので、一點でも削り去るところはありません』といつて皆反對した。

初めて快心の成功を見たので、その冬はドレスデンで落付いた氣分の中で暮した。然し、彼はこれで滿足しない。もつと偉大なる作を出さうと焦慮した。一つの作物の中にすべての藝術を巧に織込むやうな仕組を熱心に企てゝ見た。この計畫を『逃亡和蘭人』の中に仕組まうと思つた。それでこの歌劇は歌や器樂の方が第二で、劇其者が主要なのである。これは當時にあつては歌劇界の革命であつたのだ。『さまよへる和蘭人』は一八四三年一月二日に歌劇々場で上演された。批評家や公衆は『リエンツイ』にも劣らない非常な傑作であらうと期待した。然し大した稱讃を受けなかつた。此大作はその後二十年間ばかり、棚に上げたまゝになつてゐた。ヴアグナーはその頃宮廷樂隊長となり、千五百萬弗の俸給を受け、七年間其職に止まつた。

その頃『タンホイゼル』を完成し、『ロエングリン』を書き、『ジイグフリイドの死』や『名歌手』を計畫した。彼は隨分貧乏や借金でこれまで苦んで來たのだが、未だ醒めないものと見え、彼の生活は相變らず贅澤で、趣味廣く、また衣服の美を好んだ。そして作物を出すのに多大の費用を惜まなかつた。借金は復々嵩んだ。此頃彼はフランツ・リストと懇意になり、書面の往復も兩者の間に繁かつた。リストは彼の天分に惚込み、財政方面の補助にも多大の骨を折つた。ヴアグナーはリストの厚意に對して衷心から感謝してゐた。

一八四八年の革命で、ヴアグナーは如何なる立場に立つたかは充分判らないが、彼は盛んに思想の自由について論じた。これらの事情から、彼は長く〳〵ドレスデンに滯れなくなつて、露骨に云へば、十一年間亡命の旅に出たのである。妻のミナをドレスデンに殘し、獨り瑞西に逃

れ、ツウリヒに滯つた。此處で、彼はかねてから計畫してゐた『ジイグフリイド』を完成しようと思つた。其頃ドレスデンから歸つて來た妻は、巴里人の喜ぶやうな歌劇を作つて、生活費を儲けろと催促し、若しそれが能きなければ友達の情にすがつて生活せねばならないではないかと迫つた。彼は已むを得ず『ジイグフリイド』の作曲を五年間中絶した。實際彼等はその頃、友人の情によつて生活してゐた。家賃なども友人が拂つて呉れた。然しながら彼等は此亡命地に於て靜に生活した。その頃音樂について新しき意見を發表した論文を書き二三の管絃樂隊を指揮して居つた。

或る日ふと自作の『ロエングリン』を取つて讀んでゐたが、此作中に他に餘り類のない獨創的な部分のあるのに氣付いたので、リストに手紙を書き、これを上演するやうに骨折つて呉れと頼んだ。リストはこれをヴアイマルに於て上演することにして、一八五〇年八月二十八日、ゲーテの誕生日を選んだ。この演奏會に出席したいは山々であつたが、官憲の手に捕へらるゝことを恐れて思ひ止つた。リストは此作に感動して、彼の優れた天分に敬服し、益々自重するようにと書き送つた。

ヴアグナーは久しき以前から計畫してゐた、三つの歌劇から成る大作『ニイベルンゲンの指輪』に愈々取りかゝつた。一八五三年、この歌劇の一部の詩が出來上つたので、その寫本をリストに送つた。彼はこれを見て『君は實際驚くべき人物である。君の『ニイベルンゲン』中の詩は、君が今まで作つたものゝ中で、信じられない位極めて不思議な作である』と返信した。ヴアグナーは益々熱心に此大史劇の音樂を完成しようと決心し、之を遂行するためには貧乏も病氣も意に介しなかつた。一八五六年四月、到頭この大史劇の或る部が完成したので、リストに送つてその批評を乞うた。リストは友人のヴイトゲンシュタインと共にこれを研究し、深い印象を受けたことを感謝する旨を書き送つた。ヴアグナーは數ある大歌劇を上演すべき劇場が欲しくて堪らなかつたが、これを建つる資金は何處から出るか、之を望みながら、久しく待つばかりであつた。

その頃彼は自分の妻以外に、心密に智的友人を求めてゐた。斯樣な人物を、彼は或る好樂家の妻マリエ・ヴエセンドンクに之を發見した。ところが之がため妻ミナの嫉妬を買ひ、夫婦の間に面白からぬ葛藤が續いた。彼の贅澤慾は復その頭を擡げ、一時ヴエニスに行つて、其處で歌劇『トリスタン』を書いた。その頃、彼と妻とヴエセンドンク夫人との間に所謂三角關係なるものを生じ、ヴアグナーは、ツウリヒに居れなくなつて巴里に赴き、ミナはドレスデンに歸つた。その後ミナも巴里に來て、暫くは同棲したが、一度皺の入つた夫婦の間は容易に回

復すべくもあらず、早晩別れねばならぬ運命となりさうであつた。

非常な幸運が彼に向つて來たやうに見えた。それは彼れの藝術が皇帝ナポレオン第三世の耳に入つたことである。皇帝は彼に、何か自作の歌劇を一つ上演するやうにと要請せられた。凡てが都合よく運びさうであつたけれども、反對者の妨害やら其他の原因で『タンホイゼル』は失敗に歸し、彼は澤山の借金を殘して巴里を去らねばならなくなつた。巴里を去つてヴインナに來た。此の地で『ロエングリン』の上演を初めて聞いて喜んだ。この勢に乘じて『トリスタン』を上演しようと思つたが、その音樂が餘り歌手に取つて六ケしかつたので中止になつてしまつた。此地では、何も手が出せなかつたので、益々逆境に陷つた。彼は生活のために演奏旅行に出懸けようとした。その頃ミナは、此「怪物のやうな天才」とはどうしても同棲しきれなくなつて、到頭別れてしまつた。やがて彼は旅行に出たがロシアを除いては何處へ行つても大した成功を見なかつた。彼は意氣銷沈して、作曲家を廢業しようかとさへ思つた位である。多くの人々は彼を狂人と云ひ、その努力を嘲笑した。斯る困難の間にも彼は諧謔歌劇『名歌手』を出さうと骨折つた。

遂に幸福が廻つて來た。それはババリアの皇子の救助である。その頃皇子は父の後を繼いで王位に即いた。王位に即くや否や、日頃その才能に敬服してゐたヴアグナーに使者を送つて直ちにこちらに來い、そして一緒に住んで、靜にその欲する事業に從事せよと勸誘された。其頃彼がツウリヒの友人に送つた手紙の中に次のやうなことが書いてある。

『王は何時も私と一緒に居らるゝことをお好みになる、働く時も、休息の時も、作曲に勵んでゐる時も。王は私の要するものは何でも惜げもなく與へて下さる。私は今『ニイベルンゲン』を完成しようとしてゐる。王は何時でも上演してやると仰つて下さる。目下自分には何の心配も苦勞もありません。若し私が王と一緒にさへなつてゐれば何の不自由もありません。』

夏にはムニヒに近いシユターンベルヒ湖畔の別莊に日を過ごし、秋はムニヒの閑靜なる一廓に在る邸宅で事業に勵むことが能きた。王は若い指揮者ビユウロウを招いで專ら彼の音樂の指揮に當らした。ビユウロウは後に、ヴアグナー音樂の優れたる指揮者の一人となつた。

ビユウロウの家族は間もなくムニヒに來たが、ビユウロウ夫人はリストの次女で、當時二十五歳の音樂的天分の豊かな婦人であつた。彼女はヴアグナーと意氣相投じたとでも云はうか、甚だ芳ばしからぬことではあるが、後に彼女はビユウロウと別れて、ヴアグナーと結婚したのである。

王の膽入りで一八六五年六月十日、十三日、十九日及び七月一日の四回、ムニヒに於てヴアグナー音樂會が催された。ビユウロウの指揮の下で『トリスタンとイソルデ』が上演された。此時作曲家ヴアグナーは實に幸福であつた。然し斯る幸福は長く續かなかつた。反對者は種々の噂の種を撒いて世を騒がした。王もこれには堪へ兼ねて、ヴアグナーを暫く瑞西に逃げさした。彼は好きな瑞西に行つて、一八七二年ババリアのバイロイトに移るまで此地に滯留した。

一八六六年、世間の反感が多少平靜に歸したのを見て一八六七年六月、王はムニヒに於て再びヴアグナー音樂會を催し、『タンホイゼル』と『ロエングリン』とを上演した。その翌年六月には『名歌手』を上演した。ヴアグナーの大作『ニイベルンゲン』を上演したかつたが、その時迄は未だ出來てゐなかつた。王は之を待ちかねて、三組の中の序曲とでも云ふべき『ダス・ラインゴオルド』を急に準備させ、之を上演したが失敗であつた。王は尚ほ之にも懲りず、翌年『ディ・ヴアルキール』を上演した。

ヴアグナーは自分の作物を自由に上演するために、歌劇場を建設することを長年望んでゐた。遂にその時が來た。廣く彼の愛護者から寄附を募つて、一八七二年、此計畫を遂行しようとしてバイロイトに歸つて來た。建築の手筈が愈々運び、一八七二年五月二十二日、彼の五十九回の誕生日を選んで、その定礎式を擧げた。一八七六年の夏、初めて彼の作物をこゝに上演することが能きるやうになつた。彼れの憧憬の日は終に到來したのである。

八月十三日、開場早々『ダス・ラインゴオルド』が上演され、翌日は『ディ・ヴアルキール』、續いて『ジイグフリイド』、『神々の曙』等が上演された。殆ど四半世紀も費して完成した史歌劇『ニイベルンゲン』は茲に初めて上演の運に至つた。諸州の王達を初め、外國からまで好樂家連が澤山集つたのである。ヴアグナーの永年の夢は實現し、彼の心血を注いだ新しい大藝術は終に世に現はれたのである。

ヴアグナーの心懸けてゐた大作が尚ほ一つ未完のまゝ殘つてゐる。それは『パルシフアール』であつて、彼が健康を害したゝめ、一八八二年まで出來上らなかつた。この立派な作品は、その年の七月二十六日、初めて上演された。

この最後の力作後、彼はヴエニスに隱退し、妻やその子のジイグフリイドや、親友のリストや、その他の友人等と共に靜に樂しく、餘生を送つたが、一八八三年二月十三日遂に長逝した。此驚くべき音樂界の革命兒はかうしてその姿を消したが、地上に在つた時にも勝つて、彼は自己の藝術の中に今尚ほ生きてゐる。

胎教に就いて（七）

文學博士　下田次郎

一六、妊婦の感想（つゞき）

(五)十九歳にて結婚、今二十四歳、三兒あり。妊娠はうれしかつたが、自由を失ふのはつらうございました。子供に接したことも少く、良い母となるには、知識の足らないのを氣遣ひながらも、夫が私を聖者のやうに敬ふのをありがたく感じました。町の騒々しいには困りました。交際は狹くして、懇意でない人には遇ひませんでした。子を生んでから、心も、考へも、行ひも、一層高く良くなり、又一層女らしくなりました。間違つた教育さへ受けなければ、女子たるものは誰でも、その生活の眞に無上なる目的は、母たるにあることを知るでせう。

(六)二十三歳にて結婚、今は二十七歳、二兒あり。私の考へ想像する事は、胎兒に影響すると信じて、その積りで暮しました。特に夫に對してはおもはゆいやうな氣がして、夫は唯の友人となりました。妊娠してから、娘時分の快活さを失つて、眞面目になり、また自分よりは子のためを思つて、身體を大切にしました。よく宗教の書物を讀み、お祈りもしましたが、妊娠中ほど、天と神に接近して居るやうに感じたことはありません。子がどんになつても、子は私には天子であると思ひました。私は子を生み、教育することが、私の第一の務だと、母から教へられ、私もさう感じて結婚したのであります。我々のやうな婦人が國に多く居るほど、その國は偉大なのですから、我々の使命は神聖なものであります。この天職に向つて、各の婦は準備されねばなりません。

(七)二十二歳にて結婚、今三十三歳、二兒あり。妊娠は非常の喜びで、それからは、夫と子の外は考へぬやうになり、家庭と子供と自然が一層好きになりました。夫も妊娠を大層喜びましたが、私の弱い身體を暗に氣遣ふやうに見えました。しかし私は漸次丈夫になつて、常よりも忙しい位に家事を勤めました。私は夫が私よりも子を一層可愛がりはせぬかと案じもしました。妊娠に關しては、前以て今少し知識を與へておく必要があります。世俗の隱しだてでは誤つて居ることに氣がつきました。

(八)二十歳にて結婚、今四十一歳、六兒あり。私は子

供の時分から、自分の赤ん坊が欲しかつたほどでしたから、結婚して半年經つても、子が出來なかつたので、一人貰はうかと思ひました。姙娠して四五ケ月目には、つまらない事にもよく泣きました。胎動を感ずるやうになつてからは、仲間が出來た氣がして、うれしく、抱きたくて堪りませんでした。すべてを自然的にすることを努め、何も皆子のためといふことになつて、心はいつも晴れやかでした。

私が長い間人形をもつて遊んだことは、本統の子を欲しがらす本となり、又醫學を修めたことが、この欲望を强めました。私は人並より體格も、健康も優れて居りましたから、屹度立派な子が生まれると思ひました。姙娠してからは、我慾が少くなつて犧牲の大なる掟をしみじみと味ふことが出來、人に對しても一層惠み深くなりました。姙娠してからは、身體の工合は益々良く、常習の頭痛もなくなりました。私は姙娠を誇り、人に知らせたい位でしたから、人中に出るのを厭はないで、寧ろ求めたほどでした。しかし月の重なるに從つて、內に閉籠るやうになりましたが、さうなると、それを却つて勝利の如く感じました。

子は生れる前から、私には眞實の人格者でありました。名も父方の祖父の名と、私のつけた可愛い名と、二つもつて居りました。私は遺傳に重きをおきましたから私の祖先や夫の祖先について考へました。夫が一人で考へ込んで居りますと、それは子が生れると、責任の加はることを考へて居るのだと思ひました。また、私が夫よりも子の方を可愛がるやうになりはせぬかと、夫が思ひはすまいかと、氣遣ひました。姙娠してから、私の心持は新たになつて、自分ながら面白く、以前よりも優れた人格となつたやうに思ひました。但世間の習俗が、この新しい狀態を十分に味はしめ、親しい交際の共通の話題とすることを大に妨げました。

姙娠してから、夫の精神狀態は、以前よりも一層私の心を支配しました。從つて、私は益々夫に歸向し、また理想的に考へ感ずるやうに努めましたが、これは非常に有益で愉快なものでありました。

以上は過去の記憶を辿つて、最初の姙娠の感想を書いたものでありますが、現在その狀態にある婦人の方々は、如何なる實感をもつて居られるでありませうか。姙娠には隨分身體上の不便、苦痛もありませう、神經が銳敏になつて、泣きたくなるやうなこともありませう、或は外出が出來なくなつて、屋內に閉籠りがちになることもありませう。種々の不便を感じ、犧牲を拂はねばなりますまいが、それは皆生れる子のためだと思へば、喜んでこ

れに堪へることが、出來るものだらうと思ひます。もしその反對に、姙娠の窮屈を怒つたり、出產の苦痛を咀つたりする女子は、母の神聖を瀆し、母性を破壞すること、これに過ぐるものはありますまい。

さて胎敎の意義も說き、胎兒の精神生活、姙婦の心身についても一通り述べましたから、これより胎敎の方法に就て述べようと思ひます。今之を胎婦自らの心掛、姙婦と夫、姙婦と舅姑、姙婦と社會、姙婦と住所及び自然等に分けて、說かうと思ひます。

一七、胎敎に關する姙婦の心掛

一、心の平和なるべき事

姙婦として、精神上最も大切な事は常に心の平和なるべきことであります。心に不安があれば、身體にも惡く、胎兒にも良いことはありません。心配は一番毒であります。それで、成るべく氣分を快活に持ち、物の光明ある方面を見るやうにせねばなりません。植物でも、日光に當たれば、よく育ちますが、蔭におけば、蒼白くなり、いぢけて仕舞ひます。快活は生活の日光の如きものであります。快活であれば、自ら血の廻りもよく、健康になります。快活であれば、自ら血の廻りもよく、健康になります。詰らぬ心配を求めて仕たり、物の暗黑の方面を探し廻つて、陰鬱に暮らす事は、成るべく避けたいものであります。これは常人に於ても生活の極意でありますが、姙婦に於ては特に必要なことであります。たださへ姙婦は神經が過敏になり勝ちでありますから、心配などすれば、常人よりも一層こたへます。螽斯草には、保養と題して次の如く述べて居ります。

「夫婦和合して子うまるゝは、天施し、地生するのことわりにて、定りたる道なれは、唯幾度もやす〱とのみ生まるべき道理なるに、難產して苦しみ、或は死する者あるは何ぞや、懷胎十ケ月の內、保養惡ければなり。如何なるをか、保養あしきといふ。思はでも苦しからぬ事を、あながちに心にかけ、願ふまじき事を强ひて願ひ、或は物ねたみ深く、物疑ひ斷たず。それに產の時はいかがあらんとの氣遣ひをさへさし加へて、氣の結ぼるゝ事かぎりなく、身の立居も程よからず。……大樣これらを保養あしきといふなり。如何なるをか、保養よきといふ。心に思ふ事なく、願ふこともなく、怒りもなく、恐れもなく、產の時のことも、天命に任せて氣遣はず、唯心の內常に靜にして、かりそめにもさわがす事なく、身重くて苦勞なりとも、常によき程に立居働き、寢ねたくともさい〱はいねず、折り〱は晴れやかなる所に出で、遠く眺めて、氣をのば

し、心を慰め……かくの如くするを、大樣保養よしとは云ふなり。保養よくして難產する人は、百が中に一人もあらじ。」

又平野重誠の坐必研にも「懷姙の心得を說く」と題して、その中に、次の如く說いて居ります。

「禽獸は孕むことありても、自然に委て、更に我意を交ことなく、己が身の飛動に閑なければ、體の運化もよく、臨產いかがあらんと沈思もあらねば、氣の抑鬱もなく、故に產甚易し。人もまた如此懷姙の初より自然の條理に從て、我意を加ふことなく、臨產はとあらんか、かくあらんかと、回心費思ことなくして、唯人倫道に背ことなきを、攝養とせば、數孕するとも、穩と產で、其兒もまた强健なり。……自然の條理に從といふは、いかにも其心を和平にして、懊惱することなく欲を省、慮を寡し、假令有身とも、居恒の動作、裁縫、蓄御の職、身の級に從て毫も怠ることなかるべし」

この自然の條理に從ふといふ事は大切であります。又醫通に、

「須らく母情を體して、その自然の性に適せしめ、子氣をして安和ならしむべし。これ卽ち胎敎なり。胎敎は原一端にあらざるを知るべし。若し子を懷で驚を受くれば、則ち子、胎驚多し。子を懷で鬱を抱けば、則ち子結核流注多し。子を懷で恐懼せば、則ち子癲癇多し。子を懷で常に貪妄の念を起せば、則ち子貪吝多し。子を懷で常に憤怒の心を挾まば、則ち子暴狼多し。子を懷で、常に綺語詭行を造せば、則ち子詐僞多し。」

といへるは、姙婦の邪念惡意を動かすことの、胎兒の爲に害あることを、强く云つたものであります。

「姙娠の婦は常に怒ることなく、ただ心を寬にするをよしとす、もし短慮にして怒ることを愼まざれば、氣血おのづから傷れて胎を養ふことあたはず」（保產道しるべ）

感情の激動は、身體に强く影響するものでありますから、姙婦は常に心をなだらかにして、感情の波瀾を起さぬやう、努めねばなりません。怒りや、妬みは、心で制し得るものであります。しかし、之を培養すれば、黴菌の如く育つて、その爲に非常に心を苦しめ、身を損ねることがありますから、早くその源を塞がねばなりません。又どんな悲しい事が起つても、早く諦めをつけ、何程思つても仕方のない事に、いつまでもくよくよせぬやうにしたいものであります。また機嫌が始終變つて、喜怒哀樂の常なきは、身體を損ひ、胎兒のためにも良くありません。「心神を調へ、情性を和げ、嗜慾を節し、庶事淸淨ならば、生子皆良なり」とあるは、味ふべきであ

ります。

二、寡慾なるべき事

姙婦が心の平和を保つには、種々の欲望を起さず、あつさりと暮すことが肝要であります。色々の慾を起すと、心に波瀾が起り勝ちであります。婦人壽草には、

「馬益卿の說に、姙婦は寡慾の二字をそらんずべし。情慾動けば、血氣皆燔熱して、胎氣やすからず。起居七情をみだりになすも是慾なり。」

といひ、懷胎養生訓には、

「夫養生の道は、暴怒もなく、思慮もなく、言語も過さず、嗜慾を恣にせず。是を斯道の四訣とす。張南軒の語に、思を省て以て神を養ひ、慾を省きて以て精を養ひ、勞を省て以て力を養ひ、言を省て以て氣を養ふ。是を攝生の四省といへり。孟子に養氣の論あり。心を養は、寡慾より善なるはなし。河上公も有慾の者は身を亡すと云。曲禮に、欲は縱にすべからずと云るも、啻に心の欲のみにあらず、口鼻耳目、四肢の末に至る迄、皆欲あり。都てのこと自然に任せ、先其心を安靜にし、假初にも外物に妄躁せられず。」

と云つて居るのは、皆寡慾にして、心の平和を保つべきことを說いたもので、姙婦の心得べき大切なことであります。

三、精神の純潔なるべき事

姙婦は思想を高尙に持ち、不潔なる事を考へ、穢れたる事を思はない樣にするを要します。胎內には萬物の靈長たる人の子が宿り、我れにその運命を託して、居ることを覺れば、己れは神の代理、現實の天使とも心得て高尙純潔なる精神を持して、胎兒を護らねばなりません。東西の二大宗敎なる佛敎及び基督敎の宗祖を母が受胎せる事に就て、古人は如何に考へましたか。經文によれば、菩薩が佛陀となりて、民衆を救はんとし給ひ、印度中天竺迦毗羅城の城主淨飯王の皇后摩耶夫人を生母となすに決し、正念正知にして、母胎に入り給ふ。その時百千の天人、菩薩を侍衞して、其側を離れず、影の形に隨ふが如し、と云はれて居ります。又基督の出世については、聖書によれば、天使ガブリエル、處女マリアに來り言ひけるは、

「慶たし、惠るゝ者よ、主なんぢと偕に在す、爾は女の中にて福なる者なり。處女その言を訝、この問安は如何なる事ぞと思へり。天使いひけるは、マリアよ、懼るゝ勿れ、爾は神より惠を得たり、爾孕て男子を生ん、其名をイエスと名べし。かれ大なる者爲て、至上者の子と稱られん……マリア天使に曰けるは、我いまだ夫に適ざるに、如何にして此事ある可や。天使こたへて

曰けるは、聖靈なんぢに臨る、至上者の大能なんぢを庇ん、是故に爾が生ところの聖なる者は神の子と稱らるべし」（路加傳第一章）

とあります。即ち、釋迦や基督の如きは、人が之を尊信する餘り、菩薩又は神の聖靈が、婦人の胎内に宿つて、世に出られたものとしたのであります。これは傳説でありますが、大なる意味がこれに籠つては居ないでありませうか。釋迦や基督に限らず、すべての人の子が婦人の腹に宿るといふ事に、非常に不思議な、そして貴い意味が含まれて居りは致しますまいか。「爾は女の中にて福なる者なり」、「爾は神より恵を得たり」とは、姙婦のみ受取べき特權を有する聖なる言ではありませんか。されば姙娠中は特に正しく念ひ、清く考へて、人の子を生むべき貴き使命を完全に果すことを心掛けねばなりません。日頃から思想の高潔に、心事のうるはしき婦人は優秀なる子を生むべく用意されて居るものであります、「胎内の子は必母の性質に類似ものなることを常に忘れず、身を責、己を剋ば、昔の胎教の一端なりとも修得らるべきことならずや。さすれば懐姙の攝生も、また天地自然の道に従、修身正心の外にはあらぬことをよく〳〵識得べきことなり」（座婆必研）（つゞく）

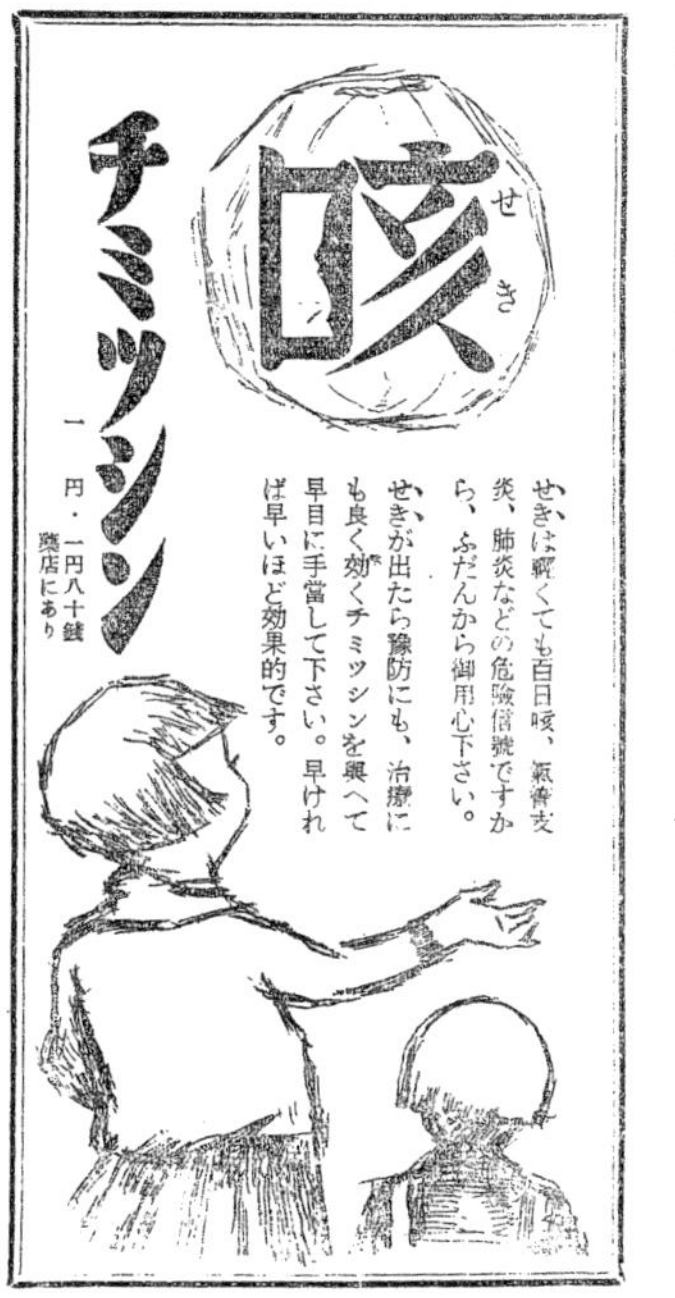

子供の齒に就て母に語る（二）

咬み方と食事の教育

よく咬むことは食物の合理的節約となり、健康を增進します。

ライオン兒童齒科院長　岡本清纓

國難を救つたデンマークの恩人

この事變下において、國民に最も要求せらるゝものは、物的資源の充實と同時に、人的資源の强化であります。特に國民は體力の向上に努めるとともに、精神の鍛錬といふことが非常に必要であると思ひます。

従來、國民の體位が低下してをるといふやうな事實が屢々述べられてをりますけれども、これらの事柄も國民一人々々が自覺して僅かの注意を加へるならば恐らく直ちに改善せらるゝ問題だらうと思ひます。特にこの戰時體制下においては、歐洲大戰の例をみても、國民の榮養が不足を來しやすいのであります。そのために生れた子供、或は育ちつゝある兒童が、著しく體質を悪くしたといふ事實がありますが、日本は幸ひにも食物の缺乏を來すやうなことはなく、惠まれた狀態であります。然し長期膺懲の曉においては、或は食物の缺乏、物資の不足といつたやうなことが起るかも知れませんから、それに對應するいろ〳〵な覺悟、施設といふものが必要だらうと思ひます。

歐洲大戰のときデンマークがドイツに隣してをる關係から、その捲き添へを食つて、他の國との交通を絶たれてしまつたので、自給自足は出來ないし、ために非常に食物の缺乏を來して困つたことがあります。そこでこの食物の缺乏に對して如何なる方法をとればよいかといふことが、最も重大な問題となつて、政府が非常に心を痛めてゐたときに、コペンハーゲンの近郊に開業してゐたヒンドヘーデといふ醫者が現はれて、ぜひ自分をしてこの國難を救ふことに當らして貰ひたいと申出でた。

このヒンドヘーデはアメリカの有名なフレッチャーの友人で、といふよりもむしろフレッチャーの咀嚼法に心酔してゐた人で、食物をよく咀嚼するといふことを自分の醫療のモットーとしてゐてそれを凡ての患者に勵行させてゐた人であつた。

このヒンドヘーデの献策したことは第一は食物の分量を従來國民が食べてゐた分量の半分にすること、第二はその代り十分に食物を咀嚼すること、僅かこの二つの事柄であつたのであります。政府はこの献策を多少不審に思つたのですが、とにかく食物が缺乏して、もうこれ以上到底困難に堪へないといふ狀態であつたので、彼の意見を用ひて、ヒンドヘーデのいはゆる國民料理と稱する献立を採用することになつたのであります。

この献立を一つの標準として全國に指示し、そして食物の分量を約半減してしまつた。その代り有ゆる方法を用ひて十分に嚙むといふことを奬勵した。その結果は遂に見事成功して、デンマークの國民は少い食糧にも拘らず、よく大戰中堪へ忍ぶことが出來たのであります。これによつてヒンドヘーデは國難を救へるデンマークの恩人として非常に尊敬されたのであります。

大切な食べ方の研究

そこで、いつたいこのことが、果して科學的に眞實であるかどうか、特にかういふ事變下においては研究を要する問題だと思ひます。私共は食物の分量が、従來學者によつて蛋白質、脂肪含水炭素、無機質類、その他ビタミンといふやうなものが、普通に働く者にはどの位、どういふやうな割合に要るか、大體示されてあります。然しさういふ分量がどれだけ體内に利用されてをるかといふことについては、まだ十分知られてをりません。つまり榮養素についてはどの位必要であるかといふことは分つてをつても、それをどうすれば體内に消化吸收されるかといふことについては、分らないわけであります。従つて私どもが問題とするのはこの榮養の豊富なものを如何にして攝取するか、即ちそこに食べ方の研究といふことが大切になるのであります。

そこでこの食べ方の研究としてヒンドヘーデの力說した食物の嚙み方、或はアメリカのフレッチヤーの咀嚼法について少しく述べてみませう。先づ食物の分量ですが、今まで書かれてゐた分量では多過ぎる。尤もこれは普通の食べ方である場合には、必ずしも多過ぎないのです、それといふのはむだが多い、然しこれを十分に嚙んだ場合においては多過ぎるといふことがいへるのであります。フレッチヤーの實驗によると、少くとも從來の食物の三分の一に減らしてよいといつてをります。

彼は四十歳のとき、健康を害した、非常に肥滿してゐて脂肪過多の體質でありました、ところが或老人の勸めによつて斷然規則正しい生活と、口の中に入れたものはどんなものでもよく嚙むといふこの二つの實行をしたのであります。或場合には牛乳のやうなものでさへも、嚙んで飲んだのであります。これは牛乳を嚙むといつても、無論よく嚙めるわけではないのですけれども、口の中へ長く入れておくと唾液

がこれに加はり、そのために消化がよく行はれるのであります。かういふことを毎日繰返してをると、いつとなく食物をよく嚙むと分量が少くても満腹感を覺えるといふことに氣がついたのであります。從來は非常に人より大食であつたのが、かういふやうなことから非常に分量が少くなつて、しかもこれまでは疲勞感が多くて困つてをつたのが、すつかりさういふことがなくなつて、元氣に満ちて來た、かういふことから段々研究して、従來の食物の分量は多過ぎるといふことが、はつきり分つたのであります。

咀嚼の科學的研究

第二には口の中に入れた食物は、どんなに固い物でも、またどんなにやはらかい物でも、嚙んで嚙んで嚙み潰す、そして十分唾液を混ぜるやうにし、するすると嚥み込めるやうに努力すること。これは最も大事なことで、よく嚙んでをれば唾液の分泌が促がされる、随つて食物がよく嚙みこなれた場合には、唾液の觸れる面積が多くなるために、消化力が強くなり胃の中に入る前に、十分消化が行はれるわけであります。しかもこれと同時に胃液の分泌が促され、さらに消化がよくなるわけであります。

かういふ嚙み方は勿論齒が丈夫でな

二人の咬壓力は器械で測つた結果は次の通り

被檢者	前齒部	小臼齒部 左	小臼齒部 右	大臼齒部 左	大臼齒部 右
甲	35kg	50kg	49gk	70kg	86kg
乙	15	25	40	72	90

咀嚼回數及び所要時間

食品	被檢者甲 精咀嚼	被檢者甲 粗咀嚼	被檢者乙 精咀嚼	被檢者乙 粗咀嚼	平均 精咀嚼	平均 粗咀嚼
米飯	回 60	回 12	回 60	回 5	回 60	回 9
「キャベツ」	40	14	72	6	56	10
澤庵	110	17	120	13	115	15
鯵	80	15	63	17	71	16
煮豆	50	10	53	10	51	10
豚肉	140	19	120	25	130	22
茄子	55	9	65	18	60	13
生「キャベツ」	90	13	85	18	88	15
米飯、澤庵「キャベツ」	115	20	115	21	115	20
米飯、鯵、煮豆、澤庵	120	32	130	30	125	31
米飯、豚肉、茄子、澤庵	180	30	195	30	187	30
所要時間 朝食	分 35	分 7	分 40	分 8	分 37	分 8
所要時間 晝食	53	11	53	10	53	10
所要時間 夕食	53	10	52	8	53	9
計	141	28	145	26	143	27

ければなりませんし、同時に咀嚼筋を合理的に働かせることが必要で、今まで噛む回數などについて小學校あたりでも教へてをりますが、噛む回數といふよりも、噛み合せる齒が健康かどうか、つまり噛み合せる齒の面積が廣いといふことがむしろ大事なことであります。つまりムシ齒があつたり、なりかけてをれば、上と下との齒の噛み合せる面積が狭くなるわけで、隨つて食物が十分その間で噛みこなされません。それに噛む筋肉の力が弱い場合には十分の力が加はりませんからだめです。

フレッチヤーが經驗したところによると、肉類のやうなものは、平均八十三回噛んでをります。それでも十分に噛めないといつてをります。日本でもかういふ研究をした人がある、慶應醫科大學の食養學教室の原農學士の實驗によりますと二人の齒の丈夫な男子によつて、よく噛んだ場合と、普通の食べ方の場合とに分けて實驗しました。

食物固形物の消化吸收率

	甲	乙	平均
精咀嚼	97.73%	96.62%	97.17%
粗咀嚼	94.71	93.24	93.97

即ち甲乙平均で精咀嚼の食物固形物不消化分2.83%は粗咀嚼の場合の6.03%に對して47%に相當する。即ち約半分である。
又甲乙兩者を比較すると咬壓力の優れた甲の方が消化吸收率も高い事を示してゐる。

榮養素の消化吸收率

	蛋白質	脂 肪	含水炭素
精咀嚼	84.61%	83.10%	99.50%
粗咀嚼	72.12	71.24	99.24
その差	12.49	11.86	0.26

纖維質の消化率

	甲	乙	平均
精咀嚼	86.35%	71.54%	78.95%
粗咀嚼	45.52%	28.37%	36.97%

即ち消化上最大なる差異を示せるもので、不消化分に於て粗咀嚼は精咀嚼の約3倍に相當し消化能率は逆に⅓なることを示す。

この實驗の第一日目には、食物をよく噛ませて、その噛む回數を測つたのです。例へば半搗米の御飯を一口、口の中へ入れて、これをどろどろになるまで噛ませると、平均六十回になつてをります、澤庵の漬物ですと、平均百十回から百二十回になつてをります。肉類になると百二十回から百三十回かゝります。それだけかゝらないと口の中でどろどろになるといふことにならない、無論纖維性のものは少しは殘りますがとにかくそれだけの噛み方をしなければ十分噛んだとはいへない。さういふ噛み方を第一に行はせました。

よく噛むことの大切なわけ

第二には、その二人に當り前の食べ方と同じやうに噛ませた、さうすると半搗米の御飯一口は五回ないし十二回、澤庵はやつと十五回から三十回位かゝつてをります、そしてこの二日とも排泄物について分析してみた。最初に食物の目方が計つてありますから、どれだけ體內に吸收されたかといふことが分ります。こゝに掲げた表はその結果ですが、これによつてみても、僅か一回の實驗ですけれども、如何によく噛んだ場合には食物がよく體內に吸收されてをるか、また噛まない場合にはむだが多いかといふことが實驗されてをります。若しかういふことが毎日繰返されたとするならば、私どもは食物を非常にむだにして體外に排泄してをるといふことが分るわけであります。即ち少しの分量をよく噛むといふことによつて食物のむだを排除することが出來るといふことが、この實驗によつて明かにされたのであります。

デンマークが、かういふ科學的の實驗が行はれてをらなかつた時代において、經驗的によく噛むといふことが食物の救濟の上に役に立つといふことをいつて、これを斷行した勇氣には全く敬意を表せざるを得ないのであります。私どもの家庭においても、かうしたむだの多いことを思ひます。

また他方において、よく噛まないことが、胃腸のためよくないのは、どなたも御承知の通りであります。殊に子供に早く食はせ、早くのみ込ませると、とかく胃腸を弱くするのであります。無論よく噛まないからといつて直ちにこれが急性な胃痙攣を起すとか、さういふやうなことは少いとしても、かういふ習性が長く繼續される場合においては、自然に胃腸が弱くなつて抵抗力を失ふに至ることは當然であります。

有名な例として、かつてドイツの鐵血宰相といはれたビスマルクが幼兒の折、非常に胃腸が弱いので、お母さまがいろ〱と心配されて有ゆる醫療を行つたがどうもよくならない、そこでよく子供を觀察してをると、どうも早食ひで、ろくに噛まないといふことに母親が氣がついた、これがあの原因であるかも知れないと思つて矯正しようとしたのですが、注意した場合はよく噛むことを續けるが、ちよつと注意が怠るとすぐにのみ込んでしまふのです、そこで或晩思案した結果紙細工でいろ〱と子供の好む動物などをきれいに作つて、これを袋の中に入れ次の日、食卓の上に食物と一緒におき、これを取り出してはいろ〱とお話をしながら愉快に食事をしたのであります。さうすると子供は非常に興味をもつてその話を聞くといふことから噛んで食べる習慣を作り上げることが出來たのであります。このことによつてビスマルクは頑固な胃腸障害が直り、後年八十餘歳に至るまで長壽を保つて、ドイツのために働くことが出來たのは、全く母のお蔭であるといつて常に感謝してをつたさうであります。

噛む習慣のつけ方

第三には、前述の如く、ビスマルクの母のやうに食卓を愉快にするといふことが非常に消化を助けます。愉快な氣持で食べますと消化液の分泌が十分に行はれますが、何か心に不安があるとか、或は腹が立つてをるといふやうなときに食事すると十分消化液の分泌が行はれません、それはすでに動物實驗においても行はれてをることでありますから、愉快な氣持にするといふことは、一つは食事の作法としても大切なことであります。よく食事の時に小言をいふお母さまがありますが、これなどは最も愼しむべきことで、家庭生活の一日のうち一番樂しい食事のとき、小言などいふことは、最もよくないことであり、同時に消化を悪くすることにもなります。

食物の食べ方については以上のやうなことが大切です、殊に子供は胃腸の働きが大人よりもむしろ活潑だといつてよいのです、或場合にはよく噛まなくても十分消化することもあるので、學校の始まる時間に間に合はなくなるやうなときには、急がせるやうなことがありますが、これなどは最も注意を要することで、少くとも食事の時間はゆつくりすることに習慣づけたいと思ひます。

そこで幼稚園などでは、食事の時間に時々噛み方の練習などをさせて頂きたいと思ひます、例へば御飯だけを口の中へ入れさせて、お箸をおかして、先生が號令をかける、最初は二十回位、段々練習が積んでくれば三十回位噛ませるやうにしてほしいと思ひます。御飯とおかずとを一緒に口の中に入れると、どうしてもうまく噛みこなせません。汁かけ飯やお茶漬けなどがたまにはよいとしても、それが習慣になるとやはりよくない、水分が多くなるとどうしても唾液や胃液の分泌が少くなります。これは生理的現象で例へばパンなどのやうにかさかさした物を食べた場合には、自然に唾液が出て、これをのみ込みやすくする狀態にするのですが、水分が多い場合にはのみ込む必要はないために、自然に唾液の分泌を抑制しますから、どうしても消化を害することになります。かういふことはほんの僅か氣を付けることによつて子供の生活の合理化が計れると思ひます。

ところが現在の子供の齒の狀態を見ますと、まことに寒心に耐えないものがあります。すでに赤ん坊の齒が生えて二ケ月經たないうちにムシ齒になることがあります。一歳二歳となるに隨つて、段々ムシ齒が出來て、滿二歳以下の子供のムシ齒を調べてみると、百人の中十人內外あります、さらに滿三歳位になりますと百人の中三四十人のムシ齒になつてをります、そして段々ムシ齒の程度も進んで來て、神經の腐つたのや、或は頭が缺けて齒の根ばかりになつたものが出來、幼稚園時代においては、都會においては殆んど九〇パーセント以上ムシ齒をもつてをるやうな狀態であります。ですからよく噛むといつても噛めない子供の方がむしろ多いやうな狀態ですから、出來るだけ噛めるやうな狀態に手當をするなりして頂きたいと思ひます。

大戰時に於ける獨・伊・英・佛・墺等の兒童保護施設（三）

厚生省技師　南　崎　雄　七

（四）墺　太　利

戰爭が激烈になるまでは、墺太利では乳兒死亡率は依然として高率ではあつたが、漸次減少の傾向を示して居た。處が一九一五年に至つて死亡率の增加が記錄された。然し一九一六年には開戰前より五%を減じて居る。之には次の如き兒童保護に關する努力が墺太利でも他の參戰國と同樣に拂はれた結果であらう。一般に墺太利は戰前に於ては歐洲諸國中でも乳兒死亡率の高い國であつた。

墺太利に於ける最初の乳兒福祉センターは一九〇四年のウヰーンに開設された。而して漸次之等のセンターは大概の墺太利の各地方の都市に設立された。之等のセンターの事業は專らフランスの育兒相談所の仕事を模したものであつた。即ち乳兒を規則正しく重量を計つて其の增量の狀態を記錄し、乳兒の母は各々其の乳兒の榮養狀態其の他の一般的注意に關して忠告されるのである。母が母乳で其の子供を育てる場合には一日數ペンスの養育保險金を支給された、そして醫師は常にセンターに詰めて居り、母親が授乳不可能な時は乳兒の爲めに牛乳の配給を致したのである。

所が戰爭になつてセンターの醫師が戰線に招集された爲めに事業の不振を來たし專らセンターは閉鎖するものも出て來た。然るに育兒相談の爲め來る子供の數は增加して來た。

又一方では或センターでは戰時の爲め子供は小學入學前の子供迄も其の保護事業を及ぼさなければならなかつた。然るに反面にはセンターの資金缺乏と云ふハンデキヤップに迫られ事業の擴張は不能となつた。

私設協會ではセンターを地方の基金に依つて開設維持につとめ開戰後間もなく戰時後援會と云ふものが出來、出征兵士の家族を經濟的に援助し或は母を教育するなどして家族を助けたりしたが、之が發達して遂には母性乳兒保護事業を目的とする最も大きな組織となつた。この機關は同情ある人々から寄附を受け、又內務大臣管下の戰時救濟局からの補助金を受くるに至つた。而して大體育兒賞金の形式で經濟的援助が母親達に與へられた。かくして援助を受けた母親達は協會の維持するセンターへ小兒を連れて來て醫學的監督を受ける義務があることにした。一方之等の兒童は保護事業員の家庭訪問を受け、其の健康狀態の監察を受けたのである。ウヰーンには之等の事業センターが十七個所あつた。其他の地方に約六十七個所設置された。ウヰーンにてはこの種のセンターは小兒病院の內部に置かれ病院はセンターに醫師と保姆とを供給した。大戰の末期には二萬九千以上の兒童が協會所屬のセンターの監督を受け八千餘名の母親が育兒賞金を支給された。かくして一九一六年の十日前に協會の監督を受けた四、二八二名の乳兒中僅に三%しか死亡しなかつた。然るに協會設立以前に同じ母親から生れた四、二〇〇名の乳兒中死亡せるものは一九%であつた。

乳兒の母親と同樣に姙婦に迄監督の手が及ぶ努力が開かれ一九一八年には維納の全姙婦殆ど九〇%が協會の世話を受けたと云はれて居る。一九一八年には協會はボヘミア丈けでも乳兒福祉センターの數は三十ヶ所も設置された。

榮養供給に付ては戰時中多くの都市は牛乳の供給を增加し或は小兒の爲めに食料を貯藏する企畫をなした。其の例としてカルルスバード市は牛乳缺乏の危機を救濟する爲めに山羊の多數を長い間飼つて置いた。又一九一六年の九月には內務大臣は訓令を以て地方官に特に大都市に於て民衆特に兒童、育兒中の母親、病人等に要するだけの量の牛乳を安全ならしむる爲に種々の手段を講ずる權能を與へた。而して更に通牒を送つて乳幼兒の牛乳の衞生的な生產と販賣に關する詳細な規則を通知した。ウヰーン市の如きは公衆保護局が乳兒福祉センターに來る母親に牛乳券を分配した。乳兒福祉センターは多くの場合に母親と兒童に牛乳の配給をする事務を司どつた。一九一七年十二月一日に發せられた食糧管理令に從つて姙婦、育兒中の母親及び五歲以下の幼兒は普通人民よりも多くの砂糖を支給された多くの地方の乳兒福祉委員と私立の協會とは育兒中の母親と姙婦に安價な又は無料の食事と牛乳とを與へた。ウヰーンに於ても亦醫師の證明あ

る兒童に安價な或は無料の食事を供する三ヶ所の食堂が一部分國家の基金に依つて維持された。

一九一五年の十二月には戰時中にも拘らずウヰーンに於ては乳兒保護事業展覽會が內務大臣の戰時救濟展覽會の中で催された。之は一九一六年には巡回展覽會として獨逸語を解する地方の墺太利全部に送られた。この展覽會は一週間內外の期間開催され、每日其に附隨して婦人講演會が婦人に依つて行はれた。其結果として八都市が乳兒センターを開き乳兒保護委員を任命することを決議した。母親の爲めの無料兒童保護に關する小冊子や講演會が至る所の都市で開かれ、之等は內務大臣が出したものもあり、又は皇帝住節紀念基金建設委員會の出したものもあつた。

又乳兒の養護法を教育する母親の爲めの日曜學校が開戰後二、三都市に於て設置される等、教育事業に對して相當の努力の跡が見られるのである。

一九一八年四月二十三日に內務大臣の各地方行政廳へ出した通牒は甚だ興味あると思ふを以て特に紹介すれば『國民の精神力の維持と增進とは一に懸つて乳兒、幼兒の生命の保持と其の體力の增進とにある。この目的の爲め總ての保健事業と協力一致して新方法を講ずるの努力をなすべし、既存の小兒保健事業機關は更に其の事業活動の範圍を擴張せしむべし、姙婦及び產婦の保護は乳兒及び學齡以下の幼兒に對する實地保健法と極めて密接の關係を有するものである』と云ふのが其の骨子であつた。又育兒相談所及び福祉センター維持に對しては大部分は地方廳、市及び私人の寄附によりて其の基金の大部分を得べきであるが特別の場合に限り國家は最大限五〇%を補助すべき事を通牒し之が增設を奬勵して居る。

一九一八年には政府は社會福祉省と公衆衞生省との二省を設け、其事務の中には乳兒福祉事業を含むことゝし社會福祉省と連繫して兒童健康調査會を設置し私設兒童福祉機關と協力して事業の援助を行ふことゝした。又乳兒福祉事業に對する補助金は社會福祉省と公衆衞生省の兩省から支給された。

社會福祉省は母親乳兒及び兒童の社會的、法律的方面に關する事務を管理し、公衆衞生省は學齡以下の兒童の保健方面に關する事業機關の補助金の交附又は姙婦教育所、產院、母子ホーム、母親相談所、小兒福祉センター、託兒所等に對し補助した。

母性給付は疾病保險法の改正に依つて一九一七年六月四日此目的を明確にし母性給付を受ける資格ある母親は無料で醫療を受けることが出來た。又產婦は保險金の高に應じて一日〇・六クローネから五・〇クローネ迄の現

金の給付を受けることにした。又分娩給付は出產後四週間分であつたものを六週間分に延長した。又工場法が同時に出產後六週間は婦人の工場勞働を禁止する改正を行つた。

强制保險に加入する義務の無い姙婦は保險金として五〇クローネを支出すれば其の代りに全額百五十クローネの姙娠給付、母性給付、產婆の手當等の料金を受けることが出來たが、又一方醫師側の注文で現金の代りにリンネル其の他育兒に必要なる物品を給與したり小兒食の給與等を行つた。

留守手當は一九一七年三月三十日の留守手當扶助法が改正され、婦人に對し扶助料二五%が增額された。借家に住む家族で八歲以下の兒童は大人の半額であつたものを大人並に同額の給與を受けるやうになつた。然し一九一七年七月二十七日の新扶助法發布と共に之は無効となり、扶助料はウヰーンでは吾人に一日二クローネ、他の地方では一・六クローネから一・八クローネとなり兵士の仕事で扶養されて居る者全部に行き渡つた。

一九一五年には墺太利全國で職業婦人の數は全勞働者の三分の一以上を算した。この婦人勞働者の增加は一方託兒所の增加を來たした。

一九一六年には戰爭の爲め孤兒となつたものや出征兵士の兒童を預る晝間託兒所を設置する目的の協會がウヰーンで其の事業を開始した一九一七年にはこの協會は二つのセンターを持つて居たが、何れも陸軍當局から補助を受けて居た。又或協會では『子供の友』と稱して下墺太利地方に開かれ一九一七年一ヶ年間に乳兒以上の年齡の兒童の爲めに晝間託兒所で預つた子供の數は三五六、〇〇〇人に上つた。工場內には工場敷地內に託兒室を設けたが、政府の煙草工場では法律を以て託兒室を設けしめた。（未完）

要救護家庭の日常生活と其の衞生狀態（二）

慶應義塾大學醫學部病院
醫學博士（小兒科） 小川三郎
醫學士（產婦人科） 門口義六

第四章　父母の狀態

次に家庭構成の主體である父母に就ては稍々詳細に述べる必要がある。

一、父母出身府縣別

地理的關係によつて東京、埼玉、栃木、福島、茨城等が多數であるのは當然であるが、新潟縣は比較的遠方にあり乍ら稍多い。

第九表　父母出身府縣別表

府縣	父	母	計	府縣	父	母	計
東京	二二	二九	五一	朝鮮	二	二	四
埼玉	一六	九	二五	岩手	一	二	三
新潟	一一	八	一九	秋田	一	二	三
栃木	六	八	一四	愛知	一	一	二
福島	六	六	一二	鳥取	〇	一	一
茨城	三	七	一〇	福井	一	〇	一
千葉	五	三	八	九州	一	〇	一
靜岡	三	四	七	岐阜	一	〇	一
群馬	四	三	七	三重	一	〇	一
山梨	二	四	六	神奈川	〇	一	一
北海道	三	三	六	宮城	〇	一	一
長野	一	四	五	岡山	一	〇	一
石川	四	一	五	山形	一	〇	一
富山	三	一	四	不明	〇	一	一

二、父母の教育程度

表を一覽して驚くことは、無教育者、又は普通教育を完了しない父母が多數にあることで、全體として小學校卒業程度である、中等教育又は專門教育を受けた所謂、知識階級とも云ふべき人は僅かに九名のみで、其の中に

大學卒業者が一人だけ含まれて居る。

第十表　父母の教育程度

教育の種類	父	母	計
中等學校又は職業教育	五	三	九
高等小學校卒業	二三	一五	三八
小學校卒業	三九	三七	七六
小學校中途退學	二二	三四	五六
無教育	一一	一二	二三

第十一表　父母の宗教に關する統計

宗教の種類		父	母	計
佛教	門徒宗	二一	二五	四六
	宗旨不明	二一	二二	四三
	法華宗	二〇	一七	三七
	禪宗	一四	一〇	二四
	淨土宗	五	四	九
	淨土眞宗	二	二	四
	天臺宗	〇	一	一
	眞言宗	〇	一	一
キリスト教(カトリック)		三	五	八
神道		一	一	二
不明及無信仰		一四	一三	二七

三、父母の宗教

之に依つて見ると、佛教即ち門徒、法華、禪宗等が多いが、宗教を嚴肅な家庭生活にまで及ぼして居る者は甚だ少いやうである。中には同じ夫婦間であり乍ら宗旨が異つて居るのも二―三見受けられた。

第十二表　父母の性格表（母より見たる）

性格の種類	父	母	計
明朗・呑氣	一二	三二	四四
短氣	三〇	一一	四一
穩和	二三	九	三二
苦勞性	七	一六	二三
勝氣	〇	一三	一三
陰氣	五	三	八
軟弱	三	四	七
神經的	四	三	七
几帳面	六	〇	六
頑固	四	一	五
怠慢	一	〇	一
變人	一	〇	一
重厚	一	〇	一

四、性格

人間の性格といふものは或る素質に加へるに後天的條件、換言すれば生活環境によつて漸次形成されるものである。

斯樣な考へから出發して、最小限度の生活を營む之等貧困家庭の父母の性格調査は一面には其の人々の感情、思想等の一端にも觸れ得る點で興味あるものである。

第十二表は主婦に問ふて得た、自己及び其の夫の性格の分類で、明朗、短氣、穩和、苦勞性と云ふやうな條項が多いが、其の內容は男女によつて相當に差があり、母親は自ら呑氣明朗と信ずるもの及び苦勞性といふ內向的性格の所有者が多いに反して、父親は短氣、穩和が特別目立つて居る。

此の事を其の生活と關聯して推測すると、男性は一般に穩和な性格の持主であるが、家庭に於ては稍々自制心が缺乏するためか短氣である、反之、女性は其の生活に順應してか寧ろ呑氣であるが、一面父親の生活力を補足する必要があるためか、苦勞性、勝氣といふやうな呑氣とは反對に強い性格を現はして居るのは興味深い。

第十三表　趣味・嗜好表

種目及用量		父	母	計
酒	大量	一八	一	一九
	中量	三二	〇	三二
	小量	八	三	一一
	用ひず	四三	九七	一四〇
煙草	大量	九	〇	九
	中量	五四	一二	六六
	小量	四	二	六
	用ひず	三四	八七	一二一
飲食物	茶	二	一	三
	甘味	三	四	七
	辛味	一	〇	一
	果物	〇	二	二
運動	釣魚	七	〇	七
	野球	一	〇	一
	玉突	一	〇	一
	劍道	一	〇	一
音曲	映畫	七	四	一一
	長唄	〇	二	二
	芝居	一	〇	一
	ラヂオ	一	〇	一
	浪曲	一	〇	一
	義太夫	一	〇	一
勝負事	碁・將棋	二	〇	二
	其他	一	〇	一
其他	生花	〇	一	一
	植木	三	二	五
	俳句	二	〇	二
	入浴	一	〇	一
	仕事	一	〇	一
全然無きもの		八	六二	七〇

五、趣味・嗜好

一般的に云ひ得ることは、飮酒と喫煙が、趣味、嗜好の主座を占めて居ることとで、又全然無關係のものも相當數にあり、其他には釣魚と、映畫と、植木なども僅かにある。父親と母親とを比較すると母親は遙かに少く全然無關係のものが少からずあるが、注目すべき現象としては母性で飮酒、喫煙者が可なり存在することとで、恐らく他の階級には稀れな現象であらうと思ふ。（第十三表）

第十四表　男女結婚の年齡（日本式數方に依る）

結婚の年齡	初婚 男性人員	初婚 女性人員	再婚 男性件數	再婚 女性件數
一六		二		
一七		六		
一八		六		
一九		一一		
二〇	二	八		
二一	二	一四		
二二	六	七		
二三	五	一五		
二四	一一	八		
二五	六	四		二
二六	一三	四		
二七	五	一		三
二八	九		一	一
二九	五		一	
三〇	五		二	一
三一	六		二	二
三二	三		一	四
三三	〇	一		
三四	一		一	
三五	〇			一
三六	一		一	
三七	三		一	
三八	〇		一	
三九			一	
四〇				
四一				
四二				
四三			二	
四四				
四五			一	
四六				
四七			一	
⋮				
五八			一	

六、結婚關係

結婚年齡の點で稍々意想外なのは、女性が早期に結婚生活に入つて居ることとで、二〇歲未滿で結婚したものが二五名もある、但し男性でも三六―七歲といふやうな晩婚のものが四名あるが、其れにも增して驚くべき事は再婚者が非常に多いことで、一〇一家族中男性で再婚したものが一七件、女性で一五件、合計三二件もあり、夫婦間の離合集散が頻繁、且容易に行はれて居ることが判る。

次に結婚平均年齡は男性で二七歲、女性二一歲であり、夫婦間の年齡差は初婚者で平均六年、再婚者では平均一一年である。

結婚年齡に次いで起る問題は其の結婚が如何なる方法に依つて成立したかといふ事である。

茲に興味あることは此の階級の人々の間に戀愛といふ過程を經て夫婦となつた者が六組もあることで、其の結果の良し惡しは別として、恐らくは他の社會に比して高率ではあるまいかと思ふ。

猶『入り込み』などといふ異常形式も一組ある。

第十五表　結婚の方法

結婚方法の種類	例數	結婚方法の種類	例數
見合又は媒介	八二	相識	六
戀愛	六	姉の後に直る	二
不明	二	血緣	一
入り込み	一	朝鮮式	一
合計	一〇一		

七、月經及び其他

月經間隔の規則的、不規則的と云ふも、又經血障碍といふも、問診により母の返答を其儘に記錄したもので、日數、量、程度等不確實の點が無いとは云へぬ。惡阻の程度に就ても同樣であるが、參考までに表示する。

第十六表　月經及び其他

—惡阻—

程度	人員
−	二四
±	二四
+	二〇
++	四
+++	一
不明	二七
計	一〇〇

—初經年齡—

年齡	人員
一三	七
一四	一六
一五	二〇
一六	一三
一七	二三
一八	八
一九	一
二〇	〇
二一	一
不明	六
計	九五

—月經持續期間—

日數	人員
一―三	二六
四―六	三〇
七―九	三四
一〇	一
不明	四
計	九五

—月經障碍—

	人員
有	一五
無	七九
計	九四

—經血量—

量	人員
多量	二七
中等量	二一
少量	二六
不明	二一
計	九五

—月經間隔—

	人員
規則的	六六
不規則	一三
不明	一七
計	九六

猶、月經間隔で最も極端の例は結婚以來一七年間に一三名の小兒を出產し、其間月經は一回見るだけで、次の月經を見ぬ中に姙娠するため、全く間隔不明のものが一名あつた。

八、產褥日數

產褥日數二週間以內を普通とするが三週間(二一日)が二四名もあるのは皆古い習慣に從つたもので、實際は既に多少の家庭內の勞働を行つて居り乍ら、形式上二一日まで產褥にあつたもので、要するに一般に短期間と云ひ得ると思ふ。

第十七表　產褥日數

日數	例數
〇―五	七
六―一〇	四三
一一―一五	一九
一六―二〇	三
二一―二五	二四
二六―三〇	一
計	九七

乳幼兒死亡の統計的考察（六）

内閣統計局　浦上英男

七、乳兒死亡者の日齡、月齡（承前）

前號に引續き今度は諸外國の數字に眼を轉じやう。先づ選んだ十箇國を二つのグループに分け（イ）一箇月未滿の割合が多い國、（ロ）之が少い國とする。今（イ）に屬する英、米、和蘭、濠洲、新西蘭《ニユージーランド》の五箇國、（ロ）に屬する日、佛、伊、チリ、エヂプトの五箇國を俎上に載せて彼之比較を試みやう。

（イ）乳兒死亡總數に對する月齡一箇月未滿死亡數の割合は和蘭五五・二%（昭和十一年）、北米合衆國五六・七%（昭和九年）、濠洲六六・七%（昭和十一年）、新西蘭に至れば七二・〇%（昭和十一年）の多數である。英吉利（イングランド及ウェールス）は四週未滿が五三・四%（昭和十年）であるから、一箇月未滿となれば此の割合はもつと增す筈である。從つて是等諸國に於ける一箇月以上の割合は一箇月未滿のそれに比し少く、殊に新西蘭の如き二八・〇%即ち總數の三割にも足りないのである。

（ロ）チリの四三・五%を初めとして我國の四一・二%（以上昭和十一年）、佛蘭西の三六・六%（昭和十年）、伊太利の三五・七%、エヂプトの一一・九%（共に昭和十一年）の順で、是等の諸國は一箇月未滿の方が少いのである。就中最後に擧げたエヂプトの如き、生後一箇月に滿たずして死亡する者は乳兒死亡者總數の僅か一割二分弱を占めるに過ぎぬ。以上の事實は左圖を眺めると一層はつきり理解出來るであらう。

月齡別乳兒死亡（昭和十一年 但し英、佛ハ昭和十年、米ハ同九年）

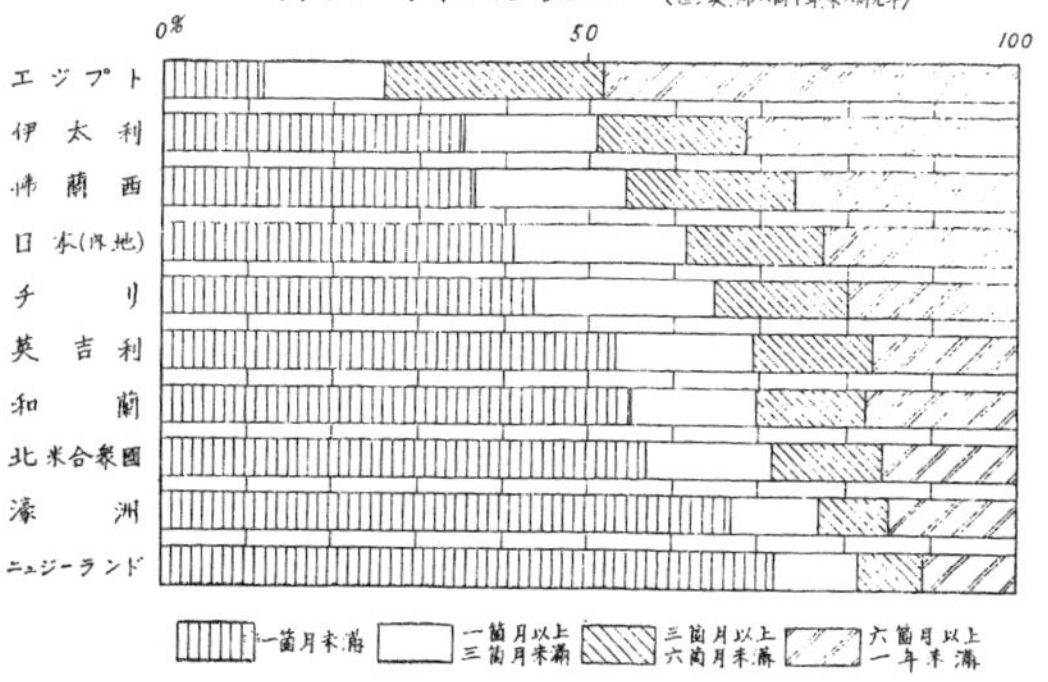

さて以上五箇國づゝの二群を、本誌三月號（第十六卷第三號）六二―六三頁に掲げた世界各國の乳兒死亡率表と對照して見れば、そこに明瞭な特徵が發見される。卽ち（イ）に屬する國は世界最低の新西蘭を筆頭に和蘭、濠洲、北米合衆國、英吉利と總て乳兒死亡率に於て屈指の低率を記錄する國々である。之に反して（ロ）に屬する國の中チリは言ふ迄もなく世界に冠絕する高乳兒死亡率を現し、エヂプトは第五位の高率、我國、伊太利亦文明國と謳はれ乍らも高率の仲間入りをする國々である。唯一つの例外と看做されるのは佛蘭西で、同國の乳兒死亡率は旣に可成り低位に降つて居る。

右の如き乳兒死亡率の月齡別檢討は、假令それが世界各國に亘る綿密な調査でなかつたにもせよ、又佛蘭西の如き異例もあつたとはいへ、次の結論に導くのではあるまいか？「一箇月未滿死亡者の割合が一箇月以上一年未滿死亡者のそれより多い國は乳兒死亡率に於て極めて低率を現し、此の少い國は槪して高率である」。之に對する反證は、獨り佛蘭西一國の現象のみならず、本邦內地の府縣に就て吟味しても見出されるし（此の事は後述する）或ひはもつと廣範圍に國々を拾つて見ても恐らく發見されるであらうが、尙それ等の反證を斥けるに足り且つ前記結論を立證すると思惟される事實を次に說かう。

今乳兒死亡率に於て世界最低の新西蘭と屈指の高率たる我國に就て、大正九年乃至昭和十一年の十七年間に於ける日、月齡別死亡率の低下度を比較して見やう。先づ新西蘭に於ける大正九年の乳兒死亡率（出生に對する割合）を一〇〇とすると、昭和十一年に於ては六一・二に低下して居る。之を分けて一箇月未滿及一箇月以上の二にすると前者は七二・四に降つたのみであるが、後者は四三・八といふ非常な低位に減退したのである。又一箇月未滿に於ても更に一週未滿は八二・八でその減退度は一層鈍く、一日未滿は一〇九・三で一向に減らぬ所か却つて增加してゐる位である。斯くて新西蘭の乳兒死亡率が逐年目覺しい低下を遂げたのは、一箇月未滿死亡の減少に因る所比較的少く、主として一箇月以上一年未滿死亡者の激減に基因するものである事が判る。同國の如き嘗つて數十年前は最近の我國と同樣寧ろ一箇月以上の死亡が多かつたのであるが、今日は全く反對で、一箇月未滿の方が二倍半にも達する多數を示すのである。之に依つて同國乳兒死亡率の顯著な低下振りが說明されると思ふ。

飜つて我國の之が低下度合を觀るに、大正九年の一〇〇に對し昭和十一年は乳兒總數七〇・五、一箇月未滿六九・七、一箇月以上七一・〇で、新西蘭と逆に一箇月以上の低下度がより緩慢だつたことを知るのである。之を乳兒死亡總數中に占める一箇月以上の割合が此の間增加しない迄も常に五〇%を超えてゐた事實に結び附けて考へると、此の現象が本邦乳兒死亡率の遲々たる低下に重大な役割を演じてゐる樣に思はれる。詳言すれば、一箇月以上の死亡が餘り減少しない爲に乳兒死亡率全體が低下しないのである。此の結論は右に擧げた例證だけでは些か獨斷に過ぎるかも知れぬが、阪大梶原博士も旣に此の事を次の樣に明言して居るのである「兩國（和蘭・新西蘭を指す）共に乳兒死亡についてはその低下に於て成功した國と認められてゐるのであるが、其の低下は共に一ケ月以後の減少によつて齎されてゐるのである」と(一)。

梶原博士は尼崎市に於ける大正十三年乃至昭和八年乳兒死亡一、二五四に就き、生存期間として一箇月未滿と一箇月以上の二階級に分ち、此の各々の質的斷定の基準として死因を用ゐたのであるが、其の要旨を述べると、是等兩區分の死を構成する死因は大體に於て其の過半數が一箇月未滿の死亡に在つては胎兒性（卽ち先天的）死因であり、一箇月以上の死亡に於ては食餌性（卽ち後天的）死因であるから、旣述せる和蘭、新西蘭の例に徵するも或る程度迄不可避と目すべき胎兒性死因卽ち一箇月未滿の死亡よりも、母性の啓發、育兒知識の普及に依つて充

分可能なる食餌性死因卽ち一箇月以上の死亡の減少を急務とすべきであると言ふのである。

右は生存期間と死因とを關聯せしめた考察であるが、本論に在つては未だ死因の檢討に入つてゐないし、其の上乳兒死亡の日齡、月齡と死因とを組合せた全國的な統計が作成されて居ない爲、斯かる硏究を試みることは不可能である。然し乍ら上述の結果から「一箇月以後の乳兒死亡を一箇月以內のそれ以下に低下させるのが現在オランダ、ニュージーランドの程度に迄乳兒死亡率の低下してゐない國々の此方面の實際活動の主な目的でありますが……」と梶原博士が述べてゐるのは、筆者が曩に指摘した我國新西蘭兩國の最近十七年間に於ける生存期間別死亡率の低下度比較に依つても肯定されるであらう。此の意味からすれば、我國が明治時代に比較的高い一箇月未滿の死亡割合を示してゐたに拘らず、大正以後近年に至る迄一箇月以上の方が多いといふ現象は、乳兒死亡の質的狀態の惡化と一言に言ひ切れない迄も決して歡迎すべき事柄ではないのである。（但し日本の乳兒死亡が質的に可成り變つた特色を有つことに留意する要がある）。

茲で見逃してならない例外に本邦の茨城、岡山兩縣がある。此の二縣だけには旣述した全國の一般傾向と異つて、明治三十二年以降昭和十一年に至る迄每年一箇月未滿死亡の方に多數が記錄され續けてゐるのである(二)。例へば昭和十一年の事實に就て見ても一箇月未滿の死亡は茨城五一・七%、岡山五〇・九%で、僅かではあるが一箇月以上のそれを凌いでゐる。從つて前述の結論から推せば右二縣の乳兒死亡率は低率でなければならぬ道理であるが、實際は正反對で、昭和十一年出生百に付前者は一三・四、後者は一二・六といふ數字を現し、全國平均の一一・七に比し高いばかりか、前者の如きは內地各府縣中でも指折りの高率に算へられるのである。

此の外曩に擧げた佛蘭西も長期傾向を觀察した上での批判ではないが、單に昭和十年の事實に付てだけ言つても本邦の茨城、岡山兩縣とは又別の意味での例外に類すべきものであらう。我國の二縣及佛蘭西の示す一見奇異な現象の理由が那邊に在るかは今之を闡明する閑を有たないが、矢張り乳兒の日齡、月齡卽ち生存期間と死因とを同時に明示する死亡統計が存在しない以上此の興味ある究明は至難の業と解される。

如上乳兒死亡に於ける日齡、月齡卽ち生存期間の硏究が極めて重要な示唆（特に乳兒死亡率の低下を企圖する上に於て）を投げてゐる事は、極めて皮相な觀察に基く本文に依つても十分領かれるに相違ない。

（第七十三頁につゞく）

第九回全東京乳幼兒審査會に於ける

母親のメンタルテスト（其の四）

——本誌六月號より續く——

伊藤悌二

◎このお子さんは病氣に罹られた事がありますか、
若しありますなら生れて何ケ月目に何病に罹られましたか

調査人員　二、〇〇〇人（男 一、二七五人　女 七二五人）

病名	風邪（女男）	麻疹（女男）	消化不良（女男）	胃腸病（女男）	氣管枝カタル（女男）
半ケ月	1 6	0 1	0 1	1 0	0 1
一ケ月	410	1 0	1 1	0 1	2 1
二ケ月	1611	2 3	1 4	2 1	1 1
三ケ月	1430	0 1	2 2	3 3	1 1
四ケ月	936	—	2 6	2 3	2 3
五ケ月	1425	2 3	5 4	1 2	0 1
六ケ月	1126	4 9	4 5	1 1	1 4
七ケ月	1015	3 8	2 9	0 1	2 3
八ケ月	612	6 7	0 3	2 1	0 2
九ケ月	2 9	3 9	0 3	2 1	0 3
十ケ月	211	2 9	0 2	1 3	0 3
十一ケ月	1 5	2 7	0 1	1 1	1 1
一年	2 6	2 4	1 3	0 1	2 0
一年一月	0 2	1 1	—	—	—
一年二月	3 1	2 3	—	—	—
一年三月	—	3 1	—	0 1	—
一年四月	1 0	1 1	0 1	0 1	—
一年五月	—	0 2	—	—	—
一年六月	—	0 2	—	—	—
一年七月	—	—	—	1 0	—
合計	96205 301	3471 105	1845 63	1721 38	1224 36

病名	百日咳（女男）	中耳炎（女男）	下痢（女男）	肺炎（女男）	水痘（女男）	乳兒脚氣（女男）	膓カタル（女男）	扁桃腺（女男）	濕疹（女男）	チエ熱（女男）	眼病（女男）	風疹（女男）	鼻カタル（女男）	丹毒（女男）	咽喉カタル（女男）
半ケ月	—	1 1	0 1	—	—	1 0	1 0	—	—	—	1 2	—	—	—	—
一ケ月	0 1	2 5	—	1 1	—	0 1	0 1	—	1 2	—	1 0	—	—	0 1	—
二ケ月	1 2	0 2	—	—	2 0	2 4	0 2	—	—	—	—	0 2	1 1	—	—
三ケ月	1 5	2 1	0 3	0 3	0 1	0 2	0 1	—	1 1	0 1	0 1	—	—	—	1 0
四ケ月	4 1	0 2	3 0	0 1	1 2	1 1	—	—	—	0 1	—	—	—	—	—
五ケ月	0 2	2 0	1 4	—	—	—	—	—	—	—	1 0	0 1	—	0 1	0 1
六ケ月	1 3	1 2	0 4	0 2	1 0	1 0	0 1	0 3	0 1	0 2	—	—	0 1	—	—
七ケ月	2 2	0 1	0 2	1 1	0 1	—	0 1	0 1	—	2 0	—	—	—	—	—
八ケ月	0 1	—	1 1	1 0	0 1	0 1	—	—	—	0 1	—	—	—	—	—
九ケ月	0 1	1 0	1 1	0 2	1 1	—	—	—	—	0 1	0 1	—	—	—	—
十ケ月	0 2	—	0 1	0 1	0 3	—	1 1	1 0	1 0	—	—	1 0	—	—	—
十一ケ月	—	0 1	1 0	—	—	—	1 0	1 0	—	—	0 1	—	—	—	—
一年	—	—	1 0	1 0	—	—	—	—	—	—	—	—	—	—	—
一年一月	—	0 1	—	0 2	0 1	—	—	1 0	1 0	—	—	—	—	1 0	—
一年二月	—	—	—	—	—	—	—	0 1	—	—	—	—	—	—	—
一年三月	—	1 2	1 0	—	—	—	—	0 1	—	—	—	—	—	—	—
一年四月	—	—	—	—	—	—	—	—	—	—	—	—	—	—	—
一年五月	1 0	—	—	0 1	—	—	—	—	—	—	—	—	—	—	—
一年六月	—	1 0	—	—	—	—	—	—	—	—	—	—	—	—	—
一年七月	0 1	—	0 1	—	—	—	—	—	—	—	—	—	—	—	—
合計	1021 31	1118 29	1018 28	414 18	510 15	5 9 14	3 7 10	3 6 9	4 4 8	2 6 8	3 5 8	1 3 4	1 2 3	1 2 3	1 1 2

病名	黄疸（女男）	合計（女男）	無病（女男）
半ケ月	1 0	20 7 13	男 七八三 女 四八三 一、二六六人
一ケ月	—	38 13 25	
二ケ月	—	61 28 33	
三ケ月	—	81 25 56	
四ケ月	—	80 24 56	
五ケ月	—	70 26 44	
六ケ月	—	89 25 64	
七ケ月	—	69 24 45	
八ケ月	—	45 15 30	
九ケ月	—	42 10 32	
十ケ月	—	45 9 36	
十一ケ月	—	25 8 17	
一年	—	239 1	
一年一月	—	141 74	
一年二月	—	105 5	
一年三月	—	10 5 5	
一年四月	—	5 2 3	
一年五月	—	4 1 3	
一年六月	—	3 1 2	
一年七月	—	3 1 2	
合計	1 0 1	242 492 734	

（第七十頁よりつゞく）

註（一）「乳幼兒研究」第十卷第六號所載大阪帝大教授梶原博士「吾國の乳兒死亡に就ての統計學的調査」

（二）「醫事衞生」第六卷第十號大阪帝大衞生學教室丸山學士「乳兒死亡率の減少策への一示唆」

最後に附言の必要を認めるが、それは本稿に引用した大阪帝大の丸山純一醫學士の生存期間別乳兒死亡の研究が、其の後着々進み、之に關して最近極めて重要な發表があつたことである。丸山氏は筆者の畏友で本稿の論旨も氏の說から多くのヒントを得たものである。（此の項終り）

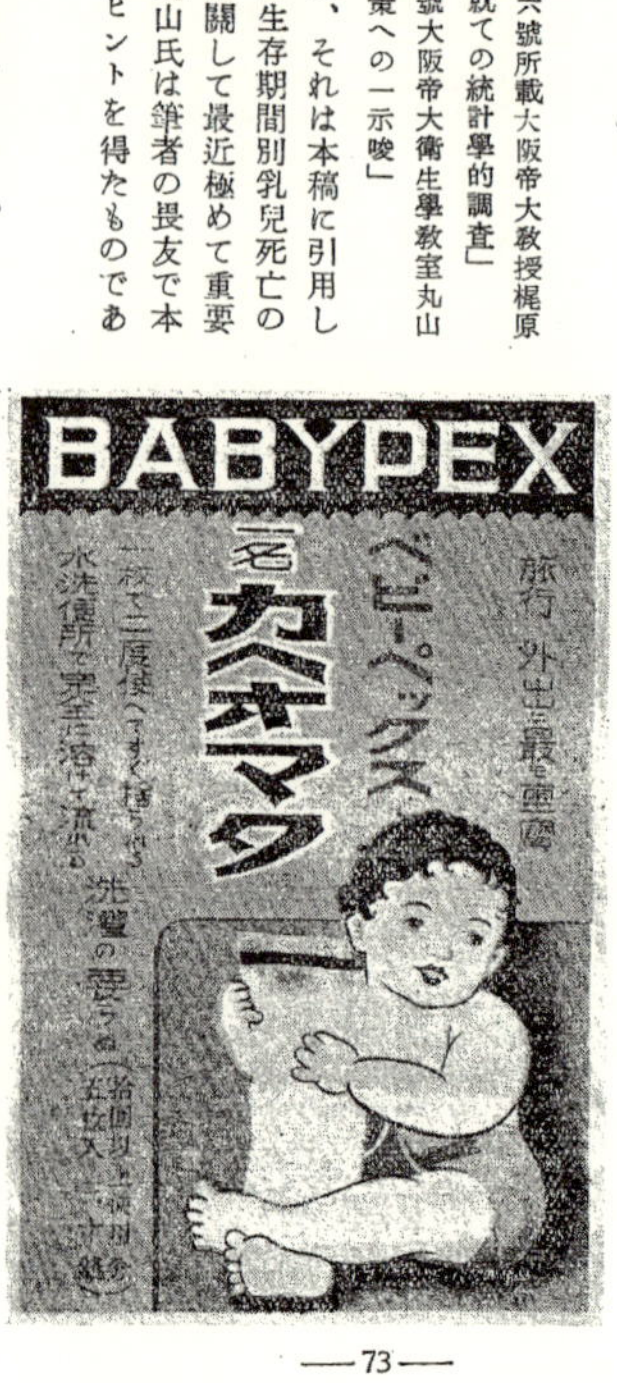

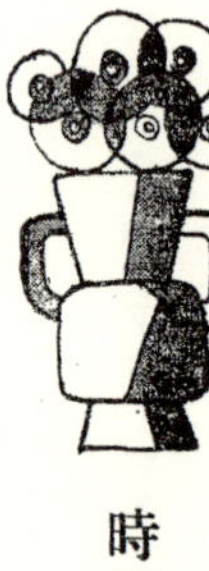

時局下に於ける榮養問題（二）

厚生省衞生局長　林信夫

甚だ長い前置きになりましたがこれから愈々本論に入りましやう。

（二）　乳兒死亡と恩愛＝重ねて申上げます。世界文明國中吾國位赤ちやんのうちに死んで終ふ國はないのであり、又乳幼兒の健康がよくないのであります。本當に我が國民の健康の改善を圖らふとすれば此の乳幼兒の健康から直してかゝらねばなりません。「皆さん世の中に何が强いかといつても親子の情愛程强いものはないのであります。源實朝の歌に「物言はぬ四方の獸すらだにもあはれなるかなや親の子を思ふ」ものいはぬ所の畜生でさへも子を思ふ心は强いのである。況して我々人間に於ては世の中で何が强いといつても、親の情愛程强いものはないのであります。今から千年も前に山上憶良と云ふ歌人がありました。其の人の歌つた歌の中に「瓜はめば子供おもほゆ栗はめば況して偲ばゆ何處より來りしものぞまなかいにもとなかゝりて安寢しなさぬ」斯う云ふ歌がありました。其の歌の意味を簡單に申しますとまあ千年も前のことでありますから、シユークリームもなかつたであらうと思ひます。瓜を食ふと子供のことが思はれる。秋になつて栗を食べると又子供のことが思ひ出される。どうして暮して居るだらうと思ひ出されて、さて此の子供は一體何處から授かつたものであらう。何處より來りしものぞ、何處より授かつたものであらうかな、有難いことだ。その子の事を思ふと、まかないに眼の間にちら〳〵と子供の姿が出て來て、もとなかゝりて、何となく心配で家でもゆつくり寢る氣にならない。

「白銀も黄金も玉も何せんに優れる寶子にしかめやも」と歌つて居るのであります。「人の親の心は闇にあらねども子を思ふ途に迷ひぬるかな」私甚だ失禮ですが自分のことを申上げて見たいと思ひます。私初めて子供を有ちまして、さう三月目位でしたか、四月目位でしたろう。いゝお父さんになりまして仕事から歸ると其の子供を抱いて近所に散歩に行くのを常として居りました。或る日のこと七、八町も離れた所に散歩に行つて、扨て其の出先でどうしても子供が泣き止まないのであります。初めての子供であり、餘り子供に慣れない私はどうしたんだらうと思つてまああやしても見る、すかして見るがどうしても泣き止まない。其處で何處のお婆さんか知りませんが出て來て呉れまして、どうしましたか、一つ抱いてやりませうと云ふので抱いて呉れましたが却々泣き止みません。お婆さんが早く家へ歸りなさい。私が抱つこして行きませうと云ふので、全く知らないお婆さんが抱いて呉れて七、八町離れて居る私の家へ歸つたのでありま す。家内に乳をやつて呉れといつても怒つて乳を吸ひません。其處で若い我々夫婦は大變心配して車を呼んで來てお醫者さんの家へ行つたのであります。行く途で子供は眠りました。診察臺の上に寢かして、お醫者さんが紐を解いてお腹を押へると、甚だ失禮ですが小便をして、笑つて居るのであります。只之丈けであります。にも拘はりませず、其の時私共夫婦はひよつとしたら之は死ぬんぢやなからうかと心配をしたのであります。私は其の時の日記に斯う書いてあります。「百日に足らぬ日ざしの子を抱き三十路餘りに親思ふ吾れ」私は三十を過ぎて初めて親の恩を知つたものであります。實際千代萩の文句ではありませんが「三千世界に子を持つた親の心は皆一つ」皆様も御同様の經驗をお持ちのことゝ存ずるのであります。軈て寒になつて參ります。皆さんは既に子供の爲めに着物を換へてやるべく袷衣を出して手入中であらうかと思ひます。去年の着物を出して見るとおやどうも子供が大きくなつてちんちくりんになつて居る。母親は又縫ひ上げをおろしてやらなければならん。と叱言らしく申しますけれ共私は思ひますのに心の中ではまあよかつた。此の一年の中に斯うも大きくなつて呉れたと云ふ喜び以外には何ものもないと思ふのであります。

皆さん親と云ふ字を御存じでありますか、親と云ふ字は立と云ふ字を書いて、其の下に木と云ふ字を書き、此方に見と云ふ字を書いてあるのであります。之は自分のいとしい子供を旅にやつて首途に當つて、送り出したが段々向ふへ行つて終ふ。姿が見えなくなつて來る。其處で親が耐りかねて自分の庭先の一番高い木に立つて、子供の姿が見えなくなる迄眺めて居る姿を字にした爲めに木の上に立つて見ると書いてあるのだと聞きました。之が本當の親心であらうかと思ひます。

扨て皆さんどうですか茲に御集りの方々の中には子供のない御夫婦はありませう。然し世の中に親のない子はないのでありります。而も世の中で一番可愛い其の子供

に盲や、片輪や、身體の弱い子を持たうと誰が思ひませう。若し子供が生れる先にどう云ふお母さんを持ちたいか、どう云ふお父さんを持ちたいかと聞いて呉れたら其の子供はきつと申しましやう。本當に健康に生んで呉れるお父さんやお母さんを持ちたいと云ふに違ひない。ところが其の子供は親を選ぶの權利がないのであります。

親を選ぶことが出來ない。只今迄申すやうに親は一番子が可愛いならば其の選ぶことの出來ない子供に代つて子供から選ばれるやうな親になつてやると云ふことが親の一番の大きな愛であらうと私は考へます。何卒一つ之から相當若い方も居らつしやるやうでありますが、其の可愛い子供から選ばれるやうな親にならうと心懸けて貰ひたいのであります。

次に全く違つた方面のお話を一つ申上げたい。之も私の經驗であります。私は今日五人の親であります。所が其の中の一人がどうしても、學校にやつてもよく休むのであります。私はよく子供を見て居ると何としても學校でやることが其の子供に取つて重荷であります。身體の方が負けて行く。私は其處で長い間苦しんだ末、之は何としても身體の發育が其の勉强に付いて行けないのだと云ふことを感じました。決心をして一年落第をさせることに肚を決めたのであります。其處で先生を訪ねて其の譯を申上げた所が、そんな馬鹿な話があるものですか、世の中には落第する子を上げて呉れ、上げて呉れと許り頼みに來る親が居て、さうした子供を落第させて呉れ等と云ふのは學校始つてから今回が第一回だ、まあ一つお考へになつたらどうです。斯う云ふ譯でした。それ所ぢやありません。私は尋常四年の自分の子供が喜んで一年後れやうと云ふ氣持になる迄に三月の日をかけて居ります。晝となく夜となく、食事をする度毎に人は健康が第一である。達者になれば大きくなつて幾らでも働けるんだ。お前五十迄生きればいゝんだと云ふやうな話をして偶々私の家には尋常五年から中學に入り、中學四年から高等學校に入り、大學に進んだが大學の二年の時から胸の病氣になつて三年も休學して居ると云ふ知合を持つて居たものですから、其の人のことを例に引いてあゝなつては幾ら焦つても駄目だ。斯う云ふ話を三月の間子供に聞かせたのであります。やつと子供は健康が大事であると云ふことが分つて、宜しい、後れる、斯う云ひ出しました。私は喜んで學校の先生を訪ねたのでありますから先生が何といつても肯きません。それでも先生は學期の終りになりますと、本當に落しますか、と斯う云ふ譯でありました。先生、先生は何時も私の子供を親代りになつて大事に育てゝ呉れるのでありますが、親と云ふもの

は先生よりもつと子が可愛いのでありますからお委せを願ひたいといつてお願ひしたのであります。皆さん喜んで下さい。斯くて一年後らした子供は一日も學校を休むやうなことはありません。もう今度は體格が勉强を追つかけて行くのであります。段々世の中が難しくなつて、入學試驗が始まる。他所の子供は早く學校に入つた。家の子が後れた。それが何でありませう。一生を通じて本當に子供のことを考へ健康を思ふならばもつと親達はゆつくりした氣持になつてやる必要があるのではなからうかと思ふ。之さへ却々出來ないことであります。子供達はクラスが變ります。新しいお友達が出來、上の級にも自分のお友達を持つ、其の子供の辛さに氣を引かれますると、遂誤つて終ひます。茲で大きな氣になつて子供のことを考へてやることこそ本當の親心ではなからうかと思ふのであります。何卒子供さんがお弱い方でありまして、又學校の勉强もよく出來ない方でありましたら、何卒此の勉强の出來ないのは、頭が惡いのであるか、身體が未だ／＼其の勉强に付いて行けないのかと云ふことに就いて、よく學校のお醫者さんなり、又おかゝり付けのお醫者さんにお尋ねしてお世話をして頂きたいと思ふのであります。我々は病氣にならない中はお醫者さんには用がない。病氣になつたらお醫者さんには用がある。病氣になつたらお醫者さんにかゝると思つて居たのであります。之が大きな間違であります。我々は年に二度や三度健康診斷を受けて、どうすれば病氣にならないかと云ふことにお醫者さんをお使ひになるやうにお願ひしたい。今迄皆の考へが其處に一つ間違つて居たと私は思ふのであります。

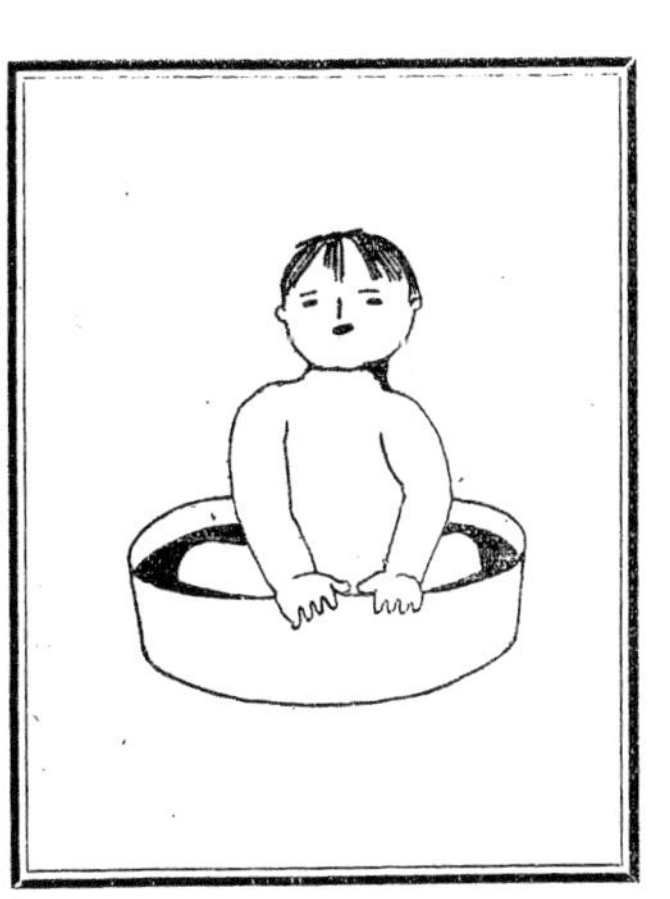

編者の日記

◉新東亞建設聖戰下の歴史的に最も意義ある昭和十三年も暮れやうとしてゐる、本聯盟も過ぐる十八年の戰を追懐して實に感慨無量である。

◉去る十月上旬に開催された第十六回全大阪乳幼兒審査會は、未曾有の盛況裡に結了し、その御禮廻りや後始末を終り、二十三日の燕號にて上京した、（車中本誌の校正をし乍ら）先づ第十回全東京乳幼兒審査會表彰式に關し、御示教を仰ぎ、且つ諸般の打合せをなす爲め、二十四日午前は遞信省大臣室にて大臣閣下に御目にかゝり、亦二十五日は厚生省にて、兒玉局長、是松秘書官、重田技師に、文部省にては内ヶ崎政務次官、岩原課長に御目にかゝつた、永井閣下は過般長野縣を御視察の際、健康を害された由承つた、内ヶ崎閣下からは豐富なる宗教思想に關して御高見を窺ふ事が出來て時の移るを知らなかつた。

◉十月二十七日、我等の顧問岸邊先生を御訪ねしてから、本會總裁木戸厚生大臣閣下の告辭を御願ひするため厚生省に御邪魔した、尚、陸軍省、海軍省に出頭して種々御願ひした、二十九日の朝は木戸侯爵邸から文部省に至り、本聯盟理事池崎參與官を訪れ、再び永井遞信大臣に御目にかゝる、「急ぐ用事なら自動車の中で話しを聽くから、一所に乘つてゆつくりお話しをしやうではないか」、と云はれるので車中に於て要件だけを申上げる事にした。

◉三十日の表彰式をすませ、十一月二日多摩墓地に松岡映丘先生の墓參をなし、其の夜は永井遞相御母堂の追悼の集ひが帝國ホテルに催されたので末席をけがし、四日の鷗號にて西下した、六日は肥爪博士御夫妻の御招きにて南海線深日に魚釣りの清遊を試み、十日は府立高津中學母姉會に於て一時間半の講演をして十一日の夜行にて東上した。

◉十一月十二日、早朝新橋驛着、永井閣下を御訪ねし、十四日は第二次の表彰式を明治製菓講堂に擧行し、十五日は洗足池畔に勝海舟の墓拜をなし、中目黒に中鉢博士邸を訪ふ、十六日亦々永井閣下に御挨拶のため遞信省に赴き、夜は「土と兵隊」をみた。

◉十九日、午前近藤浩一路氏に遭つて十和田湖の追懷談をなし、午後は大川銀三郎氏と文展にゆき、三時には川合玉堂先生邸を御訪ねした、我が國に於ける畫壇の大御所としての先生から「國家のために意義深き御事業は新聞でよく承知して居ります」、と云はれやうとは豫期しなかつた、光風霽月の如き御人柄、寛大なる御態度は無言の中に人を威壓するのであつた、一時間程興味津々たるお話を窺ふ事の出來た事を感謝しなければならぬ。

◉來る十二月五日、大阪の表彰式準備のため、二十五日夜十時發の列車にて西下した、大阪驛に出迎へて呉れた長男に荷物を渡し、その儘大阪に於て活動を繼續して日没頃歸宅した。

本誌定價 一冊金參拾錢 郵税壹錢五厘
半年分六冊 金壹圓六拾錢 郵税共
一年分十二冊 金參圓 郵税共
誌代郵税は一切前金の事
前金切の場合は發送中止
郵券代用は一割增のこと
昭和十三年十一月廿八日印刷（毎月一回）
昭和十三年十二月一日發行（一日發行）
兵庫縣武庫郡精道村芦屋
發行兼編輯人 伊藤悌二
大阪市西淀川區海老江上二丁目二七番地
印刷人 木下正人
印刷所 木下印刷所
電話福島㊺ 一五三四番 二二四二六番
大阪市北區天神橋筋六丁目
大阪市立北市民館内
發行所 日本兒童愛護聯盟
電話堀川㉟ 〇〇〇一番 〇〇〇二番
振替大阪五六七六三番

明色美顔水

複《ふく》合《ごう》粒《りう》子《し》で
ズバ抜けて
美しく附く
水白粉！

しかも時《じ》間《かん》が經《た》つ程《ほど》
一層《そう》美《うつく》しさを增《ま》す！

白色
肌色
濃肌色

粒《りう》子《し》に素《す》晴《ば》らしい新《しん》工《く》夫《ふう》！

▲「複《ふく》合《ごう》粒《りう》子《し》」の白粉《おしろい》は
何故《なぜ》特別《とくべつ》に美《うつく》しく附《つ》くか！

これまで白粉《おしろい》はキメが細《こまか》い程良《ほどよ》いと言《い》はれたものですが、明色美顔水《めいしよくびがんすゐ》、明色粉白粉《めいしよくこなおしろい》、明色固煉白粉《めいしよくかたねりおしろい》は、その細《こま》かいキメに、更に幾多《いくた》の新工夫を加へて一種獨特《どくとく》の精巧《せいかう》な微妙《びめう》な狀態《じやうたい》に化成《くわせい》してあるのです。ズバ抜けて美《うつく》しく附く事、不思議《ふしぎ》なくらゐお化粧《けしやう》保《も》ちの良い事、また附《つ》けてから時間が經《た》つ程一層美《うつく》しさを增す等々の素晴《すば》らしい化粧効果《かうくわ》は全くこの精巧微妙な「複合粒子《ふくごうりうし》」の作用《さよう》によるものです。

7—168

鼻

大川ユーカリ吸入器

無代進呈

恐るべき鼻病の新治療と云ふ
小冊子御申込次第送呈

恐るべきは鼻の病ひ!!

鼻と腦との關係は薄い骨一枚で隣り合せて居るものですから鼻の障害が直に腦へ及ぼす影響はそれは〳〵强大なものです
貞淑であつた御婦人が俄にヒステリー症になつたり頭腦明快で聞えた紳士が急に神經衰弱や憂ウツ症にかゝるのも多くは鼻の病の故なのです……

鼻がつまりますと自然口で呼吸をする樣になりますので最も大切な鼻腔の保護作用と云ふものが働かず從つて咽喉や氣管を痛める原因ともなります
大川ユーカリ吸入器はホンの煙草一本召上るのと同樣一回二三分間づゝ一日に三四回御使用になれば宜敷しいのです
ユーカリ油から發散するユーカリガスを吸入しますと鼻や咽喉のカタルを起してる粘膜に刺戟して仲々効果のあるものです
御婦人や御子樣にも容易に使用出來て決して見苦しいものでもありませんし又携帶至便で電車の中でも事務所でも何處でも御使用になれます

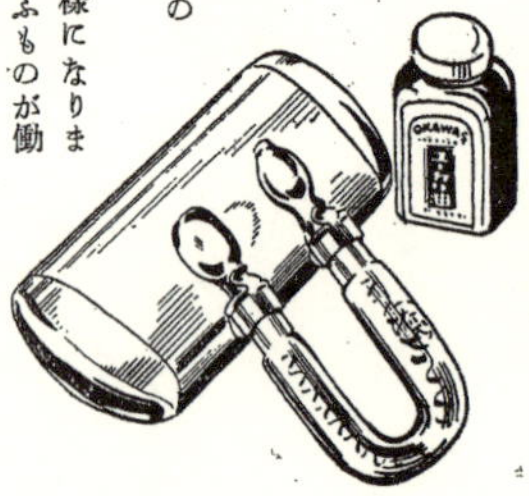

定價
鼻專用 ユーカリ油付 金一圓也
〃 鼻喉兩用 〃 並 金一圓五〇也
〃 〃 上 金二圓也

發賣元
東京市日本橋區本町四ノ七
大川式吸入器本舖

こんな子に御注意

① 食慾なく、偏食の甚だしい子
② 血色惡く、微熱盜汗の續く子
③ 頸部に淋巴腺腫脹のある子

右のやうな虛弱兒をそのまゝにして置くと、やがて結核に侵されることになるから、早期に强壯法を講ずべきです。

[虛] 弱兒童は大抵食慾や消化力の減退を伴ふものですから强壯劑を用ひる場合、胃腸に障はるやうなものは不適當です。その点、**ポリタミン**は牛乳蛋白を消化しつくしたアミノ酸にビタミンBを加へた製劑ですから……

[胃] 腸の弱い子にも適するは勿論、積極的に食慾や胃腸のハタラキを盛んにする作用があり、のむだけ榮養となつて体重を增し、更に細胞を賦活して休質を改善しますから、相俟つて虛弱兒を强く丈夫にします。

補血
强壯

甘美味でムダのない

ポリタミン

小瓶（一圓五五） 中瓶（二圓五〇） 大瓶（四圓五〇）

發賣元 大阪市道修町 株式會社 武田長兵衞商店

ポ(2)202

高

お子樣用品は
日本橋高島屋で……

實用的でお德用なお子樣用品を
各種豊富に取揃へてございます

お子樣用品賣場…（五階）

東京・日本橋
高島屋

子供の世紀 第十六卷第十二號
大正十三年二月二十日第三種郵便物認可
昭和十三年十一月二十八日印刷納本
昭和十三年十二月一日發行（毎月一回一日發行）
【定價金參拾錢】

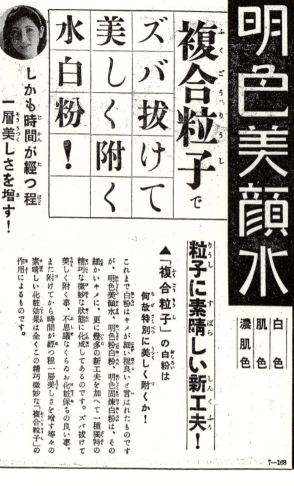

復刻版

子供《こども》の世紀《せいき》 第11巻

ISBN978-4-86617-014-5

第４回配本［第10巻～第12巻］分売不可　セットコード ISBN978-4-86617-012-1

２０１７年５月５日発行

揃定価　本体７５，０００円＋税

編・発行者　山本有紀乃

発行所　六花出版

〒１０１-００５１　東京都千代田区神田神保町１-28

電話 03-3293-8787　ファクシミリ 03-3293-8788

e-mail : info@rikka-press.jp

組版　昴印刷

印刷所　栄光

製本所　青木製本

装丁　臼井弘志